국가계약법령집

Ⅱ 계약예규·고시 및 조달청 시설공사 집행기준 등

CONTENTS

Part 1 기획재정부 계약예규 및 고시 등

Part 2 조달청 시설공사 집행기준

Part 3 기타 행정규칙

제Ⅱ권 계약예규·고시 및 조달청 시설공사 집행기준 등

Part 1. 기획재정부 계약예규 및 고시 등

1 정부 입찰·계약 집행기준

[시행 2021.1.1.] [기획재정부계약예규 제533호, 2020. 12. 28., 일부개정]

제1장 총 칙

제1조(목적) 이 예규는 공사 등의 입찰·계약의 집행과 관련하여 「국가를 당사자로 하는 계약에 관한 법률시행령」(이하 "시행령"이라 한다), 「국가를 당사자로 하는 계약에 관한 법률 시행규칙」(이하 "시행규칙"이라 한다) 및 「특정조달을 위한 국가를 당사자로 하는 계약에 관한 법률 시행령 특례규정」(이하 "특례규정"이라 한다)에서 위임된 사항과 그 시행에 관하여 필요한 사항을 규정함을 목적으로 한다.

제2조(정의) 이 예규에서 사용하는 용어의 정의는 다음과 같다.

1. "계약담당공무원"이라 함은 시행규칙 제2조에 의한 공무원을 말한다. 이 경우 각 중앙관서의 장이 계약에 관한 사무를 그 소속공무원에게 위임하지 아니하고 직접 처리하는 경우에는 이를 계약담당공무원으로 본다.
2. "계약상대자"라 함은 정부와 계약을 체결한 자연인 또는 법인을 말한다.

제2조의2(물품, 용역, 공사가 혼재된 계약의 집행) ① 계약담당공무원은 물품, 용역, 공사 중 2개 이상이 혼재된 계약을 발주하려는 경우에는 사업계획 단계부터 다음의 사항을 고려하여 일괄 또는 분리발주 여부를 검토하여야 한다.

1. 물품·용역·공사 등 각 목적물 유형별 독립성·가분성
2. 계약목적물의 일부에 공사가 포함된 계약을 발주함에 있어서 「건설산업기본법」, 「전기공사업법」, 「정보통신공사업법」 등 공사관련 법령의 준수 여부
3. 계약이행 및 관리의 효율성에 미치는 영향
4. 하자 등 책임구분의 용이성
5. 각 발주방식에 따른 해당시장의 경쟁제한효과

② 계약담당공무원은 제1항에 따라 계약을 일괄하여 발주하려는 경우 예정가격에 작성함에 있어 다음 사항을 유의하여 집행하여야 한다.

1. 예정가격 산정에 있어 설치비용 등 부수적인 목적물에 대한 비용(설치에 수반되는 재료비, 노무비, 경비, 일반관리비 및 이윤 등)이 누락되었는지 여부 <개정 2020.12.28.>
2. 공사가 혼재된 계약의 예정가격 산정에 있어서 공사부분에 대한 산업재해보험, 고용보

험 등 법령이나 계약조건에 의하여 의무적으로 가입이 요구되는 보험의 보험료를 「건설산업기본법」 제22조제7항 등 관련법령에서 정한 바에 따라 계상하였는지 여부

[본조신설 2016.12.30.]

③ 계약담당공무원은 제1항에 따라 계약을 일괄하여 발주하려는 경우 역무내용 중 「건설기술진흥법」, 「전력기술관리법」, 「정보통신공사업법」등 공사 관련 법령에 따른 의무적 설계 또는 감리 대상이 포함되어 있는 경우에는 용역계약의 발주 등 관련 법령에 따른 조치를 취하여야 한다. <신설 2020.12.28.>

제2조의3(하도급 관련사항의 공고) ① 각 중앙관서의 장 또는 계약담당공무원은 입찰공고시 하도급과 관련하여 계약상대자가 숙지하여야 할 다음의 사항 등을 공고하여야 한다.

1. 건설산업기본법 등 개별법령상 하도급 관련규정의 준수
2. 해당 계약에 있어서 하도급이 가능한지 여부
3. 관련법령상 하도급규정을 위반하여 하도급을 하거나, 발주기관의 승인없이 하도급을 하는 경우 입찰참가자격 제한을 받을 수 있다는 취지
4. 하도급이 가능한 계약의 이행에 있어 하도급 승인 절차

② 각 중앙관서의 장 또는 계약담당공무원은 제1항제4호의 하도급 승인을 함에 있어서 하도급을 받을 자의 실적부족을 이유로 승인을 거부하여서는 아니된다. 다만, 입찰공고시 사전에 하도급 받을 자의 요건을 명시한 경우는 그러하지 아니하다.

③ 각 중앙관서의 장 또는 계약담당공무원은 제1항제4호의 하도급 승인절차와 관련하여 과업의 내용 및 계약의 난이도 등을 고려하여 필요하다고 인정하는 경우 계약체결시에 구체적인 업무범위를 정하여 하도급을 사전적으로 승인할 수 있다.

④ 제1항 내지 제3항에도 불구하고 하도급의 가부, 하도급 승인 등에 대해 「건설산업기본법」, 「중소기업제품 구매촉진 및 판로지원에 관한 법률」 등 다른 법령에서 정하고 있는 경우에는 그 규정에 따른다.

[본조신설 2017.12.28.]

제2조의4(예정가격 결정과 관련한 책정기준 등의 공고) ① 각 중앙관서의 장 또는 계약담당공무원은 시행령 제9조제1항제2호 또는 제3호의 방식으로 예정가격을 결정한 경우에는 제36조제16호에 따라 입찰공고에 다음 각 호의 사항을 명시하여야 한다.

1. 시행규칙 제7조제1항에서 정한 단위당 가격 및 적용기준 공표기관, 공표시기 또는 적용대상기간
2. 다른 법령 등에서 계상하도록 규정한 비용(국민건강보험료 등)의 적용 기준
3. 시행규칙 제8조제1항에 따른 일반관리비율 및 이윤율
4. 그 밖에 각 중앙관서의 장 또는 계약담당공무원이 공개가 필요하다고 인정하는 정보

② 각 중앙관서의 장 또는 계약담당공무원은 제1항의 공고사항이 입찰의 공정성을 훼손할 우려가 있다고 판단되는 경우에는 입찰공고 시 제외할 수 있다. 이 경우 제외 사유를 입찰공고에 명시하여야 한다.

[본조신설 2018.12.31.]

제2조의5(순공사원가 기준 등의 공고) 각 중앙관서의 장 또는 계약담당공무원은 영 제42조제1항 및 제4항에 따라 공사를 입찰공고할 때에는 다음 각 호의 사항을 명시하여야 한다.

1. 예정가격이 100억원 미만인 공사의 경우 예정가격 중 재료비·노무비·경비 및 이에 대한 부가가치세를 합산한 금액의 100분의 98 미만으로 입찰한 자는 낙찰자로 결정하지 않는다는 사항
2. 「예정가격작성기준」 제44조의3에 의한 기초금액 중 재료비, 노무비, 경비와 이에 대한 부가가치세를 합산한 금액(다만, 복수예비가격에 의하여 예정가격을 결정하는 경우에 한함)

[본조신설 2020.4.7.]

제2조의6(계약담당공무원 유의사항) 계약담당공무원은 공사·용역 및 물품제조(구매)계약 등의 입찰·계약의 집행과 관하여 이 예규에서 정한 바에 따라 업무를 처리하여야 하며 다음 각 호의 사례가 발생하지 않도록 유의하여야 한다.

1. 입찰공고·특수조건에 특정업체에게 하도급하게 하거나 자재를 납품하게 하는 등 부당한 요구를 하는 사례
2. 납품실적 등의 평가와 관련하여 제5조제4항 각호에 따른 제한사유를 평가기준으로 적용하는 사례
3. 신기술·특허공법 보유자 또는 물품공급·기술지원사와 발주 전에 기슬사용(지원)협약 등을 체결하지 아니하고 낙찰자로 하여금 직접 신기술·특허 보유자 또는 물품공급·기술지원사와 체결한 사용협약서 또는 물품공급·기술지원협약서를 제출하게 하거나 이로 인해 낙찰자가 계약을 체결할 수 없는 경우에도 부정당업자로 입찰참가자격을 제한하고 입찰보증금을 귀속하는 사례
4. 신기술·특허공법 보유자 또는 물품공급·기술지원사와 발주기관이 사전에 체결한 기술사용(지원)협약 등과 다르게 부당한 요구를 하여 낙찰자와 신기술·특허 보유자 또는 물품공급·기술지원사가 간 협약이 체결되지 않게 하는 사례
5. 신기술·특허공법이 사용되는 공사의 전부 또는 일부가 기술보유자의 기술력을 활용하지 아니하면 시공과 품질 확보가 불가능하거나, 기술보유자가 보유한 특수 장비 등을 직접 사용하지 아니하면 시공과 품질 확보가 불가능한 경우를 제외하고 계약상대자에게 신기술·특허공법 보유자와 하도급계약 등을 체결하도록 강요·유도하는 사례
6. 전문성, 기술성, 창의성, 예술성, 안정성 등이 요구되지 않는 물품, 용역을 협상에 의한 계약체결로 집행하는 사례
7. 협상에 의한 계약체결시 특정 항목에 대해 과다하게 배점을 부여하거나 기술과 가격의 평가비중을 자의적으로 설정하는 사례
8. 시행령 제18조에 따른 2단계 경쟁 등의 입찰, 시행령 제43조에 따른 협상에 의한 계약체결 및 시행령 제43조의3에 따른 경쟁적 대화에 의한 계약체결 등의 경우 평가기준

및 절차(외부전문가를 위원으로 선정하여 평가하는 경우를 포함한다)등을 정함에 있어 특정업체에 유리한 평가기준을 적용하는 등 공정성, 객관성, 적합성 등이 결여되는 사례
9. 수의계약 시에도 규격서나 시방서 등에 특별한 이유가 없는 한 표준시방서를 명시하여 수의계약 대상제품을 효율성·안전성·경제성을 고려하여 최종 선택해야 함에도 부득이하게 특별하여 필요한 경우를 제외하고 특정제품 규격이나 인증번호 등을 명시하여 수의계약 체결을 요구하는 사례
10. 법 제19조 등에 따른 계약 내용의 변경에 따른 계약금액 조정과 관련하여 계약금액의 조정 없이 추가 과업을 요구하거나 일방적으로 과업을 변경하며 정당한 이유 없이 계약금액 조정신청을 거부 또는 인정하지 아니하는 사례
11. 발주기관이 계약체결 이후 과업을 변경 시 계약 목적달성을 위해 필요한 최소한의 과업만을 변경하지 않고 빈번하게 과업변경을 계약상대자에게 요구하는 사례 또는 계약금액 감액 시 기준, 대상, 방식에 대한 협의 없이 자의적으로 업체의 적정대가를 보장하지 않는 사례
12. 장기계속계약의 연차별 계약기간 중 계약예규 「공사계약일반조건」 제25조제3항제1호부터 제3호까지 및 제6호·제7호에 따른 사유가 발생한 이후, 해당 연차계약을 해지하고 잔여 공사부분을 차년도 연차계약으로 이월하는 사례
13. 계약체결 부대비용 등 계약체결 및 이행 과정에서 발생하는 비용 중 발주기관이 부담할 부분을 계약상대자에게 전가하거나, 공사용지 확보, 사업관련 민원대응 등 발주기관의 업무를 계약상대자에게 전가하는 행위
14. 계약상대자에 대해 계약의 이행 및 관리과정의 통지·신청·청구·요구·회신·승인 또는 지시를 서면으로 시행하지 않고 구두로 하는 행위

[본조신설 2018.12.31., 개정 2020.6.19.]

15. 발주기관이 「조달사업에 관한 법률」 제27조 제1항에 따른 혁신제품을 자재로 사용토록한 공사계약의 경우로서 혁신제품의 하자가 직접적인 원인이 되어 전체 계약의 이행이 불가능하게 되거나 목적물에 하자가 발생한 경우, 계약상대자에 대해 계약불이행 또는 하자보수에 대한 책임을 묻는 행위 <신설 2020.12.28.>

제2장 제한경쟁입찰의 운용

제3조(제한경쟁입찰의 집행) 계약담당공무원은 시행령 제21조 및 시행규칙 제24조 및 제25조에 의한 제한경쟁입찰시에 이 장에 정한 바에 따라 집행하여야 한다.

제4조(제한경쟁입찰의 대상) ① 시행령 제21조제1항제2호에서 정한 "특수한 기술 또는 공법이 요구되는 공사"는 다음 각 호와 같다.

1. 특수기술을 요하는 공사
(1) 터널을 수반하는 공사
(2) 활주로 공사
(3) 지하철 공사
(4) 저수·유조하천공사 또는 수중작업을 수반하는 공사
(5) 댐 축조공사
(6) 취수장, 정수장, 유수지 또는 오수처리장 공사로서 수중 작업을 수반하는 공사
(7) 송·배수관공사
(8) 수중관·사이폰·저수지 또는 제방공사
(9) 매립지 등 연약지반에서 파일 또는 우물통공사를 수반하는 공사
(10) 독크 축조공사
(11) 간척(방조제포함) 또는 매립공사
(12) 「항만법」 제2조제5호에 의한 항만시설공사 및 「어촌·어항법」 제2조제3호에 의한 어항시설공사
(13) 장대교(길이 100m 이상인 교량을 말한다) 제작 또는 가설공사
(14) 철도 및 철도궤도공사
(15) 정밀한 시공을 요하거나 위험을 수반하는 기계설치공사
(16) 발전·변전·송전 또는 배전설비공사
(17) 전기철도 또는 전차시설공사
(18) 정밀시공·고위험 전기기계 설치공사 <개정 2014.1.10.>
(19) 신호집중제어 또는 특수제어장치설치공사
(20) 자동신호 또는 연동장치공사
(21) 원형차량 감지기 설치공사
(22) 문화재 보수공사
(23) 차선도색공사
(24) 도로봉합제를 사용한 신축이음 및 균열 보수공사
(25) 상수도관 세척갱생공사
(26) 하수도 흡입 준설공사
(27) 심정공사
(28) 산간벽지 등 특수지역에서 시공하여야 하는 군사시설공사
(29) 하천환경정비사업
(30) 기타 특수한 기술이 요구되는 공사로 각 중앙관서의 장이 특별히 인정하는 공사

2. 특수공법을 요하는 공사
(1) 스폼공법 또는 철골공법에 의한 공사
(2) 피·시공법 등 중앙관서장이 특수공법으로 지정·고시한 공법에 의한 공사

(3) 특수설계 또는 특수사양에 의한 선박 공사

② 시행령 제21조제1항제3호에서 정한 "특수한 설비 또는 기술이 요구되는 물품제조계약"은 다음 각 호와 같다.

1. 특수한 품질 또는 성능의 보장을 위하여 특수한 설비와 기술을 필요로 하는 경우
2. 시행령 제23조제1항제6호에 의한 물품을 제조하는 경우

③ <삭제 2010.9.8.>

④ 시행령 제21조제1항제6호에 따른 제한기준은 다음 각 호와 같다.<개정 2016.12.30.>

1. 공사 : 공사의 현장이 소재하는 특별시·광역시·도·특별자치시 및 특별자치도(이하 "시·도"라 한다)의 관할구역 안에 법인등기부상 본점(개인사업자인 경우에는 해당 사업에 관한 사업자등록증 또는 관련 법령에 의한 허가·인가·면허·등록·신고 등 관련 서류상의 사업장 소재지를 말한다. 이하 이 예규에서 본점이라 한다)이 있는 자 <개정 2016.12.30.>
2. 물품 : 물품제조에 있어서는 납품지가 소재하는 시·도의 관할구역 안에 주된 영업소가 있는 자, 물품구매에 있어서는 납품지가 소재하는 시·도의 관할구역 안에 본점이 있는 자 <개정 2016.12.30.>
3. 용역 : 용역 결과물의 납품지(시공단계의 건설사업관리 용역 등 현장과 밀접한 관련이 있는 경우에는 해당 용역의 현장)가 소재하는 시·도의 관할구역 안에 본점이 있는 자 <개정 2016.1.1, 2016.12.30.>

⑤ 제4항을 적용함에 있어 광역시 또는 도의 관할구역내에서 특별시 또는 광역시가 신설(편입된 경우는 제외)되는 경우에는 그 신설된 날로부터 3년간은 종전의 광역시 또는 도의 관할구역과 신설된 특별시 또는 광역시의 관할구역은 이를 분리하지 아니한 것으로 본다.

⑥ 제4항을 적용함에 있어 입찰참가자가 개인사업자인 경우로서 사업장 소재지는 다르지만 사업종류가 동일한 복수의 사업자등록증 등을 보유하고 있는 경우에는 해당 개인사업자가 그 중 한곳을 지정한 사업장 소재지를 주된 영업소로 본다. <개정 2015.9.21, 2016.12.30.>

제5조(제한기준) ① 시행령 제21조제1항 및 시행규칙 제25조제2항의 "실적"이라 함은 현재 발주하려는 계약과 계약내용이 실질적으로 동일한 것은 물론, 이와 유사하여 계약목적달성이 가능하다고 인정되는 과거 1건의 공사·제조 또는 용역 등의 실적(장기계속공사·제조 또는 용역 등에 있어서는 총공사·제조 또는 용역 등의 실적으로 한다)에 해당되는 금액 또는 규모(양)를 말하며, 제조 또는 용역의 경우에는 해당 계약목적물의 3분의 1배 이내에서 실적을 요구하되, 계약담당공무원이 계약의 특성 및 난이도 등을 감안하여 필요하다고 인정하는 경우에는 계약목적물의 최대 1배까지 실적을 요구할 수 있다. 다만, 추정가격이 고시금액 미만인 제조 또는 용역계약의 경우에는 실적으로 경쟁참가자의 자격을 제한하여서는 아니된다.<개정 2015.9.21, 단서신설 2017.12.28.>

② 시행령 제21조제1항의 "기술보유상황"이라 함은 다음 각 호의 경우를 말한다.

1. 「엔지니어링 산업진흥법」에 의한 엔지니어링 활동주체 또는 「기술사법」에 의한 기술사

사무소로 개설등록을 한 기술사의 경우
2. 기술도입 또는 외국업체와의 기술제휴의 방법으로 해당 공사수행 또는 물품제조에 필요한 기술을 보유하고 있음이 객관적으로 인정되는 경우
3. 기타 해당 공사수행 또는 물품제조에 필요한 기술·공법을 개발 또는 보유하고 있음이 객관적으로 인정되는 경우

③ 시행령 제21조제1항제9호의 "재무상태"라 함은 현재 부도상태에 있거나 파산 등으로 정상적인 영업활동이 곤란하다고 인정되지 아니하는 경우를 말한다.

④ 계약담당공무원은 시행령 제21조제1항에 의하여 제한경쟁입찰에 참가할 자의 자격을 제한하는 경우에 이행의 난이도, 규모의 대소, 수급상황 등을 적정하게 고려하여야 한다. 다만, 다음 각 호와 같이 경쟁참가자의 자격을 제한하여서는 아니 된다.

1. 시행령 제21조제1항 각 호 또는 각 호내의 사항을 중복적으로 제한하는 경우. 다만, 시행령 제21조제1항제6호에 규정된 사항에 의하여 제한하는 경우에는 동 항 제2호에 규정된 사항과 중복하여 제한할 수 있음
2. 특정한 명칭의 실적으로 제한함으로써 유사한 실적이 있는 자의 입찰참가기회를 제한하는 경우
   가. 농공단지 조성공사에 있어 농공단지 조성실적이 있는 업체만으로 제한함으로써 사실상 공사내용이 동일한 공업단지나 주택단지 등의 조성실적이 있는 자의 입찰참가를 배제
   나. 종합문화예술회관 공사에 있어 종합문화회관 건립 단일공사 관람석 000석 이상 준공실적이 있는 업체로 제한함으로서 시민회관, 강당 등 사실상 내용이 같은 공사실적이 있는 자의 입찰참가를 배제
3. 특정기관이 발주한 준공실적만을 요구하고 다른 기관 및 민간의 실적을 인정하지 않는 경우(예 : 국가기관, 지방자치단체 및 공기업·준정부기관 등의 실적만을 인정함으로써 다른 공공기관 및 민간실적을 배제)
4. 해당 공사이행에 필요한 수준 이상의 준공실적을 요구하는 경우(예 : 동일공사에서 교량이 2개 이상 있을 경우 합산한 규모의 실적업체로 제한하여 1개 규모의 실적보유업체를 배제)
5. 물품의 제조·구매입찰시 부당하게 특정상표 또는 특정규격 또는 모델을 지정하여 입찰에 부치는 경우와 입찰조건, 시방서 및 규격서 등에서 정한 규격·품질·성능과 동등 이상의 물품을 납품한 경우에 특정상표 또는 모델이 아니라는 이유로 납품을 거부하는 경우(예 : 특정 수입품목의 모델을 내역서에 명기하여 품질 및 성능면에서 동등 이상인 국산품목의 납품을 거부)
6. 지역제한경쟁입찰을 하는 경우에 본점이 공사의 현장·납품지 등이 소재하는 시·도의 관한구역안에 있는 자로 제한하여야 함에도 시·군·자치구의 관할구역안에 있는 자로 제한하는 경우 <개정 2016.12.30.>

7. 일반경쟁입찰이 가능함에도 과도하게 실적 등으로 제한하는 경우(예 : 빗물 펌프장(유수지) 공사에서 펌프 용량으로 실적제한)
8. 관련 법령 등에 의해 1개의 등록만으로 시공이 가능함에도 2개 이상의 등록을 요구하는 등 등록요건을 강화하는 경우
9. 교량이나 도로공사 발주시 공사의 실적을 평가하는데 주요한 기준의 규모(또는 양)로 제한하지 아니하고, 폭 등 독특한 실적만으로 제한하는 경우 및 폭, 연장, 경간장, 공법 등을 모두 제한하는 경우
10. 창의성이 요구되는 건축설계 등 문화예술관련 용역에 대해서 용역수행실적으로 제한하는 경우
11. 시행령 제73조의2에 의한 건설사업관리용역을 발주함에 있어 시공 단계의 건설사업관리 용역이 해당용역의 주요부분임에도 불구하고 건설사업관리 실적만을 요구하는 등 시공 단계의 건설사업관리 용역실적을 인정하지 않는 경우 <개정 2016.1.1.>

제5조의2(신기술 또는 특허공법이 요구되는 공사 적용기준) ① 계약담당공무원은 공사계약을 함에 있어 해당 공사에 신기술이나 특허공법(이하 "신기술 등"이라 한다)이 포함된 경우에는 다음 각 호에 따라야 한다.

1. 해당 공사를 신기술 등을 보유한 자(이하 "기술보유자"라 한다)가 계약을 이행하는 것이 객관적으로 타당한 경우에는 수의계약 또는 지명경쟁에 의할 수 있다. 다만, 기술보유자가 다수 존재하는 경우로서 경쟁성이 확보되는 경우에는 제한경쟁에 의할 수 있다. 이 경우에 입찰공고에 입찰참가자격제한 사유를 명시하여야 한다.
2. 해당 공사에서 신기술 등이 일부 포함되어 있는 경우에는 일반경쟁에 의하는 것을 원칙으로 하고, 일반경쟁에 의하지 않더라도 시행령 제21조제1항제2호의 사항으로 입찰참가자격을 제한할 수 없다.

② 동일한 공종에 적용될 수 있는 신기술 등이 다수 존재하는 경우로서 제1항에 따라 신기술 등을 설계에 포함하여 수의계약 체결 내지 경쟁입찰을 실시하고자 하는 때에는 시행령 제94조에 의한 계약심의회의 심의를 거쳐야 한다. 다만, 시행령 제26조제1항제5호 가목(「재난 및 안전관리 기본법」 제3조제1호의 재난이나 경기침체, 대량실업 등으로 인한 국가의 경제위기를 극복하기 위해 기획재정부장관이 기간을 정하여 고시한 경우에는 같은 조제6항을 포함한다. 이하 같다.)에 따른 공사에는 그러하지 아니한다. <신설 2012.7.4, 개정 2020.4.20.>

③ 제1항제2호에 따른 공사에서 신기술 등을 설계에 포함하고자 하는 경우에 설계반영단계에서 계약담당공무원은 별지 제2호의 예시를 참조하여 입찰공고전에 기술보유자와 기술사용협약을 체결하여야 한다. 다만, 기술사용협약이 이루어지지 않은 경우에는 분리발주하거나 다른 기술 등을 사용할 수 있다. <제2항에서 이동 2012.7.4.>

④ 계약담당공무원은 제3항에 의한 내용을 입찰공고에 명시하여야 하고, 낙찰자 결정 후에 낙찰자에게 그 사본을 제공하여 낙찰자가 기술보유자로부터 기술사용협약에 따라 해당 기

술을 원활히 제공받을 수 있도록 하여야 하며, 하도급대금의 결정은 하도급부분에 해당하는 예정가격에 원도급공사의 낙찰률 및 「건설산업기본법 시행령」 제34조에 따른 비율을 곱한 금액과 동 금액에 「건설기술진흥법」 제14조에 의한 기술사용료를 더한 금액의 범위 내에서 낙찰자와 기술보유자 간 합의한 금액으로 한다. <개정 2012.7.4, 2014.1.10, 2015.9.21.>

⑤ 제3항의 기술사용협약에 따라 기술을 제공하거나 시공에 참여하는 경우 기술사용료 지급은 「건설기술진흥법」 시행령 제34조에 따라 국토교통부 장관이 정하는 "건설신기술 기술사용료 적용기준"을 적용하여야 한다. <개정 2012.7.4, 2015.9.21.>

⑥ 계약담당공무원은 용역계약 및 물품제조계약을 함에 있어 특수한 설비 또는 기술이 요구되는 경우에 제1항 내지 제4항을 준용한다. <개정 2010.4.15, 2012.7.4.>

⑦ 계약담당공무원은 원가계산에 반영된 기술사용료에서 제4항에 따라 지급한 기술사용료의 차액을 감액한다. <신설 2012.7.4, 개정 2014.1.10.>

[본조신설 2008.12.29.]

제5조의3(특수한 성능·품질 등의 납품능력이 요구되는 물품) ① 계약담당공무원은 물품구매계약을 함에 있어 해당 물품에 특수한 성능 또는 품질(이하 "특수한 성능 등"이라 한다)이 요구되는 경우에는 다음 각 호에 따라야 한다.

1. 특수한 성능 등의 납품능력을 가진 자가 공급하는 것이 적합하다고 인정되는 경우에는 수의계약 또는 지명경쟁에 의할 수 있다. 다만, 특수한 성능 등의 납품능력을 가진 자가 다수 존재하는 경우로서 경쟁성이 확보되는 경우에는 제한경쟁에 의할 수 있다. 이 경우 입찰공고에 입찰참가자격제한 사유를 명시하여야 한다.
2. 해당 물품구매에서 특수한 성능 등이 일부만 포함되어 있는 경우에는 일반경쟁에 의하는 것을 원칙으로 하고, 일반경쟁에 의하지 않더라도 시행령 제21조제1항제4호에 의한 사유로 제한경쟁을 실시할 수 없다.

② 제1항제2호에 따른 물품구매에 있어 특수한 성능 등을 규격서(시방서)에 반영하고자 하는 경우에는 규격서 작성단계에서 계약담당공무원은 별지 제3호의 예시를 참조하여 입찰공고전에 제조사 또는 기술지원사(이하 "제조사 등"이라 한다)와 물품공급 또는 기술지원협약을 체결하여야 한다. 다만, 물품공급 또는 기술지원협약이 이루어지지 않은 경우에는 다른 물품으로 발주할 수 있다.

③ 계약담당공무원은 제2항에 의한 협약내용을 입찰공고에 명시하여야 하며, 낙찰자 결정 후 낙찰자에게 그 사본을 제공하여 낙찰자가 제조사 등으로부터 물품공급 또는 기술지원 확약서를 발급받을 수 있도록 하여야 한다.

[본조신설 2008.12.29.]

제3장 공사의 지명경쟁입찰시 지명업체 선정기준

제6조(선정기준) 계약담당공무원은 시행규칙 제27조에 따라 공사를 지명경쟁입찰로 집행하고자 하는 경우에는 다음 각 호의 기준에 의하여 지명업체를 선정하여야 한다.

1. 시공능력을 기준으로 지명하고자 할 때에는 시공능력 일련순위에 따라 지명할 것
2. 특수기술을 필요로 하는 공사로서 전문적인 기술의 보유자가 아니면 계약목적의 달성이 곤란한 때에는 그 기술보유자중에서 시공능력 순위에 따라 지명할 것
3. 특수공법을 필요로 하는 공사의 경우에 동종공사의 시공실적의 보유자가 아니면 계약목적의 달성이 곤란한 때에는 그 실적보유자중에서 시공능력 순위에 따라 지명할 것
4. 다음 각 목의 공사의 경우에 시·도업체만을 지명하고자 할 때에는 해당 시·도업체의 시공능력 순위에 따라 지명할 것
   가. 「건설산업기본법」에 의한 건설공사(전문공사를 제외한다) : 3억원 이하
   나. 「건설산업기본법」에 의한 전문공사 또는 그 밖의 공사관련 법령에 의한 공사 : 1억원 이하

제4장 긴급에 따른 수의계약 및 소액수의계약 등의 집행

제7조(수의계약의 집행) 계약담당공무원은 시행령 제26조제1항제1호 가목, 제2호 가목 내지 바목 및 제5호 가목에 의하여 수의계약으로 집행하는 경우에 이 장에 정한 바에 따라야 한다. <개정 2010.9.8.>

제7조의2(긴급에 따른 수의계약) 시행령 제26조제1항제1호 가목에 의한 긴급한 행사, 감염병 예방 및 확산방지, 긴급복구가 필요한 수해 등 비상재해 그 밖에 이에 준하는 경우로서 경쟁에 부칠 여유가 없을 경우라 함은 시행령 제35조제4항 등에 따라 긴급 입찰공고에 의한 경쟁입찰에 의하더라도 계약목적의 달성이 곤란한 경우를 말한다. <개정 2010.9.8, 2020.4.20.>

제8조(집행기준) ① 계약담당공무원은 시행령 제26조제1항제2호 가목 내지 바목에 의한 수의계약을 할 때에는 다음 각 호의 기준에 해당하는 경우로서 경쟁이 성립할 수 없는 경우에 한하여 체결하여야 한다. <개정 2010.9.8.>

1. 시행령 제26조제1항제2호 "가"목에서 규정하고 있는 하자책임구분이 곤란한 경우라 함은 금차공사가 시공 중에 있는 전차공사 또는 하자담보책임기간내에 있는 전차공사와 그 수직적 기초를 공통으로 할 경우와 전차시공물의 일부를 해체 또는 변경하여 이에 접합시키는 경우를 말한다. <개정 2010.9.8.>
2. 시행령 제26조제1항제2호 "나"목에서 규정 하고 있는 동일현장에 2인 이상의 업자를 투입할 수 없는 경우라 함은 금차공사가 시공 중에 있는 전차공사와 시공 과정상 시간

적, 공간적으로 중복되는 경우를 말한다. <개정 2010.9.8.>

3. 시행령 제26조제1항제2호 "다"목에서 규정 하고 있는 마감공사라 함은 시공중에 있는 전차공사 또는 하자담보책임기간내에 있는 전차공사에 대한 뒷마무리공사와 성토, 옹벽, 포장등의 부대시설공사를 말한다. <개정 2010.9.8.>
4. 시행령 제26조제1항제2호 "라" 및 "마"목에서 규정하고 있는 사실상 경쟁이 불가능한 경우라 함은 금차공사가 접적지역, 도서지역(연륙교로 육지와 연결된 지역은 제외한다.), 고산벽지 또는 이에 준하는 특수지역의 공사이거나 특허공법에 의한 공사 및 「건설기술진흥법」 제14조에 따라 지정·고시된 신기술, 「환경기술 및 환경산업지원법」 제7조에 따라 인증 내지 검증받은 기술 또는 「전력기술관리법」(법률 제13741호로 개정되기 전의 것을 말한다) 제6조의2에 따라 지정·고시된 새로운 전력기술 또는 「자연재해대책법」 제61조에 따라 지정·고시된 방재신기술(각 해당 법률에 따라 지정된 보호기간 또는 유효기간 내의 경우로 한정한다)을 적용하는 공사로서 입찰적격자가 한정되어 경쟁이 실질적으로 곤란한 경우를 말한다. <개정 2010.9.8, 2015.9.21, 2019.12.18.>
5. 시행령 제26조제1항제2호 "바"목에서 규정하고 있는 해당물품을 제조·공급한 자가 직접 물품을 설치·조립 또는 정비하는 경우라 함은 해당 물품을 설치·조립 또는 정비하는 공사를 제조·공급과 분리하여 시행하는 경우에 해당물품을 제조·공급한자가 직접 설치·조립 또는 정비하는 것이 공사비 및 공사기간에 있어서 국가기관에 유리한 경우를 말한다. <개정 2010.9.8.>

② 계약담당공무원은 조달청장이 정한 세부평가기준에 따라 발주하고자 하는 공사가 제1항에 정한 수의계약 사유에 해당하는 지의 여부를 결정할 수 있다.

제8조의2(설계용역 등에 대한 수의계약의 집행) 계약담당공무원은 시행령 제26조제1항제2호차목에 따라 「건축서비스산업진흥법」 제21조에 따른 공모의 당선자와 수의계약을 체결하려는 경우 공모의 공고문에서 결정된 대가를 감액하여 수의계약을 체결하여서는 아니된다. [본조신설 2018.12.31.]

제9조(계속공사의 계약금액 결정) ① 계약담당공무원은 시행령 제31조 본문에서 정한 바와 같이 수의계약 상대방이 제출한 견적금액이 해당 예정가격에 제1차공사의 낙찰율을 곱한 금액의 범위이내일 경우에 한하여 그 금액으로 계약을 체결할 수 있다.

② 시행령 제31조 단서에서 기획재정부장관이 정하는 경우라 함은 다음 각 호의 어느 하나에 해당하는 것을 말한다. <개정 2008.12.29.>

1. 제1차공사의 낙찰율이 100분의 87.75 미만인 경우로서 계속공사의 추정가격이 10억원(전문공사 및 전기·정보통신·소방·문화재공사 등은 3억원) 미만인 공사는 해당 예정가격에 100분의 87.75를 곱한 금액으로 한다.
2. 제1차공사의 낙찰율이 100분의 86.75 미만인 경우로서 계속공사의 추정가격이 50억원 미만 10억원(전문공사 및 전기·정보통신·소방·문화재공사 등은 3억원) 이상인 공사는 해당 예정가격에 100분의 86.75를 곱한 금액으로 한다.

3. 제1차공사의 낙찰율이 100분의 85.5 미만인 경우로서 계속공사의 추정가격이 100억원 미만 50억원 이상인 공사는 해당 예정가격에 100분의 85.5를 곱한 금액으로 한다.

제10조(소액수의계약 체결절차 등) ① 계약담당공무원은 시행령 제26조제1항제5호가목에 따라 수의계약을 체결함에 있어 추정가격이 2천만원(같은 목 5)가)부터 다)까지의 어느 하나에 해당하는 자와 계약을 체결하는 경우에는 5천만원)을 초과하는 경우에는 시행령 제14조제3항에 따라 「전자조달의 이용 및 촉진에 관한 법률」 제2조제4호에 따른 국가종합전자조달시스템(이하 "전자조달시스템"이라 한다)을 이용하여 견적서를 제출하도록 하여야 하고, 시행령 제36조 각 호에 정한 사항 중 필요한 사항을 견적서제출마감일 전일부터 기산하여 3일(공휴일과 토요일은 제외하고 산정한다)전까지 전자조달시스템을 이용하여 안내공고를 하여야 한다. 다만, 다음 각 호의 어느 하나에 해당하는 경우에는 그러하지 아니하다. <개정 2008.12.29, 2010.9.8, 2015.9.21, 2017.12.28, 2019.12.18.>

1. 시행규칙 제33조제1항제1호 및 제2호에 해당하는 경우
2. 기존 시설물을 계속적으로 유지·보수하는 경우로서 전자조달시스템을 이용하여 견적서를 제출받는 경우에는 호환이 되지 않는 등 사실상 유지·보수가 곤란하거나 예산낭비가 우려되는 경우 <개정 2015.9.21.>
3. 「건설기술진흥법」에 따른 설계용역 및 타당성조사용역과 그 밖에 다른 법령에 따른 설계용역의 경우(지역경제활성화를 위하여 예산을 조기집행할 필요가 있는 경우만 해당한다). 다만, 계약담당공무원은 추정가격 2천만원 이상인 수의계약을 같은 사업체와 3회 이상 체결할 수 없다. <신설 2009.4.8, 개정 2015.9.21.>
4. 제2항에 따른 재안내 공고를 실시한 결과 2인 이상으로부터 견적서를 받지 못한 경우, 그 밖에 계약의 목적이나 특성상 전자조달시스템에 의한 견적서를 제출받아 수의계약을 체결하는 경우에는 사실상 계약목적 달성이 어려운 경우 <제3호에서 이동 2009.4.8, 개정 2015.9.21.>

② 제1항에 따른 안내공고에 불구하고 다음 각 호의 어느 하나에 해당하는 때에는 재안내공고를 하여야 한다. <개정 2009.9.21, 2010.1.4.>

1. 시행령 제12조제1항의 요건을 갖춘 견적서 제출자가 2인 미만인 경우 <개정 2010.1.4.>
2. 예정가격 이하로서 제10조의2제1항 각호의 기준을 충족하는 견적서가 없는 경우 <개정 2010.1.4.>
3. <삭제 2009.9.21.>
4. 견적서를 제출한 자가 1인 이하인 경우 등 계약상대자를 결정할 수 없는 경우(단, 재안내 공고를 실시하더라도 견적서 제출자가 1인 밖에 없을 것으로 명백히 예상되는 경우는 제외) <개정 2010.9.8.>

③ 계약담당공무원은 제1항 본문에 따라 전자조달시스템을 이용하여 견적서를 제출하게 하는 공사의 경우에는 설계서, 공종별 목적물 물량내역서(이하 "물량내역서"라 한다), 기타 견적서 제출에 필요한 서류를 작성·비치하여야 하고, 견적서제출마감일까지 견적서를

제출하려는 자에게 열람하게 하고 교부하여야 한다. 다만, 계약담당공무원은 물량내역서 및 견적서 제출에 필요한 서류를 전자조달시스템에 게재함으로써 열람 또는 교부에 갈음할 수 있다. <개정 2015.9.21, 2019.12.18.>

④ 제1항 본문에 따라 전자조달시스템을 이용하여 견적서를 제출하게 하는 공사의 경우에 있어 계약담당공무원은 견적서를 제출하려는 자에게 견적금액을 적은 견적서를 제출하게 하고, 계약상대자로 결정된 자에게 제3항에 따라 교부된 물량내역서에 단가를 적은 산출내역서를 착공신고서의 제출 시까지 제출하게 하여야 한다. <개정 2015.9.21.>

⑤ 시행령 제26조제1항제5호 "가목" 4)의 "특수한 지식·기술 또는 자격을 요구하는 계약"이란 다음 각 호와 같다. <신설 2016.1.1.>

1. 학술연구, 원가계산, 타당성조사, 여론조사 용역
2. 「건설기술진흥법」에 따른 건설기술용역
3. 「시설물의 안전관리에 관한 특별법」에 따른 안전점검 및 정밀안전진단 용역
4. 「엔지니어링산업진흥법」에 따른 엔지니어링활동을 목적으로 하는 용역
5. 「건설폐기물의 재활용촉진에 관한 법률」 및 「폐기물관리법」에 따른 폐기물처리 용역
6. 법률자문·회계·감정평가 등 특정자격을 필요로 하는 용역
7. 기타 전문적인 지식이나 인력·설비 등을 요하는 용역

⑥ 시행령 제26조제1항제5호 가목5)다)에 따른 "기획재정부 장관이 정하는 요건을 충족하는 자"란 「사회적기업 육성법」 제2조제2호의 취약계층을 전체 근로자의 100분의 30 이상 고용한 자를 말한다. <신설 2018.12.31.>

⑦ 계약담당공무원은 시행령 제26조제1항5호가목5)다)의 자(이하 이 조에서 "사회적기업등"이라 한다)와 수의계약을 체결하려는 경우에는, 수의계약을 체결하려는 자로 하여금 다음 각 호에서 정하는 자로부터 제6항의 요건을 충족하였음을 증명하는 확인서 등(계약체결일로부터 6개월 이내에 발급한 서류에 한한다)을 제출하게 하여야 한다. <신설 2018.12.31.>

1. 「사회적기업 육성법」 제2조제1호에 따른 사회적기업 및 「협동조합 기본법」 제2조제3호에 따른 사회적협동조합 : 「사회적기업 육성법」 제20조에 따른 한국사회적기업진흥원 <신설 2018.12.31.>
2. 「국민기초생활 보장법」 제18조에 따른 자활기업 : 「국민기초생활 보장법」 제15조의2에 따른 중앙자활센터 <신설 2018.12.31.>
3. 「도시재생 활성화 및 지원에 관한 특별법」 제2조제1항제9호에 따른 마을기업 : 관할 지방자치단체 <신설 2018.12.31.>

제10조의2(소액수의계약의 계약상대자 결정) ① 계약담당공무원은 제10조제1항 본문에 의하여 전자조달시스템을 이용하여 견적서를 제출받는 경우에는 다음 각 호의 기준에 따라 계약상대자를 결정한다. <개정 2016.12.30.>

1. 공사 : 시행령 제7조의2제1항에 의하여 예정가격을 결정한 경우에는 계약예규 「적격심

사기준」에서 정한 추정가격이 10억원 미만인 공사의 낙찰하한율 이상으로 견적서를 제출한 자 중 최저가격으로 견적서를 제출한 자

2. 물품·용역 : 예정가격의 88%(시행규칙 제23조의3 각 호에 따른 용역계약의 경우에는 90%) 이상으로 견적서를 제출한 자 중 최저가격으로 견적서를 제출한 자

② 제1항에 따라 선정된 자가 다음 각 호에 어느 하나에 해당되는 경우에는 차순위 자를 계약상대자로 결정한다.

1. 견적서 제출마감일 현재 부도·파산·해산·영업정지 등이 확정된 경우
2. 견적서 제출마감일 현재 「건설산업기본법」 등 공사관련 법령에 정한 기술자 보유 현황이 해당공사 시공에 필요한 업종등록 기준에 미달하는 자
3. 「국가를 당사자로 하는 계약에 관한 법률」제27조 및 시행령 제76조에 따라 입찰참가자격 제한 기간 중에 있는 자 <개정 2018.12.31.>
4. 수의계약 안내공고일 기준 최근 6개월 이내에 시행령 「국가를 당사자로 하는 계약에 관한 법률」제27조 및 시행령 제76조 또는 다른 법령에 의하여 부실시공, 담합행위, 입찰 및 계약서류 위조 또는 허위제출, 입·낙찰 또는 계약이행 관련 뇌물제공자로서 부정당업자 제재처분을 받은 사실이 있는 자 <개정 2018.12.31.>
5. 계약상대자로 결정된 자가 계약체결 이전에 경쟁입찰의 입찰무효 사유에 준하는 등 부적격자로 판명되어 계약상대자 결정이 취소된 경우로서 동 부적격자를 제외하고 비교 가능한 2개 이상의 견적서가 확보되어 있는 경우
6. 계약상대자로 결정된 자가 스스로 계약체결을 포기한 경우로서 포기한 자를 제외하고 비교 가능한 2개 이상의 견적서가 확보되어 있는 경우 <신설 2012.7.4.>
7. 견적서 제출 마감일 기준 최근 3개월 이내에 해당 중앙관서와의 계약 및 그 이행과 관련하여 정당한 이유 없이 계약에 응하지 아니하거나 포기서를 제출한 사실이 있는 자 <신설 2018.12.31.>

제10조의3(소액수의계약시 유의사항) ① 계약담당공무원은 제15조에 의한 동일구조물공사 및 단일공사로서 설계서 등에 의하여 전체사업내용이 확정된 공사를 시기적으로 분할하거나 공사량을 구조별, 공종별로 분할하여 시행령 제26조제1항제5호가목에 의한 공사를 수의계약으로 체결할 수 없다. 다만, 제16조제2항 각 호의 어느 하나에 해당하는 경우에는 그러하지 아니하다. <개정 2010.9.8.>

② 「건설산업기본법」에 따른 공사를 발주하는 경우에 종합공사와 전문공사의 구분은 동법 제16조 및 동 법 시행령 제21조에 정한 바에 따른다.

제10조의4(소액수의계약 절차 등의 준용) 계약담당공무원은 시행령 제26조제1항제5호가목에 따라 추정가격이 2천만원 미만인 계약에 대하여 수의계약을 체결함에 있어 필요하다고 인정하는 경우에는 제10조 내지 제10조의3을 준용할 수 있다. <개정 2010.9.8.>

제10조의5(소기업·소상공인 제품 우선구매) 계약담당공무원은 시행령 제21조제1항제10호에 해당하는 계약으로서 추정가격이 시행령 제30조제1항제2호에 해당하는 경우에는 「중소기업

기본법」과 「소기업 및 소상공인 지원을 위한 특별조치법」에 따른 소기업 또는 소상공인과 우선하여 계약을 체결할 수 있다.

[본조신설 2012.1.1.]

제5장 일괄입찰 및 기술제안입찰로 발주된 공사의 수의계약 집행

제10조의6(일괄입찰 및 기본설계 기술제안입찰로 발주된 공사의 수의계약) 시행령 제79조제1항제5호에 따른 일괄입찰과 제98조제3호에 따른 기본설계 기술제안입찰로 발주된 공사를 시행령 제27조제1항에 따라 수의계약으로 집행하는 경우에는 이 장에 정한 바에 따라야 한다.

[본조신설 2016.12.30.]

제10조의7(정의) 이 장에서 사용하는 용어의 정의는 다음과 같다.

1. "예비계약"이라 함은 수의계약 상대방(이하 이 장에서 "상대방"이라 한다)과 본 계약 체결시까지 임시적으로 체결하는 계약으로서 상대방이 실시설계용역을 수행함과 동시에 양 당사자간 가격협상이 성립할 것을 조건으로 본 계약을 체결할 것을 약정하는 계약을 말한다.
2. "발주기관 검토가격"이라 함은 실시설계서, 산출내역서 및 제10조의10제1항에 따른 물량 등 적정성 검토결과를 기초로 계약예규 「예정가격 작성기준」에 따라 산출한 공사비를 말한다.
3. "설계대가"라 함은 국토교통부 고시 「공공건축사업에 대한 건축사의 업무 범위 및 대가기준」, 산업통상자원부 고시 「엔지니어링사업대가의 기준」 등 관련 규정에 따라 산정한 설계용역의 대가를 말한다.
4. "협상 기초가격"이라 함은 해당 공사의 설계대가 및 발주기관 검토가격을 합산하여 산출한 가격으로서 발주기관이 제시할 수 있는 최대 가격을 말한다.
5. "최소 협상가격"이라 함은 공사품질 및 시공의 적정성을 담보하기 위해 발주기관이 수의시담시 제시할 수 있는 최소 수준의 금액을 말한다.
6. "설계 보정율"이라 함은 최소 협상가격의 산정 과정에서 설계 평가점수, 표준시장단가 적용공종의 비중 등 설계상 특수성을 반영하기 위해 적용하는 비율을 말한다.
7. "본 계약"이라 함은 각 중앙관서의 장과 상대방 사이에 가격협상이 성립되어 시공과 계약을 일괄하여 종국적으로 체결되는 계약을 말한다.

[본조신설 2016.12.30.]

제10조의8(수의계약 절차) ① 계약담당공무원은 제10조의7제1호에 따른 예비계약을 체결하여 실시설계 용역을 먼저 실시하고 실시설계서가 적격통지를 받은 경우에 한하여 같은 조 제7호에 따른 본 계약을 체결할 수 있다.

② 계약담당공무원은 일괄입찰 및 기본설계기술제안입찰의 입찰공고시 재공고입찰이 유찰될 경우 최종 공고의 단독입찰자와 이 장에 따른 절차에 따라 수의계약을 체결할 수 있다는 취지를 공고문에 명시하여야 한다.

③ 각 중앙관서의 장은 이 장에 따른 수의계약의 집행을 위해 다음의 사항에 대한 세부적인 기준을 정할 수 있다.

1. 제10조의11제2항제3호에 따른 유사공사의 범위
2. 제10조의11제2항제4호에 따른 설계 보정율
3. 제10조의11제3항에 따라 가격협상시 고려할 사항

[본조신설 2016.12.30.]

제10조의9(예비계약의 체결) ① 계약담당공무원은 상대방이 제출하는 기본설계의 설계점수 또는 기술제안점수가 계약담당공무원이 정한 설계점수(60점 이상 85점 이하의 범위에서 결정)를 초과하는 경우에는 해당 상대방과 실시설계 용역과 가격협상 성립을 조건으로 하는 공사계약을 일괄하여 체결할 수 있다.

② 계약담당공무원은 제1항의 계약을 체결함에 있어 다음 각 호의 사항을 부관으로 약정하여야 한다.

1. 계약금액은 실시설계가 확정된 이후 협의에 의해 결정한다는 취지
2. 협의과정에서 계약금액에 이견이 있을 경우 발주기관은 시공부분의 계약을 해지할 수 있으며 이 경우 국가계약법 제27조에 따른 입찰참가자격 제한을 하지 아니한다는 취지
3. 제2호의 경우에 발주기관은 상대방에 대하여 다음의 금액을 지급하고 설계서의 이용권리를 취득하며 시공부분을 별도로 발주 할 수 있다는 취지
   가. 일괄입찰로 발주된 공사 : 기본설계서 및 실시설계서에 대한 설계대가를 기초로 각 설계용역에 대한 평균낙찰율을 감안하여 산정한 금액
   나. 기본설계 기술제안입찰로 발주된 공사 : 실시설계서에 대한 설계대가를 기초로 설계용역 평균낙찰율을 감안하여 산정한 금액과 제87조의3에 따른 제안서 보상비를 합산한 금액
4. 상대방은 제3호에 따라 별도로 발주되는 입찰에 참여할 수 없다는 취지
5. 본계약을 체결함에 있어 제10조의12제2항에 따라 계약금액 조정이 가능하다는 취지 <신설 2019.12.18.>

③ 계약담당공무원은 제1항의 계약을 체결함에 있어서는 법 제12조에 따른 계약보증금을 징구하지 아니하며, 시행령 제89조 및 제107조에 따른 설계비 등의 보상대상이 아님을 명시하여야 한다.

④ 계약담당공무원은 예비계약의 체결 이전에 다음의 사항을 상대방에게 고지 또는 열람토록 하여야 한다.

1. 제2항제3호에 따라 산정된 금액
2. 제10조의8제3항제1호 및 제2호에 따른 세부기준을 정하였을 경우 그 기준

[본조신설 2016.12.30.]

제10조의10(발주기관 검토가격 작성) ① 계약담당공무원(｢조달사업에 관한 법률｣ 제5조의2에 따라 조달청장에게 계약을 의뢰하는 공사에 대하여는 수요기관 담당공무원을 말한다. 이하 이 조에서 같다)은 실시설계서에 대하여 시행령 제85조제5항, 제6항 또는 제105조제4항, 제5항에 따라 적격통지를 받은 경우 발주기관 검토가격을 작성하여야 한다. 이 경우 실시설계서와 산출내역서를 검토하여 물량 및 산출내역서에 반영된 자재비, 노무비, 장비조합 및 작업 여건 등(이하 이 조에서 "물량 등"이라 한다)이 적정하게 반영되도록 하여야 한다.

② 제1항 단서에 따른 물량 등의 적정성 검토에 전문적인 지식이 요구되어 계약담당공무원이 직접 검토하기 곤란한 경우에는 시행규칙 제9조제2항에 따른 원가계산용역기관에 물량 등의 적정성 검토를 의뢰할 수 있다.

③ 계약담당공무원은 발주기관 검토가격 작성업무를 조달청에 의뢰할 수 있다.

④ 계약담당공무원은 제1항에 따라 발주기관 검토가격을 작성함에 있어서, 당초 산출내역서상의 물량·단가를 조정 반영하는 경우에는 그 내역 및 사유를 상대방에게 고지하여야 한다. <신설 2019.12.18.>

[본조신설 2016.12.30.]

제10조의11(가격협상) ① 계약담당공무원은 수의시담 전 다음과 같이 협상 기초가격과 최소협상가격을 작성하여야 한다.

1. 협상 기초가격 = 발주기관 검토가격 + 설계대가(기본설계 기술제안입찰의 경우 제87조의3에 따른 제안서 보상비를 포함한다. 이하 같다)
2. 최소 협상가격 = 발주기관 검토가격 × (최근 1년 유사공사 평균 낙찰률 + 설계 보정율) + 설계대가

② 계약담당공무원은 제1항의 집행에 있어 다음의 사항을 유의하여야 한다.

1. 협상 기초가격은 예산금액을 초과하지 못한다.
2. "최근 1년간 유사공사"는 해당 발주기관에서 종합심사낙찰제로 발주한 공사로서 수의계약 대상 공사의 최종 입찰공고일로부터 1년 이내에 낙찰된 공사를 대상으로 선정한다.
3. 제2호의 경우 유사공사는 계약예규 ｢종합심사낙찰제 심사기준｣에 따른 같은 동일공종그룹에 속하는 공사 중 공사의 내용 및 기술적 특성이 유사한 공사를 선정하여야 하며, 같은 동일공종그룹에 속하는 공사가 2건 이하인 경우에는 다음과 같은 순서에 따라 유사공사의 범위를 확대하여 적용할 수 있다.
   가. 다른 발주기관에서 발주된 공사
   나. 최근 3년간 낙찰된 공사
   다. 같은 동일 또는 유사업종(건축·토목 등)에 속하는 공사
4. 설계 보정율은 다음의 사항을 고려하여 산출하여야 한다.
   가. 시행령 제85조제5항, 제6항 또는 제105조제4항, 제5항에 따른 평가점수

나. 표준시장단가 적용공종의 비중

다. 공사의 구조적·기술적 특성

③ 계약담당공무원은 협상 기초가격과 최소 협상가격 사이에서 계약을 체결하되, 시공의 난이도 및 지역적 특성 등을 감안하여 계약금액이 결정되도록 하여야 한다.

④ 계약담당공무원(조달사업에 관한 법률 제5조의2에 따라 조달청장에게 계약을 의뢰하는 공사에 대하여는 수요기관 담당공무원을 말한다)은 최소 협상가격이 예산금액을 초과하는 등 예산금액의 범위 내에서 가격협상이 곤란하다고 판단되는 경우에는 설계서 변경 등을 통해 공사물량을 감축할 수 있다. 다만, 당초 입찰안내서 등에서 명시 또는 반영하도록 되어 있는 사항을 제외하여서는 아니된다. <신설 2019.12.18.>

[본조신설 2016.12.30.]

제10조의12(본계약의 체결) ① 계약담당공무원은 가격협상이 성립되면 최종적인 산출내역서를 제출받고 지체없이 본계약을 체결하여야 한다.

② 계약담당공무원은 제1항에 따라 본계약을 체결함에 있어 설계변경으로 인한 계약금액의 조정은 시행령 제91조, 제108조를 따르도록 하여야 한다.

③ 가격협상이 이루어지지 않을 경우 계약담당공무원은 상대방에게 제10조의9제2항제3호의 금액을 지급하고 시공부분을 분리하여 발주할 수 있다.

[본조신설 2016.12.30.]

제6장 우수연구개발 혁신제품에 대한 수의계약 절차 〈삭제 2020.9.24.〉

제10조의13 <삭제 2020.9.24.>

제10조의14 <삭제 2020.9.24.>

제10조의15 <삭제 2020.9.24.>

제10조의16 <삭제 2020.9.24.>

제10조의17 <삭제 2020.9.24.>

제7장 지명경쟁계약, 수의계약 및 개산계약 집행시 서류구비

제11조(지명경쟁계약 등의 경우 서류구비 및 통지) 각 중앙관서의 장은 시행령 제23조제2항, 제26조제5항 및 제70조제3항에 의한 감사원 통지시 이 장에 정한 바에 따라 서류를 구비하여 통지하여야 한다. <개정 2010.9.8.>

제12조(구비서류) 계약담당공무원은 다음 각 호의 내용에 따라 서류를 구비하여야 한다.

1. 시행령 제23조제2항에 의하여 감사원에 통지하는 경우에는 시행규칙 제29조에 정한 서류
2. 시행령 제26조제5항에 의하여 감사원에 통지하는 경우에는 시행규칙 제35조에 정한 서류 <개정 2010.9.8.>
3. 시행령 제70조제3항에 의하여 감사원에 통지하는 경우에는 시행규칙 제29조제1항 각 목에 정한 서류

제13조(적용조문과 사유 기재요령) ① 제12조 각 호에 의한 적용조문과 사유는 관계법령(시행령 및 시행규칙)의 적용조문을 명시하고 그 적용사유를 구체적으로 기재하여야 한다.

② 제12조제1호 및 제2호의 경우에는 시행령 제26조제1항제2호, 시행규칙 제27조 각 항목에 해당하는 사실과 피지명업체 또는 수의계약당사자가 동 항목에 각각 해당되는 사실을 구체적으로 명백히 하여야 한다. <개정 2010.9.8.>

제8장 동일구조물공사 및 단일공사의 집행

제14조(동일구조물공사 및 단일공사의 집행) 계약담당공무원은 시행령 제68조에 의한 동일구조물공사 및 단일공사를 발주하고자 하는 경우에는 이 장에 정한 바에 따라 집행하여야 한다.

제15조(정의) 시행령 제68조 및 이 장에서 사용하는 동일구조물공사 및 단일공사의 정의는 다음과 같다.

1. "동일구조물공사"라 함은 천연 또는 인조의 재료를 사용하여 그 사용목적에 적합하도록 만들어진 기능이 상호 연결되는 일체식 구조물(그 부대공작물을 포함)로서 동일인이 계속하여 시공함이 적합한 시설물을 말한다.
2. "단일공사"라 함은 다음의 경우를 말한다.

가. "단일공사"라 함은 해당년도 예산상 특정단일사업으로 책정된 공사와 그 시공지역에서 이와 관련하여 시공되는 부대공사를 말한다.

나. 예산상 특정되지 아니한 경우에는 예산집행과정에서 특정되는 공사에 대하여는 가목을 준용한다.

다. 면허나 자격요건 등으로 법령에 의하여 공사를 분할 발주하여야 하는 경우에는 그 분할 발주하는 공사를 각각 단일공사로 본다. 다만, 관계법령에서 정하고 있는 경미한 공사의 경우에는 그러하지 아니하다.

제16조(분할계약의 금지) ① 계약담당공무원은 시행령 제68조에 의하여 동일구조물공사 및 단일공사로서 설계서 등에 의하여 전체사업내용이 확정된 공사는 이를 시기적으로 분할 하거나 공사량을 구조별, 공종별로 분할함이 없이 일괄하여 계약을 체결하여야 한다.

② 제1항에도 불구하고 다음 각 호의 1에 해당하는 경우에는 분할하여 발주할 수 있다.

1. 다른 법률에 의하여 다른 업종의 공사와 분리 발주할 수 있도록 규정된 공사

2. 공사의 성질이나 규모 등에 비추어 분할시공함이 효율적인 공사
3. 하자책임구분이 용이하고 공정관리에 지장이 없는 다음 각 목의 어느 하나에 해당하는 공사로서 분리 시공하는 것이 효율적이라고 인정되는 공사
  가. 설계서가 별도로 작성되는 공사
  나. 공사의 성격상 공종(工種)간 시공 목적물, 시공 시기, 시공 장소 등이 명확히 구분되는 공사

③ 각 중앙관서의 장은 공사의 예산 편성과 기본 설계 등 사업의 계획단계부터 제2항에 따른 분할·분리 계약 가능 여부를 검토하여야 한다.

제9장 내역입찰의 집행

제17조(내역입찰의 집행) 계약담당공무원은 시행령 제14조 및 시행규칙 제44조에 의하여 내역입찰을 실시하는 경우에는 이 장에 정한 바에 따라 집행하여야 한다.

제18조(내역입찰의 대상) ① 계약담당공무원은 시행령 제14조제6항에 의하여 추정가격이 100억원 이상인 공사에 대하여는 내역입찰로 집행하여야 한다.

제19조(산출내역서의 작성·제출) 계약담당공무원은 시행령 제14조제6항에 따라 내역입찰을 실시할 때에는 입찰자로 하여금 별지 제1호 서식에 단가 등 필요한 사항을 기입한 산출내역서를 제출하게 하여야 한다. 이 경우 계약담당공무원은 각 중앙관서의 장이 제정한 수량산출기준을 물량내역서 작성의 기초자료로 할 수 있다. <개정 2010.9.8, 2016.1.1.>

제20조(입찰무효의 범위) 시행규칙 제44조제6호에 의한 입찰무효의 범위는 다음 각 호와 같다.

1. 입찰서금액과 산출내역서상의 총계금액이 일치하지 아니한 입찰, 다만, 10원 미만의 차이가 있는 경우에는 차상위 입찰자의 입찰금액이 10원 이상 높은 경우에 한하여 유효한 입찰로 한다. 이 경우에 입찰서상 금액을 입찰금액으로 하며, 차상위자와 10원 미만의 차이가 있어 입찰무효가 될 때에는 상위금액 입찰자 중 입찰서의 금액과 산출내역서상의 총계금액이 일치한 입찰자를 낙찰자로 한다.
2. 산출내역서의 각 항목(각 공종, 경비, 일반관리비, 이윤, 부가가치세 등을 포함한다)별로 금액을 합산한 금액이 총계금액과 일치하지 아니한 입찰, 이 경우 제1호의 단서규정을 준용한다.
  가. "공종"이란 공사의 특성에 따라 작업단계(예 : 가설공사, 기초공사, 토공, 철근콘크리트, 마감공사 등)별로 구분되는 것을 의미하며, 공종별 합계금액을 표기하지 아니한 경우에는 공종내의 세부비목의 가격을 합산한 금액을 해당 공종의 금액으로 한다.
  나. "공종"에 대한 금액을 재료비, 노무비, 경비를 구분하여 명기한 때에는 재료비, 노무비, 경비를 합산한 금액이 공종의 금액과 일치하지 아니한 경우에는 공종의 금액을

기준으로 한다.

3. 발주관서가 배부한 내역서상의 공종별 목적물물량 중 누락 또는 변경된 공종 혹은 수량에 대한 예정가격 조서상의 금액이 예정가격의 100분의 5 이상인 경우
4. 입찰서 금액, 산출내역서의 총계금액, 항목(각 공종, 경비, 일반관리비, 이윤, 부가가치세 등을 포함한다)별 금액을 정정하고 정정인을 누락한 입찰

제21조(낙찰자의 산출내역서 조정) ① 제20조에 의한 무효입찰에는 해당되지 아니하나 입찰시에 제출한 산출내역서의 세부비목이나 「부가가치세법」 등 다른 법령에서 요구되는 비용의 금액산정에 착오가 있는 경우에는 바르게 정정하여 이에 따라 비목별 또는 항목별 금액을 수정한다.

② 증감된 차액부분에 대하여는 간접노무비, 일반관리비, 이윤에 우선적으로 균등배분하되, 동 비목의 금액이 관련규정상의 기준 한도율을 초과하는 경우에 초과되는 금액에 대하여는 다른 비목에 균등배분한다.

③ 산출내역서상의 단가표기금액이 재료비, 노무비, 경비, 합계금액 등으로 구분 작성되어 단가 및 합계금액 등을 고려할 때 단가가 잘못 표기된 것이 명백한 경우에는 입찰금액 범위 안에서 단가를 수정할 수 있다.

④ 제1항 내지 제3항에 따라 산출내역서를 수정할 경우에는 계약담당공무원과 낙찰자가 각각 정정인을 날인하여야 한다.

⑤ 제20조제3호에 해당되지 아니한 입찰로서 일부공종 또는 수량이 누락된 산출내역서의 경우에는 누락된 공종 또는 수량을 표기하고 이에 대한 금액은 "0"으로 표기한다.

제22조(기타사항) ① 제18조 내지 제21조는 시행령 제6장의 대안입찰(대안부분 중 일부분에 대한 대안을 채택할 경우에 원안부분을 포함)에 있어 원안입찰로서 낙찰자를 결정할 경우에 준용한다.

② 계약담당공무원은 입찰참가자로 하여금 산출내역서에 동 산출내역서 작성에 참여한 자 전원의 직책 및 성명을 기재하고 날인토록 하여야 한다.

③ 계약담당공무원은 제2항에 의하여 제출된 산출내역서에 직책 및 성명기재 사실과 날인여부를 확인하여야 하며, 낙찰자로 하여금 준공후 1년까지 동 산출내역서 부본을 보관토록 하여야 한다.

제10장 일괄입찰보증제도의 운용

제23조(일괄입찰보증의 운용) 계약담당공무원은 시행규칙 제43조제1항 단서에 의하여 일괄입찰보증을 운용하고자 하는 경우에 이 장에 정한 바에 따라야 한다.

제24조(정의) 이 장에서 사용하는 "일괄입찰보증서"(이하 이장에서 "보증서"라 한다)라 함은

시행령 제37조제2항제4호에 규정된 보증서 중 1회계연도 내의 모든 입찰(공사의 경우에 한한다)에 대한 입찰보증금을 납부할 수 있는 보증서를 말한다.

제25조(보증서의 납부) 계약담당공무원은 보증서의 납부를 희망하는 자로 하여금 매 회계연도 초 또는 시행규칙 제15조에 의한 최초의 등록마감일까지 소정의 절차에 따라 이를 납부하게 하여야 한다.

제26조(입찰참가신청) 계약담당공무원은 보증서를 납부한 자 중 시행규칙 제15조에 의한 등록을 한 자가 입찰에 참가하고자 할 경우에는 해당 입찰신청마감일까지 시행규칙 별지 제3호 서식의 입찰참가신청서(다만, 첨부서류는 제외한다)를 제출하게 하여야 한다.

제27조(보증서의 기재사항) 보증서에는 일괄입찰보증금액, 보증기간, 피보증기관, 입찰참가자, 발급일자 및 보증기관 등이 기재되어야 한다.

제28조(보증기간) 보증서의 보증기간의 종료일은 익년도 1월 30일 이후이어야 한다.

제29조(납부 등 확인) 계약담당공무원은 제25조에 의하여 보증서를 납부한 자가 입찰참가신청을 한 때에는 그 보증서의 납부 및 적정여부 등을 확인하여야 한다.

제30조(국고귀속) 시행령 제38조에 의한 국고귀속의 경우에 그 금액은 시행령 제37조제1항에서 규정한 입찰보증금의 최저금액으로 한다.

제31조(입찰참가상황 통보) 계약담당공무원은 보증기관의 요청이 있는 경우에 매월별로 입찰참가자, 공사명, 입찰금액, 입찰일자등의 사항을 익월 10일까지 통보하여야 한다.

제11장 계약보증금의 감면

제32조(계약보증금의 감면) ① 계약담당공무원은 「저탄소 녹색성장 기본법」 제32조제2항에 따라 녹색기술 및 녹색사업에 대한 적합성 인증을 받거나 녹색전문기업으로 확인받은 업체에 대해서는 다음 각 호에서 정한 금액만큼 계약보증금 또는 계약이행보증서상의 보증금액(이하 계약보증금 등)을 감면할 수 있다.

1. 시행령 제50조 및 제52조제1항제2호에 따라 계약보증금을 납부하는 경우 계약금액의 5/100
2. 시행령 제52조제1항제3호에 따라 계약이행보증서를 제출하는 경우 계약금액의 10/100

② 계약담당공무원은 제1항정에도 불구하고 다음 각 호의 어느 하나에 해당하는 자에 대해서는 계약보증금 등을 감면하지 아니한다.

1. 계약예규 입찰참가자격사전심사요령 제6조제2항에 따른 경영상태부문의 적격요건을 충족하지 못한 자(단, 100억 미만 공사의 경우에는 업체 평균 유동·부채비율 수준 미만인 자)
2. 입찰참가등록 마감일(수의계약의 경우에는 계약체결일) 기준으로 시행령 제76조에 따라 입찰참가자격제한을 받고 해당 제한기간이 종료된 날로부터 1년이 경과하지 않은 자

[본조신설 2011.5.13.]

제12장 선금의 지급 등

제33조(선금의 지급 등) 계약담당공무원은 「국고금관리법 시행령」 제40조제1항제15호에 의하여 선금을 지급하고자 할 때에는 이 장에 정한 바에 따라야 한다. 다만, 각 중앙관서의 장은 특수한 사유로 인하여 이 예규에 의하기 곤란하다고 인정할 때에는 기획재정부장관과 협의하여 특례를 정할 수 있다. <개정 2008.12.29.>

제34조(적용범위) ① 계약담당공무원은 다음 각 호의 요건을 충족하는 경우로서 계약상대자가 선금의 지급을 요청할 때에는 계약금액의 100분의 70을 초과하지 아니하는 범위 내에서 선금을 지급할 수 있다. 다만, 계약상대자가 선금의무지급률 이하로 신청하는 경우에는 신청한 바에 따라 지급한다. <단서신설 2014.1.10.>

1. 공사, 물품 제조 또는 용역 계약(발주기관이 시스템 특성 등에 맞게 소프트웨어의 일부에 대하여 수정·변경을 요구하여 체결한 소프트웨어사업을 포함) <개정 2014.8.6.>
2. 시행령 제76조에 의한 입찰참가자격제한을 받고 그 제한기간 중에 있지 아니한 경우

② 계약담당공무원은 계약상대자가 제1항에 따라 선금지급을 요청하는 경우에 하수급인에 대한 선금지급계획을 제출하도록 하여야 한다. <신설 2011.5.13.>

③ 계약담당공무원은 다음 각 호에 해당되는 선금에 대하여는 계약상대자의 청구를 받은 날로부터 14일 이내에 지급하여야 한다. <개정 2008.11.1, 단서삭제 2011.5.13.>

1. 공사
   가. 계약금액이 100억원 이상인 경우 : 100분의 30 <개정 2008.12.29.>
   나. 계약금액이 20억원 이상 100억원 미만인 경우 : 100분의 40 <개정 2008.12.29.>
   다. 계약금액이 20억원 미만인 경우 : 100분의 50
2. 물품의 제조 및 용역
   가. 계약금액이 10억원 이상인 경우 : 100분의 30 <개정 2008.12.29.>
   나. 계약금액이 3억원 이상 10억원 미만인 경우 : 100분의 40 <개정 2008.12.29.>
   다. 계약금액이 3억원 미만인 경우 : 100분의 50
3. 수해복구공사
   가. 계약금액이 20억원 미만인 경우 : 100분의 70
   나. 계약금액이 20억원 이상인 경우 : 100분의 50

④ 계약담당공무원은 다음 각 호의 어느 하나에 해당하는 경우에는 계약상대자의 청구에 의해 제3항제1호 또는 제2호에 해당하는 금액 이외에 해당 계약금액의 100분의 10 범위 내에서 추가로 지급하여야 한다. <신설 2011.5.13.>

1. 제70조4제1항 각 호에 따른 원자재 가격이 급등한 경우
2. 신기술을 사용하는 물품 및 용역계약에 있어서 기술개발투자를 위한 자금이 계약이행 초기에 집중적으로 소요되는 경우

3. 계약상대방이 「저탄소 녹색성장 기본법」 제32조제2항에 따라 녹색기술·녹색사업에 대한 적합성 인증을 받거나 녹색전문기업으로 확인받은 경우(제32조제2항 각 호에 해당하는 자 제외)

⑤ 제1항, 제3항 및 제4항의 경우에서 「국가를 당사자로 하는 계약에 관한 법률」 제15조에 의하여 기성부분 또는 기납부분에 대하여 대가를 지급한 때에는 계약금액(단가계약의 경우에는 발주금액)에서 그 대가를 공제한 금액을 기준으로 한다.

⑥ 계약담당공무원은 계속비와 명시이월비 예산에 의한 계약에 대하여 선금을 지급하는 경우에 계약금액중 해당년도 이행금액을 기준으로 하며, 장기계속계약의 경우에는 각 연차계약금액을 기준으로 한다.

⑦ 계약담당공무원은 국고채무부담행위예산에 의한 계약에 대하여 선금을 지급하는 경우에 국고채무부담행위액 상환을 위한 세출예산이 계상된 년도에만 할 수 있다.

⑧ 제1항 내지 제7항의 경우에 계약담당공무원은 자금사정 등 불가피한 사유에 의하여 선금 지급이 불가능한 때에는 지체 없이 소속 중앙관서의 장의 승인을 얻어 계약상대자에게 그 사유를 서면으로 통지하여야 한다.

⑨ 제8항에 의한 "선금지급이 불가능한 경우"라 함은 다음 각 호의 경우를 말한다.

1. 자금배정이 지연될 경우. 단, 자금배정이 있을 경우에는 즉시 선금지급을 하여야 함
2. 계약체결후 불가피한 사유로 이행착수가 상당기간 지연될 것이 명백한 경우. 단, 동 사유 해제시 즉시 선금지급을 하여야 함
3. 계약상대자로부터 선금지급 요청이 없거나 유예신청이 있는 경우

⑩ <삭제 2019.12.18.>

⑪ 계약담당공무원은 계약이행에 필요한 기간 등에 비추어 계약을 체결한 연도내에 해당 예산을 전액 집행할 수 없는 경우로서 해당 예산의 사고이월이 불가피하다고 인정되는 때에는 제3항 및 제4항에도 불구하고 계약을 체결한 연도내에 집행할 수 있는 금액을 한도로 선금을 지급하여야 하며, 제3항 및 제4항에 의하여 지급하여야 할 선금 중 미지급된 금액은 예산이 이월된 연도에 지급하여야 한다.

⑫ 계약담당공무원은 계약상대자로 하여금 제1항에 따른 선금을 지급받은 날로부터 5일 이내에 하수급인에게 선금수령 사실을 서면으로 통지하도록 하여야 한다. <신설 2011.5.13.>

제35조(채권확보) ① 계약담당공무원은 선금을 지급하고자 할 경우에는 계약상대자로 하여금 시행령 제37조제2항에 의한 증권 또는 보증서를 제출하게 하여야 한다. 다만, 국가, 지방자치단체, 「공공기관의 운영에 관한 법률」에 따른 공공기관 중 공기업과 준정부기관, 특별법에 의하여 정부가 보호 육성하는 법인으로서 정부가 출연한 법인, 「농업협동조합법」에 의한 조합 및 그 중앙회, 「수산업협동조합법」에 의한 어촌계·수산업협동조합 및 그 중앙회, 「산림조합법」에 의한 조합 및 그 중앙회 또는 「중소기업협동조합법」에 의한 중소기업협동조합 및 그 중앙회와 계약을 체결한 경우에는 그러하지 아니하다. 이 경우에 제38

조에 의하여 반환 사유가 발생한 때에는 계약상대자로 하여금 선금잔액에 해당하는 금액을 현금(체신관서 또는 「은행법」의 적용을 받는 금융기관이 발행한 자기앞수표를 포함한다)으로 반납할 것을 보장받기 위하여 그 지급을 확약하는 내용의 문서를 제출하게 하여야 한다.<개정 2018.12.31.>

② 계약담당공무원은 제1항에 의하여 채권확보조치를 하는 경우에 보증 또는 보험금액은 선금액에 그 금액에 대한 보증 또는 보험기간에 해당하는 약정이자상당액[사유발생 시점의 금융기관 대출평균금리(한국은행 통계월보상의 대출평균금리)에 의하여 산출한 금액을 말한다]을 가산한 금액 이상으로 하여야 한다.

③ 제2항의 경우에 제37조에 의하여 정산하였을 때에는 계약상대자의 요청에 의하여 해당 선금잔액(선금액에서 제37조에 의한 선금정산액을 공제한 금액을 말한다. 이하 같다)에 해당 약정이자상당액을 가산한 금액을 기준으로 제2항의 채권확보조치를 할 수 있다.

④ 제1항 내지 제3항의 경우에 보증 또는 보험기간의 개시일은 선금지급일 이전이어야 하며 그 종료일은 이행기간의 종료일 다음날부터 60일 이상(계약의 이행기간이 60일 이내인 경우는 30일 이상)으로 하여야 한다. 다만, 계약담당공무원이 그 이행기간을 연장하고자 할 경우에는 계약상대자로 하여금 당초의 보증 또는 보험기간에 그 연장하고자 하는 기간을 가산한 기간을 보증 또는 보험기간으로 하는 증권 또는 보증서를 제출하게 하여야 한다. <개정 2010.1.4.>

⑤ 계약담당공무원은 제38조제3항에 따라 하수급인에게 선금을 지급하고자 하는 경우로서 계약상대자가 요구할 경우에는 해당 하수급인으로 하여금 계약상대자에게 보증서를 제출하도록 하여야 한다. <신설 2011.5.13.>

⑥ 계약담당공무원은 제38조제3항에 따라 하수급인에게 선금을 지급하는 경우는 제1항에 따라 계약상대자가 제출한 보증서의 보증금액을 감액하지 아니한다. <신설 2011.5.13.>

제36조(선금의 사용) ① 계약담당공무원은 선금을 지급하고자 할 때에 해당 선금을 계약목적 달성을 위한 용도와 수급인의 하수급인에 대한 선금배분이외의 다른 목적에 사용하게 할 수 없으며, 노임지급(공사계약 및 시행규칙 제23조의3 각 호의 용역계약은 제외) 및 자재확보에 우선 사용하도록 하여야 한다. <개정 2008.11.1, 2010.1.4, 2012.1.1, 2017.12.28.>

② <삭제 2019.12.18.>

③ 계약담당공무원은 계약상대방이 선금을 전액 정산하기 이전에는 계약에 의하여 발생한 권리의무를 제3자에게 양도하게 할 수 없다. 다만, 제35조에 따라 선금 지급을 보증한 기관의 동의를 얻어 공사대금청구권을 양도하고자 하는 경우에는 선금을 전액 정산하기 이전이라도 공사대금청구권을 제3자에게 양도하게 할 수 있다. <개정 2008.12.29.>

④ 계약담당공무원은 수급인에게 선금을 지급한 경우에는 선금지급일로부터 20일 이내에 계약상대자와 하수급인으로부터 증빙서류를 제출받아 선금배분 및 수령내역을 비교·확인하여야 한다. <신설 2008.11.1, 개정 2010.1.4, 2011.5.13.>

⑤ 계약담당공무원은 계약상대자가 하수급인에게 선금을 현금으로 지급하도록 하여야 한

다. <신설 2012.1.1.>

제37조(선금의 정산) ① 선금은 기성부분 또는 기납부분의 대가 지급시마다 다음 방식에 의하여 산출한 선금정산액 이상을 정산하여야 한다.

선금정산액 = 선금액 × [기성(또는기납) 부분의 대가상당액 / 계약금액]

② 계약담당공무원은 계약 이행기간의 종료일 이전에 제1항에 따라 선금 전액의 정산이 완료된 경우로서, 계약상대자의 신청이 있는 경우에는 선금의 정산이 완료되었음을 증명하는 서류를 발급하여야 한다. <신설 2019.12.18.>

제38조(반환청구) ① 계약담당공무원은 선금을 지급한 후 다음 각 호의 1에 해당하는 경우에는 해당 선금잔액에 대해서 계약상대자에게 지체 없이 그 반환을 청구하여야 한다. 다만, 계약상대자의 귀책사유에 의하여 반환하는 경우에는 해당 선금잔액에 대한 약정이자상당액을 가산하여 청구하여야 한다. 이 경우에 약정이자율은 선금을 지급한 시점을 기준으로 한다. <개정 2014.1.10.>

1. 계약을 해제 또는 해지하는 경우
2. 선금지급조건을 위배한 경우
3. <삭제 2014.1.10.>
4. 정당한 사유 없이 선금 수령일로부터 15일 이내에 하수급인에게 선금을 배분하지 않은 경우 <신설 2011.5.13.>
5. 계약변경으로 인해 계약금액이 감액되었을 경우 <신설 2014.1.10.>

② 제1항에 의한 이자상당액의 계산방법은 매일의 선금잔액에 대한 일변계산에 의하며, 계산기간은 반환시까지로 한다.

③ 계약담당공무원은 계약상대자가 하수급인에게 정당한 사유 없이 선금을 적정하게 배분하지 않은 경우에는 제1항에 따라 반환받은 선금을 하수급인에게 직접 지급할 수 있다. <신설 2011.5.13.>

④ 제1항 및 제2항에 의한 반환청구시 기성부분에 대한 미지급액이 있는 경우에는 선금잔액을 그 미지급액에 우선적으로 충당하여야 한다. 다만, 「건설산업기본법」 및 「하도급거래공정화에 관한 법률」에 의하여 하도급대금 지급보증이 되어 있지 않은 경우로서 계약예규 「공사계약일반조건」 제43조제1항에 의하여 하도급대가를 직접 지급하는 때에는 우선적으로 하도급대가를 지급한 후에 기성부분에 대한 미지급액의 잔액이 있으면 선금잔액과 상계할 수 있다.

⑤ 제1항제5호의 경우 계약금액이 감액되는 비율 만큼 선금을 반환청구 해야한다. 다만, 계약상대자에게 지급된 선금이 제34조제1항에서 정하고 있는 최대 선금지급율을 초과하지 아니하였을 경우에는 계약상대자로부터 변경계약에 따른 배서증권 징구 등 채권확보를 안전하게 하는 것으로 이를 갈음할 수 있다. <신설 2014.1.10.>

제39조(선금지급조건) 계약담당공무원은 선금을 지급하고자 하는 경우에는 계약체결시에 제35

조 내지 제38조에 의한 채권확보조치, 선금의 사용, 정산 및 반환청구 등 기타 필요한 사항을 선금지급 조건으로 명시하여야 한다.

제13장 공사의 이행보증제도 운용

제40조(공사의 이행보증 운용) 계약담당공무원은 시행령 제52조제1항제3호 및 시행규칙 제66조에 의한 공사이행보증서의 제출 등에 대해서는 이 장에 정한 바에 따라야 한다.

제41조(정의) 이 장에서 사용하는 용어의 정의는 다음과 같다.

1. "공사이행보증서"라 함은 시행령 제2조제4호에 의한 보증서를 말한다.
2. "보증이행업체"라 함은 공사이행보증서 발급기관(이하 "보증기관"이라 한다)이 해당 공사의 보증시공을 위하여 지정한 업체를 말한다.
3. "보증채무"라 함은 계약상대자가 정당한 이유 없이 계약상의 의무를 이행하지 아니한 경우에 보증기관이 발주기관에 대하여 보증하여야 할 의무를 말한다.

제42조(공사이행보증서의 제출) ① 계약담당공무원은 공사계약에 있어서 계약상대자가 시행령 제50조제1항 내지 제3항에 의한 계약보증금을 납부하지 아니하고 공사이행보증서를 제출하고자 하는 경우에는 시행령 제52조제1항제3호에서 정한 금액을 납부할 것을 보증하는 것이어야 한다.

② 보증기관은 시행령 제37조제2항제1호, 제3호 및 제4호에서 규정한 보증서등의 발급기관 이어야 한다.

제43조(보증채무의 범위) ① 계약담당공무원은 계약상대자가 정당한 이유 없이 계약상의 의무를 이행하지 아니한 경우에는 보증기관으로 하여금 보증서에 기재된 사항에 따라 발주기관에 보증채무를 이행하게 하여야 한다.

② 제1항에 의한 보증채무에는 하자담보채무와 선금반환채무를 포함하지 아니한다. 다만, 계약체결시 하자담보채무에 대하여 별도의 특약을 체결한 때에는 이를 포함한다.

제44조(보증채무의 이행방법) 계약상대자가 정당한 이유없이 계약상의 의무를 이행하지 아니한 경우에 보증기관은 보증이행업체를 지정하여 해당계약을 이행하게 하여야 한다. 다만, 공사이행보증서상의 보증금을 현금으로 납부하는 경우에는 그러하지 아니하다.

제45조(보증이행업체의 지정) ① 제44조에 의한 보증이행업체 지정시에 계약담당공무원은 보증기관으로 하여금 다음 각 호의 자격을 갖추고 있는 자를 보증이행업체로 지정하게 하여야 하며, 보증이행업체지정에 관련된 서류를 계약담당공무원에게 제출하여 승인을 얻도록 하여야 한다. 지정된 보증이행업체를 변경하는 경우에도 또한 같다.

1. 「독점규제 및 공정거래에 관한 법률」에 의한 계열회사가 아닌 자
2. 시행령 제76조에 의한 입찰참가자격제한을 받고 그 제한 기간 중에 있지 아니한 자

3. 시행령 제36조에 의한 입찰공고에서 정한 입찰참가자격과 동등이상의 자격을 갖춘 자
4. 시행령 제13조에 의한 입찰의 경우에는 입찰참가자격사전심사기준에 따른 심사 종합평점이 입찰적격 기준점수 이상이 되는 자

② 계약담당공무원은 제1항에 의하여 보증이행업체로 지명된 자가 부적격하다고 인정되는 경우에는 보증기관에 보증이행업체의 변경을 요구할 수 있으며, 보증기관이 지정된 보증이행업체의 변경을 요구하는 경우에는 이를 승인할 수 있다.

제46조(보증이행업체의 보증이행) ① 계약담당공무원은 계약상대자가 계약상의 의무를 이행하지 아니한 경우에는 지체없이 보증기관에 보증채무의무를 이행할 것을 청구하여야 한다. 이때 계약담당공무원은 공사현장(기성부분, 가설물, 기계·기구, 자재 등)의 보존과 손해의 발생을 방지하여야 하며 보증기관이 보증이행업체를 지정하여 보증채무를 이행하게 한 경우에는 그 보증이행업체에게 이를 인도하여야 한다.

② 제1항의 청구에 의하여 계약상의 공사보증이행의무를 완수한 보증기관은 계속공사에 있어 계약상대자가 가지는 계약체결상의 이익을 가진다.

③ 보증기관은 계약금액 중 보증이행부분에 상당하는 금액을 발주기관에 직접 청구할 수 있는 권리를 가지며, 계약상대자는 보증이행업체의 보증이행부분에 상당하는 금액을 청구할 수 있는 권리를 상실한다.

④ 계약담당공무원은 보증기관이 정당한 이유없이 계약상의 보증채무를 이행하지 아니한 경우에는 보증기관으로 하여금 공사이행보증서상의 보증금을 현금으로 납부하게 하여야 한다.

제47조(보증채무의 소멸시기) 계약담당공무원은 제46조에 의한 보증채무의 이행을 공사이행보증서상의 보증기간 말일 다음날부터 기산하여 6월 이내에 보증기관에 청구하여야 하며, 보증기관은 그 청구기간이 경과된 후에는 보증책임을 지지 아니한다.

제48조(보증기관에 대한 통지 등) ① 계약담당공무원은 다음 각 호의 어느 하나의 경우에는 지체없이 그 사실을 보증기관에 서면으로 통지하여야 한다.

1. 공사의 전부 또는 일부의 시공을 중지하였을 경우
2. 시행령 제64조 내지 제66조에 의하여 물가변동, 설계변경, 기타 계약내용변경에 따라 계약금액을 조정하였을 경우
3. 공사계약기간을 연장 또는 단축하고자 할 경우
4. 계약상대자의 공사계약에 의하여 발생한 채권(이하 "공사대금청구권"이라 한다)에 대하여 타인으로부터 발주기관에 압류·가압류 또는 가처분 등의 강제집행이 있는 경우

② 계약담당공무원은 다음 각 호의 어느 하나에 대하여 보증기관의 요청이 있는 경우 이에 협조하여야 한다.

1. 보증기관이 보증채무의 이행을 위하여 설계도서나 이미 공급한 지급자재내역에 대한 자료요청을 하는 경우
2. 보증기관이 공사진행 상황을 조사하고자 하는 경우
3. 하도급내용에 대한 자료요청을 하는 경우

제49조(공사대금청구권의 양도) 계약담당공무원은 계약상대자가 공사대금청구권을 보증기관의 동의 없이 제3자에게 양도하고자 할 때에는 이를 승인하여서는 아니 된다. 다만, 「사회기반시설에 대한 민간투자법」 제2조제5호 단서에서 정한 초과시공을 수행한 자가 해당 초과시공 부분 공사대금청구권(「국가를 당사자로 하는 계약에 관한 법률」 제14조 및 시행령 제55조에서 정한 기성검사를 완료한 경우에 한함)을 제3자에게 양도함에 있어 「사회기반시설에 대한 민간투자법」 제34조제1항에 의한 신용보증을 받고자 하는 경우에는 계약담당공무원은 보증기관의 동의 없이 이를 승인할 수 있다. <개정 2009.4.8.>

제50조(공동계약에 있어서의 보증채무의 이행) ① 계약담당공무원은 공동이행방식으로 체결된 공동계약에 있어 공동수급체 구성원중 일부가 부도·파산 또는 해산 등의 사유로 계약을 이행할 수 없는 경우로서 잔존구성원이 면허, 시공능력평가액 등 해당 계약이행요건을 갖추지 못한 경우로서 새로운 구성원을 추가하지 않은 때 또는 해당 계약이행요건을 갖추었더라도 계약을 이행하지 아니하는 때에는 보증기관에 보증채무의 이행을 청구하여야 한다. <개정 2015.1.1.>

② 계약담당공무원은 분담이행방식으로 체결된 공동계약에 있어 공동수급체 구성원 중 일부가 부도·파산 또는 해산 등의 사유로 계약을 이행할 수 없는 경우에는 제1항에도 불구하고 잔존구성원의 자격요건 구비여부와 관계없이 보증기관에 보증채무의 이행을 청구하여야 한다.

제51조(보증채무이행개시 기한) 계약담당공무원은 보증기관으로 하여금 이행청구서가 접수된 날부터 30일 이내에 보증채무의 이행을 개시하게 하여야 한다. 다만, 보증기관의 보증이행업체 선정 지연등 불가피한 사유가 인정되는 때에는 30일의 범위 내에서 보증채무의 이행개시일을 연장할 수 있다.

제52조(지체상금) 계약담당공무원은 보증기관이 제51조에 의한 보증채무이행개시 기한(동 기한이 연장된 때에는 연장된 기한)내에 보증채무의 이행을 개시하는 경우에 그 이행청구서가 접수된 날부터 보증채무이행개시일 전일까지의 기간에 대하여는 지체상금을 부과하여서는 아니 된다.

제53조(기타 사항) ① 시행령 제52조제5항에 따라 시행령 제52조제1항 내지 제4항을 준용할 수 있는 용역계약은 다음 각 호와 같다. <신설 2015.9.21.>

1. 건설기술진흥법 제2조제3호에 따른 건설기술용역
2. 건축사법 제2조제3호에 따른 설계용역
3. 기타 각 중앙관서의 장이 공익상 이행확보의 필요성이 크다고 인정하는 용역

② 제1항에도 불구하고 시행규칙 제23조의3 각호에 해당하는 용역계약의 경우에는 시행령 제52조제1항 내지 제4항을 준용하지 아니한다. <신설 2015.9.21.>

③ 이 장에 정한 사항외의 공사이행보증과 관련된 기타계약조건은 공사이행보증약관과 해당 공사의 특성 등을 고려하여 발주기관·계약상대자 및 보증기관간의 협의에 의하여 정할 수 있다.

제14장 공사의 손해보험가입 업무집행

제54조(공사의 손해보험 가입) 계약담당공무원은 시행령 제53조제2항에 따른 공사손해보험(「건설산업기본법」 제56조제1항제5호에 따른 손해공제를 포함한다. 이하 이 장에서 같다)의 규정에 의한 공사손해보험 가입 업무수행은 이 장에 정한 바에 따라야 한다.

제55조(보험의 가입) 계약담당공무원은 시행령 제78조, 제97조 및 추정가격 200억원 이상인 공사로서 계약예규 「입찰참가자격사전심사요령」 제6조제5항제1호에 규정된 공사에 대하여 공사손해보험에 가입하거나 계약상대자에게 공사손해보험에 가입하도록 하여야 하며 필요한 경우 보험가입 등과 관련하여 전문가로부터 자문을 받을 수 있다. <개정 2010.9.8, 2014.1.10, 2015.9.21.>

제56조(보험가입의 범위) 제55조에 의하여 가입하는 보험은 계약목적물에 대한 손해담보와 제3자 손해배상책임을 담보할 수 있는 보험이어야 한다. 다만, 계약상대자가 필요하다고 인정할 경우에는 계약상대자의 부담으로 추가적으로 담보하는 보험에 가입하게 할 수 있다.

제57조(보험가입금액) ① 계약목적물에 대한 손해보험가입금액은 공사의 보험가입 대상부분의 계약금액에서 부가가치세와 손해보험료를 제외한 금액(이하 "순계약금액"이라 한다)을 기준으로 한다.

② 제1항에 규정한 순 계약금액에 관급자재가 있을 경우에는 이를 포함하며, 장기계속공사계약인 경우에는 총 공사 부기금액을 기준으로 순계약금액을 산정한다.

③ 제3자 손해배상책임에 대한 매 사고당 보상한도는 제1항 및 제2항에서 규정한 보험가입 금액의 100분의 1과 5억원 중 많은 금액으로 한다.

④ 계약담당공무원은 계약금액이 증감(시행령 제64조 내지 제66조에 의한 계약금액의 증감)된 경우에는 증감된 순계약금액만큼 공사손해보험가입금액을 증액 또는 감액하거나 계약상대자에게 증액 또는 감액하게 하여야 한다. 다만, 계약금액이 증가되는 경우로서 증가된 순계약금액이 당초 보험가입금액의 100분의 10을 초과하지 아니하는 경우에는 그러하지 아니하다. <개정 2015.9.21.>

제58조(피보험자) 계약담당공무원 이나 계약상대자는 공사손해보험가입시에 발주기관, 계약상대자, 하수급인 및 해당공사의 이해관계인을 피보험자로 하여야 하며, 계약상대자가 가입하는 경우로서 보험사고 발생으로 발주기관이외의 자가 보험금을 수령하게 될 경우에는 발주기관의 장의 사전동의를 받도록 약정하여야 한다. <개정 2015.9.21.>

제59조(보험의 가입시기 및 기간) ① 계약담당공무원은 제55조에 의한 보험가입을 공사착공일 이전까지 가입하거나 계약상대자에게 가입하게 하여야 하고 그 증서를 착공신고서 제출시에 발주기관에게 제출하게 하여야 한다. <개정 2015.9.21.>

② 제1항에 따른 보험기간은 해당공사 착공시(손해보험가입 비대상공사가 포함된 공사의 경우에는 손해보험가입대상공사 착공일을 말함)부터 발주기관의 인수시(시운전이 필요한

공사인 경우에는 시운전 시기까지 포함한다)까지로 하여야 한다. <개정 2015.9.21.>

제60조(보험료 계상 및 보험료율 산정) ① 계약담당공무원은 제55조에 의한 보험가입대상 공사로서 계약상대자가 가입하게 하는 경우에는 예정가격 작성시에 계약예규「예정가격 작성기준」 제2장(원가계산에 의한 예정가격 작성)에 정한 내용에 따라 예정가격에 보험료를 계상하여야 한다. 다만, 시행령 제7조의2제2항에 의하여 예정가격을 작성하지 아니하는 경우에는 공사예산에 보험료를 계상하여야 한다. <개정 2015.9.21.>

② 계약담당공무원은 제1항에 의한 보험료 계상을 위한 보험료율은 보험개발원, 손해보험회사등으로부터 제공받아 이를 기초로 하여 산정한다.

③ 계약담당공무원은 공사손해보험료 산정의 근거가 되는 보험가입대상 공사부분의 항목등을 설계서에 명시하여야 한다. <신설 2014.1.10.>

④ 계약담당공무원은 계약상대자에게 예정가격조서상의 보험료 또는 계약상대자가 제출한 입찰금액 산출내역서상의 보험료와 손해보험회사에 실제 납입한 보험료간의 차액발생을 이유로 보험가입을 거절하거나 동 차액의 정산을 요구하지 아니하도록 하여야 한다.

제61조(보험약관) 계약담당공무원은 제55조에 의한 보험가입대상 공사에서 계약상대자가 가입하는 경우에는 보험약관의 형식(독일식 약관 또는 영국식 약관)을 정하여 계약상대자에게 통보하여야 한다. <개정 2015.9.21.>

제62조(계약상대자의 의무 등) 계약담당공무원은 공사손해보험에 가입하거나 계약상대자에게 가입하게 하는 경우에 계약상대자로 하여금 다음 각 호의 사항을 성실히 이행하게 하여야 한다. <개정 2015.9.21.>

1. 보험에 가입한 공사의 손해방지를 위한 위험관리에 있어 신의와 성실의 원칙에 입각한 선량한 관리자로서의 주의의무
2. 보험가입과 관련하여 피보험자가 이행하여야 할 보험회사에 대한 고지 또는 통지의무
3. 보험에 가입한 공사의 시공기간중 보험회사의 위험도 조사에 대한 협조 및 보험회사로부터 제출된 위험도 조사 보고서(Risk Survey Report)에 따른 적절한 위험방지 조치
4. 보험사고 발생시에 구체적인 사고경위 등을 지체없이 계약담당공무원에게 통보할 의무

제63조(보험계약상의 권리의무 승계) 계약담당공무원은 제55조에 의한 보험계약의 체결에 있어 시행령 제52조에 의한 공사이행보증서 발급기관이 보증시공을 하게 될 경우에는 계약상대자의 보험계약상의 권리와 의무가 공사이행보증서 발급기관에 승계될 수 있게 하여야 한다. 보험가입공사계약이 해제 또는 해지되어 새로운 계약상대자가 선정되는 경우에도 또한 같다. <개정 2010.9.8, 2015.9.21.>

제64조(보험계약상의 권리양도 등의 제한) 계약담당공무원은 계약 상대자가 보험과 관련한 일체의 보험계약상의 권리를 제3자에게 양도·이전·질권의 설정·기타 담보를 제공하게 하여서는 아니되며, 어떠한 형태로든지 피보험자의 권리를 제한하는 행위를 하게 하여서는 아니 된다.

제65조(보험금의 사용) ① 계약담당공무원은 보험가입 목적물의 보험사고로 보험금이 지급되는 경우에 계약상대자로 하여금 동 보험금을 해당 공사의 복구에 우선 사용하게 하여야 한다.

② 계약담당공무원은 제1항에 의한 보험금 지급의 지연 또는 부족을 이유로 계약상대자가 피해복구를 지연하거나 거절할 수 없게 하여야 한다.

제66조(기타사항) 계약담당공무원은 보험가입등과 관련하여 이 예규에 규정되지 아니한 사항에 대하여는 보험약관에 정하거나 계약상대자 및 손해보험회사와의 협의 또는 중재기관에 의한 조정 등에 의할 수 있다.

제15장 물가변동 조정율 산출

제67조(품목조정율) ① 계약담당공무원은 시행령 제64조제1항제1호에 의한 품목조정율 산출시에는 시행규칙 제74조제1항 내지 제3항에 정한 바에 의하되, 표준시장단가가 적용된 공종의 경우에는 입찰당시(또는 직전조정기준일당시)의 표준시장단가와 물가변동당시의 표준시장단가를 비교하여 등락율을 산출한다. <개정 2015.3.1.>

② 제1항에도 불구하고 각 중앙관서의 장 또는 그가 지정하는 단체에서 제정한 "표준품셈"상의 건설기계는 입찰당시의 건설기계 시간당 손료와 물가변동당시의 건설기계 시간당 손료를 비교하여 등락율을 산출한다.

제68조(지수조정율 및 용어의 정의) 시행령 제64조제1항제2호에 의한 지수조정율 산출시에는 이 장에서 정한 바에 따라야 하며, 이 장에서 사용하는 용어의 정의는 다음과 같다. <개정 2015.3.1. 2020.4.7.>

1. "비목군"이라 함은 계약금액의 산출내역 중 재료비, 노무비 및 경비를 구성하는 제비목을 노무비, 기계경비, 표준시장단가 또는 한국은행이 조사 발표하는 생산자물가기본분류지수 및 수입물가지수표상의 품류에 따라 입찰시점(수의계약의 경우에는 계약체결시점을 말한다. 이하 같다)에 계약담당공무원이 다음 각목의 예와 같이 분류한 비목을 말하며 이하 "A, B, C, D, E, F, G, H, I, J, K, L, M, ·····Z"로 한다.

가. A : 노무비(공사와 제조로 구분하며 간접노무비 포함)

나. B : 기계경비(공사에 한함)

다. C : 광산품

라. D : 공산품

마. E : 전력·수도·도시가스 및 폐기물

바. F : 농림·수산품

사. G : 표준시장단가(공사에 한하며, G1 : 토목부문, G2 : 건축부문, G3 : 기계설비부문, G4 : 전기부문, G5 : 정보통신부문으로 구분하며, 일부공종에 대하여 재료비·노무비·경비중 2개이상 비목의 합계액을 견적받아 공사비에 반영한 경우에는 이를 해당 부분(G1, G2, G3, G4, G5)의 표준시장단가에 포함한다. 이하 같다.) <개정 2010.10.22.>

아. H : 산재보험료

자. I : 산업안전보건관리비

차. J : 고용보험료

카. K : 건설근로자 퇴직공제부금비

타. L : 국민건강보험료

파. M : 국민연금보험료

하. N : 노인장기요양보험료

거. Z : 기타 비목군

2. "계수"라 함은 "A, B, C, D, E, F, G, H, J, J, K, L, M, …… Z"의 각 비목군에 해당하는 산출내역서상의 금액(예정조정기준일전에 이행이 완료되어야 할 부분에 해당되는 금액은 제외한다)이 동 내역서상의 재료비, 노무비 및 경비의 합계액(예정조정기준일전에 이행이 완료되어야 할 부분에 해당되는 금액은 제외한다)에서 각각 차지하는 비율(이하 "가중치"라 한다)로서 이하 "a, b, c, d, e, f, g, h, i, j, k, l, m, …… z"로 표시한다.

3. "지수 등"이라 함은 다음 각목을 말한다.

가. A에 대하여는 시행규칙 제7조제1항에 의하여 조사·공표된 해당직종의 평균치를, B에 대하여는 각 중앙관서의 장 또는 그가 지정하는 단체에서 제정한 "표준품셈"의 건설기계 가격표상의 전체기종에 대한 시간당 손료의 평균치(해당공사에 투입된 기종을 의미하는 것은 아님)를, "C, D, E, F"에 대하여는 생산자물가기본분류지수표 및 수입물가지수표상 해당 품류에 해당하는 지수를, G에 대하여는 시행령 제9조제1항제3호에 의하여 각 중앙관서의 장이 발표한 공종별(G1, G2, G3, G4, G5) 표준시장단가의 전체 평균치를 말하며, 이하 기준시점인 입찰시점의 지수 등은 각각 "A0, B0, C0, D0, E0, F0, G0"로, 비교시점인 물가변동시점의 지수 등은 각각 "A1, B1, C1, D1, E1, F1, G1"으로 표시하되 통계월보상의 지수는 매월말에 해당하는 것으로 보고 각 비목군의 지수상승율을 산출한다. <개정 2010.10.22, 2015.3.1.>

나. "H, I"에 대하여는 다음 공식에 의하여 산출하며, "J, K, L, M"에 대하여는 "H" 산출방식을 준용한다.

H0=A0×입찰시 산재보험료율

H1=A1×조정기준일 당시 산재보험료율

I0=변동전(직접노무비계수+재료비계수+표준시장단가계수)×입찰시 산업안전보건관리비율

* 변동 전 재료비계수=c+d+e+f

I1=변동후(직접노무비계수+재료비계수+표준시장단가계수)×조정기준일당시 산업안전보건관리비율

* 변동 후 계수=변동전계수×지수변동율

다. Z0 또는 Z1의 경우에는 A0부터 G0까지 또는 A1부터 G1까지 각 비목의 지수를 해당

비목의 가중치에 곱하여 산출한 수치의 합계를 비목군수로 나눈 수치로 하여 아래 공식에 의하여 산출한다. 단, 노무비(A)는 지수화(100%)하여 적용한다.

Z0=(aA0+cC0+dD0+eE0+fF0+gG0)/비목군수

Z1=(aA1+cC1+dD1+eE1+fF1+gG1)/비목군수

제69조(조정율의 산출) ① 지수조정율(이하 "K"라 표시한다)은 다음의 산식에 의하여 산출한다.

$$K= \left(a\frac{A_1}{A_0}+b\frac{B_1}{B_0}+c\frac{C_1}{C_0}+d\frac{D_1}{D_0}+e\frac{E_1}{E_0}+f\frac{F_1}{F_0}+ g\frac{G_1}{G_0}+h\frac{H_1}{H_0}+i\frac{I_1}{I_0}+j\frac{J_1}{J_0}+k\frac{K_1}{K_0}+l\frac{L_1}{L_0}+ m\frac{M_1}{M_0}\cdots\cdots\cdots\cdots\cdots +z\frac{Z_1}{Z_0}\right)-1$$

단, $z = 1 - (a + b + c + d + e + f + g + h + i + j + k + l + m \cdots)$

② 각 비목군의 지수는 입찰시점과 조정기준일 시점의 지수("C, D, E, F"에 대하여는 각각의 전월지수, 다만, 월말인 경우에는 해당 월의 지수를 말한다)를 각각 적용한다.

③ 제68조에 의한 비목군은 계약이행기간중 설계변경, 비목군 분류기준의 변경 및 비목군 분류과정에서 착오나 고의 등으로 비목군 분류가 잘못 적용된 경우를 제외하고는 변경하지 못한다.

제70조(계약금액의 조정) ① 계약담당공무원은 계약체결후 90일 이상이 경과(계약체결일을 불산입하고 그 익일부터 기산하여 91일이 되는 날을 의미한다. 이하 같다)되고 제69조제1항에 의하여 산출한 K가 100분의 3 이상인 경우로서 계약상대자의 청구가 있는 때에는 계약금액을 조정하되, 청구금액의 적정성에 대하여 직접 심사하기 곤란한 경우에는 「예정가격작성기준」 제31조에 따른 원가계산용역기관에 위탁할 수 있다. <개정 2012.1.1.>

② 제1항에 의한 계약금액의 조정은 조정기준일 이후에 이행되는 부분의 대가(이하 "물가변동 적용대가"라 한다)에 적용하되, 시공 또는 제조개시전에 제출된 공정예정표상 조정기준일전에 이행이 완료되어야 할 부분은 물가변동 적용대가에서 제외한다. 다만, 정부에 책임 있는 사유 또는 천재·지변 등 불가항력적인 요인으로 공정 또는 납품이 지연된 경우에는 그러하지 아니하다.

③ 제1항에 의하여 계약금액조정에 사용된 K는 90일간 변동하지 못한다.

④ 제2차 이후의 계약금액조정율은 제69조제1항의 산식 중 "A0, B0, C0, D0, E0, F0, G0, H0, I0, J0, K0, L0, M0, ·····Z0"에는 직전조정시의 "A1, B1, C1, D1, E1, F1, G1, H1, I1, J1, K1, L1, M1, ··· Z1"을, "A1, B1, C1, D1, E1, F1, G1, H1, I1, J1, K1, L1, M1, ··· Z1"에는 비교시점인 물가변동시점의 지수 등을 각각 대입하여 산출한다.

⑤ 계약담당공무원은 제68조제3호에 의한 "표준품셈"(이하 품셈이라 한다. 이하 같다)상의 건설기계 시간당 손료의 평균치를 다음 각 호에 따라 산정하여야 한다.

1. 입찰시점 또는 직전조정기준일 시점의 기계경비 지수는 당시 품셈의 건설기계 가격표상의 기종에 대한 시간당 손료의 평균치 <개정 2020.4.7.>
2. 물가변동시점의 기계경비 지수는 조정기준일 당시 품셈의 건설기계 가격표상의 기종 중 입찰시점 또는 직전조정기준일 시점 당시 품셈의 건설기계 가격표상의 기종만의 시간당 손료의 평균치 <개정 2020.4.7.>
3. 입찰시점 또는 직전조정기준일 당시 품셈의 건설기계 가격표상의 기종이 물가변동시점에 삭제된 경우에는 입찰시점 또는 직전조정기준일 시점 당시 품셈의 건설기계 가격표상의 기종에 대한 시간당 손료의 평균치 산정시 물가변동시점에 삭제된 기종을 제외함 <신설 2020.4.7.>

⑥ 계약담당공무원은 제68조제3호에 의한 각 중앙관서의 장이 발표한 공종별(G1, G2, G3, G4, G5) 표준시장단가의 전체 평균치를 다음 각 호에 따라 산정하여야 한다. <개정 2010.10.22, 2015.3.1.>

1. 입찰시점 또는 직전조정기준일 시점의 표준시장단가 지수는 입찰시점 또는 직전조정기준일 시점 당시 각 중앙관서의 장이 발표한 공종별 표준시장단가의 전체 평균치
2. 물가변동시점의 표준시장단가 지수는 조정기준일 중 입찰시점 또는 직전조정기준일 시점 당시 공종별 표준시장단가에 해당하는 표준시장단가만의 전체 평균치
3. 입찰시점 또는 직전조정기준일 시점에 발표되어 있던 표준시장단가 적용 공종이 물가변동시점에 삭제된 경우에는 입찰시점 또는 직전조정기준일 시점 당시 공종별 표준시장단가의 전체 평균치 산정시 물가변동시점에 삭제된 공종을 제외함

⑦ 제6항에도 불구하고 건축부문 표준시장단가(G2)의 전체평균치 산정시 국토교통부장관이 발표한 표준시장단가 공종 중 타워크레인 운반비(8ton, 10ton, 12ton)와 타워크레인 임대료(8ton, 10ton, 12ton)는 발표된 단가를 다음 각 호에 따라 단위를 보정하여 산정한 단가를 반영한다. <개정 2015.3.1.>

1. 타워크레인 운반비는 대당 단가를 규격별 권상(卷上)능력으로 나누어 톤당 단가로 반영
2. 타워크레인 임대료는 월당 단가를 25일로 나누어 일당 단가로 반영

⑧ 시행규칙 제74조제7항의 불가피한 사유는 다음 각 호의 사유를 말한다.

1. 예측하기 힘든 태풍·홍수 기타 악천후, 전쟁 또는 사변, 지진, 화재, 전염병, 폭동 등에 따라 계약금액 조정이 필요한 경우
2. 원자재의 급격한 가격 급등에 따라 계약금액 조정이 필요한 경우
3. 장기계속 물품·용역계약으로서 시행령 제9조제1항제1호에 따라 예정가격을 결정하여 입찰당시의 원가자료가 존재하지 아니하는 경우

제70조의2(지수조정율 등 산정시 소수점 처리) 계약담당공무원은 지수조정율 등 산정시 소수점 이하의 숫자가 있는 경우에 다음 각 호에 따라 산정한다.

1. 지수, 지수변동율(입찰시점의 지수대비 물가변동시점의 지수) 및 지수조정율(K)은 소수점 다섯째자리 이하는 절사하고 소수점 넷째자리까지 산정함

2. 각 비목군의 계수는 계수의 합이 1이 되어야 함을 고려하여 계약당사자간에 협의(예 : 일부는 절상하고 일부는 절사하여 계수의 합이 1이 되도록 하는 방법)하여 결정함

제70조의3(특정규격 자재의 가격변동으로 인한 계약금액조정) ① 계약담당공무원은 시행령 제64조제6항에 따라 특정규격의 자재별 가격변동에 따른 계약금액을 조정하는 경우에 품목조정률에 의하며, 시행규칙 제74조를 준용한다.

② 계약담당공무원은 제1항에 따른 계약금액을 조정 후에 시행령 제64조제1항 및 시행규칙 제74조에 따라 물가변동으로 인한 계약금액을 조정하는 경우에는 다음 각 호의 기준에 따른다. 다만, 2차 이후의 계약금액 조정에 있어서는 다음 각 호에도 불구하고 시행령 제64조제1항 및 시행규칙 제74조에 따른다.

1. 시행령 제64조제1항제1호에 따라 계약금액을 조정하는 경우에는 품목조정률 산출시에 제1항에 따라 산출한 특정규격자재의 가격상승률을 감산(하락률은 합산)한다.
2. 시행령 제64조제1항제2호에 따라 계약금액을 조정하는 경우에 지수조정률은 다음 각 목과 같이 산출한다.
 가. 제68조제1호에 따른 비목군 분류시에는 특정자재가 속해 있는 비목군에서 특정자재 비목군을 따로 분류한다.
 나. 제68조제2호에 따른 계수산출시에는 제1항에 따라 조정된 금액을 제외하고 산출하며, 특정자재 비목군과 특정자재를 제외한 비목군에 해당하는 금액이 차지하는 비율에 따라 각각 계수를 산출한다.
 다. 제69조에 따른 조정률 산출시에 특정자재 비목군의 지수변동률은 특정규격자재의 등락폭에 해당하는 지수상승률을 감산(하락률일 경우에는 합산)하고, 특정규격자재의 조정기준일부터 물가변동으로 인한 계약금액 조정기준일까지 지수상승률은 합산하여 산출한다.

③ 계약담당공무원은 총액증액조정요건과 단품증액조정요건이 동시에 충족되는 경우에는 총액증액조정을 적용하여야 한다. 다만, 다음 각 호의 경우에는 단품증액조정을 우선 적용할 수 있다. <신설 2010.10.22.>

1. 단품증액조정이 총액증액조정보다 하수급업체에 유리한 경우
2. 기타 발주기관의 계약관리 효율성 제고 등을 위해 단품증액조정을 적용할 필요성이 있다고 인정되는 경우

[본조신설 2008.5.1.]

제70조의4(원자재 가격급등 등으로 계약이행이 곤란한 경우 계약금액조정) ① 시행령 제64조제5항에서 원자재의 가격급등 등으로 인하여 90일내에 계약금액을 조정하지 아니하고는 계약이행이 곤란하다고 인정되는 경우란 계약체결일 또는 직전 조정기준일 이후 원자재가격 급등과 관련하여 다음 각 호에 해당하는 경우를 말한다.

1. 공사, 용역, 물품제조계약에서 품목조정률이나 지수조정률이 5% 이상 상승한 경우
2. 물품구매 계약에서 품목조정률이나 지수조정률이 10% 이상 상승한 경우

3. 공사, 용역 및 물품제조계약에서 품목조정률이나 지수조정률이 3%(물품구매계약에서는 6%) 이상 상승하고, 기타 객관적 사유로 조정제한기간 내에 계약금액을 조정하지 아니하고는 계약이행이 곤란하다고 계약담당공무원이 인정하는 경우

② 조정기준일은 제1항의 조건이 충족된 최초의 날을 말한다.

③ 계약상대자는 제1항제1호 및 제2호에 따라 물가변동으로 인한 계약금액 조정을 하는 경우에는 원자재 가격급등 및 이에 따라 계약금액에 미치는 영향 등에 대한 증빙서류를 계약담당공무원에게 제출하여야 한다.

④ 계약상대자는 제1항제3호에 따라 물가변동으로 인한 계약금액 조정을 하는 경우에 원자재가격급등 및 이에 따라 계약금액에 미치는 영향, 계약이행이 곤란한 객관적 사유 등에 대한 증빙서류를 계약담당공무원에게 제출하여야 한다.

⑤ 제4항에서 계약이행이 곤란한 객관적 사유에 대한 증빙서류에는 다음과 같은 내용이 포함될 수 있다.

1. 계약가격과 시중거래가격의 현저한 차이 존재
2. 환율급등, 하도급자의 파업 등 입찰시 또는 계약체결시 예상할 수 없었던 사유에 의해 계약금액을 조정하지 아니하고는 계약수행이 곤란한 상황
3. 계약을 이행하는 것보다 납품지연, 납품거부, 계약포기로 제재조치를 받는 것이 비용상 더 유리한 상황
4. 주요 원자재의 가격급등으로 인한 조달곤란으로 계약목적물을 적기에 이행할 수 없어 과도한 추가비용이 소요되는 상황
5. 기타 계약상대자의 책임없는 사유로 계약금액을 조정하지 아니하고는 계약이행이 곤란한 상황

⑥ 각 중앙관서의 장은 동조에 따라 계약금액을 조정할 필요가 있는 경우는 시행령 제94조의 계약심의회 심의를 거쳐 결정할 수 있으며, 동 조 시행에 필요한 세부기준을 운용할 수 있다. [본조신설 2008.11.1.]

제70조의5(계약금액 감액조정 등) ① 계약담당공무원은 시행령 제64조제1항 또는 제6항의 감액조정요건이 충족되는 경우에는 계약상대자에게 통보하여 계약금액을 감액 조정하되, 계약금액 조정요건의 충족여부 등을 자체적으로 확인할 수 없는 경우에는 「예정가격작성기준」 제31조에 따른 원가계산용역기관에 위탁하여 확인할 수 있다. 다만, 계약금액의 감액조정금액이 원가계산기관 위탁수수료보다 낮을 것으로 예상되는 경우 감액조정을 생략할 수 있다. <개정 2012.1.1.>

② 계약담당공무원은 총액감액조정과 단품감액조정 요건이 동시에 충족되는 경우에는 원칙적으로 총액감액조정을 우선 적용한다.

③ 계약담당공무원은 직전 계약금액조정시에 단품증액조정을 한 경우에 단품감액조정요건이 충족되면 원칙적으로 단품감액조정을 하여야 한다. 다만, 계약담당공무원은 단품감액조정을 적용함으로써 총액증액조정의 등락요건이 입찰일 또는 직전조정기준일로부터

조기에 충족되어 추가적인 계약금액 조정이 예상되는 경우에는 동 단품감액조정을 생략할 수 있다.

④ 계약담당공무원은 직전 계약금액조정시에 단품증액조정요건과 총액증액조정요건이 동시에 충족하여 단품증액조정을 적용하지 못한 경우에는 단품감액조정을 적용하지 아니한다.

⑤ 계약담당공무원은 단품감액 조정을 할 경우에 그 대상인 특정규격의 자재(부산물 또는 작업설은 제외한다)는 산출내역서상 재료비 항목의 자재로 한다. 다만, 산출내역서만으로 재료비 항목을 구분하기 어려운 경우에는 산출내역서 작성시 제출한 기초자료(일위대가 등)를 활용하여 재료비 항목으로 구분하여 단품감액조정을 적용할 수 있다.

⑥ 계약담당공무원은 계약금액을 감액조정할 경우에 시행규칙 제74조제6항에 따른 선금공제를 적용하지 않는다.

⑦ 계약담당공무원은 해당 조정기준일 이후에 이행된 부분에 대해 조정통보 전에 지급된 기성대가(준공대가 포함)는 물가변동적용대가에서 공제한다. 다만, 계약담당공무원이 계약상대자에게 감액조정 통보 후에 지급한 기성대가(준공대가 포함) 또는 개산급으로 지급한 기성대가는 물가변동적용대가에 포함한다.

⑧ 계약담당공무원은 단품감액조정 또는 총액감액조정을 할 경우에 계약상대자가 직전 계약금액 조정시에 단품증액조정이나 총액증액조정으로 인하여 조정받은 금액을 하수급인 등에게 배분한 것과 동일한 방식으로 회수·관리하도록 하여야 한다.

⑨ 계약담당공무원은 2006.12.29 이전 계약으로서 계약상대자가 단품증액조정을 받지 않은 경우에는 단품감액조정을 적용하지 아니하되, 단품증액조정을 받은 경우 단품증액조정된 증액범위를 초과하여 단품감액조정을 할 수 없다.

[본조신설 2009.5.4.]

제16장 실비의 산정

제71조(실비의 산정) 계약담당공무원은 시행령 제66조에 의한 실비 산정(하도급업체가 지출한 비용을 포함한다)시에는 이 장에 정한 바에 따라야 한다.

제72조(실비산정기준) ① 계약담당공무원은 기타 계약내용의 변경으로 계약금액을 조정함에 있어서는 실제 사용된 비용 등 객관적으로 인정될 수 있는 자료와 시행규칙 제7조에 의한 가격을 활용하여 실비를 산출하여야 한다.

② 계약담당공무원은 간접노무비 산출을 위하여 계약상대자로 하여금 급여 연말정산서류, 임금지급대장 및 공사감독의 현장확인복명서 등 간접노무비 지급 관련서류를 제출케하여 이를 활용할 수 있다.

③ 계약담당공무원은 경비의 산출을 위하여 계약상대자로부터 경비지출 관련 계약서, 요

금고지서, 영수증 등 객관적인 자료를 제출하게 하여 활용할 수 있다.

제73조(공사이행기간의 변경에 따른 실비산정) ① 간접노무비는 연장 또는 단축된 기간중 해당 현장에서 계약예규「예정가격 작성기준」제10조제2항 및 제18조에 해당하는 자가 수행하여야 할 노무량을 산출하고, 동 노무량에 급여 연말정산서, 임금지급대장 및 공사감독의 현장확인복명서 등 객관적인 자료에 의하여 지급이 확인된 임금을 곱하여 산정하되, 정상적인 공사기간 중에 실제 지급된 임금수준을 초과할 수 없다. <개정 2010.11.30.>

② 제1항에 따라 노무량을 산출하는 경우 계약담당공무원은 계약상대자로 하여금 공사이행기간의 변경사유가 발생하는 즉시 현장유지·관리에 소요되는 인력투입계획을 제출하도록 하고, 공사의 규모, 내용, 기간 등을 고려하여 해당 인력투입계획을 조정할 필요가 있다고 인정되는 경우에는 계약상대자와 협의하여 이를 조정하여야 한다. <신설 2010.11.30, 개정 2019.12.18.>

③ 경비 중 지급임차료, 보관비, 가설비, 유휴장비비 등 직접계상이 가능한 비목의 실비는 계약상대자로부터 제출받은 경비지출관련 계약서, 요금고지서, 영수증 등 객관적인 자료에 의하여 확인된 금액을 기준으로 변경되는 공사기간에 상당하는 금액을 산출하며, 수도광열비, 복리후생비, 소모품비, 여비·교통비·통신비, 세금과공과, 도서인쇄비, 지급수수료(7개 항목을 "기타경비"라 한다)와 산재보험료, 고용보험료 등은 그 기준이 되는 비목의 합계액에 계약상대자의 산출내역서상 해당비목의 비율을 곱하여 산출된 금액과 당초 산출내역서상의 금액과의 차액으로 한다. <개정 2010.11.30.>

④ 계약상대자의 책임 없는 사유로 공사기간이 연장되어 당초 제출한 계약보증서·공사이행보증서·하도급대금지급보증서 및 공사손해보험 등의 보증기간을 연장함에 따라 소요되는 추가비용은 계약상대자로부터 제출받은 보증수수료의 영수증 등 객관적인 자료에 의하여 확인된 금액을 기준으로 금액을 산출한다. <신설 2010.11.30.>

⑤ 계약상대자는 건설장비의 유휴가 발생하게 되는 경우 즉시 발생사유 등 사실관계를 계약담당공무원과 공사감독관에게 통지하여야 하며, 계약담당공무원은 장비의 유휴가 계약의 이행 여건상 타당하다고 인정될 경우에는 유휴비용을 다음 각 호의 기준에 따라 계산한다.

1. 임대장비 : 유휴 기간 중 실제로 부담한 장비임대료
2. 보유장비 : (장비가격×시간당 장비손료계수) × (연간표준가동기간÷365일) × (유휴일수) × 1/2

제74조(설계서 작성시 주의사항 및 운반거리 변경에 따른 실비의 산정) ① 계약담당공무원은 시행령 제14조에 의한 해당 공사의 설계서를 작성함에 있어 운반비 산정의 기준이 되는 다음 각 호의 사항을 구체적으로 명기하여 불가피한 경우를 제외하고는 계약체결 후 운반거리 변경이 발생하지 아니하도록 하여야 한다.

1. 토사채취, 사토 및 폐기물처리 등을 위한 위치
2. 공사현장과 제1호에 의한 위치간의 운반거리, 운반로, 및 운반속도 등
3. 기타 운반비 산정에 필요한 사항

② 계약담당공무원은 토사채취 사토 및 폐기물처리 등과 관련하여 당초 설계서에 정한

운반거리가 증·감되는 경우에 다음 각 호의 기준에 의하여 계약금액을 조정한다.

1. 당초 운반로 전부가 남아 있는 경우로서 운반거리가 변경되는 경우
 · 조정금액 = 당초 계약단가 + 추가된 운반거리를 변경당시의 품셈을 기준으로 하여 산정한 단가와 동 단가에 낙찰율을 곱한 단가의 범위내에서 계약당사자간에 서로 주장하는 각각의 단가기준에 대한 근거자료 제시 등을 통하여 성실히 협의(이하 이 장에서 "협의"라 한다)하여 결정한 단가

2. 당초 운반로 일부가 남아 있는 경우로서 운반거리가 변경되는 경우
 · 조정금액 = (당초 계약단가 - 당초 운반로 중 축소되는 부분의 계약단가) + 대체된 운반거리를 변경당시 품셈을 기준으로 산정한 단가와 동 단가에 낙찰율을 곱한 단가의 범위 내에서 계약당사자간에 협의하여 결정한 단가

3. 당초 운반로 전부가 변경되는 경우
 · 조정금액 = (계약단가 + 변경된 운반거리를 변경당시 품셈을 기준으로 산정한 단가와 동단가에 낙찰율을 곱한 단가의 범위내에서 계약당사자간에 협의하여 결정한 단가) - 계약단가

③ 제2항 각 호에 의한 산식 중 협의단가를 결정함에 있어 계약당사자간의 협의가 이루어지지 아니하는 경우에는 그 중간금액으로 한다.

제75조(기타 실비의 산정) 제73조 및 제74조 규정 이외의 경우에 실비의 산정은 변경된 내용을 기준으로 하여 산정한 단가와 당초 단가와의 차액범위 안에서 계약당사자간에 협의하여 결정한다. 다만, 계약당사자간에 협의가 이루어지지 아니하는 경우에는 변경된 내용을 기준으로 하여 산정한 단가와 당초 단가를 합한 금액의 100분의 50으로 한다.

제76조(일반관리비 및 이윤) 일반관리비 및 이윤은 제73조 내지 제75조 규정에 의하여 산출된 금액에 대하여 계약문서상의 일반관리비율 및 이윤율에 의하며 시행규칙 제8조에서 정하는 율의 범위 내에서 결정하여야 한다. <개정 2015.9.21.>

제16장의2 시행규칙 제23조의3 각 호의 용역계약의 집행

제76조의2(노무용역계약의 집행) 시행규칙 제23조의3 각 호의 용역계약의 집행과 관련하여서는 이 장에 정한 바에 따라야 한다.

[본조신설 2017.12.28.]

제76조의3(노무비의 계상) 계약담당공무원은 예정가격 작성시 인건비의 기준단가는 다음 각 호의 어느 하나에 따른 노임에 의하되, 「근로기준법」에서 정하고 있는 제수당, 상여금(기준단가의 연 400%를 초과하여 계상할 수 없다), 퇴직급여충당금의 합계액으로 한다.

1. 시설물관리용역 : 「통계법」 제17조의 규정에 따라 중소기업중앙회가 발표하는 '중소제

조업 직종별 임금조사 보고서'(최저임금 상승 효과 등 적용시점의 임금상승 예측치를 반영한 통계가 있을 경우 동 통계를 적용한다. 이하 이 조에서 '임금조사 보고서'라 한다)의 단순노무종사원 노임(다만, 임금조사 보고서상 해당직종의 노임이 있는 종사원에 대하여는 해당직종의 노임을 적용한다) <개정 2018.12.31.>

2. 그 밖의 용역 : 임금조사 보고서의 단순노무종사원 노임

[본조신설 2017.12.28.]

제76조의4(근로조건 등의 명시) 계약담당공무원은 용역계약의 입찰에 있어 시행령 제42조제5항에 따른 외주근로자 근로조건 이행계획에 다음의 사항을 포함하고, 계약체결시 계약서에 명시하여 계약상대자가 이행토록 하여야 한다.

1. 제76조의3 각 호에 따른 인건비 기준단가(이하 이장에서 "기준 노임단가"라 한다)에 낙찰률을 곱한 금액 이상의 임금을 지급할 것
2. 퇴직금, 국민건강보험료 등 법정부담금을 지급할 것
3. 포괄적 재하도급을 하지 아니할 것
4. 「근로기준법」, 「최저임금법」 및 「남녀고용평등과 일·가정 양립 지원에 관한 법률」을 준수할 것

[본조신설 2017.12.28.]

제76조의5(기준 노임단가 변동에 따른 계약금액 조정) ① 계약담당공무원은 시행령 제64조제8항에 따라 기준노임단가의 변동에 따른 계약금액 조정을 하는 경우에는 품목조정률에 의한다.

② 제1항에 따른 품목조정률은 다음 각 호의 품목 또는 비목에 한하여 다음과 같이 산정한다.

1. 노무비(기본급)의 등락률 : $\text{등락률} = \dfrac{\text{변동된 기준 노임단가} - \text{직전 기준 노임단가}}{\text{직전 기준 노임단가}}$
2. 제수당, 상여금, 퇴직급여충당금, 보험료, 일반관리비, 이윤 등 노무비에 연동되는 항목의 등락률 : 노무비(기본급)의 등락률과 동일

③ 계약담당공무원은 총액증액조정요건과 기준 노임단가 변동에 따른 증액조정요건이 동시에 충족되는 경우에는 계약상대자가 신청한 조정방식을 우선 적용하여야 한다.

④ 계약담당공무원은 제1항에 따른 계약금액을 조정한 후에 시행령 제64조제1항 및 시행규칙 제74조에 따라 계약금액을 조정하는 경우에는 제70조의3제2항을 준용하여 계약금액을 조정한다. 이 경우 "특정규격자재"는 "노무비"로 본다.

⑤ 계약담당공무원은 증액된 노무비가 근로자의 임금으로 지급되도록 하여야 한다.

⑥ 기준 노임단가 변동에 따른 계약금액을 조정함에 있어 이 장에서 정하지 않은 사항은 시행규칙 제74조를 준용한다.

[본조신설 2018.6.4.]

제76조의6(최저임금 인상에 따른 계약금액 조정) ① 시행령 제66조제2항의 "기획재정부장관이 정하는 요건"이란 기준 노임단가에 해당 계약의 낙찰률을 곱한 금액(이하 "내역서상 노임

단가"라 한다)이 최저임금에 미치지 못하는 경우를 말한다.

② 시행령 제66조제2항에 따른 계약금액 조정은 최저임금을 하회하는 내역서상 노임단가에 대하여 최저임금을 적용하는 방식으로 한다.

[본조신설 2018.6.4.]

제16장의3 디지털서비스 계약의 집행

제76조의7(디지털서비스 계약의 집행) 「클라우드컴퓨팅 발전 및 이용자 보호에 관한 법률 시행령」제8조의2 제1항 각호의 서비스(이하 이 장에서 "디지털서비스"라 한다) 계약의 집행에 관하여는 이 장에서 정한 바에 따라야 한다. <신설 2020.9.24.>

제76조의8(디지털서비스의 계약방법) 계약담당공무원은 신속한 디지털서비스의 구매를 위해 다음 각호의 방법으로 계약을 체결할 수 있다. <신설 2020.9.24.>

1. 시행령 제26조제1항제5호아목에 따른 수의계약
2. 조달사업에 관한 법률 시행령 제16조에 따른 카탈로그 계약

제76조의9(공동계약) 계약담당공무원은 수 개의 전문분야가 요구되는 복합사업에 해당한다고 판단되는 계약에 대하여는 공동계약을 허용하여야 한다. 다만, 공동계약으로 발주할 경우 품질 저하, 사업일정 지연 등 불가피한 사유가 있는 경우에는 그러하지 아니하다. <신설 2020.9.24.>

제76조의10(장기계속계약) 계약담당공무원은 수년간 존속할 필요가 있는 디지털서비스 계약에 대하여 장기계속계약을 체결할 수 있다. <신설 2020.9.24.>

제76조의11(서비스 이용대가)계약담당공무원은 서비스의 이용량에 대하여 대가를 지급하고자 하는 경우 단가계약을 체결할 수 있다. 장기계속계약으로 집행하는 디지털서비스 계약에 대하여도 이와 같다. <신설 2020.9.24.>

제17장 계약정보의 공개 등

제77조(구매규격 사전공개) ① 계약담당공무원은 물품 및 용역을 경쟁입찰에 부치고자 할 때에는 다음에 정하는 구매규격을 사전에 공개하여야 한다. 다만, 해당연도에 1회 이상 규격을 사전에 공개한 물품 및 용역에 대하여는 사전공개절차를 생략할 수 있다. <개정 2016.12.30., 2020.9.24>

1. 물품제조·구매계약: 규격서, 사양서, 시방서 등 계약목적물의 성능, 제원, 재질 등을 기재한 서류, 협상에 의한 계약으로 집행할 경우 실적평가 여부와 그 기준

2. 용역계약: 과업지시서, 제안요청서 등 계약상대자가 이행하여야 할 구체적인 과업의 내용을 기재한 서류 및 협상에 의한 계약으로 집행할 경우 실적평가 여부와 그 기준

② 구매규격 사전공개는 5일간으로 하고, 전자조달시스템을 통해 공개한다. 다만, 긴급을 요하는 경우에는 3일간 공개할 수 있다.

③ 계약담당공무원은 제1항에 따라 구매규격을 사전공개하려는 경우 이의제기 절차, 소명서류 등 이의제기의 방법을 명시하여야 하며, 사전공개와 관련한 의견이 제기될 경우 이를 수요목적 범위내에서 적극 수렴되도록 검토하여야 한다. <개정 2020.9.24.>

④ 계약담당공무원은 구매규격 관련 이의사항의 조정이 필요한 경우 계약심의회에 자문을 요청할 수 있다.

[본조신설 2016.1.1.]

제77조의2(계약실적의 보고) 계약담당공무원은 시행령 제93조 및 특례규정 제25조에 의하여 계약실적보고서를 작성·제출하는 경우에는 이 장에 정한 바에 따라야 한다. <제77조에서 이동 2016.1.1.>

제77조의3(계약실적 등의 관리) ① 각 중앙관서의 장 또는 계약담당공무원은 계약이행이 완료된 후 30일 이내에 시행규칙 제82조의 계약정보 등 계약내용과 관련된 주요사항을 전자조달시스템 또는 「전자조달의 이용 및 촉진에 관한 법률」 제14조에 따른 자체 전자조달시스템(이하 이 조에서 "전자조달시스템 등"이라 한다) 에 등록하여야 한다.

② 각 중앙관서의 장 또는 계약담당공무원은 계약상대자가 제1항에 따른 전자조달시스템 등을 통하여 이행이 완료된 계약의 금액, 규모, 계약기간 및 계약내용 등(이하 '계약실적'이라 한다)을 증명하는 서류의 발급을 요청하는 경우 동 전자조달시스템 등을 통하여 계약실적에 대한 증명서를 발급하여야 한다.

[본조신설 2018.6.4.]

제77조의4(협상에 의한 계약의 실적평가에 대한 검토) ①계약담당공무원은 협상에 의한 계약에 대해 실적평가 제외 의견을 제기하려는 자에 대하여 다음 각 호의 사항을 명백히 한 서류를 제출하도록 하여야 한다. [신설 2020.9.24.]

1. 실적평가 제외대상에 해당하는 부분 및 근거조항(계약예규 「협상에 의한 계약체결기준」 [별표] 주2) 나)의 2.또는 3.에 따른 적용법령(이하 이 조에서 "제외기준"이라 한다)을 명시)
2. 소관부처의 승인·지정서류 등 입찰에 참여하려는 제품의 제외기준 해당여부를 입증하는 서류
3. 기타 계약담당공무원이 실적평가 제외 여부를 판단하기 위해 필요하다고 인정하는 서류

② 계약담당공무원은 제1항에 따른 의견이 제기된 경우로서 해당 계약중 제외기준에 해당하는 부분에 대하여는 실적평가를 배제하여야 한다(지정 또는 승인시로부터 3년을 초과하지 않는 경우에 한한다). 다만, 국민안전·보건·국가안보 등을 위해 실적평가가 불가피하다고 판단되는 경우는 그러하지 아니하다.

제1절 시행령 제93조에 의한 계약실적보고

제78조(계약실적보고서 작성·제출) 계약담당공무원은 시행령 제93조에 의하여 다음 각 호의 사항이 포함된 계약실적보고서를 계약체결 또는 계약변경 후 30일 이내에 별첨 1 및 2 서식에 따라 작성하여 기획재정부장관에게 제출하여야 한다. 다만, 시행령 제92조의2에 의하여 지정정보처리장치 등에 계약관련 정보를 공개한 경우에는 계약실적보고서를 기획재정부장관에게 제출한 것으로 본다. <개정 2008.12.29.>

1. 계약체결에 관한 사항
   가. 계약의 목적
   나. 입찰일 및 계약체결일
   다. 추정가격 또는 예정가격
   라. 계약체결방법(일반경쟁·제한경쟁·지명경쟁·수의계약, 지역제한여부, 시행령 제72조제3항의 적용여부)
   마. 계약상대자의 성명(법인인 경우에는 법인명)
   바. 계약 물량 또는 규모
   사. 계약금액(장기계속공사의 경우 총공사금액. 이하 같다)
   아. 지명경쟁 또는 수의계약의 경우에는 그 사유
2. 계약변경에 관한 사항
   가. 계약의 목적
   나. 계약변경 전의 계약내용(계약 물량 또는 규모, 계약금액)
   다. 계약의 변경내용
   라. 계약변경의 사유

제79조(조달청 위탁계약의 계약실적보고 작성) 조달청장에게 위탁하여 대행계약을 체결하게 한 경우에도 그 위탁관서의 계약담당공무원은 제78조에 의한 계약실적보고서를 작성하여 제출하여야 한다. 이 경우에는 계약실적보고서에 조달청에 위탁하여 체결한 계약임을 표시하여야 한다.

제2절 특례규정 제25조에 의한 계약실적보고

제80조(계약담당공무원의 계약실적보고서 작성) 계약담당공무원은 특례규정 제25조 및 「특정조달을 위한 국가를 당사자로 하는 계약에 관한 법률 시행특례규칙」(이하 "특례규칙"이라 한다) 제8조제1항에 의한 계약실적보고서를 다음 각 호의 기준에 따라 회계연도별로 작성하여 이를 해당연도 종료후 30일 이내에 소속중앙관서의 장에게 제출하여야 한다.

1. 계약실적보고서는 별첨 3 내지 6 서식에 의하여 회계별(또는 기금별)로 구분하여 작성하여야 한다.

2. 공사를 조달청장에게 위탁하여 대행계약을 체결하게 한 경우에 그 위탁관서는 제1호의 계약실적보고서에 이를 합산하여 작성하여야 한다.

제81조(각 중앙관서의 장의 계약실적보고) 각 중앙관서의 장은 특례규칙 제8조제1항에 의한 계약실적보고서를 다음 각 호의 기준에 따라 작성하여 이를 해당연도 종료후 60일 이내에 기획재정부장관에게 제출하여야 한다. <개정 2008.12.29.>

1. 각 중앙관서의 장은 해당관서 소관의 회계별 계약실적보고서를 집계하여 별표 각 호 서식의 계약실적보고서를 작성하여야 한다.
2. 지방자치단체에 위임하여 계약을 집행하게 한 경우에는 지방자치단체로부터 제1항에 의하여 계약실적보고서를 제출받아 제1호의 계약실적보고서에 합산하여야 한다.
3. 공기업·준정부기관 등에 대한 계약실적보고서는 그 주무부장관이 제1호에 준하여 작성하여야 한다.

제82조(조달청장의 계약실적보고) 조달청장은 정부수요물자와 비축물자의 구매계약, 용역 및 공사대행계약을 체결한 때에는 다음 각 호의 기준에 의하여 별표 각호 서식에 계약실적보고서를 소관별·회계별(또는 기금별)로 작성하여 제81조에 의하여 기획재정부장관에게 제출하여야 한다. <개정 2008.12.29.>

1. 비축물자와 정부수요물자중 저장품의 구매실적은 이를 별지로 작성하여 계약실적보고서에 첨부하여야 한다.
2. 국가기관외의 기관(지방자치단체, 공기업·준정부기관 등)으로부터 의뢰를 받아 공사·물품 및 용역의 조달계약을 체결한 경우에는 이를 구분하여 별지로 작성한 후 계약실적보고서에 첨부하여야 한다.

제3절 보 칙

제83조(실적보고대상계약) 각 중앙관서의 장 또는 계약담당공무원은 제78조 및 제80조에 의하여 계약실적보고서를 작성함에 있어서 시행령 제49조에 의한 계약서 작성을 생략하는 경우를 제외하고는 모든 실적을 계상하여야 한다.

제18장 대형공사 및 기술제안입찰의 설계비 등 보상

제84조(대형공사 및 기술제안입찰의 설계비 등 보상) 계약담당공무원은 시행령 제89조에 의한 대형공사의 설계비 및 시행령 제107조에 의한 기술제안입찰의 제안서 작성비용(이하 "설계비 등"이라 한다) 보상 시 이 장에 정한 보상기준 및 절차 등에 따라 집행하여야 한다. <개정 2015.1.1.>

제85조(설계비 등 보상대상) 시행령 제89조 및 제107조에 따라 설계비 등을 보상받을 수 있는 자는 다음 각 호에 해당하는 자로 한다. <개정 2012.4.2, 2015.1.1, 2016.12.30.>

1. 시행령 제86조제2항, 제87조, 제104조 및 제106조제1항에 따라 선정된 자 중 낙찰자로 결정되지 아니한 자(이하 "낙찰탈락자"라 한다)
2. 발주기관의 귀책사유로 취소된 대안입찰, 일괄입찰 및 기술제안입찰에 참여한 자(계약예규 「정부 입찰·계약 집행기준」 제10조의9에 따른 예비계약을 체결한 자는 제외한다) <개정 2016.12.30.>

제86조(설계비 등 보상예산) 계약담당공무원은 제85조 각 호에 규정한 자에게 설계비 등을 보상하기 위하여 다음 각 호에 따라 설계비 등의 보상예산을 확보하여야 한다. <개정 2010.9.8, 2012.4.2, 2015.1.1, 2016.12.30.>

1. 시행령 제89조에 따른 대형공사의 설계비 보상예산 : 해당 공사예산의 20/1000
2. 시행령 제107조에 따른 기술제안입찰의 제안서 작성비용 보상예산 : 해당 공사예산의 10/1000 <신설 2015.1.1.>

제87조(대안입찰의 설계비 보상기준) ① 계약담당공무원은 낙찰탈락자에 대해 해당 공사의 설계보상비로 책정된 해당 공사예산의 20/1000에 해당하는 금액을 다음 각 호와 같이 지급하여야 한다.

1. 낙찰탈락자가 5명인 경우 : 공사예산의 20/1000에 해당하는 금액을 설계점수가 높은 자 순으로 20분의 7, 20분의 5, 20분의 4, 20분의 2, 20분의 2를 지급
2. 낙찰탈락자가 4명인 경우 : 공사예산의 20/1000에 해당하는 금액을 설계점수가 높은 자 순으로 20분의 7, 20분의 5, 20분의 4, 20분의 2를 지급
3. 낙찰탈락자가 3명인 경우 : 공사예산의 20/1000에 해당하는 금액을 설계점수가 높은 자 순으로 20분의 7, 20분의 5, 20분의 4를 지급
4. 낙찰탈락자가 2명인 경우 : 공사예산의 20/1000에 해당하는 금액을 설계점수가 높은 자 순으로 20분의 7, 20분의 5를 지급
5. 낙찰탈락자가 1명인 경우 : 공사예산의 20/1000에 해당하는 금액의 1/4를 지급

② 계약담당공무원은 제85조제2호에 해당하는 자에 대해 해당 공사의 설계보상비로 책정된 해당 공사예산의 20/1000에 해당하는 금액을 다음 각 호와 같이 지급하여야 한다. <신설 2012.4.2.>

1. 시행령 제86조제2항에 따라 선정된 자가 6인인 경우 : 공사예산의 20/1000에 해당하는 금액을 설계점수가 높은 자 순으로 20분의 7, 20분의 5, 20분의 4, 20분의 2, 20분의 1, 20분의 1을 지급
2. 시행령 제86조제2항에 따라 선정된 자가 5인 이하인 경우 : 제87조제1항을 준용하여 지급

③ 계약담당공무원은 제2항에도 불구하고 시행령 제86조제2항에 따라 낙찰자가 선정되기 전에 발주기관의 귀책사유로 입찰이 취소된 경우에는 모든 입찰참여자에 대해 해당 공사의 설계보상비로 책정된 해당 공사예산의 20/1000에 해당하는 금액을 균분하여 지급한다.

다만, 입찰참여 1인당 동 금액의 1/4를 초과하여 지급하지 못한다. <신설 2012.4.2.>

제87조의2(일괄입찰의 설계비 보상기준) ① 계약담당공무원은 낙찰탈락자 중 설계점수가 입찰공고에 명시한 일정점수를 초과하는 자(이하 이 조에서 보상대상자라 한다)에 대하여 다음의 산식에 따라 설계보상비를 지급한다. <신설 2010.9.8, 개정 2016.12.30.>

$$2\% \times \frac{\text{설계점수}}{\text{보상대상자 점수합계}}$$

② 계약담당공무원은 제85조제2호에 해당하는 자 중 보상대상자에 해당하는 자에 대하여 제1항의 산식에 따라 설계보상비를 지급한다. <신설 2010.9.8, 개정 2012.4.2, 2016.12.30.>

③ 계약담당공무원은 제1항 및 제2항에도 불구하고, 보상대상자 1인에게 공사예산의 1000분의 14를 초과하여 설계보상비를 지급하여서는 아니된다. <신설 2012.4.2, 개정 2016.12.30.>

④ 계약담당공무원은 제2항에도 불구하고 시행령 제87조에 따라 선정되기 전에 발주기관의 귀책사유로 입찰이 취소된 경우에 제87조제3항에 따라 지급한다. <신설 2012.4.2.>

제87조의3(기술제안입찰의 제안서 작성비용 보상기준) ① 계약담당공무원은 낙찰탈락자 중 제안서점수가 입찰공고에 명시한 일정점수를 초과하는 자(이하 이 조에서 보상대상자라 한다)에 대하여 다음 산식에 따라 제안서 보상비를 지급한다. <개정 2016.12.30.>

$$1\% \times \frac{\text{제안서점수}}{\text{보상대상자 점수합계}}$$

② 계약담당공무원은 제85조제2호에 해당하는 자 중 보상대상자에 해당하는 자에 대하여 제1항의 산식에 따라 제안서 보상비를 지급한다. <개정 2016.12.30.>

③ 계약담당공무원은 제1항 및 제2항에도 불구하고, 보상대상자 1인에게 공사예산의 1000분의 7를 초과하여 제안서 보상비를 지급하여서는 아니된다. <개정 2016.12.30.>

④ 계약담당공무원은 제2항에도 불구하고 시행령 제104조 또는 제106조제1항에 따라 선정되기 전에 발주기관의 귀책사유로 입찰이 취소된 경우에 제87조제3항을 준용하여 지급한다.

[본조신설 2015.1.1.]

제88조(공동입찰시의 설계비 등 보상) 계약담당공무원은 2인 이상이 공동으로 입찰하여 낙찰탈락자가 된 경우에는 제87조 내지 제87조의3에 의해 산출된 금액을 공동입찰의 대표자에게 지급하여야 한다. <개정 2015.1.1.>

제89조(보상통지) ① 계약담당공무원은 낙찰탈락자가 확정되면 즉시 낙찰탈락자에게 설계비 등 보상과 관련된 내용을 통지하여야 한다. <개정 2015.1.1.>

② 제1항의 통지에는 특별한 사유가 없는 한 통지일로부터 30일 이내에 낙찰탈락자의 설계비 등의 보상요청이 없으면 설계비 등 보상금에 대한 권리를 포기한 것으로 간주한다는 내용이 포함되어야 한다. <개정 2015.1.1.>

제90조(입찰공고시 공고사항) 계약담당공무원은 시행령 제79조 및 제98조에 규정한 대안입찰, 일괄입찰 또는 기술제안입찰 공사의 입찰공고를 하는 경우에 입찰공고에 제87조 내지 제89조의 내용을 포함시켜야 한다. <개정 2015.1.1.>

제19장 국민건강보험료 및 국민연금보험료 사후정산 등

제91조(국민건강보험료, 노인장기요양보험료, 국민연금보험료, 퇴직급여충당금 및 퇴직공제부금 사후정산 등) 계약담당공무원은 공사·용역 및 물품제조계약에 있어 국민건강보험료, 노인장기요양보험료, 국민연금보험료, 퇴직급여충당금 및 「건설근로자의 고용개선 등에 관한 법률」제10조에 따른 퇴직공제부금(이하 국민건강보험료 등 이라 한다)의 계상, 입찰 및 대가지급과 관련하여서는 이 장에 정한 바에 따라야한다(단, 퇴직급여충당금의 경우 시행규칙 제23조의3 각호에 해당하는 용역계약에 한하여 적용하며 퇴직공제부금은 「건설근로자의 고용개선 등에 관한 법률」제10조에서 규정한 건설공사에 한하여 적용한다). <개정 2010.9.8, 2012.1.1, 2016.12.30, 2018.12.31.>

제92조(국민건강보험료 등의 계상) 계약담당공무원은 예정가격 작성시 국민건강보험료 등을 관련법령에서 정하는 기준에 따라 각각 계상한다. <개정 2012.1.1.>

제93조(입찰공고시 안내 등) 계약담당공무원은 국민건강보험료 등의 사후정산과 관련하여 다음 각 호의 사항을 입찰공고 등에 명시하여 입찰에 참가하고자 하는 자가 미리 열람할 수 있도록 하여야 한다.

1. 국민건강보험료 등은 시행령 제73조에 따라 사후정산을 하게 된다는 사항
2. 예정가격 작성시 계상된 국민건강보험료 등
3. 입찰참가자가 입찰금액 산정시(내역입찰의 경우 산출내역서 포함) 국민건강보험료 등은 제2호에 따른 금액을 조정 없이 반영하여야 한다는 사항. 다만, 시행규칙 제23조의3 각 호에 해당하는 용역계약의 경우에는 예정가격상의 보험료에 낙찰률을 곱한 금액을 반영하게 할 수 있다. <개정 2015.9.21.>
4. 기성대가 및 준공대가 지급시 이 장에 정한 바에 따라 정산을 하게 된다는 사항

제94조(대가지급시 정산절차 등) ① 계약담당공무원은 계약상대자의 기성부분에 대한 대가지급 청구시 국민건강보험료 등의 청구와 관련하여 다음 각 호의 서류를 첨부하게 하여야 한다. <개정 2016.12.30.>

1. 국민건강보험료 등의 납입확인서(하수급인의 보험료 납입확인서를 포함한다)
2. 전회분 기성대가에 포함하여 지급된 국민건강보험료 등의 지급액 중 해당부분을 하수급인에게 지급하였음을 증빙하는 서류

② 계약담당공무원은 계약대가의 지급청구를 받은 때에는 하도급계약을 포함하여 해당계약 전체에 대한 보험료 납부여부를 최종 확인하여야 하며, 이를 확인 후 제93조제2호에 따라 입찰공고 등에 고지된 국민건강보험료 등의 범위 내에서 최종 정산하여야 한다. 다만, 최종보험료 납입확인서가 준공대가 신청 이후에 발급이 가능한 경우에는 해당보험료를 준공대가와 별도로 정산해야 한다. <개정 2012.1.1, 단서신설 2014.1.10.>

③ 계약담당공무원은 제1항 내지 제2항 절차에 따라 사업자 부담분의 국민건강보험료 등

에 대한 납입확인서의 금액을 정산하되, 다음 각호와 같이 정산한다. <신설 2008.11.1, 개정 2010.9.8, 2016.12.30.>

1. 일용근로자는 해당 사업장단위로 기재된 납입확인서의 납입금액으로 정산한다.
2. 생산직 상용근로자(직접노무비 대상에 한함)는 소속회사에서 납부한 납입확인서에 의하여 정산하되 현장인 명부 등을 확인하여 해당 사업장 계약이행기간 대비 해당 사업장에 실제로 투입된 일자를 계산(현장명부 등 발주기관이나 감리가 확인한 서류에 의함)하여 보험료를 일할 정산한다. 다만, 해당 사업장단위로 보험료를 별도 분리하여 납부한 경우에는 제1호를 준용한다. <개정 2012.1.1.>
3. 퇴직급여충당금은 계약체결 후 발주기관이 승인한 산출내역서 금액과 계약상대자가 실제 지급한 금액을 비교하여 정산한다. <신설 2016.12.30.>

제95조(선금의 사용) 계약담당공무원은 선금을 지급하는 경우에 국민건강보험료 등의 납부를 위하여 선금을 우선 사용할 수 있도록 할 수 있다.

제96조(장기계속계약의 관리·운용) ① 계약담당공무원은 시행령 제69조에 따라 장기계속계약을 체결하는 경우에는 해당 연도 예산 범위 내에서 체결하여야 한다.

② 계약담당공무원은 발주기관의 동의없이 계약내용과 다르게 선시공이 이루어지지 않도록 관리하여야 한다.

③ 계약담당공무원은 차년도 계약을 체결함에 있어 계약상대자의 해당 연도 공사의 완성도 및 이행능력 등을 검토하여야 한다.

[본조신설 2010.10.22.]

제20장 입찰 관련 서류의 진위 여부 검증

제97조(입찰 관련 서류에 대한 확인) ① 계약담당공무원은 시설공사에 있어 낙찰자를 결정하기 전 낙찰예정자가 제출한 입찰에 관한 서류가 위·변조되었거나 허위 제출 또는 부정하게 작성되었는지 여부를 확인하여야 한다.

② 계약담당공무원은 제1항에도 불구하고 여러 건의 입찰이 동시에 진행되거나 1건의 입찰에서 확인 분량이 과다하여 낙찰이 지연될 우려가 있는 경우에 확인대상 서류를 선택하여 선별적으로 확인을 할 수 있다.

③ 제1항 및 제2항에 따라 계약담당공무원이 관련 기관에 입찰서류의 위·변조 등에 대한 확인을 요청하였으나 요청기한 내 회신이 없는 경우에는 낙찰예정자를 낙찰자로 결정하며, 낙찰자 결정 이후 위·변조 등이 확인된 경우에는 제98조에 따라 처리한다.

[본조신설 2012.4.2.]

제98조(부정한 방법으로 심사서류를 제출한 자에 대한 처리) 계약담당공무원은 입찰에 관한 서류가 부정 또는 허위로 작성된 것으로 판명된 때에는 다음 각 호와 같이 처리하여야 한다.

1. 계약체결 이전인 경우에는 낙찰자 결정대상에서 제외하거나 결정통보를 취소한다.
2. 계약체결 이후인 경우에는 해당 계약을 해제 또는 해지할 수 있다.

[본조신설 2012.4.2.]

제21장 청렴·공정계약의 집행

제98조의2(청렴·공정계약의 집행) ① 계약담당공무원은 입찰자가 입찰서를 제출할 때 시행령 제4조의2에 따른 청렴계약서를 제출하도록 하여야 한다.

② 계약담당공무원은 계약을 체결할 때 계약상대자가 제출한 청렴계약서의 내용과 발주기관이 작성한 공정계약 서약서의 내용이 계약서에 포함되도록 하여야 한다.

[본조신설 2016.1.1, 개정 2020.6.19.]

제98조의3(청렴계약서의 내용) ① 계약담당공무원은 청렴계약서에 다음의 사항이 포함되도록 하여야 한다.

1. 입찰자 또는 계약상대자가 준수하여야 할 시행령 제4조의2제1항 각 호의 사항
2. 시행령 제4조의2제1항 각 호의 위반시 해당 입찰·낙찰을 취소하거나 계약을 해제·해지할 수 있다는 내용

② 계약담당공무원은 계약목적물의 특성, 공급자의 수 등을 감안할 때 담합행위의 개연성이 있다고 판단될 경우 청렴계약서에 시행령 제4조의2제1항제2호 위반시에 입찰자 또는 계약상대자가 배상하여야 할 손해배상액의 예정을 포함할 수 있다.

③ 계약담당공무원은 제2항에 따른 손해배상액의 예정에 있어 해당 계약의 발주방식, 난이도 및 예상되는 입찰자의 수 등을 고려하여 적정한 손해배상액을 산정토록 하되 다음 각호의 금액을 초과하여서는 아니된다. <개정 2016.12.30.>

1. 입찰자 : 입찰금액의 100분의 5
2. 계약상대자 : 계약금액의 100분의 10

[본조신설 2016.1.1.]

제98조의4(공정계약 서약서의 내용) 공정계약 서약서에는 다음의 사항이 포함되어야 한다.

1. 계약상대자 금품, 향응, 취업제공 등 요구행위의 금지
2. 계약상대자에 대한 경영·인사 및 계약상대자와 제3자간 계약내용에 대한 개입행위의 금지
3. 계약과 직접적인 관련이 없는 의무를 부과하거나 발주기관의 부담을 전가하는 행위의 금지
4. 기타 국가계약법령 및 계약예규를 위반하여 계약상대자의 권리를 제한하거나 의무를 부과하는 행위의 금지

[본조신설 2020.6.19.]

제98조의5(계약담당공무원의 책임) 국가계약법령 및 계약예규를 위반하여 고의 또는 중과실로 불공정한 계약을 체결·집행한 계약담당공무원에게는 다음 각 호에 따른 제재 또는 책임을 부과한다.

1. 국가공무원법 제78조에 따른 징계
2. 회계관계 직원 등의 책임에 관한 법률 제4조에 따른 변상책임

[본조신설 2020.6.19.]

제22장 분쟁해결방법의 합의

제99조(입찰공고시 안내 등) ① 계약담당공무원은 「국가를 당사자로 하는 계약에 관한 법률」(이하 이 장에서 "법"이라 한다) 제28조의2에 따라 계약을 체결하는 때에 분쟁의 해결방법을 미리 정하고자 하는 경우에는 다음 각 호의 사항을 입찰공고 등에 명시하여 입찰에 참가하고자 하는 자가 미리 열람할 수 있도록 하여야 한다.

1. 국가를 당사자로 하는 계약에서 발생하는 분쟁을 효율적으로 해결하기 위하여 계약을 체결하는 때에 계약당사자 간 분쟁의 해결방법을 정할 수 있다는 사항
2. 제1호에 따른 분쟁의 해결방법은 다음 각 목의 어느 하나 중 계약당사자 간 합의로 정한다는 사항
   가. 법 제29조에 따른 국가계약분쟁조정위원회의 조정(법 제28조에서 정한 이의신청 대상에 해당하는 경우에 한정한다)
   나. 「중재법」에 따른 중재(「중재법」 제40조의 상사중재기관을 통한 중재를 포함한다)
3. 그 밖에 분쟁해결방법의 합의와 관련하여 필요한 사항

② 계약체결시 합의한 바에 따라 제1항제2호가목의 조정을 청구하고자 하는 자는 법 제28조의 이의신청 절차를 거쳐야 한다.

③ 시행령 제26조부터 제30조까지에 따라 체결하는 수의계약의 경우에도 제1항 및 제2항의 사항을 준용하여야 한다.

[본조신설 2018.3.20.]

[종전 제99조는 제100조로 이동 <2018.3.20.>]

제23장 보 칙

제100조(재검토기한) 「훈령·예규 등의 발령 및 관리에 관한 규정」에 따라 이 예규에 대하여

2016년 1월 1일 기준으로 매3년이 되는 시점(매 3년째의 12월 31일까지를 말한다)마다 그 타당성을 검토하여 개선 등의 조치를 하여야 한다. <개정 2015.9.21.>
[제99조에서 이동 <2018.3.20.>]

부　칙(2008.5.1)

제1조(시행일) 이 회계예규는 2008년 5월 1일부터 시행한다.

제2조(특정규격의 자재별 가격변동으로 인한 계약금액 조정 등에 관한 경과조치) 제70조의3의 규정은 「국가를 당사자로 하는 계약에 관한 법률 시행령」(대통령령 제19782호, 2006.12.29) 시행일 이후 입찰공고를 한 분부터 적용하며 이 예규 시행일 이전에 특정자재의 자재별 가격변동으로 인한 조정기준일이 도래한 경우 물가변동적용대가에서 기성금을 공제하지 않는다. 다만, 시행령 제64조제1항에 의해 이미 계약금액이 조정되었거나, 이 예규 시행일 이전에 계약이 종료되어 계약상대자의 신청에 의해 준공대가를 지급한 경우는 제외한다.

부　칙(2008.11.1)

제1조(시행일) 이 회계예규는 2008년 11월 1일부터 시행한다.

제2조(적용례) 이 예규 시행일 이후 입찰공고를 한 분부터 적용한다.

제3조(원자재 가격급등 등으로 계약이행이 곤란한 경우 계약금액 조정관련 적용례) 제70조의4는 시행일 이후 계약금액 조정분부터 적용한다.

제4조(국민건강보험 및 국민연금보험료 정산대상 및 방법관련 적용례) 제94조제3항은 2006년도 12월 29일 이후 입찰공고를 한 분부터 적용한다.

부　칙(2008.12.29)

제1조(시행일) 이 회계예규는 2008년 12월 29일부터 시행한다.

제2조(적용례) 이 예규 시행후 입찰공고를 한 분부터 적용한다.

제3조(선금 적용범위에 관한 적용례) 제33조제2항은 시행일 현재 진행중인 계약에도 적용한다.

제4조(선금의 사용에 관한 적용례) 제35조제3항 단서는 시행일 현재 진행중인 계약에도 적용한다.

부　칙(2009.4.8)

제1조(시행일) 이 회계예규는 2009년 4월 8일부터 시행한다.

제2조(적용례) 이 예규 시행일 이후 입찰공고를 한 분부터 적용한다.

제3조(유효기간) 제10조제1항제3호의 개정규정은 2009년 9월 30일까지 효력을 가진다.

부 칙(2009.5.8)

제1조(시행일) 이 회계예규는 2009년 5월 8일부터 시행한다.

제2조(계약금액 감액조정의 적용례) 제70조의5는 시행일 이후 계약금액 조정분부터 적용한다.

부 칙(2009.6.29)

제1조(시행일) 이 회계예규는 2009년 6월 29일부터 시행한다.

제2조(적용례) 이 예규 시행후 입찰공고를 한 분부터 적용한다.

부 칙(2009.9.21)

제1조(시행일) 이 회계예규는 2009년 9월 21일부터 시행한다.

제2조(적용례) 이 예규 시행후 입찰공고를 한 분부터 적용한다.

제3조(소액수의계약 체결절차에 관한 적용례) 제10조제2항 개정규정은 이 예규 시행 후 안내공고를 한 분부터 적용한다.

부 칙(2010.1.4)

제1조(시행일) 이 회계예규는 2010년 1월 4일부터 시행한다.

제2조(적용례) 이 회계예규 시행 후 입찰공고를 한 분부터 적용한다.

제3조(소액수의계약 체결절차에 관한 적용례) 제10조제2항 개정규정은 이 예규 시행 후 안내공고를 한 분부터 적용한다.

부 칙(2010.4.15)

제1조(시행일) 이 회계예규는 2010년 4월 15일부터 시행한다.

제2조(적용례) 이 회계예규 시행 후 입찰공고를 한 분부터 적용한다.

부 칙(2010.9.8)

제1조(시행일) 이 회계예규는 2010년 9월 8일부터 시행한다. 다만, 제4조, 제7조, 제7조의2, 제8조, 제10조, 제10조의3, 제10조의4, 제11조 내지 제13조, 제19조, 제55조 및 별첨5의 개정 규정은 2010년 10월 22일부터 시행하고, 제63조의 개정규정은 2011년 1월 1일부터 시행한다.

제2조(적용례) 이 회계예규 시행 후 입찰공고를 한 분부터 적용한다.

부　칙(2010.11.30)

제1조(시행일) 이 회계예규는 2010년 11월 30일부터 시행한다.

제2조(적용례) 제73조제1항, 제2항, 제5항의 개정규정은 이 예규 시행 후 입찰공고를 한 분부터 적용한다.

부　칙(2011.5.13)

제1조(시행일) 이 계약예규는 2011년 5월 13일부터 시행한다.

제2조(적용례) 이 예규 시행일 이후 입찰공고를 한 분부터 적용한다.

부　칙(2012.1.1)

제1조(시행일) 이 계약예규는 2012년 1월 1일부터 시행한다.

제2조(선금의 사용에 관한 적용례) 제36조제1항의 개정 규정은 이 예규 시행일 이후 계약체결을 한 분부터 적용한다.

제3조(국민건강보험료 등의 정산에 관한 적용례) 제91조, 제92조, 제94조의 개정 규정은 이 예규 시행일 이후 입찰공고를 한 분부터 적용한다.

부　칙(2012.4.2)

제1조(시행일) 이 계약예규는 2012년 4월 2일부터 시행한다.

제2조(설계비 보상에 관한 적용례) 제85조 내지 제87조의 2의 개정규정은 2012년 4월 1일 이후 입찰공고를 한 분부터 적용한다.

부　칙(2012.7.4)

제1조(시행일) 이 계약예규는 2012년 7월 9일부터 시행한다.

제2조(적용례) 이 예규 시행일 이후 입찰공고를 한 분부터 적용한다.

부　칙(2012.9.21)

제1조(시행일) 이 계약예규는 2012년 9월 22일부터 시행한다.

부　칙(2014.1.10)

제1조(시행일) 이 계약예규는 2014년 1월 10일부터 시행한다.

제2조(적용례) 이 예규는 시행일 이후 입찰공고를 한 분부터 적용한다.

부　칙(2014.8.6)

제1조(시행일) 이 계약예규는 2014년 8월 6일부터 시행한다.

부　칙(2015.1.1)

제1조(시행일) 이 계약예규는 2015년 1월 1일부터 시행한다.
제2조(적용례) 이 예규는 시행일 이후 입찰공고를 한 분부터 적용한다.

부　칙(2015.3.1)

제1조(시행일) 이 예규는 2015년 3월 1일부터 시행한다.

부　칙(2015.9.21)

제1조(시행일) 이 예규는 2015년 9월 21일부터 시행한다.
제2조(물품·용역입찰의 실적제한 완화에 관한 적용례) 제5조의 개정규정은 2015년 10월 1일부터 최초로 입찰공고를 한 분부터 적용한다.
제3조(이행보증이 준용되는 용역의 범위에 관한 적용례) 제53조의 개정규정은 2015년 10월 1일부터 최초로 입찰공고를 한 분부터 적용한다.
제4조(단순용역의 보험료 계상방식에 관한 적용례) 제93조의 개정규정은 2015년 10월 1일부터 최초로 입찰공고를 한 분부터 적용한다.

부　칙(2016.1.1)

제1조(시행일) 이 계약예규는 2016년 1월 1일부터 시행한다.
제2조(적용례) ① 제10조의 개정규정은 이 계약예규 시행 후 최초로 시행령 제30조에 따라 견적서의 제출을 요구하는 경우부터 적용한다.
② 제77조의 개정규정은 이 계약예규 시행 후 최초로 입찰공고를 하려는 분부터 적용한다.
③ 제98조의2 내지 제98조의3의 개정규정은 이 계약예규 시행 후 최초로 입찰공고를 하는 분부터 적용한다.
제3조(최저가낙찰제의 폐지에 따른 경과규정) 이 계약예규 시행일 이전에 최초로 입찰공고를 한 분에 대하여는 제19조 및 [별첨1 계약실적보고서]의 개정규정에도 불구하고 종전 규정을 적용한다.

부　칙(2016.12.30)

제1조(시행일) 이 계약예규는 2016년 12월 30일부터 시행한다.

제2조(적용례) ① 제5장의 개정규정은 이 계약예규 시행일 이후 시행령 제27조제1항에 따라 수의계약을 체결하려는 경우부터 적용한다. 다만, 제10조의8제2항의 개정규정은 이 계약예규 시행일 이후에 입찰공고(재공고를 포함한다)를 하는 분부터 적용한다.

② 제77조, 제91조 및 제94조의 개정규정은 이 계약예규 시행일 이후 최초로 입찰공고하는 분부터 적용한다.

③ 제87조의2 및 제87조의3의 개정규정은 이 계약예규 시행일 이후에 입찰공고(재공고를 포함한다)를 하는 분부터 적용한다.

부　칙(2017.12.28)

제1조(시행일) 이 계약예규는 2017년 12월 28일부터 시행한다. 다만, 제2조의3 및 제10조의 개정규정은 2018년 4월 1일부터 시행한다.

제2조(적용례) ① 제34조의 개정규정은 이 예규 시행 이후 선금지급 신청을 받은 경우부터 적용한다.

② 제36조의 개정규정 및 제15장의2의 개정규정은 이 예규 시행후 최초로 입찰공고를 하거나, 수의계약을 체결한 계약분부터 적용한다.

부　칙(2018.3.20)

제1조(시행일) 이 계약예규는 2018년 3월 20일부터 시행한다.

제2조(적용례) 제99조의 개정규정은 이 예규 시행후 최초로 입찰공고를 하거나, 체결하는 계약부터 적용한다.

부　칙(2018.6.7)

제1조(시행일) 이 계약예규는 2018년 6월 7일부터 시행한다. 다만, 제77조의3의 개정규정은 2018년 9월 7일부터 시행한다.

제2조(적용례) ① 제76조의5 및 제76조의6의 개정조항은 2018년 1월 1일 이후 기간의 기준노임단가 또는 최저임금 변동분에 대하여 적용하며, 시행일 현재 이행중인 계약에 대하여도 적용한다.

② 제76조의5 및 제76조의6의 개정조항에 따라 계약금액을 조정함에 있어 2018년 1월 1일부터 2018년 8월 31일까지의 기간에 대하여는 기성대가가 지급된 경우에도 물가변동적용대가에 포함한다.

부　칙(2018.12.31)

제1조(시행일) 이 계약예규는 2019년 1월 1일부터 시행한다. 다만, 제2조의4, 제10조제6항 및 제7항, 제10조의13부터 제10조의17까지의 개정규정은 2019년 3월 5일부터 시행한다.

제2조(일반적 적용례) 이 계약예규는 부칙 제1조에 따른 시행일 이후 입찰공고하거나 계약체결 하는 경우부터 적용한다.

제3조(소액수의계약의 계약상대자 결정에 관한 적용례) 제10조의2제2항제7호의 개정규정은 부칙 제1조의 시행일 이후에 제10조에 따른 안내공고를 하고 계약상대자를 결정하는 경우부터 적용한다.

부　칙(2019.6.1)

제1조(시행일) 이 계약예규는 2019년 6월 1일부터 시행한다.

제2조(적용례) 제68조제1호마목의 개정규정은 2019년 3월 생산자물가지수가 적용되는 물가변동부터 기준시점 및 비교시점의 지수로 적용한다.

부　칙(2019.12.18)

제1조(시행일) 이 계약예규는 2019년 12월 18일부터 시행한다.

제2조(적용례) 이 계약예규는 부칙 제1조에 따른 시행일 이후 입찰공고하거나 수의계약체결하는 경우부터 적용한다.

부　칙(2020.4.7)

제1조(시행일) 이 계약예규는 2020년 4월 7일부터 시행한다. 다만, 제2조의5의 개정규정은 2020년 5월 27일부터 시행한다.

제2조(적용례) ① 이 계약예규는 부칙 제1조에 따른 시행일 이후 입찰공고하거나 계약체결 하는 경우부터 적용한다.

② 제68조제1호나목, 제70조제5항의 개정규정은 물가변동 기준시점이 2020년 1월 1일 이후인 경우부터 적용한다.

부　칙(2020.4.20)

제1조(시행일) 이 계약예규는 2020년 5월 6일부터 시행한다.

제2조(적용례) 이 계약예규는 부칙 제1조에 따른 시행일 이후 입찰공고하거나 계약체결 하는 경우부터 적용한다.

부　칙(2020.6.19)

제1조(시행일) 이 계약예규는 2020년 6월 19일부터 시행한다.

제2조(적용례) 제98조의2제2항, 제98조의4는 2020년 9월 19일 이후 입찰공고하거나 수의계약 체결 하는 경우부터 적용한다.

부　칙(2020.9.24.)

제1조(시행일) 이 계약예규는 2020년 10월 1일부터 시행한다. 다만, 제10조의13부터 제10조의17까지의 개정규정은 2020.11.1.일부터, 제77조, 제77조의4의 개정규정은 2020년 12월 24일부터 시행한다.

제2조(적용례) 이 계약예규는 시행일 이후 입찰공고하는 경우부터 적용한다.

부　칙(2020.12.28.)

제1조(시행일) 이 계약예규는 2021년 1월 1일부터 시행한다. 다만, 제2조의6의 개정규정은 2021년 3월 28일부터 시행한다.

제2조(적용례) 이 계약예규는 부칙 제1조에 따른 시행일 이후 입찰공고를 하거나 수의계약을 체결하는 경우부터 적용한다.

[별지 제1호] 산출내역서

(작성자 직책 및 성명 : ㉷)

<table>
<tr><td colspan="7">○ 공사명 :</td></tr>
<tr><td rowspan="2">항목별</td><td rowspan="2">규 격</td><td rowspan="2">수 량</td><td rowspan="2">단 위</td><td colspan="2">금 액</td><td rowspan="2">비 고</td></tr>
<tr><td>단 가</td><td>금 액</td></tr>
<tr><td>1. 공 종 별 합 계
- ○○○ 공 종
… 세 부 공 종
〃
〃
〃
- ○○○ 공 종
… 세 부 공 종
〃
〃
〃
2. 경 비 등 합 계
- 산 재 보 험 료
- 안 전 관 리 비
〃
〃
3. 일 반 관 리 비
4. 이 윤
5. 부 가 가 치 세
총 계</td><td></td><td></td><td></td><td></td><td></td><td></td></tr>
</table>

[별지 제2호] 신기술(특허공법) 사용협약서〈예시〉〈신설 2008.12.29.〉

○신기술(특허공법)명 :
- 신기술(특허공법) 번호 :

○발주자 :
- 신기술(특허공법) 적용 공사명 :

○신기술(특허공법)보유자 :

제1조(목적) 이 협약은 (000000공사)에 대하여 발주자는 발주자로서 신기술(특허공법)보유자는 신기술(특허공법) 보유자로서 위 신기술(특허공법)을 위 공사의 낙찰자가 위 공사에 사용할 수 있도록 사용협약을 체결하는 것을 목적으로 한다.

제2조(사용범위) ① 위 공사 중 신기술(특허공법)이 사용되는 범위는 설계서(설계내역서 포함)에 의한다.

② 제1항에 의한 신기술(특허공법)이 사용되는 범위에 대하여 이견이 있는 경우에는 "발주자"의 해석 및 판단에 따른다.

제3조(기술사용료 등) ① 제2조에 따른 신기술(특허공법)이 사용되는 공사범위에 대한 기술사용료로 "신기술(특허공법)보유자"는 신기술(특허공법)이 사용되는 부분에 대한 설계금액을 기준으로 발주기관과 기술보유자간 협의한 요율(%)을 공사원가계산시 반영하는 것에 동의한다.

② "신기술(특허공법)보유자"는 제1항에 따라 계상된 기술사용료를 공사 진척에 따라 분할하여 낙찰자로부터 지급받고 "신기술(특허공법)보유자"가 보유한 기술적 노하우를 낙찰자에게 제공하여 공사품질이 확보되도록 최선을 다하여야 한다.

③ 기술사용료에 대하여는 「건설기술진흥법 시행령」 제34조에 따라 국토교통부 장관이 정하는 "건설신기술 기술사용료 적용기준"에 따라 처리한다. <개정 2016.1.1.>

제4조(하도급 등) ① 제2조에 따른 신기술(특허공법)이 사용되는 공사의 전부 또는 일부가 기술보유자의 기술적 노하우를 사용하지 않거나 기술보유자가 보유한 특별한 장비 등을 사용(낙찰자가 사용가능한 경우는 제외)하지 않으면 시공 및 품질확보가 불가능한 경우에는 "신기술(특허공법)보유자"는 "낙찰자"와 해당 부분에 대하여 하도급계약을 체결하여 시공에 참여하여야 한다.

② 제1항에 따라 "신기술(특허공법)보유자"가 "낙찰자"로부터 하도급 받는 경우 하도급부분에 해당하는 예정가격에 원도급공사의 낙찰률(낙찰률이 80% 미만인 경우에는 80%) 및 「건설산업기본법 시행령」 제34조에 따른 비율을 곱한 금액과 동 금액에 「건설기술진흥법」 제14조에 의한 기술사용료를 더한 금액의 범위 내에서 낙찰자와 기술보유자 간 합의한 금액으로 하도급대금을 정한다. <개정 2016.1.1.>

③ <삭제 2014.1.10.>

[본조신설 2012.7.4.]

제5조(설계변경 등) 위 공사에 포함된 신기술(특허공법)과 관련하여 "신기술(특허공법)보유자"가 계약상의 선량한 권리 의무를 다하지 못하여 계약이행에 차질을 빚거나, 공사품질 확보에 지장을 초래하는 경우 "발주자"는 다른 신기술 또는 일반적인 시공방법으로 설계변경을 할 수 있으며, 이에 대하여 "신기술(특허공법)보유자"는 이의를 제기하지 아니한다.

년　　월　　일

"발주자" (발주기관명)　(인)

"신기술(특허공법)보유자" [신기술(특허)보유자명]　(인)

「참고사항」 : 기술사용료를 지급받으면서 하도급을 받는 조건으로 기술사용협약을 체결하는 것은 과도한 협약이므로 주의하시기 바랍니다.

[별지 제3호] 물품공급 또는 기술지원협약서〈예시〉〈신설 2008.12.29.〉

○ 사 업 명 :
○ 발주기관 :
○ 제조사 또는 공급사 :

제1조(목적) 이 협약은 (해당물품명)에 대하여 발주기관은 발주자로서 제조사 또는 공급사는 특수한 능력·품질의 납품능력을 보유하거나 제조할 수 있는 제조사(또는 공급사)로서 위 사업의 낙찰자에게 물품공급 또는 기술지원을 원활히 제공토록 하는 것을 목적으로 한다.

제2조(사용 및 협약의 범위) ① 이 협약은 위 사업의 물품공급 또는 기술지원에 한해 사용범위를 제한한다.

② 위 물품 중 제조사 또는 공급사가 낙찰자에게 물품공급 또는 기술지원을 해야하는 범위는 규격서(시방서)에 반영된 특수한 능력·품질의 납품능력이 요구되는 부분으로 한다. <신설 2009.9.21.>

③ 제2항에 의한 특수한 능력·품질 등의 납품능력이 요구되는 범위에 대하여 이견이 있는 경우에는 발주기관의 해석 및 판단에 따른다. <신설 2009.9.21.>

제3조(협약금액) 제2조에 따른 제조사 또는 공급사의 물품공급 또는 기술지원 범위에 대한 협약금액은 특수능력·품질 부분의 비중 등을 고려하여 발주기관과 제조사 또는 공급사가 협의하는 금액 (원)으로 한다. <신설 2009.9.21.>

제4조(물품공급 또는 기술지원확약서 발급) 위 사업의 낙찰자와 제조사 또는 공급사는 이 약정의 범위 및 공정한 거래질서 등에 반하지 아니하는 범위 내에서 물품공급 또는 기술지원을 하기로 협의하고, 제조사 또는 공급사는 물품공급 또는 기술지원확약서를 낙찰자에게 발급하여야 한다. <제3조에서 이동 2009.9.21.>

년　　월　　일

발주기관 (발주기관명) (인)
제조사 또는 공급사 (제조사 또는 공급사명) (인)

[별첨 1] 계약실적보고서 I (계약체결에 관한 사항) 〈개정 2016.1.1.〉

〈앞 면〉

기 관 명

우편번호·주소 (전화번호) 담당자 :

계약담당공무원 ㊞

계약실적보고서 I (계약체결에 관한 사항)

입찰내용	입 찰 건 명	
	입 찰 일	. . .
	가 격	• 추정가격 : 금 원(₩) • 예정가격 : 금 원(₩)
	입 찰 방 법	• • • •
	사 유	
	조달청위탁여부	
계약내용	계 약 상 대 자	• 상호 또는 법인명칭 • 대표자 • 주 소
	계 약 금 액	금 원(₩)
	계 약 기 간	
	계약물량 및 규모	

255mm×297mm
(신문용지 54g/㎡)

〈뒷 면〉

〈작성시 유의사항〉

1. **입찰건명** : 계약목적물을 자세히 명기
2. **입찰일** : 수의계약의 경우 계약체결일, 협상에 의한 계약체결의 경우 제안서제출일
3. **가격** : 추정가격은 예산등을 기준으로 산출하되 부가가치세 제외(공사의 경우 관급자재도 제외)
   - · 일괄입찰등 예정가격을 작성하지 아니하는 경우에는 예산
   - · 개산계약(시행령 §70)의 경우에는 개산가격
4. **입찰방법** : 일반경쟁, 제한경쟁, 지명경쟁, 수의계약 중 택일
   - · 제한경쟁입찰의 경우 제한내용(실적, 지역 등)
   - · 지역업체와의 공동도급(시행령 §72③) 적용여부
   - · 입찰참가자격사전심사 실시여부(공사, 용역)
   - · 공사입찰의 경우 총액·내역·일괄·대안입찰 중 택일
   - · 공사입찰의 경우 적격심사, 종합심사낙찰제 중 택일
   - · 물품입찰의 경우 최저가, 적격심사, 협상, 2단계, 희망수량, 유사물품복수경쟁, 종합낙찰제중 택일
   - · 용역입찰의 경우 적격심사, 협상, 2단계 중 택일
5. **사유** : 지명경쟁입찰 또는 수의계약의 경우 그 사유
6. **계약금액(기간)** : 장기계속공사의 경우 총 계약금액(기간)
7. **계약물량 및 규모** : 산출내역서 첨부

[별첨 2] 계약실적보고서Ⅱ(계약변경에 관한 사항)

〈앞 면〉

<table>
<tr><td colspan="3">기 관 명
우편번호·주소 (전화번호) 담당자 :
계약담당공무원 ㉿
계약실적보고서Ⅱ(계약변경에 관한 사항)</td></tr>
<tr><td rowspan="6">변경전 계약내용</td><td>계 약 목 적 물</td><td></td></tr>
<tr><td>계 약 상 대 자</td><td>• 상호 또는 법인명칭 • 대표자
• 주 소</td></tr>
<tr><td>계 약 금 액</td><td>금 원(₩)</td></tr>
<tr><td>계 약 기 간</td><td></td></tr>
<tr><td>계약물량 및 규모</td><td></td></tr>
<tr><td>계약실적보고내용</td><td></td></tr>
<tr><td rowspan="5">변경후 계약내용</td><td>계 약 금 액</td><td>• 금 원(₩)
• 조정금액 : 금 원(₩)</td></tr>
<tr><td>계 약 기 간</td><td></td></tr>
<tr><td>계약물량 및 규모</td><td></td></tr>
<tr><td>변 경 사 유</td><td></td></tr>
<tr><td>추가예산확보방법</td><td></td></tr>
</table>

255mm×297mm
(신문용지 54g/㎡)

〈뒷 면〉

〈작성시 유의사항〉

Ⅰ. **변경전 계약내용 : 변경전 직전 계약내용을 근거로 작성**

1. **계약목적물** : 계약목적물을 자세히 명기
2. **계약금액(기간)** : 장기계속공사의 경우 총 계약금액(기간)
3. **계약물량 및 규모** : 산출내역서 첨부
4. **계약실적보고내용** : 동일건 기존 계약실적(체결, 변경)보고일, 횟수

Ⅱ. **변경후 계약내용**

1. **계약금액** : 변경된 총 계약금액과 조정금액을 표기
2. **계약기간** : 변경계약기간, 연장일수, 연장사유
3. **계약물량 및 규모** : 변경 총 산출내역서와 조정금액 산출내역서 첨부
4. **변경사유** : 물가변동, 설계변경, 기타계약내용변경, 공기연장 사유 등 계약변경사유를 구체적으로 명기
5. **추가예산확보방법** : 계약금액 증액 조정시 추가예산 확보방법을 추경, 전용, 낙찰차액 사용 등 구체적으로 명기

[별첨 3] 계약실적 총보고서

I. 계약실적 총보고서(1)

(단위 : 건, 백만원)

		유형	일반경쟁		제한경쟁[1]		지명경쟁		수의계약		계	
			건수	계약금액 추정가격	건수	계약금액 추정가격	건수	계약금액 추정가격	건수	계약금액 추정가격	건수	계약금액 추정가격
국제입찰 대상계약	고시금액 이상	물품										
		용역										
		공사										
		계										
국제입찰 비대상 계약[3]	고시금액 이상[2]	물품										
		용역										
		공사										
		계										
	고시금액 미만	물품										
		용역										
		공사										
		계										
	소계	물품										
		용역										
		공사										
		계										
계		물품										
		용역										
		공사										
		계										

1) 국제입찰 대상계약은 제한경쟁을 별도구분하지 않고 일반경쟁에 포함(제한경쟁은 "0"으로 기재)

2) 고시금액이상 계약중 협정, 법, 특례규정, 지방재정법 및 회계규칙에 따라 국제입찰 대상에서 제외되는 계약실적을 기재(국제입찰 제외사유별 상세내역은 〈표 Ⅲ-1.〉에 기재)

3) 임의 국제입찰(협정에 따른 국제입찰 대상은 아니나, 발주기관의 필요에 따라 법 제4조제3항, 특례규정 제3조제5항, 회계규칙 제11조제4항 및 지방재정법시행령 제70조제1항제1호에 의거 실시한 국제입찰) 포함(상세내역은 〈표 Ⅲ-5.〉에 기재)

I. 계약실적 총보고서(2) [4] : 공사계약의 금액에 따른 구분

(금액단위 : 백만원)

유형	금 액 구 분	일반경쟁		제한경쟁		지명경쟁		수의계약		합 계	
		건수	금액	건수	금액	건수	금액	건수	금액	건수	금액
중앙행정기관	10억원 미만 10억원 이상~50억원 미만 50억원 이상~81억원 미만 81억원 이상~100억원 미만 100억원 이상~1000억원 미만 1000억원 이상										
	소 계										
광역지방자치단체	10억원 미만 10억원 이상~50억원 미만 50억원 이상~244억원 미만 244억원 이상~1000억원 미만 1000억원 이상										
	소 계										
공기업	10억원 미만 10억원 이상~50억원 미만 50억원 이상~100억원 미만 100억원 이상~244억원 미만 244억원 이상~1000억원 미만 1000억원 이상										
	소 계										
총 계											

4) 공사계약에 대하여 추정가격을 기준으로 한 금액구분에 따라 실제 계약실적을 해당되는 부분에 기재한다.

I. 계약실적 총보고서(2-1) [4-1] : 입찰에 의한 공사계약 구분

(금액단위 : 백만원)

유형	구 분			일반경쟁		제한경쟁		지명경쟁		합 계	
				건수	금액	건수	금액	건수	금액	건수	금액
중앙행정기관	턴키·대안입찰		1000억 이상 1000억 미만~500억 이상 500억 미만~100억 이상 100억 미만								
	내역입찰	PQ	1000억 이상 1000억 미만~500억 이상 500억 미만~100억 이상								
		비PQ	1000억 이상 1000억 미만~500억 이상 500억 미만~100억 이상 100억 미만								
	총액입찰										
	소 계										
광역지방자치단체	턴키·대안입찰		1000억 이상 1000억 미만~500억 이상 500억 미만~100억 이상 100억 미만								
	내역입찰	PQ	1000억 이상 1000억 미만~500억 이상 500억 미만~100억 이상								
		비PQ	1000억 이상 1000억 미만~500억 이상 500억 미만~100억 이상 100억 미만								
	총액입찰										
	소 계										
공기업	턴키·대안입찰		1000억 이상 1000억 미만~500억 이상 500억 미만~100억 이상 100억 미만								
	내역입찰	PQ	1000억 이상 1000억 미만~500억 이상 500억 미만~100억 이상								
		비PQ	1000억 이상 1000억 미만~500억 이상 500억 미만~100억 이상 100억 미만								
	총액입찰										
	소 계										
총 계											

4-1) 공사계약에 대하여 추정가격을 기준으로 한 금액구분에 따라 실제 계약실적을 해당되는 부분에 기재한다.

I. 계약실적 총보고서(3) [5)]

(단위 : 건, 백만원)

		유형	일반경쟁		제한경쟁		지명경쟁		수의계약		계	
			건수	계약금액 추정가격	건수	계약금액 추정가격	건수	계약금액 추정가격	건수	계약금액 추정가격	건수	계약금액 추정가격
국제입찰 대상계약	고시금액 이상	물품										
		용역										
		공사										
		계										
국제입찰 비대상계약	고시금액 이상	물품										
		용역										
		공사										
		계										
	고시금액 미만	물품										
		용역										
		공사										
		계										
	소계	물품										
		용역										
		공사										
		계										
계		물품										
		용역										
		공사										
		계										

5) 계약실적 총보고서(3)에는 설계변경 등이 반영된 해당연도 말 계약실적(장기계속계약의 경우는 계약금액이 조정된 총 계약금액)을 기재
- 단, 총보고서(1)과 건수, 추정가격은 같아야 함
- 기타사항은 총보고서(1)의 작성 방법과 동일함

[별첨 4] 국제입찰 대상계약 실적보고서

Ⅱ. 국제입찰 대상계약 실적보고서

Ⅱ-1. 물품·공사·용역 유형별 계약실적

Ⅱ-1-1. 물품

(단위 : 건, 백만원)

품목번호[7-1)]	일반경쟁		지명경쟁		수의계약[6)]		계	
	건수	계약금액	건수	계약금액	건수	계약금액	건수	계약금액
1								
2								
3								
4								
5								
6								
7								
8								
9								
10								
11								
12								
13								
14								
15								
16								
17								
18								
19								
20								
21								
계								

6) 협정 제15조 및 특례규정 제23조에 의한 수의계약(Limited Tendering)으로 집행된 국제입찰을 말하며 〈표 Ⅰ〉 및 〈표 Ⅱ-2.〉의 굵은 선태 통계와 일치해야 함

7-1) 품목번호는 HS(관세통계통합품목분류표)에 따른 품목을 의미하여, 내용은 다음과 같음

품목번호	HS Chapter	내 용[7-2)]
1	01-05	산 동물 및 동물성 생산품
2	06-14	식물성 생산품
3	15	동물성 유지 및 이들의 분해생산물 조제 식용지와 동식물성의 왁스
4	16-24	조제식료품과 음료·알콜·식초 및 담배와 제조한 담배 대용물
5	25-27	광물성 생산품
6	28-38	화학공업 또는 연관 공업의 생산품
7	39-40	플라스틱과 그 제품 및 고무와 그 제품
8	41-43	원피·가죽·모피 및 이들의 제품·마구·여행용구·핸드백 및 이와 유사한 용기와 동물거트(누에의 거트를 제회한다)의 제품
9	44-46	"목재와 그 제품, 목탄, 코르크와 그 제품, 짚·에스파르토 또는 기타의 조물(組物)재료의 제품, 농(籠) 세공물 및 지조(枝條) 세공물"
10	47-49	"목재 또는 기타 섬유질 셀룰로스 재료의 펄프, 회수한 지 또는 판지(웨이스트와 스크랩), 지와 판지 및 이들의 제품"
11	50-53	방직용 섬유와 방직용 섬유의 제품
12	64-67	신발류·모자류·산류·지팡이·시트스틱·채찍 및 이들의 부분품, 조제우모와 그 제품, 조화, 인모제품
13	68-70	석·플라스틱·시멘트·석면·운모 또는 이와 유사한 재료의 제품, 도자기 제품, 유리와 유리제품
14	71	천연 또는 양식진주·귀석 또는 반귀석·귀금속·귀금속을 입힌 금속 및 이들의 제품, 모조 신변 장식용품과 주화
15	72-83	비(卑) 금속과 그 제품
16	84-85	"기계류와 전기기기 및 이들의 부분품, 녹음기와 음성재생기·텔레비젼의 영상 및 음향의 기록기와 재생기 및 이들의 부분품과 그 부속품"
17	86-89	차량·항공기·선박과 수송기기 관련품
18	90-92	광학기기·사진용기기·영화용기기·측정기기·검사기기·정밀기기와 의료용기기, 시계와 악기 및 이들의 부분품과 부속품
19	93	무기·총포탄 및 이들의 부분품과 부속품
20	94-96	잡품
21	97	예술품·수집품과 골동품

7-2) HS(관세통계통합품목분류표)에 따른 품목 상세 구분

품목 번호	HS Chapter	내 용
1	01-05	산 동물, 육과 식용설육, 어류·갑각류·연체동물 및 기타 수생무척추동물, 낙농품·조란·천연꿀 및 다른 류에 분류되지 아니한 식용의 동물성 생산품, 다른 류에 분류되지 아니한 동물성 생산품
2	06-14	산 수목과 기타의 식물, 인경·뿌리와 이와 유사한 물품 및 절화와 장식용의 잎, 식용의 채소·뿌리 및 괴경, 식용의 과실 및 견과류와 감귤류 또는 멜론의 껍질, 커피·차·마태 및 향신료, 곡물, 제분공업의 생산품과 맥아, 전분, 이눌린 및 밀의 글루텐, 채유용에 적합한 종자와 과실, 각종의 종자와 과실, 공업용 또는 의약품의 식물, 짚과 사료용 식물, 락·검·수지 및 기타의 식물성 액즙과 엑스, 식물성 편조물용 재료와 다른 류에 분류되지 아니한 식물성 생산품
3	15	동식물성 유지 및 이들의 분해생산물, 조제식용지와 동식물성의 왁스
4	16-24	육류·어류·갑각류·연체동물 또는 기타 수생무척추동물의 조제품, 당류와 설탕과자, 코코아와 그 조제품, 곡물·분·전분 또는 밀크의 주제품과 베이커리 제품, 채소·과실·견과류 또는 식물의 기타 부분의 조제품, 각종의 조제식료품, 음료·알콜 및 식초, 식품 공업에서 생기는 잔재물 및 웨이스트와 조제사료, 담배와 제조한 담배대용물
5	25-27	소금, 황, 토석류 및 석고·석회와 시멘트, 광·슬랙 및 회, 광물성 연료, 광물류와 이들의 증류물, 역청물질 및 광물성 왁스
6	28-38	무기화학품 및 귀금속·희토류금속·방사성원소 또는 동위원소의 유기 또는 무기화합물, 유기화학품, 의료용품, 비료, 유연 또는 염색엑스, 탄닌과 그들의 유도체, 염료·안료와 기타 착색제, 페인트와 바니쉬, 퍼티와 기타 매스틱 및 잉크, 정유와 레지노이드 및 조제향료와 화장품류 또는 화장용품류, 비누·유기계면활성제·조제세제·조제윤활제·인조왁스·조제왁스·광택 또는 연마조제품·양초와 이와 유사한 물품·조형용 페이스트·치과용왁스와 플라스터를 기제로 한 치과용 조제품, 단백질계 물질, 변성전분, 글루 및 효소, 화약류·화공품·성냥·발화성 합금 및 특정 가연성 조제품, 사진용 또는 영화용 재료, 각종 화학공업 생산품
7	39-40	플라스틱과 그 제품, 고무와 그 제품
8	41-43	원피(모피를 제외)와 가죽, 가죽제품·마구·여행용구·핸드백 및 이와 유사한 용기와 동물의 거트(누에의 거트를 제외)의 제품, 모피와 인조모피 및 이들의 제품
9	44-46	목재와 그 제품 및 목탄, 코르크와 그 제품, 짚·에스파르토 또는 기타 조물재료의 제품과 농세공물 및 지조세공물
10	47-49	목재 또는 기타 섬유질 셀룰로스 재료의 펄프, 회수한 지 또는 판지(웨이스트와 스크랩), 지와 판지, 제지용 펄프, 지 또는 판지의 제품, 인쇄서적·신문·회화 및 기타의 인쇄물, 수제문서·타이프 문서 및 도면
11	50-53	견, 양모·섬수모 또는 조수모·마모사 및 이들의 직물, 면, 기타 식물성 방직용 섬유와 지사 및 지사의 식물, 인조필라멘트, 인조스테이플섬유, 워딩·펠트 및 부직포·특수사·끈·코디지·로프 및 케이블과 이들의 제품, 양탄자류와 기타 방직용 섬유제의 바닥깔개, 특수직물, 터프한 섬유직물, 레이스, 태피스트리, 트리밍과 자수포, 침투·도포·피복 또는 적충한 방직용 섬유의 직물: 공업용의 방직용 섬유제품, 메리야스 편물과 뜨개질 편물, 의류와 그 부속품(메리야스 편물 또는 뜨개질 편물의 것에 한한다), 의류와 그 부속품(메리야스 또는 편물 또는 뜨개질 편물의 것은 제외), 제품으로 된 방직용 섬유의 기타 물품, 세트, 사용하던 의류·사용하던 의류·사용하던 방직용 섬유제품 및 넝마
12	64-67	신발류·각반 및 이와 유사한 것과 이들의 부분품, 모자류와 그 부분품. 산류·지팡이·시트스틱·채찍 및 이들의 부분품. 조제우모와 솜털 및 그 제품, 조화, 인모제품
13	68-70	석·플라스터·시멘트·석면·운모 또는 이와 유사한 재료의 제품, 도자기제품, 유리와 유리제품
14	71	천연 또는 양식진주·귀석 또는 반귀석·귀금속·귀금속을 입힌 금속 및 이들의 제품, 모조 신변장식용품과 주화
15	72-83	철강, 철강의 제품, 동과 그 제품, 니켈과 그 제품, 알루미늄과 그 제품, 납과 그 제품, 아연과 그 제품, 주석과 그 제품, 기타 비금속, 서메트, 이들의 제품, 비금속제의 공구·도구·칼붙이·스푼과 포크 및 이들의 부분품, 비금속제의 각종 제품,
16	84-85	원자로·보일러와 기계류 및 이들의 부분품, 전기기기와 그 부분품, 녹음기와 음성재생기·텔레비젼의 영상 및 음성의 기록기와 재생기 및 이들의 부분품과 부속품
17	86-89	철도 또는 궤도용의 기관차·차량과 이들의 부분품, 철도 또는 궤도용의 장비품과 그 부분품 및 기계식(전기기계식 포함)의 각종 교통신호용 기기, 철도 또는 궤도용 외의 차량 및 그 부분품과 부속품, 항공기와 우주선 및 이들의 부분품, 선박과 수상 구조물
18	90-92	광학기기·사진용기기·영화용기기·측정기기·검사기기·정밀기기와 의료용기기 및 이들의 부분품과 부속품, 시계와 그 부분품, 악기 및 그 부분품과 부속품
19	93	무기·총포탄 및 이들의 부분품과 부속품
20	94-96	가구와 침구·매트리스·매트리스서포트·쿠션과 이와 유사한 물품, 다른 류에 분류되지 아니한 램프와 조명기구, 조명용 사인·네임플레이트와 이와 유사한 물품 및 조립식 건축물, 완구·유희용구·운동용구 및 이들의 부분품과 부속품, 잡품
21	97	예술품·수집품·골동품

Ⅱ-1-2. 공사 및 용역

(단위 : 건, 백만원)

품목번호[9]	일반경쟁		지명경쟁		수의계약[8]		계	
	건수	계약금액	건수	계약금액	건수	계약금액	건수	계약금액
1								
2								
3								
4								
5								
6								
7								
8								
9								
10								
11								
12								
13								
14								
15								
16								
17								
18								
19								
20								
21								
22								
23								
24								
25								
26								
27								
28								
계								

8) 협정 제15조 및 특례규정 제23조에 의한 수의계약(Limited Tendering) 으로 집행된 국제입찰을 말하며 〈표 I〉 및 〈표 Ⅱ-2.〉의 굵은 선태 통계와 일치해야 함

9) 품목번호는 UNCPC(국제연합표준산품분류)에 따른 품목을 의미하여, 내용은 다음과 같음

품목번호	HS Chapter	내 용
1	51	건설공사
2	61	"모터차량·모터사이클 판매 및 유지보수"
3	62	중개·도매(모터차량·모터사이클 중개·도매 제외)
4	63	소매, 개인·가정용품수리
5	64	호텔·식당
6	71, 73	육상·항공 운송
7	72	해상운송
8	74	보조운송
9	75	우편·통신
10	81	금융중개
11	82	부동산
12	83	중개인 없는 리스·임대
13	84	컴퓨터관련
14	85	연구·개발
15	86	법률·회계·감사·장부기장·세무, 시장조사·여론조사, 경영컨설팅, 설계·엔지니어링·기타 기술용역
16	87	기타 경영용역
17	88(a)	농업, 광업, 제조업(인쇄·출판 제외)
18	88(b)	인쇄·출판
19	89	무형자산
20	91	행정, 치안
21	92	교육
22	93	보건·사회복지
23	94	오물·쓰레기 처리, 공중위생 기타 환경보호
24	95	회원제조직용역
25	96	레크리에이션·문화·스포츠
26	97	기타용역
27	98	고용인 있는 주거용역
28	99	국외조직에 의한 용역

※ 2, 3, 5, 10, 11, 14, 19, 20, 21, 22, 24, 26, 27, 28번 품목은 국제입찰 대상품목이 아니므로 0으로 기재

Ⅱ-2. 수의계약 사유별 계약실적

Ⅱ-2-1. 물품

(단위 : 건, 백만원)

품목번호	특례규정 제23조																					
	제1호		제2호		제3호		제4호		제5호		제6호		제7호		제8조		제9조		제10호		계	
	건수	계약금액	건수	계약금액	건수	계약금액	건수	계약금액	건수	계약금액	건수	계약금액	건수	계약금액	건수	계약금액	건수	계약금액	건수	계약금액	건수	계약금액
1																						
2																						
3																						
4																						
5																						
6																						
7																						
8																						
9																						
10																						
11																						
12																						
13																						
14																						
15																						
16																						
17																						
18																						
19																						
20																						
21																						
계																						

Ⅱ-2-2. 공사 및 용역

(단위 : 건, 백만원)

품목번호	특례규정 제23조																					
	제1호		제2호		제3호		제4호		제5호		제6호		제7호		제8조		제9조		제10호		계	
	건수	계약금액	건수	계약금액	건수	계약금액	건수	계약금액	건수	계약금액	건수	계약금액	건수	계약금액	건수	계약금액	건수	계약금액	건수	계약금액	건수	계약금액
1																						
2																						
3																						
4																						
5																						
6																						
7																						
8																						
9																						
10																						
11																						
12																						
13																						
14																						
15																						
16																						
17																						
18																						
19																						
20																						
21																						
22																						
23																						
24																						
25																						
26																						
27																						
28																						
계																						

※ 2, 3, 5, 10, 11, 14, 19, 20, 21, 22, 24, 26, 27, 28번 품목은 국제입찰 대상품목이 아니므로 0으로 기재

Ⅱ-3. 물품 원산지국별 계약실적

(단위 : 백만원)

국가별		계약금액
정부조달협정 가입국	미국	
	일본	
	대만	
	아르메니아	
	캐나다	
	스위스	
	홍콩	
	리히텐슈타인	
	아루바	
	노르웨이	
	싱가폴	
	이스라엘	
	아이슬랜드	
	EU	
	소계	
정부조달협정 비가입국		
계		

Ⅱ-4. 외국업체 낙찰실적

(단위 : 건, 백만원)

국가별		국제입찰 대상계약						계	
		물품		용역		공사			
		건수	계약금액	건수	계약금액	건수	계약금액	건수	계약금액
정부조달협정 가입국	미국								
	일본								
	대만								
	아르메니아								
	캐나다								
	스위스								
	홍콩								
	리히텐슈타인								
	아루바								
	노르웨이								
	싱가폴								
	이스라엘								
	아이슬랜드								
	EU								
	소계								
정부조달협정 비가입국									
계									

[별첨 5] 국제입찰 비대상계약 실적보고서

Ⅲ. 국제입찰 비대상계약 실적보고서

Ⅲ-1. 국제입찰 제외사유별 계약실적(고시금액 이상 국제입찰비대상계약)

(단위 : 건, 백만원)

국제입찰 제외사유	물품		공사		용역		계	
	건수	계약 금액	건수	계약 금액	건수	계약 금액	건수	계약 금액
법 제4조제1항제1호 /계약사무규칙 제4조제1항제1호								
법 제4조제1항제2호 /계약사무규칙 제4조제1항제2호								
법 제4조제1항제3호 /계약사무규칙 제4조제1항제3호								
특례규정 제3조제2항제1호								
특례규정 제3조제2항제2호								
특례규정 제3조제2항제3호								
특례규정 제3조제2항제4호								
특례규정 제3조제2항제5호 /계약사무규칙 제4조제1항제5호								
기타 국제입찰대상 제외품목[10)]								
계								

10) 특례규정 제3조제3항 [별표 2]에 따른 특정조달계약 대상용역 및 공사가 아닌 용역 및 공사계약, 특례규정 제3조제3항 [별표 1]에 따른 경찰청의 치안의 확보를 위하여 필요한 물품 구매계약 및 계약사무규칙 제4조제1항제4호에 의한 한국전력공사의 일부 중전기품목(HS 8504·8535·8537·8544) 구매계약, 정부조달협정 대한민국 양허표 부속서3에 따른 한국통신의 일반통신제품 및 통신망장비 구매계약을 말함

Ⅲ-2. 물품·공사·용역 유형별 계약실적

Ⅲ-2-1-1) 물품(고시금액 이상)

(단위 : 건, 백만원)

품목[11] 번호	일반경쟁		지명경쟁		수의계약		계	
	건수	계약금액	건수	계약금액	건수	계약금액	건수	계약금액
1								
2								
3								
4								
5								
6								
7								
8								
9								
10								
11								
12								
13								
14								
15								
16								
17								
18								
19								
20								
21								
계								

11) 품목번호별 내용은 주 7-1)과 동일

Ⅲ-2-1-2) 물품(고시금액 미만)

(단위 : 건, 백만원)

품목[12] 번호	일반경쟁		지명경쟁		수의계약		계	
	건수	계약금액	건수	계약금액	건수	계약금액	건수	계약금액
1								
2								
3								
4								
5								
6								
7								
8								
9								
10								
11								
12								
13								
14								
15								
16								
17								
18								
19								
20								
21								
계								

12) 품목번호별 내용은 주 7-1)과 동일

Ⅲ-2-2-1) 공사 및 용역(고시금액 이상)

(단위 : 건, 백만원)

품목[13] 번호	일반경쟁		지명경쟁		수의계약		계	
	건수	계약금액	건수	계약금액	건수	계약금액	건수	계약금액
1								
2								
3								
4								
5								
6								
7								
8								
9								
10								
11								
12								
13								
14								
15								
16								
17								
18								
19								
20								
21								
22								
23								
24								
25								
26								
27								
28								
계								

13) 품목번호별 내용은 주 9)과 동일

Ⅲ-2-2-2) 공사 및 용역(고시금액 미만)

(단위 : 건, 백만원)

품목[14] 번호	일반경쟁		지명경쟁		수의계약		계	
	건수	계약금액	건수	계약금액	건수	계약금액	건수	계약금액
1								
2								
3								
4								
5								
6								
7								
8								
9								
10								
11								
12								
13								
14								
15								
16								
17								
18								
19								
20								
21								
22								
23								
24								
25								
26								
27								
28								
계								

14) 품목번호별 내용은 주 9)과 동일

Ⅲ-3. 수의계약 사유별 계약실적

Ⅲ-3-1. 물품 〈개정 2010.9.8.〉

(단위 : 건, 백만원)

품목[15] 번호	국가계약법 시행령 제26조제1항										시행령		시행령			
	제1호		제2호		제3호		제4호		제5호		제27조		제28조		계	
	건수	계약금액	건수	계약금액	건수	계약금액	건수	계약금액	건수	계약금액	건수	계약금액	건수	계약금액	건수	계약금액
1																
2																
3																
4																
5																
6																
7																
8																
9																
10																
11																
12																
13																
14																
15																
16																
17																
18																
19																
20																
21																
계																

15) 품목번호별 내용은 주 7-1)과 동일

Ⅲ-3-2. 공사 및 용역 〈개정 2010.9.8.〉

(단위 : 건, 백만원)

품목[16] 번호	국가계약법 시행령 제26조제1항										시행령		시행령			
	제1호		제2호		제3호		제4호		제5호		제27조		제28조		계	
	건수	계약금액	건수	계약금액	건수	계약금액	건수	계약금액	건수	계약금액	건수	계약금액	건수	계약금액	건수	계약금액
1																
2																
3																
4																
5																
6																
7																
8																
9																
10																
11																
12																
13																
14																
15																
16																
17																
18																
19																
20																
21																
계																

16) 품목번호별 내용은 주 9)과 동일

Ⅲ-4. 물품 원산지국별 계약실적

(단위 : 백만원)

국 가 별		계 약 금 액
정부조달협정 가입국	미 국	
	일 본	
	대 만	
	아 르 메 니 아	
	캐 나 다	
	스 위 스	
	홍 콩	
	리 히 텐 슈 타 인	
	아 루 바	
	노 르 웨 이	
	싱 가 폴	
	이 스 라 엘	
	아 이 슬 랜 드	
	E U	
	소 계	
정부조달협정 비가입국		
계		

Ⅲ-5. 임의 국제입찰 실적 [17)]

Ⅲ-5-1. 총괄

(단위 : 건, 백만원)

유형	일반경쟁		제한경쟁		지명경쟁		수의계약		계	
	건수	계약금액	건수	계약금액	건수	계약금액	건수	계약금액	건수	계약금액
물품										
용역										
공사										
소계										

17) 협정에 따른 국제입찰 대상계약은 아니나, 발주기관의 필요에 따라 법 제4조제3항, 특례규정 제3조제4항, 회계규칙 제11조제4항 및 지방재정법시행령 제70조제1항제1호에 의거 국제입찰을 실시하여 체결한 계약실적을 기재

Ⅲ-5-2. 임의 국제입찰 외국업체 낙찰실적 [18)]

(단위 : 건, 백만원)

국가별		국제입찰 대상계약						계	
		물 품		용 역		공 사			
		건수	계약금액	건수	계약금액	건수	계약금액	건수	계약금액
정부조달협정 가입국	미 국								
	일 본								
	대 만								
	아르메니아								
	캐 나 다								
	스 위 스								
	홍 콩								
	리히텐슈타인								
	아 루 바								
	노 르 웨 이								
	싱 가 폴								
	이 스 라 엘								
	아이슬랜드								
	E U								
정부조달협정 비가입국									
계									

18) 임의 국제입찰을 실시하여 외국업체에 낙찰된 계약실적을 기재

[별첨 6] 정보통신망을 이용한 입찰공고실적보고서[19)]

(단위 : 건, 백만원)

유형	일반경쟁		제한경쟁		지명경쟁		수의계약		계	
	건수	계약 금액	건수	계약 금액	건수	계약 금액	건수	계약 금액	건수	계약 금액
물품										
용역										
공사										
소계										

19) 법 시행령 제33조제1항에 따라 정보통신사업자의 통신망을 이용한 공고를 한 입찰실적을 기재(국제입찰 대상·비대상 계약 모두 포함)

2 예정가격작성기준

[시행 2021.12.1.][기획재정부계약예규 제577호, 2021.12.1., 일부개정]

제1장 총 칙

제1조(목적) 이 예규는 「국가를 당사자로 하는 계약에 관한 법률 시행령」(이하 "시행령"이라 한다) 제9조제1항제2호 및 「국가를 당사자로 하는 계약에 관한 법률 시행규칙」(이하 "시행규칙"이라 한다) 제6조에 의한 원가계산에 의한 예정가격 작성, 시행령 제9조제1항제3호 및 시행규칙 제5조제2항에 의한 표준시장단가에 의한 예정가격 작성 및 시행규칙 제5조에 의한 전문가격조사기관(이하 "조사기관"이라 한다.)의 등록 등에 있어 적용하여야 할 기준을 정함을 목적으로 한다. <개정 2015.3.1.>

제2조(계약담당공무원의 주의사항) ① 계약담당공무원(각 중앙관서의 장이 계약에 관한 사무를 그 소속공무원에게 위임하지 아니하고 직접 처리하는 경우에는 이를 계약담당공무원으로 본다. 이하 같다)은 예정가격 작성 등과 관련하여 이 예규에 정한 사항에 따라 업무를 처리한다.

② 계약담당공무원은 이 예규에 따라 예정가격 작성시에 표준품셈에 정해진 물량, 관련 법령에 따른 기준가격 및 비용 등을 부당하게 감액하거나 과잉 계상되지 않도록 하여야 하며, 불가피한 사유로 가격을 조정한 경우에는 조정사유를 예정가격조서에 명시하여야 한다. <개정 2014.1.10, 2015.9.21.>

③ 계약담당공무원은 「부가가치세법」에 따른 면세사업자와 수의계약을 체결하려는 경우에는 부가가치세를 제외하고 예정가격을 작성할 수 있으며, 이 경우 예정가격 조서에 그 사유를 명시하여야 한다. <신설 2018.6.4.>

④ 계약담당공무원은 공사원가계산에 있어서 공종의 단가를 세부내역별로 분류하여 작성하기 어려운 경우 이외에는 총계방식(이하 "1식단가"라 한다)으로 특정공종의 예정가격을 작성하여서는 아니된다. <신설 2019.12.18.>

제2장 원가계산에 의한 예정가격 작성

제1절 총 칙

제3조(원가계산의 구분) 원가계산은 제조원가계산과 공사원가계산 및 용역원가계산으로 구분하되, 용역원가계산에 관하여는 제4절 및 제5절에 의한다.

제4조(원가계산의 비목) 원가는 재료비, 노무비, 경비, 일반관리비 및 이윤으로 구분하여 작성한다.

제5조(비목별 가격결정의 원칙) ① 재료비, 노무비, 경비는 각각 아래에서 정한 산식에 따른다.

· 재료비 = 재료량 × 단위당가격

· 노무비 = 노무량 × 단위당가격

· 경　비 = 소요(소비)량 × 단위당 가격

② 재료비, 노무비, 경비의 각 세비목별 단위당가격은 시행규칙 제7조에 따라 계산한다.

③ 계약담당공무원은 재료비, 노무비, 경비의 각 세비목 및 그 물량(재료량, 노무량, 소요량) 산출은 계약목적물에 대한 규격서, 설계서 등에 의하거나 제34조에 의한 원가계산자료를 근거로 하여 산정하여야 하며, 일정률로 계상하는 일반관리비, 간접노무비 등에 대해서는 사전 공고한 공사원가 제비율을 준수하여야 한다. <개정 2014.1.10.>

④ 계약담당공무원은 제3항의 각 세비목 및 그 물량산출은 계약목적물의 내용 및 특성 등을 고려하여 그 완성에 적합하다고 인정되는 합리적인 방법으로 작성하여야 한다.

⑤ 공사계약의 원가계산에 있어 기 체결한 물품제조·구매계약(국가기관·지방자치단체·공공기관이 발주한 계약을 말한다. 이하 이조에서 같다.)의 내역을 재료비의 단위당 가격으로 활용하려는 경우에는 해당물품의 예정가격 또는 계약예규 「예정가격작성기준」 제44조의3에 따른 기초가격 을 재료비의 단위당 가격으로 적용하며, 물품제조·구매계약의 계약금액은 시행규칙 제7조에 따른 거래실례가격으로 보지 아니한다. <신설 2020.6.19.>

제6조(원가계산에 의한 예정가격 작성시 주의사항) ① 계약담당공무원은 원가계산방법으로 예정가격을 작성할 때에는 계약수량, 이행의 전망, 이행기간, 수급상황, 계약조건 기타 제반여건을 고려하여야 한다.

② 계약담당공무원은 표준품셈을 이용하여 원가계산을 하는 경우에는 가장 최근의 표준품셈을 이용하여야 한다. <신설 2012.4.2.>

③ 계약담당공무원은 원가계산의 단위당 가격을 산정함에 있어 소요물량·거래조건 등 제반사정을 고려하여 객관적으로 단가를 산정하여야 한다.

제2절 제조원가계산

제7조(제조원가) 제조원가라 함은 제조과정에서 발생한 재료비, 노무비, 경비의 합계액을 말한다.

제8조(작성방법) 계약담당공무원은 제조원가를 계산 하고자 할 때에는 별표1의 제조원가계산서를 작성하고 비목별 산출근거를 명시한 기초계산서를 첨부하여야 한다. 이 경우에 재료비, 노무비, 경비 중 일부를 별표1의 제조원가계산서상 일반관리비 또는 이윤 다음 비목으로 계상하여서는 아니된다.

제9조(재료비) 재료비는 제조원가를 구성하는 다음 내용의 직접재료비, 간접재료비로 한다.

① 직접재료비는 계약목적물의 실체를 형성하는 물품의 가치로서 다음 각 호를 말한다. <개정 2015.9.21.>

1. 주요재료비
   계약목적물의 기본적 구성형태를 이루는 물품의 가치
2. 부분품비
   계약목적물에 원형대로 부착되어 그 조성부분이 되는 매입부품·수입부품·외장재료 및 제11조제3항제13호 규정에 의한 경비로 계상되는 것을 제외한 외주품의 가치

② 간접재료비는 계약목적물의 실체를 형성하지는 않으나 제조에 보조적으로 소비되는 물품의 가치로서 다음 각 호를 말한다.

1. 소모재료비
   기계오일, 접착제, 용접가스, 장갑, 연마재 등 소모성 물품의 가치
2. 소모공구·기구·비품비
   내용년수 1년 미만으로서 구입단가가 「법인세법」 또는 「소득세법」 규정에 의한 상당금액 이하인 감가상각대상에서 제외되는 소모성 공구·기구·비품의 가치
3. 포장재료비
   제품포장에 소요되는 재료의 가치

③ 재료의 구입과정에서 해당재료에 직접 관련되어 발생하는 운임, 보험료, 보관비 등의 부대비용은 재료비에 계상한다. 다만, 재료구입 후 발생되는 부대비용은 경비의 각 비목으로 계상한다.

④ 계약목적물의 제조 중에 발생되는 작업설, 부산품, 연산품 등은 그 매각액 또는 이용가치를 추산하여 재료비에서 공제하여야 한다.

제10조(노무비) 노무비는 제조원가를 구성하는 다음 내용의 직접노무비, 간접노무비를 말한다.

① 직접노무비는 제조현장에서 계약목적물을 완성하기 위하여 직접작업에 종사하는 종업원 및 노무자에 의하여 제공되는 노동력의 대가로서 다음 각 호의 합계액으로 한다. 다만, 상여금은 기본급의 년 400%, 제수당, 퇴직급여충당금은 「근로기준법」상 인정되는 범위를 초과하여 계상할 수 없다.

1. 기본급(「통계법」 제15조의 규정에 의한 지정기관이 조사·공표한 단위당가격 또는 기획

재정부장관이 결정·고시하는 단위당가격으로서 동단가에는 기본급의 성격을 갖는 정근수당·가족수당·위험수당 등이 포함된다)

2. 제수당(기본급의 성격을 가지지 않는 시간외 수당·야간수당·휴일수당·주휴수당 등 작업상 통상적으로 지급되는 금액을 말한다) <개정 2015.9.21.>
3. 상여금
4. 퇴직급여충당금

② 간접노무비는 직접 제조작업에 종사하지는 않으나, 작업현장에서 보조작업에 종사하는 노무자, 종업원과 현장감독자 등의 기본급과 제수당, 상여금, 퇴직급여충당금의 합계액으로 한다. 이 경우에는 제1항 각호 및 단서를 준용한다.

③ 제1항의 직접노무비는 제조공정별로 작업인원, 작업시간, 제조수량을 기준으로 계약목적물의 제조에 소요되는 노무량을 산정하고 노무비 단가를 곱하여 계산한다.

④ 제2항의 간접노무비는 제34조에 의한 원가계산자료를 활용하여 직접노무비에 대하여 간접노무비율(간접노무비/직접노무비)을 곱하여 계산한다.

⑤ 제4항의 간접노무비는 제3항의 직접노무비를 초과하여 계상할 수 없다. 다만, 작업현장의 기계화, 자동화 등으로 인하여 불가피하게 간접노무비가 직접노무비를 초과하는 경우에는 증빙자료에 의하여 초과 계상할 수 있다.

제11조(경비) ① 경비는 제품의 제조를 위하여 소비된 제조원가 중 재료비, 노무비를 제외한 원가를 말하며 기업의 유지를 위한 관리활동부문에서 발생하는 일반관리비와 구분된다.

② 경비는 해당 계약목적물 제조기간의 소요(소비)량을 측정하거나 제34조에 의한 원가계산자료나 계약서, 영수증 등을 근거로 하여 산출하여야 한다. <개정 2015.9.21.>

③ 경비의 세비목은 다음 각 호의 것으로 한다.

1. 전력비, 수도광열비는 계약목적물을 제조하는데 직접 소요되는 해당 비용을 말한다. <개정 2015.9.21.>
2. 운반비는 재료비에 포함되지 않는 운반비로서 원재료 또는 완제품의 운송비, 하역비, 상하차비, 조작비 등을 말한다.
3. 감가상각비는 제품생산에 직접 사용되는 건물, 기계장치 등 유형고정자산에 대하여 세법에서 정한 감가상각방식에 따라 계산한다. 다만, 세법에서 정한 내용년수의 적용이 불합리하다고 인정된 때에는 해당 계약목적물에 직접 사용되는 전용기기에 한하여 그 내용년수를 별도로 정하거나 특별상각할 수 있다.
4. 수리수선비는 계약목적물을 제조하는데 직접 사용되거나 제공되고 있는 건물, 기계장치, 구축물, 선박차량 등 운반구, 내구성공구, 기구제품의 수리수선비로서 해당 목적물의 제조과정에서 그 원인이 발생될 것으로 예견되는 것에 한한다. 다만, 자본적 지출에 해당하는 대수리 수선비는 제외한다.
5. 특허권사용료는 계약목적물이 특허품이거나 또는 그 제조과정의 일부가 특허의 대상이 되어 특허권 사용계약에 의하여 제조하고 있는 경우의 사용료로서 그 사용비례에 따라 계산한다.

6. 기술료는 해당 계약목적물을 제조하는데 직접 필요한 노하우(Know-how) 및 동 부대비용으로서 외부에 지급하는 비용을 말하며 「법인세법」상의 시험연구비 등에서 정한 바에 따라 계상하여 사업년도로부터 이연상각하되 그 적용비례를 기준하여 배분 계산한다.
7. 연구개발비는 해당 계약목적물을 제조하는데 직접 필요한 기술개발 및 연구비로서 시험 및 시범제작에 소요된 비용 또는 연구기관에 의뢰한 기술개발용역비와 법령에 의한 기술개발촉진비 및 직업훈련비를 말하며 「법인세법」상의 시험연구비 등에서 정한 바에 따라 이연상각하되 그 생산수량에 비례하여 배분 계산한다. 다만, 연구개발비 중 장래 계속생산으로의 연결이 불확실하여 미래수익의 증가와 관련이 없는 비용은 특별상각할 수 있다.
8. 시험검사비는 해당 계약의 이행을 위한 직접적인 시험검사비로서 외부에 이를 의뢰하는 경우의 비용을 말한다. 다만, 자체시험검사비는 법령이나 계약조건에 의하여 내부검사가 요구되는 경우에 계상할 수 있다.
9. 지급임차료는 계약목적물을 제조하는데 직접 사용되거나 제공되는 토지, 건물, 기술, 기구 등의 사용료로서 해당 계약 물품의 생산기간에 따라 계산한다.
10. 보험료는 산업재해보험, 고용보험, 국민건강보험 및 국민연금보험 등 법령이나 계약조건에 의하여 의무적으로 가입이 요구되는 보험의 보험료를 말하며 재료비에 계상되는 것은 제외한다.
11. 복리후생비는 계약목적물의 제조작업에 종사하고 있는 노무자, 종업원 등의 의료 위생약품대, 공상치료비, 지급피복비, 건강진단비, 급식비("중식 및 간식제공을 위한 비용을 말한다."이하 같다)등 작업조건유지에 직접 관련되는 복리후생비를 말한다.
12. 보관비는 계약목적물의 제조에 소요되는 재료, 기자재 등의 창고 사용료로서 외부에 지급되는 경우의 비용만을 계상하여야 하며 이중에서 재료비에 계상되는 것은 제외한다.
13. 외주가공비는 재료를 외부에 가공시키는 실가공비용을 말하며 부분품의 가치로서 재료비에 계상되는 것은 제외한다.
14. 산업안전보건관리비는 작업현장에서 산업재해 및 건강장해예방을 위하여 법령에 따라 요구되는 비용을 말한다.
15. 소모품비는 작업현장에서 발생되는 문방구, 장부대 등 소모품 구입비용을 말하며 보조재료로서 재료비에 계상되는 것은 제외한다.
16. 여비·교통비·통신비는 작업현장에서 직접 소요되는 여비 및 차량유지비와 전신전화사용료, 우편료를 말한다.
17. 세금과 공과는 해당 제조와 직접 관련되어 부담하여야 할 재산세, 차량세 등의 세금 및 공공단체에 납부하는 공과금을 말한다.
18. 폐기물처리비는 계약목적물의 제조와 관련하여 발생되는 오물, 잔재물, 폐유, 폐알칼리, 폐고무, 폐합성수지 등 공해유발물질을 법령에 따라 처리하기 위하여 소요되는 비용을 말한다.
19. 도서인쇄비는 계약목적물의 제조를 위한 참고서적구입비, 각종 인쇄비, 사진제작비

(VTR제작비를 포함한다) 등을 말한다.

20. 지급수수료는 법령에 규정되어 있거나 의무지워진 수수료에 한하며, 다른 비목에 계상되지 않는 수수료를 말한다.
21. 법정부담금은 관련법령에 따라 해당 제조와 직접 관련하여 의무적으로 부담하여야 할 부담금을 말한다. <신설 2019.12.18.>
22. 기타 법정경비는 위에서 열거한 이외의 것으로서 법령에 규정되어 있거나 의무지워진 경비를 말한다.
23. 품질관리비는 해당 계약목적물의 품질관리를 위하여 관련 법령 및 계약조건에 의하여 요구되는 비용(품질시험 인건비를 포함한다)을 말하며, 간접노무비에 계상되는 것은 제외한다. <신설 2021.12.1.>
24. 안전관리비는 제조현장의 안전관리를 위하여 관계법령에 의하여 요구되는 비용을 말한다. <신설 2021.12.1.>

제12조(일반관리비의 내용) 일반관리비는 기업의 유지를 위한 관리활동부문에서 발생하는 제비용으로서 제조원가에 속하지 아니하는 모든 영업비용중 판매비 등을 제외한 다음의 비용, 즉 임원급료, 사무실직원의 급료, 제수당, 퇴직급여충당금, 복리후생비, 여비, 교통·통신비, 수도광열비, 세금과 공과, 지급임차료, 감가상각비, 운반비, 차량비, 경상시험연구개발비, 보험료 등을 말하며 기업손익계산서를 기준하여 산정한다.

제13조(일반관리비의 계상방법) 제12조에 의한 일반관리비는 제조원가에 별표3에서 정한 일반관리비율(일반관리비가 매출원가에서 차지하는 비율)을 초과하여 계상할 수 없다.

제14조(이윤) 이윤은 영업이익(비영리법인의 경우에는 목적사업 이외의 수익사업에서 발생하는 이익을 말한다. 이하 같다.)을 말하며 제조원가 중 노무비, 경비와 일반관리비의 합계액(이 경우에 기술료 및 외주가공비는 제외한다)의 25%를 초과하여 계상할 수 없다. <개정 2008.12.29.>

제3절 공사원가계산

제15조(공사원가) 공사원가라 함은 공사시공과정에서 발생한 재료비, 노무비, 경비의 합계액을 말한다.

제16조(작성방법) 계약담당공무원은 공사원가계산을 하고자 할 때에는 별표2의 공사원가계산서를 작성하고 비목별 산출근거를 명시한 기초계산서를 첨부하여야 한다. 이 경우에 재료비, 노무비, 경비 중 일부를 별표2의 공사원가계산서상 일반관리비 또는 이윤 다음 비목으로 계상하여서는 아니된다.

제17조(재료비) 재료비는 공사원가를 구성하는 다음 내용의 직접재료비 및 간접재료비로 한다.

① 직접재료비는 공사목적물의 실체를 형성하는 물품의 가치로서 다음 각 호를 말한다.

1. 주요재료비

   공사목적물의 기본적 구성형태를 이루는 물품의 가치
2. 부분품비

공사목적물에 원형대로 부착되어 그 조성부분이 되는 매입부품, 수입부품, 외장재료 및 제19조제3항제13호에 의해 경비로 계상되는 것을 제외한 외주품의 가치

② 간접재료비는 공사목적물의 실체를 형성하지는 않으나 공사에 보조적으로 소비되는 물품의 가치로서 다음 각 호를 말한다.

1. 소모재료비
   기계오일·접착제·용접가스·장갑 등 소모성물품의 가치
2. 소모공구·기구·비품비
   내용년수 1년 미만으로서 구입단가가 「법인세법」 또는 「소득세법」 규정에 의한 상당금액이하인 감가상각대상에서 제외되는 소모성 공구·기구·비품의 가치
3. 가설재료비
   비계, 거푸집, 동바리 등 공사목적물의 실체를 형성하는 것은 아니나 동 시공을 위하여 필요한 가설재의 가치

③ 재료의 구입과정에서 해당재료에 직접 관련되어 발생하는 운임, 보험료, 보관비 등의 부대비용은 재료비에 계상한다. 다만 재료구입 후 발생되는 부대비용은 경비의 각 비목으로 계상한다.

④ 계약목적물의 시공중에 발생하는 작업설, 부산물 등은 그 매각액 또는 이용가치를 추산하여 재료비에서 공제하여야 한다. 다만, 기존 시설물의 철거, 해체, 이설 등으로 발생되는 작업설, 부산물 등은 재료비에서 공제하지 아니하고, 매각비용 등에 대해 별도 계상한다. <단서 신설 2021.12.1.>

제18조(노무비) 노무비의 내용 및 산정방식은 제5조와 제10조를 준용하며, 간접노무비의 구체적 계산방법 등에 대하여는 별표2-1을 참고하여 계산한다.

제19조(경비) ① 경비는 공사의 시공을 위하여 소요되는 공사원가 중 재료비, 노무비를 제외한 원가를 말하며, 기업의 유지를 위한 관리활동부문에서 발생하는 일반관리비와 구분된다.

② 경비는 해당 계약목적물 시공기간의 소요(소비)량을 측정하거나 제34조에 의한 원가계산 자료나 계약서, 영수증 등을 근거로 산정하여야 한다.

③ 경비의 세비목은 다음 각 호의 것으로 한다.

1. 전력비, 수도광열비는 계약목적물을 시공하는데 소요되는 해당 비용을 말한다.
2. 운반비는 재료비에 포함되지 않은 운반비로서 원재료, 반재료 또는 기계기구의 운송비, 하역비, 상하차비, 조작비 등을 말한다.
3. 기계경비는 각 중앙관서의 장 또는 그가 지정하는 단체에서 제정한 "표준품셈상의 건설기계의 경비산정기준"에 의한 비용을 말한다.
4. 특허권사용료는 타인 소유의 특허권을 사용한 경우에 지급되는 사용료로서 그 사용비례에 따라 계산한다.
5. 기술료는 해당 계약목적물을 시공하는데 직접 필요한 노하우(Know-how) 및 동 부대비용으로서 외부에 지급되는 비용을 말하며 「법인세법」상의 시험연구비 등에서 정한 바에 따라 계상하여 사업초년도부터 이연상각하되 그 사용비례를 기준으로 배분계산한다.

6. 연구개발비는 해당 계약목적물을 시공하는데 직접 필요한 기술개발 및 연구비로서 시험 및 시범제작에 소요된 비용 또는 연구기관에 의뢰한 기술개발 용역비와 법령에 의한 기술개발촉진비 및 직업훈련비를 말하며 「법인세법」상의 시험연구비 등에서 정한 바에 따라 이연상각하되 그 사용비례를 기준하여 배분계산한다. 다만, 연구개발비중 장래 계속시공으로서의 연결이 불확실하여 미래 수익의 증가와 관련이 없는 비용은 특별상각할 수 있다.
7. 품질관리비는 해당 계약목적물의 품질관리를 위하여 관련법령 및 계약조건에 의하여 요구되는 비용(품질시험 인건비를 포함한다)을 말하며, 간접노무비에 계상(시험관리인)되는 것은 제외한다.
8. 가설비는 공사목적물의 실체를 형성하는 것은 아니나 현장사무소, 창고, 식당, 숙사, 화장실 등 동 시공을 위하여 필요한 가설물의 설치에 소요되는 비용(노무비, 재료비를 포함한다)을 말한다.
9. 지급임차료는 계약목적물을 시공하는데 직접 사용되거나 제공되는 토지, 건물, 기계기구(건설기계를 제외한다)의 사용료를 말한다.
10. 보험료는 산업재해보험, 고용보험, 국민건강보험 및 국민연금보험 등 법령이나 계약조건에 의하여 의무적으로 가입이 요구되는 보험의 보험료를 말하고, 동 보험료는 「건설산업기본법」 제22조제7항 등 관련법령에 정한 바에 따라 계상하며, 재료비에 계상되는 보험료는 제외한다. 다만 공사손해보험료는 제22조에서 정한 바에 따라 별도로 계상된다. <개정 2015.9.21.>
11. 복리후생비는 계약목적물을 시공하는데 종사하는 노무자·종업원·현장사무소직원 등의 의료위생약품대, 공상치료비, 지급피복비, 건강진단비, 급식비 등 작업조건 유지에 직접 관련되는 복리후생비를 말한다.
12. 보관비는 계약목적물의 시공에 소요되는 재료, 기자재 등의 창고사용료로서 외부에 지급되는 비용만을 계상하여야 하며 이중에서 재료비에 계상되는 것은 제외한다.
13. 외주가공비는 재료를 외부에 가공시키는 실가공비용을 말하며 외주가공품의 가치로서 재료비에 계상되는 것은 제외한다.
14. 산업안전보건관리비는 작업현장에서 산업재해 및 건강장해예방을 위하여 법령에 따라 요구되는 비용을 말한다.
15. 소모품비는 작업현장에서 발생되는 문방구, 장부대 등 소모용품 구입비용을 말하며, 보조재료로서 재료비에 계상되는 것은 제외한다.
16. 여비·교통비·통신비는 시공현장에서 직접 소요되는 여비 및 차량유지비와 전신전화사용료, 우편료를 말한다.
17. 세금과 공과는 시공현장에서 해당공사와 직접 관련되어 부담하여야 할 재산세, 차량세, 사업소세 등의 세금 및 공공단체에 납부하는 공과금을 말한다.
18. 폐기물처리비는 계약목적물의 시공과 관련하여 발생되는 오물, 잔재물, 폐유, 폐알칼리, 폐고무, 폐합성수지등 공해유발물질을 법령에 의거 처리하기 위하여 소요되는 비용을 말한다.

19. 도서인쇄비는 계약목적물의 시공을 위한 참고서적구입비, 각종 인쇄비, 사진제작비(VTR제작비를 포함한다) 및 공사시공기록책자 제작비등을 말한다.
20. 지급수수료는 시행령 제52조제1항 단서에 의한 공사이행보증서 발급수수료, 「건설산업기본법」 제34조 및 「하도급거래 공정화에 관한 법률」 제13조의2의 규정에 의한 건설하도급대금 지급보증서 발급수수료, 「건설산업기본법」 제68조의3에 의한 건설기계 대여대금 지급보증 수수료 등 법령으로서 지급이 의무화된 수수료를 말한다. 이경우 보증서 발급수수료는 보증서 발급기관이 최고 등급업체에 대해 적용하는 보증요율 중 최저요율을 적용하여 계상한다. <개정 2015.9.21.>
21. 환경보선비는 계약목석물의 시공을 위한 제반환경오염 방지시설을 위한 것으로서, 관련법령에 의하여 규정되어 있거나 의무 지워진 비용을 말한다.
22. 보상비는 해당 공사로 인해 공사현장에 인접한 도로 하천·기타 재산에 훼손을 가하거나 지장물을 철거함에 따라 발생하는 보상·보수비를 말한다. 다만, 해당공사를 위한 용지보상비는 제외한다.
23. 안전관리비는 건설공사의 안전관리를 위하여 관계법령에 의하여 요구되는 비용을 말한다.
24. 건설근로자퇴직공제부금비는 「건설근로자의 고용개선 등에 관한 법률」에 의하여 건설근로자퇴직공제에 가입하는데 소요되는 비용을 말한다. 다만, 제10조제1항제4호 및 제18조에 의하여 퇴직급여충당금을 산정하여 계상한 경우에는 동 금액을 제외한다.
25. 관급자재 관리비는 공사현장에서 사용될 관급자재에 대한 보관 및 관리 등에 소요되는 비용을 말한다. <신설 2015.1.1.>
26. 법정부담금은 관련법령에 따라 해당 공사와 직접 관련하여 의무적으로 부담하여야 할 부담금을 말한다. <신설 2019.12.18.>
27. 기타 법정경비는 위에서 열거한 이외의 것으로서 법령에 규정되어 있거나 의무 지워진 경비를 말한다.

제20조(일반관리비) 일반관리비의 내용은 제12조와 같고 별표3에서 정한 일반관리비율을 초과하여 계상할 수 없으며, 아래와 같이 공사규모별로 체감 적용한다. <개정 2011.5.13, 2015.9.21.>

종합공사		전문·전기·정보통신·소방 및 기타공사	
공사원가	일반관리비율(%)	공사원가	일반관리비율(%)
50억원 미만	6.0	5억원 미만	6.0
50억원~300억원 미만	5.5	5억~30억원 미만	5.5
300억원 이상	5.0	30억원 이상	5.0

제21조(이윤) 이윤은 영업이익을 말하며 공사원가중 노무비, 경비와 일반관리비의 합계액(이 경우에 기술료 및 외주가공비는 제외한다)의 15%를 초과하여 계상할 수 없다. <개정 2008.12.29.>

제22조(공사손해보험료) ① 공사손해보험료는 계약예규 「공사계약일반조건」 제10조에 의하여 공사손해보험에 가입할 때에 지급하는 보험료를 말하며, 보험가입대상 공사부분의 총공사

원가(재료비, 노무비, 경비, 일반관리비 및 이윤의 합계액을 말한다. 이하 같다)에 공사손해 보험료율을 곱하여 계상한다.

② 발주기관이 지급하는 관급자재가 있을 경우에는 보험가입 대상 공사부분의 총공사원가와 관급자재를 합한 금액에 공사손해보험료율을 곱하여 계상한다.

③ 제1항에 의한 공사손해보험료를 계상하기 위한 공사손해보험료율은 계약담당공무원이 설계서와 보험개발원, 손해보험회사 등으로부터 제공받은 자료를 기초로 하여 정한다.

제4절 학술연구용역 원가계산

제23조(용어의 정의) 이 절에서 사용하는 용어의 정의는 다음 각 호와 같다.

1. "학술연구용역"이라 함은 "학문분야의 기초과학과 응용과학에 관한 연구용역 및 이에 준하는 용역"을 말하며, 그 이행방식에 따라 다음 각 목과 같이 구분할 수 있다.
   가. 위탁형 용역 : 용역계약을 체결한 계약상대자가 자기책임하에 연구를 수행하여 연구결과물을 용역결과보고서 형태로 제출하는 방식
   나. 공동연구형 용역 : 용역계약을 체결한 계약상대자와 발주기관이 공동으로 연구를 수행하는 방식
   다. 자문형 용역 : 용역계약을 체결한 계약상대자가 발주기관의 특정 현안에 대한 의견을 서면으로 제시하는 방식
2. "책임연구원"이라 함은 해당 용역수행을 지휘·감독하며 결론을 도출하는 역할을 수행하는 자를 말하며, 대학 부교수 수준의 기능을 보유하고 있어야 한다. 이 경우에 책임연구원은 1인을 원칙으로 하되, 해당 용역의 성격상 다수의 책임자가 필요한 경우에는 그러하지 아니하다.
3. "연구원"이라 함은 책임연구원을 보조하는 자로서 대학 조교수 수준의 기능을 보유하고 있어야 한다.
4. "연구보조원"이라 함은 통계처리·번역 등의 역할을 수행하는 자로서 해당 연구분야에 대해 조교정도의 전문지식을 가진 자를 말한다.
5. "보조원"이라 함은 타자, 계산, 원고정리 등 단순한 업무처리를 수행하는 자를 말한다. <신설 2015.9.21.>

제24조(원가계산비목) 원가계산은 노무비(이하 "인건비"라 한다), 경비, 일반관리비 등으로 구분하여 작성한다. 다만, 제23조제1호나목 및 다목에 의한 공동연구형 용역 및 자문형 용역의 경우에는 경비항목 중 최소한의 필요항목만 계상하고 일반관리비는 계상하지 아니한다. <개정 2015.9.21.>

제25조(작성방법) 학술연구용역에 대한 원가계산을 하고자 할 때에는 별표4에서 정한 학술연구용역원가계산서를 작성하고 비목별 산출근거를 명시한 기초계산서를 첨부하여야 한다

제26조(인건비) ① 인건비는 해당 계약목적에 직접 종사하는 연구요원의 급료를 말하며, 별표

5에서 정한 기준단가에 의하되, 「근로기준법」에서 규정하고 있는 상여금, 퇴직급여충당금의 합계액으로 한다. 다만, 상여금은 기준단가의 연 400%를 초과하여 계상할 수 없다. <개정 2018.12.31.>

② 이 예규 시행일이 속하는 년도의 다음 년도부터는 매년 전년도 소비자물가 상승률만큼 인상한 단가를 기준으로 한다.

제27조(경비) 경비는 계약목적을 달성하기 위하여 필요한 다음 내용의 여비, 유인물비, 전산처리비, 시약 및 연구용 재료비, 회의비, 임차료, 교통통신비 및 감가상각비를 말한다.

1. 여비는 다음 각 호의 기준에 따라 계상한다.
  가. 여비는 「공무원여비규정」에 의한 국내여비와 국외여비로 구분하여 계상하되 이를 인정하지 아니하고는 계약목적을 달성하기 곤란한 경우에 한하며 관계공무원의 여비는 계상할 수 없다.
  나. 국내여비는 시외여비만을 계상하되 연구상 필요불가피한 경우외에는 월 15일을 초과할 수 없으며, 책임연구원은 「공무원여비규정」제3조관련 별표1(여비지급구분표) 제1호등급, 연구원, 연구보조원 및 보조원은 동표 제2호등급을 기준으로 한다. <개정 2008.12.29, 2015.9.21.>
2. 유인물비는 계약목적을 위하여 직접 소요되는 프린트, 인쇄, 문헌복사비(지대포함)를 말한다.
3. 전산처리비는 해당 연구내용과 관련된 자료처리를 위한 컴퓨터사용료 및 그 부대비용을 말한다.
4. 시약 및 연구용 재료비는 실험실습에 필요한 해당 비용을 말한다.
5. 회의비는 해당 연구내용과 관련하여 자문회의, 토론회, 공청회 등을 위해 소요되는 경비를 말하며, 참석자의 수당은 해당 연도 예산안 작성 세부지침상 위원회 참석비를 기준으로 한다. <개정 2010.4.15. 2016.12.30.>
6. 임차료는 연구내용에 따라 특수실험실습기구를 외부로부터 임차하거나 혹은 공청회 등을 위한 회의장사용을 하지 아니하고는 계약목적을 달성할 수 없는 경우에 한하여 계상할 수 있다.
7. 교통통신비는 해당 연구내용과 직접 관련된 시내교통비, 전신전화사용료, 우편료를 말한다.
8. 감가상각비는 해당 연구내용과 직접 관련된 특수실험 실습기구·기계장치에 대하여 제11조제3항제3호의 규정을 준용하여 계산한다. 단 임차료에 계상되는 것은 제외한다.

제28조(일반관리비 등) ① 일반관리비는 시행규칙 제8조에 규정된 일반관리비율을 초과하여 계상할 수 없다. <개정 2015.9.21.>

② 이윤은 영업이익을 말하며, 인건비, 경비 및 일반관리비의 합계액에 시행규칙 제8조에서 정한 이윤율을 초과하여 계상할 수 없다. <개정 2008.12.29.>

제29조(회계직공무원의 주의의무) ① 계약담당공무원은 학술연구용역 의뢰시에는 해당 연구에

대한 전문기관 또는 전문가를 엄선하여 연구목적을 달성할 수 있도록 그 주의의무를 다하여야 한다.

② 각 중앙관서의 장은 학술연구용역을 수의계약으로 체결하고자 할 경우에는 해당 계약상대자의 최근년도 원가계산자료(급여명세서, 손익계산서 등)을 활용하여 제26조의 상여금, 퇴직금 및 제28조제1항의 일반관리비 산정시 과다 계상되지 않도록 주의하여야 한다. <개정 2008.12.29.>

제5절 기타용역의 원가계산

제30조(기타용역의 원가계산) ① 엔지니어링사업, 측량용역, 소프트웨어 개발용역 등 다른 법령에서 그 대가기준(원가계산기준)을 규정하고 있는 경우에는 해당 법령이 정하는 기준에 따라 원가계산을 할 수 있다.

② 원가계산기준이 정해지지 않은 기타의 용역에 대하여는 제1항 및 제23조 내지 제29조에 규정된 원가계산기준에 준하여 원가계산할 수 있다. 이 경우 시행규칙 제23조의3 각 호의 용역계약에 대한 인건비의 기준단가는 다음 각 호의 어느 하나에 따른 노임에 의하되, 「근로기준법」에서 정하고 있는 제수당, 상여금(기준단가의 연 400%를 초과하여 계상할 수 없다), 퇴직급여충당금의 합계액으로 한다. <개정 2015.9.21, 2017.12.28.>

1. 시설물관리용역 : 「통계법」 제17조의 규정에 따라 중소기업중앙회가 발표하는 '중소제조업 직종별 임금조사 보고서'(최저임금 상승 효과 등 적용시점의 임금상승 예측치를 반영한 통계가 있을 경우 동 통계를 적용한다. 이하 이 조에서 '임금조사 보고서'라 한다)의 단순노무종사원 노임(다만, 임금조사 보고서상 해당직종의 노임이 있는 종사원에 대하여는 해당직종의 노임을 적용한다) <신설 2017.12.28.> <개정 2018.12.31.>
2. 그 밖의 용역 : 임금조사 보고서의 단순노무종사원 노임 <신설 2017.12.28.>

제6절 원가계산용역기관

제31조(원가계산용역기관의 요건) ① 시행규칙 제9조제3항제2호의 "전문인력 10명 이상"은 다음의 요건을 갖춘 인원을 말한다. <개정 2018.12.31.>

1. 국가공인 원가분석사 자격증 소지자 6인 또는 원가계산업무에 종사(연구기간 포함)한 경력이 3년 이상인자 4인, 5년 이상인자 2인 <신설 2018.12.31.>
2. 이공계대학 학위소지자 또는 「국가기술자격법」에 의한 기술·기능분야의 기사 이상인자 2인 <신설 2018.12.31.>
3. 상경대학 학위소지자 2인 <신설 2018.12.31.>

② 시행규칙 제9조제2항제2호 및 제3호의 기관의 경우에는 제1항 각 호의 인원이 대학

(교) 직원 또는 대학(교) 부설연구소 직원이어야 하며, 각 분야별 상시고용인원 중에 교수(부교수, 조교수, 전임강사 포함)는 1인 이하로 하여야 한다. <신설 2018.12.31.>

③ 계약담당공무원은 시행규칙 제9조제3항제3호의 기본재산 요건 구비 여부를 판단함에 있어 자본금은 최근연도 결산재무제표(또는 결산재무상태표)상의 자산총액에서 부채총액을 차감한 금액을 적용하여야 한다. <신설 2018.12.31.>

④ 용역기관은 본부 외에 별도로 지사·지부 또는 출장소, 연락사무소 등을 설치하여 원가계산용역업무를 수행할 수 없다. <제2항에서 이동 2018.12.31.>

제31조의2(용역기관에 대한 제재) 계약담당공무원은 원가계산용역기관이 자격요건 심사 시에 허위서류를 제출하는 등 관련 규정을 위반하거나 원가계신용역을 부실하게 한 경우에는 국가기관의 원가계산용역업무를 수행할 수 없도록 해당 용역기관의 주무관청 등 감독기관에 요청할 수 있다. <신설 2010.4.15.>

제32조(원가계산용역 의뢰시 주의사항) ① 계약담당공무원은 제31조의 요건을 갖춘 기관에 한하여 원가계산내용에 따른 전문성이 있는 기관에 용역의뢰를 하여야 한다. 다만, 제31조의 요건을 갖춘 용역기관들의 단체로서 「민법」 제32조의 규정에 의하여 설립된 법인이 동 요건 충족여부를 확인한 경우에는 별도의 요건심사를 면제할 수 있다.

② 계약담당공무원은 용역의뢰시에 제1항 단서에서 규정한 용역기관들의 단체에게 용역기관의 자격요건 심사를 의뢰하여 그 충족여부를 확인하여야 한다. (제1항 단서에 따라 심사가 면제된 용역기관은 제외) <신설 2010.4.15, 개정 2015.9.21.>

③ 계약담당공무원은 제1항의 경우에 해당 용역기관의 장과 다음 각 호의 사항을 명백히 한 계약서를 작성하여야 한다. 다만, 시행령 제49조에 의한 계약서 작성을 생략할 경우에도 다음 각 호의 사항을 준용하여 각서 등을 징구하여야 한다. <제2항에서 이동 2010.4.15.>

1. 부실원가계산시 그 책임에 관한 사항
2. 계약의 해제 또는 해지에 관한 사항
3. 원가계산내용의 보안유지에 관한 사항
4. 기타 원가계산 수행에 필요하다고 인정되는 사항

④ 계약담당공무원은 최종원가계산서에 해당 용역기관의 장[대학(교) 연구소의 경우에는 연구소장] 및 책임연구원이 직접 확인·서명하였음을 확인하여야 한다. <제3항에서 이동 2010.4.15.>

⑤ 계약담당공무원은 용역기관에서 제출된 최종원가계산서의 내용이 「국가를 당사자로 하는 계약에 관한 법률」, 동 법 시행령, 시행규칙, 이 예규 및 계약서 등의 용역조건에 부합되는지 여부를 검토하여 해당 원가계산의 적정을 기하여야 한다. 이 경우에 원가계산의 적정성을 기하기 위해 필요하다고 판단되는 때에는 해당 원가계산서를 작성하지 아니한 다른 용역기관에 검토를 의뢰할 수 있다. <제2항에서 이동 2010.4.15, 개정 2010.10.22, 2016.12.30.>

⑥ 계약담당공무원은 제1항에 따라 원가계산용역기관에 용역의뢰를 하려는 경우 시행규

칙 제9조제2항부터 제4항까지의 요건을 확인하기 위해 원가계산용역기관으로 하여금 다음 각 호의 서류를 제출하게 하여야 한다. <신설 2018.12.31.>

1. 정관(학교의 연구소 또는 산학협력단의 경우 학칙이나 연구소 규정)
2. 삭제 <2020.12.28.>
3. 설립허가서 등 시행규칙 제9조제2항 각 호의 기관임을 증명하는 서류
4. 제1항 각호의 인력에 대한 학위, 자격증명서, 재직증명서 등 자격 및 재직여부를 증명하는 서류
5. 재무제표 등 시행규칙 제9조제3항제3호에 따른 기본재산을 증명할 수 있는 서류
6. 기타 자격요건 등 확인을 위해 필요하다고 인정되는 서류

⑦ 계약담당공무원은 제6항의 요건을 확인하는 경우 「전자정부법」 제36조제1항에 따른 행정정보의 공동이용을 통하여 원가계산용역기관의 법인등기부 등본 서류를 확인하여야 한다. <신설 2020.12.28.>

제7절 보　칙

제33조(특례설정 등) ① 각 중앙관서의 장은 특수한 사유로 인하여 동 기준에 따른 원가계산이 곤란하다고 인정될 때에는 특례를 설정할 수 있다. <개정 2015.9.21.>

② 각 중앙관서의 장은 반복적 또는 계속적으로 발주되는 공사에 있어서는 최근의 발주된 동종의 공사에 대한 원가계산서에 따라 예정가격을 작성할 수 있다.

제34조(원가계산자료의 비치 및 활용) ① 계약담당공무원은 원가계산에 의한 예정가격을 작성함에 있어서 계약상대방으로 적당하다고 예상되는 2개 업체 이상의 최근년도 원가계산자료에 의거하여 계약목적물에 관계되는 수치를 활용하거나(수의계약대상업체에 대하여는 해당업체의 최근년도 원가계산자료), 동 업체의 제조(공정)확인 결과를 활용하여 제7조, 제15조의 비목별 가격결정 및 제12조, 제20조의 일반관리비 계상을 위한 기초자료로 활용할 수 있다.

② 계약담당공무원은 공사원가계산을 위하여 각 중앙관서의 장 또는 그가 지정하는 단체에서 제정한 “표준품셈”에 따라 제15조의 비목별 가격을 산출할 수 있으며, 동 품셈적용대상공사가 아닌 경우와 동 품셈적용을 할 수 없는 비목계상의 경우에는 제1항을 준용한다.

제35조(외국통화로 표시된 재료비의 환율적용) 예정가격을 산출함에 있어서 외국통화로 표시된 재료비는 원가계산시 외국환거래법에 의한 기준환율 또는 재정환율을 적용하여 환산한다.

제36조(세부시행기준) 이 예규를 운용함에 있어 필요한 세부사항에 관하여는 기획재정부장관이 그 기준을 정할 수 있다.

제3장 표준시장단가에 의한 예정가격작성

제37조(표준시장단가에 의한 예정가격의 산정) ① 표준시장단가에 의한 예정가격은 직접공사비, 간접공사비, 일반관리비, 이윤, 공사손해보험료 및 부가가치세의 합계액으로 한다. <개정 2015.3.1.>

② 시행령 제42조제1항에 따라 낙찰자를 결정하는 경우로서 추정가격이 100억원 미만인 공사에는 표준시장단가를 적용하지 아니한다. <신설 2015.3.1.>

제38조(직접공사비) ① 직접공사비란 계약목적물의 시공에 직접적으로 소요되는 비용을 말하며, 계약목적물을 세부 공종(계약예규 「정부 입찰·계약 집행기준」 제19조 등 관련 규정에 따른 수량산출기준에 따라 공사를 작업단계별로 구분한 것을 말한다)별로 구분하여 공종별 단가에 수량(계약목적물의 설계서 등에 의해 그 완성에 적합하다고 인정되는 합리적인 단위와 방법으로 산출된 공사량을 말한다)을 곱하여 산정한다.

② 직접공사비는 다음 각 호의 비용을 포함한다.

1. 재료비

   재료비는 계약목적물의 실체를 형성하거나 보조적으로 소비되는 물품의 가치를 말한다.

2. 직접노무비

   공사현장에서 계약목적물을 완성하기 위하여 직접작업에 종사하는 종업원과 노무자의 기본급과 제수당, 상여금 및 퇴직급여충당금의 합계액으로 한다.

3. 직접공사경비

   공사의 시공을 위하여 소요되는 기계경비, 운반비, 전력비, 가설비, 지급임차료, 보관비, 외주가공비, 특허권 사용료, 기술료, 보상비, 연구개발비, 품질관리비, 폐기물처리비 및 안전관리비를 말하며, 비용에 대한 구체적인 정의는 제19조를 준용한다.

③ 제1항의 공종별 단가를 산정함에 있어 재료비 또는 직접공사경비 중의 일부를 제외할 수 있다. 이 경우에는 해당 계약목적물 시공 기간의 소요(소비)량을 측정하거나 계약서, 영수증 등을 근거로 금액을 산정하여야 한다.

④ 각 중앙관서의 장 또는 각 중앙관서의 장이 지정하는 기관은 직접공사비를 공종별로 직접조사·집계하여 산정할 수 있다.

제39조(간접공사비) ① 간접공사비란 공사의 시공을 위하여 공통적으로 소요되는 법정경비 및 기타 부수적인 비용을 말하며, 직접공사비 총액에 비용별로 일정요율을 곱하여 산정한다.

② 간접공사비는 다음 각 호의 비용을 포함하며, 비용에 대한 구체적인 정의는 제10조제2항 및 제19조를 준용한다.

1. 간접노무비
2. 산재보험료
3. 고용보험료

4. 국민건강보험료
5. 국민연금보험료
6. 건설근로자퇴직공제부금비
7. 산업안전보건관리비
8. 환경보전비
9. 기타 관련법령에 규정되어 있거나 의무지워진 경비로서 공사원가계산에 반영토록 명시된 법정경비
10. 기타간접공사경비(수도광열비, 복리후생비, 소모품비, 여비, 교통비, 통신비, 세금과 공과, 도서인쇄비 및 지급수수료를 말한다.)

③ 제1항의 일정요율이란 관련법령에 의해 각 중앙관서의 장이 정하는 법정요율을 말한다. 다만 법정요율이 없는 경우에는 다수기업의 평균치를 나타내는 공신력이 있는 기관의 통계자료를 토대로 각 중앙관서의 장 또는 계약담당공무원이 정한다.

④ 제38조에 따라 산정되지 아니한 공종에 대하여도 간접공사비 산정은 제1항 내지 제3항을 적용한다.

제40조(일반관리비) ① 일반관리비는 기업의 유지를 위한 관리활동부문에서 발생하는 제비용으로서, 비용에 대한 구체적인 정의와 종류에 대하여는 제12조의 규정을 준용한다.

② 일반관리비는 직접공사비와 간접공사비의 합계액에 일반관리비율을 곱하여 계산한다. 다만, 일반관리비율은 공사규모별로 아래에서 정한 비율을 초과할 수 없다. <개정 2011.5.13, 2015.9.21.>

종합공사		전문·전기·정보통신·소방 및 기타공사	
직접공사비+간접공사비	일반관리비율(%)	직접공사비+간접공사비	일반관리비율(%)
50억원 미만	6.0	5억원 미만	6.0
50억원~300억원 미만	5.5	5억~30억원 미만	5.5
300억원 이상	5.0	30억원 이상	5.0

제41조(이윤) 이윤은 영업이익을 말하며 직접공사비, 간접공사비 및 일반관리비의 합계액에 이윤율을 곱하여 계산한다. 이윤율은 시행규칙에서 정한 기준에 따른다.

제42조(공사손해보험료) 계약예규 「정부 입찰·계약 집행기준」 제12장에 따른 공사손해보험가입 비용을 말한다.

제43조(총괄집계표의 작성) 계약담당공무원이 표준시장단가에 따라 예정가격을 작성하는 경우, 예정가격을 직접공사비, 간접공사비, 일반관리비, 이윤, 공사손해보험료 및 부가가치세로 구분하여 별표6의 총괄집계표를 작성하여야 한다. <개정 2015.3.1.>

제44조(세부시행기준) 계약담당공무원은 이 장을 운용함에 있어 필요한 세부사항을 정할 수 있다.

제4장 복수예비가격에 의한 예정가격의 결정

제44조의2(복수예비가격 방식에 의한 예정가격의 결정) 각 중앙관서의 장 또는 계약담당공무원은 예정가격의 유출이 우려되는 등 필요하다고 인정되는 경우 복수예비가격 방식에 의해 예정가격을 결정할 수 있으며, 이 경우에는 이 장에서 정한 절차와 기준을 따라야 한다.
[본조신설 2018.12.31.]

제44조의3(예정가격 결정 절차) ①계약담당공무원은 입찰서 제출 마감일 5일 전까지 기초금액(계약담당공무원이 시행령 제9조제1항의 방식으로 조사한 가격으로서 예정가격으로 확정되기 전 단계의 가격을 말하며, 「출판문화산업 진흥법」 제22조에 해당하는 간행물을 구매하는 경우에는 간행물의 정가를 말한다)을 작성하여야 한다.

② 계약담당공무원은 제1항에 따라 작성된 기초금액의 ±2% 금액 범위 내에서 서로 다른 15개의 가격(이하 "복수예비가격"이라 한다)을 작성하고 밀봉하여 보관하여야 한다.

③ 계약담당공무원은 입찰을 실시한 후 참가자 중에서 4인(우편입찰 등으로 인하여 개찰장소에 출석한 입찰자가 없는 때에는 입찰사무에 관계없는 자 2인)을 선정하여 복수예비가격 중에서 4개를 추첨토록 한 후 이들의 산술평균가격을 예정가격으로 결정한다.

④ 유찰 등으로 재공고 입찰에 부치려는 경우에는 복수예비가격을 다시 작성하여야 한다.
[본조신설 2018.12.31.]

제44조의4(세부기준·절차의 작성) ①각 중앙관서의 장은 이 장에서 정하지 아니한 사항으로서 복수예비가격에 의한 예정가격의 작성과 관련하여 필요한 사항에 대하여는 세부기준 및 절차를 정하여 운용할 수 있다.

② 제44조의3의 규정에도 불구하고 「전자조달의 이용 및 촉진에 관한 법률」 제2조제4호에 따른 국가종합전자조달시스템 또는 동 법 제14조에 따른 자체전자조달시스템을 통해 전자입찰을 실시하는 경우에는 제44의3의 규정 을 적용하지 아니하고 해당 기관이 정하는 기준에 따라 예정가격을 결정할 수 있다.
[본조신설 2018.12.31.]

제5장 전문가격조사기관의 등록 및 조사업무

제45조(전문가격조사기관 등록) 이 장은 시행규칙 제5조제1항제2호에 의한 전문가격조사기관의 등록에 관하여 필요한 사항을 정함으로써, 공신력 있는 조사기관에 의한 조사가격의 객관성과 신뢰성을 확보하여 예정가격의 합리적 결정과 이에 따른 예산의 효율적 집행을 도모함을 목적으로 한다. <개정 2016.12.30.>

제46조(등록자격요건) 전문가격조사기관으로 등록하고자하는 자는 다음 각 호의 자격요건을 갖추어야 한다.

1. 정관상 사업목적에 가격조사업무가 포함되어있는 비영리법인
2. 별첨 "표준가격조사요령"에 의하여 조사한 가격의 정보에 관한 정기간행물을 월 1회 이상 발행한 실적이 있는 자

제47조(등록신청) 제46조의 자격요건을 갖춘 자가 전문가격조사기관으로 등록하고자할 경우에는 별표7의 등록 신청서에 다음 각 호의 서류를 첨부하여 기획재정부장관에게 제출하여야 한다.

1. 비영리법인의 설립허가서, 등기부등본 및 정관사본 1부
2. 제46조제2호에 규정한 사항을 증명할 수 있는 자료 1부
3. 조사요원 재직증명서 1부
4. 「국가기술자격법 시행규칙」 제4조 관련 별표5(기술·기능분야)에 의한 기계, 전기, 통신, 토목, 건축 직무분야 중 3개 이상 직무분야의 산업기사 이상인 자의 재직증명서 1부

제48조(등록증의 교부) 기획재정부장관은 제47조에 의한 전문가격조사기관등록신청자가 제46조의 자격요건을 갖춘 경우에는 조사기관등록대장에 등재하고, 그 신청인에게 별표 8의 전문가격조사기관등록증을 교부한다.

제49조(가격정보에 관한 간행물) ① 전문가격조사기관으로 등록한 기관은 매월 1회 이상 별첨 표준가격조사요령에 의하여 조사한 가격의 정보에 관한 정기간행물을 발행하여야 한다.

② 제1항에 의한 가격의 정보에 관한 정기간행물에는 조사기관의 등록번호와 등록 년월일을 기재하여야 한다.

제50조(등록사항의 변경신청) ① 전문가격조사기관으로 등록한 자가 제46조의 등록요건과 법인명, 대표자, 주소 등이 변경된 때에는 별표 9의 등록사항 변경신고서를 작성하여 기획재정부장관에게 60일 이내에 신고하여야 한다.

② 기획재정부장관은 제1항의 등록사항 변경신고서의 내용에 따라 조사기관등록증을 재발급한다. 단, 등록번호 및 등록년월일은 변경하지 아니한다.

제51조(등록의 취소) 기획재정부장관은 다음 각 호의 어느 하나에 해당될 경우에는 전문가격조사기관의 등록을 취소할 수 있다.

1. 제46조에 의한 자격요건에 미달될 때
2. 정당한 조사방법에 의하지 아니하고 담합 등 허위로 가격을 게재하는 경우
3. 기획재정부장관의 자료제출의 요구를 받고도 정당한 사유 없이 이를 제출하지 아니하는 경우
4. 기획재정부장관에 의한 3회 이상 시정조치를 받고도 이에 응하지 않은 경우
5. 조사원이 윤리강령 등에 위배되는 행동으로 인하여 사회적 물의를 야기한 경우

제52조(등록기관의 지도감독) ① 기획재정부장관은 제45조에 규정한 목적을 달성하기 위하여 필요하다고 인정될 때에는 조사기관에 대하여 가격조사에 관한 필요한 지시 및 시정조치

를 명할 수 있다.

② 기획재정부장관은 년 1회 이상 조사기관에 대하여 감사를 할 수 있다.

제6장 보 칙

제53조(재검토기한) 「훈령·예규 등의 발령 및 관리에 관한 규정」에 따라 이 예규에 대하여 2016년 1월 1일 기준으로 매3년이 되는 시점(매 3년째의 12월 31일까지를 말한다)마다 그 타당성을 검토하여 개선 등의 조치를 하여야 한다. <개정 2015.9.21.>

[별첨] 표준가격조사요령(제4장 관련)

제1조(조사대상가격) 조사기관이 조사할 가격은 정부가 기업 등의 대량수요자가 생산자 또는 도매상으로부터 구입하는 가격(이하 "대량수요자 도매가격"이라 한다)을 원칙으로 하되 필요에 따라 그 외의 가격으로 할 수 있다.

제2조(가격의 구분) ① 가격은 그 형성되는 유형에 따라 시장거래가격, 생산자공표가격, 행정지도가격으로 구분한다.

1. "시장거래가격"이라 함은 수요와 공급의 원리에 의한 시장의 가격조절기능을 통하여 형성되는 가격을 말한다.
2. "생산자공표가격"이라 함은 상품의 성능·시방 등이 표준화되어있지 않거나 독과점으로 인하여 시장거래가격의 조사가 곤란한 경우에 생산자가 대외적으로 공표한 판매희망가격을 말한다.
3. "행정지도가격"이라 함은 국민경제의 안정을 위하여 필요하다고 인정되는 상품에 대하여 정부가 그 거래가격의 상한선을 지정·고시하는 가격을 말한다.

② 가격은 그 유통단계에 따라 생산자가격, 도매가격, 대리점가격 또는 소매가격으로 구분한다.

1. "생산자가격"이라함은 생산자로부터 수요자에게 인도되는 가격을 말한다.
2. "대리점가격"이라함은 대리점으로부터 수요자에게 인도되는 가격을 말한다.
3. "소매가격"이라함은 소매상으로부터 수요자에게 인도되는 가격을 말한다.

③ 가격에는 판매방법, 거래량, 결제조건, 기타 부가가치세 등 국세의 포함 여부 등 거래조건에 의한 구분이 명백하게 표시되어져야한다.

1. "판매방법"이라함은 생산자 등이 상품을 수요자에게 인도하는 장소 또는 방법을 말한다.
2. "거래량"이라함은 통상적인 거래기준량 즉 거래수량하한선을 말한다.
3. "결제조건"은 현금에 의한 결제를 원칙으로 한다.
4. 기타부가가치세, 특별소비세, 교육세, 관세 등의 포함여부를 구분한다.

제3조(조사대상상품) ① 조사기관이 조사대상상품을 선정할 경우 해당상품의 유통성·장래성 및 다른 상품에의 영향 등을 고려하여 단위 품조별로 1,000개 이상으로 한다.

② 제1항에 의한 조사대상상품이 동일한 경우라 하더라도 생산자에 따라 그 상품의 성능·시방 등에 차이가 있을 경우에는 생산자를 구분한다.(이하 "생산자 구분품목"이라 한다.)

③ 제1항 및 제2항에 의한 조사대상상품에 대하여는 별표 10에 의한 조사표를 작성·비치하여야한다.

제4조(조사처) ① 조사처는 제5조에 의한 조사대상도시에 있어 해당상품의 취급량이 많고 신뢰도가 높은 생산자를 대상으로 하여 3개 업체 이상으로 한다.

② 제1항에 의한 조사처에 대하여는 별표 11 및 별표 12에 의한 조사대장 및 품목별 조사처 대장을 작성·비치하여야한다.

제5조(조사대상도시) ① 조사대상도시는 인구·산업·교육문화·행정·도로교통사정·자연지리조건 등을 고려하여 구분하되 서울지역, 경기지역, 강원지역, 충청지역, 전라지역, 경상지역 및 제주지역으로 한다.

제6조(조사방법) ① 가격조사는 제4조에 의한 조사처를 대상으로 매월 일정한 기간내에 동일한 기준과 조건으로 면접에 의한 직접조사를 원칙으로 하되, 증빙서류 등에 의한 간접조사를 병행할 수 있으며, 자재의 품귀, 2중가격 형성 등으로 조사처에 대한 조사만으로 적정한 가격을 파악하기 곤란한 경우에는 수요자를 대상으로 하는 보충조사에 의할 수 있다.

② 제1항에 의한 조사를 하고자 할 때에는 조사처(면접자포함), 대상 품종, 조사자, 조사일시, 조사지역, 조사가격 및 거래조건 등이 기재된 조사 조서를 작성·비치하여야 한다.

③ 제3조 및 제4조에 의한 조사대상 상품, 조사처 등은 정당한 사유 없이 이를 변경할 수 없다.

제7조(공표가격의 결정) 조사기관이 조사하여 공표할 가격은 최빈치가격으로 한다. 다만 이것이 없을 경우에는 조사처의 거래비중을 고려한 가중평균가격으로 할 수 있다.

제8조(수시조사) 제1조 내지 제7조의 규정은 계약담당공무원이 가격조사를 의뢰하는 수시조사의 경우에 이를 준용한다.

제9조(조사요원 등) ① 조사기관의 가격조사에 종사하는 조사요원(이하 "조사요원"이라 한다.)은 전임제로 한다.

② 조사요원은 30인 이상으로 한다. 이 경우 제5조에 의한 조사지역별 각 1인 이상을 포함한다.

③ 조사기관은 조사요원에 대한 자격요건 및 윤리강령을 제정·운용하여야하고 기타 적정한 조사가 이루어 질수 있도록 그 자질을 유지할 수 있는 교육 등 필요한 조치를 하여야 한다.

④ 조사요원은 소정의 조사증표를 휴대하여야하고, 면접자가 이의 제시를 요구할 경우에는 그에 응해야 한다.

⑤ 제2항에 의한 조사요원 외에 제47조제4호에 의한 자가 그 직무분야별로 1인 이상이어야 한다.

제10조(보고) 조사기관은 제3조, 제4조 및 제9조에 의한 조사상품 기본조사표, 조사처 대장, 조사요원의 자격, 윤리강령, 조사증표 등을 기획재정부장관에게 보고하여야 한다.

제11조(보존기한) 조사기간은 제3조에 의한 조사상품기본조사표는 5년, 제4조 및 제6조에 의한 조사처 대장 및 조사조서 등은 3년 이상 보관한다.

부 칙(2007.10.12)

이 회계예규는 2007년 10월 12일부터 시행한다.

부 칙(2008.12.29)

제1조(시행일) 이 회계예규는 2008년 12월 29일부터 시행한다.

제2조(적용례) 이 예규 시행후 입찰공고를 한 분부터 적용한다.

부 칙(2009.9.21)

제1조(시행일) 이 회계예규는 2009년 9월 21일부터 시행한다.

부　　칙(2010.4.15)

제1조(시행일) 이 회계예규는 2010년 4월 15일부터 시행한다. 다만 제31조제1항의 개정규정은 2010년 10월 1일부터, 제32조의 개정규정은 2010년 7월 1일부터 시행한다.

제2조(원가계산용역기관에 대한 제재에 관한 적용례) 제31조의2의 개정규정은 시행일 이후 발생한 제재사유 분부터 적용한다.

부　　칙(2010.10.22)

제1조(시행일) 이 회계예규는 2010년 10월 22일부터 시행한다.

부　　칙(2011.5.13)

제1조(시행일) 이 계약예규는 2011년 5월 13일부터 시행한다.

제2조(적용례) 이 예규 시행일 이후 입찰공고를 한 분부터 적용한다.

부　　칙(2012.4.2)

제1조(시행일) 이 계약예규는 2012년 4월 2일부터 시행한다.

부　　칙(2012.9.21)

제1조(시행일) 이 계약예규는 2012년 9월 22일부터 시행한다.

부　　칙(2014.1.10)

제1조(시행일) 이 계약예규는 2014년 1월 10일부터 시행한다.

제2조(적용례) 이 예규 시행일 이후 입찰공고를 한 분부터 적용한다.

부　　칙(2015.1.1)

제1조(시행일) 이 계약예규는 2015년 1월 1일부터 시행한다.

제2조(적용례) 이 예규 시행일 이후 입찰공고를 한 분부터 적용한다.

부　　칙(2015.3.1)

제1조(시행일) 이 예규는 2015년 3월 1일부터 시행한다.

제2조(적용례) 제37조 및 제43조의 개정규정은 이 예규 시행 후 최초로 이 예규에 따라 예정가격을 작성하는 사업부터 적용한다.

제3조(표준시장단가 적용에 관한 특례) 제37조제2항의 개정규정 중 "100억원"은 2016년 12월 31일까지는 "300억원"으로 본다.

부　칙(2015.9.21)

제1조(시행일) 이 예규는 2015년 9월 21일부터 시행한다.

부　칙(2016.1.1)

제1조(시행일) 이 계약예규는 2016년 1월 1일부터 시행한다.

제2조(적용례) 제31조의 개정규정은 이 계약예규 시행 후 제31조에 따라 원가계산용역을 의뢰하는 경우부터 적용한다.

부　칙(2016.12.30)

제1조(시행일) 이 계약예규는 2017년 1월 1일부터 시행한다.

부　칙(2017.12.28)

제1조(시행일) 이 계약예규는 2017년 12월28일부터 시행한다.

부　칙(2018.6.7)

제1조(시행일) 이 계약예규는 2018년 6월7일부터 시행한다.

부　칙(2018.12.31)

제1조(시행일) 이 계약예규는 2019년 1월 1일부터 시행한다. 다만, 제31조 및 제32조의 개정규정은 2019년 3월 5일부터 시행한다.

제2조(적용례) 이 계약예규는 부칙 제1조에 따른 시행일 이후 입찰공고하거나 계약체결 하는 경우부터 적용한다.

부　칙(2019.6.1)

제1조(시행일) 이 계약예규는 2019년 6월 1일부터 시행한다.

제2조(적용례) 제6조의 개정규정은 이 예규 시행일 이후 예정가격을 작성하는 분부터 적용한다.

부　　칙(2019.12.18)

제1조(시행일) 이 계약예규는 2019년 12월 18일부터 시행한다.

제2조(적용례) 이 계약예규는 부칙 제1조에 따른 시행일 이후 예정가격을 작성하는 분부터 적용한다.

부　　칙(2020.6.19)

제1조(시행일) 이 계약예규는 2020년 12월 19일부터 시행한다.

제2조(적용례) 이 계약예규는 시행일 이후 예정가격 또는 제44조의3에 따른 기초금액을 작성하려는 경우부터 적용한다.

부　　칙(2020.12.28.)

제1조(시행일) 이 계약예규는 2021년 3월 28일부터 시행한다.

제2조(적용례) 이 계약예규는 부칙 제1조에 따른 시행일 이후 예정가격을 작성하는 경우부터 적용한다.

부　　칙(2021.12.1.)

제1조(시행일) 이 계약예규는 2021년 12월 1일부터 시행한다.

제2조(적용례) 이 계약예규는 부칙 제1조에 따른 시행일 이후 예정가격을 작성하는 경우부터 적용한다.

(별표 1) 제조원가계산서

품명: 생산량:
규격: 단 위: 제조기간:

<table>
<tr><th colspan="3">구분 / 비목</th><th>금액</th><th>구성비</th><th>비고</th></tr>
<tr><td rowspan="7">제조원가</td><td rowspan="2">재료비</td><td>직접재료비
간접재료비
작업설·부산물 등(△)</td><td></td><td></td><td></td></tr>
<tr><td>소계</td><td></td><td></td><td></td></tr>
<tr><td rowspan="2">노무비</td><td>직접노무비
간접노무비</td><td></td><td></td><td></td></tr>
<tr><td>소계</td><td></td><td></td><td></td></tr>
<tr><td rowspan="2">경비</td><td>전력비
수도광열비
운반비
감가상각비
수리수선비
특허권사용료
기술료
연구개발비
시험검사비
지급임차료
보험료
복리후생비
보관비
외주가공비
산업안전보건관리비
소모품비
여비·교통비·통신비
세금과공과
폐기물처리비
도서인쇄비
지급수수료
기타법정경비</td><td></td><td></td><td></td></tr>
<tr><td>소 계</td><td></td><td></td><td></td></tr>
<tr><td colspan="3">일반관리비( )%</td><td></td><td></td><td></td></tr>
<tr><td colspan="3">이윤( )%</td><td></td><td></td><td></td></tr>
<tr><td colspan="3">총원가</td><td></td><td></td><td></td></tr>
</table>

(별표 2) 공사원가계산서

공사명: 공사기간:

비목 \ 구분			금액	구성비	비고
순공사원가	재료비	직접재료비 간접재료비 작업설·부산물 등(△)			
		소계			
	노무비	직접노무비 간접노무비			
		소 계			
	경비	전력비 수도광열비 운반비 기계경비 특허권사용료 기술료 연구개발비 품질관리비 가설비 지급임차료 보험료 복리후생비 보관비 외주가공비 산업안전보건관리비 소모품비 여비·교통비·통신비 세금과공과 폐기물처리비 도서인쇄비 지급수수료 환경보전비 보상비 안전관리비 건설근로자퇴직공제부금비 기타법정경비			
		소 계			
일반관리비[(재료비+노무비+경비)×( )%]					
이윤[(노무비+경비+일반관리비)×( )%]					
총원가					
공사손해보험료[보험가입대상공사부분의총원가×( )%]					

(별표 2-1) 공사원가계산시 간접노무비 계산방법 〈개정 2011.5.13.〉

1. 직접계상방법

가. 계상기준

발주목적물의 노무량을 예정하고 노무비단가를 적용하여 계산함.

〈 공 식 〉

간접노무비 = 노무량 × 노무비단가

나. 계상방법

(가) 노무비단가는 「통계법」제15조의 규정에 의한 지정기관이 조사·공표한 시중노임단가를 기준으로 하며 제수당, 상여금, 퇴직급여충당금은 「근로기준법」에 의거 일정기간 이상 근로하는 상시근로자에 대하여 계상한다. <개정 2015.9.21.>

(나) 노무량은 표준품셈에 따라 계상되는 노무량을 제외한 현장시공과 관련하여 현장관리사무소에 종사하는 자의 노무량을 계상한다.

(다) 간접노무비(현장관리인건비)의 대상으로 볼 수 있는 배치인원은 현장소장, 현장사무원(총무, 경리, 급사 등), 기획·설계부문종사자, 노무관리원, 자재·구매관리원, 공구담당원, 시험관리원, 교육·산재담당원, 복지후생부문종사자, 경비원, 청소원 등을 들 수 있음.

(라) 노무량은 공사의 규모·내용·공종·기간 등을 고려하여 설계서(설계도면, 시방서, 현장설명서 등) 상의 특성에 따라 적정인원을 설계반영 처리한다.

2. 비율분석방법

가. 계상기준

발주목적물에 대한 직접노무비를 표준품셈에 따라 계상함.

〈 공 식 〉

간접노무비 = 직접노무비 × 간접노무비율

나. 계상방법

(가) 발주목적물의 특성 등(규모·내용·공종·기간 등)을 고려하여 이와 유사한 실적이 있는 업체의 원가계산자료, 즉 개별(현장별) 공사원가명세서, 노무비명세서(임금대장) 또는 직·간접노무비 명세서를 확보한다.

(나) 노무비 명세서(임금대장)를 이용하는 방법

① 개별(현장별) 공사원가명세서에 대한 임금대장을 확보한다.

② 확보된 임금대장상의 직·간접노무비를 구분하되, 구분할 자료가 많은 경우에는 간접노무비율을 객관성있게 산정할 수 있는 기간에 해당하는 자료를 분석한다.

③ 동 임금대장에서 표준품셈에 따라 계상되는 노무량을 제외한 현장시공과 관련하여 현장관리사무소에 종사하는 자의 노무비(간접노무비)를 계상한다.

④ 계상된 간접노무비를 직접노무비로 나누어서 간접노무비율을 계산한다.

(다) 업체로부터 직·간접노무비가 구분된 「직·간접노무비 명세서」를 확보한 경우에는 위 임금대장을 이용하는 방법에 의하여 자료 및 내용을 검토하여 간접노무비율을 계산한다.

3. 기타 보완적 계상방법

직접계산방법 또는 비율분석방법에 의하여 간접노무비를 계산하는 것을 원칙으로 하되, 계약목적물의 내용·특성 등으로 인하여 원가계산자료를 확보하기가 곤란하거나, 확보된 자료가 신빙성이 없어 원가계산자료로서 활용하기 곤란한 경우에는 아래의 원가계산자료(공사종류 등에 따른 간접노무비율)를 참고로 동비율을 해당 계약목적물의 규모·내용·공종·기간 등의 특성에 따라 활용하여 간접노무비(품셈에 의한 직접노무비×간접노무비율)를 계상할 수 있다. <개정 2011.5.13.>

구 분	공사종류별	간접노무비율
공사 종류별	건 축 공 사	14.5
	토 목 공 사	15
	특수공사(포장, 준설 등)	15.5
	기타(전문, 전기, 통신 등)	15
공사 규모별	50억원 미만	14
	50~300억원 미만	15
	300억원 이상	16
공사 기간별	6개월 미만	13
	6~12개월 미만	15
	12개월 이상	17

* 공사규모가 100억원이고 공사기간이 15개월인 건축공사의 경우 예시

- 간접노무비율 = (15%+17%+14.5%)/3 = 15.5%

(별표 3) 일반관리비율

업 종	일반관리비율(%)
○ 제조업	
음·식료품의 제조·구매	14
섬유·의복·가죽제품의 제조·구매	8
나무·나무제품의 제조·구매	9
종이·종이제품·인쇄출판물의 제조·구매	14
화학·석유·석탄·고무·플라스틱제품의 제조·구매	8
비금속광물제품의 제조·구매	12
제1차 금속제품의 제조·구매	6
조립금속제품·기계·장비의 제조·구매	7
기타물품의 제조·구매	11
○ 시설공사업	6

주1) 업종분류 : 한국표준산업분류에 의함.

(별표 4) 학술연구용역원가계산서

비목 \ 구분	금액	구성비	비고
인건비 책임연구원 연구원 연구보조원 보조원			
경비 여비 유인물비 전산처리비 시약및연구용역재료비 회의비 임차료 교통통신비 감가상각비 일반관리비( )% 이윤( )% 총원가			

(별표 5) 학술연구용역인건비기준단가('19)

등 급	월 임 금
책임연구원	월 3,216,863원
연구원	월 2,466,647원
연구보조원	월 1,648,871원
보조원	월 1,236,695원

주1) 본 인건비 기준단가는 1개월을 22일로 하여 용역 참여율 50%로 산정한 것이며, 용역 참여율을 달리하는 경우에는 기준단가를 증감시킬 수 있다.

※ 상기단가는 2019년도 기준단가로 계약예규 「예정가격 작성기준」 제26조제2항에 따라 소비자물가상승률(2018년 1.5%)을 반영한 단가이며, 소수점 첫째자리에서 반올림한 금액임

(별표 6) 총괄집계표

공사명 :　　　　　　　　　　　　　　　공사기간 :

구 분		금 액	구 성 비	비 고
직접공사비				
간접공사비	간접노무비 산재보험료 고용보험료 안전관리비 환경보전비 퇴직공제부금비 수도광열비 복리후생비 소모품비 여비·교통비·통신비 세금과공과 도서인쇄비 지급수수료 기타법정경비			
일 반 관 리 비				
이 윤				
공사손해보험료				
부 가 가 치 세				
합 계				

(별표 7) 전문가격조사기관 등록신청서

<table>
<tr><td colspan="2" align="center">전문가격조사기관 등록신청서</td></tr>
<tr><td>① 법인명</td><td></td></tr>
<tr><td>② 대표자성명</td><td></td></tr>
<tr><td>③ 주 소</td><td></td></tr>
<tr><td>④ 법인설립허가관청</td><td></td></tr>
<tr><td colspan="2">예정가격 작성기준 제47조의 규정에 의하여 위와 같이 신청합니다.

년 월 일
신청인 (인)
(전화 :)

기획재정부 장관 귀하</td></tr>
<tr><td colspan="2">구비서류 1. 비영리법인의 설립허가서, 등기부등본 및 정관사본 1부.
2. 예정가격 작성기준 제46조제2항에 규정한 사항을 증명할 수 있는 자료 1부.
3. 조사요원재직증명서 1부.
4. 품셈분야별 기술자재직증명서 1부.</td></tr>
</table>

22451-01511일 201㎜×297㎜
'93.5.18 승인 인쇄용지(특급) 70g/㎡

(별표 8) 전문가격조사기관 등록증

전문가격조사기관등록증

등록번호 제 호 (년 월 일)

1. 법 인 명 :

2. 대표자성명 :

3. 주 소 :

예정가격 작성기준 제48조의 규정에 의하여 위와 같이 등록하였음을 증명함.

년 월 일

기 획 재 정 부 장 관

22451-01611일
'93.5.18 승인

201㎜×297㎜
인쇄용지(특급) 70g/㎡

(별표 9) 전문가격조사기관 등록사항 변경신고서

<table>
<tr><td colspan="3">전문가격조사기관 등록사항 변경신고서</td></tr>
<tr><td>① 등록번호</td><td colspan="2">제 호(년 월 일)</td></tr>
<tr><td>② 법인명</td><td colspan="2"></td></tr>
<tr><td>③ 대표자성명</td><td colspan="2"></td></tr>
<tr><td>④ 주소</td><td colspan="2"></td></tr>
<tr><td rowspan="2">변경내용</td><td>변경 전의 사항</td><td>변경 후의 사항</td></tr>
<tr><td></td><td></td></tr>
<tr><td colspan="3">예정가격 작성기준 제50조의 규정에 의하여 위와 같이 등록사항 중 변경내용을 신고합니다.

년 월 일
신청인 (인)

기획재정부 장관 귀하</td></tr>
</table>

22451-01611일 201㎜×297㎜
'93.5.18 승인 인쇄용지(특급) 70g/㎡

(별표 10) 조사상품기본조사표

① 상 품 명		② 통상명칭		③ 코오드 번 호		④ 수록단위 품 종 명	

상 품 내 용		품 질·규 격		단 위 품 목 수		생산자별취급구분			
⑤주요용도		⑧공인규격 유무및종류		⑪단위품목 구분기준		⑭생산자별 구분여부		⑰기본단위	
⑥주 재 질		⑨공인형식 또는성능		⑫규격품목과 유통품목수		⑮총생산자수		⑱포장단위 및그수량	
⑦상품형상		⑩규격유무별 유통비중		⑬주종품목과 거래비중		⑯조사대상 생산자의범위		⑲거래단위	

조 사 가 격 의 종 류

조사조건별 \ 연도별	년	년	년
⑳가 격 성 격			
㉑조 사 지 역			
㉒조 사 단 계			
㉓단위거래량의 구 분 여 부			

*1 수급사정(수량 또는 금액)

수급구분 \ 연도별		년	년	년
공급	㉔년간능력			
	㉕국 산			
	㉖수 입			
수요	㉗년간능력			
	㉘내 수			
	㉙수 출			
㉚계 절 성				

*2 원가구성내용(구성비 : %)

요소비목 \ 연도별		년	년	년
㉛ 재 료 비				
㉛-1 재료비 내 역				
	기 타			
㉜ 노 무 비				
㉝ 경 비				
㉞ 일반관리비및이윤				

참고사항

	㉟ 관련단체			㊱ 전 문 가		
단 체 성 격	단 체 (기관)명	관련부서명 및 담당자	전화번호	성 명	소 속·직 위	전 화 번 호
종 목 별 단 체						
연 구 단 체						
정 부 기 관						

(별표 10) 조사상품기본조사표의 기재요령

(1) 상품학상의 상품명으로서 공인된 정식명칭
(2) 공식명칭 이외에 시중거래에서 일반적으로 통용되는 상품명칭
(3) 코오드번호 부여 후에 기입
(4) 수록단위품종 편성 후에 기입
(5) 용도를 기입하되, 용도가 다양할 시에는 용도비중 60%내의 그용도
(6) 성분35% 이상시는 ①, 성분 35% 미만시는 60%내 중 다성분②
(7) 상품의 외관상의 형태, 형상
(8) 산업통상자원부에서 공인된 KS규격 또는 국제규격의 종류 <개정 2018.12.31.>
(9) 형식승인된 공인된 시험성능
(10) 규격품과 비규격품의 유통비중
(11) 단위품목을 구분하는 기준의 종류
(12) 규격상에 있는 총 품목수와 시중에서 유통되는 품목수
(13) 단위품목중 시중거래비중이 가장높은 품목과 그거래비중
(14) 품질, 규격, 형식, 성능 등에서 생산자간의 차이로 구분취급의 필요성 유무
(15) 총생산자수
(16) 총생산자 중 그 생산량이 상위 60% 이내에 드는 생산자수
(17) 상품의 수량을 계산하는 기초단위
(18) 상품의 포장단위와 포장단위의 수량
(19) 시중에 유통되는 거래단위
(20) 가격이 형성되는 유형에 따라 시장거래, 생산자공표, 행정지도로 구분
(21) 조사대상도시수에 따라 서울(전국), 2대도시, 5대도시, 9대도시 등
(22) 유통단계 중 조사대상 단계를 표시하되, 필요시에는 2개단계도 표시
(23) 동일조사단계에서도 단위거래량의 과다에 따라 가격의 차이에 따른 구분여부 표시
(24) 국산과 수입을 합한 연간공급능력을 합산표시
(25) ~ (26) 생략
(27) 내수와 수출을 합한 연간수요능력을 합산표시
(28) ~ (29) 생략
(30) 상품수급에 있어서 계절적인변화시기를 성수기와 비수기간을 표시
(31) 기업회계상 각상품의 생산비에서 재료비가 차지하는 비중을 100분율로 표시
(32) 기업회계상 각 상품의 생산비에서 노무비가 차지하는 비중을 100분율로 표시
(33) 기업회계상 각 상품의 생산비에서 경비가 차지하는 비중을 100분율로 표시
(34) 기업회계상 각상품의 생산비이외에 판매비, 일반관리비 및 이윤이 차지하는 비율
(35) 조사상품에 관계가 있는 단체등에서 자문을 구할 기관
(36) 조사상품에 관해 업계, 학계의 전문자중 자문을 구할 수 있는 자

(별표 11) 조사처 대장

1. 업체개요

상 호	대 표 자	형 태
소 재 지	창 립 년 월 일	취 급 종 목
소 속 업 종 별 단 체	경 쟁 업 체 수	

2. 면접담당자

위 촉 년 월 일	성 명	부서, 직위	전 화

(별표 12) 품목별조사처대장

조사품목		조사처			면접담당자			등록	
코드 번호	품종별	업체별	업태	소재지	성명	부서 직위	직통 전화	접수	말소

3 입찰참가자격사전심사요령

[시행 2022.6.1.][기획재정부계약예규 제600호, 2022.6.1., 일부개정]

제1조(목적) 이 예규는 「국가를 당사자로 하는 계약에 관한 법률 시행령」(이하 "시행령"이라 한다) 제13조 및 「국가를 당사자로 하는 계약에 관한 법률 시행규칙」(이하 "시행규칙"이라 한다) 제23조 및 제23조의2에 의한 입찰참가자격사전심사(이하 "사전심사"라 한다)를 위하여 중앙관서의 장 또는 계약담당공무원(이하 계약담당공무원)이 심사기준을 정하는 경우 고려하여야 하는 사항과 사전심사를 실시하는 경우 따라야 할 절차, 방법 및 기타 필요한 사항을 정함을 목적으로 한다. <개정 2010.9.8.>

제2조(입찰공고) ① 계약담당공무원이 사전심사를 집행하는 때에는 시행령 제36조제16호에 의하여 심사기준의 열람·교부에 관한 사항, 심사에 필요한 서류 및 제출기한 등을 공고하여야 한다. <개정 2010.9.8.>

1. <삭제 2010.9.8.>
2. <삭제 2010.9.8.>
3. <삭제 2010.9.8.>

② 제1항에 의한 공고는 시행령 제35조제2항에 정한 바와 같이 현장설명일의 전일부터 기산하여 최소한 30일 전에 하여야 한다.

제3조(심사기준 등의 열람·교부) ① 계약담당공무원은 제6조에 따라 작성한 심사기준 등을 사전심사에 참가하고자 하는 자가 열람할 수 있도록 다음 각 호의 서류 등을 비치하여야 하며, 사전심사에 참가하고자 하는 자의 신청이 있는 경우 이를 교부하여야 한다. <개정 2010.9.8.>

1. 심사기준 <개정 2010.9.8.>
2. 심사에 필요한 증빙서류의 작성요령 및 제출방법
3. 기타 필요한 사항

② 제1항에 의한 열람·교부기간은 입찰공고일로부터 입찰참가자격 사전심사 신청 마감일까지로 한다. <개정 2010.9.8.>

③ 계약담당공무원은 필요하다고 인정되는 때에는 전자조달시스템에 제1항 각 호의 서류를 게재함으로써 입찰에 참가하고자 하는 자에 대한 교부에 갈음할 수 있다. 다만, 입찰에 참가하고자 하는 자가 서류로 제1항 각 호의 서류를 교부토록 신청하는 경우에는 서류로 교부하여야 한다.

제4조(사전심사 신청) ① 계약담당공무원은 사전심사를 신청하고자 하는 자로 하여금 입찰공고일부터 7일 이상이 지난 날부터 사전심사에 필요한 증빙서류 등을 갖추어 신청하게 하

여야 한다. 단, 사전심사를 신청하고자 하는 자가 공정거래위원회에서 보급한 표준계약서를 사용하고자 하는 경우에는 그 사용계획을 포함하여야 한다. <개정 2010.9.8, 2011.5.13.>

② 제1항에 따른 신청기간은 10일 이상으로 하되, 입찰공고시 그 신청기간을 명시하여야 한다. 다만, 계약담당공무원은 제출된 서류 등이 미비하거나 불명확하다고 인정되는 경우에는 사전심사를 신청한 자에게 3일 이내의 기간을 정하여 보완을 요구할 수 있다. <개정 2011.5.13.>

제5조(사전심사신청 자격제한) 계약담당공무원은 사전심사 신청자의 자격을 시행령 제21조 또는 제22조에 의거 제한할 수 있다. 다만, 시행령 제22조의 경우 추정가격이 200억원 이상인 공사로서 제6조제5항제1호에 규정한 공사 중 다음 각 호의 공사는 제외한다. <개정 2010.9.8.>

1. 교량건설공사
2. 공항건설공사
3. 댐축조공사
4. 철도공사
5. 지하철공사
6. 터널공사가 포함된 공사
7. 발전소 건설공사
8. <삭제 2006.12.29.>
9. 쓰레기 소각로 건설공사
10. 폐수처리장 건설공사
11. 하수종말처리공사
12. 관람집회시설공사

제6조(심사기준등) ① 계약담당공무원은 시행령 제13조제2항에 따른 심사기준을 정할 때에는 제6조 및 제7조, 별표 2 및 3을 고려하여 해당공사의 성질·내용 등에 따라 적격업체가 선정될 수 있도록 하여야 한다. <신설 2010.9.8.>

② 사전심사는 경영상태부문과 기술적 공사이행능력부문으로 구분하여 심사하며, 경영상태부문의 적격요건을 충족한 자를 대상으로 기술적 공사이행능력부문을 심사한다. <제1항에서 이동 2010.9.8.>

③ 경영상태부문은 「신용정보의 이용 및 보호에 관한 법률」 제4조제1항제1호 또는 「자본시장과 금융투자업에 관한 법률」 제9조제26항의 업무를 영위하는 신용정보업자가 평가한 회사채(또는 기업어음) 또는 기업신용평가등급(이하 "신용평가등급"이라 한다)으로 심사하며, 적격요건은 다음 각 호와 같다. <제2항에서 이동 2010.9.8, 개정 2015.9.21.>

1. 신용평가등급에 의한 적격요건

가. 추정가격이 500억원 이상인 공사

1) 회사채에 대한 신용평가등급의 경우 BB+(단, 공동이행방식에서 공동수급체 대표자이외의 구성원은 BB0) 이상 <개정 2009.4.8.>

2) 기업어음에 대한 신용평가등급의 경우 B+ 이상 <개정 2009.4.8.>
3) 기업신용평가등급의 경우 회사채에 대한 신용평가등급 BB+(단, 공동이행방식에서 공동수급체 대표자 이외의 구성원은 BB0)에 준하는 등급 이상 <개정 2009.4.8.>
나. 추정가격이 500억원 미만인 공사
1) 회사채에 대한 신용평가등급의 경우 BB-(단, 공동이행방식에서 공동수급체 대표자 이외의 구성원은 B+) 이상 <개정 2009.4.8.>
2) 기업어음에 대한 신용평가등급의 경우 B0(단, 공동이행방식에서 공동수급체 대표자 이외의 구성원은 B-) 이상 <개정 2009.4.8.>
3) 기업신용평가등급의 경우 회사채에 대한 신용평가등급 BB-(단, 공동이행방식에서 공동수급체 대표자 이외의 구성원은 B+)에 준하는 등급 이상 <개정 2009.4.8.>
2. <삭제 2007.7.4.>

④ 기술적 공사이행능력부문은 시공경험분야, 기술능력분야, 시공평가결과분야, 지역업체 참여도분야, 신인도분야를 종합적으로 심사하며, 적격요건은 평점 90점 이상으로 한다. <개정 2010.9.8.>

⑤ 제4항에 따른 기술적 공사이행능력부문 심사시의 분야별 심사항목 및 배점에 대한 기준은 다음과 같다. <개정 2010.9.8, 2015.9.21.> <단서삭제 2018.12.31.>

1. 추정가격이 200억원 이상인 공사로서 다음 각 목의 어느 하나에 해당하는 공사는 별표 2를 적용
가. 다음 중 어느 하나에 해당하는 교량건설공사
가-1. 기둥 사이의 거리가 50미터 이상이거나 길이 500미터 이상인 교량건설공사
가-2. 교량건설공사와 교량 외의 건설공사가 복합된 공사의 경우에는 교량건설공사(기둥 사이의 거리가 50미터 이상이거나 길이 500미터 이상인 것에 한한다)부분의 추정가격이 200억원 이상인 교량건설공사
나. 공항건설공사
다. 댐축조공사
라. 에너지저장시설공사
마. 간척공사
바. 준설공사
사. 항만공사
아. 철도공사
자. 지하철공사
차. 터널건설공사(단, 터널건설공사와 터널 외의 건설공사가 복합된 공사의 경우에는 터널건설공사부분의 추정가격이 200억원 이상인 것에 한함)
카. 발전소건설공사
타. 쓰레기소각로건설공사

파. 폐수처리장건설공사
하. 하수종말처리장건설공사
거. 관람집회시설공사
너. 전시시설공사
더. 송전공사
러. 변전공사

2. 제1호 이외의 공사는 별표3을 적용

⑥ 제3항에 의한 신용평가등급은 입찰공고일 이전 가장 최근에 평가한 유효기간내 신용평가등급으로 하며, 제3항 및 제4항의 심사항목에 대한 심사기준일은 입찰공고일로 한다. <개정 2010.9.8.>

⑦ 계약담당공무원은 제4항에 따른 기술적 공사이행능력부문 심사시에는 계약이행의 성실도 평가를 위하여 다음 각호의 사항은 분야별 심사항목에 반드시 포함하여야 한다. <신설 2018.12.31.>

1. 「건설기술진흥법」 제53조에 따른 부실벌점 <신설 2018.12.31.>
2. 「건설기술진흥법」 제50조에 따른 평가결과 <신설 2018.12.31.>
3. 일자리창출을 평가하기 위한 일자리창출 실적 <신설 2018.12.31.>

제7조(심사기준의 조정) ① <삭제 2010.9.8.>

② 계약담당공무원은 제6조에 따라 심사기준을 정하는 경우 해당공사의 성질, 내용 등을 고려하여 필요하다고 인정될 때에는 제6조제3항 및 제4항의 적격요건을 상향조정할 수 있다. <개정 2010.9.8.>

③ 계약담당공무원은 제6조를 적용함에 있어 해당공사의 성질·내용 등을 고려하여 필요하다고 인정되는 경우에는 별표 2 및 3의 분야별·항목별 배점한도를 가·감 조정하거나, 항목별 세부사항을 추가 또는 제외할 수 있다. 다만, 신인도 항목을 추가 또는 제외하려는 경우에는 기획재정부장관과 협의를 거쳐야 한다. <개정 2010.9.8, 2019.12.18.>

④ 계약담당공무원은 「건설산업기본법」에 의한 건설공사 외의 공사의 경우에는 신인도분야의 각 항목을 해당공사 관련법령에 규정된 내용에 따라 조정한다.

제8조(심사방법) ① 계약담당공무원은 제4조에 따라 신청한 자의 제출서류를 제6조의 심사기준에 따라 신청마감일 또는 보완일로부터 10일 이내에 심사하여야 한다. 다만, 부득이한 경우에는 3일의 범위 내에서 그 기간을 연장할 수 있다. <개정 2010.9.8.>

② <삭제 2007.7.4.>

③ 경영상태의 평가는 심사기준일 이전에 평가한 유효기간내에 있는 회사채, 기업어음, 기업의 신용평가등급 중에서 가장 최근의 등급으로 심사하고, 합병한 업체에 대하여는 합병후 새로운 신용평가등급으로 심사하여야 하며 그 전까지는 합병대상업체 중 가장 낮은 신용평가등급을 받은 업체의 신용평가등급으로 심사한다. <개정 2008.12.29.>

④ 제1항의 심사결과 제6조제3항에 따른 경영상태부문에 대한 적격요건과 제6조제4항에

따른 기술적 공사이행능력부문에 대한 적격요건을 모두 충족하는 자를 입찰적격자로 선정한다. <개정 2010.9.8.>

⑤ 계약담당공무원은 제1항의 심사를 위하여 필요하다고 인정할 때에는 시행령 제94조에 의한 계약심의회의 심의를 거쳐 심사할 수 있다.

제9조(심사결과의 통보) ① 계약담당공무원은 제8조제4항에 의하여 입찰적격자를 선정한 때에는 지체없이 해당자에게 통보하고 해당사실을 시행령 제13조제4항 단서에 의한 전자조달시스템(이하 "전자조달시스템"이라 한다), 게시판 또는 일간건설지 등에 게재하여야 하며, 공사종류별로 입찰적격자명부를 작성·비치하여야 한다. <개정 2010.9.8.>

② 계약담당공무원은 제4조에 의한 신청자가 제8조에 규정한 심사관련서류의 열람을 신청한 때에는 제1항의 게재일로부터 3일까지는 이를 허용하여야 한다.

③ <신설 2011.5.13, 삭제 2012.1.1. 공사계약일반조건 제53조제5항으로 이동>

제10조(재심사) ① 계약담당공무원은 제9조에 의한 통보를 받은 자가 시행령 제14조의2에 의한 현장설명일부터 3일이 전까지 심사결과에 대하여 이의가 있어 재심사를 요청한 때에는 재심사를 실시하고, 재심사 요청을 받은 날부터 3일 이내에 그 결과를 통지하여야 한다. <개정 2010.9.8.>

② 계약담당공무원은 시행령 제72조의 규정에 의하여 공동계약을 허용한 경우로서 공동수급체를 구성하여 입찰에 참가하고자 하는 자가 제8조의 규정에 의한 입찰적격자 선정이후 낙찰자 결정이전에 공동수급체구성원중 일부 구성원이 부도, 부정당업자제재, 영업정지, 입찰무효 등의 결격사유가 발생한 경우(결격사유가 입찰참가등록 마감일 이전에 소멸되는 경우는 제외, 이하 이항에서 같음)에는 잔존구성원의 출자비율 또는 분담내용을 변경하거나 결격사유가 발생한 구성원을 대신할 새로운 구성원을 추가하도록 하여 제8조제4항의 규정에 의한 입찰적격자 선정범위에 해당되는지의 여부를 재심사하여야 하며, 잔존구성원만으로 또는 새로운 구성원을 추가하도록 하여 입찰적격자 선정범위에 해당되는 때에는 해당 공동수급체를 입찰에 참가하게 하여야 한다. 다만, 공동수급체대표자가 부도, 부정당업자제재, 영업정지, 입찰무효 등의 결격사유가 발생한 경우에는 해당 공동수급체를 입찰에 참가하게 하여서는 아니되며, 입찰이후에는 낙찰자 결정대상에서 제외하여야 한다. <개정 2009.6.29, 2011.5.13, 2012.4.2., 2014.1.10., 2021.12.1.>

③ 재심사결과의 통보에 대하여는 제9조의 규정을 준용한다.

제11조(부정한 방법으로 신청한 자의 처리) 계약담당공무원은 제4조의 규정에 따라 신청자가 제출한 서류가 부정하게 작성된 것으로 판명된 때에는 다음 각 호의 기준에 의거 처리하여야 한다.

1. 제8조제4항의 적격자를 선정하기 이전일 경우에는 입찰적격자선정대상에서 제외
2. 입찰실시이전일 경우에는 입찰참가자격을 박탈

제12조(현장설명참가자격) 계약담당공무원은 제9조 또는 제10조의 규정에 의거 입찰적격자로 통보한 자에 한하여 시행령 제14조의2의 규정에 의한 현장설명에 참가하게 할 수 있다. <개정

2010.9.8.>

제13조(사전심사의 면제 등) ① 계약담당공무원은 해당공사와 동일한 종류의 공사를 이미 심사한 경우로서 신청자중 제8조제4항의 규정에 따라 입찰적격자로 선정된 자(제7조제2항의 규정에 의하여 적격요건을 상향조정한 경우에는 상향조정된 요건에 해당하는 자)에 대하여는 공사의 특성 등을 고려하여 1년 범위 내에서 사전심사를 면제할 수 있다. <개정 2010.4.15.>

② 계약담당공무원은 매건 자격심사마다 제9조제1항의 규정에 의거 작성된 명부에 등재된 자에 대한 사전심사를 면제할 것인지의 여부를 결정하여 제3조의 규정에 의거 열람하게 하여야 한다.

제14조(공동계약의 운용) ① 계약담당공무원은 사전심사방법으로 발주하는 공사의 경우에도 시행령 제72조의 규정에 따라 가능한 한 공동계약에 의하여 한다.

② 제1항의 규정에 의한 공동계약의 경우 공동수급체에 대한 심사는 제6조제2항 및 제5항을 고려하여 분야별·항목별로 다음 각 호와 같이 실시하되, 공동수급체 구성원간의 시공능력, 실적, 기술보유상황 등의 보완을 위하여 공동계약을 하는 경우에는 이를 우대하여 제6조의 규정에 따른 심사기준을 작성할 수 있다. <개정 2010.9.8.>

1. 경영상태부문 : 공동수급체의 구성원별로 각각 신용평가등급으로 심사
2. 기술적 공사이행능력부문
   가. 시공경험, 기술능력, 시공평가결과: 공동수급체 구성원별로 각각 시공경험, 기술능력 및 시공평가결과에 공사참여 지분율(이하 "시공비율"이라 한다)을 곱하여 산정한 후 이를 합산하여 산정한 평점으로 심사 <개정 2009.4.8.> <단서삭제 2020.12.28.>
   나. 신인도 : 공동수급체 구성원별로 각각 산출한 점수에 시공비율을 곱하여 이를 합산

③ 제2항1호에 의한 경영상태부문 평가시 구성원별로 각각 심사 후 적격요건을 충족시키지 못하는 구성원이 있는 공동수급체는 제8조제4항에 따른 입찰적격자 선정에서 제외한다.

④ 계약담당공무원은 해당 공사의 성질, 내용 등을 고려하여 필요하다고 인정되는 경우에는 제2항제2호의 규정에도 불구하고 공동수급체의 구성원에 대한 기술적 공사이행능력부문 심사방법을 따로 정할 수 있다. <개정 2010.9.8.>

제15조(입찰가격공개 및 관리) 계약담당공무원은 사전심사방법으로 발주하는 공사 중 시행령 제42조제4항의 규정에 의한 종합심사낙찰제 대상공사에 대하여는 입찰실시후 입찰자의 입찰가격을 전자조달시스템에 등재하고, 입찰자별 입찰가격 및 낙찰상황 등을 지속적으로 관리하여야 한다. <개정 2016.1.1.>

제16조(기타사항) 계약담당공무원은 사전심사를 함에 있어 이 예규에 규정되지 아니한 사항과 예규시행에 필요한 사항에 대하여는 세부기준을 작성하여 집행할 수 있다.

제17조(재검토기한) 「훈령·예규 등의 발령 및 관리에 관한 규정」에 따라 이 예규에 대하여 2016년 1월 1일 기준으로 매3년이 되는 시점(매 3년째의 12월 31일까지를 말한다)마다 그 타당성을 검토하여 개선 등의 조치를 하여야 한다. <개정 2015.9.21.>

부　칙(2007.10.12)

제1조(시행일) 이 회계예규는 2007년 10월 12일부터 시행한다.

제2조(적용례) 이 예규 시행 후 입찰공고를 한 후 실시하는 입찰참가자격사전심사부터 적용한다.

부　칙(2008.12.29)

제1조(시행일) 이 회계예규는 2008년 12월 29일부터 시행한다.

제2조(적용례) 이 예규 시행후 입찰공고를 한 분부터 적용한다.

제3조(경영상태 평가의 적용례) 제8조제3항은 2009년 1월 2일 이후 입찰공고분부터 적용한다.

부　칙(2009.4.8)

제1조(시행일) 이 회계예규는 2009년 4월 8일부터 시행한다.

제2조(적용례) 이 예규 시행일 이후 입찰공고를 한 후 실시하는 입찰참가자격사전심사부터 적용한다.

부　칙(2009.6.29)

제1조(시행일) 이 회계예규는 2009년 6월 29일부터 시행한다.

제2조(재심사의 적용례) 제10조 개정규정은 이 예규 시행후 입찰공고를 한 분부터 적용한다.

부　칙(2009.9.21)

제1조(시행일) 이 회계예규는 2009년 9월 21일부터 시행한다.

부　칙(2010.4.15)

제1조(시행일) 이 회계예규는 2010년 4월 15일부터 시행한다.

제2조(적용례) 이 예규 시행일 이후 입찰공고를 한 분부터 적용한다.

부　칙(2010.9.8)

제1조(시행일) 이 회계예규는 2010년 10월 22일부터 시행한다.

제2조(적용례) 이 회계예규 시행 후 입찰공고를 한 분부터 적용한다.

부　칙(2010.10.22)

제1조(시행일) 이 회계예규는 2010년 10월 22일부터 시행한다.

부　칙(2011.5.13)

제1조(시행일) 이 계약예규는 2011년 5월 13일부터 시행한다. 다만 제4조, 제9조 및 별표2, 별표3의 개정규정은 2011년 6월 1일부터 시행한다.

제2조(신인도 가점에 관한 적용례) 제4조, 제9조 및 별표2, 별표3의 개정규정은 시행일 이후 입찰공고를 한 분부터 적용한다.

부　칙(2012.1.1)

제1조(시행일) 이 계약예규는 2012년 1월 1일부터 시행한다.

제2조(적용례) 이 예규 시행일 이후 입찰공고를 한 분부터 적용한다.

부　칙(2012.4.2)

제1조(시행일) 이 계약예규는 2012년 4월 2일부터 시행한다. 다만 별표 2, 별표 3의 개정 규정은 2012년 5월 1일부터 시행한다.

제2조(적용례) 이 예규 시행일 이후 입찰공고를 한 분부터 적용한다.

제3조(신인도 감점에 관한 적용례) 별표 2, 별표 3의 개정 규정은 이 예규 시행일 이후 국가를 당사자로 하는 계약에 관한 법률에 따라 입찰참가자격 제한을 받은 자부터 적용한다.

부　칙(2012.7.4)

제1조(시행일) 이 계약예규는 2012년 8월 9일부터 시행한다.

제2조(적용례) 이 예규 시행일 이후 입찰공고를 한 분부터 적용한다.

부　칙(2014.1.10)

제1조(시행일) 이 계약예규는 2014년 1월 10일부터 시행한다.

제2조(적용례) 이 예규 시행일 이후 입찰공고를 한 분부터 적용한다.

부　칙(2015.1.1)

제1조(시행일) 이 계약예규는 2015년 1월 1일부터 시행한다.

제2조(적용례) 이 예규 시행일 이후 입찰공고를 한 분부터 적용한다.

부　칙(2015.9.21)

제1조(시행일) 이 계약예규는 2015년 9월 21일부터 시행한다.

제2조(건설업체의 산업재해예방활동 실적에 관한 적용례) [별표2] 및 [별표3]의 개정규정은 2015년 10월 1일부터 최초로 입찰공고하는 입찰분부터 적용한다.

부　칙(2016.1.1)

제1조(시행일) 이 계약예규는 2016년 1월 1일부터 시행한다. 다만, [별표2]의 개정규정은 2016년 5월 1일부터 시행한다.

제2조(적용례) [별표2]의 개정규정은 이 계약예규 시행 후 최초로 입찰공고하는 분부터 적용한다.

제3조(최저가낙찰제의 폐지에 따른 경과규정) 이 계약예규 시행일 이전에 최초로 입찰공고를 한 분에 대하여는 제15조의 개정규정에도 불구하고 종전 규정을 적용한다.

부　칙(2018.12.31)

제1조(시행일) 이 계약예규는 2019년 1월 1일부터 시행한다. 다만, 제6조제7항, [별표2] 및 [별표3]의 일자리창출 심사와 관련한 개정규정은 2019년 3월 5일부터 시행한다.

제2조(적용례) 이 계약예규는 부칙 제1조에 따른 시행일 이후 입찰공고 하는 경우부터 적용한다.

부　칙(2019.6.1.)

제1조(시행일) 이 계약예규는 2019년 6월 15일부터 시행한다.

제2조(적용례) 이 예규 시행일 이후 입찰공고를 한 분부터 적용한다.

부　칙(2019.12.18)

제1조(시행일) 이 계약예규는 2020년 3월 18일부터 시행한다. 다만, [별표2]5.다.1) 및 주5)7.과 [별표3]5.다.1)의 개정규정은 2020년 7월 1일부터 시행한다.

제2조(일반적 적용례) 이 계약예규는 부칙 제1조에 따른 시행일 이후 입찰공고 하는 분부터 적용한다.

제3조(신인도분야 평가방법에 관한 적용례) [별표2]5.다.1) 및 주5)7.과 [별표3] 5.다.1)의 가중평균은 다음 각 호에 따라 산정한다.

1. 시행일로부터 1년 이내 : 최근년도 사고사망만인율
2. 시행일로부터 2년 이내 : 최근년도 사고사망만인율과 최근년도 1년전 사고사망만인율의 평균값(단, 최근년도 사고사망만인율 또는 최근년도 1년전 사고사망만인율을 산정하지

않은 경우에는 산정한 연도 사고사망만인율로 한다)

제4조(산업안전보건법령 위반에 따른 행정형벌에 대한 신인도 감점 관련 경과규정) [별표2] 5.다.5) 및 [별표3] 5.다.5)에 따른 감점은 이 계약예규 시행일 이후 발생한 위반행위에 대해 행정형벌을 부과받은 분부터 산정한다.

부　칙(2020.12.28.)

제1조(시행일) 이 계약예규는 2021년 1월 1일부터 시행한다.

제2조(적용례) 이 계약예규는 부칙 제1조에 따른 시행일 이후 입찰공고하는 경우부터 적용한다.

부　칙(2021.3.19.)

제1조(시행일) 이 계약예규는 2021년 3월 28일부터 시행한다.

제2조(적용례) 이 계약예규는 부칙 제1조에 따른 시행일 이후 입찰공고하는 경우부터 적용한다.

부　칙(2021.12.1.)

제1조(시행일) 이 계약예규는 2022년 1월 1일부터 시행한다.

제2조(적용례) 이 계약예규는 부칙 제1조에 따른 시행일 이후 입찰공고하는 경우부터 적용한다.

부　칙(2022.6.1.)

제1조(시행일) 이 계약예규는 2022년 6월 1일부터 시행한다.

제2조(적용례) 이 계약예규는 부칙 제1조에 따른 시행일 이후 입찰공고하는 경우부터 적용한다.

[별표 1] 〈삭제 2007.7.4.〉

[별표 2] 기술적 공사이행능력부문 분야별 심사항목 및 배점기준(제6조제5항제1호의 경우에 적용) 〈개정 2008.12.29, 2010.9.8, 2011.5.13, 2012.1.1, 2012.4.2, 2012.7.4, 2015.1.1., 2015.9.21., 2021.12.1., 2022.6.1〉

심사분야		심 사 항 목	
분야별	배점 한도	항 목 별	배점 한도
계	100		100
1. 시공 경험	40 (45)	가. 최근10년간 해당공사와 동일한 종류의 공사실적 나. 최근10년간 해당공사와 유사한 종류의 공사실적(시공 중인 동종공사실적 포함) 다. 최근5년간 토목·건축·전기·정보통신공사 또는 플랜트공사의 실적합계	30(34) 20(22) 10(11)
2. 기술 능력	45	가. 해당공사의 시공에 필요한 기술자 보유현황(해당공종 경험기술자 우대) 나. 신기술 개발·활용실적 다. 최근년도 건설부문 매출액에 대한 건설부문 기술개발 투자비율 라. 기타 해당공사 시공에 필요한 사항	30 4 8 3
3. 시공 평가 결과	10		10
4. 지역 업체 참여도	5		5
5. 신인도	+3 −7 〈개정 2012. 7.4, 2019. 12.18. 〉	가. 시공업체로서의 성실성	
		1) 최근1년동안 「건설산업기본법」에 정한 벌금이상의 행정형벌, 영업정지, 영업·면허·등록취소 처분 또는 과징금 부과를 받은 자	−2
		2) 〈삭제 2019.12.18.〉	〈삭제〉
		3) 그 밖에 국토교통부장관이 정한 「건설업체의 부실벌점 기준」에 해당되는 자 〈2012.7.4. 라목에서 이동, 개정 2015.9.21.〉	−5
		나. 하도급관련사항	
		1) 최근 국토교통부장관이 협력업자와의 협력관계를 평가한 결과 그 실적이 우수한 자 〈개정 2015.9.21.〉	+2
		2) 해당 계약에서의 표준계약서 사용여부〈신설 2011.5.13.〉	
		·표준하도급 계약서 사용	+2
		·건설기계임대차 표준계약서 사용	+1
		3) 최근 2년 동안 불공정하도급거래로 과징금 부과를 받은 자 〈개정 2012.7.4.〉	−7
		4) 최근 2년 이내에 공정거래위원장으로부터 하도급 상습법위반자로 통보 받은자 〈신설 2008.12.29, 개정 2012.7.4.〉	−7
		5) 동반성장위원회가 동반성장지수를 평가한 결과 그 실적이 우수한 자 〈신설 2012.7.4.〉	+2
		6) 공정거래위원회가 공정거래협약 이행실적을 평가한 결과 그 실적이 우수한 자 〈신설 2012.7.4.〉	+1

		다. 건설재해 및 제재처분사항	
		1) 최근 3년간 고용노동부장관이 산정한 사고사망만인율의 가중평균이 평균사고사망만인율의 가중평균 이하인 자 또는 초과한 자 〈개정 2015.9.21, 2019.12.18., 2021.12.1〉	
		·평균사고사망만인율의 가중평균 이하인 자	+1
		·평균사고사망만인율의 가중평균을 초과한 자	−1
		2) 최근 1년간 건설업체의 산업재해예방활동 실적을 고용노동부장관이 평가한 결과 그 실적이 우수한 자 〈신설 2015.9.21.〉	+1
		3) 최근 1년동안 「산업안전보건법」 제30조제3항에 의한 산업안전보건관리비 사용의무를 위반하여 목적외 사용금액이 1,000만원을 초과하거나 사용내역서를 작성·보존하지 아니한 자	−1
		4) 최근 1년동안 「산업안전보건법 시행규칙」 별표1 제1호 및 제6호에 따른 산업재해발생 보고의무 위반건수가 배분된 자 〈개정 2018.12.31.〉	−2
		5) 최근 1년동안 산업안전보건법령 위반으로 동일현장에서 벌금 이상의 행정형벌을 2회 이상 받은 자 〈신설 2019.12.18.〉	
		· 2회 받은 자	−0.5
		· 3회 이상 받은 자	−1
		6) 최근 1년동안 환경관련법령에 의한 벌금 이상의 행정형벌, 영업정지·영업취소처분 또는 과징금 부과를 받은 자	
		·1회 받은 자	−0.5
		·2회이상 받은 자	−1
		라. 녹색기술 관련사항 〈신설 2012.7.4.〉	
		1) 녹색기술이나 녹색사업 인증서 또는 녹색전문기업 확인서를 보유한 자	+2
		2) 녹색건축 인증 또는 제로에너지건축물 인증 실적을 보유한 자 〈개정 2021.12.1.〉	+2
		마. 일자리창출 관련사항 〈신설 2018.12.31.〉	
		1) 최근년도 건설고용지수(건설근로자공제회 발표) 평가에 따른 평가등급을 보유한 자	
		·1등급인 자	+3
		·2등급인 자	+2
		2) 일자리창출 실적(고용인력 증가 등)이 확인되는 자	
		·근로내용 확인신고서(고용보험법 시행규칙 별지 제7호 서식)로 신고한 최근 6개월 평균 고용인원·급여지급액이 그 이전 6개월 평균보다 증가한 경우	+2.5
		·국세청 홈택스 또는 관할세무서에서 발급한 표준손익계산서(법인세법 시행규칙 별지 제3호의3서식), 「법인세법」 등에 따라 관할세무서에 신고된 손익계산서(공인회계사 또는 세무사 증명필요, 법인세법 시행규칙 별지 제3호의3서식 준용)상 전년도 급여액(퇴직급여액 제외)이 전전년도 급여액(퇴직급여액 제외)보다 증가한 경우 〈개정 2020.12.28.〉	+0.5

주1) 시공경험분야 평가방법

1. "가"항목과 "나"항목은 택일 적용함
2. 시공중인 동종공사의 실적은 해당공사의 예정공정표상 50% 이상에 해당하는 부분에 대하여 기성검사를 필한 후 발주관서장으로부터 기성실적증명서를 발급받은 것에 한함.
3. (   )의 점수는 시행령 제42조제1항에 따른 공사, 시행령 제72조제3항에 따른 공사, 시행령 제6장

과 제8장에 따른 공사, 회계예규 「공동계약 운용요령」 제2조의3에 따른 공사, 해당 지역에 공사의 이행에 필요한 자격을 갖춘 자가 10인 미만인 경우에 대해 적용함 <신설 2010.9.8.>

4. 외국건설업자(「건설산업기본법」 제9조에 따라 건설업 등록을 한 외국인 또는 외국법인을 말하며 공동수급체 구성원인 경우도 포함)에 대해서는 ( )의 점수를 적용함 <신설 2010.9.8.>
5. 국토교통부 고시 「건설공사 발주 세부기준」 제6조 및 제7조에 따라 시공자격을 갖춘 건설사업자의 입찰참가를 허용하는 공사(이하 "상호시장 진출 허용 공사"라 한다)는 다음과 같이 평가한다. <신설 2021.3.19., 개정 2022.6.1.>
   가. 국토교통부 고시 「종합·전문업종간 상호시장 진출을 위한 건설공사실적 인정기준」에 따라 평가
   나. 전문건설사업자가 종합공사에 참여하는 경우 "다" 항목으로 평가하며, 해당 종합공사를 추정금액 기준 전문업종별 구성비율로 배점을 구분하고 각 전문업종별로 평가하여 합산
   다만, 2021.1.1.이후 전문건설사업자의 자격으로 취득한 종합공사 실적을 보유한 경우에는 해당 종합공사 실적을 우선 평가(종합건설사업자의 종합공사 평가방법과 동일)하고 배점한도를 충족하지 못할 경우 잔여 배점을 기준으로 본문에 따라 전문업종별 실적을 평가하여 합산.
6. 국토교통부 고시 「건설공사 발주 세부기준」 제8조의2에 따라 (주력)업무분야를 시공자격으로 발주한 전문공사의 경우 "다" 항목은 (주력)업무분야 실적으로 평가한다. <신설 2021.12.1.>

주2) 기술능력분야 평가방법 <신설 2010.9.8.>
1. "나"항목의 신기술 개발실적은 「건설기술진흥법」 제14조, 「환경기술 및 환경산업 지원법」 제7조, 「국가통합교통체계효율화법」 제102조, 「자연재해대책법」 제61조의 규정에 의거 신기술로 지정·고시된 기술건수를 합산하여 평가하되, 해당 신기술의 개발자가 다수인 경우에는 개발자 수로 나누어 평가함 <개정 2010.10.22, 2012.7.4, 2015.9.21, 2016.1.1.>

1-1. "나"항목의 신기술 활용실적은 「건설기술진흥법」 제14조, 「환경기술 및 환경산업 지원법」 제7조, 「국가통합교통체계효율화법」 제102조 , 「자연재해대책법」 제61조의 규정에 의거 지정된 신기술을 활용한 실적으로 평가함 <개정 2010.10.22, 2012.7.4, 2015.9.21, 2016.1.1.>

2. 기술개발투자비는 건설산업기본법 등 관련법령에 따라 신고한 서류를 「공인회계사법」 등에 의한 공인회계사의 증명을 받은 것에 한함 <개정 2016.1.1.>
3. 전기·정보통신·소방공사 등의 업체인 경우는 전기·정보통신·소방부문 등의 매출액 및 기술개발투자비율을 의미함.
4. 기술개발투자비율 산정 관련 결산서는 계약예규 「적격심사기준」 제5조관련 [별표] 2. 추정가격이 100억원 미만 50억원 이상인 공사의 주2) 제3호 내지 제5호의 규정에 의한 결산서에 의한다. <개정 2015.9.21.>

주3) 시공평가결과분야 평가방법

해당 입찰참가자가 제출한 시공경험평가자료("가" 및 "나"항목에 한함)에 대한 「건설기술 진흥법」 제50조의 규정에 의한 평가결과에 의하되, 해당 시공경험이 공동수급체 구성원(공동이행방식)으로 참여하였을 경우에는 공동수급체대표자가 받은 시공평가결과를 적용함. 상호시장 진출 허용 공사로서 종합공사에 전문건설사업자가 참여하는 경우 시공평가결과는 기본점수를 부여할 수 있음. <신설 2010.9.8.> <개정 2021.3.19.>

1. 공동수급체 구성원 중 해당 공사현장을 관할하는 특별시, 광역시 및 도에 법인등기부상 본점소재지가 소재한 업체(이하 '지역업체'라 한다)의 지분율을 기준으로 평가 <개정 2018.12.31.>
2. 지역업체는 입찰공고일 현재 90일 이상 해당 공사현장을 관할하는 특별시·광역시 및 도에 주된 영업소가 소재한 업체이어야 한다.
3. 단, 해당공사가 시행령 제42조제1항에 따른 공사, 시행령 제72조제3항에 따른 공사, 시행령 제6장과 제8장에 따른 공사, 계약예규 「공동계약 운용요령」 제2조의3에 따른 공사, 해당 지역에 공사의 이행에 필요한 자격을 갖춘 자가 10인 미만인 경우 지역업체참여도분야는 심사에서 제외함 <개정 2015.9.21.>

주5) 신인도분야 평가방법 <주4)에서 이동 2010.9.8.>
1. 가점과 감점항목이 있을 때에는 이를 상계하여 평가함.
2. 항목별 특성·규모·내용·기간 등의 경중을 고려하여 차등적용 가능함.

3. 환경관련 벌점은 동 처벌사실을 통보받은 날을 기준으로 함.
4. 종전 규정에 의하여 받은 감점은 동 감점의 효력이 소멸될 때 까지는 종전의 규정에 의함.
5. 표준계약서 사용을 이유로 가점을 받았으나 실제 계약 이행시에 동 계약서를 사용하지 않은 업체에 대해서는 입찰공고일 기준으로 향후 3년 내에 실시하는 입찰에 참가할 경우 받은 가점의 2배 범위 내에서 감점하며, 입찰에 참가하는 업체가 다른 발주기관에서 표준계약서를 사용하지 않아 감점을 받은 건수가 2회 이상인 경우에는 자체기준에 따른 감점의 2배 범위 내에서 감점할 수 있다. <신설 2011.5.13, 개정 2012.1.1.>
6. 동반성장지수와 공정거래협약 평가에 따른 가점은 1개 업체에 1개만을 적용하며, 대기업과 「중소기업기본법」에 따른 중소기업(공동수급체의 경우 대표자 기준)이 모두 참여하는 입찰에는 적용하지 않음 <개정 2012.7.4.>
7. 사고사망만인율 및 평균사고사망만인율의 가중평균은 다음 산식에 의하여 산정한다 <개정 2019.12.18.>
   - [최근년도 사고사망만인율×0.5+최근년도 1년전 사고사망만인율×0.3+최근년도 2년전 사고사망만인율×0.2 (단, 최근년도 1년전 사고사망만인율 또는 최근년도 2년전 사고사망만인율을 산정하지 않은 경우에는 최근년도 사고사망만인율과 산정한 연도사고사망만인율의 평균값으로 한다)]
8. 친환경 건축물 인증실적과 건축물 에너지효율 인증실적 보유에 따른 가점은 건축공사에 한해 적용한다. <신설 2012.7.4.>
9. 계약담당공무원이 입찰참가자의 「하도급거래 공정화에 관한 법률」위반 여부를 공정거래위원회 또는 전자조달시스템에서 확인할 수 있는 경우에는 관련 증빙자료 제출을 생략한다. <신설 2015.1.1.>
10. "마"항목과 관련하여 종합공사로 발주하는 공사는 1)과 2) 중 입찰자가 택일하여 제출한 자료를 기준으로 평가하며 이 외에는 2)로 평가한다. 2)로 평가하는 경우 근로내용 확인신고서에 의한 평가점수와 표준손익계산서 등에 의한 평가점수를 합산한다. <신설 2018.12.31, 개정 2019.6.1, 개정 2020.12.28.>

10-1. 근로내용 확인신고서는 입찰공고일 기준 전전월 귀속자료를 제출받되, 계약담당공무원이 입찰공고에 입찰공고일로부터 3개월 이내의 범위에서 기준시점을 별도로 명시한 경우에는 그에 의할 수 있다. <신설 2019.6.1.>

10-2. 계약담당공무원은 입찰공고에 명시한 경우 근로내용 확인신고서에 갈음하여 한국고용정보원 등 관련법령에 따라 고용정보를 수집·관리하는 기관으로부터 제공받은 자료로 평가할 수 있다. <신설 2019.6.1.>

10-3. 입찰공고일의 전전월 기준으로 1년 이내에 설립한 업체에 대하여는 근로내용 확인신고서로 신고한 고용인원·급여지급액 평가에 대해 배점한도(+2.5점)를 부여하며, 설립일은 법인인 경우 법인등기부등본상 법인등기일을 기준으로 하며, 법인이 아닌 사업자는 사업자등록증명서 상 사업자등록일을 기준으로 한다. <신설 2019.6.1.>

10-4. 표준손익계산서 등에 의한 평가의 경우 입찰공고일의 최근 결산일 기준 2년 이내 설립된 기업은 배점한도(+0.5점)를 부여한다. 설립일은 법인인 경우 법인등기부등본상 법인등기일을 기준으로 하며, 법인이 아닌 사업자는 사업자등록증명서 상 사업자등록일을 기준으로 한다. <신설 2019.6.1.>

10-5. 표준손익계산서 등에 의한 평가의 경우 「법인세법 시행규칙」 별지 제3호의3서식을 기준으로 하고, 급여는 「법인세법 시행규칙」 별지 제3호의3서식(1) 표준손익계산서 상 급여(퇴직급여 제외) 및 「법인세법 시행규칙」 별지 제3호의3서식(3) 부속명세서 상 2. 공사원가명세서 급여(일용급여 및 퇴직급여 제외)를 합산해 산정한다. <신설 2020.12.28.>

11. 산업안전보건법령 위반에 따른 행정형벌에 대한 감점은 공공공사 현장에서 발생한 법령 위반사항에 한하며, 해당공사의 발주기관(「조달사업에 관한 법률」 제5조의2에 따라 조달청장에게 계약을 의뢰하는 공사에 대하여는 수요기관을 말한다)의 입찰에서 감점한다. <신설 2019.12.18.>
12. 상호시장 진출 허용 공사로서 종합공사에 전문건설사업자가 참여하는 경우 "나. 2)" 항목은 배점한도를 부여할 수 있다 <신설 2021.3.19.>

주6) <삭제 2021.3.19.>

[별표 3] 기술적 공사이행능력부문 분야별 심사항목 및 배점기준(제6조제5항제2호의 경우에 적용)
〈개정 2008.12.29, 2010.9.8, 2011.5.13, 2012.4.2, 2012.7.4., 2015.9.21., 2021.12.1〉

<table>
<tr><th colspan="2">심사분야</th><th colspan="3">심 사 항 목</th></tr>
<tr><th>분야별</th><th>배점 한도</th><th colspan="2">항 목 별</th><th>배점 한도</th></tr>
<tr><td>계</td><td>100</td><td colspan="2"></td><td>100</td></tr>
<tr><td rowspan="2">1. 시공 경험</td><td rowspan="2">40 (45)</td><td>실적보유자로 입찰자격을 제한하는 공사</td><td>가. 최근10년간 해당공사와 동일한 종류의 공사실적
나. 최근5년간 토목·건축·산업설비·전기·정보통신·문화재공사 등의 업종별 실적합계</td><td>30(34)
10(11)</td></tr>
<tr><td>기타방법으로 입찰자격을 제한하는 공사</td><td>가. 최근5년간 토목·건축·산업설비·전기·정보통신·문화재공사 등의 업종별 실적합계</td><td>40(45)</td></tr>
<tr><td rowspan="2">2. 기술 능력</td><td rowspan="2">45</td><td>실적보유자로 입찰자격을 제한하는 공사</td><td>가. 해당공사의 시공에 필요한 기술자 보유현황(해당공종 경험 기술자 우대)
나. 최근년도 건설부문 매출액에 대한 건설부문 기술개발 투자비율</td><td>35
10</td></tr>
<tr><td>기타방법으로 입찰자격을 제한하는 공사</td><td>가. 해당공사의 시공에 필요한 기술자 보유현황
나. 최근년도 건설부문 매출액에 대한 건설부문 기술개발 투자비율</td><td>35
10</td></tr>
<tr><td>3. 시공 평가 결과</td><td>10</td><td colspan="2">가. 시공평가결과</td><td>10</td></tr>
<tr><td>4. 지역 업체 참여도</td><td>5</td><td colspan="2"></td><td>5</td></tr>
<tr><td>5. 신인도</td><td>+3
−7
〈개정 2019. 12. 18.〉</td><td colspan="2">가. 시공업체로서의 성실성
1) 최근1년동안 「건설산업기본법」에 정한 벌금 이상의 행정형벌, 영업정지, 영업·면허·등록취소 처분 또는 과징금 부과를 받은 자
2) 〈삭제 2019.12.18.〉
3) 그 밖에 국토교통부장관이 정한 「건설업체의 부실벌점 기준」에 해당되는 자 〈개정 2015.9.21.〉

나. 하도급관련사항
1) 최근 국토교통부장관이 협력업자와의 협력관계를 평가한 결과 그 실적이 우수한 자 〈개정 2015.9.21.〉
2) 해당 계약에서의 표준계약서 사용여부 〈신설 2011.5.13.〉
·표준하도급 계약서 사용
·건설기계임대차 표준계약서 사용
3) 최근 2년 동안 불공정하도급거래로 과징금 부과를 받은 자 〈개정 2012.7.4.〉
4) 최근 2년 이내에 공정거래위원장으로부터 하도급 상습법위반자로 통보 받은 자 〈신설 2008.12.29, 개정 2012.7.4.〉
5) 동반성장위원회가 동반성장지수를 평가한 결과 그 실적이 우수한 자 〈신설 2012.7.4.〉
6) 공정거래위원회가 공정거래협약 이행실적을 평가한 결과 그 실적이 우수한 자 〈신설 2012.7.4.〉</td><td>
−2

〈삭제〉
−5

+2

+2
+1
−7
−7

+2

+1</td></tr>
</table>

심사분야		심 사 항 목	
		다. 건설재해 및 제재처분사항	
		1) 최근 3년간 고용노동부장관이 산정한 사고사망만인율의 가중평균이 평균사고사망만인율의 가중평균 이하인 자 또는 초과한 자 〈개정 2015.9.21., 2019.12.18., 2021.12.1.〉	
		·평균사고사망만인율의 가중평균 이하인 자	+1
		·평균사고사망만인율의 가중평균을 초과한 자	−1
		2) 최근 1년간 건설업체의 산업재해예방활동 실적을 고용노동부장관이 평가한 결과 그 실적이 우수한 자 〈신설 2015.9.21.〉	+1
		3) 최근 1년동안 「산업안전보건법」 제30조제3항에 의한 산업안전보건관리비 사용의무를 위반하여 목적 외 사용금액이 1,000만원을 초과하거나 사용내역서를 작성·보존하지 아니한 자	−1
		4) 최근 1년동안 「산업안전보건법 시행규칙」 별표1 제1호 및 제6호의 규정에 따른 산업재해발생 보고의무 위반건수가 배분된 자	−2
		5) 최근 1년동안 산업안전보건법령 위반으로 동일현장에서 벌금이상의 행정형벌을 2회 이상 받은 자 〈신설 2019.12.18.〉	
		·2회 받은 자	−0.5
		·3회 이상 받은 자	−1
		6) 최근 1년동안 환경관련법령에 의한 벌금이상의 행정형벌, 영업정지·영업취소 처분 또는 과징금 부과를 받은 자	−0.5
		·1회 받은 자	−1
		·2회 이상 받은 자	
		라. 녹색기술 관련사항	
		1) 녹색기술이나 녹색사업 인증서 또는 녹색전문기업 확인서를 보유한 자 〈신설 2012.7.4.〉	+2
		2) 녹색건축 인증 또는 제로에너지건축물 인증 실적을 보유한 자 〈신설 2012.7.4. 개정 2021.12.1.〉	+2
		마. 일자리창출 관련사항 〈신설 2018.12.31.〉	
		1) 최근년도 건설고용지수(건설근로자공제회 발표) 평가에 따른 평가등급을 보유한 자	
		·1등급인 자	+3
		·2등급인 자	+2
		2) 일자리창출 실적(고용인력 증가 등)이 확인되는 자	
		·근로내용 확인신고서(고용보험법 시행규칙 별지 제7호 서식)로 신고한 최근 6개월 평균 고용인원·급여지급액이 그 이전 6개월 평균보다 증가한 경우	+2.5
		·국세청 홈택스 또는 관할세무서에서 발급한 표준손익계산서(법인세법 시행규칙 별지 제3호의3서식), 「법인세법」 등에 따라 관할세무서에 신고된 손익계산서(공인회계사 또는 세무사 증명필요, 법인세법 시행규칙 별지 제3호의3서식 준용)상 전년도 급여액(퇴직급여액 제외)이 전전년도 급여액(퇴직급여액 제외)보다 증가한 경우 〈개정 2021.12.1.〉	+0.5

주1) 시공경험평가는 해당공사의 입찰방법에 따라 택일 적용

주2) 시공경험·기술능력·시공평가결과·지역업체참여도·신인도분야 평가방법은 별표2의 평가방법과 동일하게 적용 <개정 2010.9.8.>

4 적격심사기준

[시행 2022.6.1.][기획재정부계약예규 제601호, 2022.6.1., 일부개정]

제1조(목적) 이 예규는 「국가를 당사자로 하는 계약에 관한 법률 시행령」(이하 "시행령"이라 한다) 제42조제1항에 의한 낙찰자 결정시의 계약이행능력 심사(이하 "적격심사"라 한다) 방법·항목·배점한도액 기타 필요한 사항을 정함을 목적으로 한다.

제2조(낙찰자결정방법 등의 공고) 계약담당공무원(각 중앙관서의 장이 계약에 관한 사무를 그 소속공무원에게 위임하지 아니하고 직접 처리하는 경우에는 이를 계약담당공무원으로 본다. 이하 같다)은 시행령 제42조제1항에 의한 공사, 물품 및 용역을 집행하고자 할 때에는 시행령 제36조제6호 및 제16호에 의하여 낙찰자 결정방법, 적격심사기준 열람에 관한 사항, 심사에 필요한 서류, 제출기한 및 낙찰자통보 예정일 등을 입찰공고시 함께 공고하여야 한다.

제3조(세부심사기준 등의 열람) ① 계약담당공무원은 입찰에 참가하고자 하는 자가 열람할 수 있도록 다음 각 호의 서류를 비치하여야 하며, 입찰에 참가하고자 하는 자의 요구가 있을 경우에는 「국가를 당사자로 하는 계약에 관한 법률 시행규칙」(이하 "시행규칙"이라 한다) 제41조에서 정한 입찰관련서류와 함께 교부하여야 한다.

1. 세부심사기준
2. 심사에 필요한 증빙서류의 작성요령 및 제출방법
3. 기타 심사에 필요하다고 인정되는 사항

② 제1항에 의한 열람·교부기간은 입찰공고일부터 입찰등록마감일까지로 한다. <개정 2010.9.8.>

③ 계약담당공무원은 필요하다고 인정되는 때에는 전자조달시스템에 제1항 각 호의 서류를 게재함으로써 입찰에 참가하고자 하는 자에 대한 교부에 갈음할 수 있다. 다만, 입찰에 참가하고자 하는 자가 문서로 요구하는 경우에는 제1항 각 호의 서류를 교부하여야 한다.

제4조(심사자료요구) ① 계약담당공무원은 입찰을 집행한 후 예정가격 이하로서 최저가입찰자에게 적격심사에 필요한 서류를 제출하도록 요구하되, 그 제출기한을 분명히 하여야 하며 제출기한은 통보를 받은 날로부터 5일 이상으로 하여야 한다. <개정 2010.4.15.>

② 계약담당공무원은 제1항에 의하여 제출된 적격심사서류 중 첨부목록에 있는 서류가 첨부되어 있지 않거나 제출된 서류가 불명확하여 인지할 수 없는 경우에는 기한을 정하여 보완을 요구할 수 있으며, 보완기간은 통보를 받은 날로부터 3일 이상으로 하여야 한다. <개정 2010.4.15.>

③ 계약담당공무원은 제2항에 따라 보완요구한 서류가 기한까지 제출되지 아니한 경우에는 당초 제출된 서류만으로 심사하되, 당초 제출된 서류가 불명확하여 심사하기가 곤란한 경우에는 심사에서 제외한다.

제5조(심사항목 및 배점한도) ① 시행령 제42조제1항 및 제5항 본문 중 공사에 대한 적격심사의 항목 및 배점한도는 별표와 같고, 물품 및 용역에 대한 적격심사의 항목 및 배점한도는 각 중앙관서의 장이 직접 별표에 정한 공사에 대한 적격심사 항목 및 배점한도를 준용하여 기획재정부장관의 협의를 거쳐 정한다. <개정 2008.12.29. 2018.12.31.>

② 각 중앙관서의 장은 제1항에도 불구하고 시행령 제42조제5항 단서에 의하여 기획재정부장관과 협의하여 직접 공사, 물품 및 용역 등에 대한 적격심사기준을 정할 수 있다. <개정 2008.12.29.>

③ 각 중앙관서의 장은 제1항 및 제2항에 따른 심사기준을 정함에 있어 다음 각 호의 사항을 심사항목으로 포함하여야 한다. 다만, 가점항목으로 포함하는 경우에는 이행(수행)능력의 배점한도 범위 내에서 가산점을 부여한다. <개정 2010.9.8, 2017.12.28. 2018.12.31.>

1. 물품 제조·구매, 용역계약 : 「사회적기업 육성법」 제2조제1호에 따른 사회적기업, 「협동조합 기본법」 제2조제3호에 따른 사회적협동조합, 「국민기초생활보장법」 제18조에 따른 자활기업, 「도시재생 활성화 및 지원에 관한 특별법」 제2조제1항제9호에 따른 마을기업에 대한 신인도 평가시 가점 <신설 2017.12.28.>
2. 시행규칙 제23조의3 각 호의 어느 하나에 해당하는 용역 : 시행령 제42조제5항에 따른 외주근로자 근로조건 이행계획에 관한 사항 <신설 2017.12.28.>
3. 공사, 물품 제조·구매, 용역계약 : 일자리창출에 대한 우대 가점 <신설 2018.12.31.>
4. 개정 근로기준법(법률 제15513호) 제2조에 따른 근로시간 단축의 시행시기가 도래하기 이전에 자발적으로 1주당 최대 근로시간을 52시간으로 단축하여 시행한 업체로서 고용노동부로부터 근로시간 단축 확인을 받은 업체에 대한 신인도 평가시 가점 <신설 2018.12.31.>
5. 공사계약 <개정 2020.9.24.>
   가. 최근 1년간 산업재해예방활동 실적이 우수한 자에 대한 신인도 가점 및 최근 1년동안 산업안전보건법령 위반으로 동일 공공공사 현장에서 벌금이상의 행정형벌을 2회 이상 받은 자에 대한 신인도 감점
   나. 최근 3년간 고용노동부장관이 산정한 사고사망만인율의 가중평균이 평균사고사망만인율의 가중평균 이하인 자에 대한 가점

④ 각 중앙관서의 장은 「용역계약일반조건」 제38조제4항에 따라 전자조달시스템에 게재된 업체에 대해 게재일로부터 1년간 신인도 평가 시 감점할 수 있으며, 입찰공고일 기준으로 과거 1년 이내에 미이행 횟수가 2건 이상인 경우에는 추가로 감점할 수 있다. <신설 2012.4.2.>

⑤ 제1항 및 제2항에 의한 심사항목별 심사기준일은 입찰공고일로 한다.

제6조(세부심사기준) ① 계약담당공무원은 제5조에 의한 세부심사기준(이하 "세부심사기준"이라 한다)을 정할 때에는 이 예규에 규정된 바에 따라 적격업체가 선정될 수 있도록 작성

하여야 한다. <개정 2018.12.31.>

② 공사의 경우에는 제1항을 적용함에 있어서 교량, 터널, 지하철, 전기, 정보통신 등 각 공사종류별로 그 공사의 특성·목적 및 내용 등을 종합 고려하여 별표의 분야별 배점한도(입찰가격은 제외한다)를 20% 범위 내에서 가·감 조정할 수 있으며, 항목별(신인도 제외) 세부사항을 추가하거나 제외할 수 있다.

제7조(심사방법) ① 계약담당공무원은 제5조 및 제6조에 따라 예정가격 이하로서 최저가로 입찰한 자 순으로 심사하여야 한다. 다만, 예정가격이 100억원 미만인 공사인 경우에는 입찰가격을 예정가격 중 다음 각 호에 해당하는 금액의 합계액의 100분의 98 미만으로 입찰한 자는 심사대상에서 제외한다. <단서신설 2020.4.7.>

1. 재료비·노무비·경비
2. 제1호에 대한 부가가치세

② 계약담당공무원은 제1항에 의한 심사를 하는 때에는 제4조에 의하여 제출된 서류를 그 제출마감일 또는 보완일부터 7일 이내에 심사하여야 한다. 다만, 불가피한 경우에는 3일의 범위 내에서 그 기간을 연장할 수 있다.

③ 공동계약의 경우에는 공동수급체에 대한 심사는 제5조 별표의 분야별·항목별로 다음 각 호와 같이 실시하되, 공동수급체 구성원간의 시공능력공시액, 실적, 기술보유상황 등의 보완을 위하여 공동계약을 하는 경우에는 세부심사기준 작성시 이를 우대할 수 있다.

1. 시공경험·기술능력 : 공동수급체 구성원별로 각각 시공경험 및 기술능력에 공사참여 지분율(이하 "시공비율"이라 한다)을 곱하여 산정한 후 이를 합산하여 산정
2. 경영상태·신인도 : 공동수급체 구성원별로 각각 산출한 점수에 시공비율을 곱하여 이를 합산

④ 계약담당공무원은 시행령 제22조에 따라 입찰참가자격을 제한하는 경우에는 제3항제1호에도 불구하고 공동수급체 구성원에 대한 해당 공사수행능력 심사방법을 세부심사기준에 따로 정할 수 있다.

⑤ 제2항에도 불구하고 「재난 및 안전관리 기본법」 제3조제1호의 재난이나 경기침체, 대량실업 등으로 인한 국가의 경제위기를 극복하기 위해 기획재정부장관이 기간을 정하여 고시한 경우에는 다음 각 호의 계약에 대하여는 심사서류의 제출마감일 또는 보완일로부터 4일 이내에 심사하여야 한다. 다만, 불가피한 경우에는 2일의 범위 내에서 그 기간을 연장할 수 있다. <신설 2020.4.20.>

1. 추정가격이 10억원 미만인 공사계약
2. 추정가격이 2억원 미만인 물품 및 용역계약

⑥ 「건설산업기본법」에 따라 종합공사의 건설업종을 등록한 건설사업자(이하 "종합건설사업자"라 한다)와 전문공사의 건설업종을 등록한 건설사업자(이하 "전문건설사업자"라 한다)가 모두 참여하는 입찰의 시공경험, 경영상태(경영상태 심사방법 중 최근년도 부채비율 및 유동비율, 영업기간), 하도급관리계획의 적정성 심사는 다음 각 호 및 별표와 같으

며, 그 외 심사분야 및 심사항목은 별표를 따른다. <신설 2020.12.28. 개정 2022.6.1.>

1. 시공경험 : 국토교통부고시 「종합·전문업종간 상호시장 진출을 위한 건설공사실적 인정기준」을 기준으로 한다.
 가. 전문건설사업자가 전문공사로 구성된 추정가격 10억원 이상인 종합공사에 참여하는 경우에는 입찰공고에 명시한 추정금액 기준 전문업종별 구성비율로 배점을 구분하고 각 전문업종별로 평가해 합산한다.
 나. 2023. 12. 31. 까지 입찰공고한 공사로서 전문건설사업자가 전문공사로 구성된 추정가격 10억원 미만 3억원 이상인 종합공사에 참여하는 경우에는 각 전문업종별 실적을 합산해 평가한다. 다만, 입찰공고에 명시한 각 전문업종별 추정금액(공동수급체 구성원은 추정금액에 공사참여 지분율을 곱한 값) 대비 1/5 미만인 업종이 있는 경우에는 입찰공고에 명시한 추정금액 기준 전문업종별 구성비율로 배점을 구분하고 각 전문업종별로 평가해 합산한다.
 다. 2024. 1. 1. 이후 입찰공고한 공사로서 전문건설사업자가 전문공사로 구성된 추정가격 10억원 미만 3억원 이상인 종합공사에 참여하는 경우에는 입찰공고에 명시한 추정금액 기준 전문업종별 구성비율로 배점을 구분하고 각 전문업종별로 평가해 합산한다.
 라. 전문건설사업자가 전문공사로 구성된 종합공사에 참여하는 경우로서 2021.1.1. 이후 전문건설사업자의 자격으로 취득한 종합공사 실적을 보유한 경우에는 해당 종합공사 실적을 우선 평가(종합건설사업자의 종합공사 평가방법과 동일)하고 배점한도를 충족하지 못할 경우 잔여 배점을 기준으로 "가"목 내지 "다"목에 의하여 전문업종별 실적을 평가하여 합산한다.
2. 경영상태(최근년도 부채비율 및 유동비율) : 관련 협회가 조사·통보한 종합건설사업자 및 전문건설사업자 가중평균비율을 기준으로 한다.
 가. 종합건설사업자의 부채비율 및 유동비율은 종합건설사업자 가중평균비율을 기준으로 등급을 정해 평가한다.
 나. 전문건설사업자의 부채비율 및 유동비율은 전문건설사업자 가중평균비율을 기준으로 등급을 정해 평가한다.(다만, 전문건설사업자가 전문공사에 참여하는 경우 전문건설사업자의 부채비율과 유동비율은 해당 전문공사 업종의 가중평균비율을 기준으로 등급 평가)
3. 경영상태(영업기간) : 다음 각목의 방법 및 별표에 따라 영업기간을 산정한다.
 가. 종합공사에 전문건설사업자가 참여하는 경우에는 해당 종합공사를 구성하는 전문공사 참여 업종의 등록일 중 가장 빠른 날부터 심사기준일까지의 기간을 기준으로 한다.
 나. 전문공사에 종합건설사업자가 참여하는 경우에는 입찰공고에 입찰참가자격으로 명시한 종합공사 참여 업종의 등록일 중 가장 빠른 날부터 심사기준일까지의 기간을 기준으로 한다.

4. 하도급관리계획의 적정성 : 별표에도 불구하고 직접 시공하는 경우에는 배점한도를 부여한다.

⑦ 계약담당공무원은 국토교통부 고시「건설공사 발주 세부기준」제8조의2에 따라 (주력)업무분야를 시공자격으로 발주한 전문공사 입찰의 시공경험은 (주력)업무분야 실적으로 평가하며, 그 외 심사분야 및 심사항목은 별표를 따른다. <신설 2021.12.1.>

제8조(낙찰자 결정) ① 계약담당공무원은 제7조제1항에 의한 심사의 경우에는 종합평점이 95점 이상이면 이를 낙찰자로 결정하여야 한다. <개정 2021.12.1.>

② 제1항에 의한 심사에서 최저가 입찰자의 종합평점이 낙찰자로 결정될 수 있는 점수미만일 때에는 차순위 최저가 입찰자 순으로 심사하여 제1항의 낙찰자 결정에 필요한 점수 이상이 되면 낙찰자로 결정한다.

③ 물품 및 용역의 경우에는 낙찰자 결정방법을 제1항 및 제2항에도 불구하고 각 중앙관서의 장이 별도로 정할 수 있다.

④ 계약담당공무원은 제1항 내지 제3항에 의한 낙찰자 결정결과를 해당자에게 지체없이 통보하여야 한다.

제9조(재심사) ① 계약담당공무원은 제8조에 의하여 부적격 통보를 받은 자가 통보일부터 3일 이내에 심사결과에 대한 재심사를 요청하였을 때에는 특별한 사유가 없는 한 재심사요청서 접수일부터 3일 이내에 재심사하여야 한다.

② 재심사결과를 통보하는 경우에는 제8조제4항의 규정을 준용한다. <개정 2008.12.29.>

③ 계약담당공무원은 제1항의 재심사요청서를 접수할 때에는 적격심사에 필요한 추가서류를 접수할 수 없다.

제9조의2(적격심사의 결격 및 재심사) 계약담당공무원은 시행령 제72조의 규정에 따라 공동계약을 허용한 경우로서, 공동수급체 일부 구성원이 입찰서제출 마감일 이후 낙찰자결정 이전에 부도, 부정당업자제재, 영업정지, 입찰무효 등의 결격사유가 발생한 경우에는 해당 구성원을 제외하고 잔존구성원의 출자비율 또는 분담내용을 변경하게 하여 재심사 하여야 한다. 다만, 공동수급체 대표자가 부도, 부정당업자제재, 영엽정지, 입찰무효 등의 결격사유가 발생한 경우에는 공동수급체를 낙찰자 결정대상에서 제외하여야 한다.

[본조신설 2014.1.10.]

제10조(부정한 방법으로 심사서류를 제출한 자의 처리) ① 계약담당공무원은 제4조에 따라 제출된 서류가 부정 또는 허위로 작성된 것으로 판명된 때에는 다음 각 호에 따라 처리하여야 한다.

1. 계약체결 이전인 경우에는 적격낙찰자 결정대상에서 제외 또는 결정통보를 취소한다.
2. 계약체결 이후인 경우에는 해당 계약을 해제 또는 해지할 수 있다.

② 각 중앙관서의 장은 제1항에 해당하는 자에 대하여는 시행령 제76조에 의한 입찰참가자격제한조치를 하여야 한다. <개정 2019. 12. 18.>

제11조(기타사항) 계약담당공무원은 적격심사를 함에 있어 이 예규에 규정되지 아니한 사항과

이 예규시행에 필요한 세부사항을 작성하여 집행할 수 있다.

제12조(재검토기한) 「훈령·예규 등의 발령 및 관리에 관한 규정」에 따라 이 예규에 대하여 2016년 1월 1일 기준으로 매3년이 되는 시점(매 3년째의 12월 31일까지를 말한다)마다 그 타당성을 검토하여 개선 등의 조치를 하여야 한다. <개정 2015.9.21.>

부 칙(2008.11.1)

제1조(시행일) 이 회계예규는 2008년 11월 1일부터 시행한다.

제2조(적용례) 이 예규 시행일 이후 입찰공고를 한 분부터 적용한다.

부 칙(2008.12.29)

제1조(시행일) 이 회계예규는 2008년 12월 29일부터 시행한다.

제2조(적용례) 이 예규 시행후 입찰공고를 한 분부터 적용한다.

제3조(경영상태 평가의 적용례) 「별표」1.주2).3은 2009년 1월 2일 이후 입찰공고분부터 적용한다.

부 칙(2009.4.8)

제1조(시행일) 이 회계예규는 2009년 4월 8일부터 시행한다.

제2조(적용례) 이 예규 시행일 이후 입찰공고를 한 분부터 적용한다.

부 칙(2009.9.21)

제1조(시행일) 이 회계예규는 2009년 9월 21일부터 시행한다.

제2조(적용례) 이 예규 시행후 입찰공고를 한 분부터 적용한다.

부 칙(2010.4.15)

제1조(시행일) 이 회계예규는 2010년 4월 15일부터 시행한다.

제2조(적용례) 이 예규 시행후 입찰공고를 한 분부터 적용한다.

부 칙(2010.9.8)

제1조(시행일) 이 회계예규는 2010년 10월 22일부터 시행한다.

제2조(적용례) 이 회계예규 시행 후 입찰공고를 한 분부터 적용한다.

부　칙(2010.11.30)

제1조(시행일) 이 회계예규는 2011년 1월 1일부터 시행한다.

제2조(적용례) 이 회계예규 시행 후 입찰공고를 한 분부터 적용한다.

부　칙(2012.4.2)

제1조(시행일) 이 계약예규는 2012년 5월 1일부터 시행한다.

제2조(적용례) 이 예규 시행일 이후 입찰공고를 한 분부터 적용한다.

부　칙(2014.1.10)

제1조(시행일) 이 계약예규는 2014년 1월 10일부터 시행한다.

제2조(적용례) 이 예규 시행일 이후 입찰공고를 한 분부터 적용한다.

부　칙(2015.1.1)

제1조(시행일) 이 계약예규는 2015년 1월 1일부터 시행한다.

제2조(적용례) 이 예규 시행일 이후 입찰공고를 한 분부터 적용한다.

부　칙(2015.9.21)

제1조(시행일) 이 계약예규는 2015년 9월 21일부터 시행한다.

부　칙(2016.12.30)

제1조(시행일) 이 계약예규는 2016년 12월 30일부터 시행한다.

제2조(적용례) 이 계약예규는 시행일 이후 최초로 입찰공고를 하는 분부터 적용한다.

부　칙(2017.12.28)

제1조(시행일) 이 계약예규는 2018년 4월 1일부터 시행한다.

제2조(적용례) 제5조의 개정규정은 이 예규 시행 후 최초로 입찰공고를 하는 경우부터 적용한다.

부　칙(2018.12.31)

제1조(시행일) 이 계약예규는 2019년 3월 5일부터 시행한다.

제2조(적용례) 이 계약예규는 부칙 제1조에 따른 시행일 이후 입찰공고 하는 경우부터 적용한다.

부　칙(2019.6.1)

제1조(시행일) 이 계약예규는 2019년 6월 15일부터 시행한다. 다만, [별표] 1. 주1), 주3), 2. 주1), 3. 주1), 4. 주1), 5. 주1), 6. 주1)의 개정규정은 2019년 8월 1일부터 시행한다.

제2조(적용례) 이 예규 시행일 이후 입찰공고를 한 분부터 적용한다.

부　칙(2019.12.18)

제1조(시행일) 이 계약예규는 2019년 12월 18일부터 시행한다. 다만, 제5조제3항제5호의 개정규정은 2020년 3월 18일부터 시행한다.

제2조(적용례) 이 계약예규는 부칙 제1조에 따른 시행일 이후 입찰공고를 하는 분부터 적용한다.

제3조(적격심사항목 및 배점한도에 대한 경과규정) [별표] 1.의 규정은 추정가격이 100억원 이상인 공사에 대해서는 2019년 12월 17일까지 입찰공고한 분까지 효력을 가진다.

제4조(산업안전보건법령 위반에 따른 행정형벌에 대한 신인도 감점 관련 경과규정) 제5조제3항제5호에 따른 감점은 이 계약예규 시행일 이후 발생한 위반행위에 대해 행정형벌을 부과받은 분부터 산정한다.

부　칙(2020.4.7)

제1조(시행일) 이 계약예규는 2020년 5월 27일부터 시행한다.

제2조(적용례) 이 계약예규는 부칙 제1조에 따른 시행일 이후 입찰공고를 하는 분부터 적용한다.

부　칙(2020.4.20)

제1조(시행일) 이 계약예규는 2020년 4월 20일부터 시행한다.

제2조(적용례) 이 계약예규는 부칙 제1조에 따른 시행일 이후 입찰공고 하는 경우부터 적용한다.

부　칙(2020.9.24.)

제1조(시행일) 이 계약예규는 2021년 1월 1일부터 시행한다.

제2조(적용례) 이 계약예규는 시행일 이후 입찰공고하는 경우부터 적용한다.

부　칙(2020.12.28.)

제1조(시행일) 이 계약예규는 2021년 1월 1일부터 시행한다. 다만, [별표] 2. 주2) “가.”는 2021년 가중평균비율 발표 시부터 시행하며, [별표] 1. 주2) 3. 및 [별표] 1. 주1), 2. 주1), 3. 주1), 4. 주1), 5. 주1), 6. 주1)의 개정규정은 2021년 3월 28일부터 시행한다.

제2조(적용례) 이 계약예규는 부칙 제1조에 따른 시행일 이후 입찰공고하는 경우부터 적용한다.

부　칙(2021.12.1.)

제1조(시행일) 이 계약예규는 2022년 1월 1일부터 시행한다.

제2조(적용례) 이 계약예규는 부칙 제1조에 따른 시행일 이후 입찰공고하는 경우부터 적용한다.

부　칙(2022.6.1.)

제1조(시행일) 이 계약예규는 2022년 6월 1일부터 시행한다.

제2조(적용례) 이 계약예규는 부칙 제1조에 따른 시행일 이후 입찰공고하는 경우부터 적용한다.

[별표] 적격심사항목 및 배점한도(제5조 관련) 〈개정 2012.4.2, 2014.1.10, 2015.1.1., 2016.12.30., 2020.12.28., 2021.12.1〉

1. 〈삭제 2021.12.1.〉

2. 추정가격이 100억원 미만 50억원 이상인 공사

구분	심사분야	심사항목	배점 한도	비고
계			100	
해당공사 수행능력			50	
	• 시공경험 • 경영상태 • 신인도	• PQ심사항목을 이용 • 경영상태의 경우에는 입찰자가 제출하는 다음 각 호의 자료 중 어느 하나로 평가 1. 최근년도 부채비율, 유동비율 및 영업기간 2. 회사채, 기업어음, 기업의 신용평가등급 〈개정 2015.1.1.〉	(30)	
	• 하도급관리계획의 적정성	• 하도급금액의 적정성	(10)	
	• 자재 및 인력조달가격의 적정성	• 재료비 및 노무비의 적정성	(10)	
입찰가격			50	*평점산식 : 아래

주1) 입찰가격 평점산식

○ 평점(점) = 50 − $2\times\left|\left(\frac{88}{100}-\frac{\text{입찰가격}-A}{\text{예정가격}-A}\right)\times 100\right|$

*A : 국민연금, 건강보험, 퇴직공제부금비, 노인장기요양보험, 산업안전보건관리비, 안전관리비, 품질관리비의 합산액 〈개정 2020.12.28.〉

· | |는 절대값 표시임

· (입찰가격-A)을 (예정가격-A)으로 나눈 결과 소수점 이하의 숫자가 있는 경우에는 소수점 다섯째자리에서 반올림

○ (입찰가격-A)이 (예정가격-A)이하로서 (예정가격-A)의 100분의 90.5 이상인 경우의 평점은 45점으로 한다.

○ 최저평점은 2점으로 한다.

주2) 경영상태 평가방법

가. 부채비율, 유동비율 및 영업기간을 심사하는 방법

1. 부채비율 및 유동비율은 건설업체의 가중평균비율(직전년도 내의 정기결산서 기준 심사항목별 건설업체의 분모합계액 대비 분자합계액의 백분율)을 기준으로 등급을 정하여 평가함. 〈개정 2020.12.28.〉

2. 부채비율 및 유동비율에 의한 평가는 건설업체의 가중평균비율 산정시 기준이 된 정기결산서(비건설업 혹은 다른 건설업면허 보유여부와는 상관없이 세법 등 관련법령에 따라 제출된 정기결산서에 대하여 「주식회사의 외부감사에 관한 법률」에 따라 작성한 감사보고서 또는 한국공인회계사회의 「재무제표 등에 대한 검토업무 기준」 따라 작성한 검토보고서상의 재무제표를 말함. 이하 같음)로 평가하며, 감사 및 검토의견에 따라 제6호를 준용하여 감점처리함. 〈개정 2020.12.28.〉
3. 해당 회계연도에 새로 설립되거나 설립등기한 업체(합병 또는 분할합병으로 신설된 경우는 제외한다. 이하 "신설업체"라 한다)의 경우에는 최초결산서(신설업체가 설립일 또는 법인의 경우 등기일을 기준으로 작성한 결산서로서 외감법 규정을 준용하여 작성된 감사보고서상의 재무제표를 말함. 이하 같음)로 경영상태를 평가함.
4. 해당 회계연도에 합병한 경우에는 합병대상업체(합병으로 존속하거나 소멸하는 업체를 말함. 이하 같음)의 직전 회계연도 정기결산서 합으로 평가하며, 동 평가금액은 합병으로 존속하는 업체의 합병후 경영상태평가시 직전 회계연도 정기결산서로 봄. 이 경우 최초결산서는 합하지 아니한다. 다만, 합병대상업체가 모두 신설업체인 경우에는 최초결산서 합으로 평가하며, 동 평가금액은 합병으로 존속하는 업체의 합병후 경영상태평가시 최초결산서로 봄.
5. 해당 회계연도에 「상법」 제530조의2제2항의 규정에 따라 분할합병한 경우에는 제4호의 규정에 불구하고 분할되는 업체를 제외한 합병대상업체의 직전 회계연도 정기결산서의 합으로 평가함. 다만, 합병대상업체가 모두 신설업체인 경우에는 분할되는 업체를 제외한 합병대상업체의 최초결산서 합으로 평가함.
6. 제3호의 규정에 의하여 제출된 감사보고서(회계연도말결산서에 대한 감사보고서 포함)상의 감사의견이 "한정의견"인 경우 경영상태 평점에서 5/100를, "부적정의견" 또는 "의견거절"인 경우 10/100을 감점처리하며, 제4호 및 제5호의 규정에 따라 합병한 업체는 합병대상업체중 가장 낮은 감사의견을 적용하고 정당한 사유로 감사인 의견이 없는 합병대상업체는 적정의견으로 봄.
7. 영업기간은 건설업체가 심사기준일 현재 보유하고 있는 건설업면허 취득 또는 등록일로부터 심사기준일까지의 기간을 기준으로 하되, 보유한 건설업면허 또는 등록의 변동이 있었던 경우(「건설산업기본법」 제8조제1항의 규정에 의한 동일한 종류의 건설업면허를 말함)에는 종전에 보유하였던 건설업 면허 또는 등록의 보유기간을 합산함. (건설산업기본법 제2조제2호 및 제4호에 따른 건설업에 포함되지 않는 공사업에도 준용) 〈개정 2008.11.1., 2009.9.21., 2020.12.28., 2022.6.1.〉
   - 5년 이상 : 2.0점
   - 5년 미만 3년 이상 : 1.8점
   - 3년 미만 : 1.5점

   단, 건설산업기본법 시행규칙 부칙 제3조제1항에 따라 새로이 등록한 업종이 전문공사를 시공하는 업종인 경우에는 새로이 등록한 업종으로 실적전환이 인정된 기간을 영업기간으로 인정함('07.12.31 이전에 전문공사를 시공하는 업종을 보유하고 있는 경우에는 해당 업종을 보유한 기간을 영업기간을 합산하되, 중복되는 기간은 제외함)
8. 대통령령 제31328호 「건설산업기본법 시행령」 일부개정령 부칙 제7조(시설물유지관리업의 업종전환에 관한 특례) 및 국토교통부고시 「시설물유지관리업 업종전환 세부기

준」에 따라 시설물유지관리업의 업종을 전환한 경우에는 종전에 보유했던 시설물유지 관리업 면허 또는 등록의 보유기간을 영업기간으로 인정함

나. 회사채, 기업어음, 기업의 신용평가등급을 심사하는 방법 〈신설 2005.1.1., 2021.12.1.〉

1. 「신용정보의 이용 및 보호에 관한 법률」 제4조제1항제1호 또는 「자본시장과 금융투자업에 관한 법률」 제9조제26항의 업무를 영위하는 신용정보업자가 심사기준일 이전에 평가한 유효기간내에 있는 회사채, 기업어음, 기업의 신용평가등급중에서 가장 최근의 등급에 의하되 다음의 표에 따라 점수를 부여함

회사채에 대한 신용 평가등급	기업어음에 대한 신용 평가등급	기업신용평가등급	배점한도		
			등급제한 이외 공사	1)등급제한공사	
				종합공사 업체	2)전문공사 업체 등
A+이상	A2+이상	회사채에 대한 신용평가등급 A+에 준하는 등급	35.0	35.0	35.0
A0	A20	회사채에 대한 신용평가등급 A0에 준하는 등급	35.0	35.0	35.0
A-	A2-	회사채에 대한 신용평가등급 A-에 준하는 등급	35.0	35.0	35.0
BBB+	A3+	회사채에 대한 신용평가등급 BBB+에 준하는 등급	35.0	35.0	35.0
BBB0	A30	회사채에 대한 신용평가등급 BBB0에 준하는 등급	35.0	35.0	35.0
BBB-	A3-	회사채에 대한 신용평가등급 BBB-에 준하는 등급	35.0	35.0	35.0
BB+, BB0	B+	회사채에 대한 신용평가등급 BB+, BB0에 준하는 등급	35.0	35.0	35.0
BB-	B0	회사채에 대한 신용평가등급 BB-에 준하는 등급	34.1	34.5	34.5
B+, B0, B-	B-	회사채에 대한 신용평가등급 B+, B0, B-에 준하는 등급	33.3	33.5	34.0
CCC+이하	C 이하	회사채에 대한 신용평가등급 CCC+에 준하는 등급 이하	30.0	30.0	30.0

※ 1) '등급제한'이라 함은 입찰참가자격을 시행령 제22조(공사의 성질별·규모별 제한에 의한 입찰)에 따라 제한하는 경우를 말함

2) 전문공사업체 및 전기·정보통신·소방공사·문화재공사업체에 적용

2. 〈삭제 2021.12.1.〉

2-1. 등급별 점수에 비례하여 계산한 결과 소수점 이하의 숫자가 있는 경우 소수점 둘째 자리에서 반올림

주3) 하도급관리계획의 적정성 평가방법 〈신설 2018.12.31.〉 〈개정 2021.12.1.〉

○ 추정가격이 100억원 이상인 공사에 대한 평가방법을 준용

○ 세부 평점기준의 작성: 각 중앙관서의 장은 공사의 내용·특성을 고려하여 세부 평점기준을

작성할 수 있음, 다만, “하도급 금액의 적정성” 평가기준을 작성함에 있어 다음 사항을 반영하여야 함

○ “하도급 금액의 적정성” 만점기준: 입찰자별로 다음 2가지 항목을 모두 평가하여 기준을 동시에 충족할 경우 만점으로 함

- 하도급업체와 계약을 체결할 금액의 합계가 하도급할 부분에 대한 입찰금액(직·간접 노무비, 재료비, 경비를 기준으로 산출한 금액에 일반관리비, 이윤, 부가세를 포함한 금액, 지급자재 및 하도급대금 지급보증서 발급금액은 제외)의 합계의 100분의 82 이상일 것
- 하도급업체와 계약을 체결할 금액의 합계가 하도급할 부분에 대한 발주기관 내역서상 금액 합계의 100분의 64 이상일 것

주4) 신인도 평가 〈신설 2020.12.28.〉

가. 종합공사 평가방법

1. 계약예규 입찰참가자격사전심사요령[별표2] 5. 신인도 심사항목(이하 “PQ 심사항목”이라 한다.)을 이용함. 단, PQ 심사항목 “다. 1)” 평가시 감점항목은 적용하지 아니함. 〈단서 신설 2021.12.1.〉
2. PQ 신인도 심사항목별 배점한도 및 배점은 조정 가능함
3. 제5조제3항제4호에 따라 평가함
4. PQ 신인도 심사항목 중 나. 2)를 평가하는 경우 전문건설사업자는 배점한도를 부여함

나. 전문공사 및 전기·정보통신·소방공사·문화재공사 평가방법

1. PQ 심사항목을 이용함
2. PQ 심사항목 중 “가. 1)·3)”, “나. 3)·4)”, “다. 3)· 4)”, “다. 5)·6)”, “마. 2)”를 평가함
3. PQ 신인도 심사항목별 배점한도 및 배점은 조정 가능함.
4. 제5조제3항제4호에 따라 평가함

3. 추정가격이 50억원 미만 10억원 이상인 공사

(전기·정보통신·소방공사·문화재공사 등은 50억원 미만 3억원 이상) <개정 2020.12.28., 2021.12.01..>

구분	심사분야	심사항목	배점 한도	비고
계			100	
해당공사 수행능력			30	
	시공경험		(15)	
		• 해당공사 추정금액대비 최근 5년간 해당업종 실적누계액 비율 〈개정 2014.1.10.〉	(15)	• 1배 이상을 만점으로 함 – 다만, 신설업체에 대해서는 공동수급체에 포함되어 참여하는 경우 1/2배 이상 실적 보유 시 만점에 해당하는 실적으로 인정함 〈개정 2016.12.30, 단서신설 2012.4.2.〉
	경영상태		(15)	
		• 입찰자가 제출하는 다음 각 호의 자료 중 어느 하나로 평가 1. 최근년도 부채비율, 최근년도 유동비율 영업기간 2. 회사채, 기업어음, 기업의 신용평가등급 〈개정 2015.1.1.〉	 (7) (7) (1) (15)	
	신인도			※ 평가항목: 아래 〈신설 2021.12.1.〉
입찰가격			70	※ 평점산식 : 아래
〈삭제 2021.12.1.〉				
기타 해당공사 수행관련 결격여부	해당공사 수행능력 결격여부	• 관계법령에 의한 해당업종 등록기준상 기술자 보유 미달여부	△10	

주1) 입찰가격 평점산식

○ 평점(점) = $70 - 4 \times \left| \left(\frac{88}{100} - \frac{\text{입찰가격} - A}{\text{예정가격} - A} \right) \times 100 \right|$

* A: 국민연금, 건강보험, 퇴직공제부금비, 노인장기요양보험, 산업안전보건관리비, 안전관리비, 품질관리비의 합산액 〈개정 2020.12.28.〉

· | |는 절대값 표시임

· (입찰가격-A)을 (예정가격-A)으로 나눈 결과 소수점 이하의 숫자가 있는 경우에는 소수점 다섯째자리에서 반올림

○ (입찰가격-A)이 (예정가격-A) 이하로서 (예정가격-A)의 100분의 89.25 이상인 경우의 평점은 65점으로 한다.
○ 최저평점은 2점으로 한다.

주2) 경영상태평가방법
가. 부채비율, 유동비율 및 영업기간을 심사하는 방법
1. 추정가격 100억원 미만 50억원 이상 공사의 경우와 동일하게 적용하되, 신설업체의 경우 최초결산서에 의한 평가시 기업진단보고서로 평가가능하며, 정기결산서에 의한 평가시 감사보고서 또는 검토보고서상의 재무제표로 평가하는 부분은 적용하지 않음
2. 영업기간은 건설업체가 심사기준일현재 보유하고 있는 건설업면허 취득 또는 등록일로부터 심사기준일까지의 기간을 기준으로 하되, 보유한 건설입면허 또는 등록의 변동이 있었던 경우(「건설산업기본법」 제8조제2항의 규정에 의한 동일한 종류의 건설업 면허를 말함)에는 종전에 보유하였던 건설업 면허 또는 등록의 보유기간을 합산함.(건설산업기본법 제2조제2호 및 제4호에 따른 건설업에 포함되지 않는 공사업에도 준용) 〈개정 2008.11.1, 2009.9.21.〉
·3년 이상 : 1.0점
·3년 미만 1년 이상 : 0.9점
·1년 미만 : 0.8점
단, 건설산업기본법 시행규칙 부칙 제3조제1항에 따라 종전 업종의 실적을 새로이 등록한 업종의 실적으로 전환한 경우에는 다음과 같이 영업기간을 인정한다.
가. 새로이 등록한 업종이 전문공사를 시공하는 업종인 경우에는 새로이 등록한 업종으로 실적전환이 인정된 기간을 영업기간으로 인정함(2007.12.31 이전에 전문공사를 시공하는 업종을 보유하고 있는 경우에는 해당 업종을 보유한 기간을 영업기간을 합산하되, 중복되는 기간은 제외함)
나. 새로이 등록한 업종이 종합공사를 시공하는 업종인 경우에는 추정가격이 30억원 미만인 공사의 적격심사시에 한하여 실적전환이 인정된 기간을 영업기간으로 인정함
나. 회사채, 기업어음, 기업의 신용평가등급을 심사하는 방법 〈신설 2015.1.1.〉
○ 추정가격이 100억원 미만 50억원 이상 공사의 경우와 동일하게 적용
3. 대통령령 제31328호 「건설산업기본법 시행령」 일부개정령 부칙 제7조(시설물유지관리업의 업종전환에 관한 특례) 및 국토교통부고시 「시설물유지관리업 업종전환 세부기준」에 따라 시설물유지관리업의 업종을 전환한 경우에는 종전에 보유했던 시설물유지관리업 면허 또는 등록의 보유기간을 영업기간으로 인정함 〈신설 2022.6.1.〉

주3) 기술자 보유미달 여부 확인방법
1. 〈삭제 2010.4.15.〉
2. 기술자 보유미달 여부 확인 및 감점처리는 다음 각 호와 같이 한다. 〈개정 2008.12.29.〉
가. 입찰공고일 현재를 기준으로 공사관련 법령에 따라 공사업체의 기술자정보를 관리하는 협회 등에서에서 직접 발급받거나 발주기관이 동 협회의 전산망을 통하여 제공받은 기술자 보유 확인서에 의한다.(공동도급계약의 경우 구성원 각자의 기술자 보유현황을 확인) 〈개정 2008.12.29, 2010.4.15.〉
나. 입찰 공고일 현재 기술자 보유현황이 업종등록 기준에 미달하나 입찰서 제출 마감일까지 업종등록기준을 충족하는 경우에는 감점대상에서 제외한다. 다만, 퇴사(4대보험 가입자격 상실 확인서상 퇴사일기준)한 후 50일을 초과하지 않은 경우에 한한다. 〈신설 2008.12.29.〉

3. 제2호에 따른 방법으로 확인이 불가능한 경우에는 업체로부터 직접 제출받은 기술자 자격증 사본과 고용여부를 확인할 수 있는 4대 보험 가입증명서류 등에 의한다. 〈신설 2010.4.15.〉

주4) 신설업체에 대한 시공경험 평가 〈신설 2012.4.2.〉

1. 신설업체는 등록기간(양수·도를 통한 영업기간 합산) 3년 미만인 업체임
2. 신설업체 각각의 공동수급체 내 지분율은 20% 이하여야 하며, 공동수급체 내 모든 신설업체의 지분율의 합은 40% 이하여야 함

주5) 〈삭제 2021.12.1.〉

주6) 신인도 평가 〈신설 2020.12.28.〉

가. 종합공사 평가방법
1. PQ 심사항목을 이용함
2. PQ 심사항목 중 "다. 1)· 2)·5)", "마. 1)·2)"를 평가함 단, PQ 심사항목 "다. 1)" 평가시 감점항목은 적용하지 아니함. 〈단서 신설 2021.12.1.〉
3. PQ 신인도 심사항목별 배점한도 및 배점은 조정 가능함
4. 제5조제3항제4호에 따라 평가함

나. 전문공사 평가방법
1. PQ 심사항목을 이용함
2. PQ 심사항목 중 "다. 1)·2)·5)", "마. 1)·2)"를 평가함.
3. PQ 신인도 심사항목별 배점한도 및 배점은 조정 가능함
4. 제5조제3항제4호에 따라 평가함

4. 추정가격이 10억원 미만 3억원 이상인 공사

(건설산업기본법에 따른 건설공사에 해당) <개정 2020.12.28., 2021.12.1.>

구분	심사분야	심사항목	배점한도	비고
계			100	
해당공사 수행능력			20	
	시공경험	• 해당공사 추정금액대비 최근 5년간 해당업종 실적누계액 비율 〈개정 2014.1.10.〉	(10)	• 1/2배 이상을 만점으로 함 - 다만, 신설업체에 대해서는 공동수급체에 포함되어 참여하는 경우 만점에 해당하는 시공실적을 인정함 〈단서 신설 2012.4.2.〉
	경영상태		(10)	
		• 입찰자가 제출하는 다음 각 호의 자료 중 어느 하나로 평가 〈개정 2021.12.1.〉 1. 최근년도 부채비율 최근년도 유동비율 2. 회사채, 기업어음, 기업의 신용평가등급	(5) (5) (10)	
	신인도			※ 평가항목: 아래 〈신설 2021.12.1.〉
입찰가격			80	※ 평점산식 : 아래
〈삭제 2021.12.1.〉				
기타 해당공사 수행관련 결격 여부	해당공사 수행능력 결격여부	• 관계법령에 의한 해당업종 등록기준상 기술자 보유 미달 여부	△10	

주1) 입찰가격 평점산식

○ 평점(점) = $80 - 20 \times \left| \left(\frac{88}{100} - \frac{\text{입찰가격}}{\text{예정가격}} \right) \times 100 \right|$

* A: 국민연금, 건강보험, 퇴직공제부금비, 노인장기요양보험, 산업안전보건관리비, 안전관리비, 품질관리비의 합산액 〈개정 2020.12.28.〉

· | |는 절대값 표시임

· (입찰가격－A)을 (예정가격－A)으로 나눈 결과 소수점 이하의 숫자가 있는 경우에는 소수점 다섯째자리에서 반올림

○ (입찰가격－A)이 (예정가격－A) 이하로서 (예정가격－A)의 100분의 88.25 이상인 경우의 평점은 75점으로 한다.

○ 최저평점은 2점으로 한다.

주2) 경영상태 평가방법

가. 부채비율, 유동비율을 심사하는 방법 〈신설 2021.12.1.〉

1. 경영상태는 등급을 정하여 평가하되 업종평균비율 이상(부채비율인 경우에는 이하)인 업체에 대하여 만점을 부여하고 최저등급의 배점은 최고등급 배점의 60% 이상이 되도록 함
2. 추정가격 100억원 미만 50억원 이상 공사의 경우와 동일하게 적용하되, 신설업체의 경우 최초결산서에 의한 평가시 기업진단보고서로 평가가능하며, 정기결산서에 의한 평가시 감사보고서 또는 검토보고서상의 재무제표로 평가하는 부분은 적용하지 않음

나. 회사채, 기업어음, 기업의 신용평가등급을 심사하는 방법 〈신설 2021.12.1.〉

○ 추정가격이 100억원 미만 50억원 이상 공사의 경우와 동일하게 적용

주3) 기술자 보유미달 여부 확인방법

○ 추정가격 50억원 미만 10억원 이상 공사의 경우와 동일

주4) 신설업체에 대한 시공경험 평가 〈신설 2012.4.2.〉

○ 추정가격 50억원 미만 10억원 이상 공사의 경우와 동일

주5) 〈삭제 2021.12.1.〉

주6) 신인도 평가 〈신설 2020.12.28.〉

○ 추정가격 50억원미만 10억원이상 공사의 경우와 동일

5. 추정가격이 3억원 미만 2억원 이상인 공사

(전기·정보통신·소방공사·문화재공사 등은 3억원 미만 8천만원 이상) 〈개정 2020.12.28., 2021.12.1.〉

구분	심사분야	심사항목	배점한도	비고
계			100	
해당공사 수행능력			10	
	시공경험		(5)	
		• 해당공사 추정금액 대비 최근 5년간 실적누계액 비율 (해당업종 구분없이 평가) 〈개정 2014.1.10.〉	(5)	• 1/2배 이상을 만점으로 함 – 다만, 신설업체에 대해서는 공동수급체에 포함되어 참여하는 경우 만점에 해당하는 시공실적을 인정함 〈단서신설 2012.4.2.〉
	경영상태		(5)	
		• 입찰자가 제출하는 다음 각호의 자료 중 어느 하나로 평가 〈개정 2021.12.1.〉 1. 최근년도 부채비율 최근년도 유동비율 2. 회사채, 기업어음, 기업의 신용평가등급	 (3) (2) (5)	
	신인도			※ 평가항목: 아래 〈신설 2021.12.1.〉
입찰가격			90	※ 평점산식 : 아래
〈간제 2021.12.1.〉				
기타 해당공사수행 관련 결격여부	해당공사 수행능력 결격여부	• 관계법령에 의한 해당업종 등록기준상 기술자보유 미달 여부	△10	※ 평점산식 : 아래

주1) 입찰가격 평점산식

○ 평점(점) = 90 − 20× $\left|\left(\frac{88}{100}-\frac{\text{입찰가격}-A}{\text{예정가격}-A}\right)\times 100\right|$

* A: 국민연금, 건강보험, 퇴직공제부금비, 노인장기요양보험, 산업안전보건관리비, 안전관리비, 품질관리비의 합산액 〈개정 2020.12.28.〉

· | |는 절대값 표시임

· (입찰가격−A)을 (예정가격−A)으로 나눈 결과 소수점 이하의 숫자가 있는 경우에는 소수점 다섯째자리에서 반올림

○ (입찰가격−A)이 (예정가격−A) 이하로서 (예정가격−A)의 100분의 88.25 이상인 경우의 평점은 85점으로 한다.

○ 최저평점은 2점으로 한다.

주2) 경영상태 평가방법
- ○ 추정가격 10억원 미만 3억원 이상 공사의 경우와 동일하게 적용하되, 신설업체의 경우 기업진단보고서 이외에 관련법령에 의하여 업종등록시 제출된 재무제표로도 평가가능

주3) 기술자 보유미달 여부 확인방법
- ○ 추정가격 50억원 미만 10억원 이상 공사의 경우와 동일

주4) 신설업체에 대한 시공경험 평가 〈신설 2012.4.2.〉
- ○ 추정가격 50억원 미만 10억원 이상 공사의 경우와 동일

주5) 〈삭제 2021.12.1.〉

주6) 신인도 평가 〈신설 2020.12.28.〉
- ○ 추정가격 50억원미만 10억원이상 공사의 경우와 동일

주7) 시공경험 평가 〈신설 2020.12.28.〉
가. 종합공사 및 전기·정보통신·소방공사·문화재공사 등은 해당업종 구분없이 평가함
나. 전문공사는 해당업종을 평가함

6. 추정가격이 2억원 미만인 공사

(전기·정보통신·소방공사·문화재공사 등은 8천만원 미만) 〈개정 2020.12.28., 2021.12.1.〉

구분	심사분야	심사항목	배점한도	비고
계			100	
해당공사 수행능력			10	
	경영상태	• 입찰자가 제출하는 다음 각 호의 자료 중 어느 하나로 평가 〈개정 2021.12.1.〉 1. 최근년도 부채비율 최근년도 유동비율 2. 회사채, 기업어음, 기업의 신용평가등급	 (5) (5) (10)	
	신인도			※평가항목: 아래 〈신설:2021.12.1.〉
	특별신인도	• 해당공사 추정금액대비 최근 5년간 해당업종 실적누계액 비율이 1배 이상인 자 〈개정 2014.1.10.〉	+2	
입찰가격			90	※평점산식 : 아래
〈삭제 2021.12.1.〉				
기타 해당공사수행 관련 결격여부	해당공사 수행능력 결격여부	• 관계법령에 의한 해당업종 등록기준상 기술자보유 미달 여부	△10	※평점산식 : 아래

주1) 입찰가격 평점산식

○ $\text{평점(점)} = 90 - 20 \times \left| \left(\frac{88}{100} - \frac{\text{입찰가격} - A}{\text{예정가격}* A} \right) \times 100 \right|$

*A: 국민연금, 건강보험, 퇴직공제부금비, 노인장기요양보험, 산업안전보건관리비, 안전관리비, 품질관리비의 합산액 〈개정 2020.12.28.〉

· │ │는 절대값 표시임

· (입찰가격-A)을 (예정가격-A)으로 나눈 결과 소수점 이하의 숫자가 있는 경우에는 소수점 다섯째자리에서 반올림

○ (입찰가격-A)이 (예정가격-A) 이하로서 (예정가격-A)의 100분의 88.25 이상인 경우의 평점은 85점으로 한다.

○ 최저평점은 2점으로 한다.

주2) 경영상태 평가방법

○ 추정가격 10억원 미만 3억원 이상 공사의 경우와 동일하게 적용하되, 신설업체의 경우 기업진단보고서 이외에 관련법령에 의하여 업종등록시 제출된 재무제표로도 평가가능

주3) 기술자 보유미달 여부 확인방법

○ 추정가격 50억원 미만 10억원 이상 공사의 경우와 동일

주4) 〈삭제 2021.12.1.〉

주5) 신인도 평가 〈신설 2020.12.28.〉
- ○ 추정가격 50억원미만 10억원이상 공사의 경우와 동일

주6) 특별신인도 평가 〈신설 2020.12.28.〉
- ○ 종합건설사업자와 전문건설사업자가 모두 참여하는 입찰의 특별신인도는 제7조제6항제1호 나목 또는 다목을 준용해 평가

7. 추정가격 500억원 이상인 일괄입찰·대안입찰공사 〈삭제 2007.10.10.〉

8. 추정가격 500억원 미만인 일괄입찰·대안입찰공사 〈삭제 2007.10.10.〉

5 공사계약 종합심사낙찰제 심사기준

[시행 2022.6.1.] [기획재정부계약예규 제602호, 2022.6.1., 일부개정]

제1장 총　칙

제1조(목적) 이 예규는 「국가를 당사자로 하는 계약에 관한 법률 시행령」(이하 "시행령"이라 한다) 제42조제4항제1호 및 제2호에 의한 낙찰자 결정시의 심사방법·항목·배점한도 등 심사기준과 각 중앙관서의 장 또는 계약담당공무원이 준수하여야 할 사항을 정함을 목적으로 한다. <개정 2018.12.31.>

제2조(정의) 이 예규에서 사용하는 용어의 정의는 다음과 같다.

1. "전자조달시스템"이란 시행령 제13조제4항에 따른 전자조달시스템을 말한다.
2. "심사위원회"란 제12조에 따른 물량심사 및 시공계획심사를 위하여 시행령 제42조제7항에 따라 구성한 위원회를 말한다.
3. "세부공종"이란 물량내역서 및 산출내역서에 물량 및 단위가 표시된 최소단위 공종을 말한다.
4. "균형가격"이란 입찰금액을 평가하기 위한 기준으로, 제8조에 따라 산정한 금액을 말한다.
5. "균형단가"는 제8조의 규정에 따른 균형가격 산정방법과 동일한 방법으로 세부공종별로 산정한 단가를 말한다.
6. "추정물량"이란 발주기관이 입찰공고시 제공한 물량내역서의 물량으로 입찰자의 산출내역서 작성을 돕기 위해 제시한 물량을 말한다.
7. "입찰물량"이란 입찰자가 발주기관이 제시한 설계서, 물량내역서의 추정물량 등을 참고하여 작성한 산출내역서 상의 물량을 말한다.
8. "최종물량"이란 산출내역서의 입찰물량 적정성을 판단하기 위하여 발주기관에서 확정한 물량을 말한다.
9. "시공비율"이란 공동수급협정서상의 각 구성원의 공사참여지분율에 시공능력평가액을 한도로 하여 산정한 비율을 말한다.
10. "상호시장 진출 허용 공사"란 국토교통부 고시 「건설공사 발주 세부기준」 제6조 및 제7조에 따라 시공자격을 갖춘 건설사업자의 입찰참가를 허용하는 공사를 말한다. <신설 2021.3.19.>

제3조(심사기준) ① 시행령 제42조제4항제1호 및 제2호에 따른 심사(이하 "종합심사낙찰제"라

한다)는 공사의 규모 및 난이도에 따라 다음 각 호의 심사기준에 따라 실시한다. <개정 2018.12.31.>

1. 발주기관이 물량·시공계획을 심사할 필요가 있다고 인정하는 고난이도 공사(이하 이 예규에서 "고난이도 공사"라고 한다) : 제10조 내지 제13조, [별표1-2], [별표2] 내지 [별표4]
2. 시행령 제42조제4항의 공사 중 추정가격 300억원 이상이면서 제1호에 해당하지 않는 공사(이하 이 예규에서 "일반공사"라고 한다) : 제10조 내지 제13조, [별표1-1], [별표2] 내지 [별표4] <개정 2019.12.18.>
3. 시행령 제42조제4항의 공사 중 추정가격 300억원 미만이면서 제1호에 해당하지 않는 공사(이하 이 예규에서 "간이형 공사"라고 한다) : 제10조 내지 제13조, [별표1-3], [별표2] 내지 [별표4] <신설 2019.12.18.>

② 제1항에도 불구하고 시행령 제42조제4항제2호의 공사는 문화재청장이 기획재정부장관의 승인을 받아 절차 및 심사기준을 정할 수 있다.

제4조(세부심사기준의 작성) ① 각 중앙관서의 장 또는 계약담당공무원은 제3조제1항의 심사기준에 대한 세부심사기준을 정할 때에는 이 예규에 규정된 바에 따라 낙찰자가 선정될 수 있도록 하되, 다음 각 호의 사항을 포함하여야 한다.

1. 하도급계획서 작성 및 제출방법
2. 물량산출근거·시공계획서 작성 및 제출방법(고난이도 공사에 한한다)
3. 기타 이 예규에서 세부심사기준으로 정하도록 한 사항

② 각 중앙관서의 장 또는 계약담당공무원은 제1항에도 불구하고 공사의 특성·내용 및 당해 공사가 속한 시장상황 등을 고려할 때 필요하다고 인정할 경우에는 기획재정부장관과 협의하여 [별표1] 내지 [별표4]의 심사항목에 대한 배점한도를 가·감 조정하거나 심사항목을 추가 또는 제외할 수 있다.

제5조(입찰공고) 각 중앙관서의 장 또는 계약담당공무원은 입찰공고에 다음 각 호의 사항을 명시하여야 한다.

1. 종합심사낙찰제 적용 대상이라는 점
2. 종합심사기준 열람에 관한 사항, 심사에 필요한 서류와 제출기한 등
3. 하도급계획서를 작성하여 제출한 경우에는 하도급계획서에 따라 하도급계약을 체결할 의무가 부여됨과 불이행 시 차기 입찰에서 받을 불이익
4. 배치기술자 시공경력 평가시 제출한 계획서(배치 예정 기술자 목록 등)에 따라 이행할 의무가 부여됨과 동시에 불이행시 차기 입찰에서 받을 불이익
5. 시공계획 심사시 제출한 계획서에 따라 이행할 의무가 부여됨과 동시에 불이행시 차기 입찰에서 받을 불이익
6. 우선순위 시공계획 및 물량심사대상자의 수 및 심사절차(단, 고난이도 공사에 한한다)
7. 「국가를 당사자로 하는 계약에 관한 법률」(이하 "법"이라 한다) 제5조의2에 따른 청렴계약서의 내용 및 청렴계약 위반시 받을 계약의 해제·해지, 입찰참가자격 제한 등

8. 법령, 행정규칙 등에서 입찰공고에 명시하도록 정한 사항

제6조(현장설명시 교부서류) ① 각 중앙관서의 장 또는 계약담당공무원은 다음 각 호의 서류를 해당 공사 현장설명에 참가하는 자에게 교부하여야 한다.

1. 산출내역서 작성방법 및 하도급계획서 작성방법
2. 물량산출근거, 시공계획서 작성방법(단, 고난이도 공사에 한한다)
3. 설계도면, 물량내역서(단, 순수내역입찰로 발주하는 공사에 대하여는 물량내역서를 교부하지 아니한다) <개정 2016.12.30.>
4. 입찰금액 산정에 참고가 되는 자료 <개정 2016.12.30.>
5. 표준시상단가를 적용한 세부공종 및 표순시장단가
6. 세부심사기준
7. 그 밖의 참고사항을 기재한 서류

② 각 중앙관서의 장 또는 계약담당공무원은 현장설명을 실시하지 아니하거나 현장설명을 실시하는 경우라도 필요하다고 인정되는 때에는 전자조달시스템에 제1항 각 호의 서류를 게재함으로써 입찰에 참가하고자 하는 자에 대한 교부를 갈음할 수 있다. <개정 2019.12.18.>

제7조(입찰서 등의 제출) ① 각 중앙관서의 장 또는 계약담당공무원은 입찰자로 하여금 입찰시 다음 각 호의 서류를 제출하게 하여야 한다. 다만, 제5호는 고난이도 공사에 한하여 제출하게 하여야 한다.

1. 입찰서
2. 제6조제1항제1호에 따라 교부한 산출내역서 작성방법에 따른 산출내역서
3. 제6조제1항제1호에 따라 교부한 하도급계획서 작성방법에 따른 하도급계획서 다만, 간이형 공사는 계약담당공무원이 제10조에 따른 종합심사점수가 최고점인자에 한하여 제출하게 할 수 있다. <개정 2019.12.18.>
4. 심사를 위해 입찰공고에서 발주기관이 요구한 자료 다만, 간이형 공사의 경우 배치기술자 심사관련 서류의 제출일은 최초의 종합 심사서류 제출요구일로부터 15일 이후로서 중앙관서의 장 또는 계약담당공무원이 별도로 지정한 날까지 제출하도록 하여야 한다. <개정 2019.12.18.>
5. 제12조에 따른 심사를 위해 발주기관이 요구한 자료

② 각 중앙관서의 장 또는 계약담당공무원은 제6조제1항제2호에 따라 교부한 물량산출근거 작성방법에 따른 입찰자의 물량산출근거 및 시공계획서 작성방법에 따른 시공계획서는 제11조에 따라 물량·시공계획 심사대상자로 선정된 자에 한하여 제출하게 하여야 하며, 입찰자는 선정 통보를 받은 날부터 7일 이내에 발주기관에 물량산출근거 등을 제출하여야 한다.

제8조(균형가격 산정) ① 균형가격을 산정하는데 있어서 다음 각 호의 어느 하나에 해당하는 입찰금액은 제외한다.

1. 입찰서상의 금액과 산출내역서상의 금액이 일치하지 아니한 입찰인 경우

2. 입찰금액이 예정가격보다 높거나 예정가격의 100분의 70 미만인 경우
3. 이윤 또는 세부공종에 음(-)의 입찰금액이 있는 경우. 다만 발주기관의 금액이 음(-)의 금액인 경우에는 제외한다.
4. 항목별 입찰금액의 합계가 발주기관이 지정하여 투찰하도록 하거나 해당법령에서 정해진 금액 또는 비율에 의하여 산출한 금액의 합계의 1000분의 997 미만인 경우(다만, 국민건강보험료, 국민연금보험료, 노인장기요양보험료는 발주기관이 반영하도록 한 금액보다 낮은 경우) <개정 2016.12.30.>
5. 발주기관이 작성한 내역서상 세부공종에 표준시장단가가 적용된 경우로서 세부공종별 입찰금액이 발주기관 내역서상 세부공종별 금액의 1000분의 997미만인 경우 <개정 2016.12.30.>
6. 입찰자의 산출내역서상 직접노무비가 발주기관이 작성한 내역서상 직접노무비의 100분의 80 미만인 경우 <개정 2016.12.30.>
7. 기타 발주기관의 세부 심사기준에서 제외토록 명시한 경우

② 제1항에 해당하는 입찰금액을 제외한 입찰금액의 상위 100분의 20 이상과 하위 100분의 20 이하에 해당하는 입찰금액을 제외한 입찰금액을 산술평균하여 균형가격을 산정한다. 다만, 제1항에 해당하는 입찰금액을 제외한 입찰금액이 10개 미만인 경우에는 상위 100분의 50 이상과 최하위 1개의 입찰서를 제외하고, 제1항에 해당하는 입찰금액을 제외한 입찰금액이 10개 이상 20개 이내인 경우에는 상위 100분의 40 이상과 하위 100분의 10 이하를 제외한다. <개정 2019.6.1.>

제2장 종합심사 방법

제9조(심사서류의 보완) ① 각 중앙관서의 장 또는 계약담당공무원은 제7조에 따라 입찰시 제출된 산출내역서, 하도급계획서 등의 내용이 불명확하여 인지할 수 없는 경우에는 기한을 정하여 보완을 요구할 수 있다. 다만, 간이형공사의 경우에는 제7조제1항제3호에 따른 하도급계획서 등의 서류 미비 및 오류에 대하여도 1회에 한하여 보완하게 할 수 있다. <개정 2019.12.18.>

② 각 중앙관서의 장 또는 계약담당공무원은 제1항에 따른 기한까지 보완을 요구한 서류가 제출되지 아니한 경우 당초 제출된 서류만으로 심사하되, 당초 제출된 서류가 불명확하여 심사하기가 곤란한 경우에는 심사에서 제외할 수 있다.

제10조(종합심사 점수 산정) ① 간이형 공사는 공사수행능력점수(경영상태점수 포함), 사회적책임점수(공사수행능력점수의 배점한도 내에서 가산한다), 입찰금액점수(단가 심사점수 및 하도급 계획 심사점수 포함) 및 계약신뢰도 점수를 합산하여 종합심사 점수를 산정한다. <신설 2019.12.18.>

② 일반공사는 공사수행능력점수, 사회적 책임점수(공사수행능력점수의 배점한도 내에서 가산한다), 입찰금액점수(단가 심사점수 및 하도급 계획 심사점수 포함) 및 계약신뢰도 점수를 합산하여 종합심사 점수를 산정한다.

③ 고난이도 공사는 공사수행능력점수, 사회적 책임점수(공사수행능력점수의 배점한도 내에서 가산한다), 입찰금액점수(단가 심사점수, 하도급계획 심사점수, 물량심사점수 및 시공계획 심사점수 포함) 및 계약신뢰도 점수를 합산하여 종합심사 점수를 산정한다.

④ 제1항부터 제3항에 따라 종합심사 점수를 산정할 때 제8조제1항에 해당하는 입찰자는 종합심사 점수를 산정하지 아니하며 낙찰자에서 배제한다. <개정 2019.12.18.>

⑤ 제1항부터 제3항에도 불구하고 각 중앙관서의 장 또는 계약담당공무원은 하도급계획 심사는 하도급 계획을 제외한 종합심사점수가 최고점인 자부터 순차적으로 심사할 수 있다. <개정 2019.12.18.>

제11조(물량 및 시공계획 심사대상자 선정) 각 중앙관서의 장 또는 계약담당공무원은 고난이도 공사에 대하여 제10조제1항 및 제5항에 따라 점수를 산정한 후 물량·시공계획 점수를 제외한 점수가 최고점 순으로 입찰공고에서 정하는 일정한 수의 업체를 우선순위 물량심사 및 시공계획심사 대상자로 선정한다. <개정 2019.12.18.>

제12조(물량 및 시공계획 심사) ① 각 중앙관서의 장 또는 계약담당공무원은 제11조에 따라 우선순위 물량·시공계획의 심사대상자로 선정된 자에 한하여 물량 및 시공계획을 심사한다.

② 각 중앙관서의 장 또는 계약담당공무원이 물량심사를 함에 있어서는 세부공종별로 물량의 적정성을 심사하여야 하며, 심사할 세부공종을 다음 각 호와 같이 정할 수 있다. 다만, 심사할 세부공종을 정할 경우 제1호는 반드시 포함하여야 한다.

1. 해당 공사의 규모 및 중요도 등에 따라 물량심사 대상으로 입찰공고에 명시한 세부공종
2. 동일한 세부공종에서 발주기관이 작성한 추정물량, 심사대상자가 작성한 입찰물량 및 다른 입찰참가자가 작성한 입찰물량 상호간 격차가 큰 세부공종
3. 기타 입찰공고에 명시한 기준에 해당하는 세부공종

③ 각 중앙관서의 장 또는 계약담당공무원은 제14조에 따른 심사위원회에서 물량·시공계획을 심사하여야 한다.

제13조(낙찰자 결정) ① 제10조의 종합심사 점수가 최고점인 자를 낙찰자로 결정한다. 다만, 고난이도 공사의 경우에는 우선순위 물량·시공계획 심사대상자 중 1인 이상이 제10조제2항 및 제4항에 따른 종합심사 점수가 차순위 물량·시공계획 심사대상자의 제10조제1항 및 제4항에 따른 종합심사 점수를 초과하는 경우에는 차순위자의 물량·시공계획 심사 없이도 우선순위 물량·시공계획 심사대상자를 대상으로 낙찰자를 결정할 수 있다.

② 종합심사 점수가 최고점인 자가 둘 이상인 경우에는 다음 각 호의 순으로 낙찰자를 결정한다.

1. 공사수행능력점수와 사회적책임점수의 합산점수(사회적책임점수는 공사수행능력점수의 배점한도내에서 가산한다)가 높은 자
2. 입찰금액이 균형가격에 근접한 자, 다만, 다음 각목의 경우에는 입찰금액이 낮은 자

<개정 2021.12.1.>

가. 일반공사, 고난이도 공사

나. 간이형 공사에서 균형가격이 예정가격의 100분의 88 이상인 경우

3. 입찰공고일을 기준으로 최근 1년간 종합심사낙찰제로 낙찰받은 계약금액(공동수급체로 낙찰받은 경우에는 전체 공사부분에 대한 지분율을 적용한 금액을 말한다)이 적은 자

4. 추첨

③ 제1항 및 제2항에도 불구하고 예정가격이 100억원 미만인 공사의 경우에는 입찰가격을 예정가격 중 다음 각 호에 해당하는 금액의 합계액의 100분의 98 미만으로 입찰한 자는 낙찰자에서 제외한다. <신설 2020.4.7.>

1. 재료비·노무비·경비

2. 제1호에 대한 부가가치세

④ 각 중앙관서의 장 또는 계약담당공무원은 제1항 또는 제2항의 규정에 의하여 낙찰자를 결정한 경우 해당자에게 지체없이 통보하여야 한다.

제3장 기 타

제14조(위원회 구성) ① 각 중앙관서의 장 또는 계약담당공무원은 제12조에 따른 심사를 실시하는 공사에 대하여는 시행령 제42조제7항에 따른 위원회의 심의를 거쳐 낙찰자를 결정하여야 한다.

제15조(결격사유 등) ①입찰자가 부도, 파산, 해산, 부정당업자 제재, 영업정지(건설업 등의 등록말소·취소 포함), 입찰무효 등 상태에 있는 경우에는 심사대상에서 제외(이하 이 조에서 "결격사유"라 한다)한다.

② 공동수급체를 구성하여 입찰에 참가한 경우로서 공동수급체의 일부 구성원에 결격사유가 있는 경우에는 해당 구성원을 제외하고 잔존 구성원의 시공비율 또는 분담내용을 변경하게 하여 재심사한다. 다만, 공동수급체 대표자에게 결격사유가 있는 경우에는 해당 공동수급체 전체를 심사대상에서 제외한다.

③ 제1항 및 제2항의 해석에 있어 부도 및 파산의 경우로서 「채무자회생 및 파산에 관한 법률」에 따라 법원으로부터 기업회생절차개시결정을 받고 정상적인 금융거래의 재개를 확인할 수 있는 서류를 제출하는 경우에는 결격사유로 보지 아니한다.

제16조(부정한 방법으로 심사서류를 제출한 자 등에 대한 처리) ① 각 중앙관서의 장 또는 계약담당공무원은 제7조에 따라 제출된 서류가 위조, 변조, 부정 또는 허위로 작성된 것으로 판명된 때에는 다음 각 호와 같이 처리하여야 한다.

1. 계약체결 이전인 경우에는 낙찰자 결정대상에서 제외 또는 결정 통보를 취소한다.

2. 계약체결 이후인 경우에는 해당 계약을 해제 또는 해지할 수 있다.

② 각 중앙관서의 장 또는 계약담당공무원은 제1항에 해당하는 자에 대하여 시행령 제76조에 의한 입찰참가자격 제한조치를 하여야 한다.

제17조(입찰결과의 공개 등) 각 중앙관서의 장 또는 계약담당공무원은 개찰 후 즉시 입찰참가업체별 입찰금액을 전자조달시스템 또는 발주기관의 정보처리장치를 통하여 공개하여야 하며, 「독점규제 및 공정거래에 관한 법률」제19조의2의 규정 등에 따라 입찰관련정보를 공정거래위원회에 제출하여야 한다.

제18조(설계변경에 의한 계약금액조정의 제한) 각 중앙관서의 장 또는 계약담당공무원은 고난이도 공사(발주기관이 물량내역수정을 허용한 공종에 한한다)에 대하여는 물량내역서의 누락사항이나 오류 등으로 설계를 변경하는 경우에도 그 계약금액을 증액할 수 없다.

제4장 보 칙

제19조(재검토기한) 이 예규는 「훈령·예규 등의 발령 및 관리에 관한 규정」에 따라 이 예규에 대하여 2016년 1월 1일을 기준으로 매3년이 되는 시점(매3년째의 12월 31까지를 말한다)마다 그 타당성을 검토하여 개선 등의 조치를 하여야 한다.

부 칙(2016.1.1)

제1조(시행일) 이 계약예규는 2016년 1월 1일부터 시행한다.

제2조(적용례) 이 예규는 시행일 이후 최초로 입찰공고를 한 계약부터 적용한다.

제3조(하도급계획에 대한 경과규정) 각 중앙관서의 장 또는 계약담당공무원은 이 예규의 시행일 이전에 입찰공고한 계약의 하도급계획과 관련하여 계약상대자가 요청할 경우 이 예규 [별표3]에 정해진 바와 같이 하도급계획을 변경토록 할 수 있으며, 변경된 하도급계획에 따라 이행여부를 확인하여야 한다.

제4조(다른 계약예규의 폐지) 계약예규 「최저가낙찰제의 입찰금액 적정성 심사기준」은 폐지한다.

제5조(다른 계약예규 폐지에 대한 경과규정) 이 계약예규의 시행일 이전에 최초로 입찰공고를 한 계약분에 대하여는 계약예규 「최저가낙찰제의 입찰금액 적정성 심사기준」의 폐지에도 불구하고 동 예규를 적용한다.

부 칙(2016.12.30)

제1조(시행일) 이 계약예규는 2016년 12월 30일부터 시행한다.

제2조(적용례) 제6조, [별표1-1], [별표1-2] 및 [별표3]의 개정규정은 이 계약예규 시행일 이후 최초로 입찰공고하는 분부터 적용한다.

부 칙(2017.12.28)

제1조(시행일) 이 계약예규는 2018년 4월 1일부터 시행한다.

제2조(적용례) [별표1-1] 및 [별표1-2]의 개정규정은 이 예규 시행 후 최초로 입찰공고를 하는 경우부터 적용한다.

부 칙(2018.12.31)

제1조(시행일) 이 계약예규는 2019년 3월 5일부터 시행한다.

제2조(적용례) 이 계약예규는 부칙 제1조에 따른 시행일 이후 입찰공고 하는 경우부터 적용한다.

부 칙(2019. 6.1)

제1조(시행일) 이 계약예규는 2019년 8월 1일부터 시행한다.

제2조(적용례) 이 예규 시행일 이후 입찰공고를 한 분부터 적용한다.

부 칙(2019.12.18)

제1조(시행일) 이 계약예규는 2019년 12월 18일부터 시행한다. 다만 [별표3] 제2호마목3)의 개정규정은 2020년 3월 18일부터 시행하고, [별표4] 제1호의 개정규정은 2020년 7월 1일부터 시행한다.

제2조(적용례) 이 계약예규는 부칙 제1조에 따른 시행일 이후 입찰공고를 한 분부터 적용한다.

제3조(사회적 책임분야 중 건설안전 심사방법에 관한 적용례) [별표4] 1.마.1)의 가중평균 산정 시 다음 각 호에 따라 종전의 사망만인율을 활용한다.

1. 시행일로부터 1년 이내 : 최근년도 1년전 사망만인율 및 최근년도 2년전 사망만인율(단, 최근년도 1년전 사망만인율 또는 최근년도 2년전 사망만인율을 산정하지 않은 경우에는 최근년도 사고사망만인율과 산정한 연도 사망만인율의 평균값으로 한다)
2. 시행일로부터 2년 이내 : 최근년도 2년전 사망만인율(단, 최근년도 1년전 사고사망만인율 또는 최근년도 2년전 사망만인율을 산정하지 않은 경우에는 최근년도 사고사망만인율과 산정한 연도 사망만인율 또는 사고사망만인율의 평균값으로 한다)

제4조(하도급계획심사에 대한 경과규정) 제9조 단서의 개정규정은 2020년 12월 17일까지 효력을 가진다. 다만, 2020년 12월 17일까지 입찰공고한 사업에 대해서는 제9조 단서의 개정규정을 적용한다.

부　　칙(2020.4.7)

제1조(시행일) 이 계약예규는 2020년 4월 7일부터 시행한다. 다만, 제13조제3항의 개정규정은 2020년 5월 27일부터 시행한다.

제2조(적용례) 이 계약예규는 부칙 제1조에 따른 시행일 이후 입찰공고를 한 분부터 적용한다.

부　　칙(2020.12.28.)

제1조(시행일) 이 계약예규는 2021년 3월28일부터 시행한다.

제2조(적용례) 이 계약예규는 부칙 제1조에 따른 시행일 이후 입찰공고하는 경우부터 적용한다.

부　　칙(2021.3.19.)

제1조(시행일) 이 계약예규는 2021년 3월 28일부터 시행한다.

제2조(적용례) 이 계약예규는 부칙 제1조에 따른 시행일 이후 입찰공고 하는 경우부터 적용한다.

제3조(시공비율 평가방법에 관한 적용례) [별표2] 9. 가. 시공비율 산정 시 상호시장 진출 허용공사에 대해 국토교통부에서 종합·전문업종간 상호시장 진출을 위한 시공능력평가액을 공시하기 전에는 시공비율 대신 공동수급협정서상 참여지분율을 적용할 수 있다.

부　　칙(2021.12.1.)

제1조(시행일) 이 계약예규는 2022년 1월 1일부터 시행한다.

제2조(적용례) 이 계약예규는 부칙 제1조에 따른 시행일 이후 입찰공고 하는 경우부터 적용한다.

부　　칙(2022.6.1.)

제1조(시행일) 이 계약예규는 2022년 6월 1일부터 시행한다.

제2조(적용례) 이 계약예규는 부칙 제1조에 따른 시행일 이후 입찰공고하는 경우부터 적용한다.

[별표 1-1] 일반공사의 분야별 심사항목 및 배점기준 〈개정 2017.12.28., 2018.12.31., 2021.12.1.〉

<table>
<tr><th>심사 분야</th><th colspan="2">심사 항목</th><th>가중치</th><th>비고</th></tr>
<tr><td rowspan="8">공사수행능력
(40~50점)</td><td rowspan="3">전문성</td><td>시공실적
(시공인력)</td><td>20~30%</td><td rowspan="8"></td></tr>
<tr><td>매출액 비중</td><td>0~20%</td></tr>
<tr><td>배치 기술자</td><td>20~30%</td></tr>
<tr><td rowspan="3">역량</td><td>공공공사 시공평가 점수</td><td>30~50%</td></tr>
<tr><td>규모별 시공역량</td><td>0~20%</td></tr>
<tr><td>공동수급체 구성</td><td>1~5%</td></tr>
<tr><td>일자리</td><td>건설인력 고용</td><td>2~3%</td></tr>
<tr><td colspan="2">소계</td><td>100%</td></tr>
<tr><td rowspan="3">입찰금액
(50~60점)</td><td colspan="2">금액</td><td>100%</td><td rowspan="3"></td></tr>
<tr><td rowspan="2">가격
산출의
적정성</td><td>단가</td><td rowspan="2">감점</td></tr>
<tr><td>하도급계획</td></tr>
<tr><td rowspan="4">사회적 책임
(가점 2점)</td><td colspan="2">건설안전</td><td>40~60%</td><td rowspan="4">※ 공사수행능력에 가산</td></tr>
<tr><td colspan="2">공정거래</td><td>20~40%</td></tr>
<tr><td colspan="2">지역경제 기여도</td><td>20~40%</td></tr>
<tr><td colspan="2">소계</td><td>100%</td></tr>
<tr><td rowspan="4">계약신뢰도
(감점)</td><td colspan="2">배치기술자 투입계획 위반</td><td>감점</td><td rowspan="4"></td></tr>
<tr><td colspan="2">하도급관리계획 위반</td><td>감점</td></tr>
<tr><td colspan="2">하도급금액 변경 초과비율 위반</td><td>감점</td></tr>
<tr><td colspan="2">고난이도공사의 시공계획 위반</td><td>감점</td></tr>
</table>

* 공사수행능력 점수와 입찰금액 점수를 합한 총점은 100점으로 한다.

[별표 1-2] : 고난이도 공사의 분야별 심사항목 및 배점기준 〈개정 2017.12.28., 2018.12.31., 2021.12.1.〉

<table>
<tr><th>심사 분야</th><th colspan="2">심사 항목</th><th>가중치</th><th>비고</th></tr>
<tr><td rowspan="9">공사수행능력
(40~50점)</td><td rowspan="3">전문성</td><td>시공실적
(시공인력)</td><td>20~30%</td><td rowspan="9"></td></tr>
<tr><td>매출액 비중</td><td>0~20%</td></tr>
<tr><td>배치 기술자</td><td>20~30%</td></tr>
<tr><td rowspan="3">역량</td><td>공공공사 시공평가 점수</td><td>30~50%</td></tr>
<tr><td>규모별 시공역량</td><td>0~20%</td></tr>
<tr><td>공동수급체 구성</td><td>1~5%</td></tr>
<tr><td>일자리</td><td>건설인력 고용</td><td>2~3%</td></tr>
<tr><td colspan="2">소계</td><td>100%</td></tr>
<tr style="display:none"></tr>
<tr><td rowspan="5">입찰금액
(50~60점)</td><td colspan="2">금액</td><td>100%</td><td rowspan="5"></td></tr>
<tr><td rowspan="4">가격
산출의
적정성</td><td>단가</td><td rowspan="4">감점</td></tr>
<tr><td>하도급계획</td></tr>
<tr><td>물량</td></tr>
<tr><td>시공계획</td></tr>
<tr><td rowspan="4">사회적 책임
(가점 2점)</td><td colspan="2">건설안전</td><td>40~60%</td><td rowspan="4">※ 공사수행능력에 가산</td></tr>
<tr><td colspan="2">공정거래</td><td>20~40%</td></tr>
<tr><td colspan="2">지역경제 기여도</td><td>20~40%</td></tr>
<tr><td colspan="2">소계</td><td>100%</td></tr>
<tr><td rowspan="4">계약신뢰도
(감점)</td><td colspan="2">배치기술자 투입계획 위반</td><td>감점</td><td rowspan="4"></td></tr>
<tr><td colspan="2">하도급관리계획 위반</td><td>감점</td></tr>
<tr><td colspan="2">하도급금액 변경 초과비율 위반</td><td>감점</td></tr>
<tr><td colspan="2">시공계획 위반</td><td>감점</td></tr>
</table>

* 공사수행능력 점수와 입찰금액 점수를 합한 총점은 100점으로 한다.

[별표 1-3] : 간이형 공사의 분야별 심사항목 및 배점기준 〈신설 2019.12.18., 개정2021.12.1.〉

심사 분야	심사 항목		가중치	비고
공사수행능력 (40점)	경영상태	경영상태	20~30%	
	전문성	시공실적	20~30%	
		배치 기술자	20~30%	
	역량	규모별 시공역량	0~20%	
		공동수급체 구성	10~20%	
	소계		100%	
입찰금액 (60점)	입찰금액		100%	
	가격 산출의 적정성(감점)	단가	감점	
		하도급계획		
	소계		100%	
사회적책임 (가점: 2점)	건설안전		30~60%	※ 공사수행능력에 가산
	공정거래		10~40%	
	건설인력고용		10~40%	
	지역경제 기여도		10~40%	
	소계		100%	
계약신뢰도 (감점)	배치기술자 투입계획 위반		감점	
	하도급관리계획 위반		감점	
	하도급금액 변경 초과비율 위반		감점	
	시공계획 위반		감점	

* 공사수행능력 점수와 입찰금액 점수를 합한 총점은 100점으로 한다. <신설 2021.12.1.>

[별표 2] 공사수행능력 세부 심사방법

1. 시공실적 심사

가. 시공실적 심사는 입찰참가업체가 보유한 입찰공고일 기준 10년 이내 준공된 해당 발주공사와 동일한 공법, 구조형식 등의 시공실적경험을 건수, 금액, 규모 등의 기준으로 합산하여 심사하는 것을 말한다. 다만, 간이형 공사는 입찰공고일 기준 발주기관이 정하는 기간 이내 준공된 시공실적을 기준으로 심사할 수 있다. 〈개정 2019.12.18.〉

나. 시공실적 심사의 산식은 다음과 같다.

$$\text{시공실적점수} = \text{배점} \times \frac{\sum_{i=1}^{n} \text{동일공사실적}_i \times A_i}{\text{당해공사의 동일공사규모} \times B}$$

* A : 실적의 경과기간에 따른 조정 계수 (예시 : 3년 미만 1, 3~5년 0.9, 5년 이상 0.8)

** B : 만점기준을 조정하는 계수

주 :

1) 동일공사실적이란 사업추진에 핵심적인 기술에 해당하고 총 공사의 10% 이상의 비용·노동력·시간이 소요되는 3개 이내의 항목(이하 “동일공사 실적”이라 한다)을 말한다.
2) 다만, 공사의 특성상 동일공사 실적을 지정할 수 없는 경우에는 발주기관의 세부 심사기준과 입찰공고에 명시된 경우에 한하여 예외적으로 해당 발주공사와 동일한 업종(토목, 건축 등) 또는 공종그룹(교통/수자원/기타토목, 주거/비주거 등) 실적(이하 “일반공사 실적”이라 한다)으로 심사할 수 있다.
3) 각 조정계수는 발주기관이 공사특성, 규모 등을 반영하여 설정한다.
4) 시공실적은 관련협회 및 발주기관에서 심사하여 발급한 증명서에 의하여 확인한다.
5) 공동수급체의 경우 구성원별 시공실적에 시공비율을 반영하지 아니하고 합산한다. 다만, 일반공사 및 간이형 공사의 실적을 심사하는 경우에는 그러하지 아니하다. <개정 2019.12.18.>

다. 각 중앙관서의 장 또는 계약담당공무원은 입찰공고에 다음 항목을 명시하여야 한다.

(1) 동일공법, 구조형식 등의 명칭

(2) 심사기준(건수, 금액, 규모 등)

(3) 보유실적 인정기준(예시 : 경간 80m 이상인 트러스교 시공건수)

(4) 기타 심사관련 참고사항

라. 각 중앙관서의 장 또는 계약담당공무원은 해당 중앙관서의 사업 특성 및 공사유형별 발주현황 등을 고려하여 세부 심사기준에 동일공사 분류를 명시하여야 한다.

1-1. 시공인력 심사

가. 시공인력 심사는 입찰참가 업체가 제1호에 의한 시공실적 대신 동 공사 참여경험이 있는 인력을 제출하는 경우 이를 심사하는 것을 말한다.

나. 일반공사 실적을 심사하는 경우에 대하여는 시공인력 심사로 대체하지 아니하며, 동일공사 실적을 심사하는 경우로서 각 중앙관서의 장 또는 계약담당공무원은 해당공사의 난이도, 해당공사를 수행할 수 있는 자의 수 등을 고려하여 입찰공고에 시공인력 심사대상이 아님을 명시한 경우에는 시공인력 심사로 대체하지 아니할 수 있다.

다. 시공인력 심사는 심사대상 인력의 등급에 따라 발주기관이 정한 점수를 부여하며 시공인력 등급 산식은 다음과 같다.

> 시공인력 등급= Σ 등급계수×경력계수×관리능력계수
>
> 주 :
>
> 1) 등급계수 : 기술자 등급(특급, 고급, 중급, 초급), 경력계수(동일공사 현장경력), 관리등력 계수(동일공사 현장대리인 경력)
> 2) 시공인력은 시공실적 증명서(제1호 다. 기준을 충족한 증명서에 한함)에 의거 건설기술인협회 또는 발주기관이 세부 심사기준에 명시한 관련협회가 발급한 기술자 경력증명서에 의해 확인한다.

라. 각 중앙관서의 장 또는 계약담당공무원은 입찰참가 업체가 보유한 시공인력의 기술자격 등급, 공사참여경력 등이 적정히 반영될 수 있도록 세부 심사기준을 작성하여 집행하되 세부 심사기준에는 다음의 사항이 반영되도록 하여야 한다.

(1) 시공인력심사의 만점은 시공실적 심사의 배점한도로 한다.

(2) 공동수급체의 경우 구성원별 시공인력에 시공비율을 반영하지 아니하고 합산한다.

2. 동일공종그룹 매출액비중 심사

가. 매출액비중 심사는 입찰참가 업체의 동일공종그룹(토목업종은 교통시설, 수자원시설, 기타토목시설로 분류하고, 건축업종은 주거시설, 비주거시설로 분류) 실적이 동 업체의 해당 업종(토목, 건축)실적에서 차지하는 비중을 심사하는 것을 말한다.

나. 각 중앙관서의 장 또는 계약담당공무원은 가.에서 규정되지 아니한 업종 및 동일공종그룹에 대하여는 세부 심사기준에 별도의 업종 및 동일공종그룹을 설정할 수 있다.

다. 매출액비중 심사는 매출액비중의 등급에 따라 발주기관이 정한 점수를 부여하며 매출액비중 등급 산식은 다음과 같다.

> $$\text{매출액 비중} = \text{배점} \times \frac{\text{10년간 동일공종그룹 실적총액}}{\text{10년간 동일업종 실적총액}}$$
>
> 주 :
>
> 1) 공동수급체의 경우 매출액 비중 심사는 구성원별 매출액 비중 점수에 시공비율을 곱한 후 합산하는 방식에 의한다.
> 2) 발주기관은 입찰공고에 명시한 경우 최근 실적에 대한 우대 가중치를 적용할 수 있다.
> 3) 기성실적 총액은 관련 협회에서 발급한 증명서에 의해 확인한다.

3. 배치기술자 시공경력 심사

가. 배치기술자 심사는 입찰참가 업체가 공사현장에 배치할 현장대리인 및 분야별 책임자의 시공참여 경력을 심사하는 것을 말한다. 다만, 간이형 공사의 경우에는 분야별 책임자의 시공참여 경력 심사를 제외할 수 있다. 〈개정 2019.12.18.〉

나. 해당 입찰참가업체에 6개월 미만 재직한 자는 평가점수의 80%만 인정한다.

다. 현장대리인 배치예정자의 경력심사는 동일공종그룹 공사 참여실적을 대상으로 하는 것을 원칙으로 하되, 발주기관이 현장대리인의 특수한 공사 참여실적이 필요하다고 인정하는 경우에는 동일공종그룹에 포함되는 1개 이상의 세부공사(이하 "동일·유사공사"라 한다) 참여실적으로 심사할 수 있다.

$$\text{평점} = \left(\frac{\text{현장대리인 근무일수} \times A}{\text{필요 근무연수} \times 365} + \frac{\text{기타직위 근무일수}}{\text{필요 근무연수} \times 365} \right) \times \text{배점}$$

주 :

1) 필요 근무연수란 만점을 부여하는 최소 근무연수를 말하는 것으로 발주기관이 해당 공사의 기술자 현황 등을 고려하여 결정한다.
2) 동일·유사공사를 2개 이상 지정한 경우에는 모든 동일·유사공사 근무일수를 합산하여 평가한다.
3) A계수(현장대리인 가중치)는 1~3 범위에서 발주기관이 결정한다.
4) 공동수급체의 경우 현장대리인은 공동수급체 대표자 소속이어야 한다.
5) 시공경력은 건설기술인협회 또는 발주기관이 세부 심사기준에 명시한 관련협회에서 발급한 증명서에 의하여 확인한다.

라. 분야별 책임자 배치예정자의 경력심사는 다음과 같이 실시하며 산식은 다음과 같다.

(1) 분야별 책임자란 시공책임자, 품질책임자, 안전책임자를 말하며 최소한 시공책임자, 품질책임자, 안전책임자 각 1인(다만, 시공책임자는 추정가격 500억원 이상 1,000억원 미만 공사의 경우 2인, 추정가격 1,000억원 이상 공사의 경우 3인)을 포함하도록 하여야 한다.

(2) 시공책임자의 경력심사는 동 배치예정자의 과거 동일공종그룹 공사 참여실적을 대상으로 평가한다.

(3) 품질 또는 안전책임자의 경력심사는 각각 동 배치예정자의 과거 동일업종 공사의 품질 또는 안전 관련업무 경력을 대상으로 평가한다.

$$\text{평점} = \frac{\text{근무일수}}{\text{필요 근무연수} \times 365} \times \text{배점}$$

주 :

1) 필요 근무연수란 만점을 부여하는 최소 근무연수를 말하는 것으로 발주기관이 해당 공사의 기술자 현황 등을 고려하여 결정하되, 현장대리인에 대한 필요 근무연수보다 길게 정할 수 없다.
2) 공동수급체의 경우 공동수급체가 공동으로 제출하는 배치예정기술자를 심사한다.
3) 시공경력은 건설기술인협회 또는 발주기관이 세부 심사기준에 명시한 관련협회에서 발급한 증명서에 의하여 확인한다.

마. 각 중앙관서의 장 또는 계약담당공무원은 현장대리인 및 분야별 책임자의 경력으로 인정되는 직위의 범위를 해당 공사의 기술자 현황 등을 고려하여 입찰공고시 명시하여야 한다.

바. 각 중앙관서의 장 또는 계약담당공무원은 현장대리인 및 분야별책임자가 건설산업기본법, 건설기술진흥법, 산업안전보건법 등 관련법령에서 정하는 요건을 갖추도록 하여야 한다.

사. 배치기술자는 원칙적으로 교체하지 못하며 다음의 경우에 한하여 각 중앙관서의 장 또는 계약담당공무원(조달사업법 제3조에 따라 조달청에 의뢰하여 계약한 공사로서 수요기관이 공사관리를 하는 경우에는 수요기관 담당공무원을 말한다. 이하 "사." 및 "아."에서 이와 같다)의 승인을 받아 당초 심사시 취득한 점수 이상의 점수를 획득할 수 있는 기술자(배치기술자의 변경요청일을 기준으로 판단하되, (1)내지 (3) 및 (5)의 경우에는 변경요청일 현재 6개월 이상 근무할 것을 요하지는 아니한다)로 대체할 수 있다.

(1) 배치기술자의 사망, 퇴직 등 근무관계가 종료된 경우

(2) 배치기술자의 질병, 출산 등으로 정상적인 근무가 곤란한 경우

(3) 배치기술자가 해당 현장에 배치된 때로부터 3년 이상이 경과되고 해당 공사의 공정률이 50%를 초과하는 경우

(4) 2개 이상의 공사에 동일한 배치기술자 투입계획을 제출하여 2개 이상의 공사에 낙찰예정인 경우

(5) 기타 발주기관이 세부 심사기준에 배치기술자의 교체사유로 명시한 경우

아. 각 중앙관서의 장 또는 계약담당공무원은 매년 2회 이상 배치기술자 투입계획 준수여부를 점검하여야 하며 승인없이 배치기술자를 교체하는 등 위반사항이 발견된 경우 즉시 그 위반사실을 통보하여야 하며 위반사항을 통보한 날로부터 2년동안 해당 업체의 배치기술자 심사 점수에서 일정 비율을 감점한다(해당 발주기관의 향후 발주공사에 한함). 다만, 2개 이상의 공사에 동일 기술자를 투입하는 계획서를 제출하여 2개 이상의 공사에 낙찰예정인 경우로서 해당 기술자를 배치하지 못하는 공사에 대하여 각 중앙관서의 장 또는 계약담당공무원이 요청한 기한까지 동등 점수 이상을 획득할 수 있는 기술자로 교체하지 못하는 경우에는 낙찰되지 아니한 것으로 보며, 감점하지 아니한다.

자. 나. 에도 불구하고 각 중앙관서의 장 또는 계약담당공무원은 공사규모별 시공역량 심사를 실시하는 공사로서 다음의 요건을 모두 충족하는 공사의 입찰에 있어서 등급별 유자격자 명부상 3등급 이하 업체에 대하여는 배치기술자가 3개월 이상 재직한 경우 평가점수의 100%를 부여할 수 있다. <신설 2018.12.31.>

(1) 발주기관별로 작성한 등급별 유자격자명부 중 3등급 이하에 해당하는 공사

(2) 제3조제1항제2호의 공사로서 기술수준이 평이한 공사

차. 나. 에도 불구하고 각 중앙관서의 장 또는 계약담당공무원은 제3조제1항제3호의 공사에 대하여 최초의 종합 심사서류 제출요구일로부터 15일 이후로서 발주기관이 정하는 기준일까지 배치기술자가 재직한 경우 평가점수의 100%를 부여할 수 있다. <신설 2019.12.18.>

4. 시공평가결과 심사

가. 시공평가결과 심사는 입찰참가 업체의 건설기술진흥법 제50조에 의한 시공평가결과를 심사하는 것을 말한다.

나. 시공평가결과 심사는 시공평가결과 점수별 등급에 따라 발주기관이 정한 점수를 부여한다.

다. 시공평가결과는 최근 3년간 입찰참가 업체가 동일공종그룹 공사에 대해 받은 시공평가결과 점수(2015.1.1 이후 시공평가결과에 한한다)를 공사규모에 따라 가중 평균하여 심사한다(단, 공동이행방식의 경우 공동수급체 구성원의 시공평가결과는 공동수급체 대표자가 받은 시공평가결과를 적용한다.)

라. 입찰참가업체의 시공평가결과는 한국시설안전공단이 관리하는 자료를 활용한다.

마. 동일공종그룹에 대한 시공평가 결과가 없는 업체의 경우 해당 업체가 받은 동일업종(토목, 건축 등)에 대한 시공평가 결과를 적용하며, 동일업종 시공평가 결과도 없는 경우에는 기본점수를 부여한다.

바. 공동수급체의 경우 시공평가결과 심사는 구성원별 시공평가결과 점수에 시공비율을 곱한 후 합산하는 방식에 의한다.

사. 다.마.바의 규정에도 불구하고 2017.12.31까지는 다음과 같은 방식으로 심사한다.

(1) 입찰참가업체가 동일업종 공사에 대해 받은 시공평가결과 점수를 대상으로 심사하되, 각 중앙관서의 장 또는 계약담당공무원이 동일업종 공사에 대한 시공평가결과를 활용할 경우에도 시공평가결과 심사가 곤란하다고 인정하는 경우에는 전체 공사에 대한 시공평가결과로 심사할 수 있다.

(2) 공동수급체의 경우에는 공동수급체 대표자와 참여비율이 30% 이상인 업체(이하 "시공평가 대상업체"라 한다)를 심사대상으로 하며, 평가는 각 시공평가 대상업체의 시공평가결과 점수에 전체 시공평가 대상업체에서 해당 시공평가 대상업체가 차지하는 비율을 곱하여 합산한다.

(3) 시공평가 결과가 없는 시공평가 대상업체는 기본점수를 부여한다.

5. 공사규모별 시공역량 심사

가. 규모별 시공역량 심사는 공사 규모에 따른 적정 규모의 건설업체간 경쟁을 유도하기 위한 심사를 말한다.

나. 동 심사는 발주기관별로 작성한 등급별 유자격자명부에 의한다. 동 명부에 의한 2등급 이하의 공사는 상위 등급의 공동도급 참여 지분율에 따라 점수를 감하는 방식으로 심사한다.

6. 공동수급체 구성 심사

가. 공동수급체 구성 심사란 공동수급체의 구성여부 및 공동수급체 중 대표자를 제외한 구

성원의 참여비율(이하 "공동수급체 구성원 비율"이라 한다)을 심사하는 것을 말한다.

나. 공동수급체 구성 심사는 공동수급체 구성원 비율별 등급에 따라 발주기관이 정한 점수를 부여한다.

다. 각 중앙관서의 장 또는 계약담당공무원은 다음 사항을 준수하여 세부 심사기준에 공사규모에 따른 등급표를 규정하여야 한다.

(1) 최고 등급에 해당하는 공동수급체 구성원 비율은 30%를 넘지 못한다.

(2) 최고 등급에 부여되는 점수와 최저 등급에 부여되는 점수의 편차는 0.5점을 넘지 못한다.

라. 가. 내지 다.의 규정에도 불구하고 500억원 미만의 공사에 대하여는 해당 공사를 수행할 수 있는 업체 현황 등을 고려하여 공동수급체 심사를 하지 아니할 수 있다.

7. **건설인력 고용 심사** 〈신설 2018.12.31.〉

가. 건설인력 고용은 고용탄력성 점수에서 근로기준법 준수 점수를 차감하는 방식으로 심사한다.

나. 고용탄력성은 표준화된 피보험자 증감율에서 표준화된 기성액 증감율을 차감한 값을 말한다.

(1) 고용탄력성 심사는 입찰참가자의 고용탄력성 점수에 따라 발주기관이 작성한 고용탄력성 등급별 점수를 부여한다.

(2) 평가대상 기간은 입찰공고일이 속하는 년도의 전전년도부터 직전 3개년도로 한다.

(3) 고용보험 피보험자 수는 입찰자의 본사 및 입찰자가 원수급인인 건설현장에서 신고된 피보험자 수를 합산하여 산정한다. 해당 건설현장에서 신고된 피보험자 수는 원수급인이 신고한 피보험자 수와 고용보험 및 산업재해보상보험의 보험료징수 등에 관한 법률 제9조 및 고용보험법 제15조제2항에 의해 하수급인이 신고한 피보험자 수를 합산하여 산정한다.

(4) 기성액은 「건설산업기본법」에 따라 대한건설협회에서 산정한 실적액, 전기공사업법에 따라 한국전기공사협회에서 산정한 실적액, 정보통신공사업법에 따라 한국정보통신공사협회에서 산정한 실적액, 소방시설공사업법에 따라 한국소방설비협회에서 산정한 실적액을 합산하여 산출한다.

(5) 피보험자 증감률과 기성액 증감률은 각 2개 연도별 전년대비 증감률을 가중평균한 값으로 하되 최근의 증감률에 0.6을 곱하고 이보다 과거의 증감률에 0.4를 곱한 값으로 한다.

(6) 피보험자 증감률과 기성액 증감률은 「건설산업기본법 시행령」 제87조제1항제1호에 의해 국토교통부 장관의 위탁을 받은 대한건설협회에 종합건설업을 등록한 업체를 모집단으로 하여 표준화하며, 표준화식은 아래와 같다.

· 표준화 산식 = (변수값-평균)/표준편차

(7) 고용탄력성 등급별 점수는 각 중앙관서의 장 또는 계약담당공무원이 고용노동부에서 매년 1월 발표하는 고용탄력성 점수 등급별 표준화점수기준을 참고하여 세부 심사기준으로 정하되, 최소·최대등급간 격차는 0.4점을 초과할 수 없다.

다. 근로기준법 준수 점수는 근로기준법 제43조의3에 따른 임금체불사업주 명단 공개 횟수에 따라 차등 점수를 부여한다.

(1) 평가대상 기간은 입찰공고일이 속하는 년도의 전년도부터 직전 3개년도로 한다.

(2) 명단공개 사업주의 범위는 입찰자뿐만 아니라 고용보험법 제15조제2항에 의하여 평가대상기간동안 입찰자의 이름으로 고용보험 시스템에 등록된 공사현장에 참여한 하도급업자를 포함한다.

(3) 입찰자의 명단공개 횟수는 고용노동부 홈페이지 등에 공개된 명단을, 하수급인의 명단공개 횟수는 한국고용정보원 자료를 활용하여 확인한다.

(4) 근로기준법 준수 등급 및 등급별 점수는 각 중앙관서의 장 또는 계약담당공무원이 세부 심사기준으로 정한다.

라. 둘 이상의 업체가 공동계약을 체결하여 공사를 공동이행방식으로 시행하는 경우 각 구성원의 점수에 시공비율을 곱한 후 합산하여 평가하되, 전체 공동수급체의 고용탄력성 점수에서 근로기준법 준수점수를 차감하여 산정한다.

8. 경영상태 심사 〈신설 2019.12.18.〉

가. 경영상태 심사는 제3조제1항제3호의 공사에 한하여 적용한다.

나. 「신용정보의 이용 및 보호에 관한 법률」 제4조제1항제1호 또는 「자본시장과 금융투자업에 관한 법률」 제9조제26항의 업무를 영위하는 신용정보업자가 평가한 회사채(또는 기업어음) 또는 기업신용평가등급(이하 "신용평가등급"이라 한다)으로 심사한다.

다. 심사기준일 이전에 평가한 유효기간내에 있는 회사채, 기업어음, 기업의 신용평가등급중에서 가장 최근의 등급으로 심사하고, 합병한 업체에 대하여는 합병후 새로운 신용평가등급으로 심사하여야 하며 그 전까지는 합병대상업체중 가장 낮은 신용평가등급을 받은 업체의 신용평가등급으로 심사한다.

라. 공동수급체의 경우 구성원별 경영상태 점수에 시공비율을 곱한 후 합산하는 방식에 의한다.

9. 상호시장 진출 허용 공사 〈신설 2021.3.19., 2022.6.1.〉

가. 시공비율은 공동수급협정서상의 각 구성원의 공사참여지분율에 종합·전문업종간 상호시장 진출에 따라 평가된 시공능력평가액을 한도로 하여 산정한다.

나. 시공실적 심사는 다음과 같이 평가한다.

1) 실적 인정 방법은 국토교통부 고시 「종합·전문업종간 상호시장 진출을 위한 건설공사

실적 인정기준」에 따른다.

2) 전문건설사업자가 종합공사에 참여하는 경우 일반공사 실적으로 심사하며, 해당 종합공사를 추정금액 기준 전문업종별 구성비율로 배점을 구분하고 각 전문업종별로 평가하여 합산한다.

다만, 2021.1.1. 이후 전문건설사업자의 자격으로 취득한 종합공사 실적을 보유한 경우에는 해당 종합공사 실적을 우선 평가(종합건설사업자의 종합공사 평가방법과 동일)하고 배점한도를 충족하지 못할 경우 잔여 배점을 기준으로 본문에 따라 전문업종별 실적을 평가하여 합산한다.

다. 배치기술자 시공경력 심사 시 분야별 책임자는 하도급 수행 실적 및 경력을 일부 반영하여 평가할 수 있다.

라. 종합공사에 전문건설사업자가 참여한 경우 건설인력 고용 심사 시 항목별로 기본점수를 부여할 수 있다.

10. 국토교통부 고시 「건설공사 발주 세부기준」 제8조의2에 따라 주력(업무)분야를 시공자격으로 발주한 전문공사 〈신설 2021.12.1.〉

가. 시공경험은 주력(업무)분야 실적 누계액으로 평가하며, 공동계약의 시공비율은 (주력)업무분야 시공능력평가액을 기준으로 평가한다.

[별표 3] 입찰금액 평가 및 가격 산출의 적정성 심사방법

1. 입찰금액 평가

가. 입찰금액 심사는 예정가격과 제8조의 균형가격을 통해 입찰금액에 따른 가격점수를 다음 수식에 따라 도출하는 것을 말한다.

i) 균형가격 미만일 경우

$$\text{입찰금액 심사점수} = \sqrt{1 - A \times \left(\frac{\text{당해투찰금액} - \text{균형가격}}{\text{예정가격} - \text{균형가격}}\right)^2} \times \text{배점}$$

ii) 균형가격일 경우

입찰금액 심사점수= 배점한도

iii) 균형가격 초과일 경우

$$\text{입찰금액 심사점수} = \sqrt{1 - B \times \left(\frac{\text{당해투찰금액} - \text{균형가격}}{\text{예정가격} - \text{균형가격}}\right)^2} \times \text{배점}$$

주 : A계수 및 B계수는 발주기관이 각 평가항목별 변별력 등을 고려하여 결정하되 B계수는 A계수의 1배~2배 범위에서 정한다.

2. 가격 산출의 적정성 심사

가. 가격 산출의 적정성 평가는 세부공종의 단가, 하도급계획, 시공계획심사 등을 통해 적정한 공사비 산정과 공정한 하도급거래를 보장하기 위한 평가를 말한다.

나. 단가 심사(감점)

1) 단가심사점수 산정 방식은 다음과 같다.

· 단가심사점수 = (-)입찰금액배점의 20% × $(1 - \frac{1}{100}$(단가점수))

2) 단가점수의 배점한도는 100점으로 한다.

3) 단가점수는 세부공종별 가중치와 세부공종별 단가점수의 곱을 합산하여 산정한다.

4) 세부공종별 가중치는 발주기관 내역서상 전체 세부공종의 합계금액에 대한 각 세부공종 금액으로 산정하며, 전체 가중치의 합계는 1로 한다.

5) 세부공종별 단가점수는 세부공종 입찰단가가 세부공종 기준단가의 ±18%이내인 경우 100점으로 평가(이하 "적정단가 기준"이라 한다)하고, 그 외에는 0점으로 평가한다. 다만, 각 중앙관서의 장 또는 계약담당공무원은 발주기관 내역서의 직접공사비에서 표준시장단가만으로 적용된 세부공종 및 음(-)의 금액 등 고정비용이 차지하는 비중이 20% 이상인 공사에 대하여는 적정단가 기준을 다음 범위 내에서 설정할 수 있다.

고정비용 비중	적정단가 기준
20% 이상~25% 미만	세부공종 기준단가의 ±18% 이내 ~ ±19% 이내
25% 이상~30% 미만	세부공종 기준단가의 ±18% 이내 ~ ±20% 이내
30% 이상~40% 미만	세부공종 기준단가의 ±18% 이내 ~ ±21% 이내
40% 이상	세부공종 기준단가의 ±18% 이내 ~ ±22% 이내

6) 세부공종 기준단가는 발주기관 내역서상 세부공종에 대한 예정가격 의 100분의 70과 균형단가의 100분의 30에 해당하는 금액을 합산하여 산정하되, 구체적인 산정방법은 발주기관별로 세부 심사기준에 명시한다. 다만, 간이형 공사의 세부공종 기준단가는 발주기관 내역서상 세부공종에 대한 예정가격과 균형단가를 90:10~100:0의 범위에서 가중평균하여 산정하되, 구체적인 산정방법은 발주기관별 세부심사기준에 명시한다. 〈단서신설 2019.12.18.〉

7) 단가심사는 모든 세부공종을 대상으로 심사한다. 다만, 표준시장단가를 적용한 세부공종 및 세부공종의 합계금액이 음(-)의 금액인 경우 단가심사를 제외할 수 있다.

8) 5)에도 불구하고 간이형 공사의 경우에는 세부공종 단가점수의 평가에 있어, 세부공종 기준단가의 ±15%이내인 경우 100점으로 평가한다. 다만, 5)에 따른 고정비용의 비중이 20% 이상인 공사에 대하여는 ±15%~±18% 범위에서 적정단가의 기준을 설정할 수 있다. 〈신설 2019.12.18.〉

다. 하도급계획 심사(감점)

1) 하도급계획서를 제출한 하도급계약 건별 하도급금액의 적정성에 대하여 심사한다.

2) 하도급계획심사점수 산정 방식은 다음과 같다.

· 하도급계획심사점수 = (-)입찰금액배점의 20% × $(1-\frac{1}{100}$(하도급점수))

3) 하도급점수의 배점한도는 100점으로 한다.

4) 하도급점수는 하도급계약별 가중치와 하도급계약별 하도급점수의 곱을 합산하여 산정하며, 소수점은 소수 셋째자리에서 반올림한다.

5) 하도급계약별 가중치는 발주기관 내역서상 하도급계획서를 제출한 전체부분의 합계금액(직·간접 노무비, 재료비, 경비를 기준으로 산출한 금액에 일반관리비, 이윤, 부가세를 포함한 금액, 이하 "내역서상 금액")에 대한 하도급계획서를 제출한 각 하도급계약에 대한 내역서상 금액으로 산정하며, 전체 가중치의 합계는 1로 한다.

6) 하도급계약별 하도급점수는 하도급계약별로 하도급업체에 지급할 금액이 발주기관 내역서상 금액의 100분의 64 이상으로서, 하도급할 부분에 대한 입찰금액(직·간접 노무비, 재료비, 경비를 기준으로 산출한 금액에 일반관리비, 이윤, 부가세를 포함한 금액, 지급자재 및 하도급대금 지급보증서 발급금액은 제외)의 100분의 82 이상인 경우 100점으로 평가하고, 그 외는 0점으로 평가한다.

7) 각 중앙관서의 장 또는 계약담당공무원(조달사업법 제3조에 따라 조달청에 의뢰하여 계약한 공사로서 수요기관이 공사관리를 하는 경우에는 수요기관 담당공무원을 말한

다. 이하 "다. 하도급계획심사" 및 "마. 시공계획 심사"에서 이와 같다)은 낙찰자가 향후 시공 과정에서 직접시공을 하도급으로 전환하려 하거나, 하도급계획을 제출하였으나 직접시공 하려고 하는 경우 변경하는 부분에 해당하는 금액(해당 공사에서 1회 이상 변경한 경우에는 누적금액)이 낙찰금액의 10% 범위 내인 경우에 한하여 변경을 승인할 수 있다. 다만, 직접시공을 하도급으로 전환하려고 하는 경우에는 하도급 대금이 6)의 요건을 충족하는 경우에 한하여 변경을 승인하여야 한다.

8) 각 중앙관서의 장 또는 계약담당공무원은 매년 2회 이상 낙찰자의 하도급계획 이행여부를 확인하여야 하며, 하도급계획 불이행을 확인한 경우에는 즉시 그 위반사실을 통보하여야 하며 위반사실을 통보한 날로부터 해당 발주기관의 입찰에서 2년간 감점을 부여한다.

9) 8)에도 불구하고 하도급업체의 파산, 해산, 부도 및 하도급업체의 귀책사유에 따른 계약해제·해지 등 계약상대자의 책임없는 사유로 하도급계약이 이행불능에 이른 때에는 감점하지 아니한다.

10) 6)에도 불구하고 계약예규 「입찰참가자격 사전심사요령」에 따라 표준하도급계약서 사용으로 가점을 받고도, 종합심사낙찰제의 심사와 관련하여서는 가점을 받은 해당 비율 미만으로 하도급계획서를 제출한 경우에는 하도급점수를 0점으로 평가한다. 〈신설 2016.12.30.〉

11) 1)~6)에도 불구하고 간이형 공사의 경우 전체 하도급 계약금액의 합계액을 기준으로 적정성을 심사하며, 하도급업체에 지급할 금액의 합계가 발주기관 내역서상 금액의 100분의 64 이상으로서, 하도급할 부분에 대한 입찰금액(직·간접 노무비, 재료비, 경비를 기준으로 산출한 금액에 일반관리비, 이윤, 부가세를 포함한 금액, 지급자재 및 하도급대금 지급보증서 발급금액은 제외)의 100분의 82 이상인 경우 100점으로 평가하고, 그 외는 0점으로 평가한다. 〈신설 2019.12.18.〉

12) 상호시장 진출 허용 공사로서 종합공사에 전문건설업사업자가 참여한 경우와 전문공사에 종합건설사업자가 참여한 경우 해당 사업자가 직접 시공하는 부분에는 하도급계획서를 제출하지 않는다. 〈신설 2021.3.19.〉

라. 물량 심사(고난이도 공사에 한하여 적용)

1) 물량심사점수 산정은 다음과 같다.

·물량심사점수 = (−)입찰금액배점의 20% × $(1-\frac{1}{100}(\text{물량점수}))$

2) 물량점수 배점한도는 100점으로 한다.

3) 물량점수는 세부공종별 가중치와 세부공종별 물량점수의 곱을 합산하여 산정하며, 소수점은 소수 셋째자리에서 반올림한다.

가) 세부공종별 가중치는 발주기관 내역서 상 물량심사 대상 전체 세부공종의 합계금액에 대한 각 물량심사 세부공종 금액으로 산정하며, 전체 가중치의 합계는 1로 한다.

나) 세부공종별 물량점수는 세부공종 입찰물량이 최종물량 대비 ±2% 이내인 경우

100점으로 평가하고, 그 외는 0점으로 평가한다.

마. 시공계획 심사(고난이도 공사에 한하여 적용)

1) 시공계획 심사점수 산정 방식은 다음과 같다.

· 시공계획심사점수 = (-)입찰금액배점의 20% × $(1-\frac{1}{100}$(시공계획점수))

2) 시공계획점수 배점한도는 100점으로 한다.

3) 시공계획점수 평가내용 및 배점은 다음과 같다. 〈개정 2019.12.18.〉

세부항목	평가내용	배점	평가방법*
1. 시공계획의 적정성	- 공정관리의 적정성 - 자재, 인력, 장비관리의 적정성	10~40%	적정(100%) 보통(50%) 부적정(0)
2. 공사기간의 적정성	- 공사계획의 적정성 - 공사기간의 단축 효과 - 공사기간 산정의 적정성	10~30%	적정(100%) 보통(50%) 부적정(0)
3. 안전관리 역량 평가	-안전관리계획 적정성 -안전관리조직 운영 적정성	10~40%	적정(100%) 보통(50%) 부적정(0)
4. 안정성 확보 및 환경 오염 방지	- 안정성 확보 방안 - 소음, 오염 방지 대책	10~30%	적정(100%) 보통(50%) 부적정(0)
5. 품질 확보방안	- 대체 공법 시공가능성 - 품질관리계획의 적정성	10~40%	적정(100%) 보통(50%) 부적정(0)
합 계		100	

* 세부항목별 평가는 3개 등급 이상으로 구분한다.

4) 시공계획서를 제출하지 않는 경우에는 0점을 부여한다.

5) 각 중앙관서의 장 또는 계약담당공무원은 시공계획서의 이행여부를 점검하여 불이행한 경우에는 즉시 그 위반사실을 통보하여야 하며 위반사실을 통보한 날로부터 해당 발주기관의 입찰에서 2년간 감점을 부여한다.

6) 각 중앙관서의 장 또는 계약담당공무원은 5)의 점검대상 항목, 점검절차 및 감점기준을 세부 심사기준으로 정하여야 한다. 다만, 점검대상 항목은 정량적으로 평가가 가능한 부분에 한한다.

[별표 4] 사회적 책임 세부 심사방법

1. 〈삭제 2018.12.31.〉

1. 사회적 책임 분야 중 건설안전 심사방법은 다음과 같다. 〈2에서 이동 2018.12.31.〉

가. 건설안전은 사고사망만인율, 산업재해발생 보고 위반건수, 산업재해 예방 활동 실적, 산업안전보건관리비 사용 관련 위반 건수, 산업안전보건법령 위반에 따른 행정형벌 부과 건수를 심사하고, 각 항목별 평가 점수를 합산하여 점수를 산정한다. 단, 합산한 점수의 한도는 -100점 또는 100점으로 한다.〈개정 2019.12.18. 2021.12.1.〉

나. 〈삭제 2019.12.18.〉

다. 〈삭제 2019.12.18.〉

라. 산업재해 발생보고 위반건수는 산업안전보건법 시행규칙 별표1 제1호 및 제6호에 따라 산정한다. 〈개정 2019.12.18.〉

마. 사고사망만인율의 점수는 다음과 같이 산정한다. 〈개정 2019.12.18., 2021.12.1.〉

1) 사고사망만인율의 점수 심사산식은 다음과 같다.

구분	점수 심사산식	비고
사고 사망 만인율	점수=100-100× $\frac{\text{해당업체 가중평균 사고사망만인율}}{\text{건설업 가중평균 사고사망만인율}}$ * 해당업체 가중평균사고사망만인율이 건설업 가중평균 사고사망만인율의 2배 이상인 경우는 -100점	점수는 소수첫자리에서 반올림하여 정수로 표시하고, 점수 한도는 100

2) 사고사망만인율의 가중평균은 다음 산식에 의하여 산정한다. 〈개정 2019.12.18.〉

· [최근년도 사고사망만인율×0.5+최근년도 1년전 사고사망만인율×0.3+최근년도 2년전 사고사망만인율×0.2.] (단, 최근년도 1년전 사고사망만인율 또는 최근년도 2년전 사고사망만인율을 산정하지 않은 경우에는 최근년도 사고사망만인율과 산정한 연도 사고사망만인율의 평균값으로 한다.)

바. 산업재해 발생보고 위반건수는 최근 1년동안의 기간 중에 과태료 부과처분이 확정된 건으로 산정하고, 위반건수에 따라 다음과 같이 점수를 산정한다. 〈개정 2021.12.1.〉

위반건수	1건	2건	3건	4건	5건
점수	-20	-40	-60	-80	-100

사. 산업재해 예방 활동 실적은 최근 고용노동부장관이 실시한 평가 결과에 따르며, 해당 평점에 따라 다음과 같이 점수를 산정한다. 단, 평점이 없는 경우 50점을 부여한다. 〈신설 2021.12.1.〉

평점	90 이상	80점 이상 90점 미만	70점 이상 80점 미만	60점 이상 70점 미만	50점 이상 60점 미만	50점 미만
점수	100	90	80	70	60	50

아. 산업안전보건관리비 사용 관련 위반 건수는 최근 1년동안 「산업안전보건법」 제30조제3항에 따른 산업안전보건관리비 사용의무를 위반하여 목적 외 사용한 금액이 1,000만원을 초과하거나 사용내역서를 작성·보존하지 않아 과태료 처분이 확정된 건으로 산정하고, 처분건수에 따라 다음과 같이 점수를 산정한다. 〈신설 2021.12.1.〉

처분건수	1회	2회 이상
점수	-25	-50

자. 산업안전보건법령 위반 행정형벌 부과 건수는 최근 1년간 동일현장에서 벌금이상의 행정형벌을 받은 건으로 산정하며, 부과 건수에 따라 다음과 같이 점수를 산정한다. 〈신설 2021.12.1.〉

부과건수	2회	3회 이상
점수	-25	-50

차. 각 중앙관서의 장 또는 계약담당공무원은 한국산업안전보건공단에서 마. 내지 아.에 따라 산출한 입찰자의 사고사망만인율 등의 점수를 확인하고 심사에 반영하여야 한다. 〈개정 2021.12.1.〉

카. 둘 이상의 업체가 공동계약을 체결하여 공사를 공동이행방식으로 시행하는 경우 각 구성원의 점수에 시공비율을 곱한 후 합산하여 평가한다.

2. 사회적 책임 중 공정거래 심사는 상호협력평가 점수에서 공정거래관련법 준수점수를 차감하여 산정한다. 〈3에서 이동 2018.12.31.〉

가. 상호협력평가 점수

1) 상호협력평가라 함은 「건설산업기본법」 제48조에 의한 상호협력평가를 말한다.

2) 상호협력평가 점수(100점)는 국토교통부가 매년 6월 30일 공표하는 업체별 상호협력평가 등급에 따라 심사하며 등급별 점수는 각 중앙관서의 장 또는 계약담당공무원이 세부 심사기준으로 정한다. 〈개정 2019.12.18.〉

나. 공정거래관련법 준수

1) 공정거래관련법이라 함은 「독점규제 및 공정거래에 관한 법률」(공정거래법이라 한다), 「하도급거래 공정화에 관한 법률」(하도급법이라 한다)을 말한다.

2) 공정거래관련법의 위반행위 시점은 공정거래위원회 의결일(소송 진행중인 경우 해당 소송의 확정판결일)을 기준으로 하되, 입찰공고일이 속하는 년도의 직전 2개년도를 대상으로 한다.

3) 공정거래관련법 위반행위는 법위반 행위유형 및 조치정도에 따라 아래 해당 점수를 감점한다.

행위 유형	조치정도
입찰담합 등 공동행위 (공정거래법 제19조)	시정명령(25점), 과징금 10억 미만(30점), 과징금 10억 이상~30억 미만(35점), 과징금 30억 이상(40점), 법인고발(45점), 법인 및 개인고발(50점)
하도급법 위반행위	시정명령(20점), 과징금(30점), 고발(40점)
기타 공정거래법 위반행위	시정명령(15점), 과징금(25점), 고발(30점)

4) 공정거래관련법의 위반행위 여부는 입찰참가자가 제출하는 다음 정보가 포함된 서류로 평가한다.

가) 입찰공고일 기준 직전 2년간 해당 입찰참가자에 대한 공정거래위원회의 3)의 조치사실

나) 입찰참가자가 가) 처분에 대하여 소송이 진행중인 경우에는 이를 입증하는 자료

다) 입찰공고일 기준 직전 2년간 3)의 조치에 대한 소송의 확정판결 및 이에 대한 입증자료

5) 대상기간 중 하나의 의결에 다수의 조치가 있는 경우 그 중 가장 높은 점수만 감점하며, 다수의 의결이 있는 경우 각 의결의 조치 중 높은 점수의 합을 감점한다. 다만, 감점의 합은 100점을 넘지 못한다.

6) 둘 이상의 업체가 공동계약을 체결하여 공사를 공동이행방식으로 시행하는 경우 각 구성원의 점수에 시공비율을 곱한 후 합산하여 평가하되, 전체 공동수급체의 상호협력평가점수에서 공정거래관련법 준수점수를 차감하여 산정한다.

3. 사회적 책임 중 지역경제기여도 심사는 공동수급체 구성원 중 해당 공사현장 소재 지역업체의 참여비율을 심사한다. 〈4에서 이동 2018.12.31.〉
   1) 지역업체란 입찰공고일 현재 90일 이상 해당 공사현장이 소재한 특별시, 광역시, 특별자치시, 도 및 특별자치도에 주된 영업소가 소재한 업체를 말하며 공동수급체 대표자는 제외한다. 다만, 기획재정부 고시 「국가를 당사자로 하는 계약에 관한 법률 시행령 제72조제3항제2호에 따른 공동계약 대상사업」(이하 이 예규에서 "고시"라 한다) 제2호에 따른 사업의 경우에는 공동수급체 대표자를 포함한다. 〈단서신설 2020.4.7.〉
   2) 지역경제기여도 심사의 산식은 다음과 같다.

$$평점 = \frac{지역업체\ 비율}{20\% \times A} \times 배점$$

주 :
1) 공동수급체 대표자는 지역업체 비율 산정시 제외한다. 다만, 간이형 공사의 경우에는 그러하지 아니하다. <개정 2020.12.28.>
2) A는 발주기관이 해당 공사현장 소재지역의 지역업체 현황과 공사규모 및 난이도 등을 종합적으로 고려하여 0.5~2사이에서 결정

   3) 2)에도 불구하고 고시 제2호에 따른 사업에 대한 지역경제기여도 심사의 산식은 다음과 같다. 〈신설 2020.4.7.〉

$$평점 = \frac{지역업체\ 비율}{40\%} \times 배점$$

4. 간이형 공사의 사회적 책임 중 건설인력 고용 심사는 [별표2] 7. 및 9.에 따라 심사한다. 〈신설 2019.12.18., 개정 2021.3.19.〉

5. 상호시장 진출 허용 공사로서 종합공사에 전문건설사업자가 참여한 경우 건설안전 심사, 공정거래 심사 시 항목별로 기본점수를 부여할 수 있다. 〈신설 2021.3.19.〉

6. 사회적책임의 각 심사항목별 점수를 합산한 점수가 음(-)인 경우는 0점으로 한다. 〈신설 2021.12.1.〉

6 일괄입찰 등에 의한 낙찰자 결정기준

[시행 2017.1.1.][기획재정부계약예규 제322호, 2016.12.30, 일부개정]

제1장 총 칙

제1조(목적) 이 예규는 「국가를 당사자로 하는 계약에 관한 법률 시행령」(이하 "시행령"이라 한다) 제79조에 따른 일괄입찰 또는 대안입찰(이하 "일괄입찰 등"이라 한다)과 관련하여 시행령 제85조의2, 제86조 및 제87조에 따른 낙찰자결정 및 그 밖에 필요한 사항을 정함을 목적으로 한다. <개정 2010.9.8.>

제2조(입찰참가자격사전심사) 계약담당공무원(각 중앙관서의 장이 계약에 관한 사무를 그 소속 공무원에게 위임하지 아니하고 직접 처리하는 경우에는 이를 계약담당공무원으로 본다. 이하 같다)은 일괄입찰 등에 있어 시행령 제13조에 따라 입찰참가자격을 미리 심사하여 적격자를 선정 하고자 하는 경우 사전심사 기준·방법 그 밖에 필요한 사항은 계약예규 「입찰참가자격사전심사요령」을 참고하여 정할 수 있다. <개정 2010.9.8.>

제3조(일괄입찰 등의 실시설계적격자 또는 낙찰자 결정방법 공고) 계약담당공무원은 시행령 제85조의2에 따라 선택된 실시설계적격자 또는 낙찰자 결정방법을 입찰공고시 명시하여야 한다. <개정 2016.12.30.>

제4조(입찰 및 설계심의 의뢰 등) ① 계약담당공무원은 입찰참가자로 하여금 가격입찰서와 함께 일괄입찰의 경우에는 시행령 제85조제3항제1호에 정한 서류를, 대안입찰의 경우로서 대안을 제출하는 경우에는 동 조 제2항에 정한 서류를 각각 제출하게 하여야 한다. 다만, 일괄입찰에 있어 시행령 제85조의2제1항제4호의 방법에 따라 실시설계적격자를 결정하는 경우에는 가격입찰서는 제출하게 하지 아니한다.

② 계약담당공무원은 입찰시 제출된 기본설계입찰서, 대안입찰서 등에 대하여 시행령 제85조제5항 또는 제6항에 따라 중앙건설기술심의위원회 또는 기술자문위원회에 설계의 적격여부에 대한 심의 및 설계점수평가를 의뢰하여야 한다. <개정 2016.1.1.>

제5조(세부심사기준) ① 계약담당공무원은 필요한 경우에는 이 예규에 정한 바에 따라 실시설계적격자 또는 낙찰자가 결정될 수 있도록 세부심사기준을 정할 수 있다.

② 계약담당공무원은 제1항에 따라 세부심사기준을 정한 때에는 입찰에 참가하고자 하는 자가 열람할 수 있도록 비치하여야 하며, 입찰에 참가하고자 하는 자의 신청이 있을 경우 「국가를 당사자로 하는 계약에 관한 법률 시행규칙」 제41조에 정한 입찰관련서류와 함께

교부하여야 한다.

③ 제2항에 따른 열람·교부기간은 입찰공고일부터 입찰등록마감일까지 이어야 한다.

④ 계약담당공무원은 시행령 제14조에 따른 전자조달시스템에 제2항의 서류를 게재함으로써 입찰에 참가하고자 하는 자에 대한 열람 또는 교부에 갈음할 수 있다. 다만, 입찰에 참가하고자 하는 자가 서류로 제2항의 서류를 교부토록 요구하는 경우에는 서류로 교부하여야 한다. <개정·단서신설 2014.1.10.>

제2장 일괄입찰의 실시설계적격자 및 낙찰자 결정

제6조(일괄입찰의 실시설계적격자 및 낙찰자 결정) 계약담당공무원은 시행령 제87조에 따라 일괄입찰의 실시설계적격자 및 낙찰자를 결정함에 있어서는 이 장에 정한 바에 따라야 한다.

제7조(실시설계적격자 결정대상자 선정) ① 계약담당공무원은 일괄입찰에 참가한 자에 대하여 시행령 제85조제5항 또는 제6항에 따라 입찰시 제출한 기본설계의 적격여부 및 설계점수를 중앙건설기술심의위원회 또는 기술자문위원회로부터 통지 받은 때에는 기본설계적격자(제8조에 따라 낙찰자를 결정하는 경우에는 60점 이상 85점 이하에서 계약담당공무원이 정한 설계점수 이상을 받은 자) 중 설계점수가 높은 순으로 최대 6인(적격으로 통지된 입찰자가 6인 미만인 경우에는 적격으로 통지된 모든 입찰자)을 실시설계적격자 결정대상자로 선정하여야 한다. <개정 2011.5.13, 2016.1.1.>

② 계약담당공무원은 제1항에 불구하고 시행령 제85조제5항 또는 제6항에 따른 기본설계적격자가 1인 이하인 경우에는 시행령 제87조제1항 단서에 정한 바에 따라 재공고입찰에 의하여야 한다.

제8조(설계적합최저가방식) 계약담당공무원은 시행령 제85조의2제1항제1호의 방법으로 실시설계적격자를 선정하는 경우에는 제7조에 따라 선정된 실시설계적격자 결정대상자(이하 "실시설계적격자 결정대상자"라 한다) 중 최저가격으로 입찰한 자를 실시설계적격자로 결정하여야 한다. <개정 2016.12.30.>

제9조(입찰가격조정방식) 계약담당공무원은 시행령 제85조의2제1항제2호 전단의 방법으로 실시설계적격자를 선정하는 경우에는 실시설계적격자 결정대상자 중 다음 산식에 따라 조정된 가격이 가장 낮은 자를 실시설계적격자로 결정하여야 한다. <개정 2016.12.30.>

조정가격 = 입찰가격/(설계점수/100)

제10조(설계점수조정방식) 계약담당공무원은 시행령 제85조의2제1항제2호 후단의 방법으로 실시설계적격자를 선정하는 경우에는 실시설계적격자 결정대상자 중 다음 산식에 따라 조정된 점수가 가장 높은 자를 실시설계적격자로 결정하여야 한다. <개정 2016.12.30.>

조정점수 = [(설계점수× 추정가격(부가가치세를 포함)]/입찰가격

제11조(가중치기준방식) ① 계약담당공무원은 시행령 제85조의2제1항제3호의 방법으로 실시설계적격자를 선정하는 경우에는 실시설계적격자 결정대상자 중 가중치가 반영된 설계점수와 가격점수를 합산한 종합점수가 가장 높은 자를 실시설계적격자로 결정하여야 한다. <개정 2016.12.30.>

② 계약담당공무원은 제1항에 적용할 설계점수와 가격점수의 가중치는 공사의 기술난이도 등을 고려하여 별표에 따라 그 합계가 100이 되도록 정하여야 하며, 동 내용을 입찰공고시 실시설계적격자 결정방법과 함께 명시하여야 한다. <개정 2010.9.8.>

③ 가격점수는 다음 산식을 적용하여 산정한다. 이 경우에 최저입찰가격은 실시설계적격자 결정대상자의 입찰가격 중 최저입찰가격을 말한다.

가격점수 = 가격점수가중치 × (최저입찰가격/해당입찰가격)

제12조(확정가격최상설계방식) 계약담당공무원은 시행령 제85조의2제1항제4호의 방법으로 실시설계적격자를 선정하는 경우에는 실시설계적격자 결정대상자 중 설계점수가 가장 높은 자를 실시설계적격자로 결정하여야 한다. <개정 2016.12.30.>

제12조의2(일괄입찰의 일부 입찰무효시 설계점수의 조정) 계약담당공무원은 제7조 내지 제12조에도 불구하고 기본설계적격자 및 실시설계적격자를 선정함에 있어 시행령 제84조제1항제2호의 자(이하 이 예규에서 설계업체라 한다)의 일부에 입찰무효 사유가 있는 입찰참가자에 대하여는 중앙건설기술심의위원회 또는 기술자문위원회로부터 통지받은 설계점수를 다음과 같이 조정한 설계점수를 적용한다.

설계점수 = 설계평가총점수 - [(입찰무효사유가 있는 설계업체의 참여분야 지분율 × 해당분야 취득점수)+(입찰무효사유가 있는 설계업체의 참여분야 지분율 × 해당분야 취득점수)+......]

[본조신설 2016.12.30.]

제13조(일괄입찰의 낙찰자 결정) ① 계약담당공무원은 제8조 내지 제12조에 따라 실시설계적격자를 결정한 경우에는 시행령 제85조제3항제2호에 따라 실시설계적격자로부터 실시설계서 등을 제출받아 동조 제5항 또는 제6항에 따라 중앙건설기술심의위원회 또는 기술자문위원회에 실시설계서의 적격여부에 대한 심의를 의뢰하여야 한다. <개정 2016.1.1.>

② 계약담당공무원은 제85조제5항 또는 제6항에 따라 중앙건설기술심의위원회 또는 기술자문위원회로부터 해당 실시설계의 적격통지를 받은 때에는 동 실시설계적격자를 낙찰자로 결정한다. <개정 2016.1.1.>

③ 계약담당공무원은 실시설계적격자의 입찰금액이 계속비대형공사에 있어서는 계속비예산, 일반대형공사에 있어서는 총 공사 예산을 각각 초과하는 경우에는 실시설계 제출요구전에 예산의 범위안으로 가격을 조정하기 위하여 그 입찰자와 협의하여야 하며 협의가 성립되지 아니할 때에는 재공고입찰에 의하여야 한다.

④ 제1항 및 제2항에 따른 낙찰자의 결정은 부득이한 사유가 없는 한 실시설계서가 제출된 날부터 60일 이내에 하여야 한다.

제3장 대안입찰의 낙찰자 결정

제14조(대안입찰의 낙찰자 결정) 계약담당공무원은 시행령 제86조에 따라 대안입찰의 낙찰자를 결정함에 있어서는 이 장에 정한 바에 따라야 한다.

제15조(낙찰적격입찰 선정 등) ① 계약담당공무원은 시행령 제85조제2항에 따라 제출된 대안입찰서의 대안입찰가격(제86조제3항 또는 제4항에 따른 조정을 거친 후의 대안입찰가격을 포함한다)이 다음 각 호의 요건을 모두 충족하는 경우에는 이를 낙찰적격입찰로 선정한다.

1. 대안입찰가격이 입찰자 자신의 원안입찰가격보다 낮을 것
2. 대안입찰가격이 총공사 예정가격 이하로서 대안공종에 대한 입찰가격이 대안공종에 대한 예정가격 이하일 것

② 계약담당공무원은 제1항에 따라 선정된 낙찰적격입찰의 대안설계서를 원안설계서와 함께 시행령 제85조제5항 또는 제6항에 따라 중앙건설기술심의위원회 또는 기술자문위원회에 설계의 적격여부에 대한 심의 및 설계점수평가를 의뢰하여야 한다. <개정 2016.1.1.>

제16조(낙찰자 결정대상자 선정) 계약담당공무원은 다음 각 호에 해당하는 자를 낙찰자 결정대상자로 선정하여야 한다.

1. 원안입찰자(대안입찰서를 제출하였으나 제15조에 따라 낙찰적격입찰에서 제외되었거나, 낙찰적격입찰 중 제2호에 포함되지 않은 입찰자를 포함한다. 이하 같다)
2. 시행령 제85조제5항 또는 제6항에 따라 중앙건설기술심의위원회 또는 기술자문위원회로부터 적격으로 통지된(제17조에 따라 낙찰자를 결정하는 경우에는 60점 이상 85점 이하에서 계약담당공무원이 정한 설계점수 이상을 받은) 대안입찰서 중 설계점수가 높은 순으로 최대 6개의 대안(적격으로 통지된 대안이 6개 미만인 경우에는 적격으로 통지된 모든 대안)을 선정한 후, 선정된 대안의 설계점수와 원안설계점수를 비교하여 대안설계점수가 원안설계점수보다 보다 낮지 아니한 대안입찰서를 제출한 자 <개정 2011.5.13. 2016.1.1.>

제17조(설계적합최저가방식) 계약담당공무원은 시행령 제85조의2제2항제1호의 방법으로 실시설계적격자를 선정하는 경우에는 제16조에 따라 선정된 낙찰자 결정대상자(이하 "낙찰자 결정대상자"라 한다) 중 최저가격으로 입찰한 자를 낙찰자로 결정하여야 한다. <개정 2016.12.30.>

제18조(입찰가격조정방식) 계약담당공무원은 시행령 제85조의2제2항제2호 전단의 방법으로 실시설계적격자를 선정하는 경우에는 낙찰자 결정대상자 중 다음 산식에 따라 조정된 가격이 가장 낮은 자를 낙찰자로 결정하여야 한다. <개정 2016.12.30.>

조정가격 = 입찰가격/(설계점수/100)

제19조(설계점수조정방식) 계약담당공무원은 시행령 제85조의2제2항제2호 후단의 방법으로 실시설계적격자를 선정하는 경우에는 낙찰자 결정대상자 중 다음 산식에 따라 조정된 점수

가 가장 높은 자를 낙찰자로 결정하여야 한다. <개정 2016.12.30.>

조정점수 = (설계점수× 예정가격)/입찰가격

제20조(가중치기준방식) ① 계약담당공무원은 시행령 제85조의2제2항제3호의 방법으로 실시설계적격자를 선정하는 경우에는 낙찰자 결정대상자 중 가중치가 반영된 설계점수와 가격점수를 합산한 종합점수가 가장 높은 자를 낙찰자로 결정하여야 한다. <개정 2016.12.30.>

② 계약담당공무원은 제1항에 적용할 설계점수와 가격점수의 가중치는 공사의 기술난이도 등을 고려하여 별표에 따라 그 합계가 100이 되도록 정하여야 하며, 동 내용을 입찰공고시 낙찰자 결정방법과 함께 명시하여야 한다. <개정 2010.9.8.>

③ 가격점수는 다음 산식을 적용하여 산정한다. 이 경우 최저입찰가격은 낙찰자 결정대상자의 입찰가격 중 최저입찰가격을 말한다.

가격점수 = 가격점수가중치 × (최저입찰가격/해당입찰가격)

제20조의2(대안입찰의 일부 입찰무효시 설계점수의 조정) 계약담당공무원은 제16조 내지 제20조에도 불구하고 설계업체의 일부에 입찰무효 사유가 있는 입찰참가자가 있을 경우에는 낙찰자 결정대상자 및 낙찰자를 선정함에 있어 제12조의2를 준용한다.

[본조신설 2016.12.30.]

제4장 보 칙

제21조(입찰결과의 공개 등) 계약담당공무원은 개찰 후 즉시 입찰참가업체별 설계점수와 입찰가격을 전자조달시스템 또는 발주기관의 정보처리장치를 통하여 공개하여야 하며, 「독점규제 및 공정거래에 관한 법령」에 따라 입찰관련정보를 공정거래위원회에 제출하여야 한다.

제22조(재검토기한) 「훈령·예규 등의 발령 및 관리에 관한 규정」에 따라 이 예규에 대하여 2016년 1월 1일 기준으로 매3년이 되는 시점(매 3년째의 12월 31일까지를 말한다)마다 그 타당성을 검토하여 개선 등의 조치를 하여야 한다. <개정 2015.9.21.>

부 칙(2007.10.12)

제1조(시행일) 이 회계예규는 2007년 10월 12일부터 시행한다.

제2조(적용례) 이 예규 시행 후 입찰공고를 한 후 실시하는 입찰부터 적용한다.

부 칙(2009.9.21)

제1조(시행일) 이 회계예규는 2009년 9월 21일부터 시행한다.

부　칙(2010.9.8)

제1조(시행일) 이 회계예규는 2010년 9월 8일부터 시행한다. 다만, 제1조 및 제2조의 개정 규정은 2010년 10월 22일부터 시행한다.

제2조(적용례) 이 회계예규 시행 후 입찰공고를 한 분부터 적용한다.

부　칙(2011.5.13)

제1조(시행일) 이 계약예규는 2011년 5월 13일부터 시행한다.

제2조(적용례) 이 예규 시행일 이후 입찰공고를 한 분부터 적용한다.

부　칙(2014.1.10)

제1조(시행일) 이 계약예규는 2014년 1월 10일부터 시행한다.

제2조(적용례) 이 예규 시행일 이후 입찰공고를 한 분부터 적용한다.

부　칙(2015.9.21)

제1조(시행일) 이 계약예규는 2015년 9월 21일부터 시행한다.

부　칙(2016.1.1)

제1조(시행일) 이 계약예규는 2016년 1월 1일부터 시행한다.

부　칙(2016.12.30)

제1조(시행일) 이 계약예규는 2017년 1월 1일부터 시행한다.

제2조(적용례) ① 이 계약예규는 시행일 이후 시행령 제85조의2의 규정에 따라 중앙건설기술심의위원회가 실시설계적격자 또는 낙찰자 결정방법을 심의한 분부터 적용한다.

② 제1항에도 불구하고 제12의2 및 제20조의2의 개정규정은 이 계약예규 시행일 이후 감점사유가 발생하는 분부터 적용한다.

[별표] 공사등급(유형)별 설계가중치 적용기준 (제11조 및 제20조 관련) <신설 2010.9.8, 개정 2016.12.30.>

등급 (유형)	기술적 난이도	설계가중치
A 기술강조형	① 고난도·고기술이 필요한 특수교량 - 현수교, 사장교, 아치교, 트러스교 등 이에 준하는 공사 ② 공사여건이 극히 열악하여 시공자의 기술 및 경험이 요구되고 하자책임 보증이 중요한 공사 - 연육교, 연도교, 해상교량, 해저·하저터널, 평균 높이 30m 이상 항만구조물(단, 잔교식은 제외) 등 이에 준하는 공사 ③ 설계부실에 따른 안전사고시 재산 및 인명피해가 커서 설계의 기술비중을 특히 중요시해야 할 필요가 있는 공사 - 댐(본체 및 여수로 공사에 한함), 철도(환승·복합역사 포함), 공항(활주로, 여객터미널) 등 이에 준하는 공사 ④ 기자재 공급자가 직접 설계와 시공을 하는 공사로서 성능보장이 특히 필요한 공사 - 폐기물(쓰레기, 슬러지 등) 소각시설, 철도차량기지, 열병합발전설비, 집단에너지시설 등 이에 준하는 공사	50 초과~ 80% 이하
B 균등평가형	① 경간100m 이상이 포함된 연장 500m 이상의 교량, 장대터널(3,000m 이상, 방재1등급터널에 한함) ② 지하 10m 이상의 복개식 도시철도(지하철) 등 이에 준하는 공사 ③ 평균 높이 20m 이상인 항만구조물(방파제, 안벽, 단, 잔교식은 제외), 배수갑문(2,000㎥/sec 이상) ④ 관람집회시설(공연장, 집회장, 관람장, 운동장, 체육관), 전시시설(전시장) ⑤ 고도처리방식에 의한 정수장 ⑥ 폐수·하수종말처리장(차집관로 제외), 생활폐기물 자동집하시설, 슬러지 건조 시설 ⑦ 지능형교통체계시설, 공동주택, 학교, 병원, 공용청사 ⑧ 가스공급시설	40% 이상~ 60% 이하
C 가격강조형	① A 및 B등급 이외의 공사	50% 미만~ 20% 이상

주) 등급별 설계가중치 세부 적용방법

1. A등급의 설계가중치에도 불구하고, 설계가중치의 상한은 추정가격 500억원 미만인 공사는 70%를, 추정가격 500억원 이상인 공사는 80%를 초과할 수 없다.
2. 기술적난이도에 따른 등급 적용은 해당공종의 공사비가 전체 공사비의 50%를 넘는 공종을 기준으로 한다.
3. 동일 등급 내에서의 설계가중치 결정은 전체 공사규모, 전체 공사규모 대비 해당공종 공사비의 비율, 공사의 기술적 난이도 및 발주 목적 등(이하 '공사규모 및 난이도 등'이라 한다)을 고려하여 결정하여야 한다.
4. 단일공종 금액이 전체 공사비의 50% 미만 ~ 30% 이상일 경우에는 하위등급(예, A등급 공사비율이 40%인 경우는 B등급 적용), 30% 미만인 경우에는 차하위등급을 적용(예, A등급 공사비율이 25%인 경우 C등급 적용)하여야 한다.
5. 공사규모 및 난이도 등을 감안하여 등급을 달리 적용할 수 있다. 다만, 공사 목적물의 상징성·기념성 등 발주목적 및 공사특성 등의 불가피한 사유로 상위 등급의 설계가중치를 적용하려는 경우에는 중앙(지방,특별)건설기술심의위원회 또는 기술자문위원회의 자문을 거쳐 상위등급을 적용할 수 있다. <개정 2016.1.1.>
6. 시행령 제80조에 따라 일괄·대안입찰로 발주하는 공사로서, 공사명칭 등의 상이로 인하여 상기 A~C 등급에 해당공사가 명시되지 않은 경우, 발주하려는 공사의 내용·성격 등을 감안하여 가장 유사한 공사의 등급에 따른다.

7 협상에 의한 계약체결기준

[시행 2021.3.28.][기획재정부계약예규 제538호, 2020. 12. 28., 일부개정]

제1조(목적) 이 예규는 「국가를 당사자로 하는 계약에 관한 법률 시행령」(이하 "시행령"이라 한다) 제43조 및 제43조의2에 의한 협상에 의한 계약의 체결에 필요한 사항을 정함을 목적으로 한다.

제2조(정의) 이 기준에서 사용하는 용어의 정의는 다음과 같다.

1. '제안요청서'라 함은 계약담당공무원(각 중앙관서의 장이 계약에 관한 사무를 그 소속 공무원에게 위임하지 아니하고 직접 처리하는 경우에는 이를 계약담당공무원으로 본다. 이하 같다)이 협상에 의한 계약의 입찰에 참가하고자 하는 자에게 제안서의 제출을 요청하기 위하여 교부 또는 열람하게 하는 서류를 말한다.
2. '제안서'라 함은 협상에 의한 계약의 입찰에 참가하고자 하는 자가 제안요청서 또는 입찰공고에 따라 작성하여 계약담당공무원에게 제출하는 서류를 말한다.
3. '협상적격자'라 함은 제안서의 평가결과에 따라 협상에 의한 계약의 협상대상자가 될 수 있는 자격을 갖춘 자를 말한다.

제3조(적용범위) 이 기준은 계약담당공무원이 시행령 제43조제1항 및 제43조의2제1항에 의한 계약을 체결하는 경우에 적용한다.

제4조(입찰공고) ① 계약담당공무원은 제안서 제출마감일의 전일부터 기산하여 40일 전에 입찰공고를 하여야 한다. 다만, 긴급을 요하는 경우, 추정가격이 고시금액 미만인 경우 및 시행령 제20조제2항에 따른 재공고입찰인 경우에는 제안서 제출마감일의 전일부터 기산하여 10일 전까지 공고할 수 있다.

② 입찰공고에는 다음 각 호의 사항을 명시하여야 한다.

1. 사업명, 사업내용, 사업기간, 사업예산
2. 해당 계약이 협상에 의한 계약이라는 사실
3. 제안요청서의 요청기한 및 요청에 필요한 서류
4. 시행령 제43조제5항에 따라 제안요청서에 대한 설명을 실시하는 경우에는 그 장소(화상방식 등 전자적 방식에 의할 경우 정보처리장치에 대한 접속방법)·일시에 관한 사항 <개정 2020.12.28.>
5. 협상에 의한 계약체결에 필요한 기준 및 절차
6. 제안서의 제출기간

7. 제안서의 내용
8. 제안서의 평가요소 및 평가방법(제7조제2항에 따라 분야별 배점한도를 10점 범위 내에서 조정하는 경우에는 그 사유를 포함한다)
9. 제7조제6항에 따라 기술능력평가를 실시하는지 여부와 평가점수 부여기준 <신설 2020.9.24.>
10. 제7조의2 제2항에 따라 가격의 적정성 평가를 실시하는지 여부와 적정성 평가대상의 기준이 되는 금액 <신설 2020.9.24.>
11. 제안서 평가시 제안서에 대한 설명을 실시하는 경우 그 장소(화상평가 등 전자적 방식에 의한 평가의 경우 해당 정보처리장치에 대한 접속방법)·일시에 관한 사항 <신설 2020.12.28.>
12. 기타 계약담당공무원이 필요하다고 인정하는 사항

제5조(제안요청서의 교부 또는 열람 등) ① 계약담당공무원은 입찰에 참가하고자 하는 자에게 제안요청서를 교부하여야 한다.

② 계약담당공무원은 제안요청서 등 필요한 서류를 시행령 제14조제3항에 의한 전자조달시스템에 게재함으로써 제1항에 따른 제안요청서 등 필요한 서류의 교부에 갈음할 수 있다.

③ 계약담당공무원은 사업내용이 비교적 단순하여 제1항 및 제2항에 의한 제안요청서의 교부 또는 열람이 불필요하다고 인정되는 경우에는 제안요청서의 교부 또는 열람을 생략하고, 바로 제안서를 제출하게 할 수 있다. 이 경우에는 입찰공고에 사업내용 등 제안서 작성에 필요한 사항을 명시하여야 한다. <개정 2009.9.21.>

④ 계약담당공무원은 계약의 성질·규모 등을 고려하여 필요하다고 인정하는 경우에는 제안요청서 등에 대한 설명을 할 수 있다. <개정 2019.12.18.>

⑤ 제안요청서에는 다음 각 호의 사항을 명시하여야 한다.

1. 과업내용
2. 요구사항
3. 계약조건
4. 평가요소와 평가방법
5. 제안서의 규격
6. 기타 필요한 사항

제6조(제안서 등의 제출) ① 협상에 의한 계약에 참가하고자 하는 자는 제4조에 의한 입찰공고 또는 제5조에 의한 제안요청서에 정한 바에 따라 제안서(제7조의2 제2항에 따른 기준금액 미만으로 입찰하려는 자의 경우 원가절감에 대한 제안을 포함한다) 및 가격 입찰서를 별도로 작성하여 계약담당공무원에게 제출하여야 한다. <개정 2020.9.24.>

② 계약담당공무원은 입찰참가자의 가격입찰서 모두를 함께 봉함하여 제7조의2에 의한 개봉시까지 보관하여야 한다.

③ 계약담당공무원은 제1항에 따른 제안서는 전자조달시스템 또는 발주기관의 정보처리

장치를 이용하여 제출하도록 하여야 한다. 다만, 제안서의 용량·형태 등으로 인하여 전자조달시스템 또는 발주기관의 정보처리장치를 이용하기 곤란한 경우에는 전자우편이나 우편으로 제출하게 할 수 있다.

제7조(제안서의 평가) ① 제안서는 기술능력과 입찰가격을 종합적으로 평가하며, 평가항목 및 배점한도는 별표와 같다.

② 각 중앙관서의 장은 제1항에 의한 평가항목 및 배점한도를 기준으로 세부평가기준을 정할 수 있다. 이 경우에는 사업의 특성·목적 및 내용 등을 고려하여 필요한 때에는 별표의 분야별 배점한도를 10점의 범위 내에서 가·감 조정할 수 있으며, 평가항목을 추가하거나 제외할 수 있다. 다만, 배점한도에 대하여 10점의 범위를 초과하여 가·감 조정할 경우에는 기획재정부장관과 협의하여야 한다.

③ 제안서의 평가에 있어서 필요한 서류가 첨부되어 있지 않거나 제출된 서류가 불명확하여 인지할 수 없는 경우에는 제안서 내용의 변경이 없는 경미한 사항에 한하여 기한을 정하여 보완을 요구하여야 한다.

④ 제3항에 의하여 보완요구한 서류가 기한까지 제출되지 아니한 경우에는 당초 제출된 서류만으로 평가하고, 당초 제출된 서류가 불명확하여 심사가 불가능한 경우에는 평가에서 제외한다.

⑤ 각 중앙관서의 장 또는 계약담당공무원은 제1항에 따라 제안서를 평가하는 경우에는 시행령 제43조제8항에 의한 제안서평가위원회(이하 "위원회"라고 함)의 심의를 거쳐야 한다. 다만, 기술능력 평가 중 수행실적, 경영상태 등 정량적 지표에 의한 평가항목은 계약담당공무원이 제16조에 따른 세부기준에 따라 평가한다.<단서신설 2018.12.31.>

⑥ 계약담당공무원은 제1항에 따라 제안서를 평가함에 있어서 해당산업의 특성, 최근 동종사업에 대한 낙찰률, 제안서 평가 점수 분포 등을 고려할 때, 기술능력평가의 변별력을 확보하기 어렵다고 판단되는 계약에 대하여는 제5항에 따른 제안서 평가점수에 따라 입찰자의 순위를 정하고, 입찰자의 순위에 따라 고정점수를 부여하는 차등점수제를 적용하여야 한다. <신설 2020.9.24.>

⑦ 각 중앙관서의 장은 순위별 점수부여 기준 등 제6항에 따른 차등점수제의 세부 절차 및 기준을 정하여 운용할 수 있다. <신설 2020.9.24.>

⑧ 제5항에 의한 위원회는 소속공무원, 해당사업 및 계약에 관한 학식과 경험이 풍부한 자 등으로 구성하며, 위원회의 구성 및 운영에 관하여 필요한 세부사항은 각 중앙관서의 장이 정한다.

⑨ 계약담당공무원은 평가위원회의 요청이 있는 경우에는 제안서를 제출한 자에게 보완자료 등 평가에 필요한 자료를 제출하게 할 수 있다.

⑩ 각 중앙관서의 장은 제안서평가 종료 후 전자조달시스템 또는 발주기관의 정보처리장치를 이용하여 평가위원 명단과 위원별·항목별 평가점수를 공개하여야 한다. 다만 평가의 공정성 확보를 위하여 필요하다고 인정되는 경우에는 평가위원 실명은 공개하지 아니할

수 있다. <신설 2015.9.21.><개정 2018.12.31.>

⑪ 제10항 본문에도 불구하고 각 중앙관서의 장은 제안서 평가결과에 개인정보, 영업비밀 및 다른 법령에 따라 공개가 제한되는 정보가 포함되어 있을 경우 평가결과의 일부 또는 전부를 공개하지 아니할 수 있다. 이 경우 전자조달시스템 또는 발주기관의 정보처리장치에 제안서 평가결과를 공개하지 않는다는 취지와 그 사유를 게재하여야 한다. <신설 2015.9.21.>

⑫ 각 중앙관서의 장 또는 계약담당공무원은 제5항에 따라 위원회가 제안서를 평가함에 있어 화상평가 등 전자적 방식에 의한 평가를 실시하도록 할 수 있다. <신설 2020.12.28.>

제7조의2(입찰가격 개봉 및 평가) ① 계약담당공무원은 제7조에 의한 제안서 평가 후 지체없이 입찰참가자가 참석한 자리에서 봉함된 가격입찰서를 개봉하고 입찰가격에 대한 평가를 실시하여야 한다.

② 제1항에도 불구하고 기술평가의 변별력을 확보할 필요성이 높은 계약에 대하여는 계약의 특성 및 사업내용 등을 고려하여 계약담당공무원이 입찰공고시 명시한 기준금액 미만의 입찰자에 대하여는 원가절감의 적정성을 심사할 수 있다. <신설 2020.9.24.>

제8조(협상적격자 및 협상순위의 선정) ① 계약담당공무원은 제7조에 따른 제안서 평가결과, 입찰가격이 해당 사업예산(예정가격을 작성한 경우에는 예정가격) 이하인 자로서 기술능력평가 점수가 기술능력평가분야 배점한도의 85% 이상인 자를 협상적격자로 선정한다. <개정 2019.12.18.>

② 협상순서는 제1항에 따른 협상적격자의 기술능력평가 점수와 입찰가격평가 점수를 합산하여 합산점수의 고득점순에 따라 결정한다. 다만, 합산점수가 동일한 제안자가 2인 이상일 경우에는 기술능력 평가점수가 높은 제안자를 우선순위자로 하고, 기술능력 평가점수도 동일한 경우에는 기술능력의 세부평가항목 중 배점이 큰 항목에서 높은 점수를 얻은 자를 우선순위자로 한다.

제9조(협상적격자에 대한 통지) 계약담당공무원은 제8조에 의하여 협상적격자와 협상순위가 결정된 경우에는 지체없이 협상적격자에게 협상순위, 협상적격자 전원의 기술능력과 입찰가격 평가점수와 합산점수 및 협상일정을 통보하여야 한다.

제10조(협상절차) ① 계약담당공무원은 제8조에 의하여 결정된 우선순위 협상대상자와 협상을 하며, 이 협상이 성립된 때에는 다른 협상적격자와 협상을 실시하지 아니한다

② 계약담당공무원은 협상대상자와의 협상이 성립되지 않으면 동일한 기준과 절차에 따라 순차적으로 차순위 협상적격자와 협상을 실시한다.

③ 계약담당공무원은 모든 협상적격자와의 협상이 결렬될 경우에는 재공고입찰에 부칠 수 있다.

제11조(협상의 내용과 범위) 계약담당공무원은 협상대상자가 제안한 사업내용, 이행방법, 이행일정 등 제안서 내용을 대상으로 협상을 실시하며 협상대상자와 협상을 통해 그 내용의 일부를 조정할 수 있다. 다만, 계약담당공무원은 협상대상자에게 당해 사업과 무관한 요

구사항을 추가하는 행위, 기술 이전 요구 등 불공정한 요구를 하여서는 아니 된다. <단서 신설 2015.1.1.>

제12조(가격의 협상) ① 협상대상자와의 가격협상시 기준가격은 해당 사업예산(예정가격을 작성한 경우에는 예정가격) 이하로서 협상대상자가 제안한 가격으로 한다.

② 계약담당공무원은 협상대상자가 제안한 내용을 가감하는 경우에는 그 가감되는 내용에 상당하는 금액을 해당 사업예산(예정가격을 작성한 경우에는 예정가격) 범위 내에서 조정할 수 있다. 다만, 제안한 내용의 가감조정이 없는 경우에는 가격협상시 협상대상자가 제안한 가격을 증감조정할 수 없다.

③ 제1항 및 제2항에 의한 가격협상을 위하여 예성가격을 작성하는 경우에는 제6조에 의한 제안서 제출 전까지 시행령 제9조에 따라 작성하여야 하며, 입찰에 참가한 자의 제안가격 등을 기준으로 작성하여서는 아니된다.

제13조(협상기간) ① 계약담당공무원은 협상기간과 대상 등을 협상대상자에게 통보하여야 하며, 협상기간은 협상대상자에게 통보된 날로부터 15일 이내로 한다. 다만, 해당 사업의 규모, 특수성, 난이도 등에 따라 협상대상자와의 협의에 의하여 5일의 범위내에서 조정할 수 있다. <개정·단서신설 2012.1.1.>

② 제1항에서 정한 기간 내에 협상이 이루어지지 않을 경우에는 10일의 범위내에서 연장할 수 있다.

제14조(협상결과의 통보) 계약담당공무원은 협상이 성립되면 그 결과를 해당 협상대상자 및 다른 협상적격자에게 서면으로 통보하여야 한다.

제15조(계약체결 및 이행) ① 계약담당공무원은 협상이 성립된 후 10일 이내에 계약을 체결하여야 한다.

② 계약의 체결 및 이행에 관하여는 제14조에 의하여 서면통보한 협상결과와 「국가를 당사자로 하는 계약에 관한 법률」, 시행령 및 시행규칙과 이에 근거한 계약의 일반조건, 특수조건, 입찰유의서 및 일반원칙에 따른다.

제16조(세부기준의 제정) ① 각 중앙관서의 장은 이 기준에 따라 협상에 의한 계약을 체결함에 있어 필요한 세부기준을 정하여 운용할 수 있다.

② 각 중앙관서의 장은 제1항에 따라 세부기준을 정하려는 경우 기술능력 평가는 정량적 평가항목과 정성적 평가항목으로 구분하여 정하여야 한다. <개정 2018.12.31.>

제17조(재검토기한) 「훈령·예규 등의 발령 및 관리에 관한 규정」에 따라 이 예규에 대하여 2016년 1월 1일 기준으로 매3년이 되는 시점(매 3년째의 12월 31일까지를 말한다)마다 그 타당성을 검토하여 개선 등의 조치를 하여야 한다. <개정 2015.9.21.>

부 칙(2007.10.12)

제1조(시행일) 이 회계예규는 2007년 10월 12일부터 시행한다.

제2조(협상적격자 및 협상순위의 선정에 관한 적용례) 제8조제1항 및 제2항의 개정규정은 이 예규 시행 후 입찰공고를 한 분부터 적용한다.

부 칙(2009.9.21)

제1조(시행일) 이 회계예규는 2009년 9월 21일부터 시행한다.

제2조(적용례) 이 예규 시행후 입찰공고를 한 분부터 적용한다.

부 칙(2012.1.1)

제1조(시행일) 이 계약예규는 2012년 1월 1일부터 시행한다.

부 칙(2012.4.2)

제1조(시행일) 이 계약예규는 2012년 5월 1일부터 시행한다.

제2조(적용례) 이 예규 시행일 이후 입찰공고를 한 분부터 적용한다.

부 칙(2012.9.22)

제1조(시행일) 이 계약예규는 2012년 9월 22일부터 시행한다.

부 칙(2014.1.10)

제1조(시행일) 이 계약예규는 2014년 1월 10일부터 시행한다.

제2조(적용례) 이 예규 시행일 이후 입찰공고를 한 분부터 적용한다.

부 칙(2015.1.1)

제1조(시행일) 이 계약예규는 2015년 1월 1일부터 시행한다.

제2조(적용례) 이 예규 시행일 이후 입찰공고를 한 분부터 적용한다.

부 칙(2015.9.21)

제1조(시행일) 이 계약예규는 2015년 9월 21일부터 시행한다.

제2조(제안서의 평가에 관한 적용례) 제7조 및 [별표]의 개정규정은 2015.10.1일부터 최초로 입

찰공고를 한 분부터 적용한다.

부　칙(2018.6.4)

제1조(시행일) 이 계약예규는 2018년 6월 7일부터 시행한다.

제2조(적용례) 제6조의 개정조항은 이 예규 시행 후 최초로 입찰공고되는 계약분(재입찰 또는 재공고입찰은 제외)부터 적용한다.

부　칙(2018.12.31)

제1조(시행일) 이 계약예규는 2019년 3월 5일부터 시행한다.

제2조(적용례) 이 계약예규는 부칙 제1조에 따른 시행일 이후 입찰공고 하는 경우부터 적용한다.

부　칙(2019.12.18)

제1조(시행일) 이 계약예규는 2019년 12월 18일부터 시행한다.

제2조(적용례) 이 계약예규는 부칙 제1조에 따른 시행일 이후 입찰공고를 한 분부터 적용한다.

부　칙(2020.9.24.)

제1조(시행일) 이 계약예규는 2020년 12월 24일부터 시행한다. 다만, 제4조제2항제10호, 제6조, 제7조의2 및 [별표] 주3)의 개정규정은 2021년 3월 24일부터 시행한다.

제2조(적용례) 이 계약예규는 시행일 이후 입찰공고하는 경우부터 적용한다.

부　칙(2020.12.28.)

제1조(시행일) 이 계약예규는 2021년 3월 28일부터 시행한다.

제2조(적용례) 이 계약예규는 부칙 제1조에 따른 시행일 이후 입찰공고하는 경우부터 적용한다.

[별표] 제안서의 평가항목 및 배점한도 (제7조 관련) <개정 2012.4.2, 2014.1.10.>

구 분	평가항목	배점한도	비 고
계		100	
기술능력 평가	• 기술·지식능력 • 인력·조직·관리기술 • 사업수행계획 • 지원기술·사후관리 • 수행실적 • 재무구조·경영상태 • 상호협력 • 외주근로자 근로조건 • 원가절감의 적정성 등 <신설 2020.9.24.>	80	• 각 평가항목의 배점한도는 30점을 초과하지 못함
입찰가격 평가		20	※ 평점산식 : 아래

주1) 입찰가격 평점산식

가) 입찰가격을 추정가격의 100분의 80 이상으로 입찰한 자에 대한 평가

· $평점 = 입찰가격평가\ 배점한도 \times \left(\frac{최저입찰가격}{해당입찰가격}\right)$

* 최저입찰가격 : 유효한 입찰자중 최저입찰가격으로 하되, 입찰가격이 추정가격의 100분의 60 미만일 경우에는 100분의 60으로 계산 <개정 2015.9.21.>

* 해당입찰가격 : 해당 평가대상자의 입찰가격

* 입찰가격 평가시 사업예산으로 하는 경우에는 추정가격에 부가가치세를 포함하여 적용하고, 예정가격을 작성한 경우에는 추정가격을 예정가격으로 적용

나) 입찰가격을 추정가격의 100분의 80 미만인 입찰한 자에 대한 평가

$$평점 = 입찰가격평가\ 배점한도 \times \left(\frac{최저입찰가격}{추정가격의\ 80\%\ 상당가격}\right) + \left[2 \times \left(\frac{추정가격의\ 80\%\ 상당가격 - 해당입찰가격}{추정가격의\ 80\%\ 상당가격 - 추정가격의\ 60\%\ 상당가격}\right)\right]$$

* 최저입찰가격 : 유효한 입찰자 중 최저입찰가격으로 하되, 입찰가격이 추정가격의 100분의 60 미만일 경우에는 100분의 60으로 계산 <개정 2015.9.21.>

* 해당입찰가격 : 해당평가대상자의 입찰가격으로 하되, 입찰가격이 추정가격의 100분의 60 미만일 경우에는 배점한도의 30%에 해당하는 평점을 부여 <개정 2015.9.21.>

* SW 사업의 경우에는 해당 입찰가격이 추정가격의 100분의 80 미만일 경우에는 배점한도의 30%에 해당하는 평점을 부여 <신설 2014.1.10, 개정 2015.9.21.>

* 입찰가격 평가시 사업예산으로 하는 경우에는 추정가격에 부가가치세를 포함하여 적용하고, 예정가격을 작성한 경우에는 추정가격을 예정가격으로 적용

다) 입찰가격 평점산식에 의한 계산결과 소수점 이하의 숫자가 있는 경우에는 소수점 다섯째자리에서 반올림함

라) 각 중앙관서의 장은 계약수행 과정에서 계약상대자가 계약금액 이외에 제3자로부터 경제적 이익을 얻을 수 있는 경우 등 위 기준을 적용하기 곤란하다고 판단되는 경우에는 기획재정부 장관과 협의하여 위 기준과 다른 평점산식을 운영할 수 있다. 〈신설 2015.9.21.〉

주2) 기술능력 평가방법 〈신설 2012.4.2.〉

가) 외주근로자 근로조건은 시행규칙 제23조의3 각 호에 해당하는 단순노무 용역이 포함된 용역에 한해 평가하며, 임금의 적정수준에 대한 기준은 적격심사에서 단순노무 용역에 적용되는 낙찰하한율을 고려하여 적격심사세부기준에서 정한 내용을 준용한다.

나) 다음의 계약에 대한 기술능력 평가시 수행실적은 평가항목에서 제외한다. 단, 국민안전·보건·국가안보 등을 위해 실적평가가 불가피하다고 판단되는 경우에는 예외로 한다. <개정 2020.9.24.>

1. 추정가격이 고시금액 미만인 소규모 계약
2. 시행령 제26조제1항제5호사목의 제품이 속하는 세부품명에 대한 계약(지정 또는 승인시로부터 3년 이내에 한하며, 해당부분에 대하여만 실적평가를 제외함)
3. 기업활력제고를 위한 특별법 시행령 제3조의2에 따른 신산업에 대한 계약(지정 또는 승인시로부터 3년 이내에 한하며, 해당부분에 대하여만 실적평가를 제외함)

다) 제7조제6항의 계약에 대하여는 제안서 평가에 따른 기술능력평가는 차등점수제를 적용한다. <신설 2020.9.24.>

주3) 원가절감의 적정성 평가 <신설 2020.9.24.>

가) 적정성 평가 대상: 해당 사업예산(예정가격을 작성한 경우는 예정가격)의 100분의 60 이상 100분의 80 미만의 금액으로서 각 중앙관서의 장 또는 계약담당공무원이 사업의 내용 및 계약의 성격을 고려하여 결정한 금액(기준금액) 미만으로 입찰한 자

나) 적정성 평가 방법: 단가·노무비 인하, 과도한 물량감축 등으로 입찰가격을 기준금액 미만으로 낮춘 경우 감점

8 공동계약운용요령

[시행 2021.1.1.][기획재정부계약예규 제539호, 2020.12.28., 일부개정]

제1조(목적) 이 예규는 「국가를 당사자로 하는 계약에 관한 법률 시행령」(이하 "시행령"이라 한다) 제72조에 의한 공동계약의 체결방법과 기타 필요한 사항을 정함을 목적으로 한다.

제2조(정의) 이 예규에서 사용하는 용어의 정의는 다음과 같다.

1. "공동계약"이라 함은 공사·제조·기타의 계약에 있어서 발주기관과 공동수급체가 체결하는 계약을 말한다.
2. "공동수급체"라 함은 구성원을 2인 이상으로 하여 수급인이 해당계약을 공동으로 수행하기 위하여 잠정적으로 결성한 실체를 말한다.
3. "공동수급체 대표자"라 함은 공동수급체의 구성원 중에서 대표자로 선정된 자를 말한다.
4. "공동수급협정서"라 함은 공동계약에 있어서 공동수급체구성원 상호간의 권리·의무 등 공동계약의 수행에 관한 중요사항을 규정한 계약서를 말한다.
5. "주계약자"라 함은 주계약자관리방식의 공동계약에서 공동수급체 구성원 중 전체 건설공사의 이행에 관하여 종합적인 계획·관리·조정을 하는 자를 말한다. <신설 2009.4.8.>

제2조의2(공동계약의 유형) 공동계약은 공동수급체가 도급받아 이행하는 방식에 따라 다음 각 호와 같이 구분한다.

1. "공동이행방식"이라 함은 공동수급체 구성원이 일정 출자비율에 따라 연대하여 공동으로 계약을 이행하는 공동계약을 말한다.
2. "분담이행방식"이라 함은 공동수급체 구성원이 일정 분담내용에 따라 나누어 공동으로 계약을 이행하는 공동계약을 말한다.
3. "주계약자관리방식"이라 함은 「건설산업기본법」에 따른 건설공사를 시행하기 위한 공동수급체의 구성원중 주계약자를 선정하고, 주계약자가 전체 건설공사 계약의 수행에 관하여 종합적인 계획·관리 및 조정을 하는 공동계약을 말한다. <개정 2020.12.28.>

[본조신설 2009.4.8.]

제2조의3(주계약자관리방식에 의한 공동계약) <삭제 2020.12.28.>

제3조(권리행사 및 의무의 이행) 계약담당공무원(각 중앙관서의 장이 계약에 관한 사무를 그 소속공무원에게 위임하지 아니하고 직접 처리하는 경우에는 이를 계약담당공무원으로 본다. 이하 같다)은 공동수급체의 구성원으로 하여금 이 예규 및 공동수급협정서에서 정하는 바에 따라 신의와 성실의 원칙에 입각하여 이를 이행하게 하여야 한다.

제4조(공동수급체 대표자의 선임) ① 계약담당공무원은 공동수급체의 구성원으로 하여금 상호 협의하여 공동수급체 대표자를 선임하게 하되, 시행령 제36조에 의한 입찰공고 등에서 요구한 자격을 갖춘 업체를 우선적으로 선임하게 하여야 한다. 다만, 주계약자관리방식에 의한 공동계약의 경우에는 주계약자가 공동수급체의 대표자가 된다. <개정 2009.4.8.>

② 제1항에 의하여 선임된 공동수급체 대표자는 발주기관 및 제3자에 대하여 공동수급체를 대표한다.

③ 계약담당공무원은 주계약자관리방식에서 대표자로 하여금 공사시방서·설계도면·계약서·예정공정표·품질보증계획 또는 품질시험계획·안전 및 환경관리계획·산출내역서 등에 의하여 품질 및 시공을 확인하게 하고 적정하지 못하다고 인정되는 경우에는 재시공지시 등 필요한 조치를 하게 하여야 한다. <신설 2009.4.8.>

④ 계약담당공무원은 주계약자관리방식에서 대표자로 하여금 공사 진행의 경제성 및 효율성 등을 감안하여 공동수급체 구성원과의 협의를 거쳐 자재 및 장비 등의 조달을 일원화하여 관리하게 하여야 한다. <신설 2009.4.8.>

⑤ 계약담당공무원은 시행령 제42조제4항에 의한 종합심사 낙찰제 대상공사 입찰의 경우에 공동수급체 대표자의 출자비율 또는 분담내용이 100분의 50 이상이 되도록 하여야 한다. 다만, 주계약자관리방식에 의한 공동계약의 경우에는 공사의 내용 및 특성에 따라 분담내용을 정한다. <개정 2009.4.8, 2016.1.1.>

제5조(공동수급협정서의 작성 및 제출) ① 계약담당공무원은 공동수급체 구성원으로 하여금 제8조에 의하여 입찰공고 내용에 명시된 공동계약의 이행방식에 따라 별첨 1(공동이행방식) 또는 별첨 2(분담이행방식) 또는 별첨 3(주계약자관리방식)의 공동수급표준협정서를 참고하여 공동수급협정서를 작성하게 하여야 한다. <개정 2009.4.8.>

② 계약담당공무원은 공동수급체 대표자로 하여금 제1항에 의하여 작성한 공동수급협정서를 「국가를 당사자로 하는 계약에 관한 법률 시행규칙」 제40조에 의한 입찰참가 신청서류 제출시 함께 제출토록 하여 이를 보관하여야 한다.

제6조(계약의 체결) 계약담당공무원은 공동계약 체결시 공동수급체구성원 전원이 계약서에 연명으로 기명날인 또는 서명토록 하여야 한다. <개정 2009.9.21.>

제7조(책임) ① 계약담당공무원은 공동수급체 구성원으로 하여금 발주자에 대한 계약상의 시공, 제조, 용역의무이행에 대하여 다음 각 호에 따라 책임을 지도록 하여야 한다. <개정 2009.4.8, 2014.1.10.>

1. 공동이행방식에 의한 경우에 구성원은 연대하여 책임을 지도록 하여야 한다. 다만, 공사이행보증서가 제출된 공사로서 계약이행요건을 충족하지 못하는 업체는 출자비율에 따라 책임을 지도록 하여야 한다. <신설 2014.1.10.>
2. 분담이행방식에 의한 경우에 구성원은 분담내용에 따라 각자 책임을 지도록 하여야 한다. <신설 2014.1.10.>
3. 주계약자관리방식에 의한 경우에 구성원은 각자 자신이 분담한 부분에 대해서만 책임

을 지되, 불이행시 그 구성원의 보증기관이 책임을 지며, 주계약자는 최종적으로 전체 계약에 대하여 책임을 지되, 불이행시 주계약자의 보증기관이 책임을 진다. 다만, 주계약자가 탈퇴한 후에 주계약자의 계약이행의무 대행이 이루어지지 않은 경우에는 주계약자 이외의 구성원은 자신의 분담부분에 대하여 계약이행이 이루어지지 아니한 것으로 본다. <신설 2009.4.8.>

② 시행령 제76조제1항은 입찰참가자격의 제한사유를 야기시킨 자에 대하여 적용하며, 출자비율 또는 분담내용과 다르게 시공한 경우에는 해당 구성원에 대하여 적용한다.

제8조(입찰공고) ① 계약담당공무원은 입찰공고시 시행령 제72조제2항에 의하여 동일현장에 2인 이상의 수급인을 투입하기 곤란하거나 긴급한 이행이 필요한 경우 등 계약의 목적·성질상 공동계약에 의함이 곤란하다고 인정되는 경우를 제외하고는 가능한 한 공동계약이 가능하다는 뜻을 명시하여야 한다.

② 계약담당공무원은 시행령 제72조제1항 또는 제3항에 따라 공동계약으로 발주하려는 경우에는 다음 각 호의 사항을 입찰공고에 명시하여야 한다. <개정 2020.12.28.>

1. 공동계약의 이행방식: 다음 각 방식 중 어느 하나로 한다. <신설 2020.12.28.>
 가. 공동이행방식
 나. 분담이행방식
 다. 공동이행방식과 분담이행방식이 혼합된 방식
2. 공동수급체 구성원의 자격제한 사항 <신설 2020.12.28.>

③ 입찰참가자는 제2항제1호 가목 또는 다목의 공동이행방식을 대신하여 주계약자관리방식으로 공동수급체를 구성하여 입찰에 참여할 수 있다. <신설 2020.12.28.>

제8조의2(설비공사의 공동계약) ① 계약담당공무원은 「건설산업기본법 시행령」 제7조에 의한 설비공사를 발주할 경우에는 설비제조업체와 시공업체간 분담이행방식에 의한 공동계약 방법으로 입찰에 참가하게 할 수 있다. 다만, 단일 설비제조업체의 설비부분이 전체 추정가격의 50% 이상일 경우에 한한다.

② 계약담당공무원은 제1항의 공사를 시행령 제78조에 의하여 일괄입찰방식으로 발주할 경우에 설비제조업체, 시공업체 및 기술용역등록업체간 분담이행방식에 의한 공동계약방법으로 입찰에 참가하게 할 수 있다.

제9조(공동수급체의 구성) ① 계약담당공무원은 공동수급체 구성원으로 하여금 해당계약을 이행하는데 필요한 면허·허가·등록 등의 자격요건을 갖추게 하여야 하며, 계약이행에 필요한 자격요건은 다음 각 호에 따라 구비되어야 한다. <개정 2009.4.8.>

1. 분담이행방식의 경우 : 구성원 공동
2. 공동이행방식의 경우 : 구성원 각각
3. 주계약자관리방식의 경우
 가. 주계약자 : 전체공사를 이행하는데 필요한 자격요건
 나. 구성원 : 분담공사를 이행하는데 필요한 자격요건

② 계약담당공무원은 시행령 제21조제1항에 의한 시공능력, 공사실적, 기술보유상황 등은 「건설산업기본법」 등 관련법령에서 규정하고 있는 면허와 동일한 경우에는 공동수급체 구성원 모두의 것을 합산하여 적용한다. <개정 2016.12.30.>

③ 공동계약에 의하여 이행된 실적의 인정범위는 다음 각 호에 따라 배분한다.

1. 분담이행방식에 의한 경우 : 공동수급체의 구성원별 분담부분
2. 공동이행방식에 의한 경우
 가. 금액 : 공동수급체의 구성원별 출자비율에 해당되는 금액
 나. 규모 또는 양 : 실적증명 발급기관에서 공사의 성질상 공동수급체의 구성원별 실제 시공부분을 분리하여 구분할 수 있는 경우에는 실제 시공한 부분. 다만, 분리·구분할 수 없는 경우에는 출자비율에 따라 배분
3. 주계약자관리방식에 의한 경우 <신설 2009.4.8.>
 가. 구성원 : 분담부분
 나. 주계약자 : 건설산업기본법 시행규칙 제23조제6항에 의함

④ 계약담당공무원은 공동수급체구성원이 동일 입찰건에 대하여 공동수급체를 중복적으로 결성하여 입찰에 참가하게 하거나, 시행령 제72조제3항에 의한 공동계약의 경우와 주계약자관리방식에 의한 공동계약의 경우 「독점규제 및 공정거래에 관한 법률」에 의한 상호출자제한기업집단소속 계열회사간에 공동수급체를 구성하게 하여서는 아니된다. <개정 2009.4.8, 2014.1.10.>

⑤ 계약담당공무원은 공동계약의 유형별 구성원 수와 구성원별 계약참여 최소지분율을 다음 각 호에 따라 처리한다. 다만, 공사의 특성 및 규모를 고려하여 계약담당공무원이 필요하다고 인정할 경우에는 공동계약의 유형별 구성원 수와 구성원별 계약참여 최소지분율을 각각 20% 범위 내에서 가감할 수 있다. <개정 2008.11.1, 2009.4.8, 단서신설 2014.1.10.>

가. 분담이행방식에 의한 경우 : 5인 이하
나. 공동이행방식에 의한 경우 : 5인 이하, 10% 이상(단, 시행령 제6장 및 제8장에 따른 공사중 추정가격이 1,000억원 이상인 공사의 경우에는 10인 이하, 5% 이상) <개정 2009.4.8, 2012.10.26.>
다. 주계약자관리방식에 의한 경우 : 10인 이하, 5% 이상

⑥ 제5항에도 불구하고 계약담당공무원은 시행령 제72조제3항에 따른 공동계약의 경우에 공사의 특성 등을 고려하여 지역업체의 최소지분율을 다음 각 호에 따라 정할 수 있으며, 이를 입찰공고에 명시하여야 한다.

1. 시행령 제72조제3항제1호에 따른 공동계약 : 30% 이상
2. 시행령 제72조제3항제2호에 따른 공동계약 <개정 2020.4.7.>
 가. 기획재정부 고시 「국가를 당사자로 하는 계약에 관한 법률 시행령 제72조제3항제2호에 따른 공동계약 대상사업」 (이하 이 예규에서 "고시"라 한다) 제1호에 따른 사업 : 40% 이상(단, 시행령 제6장 및 제8장에 따른 공사의 경우에는 20% 이상)

나. 고시 제2호에 따른 사업 : 20% 이상

⑦ 제6항제2호에 따른 공동수급체의 구성원이 되는 지역업체는 입찰공고일 현재 90일 이상 해당 공사현장을 관할하는 특별시·광역시 및 도에 법인등기부상 본점소재지가 소재한 업체이어야 한다. <개정 2018.12.31.>

제10조(보증금의 납부) 공동수급체 구성원은 각종 보증금 납부시 공동수급협정서에서 정한 구성원의 출자비율 또는 분담내용에 따라 분할 납부하여야 한다. 다만, 공동이행방식 또는 주계약자관리방식에 의한 공동계약일 경우에는 공동수급체대표자 또는 공동수급체구성원 중 1인으로 하여금 일괄 납부하게 할 수 있다. <개정 2009.4.8.>

제11조(대가지급) ① 계약담당공무원은 선금·대가 등을 지급함에 있어서는 공동수급체 구성원별로 구분 기재된 신청서를 공동수급체 대표자가 제출하도록 하여야 한다. 다만, 공동수급체 대표자가 부도, 파산 등의 부득이한 사유로 신청서를 제출할 수 없는 경우에는 공동수급체의 다른 모든 구성원의 연명으로 이를 제출하게 할 수 있다.

② 계약담당공무원은 제1항에 의한 신청이 있을 경우에 신청된 금액을 공동수급체구성원 각자에게 지급하여야 한다. 다만, 선금은 주계약자관리방식에 의한 공동계약일 경우에는 제1항 단서의 경우를 제외하고는 공동수급체 대표자에게 지급하여야 한다. <개정 2009.4.8, 2010.1.4.>

③ 기성대가는 공동수급체의 대표자 및 각 구성원의 이행내용에 따라 지급하여야 한다. 이 경우에 준공대가 지급시에는 구성원별 총 지급금액이 준공당시 공동수급체구성원의 출자비율 또는 분담내용과 일치하여야 한다.

제12조(공동도급내용의 변경) ① 계약담당공무원은 공동계약을 체결한 후 공동수급체구성원의 출자비율 또는 분담내용을 변경하게 할 수 없다. 다만, 시행령 제64조 내지 제66조에 의한 계약내용의 변경이나 파산, 해산, 부도, 법정관리, 워크아웃(기업구조조정촉진법에 따라 채권단이 구조조정 대상으로 결정하여 구조조정중인 업체), 중도탈퇴의 사유로 인하여 당초 협정서의 내용대로 계약이행이 곤란한 구성원이 발생하여 공동수급체구성원 연명으로 출자비율 또는 분담내용의 변경을 요청한 경우와 제12조제4항의 경우에는 그러하지 아니하다. <개정 2014.1.10.>

② 계약담당공무원은 제1항 단서에 의하여 공동수급체 구성원의 출자비율 또는 분담내용의 변경을 승인함에 있어 구성원 각각의 출자지분 또는 분담내용 전부를 다른 구성원에게 이전하게 하여서는 아니된다. 다만, 주계약자관리방식에서 공동수급체 구성원중 일부가 파산, 해산, 부도 등으로 계약을 이행할 수 없는 사유 등으로 공동수급체 구성원의 출자비율 또는 분담내용의 변경을 승인하는 경우에는 그러하지 아니하다. <단서신설 2014.4.1.>

③ 계약담당공무원은 공동수급체 구성원을 추가하게 할 수 없다. 다만, 계약내용의 변경이나 공동수급체 구성원의 파산, 해산, 부도, 법정관리, 워크아웃(기업구조조정촉진법에 따라 채권단이 구조조정 대상으로 결정하여 구조조정 중인 업체), 중도탈퇴의 사유로 인하여 잔존구성원만으로는 면허, 시공능력 및 실적 등 계약이행에 필요한 요건을 갖추지 못

할 경우로서 공동수급체구성원 연명으로 구성원의 추가를 요청한 경우에는 그러하지 아니한다. <개정 2010.9.8, 2014.1.10, 2015.1.1.>

④ 주계약자관리방식에서 주계약자는 구성원이 정당한 사유없이 계약을 이행하지 아니하거나 지체하여 이행하는 경우 또는 주계약자의 계획·관리 및 조정 등에 협조하지 않아 계약이행이 곤란하다고 판단되는 경우에는 구성원의 출자비율 또는 분담내용, 해당 구성원을 변경할 수 있다. 이 경우에 주계약자는 변경사유와 변경내용 등을 계약담당공무원에게 통보하여야 하며, 계약담당공무원은 주계약자의 변경내용이 계약의 원활한 이행을 저해하지 않는 한 승인해야 한다. <신설 2009.4.8.>

제13조(공동수급체 구성원의 제재) ① 계약담당공무원은 공사 착공시까지 공동수급체 구성원별 출자비율 또는 분담내용에 따른 다음 각 호의 내용이 포함된 공동계약이행계획서(이하 "계약이행계획서"라 한다)를 제출하게 하여 승인을 받도록 하여야 한다.

1. 구성원별 이행부분 및 내역서(이행부분을 구분하지 아니하는 경우에는 제외)
2. 구성원별 투입 인원·장비 등 목록 및 투입시기
3. 그 밖의 발주기관이 요구하는 사항

② 계약담당공무원은 공동수급체구성원이 연명으로 출자비율 또는 분담내용을 준수하는 범위 내에서 제1항에 의한 계약이행계획서의 변경에 대한 승인을 요청하는 때에는 공사의 적정한 이행을 위하여 필요하다고 인정되는 경우에 한하여 이를 승인할 수 있다.

③ 계약담당공무원은 주계약자관리방식에 의한 공동계약의 경우에 주계약자 이외의 공동수급체의 구성원 자신이 분담한 부분을 직접 시공하게 하여야 한다. 다만, 공동수급체 구성원이 종합건설업자인 경우에는 다른 법령이나 시공품질의 향상 및 현장사정 등 불가피한 사유가 있는 경우에는 주계약자와 합의하여 하도급을 승인할 수 있다. <신설 2009.4.8.>

④ 주계약자관리방식에 의한 경우로서 주계약자는 직접시공에는 참여하지 않더라도 시공관리, 품질관리, 하자관리, 공정관리, 안전관리, 환경관리 등 시공의 종합적인 계획·관리 및 조정에만 참여하는 경우에도 이를 계약이행으로 본다. <신설 2009.4.8.>

⑤ 각 중앙관서의 장은 공동수급체 구성원 중 정당한 이유없이 계약이행계획서에 따라 실제 계약이행에 참여하지 아니하는 구성원(단순히 자본참여만을 한 경우 등을 포함) 또는 출자비율 또는 분담내용과 다르게 시공하는 구성원 또는 주계약자관리방식에서 주계약자이외의 구성원이 발주기관의 사전서면 승인없이 직접 시공하지 않고 하도급한 경우에 법률 제27조제1항제3호 또는 시행령 제76조제1항제2호 가목에 의한 입찰참가자격제한 조치를 하여야 한다. <개정 2009.4.8, 2018.12.31.>

제14조(재검토기한) 「훈령·예규 등의 발령 및 관리에 관한 규정」에 따라 이 예규에 대하여 2016년 1월 1일 기준으로 매3년이 되는 시점(매 3년째의 12월 31일까지를 말한다)마다 그 타당성을 검토하여 개선 등의 조치를 하여야 한다. <개정 2015.9.21.>

부　칙(2008.11.1)

제1조(시행일) 이 회계예규는 2008년 11월 1일부터 시행한다.

제2조(적용례) 이 예규 시행일 이후 입찰공고를 한 분부터 적용한다.

부　칙(2009.4.8)

제1조(시행일) 이 회계예규는 2009년 4월 8일부터 시행한다.

제2조(적용례) 이 예규 시행일 이후 입찰공고를 한 분부터 적용한다.

부　칙(2009.6.29)

제1조(시행일) 이 회계예규는 2009년 6월 29일부터 시행한다.

제2조(유효기간) 제9조제6항제2호및제7항의 개정규정은 2010년 12월 31일까지 효력을 가진다. 다만, 2010년 12월 31일까지 입찰공고한 사업에 대해서는 그 사업이 종료될 때까지 제9조제6항제2호및제7항의 개정규정을 적용한다.

제3조(공동수급체 구성원별 최소지분율에 관한 적용례) 제9조제6항제2호의 개정규정은 이 예규 시행일이후 입찰공고를 한 분부터 적용한다.

제4조(지역업체 소재기간에 관한 적용례) 제9조제7항의 개정규정은 이 예규 시행일 이후 해당 공사현장을 관할하는 특별시·광역시 및 도로 주된 영업소를 이전하거나 신설한 업체부터 적용한다.

부　칙(2009.9.21)

이 회계예규는 2009년 9월 21일부터 시행한다.

부　칙(2010.1.4)

제1조(시행일) 이 회계예규는 2010년 1월 4일부터 시행한다.

제2조(대가지급에 관한 적용례) 제11조제2항 개정규정은 이 예규 시행일 이후 입찰공고를 한 분부터 적용한다.

부　칙(2010.9.8)

제1조(시행일) 이 회계예규는 2011년 1월 1일부터 시행한다.

제2조(적용례) 이 회계예규 시행 후 입찰공고를 한 분부터 적용한다.

부 칙(2011.2.1)

제1조(시행일) 이 회계예규는 「국가를 당사자로 하는 계약에 관한 법률 시행령」 제72조제3항 제2호 관련 부칙의 유효기간이 2011년 12월 31일로 개정·시행된 날부터 시행한다.

제2조(유효기간) 세9조세6항제2호 및 제7항의 개징규징은 2011년 12월 31일까지 효력을 가진다. 다만, 2011년 12월 31일까지 입찰공고한 사업에 대해서는 그 사업이 종료될 때까지 제9조제6항제2호 및 제7항의 개정규정을 적용한다.

부 칙(2012.1.1)

제1조(시행일) 이 회계예규는 「국가를 당사자로 하는 계약에 관한 법률 시행령」 제72조제3항 제2호 관련 부칙의 유효기간이 2011년 12월 31일로 개정·시행된 날부터 시행한다.

제2조(유효기간) 제9조제6항제2호 및 제7항의 개정규정은 2013년 12월 31일까지 효력을 가진다. 다만, 2013년 12월 31일까지 입찰공고한 사업에 대해서는 그 사업이 종료될 때까지 제9조제6항제2호 및 제7항의 개정규정을 적용한다.

부 칙(2012.4.2)

제1조(시행일) 이 계약예규는 2012년 4월 2일부터 시행한다.

제2조(적용례) 이 예규 시행일 이후 입찰공고를 한 분부터 적용한다.

제3조(공동수급체 구성원 탈퇴에 관한 적용례) [별첨 1] 제10조의3의 신설 규정은 이 예규 시행일 이후 계약체결을 한 분부터 적용한다.
[본조신설 2012.7.4, 시행 2012.7.9.]

부 칙(2012.10.26)

제1조(시행일) 이 계약예규는 2012년 10월 26일부터 시행한다.

제2조(적용례) 이 예규는 시행일 이후 입찰공고를 한 분부터 적용한다.

제3조(유효기한) 제9조제5항나목 괄호 안 "제8장"은 2014년 10월 25일까지 효력을 가진다.

부 칙(2014.1.10)

제1조(시행일) 이 계약예규는 2014년 1월 10일부터 시행한다.

제2조(적용례) 이 예규 시행일 이후 입찰공고를 한 분부터 적용한다.

부 칙(2014.4.1)

제1조(시행일) 이 계약예규는 2014년 4월 1일부터 시행한다.

제2조(적용례) 이 예규 시행일 이후 입찰공고를 한 분부터 적용한다.

부 칙(2015.1.1)

제1조(시행일) 이 계약예규는 2015년 1월 1일부터 시행한다.

제2조(적용례) 이 예규 시행일 이후 입찰공고를 한 분부터 적용한다.

부 칙(2015.9.21)

제1조(시행일) 이 계약예규는 2015년 9월 21일부터 시행한다.

부 칙(2016.1.1)

제1조(시행일) 이 계약예규는 2016년 1월 1일부터 시행한다.

제2조(최저가낙찰제의 폐지에 따른 경과규정) 이 계약예규 시행일 이전에 최초로 입찰공고를 한 분에 대하여는 제2조의3 및 제4조의 개정규정에도 불구하고 종전 규정을 적용한다.

부 칙(2016.12.30)

제1조(시행일) 이 계약예규는 2016년 12월 30일부터 시행한다.

부 칙(2018.12.31)

제1조(시행일) 이 계약예규는 2019년 1월 1일부터 시행한다.

부 칙(2020.4.7)

제1조(시행일) 이 계약예규는 2020년 4월 7일부터 시행한다.

제2조(적용례) 이 계약예규는 부칙 제1조에 따른 시행일 이후 입찰공고를 한 분부터 적용한다.

부 칙(2020.12.28.)

제1조(시행일) 이 계약예규는 2021년 1월 1일부터 시행한다.

제2조(적용례) 이 계약예규는 부칙 제1조에 따른 시행일 이후 입찰공고하는 경우부터 적용한다.

[별첨 1] 공동수급표준협정서(공동이행방식)

제1조(목적) 이 협정서는 아래 계약을 공동수급체의 구성원이 재정, 경영 및 기술능력과 인원 및 기자재를 동원하여 공사·물품 또는 용역에 대한 계획·입찰·시공 등을 위하여 일정 출자비율에 따라 공동연대하여 계약을 이행할 것을 약속하는 협약을 정함에 있다.

1. 계약건명 :
2. 계약금액 :
3. 발주자명 :

제2조(공동수급체) 공동수급체의 명칭, 사업소의 소재지, 대표자는 다음과 같다.

1. 명 칭 : ○○○
2. 주사무소소재지 :
3. 대 표 자 성 명 :

제3조(공동수급체의 구성원) ① 공동수급체의 구성원은 다음과 같다.

1. ○○○회사(대표자 :)
2. ○○○회사(대표자 :)

② 공동수급체의 대표자는 ○○○로 한다.

③ 대표자는 발주자 및 제3자에 대하여 공동수급체를 대표하며, 공동수급체의 재산의 관리 및 대금청구 등의 권한을 가진다.

제4조(효력기간) 본 협정서는 당사자간의 서명과 동시에 발효하며, 해당계약의 이행으로 종결된다. 다만, 발주자 또는 제3자에 대하여 공사와 관련한 권리·의무관계가 남아있는 한 본 협정서의 효력은 존속된다.

제5조(의무) 공동수급체구성원은 제1조에서 규정한 목적을 수행하기 위하여 성실·근면 및 신의를 바탕으로 하여 필요한 모든 지식과 기술을 활용할 것을 약속한다.

제6조(책임) 공동수급체의 구성원은 발주기관에 대한 계약상의 의무이행에 대하여 연대하여 책임을 진다. 다만, 공사이행보증서가 제출된 공사로서 계약이행요건을 충족하지 못하는 업체는 출자비율에 따라 책임을 진다. <단서신설 2014.1.10.>

제7조(하도급) 공동수급체 구성원 중 일부 구성원이 단독으로 하도급계약을 체결하고자 하는 경우에는 다른 구성원의 동의를 받아야 한다.

제8조(거래계좌) 계약예규 「공동계약운용요령」 제11조에 정한 바에 의한 선금, 기성대가 등은 다음계좌로 지급받는다.

1. ○○○회사(공동수급체대표자) : ○○은행, 계좌번호 ○○○, 예금주 ○○○
2. ○○○회사 : ○○은행, 계좌번호 ○○○, 예금주 ○○○

제9조(구성원의 출자비율) ① 당 공동수급체의 출자비율은 다음과 같이 정한다.

1. ○○○ : %
2. ○○○ : %

② 제1항의 비율은 다음 각 호의 어느 하나에 해당하는 경우에 변경할 수 있다. 다만, 출자비율을 변경하는 경우에는 공동수급체 일부구성원의 출자비율 전부를 다른 구성원에게 이전할 수 없다.

1. 발주기관과의 계약내용 변경에 따라 계약금액이 증감되었을 경우
2. 공동수급체 구성원중 파산, 해산, 부도, 법정관리, 워크아웃(기업구조조정촉진법에 따라 채권단이 구조조정 대상으로 결정하여 구조조정중인 업체), 중도탈퇴의 사유로 인하여 당초 협정서의 내용대로 계약이행이 곤란한 구성원이 발생하여 공동수급체구성원 연명으로 출자비율의 변경을 요청한 경우

③ 현금 이외의 출자는 시가를 고려, 구성원이 협의 평가하는 것으로 한다.

제10조(손익의 배분) 계약을 이행한 후에 이익 또는 손실이 발생하였을 경우에는 제9조에서 정한 비율에 따라 배당하거나 분담한다.

제10조의2(비용의 분담) ① 본 계약이행을 위하여 발생한 하도급대금, 재료비, 노무비, 경비 등에 대하여 출자비율에 따라 각 구성원이 분담한다.

② 공동수급체 구성원은 각 구성원이 분담할 비용의 납부시기, 납부방법 등을 상호 협의하여 별도로 정할 수 있다.

③ 공동수급체 구성원이 제1항에 따른 비용을 미납할 경우에 출자비율을 고려하여 산정한, 미납금에 상응하는 기성대가는 공동수급체 구성원 공동명의의 계좌에 보관하며, 납부를 완료하는 경우에는 해당 구성원에게 지급한다.

④ 분담금을 3회 이상 미납한 경우에 나머지 구성원은 발주기관의 동의를 얻어 해당 구성원을 탈퇴시킬 수 있다. 다만, 탈퇴시킬 수 있는 미납 횟수에 대해서는 분담금 납부주기 등에 따라 발주기관의 동의를 얻어 다르게 정할 수 있다.

[본조신설 2012.4.2.]

제11조(권리·의무의 양도제한) 구성원은 이 협정서에 의한 권리·의무를 제3자에게 양도할 수 없다.

제12조(중도탈퇴에 대한 조치) ① 공동수급체의 구성원은 다음 각 호의 어느 하나에 해당하는 경우 외에는 입찰 및 해당계약의 이행을 완료하는 날까지 탈퇴할 수 없다. 다만, 제3호에 해당하는 경우에는 다른 구성원이 반드시 탈퇴조치를 하여야 한다.

1. 발주자 및 구성원 전원이 동의하는 경우
2. 파산, 해산, 부도 기타 정당한 이유없이 해당 계약을 이행하지 아니하거나 제10조의2에 따른 비용을 미납하여 해당구성원 외의 공동수급체의 구성원이 발주자의 동의를 얻어 탈퇴조치를 하는 경우 <신설 2012.4.2.>
3. 공동수급체 구성원중 파산, 해산, 부도 기타 정당한 이유없이 해당 계약을 이행하지 아니하여 시행령 제76조제1항제6호에 따라 입찰참가자격제한조치를 받은 경우

② 제1항에 의하여 구성원 중 일부가 탈퇴한 경우에는 잔존 구성원이 공동연대하여 해당 계약을 이행한다. 다만, 잔존구성원만으로 면허, 실적, 시공능력공시액 등 잔여계약이행에

필요한 요건을 갖추지 못할 경우에는 잔존구성원이 발주기관의 승인을 얻어 새로운 구성원을 추가하는 등의 방법으로 해당 요건을 충족하여야 한다. <개정 2010.9.8.>

③ 제2항 본문의 경우에 출자비율은 탈퇴자의 출자비율을 잔존구성원의 출자비율에 따라 분할하여 제9조의 비율에 가산한다.

④ 탈퇴하는 자의 출자금은 계약이행 완료 후에 제10조의 손실을 공제한 잔액을 반환한다.

제13조(하자담보책임) 공동수급체는 공동수급체가 해산한 후 해당공사에 관하여 하자가 발생하였을 경우에는 연대하여 책임을 진다. 다만, 공사이행보증서가 제출된 공사로서 계약이행요건을 충족하지 못하는 업체는 출자비율에 따라 책임을 진다. <단서신설 2014.1.10.>

제14조(운영위원회) ① 공동수급체는 공동수급체구성원을 위원으로 하는 운영위원회를 설치하여 계약이행에 관한 제반사항을 협의한다.

② 이 협정서에 규정되지 아니한 사항은 운영위원회에서 정한다.

위와 같이 공동수급협정을 체결하고 그 증거로서 협정서 ○통을 작성하여 각 통에 공동수급체 구성원이 기명날인하여 각자 보관한다.

년 월 일

○○○ (인)

○○○ (인)

[별첨 2] 공동수급표준협정서(분담이행방식)

제1조(목적) 이 협정서는 아래 계약을 공동수급체의 구성원이 재정, 경영 및 기술능력과 인원 및 기자재를 동원하여 공사·물품 또는 용역에 대한 계획·시공 등을 위하여 일정 분담내용에 따라 나누어 공동으로 계약을 이행할 것을 약속하는 협약을 정함에 있다.

1. 계약건명 :
2. 계약금액 :
3. 발주자명 :

제2조(공동수급체) 공동수급체의 명칭, 사업소의 소재지, 대표자는 다음과 같다.

1. 명　　　　칭 : ○○○
2. 주사무소소재지 :
3. 대 표 자 성 명 :

제3조(공동수급체의 구성원) ① 공동수급체의 구성원은 다음과 같다.

1. ○○○회사(대표자 :　　　)
2. ○○○회사(대표자 :　　　)

② 공동수급체의 대표자는 ○○○로 한다.

③ 대표자는 발주자 및 제3자에 대하여 공동수급체를 대표하며, 공동수급체 재산의 관리 및 대금청구 등의 권한을 가진다.

제4조(효력기간) 본 협정서는 당사자간의 서명과 동시에 발효하며, 해당계약의 이행으로 종결된다. 다만, 발주자 또는 제3자에 대하여 공사와 관련한 권리의무관계가 남아 있는 한 본 협정서의 효력은 존속된다.

제5조(의무) 공동수급체구성원은 제1조에서 규정한 목적을 수행하기 위하여 성실·근면 및 신의를 바탕으로 하여 필요한 모든 지식과 기술을 활용할 것을 약속한다.

제6조(책임) 공동수급체의 구성원은 발주기관에 대한 계약상의 의무이행에 대하여 분담내용에 따라 각자 책임을 진다.

제7조(하도급) 공동수급체의 각 구성원은 자기 책임하에 분담부분의 일부를 하도급할 수 있다.

제8조(거래계좌) 계약예규 「공동계약운용요령」 제11조에 정한 바에 의한 선금, 기성대가 등은 다음 계좌로 지급받는다.

1. ○○○회사(공동수급체대표자) : ○○은행, 계좌번호 ○○○, 예금주 ○○○
2. ○○○회사 : ○○은행, 계좌번호 ○○○, 예금주 ○○○

제9조(구성원의 분담내용) ① 각 구성원의 분담내용은 다음 예시와 같이 정한다.

[예시]

1. 일반공사의 경우
   가) ○○○건설회사 : 토목공사
   나) ○○○건설회사 : 포장공사
2. 환경설비설치공사의 경우
   가) ○○○건설회사 : 설비설치공사

나) ○○○제조회사 : 설비제작

② 제1항의 분담내용은 다음 각 호의 어느 하나에 해당하는 경우 변경할 수 있다. 다만, 분담내용을 변경하는 경우 공동수급체 일부구성원의 분담내용 전부를 다른 구성원에게 이전할 수 없다.

1. 발주기관과의 계약내용 변경에 따라 계약금액이 증감되었을 경우
2. 공동수급체 구성원중 파산, 해산, 부도, 법정관리, 워크아웃(기업구조조정촉진법에 따라 채권단이 구조조정 대상으로 결정하여 구조조정중인 업체), 중도탈퇴의 사유로 인하여 당초 협정서의 내용대로 계약이행이 곤란한 구성원이 발생하여 공동수급체구성원 연명으로 분담내용의 변경을 요청한 경우

제10조(공동비용의 분담) 본 계약이행을 위하여 발생한 공동의 경비 등에 대하여 분담공사금액의 비율에 따라 각 구성원이 분담한다.

제11조(구성원 상호간의 책임) ① 구성원이 분담공사와 관련하여 제3자에게 끼친 손해는 해당 구성원이 분담한다.

② 구성원이 다른 구성원에게 손해를 끼친 경우에는 상호협의하여 처리하되, 협의가 성립되지 아니하는 경우에는 운영위원회의 결정에 따른다.

제12조(권리·의무의 양도제한) 구성원은 이 협정서에 의한 권리·의무를 제3자에게 양도할 수 없다.

제13조(중도탈퇴에 대한 조치) ① 공동수급체의 구성원은 각호의 어느 하나에 해당하는 경우 외에는 입찰 및 해당 계약의 이행을 완료하는 날까지 탈퇴할 수 없다.

1. 발주자 및 구성원 전원이 동의하는 경우
2. 파산, 해산, 부도 기타 정당한 이유없이 해당계약을 이행하지 아니하여 해당 구성원 외의 공동수급체의 구성원이 발주자의 동의를 얻어 탈퇴조치를 하는 경우

② 구성원중 일부가 파산 또는 해산, 부도 등으로 계약을 이행할 수 없는 경우에는 잔존구성원이 이를 이행한다. 다만, 잔존구성원만으로는 면허, 실적, 시공능력공시액 등 잔여계약이행에 필요한 요건을 갖추지 못할 경우에는 발주자의 승인을 얻어 새로운 구성원을 추가하는 등의 방법으로 해당요건을 충족하여야 한다. <개정 2010.9.8.>

③ 제2항 본문의 경우에는 제11조제2항을 준용한다.

제14조(하자담보책임) 공동수급체가 해산한 후 해당공사에 관하여 하자가 발행하였을 경우에는 분담내용에 따라 그 책임을 진다.

제15조(운영위원회) ① 공동수급체는 공동수급체구성원을 위원으로 하는 운영위원회를 설치하여 계약이행에 관한 제반사항을 협의한다.

② 이 협정서에 규정되지 아니한 사항은 운영위원회에서 정한다.

위와 같이 공동수급협정을 체결하고 그 증거로서 협정서 ○통을 작성하여 각 통에 공동수급체 구성원이 기명날인하여 각자 보관한다.

년 월 일

○○○ (인)

○○○ (인)

[별첨 3] 공동수급표준협정서(주계약자관리방식) 〈신설 2009.4.8.〉

제1조(목적) 이 협정서는 아래 계약을 공동수급체의 구성원이 재정, 경영, 기술능력, 인원 및 기자재를 동원하여 아래의 공사, 물품 또는 용역에 대한 계획, 입찰, 시공 등을 위하여 주계약자가 전체사업의 수행에 관하여 계획·관리 및 조정을 하면서 공동으로 사업을 영위할 것을 약속하는 협약을 정함에 있다.

1. 계약건명 :
2. 계약금액 :
3. 발주자명 :

제2조(공동수급체) 공동수급체의 명칭, 주사무소의 소재지, 대표자는 다음과 같다.

1. 명 칭 :
2. 주사무소 소재지 :
3. 대표자 성명 :

제3조(공동수급체의 구성원) ① 공동수급체의 구성원은 다음과 같다.

1. ○○○ 회사(대표자 :)
2. ○○○ 회사(대표자 :)

② 공동수급체 대표자(주계약자)는 ○○○로 한다.

③ 대표자는 발주자 및 제3자에 대하여 공동수급체를 대표하며, 공동수급체의 재산관리 및 대금청구 등의 권한을 가진다.

제4조(효력기간) 본 협정서는 당사자간의 서명과 동시에 발효하며, 해당 계약의 이행으로 종결된다. 다만, 발주자 또는 제3자에 대하여 계약과 관련한 권리의무관계가 남아있는 한 본 협정서의 효력은 존속된다.

제5조(의무) 공동수급체의 구성원은 제1조에서 정한 목적을 수행하기 위하여 성실, 근면 및 신의를 바탕으로 하여 필요한 모든 지식과 기술을 활용할 것을 약속하며, 주계약자의 전체건설공사 수행을 위한 계획·관리 및 조정하는 사항에 적극 협조하여야 한다.

제6조(책임) 공동수급체의 구성원은 발주자에 대한 계약상의 의무이행에 대하여 분담내용에 따라 각자 책임을 지며, 대표자는 발주자에 대해 전체계약이행의 책임을 진다.

제7조(계약이행) ① 공동수급체의 구성원(주계약자는 제외한다.)은 자신의 분담한 부분을 직접 시공하여야 한다. 다만, 공동수급체 구성원이 종합건설업자인 경우에는 다른 법령이나 시공품질의 향상 및 현장사정 등 불가피한 사유가 있는 경우에는 주계약자와 합의하고 계약담담공무원의 승인을 얻어 하도급할 수 있다.

② 주계약자는 공사시방서·설계도면·계약서·예정공정표·품질보증계획·또는 품질시험계획·안전 및 환경관리계획·산출내역서 등에 의하여 품질 및 시공을 확인하고 적정하지 못하다고 인정되는 경우에는 재시공지시 등 필요한 조치를 할 수 있다.

③ 주계약자는 공사진행의 경제성 및 효율성 등을 감안하여 공동수급체 구성원과의 협의

를 거쳐 자재 및 장비 등의 조달을 일원화하여 관리할 수 있다.

제8조(거래계좌) 계약예규 「공동계약운용요령」 제11조 대가지급 규정에 정한 바에 따라 선금, 기성대가 등은 다음 계좌로 지급받는다.

1. ○○○ 회사(공동수급체 대표자) : ○○은행, 계좌번호○○○, 예금주 ○○○
2. ○○○ 회사 : ○○은행, 계좌번호○○○, 예금주 ○○○

제9조(구성원의 분담내용) ① 각 구성원의 분담내용은 다음과 같이 정한다.

[예시] 일반공사의 경우

가) ○○○ 건설회사 : 토목공사

나) ○○○ 건설회사 : 철강재설치공사

② 제1항의 분담내용은 다음 각 호의 어느 하나에 해당하는 경우에는 변경할 수 있다. <단서삭제 2014.4.1.>

1. 발주기관과의 계약내용 변경에 따라 계약금액이 증감되었을 경우
2. 공동수급체의 구성원 중 파산, 해산, 부도, 법정관리, 워크아웃(기업구조조정촉진법에 따라 채권단이 구조조정 대상으로 결정하여 구조조정중인 업체), 중도탈퇴의 사유로 인하여 당초 협정서의 내용대로 계약이행이 곤란한 구성원이 발생하여 공동수급체의 구성원 연명으로 분담내용의 변경을 요청할 경우
3. 공동수급체 구성원이 정당한 이유없이 계약을 이행하지 아니하거나 지체하여 이행하는 경우 또는 주계약자의 계획·관리 및 조정 등에 협조하지 않아 계약이행이 곤란하다고 판단되는 경우

제10조(공동비용의 분담) ① 본 계약이행을 위하여 발생한 공동의 경비 등에 대하여 분담내용의 금액비율에 따라 각 구성원이 분담하는 것을 원칙으로 하되, 전체계약의 보증금등의 일괄납부에 소요되는 비용의 재원은 공동수급체 구성원간의 합의에 의하여 별도로 정할 수 있다.

② 공동수급체 구성원은 각 구성원이 분담할 주계약자의 계획·관리·조정업무에 대한 대가와 지급시기, 지급방법 등을 상호 협의하여 별도로 정할 수 있다.

제11조(구성원 상호간의 책임) ① 구성원이 분담공사와 관련하여 제3자에게 끼친 손해는 해당 구성원이 분담한다.

② 구성원이 다른 구성원에게 손해를 끼친 경우에는 상호 협의하여 처리하되, 협의가 성립되지 아니하는 경우에는 운영위원회의 결정에 따른다.

제12조(권리·의무의 양도제한) 구성원은 이 협정서에 의한 권리·의무를 제3자에게 양도할 수 없다.

제13조(중도탈퇴에 대한 조치) ① 공동수급체의 구성원은 다음 각 호의 어느 하나에 해당하는 경우 외에는 입찰 및 해당 계약의 이행을 완료하는 날까지 탈퇴할 수 없다.

1. 발주자 및 구성원 전원이 동의하는 경우
2. 파산, 해산, 부도 기타 정당한 이유없이 해당계약을 이행하지 아니하여 해당 구성원 외

의 공동수급체의 구성원이 발주자의 동의를 얻어 탈퇴조치를 하는 경우

3. 공동수급체 구성원이 정당한 이유없이 계약을 이행하지 아니하거나 지체하여 이행하는 경우 또는 주계약자의 계획·관리 및 조정 등에 협조하지 않아 계약이행이 곤란하다고 판단되는 경우

② 공동수급체 구성원 중 일부가 파산, 해산, 부도 등으로 계약을 이행할 수 없는 경우에는 해당 구성원의 분담부분을 주계약자가 이행할 수 있으며, 주계약자가 이행할 수 없는 경우에는 다른 구성원에게 재배분하거나 보증기관으로 하여금 이행하도록 하여야 한다. <개정 2014.4.1.>

③ 주계약자가 탈퇴한 경우에는 보증기관이 해당 계약을 이행하여야 한다.

제14조(하자담보책임) ① 공동수급체가 해산한 후 해당 공사에 관하여 하자가 발행하였을 경우에는 해당 구성원이 분담내용에 따라 그 책임을 진다.

② 해당 구성원이 하자담보책임을 이행하지 않은 경우(부도, 파산 등으로 이행할 수 없는 경우를 포함한다)에는 해당 구성원의 보증기관이 하자담보 책임을 이행하여야 한다.

③ 구성원간(주계약자를 포함)에 하자책임 구분이 곤란한 경우에는 주계약자가 하자책임 구분에 대한 조정을 할 수 있으며, 조정이 불가능한 경우에는 하자와 관련 있는 구성원이 공동으로 하자담보책임을 이행하여야 한다.

제15조(운영위원회) ① 공동수급체는 공동수급체구성원을 위원으로 하는 운영위원회를 설치하여 계약이행에 관한 제반사항을 협의한다.

② 이 협정서에 규정되지 아니한 사항은 운영위원회에서 정한다.

위와 같이 공동수급협정을 체결하고 그 증거로서 협정서 ○통을 작성하여 각 통에 공동수급체 구성원이 기명날인하여 각자 보관한다.

년 월 일

○○○ (인)

○○○ (인)○○○ (인)

9 공사계약일반조건

[시행 2021.12.1.][기획재정부계약예규 제581호, 2021.12.1., 일부개정]

제1조(총칙) 계약담당공무원과 계약상대자는 공사도급표준계약서(이하 "계약서"라 한다)에 기재한 공사의 도급계약에 관하여 제3조에 의한 계약문서에서 정하는 바에 따라 신의와 성실의 원칙에 입각하여 이를 이행한다.

제2조(정의) 이 조건에서 사용하는 용어의 정의는 다음과 같다.

1. "계약담당공무원"이라 함은 「국가를 당사자로 하는 계약에 관한 법률 시행규칙」(이하 "시행규칙"이라 한다) 제2조에 의한 공무원을 말한다. 이 경우에 각 중앙관서의 장이 계약에 관한 사무를 그 소속공무원에게 위임하지 아니하고 직접 처리하는 경우에는 이를 계약담당공무원으로 본다.
2. "계약상대자"라 함은 정부와 공사계약을 체결한 자연인 또는 법인을 말한다.
3. "공사감독관"이라 함은 제16조에 규정된 임무를 수행하기 위하여 정부가 임명한 기술담당공무원 또는 그의 대리인을 말한다. 다만, 「건설기술진흥법」 제39조제2항 또는 「전력기술관리법」 제12조 및 그 밖에 공사 관련 법령에 의하여 건설사업관리 또는 감리를 하는 공사에 있어서는 해당공사의 감리를 수행하는 건설산업관리기술자 또는 감리원을 말한다. <개정 2014.4.1, 2016.1.1, 2016.12.30.>
4. "설계서"라 함은 공사시방서, 설계도면, 현장설명서, 공사기간의 산정근거(「국가를 당사자로 하는 계약에 관한 법률 시행령」(이하 "시행령"이라 한다) 제6장 및 제8장의 계약 및 현장설명서를 작성하는 공사는 제외한다) 및 공종별 목적물 물량내역서(가설물의 설치에 소요되는 물량 포함하며, 이하 "물량내역서"라 한다)를 말하며, 다음 각 목의 내역서는 설계서에 포함하지 아니한다. <개정 2020.9.24.>

   가. <삭제 2010.9.8.>

   나. 시행령 제78조에 따라 일괄입찰을 실시하여 체결된 공사와 대안입찰을 실시하여 체결된 공사(대안이 채택된 부분에 한함)의 산출내역서

   다. 시행령 제98조에 따라 실시설계 기술제안 입찰을 실시하여 체결된 공사와 기본설계 기술제안입찰을 실시하여 체결된 공사의 산출내역서 <개정 2010.9.8.>

   라. 수의계약으로 체결된 공사의 산출내역서. 다만, 시행령 제30조제2항 본문에 따라 체결된 수의계약 공사의 물량내역서는 제외
5. "공사시방서"라 함은 공사에 쓰이는 재료, 설비, 시공체계, 시공기준 및 시공기술에 대

한 기술설명서와 이에 적용되는 행정명세서로서, 설계도면에 대한 설명 또는 설계도면에 기재하기 어려운 기술적인 사항을 표시해 놓은 도서를 말한다.

6. “설계도면”이라 함은 시공될 공사의 성격과 범위를 표시하고 설계자의 의사를 일정한 약속에 근거하여 그림으로 표현한 도서로서 공사목적물의 내용을 구체적인 그림으로 표시해 놓은 도서를 말한다.
7. “현장설명서”라 함은 시행령 제14조의2에 의한 현장설명 시 교부하는 도서로서 시공에 필요한 현장상태 등에 관한 정보 또는 단가에 관한 설명서 등을 포함한 입찰가격 결정에 필요한 사항을 제공하는 도서를 말한다.
8. “물량내역서”라 함은 공종별 목적물을 구성하는 품목 또는 비목과 동 품목 또는 비목의 규격·수량·단위 등이 표시된 다음 각 목의 내역서를 말한다.
   가. 시행령 제14조제1항에 따라 계약담당공무원 또는 입찰에 참가하려는 자가 작성한 내역서 <개정 2010.9.8.>
   나. 시행령 제30조제2항 및 계약예규 「정부입찰·계약 집행기준」 제10조제3항에 따라 견적서제출 안내공고 후 견적서를 제출하려는 자에게 교부된 내역서
9. “산출내역서”라 함은 입찰금액 또는 계약금액을 구성하는 물량, 규격, 단위, 단가 등을 기재한 다음 각 목의 내역서를 말한다.
   가. 시행령 제14조제6항과 제7항에 따라 제출한 내역서
   나. 시행령 제85조제2항과 제3항에 따라 제출한 내역서
   다. 시행령 제103조제1항과 제105조제3항에 따라 제출한 내역서
   라. 수의계약으로 체결된 공사의 경우에는 착공신고서 제출 시까지 제출한 내역서
10. 이 조건에서 따로 정하는 경우를 제외하고는 「국가를 당사자로 하는 계약에 관한 법률 시행령」, 「특정조달을 위한 국가를 당사자로 하는 계약에 관한 법률 시행령 특례규정」(이하 각각 “시행령”, “특례규정”이라 한다), 시행규칙 및 계약예규 공사입찰유의서(이하 “유의서”라 한다)에 정하는 바에 의한다.

제3조(계약문서) ① 계약문서는 계약서, 설계서, 유의서, 공사계약일반조건, 공사계약특수조건 및 산출내역서로 구성되며 상호보완의 효력을 가진다. 다만, 산출내역서는 이 조건에서 규정하는 계약금액의 조정 및 기성부분에 대한 대가의 지급시에 적용할 기준으로서 계약문서의 효력을 가진다. <개정 2008.12.29.>

② <신설 2011.5.13, 삭제 2016.1.1.>

③ 계약담당공무원은 「국가를 당사자로 하는 계약에 관한 법령」, 공사관계 법령 및 이 조건에 정한 계약일반사항 외에 해당 계약의 적정한 이행을 위하여 필요한 경우 공사계약특수조건을 정하여 계약을 체결할 수 있다.

④ 제3항에 의하여 정한 공사계약특수조건에 「국가를 당사자로 하는 계약에 관한 법령」, 공사 관계법령 및 이 조건에 의한 계약상대자의 계약상 이익을 제한하는 내용이 있는 경우에 특수조건의 해당 내용은 효력이 인정되지 아니한다.

⑤ 이 조건이 정하는 바에 의하여 계약당사자간에 행한 통지문서등은 계약문서로서의 효력을 가진다.

제4조(사용언어) ① 계약을 이행함에 있어서 사용하는 언어는 한국어로 함을 원칙으로 한다.

② 계약담당공무원은 계약체결시 제1항에도 불구하고 필요하다고 인정하는 경우에는 계약이행과 관련하여 계약상대자가 외국어를 사용하거나 외국어와 한국어를 병행하여 사용할 수 있도록 필요한 조치를 할 수 있다.

③ 제2항에 의하여 외국어와 한국어를 병행하여 사용한 경우에 외국어로 기재된 사항이 한국어와 상이할 때에는 한국어로 기재한 사항이 우선한다.

제5조(통지 등) ① 구두에 의한 통지·신청·청구·요구·회신·승인 또는 지시(이하 "통지 등"이라 한다)는 문서로 보완되어야 효력이 있다.

② 통지 등의 장소는 계약서에 기재된 주소로 하며, 주소를 변경하는 경우에는 이를 즉시 계약당사자에게 통지하여야 한다.

③ 통지 등의 효력은 계약문서에서 따로 정하는 경우를 제외하고는 계약당사자에게 도달한 날부터 발생한다. 이 경우 도달일이 공휴일인 경우에는 그 익일부터 효력이 발생한다.

④ 계약당사자는 계약이행 중 이 조건 및 관계법령 등에서 정한 바에 따라 서면으로 정당한 요구를 받은 경우에는 이를 성실히 검토하여 회신하여야 한다.

제6조(채권양도) ① 계약상대자는 이 계약에 의하여 발생한 채권(공사대금 청구권)을 제3자(공동수급체 구성원 포함)에게 양도할 수 있다.

② 계약담당공무원은 제1항에 의한 채권양도와 관련하여 적정한 공사이행목적 등 필요한 경우에는 채권양도를 제한하는 특약을 정하여 운용할 수 있다.

제7조(계약보증금) ① 계약상대자는 이 조건에 의하여 계약금액이 증액된 경우에는 이에 상응하는 금액의 계약보증금을 시행령 제50조 및 제52조에 정한 바에 따라 추가로 납부하여야 하며 계약담당공무원은 계약금액이 감액된 경우에는 이에 상응하는 금액의 계약보증금을 반환해야 한다. <개정 2009.6.29.>

② 계약담당공무원은 시행령 제52조제1항 본문에 의하여 계약이행을 보증한 경우로서 계약상대자가 계약이행보증방법의 변경을 요청하는 경우에는 1회에 한하여 변경하게 할 수 있다. <개정 2010.9.8.>

1. <삭제 2010.9.8.>

2. <삭제 2010.9.8.>

3. <삭제 2010.9.8.>

③ 계약담당공무원은 시행령 제37조제2항제2호에 의한 유가증권이나 현금으로 납부된 계약보증금을 계약상대자가 특별한 사유로 시행령 제37조제2항제1호 내지 제5호에 규정된 보증서 등으로 대체납부할 것을 요청한 때에는 동가치 상당액 이상으로 대체 납부하게 할 수 있다.

제8조(계약보증금의 처리) ① 계약담당공무원은 계약상대자가 정당한 이유없이 계약상의 의무

를 이행하지 아니할 때에는 계약보증금을 국고에 귀속한다.

② 시행령 제69조에 의한 장기계속공사계약에 있어서 계약상대자가 2차 이후의 공사계약을 체결하지 아니한 경우에는 제1항을 준용한다.

③ 시행령 제50조제10항에 의하여 계약보증금지급각서를 제출한 경우로서 계약보증금의 국고귀속사유가 발생하여 계약담당공무원의 납입요청이 있을 때에는 계약상대자는 해당 계약보증금을 지체없이 현금으로 납부하여야 한다.

④ 제1항 및 제2항에 의하여 계약보증금을 국고에 귀속함에 있어서 그 계약보증금은 이를 기성부분에 대한 미지급액과 상계 처리할 수 없다. 다만, 계약보증금의 전부 또는 일부를 면제받은 자의 경우에는 국고에 귀속되는 계약보증금과 기성부분에 대한 미지급액을 상계 처리할 수 있다.

⑤ 계약담당공무원은 계약상대자가 납부한 계약보증금을 계약이 이행된 후에 계약상대자에게 지체없이 반환한다.

제9조(보증이행업체의 자격) ① 시행령 제52조에 의한 보증이행업체는 다음 각 호에 해당하는 자격을 갖추고 있어야 하며, 계약담당공무원은 보증이행업체의 적격여부를 심사하기 위하여 계약상대자에게 관련자료의 제출을 요구할 수 있다. <개정 2010.9.8.>

1. 「독점규제 및 공정거래에 관한 법률」에 의한 계열회사가 아닌 자
2. 시행령 제76조에 의한 입찰참가자격제한을 받고 그 제한기간 중에 있지 아니한 자
3. 시행령 제36조에 의한 입찰공고 등에서 정한 입찰참가자격과 동등 이상의 자격을 갖춘 자
4. 시행령 제13조에 의한 입찰의 경우에는 입찰참가자격사전심사기준에 따른 입찰참가에 필요한 종합평점 이상이 되는 자

② 계약담당공무원은 제1항에 의하여 보증이행업체로된 자가 부적격하다고 인정되는 때에는 계약상대자에게 보증이행업체의 변경을 요구할 수 있다. <개정 2010.9.8.>

③ 시행령 제52조제1항제3호에 의한 공사이행보증서의 제출 등에 대하여는 제1항 및 제2항외에 계약예규 「정부 입찰·계약 집행기준」 제11장(공사의 이행보증제도 운용)에 정한 바에 의한다.

제10조(손해보험) ① 계약상대자는 해당 계약의 목적물 등에 대하여 손해보험(「건설산업기본법」 제56조제1항제5호에 따른 손해공제를 포함한다. 이하 이 조에서 같다)에 가입할 수 있으며, 시행령 제78조, 제97조 및 추정가격이 200억원 이상인 공사로서 계약예규 「입찰참가자격사전심사요령」 제6조제5항제1호에 규정된 공사에 대하여는 특별한 사유가 없는 한 계약목적물 및 제3자 배상책임을 담보할 수 있는 손해보험에 가입하여야 한다. <개정 2010.9.8, 2014.1.10.>

② 계약상대자는 제1항에 의한 보험가입시에 발주기관, 계약상대자, 하수급인 및 해당공사의 이해관계인을 피보험자로 하여야 하며, 보험사고 발생으로 발주기관이외의 자가 보험금을 수령하게 될 경우에는 발주기관의 장의 사전 동의를 받아야 한다.

③ 계약목적물에 대한 보험가입금액은 공사의 보험가입 대상부분의 순계약금액(계약금액

에서 부가가치세와 손해보험료를 제외한 금액을 말하며, 관급자재가 있을 경우에는 이를 포함한다. 이하 같다)을 기준으로 한다.

④ 계약상대자는 제1항에 의한 보험가입을 공사착공일(손해보험가입 비대상공사가 포함된 공사의 경우에는 손해보험가입대상공사 착공일을 말함) 이전까지 하고 그 증서를 착공신고서 제출시(손해보험가입 비대상공사가 포함된 공사의 경우에는 손해보험가입대상공사 착공시) 발주기관에 제출하여야 하며, 보험기간은 해당공사 착공시부터 발주기관의 인수시(시운전이 필요한 공사인 경우에는 시운전 시기까지 포함한다)까지로 하여야 한다.

⑤ 계약상대자는 손해보험가입시 제48조에 의하여 보증기관이 시공하게 될 경우에 계약상대자의 보험계약상의 권리와 의무가 보증기관에 승계되도록 하는 것을 포함하여야 하며, 제44조 내지 제46조에 의하여 계약이 해제 또는 해지된 후에 새로운 계약상대자가 선정될 경우에도 계약상대자의 보험계약상의 권리와 의무가 새로운 계약상대자에게 승계되는 내용이 포함되도록 하여야 한다. <개정 2010.9.8.>

⑥ 계약상대자는 발주기관이 작성한 예정가격조서상의 보험료 또는 계약상대자가 제출한 입찰금액 산출내역서상의 보험료와 계약상대자가 손해보험회사에 실제 납입한 보험료간의 차액발생을 이유로 보험가입을 거절하거나 동 차액의 정산을 요구하여서는 아니된다.

⑦ 계약상대자는 보험가입 목적물의 보험사고로 보험금이 지급되는 경우에는 동 보험금을 해당공사의 복구에 우선 사용하여야 하며, 보험금 지급이 지연되거나 부족하게 지급되는 경우에도 이를 이유로 피해복구를 지연하거나 거절하여서는 아니된다.

⑧ 제1항 내지 제7항의 사항이외에 손해보험과 관련된 기타 계약조건은 계약예규 「정부 입찰·계약 집행기준」 제12장(공사의 손해보험가입 업무집행)에 정한 바에 의한다.

제11조(공사용지의 확보) ① 발주기관은 계약문서에 따로 정한 경우를 제외하고는 계약상대자가 공사의 수행에 필요로 하는 날까지 공사용지를 확보하여 계약상대자에게 인도하여야 한다.

② 계약상대자는 현장에 인력, 장비 또는 자재를 투입하기 전에 공사용지의 확보여부를 계약담당공무원으로부터 확인을 받아야 한다.

③ 발주기관은 공사용지 확보 및 민원 대응 등 공사용지 확보와 직접 관련되는 업무를 계약상대자에게 전가하여서는 아니된다. <신설 2019.12.18.>

제12조(공사자재의 검사) ① 공사에 사용할 자재는 신품이어야 하며 품질·규격 등은 반드시 설계서와 일치되어야 한다. 다만, 설계서에 명확히 규정되지 아니한 자재는 표준품 이상으로서 계약의 목적을 달성하는 데에 가장 적합한 것이어야 한다.

② 계약상대자는 공사자재를 사용하기 전에 공사감독관의 검사를 받아야 하며, 불합격된 자재는 즉시 대체하여 다시 검사를 받아야 한다.

③ 제2항에 의한 검사에 이의가 있을 경우에 계약상대자는 계약담당공무원에 대하여 재검사를 요청할 수 있으며, 재검사가 필요하다고 인정되는 경우에 계약담당공무원은 지체없이 재검사하도록 조치하여야 한다.

④ 계약담당공무원은 계약상대자로부터 공사에 사용할 자재의 검사를 요청받거나 제3항

에 의한 재검사의 요청을 받은 때에는 정당한 이유없이 검사를 지체할 수 없다.

⑤ 계약상대자가 불합격된 자재를 즉시 이송하지 않거나 대체하지 아니하는 경우에는 계약담당공무원이 일방적으로 불합격 자재를 제거하거나 대체시킬 수 있다.

⑥ 계약상대자는 시험 또는 조합이 필요한 자재가 있는 경우 공사감독관의 참여하에 그 시험 또는 조합을 하여야 한다.

⑦ 수중 또는 지하에 매몰하는 공작물 기타 준공 후 외부로부터 검사할 수 없는 공작물의 공사는 공사감독관의 참여하에 시공하여야 한다.

⑧ 계약상대자가 제1항 내지 제7항이 정한 조건에 위배하거나 또는 설계서에 합치되지 않는 시공을 하였을 때에는 계약담당공무원은 공작물의 대체 또는 개조를 명할 수 있다.

⑨ 제2항 내지 제8항의 경우에 계약금액을 증감하거나 계약기간을 연장할 수 없다. 다만, 제3항에 의하여 재검사 결과에서 적합한 자재인 것으로 판명될 경우에는 재검사에 소요된 기간에 대하여는 계약기간을 연장할 수 있다.

제13조(관급자재 및 대여품) ① 발주기관은 공사의 수행에 필요한 특정자재 또는 기계·기구 등을 계약상대자에게 공급하거나 대여할 수 있으며, 이 경우에 관급자재 등(관급자재 및 대여품을 말한다. 이하 같다)은 설계서에 명시되어 있어야 한다.

② 관급자재 등은 제17조제1항제2호의 공사공정예정표에 따라 적기에 공급되어야 하며, 인도일시 및 장소는 계약당사자간에 협의하여 결정한다.

③ 관급자재 등의 소유권은 발주기관에 있으며, 잉여분이 있을 경우에는 계약상대자는 이를 발주기관에 통지하여 계약담당공무원의 지시에 따라 이를 반환하여야 한다.

④ 제2항에 의한 인도 후의 관급자재 등에 대한 관리상의 책임은 계약상대자에게 있으며, 계약상대자가 이를 멸실 또는 훼손하였을 경우에는 발주기관에 변상하여야 한다.

⑤ 계약상대자는 관급자재 등을 계약의 수행외의 목적으로 사용할 수 없으며, 공사감독관의 서면승인 없이는 현장외부로 반출하여서는 아니된다.

⑥ 계약상대자는 관급자재 등을 인수할 때에는 이를 검수하여야 하며 그 품질 또는 규격이 시공에 적당하지 아니하다고 인정될 경우에는 즉시 계약담당공무원에게 이를 통지하여 대체를 요구하여야 한다.

⑦ 계약담당공무원은 필요하다고 인정할 경우에는 관급자재 등의 수량·품질·규격·인도시기·인도장소 등을 변경할 수 있다. 이 경우에는 제20조 및 제23조를 적용한다.

제14조(공사현장대리인) ① 계약상대자는 계약된 공사에 적격한 공사현장대리인(건설산업기본법 시행령 제35조 [별표5] 등 공사관련 법령에 따른 기술자 배치기준에 적합한 자를 말한다. 이하 같다)을 지명하여 계약담당공무원에게 통지하여야 한다. <개정 2012.7.4.>

② 공사현장대리인은 공사현장에 상주하여 계약문서와 공사감독관의 지시에 따라 공사현장의 관리 및 공사에 관한 모든 사항을 처리하여야 한다. 다만, 공사가 일정기간 중단된 경우로서 발주기관의 승인을 얻은 경우에는 그러하지 아니한다. <단서신설 2012.7.4.>

제15조(공사현장 근로자) ① 계약상대자는 해당계약의 시공 또는 관리에 필요한 기술과 경험

을 가진 근로자를 채용하여야 하며 근로자의 행위에 대하여 책임을 져야 한다. 다만, 계약상대자가 근로자의 관리·감독에 상당한 주의와 의무를 다한 경우에는 그러하지 아니하다. <개정 2020.9.24.>

② 계약상대자는 계약담당공무원이 계약상대자가 채용한 근로자에 대하여 해당계약의 시공 또는 관리상 적당하지 아니하다고 인정하여 이의 교체를 요구한 때에는 즉시 교체하여야 하며 계약담당공무원의 승인없이는 교체된 근로자를 해당계약의 시공 또는 관리를 위하여 다시 채용할 수 없다.

제16조(공사감독관) ① 공사감독관은 계약된 공사의 수행과 품질의 확보 및 향상을 위하여 「건설기술진흥법」 제39조제6항 및 동 법 시행령 제59조, 「전력기술관리법」 제12조, 그 밖에 공사관련 법령에 따른 건설사업관리기술자 또는 감리원의 업무범위에서 정한 내용 및 이 조건에서 규정한 업무를 수행한다. <개정 2016.1.1, 2016.12.30.>

② 공사감독관은 계약담당공무원의 승인없이 계약상대자의 의무와 책임을 면제시키거나 증감시킬 수 없다.

③ 계약상대자는 공사감독관의 지시 또는 결정이 이 조건에서 정한 사항에 위반되거나 계약의 이행에 적합하지 아니하다고 인정될 경우에는 즉시 계약담당공무원에게 이의 시정을 요구하여야 한다.

④ 계약담당공무원은 제3항에 의한 시정요구를 받은 날부터 7일 이내에 필요한 조치를 하여야 한다.

⑤ 계약상대자는 발주기관에 제출하는 모든 문서에 대하여 그 사본을 공사감독관에게 제출하여야 한다.

⑥ 공사감독관은 계약상대자로부터 제43조의2제1항에 따른 통보를 받은 경우에는 하수급인 및 계약상대자와 직접 계약을 체결한 건설공사용부품제작납품업자, 건설기계대여업자(이하 "하수급인 및 자재·장비업자"라 한다)로부터 대금 수령내역 및 증빙서류를 제출받아 대금 지급내역 및 수령내역의 일치 여부를 확인하여야 한다. <신설 2010.9.8.>

제17조(착공 및 공정보고) ① 계약상대자는 계약문서에서 정하는 바에 따라 공사를 착공하여야 하며 착공시에는 다음 각 호의 서류가 포함된 착공신고서를 발주기관에 제출하여야 한다. 다만, 계약담당공무원은 공사기간이 30일 미만인 경우 등에는 착공신고서를 제출하지 아니하도록 할 수 있다. <단서신설 2019.12.18.>

1. 「건설기술진흥법」 등 관련법령에 의한 현장기술자지정신고서 <개정 2016.1.1.>
2. 공사공정예정표
3. 안전·환경 및 품질관리계획서
4. 공정별 인력 및 장비투입계획서
5. 착공전 현장사진
6. 기타 계약담당공무원이 지정한 사항

② 계약담당공무원은 공사의 규모·난이도·성격을 고려하여 착공일을 결정하되, 다음 각

호에서 정한 일자 이전의 날짜로 정하여서는 아니된다. 다만, 재해복구 등 긴급하게 착공하여야 할 필요가 있는 공사계약 및 장기계속공사의 1차 계약 이후 연차계약의 경우에는 계약상대자와의 협의를 거쳐 다음 각 호에서 정한 일자 이전의 시점으로 착공일을 결정할 수 있다. <신설 2019.12.18.>

1. 추정가격이 10억원 미만인 경우 : 계약체결일로부터 10일
2. 추정가격이 10억원 이상인 경우 : 계약체결일로부터 20일

③ 계약상대자는 계약의 이행중에 설계변경 또는 기타 계약내용의 변경으로 인하여 제1항에 의하여 제출한 서류의 변경이 필요한 때에는 관련서류를 변경하여 제출하여야 한다. <제2항에서 이동 2019.12.18.>

④ 계약담당공무원은 제1항 및 제3항에 의하여 제출된 서류의 내용을 조정할 필요가 있다고 인정하는 경우에는 계약상대자에게 이의 조정을 요구할 수 있다. <개정 2019.12.18.>

⑤ 계약담당공무원은 제1항에 따라 착공신고서를 제출한 공사인 경우 계약상대자로 하여금 월별로 수행한 공사에 대하여 다음 각호의 사항을 명백히 하여 익월 14일까지 발주기관에 제출(「전자조달의 이용에 및 촉진에 관한 법률」 제2조제4호 또는 동 법 제14조에 의한 시스템을 통한 제출 포함)하게 할 수 있으며, 이 경우 계약상대자는 이에 응하여야 한다. <개정 2019.12.18.>

1. 월별 공정율 및 수행공사금액
2. 인력·장비 및 자재현황
3. 계약사항의 변경 및 계약금액의 조정내용
4. 공정상황을 나타내는 현장사진

⑥ 계약담당공무원은 공정이 지체되어 소정기한내에 공사가 준공될 수 없다고 인정할 경우에는 제5항에 의한 월별 현황과는 별도로 주간공정현황의 제출 등 공사추진에 필요한 조치를 계약상대자에게 지시할 수 있다. <개정 2019.12.18.>

제18조(휴일 및 야간작업) ① 계약상대자는 계약담당공무원의 공기단축지시 및 발주기관의 부득이한 사유로 인하여 휴일 또는 야간작업을 지시받았을 때에는 계약담당공무원에게 추가비용을 청구할 수 있다. <개정 2009.6.29.>

② 제1항의 경우에는 제23조를 준용한다. <개정 2009.6.29.>

제19조(설계변경 등) ① 설계변경은 다음 각 호의 어느 하나에 해당하는 경우에 한다.

1. 설계서의 내용이 불분명하거나 누락·오류 또는 상호 모순되는 점이 있을 경우
2. 지질, 용수 등 공사현장의 상태가 설계서와 다를 경우
3. 새로운 기술·공법 사용으로 공사비의 절감 및 시공기간의 단축 등의 효과가 현저할 경우
4. 기타 발주기관이 설계서를 변경할 필요가 있다고 인정할 경우 등

② <삭제 2007.10.10.>

③ 제1항에 의한 설계변경은 그 설계변경이 필요한 부분의 시공전에 완료하여야 한다. 다만, 계약담당공무원은 공정이행의 지연으로 품질저하가 우려되는 등 긴급하게 공사를 수

행할 필요가 있는 때에는 계약상대자와 협의하여 설계변경의 시기 등을 명확히 정하고, 설계변경을 완료하기 전에 우선시공을 하게 할 수 있다.

제19조의2(설계서의 불분명·누락·오류 및 설계서간의 상호모순 등에 의한 설계변경) ① 계약상대자는 공사계약의 이행중에 설계서의 내용이 불분명하거나 설계서에 누락·오류 및 설계서간에 상호모순 등이 있는 사실을 발견하였을 때에는 설계변경이 필요한 부분의 이행전에 해당사항을 분명히 한 서류를 작성하여 계약담당공무원과 공사감독관에게 동시에 이를 통지하여야 한다.

② 계약담당공무원은 제1항에 의한 통지를 받은 즉시 공사가 적절히 이행될 수 있도록 다음 각 호의 어느 하나의 방법으로 설계변경 등 필요한 조치를 하여야 한다.

1. 설계서의 내용이 불분명한 경우(설계서만으로는 시공방법, 투입자재 등을 확정할 수 없는 경우)에는 설계자의 의견 및 발주기관이 작성한 단가산출서 또는 수량산출서 등의 검토를 통하여 당초 설계서에 의한 시공방법·투입자재 등을 확인한 후에 확인된 사항대로 시공하여야 하는 경우에는 설계서를 보완하되 제20조에 의한 계약금액조정은 하지 아니하며, 확인된 사항과 다르게 시공하여야 하는 경우에는 설계서를 보완하고 제20조에 의하여 계약금액을 조정하여야 함
2. 설계서에 누락·오류가 있는 경우에는 그 사실을 조사 확인하고 계약목적물의 기능 및 안전을 확보할 수 있도록 설계서를 보완
3. 설계도면과 공사시방서는 서로 일치하나 물량내역서와 상이한 경우에는 설계도면 및 공사시방서에 물량내역서를 일치
4. 설계도면과 공사시방서가 상이한 경우로서 물량내역서가 설계도면과 상이하거나 공사시방서와 상이한 경우에는 설계도면과 공사시방서중 최선의 공사시공을 위하여 우선되어야 할 내용으로 설계도면 또는 공사시방서를 확정한 후 그 확정된 내용에 따라 물량내역서를 일치

③ 제2항제3호 및 제4호는 제2조제4호에서 정한 공사의 경우에는 적용되지 아니한다. 다만, 제2조제4호에서 정한 공사의 경우로서 설계도면과 공사시방서가 상호 모순되는 경우에는 관련 법령 및 입찰에 관한 서류 등에 정한 내용에 따라 우선 여부를 결정하여야 한다. <개정 2008.12.29.>

제19조의3(현장상태와 설계서의 상이로 인한 설계변경) ① 계약상대자는 공사의 이행 중에 지질, 용수, 지하매설물 등 공사현장의 상태가 설계서와 다른 사실을 발견하였을 때에는 지체없이 설계서에 명시된 현장상태와 상이하게 나타난 현장상태를 기재한 서류를 작성하여 계약담당공무원과 공사감독관에게 동시에 이를 통지하여야 한다.

② 계약담당공무원은 제1항에 의한 통지를 받은 즉시 현장을 확인하고 현장상태에 따라 설계서를 변경하여야 한다.

제19조의4(신기술 및 신공법에 의한 설계변경) ① 계약상대자는 새로운 기술·공법(발주기관의 설계와 동등 이상의 기능·효과를 가진 기술·공법 및 기자재 등을 포함한다. 이하 같다)을

사용함으로써 공사비의 절감 및 시공기간의 단축 등에 효과가 현저할 것으로 인정하는 경우에는 다음 각 호의 서류를 첨부하여 공사감독관을 경유하여 계약담당공무원에게 서면으로 설계변경을 요청할 수 있다.

1. 제안사항에 대한 구체적인 설명서
2. 제안사항에 대한 산출내역서
3. 제17조제1항제2호에 대한 수정공정예정표
4. 공사비의 절감 및 시공기간의 단축효과
5. 기타 참고사항

② 계약담당공무원은 제1항에 의하여 설계변경을 요청받은 경우에는 이를 검토하여 그 결과를 계약상대자에게 통지하여야 한다. 이 경우에 계약담당공무원은 설계변경 요청에 대하여 이의가 있을 때에는 「건설기술진흥법 시행령」 제19조에 따른 기술자문위원회(이하 "기술자문위원회"라 한다)에 청구하여 심의를 받아야 한다. 다만, 기술자문위원회가 설치되어 있지 아니한 경우에는 「건설기술진흥법」 제5조에 의한 건설기술심의위원회의 심의를 받아야 한다. <개정 2009.9.21, 2016.1.1.>

③ 계약상대자는 제1항에 의한 요청이 승인되었을 경우에는 지체없이 새로운 기술·공법으로 수행할 공사에 대한 시공상세도면을 공사감독관을 경유하여 계약담당공무원에게 제출하여야 한다.

④ 계약상대자는 제2항에 의한 심의를 거친 계약담당공무원의 결정에 대하여 이의를 제기할 수 없으며, 또한 새로운 기술·공법의 개발에 소요된 비용 및 새로운 기술·공법에 의한 설계변경 후에 해당 기술·공법에 의한 시공이 불가능한 것으로 판명된 경우에는 시공에 소요된 비용을 발주기관에 청구할 수 없다. <개정 2009.9.21.>

제19조의5(발주기관의 필요에 의한 설계변경) ① 계약담당공무원은 다음 각 호의 어느 하나의 사유로 인하여 설계서를 변경할 필요가 있다고 인정할 경우에는 계약상대자에게 이를 서면으로 통보할 수 있다.

1. 해당공사의 일부변경이 수반되는 추가공사의 발생
2. 특정공종의 삭제
3. 공정계획의 변경
4. 시공방법의 변경
5. 기타 공사의 적정한 이행을 위한 변경

② 계약담당공무원은 제1항에 의한 설계변경을 통보할 경우에는 다음 각 호의 서류를 첨부하여야 한다. 다만, 발주기관이 설계서를 변경 작성할 수 없을 때에는 설계변경 개요서만을 첨부하여 설계변경을 통보할 수 있다.

1. 설계변경개요서
2. 수정설계도면 및 공사시방서
3. 기타 필요한 서류

③ 계약상대자는 제1항에 의한 통보를 받은 즉시 공사이행상황 및 자재수급 상황 등을 검토하여 설계변경 통보내용의 이행가능 여부(이행이 불가능하다고 판단될 경우에는 그 사유와 근거자료를 첨부)를 계약담당공무원과 공사감독관에게 동시에 이를 서면으로 통지하여야 한다.

제19조의6(소요자재의 수급방법 변경) ① 계약담당공무원은 발주기관의 사정으로 인하여 당초 관급자재로 정한 품목을 계약상대자와 협의하여 계약상대자가 직접 구입하여 투입하는 자재(이하 "사급자재"라 한다)로 변경하고자 하는 경우 또는 관급자재 등의 공급지체로 공사가 상당기간 지연될 것이 예상되어 계약상대자가 대체사용 승인을 신청한 경우로서 이를 승인한 경우에는 이를 서면으로 계약상대자에게 통보하여야 한다. 이때 계약담당공무원은 계약상대자와 협의하여 변경된 방법으로 일괄하여 자재를 구입할 수 없는 경우에는 분할하여 구입하게 할 수 있으며, 분할 구입하게 할 경우에는 구입시기별로 이를 서면으로 계약상대자에게 통보하여야 한다.

② 계약담당공무원은 공사의 이행 중에 설계변경 등으로 인하여 당초 관급자재의 수량이 증가되는 경우로서 증가되는 수량을 적기에 지급할 수 없어 공사의 이행이 지연될 것으로 예상되는 등 필요하다고 인정되는 때에는 계약상대자와 협의한 후에 증가되는 수량을 계약상대자가 직접 구입하여 투입하도록 서면으로 계약상대자에게 통보할 수 있다.

③ 제1항에 의하여 자재의 수급방법을 변경한 경우에는 계약담당공무원은 통보당시의 가격에 의하여 그 대가(기성부분에 실제 투입된 자재에 대한 대가)를 제39조 내지 제40조에 의한 기성대가 또는 준공대가에 합산하여 지급하여야 한다. 다만, 계약상대자의 대체사용 승인신청에 따라 자재가 대체사용된 경우에는 계약상대자와 합의된 장소 및 일시에 현품으로 반환할 수도 있다.

④ 계약담당공무원은 당초계약시의 사급자재를 관급자재로 변경할 수 없다. 다만, 원자재의 수급 불균형에 따른 원자재가격 급등 등 사급자재를 관급자재로 변경하지 않으면 계약목적을 이행할 수 없다고 인정될 때에는 계약당사자간의 협의에 의하여 변경할 수 있다.

⑤ 제2항 및 제4항에 의하여 추가되는 관급자재를 사급자재로 변경하거나 사급자재를 관급자재로 변경한 경우에는 제20조에 정한 바에 따라 계약금액을 조정하여야 하며, 제3항 본문에 의하여 대가를 지급하는 경우에는 제20조제5항을 준용한다.

제19조의7(설계변경에 따른 추가조치 등) ① 계약담당공무원은 제19조제1항에 의하여 설계변경을 하는 경우에 그 변경사항이 목적물의 구조변경 등으로 인하여 안전과 관련이 있는 때에는 하자발생시 책임한계를 명확하게 하기 위하여 당초 설계자의 의견을 들어야 한다.

② 계약담당공무원은 제19조의2, 제19조의3 및 제19조의5에 의하여 설계변경을 하는 경우에 계약상대자로 하여금 다음 각 호의 사항을 계약담당공무원과 공사감독관에게 동시에 제출하게 할 수 있으며, 계약상대자는 이에 응하여야 한다.

1. 해당공종의 수정공정예정표
2. 해당공종의 수정도면 및 수정상세도면

3. 조정이 요구되는 계약금액 및 기간
4. 여타의 공정에 미치는 영향

③ 계약담당공무원은 제2항제2호에 의하여 당초의 설계도면 및 시공상세도면을 계약상대자가 수정하여 제출하는 경우에는 그 수정에 소요된 비용을 제23조에 의하여 계약상대자에게 지급하여야 한다.

제20조(설계변경으로 인한 계약금액의 조정) ① 계약담당공무원은 설계변경으로 시공방법의 변경, 투입자재의 변경 등 공사량의 증감이 발생하는 경우에는 다음 각 호의 어느 하나의 기준에 의하여 계약금액을 조정하여야 한다.

1. 증감된 공사량의 단가는 계약단가로 한다. 다만 계약단가가 예정가격단가보다 높은 경우로서 물량이 증가하게 되는 때에는 그 증가된 물량에 대한 적용단가는 예정가격단가로 한다.
2. 산출내역서에 없는 품목 또는 비목(동일한 품목이라도 성능, 규격 등이 다른 경우를 포함한다. 이하 "신규비목"이라 한다)의 단가는 설계변경당시(설계도면의 변경을 요하는 경우에는 변경도면을 발주기관이 확정한 때, 설계도면의 변경을 요하지 않는 경우에는 계약당사자간에 설계변경을 문서에 의하여 합의한 때, 제19조제3항에 의하여 우선시공을 한 경우에는 그 우선시공을 하게 한 때를 말한다. 이하 같다)를 기준으로 산정한 단가에 낙찰율(예정가격에 대한 낙찰금액 또는 계약금액의 비율을 말한다. 이하 같다)을 곱한 금액으로 한다.

② 발주기관이 설계변경을 요구한 경우(계약상대자의 책임없는 사유로 인한 경우를 포함한다. 이하 같다)에는 제1항에도 불구하고 증가된 물량 또는 신규비목의 단가는 설계변경당시를 기준으로 하여 산정한 단가와 동 단가에 낙찰율을 곱한 금액의 범위안에서 발주기관과 계약상대자가 서로 주장하는 각각의 단가기준에 대한 근거자료 제시 등을 통하여 성실히 협의(이하 "협의"라 한다) 하여 결정한다. 다만, 계약당사자간에 협의가 이루어지지 아니하는 경우에는 설계변경당시를 기준으로 하여 산정한 단가와 동 단가에 낙찰율을 곱한 금액을 합한 금액의 100분의 50으로 한다.

③ 제2항에도 불구하고 표준시장단가가 적용된 공사의 경우에는 다음 각 호의 어느 하나의 기준에 의하여 계약금액을 조정하여야 한다. <신설 2012.7.4, 개정 2014.1.10, 2015.3.1.>

1. 증가된 공사량의 단가는 예정가격 산정시 표준시장단가가 적용된 경우에 설계변경 당시를 기준으로 하여 산정한 표준시장단가로 한다.
2. 신규비목의 단가는 표준시장단가를 기준으로 산정하고자 하는 경우에 설계변경 당시를 기준으로 산정한 표준시장단가로 한다.

④ 제19조의4에 의한 설계변경의 경우에는 해당 절감액의 100분의 30에 해당하는 금액을 감액한다. <제3항에서 이동 2012.7.4.>

⑤ 제1항 및 제2항에 의한 계약금액의 증감분에 대한 간접노무비, 산재보험료 및 산업안전보건관리비 등의 승율비용과 일반관리비 및 이윤은 산출내역서상의 간접노무비율, 산재보험료율 및 산업안전보건관리비율 등의 승율비용과 일반관리비율 및 이윤율에 의하되 설계

변경당시의 관계법령 및 기획재정부장관 등이 정한 율을 초과할 수 없다. <개정 2008.12.29, 제4항에서 이동 2012.7.4.>

⑥ 계약담당공무원은 예정가격의 100분의 86 미만으로 낙찰된 공사계약의 계약금액을 제1항에 따라 증액조정하고자 하는 경우로서 해당 증액조정금액(2차 이후의 계약금액 조정에 있어서는 그 전에 설계변경으로 인하여 감액 또는 증액조정된 금액과 증액조정하려는 금액을 모두 합한 금액을 말한다)이 당초 계약서의 계약금액(장기계속공사의 경우에는 시행령 제69조제2항에 따라 부기된 총 공사금액)의 100분의 10 이상인 경우에는 시행령 제94조에 따른 계약심의회, 「국가재정법 시행령」 제49조에 따른 예산집행심의회 또는 「건설기술진흥법 시행령」 제19조에 따른 기술자문위원회의 심의를 거쳐 소속중앙관서의 장의 승인을 얻어야 한다. <제5항에서 이동 2012.7.4, 개정 2016.1.1.>

⑦ 일부 공종의 단가가 세부공종별로 분류되어 작성되지 아니하고 총계방식으로 작성(이하 "1식단가"라 한다)되어 있는 경우에도 설계도면 또는 공사시방서가 변경되어 1식단가의 구성내용이 변경되는 때에는 제1항 내지 제5항에 의하여 계약금액을 조정하여야 한다. <제6항에서 이동 2012.7.4.>

⑧ 발주기관은 제1항 내지 제7항에 의하여 계약금액을 조정하는 경우에는 계약상대자의 계약금액조정 청구를 받은 날부터 30일 이내에 계약금액을 조정하여야 한다. 이 경우에 예산배정의 지연 등 불가피한 경우에는 계약상대자와 협의하여 그 조정기한을 연장할 수 있으며, 계약금액을 조정할 수 있는 예산이 없는 때에는 공사량 등을 조정하여 그 대가를 지급할 수 있다. <제7항에서 이동 2012.7.4.>

⑨ 계약담당공무원은 제8항에 의한 계약상대자의 계약금액조정 청구 내용이 부당함을 발견한 때에는 지체없이 필요한 보완요구 등의 조치를 하여야 한다. 이 경우 계약상대자가 보완요구 등의 조치를 통보받은 날부터 발주기관이 그 보완을 완료한 사실을 통지받은 날까지의 기간은 제8항에 의한 기간에 산입하지 아니한다. <제8항에서 이동 2012.7.4.>

⑩ 제8항 전단에 의한 계약상대자의 계약금액조정 청구는 제40조에 의한 준공대가(장기계속계약의 경우에는 각 차수별 준공대가) 수령전까지 조정신청을 하여야 한다. <제9항에서 이동 2012.7.4.>

제21조(설계변경으로 인한 계약금액조정의 제한 등) ① 다음 각 호의 어느 하나의 방법으로 체결된 공사계약에 있어서는 설계변경으로 계약내용을 변경하는 경우에도 정부에 책임있는 사유 또는 천재·지변 등 불가항력의 사유로 인한 경우를 제외하고는 그 계약금액을 증액할 수 없다.

1. <신설 2011.5.13, 삭제 2016.1.1.>
2. 시행령 제78조에 따른 일괄입찰 및 대안입찰(대안이 채택된 부분에 한함)을 실시하여 체결된 공사계약
3. 시행령 제98조에 따른 기본설계 기술제안입찰 및 실시설계 기술제안입찰(기술제안이 채택된 부분에 한함)을 실시하여 체결된 공사계약 <개정 2010.9.8.>

② 계약담당공무원은 시행령 제14조제1항 각 호 외의 부분 단서에 따라 물량내역서를 작성하는 경우에는 물량내역서의 누락사항이나 오류 등으로 설계를 변경하는 경우에도 그 계약금액을 변경할 수 없다. 다만, 입찰참가자가 교부받은 물량내역서의 물량을 수정하고 단가를 적은 산출내역서를 제출하는 경우에는 입찰참가자의 물량수정이 허용되지 않은 공종에 대하여는 그러하지 아니하다. <신설 2010.9.8, 개정 2016.1.1.>

③ 각 중앙관서의 장 또는 계약담당공무원은 시행령 제78조에 따른 일괄입찰과 제98조에 따른 기본설계 기술제안입찰의 경우 계약체결 이전에 실시설계적격자에게 책임이 없는 다음 각 호의 어느 하나에 해당하는 사유로 실시설계를 변경한 경우에는 계약체결 이후에 즉시 설계변경에 의한 계약금액 조정을 하여야 한다. <개정 2010.9.8.>

1. 민원이나 환경·교통영향평가 또는 관련 법령에 따른 인허가 조건 등과 관련하여 실시설계의 변경이 필요한 경우
2. 발주기관이 제시한 기본계획서·입찰안내서 또는 기본설계서에 명시 또는 반영되어 있지 아니한 사항에 대하여 해당 발주기관이 변경을 요구한 경우
3. 중앙건설기술심의위원회 또는 기술자문위원회가 실시설계 심의과정에서 변경을 요구한 경우 <개정 2016.1.1.>

④ 제1항 또는 제3항의 경우에서 계약금액을 조정하고자 할 때에는 다음 각 호의 기준에 의한다. <제3항에서 이동 2010.9.8.>

1. 실시설계 기술제안입찰은 시행령 제65조제3항에 의한다. <개정 2008.12.29, 2010.9.8.>
2. 제1항제2호의 경우와 기본설계 기술제안입찰은 시행령 제91조제3항에 의한다. <개정 2008.12.29, 2010.9.8.>

⑤ 제1항에 정한 정부의 책임있는 사유 또는 불가항력의 사유란 다음 각 호의 어느 하나의 경우를 말한다. 다만, 설계시 공사관련 법령 등에 정한 바에 따라 설계서가 작성된 경우에 한한다. <제4항에서 이동 2010.9.8.>

1. 사업계획 변경 등 발주기관의 필요에 의한 경우
2. 발주기관 외에 해당공사와 관련된 인허가기관 등의 요구가 있어 이를 발주기관이 수용하는 경우
3. 공사관련 법령(표준시방서, 전문시방서, 설계기준 및 지침 등 포함)의 제·개정으로 인한 경우
4. 공사관련 법령에 정한 바에 따라 시공하였음에도 불구하고 발생되는 민원에 의한 경우
5. 발주기관 또는 공사 관련기관이 교부한 지하매설 지장물 도면과 현장 상태가 상이하거나 계약이후 신규로 매설된 지장물에 의한 경우
6. 토지·건물소유자의 반대, 지장물의 존치, 관련기관의 인허가 불허 등으로 지질조사가 불가능했던 부분의 경우
7. 제32조에 정한 사항 등 계약당사자 누구의 책임에도 속하지 않는 사유에 의한 경우

⑥ 제4항에 따라 계약금액을 증감조정하고자 하는 경우에 증감되는 공사물량은 수정 전

의 설계도면과 수정 후의 설계도면을 비교하여 산출한다. <개정 2010.9.8.>

⑦ 제3항 각호의 사유 및 제5항 각 호의 사유에 해당되지 않는 경우로서 현장상태와 설계서의 상이 등으로 인하여 설계변경을 하는 경우에는 전체공사에 대하여 증·감되는 금액을 합산하여 계약금액을 조정하되, 계약금액을 증액할 수는 없다. <개정 2010.9.8, 2016.12.30.>

⑧ 계약담당공무원은 제7항에 따른 계약금액 조정과 관련하여 연차계약별로 준공되는 장기계속공사의 경우에는 계약체결시 전체공사에 대한 증·감 금액의 합산처리 방법, 합산잔액의 다음 연차계약으로의 이월 등 필요한 사항을 정하여 운영하여야 한다. <개정 2010.9.8.>

⑨ 제1항 내지 제8항에 따른 계약금액조정의 경우에는 제20조제5항 및 제8항 내지 제10항을 준용한다. <개정 2010.9.8.>

제22조(물가변동으로 인한 계약금액의 조정) ① 물가변동으로 인한 계약금액의 조정은 시행령 제64조 및 시행규칙 제74조에 정한 바에 의한다.

② 계약담당공무원이 동일한 계약에 대한 계약금액을 조정할 때에는 품목조정율 및 지수조정율을 동시에 적용하여서는 아니되며, 계약을 체결할 때에 계약상대자가 지수조정율 방법을 원하는 경우외에는 품목조정율 방법으로 계약금액을 조정하도록 계약서에 명시하여야 한다. 이 경우 계약이행 중 계약서에 명시된 계약금액 조정방법을 임의로 변경하여서는 아니된다. 다만, 시행령 제64조제6항에 따라 특정규격의 자재별 가격변동으로 계약금액을 조정할 경우에는 본문에도 불구하고 품목조정율에 의한다.

③ 제1항에 의하여 계약금액을 증액하는 경우에는 계약상대자의 청구에 의하여야 하고, 계약상대자는 제40조에 의한 준공대가(장기계속계약의 경우에는 각 차수별 준공대가) 수령 전까지 조정신청을 하여야 조정금액을 지급받을 수 있으며, 조정된 계약금액은 직전의 물가변동으로 인한 계약금액조정기준일부터 90일 이내에 이를 다시 조정할 수 없다. 다만, 천재·지변 또는 원자재의 가격급등으로 해당 기간내에 계약금액을 조정하지 아니하고는 계약이행이 곤란하다고 인정되는 경우에는 계약을 체결한 날 또는 직전 조정기준일로부터 90일 이내에도 계약금액을 조정할 수 있다.

④ 계약상대자는 제3항에 의하여 계약금액의 증액을 청구하는 경우에 계약금액조정 내역서를 첨부하여야 한다.

⑤ 발주기관은 제1항 내지 제4항에 의하여 계약금액을 증액하는 경우에는 계약상대자의 청구를 받은 날부터 30일 이내에 계약금액을 조정하여야 한다. 이 때 예산배정의 지연 등 불가피한 경우에는 계약상대자와 협의하여 그 조정기한을 연장할 수 있으며, 계약금액을 증액할 수 있는 예산이 없는 때에는 공사량 등을 조정하여 그 대가를 지급할 수 있다.

⑥ 계약담당공무원은 제4항 및 제5항에 의한 계약상대자의 계약금액조정 청구 내용이 일부 미비하거나 분명하지 아니한 경우에는 지체없이 필요한 보완요구를 하여야 하며, 이 경우 계약상대자가 보완요구를 통보받은 날부터 발주기관이 그 보완을 완료한 사실을 통지받은 날까지의 기간은 제5항에 의한 기간에 산입하지 아니한다. 다만, 계약상대자의 계약금액조정 청구내용이 계약금액 조정요건을 충족하지 않았거나 관련 증빙서류가 첨부되

지 아니한 경우에는 그 사유를 명시하여 계약상대자에게 해당 청구서를 반송하여야 하며, 이 경우에 계약상대자는 그 반송사유를 충족하여 계약금액조정을 다시 청구하여야 한다.

⑦ 시행령 제64조제6항에 따른 계약금액 조정요건을 충족하였으나 계약상대자가 계약금액 조정신청을 하지 않을 경우에 하수급인은 이러한 사실을 계약담당공무원에게 통보할 수 있으며, 통보받은 계약담당공무원은 이를 확인한 후에 계약상대자에게 계약금액 조정신청과 관련된 필요한 조치 등을 하도록 하여야 한다.

제23조(기타 계약내용의 변경으로 인한 계약금액의 조정) ① 계약담당공무원은 공사계약에 있어서 제20조 및 제22조에 의한 경우 외에 공사기간·운반거리의 변경 등 계약내용의 변경으로 계약금액을 조정하여야 할 필요가 있는 경우에는 그 변경된 내용에 따라 실비를 초과하지 아니하는 범위안에서 이를 조정(하도급업체가 지출한 비용을 포함한다)하며, 계약예규「정부입찰·계약 집행기준」제16장(실비의 산정)을 적용한다. <개정 2014.1.10, 2018.12.31, 2019.6.1, 2019.12.18.>

② 제1항에 의한 계약내용의 변경은 변경되는 부분의 이행에 착수하기 전에 완료하여야 한다. 다만, 계약담당공무원은 계약이행의 지연으로 품질저하가 우려되는 등 긴급하게 계약을 이행하게 할 필요가 있는 때에는 계약상대자와 협의하여 계약내용 변경의 시기 등을 명확히 정하고, 계약내용을 변경하기 전에 계약을 이행하게 할 수 있다.

③ 제1항의 경우에는 제20조제5항을 준용한다.

④ 제1항에 의하여 계약금액이 증액될 때에는 계약상대자의 신청에 따라 조정하여야 한다.

⑤ 제1항 내지 제4항에 의한 계약금액조정의 경우에는 제20조제8항 내지 제10항을 준용한다.

제23조의2(설계변경 등에 따른 통보) 제20조 내지 제23조에 따라 계약금액을 조정한 경우에는 계약담당공무원은 건설산업기본법 관련 규정에 따라 계약금액의 조정사유와 내용을 하수급인에게 통보하여야 한다.

[본조신설 2008.12.29.]

제23조의3(건설폐기물량의 초과발생에 따른 계약금액의 조정) 시행령 제78조에 따라 체결된 계약에 있어서「건설폐기물의 재활용 촉진에 관한 법률」제15조에 따라 건설공사와 건설폐기물처리용역을 분리발주한 경우로서 공사수행과정에서 건설폐기물이 계약상대자가 설계시 산출한 물량을 초과하여 발생한 때에는 해당 초과물량에 대하여 발주기관이 실제 폐기물처리업체에 지급한 처리비용만큼 계약금액에서 감액조정한다.

[본조신설 2010.11.30.]

제24조(응급조치) ① 계약상대자는 시공기간 중 재해방지를 위하여 필요하다고 인정할 때에는 미리 공사감독관의 의견을 들어 필요한 조치를 취하여야 한다.

② 공사감독관은 재해방지 기타 시공상 부득이할 때에는 계약상대자에게 필요한 응급조치를 취할 것을 구두 또는 서면으로 요구할 수 있다. 이 경우에 구두로 응급조치를 요구한 때에는 추후 서면으로 보완하여야 한다.

③ 계약상대자는 제2항에 의한 요구를 받은 때에는 즉시 이에 응하여야 한다. 다만 계약

상대자가 요구에 응하지 아니할 때에는 계약담당공무원은 일방적으로 계약상대자 부담으로 제3자로 하여금 응급조치하게 할 수 있다.

④ 제1항 내지 제3항의 조치에 소요된 경비 중에서 계약상대자가 계약금액의 범위 내에서 부담하는 것이 부당하다고 인정되는 때에는 제23조에 의하여 실비의 범위안에서 계약금액을 조정할 수 있다.

제25조(지체상금) ① 계약상대자는 계약서에 정한 준공기한(계약서상 준공신고서 제출기일을 말한다. 이하 같다)내에 공사를 완성하지 아니한 때에는 매 지체일수마다 계약서에 정한 지체상금률을 계약금액(장기계속공사계약의 경우에는 연차별 계약금액)에 곱하여 산출한 금액(이하 "지체상금"이라 한다)을 현금으로 납부하여야 한다. 다만, 납부할 금액이 계약금액(제2항에 따라 기성부분 또는 기납부분에 대하여 검사를 거쳐 이를 인수한 경우에는 그 부분에 상당하는 금액을 계약금액에서 공제한 금액을 말한다)의 100분의 30을 초과하는 경우에는 100분의 30으로 한다. <단서신설 2018.12.31.>

② 계약담당공무원은 제1항의 경우에 제29조에 의하여 기성부분에 대하여 검사를 거쳐 이를 인수(인수하지 아니하고 관리·사용하고 있는 경우를 포함한다. 이하 이 조에서 같다)한 때에는 그 부분에 상당하는 금액을 계약금액에서 공제한다. 이 경우에 기성부분의 인수는 그 성질상 분할할 수 있는 공사에 대한 완성부분으로 인수하는 것에 한한다.

③ 계약담당공무원은 다음 각 호의 어느 하나에 해당되어 공사가 지체되었다고 인정할 때에는 그 해당일수를 제1항의 지체일수에 산입하지 아니한다.

1. 제32조에서 규정한 불가항력의 사유에 의한 경우
2. 계약상대자가 대체 사용할 수 없는 중요 관급자재 등의 공급이 지연되어 공사의 진행이 불가능하였을 경우
3. 발주기관의 책임으로 착공이 지연되거나 시공이 중단되었을 경우
4. <삭제 2010.9.8.>
5. 계약상대자의 부도 등으로 보증기관이 보증이행업체를 지정하여 보증시공할 경우
6. 제19조에 의한 설계변경(계약상대자의 책임없는 사유인 경우에 한한다)으로 인하여 준공기한내에 계약을 이행할 수 없을 경우 <개정 2015.9.21.>
7. 발주기관이 「조달사업에 관한 법률」 제27조 제1항에 따른 혁신제품을 자재로 사용토록 한 경우로서 혁신제품의 하자가 직접적인 원인이 되어 준공기한내에 계약을 이행할 수 없을 경우 <신설 2020.12.28.>
8. 원자재의 수급 불균형으로 인하여 해당 관급자재의 조달지연 또는 사급자재(관급자재에서 전환된 사급자재를 포함한다)의 구입곤란 등 기타 계약상대자의 책임에 속하지 아니하는 사유로 인하여 지체된 경우

④ <삭제 2014.1.10.>

⑤ 제3항제5호에 의하여 지체일수에 산입하지 아니하는 기간은 발주기관으로부터 보증채무 이행청구서를 접수한 날부터 보증이행개시일 전일까지(단, 30일 이내에 한한다)로 한다.

⑥ 계약담당공무원은 제1항에 의한 지체일수를 다음 각 호에 따라 산정하여야 한다.

1. 준공기한내에 준공신고서를 제출한 때에는 제27조에 의한 준공검사에 소요된 기간은 지체일수에 산입하지 아니한다. 다만, 준공기한 이후에 제27조제3항에 의한 시정조치를 한 때에는 시정조치를 한 날부터 최종 준공검사에 합격한 날까지의 기간(검사기간이 제27조에 정한 기간을 초과한 경우에는 동조에 정한 기간에 한한다. 이하 같다)을 지체일수에 산입한다.
2. 준공기한을 경과하여 준공신고서를 제출한 때에는 준공기한 익일부터 준공검사(시정조치를 한 때에는 최종 준공검사)에 합격한 날까지의 기간을 지체일수에 산입한다.
3. 준공기한의 말일이 공휴일(관련 법령에 의하여 발주기관의 휴무일이거나 「근로자의 날 제정에 관한 법률」에 따른 근로자의 날(계약상대자가 실제 업무를 하지 아니한 경우에 한함)인 경우를 포함한다)인 경우에 지체일수는 공휴일의 익일 다음날부터 기산한다. <개정 2018.12.31.>

⑦ 계약담당공무원은 제1항 내지 제3항에 의한 지체상금은 계약상대자에게 지급될 대가, 대가지급지연에 대한 이자 또는 기타 예치금 등과 상계할 수 있다.

제26조(계약기간의 연장) ① 계약상대자는 제25조제3항 각 호의 어느 하나의 사유가 계약기간(장기계속공사의 경우에는 연차별 계약기간을 말한다. 이하 이 조에서 같다.) 내에 발생한 경우에는 계약기간 종료전에 지체없이 제17조제1항제2호의 수정공정표를 첨부하여 계약담당공무원과 공사감독관에게 서면으로 계약기간의 연장신청을 하여야 한다. 다만, 연장사유가 계약기간내에 발생하여 계약기간 경과 후 종료된 경우에는 동 사유가 종료된 후 즉시 계약기간의 연장신청을 하여야 한다. <개정 2010.11.30, 2020.6.19.>

② 계약담당공무원은 제1항에 의한 계약기간연장 신청이 접수된 때에는 즉시 그 사실을 조사 확인하고 공사가 적절히 이행될 수 있도록 계약기간의 연장 등 필요한 조치를 하여야 한다.

③ 계약담당공무원은 제1항에 의한 연장청구를 승인하였을 경우에는 동 연장기간에 대하여는 제25조에 의한 지체상금을 부과하여서는 아니된다.

④ 제2항에 의하여 계약기간을 연장한 경우에는 제23조에 의하여 그 변경된 내용에 따라 실비를 초과하지 아니하는 범위안에서 계약금액을 조정한다. 다만, 제25조제3항제5호의 사유에 의한 경우에는 그러하지 아니하다. <개정 2016.12.30, 2019.6.1.>

⑤ 계약상대자는 제40조에 의한 준공대가(장기계속계약의 경우에는 각 차수별 준공대가) 수령전까지 제4항에 의한 계약금액 조정신청을 하여야 한다. <개정 2010.11.30.>

⑥ 계약담당공무원은 제1항 내지 제5항에도 불구하고 계약상대자의 의무불이행으로 인하여 발생한 지체상금이 시행령 제50조제1항에 의한 계약보증금상당액에 달한 경우로서 계약목적물이 국가정책사업 대상이거나 계약의 이행이 노사분규 등 불가피한 사유로 인하여 지연된 때에는 계약기간을 연장할 수 있다.

⑦ 제6항에 의한 계약기간의 연장은 지체상금이 계약보증금상당액에 달한 때에 하여야 하

며, 연장된 계약기간에 대하여는 제25조에도 불구하고 지체상금을 부과하여서는 아니된다.

⑧ 계약담당공무원은 장기계속공사의 연차별 계약기간 중 제1항에 의한 계약기간 연장신청(제25조제3항제1호부터 제3호까지 및 제6호·제7호에 따른 사유로 인한 경우에 한한다)이 있는 경우, 당해 연차별 계약기간의 연장을 회피하기 위한 목적으로 당해 차수계약을 해지하여서는 아니된다. <신설 2020.6.19.>

제27조(검사) ① 계약상대자는 공사를 완성하였을 때에는 그 사실을 준공신고서 등 서면으로 계약담당공무원(「건설기술진흥법」 제39조제2항에 의하여 건설사업관리 또는 감리를 하는 공사에 있어서는 건설기술용역업자를 말한다. 이하 이조 제2항, 제3항 및 제6항에서 같다)에게 통지하고 필요한 검사를 받아야 한다. <개정 2016.1.1.>

② 계약담당공무원은 제1항의 통지를 받은 날로부터 14일 이내에 계약서, 설계서, 준공신고서 기타 관계 서류에 의하여 계약상대자의 입회하에 그 이행을 확인하기 위한 검사를 하여야 한다. 다만, 천재·지변 등 불가항력적인 사유로 인하여 검사를 완료하지 못한 경우에는 해당사유가 존속되는 기간과 해당사유가 소멸된 날로부터 3일까지는 이를 연장할 수 있으며, 공사계약금액(관급자재가 있는 경우에는 관급자재 대가를 포함한다)이 100억원 이상이거나 기술적 특수성 등으로 인하여 14일 이내에 검사를 완료할 수 없는 특별한 사유가 있는 경우에는 7일 범위내에서 검사기간을 연장할 수 있다.

③ 계약담당공무원은 제2항의 검사에서 계약상대자의 계약이행내용의 전부 또는 일부가 계약에 위반되거나 부당함을 발견한 때에는 계약상대자에게 필요한 시정조치를 요구하여야 한다. 이 경우에는 계약상대자로부터 그 시정을 완료한 사실을 통지받은 날로부터 제2항의 기간을 계산한다.

④ 제3항에 의하여 계약이행기간이 연장될 때에는 계약담당공무원은 제25조에 의한 지체상금을 부과하여야 한다.

⑤ 계약상대자는 제2항에 의한 검사에 입회·협력하여야 한다. 계약상대자가 입회를 거부하거나 검사에 협력하지 아니함으로써 발생하는 지체에 대하여는 제3항 및 제4항을 준용한다.

⑥ 계약담당공무원은 검사를 완료한 때에는 그 결과를 지체없이 계약상대자에게 통지하여야 한다. 이 경우에 계약상대자는 검사에 대한 이의가 있을 때에는 재검사를 요청할 수 있으며, 계약담당공무원은 필요한 조치를 하여야 한다.

⑦ 계약상대자는 제6항에 의한 검사완료통지를 받은 때에는 모든 공사시설, 잉여자재, 폐기물 및 가설물을 공사장으로부터 즉시 철거반출하여야 하며 공사장을 정돈하여야 한다.

⑧ 제39조에 의한 기성대가지급시의 기성검사는 공사감독관이 작성한 감독조서의 확인으로 갈음할 수 있다. 다만, 기성 검사 3회마다 1회는 제1항에 의한 검사를 실시하여야 한다.

⑨ 제8항에 의한 기성검사 시에 검사에 합격된 자재라도 단순히 공사현장에 반입된 것만으로는 기성부분으로 인정되지 아니한다. 다만, 다음 각 호의 경우에는 해당 자재의 특성, 용도 및 시장거래상황 등을 고려하여 반입(해당 자재를 계약목적물에 투입하는 과정의 특수성으로 인하여 가공·조립 또는 제작하는 공장에서 기성검사를 실시, 동 검사에 합격한

경우를 포함)된 자재를 기성부분으로 인정할 수 있다.<개정 2018.12.31.>

1. 강교 등 해당공사의 기술적·구조적 특성을 고려하여 가공·조립·제작된 자재로서, 다른 공사에 그대로 사용하기 곤란하다고 인정되는 자재 : 자재의 100분의 100 범위 내에서 기성부분으로 인정 가능 <신설 2018.12.31.>
2. 기타 계약상대자가 직접 또는 제3자에게 위탁하여 가공·조립 또는 제작된 자재 : 자재의 100분의 50 범위 내에서 기성부분으로 인정 가능 <신설 2018.12.31.>

⑩ 제2항에도 불구하고 「재난 및 안전관리 기본법」 제3조제1호의 재난이나 경기침체, 대량실업 등으로 인한 국가의 경제위기를 극복하기 위해 기획재정부장관이 기간을 정하여 고시한 경우에는 제2항의 14일을 7일로 본다. <신설 2020.4.20.>

제28조(인수) ① 계약담당공무원은 제27조제6항에 의하여 검사완료통지를 한 후에 계약상대자가 서면으로 인수를 요청하였을 때에는 즉시 현장인수증명서를 발급하고 해당 공사목적물을 인수하여야 한다.

② 계약담당공무원은 제1항에 의하여 인수를 요청받은 경우에 공사규모 등을 고려하여 필요하다고 인정할 때에는 계약상대자로 하여금 다음 각 호의 사항이 첨부된 준공명세서를 제출하게 하여야 한다.

1. 완성된 공사목적물의 전면·후면·측면사진(10"×15") 각 5매 및 사진원본파일
2. 제27조의 주요검사과정을 촬영한 동영상물(CD 등) 5본
3. 착공에서 준공까지의 행정처리과정, 참여기술자, 관련참여업체 등의 내용을 포함하는 「건설기술진흥법 시행령」 제78조에 의한 준공보고서 <개정 2016.1.1.>

③ 계약담당공무원은 계약상대자가 검사완료통지를 받은 날부터 7일 이내에 제1항에 의한 인수요청을 아니할 때에는 계약상대자에게 현장인수증명서를 발급하고 해당 공사목적물을 인수할 수 있다. 이 경우 계약상대자는 지체없이 제2항에 의한 준공명세서를 제출하여야 한다.

④ 계약담당공무원은 공사목적물을 인수한 때에는 다음 사항을 기재한 표찰을 부착하여 공시하여야 한다.

1. 공사명 및 발주기관(관리청)
2. 착공 및 준공년월일
3. 공사금액
4. 계약상대자
5. 공사감독관 및 검사관
6. 하자발생시 신고처
7. 기타 필요한 사항

⑤ 발주관서는 제3항에 의하여 인수된 공사목적물을 계약상대자에게 유지관리를 요구하는 경우에는 이에 필요한 비용을 지급하여야 한다.

제29조(기성부분의 인수) ① 계약담당공무원은 전체 공사목적물이 아닌 기성부분(성질상 분할할 수 있는 공사에 대한 완성부분에 한한다)에 대하여 이를 인수할 수 있다.

② 제1항의 경우에는 제28조를 준용한다.

제30조(부분사용 및 부가공사) ① 발주기관은 계약목적물의 인수전에 기성부분이나 미완성부분을 사용할 수 있으며, 이 경우에 사용부분에 대해서는 해당 구조물 안전에 지장을 주지 아니하는 부가공사를 할 수 있다.

② 제1항의 경우 계약상대자와 부가공사에 대한 계약상대자는 계약담당공무원의 지시에 따라 공사를 진행하여야 한다.

③ 계약담당공무원은 제1항에 의한 부분사용 또는 부가공사로 인하여 계약상대자에게 손해가 발생한 경우 또는 추가공사비가 필요한 경우로서 계약상대자의 청구가 있는 때에는 제23조에 의하여 실비의 범위안에서 보상하거나 계약금액을 조정하여야 한다.

제31조(일반적 손해) ① 계약상대자는 계약의 이행 중 공사목적물, 관급자재, 대여품 및 제3자에 대한 손해를 부담하여야 한다. 다만, 계약상대자의 책임없는 사유로 인하여 발생한 손해는 발주기관의 부담으로 한다.

② 제10조에 의하여 손해보험에 가입한 공사계약의 경우에는 제1항에 의한 계약상대자 및 발주기관의 부담은 보험에 의하여 보전되는 금액을 초과하는 부분으로 한다.

③ 제28조 및 제29조에 의하여 인수한 공사목적물에 대한 손해는 발주기관이 부담하여야 한다.

제32조(불가항력) ① 불가항력이라 함은 태풍·홍수 기타 악천후, 전쟁 또는 사변, 지진, 화재, 전염병, 폭동 기타 계약당사자의 통제범위를 벗어난 사태의 발생 등의 사유(이하 "불가항력의 사유"라 한다)로 인하여 공사이행에 직접적인 영향을 미친 경우로서 계약당사자 누구의 책임에도 속하지 아니하는 경우를 말한다. <개정 2019.12.18.>

② 불가항력의 사유로 인하여 다음 각 호에 발생한 손해는 발주기관이 부담하여야 한다.

1. 제27조에 의하여 검사를 필한 기성부분
2. 검사를 필하지 아니한 부분 중 객관적인 자료(감독일지, 사진 또는 동영상 등)에 의하여 이미 수행되었음이 판명된 부분
3. 제31조제1항 단서 및 동 조 제3항에 의한 손해

③ 계약상대자는 계약이행 기간 중에 제2항의 손해가 발생하였을 때에는 지체없이 그 사실을 계약담당공무원에게 통지하여야 하며, 계약담당공무원은 통지를 받았을 때에는 즉시 그 사실을 조사하고 그 손해의 상황을 확인한 후에 그 결과를 계약상대자에게 통지하여야 한다. 이 경우에 공사감독관의 의견을 고려할 수 있다.

④ 계약담당공무원은 제3항에 의하여 손해의 상황을 확인하였을 때에는 별도의 약정이 없는 한 공사금액의 변경 또는 손해액의 부담 등 필요한 조치에 대하여 계약상대자와 협의하여 이를 결정한다. 다만, 협의가 성립되지 않을 때에는 제51조에 의해서 처리한다.

제33조(하자보수) ① 계약상대자는 전체목적물을 인수한 날과 준공검사를 완료한 날 중에서 먼저 도래한 날(공사계약의 부분 완료로 관리·사용이 이루어지고 있는 경우에는 부분 목적물을 인수한 날과 공고에 따라 관리·사용을 개시한 날 중에서 먼저 도래한 날을 말한

다)부터 시행령 제60조에 의하여 계약서에 정한 기간(이하 "하자담보책임기간"이라 한다) 동안에 공사목적물의 하자(계약상대자의 시공상의 잘못으로 인하여 발생한 하자에 한함)에 대한 보수책임이 있다. <개정 2019.12.18.>

② 하자담보책임기간은 시행규칙 제70조에 정해진 바에 따라 공종을 구분(하자책임을 구분할 수 없는 복합공사의 경우에는 주된 공종)하여 설정하여야 한다. <개정 2016.12.30.>

③ 제2항에도 불구하고 하자담보책임기간을 공종 구분없이 일률적으로 정하였거나 시행규칙 제70조제1항 각 호에 정해진 기간과 다르게 정하여 계약이행 중인 경우에는 시행규칙에서 정한 대로 계약서상 하자담보책임기간을 조정하여야 한다. <개정 2019.12.18.>

④ 계약상대자는 하자보수통지를 받은 때에는 즉시 보수작업을 하여야 하며 해당 하자의 발생원인 및 기타 조치사항을 명시하여 발주기관에 제출하여야 한다.

제34조(하자보수보증금) ① 계약상대자는 공사의 하자보수를 보증하기 위하여 계약서에서 정한 하자보수보증금율을 계약금액(당초 계약금액이 조정된 경우에는 조정된 계약금액을 말한다)에 곱하여 산출한 금액(이하 "하자보수보증금"이라 한다)을 시행령 제62조 및 시행규칙 제72조에서 정한 바에 따라 납부하여야 한다.

② 계약상대자가 제33조제1항에 의한 하자담보책임기간 중 계약담당공무원으로부터 하자보수요구를 받고 이에 불응한 경우에 계약담당공무원은 제1항에 의한 하자보수보증금을 국고에 귀속한다.

③ 계약담당공무원은 제35조제2항에 의한 하자보수완료확인서의 발급일까지 하자보수보증금을 계약상대자에게 반환하여야 한다. 다만, 하자담보책임기간이 서로 다른 공종이 복합된 건설공사에 있어서는 시행규칙 제70조에 의한 공종별 하자담보책임기간이 만료되어 보증목적이 달성된 공종의 하자보수보증금은 계약상대자의 요청이 있을 경우 즉시 반환하여야 한다.

제35조(하자검사) ① 계약담당공무원은 제33조제1항의 하자담보책임기간중 연2회 이상 정기적으로 하자발생 여부를 검사하여야 한다.

② 계약담당공무원은 하자담보책임기간이 만료되기 14일 전부터 만료일까지의 기간 중에 따로 최종검사를 하여야 하며, 최종검사를 완료하였을 때에는 즉시 하자보수완료확인서를 계약상대자에게 발급하여야 한다. 이 경우에 최종검사에서 발견되는 하자사항은 하자보수완료확인서가 발급되기 전까지 계약상대자가 자신의 부담으로 보수하여야 한다. <개정 2018.12.31.>

③ 계약상대자는 제1항 및 제2항의 검사에 입회하여야 한다. 다만, 계약상대자가 입회를 거부하는 경우에 계약담당공무원은 일방적으로 검사를 할 수 있으며 검사결과에 대하여 계약상대자가 동의한 것으로 간주한다.

④ 계약상대자의 책임과 의무는 제2항에 의한 하자보수완료확인서의 발급일부터 소멸한다.

제36조(특별책임) ① 계약담당공무원은 제35조제2항에 의한 하자보수완료확인서의 발급에도 불구하고 해당공사의 특성 및 관련법령에서 정한 바에 따라 건축물의 구조적 안정성 확

보, 이용자 안전 제고 등을 위해 필요하다고 인정하는 경우에는 계약상대자와 협의하여 제27조 및 제35조에 의한 검사과정에서 발견되지 아니한 시공상의 하자에 대하여는 계약상대자의 책임으로 하는 특약을 정할 수 있다. 이 경우 계약상대자의 책임기간은 해당계약에 대한 하자담보책임의 2배를 초과하여서는 아니된다. <개정 2020.9.24.>

② 계약담당공무원은 제1항에 따른 특약을 설정하려는 경우, 특약 설정의 필요성 및 계약상대자의 책임기간 등에 대하여 시행령 제94조에 따른 계약심의위원회의 심의를 거쳐야 한다. <신설 2020.9.24.>

제37조(특허권 등의 사용) 공사의 이행에 특허권 기타 제3자의 권리의 대상으로 되어 있는 시공방법을 사용할 때에는 계약상대자는 그 사용에 관한 일체의 책임을 져야 한다. 그러나 발주기관이 제3조의 계약문서에 시공방법을 지정하지 아니하고 그 시공을 요구할 때에는 계약상대자에 대하여 제반편의를 제공·알선하거나 소요된 비용을 지급할 수 있다.

제38조(발굴물의 처리) ① 공사현장에서 발견한 모든 가치있는 화석·금전·보물 기타 지질학 및 고고학상의 유물 또는 물품은 관계법규에서 정하는 바에 의하여 처리한다.

② 계약상대자는 제1항의 물품이나 유물을 발견하였을 때에는 즉시 계약담당공무원에게 통지하고 그 지시에 따라야 하며 이를 취급할 때에는 파손이 없도록 적절한 예방조치를 하여야 한다.

제39조(기성대가의 지급) ① 계약상대자는 최소한 30일마다 제27조제8항에 의한 검사를 완료하는 날까지 기성부분에 대한 대가지급청구서[(하수급인 및 자재·장비업자에 대한 대금지급 계획과 하수급인과 직접 계약을 체결한 자재·장비업자(이하 '하수급인의 자재·장비업자'라 한다)에 대한 대금지급계획을 첨부하여야 한다)]를 계약담당공무원과 공사감독관에게 동시에 제출할 수 있다. <개정 2010.9.8, 2012.7.4.>

② 계약담당공무원은 검사완료일부터 5일 이내에 검사된 내용에 따라 기성대가를 확정하여 계약상대자에게 지급(「전자조달의 이용 및 촉진에 관한 법률」 제9조의2제1항에 따른 시스템을 통한 지급 포함. 이하 이 조에서 같다.)하여야 한다. 다만, 계약상대자가 검사완료일후에 대가의 지급을 청구한 때에는 그 청구를 받은 날부터 5일 이내에 지급하여야 한다. <개정 2009.7.3, 2019.12.18.>

③ 계약담당공무원은 제2항에 따른 기성대가지급시에 제1항의 대금 지급 계획상의 하수급인, 자재·장비업자 및 하수급인의 자재·장비업자에게 기성대가지급 사실을 통보하고, 이들로 하여금 대금 수령내역(수령자, 수령액, 수령일 등) 및 증빙서류를 제출(「전자서명법」제2조에 따른 전자문서에 의한 제출을 포함한다. 이하 제40조제3항 및 제43조의2제1항에 따른 제출 및 통보에 있어 같다)하게 하여야 한다. <신설 2010.9.8, 2012.7.4.>

④ 계약담당공무원은 제27조제9항 단서에 의한 자재에 대하여 기성대가를 지급하는 경우에는 계약상대자로 하여금 그 지급대가에 상당하는 보증서(시행령 제37조제2항에 규정된 증권 또는 보증서 등을 말한다)를 제출하게 하여야 한다. <제3항에서 이동 2010.9.8.>

⑤ 계약담당공무원은 제1항에 의한 청구서의 기재사항이 검사된 내용과 일치하지 아니할 때

에는 그 사유를 명시하여 계약상대자에게 이의 시정을 요구하여야 한다. 이 경우에 시정에 소요되는 기간은 제2항에서 규정한 기간에 산입하지 아니한다. <제4항에서 이동 2010.9.8.>

⑥ 기성대가는 계약단가에 의하여 산정·지급한다. 다만, 계약단가가 없을 경우에는 제20조제1항제2호 및 동 조 제2항에 의하여 산정된 단가에 의한다. <제5항에서 이동 2010.9.8.>

⑦ 기성대가 지급의 경우에는 제40조제5항을 준용한다. <제6항에서 이동 2010.9.8.>

⑧ 제2항에도 불구하고 「재난 및 안전관리 기본법」 제3조제1호의 재난이나 경기침체, 대량실업 등으로 인한 국가의 경제위기를 극복하기 위해 기획재정부장관이 기간을 정하여 고시한 경우에는 제2항의 5일을 3일로 본다. <신설 2020.4.20.>

제39조의2(계약금액조정 전의 기성대가지급) ① 계약담당공무원은 물가변동, 설계변경 및 기타 계약내용의 변경으로 인하여 계약금액이 당초 계약금액보다 증감될 것이 예상되는 경우로서 기성대가를 지급하고자 하는 경우에는 「국고금관리법 시행규칙」 제72조에 의하여 당초 산출내역서를 기준으로 산출한 기성대가를 개산급으로 지급할 수 있다. 다만, 감액이 예상되는 경우에는 예상되는 감액금액을 제외하고 지급하여야 한다.

② 계약상대자는 제1항에 의하여 기성대가를 개산급으로 지급받고자 하는 경우에는 기성대가신청시 개산급신청사유를 서면으로 작성하여 첨부하여야 한다.

제40조(준공대가의 지급) ① 계약상대자는 공사를 완성한 후 제27조에 의한 검사에 합격한 때에는 대가지급청구서(하수급인, 자재·장비업자 및 하수급인의 자재·장비업자에 대한 대금지급계획을 첨부하여야 한다)를 제출하는 등 소정절차에 따라 대가지급을 청구할 수 있다. <개정 2010.9.8, 2012.7.4.>

② 계약담당공무원은 제1항의 청구를 받은 때에는 그 청구를 받은 날로부터 5일(공휴일 및 토요일은 제외한다. 이하 이조에서 같다) 이내에 그 대가를 지급(「전자조달의 이용 및 촉진에 관한 법률」 제9조의2제1항에 따른 시스템을 통한 지급 포함. 이하 이 조에서 같다)하여야 하며, 동 대가지급기한에도 불구하고 자금사정 등 불가피한 사유가 없는 한 최대한 신속히 대가를 지급하여야 한다. 다만, 계약당사자와의 합의에 의하여 5일을 초과하지 아니하는 범위안에서 대가의 지급기간을 연장할 수 있는 특약을 정할 수 있다. <개정 2009.7.3, 2019.12.18.>

③ 계약담당공무원은 제2항에 따른 대가지급시에 제1항의 대금 지급 계획상의 하수급인, 자재·장비업자 및 하수급인의 자재·장비업자에게 대가지급 사실을 통보하고, 이들로 하여금 대금 수령내역(수령자, 수령액, 수령일 등) 및 증빙서류를 제출하게 하여야 한다. <신설 2010.9.8, 2012.7.4.>

④ 천재·지변 등 불가항력의 사유로 인하여 대가를 지급할 수 없게 된 경우에는 계약담당공무원은 해당사유가 존속되는 기간과 해당사유가 소멸된 날로부터 3일까지는 대가의 지급을 연장할 수 있다. <제3항에서 이동 2010.9.8.>

⑤ 계약담당공무원은 제1항의 청구를 받은 후 그 청구내용의 전부 또는 일부가 부당함을 발견한 때에는 그 사유를 명시하여 계약상대자에게 해당 청구서를 반송할 수 있다. 이 경

우에는 반송한 날로부터 재청구를 받은 날까지의 기간은 제2항의 지급기간에 산입하지 아니한다. <제4항에서 이동 2010.9.8.>

⑥ 제2항에도 불구하고 「재난 및 안전관리 기본법」 제3조제1호의 재난이나 경기침체, 대량실업 등으로 인한 국가의 경제위기를 극복하기 위해 기획재정부장관이 기간을 정하여 고시한 경우에는 제2항의 5일을 3일로 본다. <신설 2020.4.20.>

제40조의2(국민건강보험료, 노인장기요양보험료 및 국민연금보험료의 사후정산) 계약담당공무원은 「정부 입찰·계약 집행기준」 제93조에 의하여 국민건강보험료, 노인장기요양보험료 및 국민연금보험료를 사후정산 하기로 한 계약에 대하여는 제39조 및 제40조에 의한 대가지급시 계약예규 「정부 입찰·계약 집행기준」 제94조에 정한 바에 따라 정산하여야 한다. <개정 2016.12.30.>

제41조(대가지급지연에 대한 이자) ① 계약담당공무원은 대가지급청구를 받은 경우에 제39조 및 제40조에 의한 대가지급기한(국고채무부담행위에 의한 계약의 경우에는 다음 회계년도 개시 후 「국가재정법」에 의하여 해당 예산이 배정된 날부터 20일)까지 대가를 지급하지 못하는 경우에는 지급기한의 다음날부터 지급하는 날까지의 일수(이하 "대가지급지연일수"라 한다)에 해당 미지급금액에 대하여 지연발생 시점의 금융기관 대출평균금리(한국은행 통계월보상의 금융기관 대출평균금리를 말한다)를 곱하여 산출한 금액을 이자로 지급하여야 한다.

② 불가항력의 사유로 인하여 검사 또는 대가지급이 지연된 경우에 제27조제2항 단서 및 제40조제4항에 의한 연장기간은 대가지급 지연일수에 산입하지 아니한다.

제42조(하도급의 승인 등) ① 계약상대자가 계약된 공사의 일부를 제3자에게 하도급 하고자 하는 경우에는 「건설산업기본법」 등 관련법령에 정한 바에 의하여야 한다.

② 계약담당공무원은 제1항에 의하여 계약상대자로부터 하도급계약을 통보받은 때에는 국토교통부장관이 고시한 건설공사하도급심사기준에 정한 바에 따라 하도급금액의 적정성을 심사하여야 한다. <개정 2015.9.21.>

제43조(하도급대가의 직접지급 등) ① 계약담당공무원은 계약상대자가 다음 각 호의 어느 하나에 해당하는 경우에 「건설산업기본법」 등 관련법령에 의하여 체결한 하도급계약 중 하수급인이 시공한 부분에 상당하는 금액에 대하여는 계약상대자가 하수급인에게 제39조 및 제40조에 의한 대가지급을 의뢰한 것으로 보아 해당 하수급인에게 직접 지급하여야 한다.

1. 하수급인이 계약상대자를 상대로 하여 받은 판결로서 그가 시공한 분에 대한 하도급대금지급을 명하는 확정판결이 있는 경우
2. 계약상대자가 파산, 부도, 영업정지 및 면허취소 등으로 하도급대금을 하수급인에게 지급할 수 없게 된 경우
3. 「하도급거래 공정화에 관한 법률」 또는 「건설산업기본법」에 규정한 내용에 따라 계약상대자가 하수급인에 대한 하도급대금 지급보증서를 제출하여야 할 대상 중 그 지급보증서를 제출하지 아니한 경우

② 계약담당공무원은 제1항에도 불구하고 하수급인이 해당 하도급계약과 관련하여 노임, 중기사용료, 자재대 등을 체불한 사실을 계약상대자가 객관적으로 입증할 수 있는 서류를 첨부하여 해당 하도급대가의 직접지급 중지를 요청한 때에는 해당 하도급대가를 직접 지급하지 아니할 수 있다.

③ 계약상대자는 제27조제1항에 의한 준공신고 또는 제39조에 의한 기성대가의 지급청구를 위한 검사를 신청하고자 할 경우에는 하수급인이 시공한 부분에 대한 내역을 구분하여 신청하여야 하며, 제39조 및 제40조에 의하여 제1항의 하도급대가가 포함된 대가지급을 청구할 때에는 해당 하도급대가를 분리하여 청구하여야 한다.

제43조의2(하도급대금 등 지급 확인) ① 계약상대자는 제39조 및 제40조에 의한 대가를 지급받은 경우에 15일 이내에 하수급인 및 자재·장비업자가 시공·제작·대여한 분에 상당한 금액(이하 "하도급대금 등"이라 한다)을 하수급인 및 자재·장비업자에게 현금으로 지급(「전자조달의 이용 및 촉진에 관한 법률」 제9조의2제1항에 따른 시스템을 통한 지급 포함. 이하 이 조에서 같다.)하여야 하며, 하도급대금 등의 지급 내역(수령자, 지급액, 지급일 등)을 5일(공휴일 및 토요일은 제외한다) 이내에 발주기관 및 공사감독관에게 통보하여야 한다. <신설 2010.9.8, 2019.12.18.>

② 계약상대자는 제1항에 따라 하수급인에게 하도급대금 등을 지급한 경우에 하수급인으로 하여금 제1항을 준용하여 하수급인의 자재·장비업자가 제작·대여한 분에 상당한 금액을 하수급인의 자재·장비업자에게 지급하고, 이들로 하여금 그 내역(수령자, 지급액, 지급일 등)을 발주기관 및 공사감독관에게 통보하도록 하여야 한다. <신설 2010.9.8, 개정 2012.7.4.>

③ 계약담당공무원은 제1항 및 제2항에 의한 대금 지급내역을 제39조제3항 또는 제40조제3항에 따라 하수급인, 자재·장비업자 및 하수급인의 자재·장비업자로부터 제출받은 대금 수령내역과 비교·확인하여야 하며, 하수급인이 하수급인의 자재·장비업자에게 대금을 지급하지 않은 경우에는 계약상대자에게 즉시 통보하여야 한다. <신설 2012.7.4.>

제43조의3(노무비의 구분관리 및 지급확인) ① 계약상대자는 발주기관과 협의하여 정한 노무비 지급기일에 맞추어 매월 모든 근로자(직접노무비 대상에 한하며, 하수급인이 고용한 근로자를 포함)의 노무비 청구내역(근로자 개인별 성명, 임금 및 연락처 등)을 제출하여야 한다.

② 계약담당공무원은 현장인 명부 등을 통해 제1항에 따른 노무비 청구내역을 확인하고 청구를 받은 날부터 5일 이내에 계약상대자의 노무비 전용계좌로 해당 노무비를 지급(「전자조달의 이용 및 촉진에 관한 법률」 제9조의2제1항에 따른 시스템을 통한 지급 포함. 이하 이 조에서 같다.)하여야 한다. <개정 2019.12.18.>

③ 계약상대자는 제2항에 따라 노무비를 지급받은 날부터 2일(공휴일 및 토요일은 제외한다) 이내에 노무비 전용계좌에서 이체하는 방식으로 근로자에게 노무비를 지급하여야 하며, 동일한 방식으로 하수급인의 노무비 전용계좌로 노무비를 지급하여야 한다. 다만, 근로자가 계좌를 개설할 수 없거나 다른 방식으로 지급을 원하는 경우 또는 계약상대자(하수급인 포함)가 근로자에게 노무비를 미리 지급하는 경우에는 그에 대한 발주기관의 승인

을 받아 그러하지 아니할 수 있다.

④ 계약상대자는 제1항에 따라 노무비 지급을 청구할 때에 전월 노무비 지급내역(계약상대자 및 하수급인의 노무비 전용계좌 이체내역 등 증빙서류)을 제출하여야 하며, 계약담당공무원은 동 지급내역과 계약상대자가 이미 제출한 같은 달의 청구내역을 비교하여 임금 미지급이 확인된 경우에는 해당 사실을 지방 고용노동(지)청에 통보하여야 한다.

[본조신설 2012.1.1.]

제44조(계약상대자의 책임있는 사유로 인한 계약의 해제 및 해지) ① 계약담당공무원은 계약상대자가 다음 각 호의 어느 하나에 해당하는 경우에는 해당 계약의 전부 또는 일부를 해제 또는 해지할 수 있다. 다만, 제3호의 경우에 계약상대자의 계약이행 가능성이 있고 계약을 유지할 필요가 있다고 인정되는 경우로서 계약상대자가 계약이행이 완료되지 아니한 부분에 상당하는 계약보증금(당초 계약보증금에 제25조제1항에 따른 지체상금의 최대금액을 더한 금액을 한도로 한다)을 추가납부하는 때에는 계약을 유지한다. <개정 2010.9.8, 2014.1.10, 2018.12.31.>

1. 정당한 이유없이 약정한 착공시일을 경과하고도 공사에 착수하지 아니할 경우
2. 계약상대자의 책임있는 사유로 인하여 준공기한까지 공사를 완공하지 못하거나 완성할 가능성이 없다고 인정될 경우
3. 제25조제1항에 의한 지체상금이 시행령 제50조제1항에 의한 해당 계약(장기계속공사계약인 경우에는 차수별 계약)의 계약보증금상당액에 달한 경우
4. 장기계속공사의 계약에 있어서 제2차공사 이후의 계약을 체결하지 아니하는 경우
5. 계약의 수행 중 뇌물수수 또는 정상적인 계약관리를 방해하는 불법·부정행위가 있는 경우
6. 제47조의3에 따른 시공계획서를 제출 또는 보완하지 않거나 정당한 이유 없이 계획서대로 이행하지 않을 경우 <신설 2012.4.2.>
7. 입찰에 관한 서류 등을 허위 또는 부정한 방법으로 제출하여 계약이 체결된 경우 <신설 2014.1.10.>
8. 기타 계약조건을 위반하고 그 위반으로 인하여 계약의 목적을 달성할 수 없다고 인정될 경우

② 계약담당공무원은 제1항에 의하여 계약을 해제 또는 해지한 때에는 그 사실을 계약상대자 및 제42조에 의한 하수급자에게 통지하여야 한다.

③ 제2항에 의한 통지를 받은 계약상대자는 다음 각 호의 사항을 준수하여야 한다.

1. 해당 공사를 즉시 중지하고 모든 공사자재 및 기구 등을 공사장으로부터 철거하여야 한다.
2. 제13조에 의한 대여품이 있을 때에는 지체없이 발주기관에 반환하여야 한다. 이 경우에 해당 대여품이 계약상대자의 고의 또는 과실로 인하여 멸실 또는 파손되었을 때에는 원상회복 또는 그 손해를 배상하여야 한다.
3. 제13조에 의한 관급재료 중 공사의 기성부분으로서 인수된 부분에 사용한 것을 제외한

잔여재료는 발주기관에 반환하여야 한다. 이 경우에 해당 재료가 계약상대자의 고의 또는 과실로 인하여 멸실 또는 파손되었을 때, 또는 공사의 기성부분으로서 인수되지 아니하는 부분에 사용된 때에는 원상회복 하거나 그 손해를 배상하여야 한다.

4. 발주기관이 요구하는 공사장의 모든 재료, 정보 및 편의를 발주기관에 제공하여야 한다.

④ 계약담당공무원은 제1항에 의하여 계약을 해제 또는 해지한 경우 및 제48조에 의하여 보증기관이 보증이행을 하는 경우에 기성부분을 검사하여 인수한 때에는 해당부분에 상당하는 대가를 계약상대자에게 지급하여야 한다. <개정 2010.9.8.>

⑤ 제1항에 의하여 계약이 해제 또는 해지된 경우에 계약상대자는 지급받은 선금에 대하여 미정산잔액이 있는 경우에는 그 잔액에 대한 약정이자상당액[사유발생 시점의 금융기관 대출평균금리(한국은행 통계월보상의 대출평균금리를 말한다)에 의하여 산출한 금액을 가산하여 발주기관에 상환하여야 한다.

⑥ 제5항의 경우에 계약담당공무원은 선금잔액과 기성부분에 대한 미지급액을 상계하여야 한다. 다만, 「건설산업기본법」 및 「하도급 거래공정화에 관한 법률」에 의하여 하도급대금 지급보증이 되어 있지 않은 경우로서 제43조제1항에 의하여 하도급대가를 직접 지급하여야 하는 때에는 우선적으로 하도급대가를 지급한 후에 기성부분에 대한 미지금액의 잔액이 있으면 선금잔액과 상계할 수 있다.

제45조(사정변경에 의한 계약의 해제 또는 해지) ① 발주기관은 제44조제1항 각호의 경우외에 다음 각 호의 사유와 같이 객관적으로 명백한 발주기관의 불가피한 사정이 발생한 때에는 계약을 해제 또는 해지할 수 있다. <개정 2021.12.1.>

1. 정부정책 변화 등에 따른 불가피한 사업취소
2. 관계 법령의 제·개정으로 인한 사업취소
3. 과다한 지역 민원 제기로 인한 사업취소
4. 기타 공공복리에 의한 사업의 변경 등에 따라 계약을 해제 또는 해지하는 경우

② 제1항에 의하여 계약을 해제 또는 해지하는 경우에는 제44조제2항 본문 및 제3항을 준용한다.

③ 발주기관은 제1항에 의하여 계약을 해제 또는 해지하는 경우에는 다음 각 호에 해당하는 금액을 제44조제3항 각 호의 수행을 완료한 날부터 14일 이내에 계약상대자에게 지급하여야 한다. 이 경우에 제7조에 의한 계약보증금을 동시에 반환하여야 한다.

1. 제32조제2항제1호 및 제2호에 해당하는 시공부분의 대가 중 지급하지 아니한 금액
2. 전체공사의 완성을 위하여 계약의 해제 또는 해지일 이전에 투입된 계약상대자의 인력·자재 및 장비의 철수비용

④ 계약상대자는 선금에 대한 미정산잔액이 있는 경우에는 이를 발주기관에 상환하여야 한다. 이 경우에 미정산잔액에 대한 이자는 가산하지 아니한다.

제46조(계약상대자에 의한 계약해제 또는 해지) ① 계약상대자는 다음 각 호의 어느 하나에 해당하는 사유가 발생한 경우에는 해당계약을 해제 또는 해지할 수 있다.

1. 제19조에 의하여 공사내용을 변경함으로써 계약금액이 100분의 40 이상 감소되었을 때
2. 제47조에 의한 공사정지기간이 공기의 100분의 50을 초과하였을 경우

② 제1항에 의하여 계약이 해제 또는 해지되었을 경우에는 제45조제2항 내지 제4항을 준용한다.

제47조(공사의 일시정지) ① 공사감독관은 다음 각 호의 경우에는 공사의 전부 또는 일부의 이행을 정지시킬 수 있다. 이 경우에 계약상대자는 정지기간 중 선량한 관리자의 주의의무를 게을리 하여서는 아니된다.

1. 공사의 이행이 계약내용과 일치하지 아니하는 경우
2. 공사의 전부 또는 일부의 안전을 위하여 공사의 정지가 필요한 경우
3. 제24조에 의한 응급조치의 경우
4. 기타 발주기관의 필요에 의하여 계약담당공무원이 지시한 경우

② 공사감독관은 제1항에 의하여 공사를 정지시킨 경우에는 지체없이 계약상대자 및 계약담당공무원에게 정지사유 및 정지기간을 통지하여야 한다.

③ 제1항 각 호의 사유가 발생한 경우로서 공사감독관이 제2항에 따른 통지를 하지 않는 경우 계약상대자는 서면으로 공사감독관 또는 계약담당공무원에게 공사 일시정지 여부에 대한 확인을 요청할 수 있다. <신설 2019.12.18.>

④ 공사감독관 또는 계약담당공무원은 제3항의 요청을 받은 날부터 10일 이내에 공사계약상대자에게 서면으로 회신을 발송하여야 한다. <신설 2019.12.18.>

⑤ 제1항 및 제4항에 의하여 공사가 정지된 경우에 계약상대자는 계약기간의 연장 또는 추가금액을 청구할 수 없다. 다만, 계약상대자의 책임있는 사유로 인한 정지가 아닌 때에는 그러하지 아니한다. <개정 2019.12.18.>

⑥ 발주기관의 책임있는 사유에 의한 공사정지기간(각각의 사유로 인한 정지기간을 합산하며, 장기계속계약의 경우에는 해당 차수내의 정지기간을 말함)이 60일을 초과한 경우에 발주기관은 그 초과된 기간에 대하여 잔여계약금액(공사중지 기간이 60일을 초과하는 날 현재의 잔여계약금액을 말하며, 장기계속공사계약의 경우에는 차수별 계약금액을 기준으로 함)에 초과일수 매 1일마다 지연발생 시점의 금융기관 대출평균금리(한국은행 통계월보상의 금융기관 대출평균금리를 말한다)를 곱하여 산출한 금액을 준공대가 지급시 계약상대자에게 지급하여야 한다. <제4항에서 이동 2019.12.18.>

⑦ 제6항에서 정하는 발주기관의 책임있는 사유란, 부지제공·보상업무·지장물처리의 지연, 공사 이행에 필요한 인·허가 등 행정처리의 지연과 계약서 및 관련 법령에서 정한 발주기관의 명시적 의무사항을 정당한 이유없이 불이행하거나 위반하는 경우를 말하며, 그 외 계약상대자의 책임있는 사유나 천재·지변 등 불가항력에 의한 사유는 제외한다. <신설 2021.12.1.>

제47조의2(계약상대자의 공사정지 등) ① 계약상대자는 발주기관이 「국가를 당사자로 하는 계약에 관한 법률」과 계약문서 등에서 정하고 있는 계약상의 의무를 이행하지 아니하는 때

에는 발주기관에 계약상의 의무이행을 서면으로 요청할 수 있다.

② 계약담당공무원은 계약상대자로부터 제1항에 의한 요청을 받은 날부터 14일 이내에 이행계획을 서면으로 계약상대자에게 통지하여야 한다.

③ 계약상대자는 계약담당공무원이 제2항에 규정한 기한내에 통지를 하지 아니하거나 계약상의 의무이행을 거부하는 때에는 해당 기간이 경과한 날 또는 의무이행을 거부한 날부터 공사의 전부 또는 일부의 시공을 정지할 수 있다.

④ 계약담당공무원은 제3항에 의하여 정지된 기간에 대하여는 제26조에 의하여 공사기간을 연장하여야 한다.

제47조의3(공정지연에 대한 관리) ① 계약상대자는 자신의 책임 있는 사유로 다음 각 호의 사례가 발생한 경우에는 즉시 이를 해소하기 위한 시공계획서를 제출하여야 한다.

1. 실행공정률이 계획공정률에 비해 10%p 이상 지연된 경우
2. 골조공사 등 주된 공사의 시공이 1개월 이상 중단된 경우

② 발주기관과 계약상대자는 상호 협의하여 공사의 규모나 종류·특성 등에 따라 제1항 각호의 내용을 조정하거나 새로운 내용을 추가할 수 있다.

③ 계약담당공무원은 제1항에 따라 계약상대방이 제출한 계획서를 검토하고 필요한 경우에 보완을 요구할 수 있다.

[본조신설 2012.4.2.]

제48조(공사계약의 이행보증) ① 계약담당공무원은 계약상대자가 제44조제1항 각 호의 어느 하나에 해당하는 경우로서 시행령 제52조제1항제3호에 의한 공사이행보증서가 제출되어 있는 경우에는 계약을 해제 또는 해지하지 아니하고 제9조에 의한 보증기관에 대하여 공사를 완성할 것을 청구하여야 한다. <개정 2010.9.8.>

② 제1항의 청구가 있을 때에는 보증기관은 지체없이 그 보증의무를 이행하여야 한다. 이 경우에 보증의무를 이행한 보증기관은 계속공사에 있어서 계약상대자가 가지는 계약체결상의 이익을 가진다. 다만, 보증기관은 보증이행업체를 지정하여 보증의무를 이행하는 대신 공사이행보증서에 정한 금액을 현금으로 발주기관에 납부함으로써 보증의무이행에 갈음할 수 있다. <개정 2010.9.8.>

③ 제2항에 의하여 해당 계약을 이행하는 보증기관은 계약금액중 보증이행부분에 상당하는 금액을 발주기관에 직접 청구할 수 있는 권리를 가지며 계약상대자는 보증기관의 보증이행부분에 상당하는 금액을 청구할 수 있는 권리를 상실한다. <개정 2010.9.8.>

④ <삭제 2010.9.8.>

⑤ 보증기관은 공사진행 상황 및 계약상대자의 이행능력 등을 조사할 수 있으며, 제44조제1항 각 호의 사유가 발생하는 경우 계약담당공무원에게 보증이행의 청구를 건의할 수 있다. <신설 2012.4.2.>

⑥ 제1항 내지 제3항 외에 공사이행보증서 제출에 따른 보증의무이행에 대하여는 계약예규「정부 입찰·계약 집행기준」제11장(공사의 이행보증제도 운용)에 정한 바에 의한다.

제49조(부정당업자의 입찰참가자격 제한) ① 계약상대자가 시행령 제76조에 해당하는 경우에는 1월 이상 2년 이하의 범위 내에서 입찰참가자격 제한조치를 받게 된다. <개정 2010.9.8.>

② <삭제 2014.1.10.>

제50조(기술지식의 이용 및 비밀엄수의무) ① 계약담당공무원은 사업목적 달성 또는 공공의 이익 등을 위해 필요하다고 인정되는 경우, 계약내용에 따라 계약상대자가 제출하는 각종 보고서, 정보 기타 자료 및 이에 의하여 얻은 기술지식(계약목적물의 내용에 포함되는 경우는 제외한다. 이하 이 조에서 "기술지식 등"이라 한다)의 전부 또는 일부를 계약상대자의 승인을 얻어 복사·이용 또는 공개할 수 있다. <개정 2020.6.19.>

② 계약상대자는 해당 계약을 통하여 얻은 정보 또는 국가의 비밀사항을 계약이행의 전후를 막론하고 외부에 누설할 수 없다.

③ 계약담당공무원은 시장에서 거래되는 등 재산적 가치가 있는 기술지식 등을 제1항에 따라 복사·이용 또는 공개하려는 경우에는 계약상대자에게 정당한 이용대가를 지급하여야 한다. 이 경우 기술지식 등의 이용대가는 시장거래가격 등을 기초로 계약상대자와 협의하여 결정한다. <신설 2020.6.19.>

제51조(분쟁의 해결) ① 계약의 수행 중 계약당사자간에 발생하는 분쟁은 협의에 의하여 해결한다.

② 제1항에 의한 협의가 이루어지지 아니할 때에는 법원의 판결 또는 「중재법」에 의한 중재에 의하여 해결한다. 다만 「국가를 당사자로 하는 계약에 관한 법률」 제28조에서 정한 이의신청 대상에 해당하는 경우 국가계약분쟁조정위원회 조정결정에 따라 분쟁을 해결할 수 있다. <개정 2015.9.21.>

③ 제2항에도 불구하고 계약을 체결하는 때에 「국가를 당사자로 하는 계약에 관한 법률」 제28조의2에 따라 분쟁해결방법을 정한 경우에는 그에 따른다. <신설 2018.3.20.>

④ 계약상대자는 제1항부터 제3항까지의 분쟁처리절차 수행기간 중 공사의 수행을 중지하여서는 아니된다. <신설 2018.3.20.>

제52조(공사관련자료의 제출) 계약담당공무원은 필요하다고 인정할 경우에 계약상대자에게 산출내역서의 기초가 되는 단가산출서 또는 일위대가표의 제출을 요구할 수 있으며 이 경우에 계약상대자는 이에 응하여야 한다.

제53조(적격·PQ심사·종합심사낙찰제 관련사항 이행) ① 계약상대자는 계약예규 「입찰참가자격사전심사요령」, 「적격심사기준」 및 「종합심사낙찰제 심사기준」 별표의 심사항목에 규정된 사항에 대하여 심사당시 제출한 내용대로 철저하게 이행하여야 한다. <개정 2012.1.1, 2016.1.1.>

② 계약담당공무원(「조달사업에 관한 법률」 제3조에 따라 조달청에 의뢰하여 계약한 공사로서 수요기관이 공사관리를 하는 경우에는 수요기관)은 제1항에 규정한 이행상황을 수시로 확인하여야 하며, 제출된 내용대로 이행이 되지 않고 있을 때에는 즉시 시정토록 조치하여야 한다. <개정 2008.12.29, 2015.9.21.>

③ 계약상대자는 제40조에 따른 대가지급을 청구할 때에 계약예규 「입찰참가자격사전심사요령」 제4조에 따른 표준계약서 사용계획의 이행결과로서 하도급 및 건설기계임대차 계약서를 제출하여야 한다. <신설 2012.1.1.>

④ 계약상대자가 제3항에 따른 계약서를 제출하지 않거나 하수급인 등의 계약상 이익을 제한하는 내용으로 표준계약서의 일부를 수정·삭제한 경우 또는 이면계약을 체결한 경우에는 표준계약서를 사용하지 않은 것으로 본다. <신설 2012.1.1.>

⑤ 계약담당공무원은 계약상대자가 표준계약서를 사용하지 않은 경우에 해당 업체명, 부여한 가점과 그에 따른 감점, 표준계약서 사용계획 대비 미사용 비율(계약금액 기준)을 전자조달시스템에 게재하고 동 사실을 계약상대자에게 통보하여야 한다. <신설 2012.1.1.>

제54조(재검토기한) 「훈령·예규 등의 발령 및 관리에 관한 규정」에 따라 이 예규에 대하여 2016년 1월 1일 기준으로 매3년이 되는 시점(매 3년째의 12월 31일까지를 말한다)마다 그 타당성을 검토하여 개선 등의 조치를 하여야 한다. <개정 2015.9.21.>

부　　칙(2007.10.12)

제1조(시행일) 이 회계예규는 2007년 10월 12일부터 시행한다. 다만, 제2조제4호가목 및 제21조제1항제1호의 개정규정은 2008년 1월 1일부터 시행한다.

제2조(일괄입찰 등의 설계변경으로 인한 계약금액 조정에 관한 적용례) 제21조제2항의 개정규정은 이 예규 시행 후 계약금액을 조정하는 분부터 적용한다.

제3조(특정규격의 자재별 가격변동으로 인한 계약금액 조정 등에 관한 경과조치) 제22조제2항 단서 및 제7항의 개정규정은 「국가를 당사자로 하는 계약에 관한 법률 시행령」(대통령령 제19782호, 2006.12.29) 시행일 이후 입찰공고를 한 분부터 적용한다.

부　　칙(2008.12.29)

제1조(시행일) 이 회계예규는 2009년 6월 29일부터 시행한다.

제2조(유효기간) 제9조제6항제2호 및 제7항의 개정규정은 2010년 12월 31일까지 효력을 가진다. 다만, 2010년 12월 31일까지 입찰공고한 사업에 대해서는 그 사업이 종료될 때까지 제9조제6항제2호 및 제7항의 개정규정을 적용한다.

제3조(공동수급체 구성원별 최소지분율에 관한 적용례) 제9조제6항제2호의 개정규정은 이 예규 시행일 이후 입찰공고를 한 분부터 적용한다.

제4조(지역업체 소재기간에 관한 적용례) 제9조제7항의 개정규정은 이 예규 시행일 이후 해당 공사현장을 관할하는 특별시·광역시 및 도로 주된 영업소를 이전하거나 신설한 업체부터 적용한다.

부　칙(2009.6.29)

제1조(시행일) 이 회계예규는 2009년 6월 29일부터 시행한다.

제2조(적용례) 제7조, 제18조 개정규정은 이 예규 시행 후 입찰공고를 한 분부터 적용한다.

부　칙(2009.7.3)

① **(시행일)** 이 회계예규는 2009년 7월 3일부터 시행한다.

② **(대가지급에 관한 적용례)** 제39조제2항 및 제40조제2항의 개정 규정은 대통령령 제21578호 국가를 당사사로 하는 계약에 관한 법률 시행령 일부 개정령의 시행일(2009.6.29) 이후 대가지급을 청구하는 분부터 적용한다.

부　칙(2009.9.21)

제1조(시행일) 이 회계예규는 2009년 9월 21일부터 시행한다.

제2조(적용례) 이 예규 시행후 입찰공고를 한 분부터 적용한다.

부　칙(2010.9.8)

제1조(시행일) 이 회계예규는 2010년 9월 8일부터 시행한다. 다만, 제2조제4호가목, 제2조제8호, 제10조제1항, 제21조(제1항제3호, 제3항, 제4항제2호 개정부분은 제외함), 제44조제1항의 개정 규정은 2010년 10월 22일부터 시행하고, 제7조제2항, 제9조, 제10조제5항, 제25조, 제44조제4항, 제48조, 제49조의 개정규정은 2011년 1월 1일부터 시행한다.

제2조(적용례) 이 회계예규 시행 후 입찰공고를 한 분부터 적용한다.

부　칙(2010.11.30)

제1조(시행일) 이 회계예규는 2010년 11월 30일부터 시행한다.

제2조(적용례) 이 예규 시행 후 입찰공고를 한 분부터 적용한다.

부　칙(2011.5.13)

제1조(시행일) 이 계약예규는 2011년 5월 13일부터 시행한다.

제2조(적용례) 이 예규 시행일 이후 입찰공고를 한 분부터 적용한다.

부　칙(2012.1.1)

제1조(시행일) 이 계약예규는 2012년 1월 1일부터 시행한다.

부　칙(2012.7.4)

제1조(시행일) 이 계약예규는 2012년 7월 9일부터 시행한다.

제2조(적용례) 이 예규 시행일 이후 입찰공고를 한 분부터 적용한다.

부　칙(2012.4.2)

제1조(시행일) 이 계약예규는 2012년 4월 2일부터 시행한다.

제2조(적용례) 이 예규 시행일 이후 입찰공고를 한 분부터 적용한다.

부　칙(2014.1.10)

제1조(시행일) 이 계약예규는 2014년 1월 10일부터 시행한다.

제2조(적용례) 이 예규는 시행일 이후 입찰공고를 한 분부터 적용한다.

제3조(실적공사비가 적용된 공사의 설계변경에 관한 적용례) 제20조제3항의 개정규정은 이 예규 시행일 이후 계약체결을 한 분부터 적용한다.

부　칙(2014.4.1)

제1조(시행일) 이 계약예규는 2014년 4월 1일부터 시행한다.

제2조(적용례) 이 예규 시행일 이후 입찰공고를 한 분부터 적용한다.

부　칙(2015.1.1)

제1조(시행일) 이 계약예규는 2015년 1월 1일부터 시행한다.

제2조(적용례) 이 예규 시행일 이후 입찰공고를 한 분부터 적용한다.

부　칙(2015.3.1)

제1조(시행일) 이 예규는 2015년 3월 1일부터 시행한다.

부　칙(2015.9.21)

제1조(시행일) 이 예규는 2015년 9월 21일부터 시행한다.

부　칙(2016.1.1)

제1조(시행일) 이 계약예규는 2016년 1월 1일부터 시행한다.

제2조(최저가낙찰제의 폐지에 따른 경과규정) 이 계약예규 시행일 이전에 최초로 입찰공고를 한 분에 대하여는 제3조, 제21조제1항 및 제2항의 개정규정에도 불구하고 종전 규정을 적용한다.

부　칙(2016.12.30)

제1조(시행일) 이 계약예규는 2016년 12월 30일부터 시행한다.

제2조(적용례) 제26조의 개정규정은 이 계약예규 시행일 이후 최초로 입찰공고하는 분부터 적용한다.

부　칙(2018.3.20)

제1조(시행일) 이 계약예규는 2018년 3월 20일부터 시행한다.

제2조(적용례) 제51조의 개정규정은 이 예규 시행후 최초로 입찰공고를 하거나, 체결하는 계약부터 적용한다.

부　칙(2018.12.31)

제1조(시행일) 이 계약예규는 2019년 1월 1일부터 시행한다.

제2조(일반적 적용례) 이 계약예규는 부칙 제1조에 따른 시행일 이후 입찰공고 하거나 계약체결 하는 경우부터 적용한다.

제3조(지체상금 부과 및 계약보증금 추가 납부 한도에 관한 적용례) 제25조제1항 및 제44조제1항의 개정규정은 2018년 12월 4일 이후에 계약기간이 만료되어 지체상금이 발생하는 경우부터 적용한다.

부　칙(2019.6.1)

제1조(시행일) 이 계약예규는 2019년 6월 1일부터 시행한다.

제2조(적용례) 제26조의 개정규정은 이 예규 시행일 이후 입찰공고를 하거나 수의계약을 체결하는 분부터 적용한다.

부　칙(2019.12.18)

제1조(시행일) 이 계약예규는 2020년 3월 18일부터 시행한다.

제2조(적용례) 이 계약예규는 부칙 제1조에 따른 시행일 이후 입찰공고를 하거나 수의계약을 체결하는 분부터 적용한다.

부 칙(2020.4.20)

제1조(시행일) 이 계약예규는 2020년 5월 6일부터 시행한다.

부 칙(2020.6.19)

제1조(시행일) 이 계약예규는 2020년 9월 19일부터 시행한다.

부 칙(2020.12.28.)

제1조(시행일) 이 계약예규는 2021년 3월 28일부터 시행한다.

제2조(적용례) 이 계약예규는 부칙 제1조에 따른 시행일 이후 입찰공고를 하거나 수의계약을 체결하는 경우부터 적용한다.

부 칙(2020.9.24.)

제1조(시행일) 이 계약예규는 2020년 12월 24일부터 시행한다.

제2조(적용례) 이 계약예규는 시행일 이후 입찰공고하는 경우부터 적용한다.

부 칙(2020.12.28.)

제1조(시행일) 이 계약예규는 2021년 3월 28일부터 시행한다.

제2조(적용례) 이 계약예규는 부칙 제1조에 따른 시행일 이후 입찰공고를 하거나 수의계약을 체결하는 경우부터 적용한다.

부 칙(2021.12.1.)

제1조(시행일) 이 계약예규는 2021년 12월 1일부터 시행한다.

제2조(적용례) 이 계약예규는 부칙 제1조에 따른 시행일 이전에 입찰공고된 계약으로서 시행일 이후 제45조제1항에 따른 사정변경에 의해 계약을 해제 또는 해지하는 경우, 제47조제6항, 제7항에 따라 공사지연기간을 계산하는 경우에 적용한다.

10 공사입찰유의서

[시행 2020.12.24.][기획재정부계약예규 제513호, 2020. 9. 24., 일부개정]

제1조(목적) 이 유의서는 정부(이하 "발주기관"이라 한다)가 행하는 공사계약에 대한 입찰에서 해당 입찰에 참가하고자 하는 자가 유의하여야 할 사항을 정함을 목적으로 한다.

제2조(용어의 정의) 이 유의서에서 사용하는 용어의 정의는 이 유의서에서 따로 정하는 경우를 제외하고는 「국가를 당사자로 하는 계약에 관한 법률 시행령」, 「국가를 당사자로 하는 계약에 관한 법률 시행규칙」, 「특정조달을 위한 국가를 당사자로 하는 계약에 관한 법률 시행령 특례규정」(이하 각각 "시행령", "시행규칙" 및 "특례규정"이라 한다) 및 계약예규 「공사계약일반조건」(이하 "일반조건"이라 한다)에 정하는 바에 의한다.

제3조(입찰참가신청) ① 입찰에 참가하고자 하는 자는 입찰공고 또는 입찰참가통지서에 기재된 입찰참가신청마감일까지 다음 각 호의 서류를 발주기관에 제출하여 입찰참가 신청을 하여야 한다.

1. 입찰참가신청서(소정서식) 1통
2. 해당 공사에 해당하는 면허수첩 또는 자격등록증 서류 1통
3. 인감증명서 또는 「본인서명사실 확인 등에 관한 법률」 제2조제3호에 따른 본인서명사실확인서 1통 <개정 2016.12.30.>
4. 기타 공고 또는 통지로 요구하는 서류

② 제1항제2호의 경우에는 원본을 제시하거나 사본에 "원본과 같음"을 명기하고 인감(인감증명서상의 인감 또는 입찰참가신청서상의 사용인감)으로 날인(본인서명사실확인서를 제출한 경우는 서명)하여 제출하여야 한다. <개정 2016.12.30.>

③ 시행령 제72조에 의하여 공동계약이 허용된 경우에는 공동수급체를 구성하여 입찰에 참가하고자 하는 자는 공동수급협정서를 제1항 각호의 서류와 함께 제출하여야 한다.

제3조의2(입찰참가자격의 판단기준일) ① 시행령 제12조 및 제21조에 따른 등록·시공능력·실적 등에 의한 입찰참가자격의 판단기준일은 시행규칙 제40조제4항에 의한 입찰참가신청서류의 접수마감일(이하 "입찰참가등록마감일"이라 한다)로 하며, 입찰참가자는 입찰서제출 마감일까지 해당 입찰참가자격을 계속 유지하여야 한다. <개정 2010.9.8, 2011.2.1.>

1. <삭제 2010.9.8.>
2. <삭제 2010.9.8.>

② 제1항에도 불구하고 시행령 제21조제1항제6호 및 시행규칙 제24조에 따라 지역제한경

쟁입찰에 부치는 경우 법인등기부상 본점소재지 기준일(본점소재지가 변경된 경우 법인등기부상 본점소재지 변경일을 말한다.)은 입찰공고일 전일(다만, 시행령 제72조제3항제2호에 따른 사업의 경우에는 입찰공고일 전일 현재 해당업체의 전입일 익일부터 기산하여 90일 이상이 경과하고 있어야 한다)로 하며 계약체결일까지 계속 유지하여야 한다. <개정 2009.4.8, 2011.2.1, 2019.12.18.>

③ 입찰참가자가 영업정지처분을 받은 경우에는 「건설산업기본법」등 관련법령에 의한 처리기준에 따라 입찰참가자격을 판단하고, 입찰참가자가 시행령 제76조에 의한 입찰참가자격제한을 받은 경우에는 입찰참가등록마감일 전일까지 입찰참가자격제한기간이 만료되어야 입찰참가가 가능하다. <개정 2010.9.8.>

1. <삭제 2010.9.8.>
2. <삭제 2010.9.8.>

④ 입찰 전에 상호 또는 대표자의 변경(법인의 경우에는 법인 등기사항증명서를 기준으로 한다)이 있는 경우에는 변경신고를 한 후에 변경된 상호 또는 대표자 명의로 입찰에 참가하여야 한다. <개정 2015.9.21.>

제3조의3(특별재난 선포지역의 지역제한경쟁입찰시 입찰참가자격의 판단기준일 관련 특례) ① 「재난 및 안전관리 기본법」 제60조에 따라 특별재난지역으로 선포된 지역의 재난복구를 위하여 발주하는 공사를 시행령 제21조제1항제6호 및 시행규칙 제24조에 의하여 지역제한 경쟁입찰에 부치는 경우에는 법인등기부상 본점소재지 기준일(본점소재지가 변경된 경우 법인등기부상 본점소재지 변경일을 말한다.)은 다음 각 호의 기준에 의하여야 한다. <개정 2019.12.18.>

1. 특별재난지역 선포의 원인이 된 재난의 발생일 전에 소재지를 이전한 업체의 경우에는 제3조의2제2항을 적용함
2. 특별재난지역 선포의 원인이 된 재난의 발생일 이후에 소재지를 이전한 업체의 경우에는 제3조의2제2항에 불구하고 입찰공고일 전일 현재 해당업체의 변경일 익일부터 기산하여 90일 이상이 경과하고 있어야 하며 계약체결일까지 계속유지 하여야 함

② 「재난 및 안전관리 기본법」 제60조에 따라 특별재난지역으로 선포된 지역의 재난복구를 위하여 발주하는 공사를 시행령 제30조제4항 및 시행규칙 제33조제2항에 의하여 법인등기부상 본점소재지로 견적서의 제출을 제한하는 경우에도 제1항 각 호를 준용한다. <개정 2019.12.18.>

③ 계약담당공무원은 제1항 및 제2항에 따라 특례를 적용하는 경우에는 이를 입찰공고 및 견적서제출 안내공고 등에 명시하여야 한다.

제4조(입찰에 관한 서류) ① 계약담당공무원은 입찰공고일부터 입찰등록마감일까지 입찰에 참가하려는 자에게 다음 각 호의 서류(이하 "입찰관련서류"라 한다)를 열람하게 하고 교부하여야 한다. <개정 2010.9.8, 단서삭제 2019.12.18.>

1. 입찰공고문 또는 입찰참가통지서

2. 공사입찰유의서
3. 입찰참가신청서(소정서식)
4. 입찰서(소정서식)
5. 공사도급표준계약서(소정서식)
6. 공사계약일반조건
7. 공사계약특수조건
8. 설계서(설계도면, 공사시방서 및 현장설명서를 말한다. 이하같다), 물량내역서(시행령 제14조제1항 단서의 경우 교부하지 아니할 수 있다). <개정 2010.9.8.>
9. 시행령 제6장 및 제8장을 적용받는 공사의 경우 입찰안내서 <개정 2010.9.8.>
10. 시행령 제42조제5항·제6항에 따른 낙찰자 결정관련 심사기준(세부심사기준을 포함한다) <개정 2010.9.8, 2015.9.21.>
11. 국토교통부장관이 정하는 "공공 건설공사의 공사기간 산정기준" 등에 따라 산정한 공사기간의 산정근거(시행령 제6장 및 제8장의 계약은 제외한다) <신설 2020.9.24.>
12. 기타 참고사항을 기재한 서류 <신설 2010.9.8.>

② 발주기관은 제1항의 입찰에 관한 서류를 교부하는 경우에 입찰공고 등에서 정한 금액을 납부할 것을 요구할 수 있으며, 이 경우에는 입찰에 참가하고자 하는 자는 이에 따라야 한다.

③ 제1항의 설계서를 교부받은 자는 해당 입찰에 참가하거나 계약을 이행하는 용도 이외의 목적으로 설계서를 무단복제, 배포, 개작, 전송 등의 행위를 하여서는 아니된다. <개정 2016.12.30.>

제4조의2(국민건강보험료 및 국민연금보험료 사후정산 등에 관한 규정의 숙지 등) 계약담당공무원은 입찰공고 등에 계약예규「정부 입찰·계약 집행기준」제17장에 정한 국민건강보험료 및 국민연금보험료 사후정산 등에 관한 내용을 기재하여 입찰에 참가하고자 하는 자가 열람할 수 있도록 하여야 하며, 입찰에 참가하고자 하는 자는 동 내용을 숙지하여야 한다.

제5조(관계법령의 숙지) ① 입찰에 참가하고자 하는 자는 시행령 등의 입찰에 관련된 법령 및 제4조제1항에 의한 입찰관련서류를 입찰 전에 완전히 숙지하여야 하며 이를 숙지하지 못한 책임은 입찰참가자에게 있다. <개정 2010.9.8.>

② 입찰에 참가하고자 하는 자는 제1항에 의한 입찰관련서류의 검토과정에서 발견한 입찰에 관한 서류상의 착오, 누락사항 또는 기타 설명이 요구되는 사항에 대하여는 입찰서 제출마감일 전일까지 발주기관에 그 설명을 요구할 수 있다. <개정 2010.9.8.>

제6조(현장설명) ① 현장설명에 참가하고자 하는 자는 소정의 국가기술자격을 취득하거나「건설기술진흥법」등 관련법령에 의하여 해당 기술자로 인정되고 있는 자이어야 하며 국가기술자격수첩 또는 건설기술자 경력수첩을 제시하여야 한다. 다만,「건설산업기본법 시행령」제8조,「전기공사업법 시행령」제5조 및「정보통신공사업법 시행령」제4조에 의한 경미한 공사의 경우에는 그러하지 아니하다. <개정 2015.9.21.>

② <삭제 2010.9.8.>

제7조(입찰보증금) ① 입찰에 참가하고자 하는 자는 입찰신청마감일(공휴일인 때에는 전일)까지 입찰금액의 100분의 5 이상의 입찰보증금을 시행령 제37조제2항에 규정된 현금 또는 보증서 등으로 발주기관에 납부하여야 한다.

② 낙찰자가 정당한 이유없이 소정의 기한내에 계약을 체결하지 아니한 때(제21조제1항에 규정한 공사이행보증서 제출의무가 있는 경우에 동 보증서를 기한내에 제출하지 못하여 계약을 체결하지 못한 경우를 포함한다)에는 계약담당공무원은 해당 입찰보증금을 국고에 귀속한다. <개정 2018.12.31.>

③ 계약담당공무원(각 중앙관서의 장이 계약에 관한 사무를 그 소속공무원에게 위임하지 아니하고 직접 처리하는 경우에는 이를 계약담당공무원으로 본다. 이하 같다)은 낙찰되지 아니한 입찰자의 입찰보증금을 낙찰자가 결정된 후에 즉시 반환한다. 다만, 낙찰자의 입찰보증금은 계약체결 후에 즉시 반환한다.

④ 시행규칙 제43조제1항 단서에 의한 일괄보증의 경우에 입찰보증금 납부방법, 국고귀속 등 필요한 사항에 대하여는 계약예규「정부 입찰·계약 집행기준」제9장(일괄입찰보증제도의 운용)에 의한다. <개정 2018.12.31.>

⑤ 계약담당공무원은 다음 각 호의 어느 하나에 해당하는 경우에는 입찰보증금 납부를 면제할 수 있다.

1. 시행령 제37조제3항제1호 내지 제4호 및 제6호에 정한 자가 입찰에 참가하는 경우
2. 「건설산업기본법」·「전기공사업법」·「정보통신공사업법」 또는「소방시설공사업법」 등에 의하여 국가 또는 지방자치단체(이하 "국가기관 등"이라 한다)로부터 등록 등을 받아 입찰신청마감일 현재 해당 공사관련 법령에 의한 사업을 영위하고 있는 자가 입찰에 참가하는 경우. 다만, 다음 각 목의 어느 하나에 해당하는 자는 제외한다. <단서신설 2010.4.15, 개정 2018.12.31, 2019.12.18.>
   가. 입찰공고일 이전 1년 이내에 시행령 제76조제1항제2호가목의 사유로 입찰참가자격 제한을 받은 자(입찰참가자격 제한 기간 중인 경우를 포함한다) <신설 2019.12.18.>
   나. 계약체결을 기피할 우려가 있어 각 중앙관서의 장 또는 계약담당공무원이 입찰공고에 명시한 요건에 해당하는 자 <신설 2019.12.18.>

⑥ 보증서 등에 의한 입찰보증금의 보증기간은 다음 각 호를 충족하여야 한다.

1. 보증기간의 시작일 : 입찰서 제출마감일 이전일 것
2. 보증기간의 만료일 : 입찰서 제출마감일 다음날부터 30일 이후일 것. 다만, 시행령 제78조에 의한 공사입찰의 경우에는 입찰서 제출마감일 다음날부터 90일 이후일 것

제8조(입찰참가) ① 입찰참가신청을 한 자가 아니면 입찰에 참가할 수 없다.

② 입찰참가신청자가 입찰참가신청서 제출 시에 대리인을 지정한 경우에는 그 대리인도 입찰에 참가할 수 있다. 다만, 입찰참가신청서를 제출하는 때부터 입찰개시 시각전까지 입찰대리인을 지정하거나 입찰대리인을 변경하는 경우에는 그 대리인이 입찰에 참가할

수 있다.

③ 제2항에 의한 대리인의 자격은 입찰참가자가 법인인 경우에는 해당 법인의 임·직원에 한하며, 계약담당공무원은 재직증명서와 다음 각 호의 자료에 의해서 임·직원 여부를 확인하여야 한다. 다만 2개 이상 법인의 임직원인 자는 1개 법인의 대리인으로만 입찰에 참가할 수 있다. <개정 2009.9.21, 2010.1.4.>

1. 4대 보험 중 어느 하나의 가입 증명자료(최근 3개월 이내) <신설 2009.9.21.>
2. 소속 법인에서 받은 급여와 관련하여 해당 법인에서 발급받은 소득세 납부 증명자료 <신설 2009.9.21.>
3. 법인 등기사항증명서 <신설 2009.9.21, 개정 2015.9.21.>
4. 기타 임·직원 여부를 확인할 수 있는 자료 <신설 2009.9.21.>

④ 시행령 제76조에 의한 부정당업자로 입찰참가자격을 제한받고 있는 자는 제2항에 의한 대리인을 할 수 없다.

제9조(입찰서의 작성) ①입찰자는 입찰서를 소정의 서식에 의하여 작성하여야 하며, 입찰자는 기명날인을 함에 있어 반드시 입찰자 성명(법인의 경우 대표자 성명)을 기재하고 입찰참가신청서 제출시 신고한 인감(서명을 포함한다. 이하 같다)으로 날인하여야 한다. <개정 2016.12.30.>

② 입찰자는 입찰서(추정가격이 100억원 이상인 공사의 입찰에 있어서는 시행령 제14조제6항에 따른 산출내역서를 포함한다)의 기재사항 중 삭제 또는 정정한 곳이 있을 때에는 입찰에 사용하는 인감으로 날인하여야 한다. <개정 2010.9.8, 2016.1.1.>

③ 입찰자는 입찰서를 입찰공고 또는 입찰참가통지서 등에 별도로 규정한 경우를 제외하고는 한글로 작성하여야 하고, 입찰금액은 원화로 표기하여야 한다.

④ 입찰자는 입찰서의 금액표시를 한글 또는 한자로 기재하여야 하며, 아라비아숫자로 병기할 수 있다. 이 경우에 한글 또는 한자로 기재된 금액과 차이가 있을 때에는 한글 또는 한자로 기재한 금액에 의한다. 다만, 전산서식에 의한 입찰의 경우에는 지정된 표기방법으로 기재하여야 한다.

제10조(입찰서의 제출) ① 입찰자는 입찰서를 봉함하여 1인 1통만을 제출하여야 한다.

② 우편에 의한 입찰서는 입찰서 제출마감일 전일까지 발주기관에 도착된 것에 한하여 효력이 있다. 이 경우에 우송중의 분실, 훼손 또는 지연에 대하여 발주기관은 책임을 지지 아니한다.

③ 계약담당공무원은 제2항에 의하여 우편으로 입찰서가 제출된 때에는 해당 입찰서의 봉투표면에 접수일시를 기재하고 확인인을 날인하여 개찰 시까지 개봉하지 아니하고 보관하여야 한다.

④ 입찰자는 제출한 입찰서를 교환·변경 또는 취소할 수 없다. 다만, 입찰서에 기재한 중요부분에 오기가 있음을 이유로 개찰현장에서 입찰자가 입찰의 취소의사를 표시한 것으로서 계약담당공무원이 이를 인정하는 경우에는 그러하지 아니하다.

제10조의2(경영상태 심사서류의 제출) ① 입찰에 참여하고자 하는 자는 「신용정보의 이용 및 보호에 관한 법률」 제4조제1항제1호 또는 「자본시장과 금융투자업에 관한 법률」 제9조제26항의 업무를 영위하는 신용정보업자로부터 평가받은 모든 공공기관 입찰용 신용평가등급을 해당 신용정보업자를 통해 평가완료 후 3일 이내에 조달청 나라장터에 전송하여야 한다. <개정 2015.9.21.>

② 조달청장은 분기별로 신용정보업자로부터 평가명세서를 제출받아 미전송 여부를 확인하여 해당 업체를 나라장터에 게재하고, 발주기관은 동 업체에 대해 「정부입찰·계약집행기준」 제98조에 따라 처리하며, 향후 1년간 시행령 제13조에 따른 입찰참가자격사전심사 및 시행령 제42조제1항에 따른 적격심사시 감점할 수 있다.

[본조신설 2012.7.4.]

제10조의3(청렴계약서의 제출) 입찰자는 입찰서를 제출할 때 시행령 제4조의2 및 정부입찰·계약집행기준 제98조의3에 따른 청렴계약서를 같이 제출하여야 한다.

[본조신설 2016.1.1.]

제11조(산출내역서의 제출) ① 추정가격이 100억원 이상인 공사의 입찰 시에는 입찰서에 산출내역서를 첨부하여야 한다.

② 제1항에 규정된 공사로서 제17조제1항에 의하여 재입찰에 부치는 공사 또는 추정가격이 100억원 미만인 공사의 경우에 낙찰자는 착공신고서를 제출하는 때까지 산출내역서를 제출하여야 한다.

③ 제1항 및 제2항에 의하여 제출하는 산출내역서는 모든 면에 제9조제1항에 의한 인감으로 간인하거나, 모든 면의 하단에 약식서명 또는 천공하여야 한다. <개정 2019.12.18.>

제11조의2(일괄 및 대안입찰에서의 건설폐기물처리비) ① 시행령 제78조에 의한 입찰의 경우에 입찰에 참가하고자 하는 자는 발주기관이 「건설폐기물의 재활용 촉진에 관한 법률」 제15조에 따라 건설폐기물처리용역을 해당 건설공사와 분리발주 할 수 있도록 폐기물량을 적정하게 산출하여야 한다.

② 제1항에 따라 산출된 폐기물량이 분리발주의 대상이 되는 경우에 그 처리비용은 한국건설자원협회에서 산출한 최근연도 건설폐기물처리단가를 기준으로 산정하여 입찰금액에 계상하되, 계약 체결 시에는 해당 비용을 계약금액에서 공제한다.

③ 제1항에 따라 산출된 폐기물량 외에 추가로 발생하는 폐기물에 대해서는 계약상대자가 그 처리비용을 부담한다.

[본조신설 2010.11.30.]

제12조(장기계속공사의 입찰) 장기계속공사는 입찰 시 총 공사를 대상으로 하여 입찰하여야 한다.

제13조(부대입찰) <삭제 2013.12.26.>

제14조(경쟁입찰의 성립) 경쟁입찰은 2인 이상의 유효한 입찰로써 성립한다.

제15조(입찰의 무효) 시행규칙 제44조에서 무효로 규정한 입찰 및 다음 각 호의 어느 하나에 해당하는 입찰은 무효로 한다.

1. 입찰자(법인인 경우 대표자를 말한다. 이하 같다)가 직접 입찰을 하지 아니하고 대리인을 통하여 입찰을 할 경우에 제8조제2항에 의한 대리인이 아닌 자가 한 입찰 또는 대리권이 없는 자가 한 입찰
2. 동일사항에 대하여 타인의 대리를 겸하거나 2인 이상을 대리한 입찰
3. 입찰서의 입찰금액 등 중요한 부분이 불분명하거나, 정정한 후 정정날인을 누락한 입찰
4. 담합하거나 타인의 경쟁참가를 방해 또는 관계공무원의 공무집행을 방해한 자의 입찰
5. 입찰자의 기명날인이 없는 입찰(입찰자의 성명을 기재하지 아니하고 대리인 성명 또는 회사명을 기재한 경우 및 입찰참가신청서 제출시 신고한 인감과 다른 인감으로 날인된 경우도 포함한다)
6. 입찰서에 기재한 중요부분에 착오가 있음을 이유로 개찰현장에서 입찰자가 입찰의 취소의사를 표시한 것으로서 계약담당공무원이 이를 인정한 입찰
7. 시행령 제14조에 의한 내역입찰에 있어서 타인의 산출내역서와 복사 등의 방법으로 동일하게 작성한 산출내역서가 첨부된 입찰(동일한 내용의 산출내역서를 제출한 자 모두 해당) 또는 「정부입찰·계약집행기준」 제7장에서 무효입찰로 규정한 입찰
8. <삭제 2016.1.1.>
9. 「건설산업기본법령」에 의하여 종합공사를 시공하는 업종을 등록한 건설업자가 도급받아서는 아니되는 공사금액의 하한을 위반한 입찰

9의2. 「전기공사업법령」에 의하여 대기업인 전기공사업자가 도급받아서는 아니되는 공사금액의 하한을 위반한 입찰 <신설 2019.6.1.>

10. 제9조제1항 및 제4항에 위반하여 소정의 입찰서를 사용하지 않거나 입찰서의 금액을 아라비아 숫자로만 기재한 입찰 또는 전산서식에 의한 입찰서를 훼손하거나 전산표기방법과 상이하게 작성·기재하여 전산처리가 되지 아니한 입찰
11. 공동계약의 공동수급체구성원이 동일 입찰건에 대하여 공동수급체를 중복적으로 결성하여 참여한 입찰, 입찰등록 시 공동수급표준협정서를 제출하지 아니한 입찰, 「공동계약운용요령」 제9조를 위반한 입찰 <개정 2008.11.1, 2014.1.10.>

제16조(입찰의 연기) ① 발주기관은 다음 각 호의 경우에 입찰공고 또는 입찰참가통지서에 기재된 현장설명일시 및 입찰서 제출마감일시를 연기할 수 있다.

1. 제5조제2항에 의한 설명요구사항의 내용이 중대하여 연기가 불가피하다고 판단되는 경우
2. 기타 불가피한 사유로 인하여 지정된 일시에 현장설명 또는 입찰을 실시하지 못하는 경우

② 제1항에 의한 입찰연기의 경우에는 그 연기사유와 기간을 당초 방법과 동일한 방법으로 공고 또는 통지하여야 한다.

제17조(재입찰 및 재공고입찰) ① 계약담당공무원은 경쟁입찰에서 2인 이상의 유효한 입찰자가 없거나 낙찰자가 없는 경우에는 재입찰에 부칠 수 있다. 이 경우에는 최초 입찰에의 참가유무 또는 입찰횟수의 제한을 받지 아니한다. <개정 2019.12.18.>

② 입찰자나 낙찰자가 없는 경우 또는 낙찰자가 계약을 체결하지 아니하는 경우에는 계약담당공무원은 재공고입찰에 부칠 수 있다.

③ 제1항 및 제2항에 의하여 재입찰 또는 재공고입찰시 기한을 제외하고는 최초의 입찰에 부칠 때 정한 가격 및 기타조건을 변경할 수 없다.

제18조(낙찰자의 결정) ① 제15조에 해당되는 사유가 없는 자로서 시행령 제42조 등에 정한 낙찰자결정기준에 적합한 자를 낙찰자로 한다.

② 계약담당공무원은 개봉된 입찰서를 확인하고 유효한 입찰서의 입찰금액과 예정가격을 대조하여 지체없이 적격자를 낙찰자로 선정하여야 한다. 다만, 시행령 제42조제1항에 따라 계약이행능력을 심사하여 낙찰자를 결정하거나 시행령 제42조제4항에 따라 각 입찰자의 입찰가격과 공사수행능력, 사회적책임 등을 종합적으로 심사하여 낙찰자를 결정하는 등 낙찰자 결정에 장시간이 소요되는 경우에는 그러하지 아니할 수 있다. <개정 2016.1.1.>

③ 계약담당공무원은 제1항 및 제2항에 의하여 낙찰자를 결정하기 전에 해당 입찰자의 입찰서, 법인 등기사항증명서(본사, 대표자 및 상호 등 변경여부 확인), 공동수급표준협정서 등 관계서류를 검토하여 해당 낙찰예정자의 입찰이 제15조에 따른 무효입찰에 해당하는지의 여부를 확인하여야 한다. 다만, 일괄입찰, 대안입찰 및 기술제안입찰의 경우에는 입찰자 전원에 대하여 무효입찰 여부를 확인하여야 한다. <개정 2015.9.21., 단서신설 2016.12.30.>

④ 계약담당공무원은 낙찰이 될 수 있는 동일가격으로 입찰한 자가 2인 이상인 때에는 다음 각 호에 따라 낙찰자를 결정한다.

1. 시행령 제42조제1항에 따라 낙찰자를 결정하는 경우 : 이행능력 심사결과 최고점수인 자를 낙찰자로 결정하되, 이행능력 심사결과도 동일한 경우에는 추첨에 의하여 낙찰자를 결정
2. 시행령 제42조제4항에 따라 낙찰자를 결정하는 경우 : 종합심사점수가 최고점자인 자를 낙찰자로 결정하되, 최고점자가 2인 이상인 경우에는 다음 순서에 의하여 낙찰자를 결정 <개정 2016.1.1.>

가. 공사수행능력점수와 사회적책임점수의 합산점수(사회적책임점수는 공사수행능력점수의 배점한도내에서 가산한다)가 높은 자

나. 입찰금액이 낮은 자

다. 입찰공고일을 기준으로 최근 1년간 종합심사낙찰제로 낙찰받은 계약금액이 적은 자

라. 추첨

⑤ 제4항의 경우에 입찰자 중 출석을 하지 아니한 자 또는 추첨을 하지 아니한 자가 있을 때에는 입찰사무에 관계없는 공무원으로 하여금 추첨을 대신하게 할 수 있다.

⑥ 계약담당공무원은 낙찰자로 결정된 자가 계약체결 이전에 입찰무효 등 부적격자로 판명되어 낙찰자 결정이 취소된 경우로서 동 부적격자를 제외하고 2인 이상 유효한 입찰이 성립되어 있는 때에는 차순위자 순으로 필요한 심사 등을 실시하여 낙찰자를 결정한다.

제19조(계약의 체결) ① 낙찰자는 계약담당공무원으로부터 낙찰통지를 받은 후 10일 이내에

소정서식의 계약서에 의하여 계약을 체결하여야 한다. 다만, 일반조건에 정한 불가항력의 사유로 인하여 계약을 체결할 수 없는 경우에는 불가항력의 사유가 존속하는 기간은 이를 산입하지 아니한다.

② 제1항에 의하여 발주기관과 계약을 체결하고자 하는 자는 관계법령에 의하여 필요한 관계서류를 계약담당공무원에게 제출하여야 한다.

③ 계약담당공무원은 낙찰자로 결정된 자가 정당한 이유없이 제1항에 의한 계약을 체결하지 아니한 때에는 낙찰을 취소할 수 있다.

④ 장기계속공사계약의 경우에 낙찰자는 총공사낙찰금액을 부기하고 해당연도 예산의 범위안에서 제1차공사에 대하여 계약을 체결하여야 한다. 이 경우에 제2차공사 이후의 계약은 총공사낙찰금액(시행령 제64조 내지 제66조에 의한 계약금액의 조정이 있는 경우에는 조정된 총공사금액을 말한다)에서 이미 계약된 금액을 공제한 금액의 범위안에서 계약을 체결할 것을 부관으로 약정하여야 한다.

⑤ 제4항에 의한 제1차공사 및 제2차공사 이후의 계약금액은 총공사의 계약단가에 의한다. 이 경우에 계약금액조정 등으로 인하여 산출내역서의 단가가 조정된 경우에는 조정된 계약단가에 의한다.

제20조(계약의 성립) 계약담당공무원과 낙찰자가 계약서에 기명·날인(외국인에 대하여 서명을 허용한 경우에는 서명을 포함한다)함으로써 계약은 확정된다.

제21조(계약의 이행보증) ① 낙찰자는 계약체결일까지 시행령 제50조 및 시행령 제52조가 정하는 바에 따라 계약이행보증을 하여야 한다.

② 제7조에 의한 입찰보증금은 계약보증금으로 대체할 수 있다. 다만, 입찰보증금과 계약보증금과의 금액에 차이가 있는 경우에 그 차액을 추가로 납부하여야 한다.

③ 시행령 제52조에 의한 보증이행업체는 다음 각 호에 해당하는 자격을 갖추고 있어야 하며, 계약담당공무원은 보증이행업체의 적격여부를 심사하기 위하여 낙찰자에게 관련자료의 제출을 요구할 수 있다. <개정 2010.9.8.>

1. 「독점규제 및 공정거래에 관한 법률」에 의한 계열회사가 아닌 자
2. 시행령 제76조에 의한 입찰참가자격 제한을 받고 그 제한기간 중에 있지 아니한 자
3. 시행령 제36조에 의한 입찰공고 등에서 정한 입찰참가자격과 동등 이상의 자격을 갖춘자
4. 시행령 제13조에 의한 입찰의 경우에는 입찰참가자격 사전 심사기준에 따른 입찰참가에 필요한 종합평점이상이 되는 자

④ 계약담당공무원은 제1항에 의하여 보증이행업체의 적격여부심사 결과 부적격하다고 인정되는 때에는 낙찰자에게 보증이행업체의 변경을 요구할 수 있다. <개정 2010.9.8.>

⑤ 시행령 제52조제1항제3호에 의한 공사이행보증서의 제출 및 보증기관의 보증이행 등에 대하여는 제1항 내지 제4항 외에 계약예규 「정부 입찰·계약 집행기준」 제11장(공사의 이행보증제도 운용)에 정한 바에 의한다.

제22조(부정당업자의 입찰참가자격 제한) ① 입찰자 또는 낙찰자가 「국가를 당사자로 하는 계

약에 관한 법률」 제27조 및 시행령 제76조 해당하는 경우에는 1월 이상 2년 이하의 범위 내에서 입찰참가자격 제한조치를 받게 된다. <개정 2018.12.31.>

② 낙찰자가 제21조제1항에 규정한 공사이행보증서 제출의무가 있는 경우 정당한 이유없이 기한내에 이를 제출하지 못하여 계약을 체결하지 못한 경우에도 제1항이 적용된다.

제23조(비밀유지의 의무) 입찰자는 발주기관으로부터 배부받은 입찰에 관한 사유 또는 각종 자료 및 입찰과정에서 얻은 정보를 해당 입찰외의 목적으로 사용하여서는 아니된다.

제24조(이의신청) 추정가격 30억원 이상인 「건설산업기본법」에 따른 종합공사, 추정가격 3억원 이상인 「건설산업기본법」에 따른 전문공사, 추정가격 3억원 이상인 그 밖의 공사의 입찰에 있어 다음 각 호의 어느 하나의 사유로 인하여 불이익을 받았다고 인정되는 자는 「국가를 당사자로 하는 계약에 관한 법률」(이하 "법"이라 한다) 제28조제2항 및 제4항에서 정한 바에 따라 이의신청을 할 수 있다. <개정 2018.12.31, 2019.12.18.>

1. 법 제28조제1항 각 호의 어느 하나에 정한 사유
2. 특례규정 제26조에서 정한 사유

제25조(전자입찰 및 기타사항) 시행령 제39조제2항에 의한 전자입찰 및 기타 이 유의서에 규정되지 아니한 사항에 대하여는 발주기관이 별도로 정하는 바에 의한다.

제26조(재검토기한) 「훈령·예규 등의 발령 및 관리에 관한 규정」에 따라 이 예규에 대하여 2016년 1월 1일 기준으로 매3년이 되는 시점(매 3년째의 12월 31일까지를 말한다)마다 그 타당성을 검토하여 개선 등의 조치를 하여야 한다. <개정 2015.9.21.>

부 칙(2008.11.1)

제1조(시행일) 이 회계예규는 2008년 11월 1일부터 시행한다.

제2조(적용례) 이 예규 시행일 이후 입찰공고를 한 분부터 적용한다.

부 칙(2009.4.8)

제1조(시행일) 이 회계예규는 2009년 4월 8일부터 시행한다.

제2조(적용례) 이 예규 시행일 이후 입찰공고를 한 분부터 적용한다.

제3조(지역제한경쟁입찰시 입찰참가자격의 판단기준일 특례 적용례) 제3조의2의 개정규정은 이 예규 시행이후 입찰 등에 대하여 적용한다.

부 칙(2009.9.21)

제1조(시행일) 이 회계예규는 2009년 9월 21일부터 시행한다.

제2조(적용례) 이 예규 시행일 이후 입찰공고를 한 분부터 적용한다.

부　　칙(2010.1.4)

이 회계예규는 2010년 1월 4일부터 시행한다.

부　　칙(2010.4.15)

제1조(시행일) 이 회계예규는 2010년 4월 15일부터 시행한다.

제2조(적용례) 이 예규 시행일 이후 입찰공고를 한 분부터 적용한다.

부　　칙(2010.9.8)

제1조(시행일) 이 회계예규는 2010년 10월 22일부터 시행한다. 다만, 제21조제3항 및 제4항의 개정규정은 2011년 1월 1일부터 시행한다.

제2조(적용례) 이 회계예규 시행 후 입찰공고를 한 분부터 적용한다.

부　　칙(2010.11.30)

제1조(시행일) 이 회계예규는 2010년 11월 30일부터 시행한다.

제2조(적용례) 이 예규 시행일 이후 입찰공고를 한 분부터 적용한다.

부　　칙(2011.2.1)

제1조(시행일) 이 회계예규는 「국가를 당사자로 하는 계약에 관한 법률 시행령」 제72조제3항 제2호 관련 부칙의 유효기간이 2011년 12월 31일로 개정·시행된 날부터 시행한다.

제2조(유효기간) 제3조의2의 개정 규정은 2011년 12월 31일까지 효력을 가진다.

제3조(지역업체 소재기간에 관한 적용례) 제3조의2의 개정 규정은 이 예규 시행일 이후 해당 공사현장을 관할하는 특별시·광역시 및 도로 주된 영업소를 이전하거나 신설한 업체부터 적용한다.

부　　칙(2012.1.1)

제1조(시행일) 이 회계예규는 「국가를 당사자로 하는 계약에 관한 법률 시행령」 제72조제3항 제2호 관련 부칙의 유효기간이 2011년 12월 31일로 개정·시행된 날부터 시행한다.

제2조(유효기간) 제3조의2의 개정 규정은 2013년 12월 31일까지 효력을 가진다.

제3조(지역업체 소재기간에 관한 적용례) 제3조의2의 개정 규정은 이 예규 시행일 이후 해당 공사현장을 관할하는 특별시·광역시 및 도로 주된 영업소를 이전하거나 신설한 업체부터 적용한다.

부　　칙(2012.7.4)

제1조(시행일) 이 계약예규는 2012년 7월 9일부터 시행한다.
제2조(적용례) 이 예규 시행일 이후 입찰공고를 한 분부터 적용한다.

부　　칙(2014.1.10)

제1조(시행일) 이 계약예규는 2014년 1월 10일부터 시행한다.
제2조(적용례) 이 예규는 시행일 이후 입찰공고를 한 분부터 적용한다.

부　　칙(2015.9.21)

제1조(시행일) 이 계약예규는 2015년 9월 21일부터 시행한다.

부　　칙(2016.1.1)

제1조(시행일) 이 계약예규는 2016년 1월 1일부터 시행한다.
제2조(최저가낙찰제의 폐지에 따른 경과규정) 이 계약예규 시행일 이전에 최초로 입찰공고를 한 분에 대하여는 제9조, 제15조, 제18조의 개정규정에도 불구하고 종전 규정을 적용한다.

부　　칙(2016.12.30)

제1조(시행일) 이 계약예규는 2017년 1월 1일부터 시행한다.
제2조(적용례) ① 제3조의 개정규정은 이 계약예규 시행일 이후 최초로 입찰참가신청을 접수하는 분부터 적용한다.
② 제4조의 개정규정은 이 계약예규 시행일 이후 입찰공고(재공고 입찰을 포함한다)를 하는 분부터 적용한다.
③ 제18조의 개정규정은 이 계약예규 시행일 이후 최초로 실시실계적격자 또는 낙찰자를 결정하는 경우부터 적용한다.

부　　칙(2018.12.31)

제1조(시행일) 이 계약예규는 2019년 1월 1일부터 시행한다.
제2조(일반적 적용례) 이 계약예규는 부칙 제1조에 따른 시행일 이후 입찰공고 하는 경우부터 적용한다.
제3조(이의신청에 관한 적용례) 제24조의 개정규정은 이 계약예규 시행 전에 이의신청 사유가 발생하여 이 계약예규 시행 당시 법 제28조제2항에 따른 이의신청 기간이 지나지 아니한

경우에도 적용한다.

부 칙(2019.6.1)

제1조(시행일) 이 계약예규는 2019년 7월 9일부터 시행한다.

제2조(적용례) 이 예규 시행일 이후 입찰공고를 한 분부터 적용한다.

부 칙(2019.12.18)

제1조(시행일) 이 계약예규는 2020년 3월 18일부터 시행한다. 다만, 제4조, 제7조, 제17조, 제24조의 개정규정은 2019년 12월 18일부터 시행한다.

제2조(적용례) 이 계약예규는 부칙 제1조에 따른 시행일 이후 입찰공고를 한 분부터 적용한다.

부 칙(2020.9.24.)

제1조(시행일) 이 계약예규는 2020년 12월 24일부터 시행한다.

제2조(적용례) 이 계약예규는 시행일 이후 입찰공고하는 경우부터 적용한다.

11 용역계약일반조건

[시행 2021.12.1.] [기획재정부계약예규 제582호, 2021.12.1., 일부개정]

제1장 총 칙

제1조(목적) 이 예규는 계약당사자간에 이행하여야 할 용역에 관한 계약조건을 정함을 목적으로 하며, 계약당사자는 이 예규에 정한 계약문서에 따라 신의와 성실의 원칙에 입각하여 계약을 이행하여야 한다.

제2조(적용방법) ① 계약담당공무원은 계약체결시 제1장 총칙과 제2장에 정한 일반용역계약조건에 제3장 이하의 세부용역별 계약조건 중 해당 용역조건을 조합하여 계약서에 첨부하여야 한다. 이 경우 일반용역계약조건과 세부용역별 계약조건 중 상충되는 사항이 있는 때에는 세부용역별 계약조건을 우선적으로 적용한다.

② 각 장에 정하지 아니한 용역의 경우에는 각 장의 용역중 유사한 용역의 계약조건을 준용할 수 있으며, 해당 용역의 특성상 다르게 정할 필요가 있는 경우에는 기획재정부장관과 협의하여 해당 용역의 이행을 위한 계약조건을 따로 정할 수 있다.

제2장 일반용역계약조건(공통)

제3조(정의) 이 장에서 사용하는 용어의 정의는 다음과 같다.

1. "계약담당공무원"이라 함은 「국가를 당사자로 하는 계약에 관한 법률 시행규칙」(이하 "시행규칙"이라 한다) 제2조에 의한 공무원을 말한다. 이 경우 각 중앙관서의 장이 계약에 관한 사무를 그 소속공무원에게 위임하지 아니하고 직접 처리하는 경우에는 이를 계약담당공무원으로 본다.
2. "계약상대자"라 함은 정부(이하 "발주기관"이라 한다)와 용역계약을 체결한 자연인 또는 법인을 말한다.
3. "기본업무"라 함은 계약상대자가 수행하여야 하는 업무로서 과업내용서에 기재된 업무를 말한다.
4. "추가업무"라 함은 계약목적의 달성을 위해 기본업무 외에 계약담당공무원이 추가하여

지시 또는 승인한 업무를 말한다.

5. “특별업무”라 함은 계약목적 외의 목적을 위해 계약특수조건 등에 특별업무항목으로 기재되거나 계약담당공무원이 그 수행을 지시 또는 승인한 용역항목으로서 제3호 및 제4호에 속하지 아니하는 업무를 말한다.
6. 이 조건에서 따로 정하는 용어를 제외하고는 「국가를 당사자로 하는 계약에 관한 법률 시행령」, 「특정조달을 위한 국가를 당사자로 하는 계약에 관한 법률 시행령 특례규정」(이하 각각 “시행령” 및 “특례규정”이라 한다), 「시행규칙」, 계약예규 「용역입찰유의서」(이하 “유의서”라 한다)에 정하는 바에 의한다.

제4조(계약문서) ① 계약문서는 계약서, 유의서, 일반조건, 용역계약특수조건, 과업내용서 및 산출내역서로 구성되며 상호보완의 효력을 가진다. 다만, 이 경우 산출내역서는 이 조건에서 규정하는 계약금액의 조정 및 기성부분에 대한 대가의 지급시에 적용할 기준으로서 계약문서로서의 효력을 갖는다

② 계약담당공무원은 「국가를 당사자로 하는 계약에 관한 법률」(이하 “법률”이라 한다.), 시행령, 시행규칙, 특례규정, 관계법령 및 이 조건에 정한 계약일반사항외에 해당 계약의 적정한 이행을 위하여 필요한 경우 용역계약특수조건을 정하여 계약을 체결할 수 있다.

③ 제2항에 의하여 정한 용역계약특수조건에 법률, 시행령, 시행규칙, 특례규정, 관계법령 및 이 조건에 의한 계약상대자의 계약상 이익을 제한하는 특수조건의 해당내용은 효력이 인정되지 아니한다.

④ 이 조건에서 정하는 바에 의하여 계약당사자간에 행한 통지문서등은 계약문서로서의 효력을 가진다.

제5조(사용언어) ① 계약을 이행함에 있어서 사용하는 언어는 한국어를 원칙으로 한다.

② 계약담당공무원은 계약체결시 제1항에도 불구하고 필요하다고 인정하는 경우에는 계약이행과 관련하여 계약상대자가 외국어를 사용하거나 외국어와 한국어를 병행하여 사용할 수 있도록 필요한 조치를 할 수 있다.

③ 제2항에 의하여 외국어와 한국어를 병행하여 사용한 경우에 외국어로 기재된 사항이 한국어와 상이한 경우에는 한국어로 기재한 사항이 우선한다.

제6조(통지 등) ① 구두에 의한 통지·신청·청구·요구·회신·승인 또는 지시 등(이하 “통지 등”이라 한다)은 문서로 보완되어야 효력이 있다.

② 통지 등의 장소는 계약서에 기재된 주소로 하며, 주소를 변경하는 경우에는 이를 즉시 계약당사자에게 통지하여야 한다.

③ 통지 등의 효력은 계약문서에서 따로 정하는 경우를 제외하고는 계약당사자에게 도달한 날부터 발생한다. 이 경우 도달일이 공휴일인 경우에는 그 익일부터 효력이 발생한다.

④ 계약당사자는 계약이행 중 이 조건 및 관계법령 등에서 정한 바에 따라 서면으로 정당한 요구를 받은 경우에는 이를 성실히 검토하여 회신하여야 한다.

제7조(채권양도) ① 계약상대자는 이 계약에 의하여 발생한 채권(대금 청구권)을 제3자에게 양

도할 수 있다.

② 계약담당공무원은 제1항에 의한 채권양도와 관련하여 적정한 용역이행목적 등 필요한 경우에는 채권양도를 제한하는 특약을 정하여 운용할 수 있다.

제8조(계약보증금) ① 계약을 체결하고자 하는 자는 계약체결일까지 시행령 제50조에 정한 바에 따라 시행령 제37조제2항에 규정된 현금 또는 보증서 등으로 계약보증금을 납부하여야 한다.

② 계약을 체결하려고 하는 자가 계약보증금의 전부 또는 일부의 납부를 면제받은 경우에는 제9조제1항에 의하여 국고귀속사유가 발생할 때에 계약보증금에 해당하는 금액을 현금으로 납입할 것을 보장하기 위하여 그 지급을 확약하는 내용의 문서(이하 "계약보증금지급각서"라 한다)를 제출하여야 한다.

③ 계약상대자는 이 조건에 의하여 계약금액이 증액된 경우에는 이에 상응하는 금액의 계약보증금을 제1항에 따라 추가로 납부하여야 하며, 계약담당공무원은 계약금액이 감액된 경우에는 이에 상응하는 금액의 계약보증금을 반환해야 한다. <개정 2009.6.29.>

④ 계약담당공무원은 시행령 제37조제2항제2호에 의한 유가증권이나 현금으로 납부된 계약보증금을 계약상대자가 특별한 사유로 시행령 제37조제2항제1호 내지 제5호에 규정된 보증서 등으로 대체납부할 것을 요청한 때에는 동가치 상당액 이상으로 대체 납부하게 할 수 있다.

제9조(계약보증금의 처리) ① 계약담당공무원은 계약상대자가 정당한 이유없이 계약상의 의무를 이행하지 아니한 때에는 계약보증금을 국고에 귀속한다.

② 시행령 제69조에 의한 장기계속용역계약에 있어서 계약상대자가 2차 이후의 용역계약을 체결하지 아니한 경우에는 제1항을 준용한다

③ 제8조제2항에 의하여 계약보증금지급각서를 제출한 경우로서 계약보증금의 국고귀속사유가 발생하여 계약담당공무원의 납입요청이 있을 때에는 계약상대자는 해당 계약보증금을 지체없이 현금으로 납부하여야 한다.

④ 제1항 및 제2항에 의하여 계약보증금을 국고에 귀속함에 있어서 그 계약보증금은 이를 기성부분에 대한 미지급액과 상계 처리할 수 없다. 다만, 계약보증금의 전부 또는 일부를 면제받은 자의 경우에는 국고에 귀속되는 계약보증금과 기성부분에 대한 미지급액을 상계 처리할 수 있다.

⑤ 계약상대자가 납부한 계약보증금은 계약이 이행된 후에 계약상대자에게 지체없이 반환한다.

제10조(용역계약에 있어서의 이행보증) ① 계약담당공무원이 시행령 제52조제5항에 의하여 계약이행보증을 요구한 경우 계약상대자는 계약체결시 다음 각 호의 방법 중 하나를 선택하여 계약의 이행을 보증하여야 한다. <개정 2018.12.31.>

1. <삭제 2010.9.8.>
2. 계약보증금을 계약금액의 100분의 15 이상으로 납부하는 방법 <개정 2010.9.8.>

3. 시행령 제50조제1항 내지 제3항에 의한 계약보증금을 납부하지 아니하고 용역이행보증서(해당 계약상의 의무를 이행할 것을 보증한 기관이 계약상대자를 대신하여 계약상의 의무를 이행하지 아니하는 경우에는 계약금액의 100분의 40 이상을 납부할 것을 보증하는 것이어야 한다)를 제출하는 방법

② 계약담당공무원은 제1항에 따라 계약이행을 보증한 경우로서 계약상대자가 계약이행 보증방법의 변경을 요청하는 때에는 1회에 한하여 계약이행 보증방법을 변경하게 할 수 있다. <개정 2010.9.8.>

1. <삭제 2010.9.8.>
2. <삭제 2010.9.8.>
3. <삭제 2010.9.8.>

③ <삭제 2010.9.8.>

1. <삭제 2010.9.8.>
2. <삭제 2010.9.8.>
3. <삭제 2010.9.8.>
4. <삭제 2010.9.8.>

④ <삭제 2010.9.8.>

⑤ 제1항에 의한 용역이행보증서의 제출에 따른 보증이행 등에 대하여는 계약예규「정부 입찰·계약 집행기준」제10장(공사의 이행보증제도 운용)을 준용한다.

제11조(계약상대자의 근로자) ① 계약상대자는 해당 계약의 수행에 필요한 기술과 경험을 가진 근로자를 채용하여야 하며 근로자의 행위에 대하여 책임을을 져야 한다. 다만, 계약상대자가 근로자의 관리·감독에 상당한 주의와 의무를 다한 경우에는 그러하지 아니하다. <개정 2020.9.24.>

② 계약담당공무원은 계약상대자가 채용한 근로자가 다음 각 호의 사유에 해당한다고 판단될 경우 해당 근로자의 교체를 요청할 수 있다. <개정 2020.6.19.>

1. 입찰공고 및 계약문서에서 특정한 기준을 갖춘 근로자를 배치할 것을 조건으로 명시한 계약에서 해당기준을 미달하는 근로자를 배치한 경우
2. 고의 또는 중과실로 업무수행시 준수하여야 할 법령 또는 기준을 위반한 경우
3. 뇌물·사기 등 부정행위를 한 경우
4. 기타 제1호부터 제3호까지에 준하는 사유로서 계약의 적정성·공정성을 저해한 경우

③ 계약상대자가 전항의 요청을 받은 경우 발주기관과 협의하여 해당 근로자의 교체여부를 결정하여야 한다. <신설 2020.6.19.>

④ 계약상대자는 해당 계약의 이행을 위하여 채용한 근로자에 대하여「최저임금법」제6조제1항 및 제2항과「근로기준법」제43조를 준수하여야 한다.

제12조(계약이행상황의 감독) ① 계약담당공무원은 해당 계약의 적정한 이행을 확보하기 위하여 필요하다고 인정할 때에는 계약문서에 의하여 스스로 감독하거나 소속공무원에게 그

사무를 위임하여 감독을 하여야 한다. 다만, 시행령 제54조제1항제2호의 전문적인 지식 또는 기술을 필요로 하거나 기타 부득이한 사유로 인하여 감독을 할 수 없는 경우에는 전문기관을 따로 지정하여 필요한 감독을 할 수 있다.

② 제1항 단서에 의하여 전문기관이 감독을 하도록 할 경우에는 시행규칙 제67조, 제69조에 의하여 감독조서의 작성 및 그 결과를 문서로써 제출하도록 하여야 한다.

제13조(용역의 착수 및 보고) ① 계약상대자는 계약문서에서 정하는 바에 따라 용역을 착수하여야 하며, 발주기관이 관련법령에서 정한 서류 및 다음 각 호의 사항이 포함된 착수신고서의 제출을 요구하는 경우에는 이를 제출하여야 한다.

1. 용역공정예정표
2. 인력 및 장비투입계획서
3. 기타 계약담당공무원이 지정한 사항

② 계약상대자는 계약의 이행중에 과업내용의 변경 등으로 인하여 제1항에 의하여 제출한 서류의 변경이 필요한 때에는 관련서류를 변경하여 제출하여야 한다.

③ 계약담당공무원은 제1항 및 제2항에 의하여 제출된 서류의 내용을 조정할 필요가 있다고 인정될 경우에는 계약상대자에게 이의 조정을 요구할 수 있다.

④ 계약담당공무원은 용역의 전부 또는 일부의 진행이 지연되어 소정의 기간내에 수행이 불가능하다고 인정되는 경우에는 주간공정현황을 제출토록 하는 등 계약상대자에게 필요한 조치를 할 수 있다.

제14조(휴일 및 야간작업) ① 계약상대자는 계약담당공무원의 계약기간 단축지시 및 발주기관의 부득이한 사유로 인하여 휴일 또는 야간작업을 지시하였을 때에는 추가비용을 청구할 수 있다. <개정 2009.6.29.>

② 제1항의 경우는 제17조를 준용한다. <개정 2009.6.29.>

제15조(물가변동으로 인한 계약금액의 조정) ① 물가변동으로 인한 계약금액의 조정은 시행령 제64조 및 시행규칙 제74조에서 정한 바에 의한다.

② 동일한 계약에 대한 계약금액의 조정시 품목조정율 및 지수조정율을 동시에 적용하여서는 아니되며, 계약을 체결할 때에 계약상대자가 지수조정율 방법을 원하는 경우 외에는 품목조정율 방법으로 계약금액을 조정하도록 계약서에 명시하여야 한다. 이 경우 계약이행중 계약서에 명시된 계약금액 조정방법을 임의로 변경하여서는 아니된다.

③ 제1항에 의하여 계약금액을 증액하는 경우에는 계약상대자의 청구에 의하여야 하고, 계약상대자는 제27조에 의한 완료대가(장기계속계약의 경우에는 각 차수별 완료대가) 수령전까지 조정신청을 하여야 하며, 조정된 계약금액은 직전의 물가변동으로 인한 계약금액조정기준일부터 90일 이내에 다시 조정할 수 없다. 다만, 천재·지변 또는 원자재의 가격급등으로 해당 기간내에 계약금액을 조정하지 아니하고는 계약이행이 곤란하다고 인정되는 경우에는 계약을 체결한 날 또는 직전 조정기준일로부터 90일 이내에도 계약금액을 조정할 수 있다.

④ 계약상대자는 제3항에 의하여 계약금액의 증액을 청구하는 경우에는 계약금액조정내역서를 첨부하여야 한다.

⑤ 계약담당공무원은 제1항 내지 제4항에 의하여 계약금액을 증액하는 경우에는 계약상대자의 청구를 받은 날부터 20일 이내에 계약금액을 조정하여야 한다. 이 때 예산배정의 지연 등 불가피한 경우에는 계약상대자와 협의하여 그 조정기한을 연장할 수 있으며, 계약금액을 증액할 수 있는 예산이 없는 때에는 업무량 등을 조정하여 그 대가를 지급할 수 있다. <개정 2011.5.13.>

⑥ 계약담당공무원은 제4항 및 제5항에 의한 계약상대자의 계약금액조정 청구내용이 일부 미비하거나 분명하지 아니한 경우에는 지체없이 필요한 보완요구를 하여야 하며, 이 경우 계약상대자가 보완요구를 통보받은 날부터 발주기관이 그 보완을 완료한 사실을 통지받은 날까지의 기간은 제5항에 의한 기간에 산입하지 아니한다. 다만, 계약상대자의 계약금액조정 청구내용이 계약금액 조정요건을 충족하지 않았거나 관련 증빙서류가 첨부되지 아니한 경우에는 그 사유를 명시하여 계약상대자에게 해당 청구서를 반송하여야 하며, 이 경우 계약상대자는 그 반송사유를 충족하여 계약금액조정을 다시 청구하여야 한다.

제15조의2(기준 노임단가 변동 등에 따른 계약금액 조정) ① 제15조제1항부터 제3항까지의 규정에도 불구하고 시행규칙 제23조의3 각호의 용역계약에 있어 기준 노임단가 또는 최저임금이 변동된 경우 시행령 제64조제8항 및 제66조제2항에 따라 계약금액 조정을 한다.

② 제1항에 따라 계약금액을 증액하는 경우에는 계약상대자의 청구에 의하여야 한다.

③ 계약상대자는 제1항에 따라 계약금액이 증액된 경우 계약금액 중 노무비 증액분에 대하여는 근로자의 임금으로 지급하여야 한다.

④ 제1항의 계약금액 조정의 경우 제15조제4항부터 제6항까지의 규정을 준용한다.

제16조(과업내용의 변경) ① 계약담당공무원은 계약의 목적상 필요하다고 인정될 경우에는 다음 각 호의 과업내용을 계약상대자에게 지시할 수 있다. 다만, 계약담당공무원은 과업내용을 추가할 경우에는 계약상대자와 사전에 협의하여야 한다. <단서신설 2015.1.1.>

1. 추가업무 및 특별업무의 수행
2. 용역공정계획의 변경
3. 특정용역항목의 삭제 또는 감소

② 제1항에 의한 과업내용의 변경은 그 변경이 필요한 부분의 이행 전에 완료하여야 한다. 다만, 계약담당공무원은 계약이행의 지연으로 품질저하가 우려되는 등 긴급하게 용역을 수행하여야 할 필요가 있는 때에는 계약상대자와 협의하여 그 변경시기 등을 명확히 정하고, 과업내용의 변경을 완료하기 전에 우선 과업내용을 이행하게 할 수 있다.

③ 계약상대자는 계약의 기본방침에 대한 변동없이 과업내용서상의 용역항목을 변경하는 것이 발주기관에 유리하다고 판단될 경우에는 제1항 각 호에 해당하는 제안을 할 수 있다. 이 경우 계약담당공무원은 제안요청을 받은 날부터 14일 이내에 그에 대한 승인여부를 계약상대자에게 통지하여야 한다.

④ 제1항 및 제3항에 의하여 과업내용의 변경을 지시하거나 승인한 경우에 계약금액조정은 시행령 제65조제1항 내지 제6항을 준용한다. 다만, 계약담당공무원은 과업내용에 없는 과업을 추가 요구할 경우에는 정당한 대가를 지급하여야 한다. <단서신설 2015.1.1.>

⑤ 계약담당공무원은 제1항 내지 제4항에 의하여 계약금액을 조정하는 경우에는 계약상대자의 계약금액조정 청구를 받은 날부터 30일 이내에 계약금액을 조정하여야 한다. 이 경우 예산배정의 지연 등 불가피한 경우에는 계약상대자와 협의하여 그 조정기한을 연장할 수 있으며, 계약금액을 조정할 수 있는 예산이 없는 때에는 업무량 등을 조정하여 그 대가를 지급할 수 있다.

⑥ 계약담당공무원은 제5항에 의한 계약상대자의 계약금액조정 청구내용이 부당함을 발견한 때에는 지체없이 보완요구 등의 필요한 조치를 하여야 한다. 이 경우 계약상대자가 보완요구 등의 조치를 통보받은 날부터 발주기관이 그 보완을 완료한 사실을 통지받은 날까지의 기간은 제5항의 기간에 산입하지 아니한다.

⑦ 제5항에 의한 계약상대자의 계약금액조정 청구는 제27조에 의한 완료대가(장기계속계약의 경우에는 각 차수별 완료대가) 수령전까지 하여야 한다.

제17조(기타 계약내용의 변경으로 인한 계약금액의 조정) ① 계약담당공무원은 용역계약에 있어서 제15조 및 제16조에 의한 경우 이외에 다음 각 호의 어느 하나의 사유로 인하여 계약금액을 조정할 필요가 있는 경우에는 그 변경된 내용에 따라 실비를 초과하지 아니하는 범위 내에서 이를 조정한다. <개정 2014.4.1.>

1. 최저임금법에 따른 최저임금을 시간당 노무비 단가로 정한 경우에 최저임금이 변경된 경우 <신설 2014.4.1.>
2. 기타 계약내용이 변경된 경우 <신설 2014.4.1.>

② 제1항의 경우에는 시행령 제65조제6항을 준용한다.

③ 제1항 및 제2항에 의한 계약금액조정의 경우에는 제16조제5항 내지 제7항을 준용한다.

제18조(지체상금) ① 계약상대자는 계약서에서 정한 용역수행기한내에 용역을 완성하지 아니한 때에는 매 지체일수마다 계약서에서 정한 지체상금율을 계약금액(장기계속용역계약의 경우에는 연차별 계약금액)에 곱하여 산출한 금액(이하 “지체상금”이라 한다.)을 현금으로 납부하여야 한다. 다만, 납부할 금액이 계약금액(제2항에 따라 기성부분 또는 기납부분에 대하여 검사를 거쳐 이를 인수한 경우에는 그 부분에 상당하는 금액을 계약금액에서 공제한 금액을 말한다)의 100분의 30을 초과하는 경우에는 100분의 30으로 한다. <단서신설 2018.12.31.>

② 계약담당공무원은 제1항의 경우에 제22조에 의하여 기성부분에 대한 검사를 거쳐 이를 인수(인수하지 아니하고 관리·사용하고 있는 경우를 포함한다. 이하 이조에서 같다)한 때에는 그 부분에 상당하는 금액을 계약금액에서 공제한다. 이 경우 기성부분의 인수는 그 성질상 분할할 수 있는 용역에 대한 완성부분으로 인수하는 것에 한한다.

③ 계약담당공무원은 다음 각 호의 어느 하나에 해당되어 용역수행이 지체되었다고 인정

할 때에는 그 해당일수(제5호에 해당하는 경우에는 해당 일수의 1/2)를 제1항의 지체일수에 산입하지 아니한다. <개정 2011.5.13.>

1. 제24조에서 규정하는 불가항력의 사유에 의한 경우
2. 발주기관의 책임으로 용역착수가 지연되거나 용역수행이 중단되었을 경우
3. <삭제 2021.12.1.>
4. 계약상대자의 부도 등으로 보증기관이 보증이행업체를 지정하여 보증이행할 경우
5. 제49조에 따른 소프트웨어사업으로서 구현하고자 하는 기능의 범위에 대해 계약이행기간 내에 발주기관과 계약상대자간의 이견이 발생하여 과업내용을 조정함으로 인한 경우 <신설 2011.5.13.>
6. 기타 계약상대자의 책임에 속하지 않는 사유로 인하여 지체된 경우 <신설 2016.1.1.>

④ <삭제 2021.12.1.>

⑤ 제3항제4호에 의하여 지체일수에 산입하지 아니하는 기간은 발주기관으로부터 보증채무이행청구서를 접수한 날부터 보증이행개시일 전일까지(단, 30일 이내에 한한다)로 한다.

⑥ 제3항제5호에 따라 과업내용을 조정하고자 하는 경우에는 그에 따른 소요기간을 산정하고, 동 기간을 초과하는 일수에 대해서는 지체일수에 모두 산입한다. <신설 2011.5.13.>

⑦ 계약담당공무원은 제1항에 의한 지체일수를 다음 각 호에 따라 산정하여야 한다.

1. 용역수행기한내에 용역목적물 또는 용역완료보고서를 제출한 때에는 제20조에 의한 검사에 소요된 기간은 지체일수에 산입하지 아니한다. 다만, 용역수행기한 이후에 제20조제3항에 의한 시정조치를 한 때에는 시정조치를 한 날부터 최종 검사에 합격한 날까지의 기간(검사기간이 제20조에 정한 기간을 초과한 경우에는 동조에 정한 기간에 한한다. 이하 같다)을 지체일수에 산입한다.
2. 용역수행기한을 경과하여 용역목적물 또는 용역완료보고서를 제출한 때에는 용역수행기한 익일부터 검사(시정조치를 한 때에는 최종 검사)에 합격한 날까지의 기간을 지체일수에 산입한다.
3. 용역수행기한의 말일이 공휴일(관련 법령에 의하여 발주기관의 휴무일이거나 「근로자의 날 제정에 관한 법률」에 따른 근로자의 날(계약상대자가 실제 업무를 하지 아니한 경우에 한함)인 경우를 포함한다)인 경우 지체일수는 공휴일의 익일 다음날부터 기산한다. <개정 2018.12.31.>

⑧ 계약담당공무원은 제1항 내지 제5항에 의하여 산출된 지체상금을 계약상대자에게 지급될 대가, 대가지급지연에 대한 이자 또는 기타 예치금 등과 상계할 수 있다.

제19조(계약기간의 연장) ① 계약상대자는 제18조제3항 각 호의 사유(제5호 제외)가 계약기간 내에 발생한 경우에는 계약기간 종료전에 지체없이 계약담당공무원에게 서면으로 계약기간의 연장신청과 동 연장으로 인하여 추가비용이 발생하는 경우에는 제4항에 의한 계약금액 조정신청을 함께 하여야 한다. 다만, 연장사유가 계약기간내에 발생하여 계약기간 경과후 종료된 경우에는 동 사유가 종료된 후 즉시 계약기간의 연장신청과 제4항에 의한

계약금액 조정신청을 함께 하여야 한다.

② 계약담당공무원은 제1항에 의한 계약기간연장 신청이 접수된 때에는 즉시 그 사실을 조사 확인하고 해당 용역이 적절히 이행될 수 있도록 계약기간의 연장 등 필요한 조치를 하여야 한다.

③ 계약담당공무원은 제1항의 연장청구를 승인하였을 경우 동 연장기간에 대하여는 제18조에 의한 지체상금을 부과하여서는 아니된다.

④ 제2항에 의하여 계약기간을 연장한 경우에는 제17조에 의하여 그 변경된 내용에 따라 실비를 초과하지 아니하는 범위안에서 계약금액을 조정한다. 다만, 제18조제3항제4호의 사유에 의한 경우에는 그러하지 아니하다. <개정 2016.12.30., 2021.12.1.>

⑤ 계약담당공무원은 제1항 내지 제4항에도 불구하고 계약상대자의 의무불이행으로 인하여 발생한 지체상금이 시행령 제50조제1항에 의한 계약보증금상당액에 달한 경우라고 하더라도 계약목적물이 국가정책사업 대상이거나 계약의 이행이 노사분규 등 불가피한 사유로 인하여 지연된 때에는 계약기간을 연장할 수 있다.

⑥ 제5항에 의한 계약기간의 연장은 지체상금이 계약보증금상당액에 달한 때에 하여야 하며, 연장된 계약기간에 대하여는 제18조에도 불구하고 지체상금을 부과하여서는 아니된다.

⑦ 제2항 및 제5항에 따라 계약기간을 연장하는 경우 계약상대자는 계약기간 연장계약 체결전까지 계약기간 연장이 표시된 보증서 등을 발주기관에 제출하여야 한다. 다만, 보증서 등의 보증기간이 해당 계약의 실제 완료일 까지 유효한 것으로 약정된 경우에는 그러하지 아니한다.

제20조(검사) ① 계약상대자는 용역을 완성하였을 때에는 그 사실을 계약담당공무원에게 서면으로 통지하고 필요한 검사를 받아야 한다. 기성부분에 대하여 완성 전에 대가의 전부 또는 일부를 지급받고자 할 때에도 또한 같다.

② 계약담당공무원은 제1항의 통지를 받은 때에는 계약서 기타 관계서류에 의하여 통지를 받은 날부터 14일 이내에 그 이행을 확인하기 위한 검사(관련법령 또는 특수조건으로 정한 경우 및 필요하다고 인정하여 미리 서면으로 요청한 경우에는 계약상대자의 입회하에 실시한다)를 하여야 한다. 다만, 천재·지변 등 불가항력적인 사유로 인하여 검사를 완료하지 못한 경우에는 해당 사유가 존속되는 기간과 소멸된 날로부터 3일까지는 이를 연장할 수 있다.

③ 계약담당공무원은 제2항의 검사에 있어서 계약상대자의 계약이행내용의 전부 또는 일부가 계약에 위반되거나 부당함을 발견한 때에는 필요한 시정조치를 하여야 한다. 이 경우에는 계약상대자로부터 그 시정을 완료한 사실을 통지받은 날로부터 제2항의 기간을 계산한다.

④ 제3항에 의해 계약이행기간이 연장될 때에는 계약담당공무원은 제18조에 의한 지체상금을 부과하여야 한다.

⑤ 계약상대자는 제2항에 의하여 검사에 입회하여야 하는 경우에는 이에 따라야 한다. 계약상대자가 입회를 거부하거나 검사에 협력하지 아니함으로써 발생하는 지체에 대하여는 제3항 및 제4항을 준용한다.

⑥ 계약담당공무원은 검사를 완료한 때에는 그 결과를 계약상대자에게 서면으로 통지하여야 한다. 이 경우 계약상대자는 검사에 대한 이의가 있을 때에는 재검사를 요청할 수 있으며 계약담당공무원은 필요한 조치를 하여야 한다.

⑦ 제2항에도 불구하고 「재난 및 안전관리 기본법」 제3조제1호의 재난이나 경기침체, 대량실업 등으로 인한 국가의 경제위기를 극복하기 위해 기획재정부장관이 기간을 정하여 고시한 경우에는 제2항의 14일을 7일로 본다. <신설 2020.4.20.>

제21조(인수) ① 계약담당공무원은 해당 용역의 특성상 계약목적물의 인수가 필요한 경우에는 계약상대자가 서면으로 인수를 요청하였을 때에는 제20조에 의한 검사를 실시하여 용역의 완성을 확인하고, 계약상대자가 서면으로 인수를 요청하였을 때에는 즉시 해당 용역목적물을 인수하여야 한다.

② 계약담당공무원은 계약상대자가 제1항의 요청을 아니한 때에는 용역대가의 지급과 동시에 해당 용역목적물의 인도를 요구할 수 있다. 이 경우에 계약상대자는 지체없이 해당 목적물을 인도하여야 한다.

제22조(기성부분의 인수) ① 계약담당공무원은 전체 계약목적물이 아닌 기성부분(성질상 분할할 수 있는 용역의 완성부분에 한한다)에 대하여 이를 인수할 수 있다.

② 제1항의 경우에는 제21조를 준용한다.

제23조(일반적 손해) ① 계약상대자는 계약의 수행 중 용역목적물 및 제3자에 대한 손해를 부담하여야 한다. 다만, 그 손해가 계약상대자의 책임없는 사유로 인하여 발생한 경우에는 발주기관의 부담으로 한다.

② 제21조 및 제22조에 의하여 인수한 계약목적물에 대한 손해는 발주기관이 부담하여야 한다.

제24조(불가항력) ① 불가항력이라 함은 태풍·홍수 기타 악천후, 전쟁 또는 사변, 지진, 화재, 전염병, 폭동 기타 계약당사자의 통제범위를 벗어나는 사태(이하 "불가항력의 사유"라 한다)가 발생하여 용역수행에 직접적인 영향을 미친 경우로서 계약당사자 누구의 책임에도 속하지 아니하는 경우를 말한다. <개정 2019.12.18.>

② 제1항의 불가항력의 사유로 인하여 다음 각 호에 발생한 손해는 발주기관이 부담하여야 한다.

1. 제20조에 의한 검사를 완료한 기성부분
2. 검사를 완료하지 아니한 부분 중 객관적인 자료(감독일지, 사진 또는 비디오테잎 등)에 의하여 이미 수행되었음이 판명된 부분
3. 제23조제1항 단서 및 동조제2항에 의한 손해

③ 계약상대자는 제1항 및 제2항의 사유가 발생하였을 경우에는 지체없이 그 사실을 계약담당공무원에게 통지하여야 하며, 계약담당공무원은 즉시 그 사실을 조사하고 그 손해의 상황을 확인한 후 그 결과를 계약상대자에게 통지하여야 한다.

④ 계약담당공무원은 제3항에 의하여 손해의 상황을 확인하였을 때에는 별도의 약정이

없는 한 용역금액의 변경 또는 손해액의 부담 등에 대하여 계약상대자와 협의하여야 한다. 다만, 협의가 성립되지 않을 때에는 제36조에 따라 처리한다.

제25조(특허권 등의 사용) 용역을 수행함에 있어 제3자의 권리의 대상으로 되어 있는 특허권 등을 사용할 때에는 계약상대자는 그 사용에 관한 일체의 책임을 져야 한다. 그러나 발주기관이 계약문서에 수행방법을 지정하지 아니하고 그 수행 또는 적용을 요구할 때에는 계약상대자에게 제반편의를 제공·알선하거나 소요된 비용을 지급할 수 있다.

제26조(기성대가의 지급) ① 계약상대자는 최소한 30일마다 검사를 완료하는 날까지 기성부분에 대한 대가지급청구서(하수급인에 대한 대금지급 계획을 첨부하여야 한다)를 발주기관에 제출할 수 있다. <개정 2011.5.13.>

② 계약담당공무원은 검사완료일부터 5일 이내에 검사된 내용에 따라 기성대가를 확정하여 계약상대자에게 지급(「전자조달의 이용 및 촉진에 관한 법률」 제9조의2제1항에 따른 시스템을 통한 지급 포함. 이하 이 조에서 같다.) 하여야 한다. 다만, 계약상대자가 검사완료일후에 대가의 지급을 청구한 때에는 그 청구를 받은 날부터 5일 이내에 지급하여야 한다. <개정 2009.7.3, 2019.12.18.>

③ 계약담당공무원은 제2항에 따른 기성대가지급시 제1항의 대금지급 계획상의 하수급인에게 기성대가지급 사실을 통보하고 대금 수령내역(수령자, 수령액, 수령일 등) 및 증빙서류를 제출(「전자서명법」 제2조에 따른 전자문서에 의한 제출을 포함한다)하게 하여야 한다. <신설 2011.5.13.>

④ 계약담당공무원은 제1항에 의한 청구서의 기재사항이 검사된 내용과 일치하지 아니할 때에는 그 사유를 명시하여 계약상대자에게 이의 시정을 요구하여야 한다. 이 경우 시정에 소요되는 기간은 제2항에서 규정한 기간에 산입하지 아니한다.

⑤ 기성대가는 계약단가에 의하여 산정·지급한다.

⑥ 기성대가 지급의 경우에는 제27조제4항을 준용한다.

제27조(대가의 지급) ① 계약상대자는 용역을 완성한 후 제20조에 의한 검사에 합격한 때에는 대가지급청구서(하수급인에 대한 대금지급 계획을 첨부하여야 한다)를 제출하는 등 소정의 절차에 따라 대가지급을 청구할 수 있다. <개정 2011.5.13.>

② 계약담당공무원은 제1항의 청구를 받은 때에는 그 청구를 받은 날로부터 5일(공휴일 및 토요일은 제외한다. 이하 이조에서 같다) 이내에 그 대가를 지급(「전자조달의 이용 및 촉진에 관한 법률」 제9조의2제1항에 따른 시스템을 통한 지급 포함. 이하 이 조에서 같다.)하여야 하며, 동 대가지급기한에도 불구하고 자금사정 등 불가피한 사유가 없는 한 최대한 신속히 대가를 지급하여야 한다. 다만, 계약상대자와의 합의에 의하여 5일을 초과하지 아니하는 범위내에서 대가의 지급기간을 연장할 수 있는 특약을 정할 수 있다. <개정 2009.7.3, 2019.12.18.>

③ 계약담당공무원은 제2항에 따른 대가지급시 제1항의 대금지급 계획상의 하수급인에게 대가지급 사실을 통보하고 대금 수령내역(수령자, 수령액, 수령일 등) 및 증빙서류를 제출

하게 하여야 한다. <신설 2011.5.13.>

④ 천재·지변 등 불가항력의 사유로 인하여 대가를 지급할 수 없게 된 경우에는 해당 사유가 존속되는 기간과 해당 사유가 소멸된 날로부터 3일까지는 대가의 지급을 연장할 수 있다.

⑤ 계약담당공무원은 제1항의 청구를 받은 후 그 청구내용의 전부 또는 일부가 부당함을 발견한 때에는 그 사유를 명시하여 계약상대자에게 해당 청구서를 반송할 수 있다. 이 경우에는 반송한 날로부터 재청구를 받은 날까지의 기간은 제2항의 지급기간에 이를 산입하지 아니한다.

⑥ 제3항에 따라 통보 및 제출하는 경우에는 제26조제3항을 준용한다

⑦ 제2항에도 불구하고 「재난 및 안전관리 기본법」 제3조제1호의 재난이나 경기침체, 대량실업 등으로 인한 국가의 경제위기를 극복하기 위해 기획재정부장관이 기간을 정하여 고시한 경우에는 제2항의 5일을 3일로 본다. <신설 2020.4.20.>

제27조의2(하도급대금 지급 확인) ① 계약상대자는 제26조 및 제27조에 따른 대가를 지급받은 경우 15일 이내에 하도급대금을 하수급인에게 현금으로 지급(「전자조달의 이용 및 촉진에 관한 법률」 제9조의2제1항에 따른 시스템을 통한 지급 포함. 이하 이 조에서 같다.) 하여야 하며, 하도급대금의 지급 내역(수령자, 지급액, 지급일 등)을 5일(공휴일 및 토요일은 제외한다) 이내에 계약담당공무원에게 통보하여야 한다. <개정 2019.12.18.>

② 계약담당공무원은 제1항에 따른 대금지급내역을 제26조제3항 또는 제27조제3항에 따라 하수급인으로부터 제출받은 대금 수령내역과 비교·확인하여야 한다.

③ 하도급거래 공정화에 관한 법률 제2조에 따라 동 법의 적용을 받지 않는 하도급계약에 대해서는 제1항 및 제2항을 적용하지 아니한다.(제26조제3항 및 제27조제3항의 경우에도 같다)

④ 제1항에 따라 통보하는 경우에는 제26조제3항을 준용한다. <신설 2014.1.10.>

[동조신설 2011.5.13.]

제27조의3(국민건강보험료 등의 사후정산) 계약담당공무원은 「정부입찰·계약집행기준」 제93조에 의하여 국민건강보험료 등을 사후정산하기로 한 계약에 대하여는 제26조 및 제27조에 따른 대가 지급시 계약예규 「정부 입찰·계약 집행기준」 제94조에 따라 정산하여야 한다.

[본조신설 2012.1.1.]

제27조의4(노무비의 구분관리 및 지급확인) ① 시행규칙 제23조의3 각 호의 용역계약의 경우 계약상대자는 발주기관과 협의하여 정한 노무비 지급기일에 맞추어 매월 모든 근로자(직접노무비 대상에 한하며, 하수급인이 고용한 근로자를 포함)의 노무비 청구내역(근로자 개인별 성명, 임금 및 연락처 등)을 제출하여야 한다.

② 계약담당공무원은 제1항에 따른 노무비 청구내역을 확인하고 청구를 받은 날부터 5일 이내에 계약상대자의 노무비 전용계좌로 해당 노무비를 지급(「전자조달의 이용 및 촉진에 관한 법률」 제9조의2제1항에 따른 시스템을 통한 지급 포함. 이하 이 조에서 같다.) 하여야 한다. <개정 2019.12.18.>

③ 계약상대자는 제2항에 따라 노무비를 지급받은 날부터 2일(공휴일 및 토요일은 제외한

다) 이내에 노무비 전용계좌에서 이체하는 방식으로 근로자에게 노무비를 지급하여야 하며, 동일한 방식으로 하수급인의 노무비 전용계좌로 노무비를 지급하여야 한다. 다만, 근로자가 계좌를 개설할 수 없거나 다른 방식으로 지급을 원하는 경우 또는 계약상대자(하수급인 포함)가 근로자에게 노무비를 미리 지급하는 경우에는 그에 대한 발주기관의 승인을 받아 그러하지 아니할 수 있다.

④ 계약상대자는 제1항에 따라 노무비 지급을 청구할 때에 전월 노무비 지급내역(계약상대자 및 하수급인의 노무비 전용계좌 이체내역 등 증빙서류)을 제출하여야 하며, 계약담당공무원은 동 지급내역과 계약상대자가 이미 제출한 같은 달의 청구내역을 비교하여 임금 미지급이 확인된 경우에는 해당 사실을 지방 고용노동(지)청에 통보하여야 한다.

[본조신설 2017.12.28.]

제28조(대가지급지연에 대한 이자) ① 계약담당공무원은 대가지급청구를 받은 경우에 제26조 및 제27조에 따른 대가지급기한(국고채무부담행위에 의한 계약의 경우에는 다음 회계연도 개시 후에 「국가재정법」에 의하여 해당 예산이 배정된 날부터 20일)까지 대가를 지급하지 못하는 경우에는 지급기한의 다음날부터 지급하는 날까지의 일수(이하 "대가지급지연일수"라 한다)에 해당 미지급금액에 지연발생 시점의 금융기관 대출평균금리(한국은행 통계월보상의 금융기관 대출평균금리를 말한다)를 곱하여 산출한 금액을 이자로 지급하여야 한다.

② 천재·지변 등 불가항력의 사유로 인하여 검사 또는 대가지급이 지연된 경우에는 제20조제2항 단서 및 제27조제4항에 의한 연장기간은 제1항의 대가지급지연일수에 산입하지 아니한다.

제29조(계약상대자의 책임있는 사유로 인한 계약의 해제 또는 해지) ① 계약담당공무원은 계약상대자가 다음 각 호의 어느 하나에 해당하는 경우에는 해당 계약의 전부 또는 일부를 해제 또는 해지할 수 있다. 다만, 제3호의 경우에는 계약상대자의 계약이행 가능성이 있고 계약을 유지할 필요가 있다고 인정되는 경우로서 계약상대자가 계약이행이 완료되지 아니한 부분에 상당하는 계약보증금(당초 계약보증금에 제18조제1항에 따른 지체상금의 최대금액을 더한 금액을 한도로 한다)을 추가납부하는 때에는 계약을 유지한다. <개정 2009.6.29, 2010.9.8, 2018.12.31.>

1. 정당한 이유없이 약정한 착수기일을 경과하고도 용역수행에 착수하지 아니할 경우
2. 계약상대자의 귀책사유로 인하여 용역수행기한까지 해당 용역을 완료하지 못하거나 완료할 가능성이 없다고 인정될 경우
3. 제18조제1항에 의한 지체상금이 시행령 제50조제1항에 의한 해당 계약(장기계속용역계약인 경우에는 차수별 계약)의 계약보증금상당액에 달한 경우
4. 장기계속용역의 계약에 있어서 제2차 용역 이후의 계약을 체결하지 아니하는 경우
5. 계약의 수행 중 뇌물수수 또는 정상적인 계약관리를 방해하는 불법·부정행위가 있는 경우
6. 해당 계약이행과 관련하여 계약상대자가 「최저임금법」 제6조제1항 및 제2항 또는 「근로기준법」 제43조를 위반하여 「최저임금법」 제28조 또는 「근로기준법」 제109조에 따라 처

벌을 받은 경우(다만, 지체없이 시정된 경우에는 그러하지 아니한다)

7. 입찰에 관한 서류 등을 허위 또는 부정한 방법으로 제출하여 계약이 체결된 경우
8. 기타 계약조건을 위반하고 그 위반으로 인하여 계약의 목적을 달성할 수 없다고 인정될 경우

② 계약담당공무원은 제1항에 의하여 계약을 해제 또는 해지한 때에는 그 사실을 즉시 계약상대자에게 통지하여야 한다.

③ 계약담당공무원은 제1항에 의하여 계약을 해제 또는 해지한 경우 및 제33조에 의하여 보증기관이 보증이행을 하는 경우에 기성부분을 검사하여 인수하는 때에는 인수한 날로부터 14일 이내에 해당 부분에 상당하는 대가를 계약상대자에게 지급하여야 한다. <개정 2021.12.1.>

④ 계약상대자는 제1항에 의하여 계약이 해제 또는 해지되는 경우에는 지급받은 선금에 대하여 미정산잔액이 있는 경우에는 그 잔액에 대한 약정이자상당액[사유발생 시점의 금융기관 대출평균금리(한국은행 통계월보상의 금융기관 대출평균금리를 말한다)에 의하여 산출한 금액]을 가산하여 발주기관에 상환하여야 한다. 이 경우 계약담당공무원은 상환할 금액과 기성부분의 대가를 상계할 수 있다.

제30조(사정변경에 의한 계약의 해제 또는 해지) ① 계약담당공무원은 제29조제1항 각호의 경우외에 다음 각 호의 사유와 같이 객관적으로 명백한 발주자의 불가피한 사정이 발생한 때에는 계약을 해제 또는 해지할 수 있다. <개정 2021.12.1.>

1. 정부정책 변화 등에 따른 불가피한 사업취소
2. 관계 법령의 제·개정으로 인한 사업취소
3. 과다한 지역 민원 제기로 인한 사업취소
4. 기타 공공복리에 의한 사업의 변경 등에 따라 계약을 해제 또는 해지하는 경우.

② 제1항에 의하여 계약을 해제 또는 해지한 경우에는 제29조제2항을 준용한다.

③ 계약담당공무원은 제1항에 의하여 계약을 해제 또는 해지할 경우에는 다음 각 호에 해당하는 금액을 해제 또는 해지한 날부터 14일 이내에 계약상대자에게 지급하여야 한다. 이 경우 제8조에 의한 계약보증금을 동시에 반환하여야 한다.

1. 제24조제2항제1호 및 제2호에 해당하는 부분 중 대가를 지급하지 아니한 금액
2. 전체용역의 완성을 위하여 계약의 해제 또는 해지일 이전에 투입된 계약상대자의 인력·자재 및 장비의 철수비용

④ 계약상대자는 선금에 대한 미정산잔액이 있는 경우에는 이를 발주기관에 상환하여야 한다. 이 경우에는 미정산잔액에 대한 이자는 가산하지 아니한다.

제31조(계약상대자에 의한 계약의 해제 또는 해지) ① 계약상대자는 다음 각 호의 어느 하나에 해당하는 사유가 발생한 경우에는 해당 계약을 해제 또는 해지할 수 있다.

1. 제16조에 의한 계약내용의 변경으로 계약금액이 100분의 40 이상 감소되었을 때
2. 제32조에 의한 용역수행정지기간이 계약기간의 100분의 50을 초과하였을 경우

② 제1항에 의하여 계약이 해제 또는 해지되었을 경우에는 제30조제3항 및 4항을 준용한다.

제32조(용역의 일시정지) ① 계약담당공무원은 다음 각 호의 경우에는 용역의 전부 또는 일부의 수행을 정지시킬 수 있다. 이 경우 계약상대자는 정지기간 중 선량한 관리자의 주의의무를 해태하여서는 아니된다. <개정 2015.9.21.>

1. 용역의 수행이 계약내용과 일치하지 아니하는 경우
2. 안전을 위해 용역의 전부 또는 일부의 정지가 필요한 경우
3. 기타 발주기관의 필요에 의하여 계약담당공무원이 지시한 경우

② 계약담당공무원은 제1항에 의하여 용역을 정시시킨 경우에는 계약상대자에게 정지사유 및 정지기간을 지체없이 통지하여야 한다.

③ 제1항에 의하여 용역이 정지된 경우에는 계약상대자는 계약기간의 연장 또는 추가금액을 청구할 수 없다. 다만, 계약상대자의 책임있는 사유로 인한 정지가 아닌 때에는 그러하지 아니한다.

④ 발주기관의 책임있는 사유에 의한 용역정지기간(각각의 사유로 인한 정지기간을 합산하며, 장기계속계약의 경우에는 해당 차수내의 정지기간을 말함)이 60일을 초과한 경우 계약담당공무원은 그 초과된 기간에 대하여 잔여계약금액(용역중지기간이 60일을 초과하는 날 현재의 잔여계약금액을 말하며, 장기계속계약의 경우에는 차수별 계약금액을 기준으로 함)에 초과일수 매 1일마다 지연발생시점의 금융기관 대출평균금리(한국은행 통계월보상의 금융기관 대출평균금리를 말한다)를 곱하여 산출한 금액을 준공대가 지급시 계약상대자에게 지급하여야 한다.

제32조의2(계약상대자의 용역정지 등) ① 계약상대자는 발주기관이 「국가를 당사자로 하는 계약에 관한 법령」과 계약문서 등에서 정하고 있는 계약상의 의무를 이행하지 아니하는 때에는 발주기관에 계약상의 의무이행을 서면으로 요청할 수 있다.

② 계약담당공무원은 제1항에 의하여 계약상대자의 통지를 받은 날로부터 14일 이내에 이행계획을 계약상대자에게 서면으로 통지하여야 한다.

③ 계약상대자는 계약담당공무원이 제2항에 의한 기간내에 통지를 하지 않거나 계약상의 의무이행을 거부하는 때에는 해당 기간이 경과한 날 또는 의무이행을 거부한 날부터 용역의 전부 또는 일부의 이행을 정지할 수 있다.

④ 계약담당공무원은 제3항에 의하여 정지된 기간에 대하여는 제19조에 따라 계약기간을 연장하여야 한다.

제33조(용역계약에 있어서의 이행보증) ① 계약담당공무원은 계약상대자가 제10조제1항 또는 제5항에 의하여 계약이행보증을 한 경우로서 계약상대자가 제29조제1항 각 호의 어느 하나에 해당하는 때에는 계약을 해제 또는 해지하지 아니하고 제10조에 의한 보증기관에게 해당 용역을 이행할 것을 청구하여야 한다. <개정 2010.9.8.>

② 제1항의 청구가 있을 때에는 보증기관은 지체없이 그 보증의무를 이행하여야 한다. 다만, 보증기관은 보증이행업체를 지정하여 보증의무를 이행하는 대신 용역이행보증서에 정한 금

액을 현금으로 발주기관에 납부함으로써 보증의무이행에 갈음할 수 있다. <개정 2010.9.8.>

③ 제2항에 의하여 해당 계약을 이행하는 보증기관은 계약금액 중 보증이행부분에 상당하는 금액을 계약담당공무원에게 직접 청구할 수 있으며, 계약상대자는 보증기관의 보증이행부분에 상당하는 금액을 청구할 수 없다. <개정 2010.9.8.>

④ <삭제 2010.9.8.>

⑤ 제1항 내지 제3항 외에 용역이행보증서 제출에 따른 보증의무이행에 대하여는 계약예규 「정부 입찰·계약 집행기준」 제11장(공사의 이행보증제도 운용)을 준용한다. <개정 2015.9.21.>

제34조(부정당업자의 입찰참가자격제한) ① 계약상대자가 시행령 제76조에 해당하는 경우에는 일정기간 동안 입찰참가자격 제한 조치를 받게 된다.

② <삭제 2014.1.10.>

제35조(기술지식의 이용 및 비밀엄수 의무) ① 계약담당공무원은 사업목적 달성 또는 공공의 이익 등을 위해 필요하다고 인정되는 경우, 계약내용에 따라 계약상대자가 제출하는 각종 보고서, 정보, 기타 자료 및 이에 의하여 얻은 기술지식(계약목적물의 내용에 포함되는 경우는 제외한다. 이하 이 조에서 "기술지식 등"이라 한다)의 전부 또는 일부를 계약상대자의 승인을 얻어 복사, 이용 또는 공개할 수 있다. <개정 2020.6.19.>

② 계약상대자는 해당 계약을 통하여 얻은 정보 또는 국가의 기밀사항을 계약이행의 전후를 막론하고 외부에 누설할 수 없다.

③ 계약상대자는 용역을 수행함에 있어 발생한 제반 문제점 및 개선방안 등을 문서로 작성·비치하고, 발주기관의 제출요구가 있을 경우에는 이에 따라야 한다.

④ 계약담당공무원은 시장에서 거래되는 등 재산적 가치가 있는 기술지식 등을 제1항에 따라 복사·이용 또는 공개하려는 경우에는 계약상대자에게 정당한 이용대가를 지급하여야 한다. 이 경우 기술지식 등의 이용대가는 시장거래가격 등을 기초로 계약상대자와 협의하여 결정한다. <신설 2020.6.19.>

제35조의2(계약목적물의 지식재산권 귀속 등) ① 해당 계약에 따른 계약목적물에 대한 지식재산권은 발주기관과 계약상대자가 공동으로 소유한다

② 지식재산권과 관련한 기타사항은 제56조를 준용한다.

[본조신설 2014.1.10.]

제35조의3(계약목적물의 특허권 등의 귀속 등에 대한 특례) ① 해당 계약에 따른 계약목적물에 대한 지식재산권 중 특허권, 실용신안권, 디자인권(이하 "특허권 등"이라 한다. 특허권 등을 받을 수 있는 권리를 포함한다. 이하 같다)은 계약의 목적, 개발의 기여도(발주기관과 계약상대자의 공동 개발 등), 기술개발 결과물의 활용 및 사업화를 고려하여 계약당사자간 협의를 통해 특허권 등에 대한 귀속주체, 지분 등을 정할 수 있다. 다만, 계약의 특수성(국가안전보장, 국방, 외교관계, 정보보안, 계약상대자의 소재지 등)을 고려하여 계약당사자간의 협의를 통해 발주기관 단독으로 소유할 수 있다.

② 제1항에 의하여 특허권 등을 계약상대자가 단독으로 소유하거나 발주기관과 계약상대

자가 공동으로 소유하고 계약상대자가 공동수급체인 경우에는 해당 특허권 등에 대한 소유권, 지분 등은 공동수급체 구성원간의 협의를 통해 지분 등을 정할 수 있다.

③ 제1항에 의하여 계약상대자가 특허권 등을 소유하는 경우에는 다음 각 호의 조치를 하여야 한다.

1. 국내 또는 국외에서 출원하거나 등록하는 특허권 등의 경우에는 특허권 등 출원서 또는 등록신청서와 그 사실을 증명할 수 있는 서류를 출원 또는 등록 후 6개월 이내에 발주기관에 제출할 것
2. 국내 또는 국외에서 등록된 특허권 등의 포기로 권리가 소멸되는 경우에는 그 권리 소멸일 전에 그 사실을 발주기관에 통보할 것

④ 특허권 등과 관련한 기타사항은 제56조를 준용한다.

[본조신설 2015.1.1.]

제35조의4(계약목적물의 직무발명에 대한 권리의 승계) 계약상대자는 해당 계약체결 후에 그 계약에 따른 직무발명에 대한 권리를 계약상대자의 임직원으로부터 계약상대자에게 귀속시키고 정당한 보상을 실시한다는 취지의 근무규정 또는 직무발명계약(이하 '직무발명규정 등'이라 한다)을 신속히 정하여 발주기관에 제출하여야 한다. 다만, 계약상대자가 이미 그 직무발명규정 등이 있는 경우에는 그 내용을 발주기관에 제출하여야 한다.

[본조신설 2015.1.1.]

제36조(분쟁의 해결) ① 계약의 수행 중 계약당사자간에 발생하는 분쟁은 협의에 의하여 해결한다.

② 제1항에 의한 협의가 이루어지지 아니할 때에는 법원의 판결 또는 「중재법」에 의한 중재에 의하여 해결한다. 다만 「국가를 당사자로 하는 계약에 관한 법률」 제28조에서 정한 이의신청 대상에 해당하는 경우 국가계약분쟁조정위원회 조정결정에 따라 분쟁을 해결할 수 있다. <개정 2015.9.21.>

③ 제2항에도 불구하고 계약을 체결하는 때에 「국가를 당사자로 하는 계약에 관한 법률」 제28조의2에 따라 분쟁해결방법을 정한 경우에는 그에 따른다. <신설 2018.3.20.>

④ 계약상대자는 제1항부터 제3항까지의 분쟁처리절차 수행기간 중 용역의 수행을 중지하여서는 아니된다. <신설 2018.3.20.>

제37조(용역관련자료의 제출 등) 계약담당공무원은 필요하다고 인정하는 경우 계약상대자에게 산출내역서의 기초가 되는 단가산출서 등의 제출을 요구할 수 있으며 이 경우 계약상대자는 이에 따라야 한다.

제38조(적격심사관련사항 이행) ① 계약상대자는 시행령 제42조제1항에 따라 낙찰된 용역을 수행함에 있어 계약예규 「적격심사기준」(발주기관의 장이 직접 적격심사기준을 작성한 경우에는 동 심사기준) 별표의 심사항목에 규정된 사항에 대하여 적격심사시 제출한 내용대로 이행하여야 한다.

② 계약담당공무원은 제1항에 따른 이행사항의 준수여부를 수시로 확인하여야 하며, 제출

된 내용대로 이행이 되지 않고 있을 때에는 즉시 시정토록 조치하여야 한다.

③ 계약상대자는 계약예규 「적격심사기준」제5조제3항 및 「협상에 의한 계약체결기준」 제7조제1항에 따른 외주근로자 근로조건의 이행여부 확인에 필요한 임금지급 명세서, 보험료 납입증명서 등 관련 서류를 매 분기별로 제출하여야 한다. <신설 2012.4.2.>

④ 계약담당공무원은 계약상대자가 정당한 사유없이 제3항의 서류를 제출하지 않거나 외주근로자 근로조건을 이행하지 않은 경우에는 계약상대자를 전자조달시스템에 게재하고 동 사실을 계약상대자에게 통보하여야 한다. 다만, 계약담당공무원이 시정을 요구한 날로부터 10일 이내에 해당 근로조건을 이행하고 관련 서류를 제출한 경우에는 그러하지 아니하다. <신설 2012.4.2.>

제3장 시공 단계의 건설사업관리용역 계약조건

제39조(정의) 이 장에서 사용하는 용어의 정의는 다음과 같다.

1. "시공 단계의 건설사업관리용역"이라 함은 「건설기술진흥법」 제39조제2항에 의한 건설사업관리 또는 감리용역을 말한다. <개정 2016.1.1.>
2. "감독 권한대행 등 건설사업관리"라 함은 「건설기술진흥법」 제2조제5호에 의한 발주기관이 발주하는 일정한 건설공사에 대하여 「건설기술진흥법」 제26조에 의한 건설사업관리용역업자가 해당 공사의 설계도서, 기타 관계서류의 내용대로 시공되는지의 여부를 확인하고 품질관리, 시공관리, 공정관리, 안전 및 환경관리 등에 대한 기술지도를 하며, 발주기관의 위탁에 의하여 관계법령에 따라 발주기관의 감독 권한을 대행하는 것을 말하며, 감독 권한대행 등 건설사업관리는 총 공사비가 200억원 이상인 건설사업관리 대상공사 전부에 대하여 시행하는 감독 권한대행 등 건설사업관리 외에 계약단위별 건설공사중 교량, 터널, 배수문 등 건설공사 중 부분적으로 감독 권한대행 업무를 포함하는 건설사업관리로 구분한다. <개정 2016.1.1.>
3. "건설사업관리용역업자"라 함은 「건설기술진흥법 시행령」 [별표5]에 따른 건설사업관리를 업으로 하고자 「건설기술진흥법」 제26조에 따라 건설공사에 대한 특별시장·광역시장·특별자치시장·도지사 또는 특별자치도지사에게 건설기술용역업자로 등록한 자를 말한다. <개정 2016.1.1.>
4. "건설사업관리기술자"라 함은 일정한 자격을 갖추고 「건설기술진흥법」 제26조에 따른 건설사업관리용역업자에 소속되어 건설사업관리 업무를 수행하는 자를 말한다. <개정 2016.1.1.>
5. "책임건설사업관리기술자"라 함은 발주기관과 체결된 건설사업관리 용역계약에 의하여 건설사업관리용역업자를 대표하며 해당공사의 현장에 상주하면서 해당공사의 건설사업

관리업무를 총괄하는 자를 말한다. <개정 2016.1.1.>

6. "분야별 건설사업관리기술자"라 함은 소관 분야별로 책임건설사업관리기술자를 보좌하여 건설사업관리 업무를 수행하는 자로서, 담당 건설사업관리업무에 대하여 책임건설사업관리기술자와 연대하여 책임지는 자를 말한다. <개정 2016.1.1.>
7. "상주 건설사업관리기술자"라 함은「건설기술진흥법 시행규칙」제34조제1항에 규장된 바에 따라 현장에 상주하면서 건설사업관리업무를 수행하는 자를 말한다. <개정 2016.1.1.>
8. "기술지원 건설사업관리기술자"이라 함은「건설기술진흥법 시행규칙」제34조제1항에 규정된 바에 따라 상주 건설사업관리기술자의 업무를 지원하는 자를 말한다. <개정 2016.1.1.>
9. "공사감독자"이라 한은 기획재정부 계약예규「공사계약일반조건」제16조의 업무를 수행하기 위하여 발주기관이 임명한 기술직원 또는 그의 대리인으로 해당 공사 전반에 관한 감독업무를 수행하고 건설사업관리업무를 총괄하는 사람을 말한다. <개정 2016.1.1.>
10. "공사관리관"이라 함은 감독 권한대행 등 건설사업관리를 시행하는 건설공사에 대하여「건설기술진흥법 시행령」제56조제1항제1호부터 제4호까지의 업무를 수행하는 발주기관의 소속 직원을 말한다. <개정 2016.1.1.>
11. "설계자"라 함은 설계용역계약의 계약상대자를 말한다.
12. "시공자"라 함은 공사계약의 계약상대자를 말한다.
13. "건설사업관리 업무수행지침"이라 함은「건설기술진흥법 시행령」제59조제제1항 각 호의 건설사업관리 업무범위 중 계약으로 정한 업무범위에 해당하는 단계의 업무내용을 효율적으로 수행하게 하기 위하여 국토교통부장관이 정하여 고시한「건설공사 사업관리방식 검토기준 및 업무수행지침」제3장 '건설사업관리 업무'를 말한다. <개정 2016.1.1.>
14. 이 장에 따로 정하는 경우를 제외하고는「건설기술진흥법」및「건설사업관리 업무수행지침」에 정하는 바에 의한다. <개정 2016.1.1.>

제40조(계약문서) ① 시공 단계의 건설사업관리용역계약에 있어서는 제4조에 의한 계약문서외에「건설사업관리 업무지침」이 계약문서에 포함되며 다른 계약문서와 상호보완의 효력을 가진다. <개정 2016.1.1.>

② 시공 단계의 건설사업관리용역계약의 대상이 되는 공사의 계약문서는 제1항의 계약문서와 보완적인 효력을 가진다. 계약담당공무원은 계약예규「공사계약일반조건」제3조에 정한 공사계약문서 일체를 계약상대자에게 제공하여야 한다. <개정 2016.1.1.>

제41조(계약상대자의 손해배상책임) ① 계약상대자는 이 조건에서 규정하는 책임과 의무의 위반, 법령의 위반, 부주위한 행위 또는 과실로 인하여 발주기관, 시공자, 제3자 등에게 손해를 끼친 경우에는 그 손해를 배상하여야 한다.

② 계약상대자는 제1항에 규정된 배상책임을 담보할 수 있는 손해보험 또는 공제에 가입하여야 한다. 이 경우 보험료는 발주기관이 부담하되, 시중의 일반적인 요율을 초과하는 금액에 대하여는 계약상대자가 부담하여야 한다.

③ 제2항의 보험에는 발주기관과 계약상대자를 공동피보험자로 기명하여야 한다.

④ 보험가입기간 및 가입금액은 「건설기술진흥법 시행령」 제50조에 정한 바에 따라야 한다. <개정 2015.9.21.>

⑤ 제1항에 의한 계약상대자의 배상책임은 제4항에서 규정한 보험가입금액을 상한으로 한다.

제42조(계약담당공무원 및 감리원의 기본임무) ① 계약담당공무원은 시공 단계의 건설사업관리용역 수행과 관련하여 다음 각 호의 기본임무를 수행하여야 한다. <개정 2016.1.1.>

1. 계약담당공무원은 건설공사의 계획·설계·발주·건설사업관리·시공·사후평가 전반을 총괄하고, 건설사업관리 및 시공계약 이행에 필요한 다음 각 호의 사항을 지원, 협력하여야 하며 시공 단계의 건설사업관리용역 계약에 규정된 바에 따라 건설사업관리가 성실히 수행되고 있는지에 대한 지도·점검을 실시하여야 한다. <개정 2016.1.1.>

가. 건설사업관리 및 시공에 필요한 설계도면, 문서, 참고자료와 건설사업관리 용역계약문서에 명기한 자재·장비·비품·설비의 제공 <개정 2016.1.1.>

나. 건설공사 시행에 따른 업무연락, 문제점 파악 및 민원해결

다. 건설공사 시행에 필요한 용지 및 지장물 보상과 국가, 지방자치단체, 기타 공공기관의 허가·인가 등의 처분을 얻을 수 있도록 조치 또는 협력

라. 건설사업관리기술자가 시공 단계의 건설사업관리계약 이행에 필요한 시공자의 문서, 도면, 자재, 장비, 설비, 직원 등에 대한 자료제출 및 조사의 보장 <개정 2016.1.1.>

마. 건설사업관리기술자가 보고한 설계변경, 준공기한 연기요청, 그 밖에 현장 실정보고 등에 대하여 건설사업관리업무 수행에 지장이 없도록 의사를 결정하여 통보 <개정 2016.1.1.>

바. 특수공법 등 주요공종에 대해 외부 전문가의 자문·건설사업관리가 필요하다고 인정되는 경우에는 별도 조치 <개정 2016.1.1.>

사. 기타 건설사업관리용역업자와 계약으로 정한 사항 등 시공 단계의 건설사업관리용역 발주자로서의 감독업무 <개정 2016.1.1.>

2. 계약담당공무원은 관계법령에서 별도로 정하는 사항 및 제1호에서 정하는 사항 외에는 정당한 사유 없이 건설사업관리기술자의 업무에 개입 또는 간섭하거나 건설사업관리기술자의 권한을 침해할 수 없다. <개정 2016.1.1.>

3. 계약담당공무원은 특별한 사유가 없는 한 건설공사를 착공하기 전에 설계도서 검토 등의 건설사업관리업무를 수행하기 위하여 필요한 기간을 확보하여야 하며, 공사 준공처리, 사후관리 등을 위하여 공사준공 후 일정기간 건설사업관리업무를 수행하게 하여야 한다. <개정 2016.1.1.>

② 건설사업관리기술자는 다음 각 호의 기본임무를 수행하여야 한다.

1. 「건설기술진흥법 시행령」 제59조의 업무와 「건설기술진흥법 시행규칙」 제34조에 의한 건설사업관리기술자의 업무를 성실히 수행하여야 한다. <개정 2016.1.1.>

2. 발주기관과 건설사업관리용역업자간에 체결된 시공 단계의 건설사업관리용역 계약의 내용에 따라 건설사업관리기술자는 해당 공사가 설계도서 및 기타 관계서류의 내용대

로 시공되는지의 여부를 확인하고 품질관리, 시공관리, 공정관리, 안전 및 환경관리 등에 대한 기술지도를 하며, 발주기관의 위탁에 의하여 관계법령에 따라 발주기관의 감독 권한을 대행하여야 한다. <개정 2016.1.1.>

3. 검측업무를 수행하는 건설사업관리기술자는 감리원의 지시에 따라 해당 공사의 특성, 공사의 규모 및 현장조건을 감안하여 현장별로 수립한 검측체크리스트에 따라 관련법령, 설계도서 및 계약서 등의 내용대로 시공되는지 시설물의 각 공종마다 육안검사·측량·입회·승인·시험 등의 방법으로 검측업무를 수행하여야 한다. <개정 2016.1.1.>
4. 시공자가 검측업무를 요청할 경우에는 즉시 검측업무를 수행하고 그 결과를 시공자에게 통보하여야 한다.
5. 계약예규「공동계약운용요령」 제13조제1항에 따라 제출된 계약이행계획서에 따라 공동수급체 구성원이 실제 계약이행에 참여하고 있는지를 확인·감독하여야 한다.
6. 하도급대금, 건설기계대여금, 건설공사용 부품 대금이「건설산업기본법」 제34조제1항 등에 따라 적정하게 지급 되는지를 확인·감독하여야 한다. <신설 2010.9.8.>
7. 건설사업관리기술자는 해당 공사의 규모와 현장조건을 해당 공사의 규모와 현장조건을 감안한「검측업무지침」을 현장별로 작성·수립하여 발주청의 승인을 득한 후 이를 근거로 검측업무를 수행하여야 하며, 다만,「검측업무지침」은 검측하여야 할 세부공종, 검측절차, 검측시기 또는 검측빈도, 검측체크리스트 등의 내용을 포함하여야 한다. <신설 2016.1.1.>

제43조(건설사업관리기술자의 근무수칙) ① 건설사업관리업무에 종사하는 자는 다음 각 호의 업무를 성실히 수행하고, 건설공사의 품질향상을 위해 노력하며, 건설사업관리기술자로서의 품위를 유지하여야 한다. <개정 2016.1.1.>

1. 건설사업관리기술자는 관계법령과 이에 따른 명령 및 공공복리에 어긋나는 어떠한 행위도 하지 않으며 용역계약문서에서 정하는 바에 따라 신의와 성실로서 업무를 수행하여야 하며, 품위를 손상하는 행위를 하여서는 안된다. <개정 2016.1.1.>
2. 건설사업관리기술자는 담당업무와 관련하여 제3자로부터 금품, 이권 또는 향응을 받아서는 아니된다. <개정 2016.1.1.>
3. 건설사업관리기술자는 건설공사의 품질향상을 위하여 기술개발 및 활용·보급에 전력을 다하여야 한다. <개정 2016.1.1.>
4. 건설사업관리기술자는 건설사업관리업무를 수행함에 있어서 해당 설계용역계약문서, 공사계약문서, 건설사업관리과업내용서, 그 밖의 관계규정 등의 내용을 숙지하고 해당 공사의 특수성을 파악한 후 건설사업관리업무를 수행하여야 한다. <개정 2016.1.1.>
5. 건설사업관리기술자는 설계자 및 시공자의 의무와 책임을 면제시킬 수 없으며, 임의로 설계를 변경시키거나, 기일연장 등 설계용역계약조건 및 공사계약조건과 다른 지시나 결정을 하여서는 안된다. <개정 2016.1.1.>
6. 건설사업관리기술자는 문제점이 발생되거나 설계 또는 시공에 관련한 중요한 변경 및 예산과 관련되는 사항에 대하여는 수시로 발주기관에 보고하고 지시를 받아 업무를 수

행하여야 한다. 다만, 인명손실이나 시설물의 안전에 위험이 예상되는 사태가 발생할 시에는 먼저 적절한 조치를 취한 후 즉시 발주기관에 보고하여야 한다. <개정 2016.1.1.>

7. 건설사업관리용역업자 및 건설사업관리기술자는 해당 용역시행 중은 물론 용역이 종료된 후라도 감사기관의 수감요구 및 문제발생으로 인한 발주기관의 출석요구가 있으면 이에 응하여야 하며, 건설사업관리업무 수행과 관련하여 발생된 사고 또는 피해로 피해자가 소송제기시 국가지정 소송업무에 적극 협력하여야 한다. <개정 2016.1.1.>

제44조(계약담당공무원의 지도감독) ① 계약담당공무원은 시공 단계의 건설사업관리용역계약문서에 규정된 바에 따라 다음 각 호의 사항에 대하여 건설사업관리기술자를 지도·감독하며 모든 지시는 건설사업관리용역업자 또는 책임건설사업관리기술자를 통하여 하도록 한다. <개정 2016.1.1.>

1. 건설사업관리기술자의 적정자격 보유 여부 및 상주 이행상태 <개정 2016.1.1.>
2. 품위손상 여부 및 근무자세
3. 발주기관 지시사항의 이행상태 <개정 2016.1.1.>
4. 행정서류 및 비치서류 처리상태
5. 각종 보고서의 처리상태

② 계약담당공무원은 건설사업관리기술자가 계약담당공무원의 지시에 위반된다고 판단되는 업무를 수행할 경우 이에 대하여 해명토록 하거나 시정하도록 서면으로 지시할 수 있다. <개정 2016.1.1.>

제45조(건설사업관리용역의 착수 및 보고) ① 건설사업관리용역업자는 계약체결 즉시 상주 및 기술지원 기술자 투입 등 건설사업관리업무 수행준비에 대하여 발주기관과 협의하여야 하며, 계약서상 착수일에 건설사업관리용역을 착수하여야 한다. 다만, 건설사업관리 대상 건설공사의 전부 또는 일부의 용지매수 지연 등으로 계약서상 착수일에 건설사업관리용역을 착수할 수 없는 경우에는 발주기관은 실제 착수 시점 및 상주기술자 투입시기 등을 조정, 통보하여야 한다. <개정 2016.1.1.>

② 건설사업관리용역업자는 건설사업관리용역 착수 시 다음 각 호의 서류를 첨부한 착수신고서를 제출하여 발주기관의 승인을 받아야 한다. <개정 2016.1.1.>

1. 건설사업관리업무수행계획서 <개정 2016.1.1.>
2. 건설사업관리비 산출내역서 <개정 2016.1.1.>
3. 상주, 기술지원 기술자 지정신고서(총괄책임자 선임계를 포함한다)와 건설사업관리기술자 경력확인서 <개정 2016.1.1.>
4. 건설사업관리기술자 조직 구성내용과 건설사업관리기술자별 투입기간 및 담당업무 <개정 2016.1.1.>

③ 입찰참가자격사전심사에 의해 건설사업관리용역업자로 선정된 경우에 있어 제2항제4호의 건설사업관리기술자는 입찰참가제안서에 명시된 자로 하여야 한다. 다만, 부득이한 사유로 교체가 필요한 경우에는 기술자격, 학·경력 등을 종합적으로 검토하여 건설사업관리업무수

행 능력이 저하되지 않는 범위 내에서 발주기관의 사전승인을 받아야 한다. <개정 2016.1.1.>

④ 발주기관은 제2항제3호 및 제4호의 내용을 검토하여 건설사업관리기술자 또는 건설사업관리조직 구성내용이 해당 공사현장의 공종 및 공사 성격에 적합하지 않다고 인정할 때에는 그 사유를 명시하여 서면으로 건설사업관리용역업자에 변경을 요구할 수 있으며, 변경요구를 받은 건설사업관리용역업자는 특별한 사유가 없으면 요구에 따라야 한다. <개정 2016.1.1.>

⑤ 건설사업관리기술자는 공사시공과 관련된 각종 인·허가 사항을 포함한 제반법규 등을 시공자로 하여금 준수토록 지도·감독하여야 하며, 발주기관이 득하여야 하는 인·허가 사항은 발주기관에 협조·요청하여야 한다. <개정 2016.1.1.>

⑥ 승인된 건설사업관리기술자는 업무의 연속성, 효율성 등을 고려하여 특별한 사유가 없으면 건설사업관리용역 완료시 까지 근무토록 하여야 하며 교체가 필요한 경우에는 시행규칙 제35조제5항에 따라 교체인정 사유를 명시하여 발주기관의 사전승인을 받아야 한다. <개정 2015.9.21, 2016.1.1.>

⑦ 건설사업관리기술자의 구성은 계약문서에 기술된 과업내용에 따라 관련분야 기술자격 또는 학력·경력을 갖춘자로 구성되어야 한다. <개정 2016.1.1.>

⑧ 건설사업관리단의 조직은 공사담당, 품질담당 및 안전담당 등으로 현장여건에 따라 구성토록 함으로서 건설사업관리업무를 효율적으로 수행할 수 있도록 하여야 한다. 또한 공사의 원활한 추진을 위하여 필요한 경우 발주기관의 승인을 받아 한시적으로 검측을 담당하도록 건설사업관리기술자를 투입할 수 있다. <개정 2016.1.1.>

⑨ 책임건설사업관리기술자는 분야별 건설사업관리기술자의 개인별 업무를 분담하고 그 분담 내용에 따라 업무수행계획을 수립하여 과업을 수행토록 하여야 한다. <개정 2016.1.1.>

⑩ 건설사업관리기술자는 현장에 부임하는 즉시 사무소, 숙소, 사고발생 및 복구시 응급대처 할 수 있는 비상연락체계, 전화번호 및 FAX 등을 발주기관에 보고하여 업무연락에 차질이 없도록 하여야 하며 변경 되었을 경우에도 보고하여야 한다. <개정 2016.1.1.>

제46조(휴일 및 야간작업) 상주 건설사업관리기술자는 시공자가 발주기관의 승인을 얻어 휴일 또는 야간작업을 하는 경우에는 휴일 또는 야간작업을 하여야 한다. 이 경우 제17조를 준용한다. <개정 2016.1.1.>

제47조(지체상금) 시공 단계의 건설사업관리용역계약에 있어서는 제18조제3항 각 호에 정한 사유외에도 시공사의 책임으로 시공 단계의 건설사업관리용역의 착수 또는 완성이 지연되었거나 시공 단계의 건설사업관리용역 수행이 중단되었을 경우 그 해당일수를 지체일수에 산입하지 아니한다. <개정 2016.1.1.>

제48조(감리용역의 일시정지) 계약담당공무원은 제32조제1항 각 호에 정한 사유 외에도 공사계약이 해제 또는 해지되거나 공사의 수행이 일시 정지된 경우 시공 단계의 건설사업관리용역의 전부 또는 일부의 수행을 정지시킬 수 있다. <개정 2016.1.1.>

제4장 소프트웨어용역 계약조건

제49조(정의) 이 장에서 사용하는 용어의 정의는 다음과 같다.

1. "소프트웨어사업"이라 함은 「소프트웨어산업진흥법」 제2조제3호에 의한 소프트웨어의 개발·제작·생산·유통 등과 이에 관련된 서비스, 「국가정보화기본법」 제3조제2호에 의한 정보화에 관한 사업 및 「전자정부법」 제2조제13호에 의한 정보시스템에 관한 사업과 관련된 경제활동을 말한다.
2. "계약목적물"이라 함은 제1호의 소프트웨어사업 수행을 통해 산출되는 소프트웨어, 정보시스템 및 이와 관련된 서비스, 기타 부수하는 조작 설명서 등으로 계약에 의하여 발주기관이 최종적으로 인수하는 계약의 목적물을 말한다.
3. "과업내용서"란 발주기관과 계약상대자가 최종적으로 합의한 소프트웨어사업의 범위를 구체적으로 기재한 문서로서, 계약당사자의 업무범위를 설정하고, 과업내용 변경의 기준서로서의 역할을 한다.
4. "하자보수"라 함은 하자보수기간 중에 발견한 소프트웨어 또는 정보시스템 등의 결함 등을 수정하는 것을 말한다.
5. 이 장에서 따로 정하는 경우를 제외하고는 제1호에 정한 소프트웨어사업 관련법령에 정하는 바에 따른다.

제50조(계약이행의 관리·감독 및 사업의 품질 확보) ① 계약담당공무원은 해당 계약의 적정한 수행여부와 산출물 등의 품질을 확보하기 위하여 「소프트웨어산업진흥법」 제20조제5항에 의하여 사업의 수행과정이나 계약이행상황을 관리·감독하여야 한다. 다만, 시행령 제54조제1항제2호의 전문적인 지식 또는 기술을 필요로 하거나 기타 부득이한 사유로 인하여 감독을 할 수 없는 경우에는 전문기관을 따로 지정하여 필요한 감독을 하게 할 수 있다.

② 계약담당공무원은 해당 계약의 원활한 이행과 사업 완료 후의 원활한 유지보수를 위하여 부품·기기에 대한 공급과 기술지원 확약에 관한 서류의 제출을 요구할 수 있으며, 계약상대자는 특별한 사유가 없는 한 이에 따라야 한다.

③ 제1항 단서에 의하여 전문기관이 감독을 하도록 할 경우에는 시행규칙 제67조 및 제69조에 의하여 감독조서의 작성 및 그 결과를 문서로서 제출하도록 하여야 한다.

제51조(소프트웨어 용역의 착수 및 보고) ① 계약상대자는 계약문서에서 정하는 바에 따라 소프트웨어사업을 착수하여야 하며, 발주기관이 관련법령에서 정한 서류 및 다음 각 호의 사항이 포함된 착수신고서의 제출을 요구하는 경우에는 이를 제출하여야 한다.

1. 사업수행계획서(사업범위, 사업추진일정계획, 인력 및 장비 투입계획, 표준화 및 보안대책 등)
2. 사업품질보증계획서
3. 역할 분담에 따른 발주기관 협조사항

② 과업내용의 변경 등에 따른 조치는 제13조제2항 내지 제4항에 정한 바에 의한다.

제52조(작업장소 등) ① 계약당사자는 소프트웨어사업수행을 위하여 필요한 장소 및 설비 기타 작업환경(이하 "작업장소 등"이라고 한다)을 상호 협의하여 정한다. 다만, 핵심 개발인력이 아닌 지원인력의 근무장소는 보안 등 특별한 사유가 있는 경우를 제외하고는 계약상대자가 달리 정할 수 있다. <개정 2010.10.22, 단서신설 2014.1.10.>

② 발주기관이 작업장소 등에 관한 비용을 사업예산 또는 예정가격에 계상하지 아니한 경우에는 발주기관이 작업장소 등을 제공한다. <신설 2010.10.22.>

③ 계약상대자는 해당 계약의 이행을 위하여 필요한 경우 그 사유 및 기간 등을 정하여 계약담당공무원의 승인을 얻은 후 해당 사업에 투입되는 인력을 제1항의 작업장소 이외에서도 근무하게 할 수 있다. <제2항에서 이동 2010.10.22.>

제53조(과업내용의 변경) 소프트웨어사업의 경우에 과업내용의 변경 및 계약금액조정은 제16조에 정한 바에 의하되 계약당사자는 다음 각 호의 사항을 준수하여야 한다.

1. 제16조제1항 및 제3항에 의한 과업내용의 변경지시 및 변경제안시 에는 별지 제1호서식 「과업내용변경요청서」에 의하여야 한다.
2. 계약담당공무원은 제1호에 따른 과업내용 변경의 적정성 여부를 심의하기 위하여 계약당사자 및 외부 전문가가 참여하는 과업변경심의위원회(이하 "위원회"라 한다)를 설치할 수 있다. 다만, 과업내용 변경에 따른 계약금액의 조정액이 당초 계약금액의 100분의 10 이상으로 추정될 경우에는 위원회를 설치하여 과업변경 심의를 하여야 한다.
3. 계약담당공무원은 과업내용 변경에 따라 계약금액을 조정하는 경우 그 결과를 별지 제2호서식 「과업내용변경관리내역서」를 작성하여 관리하여야 한다.
4. 계약금액의 조정은 「소프트웨어사업대가의 기준」을 준용하여 산정한다.

제54조(인력투입의 종료) 용역을 완성(계약기간내에 용역을 완성한 경우를 포함한다)한 후 제20조에 따른 검사가 완료된 때에는 인력의 투입도 종료된다.

제55조(지체상금률) 제18조에 따른 지체상금을 부과할 때에는 소프트웨어 사업에 적용하는 지체상금률은 다음 각 호와 같다. <개정 2015.1.1, 2018.12.31.>

1. 시행령 제16조제3항에 의하여 소프트웨어 사업시 물품과 용역을 일괄하여 입찰에 부치는 경우 : 물품계약의 성질에 따라 다음 각목을 적용한다.
   가. 계약 이후 물품에 대한 설계와 제조가 일괄하여 이루어지고, 그 설계에 대하여 발주한 중앙관서의 장의 승인이 필요한 경우 : 시행규칙 제75조제1호에 따른 지체상금률 <개정 2018.12.31.>
   나. 그 외의 경우 : 시행규칙 제75조제2호에 따른 지체상금률 <개정 2018.12.31.>
2. 제1호 이외의 경우 : 시행규칙 제75조제3호에 따른 지체상금률 <개정 2018.12.31.>

제56조(계약목적물의 지식재산권 귀속 등) ① 해당 계약에 따른 계약목적물에 대한 지식재산권은 발주기관과 계약상대자가 공동으로 소유하며, 별도의 정함이 없는 한 지분은 균등한 것으로 한다. 다만, 개발의 기여도 및 계약목적물의 특수성(국가안전보장, 국방, 외교관계

등)을 고려하여 계약당사자간의 협의를 통해 지식재산권 귀속주체 등에 대해 공동소유와 달리 정할 수 있다. <개정 2009.9.21.>

② 제1항에 따라 지식재산권을 공동으로 소유하는 경우에는 국가안전보장, 국가의 방위계획 및 정보활동, 외교관계 등의 사유에 의해 지식재산권의 상업적 활용을 제한할 수 있는 경우를 당사자간에 별도로 협의하여 정하지 않는 한 공유자 일방은 지식재산권의 복제, 배포, 개작, 전송 등의 사용·수익을 할 수 있다. <신설 2009.9.21.>

③ 제2항에 의한 지식재산권의 사용·수익 등에 따른 이익은 별도의 정함이 없는 한 지식재산권을 행사한 당사자에게 귀속하는 것으로 한다. <신설 2009.9.21.>

④ 제1항 및 제2항에도 불구하고, 발주기관이 개발된 소프트웨어를 타기관과 공동으로 활용하는 경우에 계약담당공무원은 그 대상기관의 범위 등을 입찰 공고에 명시하고 이를 계약서에 반영하여야 한다. <신설 2009.9.21, 개정 2012.1.1.>

⑤ 공유자 일방이 지분을 제3자에게 양도하는 등 지식재산권을 처분·배포하고자 하는 경우에는 반드시 타공유자의 동의를 받아야 한다. <신설 2009.9.21, 개정 2015.1.1.>

⑥ 제1항에 의하여 지식재산권이 발주기관에 귀속된 경우 발주기관은 국가안전보장, 국가의 방위계획 및 정보활동, 외교관계 그 밖에 이에 준하는 경우로서 국가기관의 행위를 비밀리에 할 필요가 있을 경우 등 특별한 사유가 없는 한 계약상대자에게 계약목적물을 개작할 수 있는 권리를 부여하여야 하며, 계약상대자는 이를 상업적으로 활용할 수 있다. 이 경우 개작권을 부여받은 계약상대자는 발주기관의 승인을 받아 제3자에게 개작권을 양도할 수 있다.

⑦ 제1항에 의하여 지식재산권이 계약상대자에게 귀속된 경우라 하더라도 계약상대자는 발주기관이 계약목적과 관련되어 해당 계약목적물을 사용(기능개선, 재개발, 유지보수를 포함한다. 이하 "계약목적물의 사용"이라 한다)함에 있어서는 어떠한 제한을 하여서도 아니된다.

제56조의2(계약목적물의 특허권 등의 귀속 등에 대한 특례) 해당 계약에 따른 계약목적물에 대한 특허권 등에 대해서는 제35조의3을 준용한다.

[본조신설 2015.1.1.]

제56조의3(계약목적물의 직무발명에 대한 권리의 승계) 해당 계약에 따른 직무발명에 대해서는 제35조의4를 준용한다.

[본조신설 2015.1.1.]

제57조(계약목적물의 기술자료 임치 등) ① 계약상대자는 제56조제3항에 따른 계약목적물의 사용을 보장하고, 지식재산권을 보호하기 위해서 계약상대자의 사업수행에 따른 계약목적물의 "기술자료"를 제3의 기관(이하 "임치기관"이라 한다)에 임치하여야 한다. 이 경우 발주기관은 계약상대자에게 기술자료의 제출을 요구할 수 없다. <개정 2012.1.1.>

② 제1항에서 "기술자료"라 함은 아래의 각 호의 것을 의미하고, 계약상대자는 계약목적물의 기능수행에 있어 중요한 변경사항이 발생한 경우 발생일로부터 30일 이내에 추가 임치하여야 하고 임치기관은 이를 발주기관에게 즉시 통보하여야 한다.

1. 소스코드 및 오브젝트 코드의 복제물

2. 기술정보(매뉴얼, 설계서, 사양서, 플로우차트, 유지보수자료 등)

③ 임치기관은「저작권법 시행령」제39조의2 및「대중소기업 상생협력 촉진에 관한 법률 시행령」제15조의2에 의한 기관 중에서 계약상대자가 선정하며, 임치수수료는 계약상대자가 부담한다. <개정 2010.1.4.>

④ 계약담당공무원은 계약목적물의 사용을 위하여 필요한 경우 그 사유를 명시하여 계약상대자에게 통지한 후 임치기관에 기술자료의 교부를 요청할 수 있다. 다만, 다음 각 호의 경우에는 계약상대자에게 통지없이 기술자료의 교부를 요청할 수 있다.

1. 계약상대자가 파산선고를 받거나 해산결의를 하여 그 권리가 민법 또는 기타 다른 법률에 의하여 소멸된 경우
2. 그 밖에 계약당사자가 협의하여 정한 경우

⑤ 제4항과 관련하여 계약당사자간 다르게 정한 사항이 있는 경우에는 그에 따른다.

제58조(하자보수 등) ① 계약상대자는 계약담당공무원이 제21조 및 제22조의 인수에 의하여 사업의 종료를 확인한 후 1년간(별도의 관련 법률에서 따로 정하고 있는 경우는 제외) 계약목적물의 하자에 대한 보수책임이 있다.

② 제1항에서 정한 기간내에 하자가 발생하여 계약담당공무원이 하자보수를 요청한 경우 계약상대자는 요청을 받은 즉시 그 하자를 보수하여야 하며 해당 하자의 발생원인 및 기타 조치사항을 명시하여 계약담당공무원에게 제출하여야 한다. 다만, 다음 각 호의 경우는 유상 유지관리 또는 재개발로 본다. <개정 2014.1.10. 2021.12.1.>

1. 무상 하자보수기간 경과 후 발생된 하자에 대한 보수 <개정 2021.12.1.>
2. 이미 구매한 물품 또는 이와 연동된 제품을 기초로 추가되는 개발·구축(사용방법 및 환경개선을 위한 요구사항 추가를 포함한다)
3. 계약서에 명시되지 않은 예방을 위한 현장방문, 상시 근무에 소요되는 인력투입 등
4. 계약서에 명시되지 않은 사용자에 대한 교육 및 기술지원 <신설 2014.1.10.>

③ 계약상대자는 다음 각 호의 어느 하나의 사유로 인하여 발생한 하자에 대해서는 제1항에도 불구하고 하자보수책임이 없다. 다만, 계약상대자가 그 물품 또는 지시의 부적당함을 알고 발주기관에게 고지하지 아니한 경우에는 그러하지 아니하다.

1. 발주기관의 유지·관리소홀이나 사용상 부주의로 인한 경우
2. 발주기관이 제공한 시스템, 장비, 프로그램 등의 하자로 인한 경우
3. 발주기관이 임의로 산출물 등을 변경한 경우
4. 발주기관의 지시에 따라 구축한 경우
5. 천재지변 등 불가항력에 의한 경우

④ 제2항 각호에 해당하는 유상 유지 관리 또는 재개발에 대해서는 발주기관이 계약목적물을 인수한 직후부터 계약을 체결하여 시행하여야 한다. 다만, 당초 소프트웨어사업 내용에 유지 관리 또는 재개발이 이미 포함된 경우에는 그러하지 아니한다. <신설 2012.7.4. 개정 2021.12.1.>

제59조(하자보수보증금) ① 계약상대자는 제58조의 하자보수를 보증하기 위하여 계약서에서 정한 하자보수보증금율(100분의 2, 별도의 관련 법률에서 따로 정하고 있는 경우는 제외)과 계약금액(당초 계약금액이 조정된 경우에는 조정된 계약금액을 말한다)을 곱하여 산출한 금액(이하 "하자보수보증금"이라 한다)을 시행령 제37조제2항에 따른 보증서 또는 증권 등으로 발주기관에 납부하여야 한다.

② 계약담당공무원은 계약상대자가 제58조제1항에 의한 하자담보책임기간 중 발주기관으로부터 하자보수요구를 받고 이에 불응한 경우에는 제1항에 의한 하자보수보증금을 국고에 귀속하여야 한다.

③ 계약담당공무원은 하자담보책임기간이 만료된 경우 하자보수보증금을 지체없이 계약상대자에게 반환하여야 한다.

제60조(하도급 관리 등) ① 계약상대자는 해당 소프트웨어사업의 일부를 제3자에게 하도급하거나, 승인을 받은 하도급 조건을 변경하고자 하는 경우에는 「하도급거래 공정화에 관한 법률」 제3조의2에 의한 소프트웨어사업표준하도급계약서 등 관련 자료를 첨부하여 계약담당공무원에게 사전승인을 요청하여야 한다.

② 제1항의 요청을 받은 계약담당공무원은 계약의 품질확보 등 적정성 여부를 판단하여 14일 이내에 그 승인 여부를 계약상대자에게 통지하여야 한다. 다만, 계약담당공무원은 정당한 사유에 의하여 통지기간을 연장하고자 할 경우에는 그 연장사유와 통지예정기한을 지체없이 계약상대자에게 통지하여야 한다.

③ 계약담당공무원이 계약당사자에게 제2항의 하도급 승인여부를 기간내에 통지하지 아니하거나 통지기간연장을 통지하지 아니한 경우에는 제1항의 하도급을 승인한 것으로 본다.

④ 계약상대자는 하도급계약과 관련 「하도급거래 공정화에 관한 법률」을 준수하여야 하며, 계약담당공무원의 요청이 있는 경우에는 하도급계약의 준수실태 등을 확인할 수 있도록 표준하도급계약서상의 주요내용을 계약담당공무원에게 보고하여야 한다.

⑤ 계약담당공무원은 제2항에 따른 하도급 승인시 제4항에 따른 하도급계약의 준수여부에 대한 보고주기를 정할 수 있다.

제61조(소프트웨어사업의 계약정보 공개) ① 계약담당공무원은 소프트웨어사업의 경우에 다음 각 호의 사항을 발주기관의 인터넷 홈페이지에 공개하여야 한다.

1. 발주계획(사업명, 발주물량 또는 그 규모, 예산액을 포함한다)
2. 입찰공고(국가를 당사자로 하는 계약에 관한 법률 시행령 제30조제2항에 따라 2인 이상으로부터 견적서를 제출받은 수의계약의 공고를 포함한다)
3. 개찰의 결과
4. 계약체결의 현황(하도급 현황을 포함한다)
5. 과업내용 등 계약내용의 변경(입찰공고와 다른 조건으로 계약이 체결된 경우를 포함한다)에 관한 사항
6. 감리·감독·검사의 현황

7. 대가의 지급현황

② 제1항에 따른 계약정보의 공개는 계약이행 완료일로부터 5년 이상 하여야 한다.

[본조신설 2014.4.1.]

제5장 보　칙

제62조(재검토기한) 「훈령·예규 등의 발령 및 관리에 관한 규정」에 따라 이 예규에 대하여 2016년 1월 1일 기준으로 매3년이 되는 시점(매 3년째의 12월 31일까지를 말한다)마다 그 타당성을 검토하여 개선 등의 조치를 하여야 한다. <개정 2015.9.21.>

부　칙(2007.10.12)

이 회계예규는 2007년 10월 12일부터 시행한다.

부　칙(2009.6.29)

제1조(시행일) 이 회계예규는 2009년 6월 29일부터 시행한다.

제2조(적용례) 제8조제3항, 제14조개정규정은 예규 시행 후 입찰공고를 한 분부터 적용한다.

제3조(계약상대자의 책임있는 사유로 인한 계약의 해제 또는 해지 적용례) 제29조제1항 단서 개정규정은 현재 진행중인 계약에도 적용한다.

부　칙(2009.7.3)

① 이 회계예규는 2009년 7월 3일부터 시행한다.

② 제26조제2항 및 제27조제2항의 개정 규정은 대통령령 제21578호 국가를 당사자로 하는 계약에 관한 법률 시행령 일부 개정령의 시행일(2009.6.29) 이후 대가 지급을 청구하는 분부터 적용한다.

부　칙(2009.9.21)

제1조(시행일) 이 회계예규는 2009년 9월 21일부터 시행한다.

제2조(적용례) 이 예규 시행일 이후 입찰공고를 한 분부터 적용한다.

부 칙(2010.1.4)

이 회계예규는 2010년 1월 4일부터 시행한다.

부 칙(2010.9.8)

제1조(시행일) 이 회계예규는 2010년 9월 8일부터 시행한다. 다만, 제29조의 개정 규정은 2010년 10월 22일부터 시행하고, 제10조, 제33조의 개정 규정은 2011년 1월 1일부터 시행한다.
제2조(적용례) 이 회계예규 시행 후 입찰공고를 한 분부터 적용한다.

부 칙(2010.10.22)

제1조(시행일) 이 회계예규는 2010년 10월 22일부터 시행한다.

부 칙(2011.5.13)

제1조(시행일) 이 계약예규는 2011년 5월 13일부터 시행한다.
제2조(적용례) 이 예규 시행일 이후 입찰공고를 한 분부터 적용한다.

부 칙(2012.1.1)

제1조(시행일) 이 계약예규는 2012년 1월 1일부터 시행한다.
제2조(적용례) 제27조의3의 신설규정과 제56조의 개정규정은 이 예규 시행일 이후 입찰공고를 한 분부터 적용한다.

부 칙(2012.4.2)

제1조(시행일) 이 계약예규는 2012년 5월 1일부터 시행한다.
제2조(적용례) 이 예규 시행일 이후 입찰공고를 한 분부터 적용한다.

부 칙(2012.7.4)

제1조(시행일) 이 계약예규는 2012년 7월 9일부터 시행한다.
제2조(적용례) 이 예규 시행일 이후 입찰공고를 한 분부터 적용한다.

부 칙(2014.1.10)

제1조(시행일) 이 계약예규는 2014년 1월 10일부터 시행한다.

제2조(적용례) 이 계약예규 시행일 이후 입찰공고를 한 분부터 적용한다.

부　　칙(2014.4.1)

제1조(시행일) 이 계약예규는 2014년 4월 1일부터 시행한다.

제2조(적용례) 이 예규 시행일 이후 입찰공고를 한 분부터 적용한다.

부　　칙(2015.1.1)

제1조(시행일) 이 계약예규는 2015년 1월 1일부터 시행한다.

제2조(적용례) 이 예규 시행일 이후 입찰공고를 한 분부터 적용한다.

부　　칙(2015.9.21)

제1조(시행일) 이 계약예규는 2015년 9월 21일부터 시행한다.

부　　칙(2016.1.1)

제1조(시행일) 이 계약예규는 2016년 1월 1일부터 시행한다.

부　　칙(2016.12.30)

제1조(시행일) 이 계약예규는 2016년 12월 30일부터 시행한다.

제2조(적용례) 제19조의 개정규정은 이 계약예규 시행일 이후 최초로 입찰공고하는 분부터 적용한다.

부　　칙(2017.12.28)

제1조(시행일) 이 계약예규는 2017년 12월28일부터 시행한다.

제2조(적용례) 이 예규 시행후 최초로 입찰공고를 하거나, 수의계약을 체결한 계약분부터 적용한다.

부　　칙(2018.3.20)

제1조(시행일) 이 계약예규는 2018년 3월 20일부터 시행한다.

제2조(적용례) 제36조의 개정규정은 이 예규 시행 후 최초로 입찰공고를 하거나, 체결하는 계약부터 적용한다.

부　칙(2018.6.7)

제1조(시행일) 이 계약예규는 2018년 6월 7일부터 시행한다.

제2조(적용례) 제15조의2의 개정규정은 시행일 현재 이행중인 계약에 대하여도 적용한다.

부　칙(2018.12.31)

제1조(시행일) 이 계약예규는 2019년 1월 1일부터 시행한다.

제2조(일반적 적용례) 이 계약예규는 부칙 제1조에 따른 시행일 이후 입찰공고 하거나 계약체결 하는 경우부터 적용한다.

제3조(지체상금 부과 및 계약보증금 추가 납부 한도에 관한 적용례) 제18조제1항 및 제29조제1항의 개정규정은 2018년 12월 4일 이후에 계약기간이 만료되어 지체상금이 발생하는 경우부터 적용한다.

제4조(지체상금률에 대한 적용례) 제55조의 개정규정은 2017년 12월 28일 이후 입찰공고(재공고 또는 재입찰공고를 하는 경우는 제외한다)를 하거나 수의계약을 체결하는 경우부터 적용한다.

부　칙(2019.12.18)

제1조(시행일) 이 계약예규는 2020년 3월 18일부터 시행한다.

제2조(적용례) 이 계약예규는 부칙 제1조에 따른 시행일 이후 입찰공고를 하거나 수의계약을 체결하는 분부터 적용한다.

부　칙(2020.4.20)

제1조(시행일) 이 계약예규는 2020년 5월 6일부터 시행한다.

부　칙(2020.6.19)

제1조(시행일) 이 계약예규는 2020년 9월 19일부터 시행한다.

부　칙(2020.9.24.)

제1조(시행일) 이 계약예규는 2020년 12월 24일부터 시행한다.

제2조(적용례) 이 계약예규는 시행일 이후 입찰공고하는 경우부터 적용한다.

부　칙(2021.12.1.)

제1조(시행일) 이 계약예규는 2021년 12월 1일부터 시행한다.

제2조(적용례) 이 계약예규는 부칙 제1조에 따른 시행일 이전에 입찰공고된 계약으로서 시행일 이후 제30조제1항에 따라 사정변경에 의해 계약을 해제 또는 해지하는 경우, 제58조제1항에 따라 기성인수하는 경우에 적용한다.

[별지서식 제1호] 과업내용 변경요청서

<table>
<tr><td>사업명
(추진단계)</td><td colspan="2"></td><td>변경요청일자
및 처리기한</td><td colspan="2"></td></tr>
<tr><td>변경요청 번호</td><td colspan="2"></td><td>변경요청자</td><td colspan="2">인</td></tr>
<tr><td>요구사항 유형</td><td colspan="5">□ 기능요구 □ 성능요구 □ 품질요구 □ 기타 제약사항</td></tr>
<tr><td rowspan="2">과업내용서 관련 사항</td><td colspan="2">기존</td><td colspan="3">변경</td></tr>
<tr><td colspan="2"></td><td colspan="3"></td></tr>
<tr><td>변경요청 내용</td><td colspan="5"></td></tr>
<tr><td>변경요청 사유</td><td colspan="5"></td></tr>
<tr><td>변경 영향평가</td><td colspan="5"></td></tr>
<tr><td rowspan="2">변경 소요비용</td><td>소요비용</td><td></td><td>변경규모</td><td colspan="2"></td></tr>
<tr><td>산출근거</td><td colspan="4"></td></tr>
<tr><td rowspan="2">변경 요청 결과</td><td colspan="3">사업담당자</td><td colspan="2">인</td></tr>
<tr><td colspan="3">사업책임자</td><td colspan="2">인</td></tr>
<tr><td>의사결정</td><td colspan="5">□ 승 인 □ 기 각</td></tr>
<tr><td>검토의견</td><td colspan="5"></td></tr>
</table>

[별지서식 제2호] 과업내용관리내역서

사업명								
요청번호	추진단계	변경 요청자	요구사항 유형	변경규모	소요비용	변경요청 일자	처리기한	처리일

12 용역입찰유의서

[시행 2019.12.18.] [기획재정부계약예규 제476호, 2019. 12. 18., 일부개정]

제1조(목적) 이 유의서는 정부(이하 "발주기관"이라 한다)가 행하는 용역계약에 대한 입찰에서 해당 입찰에 참가하고자 하는 자가 유의하여야 사항을 정함을 목적으로 한다.

제2조(용어의 정의) 이 유의서에서 사용하는 용어의 정의는 이 유의서에서 따로 정하는 경우를 제외하고는「국가를 당사자로 하는 계약에 관한 법률 시행령」,「국가를 당사자로 하는 계약에 관한 법률 시행규칙」,「특정조달을 위한 국가를 당사자로 하는 계약에 관한 법률 시행령 특례규정」(이하 각각 "시행령", "시행규칙" 및 "특례규정"이라 한다) 및 계약예규「용역계약일반조건」(이하 "일반조건"이라 한다)에 정하는 바에 의한다.

제3조(입찰참가신청) ① 입찰에 참가하고자 하는 자는 입찰공고 또는 입찰참가통지서에 기재된 입찰참가신청마감일까지 다음 각 호의 서류를 발주기관에 제출하여 입찰참가 신청을 하여야 한다.

1. 입찰참가신청서(소정양식) 1통
2. 입찰참가자격을 증명하는 사본 1통
3. 인감증명서 또는「본인서명사실 확인 등에 관한 법률」제2조제3호에 따른 본인서명사실확인서 1통 <개정 2016.12.30.>
4. 기타 공고 또는 통지로 요구하는 서류

② 제1항제2호의 경우에는 원본을 제시하거나 사본에 "원본과 같음"을 명기하고 인감(인감증명서상의 인감 또는 입찰참가신청서상의 사용인감)으로 날인(본인서명사실확인서를 제출한 경우는 서명)하여 제출하여야 한다. <개정 2016.12.30.>

③ 시행령 제72조에 의하여 공동계약이 허용된 경우에는 공동수급체를 구성하여 입찰에 참가하고자 하는 자는 공동수급협정서를 제1항 각호의 서류와 함께 제출하여야 한다.

제3조의2(입찰참가자격의 판단기준일) ① 시행령 제12조 및 제21조에 따른 등록·실적 등에 의한 입찰참가자격의 판단기준일은 시행규칙 제40조제4항에 의한 입찰참가신청서류의 접수마감일(이하 "입찰참가등록마감일"이라 한다)로 하며, 입찰참가자는 입찰참가등록마감일 이후 입찰서제출 마감일까지 해당 입찰참가자격을 계속 유지하여야 한다.

② 제1항에도 불구하고 시행령 제21조제1항제6호 및 시행규칙 제24조에 따라 지역제한경쟁입찰을 부치는 경우 법인등기부상 본점소재지 기준일(본점소재지가 변경된 경우 법인등기부상 본점소재지 변경일을 말한다.)은 입찰공고일 전일로 하며 계약체결일까지 계속 유지하

여야 한다. <개정 2019.12.18.>

③ 입찰참가자가 시행령 제76조에 의한 입찰참가자격제한을 받은 경우에는 입찰참가등록 마감일 전일까지 입찰참가자격제한기간이 만료되어야 입찰에 참가할 수 있다.

④ 입찰전에 상호 또는 대표자의 변경(법인의 경우에는 법인등기부를 기준으로 한다)이 있는 경우에는 변경신고를 한 후 변경된 상호 또는 대표자 명의로 입찰에 참가하여야 한다.

제4조(입찰에 관한 서류) ① 입찰에 참가하고자 하는 자는 다음 각 호의 서류(이하 "입찰에 관한 서류"라 한다)를 열람할 수 있으며 추정가격이 고시금액 이상인 용역의 경우에는 이를 교부받을 수 있다.

1. 입찰공고문 또는 입찰참가통지서
2. 용역입찰유의서
3. 입찰참가신청서(소정서식)
4. 입찰서(소정서식)
5. 용역표준계약서(소정서식)
6. 용역계약일반조건
7. 용역계약특수조건
8. 과업내용서
9. 기타 참고사항을 기재한 서류

② 발주기관은 제1항의 입찰에 관한 서류를 교부하는 경우에는 입찰공고 등에서 정한 금액을 납부할 것을 요구할 수 있으며, 이 경우에는 입찰에 참가하고자 하는 자는 이에 따라야 한다.

제5조(관계법령 등의 숙지) ① 입찰에 참가하고자 하는 자는 시행령 등의 입찰관련 법령 및 제4조제1항에 의한 입찰에 관한 서류를 입찰전에 완전히 숙지하여야 하며 이를 숙지하지 못한 책임은 입찰참가자에게 있다.

② 입찰에 참가하고자 하는 자는 제1항에 의한 입찰에 관한 서류의 검토과정에서 발견한 입찰에 관한 서류상의 착오, 누락사항 또는 기타 설명이 요구되는 사항에 대하여는 입찰서 제출마감일 전일까지 발주기관에 그 설명을 요구할 수 있다.

제6조(입찰보증금) ① 입찰에 참가하고자 하는 자는 입찰참가신청마감일(공휴일인 때에는 전일)까지 입찰금액의 100분의 5 이상의 입찰보증금을 시행령 제37조제2항에 규정된 현금 또는 보증서 등으로 발주기관에 납부하여야 한다.

② 낙찰자가 정당한 이유없이 소정의 기한내에 계약을 체결하지 아니할 때에는 계약담당공무원은 해당 입찰보증금은 국고에 귀속한다. <개정 2016.12.30.>

③ 계약담당공무원(각 중앙관서의 장이 계약에 관한 사무를 그 소속공무원에게 위임하지 아니하고 직접 처리하는 경우에는 이를 계약담당공무원으로 본다. 이하 같다)은 낙찰되지 아니한 입찰자의 입찰보증금을 낙찰자가 결정된 후 즉시 반환한다. 다만, 낙찰자의 입찰보증금은 계약체결 후 즉시 반환한다.

④ 계약담당공무원은 다음 각 호의 어느 하나에 해당하는 경우에는 입찰보증금 납부를 면제할 수 있다.

1. 시행령 제37조제3항제1호 내지 제4호, 제5호의2 및 제6호에 정한 자가 입찰에 참가하는 경우
2. 「건설기술관리법」·「엔지니어링기술진흥법」 또는 「건설폐기물의 재활용촉진에 관한 법률」 등 해당 용역관련법령에 의하여 국가기관 등으로부터 면허·허가 등을 받았거나 등록·신고 등을 하고 해당 용역관련법령상의 사업(해당 용역과 관계없는 면허·허가·등록·신고 등도 해당 용역관련법령상의 면허·허가·등록·신고 등은 포함)을 입찰참가신청마감일 현재 영위하고 있는 법인이 입찰에 참가하는 경우. 다만, 다음 각 목의 어느 하나에 해당하는 자는 제외한다. <단서신설 2010.4.15, 개정 2019.12.18.>
   가. 입찰공고일 이전 1년 이내에 시행령 제76조제1항제2호가목의 사유로 입찰참가자격 제한을 받은 자(입찰참가자격 제한 기간 중인 경우를 포함한다) <신설 2019.12.18.>
   나. 계약체결을 기피할 우려가 있어 각 중앙관서의 장 또는 계약담당공무원이 입찰공고에 명시한 요건에 해당하는 자 <신설 2019.12.18.>

⑤ 보증서 등에 의한 입찰보증금의 보증기간은 다음 각 호를 충족하여야 한다.

1. 보증기간의 시작일 : 입찰서 제출마감일 이전일 것
2. 보증기간의 만료일 : 입찰서 제출마감일 다음날부터 30일 이후일 것

제7조(입찰참가) ① 입찰참가신청을 한 자가 아니면 입찰에 참가할 수 없다.

② 입찰참가신청자가 입찰참가신청서 제출 시에 대리인을 지정한 경우에는 그 대리인도 입찰에 참가할 수 있다. 다만, 입찰참가신청서를 제출하는 때부터 입찰개시 시각전까지 입찰대리인을 지정하거나 입찰대리인을 변경하는 경우에는 그 대리인이 입찰에 참가할 수 있다.

③ 제2항에 의한 대리인의 자격은 입찰참가자가 법인인 경우에는 해당 법인의 임·직원(다만, 「산업교육진흥 및 산학연협력촉진에 관한 법률」에 따라 설립한 산학협력단의 경우에는 해당 법인의 임·직원 및 연구원(대학의 장 또는 산학협력단장이 임명한 자에 한함)으로 한다)에 한하며, 계약담당공무원은 재직증명서와 다음 각 호의 자료에 의해서 임·직원 여부를 확인하여야 한다. 다만, 2개 이상 법인의 임·직원인 자는 1개 법인의 대리인으로만 입찰에 참가할 수 있다. <개정 2009.9.21, 2010.1.4, 2016.1.1.>

1. 4대 보험 중 어느 하나 가입 증명자료(최근 3개월 이내) <신설 2009.9.21.>
2. 소속 법인에서 받은 급여와 관련하여 해당 법인에서 발급받은 소득세 납부 증명자료 <신설 2009.9.21.>
3. 법인 등기사항증명서 <신설 2009.9.21, 개정 2015.9.21.>
4. 기타 임·직원 여부를 확인할 수 있는 자료 <신설 2009.9.21.>

④ 시행령 제76조에 의한 부정당업자로 입찰참가자격을 제한받고 있는 자는 제2항에 의한 대리인이 될 수 없다.

제8조(입찰서의 작성) ① 입찰자는 입찰서를 소정의 서식에 의하여 작성하여야 하며, 입찰금액

은 총액을 표기하여야 한다.

② 입찰자는 입찰서에 기명날인을 함에 있어 반드시 입찰자 성명(법인의 경우 대표자 성명)을 기재하고 입찰참가신청서 제출시 신고한 인감(서명을 포함한다. 이하 같다)으로 날인하여야 한다. <개정 2016.12.30.>

③ 입찰자는 입찰서의 기재사항 중 삭제 또는 정정한 곳이 있을 때에는 입찰에 사용하는 인감으로 날인하여야 한다.

④ 입찰자는 입찰서를 입찰공고 또는 입찰참가통지서 등에 별도로 규정한 경우를 제외하고는 한글로 작성하여야 하며 입찰금액은 원화로 표기하여야 한다

⑤ 입찰자는 입찰서의 금액표시를 한글 또는 한자로 기재하여야 하며 아라비아숫자로 병기할 수 있다. 이 경우에 아라비아숫자로 병기한 금액이 한글 또는 한자로 기재한 금액과 차이가 있을 때에는 한글 또는 한자로 기재한 금액에 의한다. 다만, 전산서식에 의한 입찰의 경우에는 지정된 표기방법으로 기재하여야 한다.

제9조(입찰서의 제출) ① 입찰자는 입찰서를 봉함하여 1인 1통만 제출하여야 한다.

② 우편에 의한 입찰서는 입찰서 제출마감일전일까지 발주기관에 도착된 것에 한하여 효력이 있다. 이 경우에 우송중의 분실, 훼손 또는 지연에 대하여 발주기관은 책임을 지지 아니한다.

③ 계약담당공무원은 제2항에 의하여 우편으로 입찰서가 제출된 때에는 해당 입찰서의 봉투표면에 접수일시를 기재하고 확인인을 날인하여 개찰시까지 개봉하지 아니하고 보관하여야 한다.

④ 입찰자는 제출한 입찰서를 교환, 변경 또는 취소할 수 없다. 다만, 입찰서에 기재한 중요부분에 오기가 있음을 이유로 개찰현장에서 입찰자가 입찰의 취소의사를 표시한 것으로서 계약담당공무원이 이를 인정하는 경우에는 취소가 가능하며, 시행령 제18조에 의한 2단계 경쟁 등의 입찰의 경우에 있어 계약담당공무원은 기술입찰을 개찰한 결과 적격자가 없는 경우 또는 일부 경미한 사항의 기술보완을 조건으로 기술적합 판정을 하는 경우에는 기술입찰서를 변경하여 제출하게 할 수 있다.

제9조의2(경영상태 심사서류의 제출) ① 입찰에 참여하고자 하는 자는 「신용정보의 이용 및 보호에 관한 법률」 제4조제1항제1호 또는 「자본시장과 금융투자업에 관한 법률」 제9조제26항의 업무를 영위하는 신용정보업자로부터 평가받은 모든 공공기관 입찰용 신용평가등급을 해당 신용정보업자를 통해 평가완료 후 3일 이내에 조달청 나라장터에 전송하여야 한다. <개정 2015.9.21.>

② 조달청장은 분기별로 신용정보업자로부터 평가명세서를 제출받아 미전송 여부를 확인하여 해당 업체를 나라장터에 게재하고, 발주기관은 동 업체에 대해 「정부입찰·계약집행기준」 제98조에 따라 처리하며, 향후 1년간 시행령 제13조에 따른 입찰참가자격사전심사 및 시행령 제42조제1항에 따른 적격심사시 감점할 수 있다.

[본조신설 2012.7.4.]

제9조의3(청렴계약서의 제출) 입찰자는 입찰서를 제출할 때 시행령 제4조의2 및 정부입찰·계약집행기준 제98조의3에 따른 청렴계약서를 같이 제출하여야 한다.

[본조신설 2016.1.1.]

제10조(장기계속기술용역의 입찰) 장기계속용역의 경우에는 입찰자는 입찰시 총용역을 대상으로 하여 입찰하여야 한다.

제11조(경쟁입찰의 성립) ① 경쟁입찰은 2인 이상의 유효한 입찰로써 성립한다.

② 계약담당공무원은 시행령 제18조제3항에 의하여 기술과 가격을 분리하여 입찰에 부치는 경우에는 시행령 제11조에 의하여 2인 이상의 유효한 입찰로 성립한 기술입찰의 개찰결과에서 기술적격자로 확정된 자가 1인인 경우에도 가격입찰서를 개봉할 수 있다.

제12조(입찰의 무효) 시행규칙 제44조에서 무효로 규정한 입찰 및 다음 각 호 어느 하나에 해당하는 입찰은 무효로 한다.

1. 입찰자(법인의 경우 대표자를 말한다. 이하 같다)가 직접 입찰을 하지 아니하고 대리인을 통하여 입찰을 할 경우에는 제7조제2항에 의한 대리인이 아닌 자가 한 입찰 또는 대리권이 없는 자가 한 입찰
2. 동일사항에 대하여 타인의 대리를 겸하거나 2인 이상을 대리한 입찰
3. 입찰서의 입찰금액 등 중요한 부분이 불분명하거나 정정한 후 정정날인을 누락한 입찰
4. 담합하거나 타인의 경쟁참가를 방해 또는 관계공무원의 공무집행을 방해한 자의 입찰
5. 입찰자의 기명날인이 없는 입찰(입찰자의 성명을 기재하지 아니하고 대리인 성명 또는 회사명을 기재한 경우 및 입찰참가신청서 제출시 신고한 인감과 다른 인감으로 날인된 경우도 포함한다)
6. 입찰서에 기재한 중요부분에 착오가 있음을 이유로 개찰현장에서 입찰자가 입찰의 취소의사를 표시하여 계약담당공무원이 이를 인정한 입찰
7. 제8조제1항 및 제6항에 위반하여 소정의 입찰서를 사용하지 않거나 입찰서의 금액을 아라비아숫자로만 기재한 입찰 또는 전산서식에 의한 입찰서를 훼손하거나 전산표기방법과 상이하게 작성, 기재하여 전산처리가 되지 아니한 입찰
8. 공동계약의 공동수급체구성원이 동일 입찰건에 대하여 공동수급체를 중복적으로 결성하여 참여한 입찰, 입찰등록시 공동수급표준협정서를 제출하지 아니한 입찰 및 공동계약운용요령 제9조를 위반한 입찰

제13조(입찰의 연기) ① 발주기관은 다음 각 호의 경우에 입찰공고 또는 입찰참가통지서에 기재된 입찰서 제출마감일시를 연기할 수 있다.

1. 제5조제2항에 의한 설명요구사항의 내용이 중대하여 연기가 불가피하다고 판단되는 경우
2. 기타 불가피한 사유로 인하여 지정된 일시에 입찰 또는 개찰을 실시하지 못한 경우

② 제1항에 의하여 입찰을 연기한 경우에는 연기사유와 기간를 입찰공고의 방법과 동일한 방법으로 공고 또는 통지하여야 한다.

제14조(재입찰 및 재공고입찰) ① 계약담당공무원은 경쟁입찰에서 2인 이상의 유효한 입찰자

가 없거나 낙찰자가 없는 경우에는 재입찰에 부칠 수 있다. 이 경우에는 최초 입찰에의 참가유무 또는 입찰횟수의 제한을 받지 아니한다. <개정 2019.12.18.>

② 입찰자나 낙찰자가 없는 경우 또는 낙찰자가 계약을 체결하지 아니하는 경우에는 계약담당공무원은 재공고입찰에 부칠 수 있다.

③ 계약담당공무원은 시행령 제18조제3항에 의하여 기술과 가격을 분리하여 입찰에 부친 경우 가격입찰서를 개찰한 결과 낙찰자를 결정할 수 없는 경우로서 기술적격자가 2인 이상인 때에는 그 기술적격자에게 가격입찰서를 다시 제출하게 할 수 있다.

④ 제1항 내지 제3항에 의한 재입찰 또는 재공고입찰시에는 기한을 제외하고는 최초의 입찰에 부칠 때에 정한 가격 및 기타조건을 변경할 수 없다.

제15조(낙찰자의 결정) ① 계약담당공무원은 제12조에 해당되는 사유가 없는 자로서 시행령 제42조 등에서 정한 낙찰자결정기준에 적합한 자를 낙찰자로 한다.

② 계약담당공무원은 개봉된 입찰서를 확인하고 유효한 입찰서의 입찰금액과 예정가격을 대조하여 지체없이 적격자를 낙찰자로 선정하여야 한다. 다만, 시행령 제42조제1항에 의하여 계약이행능력을 심사하여 낙찰자를 결정하는 등 낙찰자 결정에 장시간이 소요되는 경우에는 그러하지 아니할 수 있다.

③ 계약담당공무원은 제1항 및 제2항에 의하여 낙찰자를 결정하기 전에 해당 입찰자의 입찰서, 법인 등기사항증명서(본사, 대표자 및 상호 등 변경여부 확인), 공동수급표준협정서 등 관계서류를 검토하여 해당 낙찰예정자의 입찰이 제12조에 따른 무효입찰에 해당되는지의 여부를 확인하여야 한다. <개정 2015.9.21.>

④ 계약담당공무원은 낙찰이 될 수 있는 동일가격으로 입찰한 자가 2인 이상인 때에는 다음 각 호에 따라 낙찰자를 결정한다.

1. 시행령 제42조제1항에 따라 낙찰자를 결정하는 경우 : 이행능력 심사결과 최고점수인 자를 낙찰자로 결정하되, 이행능력 심사결과도 동일한 경우에는 추첨에 의하여 낙찰자를 결정
2. 시행령 제42조제3항에 따라 낙찰자를 결정하는 경우 : 규격 또는 기술우위자를 낙찰자로 결정하되, 규격 또는 기술평가 결과도 동일한 때에는 추첨에 의하여 낙찰자를 결정

⑤ 제4항에 의한 낙찰자 결정시 입찰자중 출석하지 아니한 자 또는 추첨을 하지 아니한 자가 있을 때에는 입찰사무에 관계없는 공무원으로 하여금 추첨을 대신하게 할 수 있다.

⑥ 계약담당공무원은 낙찰자로 결정된 자가 계약체결 이전에 입찰무효 등 부적격자로 판명되어 낙찰자 결정이 취소된 경우로서 동 부적격자를 제외하고 2인 이상 유효한 입찰이 성립되어 있는 때에는 차순위자 순으로 필요한 심사 등을 실시하여 낙찰자를 결정한다.

제16조(계약의 체결) ① 낙찰자는 계약담당공무원으로부터 낙찰통지를 받은 후 10일 이내에 소정의 서식에 의한 계약서에 의하여 계약을 체결하여야 하고 그 낙찰금액에 대한 산출내역서를 착수신고서 제출시까지 계약담당공무원에게 제출하여야 한다.

② 제1항의 경우에 불가항력의 사유로 인하여 계약을 체결할 수 없는 경우에는 그 사유

가 존속하는 기간은 이를 산입하지 아니한다.

③ 제1항에 의하여 발주기관과 계약을 체결하고자 하는 자는 관계법령 및 계약담당공무원이 요구하는 서류를 계약담당공무원에게 제출하여야 한다.

④ 계약담당공무원은 낙찰자가 정당한 이유없이 제1항에 의한 계약을 체결하지 아니하는 때에는 낙찰을 취소할 수 있다.

⑤ 계약담당공무원은 장기계속용역의 경우 낙찰자와의 계약은 총용역 낙찰금액을 부기하고 해당연도 예산의 범위안에서 제1차 용역에 대하여 계약을 체결하여야 한다. 이 경우에 제2차 기술용역 이후의 계약은 총용역낙찰금액(시행령 제64조 내지 제66조에 의한 계약금액의 조정이 있는 경우에는 조정된 총용역금액을 말한다)에서 이미 계약된 금액을 공제한 금액의 범위 안에서 계약을 체결할 것을 부관으로 약정하여야 한다.

⑥ 제5항에 의하여 제1차 및 제2차 용역 이후의 계약금액은 총용역의 계약단가에 의한다. 이 경우 계약금액조정 등으로 인하여 산출내역서의 단가가 조정된 때에는 조정된 계약단가에 의한다.

제17조(계약의 성립) 계약담당공무원과 낙찰자가 계약서에 기명·날인(외국인에 대하여 서명을 허용한 경우에는 서명을 포함한다)함으로써 계약은 확정된다.

제18조(입찰보증금의 계약보증금으로의 대체) ① 계약담당공무원은 낙찰자가 납부한 입찰보증금을 소정의 절차에 따라 계약보증금으로 대체할 수 있다. 다만, 입찰보증금과 계약보증금과의 차이가 있으면 계약상대자는 그 차액을 추가로 납부하여야 한다.

② 제1항에 의한 대체는 계약이 성립한 때에 이루어진 것으로 본다.

제19조(부정당업자의 입찰참가자격제한) 입찰자 또는 낙찰자가 「국가를 당사자로 하는 계약에 관한 법률」 제27조 및 시행령 제76조에 해당하는 경우에는 1월 이상 2년 이하의 범위내에서 입찰참가자격 제한 조치를 받게 된다. <개정 2018.12.31.>

제20조(비밀유지의 의무) 입찰자는 발주기관으로부터 배부받은 입찰에 관한 서류 또는 각종 자료 및 입찰과정에서 얻은 정보를 해당 입찰 이외의 목적으로 사용하여서는 아니된다.

제21조(이의신청) ① 추정가격이 1억 5천만원 이상인 용역의 입찰에 있어 다음 각 호의 어느 하나의 사유로 인하여 불이익을 받았다고 인정되는 자는 「국가를 당사자로 하는 계약에 관한 법률」(이하 "법"이라 한다) 제28조제2항 및 제4항에서 정한 바에 따라 이의신청을 할 수 있다. <개정 2018.12.31.>

1. 법 제28조제1항 각호의 어느 하나에 정한 사유
2. 특례규정 제26조에서 정한 사유

제22조(기타사항) 입찰공고조건 및 이 유의서에 명시되지 아니한 기타 사항은 발주기관에서 정하는 바에 의한다.

제23조(재검토기한) 「훈령·예규 등의 발령 및 관리에 관한 규정」에 따라 이 예규에 대하여 2016년 1월 1일 기준으로 매3년이 되는 시점(매 3년째의 12월 31일까지를 말한다)마다 그 타당성을 검토하여 개선 등의 조치를 하여야 한다. <개정 2015.9.21.>

부 칙(2007.10.12)

제1조(시행일) 이 회계예규는 2007년 10월 12일부터 시행한다.

제2조(낙찰자의 결정에 관한 적용례) 제15조제6항의 개정규정은 이 예규 시행 후 입찰공고를 한 분부터 적용한다.

부 칙(2009.9.21)

제1조(시행일) 이 회계예규는 2009년 9월 21일부터 시행한다.

제2조(적용례) 이 예규 시행일 이후 입찰공고를 한 분부터 적용한다.

부 칙(2010.1.4)

이 회계예규는 2010년 1월 4일부터 시행한다.

부 칙(2010.4.15)

제1조(시행일) 이 회계예규는 2010년 4월 15일부터 시행한다.

제2조(적용례) 이 예규 시행일 이후 입찰공고를 한 분부터 적용한다.

부 칙(2012.7.4)

제1조(시행일) 이 계약예규는 2012년 7월 9일부터 시행한다.

제2조(적용례) 이 예규 시행일 이후 입찰공고를 한 분부터 적용한다.

부 칙(2012.9.21)

제1조(시행일) 이 계약예규는 2012년 9월 22일부터 시행한다.

부 칙(2014.1.10)

제1조(시행일) 이 계약예규는 2014년 1월 10일부터 시행한다.

제2조(적용례) 이 예규 시행일 이후 입찰공고를 한 분부터 적용한다.

부 칙(2015.9.21)

제1조(시행일) 이 계약예규는 2015년 9월 21일부터 시행한다.

부 칙(2016.1.1)

제1조(시행일) 이 계약예규는 2016년 1월 1일부터 시행한다.

제2조(적용례) 제7조의 개정규정은 이 계약예규 시행 후 최초로 입찰공고를 하는 분부터 적용한다.

부 칙(2016.12.30)

제1조(시행일) 이 계약예규는 2017년 1월 1일부터 시행한다.

제2조(적용례) 제3조의 개정규정은 이 계약예규 시행일 이후 최초로 입찰참가신청을 접수하는 분부터 적용한다.

부 칙(2018.12.31)

제1조(시행일) 이 계약예규는 2019년 1월 1일부터 시행한다.

부 칙(2019.12.18)

제1조(시행일) 이 계약예규는2020년 3월 18일부터 시행한다. 다만, 제6조, 제14조의 개정규정은 2019년 12월 18일부터 시행한다.

제2조(적용례) 이 계약예규는 부칙 제1조에 따른 시행일 이후 입찰공고를 한 분부터 적용한다.

13 물품구매(제조)계약일반조건

[시행 2021.12.1.] [기획재정부계약예규 제583호, 2021.12.1., 일부개정]

제1조(총칙) 계약담당공무원과 계약상대자는 물품구매표준계약서(이하 “계약서”라 한다)에 기재한 물품의 구매(“제조”를 포함한다. 이하 같다) 계약에 관하여 제3조에 의한 계약문서에서 정하는 바에 따라 신의와 성실의 원칙에 입각하여 이를 이행한다.

제2조(정의) 이 조건에서 사용하는 용어의 정의는 다음과 같다.

1. “계약담당공무원”이라 함은 「국가를 당사자로 하는 계약에 관한 법률 시행규칙」(이하 “시행규칙”이라 한다) 제2조에 의한 공무원을 말한다. 이 경우 각 중앙관서의 장이 계약에 관한 사무를 그 소속공무원에게 위임하지 아니하거나 직접 처리하는 경우에는 이를 계약담당공무원으로 본다.
2. “계약상대자”라 함은 정부와 물품구매계약을 체결한 자연인 또는 법인을 말한다.
3. ‘규격서’라 함은 물품에 대한 기술적인 요구사항과 요구 필요조건의 일치성 여부를 판단하기 위한 절차와 방법을 포함하여 서술한 문서로, 제품의 성능, 재료형상, 치수, 용적, 색채, 제조, 포장 및 검사방법 등을 포함한다. <신설 2015.9.21.>
4. ‘산출내역서’라 함은 입찰금액 또는 계약금액을 구성하는 물량, 규격, 단위, 단가 등을 기재한 명세서를 말한다. <신설 2015.9.21.>
5. 이 조건에서 정한 용어를 제외하고는 「국가를 당사자로 하는 계약에 관한 법률 시행령」, 「특정조달을 위한 국가를 당사자로 하는 계약에 관한 법률 시행령 특례규정」(이하 각각 “시행령, 특례규정”이라 한다), 시행규칙 및 계약예규 물품구매입찰유의서(이하 “유의서”라 한다)에 정하는 바에 의한다. <개정 2015.9.21.>

제3조(계약문서) ① 계약문서는 계약서, 규격서, 유의서, 물품구매계약일반조건, 물품구매계약 특수조건 및 산출내역서 등으로 구성되며 상호보완의 효력을 갖는다. 다만, 이 경우 산출내역서는 계약금액의 조정 및 기성부분에 대한 대가의 지급시에 적용할 기준으로서 계약문서의 효력을 갖는다. <개정 2015.9.21.>

② 계약담당공무원은 「국가를 당사자로 하는 계약에 관한 법령」, 물품구매(제조)와 관련된 법령 및 이 조건에 정한 계약일반사항 외에 해당 계약의 적정한 이행을 위하여 필요한 경우 물품구매계약 특수조건을 정하여 계약을 체결할 수 있다.

③ 제2항에 따라 정한 물품구매계약 특수조건에 「국가를 당사자로 하는 계약에 관한 법령」, 물품구매(제조)와 관련된 법령 및 이 조건에 반하여 계약상대자의 계약상 이익을 제한하는

내용이 있는 경우 특수조건의 동 내용은 효력이 인정되지 아니한다. <개정 2015.9.21.>

④ 이 조건이 정하는 바에 의하여 계약당사자간에 행한 통지문서등은 계약문서로서의 효력을 가진다.

제4조(사용언어) ① 계약을 이행함에 있어서 사용하는 언어는 한국어를 원칙으로 한다. <개정 2015.9.21.>

② 계약담당공무원은 계약체결시 제1항에도 불구하고 필요하다고 인정하는 경우에는 계약이행과 관련하여 계약상대자가 외국어를 사용하거나 외국어와 한국어를 병행하여 사용할 수 있도록 필요한 조치를 할 수 있다.

③ 제2항에 의하여 외국어와 한국어를 병행하여 사용한 경우에 외국어로 기재된 사항이 한국어와 상이한 경우에는 한국어로 기재한 사항이 우선한다.

제5조(통지 등) ① 구두에 의한 통지·신청·청구·요구·회신·승인 또는 지시 등(이하 "통지 등"이라 한다)은 문서로 보완되어야 효력이 있다.

② 통지 등의 장소는 계약서에 기재된 주소로 하며, 주소를 변경하는 경우에는 이를 즉시 계약당사자에게 통지하여야 한다.

③ 통지 등의 효력은 계약문서에서 따로 정하는 경우를 제외하고는 계약당사자에게 도달한 날부터 발생한다. 이 경우 도달일이 공휴일인 경우에는 그 익일부터 효력이 발생한다.

④ 계약상대자는 계약이행 중 관계법령 및 이 조건 등에 정한 바에 따라 서면으로 정당한 요구를 받은 경우에는 이를 성실히 검토하여 회신하여야 한다.

제6조(채권양도) ① 계약상대자는 이 계약에 의하여 발생한 채권(대금청구권)을 제3자에게 양도할 수 있다.

② 계약담당공무원은 제1항에 의한 채권양도와 관련하여 적정한 계약이행목적 등 필요한 경우에는 채권양도를 제한하는 특약을 정하여 운용할 수 있다.

제7조(계약보증금) ① 계약을 체결하고자 하는 자는 계약체결일까지 시행령 제50조에 정한 바에 따라 시행령 제37조제2항에 규정된 현금 또는 보증서 등으로 계약보증금을 납부하여야 한다.

② 계약을 체결하고자 하는 자가 계약보증금의 전부 또는 일부의 납부를 면제받은 경우에는 제8조제1항 및 제2항에 의하여 국고귀속사유가 발생할 때에 계약보증금에 해당하는 금액을 현금으로 납입할 것을 보장하기 위하여 그 지급을 확약하는 내용의 문서(이하 "계약보증금지급각서"라 한다)를 제출하여야 한다.

③ 계약담당공무원은 단가계약에 의하는 경우로서 수회에 걸쳐 분할하여 계약을 이행하게 하는 때에는 매회별 이행예정량 중 최대량에 계약단가를 곱한 금액의 100분의 10 상당금액 이상을 계약보증금으로 납부하게 할 수 있다.

④ 계약담당공무원은 시행령 제37조제2항제2호에 의한 유가증권이나 현금으로 납부된 계약보증금을 계약상대자가 특별한 사유로 시행령 제37조제2항제1호 내지 제5호에 규정된 보증서 등으로 대체납부할 것을 요청한 때에는 동가치 상당액 이상으로 대체납부하게 할 수 있다.

⑤ 계약상대자는 이 조건에 의하여 계약금액이 증액된 경우에는 이에 상응하는 금액의 계약보증금을 제1항에 따라 추가로 납부하여야 하며, 계약담당공무원은 계약금액이 감액된 경우에는 이에 상응하는 금액의 계약보증금을 반환해야 한다. <개정 2009.6.29.>

제8조(계약보증금의 처리) ① 계약담당공무원은 계약상대자가 정당한 이유없이 계약상의 의무를 이행하지 아니할 때에는 계약보증금을 국고에 귀속한다.

② 시행령 제69조에 의한 장기물품제조계약에 있어서 계약상대자가 2차 이후의 물품제조계약을 체결하지 아니한 경우에 제1항을 준용한다.

③ 제7조제2항에 의하여 계약보증금지급각서를 제출한 경우로서 계약보증금의 국고귀속 사유가 발생하여 계약담당공무원의 납입요청이 있을 때에는 계약상대자는 해당 계약보증금을 지체없이 현금으로 납부하여야 한다.

④ 제1항 및 제2항에 의하여 계약보증금을 국고에 귀속함에 있어서 그 계약보증금은 이를 기성 또는 기납부분에 대한 미지급액과 상계 처리할 수 없다. 다만, 계약보증금의 전부 또는 일부를 면제받은 자의 경우에는 국고에 귀속되는 계약보증금과 기납부분에 대한 미지급액을 상계 처리할 수 있다.

⑤ 계약상대자가 납부한 계약보증금은 계약이 이행된 후에 계약상대자의 청구에 의하여 반환한다.

제9조(수량변경) 계약담당공무원은 필요에 따라 계약된 물품의 수량을 100분의 10 범위 내에서 변경할 수 있다. 다만, 계약담당공무원이 해당 물품의 수급상황 등을 고려하여 부득이하다고 판단하는 경우 계약상대자의 동의를 얻어 100분의 10 범위를 초과하여 계약수량을 변경시킬 수 있다. <개정 2015.9.21.>

제10조(계약이행상의 감독) ① 계약담당공무원은 계약의 적정한 이행을 확보하기 위하여 필요하다고 인정하는 경우에는 물품의 제조를 위하여 사용하는 재료 및 기타 제조공정에 대하여 감독할 수 있으며 계약상대자에 대하여 필요한 조치를 요구할 수 있다.

② 계약상대자는 발주기관의 감독업무수행에 협력하여야 하며, 발주기관은 감독업무를 수행함에 있어서 계약상대자의 업무를 부당하게 방해하여서는 아니된다.

제11조(물가변동으로 인한 계약금액의 조정) ① 물가변동으로 인한 계약금액의 조정은 시행령 제64조 및 시행규칙 제74조에서 정한 바에 의한다.

② 동일한 계약에 대한 계약금액의 조정시 품목조정율 및 지수조정율을 동시에 적용하여서는 아니되며, 계약을 체결할 때에 계약상대자가 지수조정율 방법을 원하는 경우 외에는 품목조정율 방법으로 계약금액을 조정하도록 계약서에 명시하여야 한다. 이 경우 계약이행중 계약서에 명시된 계약금액 조정방법을 임의로 변경하여서는 아니된다.

③ 제1항에 의하여 계약금액을 증액하는 경우에는 계약상대자의 청구에 의하여야 하고, 계약상대자는 제22조에 의한 완납대가(장기계속계약의 경우에는 각 차수별 완납대가) 수령전까지 조정신청을 하여야 조정금액을 지급받을 수 있으며, 조정된 계약금액은 직전의 물가변동으로 인한 계약금액조정기준일부터 90일 이내에 이를 다시 조정할 수 없다. 다

만, 천재·지변 또는 원자재의 가격급등으로 해당 기간내에 계약금액을 조정하지 아니하고는 계약이행이 곤란하다고 인정되는 경우에는 계약을 체결한 날 또는 직전 조정기준일로부터 90일 이내에도 계약금액을 조정할 수 있다.

④ 계약상대자는 제3항에 의하여 계약금액의 증액을 청구하는 경우에는 계약금액조정내역서를 첨부하여야 한다.

⑤ 발주기관은 제1항 내지 제4항에 의하여 계약금액을 증액하는 경우에는 계약상대자의 청구를 받은 날부터 20일 이내에 계약금액을 조정하여야 한다. 이 경우 예산배정의 지연 등 불가피한 사유가 있는 경우에는 계약상대자와 협의하여 그 조정기한을 연장할 수 있으며, 계약금액을 증액할 수 있는 예산이 없는 때에는 제조량 등을 조정하여 그 대가를 지급할 수 있다. <개정 2011.5.13.>

⑥ 계약담당공무원은 제4항 및 제5항에 의한 계약상대자의 계약금액조정 청구내용이 일부 미비하거나 분명하지 아니한 경우에는 지체없이 필요한 보완요구를 하여야 하며, 이 경우에는 계약상대자가 보완요구를 통보받은 날부터 발주기관이 그 보완을 완료한 사실을 통지받은 날까지의 기간은 제5항에 의한 기간에 산입하지 아니한다. 다만, 계약상대자의 계약금액조정 청구내용이 계약금액 조정요건을 충족하지 않았거나 관련 증빙서류가 첨부되지 아니한 경우에는 그 사유를 명시하여 계약상대자에게 해당 청구서를 반송하여야 하며, 이 경우에 계약상대자는 그 반송사유를 충족하여 계약금액조정을 다시 청구하여야 한다.

제11조의2(기타 계약내용의 변경으로 인한 계약금액의 조정) ① 계약담당공무원은 물품구매(제조)계약에 있어서 제11조에 의한 경우 이외에 다음 각 호의 어느 하나의 사유로 인하여 계약금액을 조정할 필요가 있는 경우에는 그 변경된 내용에 따라 실비를 초과하지 아니하는 범위내에서 이를 조정한다.

1. 최저임금법에 따른 최저임금을 시간당 노무비 단가로 정한 경우에 최저임금이 변경된 경우
2. 기타 계약내용이 변경된 경우

② 제1항의 경우에는 시행령 제65조제6항을 준용한다.

③ 계약담당공무원은 제1항에 의하여 계약금액을 조정하는 경우에는 계약상대자의 계약금액조정 청구를 받은 날부터 30일 이내에 계약금액을 조정하여야 한다. 이 경우 예산배정의 지연 등 불가피한 경우에는 계약상대자와 협의하여 그 조정기한을 연장할 수 있으며, 계약금액을 조정할 수 있는 예산이 없는 때에는 업무량 등을 조정하여 그 대가를 지급할 수 있다.

④ 계약담당공무원은 제3항에 의한 계약상대자의 계약금액조정 청구내용이 부당함을 발견한 때에는 지체없이 보완요구 등의 필요한 조치를 하여야 한다. 이 경우 계약상대자가 보완요구 등의 조치를 통보받은 날부터 발주기관이 그 보완을 완료한 사실을 통지받은 날까지의 기간은 제3항의 기간에 산입하지 아니한다.

⑤ 제3항에 의한 계약상대자의 계약금액조정 청구는 제22조에 의한 완료대가(장기계속계약의 경우에는 각 차수별 완료대가) 수령 전까지 하여야 한다.

[본조신설 2014.4.1.]

제12조(납품) ① 계약상대자는 계약서에 정한 납품기일까지 해당물품(검사에 필요한 서류 등을 포함한다)을 「산업표준화법」 제24조에 따른 한국산업표준(특별한 사유가 없는 한 「물류정책기본법」 제24조에 따른 물류표준을 포함한다)을 준수하여 계약담당공무원이 지정한 장소에 납품하여야 한다.

② 제1항에 의하여 납품된 물품을 검사·수령하기까지 발주기관의 책임없는 사유로 인하여 발생된 물품의 망실·파손 등은 계약상대자의 부담으로 한다.

③ 계약담당공무원이 필요에 따라 분할납품을 요구하거나, 계약상 분할납품이 허용된 경우를 제외하고는 분할납품을 할 수 없다.

제13조(규격) ① 모든 물품의 규격은 계약상 명시된 규격명세, 규격번호 및 발주기관이 제시한 견품의 규격을 충족하여야 하며, 구매목적에 맞는 신품이어야 한다.

② 계약상 규격이 명시되어 있지 아니한 경우에는 상관습과 기술적 타당성 및 구매규격 등에 부합하는 물품이어야 한다.

③ 예비부속품으로서 기계·기구를 완성하는데 필요한 조립비는 물품가격에 포함되어 있는 것으로 간주한다. 다만, 계약에 부속품으로 기계, 기구를 완성하는데 필요한 조립비가 별도로 표시되어 있는 경우에는 그러하지 아니하다.

제14조(포장 및 품목표시) ① 포장은 계약조건과 계약규격서에 규정된 포장조건에 따라야 하며 내용물의 보전에 충분하여야 한다.

② 기계의 모체와 분리하여 부속품 또는 예비부속품을 포장할 때에는 관련 참조번호 및 기호 등을 명기한 꼬리표를 붙여야 한다.

③ 계약상대자는 대한민국 외에서 제조된 계약물품을 납품하고자 할 때에는 관세청장이 고시한 원산지제도 운영에 관한 고시 및 산업통상자원부장관이 고시한 대외무역관리규정에 의하여 원산지를 해당 물품에 표시하여야 한다.

제15조(포장명에 표기할 사항) 물품의 포장면에는 다음 각 호의 사항을 명기하여야 한다.

1. 제작자 상호 및 계약상대자 상호
2. 계약번호
3. 품명 및 물품저장번호
4. 포장내용물의 일련번호 및 수량
5. 순무게, 총무게 및 부피
6. 취급시 주의사항
7. 기타 계약상 요구되는 표기

제16조(표기) ① 납품한 물품에는 계약상 규격서에 규정된 포장외에 제작자명 또는 상표와 발주기관이 정한 관수품 표시를 하여야 한다.

② 표지는 물품의 형태 또는 성질에 따라 인쇄, 금속판 첩찰, 꼬리표 또는 기타 방법에 의하여 표시하여야 한다.

③ 물품에 표기하여야 할 표지는 그 물품의 지구성과 같아야 하며 포장의 표지는 목적된

장소에 도착할 때까지 선명하여야 한다.

제17조(포장명세서) ① 계약상대자는 납품할 때 포장내용물에 관하여 상세히 기재한 포장명세서를 제출하여야 한다.

② 포장명세서에는 포장번호, 포장수, 포장품명, 수량, 순무게, 부피 등을 기명하여야 한다.

③ 포장에는 포장명세서 1통을 첨부하여야 한다. 다만, 드럼통 등 명세서를 첨부하기 어려운 것에는 용기에 기명하여야 한다.

제18조(사용 및 취급주의서) 계약상대자는 사용 및 취급상의 주의가 필요하다고 생각될 때에는 그 물품의 사용, 보관, 수리 등의 요령과 주의사항을 명기한 주의서를 제출하여야 한다.

제19조(검사) ① 계약상대자는 계약이행을 완료한 때에는 그 사실을 서면으로 계약담당공무원에게 통지하고 필요한 검사를 받아야 한다. 기납부분에 대하여 완납 전에 대가의 전부 또는 일부를 지급하고자 할 때에도 또한 같다.

② 「산업표준화법」 제15조에 따라 인증을 받은 제품, 같은 법 제31조의4제2항에 따라 수상자로 선정된 기업 등이 제조한 물품, 「조달사업에 관한 법률」 제3조의4에 따라 조달청장이 고시한 품질관리능력 평가기준에 적합한 자가 제조한 물품에 대하여는 제1항에도 불구하고 검사를 면제하여야 한다. 다만, 해당 물품이 국민의 생명 보호, 안전, 보건위생 등을 위하여 검사가 필요하다고 인정되거나 불량 자재의 사용, 다수의 하자 발생, 관계 기관의 결함보상명령 등으로 품질의 확인이 필요한 것으로 인정되어 계약의 내용에 검사를 실시한다는 사항이 포함되도록 한 경우에는 그러하지 아니하다. <개정 2015.9.21, 2019.12.18.>

③ 계약담당공무원은 제1항의 통지를 받은 때에는 검사와 관련된 규정 및 다음 각 호의 요령에 따라 계약서 기타 관계서류에 의하여 그 날로부터 14일 이내에 계약상대자의 입회하에 그 이행을 확인하기 위한 검사를 하여야 한다. 다만, 천재·지변 등 불가항력인 사유로 인하여 검사를 완료하지 못한 경우에는 해당 사유가 존속되는 기간과 해당 사유가 소멸된 날로부터 3일까지는 이를 연장할 수 있다.

1. 검사는 계약담당공무원이 품질, 수량, 포장, 표기상태, 포장명세서, 품질식별기호 등에 관하여 행한다.
2. 계약담당공무원은 물품을 신규로 제조할 필요가 있거나 물품의 성질상 제조과정이 중요한 경우에는 제조과정에서 검사를 할 수 있다.
3. 계약상대자는 검사를 받기 위하여 발주기관이 지정하는 장소에 물품을 반입하였을 때에는 계약담당공무원에게 즉시 반입통지를 하여야 한다.
4. 검사에 필요한 일체의 비용과 검사를 하기 위한 변형, 소모, 파손 또는 변질로 생기는 손상은 계약상대자의 부담으로 한다.

④ 계약담당공무원은 제3항의 검사에 있어서 계약상대자의 계약이행 내용의 전부 또는 일부가 계약에 위반되거나 부당함을 발견한 때에는 필요한 시정조치를 할 수 있다. 이 경우에는 계약상대자로부터 그 시정을 완료한 사실을 통지받은 날로부터 제3항의 기간을 계산한다.

⑤ 제3항에 따른 검사에 합격하지 못하여 계약이행기간이 연장될 때에는 계약담당공무원

은 제24조에 의한 지체상금을 부과한다.

⑥ 계약상대자는 제3항에 의한 검사에 입회·협력하여야 한다. 계약상대자가 입회를 거부하거나 검사에 협력하지 아니함으로써 발생하는 지체에 대하여는 제4항 및 제5항을 준용한다.

⑦ 계약상대자는 제3항 및 제4항에 의한 검사에 이의가 있을 때에는 재검사를 요청할 수 있다. 이 경우 계약담당공무원은 지체없이 검사를 하여야 한다.

⑧ 계약담당공무원은 검사를 완료한 때에는 그 결과를 서면으로 계약상대자에게 통지하여야 한다.

⑨ 제3항에도 불구하고 「재난 및 안전관리 기본법」 제3조제1호의 재난이나 경기침체, 대량실업 등으로 인한 국가의 경제위기를 극복하기 위해 기획재정부장관이 기간을 정하여 고시한 경우에는 제3항의 14일을 7일로 본다. <신설 2020.4.20.>

제20조(특허권 등의 사용) 계약상대자는 해당 계약의 이행에 제3자의 권리의 대상으로 되어 있는 특허권 등을 사용할 때에는 그 사용에 관한 일체의 책임을 져야 한다. 다만, 계약문서에 지정되지 않은 특허권 등의 사용을 발주기관이 요구한 경우에는 발주기관은 소요된 비용을 계약상대자에게 지급하여야 한다.

제21조(보증) ① 계약상대자는 검수와는 별도로 납품 후 1년간 납품한 물품의 규격과 품질이 계약내용과 동일함을 보증하여야 한다.

② 계약담당공무원은 납품 후 1년 이내 납품한 물품의 규격과 품질이 계약내용과 상이함을 발견한 때에는 그 사실을 계약상대자에게 통지하고 해당물품의 대체납품 또는 해당물품대금을 반환하도록 청구할 수 있다.

③ 계약상대자는 제2항의 통지를 받으면 조속히 해당 물품을 계약조건에 따라 대체납품하여야 한다. 이 경우에 모든 대체물품가격과 이에 따르는 경비는 계약상대자의 부담으로 한다.

④ 제3항의 대체물품에 대하여는 제1항을 적용한다.

⑤ 계약상대자가 계약담당공무원이 요구한 물품의 대체를 거부하거나, 계약담당공무원이 통지를 한 후, 소정기일 내에 물품의 대체납품을 하지 못할 때에는 계약상대자는 해당 물품가격을 발주기관에 반납하여야 한다.

제22조(대가의 지급) ① 계약상대자는 계약이행을 완료한 후 제19조에 의한 검사에 합격한 때에는 대가지급청구서(하수급인에 대한 대금지급 계획을 첨부하여야 한다)를 제출하는 등 소정절차에 따라 대가지급을 청구할 수 있다. <개정 2011.5.13.>

② 계약담당공무원은 제1항에 따른 청구를 받은 때에는 그 청구를 받은 날로부터 5일(공휴일 및 토요일은 제외한다. 이하 이조에서 같다) 이내에 그 대가를 지급(「전자조달의 이용 및 촉진에 관한 법률」 제9조의2제1항에 따른 시스템을 통한 지급 포함. 이하 이 조에서 같다.)하여야 하며, 동 대가지급기한에도 불구하고 자금사정 등 불가피한 사유가 없는 한 최대한 신속히 대가를 지급하여야 한다. 다만, 계약상대자와의 합의에 의하여 5일을 초과하지 아니하는 범위 안에서 대가의 지급기간을 연장하는 특약을 정할 수 있다. <개정 2009.7.3, 2019.12.18.>

③ 천재·지변 등 불가항력의 사유로 인하여 대가를 지급할 수 없게 된 경우에는 계약담당공무원은 해당 사유가 존속되는 기간과 해당 사유가 소멸된 날로부터 3일까지는 대가의 지급을 연장할 수 있다.

④ 계약담당공무원은 기성부분 또는 기납부분에 대한 대가를 지급하는 경우에 제2항에도 불구하고 계약수량, 이행의 전망, 이행기간 등을 고려하여 최소한 매 30일마다 공평하게 지급하여야 하며 제19조제3항에 의한 검사를 한 후 계약상대자의 청구를 받은 날로부터 5일 이내에 지급하여야 한다. <개정 2009.7.3.>

⑤ 계약담당공무원은 제2항 및 제4항에 따른 대가지급시 제1항의 대금지급 계획상의 하수급인에게 대가지급 사실을 통보하고 대금 수령내역(수령자, 수령액, 수령일 등) 및 증빙서류를 제출(「전자서명법」 제2조에 따른 전자문서에 의한 제출을 포함한다. 이하 제22조의2제1항에 따른 제출 및 통보에 있어 같다)하게 하여야 한다. <신설 2011.5.13.>

⑥ 계약담당공무원은 제1항 또는 제4항의 청구를 받은 후에 그 청구내용의 전부 또는 일부가 부당함을 발견한 때에는 그 사유를 명시하여 계약상대자에게 해당 청구서를 반송할 수 있다. 이 경우에는 반송한 날로부터 재청구를 받은 날까지의 기간은 제2항 또는 제4항의 지급기간에 이를 산입하지 아니한다.

⑦ 제4항에 의하여 기성부분에 대한 대가를 지급하는 경우에는 제3조제1항 단서에 의한 산출내역서의 단가에 의하여 이를 계산한다.

⑧ 제2항에도 불구하고 「재난 및 안전관리 기본법」 제3조제1호의 재난이나 경기침체, 대량실업 등으로 인한 국가의 경제위기를 극복하기 위해 기획재정부장관이 기간을 정하여 고시한 경우에는 제2항의 5일을 3일로 본다. <신설 2020.4.20.>

제22조의2(하도급대금 지급 확인) ① 계약상대자는 제22조에 따른 대가를 지급받은 경우에는 15일 이내에 하도급대금을 하수급인에게 현금으로 지급(「전자조달의 이용 및 촉진에 관한 법률」 제9조의2제1항에 따른 시스템을 통한 지급 포함. 이하 이 조에서 같다.)하여야 하며, 하도급대금의 지급 내역(수령자, 지급액, 지급일 등)을 5일(공휴일 및 토요일은 제외한다) 이내에 발주기관에게 통보하여야 한다. <개정 2019.12.18.>

② 계약담당공무원은 제1항에 따른 대금 지급내역을 제22조제5항에 따라 하수급인으로부터 제출받은 대금 수령내역과 비교·확인하여야 한다.

③ 하도급거래 공정화에 관한 법률 제2조에 따라 동 법의 적용을 받지 않는 하도급계약에 대해서는 제1항 및 제2항을 적용하지 아니한다.(제22조제5항의 경우에도 같다)

[본조신설 2011.5.13.]

제22조의3(국민건강보험료 등의 사후정산) 계약담당공무원은 「정부 입찰·계약 집행기준」 제93조에 의하여 국민건강보험료 등을 사후정산 하기로 한 계약에 대하여는 제22조에 따른 대가 지급시 계약예규 「정부 입찰·계약 집행기준」 제94조에 따라 정산하여야 한다.

[본조신설 2012.1.1.]

제23조(대가지급지연에 대한 이자) ① 계약담당공무원은 대가지급청구를 받은 경우에 제22조

에 의한 대가지급기한(국고채무부담행위에 의한 계약의 경우에는 다음 회계년도 개시 후 「국가재정법」에 의하여 해당 예산이 배정된 날부터 20일)까지 대가를 지급하지 못하는 경우에는 지급기한의 다음날부터 지급하는 날까지의 일수(이하 "대가지급지연일수"라 한다)에 해당 미지급액에 대하여 지연발생 시점에 금융기관 대출평균금리(한국은행 통계월보상의 금융기관 대출평균금리를 말한다)를 곱하여 산출한 금액을 이자로 지급하여야 한다.

② 천재지변 등 불가항력적인 사유로 인하여 검사 또는 대가지급이 지연된 경우에 제19조제3항 단서 및 제22조제3항에 의한 지연기간은 제1항의 대가지급지연일수에 산입하지 아니한다.

제24조(지체상금) ① 계약상대자는 계약서에서 정한 납품기한 내에 물품을 납품하지 아니한 때에는 매 지체일수마다 계약서에서 정한 지체상금률을 계약금액(장기계속계약의 경우에는 연차별 계약금액)에 곱하여 산출한 금액(이하 "지체상금"이라 한다)을 현금으로 납부하여야 한다. 다만, 납부할 금액이 계약금액(제2항에 따라 기성부분 또는 기납부분에 대하여 검사를 거쳐 이를 인수한 경우에는 그 부분에 상당하는 금액을 계약금액에서 공제한 금액을 말한다)의 100분의 30을 초과하는 경우에는 100분의 30으로 한다. <단서신설 2018.12.31.>

② 계약담당공무원은 제1항의 경우에 기납부분에 대한 검사를 거쳐 해당 부분을 인수(인수하지 아니하고 관리·사용하고 있는 경우를 포함한다. 이하 이조에서 같다)한 때에는 그 부분에 상당하는 금액을 계약금액에서 공제한다. 기납부분의 인수는 성질상 분할할 수 있는 물품에 대한 완성부분으로서 인수하는 것에 한한다.

③ 계약담당공무원은 다음 각 호의 어느 하나에 해당되어 납품이 지체되었다고 인정할 때에는 그 해당일수를 제1항의 지체일수에 산입하지 아니한다.

1. 천재·지변 등 불가항력의 사유에 의한 경우
2. 계약상대자가 대체사용할 수 없는 중요 관급재료의 공급이 지연되어 제조공정의 진행이 불가능하였을 경우
3. 계약상대자의 책임 없이 납품이 지연된 경우로서 다음 각 목의 어느 하나에 해당하는 경우 <개정 2015.1.1.>
   가. 발주기관의 물품제작을 위한 설계도서 승인이 계획된 일정보다 지연된 경우(관련서류의 누락 등 계약상대자의 잘못을 보완하는 기간은 제외한다)
   나. 계약상대자가 시험기관 및 검사기관의 시험·검사를 위해 필요한 준비를 완료하였으나 시험기관 및 검사기관의 책임으로 시험·검사가 지연된 경우
   다. 설계도서 승인 후 발주기관의 요구에 의한 설계변경으로 인하여 제작기간이 지연된 경우
   라. 발주기관의 책임으로 제조의 착수가 지연되었거나 중단되었을 경우
4. 기타 계약상대자의 책임에 속하지 않은 사유로 인하여 지체된 경우

④ 계약담당공무원은 제1항에 의한 지체일수를 다음 각 호에 따라 산정하여야 한다.

1. 납품기한 내에 제12조제1항에 의하여 물품(검사에 필요한 서류를 포함한다. 이하 이항에서 같다)을 납품한 때에는 제19조에 의한 검사에 소요된 기간은 지체일수에 산입하지 아니한다. 다만, 납품기한 이후에 제19조제4항에 의한 시정조치를 한 때에는 시정조치를 한 날부터 최종 검사에 합격한 날까지의 기간(검사기간이 제19조제3항에서 정한 기간을 초과한 경우에는 동조에 정한 기간에 한한다. 이하 같다)을 지체일수에 산입한다.
2. 납품기한을 경과하여 물품과 검사서류를 제출한 때에는 납품기한 익일부터 검사(시정조치를 한 때에는 최종 검사)에 합격한 날까지의 기간을 지체일수에 산입한다.
3. 납품기한의 말일이 공휴일(관련 법령에 의하여 발주기관의 휴무일이거나 「근로자의 날 제정에 관한 법률」에 따른 근로자의 날(계약상대자가 실제 업무를 하지 아니한 경우에 한함)인 경우를 포함한다)인 경우 지체일수는 공휴일의 익일 다음날부터 기산한다. <개정 2018.12.31.>

⑤ 계약담당공무원은 제1항 내지 제4항에 의하여 산출된 지체상금을 계약상대자에게 지급될 대가, 대가지급지연에 대한 이자 또는 기타 예치금 등과 상계할 수 있다.

제25조(계약기간의 연장) ① 계약상대자는 제24조제3항 각 호의 어느 하나의 사유가 계약기간 내에 발생한 경우에는 계약기간 종료 전에 지체없이 계약담당공무원에게 서면으로 계약기간의 연장신청과 제4항에 의한 계약금액 조정신청을 함께 하여야 한다. 다만, 연장사유가 계약기간 내에 발생하여 계약기간 경과 후 종료된 경우에는 동 사유가 종료된 후 즉시 계약기간의 연장신청과 제4항에 의한 계약금액 조정신청을 함께 하여야 한다.

② 계약담당공무원은 제1항에 의한 계약기간연장 신청이 접수된 때에는 즉시 그 사실을 조사 확인하고 계약이 적절히 이행될 수 있도록 계약기간의 연장 등 필요한 조치를 하여야 한다.

③ 계약담당공무원은 제1항의 연장청구를 승인하였을 경우에는 제24조에 의한 지체상금을 부과하여서는 아니된다.

④ 제2항에 의하여 계약기간을 연장한 경우에는 그 변경된 내용에 따라 실비를 초과하지 아니하는 범위안에서 계약금액을 조정한다. <단서신설 2016.12.30., 단서삭제 2021.12.1.>

⑤ 계약담당공무원은 제1항 내지 제4항에도 불구하고 계약상대자의 의무불이행으로 인하여 발생한 지체상금이 시행령 제50조제1항에 의한 계약보증금상당액에 달한 경우로서 계약목적물이 국가정책사업 대상이거나 계약의 이행이 노사분규 등 불가피한 사유로 인하여 지연된 때에는 계약기간을 연장할 수 있다.

⑥ 제4항에 의한 계약기간의 연장은 지체상금이 계약보증금상당액에 달한 때에 하여야 하며, 연장된 계약기간에 대하여는 제24조에도 불구하고 지체상금을 부과하여서는 아니된다.

제26조(계약상대자의 책임있는 사유로 인한 계약의 해제 또는 해지) ① 계약담당공무원은 계약상대자가 다음 각 호의 어느 하나에 해당하는 경우에는 해당 계약의 전부 또는 일부를 해제 또는 해지할 수 있다. 다만, 제3호의 경우 계약상대자의 계약이행 가능성이 있고 계약을 유지할 필요가 있다고 인정되는 경우로서 계약상대자가 계약이행이 완료되지 아니

한 부분에 상당하는 계약보증금(당초 계약보증금에 제24조제1항에 따른 지체상금의 최대 금액을 더한 금액을 한도로 한다)을 추가납부하는 때에는 계약을 유지한다. <개정 2010.9.8, 2018.12.31.>

1. 계약서상의 납품기한(또는 연장된 납품기한)내에 계약상대자가 계약된 규격 등과 같은 물품납품을 거부하거나 완료하지 못한 때
2. 계약상대자의 귀책사유로 인하여 납품기일 내에 납품할 가능성이 없음이 명백하다고 인정될 경우
3. 제24조제1항에 의한 지체상금이 시행령 제50조제1항에 의한 해당 계약의 계약보증금상당액에 달한 경우
4. 장기물품제조 등의 계약에 있어서 제2차이후의 계약을 체결하지 아니하는 경우
5. 계약의 수행중 뇌물수수 또는 정상적인 계약관리를 방해하는 불법·부정행위가 있는 경우
6. 입찰에 관한 서류 등을 허위 또는 부정한 방법으로 제출하여 계약이 체결된 경우
7. 기타 계약조건을 위반하고 그 위반으로 인하여 계약의 목적을 달성할 수 없다고 인정될 경우

② 계약담당공무원은 제1항에 의하여 계약을 해제 또는 해지할 때에는 그 사실을 해당 계약상대자에게 통지하고 기납부분 검사를 필한 물품을 기납부분으로서 인수한 경우에는 해당부분에 상당하는 대가를 계약상대자에게 지급한다.

③ 계약상대자는 계약상 기한내에 해당물품을 납품할 수 없다고 인정될 때에는 지체없이 계약담당공무원에게 통지하여야 한다.

④ 제1항에 의하여 계약이 해제 또는 해지된 경우에 계약상대자는 지급받은 선금에 대하여 미정산잔액이 있는 경우에는 그 잔액에 대한 약정이자상당액[사유발생 시점의 금융기관 대출평균금리(한국은행 통계월보상의 대출평균금리를 말한다)에 의하여 산출한 금액]을 가산하여 발주기관에 상환하여야 한다.

제27조(사정변경에 의한 계약의 해제 또는 해지) ① 발주기관은 제26조제1항 각호의 경우외에 다음 각 호의 사유와 같이 객관적으로 명백한 발주자의 불가피한 사정이 발생한 때에는 계약을 해제 또는 해지할 수 있다. <개정 2021.12.1.>

1. 정부정책 변화 등에 따른 불가피한 사업취소
2. 관계 법령의 제·개정으로 인한 사업취소
3. 과다한 지역 민원 제기로 인한 사업취소
4. 기타 공공복리에 의한 사업의 변경 등에 따라 계약을 해제 또는 해지하는 경우

② 발주기관은 제1항에 의하여 계약을 해제 또는 해지하는 경우에는 다음 각 호에 해당하는 금액을 해제 또는 해지한 날부터 14일 이내에 계약상대자에게 지급하여야 한다. 이 경우에는 제7조에 의한 계약보증금을 동시에 반환하여야 한다.

1. 제22조제4항의 대가 중 지급하지 아니한 금액
2. 전체 물품제조의 완성을 위하여 계약의 해제 또는 해지일 이전에 투입된 계약상대자의

인력·재료 및 장비의 철수비용

③ 계약상대자는 선금에 대한 미정산잔액이 있는 경우에는 이를 발주기관에 상환하여야 한다. 이 경우에 계약담당공무원은 미정산잔액에 대한 이자는 가산하지 아니한다.

제28조(부정당업자의 입찰참가자격제한) 계약상대자가 시행령 제76조에 해당하는 경우에는 1월 이상 2년 이하의 범위 내에서 입찰참가자격 제한조치를 받게 된다.

제29조(기술지식의 이용 및 비밀엄수의무) ① 계약담당공무원은 사업목적 달성 또는 공공의 이익 등을 위해 필요하다고 인정되는 경우, 계약내용에 따라 계약상대자가 제출하는 각종 보고서, 정보, 기타자료 및 이에 의하여 얻은 기술지식(계약목적물의 내용에 포함되는 경우는 제외한다. 이하 이 조에서 "기술지식 등"이라 한다)의 전부 또는 일부를 계약상대자의 승인을 얻어 복사, 이용 또는 공개할 수 있다. <개정 2020.6.19.>

② 계약상대자는 해당계약을 통하여 얻은 모든 정보 또는 국가의 기밀사항을 계약이행의 전후를 막론하고 외부에 누설할 수 없다.

③ 계약담당공무원은 시장에서 거래되는 등 재산적 가치가 있는 기술지식 등을 제1항에 따라 복사·이용 또는 공개하려는 경우에는 계약상대자에게 정당한 이용대가를 지급하여야 한다. 이 경우 기술지식 등의 이용대가는 시장거래가격 등을 기초로 계약상대자와 협의하여 결정한다. <신설 2020.6.19.>

제29조의2(계약목적물의 지식재산권 귀속 등) 해당 계약에 따른 계약목적물에 대한 지식재산권은 발주기관과 계약상대자가 공동으로 소유하며, 별도의 정함이 없는 한 지분은 균등한 것으로 한다. 이와 관련한 자세한 사항은 계약예규 「용역계약일반조건」 제35조의2, 제35조의3 및 제35조의4를 준용한다.

[본조신설 2015.1.1.]

제30조(적격심사관련사항 이행) ① 시행령 제42조제1항 본문에 의한 물품을 제조·구매함에 있어 계약상대자는 계약예규 「적격심사기준」(발주관서의 장이 직접 적격심사요령을 작성한 경우 동 심사요령) 심사항목에 규정된 사항에 대하여 적격심사당시 제출한 내용대로 이행하여야 한다.

② 계약담당공무원은 제1항에 규정한 이행상황을 수시로 확인하여야 하며, 제출된 내용대로 이행이 되지 않고 있을 때에는 즉시 시정토록 조치하여야 한다.

제31조(분쟁의 해결) ① 물품계약의 수행 중 계약당사자간에 발생하는 분쟁은 협의에 의하여 해결한다.

② 제1항에 의한 협의가 이루어지지 아니할 때에는 법원의 판결 또는 「중재법」에 의한 중재에 의하여 해결한다. 다만, 「국가를 당사자로 하는 계약에 관한 법률」 제28조에서 정한 이의신청 대상에 해당하는 경우 국가계약분쟁조정위원회 조정결정에 따라 분쟁을 해결할 수 있다. <개정 2015.9.21.>

③ 제2항에도 불구하고 계약을 체결하는 때에 「국가를 당사자로 하는 계약에 관한 법률」 제28조의2에 따라 분쟁해결방법을 정한 경우에는 그에 따른다. <신설 2018.3.20.>

④ 계약상대자는 제1항부터 제3항까지의 분쟁처리절차 수행기간 중 물품계약의 수행을 중지하여서는 아니된다. <신설 2018.3.20.>

제32조(재검토기한) 「훈령·예규 등의 발령 및 관리에 관한 규정」에 따라 이 예규에 대하여 2016년 1월 1일 기준으로 매3년이 되는 시점(매 3년째의 12월 31일까지를 말한다)마다 그 타당성을 검토하여 개선 등의 조치를 하여야 한다. <개정 2015.9.21.>

부　　칙(2007.10.12)

이 회계예규는 2007년 10월 12일부터 시행한다.

부　　칙(2009.6.29)

제1조(시행일) 이 회계예규는 2009년 6월 29일부터 시행한다.

제2조(적용례) 제7조 개정규정은 이 예규 시행 후 입찰공고를 한 분부터 적용한다.

부　　칙(2009.7.3)

① **(시행일)** 이 회계예규는 2009년 7월 3일부터 시행한다.

② **(대가지급에 관한 적용례)** 제22조제2항 및 제4항의 규정은 대통령령 제21578호 국가를 당사자로 하는 계약에 관한 법률 시행령 일부개정령의 시행일(2009. 6.29) 이후 대가 지급을 청구하는 분부터 적용한다.

부　　칙(2009.9.21)

제1조(시행일) 이 회계예규는 2009년 9월 21일부터 시행한다.

부　　칙(2010.9.8)

제1조(시행일) 이 회계예규는 2010년 10월 22일부터 시행한다.

제2조(적용례) 이 회계예규 시행 후 입찰공고를 한 분부터 적용한다.

부　　칙(2011.5.13)

제1조(시행일) 이 계약예규는 2011년 5월 13일부터 시행한다.

제2조(적용례) 이 예규 시행일 이후 입찰공고를 한 분부터 적용한다.

부 칙(2012.1.1)

제1조(시행일) 이 계약예규는 2012년 1월 1일부터 시행한다.

제2조(적용례) 이 예규 시행일 이후 입찰공고를 한 분부터 적용한다.

부 칙(2012.7.4)

제1조(시행일) 이 계약예규는 2012년 7월 9일부터 시행한다.

제2조(적용례) 이 예규 시행일 이후 입찰공고를 한 분부터 적용한다.

부 칙(2014.4.1)

제1조(시행일) 이 계약예규는 2014년 4월 1일부터 시행한다.

제2조(적용례) 이 예규 시행일 이후 입찰공고를 한 분부터 적용한다.

부 칙(2015.1.1)

제1조(시행일) 이 계약예규는 2015년 1월 1일부터 시행한다.

제2조(적용례) 이 예규 시행일 이후 입찰공고를 한 분부터 적용한다.

부 칙(2015.9.21)

제1조(시행일) 이 계약예규는 2015년 9월 21일부터 시행한다.

부 칙(2016.12.30)

제1조(시행일) 이 계약예규는 2016년 12월 30일부터 시행한다.

제2조(적용례) 제25조의 개정규정은 이 계약예규 시행일 이후 최초로 입찰공고하는 분부터 적용한다.

부 칙(2018.3.20)

제1조(시행일) 이 계약예규는 2018년 3월 20일부터 시행한다.

제2조(적용례) 제31조의 개정규정은 이 예규 시행 후 최초로 입찰공고를 하거나, 체결하는 계약부터 적용한다.

부 칙(2018.12.31)

제1조(시행일) 이 계약예규는 2019년 1월 1일부터 시행한다.

제2조(일반적 적용례) 이 계약예규는 부칙 제1조에 따른 시행일 이후 입찰공고 하거나 계약체결 하는 경우부터 적용한다.

제3조(지체상금 부과 및 계약보증금 추가 납부 한도에 관한 적용례) 제24조제1항 및 제26조제1항의 개정규정은 2018년 12월 4일 이후에 계약기간이 만료되어 지체상금이 발생하는 경우부터 적용한다.

부 칙(2019.12.18)

제1조(시행일) 이 계약예규는 2020년 3월 18일부터 시행한다. 다만, 제19조의 개정규정은 2019년 12월 18일부터 시행한다.

제2조(적용례) 이 계약예규는 부칙 제1조에 따른 시행일 이후 입찰공고를 하거나 수의계약을 체결하는 분부터 적용한다.

부 칙(2020.4.20)

제1조(시행일) 이 계약예규는 2020년 5월 6일부터 시행한다.

부 칙(2020.6.19)

제1조(시행일) 이 계약예규는 2020년 9월 19일부터 시행한다.

부 칙(2021.12.1.)

제1조(시행일) 이 계약예규는 2021년 12월 1일부터 시행한다.

제2조(적용례) 이 계약예규는 부칙 제1조에 따른 시행일 이전에 입찰공고된 계약으로서 시행일 이후 제27조제1항에 따라 사정변경에 의해 계약을 해제 또는 해지하는 경우에 적용한다.

14 물품구매(제조)입찰유의서

[시행 2019.12.18.][기획재정부계약예규 제466호, 2019. 12. 18., 일부개정]

제1조(목적) 이 유의서는 정부(이하 "발주기관"이라 한다)가 행하는 물품의 구매·제조 및 기타 계약(매각 등 세입의 원인이 되는 계약은 제외한다)에 대한 입찰에서 해당 입찰에 참가하고자 하는 자가 유의해야 할 사항을 정함을 목적으로 한다.

제2조(용어의 정의) 이 유의서에서 사용하는 용어의 정의는 이 유의서에서 따로 정하는 경우를 제외하고는 「국가를 당사자로 하는 계약에 관한 법률 시행령」, 「국가를 당사자로 하는 계약에 관한 법률 시행규칙」, 「특정조달을위한국가를당사자로하는계약에관한법률시행령특례규정」(이하 각각 "시행령", "시행규칙" 및 "특례규정"이라 한다) 및 계약예규 「물품구매(제조)계약일반조건」(이하 "일반조건"이라 한다)에 정하는 바에 의한다.

제3조(입찰참가신청) ① 입찰에 참가하고자 하는 자는 입찰공고 또는 입찰참가통지서에 기재된 입찰참가신청마감일까지 다음 각 호의 서류를 발주기관에 제출하여 입찰참가신청을 하여야 한다.

1. 입찰참가신청서(소정양식) 1통
2. 입찰참가자격을 증명하는 서류 1통
3. 인감증명서 또는 「본인서명사실 확인 등에 관한 법률」 제2조제3호에 따른 본인서명사실확인서 1통 <개정 2016.12.30.>
4. 기타 공고 또는 통지로 요구하는 서류

② 제1항제2호의 경우에는 원본을 제시하거나 사본에 "원본과 같음"을 명기하고 인감(인감증명서상의 인감 또는 입찰참가신청서상의 사용인감)으로 날인(본인서명사실확인서를 제출한 경우는 서명)하여 제출하여야 한다. <개정 2016.12.30.>

제3조의2(입찰참가자격의 판단기준일) ① 시행령 제12조 및 제21조에 따른 등록·실적 등에 의한 입찰참가자격의 판단기준일은 시행규칙 제40조제4항에 의한 입찰참가신청서류의 접수마감일(이하 "입찰참가등록마감일"이라 한다)로 하며, 입찰참가자는 입찰참가등록마감일 이후 입찰서제출 마감일까지 해당 입찰참가자격을 계속 유지하여야 한다.

② 제1항에도 불구하고 시행령 제21조제1항제6호 및 시행규칙 제24조에 따라 지역제한경쟁입찰을 부치는 경우 법인등기부상 본점소재지 기준일(본점소재지가 변경된 경우 법인등기부상 본점소재지 변경일을 말한다.)은 입찰공고일 전일로 하며 계약체결일까지 계속 유지하여야 한다. <개정 2019.12.18.>

③ 입찰참가자가 시행령 제76조에 의한 입찰참가자격제한을 받은 경우에는 입찰참가등록 마감일 전일까지 입찰참가자격제한기간이 만료되어야 입찰에 참가할 수 있다.

④ 입찰전에 상호 또는 대표자의 변경(법인의 경우에는 법인 등기사항증명서를 기준으로 한다)이 있는 경우에는 변경신고를 한 후 변경된 상호 또는 대표자 명의로 입찰에 참가하여야 한다. <개정 2015.9.21.>

제4조(입찰에 관한 서류) ① 입찰에 참가하고자 하는 자는 다음 각 호의 서류(이하 “입찰에 관한 서류”라 한다)를 열람할 수 있으며 추정가격이 고시금액 이상인 물품의 경우에는 이를 교부받을 수 있다.

1. 입찰공고문 또는 입찰참가통지서
2. 물품구매(제조)입찰유의서
3. 입찰참가신청서(소정서식)
4. 입찰서(소정서식)
5. 물품구매(제조)표준계약서(소정서식)
6. 물품구매(제조)계약일반조건
7. 물품구매(제조)계약특수조건
8. 기타 참고사항을 기재한 서류

② 발주기관은 제1항의 입찰에 관한 서류를 교부하는 경우에는 입찰공고 등에서 정한 금액을 납부할 것을 요구할 수 있으며, 이 경우에는 입찰에 참가하고자 하는 자는 이에 따라야 한다.

제5조(관계법령 등의 숙지) ① 입찰에 참가하고자 하는 자는 시행령 등의 입찰에 관련된 법령 및 제4조제1항에 의한 입찰에 관한 서류를 입찰전에 완전히 숙지하여야 하며 이를 숙지하지 못한 책임은 입찰참가자에게 있다.

② 입찰에 참가하고자 하는 자는 제1항에 의한 입찰에 관한 서류의 검토과정에서 발견한 입찰에 관한 서류상의 착오, 누락사항 또는 기타설명이 요구되는 사항에 대하여는 입찰서 제출마감일까지 발주기관에 그 설명을 요구할 수 있다.

제6조(입찰보증금) ① 입찰에 참가하고자 하는 자는 입찰신청마감일(공휴일인 때에는 전일)까지 입찰금액의 100분의 5 이상의 입찰보증금을 시행령 제37조제2항에 규정된 현금 또는 보증서 등으로 발주기관에 납부하여야 한다.

② 낙찰자가 정당한 이유없이 소정의 기한내에 계약을 체결하지 아니할 때에는 계약담당공무원은 해당 입찰보증금을 국고에 귀속한다. <개정 2016.12.30.>

③ 계약담당공무원(각 중앙관서의 장이 계약에 관한 사무를 그 소속공무원에게 위임하지 아니하고 직접 처리하는 경우에는 이를 계약담당공무원으로 본다. 이하 같다)은 낙찰되지 아니한 입찰자의 입찰보증금을 낙찰자가 결정된 후 즉시 반환한다. 다만, 낙찰자의 입찰보증금은 계약체결 후 즉시 반환한다.

④ 계약담당공무원은 다음 각 호의 어느 하나에 해당하는 경우에는 입찰보증금 납부를 면제할 수 있다.

1. 시행령 제37조제3항제1호 내지 제4호, 제5의2호 및 제6호에 정한 자가 입찰에 참가하는 경우
2. 「식품위생법」 또는 「약사법」 등 제조업관련 법령에 의하여 국가기관 등으로부터 면허·허가 등을 받았거나 등록·신고 등을 마친 자로서 입찰참가신청마감일 현재 해당 제조업을 영위하고 있는 법인이 입찰에 참가하는 경우. 다만, 다음 각 목의 어느 하나에 해당하는 자는 제외한다. <단서신설 2010.4.15, 개정 2019.12.18.>
   가. 입찰공고일 이전 1년 이내에 시행령 제76조제1항제2호가목의 사유로 입찰참가자격 제한을 받은 자(입찰참가자격 제한 기간 중인 경우를 포함한다) <신설 2019.12.18.>
   나. 계약체결을 기피할 우려가 있어 각 중앙관서의 장 또는 계약담당공무원이 입찰공고에 명시한 요건에 해당하는 자 <신설 2019.12.18.>

⑤ 보증서 등에 의한 입찰보증금의 보증기간은 다음 각 호를 충족하여야 한다.

1. 보증기간의 초일 : 입찰서 제출마감일 이전일 것
2. 보증기간의 만료일 : 입찰서 제출마감일 다음날부터 30일 이후일 것

제7조(입찰참가) ① 입찰참가신청을 한 자가 아니면 입찰에 참가할 수 없다.

② 입찰참가신청자가 입찰참가신청서 제출시 대리인을 지정한 경우에는 그 대리인도 입찰에 참가할 수 있다. 다만, 입찰참가신청서를 제출하는 때부터 입찰개시 시각전까지 입찰대리인을 지정하거나 입찰대리인을 변경하는 경우에는 그 대리인이 입찰에 참가할 수 있다.

③ 제2항에 의한 대리인의 자격은 입찰참가자가 법인인 경우에는 해당 법인의 임·직원에 한하며, 계약담당공무원은 재직증명서와 다음 각 호의 자료에 의해서 임·직원 여부를 확인하여야 한다. 다만, 2개 이상 법인의 임·직원인 자는 1개 법인의 대리인만 입찰에 참가할 수 있다. <개정 2009.9.21, 2010.1.4, 2015.9.21.>

1. 4대 보험 중 어느 하나의 가입 증명자료(최근 3개월 이내) <신설 2009.9.21.>
2. 소속 법인에서 받은 급여와 관련하여 해당 법인에서 발급받은 소득세 납부 증명자료 <신설 2009.9.21.>
3. 법인 등기사항증명서 <신설 2009.9.21, 개정 2015.9.21.>
4. 기타 임·직원 여부를 확인할 수 있는 자료 <신설 2009.9.21.>

④ 시행령 제76조에 의한 부정당업자로 입찰참가자격을 제한받고 있는 자는 제2항에 의한 대리인이 될 수 없다.

제8조(입찰서의 작성) ① 입찰자는 입찰서를 소정의 서식에 의하여 작성하여야 하며, 입찰금액은 총액입찰인 경우에는 총액을, 단가입찰인 경우에는 단가를 표기하여야 한다.

② 입찰자는 입찰서에 납품기한을 명기하여야 하며 견품을 제출할 때에는 그 사실을 기재하여야 한다.

③ 입찰자는 입찰서에 기명날인을 함에 있어 반드시 입찰자 성명(법인의 경우 대표자 성명)을 기재하고 입찰참가신청서 제출시 신고한 인감(서명을 포함한다. 이하 같다)으로 날인하여야 한다. <개정 2016.12.30.>

④ 입찰자는 입찰서의 기재사항 중 삭제 또는 정정한 곳이 있을 때에는 입찰에 사용하는 인감으로 날인하여야 한다.

⑤ 입찰자는 입찰서를 입찰공고 또는 입찰참가통지서 등에 별도로 규정한 경우를 제외하고는 한글로 작성하여야 하며 입찰금액은 원화로 표기하여야 한다.

⑥ 입찰자는 입찰서의 금액표시를 한글 또는 한자로 기재하여야 하며 아라비아숫자로 병기할 수 있다. 이 경우에 아라비아숫자로 병기한 금액이 한글 또는 한자로 기재한 금액과 차이가 있을 때에는 한글 또는 한자로 기재한 금액에 의한다. 다만, 전산서식에 의한 입찰의 경우에는 지정된 표기방법으로 기재하여야 한다.

제9조(입찰서의 제출) ① 입찰자는 입찰서를 봉합하여 1인 1통만을 제출하여야 한다.

② 우편에 의한 입찰서는 입찰서 제출마감일 전일까지 발주기관에 도착된 것에 한하여 효력이 있다. 이 경우에 우송 중의 분실, 훼손 또는 지연에 대하여 발주기관은 책임을 지지 아니한다.

③ 계약담당공무원은 제2항에 의하여 우편으로 입찰서가 제출된 때에는 해당 입찰서의 봉투표면에 접수일시를 기재하고 확인인을 날인하여 개찰시까지 개봉하지 아니하고 보관하여야 한다.

④ 입찰자는 제출한 입찰서를 교환, 변경 또는 취소할 수 없다. 다만, 입찰서에 기재한 중요부분에 오기가 있음을 이유로 개찰현장에서 입찰자가 입찰의 취소의사를 표시한 것으로 계약담당공무원이 이를 인정하는 경우에는 취소가 가능하며, 시행령 제18조에 의한 2단계경쟁 등의 입찰에 있어 계약담당공무원은 규격입찰을 개찰한 결과 적격자가 없는 경우 또는 일부 경미한 사항의 규격보완을 조건으로 규격적합 판정을 하는 경우에는 규격입찰서를 변경하여 제출하게 할 수 있다.

제9조의2(경영상태 심사서류의 제출) ① 입찰에 참여하고자 하는 자는 「신용정보의 이용 및 보호에 관한 법률」 제4조제1항제1호 또는 「자본시장과 금융투자업에 관한 법률」 제9조제26항의 업무를 영위하는 신용정보업자로부터 평가받은 모든 공공기관 입찰용 신용평가등급을 해당 신용정보업자를 통해 평가완료 후 3일 이내에 조달청 나라장터에 전송하여야 한다. <개정 2015.9.21.>

② 조달청장은 분기별로 신용정보업자로부터 평가명세서를 제출받아 미전송 여부를 확인하여 해당 업체를 나라장터에 게재하고, 발주기관은 동 업체에 대해 「정부입찰·계약집행기준」 제98조에 따라 처리하며, 향후 1년간 시행령 제13조에 따른 입찰참가자격사전심사 및 시행령 제42조제1항에 따른 적격심사시 감점할 수 있다.

[본조신설 2012.7.4.]

제9조의3(청렴계약서의 제출) 입찰자는 입찰서를 제출할 때 시행령 제4조의2 및 정부입찰·계약집행기준 제98조의3에 따른 청렴계약서를 같이 제출하여야 한다.

[본조신설 2016.1.1.]

제10조(장기물품제조 등의 입찰) 장기물품제조 등의 경우에는 입찰자는 입찰시 총물품제조 등

을 대상으로 하여 입찰하여야 한다.

제11조(경쟁입찰의 성립) ① 경쟁입찰은 2인 이상의 유효한 입찰로써 성립한다.

② 계약담당공무원은 시행령 제18조제3항에 의하여 규격과 가격을 분리하여 입찰에 부치는 경우에는 시행령 제11조에 의하여 2인 이상의 유효한 입찰로 성립한 규격입찰의 개찰결과에서 규격적격자로 확정된 자가 1인인 경우에도 가격입찰서를 개봉할 수 있다.

제12조(입찰의 무효) 시행규칙 제44조에서 무효로 규정한 입찰 및 다음 각 호의 어느 하나에 해당하는 입찰은 무효로 한다.

1. 입찰자(법인의 경우 대표자를 말한다. 이하 같다)가 직접 입찰을 하지 아니하고 대리인을 통하여 입찰을 할 경우에는 제7조제2항에 의한 대리인이 아닌 자가 한 입찰 또는 대리권이 없는 자가 한 입찰
2. 동일사항에 대하여 타인의 대리를 겸하거나 2인 이상을 대리한 입찰
3. 입찰서의 입찰금액 등 중요한 부분이 불분명하거나 정정한 후 정정날인을 누락한 입찰
4. 담합하거나 타인의 경쟁참가를 방해 또는 관계공무원의 공무집행을 방해한 자의 입찰
5. 입찰자의 기명날인이 없는 입찰(입찰자의 성명을 기재하지 아니하고 대리인 성명 또는 회사명을 기재한 경우 및 입찰참가신청서 제출시 신고한 인감과 다른 인감으로 날인된 경우도 포함한다)
6. 입찰서에 기재한 중요부분에 착오가 있음을 이유로 개찰현장에서 입찰자가 입찰의 취소의사를 표시한 것으로서 계약담당공무원이 이를 인정한 입찰
7. 제16조제8항에 정한 해당 서류를 제출하지 아니한 입찰 <개정 2015.9.21.>
8. 제8조제1항 및 제6항에 위반하여 소정의 입찰서를 사용하지 않거나 입찰서의 금액을 아라비아숫자로만 기재한 입찰 또는 전산서식에 의한 입찰서를 훼손하거나 전산표기방법과 상이하게 작성, 기재하여 전산처리가 되지 아니한 입찰
9. 공동계약의 공동수급체구성원이 동일 입찰건에 대하여 공동수급체를 중복적으로 결성하여 참여한 입찰, 입찰등록시 공동수급표준협정서를 제출하지 아니한 입찰 및 공동계약운용요령 제9조를 위반한 입찰

제13조(견품의 제출) ① 입찰자는 입찰공고 등에서 견품의 제출을 요구하였거나 이의 제출이 필요하다고 인정할 때에는 견품을 제출하여야 한다. 이 때에는 견품의 품명, 입찰자의 주소, 성명(또는 상호) 및 입찰공고번호 등 필요한 사항을 기재하여야 한다.

② 계약담당공무원은 낙찰자의 견품을 계약이행 후, 낙찰자이외의 입찰자의 견품은 낙찰자결정 후 각각 1개월 이내에 해당 낙찰자 또는 입찰자의 요구에 의하여 반환한다. 이 경우에 발주기관의 책임없는 사유로 인하여 발생된 견품의 멸실, 훼손에 대해서는 발주기관은 책임을 지지 아니하며, 반환에 따른 경비는 낙찰자 또는 입찰자의 부담으로 한다. <개정 2009.9.21.>

제14조(입찰의 연기) ① 발주기관은 다음 각 호의 경우 입찰공고 또는 입찰참가통지서에 기재된 입찰서 제출마감일시를 연기할 수 있다.

1. 제5조제2항에 의한 설명요구사항의 내용이 중대하여 연기가 불가피하다고 판단되는 경우
2. 기타 불가피한 사유로 인하여 지정된 일시에 입찰 또는 개찰을 실시하지 못하는 경우

② 제1항에 의하여 입찰을 연기한 경우에는 그 연기사유와 기간을 입찰공고의 방법과 동일한 방법으로 공고 또는 통지하여야 한다.

제15조(재입찰 및 재공고입찰) ① 계약담당공무원은 경쟁입찰에서 2인 이상의 유효한 입찰자가 없거나 낙찰자가 없는 경우에는 재입찰에 부칠 수 있다. 이 경우에는 최초 입찰에의 참가유무 또는 입찰횟수의 제한을 받지 아니한다. <개정 2019.12.18.>

② 입찰자나 낙찰자가 없는 경우 또는 낙찰자가 계약을 체결하지 아니하는 경우에는 계약담당공무원은 재공고입찰에 부칠 수 있다.

③ 계약담당공무원은 시행령 제18조제3항에 의하여 규격과 가격을 분리하여 입찰에 부친 경우 가격입찰서를 개찰한 결과 낙찰자를 결정할 수 없는 경우로서 규격적격자가 2인 이상인 때에는 그 규격적격자에게 가격입찰서를 다시 제출하게 할 수 있다.

④ 제1항 내지 제3항에 의한 재입찰 또는 재공고입찰시에는 기한을 제외하고는 최초의 입찰에 부칠 때에 정한 가격 및 기타조건을 변경할 수 없다.

제16조(낙찰자의 결정) ① 계약담당공무원은 제12조에 해당하는 사유가 없는 자로서 시행령 제42조 등에 정한 낙찰자결정기준에 적합한 자를 낙찰자로 한다.

② 시행령 제17조에 따른 희망수량에 의한 일반경쟁입찰의 경우에는 유효한 입찰자 중 예정가격 이하의 최저단가 입찰자로부터 순차로 수요수량에 달할 때까지의 입찰자를 낙찰자로 한다. 다만, 최후순위의 낙찰의 수량이 다른 낙찰자의 수량과 합산하여 구매예정량을 초과할 때는 그 초과하는 수량에 대하여는 낙찰되지 아니한 것으로 본다.

③ 계약담당공무원은 개봉된 입찰서를 확인하고 유효한 입찰서의 입찰금액과 예정가격을 대조하여 지체없이 적격자를 낙찰자로 선정하여야 한다. 다만, 시행령 제42조제1항에 의하여 계약이행능력을 심사하여 낙찰자를 결정하는 등 낙찰자 결정에 장시간이 소요되는 경우에는 그러하지 아니할 수 있다.

④ 계약담당공무원은 제1항 내지 제3항에 의하여 낙찰자를 결정하기 전에 해당 입찰자의 입찰서, 법인 등기사항증명서(본사, 대표자 및 상호 등 변경여부 확인), 공동수급표준협정서 등 관계서류를 검토하여 해당 낙찰예정자의 입찰이 제12조에 따른 무효입찰에 해당되는지의 여부를 확인하여야 한다. <개정 2015.9.21.>

⑤ 계약담당공무원은 낙찰이 될 수 있는 동일가격으로 입찰한 자가 2인 이상인 때에는 다음 각 호에 따라 낙찰자를 결정한다.

1. 시행령 제17조에 따른 희망수량에 의한 경쟁입찰인 경우 : 입찰수량이 많은 입찰자를 낙찰자로 결정하되, 입찰수량도 동일한 때에는 추첨에 의하여 낙찰자를 결정
2. 시행령 제42조제1항에 따라 낙찰자를 결정하는 경우 : 이행능력 심사결과 최고점수인 자를 낙찰자로 결정하되, 이행능력 심사결과도 동일한 때에는 추첨에 의하여 낙찰자를 결정
3. 시행령 제42조제2항 본문에 따라 낙찰자를 결정하는 경우 : 추첨에 의하여 낙찰자를 결정

4. 시행령 제42조제3항에 따라 낙찰자를 결정하는 경우 : 규격 또는 기술우위자를 낙찰자로 결정하되, 규격 또는 기술평가 결과도 동일한 때에는 추첨에 의하여 낙찰자를 결정

⑥ 제5항에 의한 낙찰자 결정시에 입찰자 중 출석하지 아니한 자 또는 추첨을 하지 아니한 자가 있을 때에는 입찰사무에 관계없는 공무원으로 하여금 추첨을 대신하게 할 수 있다.

⑦ 제1항에도 불구하고 시행령 제44조제1항에 의해 기획재정부장관이 지정·고시하는 물품의 제조 또는 구매입찰에 있어서는 해당물품의 입찰가격외에 품질, 성능, 효율 등(이하 "품질 등"이라 한다)을 종합적으로 고려하여 가장 경제성이 있는 가격의 입찰자를 낙찰자로 한다. 이 경우 계약담당공무원은 해당물품의 품질 등의 평가기준을 기획재정부장관이 정하는 바에 따라 입찰전에 미리 결정하여 입찰자로 하여금 이를 열람하게 하여야 한다. <개정 2008.12.29.>

⑧ 계약담당공무원은 제7항에 의한 입찰시에는 입찰자로 하여금 해당물품의 품질 등 표시서를 입찰서에 첨부하게 하여야 한다.

⑨ 계약담당공무원은 입찰서와 함께 품질 등 표시서의 제출을 받은 경우에 제7항에 따라 입찰전에 미리 결정한 평가기준에 의하여 평가하되 특별한 사유가 없는 한 입찰 또는 개찰(우편입찰일 경우에 한한다)일로부터 10일 이내에 낙찰자를 결정하여야 한다.

⑩ 계약담당공무원은 낙찰자로 결정된 자가 계약체결 이전에 입찰무효 등 부적격자로 판명되어 낙찰자 결정이 취소된 경우로서 동 부적격자를 제외하고 2인 이상 유효한 입찰이 성립되어 있는 때에는 차순위자 순으로 필요한 심사 등을 실시하여 낙찰자를 결정한다.

제17조(계약의 체결) ① 낙찰자는 소정서식에 의한 구비서류 및 낙찰금액의 산출내역을 표시하는 내역서(이하 "산출내역서"라 한다)를 낙찰통지를 받은 후 7일 이내에 발주기관에 제출하고 10일 이내에 계약을 체결하여야 한다. 다만, 시행령 제9조제1항제2호에 의한 예정가격을 기준으로 계약을 체결하지 아니한 계약에 있어서는 계약담당공무원이 필요하다고 인정하는 경우에 그 산출내역서를 제출하게 할 수 있다.

② 제1항의 경우에 불가항력의 사유로 인하여 계약을 체결할 수 없는 경우에는 그 사유가 존속하는 기간은 이를 산입하지 아니한다.

③ 제1항에 의하여 발주기관과 계약을 체결하고자 하는 자는 관계법령 및 계약담당공무원이 요구하는 서류를 계약담당공무원에게 제출하여야 한다.

④ 계약담당공무원은 낙찰자가 정당한 이유없이 제1항에 의하여 계약을 체결하지 아니하는 때에는 낙찰을 취소할 수 있다

⑤ 계약담당공무원은 장기물품제조의 경우에 낙찰자와의 계약은 총물품 제조낙찰금액을 부기하고 해당연도 예산의 범위 안에서 제1차 물품제조에 대하여 계약을 체결하여야 한다. 이 경우에 제2차 물품제조 이후의 계약은 총물품제조낙찰금액(시행령 제64조 내지 제66조에 의한 계약금액의 조정이 있는 경우에는 조정된 총물품제조금액을 말한다.)에서 이미 계약된 금액을 공제한 금액의 범위 안에서 계약을 체결할 것을 부관으로 약정하여야 한다.

⑥ 제4항에 의하여 제1차 및 제2차 물품제조 이후의 계약금액은 총물품제조의 계약단가에 의한다. 이 경우 계약금액조정 등으로 인하여 산출내역서의 단가가 조정된 경우에는 조정된 계약단가에 의한다.

제18조(계약의 성립) 계약담당공무원과 낙찰자가 계약서에 기명·날인(외국인에 대하여 서명을 허용한 경우에는 서명을 포함한다)함으로써 계약은 확정된다.

제19조(입찰보증금의 계약보증금으로의 대체) ① 계약담당공무원은 낙찰자가 납부한 입찰보증금을 소정의 절차에 따라 계약보증금으로 대체할 수 있다.

② 제1항에 의한 대체는 계약이 성립한 때에 이루어진 것으로 본다.

제20조(부정당업자의 입찰참가자격제한) 입찰자 또는 낙찰자가 「국가를 당사자로 하는 계약에 관한 법률」 제27조 및 시행령 제76조에 해당하는 경우에는 1월 이상 2년 이하의 범위 내에서 입찰참가자격 제한조치를 받게 된다. <개정 2018.12.31.>

제21조(비밀유지 의무) 입찰자는 발주기관으로부터 배부받은 입찰에 관한 서류 또는 각종 자료 및 입찰과정에서 얻은 정보를 해당 입찰 이외의 목적으로 사용하여서는 아니된다.

제22조(이의신청) ① 추정가격이 1억 5천만원 이상인 물품의 입찰에 있어 다음 각 호의 어느 하나의 사유로 인하여 불이익을 받았다고 인정되는 자는 「국가를 당사자로 하는 계약에 관한 법률」(이하 "법"이라 한다) 제28조제2항 및 제4항에서 정한 바에 따라 이의신청을 할 수 있다. <개정 2018.12.31.>

1. 법 제28조제1항 각 호의 어느 하나에 정한 사유
2. 특례규정 제26조에서 정한 사유

제23조(기타사항) 입찰공고조건 및 이 유의서에 명시되지 아니한 기타의 사항에 대하여는 발주기관에서 정하는 바에 의한다.

제24조(재검토기한) 「훈령·예규 등의 발령 및 관리에 관한 규정」에 따라 이 예규에 대하여 2016년 1월 1일 기준으로 매3년이 되는 시점(매 3년째의 12월 31일까지를 말한다)마다 그 타당성을 검토하여 개선 등의 조치를 하여야 한다. <개정 2015.9.21.>

부　　칙(2007.10.12)

제1조(시행일) 이 회계예규는 2007년 10월 12일부터 시행한다.

제2조(낙찰자의 결정에 관한 적용례) 제16조제10항의 개정규정은 이 예규 시행 후 입찰공고를 한 분부터 적용한다.

부　　칙(2008.12.29)

제1조(시행일) 이 회계예규는 2008년 12월 29일부터 시행한다.

부　칙(2009.9.21)

제1조(시행일) 이 회계예규는 2009년 9월 21일부터 시행한다.

제2조(적용례) 이 예규 시행일 이후 입찰공고를 한 분부터 적용한다.

부　칙(2010.1.4)

이 회계예규는 2010년 1월 4일부터 시행한다.

부　칙(2010.4.15)

제1조(시행일) 이 회계예규는 2010년 4월 15일부터 시행한다.

제2조(적용례) 이 예규 시행일 이후 입찰공고를 한 분부터 적용한다.

부　칙(2012.7.9)

제1조(시행일) 이 계약예규는 2012년 7월 9일부터 시행한다.

제2조(적용례) 이 예규 시행일 이후 입찰공고를 한 분부터 적용한다.

부　칙(2012.9.22)

제1조(시행일) 이 계약예규는 2012년 9월 22일부터 시행한다.

부　칙(2014.1.10)

제1조(시행일) 이 계약예규는 2014년 1월 10일부터 시행한다.

제2조(적용례) 이 예규 시행일 이후 입찰공고를 한 분부터 적용한다.

]부　칙(2015.9.21)

제1조(시행일) 이 계약예규는 2015년 9월 21일부터 시행한다.

부　칙(2016.1.1)

제1조(시행일) 이 계약예규는 2016년 1월 1일부터 시행한다.

부　칙(2016.12.30)

제1조(시행일) 이 계약예규는 2017년 1월 1일부터 시행한다.

제2조(적용례) 제3조의 개정규정은 이 계약예규 시행일 이후 최초로 입찰참가신청을 접수하는 분부터 적용한다.

부　칙(2018.12.31)

제1조(시행일) 이 계약예규는 2019년 1월 1일부터 시행한다.

부　칙(2019.12.18)

제1조(시행일) 이 계약예규는 2020년 3월 18일부터 시행한다. 다만, 제6조, 제15조의 개정규정은 2019년 12월 18일부터 시행한다.

제2조(적용례) 이 계약예규는 부칙 제1조에 따른 시행일 이후 입찰공고를 한 분부터 적용한다.

15 종합계약집행요령

[시행 2015.9.21.][기획재정부계약예규 제255호, 2015.9.21, 일부개정]

제1조(목적 및 적용범위) ① 이 예규는 「국가를 당사자로 하는 계약에 관한 법률 시행령」(이하 "시행령"이라 한다) 제71조에 의한 종합계약의 체결방법 기타 필요한 사항을 정함을 목적으로 한다.

② 이 예규는 국가기관, 지방자치단체 또는 「공공기관의 운영에 관한 법률」 제4조 내지 제6조에 의한 공공기관(이하 "국가기관"이라 한다)이 집행하는 공사에 적용된다. <개정 2008.12.29.>

제2조(정의) 이 예규에서 사용하는 용어의 정의는 다음과 같다.

1. "종합계약"이라 함은 「국가를 당사자로 하는 계약에 관한 법률」 제24조에 의해 동일장소에서 서로 다른 국가기관 중 2개 기관 이상이 관련되는 공사 등에 대하여 관련기관협의체를 구성하여 공동으로 체결하는 계약을 말한다.
2. "간선시설공사"라 함은 다음과 같다.
   가. 공사기간동안 도로의 점용·굴착 또는 기타의 사유로 인해 교통체증, 소음 등을 유발함으로써 인근지역 주민들의 생활에 지장을 초래할 것이 예상되는 공사로 추정금액이 30억원 이상인 도로 등 토목공사와 추정금액이 10억원 이상인 전기·전기통신·가스·상하수도·교통안전시설·포장공사 등
   나. 「택지개발촉진법」, 「주택법」, 「산업입지 및 개발에 관한 법률」, 「도시 및 주거환경정비법」 등에서 규정하는 택지·주택단지·대지·공단조성지역 및 정비구역 등의 사업시행지역 내에서 집행하려는 도로등 토목공사와 전기·전기통신·가스·상하수도·교통안전시설·포장공사 등
3. "종합계약공사"라 함은 제4조에 의하여 조달청장이 종합계약에 의하는 것이 적합하다고 인정한 간선시설공사로서 도로관리청이 동 계약방식에 의할 것을 조건으로 허가·협의 또는 승인(이하 "허가"라 한다)하거나, 사업실시계획의 승인 또는 인가권자(이하 "인가권자"라 한다)가 동 계약방식에 의하도록 승인·인가(이하 "인가"라 한다)한 사업실시계획상의 간선시설공사를 말한다.
4. "관련기관협의체"라 함은 종합계획에 의하도록 허가·인가된 공사의 관련기관이 해당계약을 공동으로 집행하기 위해 잠정적으로 결성한 조직체를 말한다.
5. "지하구"라 함은 복수의 기관들이 각각 필요한 전기, 전기통신, 가스, 상하수도시설 등을 동시에 설치할 수 있도록 된 터널형태의 지하구조물을 말한다.

6. "도로관리청"이라 함은 「도로법」 제20조에 의한 도로관리청을 말한다.

제3조(사업계획서 등의 작성·제출) ① 제2조제2호 "가"목의 간선시설공사를 집행하려는 각 국가기관의 장은 「도로법 시행령」 제30조에 따라 도로관리청에 제출하는 도로점용에 관한 사업계획서에 다음 각 호의 사항을 명시하여야 한다.

1. 공사의 개요
2. 공사의 예상금액
3. 공사기간
4. 공사장의 위치
5. 기타 공사집행에 필요한 사항

② 제2조제2호 "나"목에 정한 사업시행지역 내에서 사업을 시행하려는 사업시행자 또는 사업시행주체는 간선시설공사 등의 관련기관들과 협의하여 사업의 실시계획서를 작성하고, 이를 인가권자에게 제출하여야 하며, 사업의 실시계획서에 간선시설공사 등에 대한 제1항 각호의 사항을 명시하여야 한다.

제4조(종합계약 적격여부 심사) ① 제3조제1항에 의하여 사업계획서를 제출받은 도로관리청은 동 사업계획서상 동일 도로에서 집행될 공사의 기간조정 등을 통하여 동시에 공사시행이 가능하다고 판단될 경우에는 그 대상공사 및 사업계획서를 조달청장에게 통보한다.

② 제3조제2항에 의하여 사업의 실시계획서를 제출받은 인가권자는 간선시설공사의 공사기간조정 등을 통하여 동시에 공사시행이 가능하다고 판단될 경우에는 그 대상공사 및 그 사업의 실시계획서를 조달청장에게 통보한다.

③ 조달청장은 제1항 및 제2항에 의하여 사업계획서 및 사업의 실시계획서를 통보받을 경우에는 종합계약에 의하는 것이 적합한지를 심사하여 그 결과를 도로관리청 및 인가권자에게 통보한다.

④ 도로관리청 또는 인가권자는 제3항에 의하여 종합계약에 의하는 것이 적합하다고 판단된 경우 종합계약에 의한 공사의 집행을 조건으로 도로점용을 허가하거나 사업의 실시계획을 인가한다.

⑤ 도로관리청 또는 인가권자는 간선시설공사를 지하구형태로 집행하는 것이 가능하거나 공동굴착이 기술상 가능하다고 판단될 경우에는 이에 의한 공사의 집행을 조건으로 허가 또는 인가한다.

제5조(관련기관협의체의 구성) ① 제4조에 의하여 종합계약에 의하여 공사를 집행하도록 된 기관들(이하 "관련기관들"이라 한다)은 종합계약의 집행을 위한 관련기관협의체를 구성하여야 한다.

② 관련기관협의체 구성기관들은 동 협의체를 대표하는 기관(이하 "대표관련기관"이라 한다)을 선임하여야 한다.

③ 제2항에 의한 선임은 원칙적으로 종합계약공사로 판정이 난 공사 중 도로공사가 있는 경우에는 도로공사를 집행하는 기관으로, 도로공사가 없는 경우에는 공사의 예상금액이

가장 높은 기관으로 한다.

④ 제2항에 의해 선임된 대표관련기관은 계약상대자 및 제3자에 대하여 관련기관협의체를 대표한다.

제6조(관련기관 협정서의 작성) ① 관련기관협의체는 제9조제1항에 의하여 계약을 체결하고자 하는 경우에는 관련기관 상호간의 권리, 의무 및 책임 등에 관하여 필요한 사항을 규정하기 위하여 관련기관협정서를 작성·비치하고 계약체결 요청시에는 그 1부를 조달청장에게 제출한다.

② 관련기관협의체는 제9조제2항에 의하여 직접 공사계약을 체결하고자 하는 경우, 관련기관협의체의 협의에 의해 대표기관집행방식과 공동집행방식 중 하나를 택일하고 이에 따라 별지 제1호 및 제2호를 참고하여 종합계약관련기관협정서를 작성한다.

제7조(종합집행계획서의 작성) ① 관련기관협의체는 각 관련기관의 사업계획서와 사업시행자의 사업실시계획서 등을 참고로 하여 다음 각 호의 내용이 포함된 종합집행계획서를 작성하여 기획재정부장관, 도로관리청장과 사업시행자에게 제출하도록 하며, 이 경우에는 종합집행계획서의 작성, 제출책임은 대표관련기관의 장이 진다.

1. 공사의 개요
2. 공사의 종합설계서 및 총 설계금액
3. 공사기간
4. 발주방법 및 발주예정시기
5. 공사장의 위치
6. 기타 공사집행에 필요한 사항

② 대표관련기관은 종합집행계획서의 원활한 작성을 위해 제14조제1항의 운영협의체의 계약업무담당자들과 협의하여야 한다.

제8조(예산배정 및 지출한도액 통지) 제7조에 의하여 종합집행계획서를 제출받은 기획재정부장관은 예산배정 및 지출한도액 통지를 함에 있어 해당 공사가 차질없이 집행될 수 있도록 협조한다.

제9조(계약체결) ① 관련기관협의체는 종합집행계획서 1부를 첨부하여 조달청장에게 계약체결을 요청하여야 한다.

② 관련기관협의체는 종합계약공사의 시공, 감독, 하자보수 등에 관한 기술적인 특수성 혹은 종합계약의 특수성을 고려하여 직접 공사계약을 체결함이 적합하다고 인정되는 공사로서 조달청장과 미리 협의한 경우에는 제1항에도 불구하고 직접 공사계약을 체결할 수 있다.

③ 조달청장은 제1항에 의하여 계약체결을 요청받은 때에는 「조달사업에 관한 법률 시행규칙」 제11조 내지 제15조에 의하여 계약업무를 집행하여야 한다.

제10조(입찰공고) ① 관련기관협의체는 시행령 제33조에 의한 입찰공고시에 시행령 제36조에서 정한 입찰공고의 내용에 더하여 해당 공사가 종합계약에 의한다는 것을 명시하여야 한다.

② 관련기관협의체는 입찰공고시 종합계약공사 중 2개 이상 공종의 복합공사로서 일괄발

주가 가능한 간선시설공사들은 일괄하여 복합공사로 발주할 수 있으며, 이 경우에는 특별한 사유가 없는 한 공동계약이 가능하다는 것을 입찰공고에 명시하여야 한다.

제11조(예정가격) 제9조제1항에 의하여 조달청장에게 계약체결이 요청된 경우에는 종합계약공사의 예정가격을 조달청장이 작성하며, 제9조제2항에 의하여 관련기관협의체가 직접계약을 체결하는 경우에는 대표관련기관이 제14조제1항의 운영협의체의 계약업무 담당자들과 협의하여 예정가격을 작성한다.

제12조(권리행사 및 의무의 이행) 각 관련기관은 관련기관협의체의 구성원으로서 이 예규 및 관련기관협정서에서 정하는 바에 따라 신의와 성실의 원칙에 따라 이를 이행하여야 한다.

제13조(정부의 위탁·보조를 받아 공사를 집행하는 자 등에의 준용) ① 국가기관의 위탁 또는 보조(총 공사금액의 100분의 30 이상의 보조를 받는 경우에 한한다)를 받아 공사를 집행하는 자가 시행하는 공사에 대하여도 이 요령을 준용한다.

② 도로관리청은 민간 가스공급업자들에 대하여도 필요하다고 인정될 경우에는 종합계약을 조건으로 도로점용을 허가할 수 있고, 이 요령을 준용할 수 있다.

제14조(운영협의체) ① 관련기관협의체는 각 구성기관의 장이 임명한 계약업무담당자를 위원으로 하는 운영협의체를 설치하여 계약의 집행에 관한 제반사항을 협의한다.

② 관련기관협정서에 규정되지 아니한 사항 및 구성기관간의 분쟁은 운영협의체에서 협의하여 처리하며, 구성기관 간에 합의가 이루어지지 않을 때에는 대표관련기관의 장이 결정한다.

제15조(보칙) 조달청장은 종합계약적격여부의 심사기준·심사기간·세부적인 예정가격의 결정방법·계약체결 위탁 경우에 각 관련기관별 공사비분담방법 등 이 예규에 정하여지지 않은 사항에 관하여 세부운영기준을 정할 수 있다.

제16조(재검토기한) 「훈령·예규 등의 발령 및 관리에 관한 규정」에 따라 이 예규에 대하여 2016년 1월 1일 기준으로 매3년이 되는 시점(매 3년째의 12월 31일까지를 말한다)마다 그 타당성을 검토하여 개선 등의 조치를 하여야 한다. <개정 2015.9.21.>

부 칙(2008.12.29)

제1조(시행일) 이 회계예규는 2008년 12월 29일부터 시행한다.

제2조(적용례) 이 예규 시행후 입찰공고를 한 분부터 적용한다.

부 칙(2009.9.21)

제1조(시행일) 이 회계예규는 2009년 9월 21일부터 시행한다.

부　칙(2012.7.4)

제1조(시행일) 이 계약예규는 2012년 7월 9일부터 시행한다.

제2조(적용례) 이 예규 시행일 이후 입찰공고를 한 분부터 적용한다.

부　칙(2012.9.21)

제1조(시행일) 이 계약예규는 2012년 9월 22일부터 시행한다.

부　칙(2014.1.10)

제1조(시행일) 이 계약예규는 2014년 1월 10일부터 시행한다.

제2조(적용례) 이 예규는 시행일 이후 입찰공고를 한 분부터 적용한다.

부　칙(2015.9.21)

제1조(시행일) 이 계약예규는 2015년 9월 21일부터 시행한다.

[별지 제1호] 관련기관표준협정서(대표기관집행방식)

제1조[목적] 이 협정서의 목적은 종합계약집행요령제6조제2항에 따라 아래의 종합계약공사를 집행함에 있어 관련기관중 대표관련기관과 여타 관련기관간에 공사의 계획, 발주, 입찰, 계약체결, 감독 및 준공검사, 대가지급등에 관한 사항을 협약함에 있다.

1. 공사명 :
2. 공사기간 :
3. 공사장의 위치 :
4. 공사의 총설계금액 :
5. 공사의 종합설계서 : 별첨

제2조[관련기관협의체] 관련기관협의체의 명칭, 사업소의 소재지는 다음 각 호와 같다.

1. 명 칭 :
2. 주사무소소재지 :

제3조[관련기관협의체의 관련기관] ① 관련기관협의체(이하 "협의체")의 관련기관은 다음 각 호와 같다.

1. 0 0 0 (계약업무담당자 :)
2. 0 0 0 (계약업무담당자 :)

② 협의체의 대표기관은 0 0 으로 한다.

제4조[책임] 대표기관은 단독으로 계약상대자가 되며 계약상대자 및 제3자에 대하여 협의체의 의무이행에 대하여 단독으로 책임을 진다.

제5조[효력기간] 본 협정서는 관련기관간의 서명과 더불어 발효하며 해당 계약의 이행으로 종결된다. 다만 본 협정서의 효력은 계약상대자 또는 제3자에 대하여 공사와 관련한 권리의 무관계가 남아있는 한 존속된다.

제6조[감독 및 검사] ① 공사의 감독 및 검사는 대표관련기관과 계약상대자간에 이루어지며, 대표관련기관은 여타 관련기관에 대하여 감독 및 검사의 내용에 대한 책임을 진다.

② 관련기관은 공사감독요원을 임명하여 공사현장에 파견하고 관련기관의 고유기술 및 기능에 대한 감독이 원활히 되도록 협조한다.

제7조[보증금의 부과 등] 대표관련기관은 계약상대자에게 각종 보증금을 부과하고 이를 수납, 보관한다.

제8조[대가지급] ① 선급금, 대가 등은 각 관련기관이 각자 관련이 있는 공사부분의 계약금액 비율에 따라 분담하며 각자의 분담분을 대표관련기관에게 지급한다.

② 이 경우 여타관련기관은 운영위원회의 합의에 따라 각자의 분담분에 운영협의체에서 합의된 일정비율을 곱한 금액을 공사의 부대비용으로 대표관련기관에 납부하여야 한다.

③ 대표관련기관은 국가를 당사자로 하는 계약에 관한 법령이 정하는 바에 따라서 계약상의 선급금, 대가 등을 계약상대자에게 지급한다.

제9조[하자담보책임] 협의체가 해산한 후 해당 공사에 관하여 하자가 발생하는 경우에는 대표관련기관이 계약상대자로 하여금 그 하자를 보수하게 하여야 한다.

[별지 제2호] 관련기관표준협정서(공동집행방식)

제1조[목적] 이 협정서의 목적은 종합계약집행요령 제6조제2항에 따라 아래의 종합계약공사를 집행함에 있어 관련기관 간에 공사의 계획, 발주, 입찰, 계약체결, 감독 및 준공검사, 대가지급 등에 관한 사항을 협약함에 있다.

1. 공사명 :
2. 공사기간 :
3. 공사장의 위치 :
4. 공사의 총설계금액 :
5. 공사의 종합설계서 : 별첨

제2조[관련기관협의체] 관련기관협의체의 명칭, 사업소의 소재지는 다음과 같다.

1. 명 칭 :
2. 주사무소소재지 :

제3조[관련기관협의체의 관련기관] ① 관련기관협의체(이하 "협의체")의 관련기관은 다음 각 호와 같다.

1. 0 0 0 (계약업무담당자 :   )
2. 0 0 0 (계약업무담당자 :   )

② 협의체의 대표기관은 0 0 으로 한다.

제4조[책임] ① 입찰의 실시, 계약상대자의 선정과 계약체결은 대표관련기관이 협의체 관련기관과 협의하여 시행한다.

② 각 관련기관은 계약서에 연명함으로써 공동으로 계약당사자가 된다.

③ 관련기관전체에 공통되는 공사부문에 대한 공사집행책임은 대표관련기관이, 공통되지 않는 공사부분에 대한 공사집행책임은 각 해당관련기관이 진다.

제5조[효력기간] 본 협정서는 관련기관의 서명과 더불어 발효하며 해당 계약의 이행으로 종결된다. 다만 본 협정서의 효력은 계약상대자 또는 제3자에 대하여 공사와 관련한 권리의무관계가 남아있는 한 존속된다.

제6조[감독 및 검사] 관련기관 전체에 공통되는 부분의 공사에 대해서는 대표관련기관이 감독 및 검사를 행하고 공통되지 않은 부분의 공사는 해당관련기관이 각각 감독 및 검사를 행한다.

제7조[보증금의 부과등] ① 대표관련기관은 계약상대자에게 각종 보증금을 부과하고 이를 수납, 보관한다.

② 대표관련기관은 하자보수보증금을 수납한 경우 공통되지 않은 부분에 대한 하자보수보증금은 각 관련기관에 지급하여 각자 보관토록 한다.

제8조[대가지급] ① 선급금, 대가 등은 국가를 당사자로 하는 계약에 관한 법령이 정하는 바에 의하여 지급하되 관련기관 전체에 공통되는 부분에 대해서는 각 관련기관이 각자의

계약금액 비율만큼 부담하여 대표관련기관에서 지급한 후 대표관련기관이 이를 계약상대자에게 지급하며, 공통되지 않은 부분에 대해서는 각 해당관련기관이 계약상대자에게 각자의 분담금을 지급한다.

② 여타 관련기관은 공통되는 부분에 대한 대가 지급시 운영협의체에서 합의된 금액을 부대비용으로 대표관련기관에 납부한다.

제9조[하자담보책임] 협의체가 해산한 후 해당 공사에 관하여 하자가 발생하는 경우에는 전체에 공통되는 하자에 대하여는 대표관련기관이, 각자에게만 해당하는 하자에 대해서는 각 관련기관이 단독으로, 계약상대자로 하여금 그 하자를 보수하게 하여야 한다.

20 년 월 일
(인)
(인)
(인)

20 년 월 일
(인)
(인)
(인)

16 경쟁적대화에 의한 계약체결기준

[시행 2019.12.18.] [기획재정부계약예규 제465호, 2019. 12. 18., 일부개정]

제1조(목적) 이 예규는 「국가를 당사자로 하는 계약에 관한 법률 시행령」(이하 "시행령"이라 한다) 제43조의3에 의한 경쟁적 대화에 의한 계약 체결에 필요한 사항을 정함을 목적으로 한다.

제2조(정의) 이 기준에서 사용하는 용어의 정의는 다음과 같다.

1. '기본 제안요청서'라 함은 계약담당공무원(각 중앙관서의 장이 계약에 관한 사무를 그 소속공무원에게 위임하지 아니하고 직접 처리하는 경우에는 이를 계약담당공무원으로 본다. 이하 같다)이 경쟁적 대화에 의한 계약의 입찰에 참가하고자 하는 자에게 기본 제안서의 제출을 요청하기 위하여 교부 또는 열람하게 하는 서류를 말한다.
2. '최종 제안요청서'라 함은 경쟁적 대화 참여적격자로 선정되어 경쟁적 대화과정에 참여한 자에게 최종 제안서의 제출을 요청하기 위하여 교부 또는 열람하게 하는 서류를 말한다.
3. '기본 제안서'라 함은 경쟁적 대화에 의한 계약의 입찰에 참가하고자 하는 자가 기본 제안요청서 또는 입찰공고에 따라 작성하여 계약담당공무원에게 제출하는 서류를 말한다.
4. '최종 제안서'라 함은 경쟁적 대화과정에 참여한 자가 최종제안요청서에 따라 작성하여 계약담당공무원에게 제출하는 서류를 말한다.
5. '참여적격자'라 함은 기본 제안서의 평가결과에 따라 경쟁적 대화에 참여할 대상자로 선정된 자를 말한다.

제3조(적용범위) 이 기준은 계약담당공무원이 시행령 제43조의3에 의한 계약을 체결하는 경우에 적용한다.

제4조(입찰공고) ① 계약담당공무원은 기본 제안서 제출마감일의 전일부터 기산하여 40일 전에 입찰공고를 하여야 한다. 다만, 긴급을 요하는 경우, 추정가격이 고시금액 미만인 경우 및 시행령 제20조제2항에 따른 재공고입찰인 경우에는 제안서 제출마감일의 전일부터 기산하여 10일 전까지 공고할 수 있다.

② 입찰공고에는 다음 각 호의 사항을 명시하여야 한다.

1. 사업명, 사업내용, 사업기간, 사업예산
2. 해당 계약이 경쟁적 대화에 의한 계약이라는 사실
3. 기본 제안요청서의 요청기한 및 요청에 필요한 서류

4. 시행령 제43조제5항을 준용하여 기본 제안요청서에 대한 설명을 실시하는 경우에는 그 장소·일시에 관한 사항 <개정 2019.12.18.>
5. 경쟁적 대화에 의한 계약체결에 필요한 기준 및 절차
6. 기본 제안서의 제출기간
7. 기본 제안서의 내용
8. 기본 제안서의 평가요소 및 평가방법
9. 기본 제안서 평가를 통해 경쟁적 대화에 참여시킬 참여자 수
10. 기타 계약담당공무원이 필요하다고 인정하는 사항

제5조(기본 제안요청서의 교부 또는 열람 등) ① 계약담당공무원은 입찰에 참가하고자 하는 자에게 기본 제안요청서를 교부하여야 한다.

② 계약담당공무원은 기본 제안요청서 등 필요한 서류를 「전자조달의 이용 및 촉진에 관한 법률」 제2조제4호에 따른 국가종합전자조달시스템(이하 "전자조달시스템"이라 한다)에 게재함으로써 제1항에 따른 기본 제안요청서 등 필요한 서류의 교부에 갈음할 수 있다.

③ 계약담당공무원은 계약의 성질·규모 등을 고려하여 필요하다고 인정하는 경우에는 기본 제안요청서 등에 대한 설명을 할 수 있다. <개정 2019.12.18.>

④ 기본 제안요청서에는 다음 각 호의 사항을 명시하여야 한다.

1. 과업내용
2. 요구사항
3. 경쟁적 대화 참여적격자 선정을 위한 평가요소와 평가방법
4. 기본 제안서의 규격
5. 기타 필요한 사항

제6조(경쟁적 대화 참가신청) 경쟁적 대화에 의한 계약에 참가하고자 하는 자는 제4조에 의한 입찰공고 또는 제5조에 의한 기본 제안요청서에 정한 바에 따라 기본 제안서를 작성하여 계약담당공무원에게 제출함으로써 경쟁적 대화 참가 신청을 갈음한다.

제7조(참여적격자 선정) 계약담당공무원은 제5조제4항제3호에 의한 평가요소와 평가방법에 따라 제6조의 기본 제안서를 평가하여 경쟁적 대화과정에 참여할 자를 2인 이상 선정하고, 선정된 자에게 이를 통보하여야 한다.

제8조(경쟁적 대화 절차) ① 계약담당공무원은 경쟁적 대화과정에 참여한 자들과 각각 2회 이상 과업에 대한 기술적·재무적 요구내용에 대하여 대화하여야 한다.

② 계약담당공무원은 대화참여자가 경쟁적 대화 과정에서 제시한 기술적 사항을 확인하기 위해 대화참여자의 사업지에 대해 현장점검을 실시할 수 있으며, 현장점검 내용을 최종 제안서 평가에 반영할 수 있다.

③ 계약담당공무원은 대화참여자와의 대화내용 중 대화참여자가 요구하여 비공개하기로 합의한 사항에 대하여는 다른 참여자나 제3자에게 누설하여서는 아니된다.

제9조(최종 제안요청서의 교부 및 열람) ① 계약담당공무원은 경쟁적 대화과정에 참여한 자를

대상으로 최종 제안요청서를 교부할 수 있다.

② 계약담당공무원은 최종 제안요청서 등 필요한 서류를 「전자조달의 이용 및 촉진에 관한 법률」 제2조제4호에 따른 전자조달시스템에 게재함으로써 제1항에 따른 최종 제안요청서 등 필요한 서류의 교부에 갈음할 수 있다.

③ 최종 제안요청서에는 다음 각 호의 사항을 명시하여야 한다.

1. 최종 과업내용
2. 최종 요구사항
3. 낙찰자 선정을 위한 평가요소와 평가방법
4. 최종 제안서의 규격
5. 기타 필요한 사항

제10조(최종제안서 등의 제출) ① 경쟁적 대화 참여적격자로 선정되어 최종제안서를 제출하고자 하는 자는 제9조에 의한 최종 제안요청서에 정한 바에 따라 최종 제안서를 작성하여 가격입찰서와 함께 계약담당공무원에게 제출하여야 한다.

② 계약담당공무원은 입찰참가자의 가격입찰서 모두를 함께 봉함하여 개봉시까지 보관하여야 한다.

제11조(최종 제안서의 평가) ① 최종 제안서는 기술능력과 입찰가격을 종합적으로 평가하며, 평가항목 및 배점한도는 별표와 같다.

② 각 중앙관서의 장은 제1항에 의한 평가항목 및 배점한도를 기준으로 세부평가기준을 정할 수 있다. 이 경우에는 사업의 특성·목적 및 내용 등을 고려하여 필요한 때에는 분야별 배점한도를 5점의 범위 내에서 가·감조정할 수 있으며, 평가항목을 추가하거나 제외할 수 있다. 다만, 배점한도를 5점의 범위를 초과하여 가·감조정할 경우에는 기획재정부장관과 협의하여야 한다.

③ 최종 제안서의 평가에 있어서 필요한 서류가 첨부되어 있지 않거나 제출된 서류가 불명확하여 인지할 수 없는 경우에는 제안서 내용의 변경이 없는 경미한 사항에 한하여 기한을 정하여 보완을 요구하여야 한다.

④ 제3항에 의하여 보완요구한 서류가 기한까지 제출되지 아니한 경우에는 당초 제출된 서류만으로 평가하고, 당초 제출된 서류가 불명확하여 심사가 불가능한 경우에는 평가에서 제외한다.

제12조(제안서평가위원회) ① 각 중앙관서의 장 또는 계약담당공무원은 제안서를 평가하는 경우에는 시행령 제43조의3제6항에 따라 시행령 제43조제8항에 의한 제안서평가위원회(이하 "위원회"라고 함)의 심의를 거쳐야 한다.

② 제1항에 의한 위원회는 소속공무원, 해당사업 및 계약에 관한 학식과 경험이 풍부한 자 등으로 구성하며, 위원회의 구성 및 운영에 관하여 필요한 세부사항은 각 중앙관서의 장이 정한다.

③ 계약담당공무원은 평가위원회의 요청이 있는 경우에는 제안서를 제출한 자에게 보완

자료 등 평가에 필요한 자료를 제출하게 할 수 있다.

④ 각 중앙관서의 장은 전자조달시스템 또는 발주기관의 정보처리장치를 통해 제1항에 의한 위원회의 위원별 제안서 평가결과를 공개하여야 한다. 다만, 위원의 실명은 공개하지 아니할 수 있다.

⑤ 제4항 본문에도 불구하고 각 중앙관서의 장은 제안서 평가결과에 개인정보, 영업비밀 및 다른 법령에 따라 공개가 제한되는 정보가 포함되어 있을 경우 평가결과의 일부 또는 전부를 공개하지 아니할 수 있다. 이 경우 전자조달시스템 또는 발주기관의 정보처리장치에 제안서 평가결과를 공개하지 않는다는 취지와 그 사유를 게재하여야 한다.

제13조(낙찰자의 선정) ① 계약담당공무원은 최종제안서 제출자 중에서 제11조에 따른 제안서 평가결과 기술능력평가와 입찰가격 평가를 합산한 점수가 가장 높은 자를 낙찰자로 선정한다.

② 제1항에도 불구하고 계약담당공무원은 입찰금액이 총사업예산(예정가격을 작성한 경우에는 예정가격)을 초과하는 경우에는 예산의 범위안으로 가격을 조정하기 위하여 그 입찰자와 협의하여야 하며 협의가 성립되지 아니할 때에는 합계점수 차순위 자를 낙찰자로 결정한다.

제14조(낙찰자에 대한 통보) 계약담당공무원은 제13조에 의하여 낙찰자가 결정된 경우에는 지체없이 낙찰자에게 낙찰사실을 통보하여야 한다.

제15조(계약체결 및 이행) ① 계약담당공무원은 낙찰후 10일 이내에 계약을 체결하여야 한다.

② 계약의 체결 및 이행에 관하여는 최종 제안요청서, 낙찰자가 제출한 최종제안서와 「국가를 당사자로 하는 계약에 관한 법률」 시행령 및 시행규칙과 이에 근거한 계약의 일반조건, 특수조건, 입찰유의서 및 일반원칙에 따른다.

제16조(경쟁적 대화 참여비용의 지급) ① 계약담당공무원은 다음 각 호의 어느 하나에 해당하는 자에게 전체 사업예산의 15/1,000에 해당되는 금액의 범위 내에서 평가 순위에 따라 분할 배분하여 보상할 수 있다. 다만, 제2호의 경우 평가가 이루어지지 않은 경우에는 균분하여 보상할 수 있다.

1. 최종제안서를 제출한 후 최종 낙찰에 탈락한 자로서 제11조에 따른 제안서 평가 중 기술능력평가점수가 각 중앙관서의 장이 정한 점수를 초과하는 자
2. 발주기관의 귀책사유에 따라 경쟁적 대화에 따른 계약 절차가 중단된 경우로서 2회 이상 경쟁적 대화에 참여한 자

② 각 중앙관서의 장은 제1항의 보상에 있어 세부기준을 정하여 운용할 수 있다.

제17조(세부기준의 제정) 각 중앙관서의 장은 이 기준에 따라 경쟁적 대화에 의한 계약을 체결함에 있어 필요한 세부기준을 정하여 운용할 수 있다.

제18조 (재검토기한) 이 예규는 「훈령·예규 등의 발령 및 관리에 관한 규정」에 따라 이 예규에 대하여 2019년 1월 1일을 기준으로 매3년이 되는 시점(매3년째의 12월 31까지를 말한다)마다 그 타당성을 검토하여 개선 등의 조치를 하여야 한다.

부　칙(2018.12.31)

제1조(시행일) 이 계약예규는 2019년 3월 5일부터 시행한다.

부　칙(2019.12.18)

제1조(시행일) 이 계약예규는 2019년 12월 18일부터 시행한다.

제2조(적용례) 이 계약예규는 부칙 제1조에 따른 시행일 이후 입찰공고를 한 분부터 적용한다.

[별표] 제안서의 평가항목 및 배점한도(제10조 관련)

구 분	평가항목	배점한도	비 고
계		100	
기술능력 평가	• 기술·지식능력 • 사업수행계획 • 지원기술·사후관리 등	90	• 각 평가항목의 배점한도는 50점을 초과하지 못함 • 지원기술·사후관리는 10점을 초과하지 못함
입찰가격 평가		10	※ 평점산식: 아래

주1) 입찰가격 평점산식

가) 입찰가격을 추정가격의 100분의 90 이상으로 입찰한 자에 대한 평가

◦ $\text{평점} = \text{입찰가격평가배점한도} \times \left(\frac{\text{최저입찰가격}}{\text{해당입찰가격}}\right)$

※ 최저입찰가격 : 유효한 입찰자 중 최저입찰가격

※ 해당입찰가격 : 해당 평가대상자의 입찰가격

※ 입찰가격 평가 시 사업예산으로 하는 경우에는 추정가격에 부가가치세를 포함하여 적용하고, 예정가격을 작성한 경우에는 추정가격을 예정가격으로 적용

나) 입찰가격을 추정가격의 100분의 90 미만인 입찰한 자에 대한 평가

◦ $$\text{평점} = \text{입찰가격평가배점한도} \times \left(\frac{\text{최저입찰가격}}{\text{추정가격의90\%상당가격}}\right) + \left[2 \times \left(\frac{\text{추정가격의90\%상당가격} - \text{해당입찰가격}}{\text{추정가격의90\%상당가격} - \text{추정가격의60\%상당가격}}\right)\right]$$

※ 최저입찰가격 : 유효한 입찰자 중 최저입찰가격

※ 해당입찰가격 : 해당 평가대상자의 입찰가격으로 하되, 입찰가격이 추정가격의 100분의 60 미만일 경우에는 100분의 60으로 계산

※ 입찰가격 평가시 사업예산으로 하는 경우에는 추정가격에 부가가치세를 포함하여 적용하고, 예정가격을 작성한 경우에는 추정가격을 예정가격으로 적용

다) 입찰가격 평점산식에 의한 계산결과 소수점 이하의 숫자가 있는 경우에는 소수점 다섯째자리에서 반올림

17 용역계약 종합심사낙찰제 심사기준

[시행 2019.3.5.] [기획재정부계약예규 제418호, 2018.12.31, 제정]

제1장 총 칙

제1조(목적) 이 예규는 「국가를 당사자로 하는 계약에 관한 법률 시행령」 제42조제4항제3호부터 제5호까지의 규정에 의한 낙찰자 결정시의 심사방법·항목·배점한도 등 심사기준과 각 중앙관서의 장 또는 계약담당공무원이 준수하여야 할 사항을 정함을 목적으로 한다.

제2조(정의) 이 예규에서 사용하는 용어의 정의는 다음과 같다.

1. '종합기술제안서'라 함은 입찰자가 용역 수행을 위한 제안내용 등에 대하여 입찰공고에 따라 작성하여 제출하는 서류를 말한다.
2. '종합기술제안서 평가적격자'란 제8조제1항에 따라 각 중앙관서의 장 또는 계약담당공무원이 종합기술제안서 평가대상으로 선정한 입찰자를 말한다.
3. '기술적이행능력 평가서'란 제2호에 따른 종합기술제안서 평가적격자 선정심사를 위해 입찰자가 제출하는 서류를 말한다.

제3조(심사기준) ① 시행령 제42조제4항제3호부터 제5호까지의 용역입찰에 대한 낙찰자 선정(이하 "종합심사낙찰제"라 한다)은 [별표1], [별표2], [별표3]의 심사기준에 따라 실시한다.

② 시행령 제42조제4항제3호부터 제5호에서 정한 각 용역의 유형별 평가기준에 대하여는 국토교통부 장관이 기획재정부장관의 승인을 받아 해당유형의 특성 등을 반영한 절차 및 심사기준을 정할 수 있다.

제4조(세부 심사기준의 작성) ① 각 중앙관서의 장 또는 계약담당공무원은 제3조에 따른 기준에서 정하는 범위 내에서 세부 심사기준을 정할 수 있다.

② 각 중앙관서의 장 또는 계약담당공무원은 제1항에도 불구하고 세부심사기준을 작성함에 있어서 용역의 특성·내용 및 사업특성 등을 고려하여 필요하다고 인정할 경우에는 기획재정부장관과 협의하여 제3조에 규정한 심사항목에 대한 배점한도를 가감·조정하거나 심사항목을 추가 또는 제외할 수 있다.

③ 각 중앙관서의 장 또는 계약담당공무원은 시행령 제42조제4항제3호부터 제5호의 용역에 대하여 제2항에 따라 기획재정부장관과 협의를 하려는 경우에는 사전에 국토교통부장관의 의견을 청취하여야 한다.

제5조(입찰공고) 각 중앙관서의 장 또는 계약담당공무원은 입찰공고에 다음 각 호의 사항을

명시하여야 한다.

1. 용역명, 용역내용, 용역기간 및 예산 규모
2. 해당용역이 용역 종합심사낙찰제 적용 대상이라는 점
3. 계약체결 절차, 기준, 심사에 필요한 서류와 제출기한
4. 종합기술제안서의 내용, 평가요소 및 평가방법
5. 종합기술제안서를 계약문서로 한다는 사항
6. 종합기술제안서 평가적격자를 선정하는 경우 기술적이행능력 평가서의 작성방법, 평가항목 및 배점기준 등
7. 그밖에 입찰 참가에 필요한 사항 등

제2장 종합심사 방법

제6조(입찰서의 제출) ① 각 중앙관서의 장 또는 계약담당공무원은 입찰자로 하여금 입찰시 다음 각 호의 서류를 제출하게 하여야 한다.

1. 입찰서
2. 종합기술제안서
3. 기술적이행능력 평가서(제9조제1항에 따라 종합기술제안서 평가적격자를 선정하는 경우에 한한다)
4. 심사를 위해 입찰공고에서 발주기관이 요구한 자료

② 제1항에도 불구하고, 제8조제1항에 따라 종합기술제안서 평가적격자를 선정하는 경우에는 제1항제2호의 서류를 종합기술제안서 평가 전일로서 발주기관이 정하는 기일까지 제출하게 할 수 있다.

제7조(심사서류의 보완 등) ① 각 중앙관서의 장 또는 계약담당공무원은 제6조에 따라 제출된 종합기술제안서 등 심사서류의 내용이 불명확하여 인지할 수 없는 경우에는 기한을 정하여 보완을 요구할 수 있다.

② 각 중앙관서의 장 또는 계약담당공무원은 제3조의 규정에 따른 평가를 위하여 종합기술제안서 내용의 확인에 필요한 추가자료를 요구하거나 입찰자에 대하여 설명을 요구할 수 있다.

③ 각 중앙관서의 장 또는 계약담당공무원은 제1항에 따른 기한까지 보완을 요구한 서류가 제출되지 아니한 경우 당초 제출된 서류만으로 심사하되, 당초 제출된 서류가 불명확하여 심사하기가 곤란한 경우에는 심사에서 제외할 수 있다.

제8조(종합기술제안서 평가적격자의 선정) ① 각 중앙관서의 장 또는 계약담당공무원은 용역의 내용·난이도·해당 용역의 시장현황 등을 고려하여 기술역량 및 유사용역 수행 경험 등 기술적이행능력을 평가하여 선정된 자(이하 이 조에서 "평가적격자"라 한다)에 한하여 제

9조제1항에 따라 종합기술제안서 평가를 하게 할 수 있다.

② 제1항의 경우 각 중앙관서의 장 또는 계약담당공무원은 [별표3]의 기준에 따라 평가하여야 한다.

③ 각 중앙관서의 장은 평가적격자의 선정에 기술성·전문성이 요구된다고 판단할 경우에는 제11조에 따른 평가위원회에서 평가하게 할 수 있다.

④ 각 중앙관서의 장 또는 계약담당공무원은 제3항의 규정에 따라 평가적격자를 선정한 경우에는 입찰자에게 선정결과를 통지하여야 한다.

⑤ 각 중앙관서의 장 또는 계약담당공무원은 제1항에 따라 선정된 평가적격자에게 종합기술제안서를 지정된 일시까지 제출하도록 통지하여야 한다.

제9조(종합기술제안서 평가) ① 각 중앙관서의 장 또는 계약담당공무원은 입찰자별로 종합기술제안서 평가와 가격평가를 실시하고 각 점수를 합산하여 종합심사점수를 산정한다.

② 종합기술제안서 평가는 [별표2], 종합점수 산정 및 가격평가는 [별표1]의 기준에 따라 각각 심사하되, 종합기술제안서 평가는 제11조에 따른 평가위원회가 평가한다.

제10조(낙찰자의 결정) ① 입찰가격이 예정가격 이하인 자로서 제9조의 종합심사 점수가 최고점인 자를 낙찰자로 한다.

② 종합심사 점수가 최고점자인 자가 둘 이상인 경우에는 종합기술제안서 평가점수가 높은 자를 낙찰자로 결정하고, 종합기술 평가점수가 가장 높은 자가 둘 이상인 경우에는 각 중앙관서의 장이 정하여 입찰공고에 명시한 기준에 따라 낙찰자를 결정한다.

제3장 기 타

제11조(평가위원회) 각 중앙관서의 장은 제8조에 따른 기술능력 평가를 위하여 평가위원회를 구성하여야 하며, 평가위원회 구성 및 운영 등을 위해 필요한 세부사항은 각 중앙관서의 장이 따로 정한다.

제12조(기타사항) ① 「공사계약 종합심사낙찰제 심사기준」 제15조부터 제17조의 규정은 용역 종합심사낙찰제에 준용한다.

② 계약담당공무원은 용역에 대한 종합심사낙찰제를 실시함에 있어 이 예규에 규정되지 않은 사항과 이 예규 시행에 필요한 세부사항을 작성하여 집행할 수 있다.

제4장 보 칙

제13조(재검토기한) 이 예규는 「훈령·예규 등의 발령 및 관리에 관한 규정」에 따라 이 예규에 대하여 2019년 1월 1일을 기준으로 매3년이 되는 시점(매3년째의 12월 31일까지를 말한다)마다 그 타당성을 검토하여 개선 등의 조치를 하여야 한다.

부 칙(2018.12.31)

제1조(시행일) 이 계약예규는 2019년 3월 5일부터 시행한다.

[별표 1] 종합심사 점수 산정 및 입찰가격 평점산식(제3조, 제8조제3항 관련)

1. 종합심사 점수 산정

구 분	평가항목	배점한도	가중치
계			100(%)
기술능력 평가	[별표2] "종합기술제안서 평가점수" 적용	100	80~95
입칠가격 평가	"가격제안서 평가점수"적용 : 아래 2호	100	5~20

·종합심사 점수 = 기술능력 평가 점수×가중치 + 입찰가격 평가 점수×가중치

2. 입찰가격 평가 점수

가) 입찰가격을 예정가격의 100분의 80 이상으로 입찰한 자에 대한 평가

$$\text{평점} = \text{입찰가격평가 배점한도} \times \left(\frac{\text{최저입찰가격}}{\text{해당입찰가격}} \right)$$

주1) 최저입찰가격 : 유효한 입찰자 중 최저입찰가격으로 하되, 입찰가격이 추정가격의 100분의 60미만일 경우에는 100분의 60으로 계산할 수 있다.

주2) 해당입찰가격 : 해당 평가대상자의 입찰가격

나) 입찰가격을 예정가격의 100분의 80 미만으로 입찰한 자에 대한 평가

$$\text{평점} = \text{입찰가격평가 배점한도} \times \left(\frac{\text{최저입찰가격}}{\text{추정가격의 80\% 상당가격}} \right) + a \times \left(\frac{\text{추정가격의 80\% 상당가격} - \text{해당입찰가격}}{\text{추정가격의 80\% 상당가격} - \text{추정가격의 60\% 상당가격}} \right)$$

주1) 최저입찰가격 : 유효한 입찰자 중 최저입찰가격으로 하되, 입찰가격이 추정가격의 100분의 60미만일 경우에는 100분의 60으로 계산할 수 있다.

주2) a: 발주기관이 해당계약의 특성·난이도 등을 고려하여 2~10 범위에서 정한다.

다) 입찰가격 평점산식에 의한 계산결과 소수점 이하의 숫자가 있는 경우에는 소수점 다섯째자리에서 반올림함

[별표 2] 종합기술제안서 평가기준(제3조, 제8조제3항 관련)

<table>
<tr><th colspan="3">평 가 항 목</th><th>배점한도</th></tr>
<tr><td rowspan="8">수행능력</td><td>기술보유</td><td>기술보유, 실적 등</td><td>10∼30</td></tr>
<tr><td rowspan="3">사업수행방법</td><td>사업목적의 이해도 및 방법론</td><td rowspan="3">20∼40</td></tr>
<tr><td>용역 수행 조직의 운영 방법</td></tr>
<tr><td>과업내용서에 대한 개선사항</td></tr>
<tr><td rowspan="2">작업 및
직원 투입 계획</td><td>작업계획</td><td rowspan="2">10∼30</td></tr>
<tr><td>직원 투입 계획</td></tr>
<tr><td>전문가 역량</td><td>해당용역에 투입되는 핵심 전문가 역량</td><td>20∼60</td></tr>
<tr><td colspan="2" rowspan="2">사회적책임</td><td>인력고용(가점)</td><td rowspan="2">±2
(가·감점)</td></tr>
<tr><td>공정거래(감점)</td></tr>
<tr><td colspan="2">평가 관련 신뢰도</td><td>평가의 공정성·적정성 저해우려 사항(감점)</td><td>-1∼-10
(감점)</td></tr>
<tr><td colspan="3">합 계</td><td>100</td></tr>
</table>

주1) 기술보유 평가는 [별표 3]에 따른 기술적이행능력 평가점수를 활용할 수 있다.

주2) 평가관련 신인도는 평가위원에 대한 사전접촉, 사전설명, 비리·부정행위, 허위사실 기재 및 부실작성 등 평가의 공정성·적정성 저해우려가 있는 사항을 심사한다.

주3) 사회적 책임 중 "기술자 등 신규고용" 심사는 「공사계약 종합심사낙찰제 심사기준」「별표2」에 따른 건설인력 고용 심사방법을, "공정거래 심사"는 「공사계약 종합심사낙찰제 심사기준」「별표4」에 따른 공정거래 심사방법을 등을 참고하여 중앙관서의 장이 세부 심사기준에 따로 정한다.

주4) 수행능력 및 평가관련 신뢰도의 배점은 상기 표에 정해진 범위 내에서 각 중앙관서의 장이 세부기준에 반영하되 수행능력 점수(배점)의 합은 100점으로 한다.

[별표 3] 기술적이행능력 평가기준(제3조, 제9조2항 관련)

평가항목		배점한도
기술능력 평가	관리역량(품질보증 및 관리 체계 등)	20~40
	기술역량(과업에 대한 전문성, 유사 용역평가결과 등)	30~50
	유사용역 수행실적	20~30
계약신뢰도	계약이행 관련 신뢰도(가·감점)	±1~±5(가·감점)
합 계		100

주) 평가항목별 배점은 상기 표에 정해진 범위 내에서 각 중앙관서의 장이 세부기준에 반영하되 기술능력평가 점수(배점)의 합은 100점으로 한다.

18 국가를 당사자로 하는 계약에 관한 법률 등의 기획재정부 장관이 정하는 고시금액

기획재정부 고시 제2020 - 39호

국가를당사자로하는계약에관한법률 제4조제1항의 규정에 의한 "기획재정부장관이 정하여 고시하는 금액"과 공기업순정부기관계약사무규칙 제4조제1항의 규정에 의한 "기획재정부장관이 정하여 고시하는 금액"과 특정물품등의조달에관한국가를당사자로하는계약에관한법률시행령 특례규정 제2조제4호의 규정에 의한 "기획재정부장관이 정하는 금액"을 다음과 같이 변경 고시합니다.

2020년 12월 30일
기획재정부장관

1. 국가를 당사자로 하는 계약에 관한 법률 제4조제1항의 규정에 의한 기획재정부장관이 정하여 고시하는 금액

가. 세계무역기구의 정부조달협정상 개방대상금액(국가를 당사자로 하는 계약에 관한 법률 시행령 제2조제3호의 고시금액을 말한다.)

- 물품 및 용역: 2억 1천만 원
- 공사: 81억 원

나. 대한민국 정부와 칠레공화국 정부 간의 자유무역협정상 개방대상금액

- 물품 및 용역: 8천만 원
- 공사: 81억 원

다. 대한민국 정부와 싱가포르공화국 정부 간의 자유무역협정상 개방대상금액

- 물품 및 용역: 1억 6천만 원
- 공사: 81억 원

라. 대한민국과 페루공화국 간의 자유무역협정상 개방대상금액

- 물품 및 용역: 1억 5천만 원
- 공사: 81억 원

마. 대한민국과 미합중국 간의 자유무역협정상 개방대상금액
- ○ 물품 및 용역: 1억 원
- ○ 공사: 81억 원

바. 대한민국 정부와 호주 정부 간의 자유무역협정상 개방대상금액
- ○ 물품 및 용역: 2억 1천만 원
- ○ 공사: 81억 원

사. 대한민국과 캐나다 간의 자유무역협정상 개방대상금액
- ○ 물품 및 용역: 1억 원
- ○ 공사: 81억 원

아. 대한민국과 뉴질랜드 간의 자유무역협정상 개방대상금액
- ○ 물품 및 용역: 2억 1천만 원
- ○ 공사: 81억 원

자. 대한민국과 콜롬비아 공화국 간의 자유무역협정상 개방대상금액
- ○ 물품 및 용역: 1억 1천만 원
- ○ 공사: 81억 원

차. 대한민국과 중미공화국들 간의 자유무역협정상 개방대상금액
- ○ 물품 및 용역: 2억 1천만 원
- ○ 공사: 81억 원

2. 공기업·준정부기관 계약사무규칙 제4조제1항의 규정에 의한 기획재정부장관이 정하여 고시하는 금액

가. 세계무역기구의 정부조달협정상 개방대상금액
- ○ 물품 및 용역: 6억 5천만 원
- ○ 공사: 244억 원

나. 대한민국 정부와 칠레공화국 정부 간의 자유무역협정상 개방대상금액
- ○ 물품: 7억 3천만 원
- ○ 공사: 244억 원

다. 대한민국 정부와 싱가포르공화국 정부 간의 자유무역협정상 개방대상금액
- ㅇ 물품: 6억 5천만 원
- ㅇ 공사: 244억 원

라. 대한민국 정부와 페루공화국 간의 자유무역협정상 개방대상금액
- ㅇ 물품 및 용역: 6억 5천만 원
- ㅇ 공사: 244억 원

마. 대한민국 정부와 호주 정부 간의 자유무역협정상 개방대상금액
- ㅇ 물품: 7억 3천만 원
- ㅇ 공사: 244억 원

바. 대한민국과 콜롬비아 공화국 간의 자유무역협정상 개방대상금액
- ㅇ 물품 및 용역: 6억 5천만 원
- ㅇ 공사: 244억 원

사. 대한민국과 중미공화국들 간의 자유무역협정상 개방대상금액
- ㅇ 물품 및 용역: 6억 5천만 원
- ㅇ 공사: 244억 원

3. 특정물품등의 조달에 관한 국가를 당사자로 하는 계약에 관한 법률 시행령 특례규정 제2조제4호의 규정에 의한 기획재정부장관이 정하는 금액

가. 통신서비스 및 통신장비 부문 시장접근에 관한 양해록상 개방대상금액
- ㅇ 통신망장비 및 기타 통신기자재: 2억 1천만 원

부 칙

① 이 고시는 2021년 1월 1일부터 시행한다.

② 이 고시 시행과 동시에 기획재정부고시 제2020-1호 “국가를 당사자로 하는 계약에 관한 법률 등의 기획재정부 장관이 정하는 고시금액”은 폐지한다.

19 총사업비 관리지침 ※ 본문만 수록 / 별표는 생략

[시행 2022. 2. 3.] [기획재정부훈령 제590호, 2022. 2. 3., 일부개정.]

제1장 총　칙

제1조(목적) 이 지침은 「국가재정법」 제50조, 같은 법 시행령 제21조 및 제22조의 규정에 의거 국가의 예산 또는 기금으로 시행하는 대규모 사업의 총사업비를 사업추진 단계별로 합리적으로 조정·관리함으로써 재정지출의 효율성을 제고함을 목적으로 한다.

제2조(정의 및 범위) ① 이 지침에서 총사업비라 함은 「국가재정법 시행령」 제21조제1항의 규정에 의한 대규모 사업의 추진에 소요되는 모든 사업비용을 합한 금액을 말한다.

② 제1항의 규정에 의한 총사업비에는 국가·지방자치단체(이하 "지자체"라 한다)·공공기관 및 민간 부담분을 모두 포함한다. 다만, 「사회기반시설에 대한 민간투자법」에 의한 민간 부담분은 포함하지 아니한다.

③ 제2항의 지자체의 부담분에는 지자체가 부담하는 부지 관련 비용(해당 부지가 공유지분인 경우 당해 사업에 포함되는 지분에 대한 가액으로 한다)을 포함하고, 지자체가 부담하는 부지 관련 비용은 「부동산 가격공시에 관한 법률」 제10조에 따른 해당 토지의 개별공시지가로 하며, 해당 토지의 개별공시지가가 없으면 같은 법 제8조에 따른 공시지가를 기준으로 하여 산출한 금액으로 한다. 다만, 관련법령 또는 계약에 따라 개별공시지가 또는 공시지가가 보다 낮은 가격에 의하도록 한 경우에는 그 가격으로 한다.

④ 삭제 <2021.7.21.>

⑤ 총사업비는 「국가재정법」 제38조제1항의 규정에 의한 예비타당성조사 실시에 따른 금액 또는 타당성조사, 기본계획 수립 등에 따라 책정된 금액으로 함을 원칙으로 한다. 다만, 사업추진 단계별로 기획재정부장관과 협의 또는 제100조의 규정에 따른 중앙관서의 자율조정으로 총사업비가 변경된 경우에는 그 변경된 금액으로 한다.

⑥ 사업 유형별 총사업비는 다음 각 호와 같다.

1. 건설사업 : 토목, 건축 등 건설공사에 소요되는 모든 경비로서 공사비, 보상비(제3항에 따라 지자체가 부담하는 부지 관련 비용을 포함한다. 이하 같다), 시설부대경비 등으로 구성
2. 정보화사업 : 시스템의 구축 등에 소요되는 모든 경비로서 장비구입비, 임차료, 소프트웨어 개발비, 구축 후 5년간 유지보수비, 추가구축비 등으로 구성

3. 연구기반구축 R&D 사업 : 연구시설 및 연구장비 구축 등에 소요되는 모든 경비로서 공사비, 특수설비·연구장비비, 보상비, 시설부대경비 등으로 구성

제3조(관리대상 사업) ① 이 지침의 적용을 받는 총사업비 관리대상 사업(이하 "관리대상 사업"이라 한다)은 국가가 직접 시행하는 사업, 국가가 위탁하는 사업, 국가의 예산이나 기금의 보조·지원을 받아 지자체·「공공기관의 운영에 관한 법률」 제5조에 따른 공기업·준정부기관·기타 공공기관(이하 "공공기관"이라 한다) 또는 민간이 시행하는 사업 중 완성에 2년 이상이 소요되는 사업으로서, 다음 각 호의 사업으로 한다.

1. 총사업비가 500억원 이상이고 국가의 재정지원규모가 300억원 이상인 토목사업 및 정보화사업
2. 총사업비가 200억원 이상인 건축사업(전기·기계·설비 등 부대공사비 포함)
3. 총사업비가 200억원 이상인 연구시설 및 연구단지 조성 등 연구기반구축 R&D사업(기술개발비, 시설 건설 이후 운영비 등 제외)

② 「국가재정법」 제37조제1항 및 같은 법 시행령 제12조제1항에 의한 총액계상사업도 제1항의 요건에 해당하는 경우 관리대상 사업에 포함한다. 다만, 제3항제4호의 사업은 제외한다.

③ 제1항 및 제2항의 규정에도 불구하고 다음 각 호의 어느 하나에 해당하는 사업은 관리대상 사업에서 제외한다.

1. 국고에서 정액으로 지원하는 사업(사업추진 과정에서 국고 지원규모가 증가하고, 총사업비가 제1항의 관리대상 사업에 해당하는 경우는 포함한다)
2. 국고에서 융자로 지원하는 사업(당해 사업의 총사업비 중 융자를 제외한 총사업비가 제1항의 관리대상 사업에 해당하는 경우는 포함한다)
3. 「사회기반시설에 대한 민간투자법」에 의한 민간투자사업
4. 도로유지·보수, 노후 상수도 개량 등 기존 시설의 효용증진을 위한 단순개량 또는 유지·보수사업

④ 관리대상 사업은 원칙적으로 프로그램 예산구조체계의 '세부사업'을 기준으로 하며, 총사업비 관리의 목적상 필요할 경우 세부사업을 구성하고 있는 하위의 '내역사업'을 관리대상 사업으로 할 수 있다. 다만, 사업목적이 동일한 경우 그 사업의 재원이 2개 이상의 회계·기금으로 구성되어 있는 경우에도 하나의 관리대상 사업으로 할 수 있다.

⑤ 제1항의 규정에 의한 토목사업과 건축사업의 사업유형 분류는 <별표 2 붙임 1>에 따른다.

⑥ 지역개발, 관광지 개발 등 다수의 개별사업으로 구성된 집단사업(Package Project)은 원칙적으로 개별 사업별로 관리대상 사업 여부를 판단한다.

제2장 총사업비 관리의 기본방향

제4조(사업추진 단계별 관리) ①「국가재정법」 제6조에 의한 독립기관 및 중앙관서의 장(이하 "중앙관서의 장"이라 한다)은 관리대상 사업을 추진함에 있어서 원칙적으로 예비타당성조사, 타당성조사, 기본계획 수립, 기본설계(건축사업은 계획설계 및 중간설계에 해당한다. 이하 같다), 실시설계, 발주 및 계약, 시공의 각 단계에 따라야 하며, 각 사업추진 단계별 총사업비의 관리는 이 지침에서 정하는 바에 의한다.

② 중앙관서의 장이 관리대상 사업을 추진함에 있어서 따라야 하는 각 단계별 사업추진 내용, 방법, 절차 등은 국가재정법령, 국가를 당사자로 하는 계약에 관한 법령, 조달사업에 관한 법령, 건설기술진흥법령, 과학기술기본법령, 전자정부법령 등 관계법령과 기획재정부장관이 정하는 당해 연도의 '예산안 편성 및 기금운용계획안 작성지침'에 의한다.

제5조(공종별 관리) ① 중앙관서의 장은 사업비의 총 규모 뿐만 아니라 공종별 사업비가 독립되게 관리하여야 하며, 사업추진에 있어서 공종간에 사업비를 임의로 조정하여서는 아니된다.

② 제1항의 규정에 의한 공종별 관리 내역은 <별표 3> '부문별 표준내역서'에 구분·표기된 바에 의한다.

③ 사업계획 수립 및 설계과정에서는 <별표 3>의 '부문별 표준내역서'를 기준으로 총사업비 규모를 산정하되, 사업추진상 반드시 필요한 공정·내역 등을 과소계상하거나 누락하여서는 아니된다.

제6조(사업기간의 관리) ① 사업기간은 당해 사업의 추진을 위하여 예산(제107조제2항제1호 단서 및 제3항에 따른 국가외의 자의 예산을 포함한다)이 최초로 반영되어 타당성조사, 기본계획 수립, 기본·실시설계 등 사업이 착수되는 연도부터 총사업비 협의시 또는 예산 반영시 기획재정부장관과 협의하여 정한 완공 예정연도로 한다.

② 중앙관서의 장은 제1항의 사업기간을 설정함에 있어서는 사업완료에 실제 소요되는 기간을 기초로 하여야 한다. 다만, 정보화사업의 경우에는 구축 완료 후 5년간의 운영기간을 포함한다.

③ 중앙관서의 장은 제13조제2항, 제14조제4항, 제18조제1항, 제23조, 제27조제1항과 관련하여 사업규모 또는 총사업비가 변경되는 경우 그에 따른 사업기간의 변경 여부에 대하여도 검토하여야 하며, 검토결과 사업기간의 변경이 필요할 경우 그 내용을 당해 사업규모 또는 총사업비의 변경 협의 대상에 포함하여야 한다.

④ 중앙관서의 장은 사업규모 또는 총사업비가 변경되어 사업기간을 조정하고자 하거나 사업규모 또는 총사업비의 변경없이 제1항에 의한 사업기간을 변경하고자 하는 경우에도 기획재정부장관과 협의하여야 한다.

⑤ 중앙관서의 장은 공사계약서에 예산 여건 등에 따라 제1항의 사업기간이 조정될 수 있다는 내용이 포함되도록 하여야 한다.

제7조(계속비사업에 대한 총사업비 관리) 중앙관서의 장은 관리대상 사업 중 「국가재정법」 제23조의 규정에 의한 계속비사업에 대하여는 불가피한 경우를 제외하고 총사업비의 변경을 수반하는 사업계획의 변경이나 사업기간의 연장 등을 하여서는 아니된다.

제8조(관리대상 사업 이외의 사업에 대한 총사업비 관리) 중앙관서의 장은 관리대상 사업이 아닌 사업에 대해서도 이 지침을 준용하여 총사업비를 관리하여야 한다.

제3장 총사업비 관리절차

제1절 사업구상 단계

제9조(적정 사업규모의 책정) ① 중앙관서의 장은 사업구상 단계에서 유사사업의 예 등을 참조하여 사업규모, 총사업비, 사업기간 등을 적정하게 책정하여야 한다.

② 중앙관서의 장은 제1항의 규정에 의해 총사업비 등을 책정할 때에는 향후 설계 및 시공단계에서 총사업비의 변경이 최소화될 수 있도록 사업추진에 있어서 제반여건 등을 충분히 고려하여야 한다.

③ 삭제 <2013.11.1.>

제2절 예비타당성조사 단계

제10조(예비타당성조사) 예비타당성조사는 「국가재정법」 제38조, 같은 법 시행령 제13조 및 「예비타당성조사 운용지침」의 규정에 의하여 실시되어야 한다.

② 삭제 <2013.11.1.>

제11조 삭제 <2013.11.1.>

제12조 삭제 <2013.11.1.>

제3절 타당성조사 및 기본계획 수립 단계

제13조(타당성조사) ① 중앙관서의 장(제14조의 기본계획의 수립 주체가 국가 외의 자인 경우를 포함한다)은 건설사업에 대하여 기술·환경·사회·재정·용지·교통 등 필요한 요소를 고려하여 타당성조사를 실시하여야 한다. 다만, 총사업비가 500억원 미만으로 예상되는 건설사업으로서 해당 중앙관서의 장이 당해 사업의 특성상 타당성조사를 실시할 필요가 없다고 인정하는 경우에는 그러하지 아니하다.

② 중앙관서의 장은 타당성조사 결과 사업규모, 총사업비, 사업기간 등이 예비타당성조사

결과와 차이가 발생한 경우 기획재정부장관과 총사업비 등의 변경에 대하여 협의하여야 한다.

제14조(기본계획의 수립) ① 중앙관서의 장(기본계획의 수립 주체가 국가 외의 자인 경우를 포함한다)은 관련법령 등에 의하여 기본계획(정보화사업의 경우 '정보화전략 계획'을 의미한다)을 수립하는 경우에는 그 과정에서 도시관리계획, 환경에 미치는 영향 등 다른 법령과의 연계성을 충분히 고려하여야 한다.

② 기본계획을 수립함에 있어서의 사업규모 및 총사업비는 원칙적으로 예비타당성조사(타당성 재조사를 포함한다. 이하 이 조에서 같다) 또는 타당성조사(예비타당성조사가 면제되는 사업의 경우)에서 정한 규모 및 금액을 초과할 수 없다(다만, 물가상승 또는 지가상승으로 인한 금액은 포함하지 아니한다. 이하 같다). 또한 기본계획의 수립이 생략되고 기본설계 또는 실시설계가 시행되거나 기본설계와 실시설계가 동시에 시행되는 사업 등의 경우에도 같다.

③ 중앙관서의 장은 제2항의 규정에도 불구하고 기본계획 수립 등의 단계에서 관계부처와의 협의내용 반영, 예측할 수 없었던 비용의 발생 등 불가피한 사유로 사업규모 및 총사업비가 예비타당성조사 또는 타당성조사에서 정한 규모 및 금액보다 100분의 10 이상 증가할 경우(물가 또는 지가상승분을 제외한다) 제109조의 규정에 의한 총사업비 조정 요구 시 당해 사업에 대한 예비타당성조사 수행기관의 검토의견서를 첨부하여야 한다. 다만, 사업규모 및 총사업비가 예비타당성조사 또는 타당성조사에서 정한 규모 및 금액보다 100분의 10 미만 증가시에도 <별표 3>에 의한 공종별 사업비가 100분의 10 이상 증가할 경우에는 예비타당성조사 수행기관의 검토의견서를 첨부할 수 있다.

④ 중앙관서의 장은 기본계획이 수립되면 기본계획 고시 이전에 기획재정부장관과 사업규모, 총사업비 또는 사업기간 등을 협의하여야 한다.

⑤ 삭제 <2021.7.21.>

제15조(설계공모 등의 추진) ① 중앙관서의 장은 당해 사업을 설계공모(국제현상설계공모를 포함한다. 이하 이 조에서 "설계공모"라 한다) 방식으로 추진하고자 하는 경우에는 공고조건에 기획재정부장관과 협의된 공사비, 설계비 등을 명시하여야 하며, 당해 사업의 총사업비 범위 내에서 추진되도록 적절히 관리하여야 한다.

② 제1항의 규정에도 불구하고 설계공모 방식으로 추진하는 사업이 기획재정부장관과 협의된 사업비를 초과하여 당선작을 선정함으로써 발생되는 추가적인 사업비에 대해서는 지자체, 공공기관 또는 민간기관의 부담으로 수행하게 할 수 있다.

제4절 기본설계 단계

제16조(용역기간 등) ① 중앙관서의 장은 추후 시공과정에서 조사 부실로 인한 설계 변경이 발생하지 아니하도록 기본설계에 필요한 충분한 용역기간 및 용역비를 부여하여야 한다.

② 중앙관서의 장은 기본설계 기간 중에 주민·이해당사자 및 관계기관의 의견을 미리 청취하여 공사시행 과정에서 예상되는 민원을 최소화하여야 한다.

제17조(기본설계 과정) ① 중앙관서의 장은 기본설계 과정에서 예비타당성조사, 타당성조사 또는 기본계획에서 정한 총사업비를 감안하여 설계 내용이 적절히 관리될 수 있도록 노력하여야 하며, 당해 사업추진에 반드시 필요하지 아니한 내역이 포함되거나 필수적인 사항이 누락되는 등 부적절한 설계가 발생하지 아니하도록 하여야 한다.

② 기본설계는 기본계획 수립(기본계획을 수립하지 아니한 경우 그 이전단계를 말한다. 이하 같다) 후 기획재정부장관과 협의된 사업규모, 총사업비, 사업기간 등을 기준으로 하여야 하며, 합리적인 사유없이 기본계획에 의한 사업규모를 변경하여서는 아니된다.

③ 중앙관서의 장은 기본설계 과정(기본설계를 생략하는 경우 실시설계)에서 전기·조경·배수공사비, 부지임차료, 환기시설비, 폐기물처리비, 문화재조사용역비 등 당해 사업추진과 관련하여 발생할 수 있는 모든 비용이 포함되도록 하여야 한다.

④ 중앙관서의 장은 기본설계 과정에서 대형 신규 구조물 설치, 일부 구간의 차로 수 변경(도로사업 및 철도사업의 경우), 신규 내역 및 공종 추가, 전체 노선의 1/3 이상 변경 등 사업내용과 규모 등에 중대한 변경이 불가피한 경우 미리 기획재정부장관과 사업규모, 총사업비, 사업기간 등을 협의하여야 한다.

제18조(기본설계 완료) ① 중앙관서의 장은 기본설계 용역이 완료되면 실시설계 용역 의뢰 이전에 기본설계 용역 결과보고서 및 요약보고서, 제57조제3항·제4항에 따라 조달청장으로부터 받은 적정성 검토 결과를 첨부하여 기획재정부장관과 사업규모, 총사업비, 사업기간 등을 협의하여야 한다.

② 중앙관서의 장은 대상 토지가 10필지 이상으로 구성되고 보상비 추정액이 50억원 이상인 관리대상 사업에 대한 기본설계(기본설계를 생략하는 경우 실시설계)가 완료되면 「한국감정원법」에 따른 한국감정원에게 사업대상 토지에 대한 표본기준가격조사를 의뢰하여야 한다. 다만, 보상비 추정액이 200억원을 초과하는 경우 3필지 이상으로 구성되어 있으면 표본기준가격조사를 의뢰하여야 한다.

③ 한국감정원은 제2항에 따라 표준기준가격조사를 의뢰 받은 경우 60일 이내에 해당 사업대상 토지의 대표성을 가질 수 있는 필지 수 및 면적 비율의 표본지를 선정하여 조사를 실시하고, 그 결과를 해당 중앙관서의 장에게 통보하여야 하며, 각 중앙관서의 장이 요청하는 경우에는 총사업비 중 표본기준가격 조사에 의한 토지보상비 추정치를 제공할 수 있다.

④ 제3항의 표준기준가격조사에는 해당 표본지의 기준가격 조사액, 보상선례, 실거래가격 등이 포함되어야 하며, 각 중앙관서의 장은 한국감정원으로부터 통보 받은 표본기준가격조사를 보상평가시 참고하도록 제66조제1항의 규정에 의한 감정평가업자에게 제공하여야 한다.

⑤ 각 중앙관서의 장은 감정평가업자로부터 제출 받은 보상평가서의 보상평가액이 표본

기준가격조사액(제3항에 따라 토지보상비 추정치를 제공받은 경우에는 그 금액)에 지가상승률을 제외하고 100분의 10을 초과하여 증액된 경우에는 공익사업을 위한 토지 등의 취득 및 보상에 관한 법률 시행규칙 제17조제1항에 따라 국토교통부 장관이 고시하는 기관에 해당 보상평가서의 검토를 요청하여야 한다.

제5절 실시설계 단계

제19조(실시설계 과정) ① 중앙관서의 장은 실시설계 단계에서 충분하고 합리적인 사유 없이 기본설계 단계(기본설계를 실시하지 아니한 경우 그 이전단계를 말한다. 이하 같다)에서 기획재정부장관과 협의된 사업규모를 변경하여서는 아니된다.

② 중앙관서의 장은 실시설계 과정에서 대형 신규 구조물 설치, 일부 구간의 차로 수 변경(도로사업 및 철도사업의 경우), 신규 내역 및 공종 추가, 전체 노선의 1/3 이상 변경 등 사업내용과 규모 등에 중대한 변경이 있는 경우 미리 기획재정부장관과 사업규모, 총사업비, 사업기간 등을 협의하여야 한다.

제20조(관계기관 등 협의결과 반영) 중앙관서의 장은 실시설계 과정에서 관련법령에 의해 시행한 환경영향평가, 교통영향평가, 지자체 협의 결과 등을 실시설계에 반영하여야 한다.

제21조(설계 검토) 중앙관서의 장은 실시설계 과정에서 사업물량을 과도하게 산정하거나 불필요한 기능이 포함되지 아니하도록 실시설계 완료 이전에 「건설기술진흥법 시행령」 제75조에 의한 설계내용 검토(설계VE)를 1회 이상 시행하여야 하며, 건축사업의 경우 제57조제3항에 따른 기본설계의 적정성 검토 결과에 대한 반영여부를 포함한 실시설계의 내용에 대하여 조달청장과 협의하여야 한다.

제22조(설계가격 검토) ① 중앙관서의 장은 실시설계가 완료되면 기획재정부장관에 대한 총사업비 협의 이전에 조달청장에게 실시설계 결과에 대한 단가의 적정성 검토를 의뢰하여야 한다.

② 제1항의 규정에도 불구하고 조달청장에게 계약체결을 의뢰하는 사업(국가기관 직접시행사업 등)에 대해서는 그 단가의 적정성 검토를 의뢰하지 아니할 수 있다.

③ 조달청장은 중앙관서의 장이 제1항 및 제2항에 따라 단가의 적정성 검토를 의뢰한 경우 빠른 시일 내에 검토의견을 통보하여야 한다.

제23조(실시설계의 완료) 중앙관서의 장은 실시설계 용역이 완료되면 조달청장에게 공사계약 체결 의뢰 이전(조달청장에게 공사계약 체결을 의뢰하지 아니하는 사업의 경우 입찰·발주 이전)에 다음의 서류를 첨부하여 기획재정부장관과 사업규모, 총사업비, 사업기간 등을 협의하여야 한다.

1. 실시설계 용역 결과보고서 및 요약보고서
2. 총사업비가 기본설계에 의한 총사업비와 차이가 발생한 경우 그 사유 및 설명자료(실시설계 용역수행자가 실명으로 작성)

3. 제21조의 규정에 의한 설계내용 검토 및 실시설계 협의 결과 반영사항
4. 제22조의 규정에 의한 조달청장의 단가의 적정성 검토의견서
5. 실시설계에 반영된 환경·교통영향평가 결과, 지자체 협의결과 등

제24조(총사업비 조정 결과 통보) 기획재정부장관은 제23조의 규정에 따라 실시설계 결과에 대하여 중앙관서의 장과 협의 조정한 총사업비를 해당 중앙관서의 장과 조달청장에게 통보하여야 한다.

제6절 발주 및 계약 단계

제25조(조달 계약) ① 중앙관서의 장은 조달청장에게 당해 사업에 대한 계약체결을 의뢰할 때에는 제24조에 따라 기획재정부장관과 협의를 거친 총사업비 내역서를 첨부하여야 한다.

② 조달청장은 공사를 입찰·발주함에 있어 「국가를 당사자로 하는 계약에 관한 법률 시행령」 제8조제2항에 따라 예산상 총공사금액(관급자재 금액은 제외한다)의 범위안에서 예정가격을 결정하여야 한다.

③ 조달청장은 중앙관서의 장으로부터 발주의 의뢰가 있는 경우 그 의뢰받은 총사업비가 기획재정부장관이 제24조에 따라 통보한 총사업비를 초과한 경우에는 입찰공고 이전에 기획재정부장관과 협의하여야 한다.

④ 정부출연·출자기관 등이 자체 발주하는 공사의 경우 해당 기관의 발주부서는 사업부서가 발주 요청한 총사업비가 기획재정부장관이 통보한 총사업비를 초과한 때에는 입찰공고 이전에 소관 중앙관서의 장 및 기획재정부장관과 협의하여야 한다.

제26조(낙찰차액의 감액) ① 중앙관서의 장은 계약체결 결과 총사업비로 책정된 금액과 실제 계약금액과의 차액(이하 "낙찰차액"이라 한다)이 발생한 경우 불가피한 경우를 제외하고 계약체결일로부터 30일 이내에 '제7장 중앙관서 자율조정'에서 정한 절차에 따라 총사업비를 감액하여야 한다.

② 중앙관서의 장은 제1항의 규정에 의한 공사비 낙찰차액 감액 조정시 시설부대비도 함께 감액 조정하여야 한다.

③ 중앙관서의 장은 소관에 속하는 관리대상 사업에 대하여 계약체결일로부터 30일 이내에 낙찰차액 감액 여부를 확인하고, 낙찰차액이 감액되지 아니한 사업에 대하여는 동 기간 이내에 이를 감액하도록 조치하여야 한다.

④ 삭제 <2013.11.1.>

⑤ 삭제 <2013.11.1.>

제7절 시공 단계

제27조(공사계약 변경 이전 총사업비 협의) ① 중앙관서의 장은 공사 착공 이후 불가피한 사유로 기획재정부장관과 기 협의된 사업규모, 총사업비, 사업기간 등을 변경하고자 하는 경우에는 공사계약 변경 이전에 기획재정부장관과 협의하여야 한다.

② 제1항에 따라 기획재정부장관과 사전 협의가 필요한 내용은 <별표 2 붙임 4>와 같다.

③ 중앙관서의 장은 제1항에 따라 총사업비의 변경을 협의하고자 하는 경우에는 설계변경의 필요성, 설계서(공종별 세부 공사단가를 포함한다), 종합공정표, 기타 공사비 산출내역을 명확히 하는 서류를 첨부하여야 한다.

④ 중앙관서의 장은 구조물 신설 또는 변경으로 50억원 이상 설계 변경이 필요한 사업에 대하여는 기획재정부장관에 대한 총사업비 협의 이전에 조달청장에게 그 단가의 적정성에 대한 검토를 의뢰하여야 한다.

⑤ 기획재정부장관은 제1항의 협의 대상에 대하여 필요하다고 인정하는 경우 제4항의 규정에도 불구하고 조달청장에게 설계변경에 대한 단가의 적정성에 대한 검토를 의뢰할 수 있다.

제28조(다음 연도 완공사업 등에 대한 총사업비 협의) ① 중앙관서의 장은 다음 연도에 완공예정 사업에 대한 사업규모, 총사업비, 사업기간 등을 불가피하게 변경할 필요가 있는 경우에는 다음 연도 정부 예산안 또는 기금운용계획안에 반영될 수 있도록 당해 연도 5월 31일까지 기획재정부장관에게 총사업비 등의 조정을 요구하여야 한다. 그 조정내용이 제100조에 의한 중앙관서 자율조정 항목에 해당하는 경우 당해 연도 5월 31일까지 기획재정부장관에게 그 실적을 통보하여야 한다.

② 중앙관서의 장은 제1항의 규정에 의한 총사업비 등의 조정 요구 시 향후 추가적인 총사업비의 변경이 발생하지 아니하도록 잔여공정에 대한 완공소요를 면밀히 분석하여 포함하여야 하며, 원칙적으로 완공 연도에는 사업규모 및 총사업비의 조정협의나 중앙관서 자율조정은 허용되지 아니한다.

③ 제1항 및 제2항의 규정에도 불구하고 법정경비의 반영 또는 사전에 예측할 수 없었던 사유 등 특별한 사유가 있는 경우 해당 중앙관서의 가용예산 범위내에서 총사업비의 조정을 요청하거나 '제7장 중앙관서 자율조정'에서 정한 절차에 따라 자율조정할 수 있다.

제29조(예산성과금 신청에 따른 총사업비 협의) 중앙관서의 장은 예산의 집행방법 또는 제도의 개선 등으로 지출이 절약되어 「국가재정법」 제49조의 규정에 의한 예산성과금의 지급을 신청하고자 하는 경우에는 미리 기획재정부장관과 당해 사업에 대한 총사업비의 감액조정을 협의 하여야 한다.

② 중앙관서의 장은 제1항의 감액조정 항목이 제100조의 규정에 의한 자율조정 항목에 해당하는 경우 제103조에 따라 총사업비를 자율조정하고 그 결과를 기획재정부장관에게 통보하여야 한다.

제30조(긴급상황에서의 총사업비 변경) 중앙관서의 장은 시공 과정에서 시설의 안전 확보를 위해 시급한 복구가 필요한 경우 또는 복구에 필요한 선(先)조치를 한 부분에 대하여는 제100조제1항제7호의 규정에 의한 자율조정으로 총사업비를 변경할 수 있다.

제8절 일괄입찰사업 등에 대한 총사업비 관리

제31조(기본계획의 완료) ① 중앙관서의 장은 설계·시공일괄입찰방식으로 추진되는 사업(이하 "일괄입찰사업"이라 한다)에 대해서는 기본계획 수립 이후 일괄입찰사업 발주 이전에 기획재정부장관과 사업규모, 총사업비, 사업기간 등을 협의하여야 한다. 다만, 제14조제4항의 규정에 따라 협의를 거친 경우에는 그러하지 아니하다.

② 제1항의 규정은 전체 사업물량 중 일부 공종·내역을 일괄입찰사업으로 추진하는 경우에도 적용한다.

제32조(기본·실시설계) ① 중앙관서의 장은 일괄입찰사업에 대한 기본설계 또는 실시설계 과정에서 당초의 사업규모, 총사업비 또는 사업기간 등이 초과되지 아니하도록 노력하여야 한다.

② 중앙관서의 장은 제1항의 규정에도 불구하고 제20조의 규정에 의한 관계기관의 협의 결과 등에 따라 불가피하게 당초 기본계획 등에서 정한 사업규모, 총사업비 또는 사업기간 등을 변경할 필요가 있는 경우에는 최종 낙찰자를 선정하기 이전에 기획재정부장관과 협의하여야 한다.

③ 제1항 및 제2항의 규정은 「국가를 당사자로 하는 계약에 관한 법률 시행령」 제79조제1항제4호에 의한 대안입찰방식으로 추진되는 사업(이하 "대안입찰사업"이라 한다)에 대하여도 적용한다.

제33조(공사 발주 이후) ① 중앙관서의 장은 일괄입찰사업 또는 대안입찰사업 방식으로 추진되는 사업에 대하여는 사업자 선정일로부터 30일 이내에 '제7장 중앙관서 자율조정'에서 정한 절차에 따라 낙찰차액을 감액조정하여야 한다.

② 일괄입찰사업 또는 대안입찰사업 방식으로 추진되는 사업에 대하여는 발주처 또는 정부의 귀책 사유(제20조의 규정에 의한 관계기관의 협의 결과 등에 따라 사업내용이 추가되는 경우를 포함), 천재·지변 등 불가항력의 사유로 인한 경우를 제외하고는 그 계약금액을 증액할 수 없다.

제9절 정보화사업 및 연구기반구축 R&D 사업에 대한 총사업비 관리

제33조의2(총사업비 협의) ① 정보화 사업 또는 연구기반구축 R&D사업을 추진하는 중앙관서의 장은 다음 각 호의 단계가 완료된 시점에 용역 결과보고서(시설장비구축계획서를 포함

한다) 및 요약보고서를 첨부하여 기획재정부장관과 사업규모, 총사업비, 사업기간 등을 협의하여야 한다.

1. 기본계획(정보화 사업의 경우 정보화전략계획) 수립
2. 기본설계·실시설계(정보화 사업의 경우 시스템 분석·설계·구축)
3. 그 밖에 이에 준하는 사업단계

② 중앙관서의 장은 정보화사업 또는 연구기반구축 R&D사업 추진과정에서 사업규모, 총사업비, 사업기간 등을 변경할 필요가 있는 경우에는 상세한 내역을 첨부하여 기획재정부장관과 미리 협의하여야 한다.

제4장 수요예측 재조사

제1절 수요예측 재조사의 개요

제34조(수요예측 재조사의 목적) 수요예측 재조사(이하 "수요예측 재조사"라 한다)는 사업구상에서 완공까지 장기간이 소요되는 대규모 공공투자사업에 대한 수요의 변화를 사업추진 단계별로 면밀히 관리하여 재정투자의 효율을 높이고 예산낭비를 방지함을 목적으로 한다.

제35조(수요예측 재조사의 대상사업) 수요예측 재조사의 대상사업은 제3조의 규정에 의한 관리대상 사업 중 도로, 철도, 공항, 항만, 수자원 등 사회기반시설의 건설사업으로 한다. 다만, 중앙관서의 장은 500억원 미만인 사업에 대하여도 제38조제1항 각 호의 요건을 감안하여 필요하다고 인정하는 경우 수요예측 재조사의 대상 사업으로 할 수 있다.

제36조(수요예측 재조사의 수행주체) 총사업비가 500억원 이상인 사업은 기획재정부장관이, 500억원 미만인 사업은 당해 사업의 소관 중앙관서의 장이 수요예측 재조사를 시행한다.

제37조(수요예측 재조사의 시행시기) ① 수요예측 재조사는 기본계획 또는 타당성조사 완료단계, 기본·실시설계 완료 단계, 시공 단계별로 시행한다.

1. 삭제 <2013.11.1.>
2. 삭제 <2013.11.1.>
3. 삭제 <2013.11.1.>
4. 삭제 <2013.11.1.>

② 제1항의 규정에도 불구하고 기획재정부장관 또는 중앙관서의 장이 수요예측 재조사가 필요하다고 인정하는 경우에는 타당성조사·설계 착수 이전 또는 그 기간 중에도 이를 시행할 수 있다.

제38조(수요예측 재조사의 요건) ① 수요예측 재조사는 사업추진 단계에서 다음 각 호의 어느 하나에 해당하는 사유로 최초 사업추진단계에서 예측한 수요(제49조의 규정에 의하여 이

전에 타당성 재조사를 거친 경우 그 결과 예측된 수요를 포함한다. 이하 제39조제2항, 제42조제2항 및 제49조제1항제4호의 경우도 같다)에 중대한 변화가 있을 것으로 예상되는 사업에 대하여 시행한다.

1. 당해 사업의 수요에 직접 관련되는 대규모 국제행사, 신도시 개발계획, 주변 택지개발계획 등이 취소 또는 변경된 경우
2. 당해 사업과 경쟁관계가 될 수 있는 대체교통수단의 건설이 추진되어 당해 사업의 수요에 중대한 변화가 예상되는 경우
3. 도로사업, 철도사업 중 당해 사업구간의 전·후 연결구간에 대한 확장 또는 신설 계획이 취소·변경되는 경우
4. 수요예측 방법의 변화 등으로 현저한 수요의 감소가 발생할 것으로 예상되는 경우
5. 민간투자사업으로 추진되는 사업이 재정투자사업으로 사업추진 방식이 변경되어 수요예측치에 대한 재검토가 필요하다고 인정되는 경우
6. 제4조제1항의 규정에 따른 사업추진 단계에서 예비타당성조사 이후 5년이 경과하여 기본설계가 실시되거나 실시설계 완료 이후 5년이 경과하여 착공되는 등 이전 단계(이전 단계를 거치지 아니한 경우 그 이전 단계) 완료 후 다음 단계의 착수까지 5년 이상이 경과하여 추진되는 사업의 경우
7. 삭제 <2013.11.1.>

② 관리대상 사업이 도로, 철도, 공항, 항만, 수자원 등 분야별 중장기 투자계획에 포함되고 당해 계획 수립을 위한 수요예측시 전제된 인구·자동차 보유대수·교통량·항만 물동량 등 사회·경제적 지표가 크게 변동하는 경우에는 해당 중장기 투자계획에 대해 수요예측 재조사를 시행할 수 있다.

제2절 수요예측 재조사의 시행절차

제39조(수요예측 재조사의 시행 요구) ① 중앙관서의 장은 총사업비가 500억원 이상인 소관사업 중 제38조제1항 각 호의 규정에 의한 수요예측 재조사 요건에 해당하는 사업에 대하여는 사업내용, 사업규모, 수요예측 재조사 사유 등을 명시하여 기획재정부장관에게 수요예측 재조사의 시행을 요구하여야 한다.

② 중앙관서의 장은 기본계획 수립, 타당성조사, 기본설계 또는 실시설계 과정 등에서 수요예측치가 예비타당성조사, 기본계획 또는 타당성조사 등 최초의 수요 예측치 대비 100분의 30 이상 감소한 것으로 확인된 사업에 대하여는 제1항의 규정에도 불구하고 기획재정부장관에게 타당성 재조사의 시행을 요구하여야 한다.

제40조(수요예측 재조사의 시행) ① 기획재정부장관은 제39조제1항의 규정에 의해 수요예측 재조사의 시행을 요구 받은 사업에 대하여 수요예측 재조사의 필요성을 검토한 후 전문성을 갖춘 연구기관 등에 수요예측 재조사를 의뢰할 수 있다.

② 기획재정부장관은 제1항의 규정에도 불구하고 제38조제1항 각 호의 요건을 감안하여 필요하다고 인정하는 경우 전문성을 갖춘 연구기관 등에 수요예측 재조사를 의뢰 할 수 있다.

③ 수요예측 재조사의 객관성과 투명성을 확보할 수 있도록 수요예측 재조사를 위탁받은 기관이 연구를 총괄하되, 해당 분야의 전문지식을 보유한 대학, 연구소 등 전문기관을 공동으로 참여시킬 수 있다.

④ 수요예측 재조사의 용역수행자는 최종 결과를 제출하기 이전에 기획재정부, 소관 중앙관서 등 관계기관이 참여하는 회의를 개최하여 그 관계기관에게 충분한 의견개진의 기회를 주어야 한다.

⑤ 수요예측 재조사의 용역 수행기간은 3개월을 원칙으로 하되, 대상사업의 성격 및 분석의 난이도 등을 고려하여 그 기간을 탄력적으로 조정할 수 있다.

제41조 <제40조와 통합, 2013.11.1.>

제42조(수요예측 재조사의 결과 통보 등) ① 기획재정부장관은 제40조제1항 및 제2항에 따라 수요예측 재조사의 시행을 의뢰한 기관으로부터 동 조사의 완료를 보고 받은 경우 그 결과를 소관 중앙관서의 장에게 통보한다.

② 기획재정부장관은 제39조제2항의 규정에 따라 중앙관서의 장으로부터 타당성 재조사의 시행을 요구 받은 사업 및 제40조에 따라 수요예측 재조사의 시행 결과 그 예측치가 예비타당성조사, 기본계획 또는 타당성조사 등 최초의 수요예측치 대비 100분의 30 이상 감소한 것으로 확인된 사업에 대하여 '제5장 타당성 재조사'의 규정에서 정한 절차에 따라 타당성 재조사를 시행하고, 당해 사실을 소관 중앙관서의 장에게 통보한다.

③ 삭제 <2013.11.1.>

제43조(준용) 중앙관서의 장이 총사업비가 500억원 미만의 소관사업에 대해 제35조 단서에 따라 수요예측 재조사를 시행하는 경우 제40조의 절차를 준용한다.

제5장 타당성 재조사

제1절 타당성 재조사의 개요

제44조(타당성 재조사의 목적) 타당성 재조사는 사업추진 과정에서 일정한 요건에 해당하는 사업에 대해 그 타당성을 객관적으로 재조사하여 타당성이 없는 사업의 추진 또는 불필요한 사업비 증액을 억제함으로써 재정지출의 효율성을 제고함을 목적으로 한다.

제45조(타당성 재조사의 일반지침) 타당성 재조사를 시행함에 있어서 따라야 할 기준, 방법 및 절차 등은 제2절 '타당성 재조사 일반지침'에 의하며, 건축사업·도로사업·철도사업·수자

원사업 등 부문별로 따라야 할 기준 등에 대하여는 <별표 7> '부문별 타당성 재조사 표준지침'에 의한다.

1. 삭제 <2014.4.1.>
2. 삭제 <2014.4.1.>

제2절 타당성 재조사의 일반지침

제46조(타당성 재조사의 대상사업) 타당성 재조사의 대상사업은 제3조제1항 및 제2항의 규정에 의한 관리대상 사업으로 한다. 다만, 같은 조 제3항제1호 및 제2호의 사업에 대하여는 기획재정부장관이 필요하다고 인정하는 경우 타당성 재조사를 시행할 수 있다.

제47조(타당성 재조사의 시행주체) 타당성 재조사는 기획재정부장관이 시행한다.

제48조(타당성 재조사의 시행시기) ① 타당성 재조사는 기본계획 또는 타당성조사 완료 단계, 기본·실시설계 완료 단계, 시공 단계별로 시행한다.

1. 삭제 <2013.11.1.>
2. 삭제 <2013.11.1.>
3. 삭제 <2013.11.1.>
4. 삭제 <2013.11.1.>

② 제1항의 규정에도 불구하고 기획재정부장관은 필요하다고 인정하는 사업에 대하여 타당성조사·설계착수 이전 또는 그 기간 중에도 타당성 재조사를 시행할 수 있다.

③ 제1항 및 제2항의 규정은 제49조의2에 따라 사업계획 적정성 재검토를 실시하는 경우에 준용한다.

제49조(타당성 재조사의 요건) ① 기획재정부장관은 「국가재정법」 제50조제2항 및 같은 법 시행령 제22조에 따라 다음 각 호의 어느 하나에 해당하는 경우에는 타당성 재조사를 시행하여야 한다.

1. 총사업비 또는 국가의 재정지원 규모가 「국가재정법」 제38조, 같은 법 시행령 제13조 및 「예비타당성조사 운용지침」에 따른 예비타당성조사의 대상 규모에 미달하여 예비타당성조사를 실시하지 않았으나 사업추진 과정에서 총사업비와 국가의 재정지원 규모가 예비타당성조사의 대상 규모로 증가한 사업
2. 예비타당성조사의 대상사업 중 예비타당성조사를 거치지 아니하고 예산 또는 기금운용계획에 반영되어 추진중인 사업
3. 물가인상분과 지가상승분을 제외한 사업물량 또는 토지 등의 규모 증가로 총사업비가 기획재정부장관과 협의를 거쳐 확정된 총사업비 대비 100분의 10부터 100분의 20까지의 범위에서 기획재정부장관이 대상 사업의 총사업비 규모에 따라 정하는 비율 이상 증가한 사업

가. 총사업비 증가율은 예비타당성 조사 시 반영된 총사업비를 기준으로 산정한다. 단,

예비타당성 조사를 거치지 않은 경우에는 예산이 반영된 시점에서의 최초 총사업비를 기준으로, 타당성 재조사를 거친 경우에는 타당성 재조사 결과 총사업비를 기준으로 총사업비 증가율을 산정한다.

나. 총사업비 규모에 따라 정하는 비율 이상 증가한 사업이라 함은 총사업비 규모가 1,000억원 미만인 경우 총사업비가 100분의 20 이상, 1,000억원 이상인 경우 100분의 15 이상 증가한 사업을 말한다.

4. 제39조제2항에 따라 중앙관서의 장으로부터 타당성 재조사의 시행을 요구 받은 사업 및 제40조에 따라 수요예측 재조사의 시행 결과 그 예측치가 예비타당성조사, 기본계획 또는 타당성조사 등 최초의 수요예측치 대비 100분의 30 이상 감소한 것으로 확인된 사업
5. 기획재정부 예산낭비신고센터에 예산낭비 사례로 접수된 사업으로서 중복투자 등으로 인한 예산낭비의 개연성이 크다고 기획재정부장관이 인정한 사업
6. 감사원의 감사결과에 따라 감사원이 타당성 재조사를 요청하는 사업 또는 국회가 그 의결로 타당성 재조사를 요구하는 사업
7. 기타 다음 각 목의 경우 등 기획재정부장관 또는 중앙관서의 장이 타당성 재조사가 필요하다고 인정하는 사업

가. 예비타당성조사를 거쳤으나 타당성이 미흡한 것으로 분석된 사업이 재차 예비타당성조사 등을 거치지 아니하고 추진 중인 경우

나. 「국가통합교통체계효율화법」 제18조에 의한 타당성 평가 결과와 「국가재정법」 제38조에 따른 예비타당성조사 결과 간에 현저한 차이가 발생하여 같은 법 제19조제3항에 따라 교통시설 개발사업 시행자가 국토교통부장관과의 협의를 거쳐 기획재정부장관에게 필요한 조치를 요구한 경우

다. 제5조제2항 <별표 3> '부문별 표준내역서'에 구분 표기된 바와 같이 공사비를 공종별로 관리하는 사업에 있어서 공종별로 시차를 두고 설계하는 경우 특정 공종에 대한 설계 결과의 공사비가 제1항제3호의 규정에 의한 당해 공종별 총사업비를 기준으로 100분의 20이상 증가한 경우(사업비의 공종별 누계액에 대하여도 동일하며, 비교 대상으로 하는 총사업비에는 예비비를 포함한다.)

② 기획재정부장관은 제1항의 규정에도 불구하고 다음 각 호의 어느 하나의 사유로 인하여 타당성 재조사의 실익이 없다고 판단하는 경우에는 타당성 재조사를 시행하지 아니할 수 있다.

1. 사업내용의 상당 부분이 이미 시공되어 매몰비용이 차지하는 비중이 큰 경우
2. 해당 사업의 총사업비 증가의 주요 원인이 상위계획의 변경, 법정사항의 반영 등 외부적인 요인에 있는 경우
3. 지역균형발전, 긴급한 경제·사회적 상황에 대응할 목적으로 추진되는 다음 각 목의 사업

가. 지역균형발전 목적으로 추진되는 사업 : 지역간 현저한 불균형의 해소 또는 광역

간 균형발전을 위해 추진하는 기반시설 지원사업 등

나. 긴급한 경제·사회적 상황에 대응할 목적으로 추진되는 사업 : 경기침체, 대량실업, 환율의 급격한 변동 등 대내외의 중대한 여건 변화에 대응하기 위해 긴급히 추진되는 사업 등

4. 재해예방·복구지원 또는 안전문제 등으로 시급한 추진이 필요한 사업
5. 「국가재정법」 제38조제2항 및 「예비타당성조사 운용지침」 제11조에 따라 예비타당성조사 대상에서 제외된 사업
6. 국가의 재정지원 규모가 300억원 미만인 토목사업 및 정보화사업

③ 삭제 <2013.11.1.>

1. 삭제 <2013.11.1.>
2. 삭제 <2013.11.1.>

제49조의2(사업계획 적정성 재검토) ① 기획재정부장관은 제49조제2항 각 호에 해당하여 타당성 재조사를 시행하지 아니하는 사업의 경우에는 타당성 재조사 방식에 준하여 적정 사업규모, 총사업비, 효율적 대안 등을 검토하는 사업계획 적정성 재검토를 실시할 수 있다.

② 기획재정부장관은 제49조제1항의 규정에 의한 타당성 재조사 요건에 해당하지 아니하더라도 적정 사업규모, 총사업비, 효율적 대안 등을 검토할 필요가 있는 사업의 경우 타당성 재조사 방식에 준하여 사업계획 적정성 재검토를 실시할 수 있다.

제50조(타당성 재조사 용역) ① 타당성 재조사의 객관성과 투명성을 확보할 수 있도록 타당성 재조사의 수행을 위탁받은 기관이 연구를 총괄하되, 해당 분야의 전문지식을 보유한 대학, 연구소, 엔지니어링회사 등 전문기관을 공동으로 참여시킬 수 있다.

② 타당성 재조사에 대한 용역수행자는 최종결과를 제출하기 이전에 사업 소관 중앙관서, 기획재정부 등 관계기관이 참여하는 회의를 개최하여 그 관계기관에게 재조사 결과에 대하여 충분한 의견개진의 기회를 주어야 한다.

③ 타당성 재조사에 대한 용역 수행기간은 4개월을 원칙으로 하되, 대상사업의 성격 및 분석의 난이도 등을 고려하여 그 기간을 탄력적으로 조정할 수 있다.

④ 타당성 재조사의 용역수행기관은 그 재조사가 완료되면 기획재정부장관에게 보고서를 제출하여야 하며, 당해 보고서는 <별표 8>과 같이 구성하여야 한다.

⑤ 타당성 재조사의 용역수행기관은 용역수행을 위하여 필요할 경우 타당성 재조사에 관한 세부지침을 마련하여 시행 할 수 있다.

⑥ 제1항 내지 제5항의 규정은 제49조의 2에 의한 사업계획 적정성 재검토의 실시에 대하여도 준용한다. 다만, 이 경우 제3항의 규정에 의한 수행기간은 2개월을 원칙으로 한다.

제51조(타당성 재조사의 조사 내용) ① 타당성 재조사는 사업의 개요 및 재조사의 쟁점 파악, 사업계획의 적절성 검토, 경제성 분석, 정책적 분석, 지역균형발전 분석 등 수행단계별로 제시된 내용을 조사하고, 이를 종합하여 사업의 타당성 및 대안을 제시한다.

② 타당성 재조사에 있어서는 전기·통신·기계·방재·교통신호·조경·배수공사비, 부지임차

료, 토지·건물·지장물보상비, 환기시설비, 폐기물처리비·문화재조사용역비 등 관련 법령에 따라 시행하는 각종 법정경비 등 당해 사업 추진과 관련하여 발생할 수 있는 모든 비용(당해 사업의 중앙관서의 장이 사업계획서 또는 설계서 등에서 누락한 비용 등)을 포함하여야 하며, 도시철도 등 지상화 또는 지하화를 선택할 수 있는 경우 선택되지 아니한 방안에 대하여도 병행 검토하여 그에 대한 총사업비를 산정하여야 한다.

③ '타당성 재조사의 개요 및 기초자료 분석·타당성 재조사의 주요 쟁점' 단계에서의 조사내용에는 다음 각 호의 사항을 포함한다.

1. 타당성 재조사의 개요
   가. 사업의 배경 및 목적, 기대효과 등 사업에 관한 기본적인 사항
   나. 최초 사업이 추진되어 타당성 재조사 단계에 이르기까지의 상세한 추진경위, 현재까지의 예산집행 현황
   다. 예비타당성조사, 타당성조사 등 이전단계의 분석결과
   라. 사업의 공간적 입지, 공사내역, 총사업비 규모 등 사업의 내용
   마. 삭제 <2014.4.1.>
2. 기초자료 분석 및 타당성 재조사의 주요 쟁점
   가. 자연환경 및 생활환경 분석
   나. 사회·경제적 환경 분석
   다. 상위 및 지역 관련 계획
   라. 유사 및 관련 사례 분석
   마. 타당성 재조사의 주요 쟁점

④ '사업계획의 적절성 검토' 단계에서의 조사내용에는 다음 각 호의 사항을 포함한다.

1. 사업목적의 적절성 검토 : 당초 사업추진 시점과 변화된 환경을 감안하여 현재 시점에서 사업의 필요성 및 사업으로 인한 효과 등이 국민 경제적 관점에서 추구하여야 할 가치가 있는 목적인지 여부를 검토
2. 사업계획서의 설계기준에의 적절성 검토 : 관련 법령에 따른 최소 설계기준에의 충족여부, 과다 설계 여부, 당해 시설에 대한 입지 및 환경측면에서의 적절성 여부 등 검토
3. 대안 선정의 적절성 검토 : 제1호 및 제2호에서 검토된 사업목적, 설계기준, 시설규모 등에 대한 종합적인 판단 결과 요구 내용의 변경이 필요한 경우 적합한 대안을 검토

⑤ '경제성 분석' 단계에서의 조사 내용에는 다음 각 호의 사항을 포함한다.

1. 원칙적으로 예비타당성조사의 경제성 분석 기준을 적용하되, 매몰비용의 처리 등 타당성 재조사의 특성에 맞도록 조정하여 분석
2. 수요 추정은 사업부문별 「예비타당성조사 표준지침」을 적용하되, 이전단계의 수요추정 결과와 비교하여 제시
3. 총사업비 추정
   가. 공종별로 물량 및 적정단가 산정을 통해 총사업비를 추정

나. 기본설계와 실시설계 단계의 타당성 재조사에는 원칙적으로 예비비를 반영하지 않음
다. 구조물 형식 등 변경요인이 현저한 부분을 분석
4. 경제적 타당성 평가
가. 분석 기준년도는 타당성 재조사 착수 시점의 전년도를 분석 기준 시점으로 하여 편익과 비용을 추정
나. 사회적 할인율, 분석기간은 「예비타당성조사 운용지침」을 적용
다. 연차별 투입률은 예비타당성조사 표준지침에 의하되, 예산편성 상황을 감안하여 조정 가능
라. 이미 완료된 설계비, 공사비는 매몰비용으로 처리하며, 용지매입비는 매몰비용으로 처리하지 않음
마. 매몰비용을 총사업비에 포함한 B/C를 산정하여 참고자료로 제시

⑥ '정책적 분석' 단계에서는 원칙적으로 「예비타당성조사 운용지침」상의 '정책적 분석기준'을 적용하되, 해당 사업의 특성을 감안하여 조정할 수 있다.

⑦ 삭제 <2014.4.1.>

⑧ '종합 평가 및 정책제언'에는 다음 각 호의 사항을 포함한다.
1. 사업 추진경위, 경제성 분석 및 정책적 분석, 지역균형발전 분석을 기초로 사업의 타당성을 종합적으로 평가하여 사업의 지속 추진여부를 판단한다. 이 경우 원칙적으로 「예비타당성조사 운용지침」에 따라 계층화분석법(AHP)을 적용한다.
2. 적정 총사업비 조정액 산정
가. 총사업비 증가요인 분석
나. 사업추진이 필요한 경우 적정 수요규모에 기초한 시설물의 적정 규모를 추정하여 총사업비 조정시 기초가 되는 총사업비 규모를 산출
3. 바람직한 사업 추진방식, 시설물의 품질을 제고하기 위한 기술적인 개선사항 등 사업 추진상의 개선사항을 제시
4. 사업의 타당성이 없다고 판단되는 사업에 대해서는 사업규모, 적정 투자시기 조정 등 사업에 대한 추진전략을 제시

제52조 삭제 <2014.4.1.>

제53조(타당성 재조사의 결과 통보 등) ① 기획재정부장관은 타당성 재조사가 완료된 경우에는 이를 해당 중앙관서의 장에게 통보한다.

② 중앙관서의 장은 제1항의 통보를 받은 경우 당해 타당성 재조사 결과를 반영하여 기획재정부장관에게 제109조에 따라 총사업비의 조정을 다시 요구하여야 한다.

③ 제1항 및 제2항의 규정은 제49조의 2의 규정에 의한 사업계획 적정성 재검토를 실시하는 경우에 준용한다.

제6장 총사업비 조정기준

제1절 총사업비 조정의 기본원칙

제54조(기본원칙) ① 안전시공, 법령개정 등의 불가피한 사유가 있는 경우를 제외하고는 공사물량 증가를 초래하는 설계변경은 원칙적으로 인정하지 아니한다.

② 제49조제1항의 규정에 의한 타당성 재조사 요건에 해당하는 경우에는 제48조제1항의 타당성 재조사의 시행 시기별로 타당성 재조사를 시행한 후 그 결과에 따라 총사업비를 조정한다.

③ 제2항의 규정은 제49조의 2의 규정에 의한 사업계획 적정성 재검토를 실시하는 경우 이를 준용한다.

제55조(과업범위의 제한) ① 과업의 범위는 원칙적으로 예비타당성조사 또는 최초 예산반영 시점에 기획재정부장관과 협의된 공종 또는 내역으로 한다.

② 과업외 구간 등 당해 사업과 직접 관련이 없는 공종·내역 등의 추가로 인한 총사업비 변경은 인정하지 아니한다.

③ 시설의 일부 또는 부지에 대해 지자체, 공공기관 또는 민간기관 등이 기관의 유치조건 등을 전제로 한 사업 규모 또는 범위의 확대는 과업외 구간에 해당하여 그에 소요되는 사업비는 당해 지자체 등이 부담한다.

④ 사업기간의 연장 또는 총사업비의 증액을 수반하면서 예비타당성조사 또는 최초 예산반영 시점에 기획재정부장관과 협의되지 아니한 내역사업의 추가는 원칙적으로 인정하지 아니한다. 다만, 총사업비 관리 목적상 추진 중인 사업에 추가하여 관리하는 것이 필요할 경우에는 예외로 할 수 있다.

제56조(공종별 조정) 당해 사업에 소요되는 총사업비가 변경되는 경우뿐만 아니라 총사업비의 변동을 초래하지 아니하더라도 공종별로 사업비가 변경되는 경우 총사업비를 조정하여야 한다.

제57조(설계의 적정성 검토) ① 기획재정부장관은 제14조제4항, 제17조제4항, 제18조제1항, 제19조제2항, 제23조의 규정에 따라 기본계획, 기본설계 및 실시설계 단계에서 사업규모 또는 총사업비의 변경을 요구받은 경우 그 기본계획 또는 기본설계·실시설계의 적정성 등에 대한 검토가 필요하다고 인정하는 때에는 국토교통부, 행정자치부, 조달청 또는 공공기관에 그에 대한 검토를 요청할 수 있으며 요청받은 기관은 그 검토 결과를 기획재정부장관에게 통보하여야 한다.

② 국토교통부장관은 제1항의 규정에도 불구하고 철도사업의 경우 열차운영계획 등에 따른 시설규모의 적정성에 대하여 「철도산업발전기본법」 제3조제10호에 의한 당해 철도운영자, 외부전문가 등이 참여하는 위원회를 구성하여 기본설계의 적정성을 검토하여야 한다.

③ 제1항의 규정에도 불구하고 중앙관서의 장은 건축사업의 경우 계획설계·기본설계 완료 후 및 실시설계 완료 이전에 조달청장에게 설계의 적정성에 대한 검토를 의뢰하여야 한다. 다만, 다음 각 호의 1에 해당하는 경우에는 해당 설계에 대한 적정성 검토를 의뢰하지 아니할 수 있다.

1. 「건설기술진흥법」 제6조에 의한 기술자문위원회를 두고 있는 중앙관서의 장이 그 기술자문위원회의 자문을 거쳐 작성한 계획설계
2. 「조달사업에 관한 법률 시행령」 제9조의3제4항에 따라 조달청장에게 당해 건축사업과 관련한 설계용역 관리, 공사원가 검토 및 공사관리 등을 대행(이하 "맞춤형 서비스"라 한다)하는 경우의 계획설계·중간설계·실시설계

④ 중앙관서의 장은 조달청장에게 제3항 본문에 따라 설계에 대한 적정성 검토를 의뢰하는 경우 제21조의 규정에 의한 설계의 경제성등 검토의 대행을 요청할 수 있다.

⑤ 조달청장은 제3항에 따라 설계의 적정성에 대한 검토를 의뢰받은 경우 계획설계에 대하여는 10일 이내에, 중간설계에 대하여는 15일 이내에 그 결과를 당해 중앙관서의 장 및 기획재정부장관에게 통보하여야 한다. 다만, 제4항에 따라 설계의 경제성등 검토의 대행도 요청 받은 경우에는 20일 이내에 통보하여야 한다.

⑥ 중앙관서의 장은 제1항의 규정에도 불구하고 연구기반구축 R&D사업의 경우 계획설계·기본설계 완료 후 및 실시설계 완료 이전에 과학기술정보통신부장관(특수설비·연구장비 부문) 및 조달청장(건축 부문)에게 설계의 적정성에 대한 검토를 의뢰하여야 한다.

⑦ 과학기술정보통신부장관은 제6항에 따라 설계의 적정성에 대한 검토를 의뢰받은 경우 특수설비·연구장비에 대한 검토결과를 조달청장에게 통보하여야 하며, 조달청장은 과학기술정보통신부의 통보결과를 반영하여 통보받은 날로부터 제5항에서 적시한 기간내에 그 결과를 당해 중앙관서의 장 및 기획재정부장관에게 통보하여야 한다.

제58조(설계변경 사전 타당성 검토) ① 기획재정부장관은 공사 착공 이후 총사업비 변경을 요구받은 경우 설계 변경의 타당성과 적정 규모 등에 대하여 사전 검토가 필요하다고 인정하는 때에는 국토교통부, 행정안전부, 과학기술정보통신부, 조달청 또는 공공기관이나 설계전문가에게 그에 대한 검토를 요청할 수 있으며, 요청받은 기관이나 전문가는 검토결과를 기획재정부장관에게 통보하여야 한다.

② 제1항의 규정에도 불구하고 건축사업을 수행하는 중앙관서의 장은 당해 사업비가 15억원 이상 증가(면적증가에 따른 보상비 증가액을 포함한다)하는 설계변경이 필요한 경우 조달청장에게 당해 설계변경에 대한 타당성 검토를 사전에 의뢰하여야 한다. 다만, 「조달사업에 관한 법률 시행령」 제9조의3 제4항에 따라 조달청장에게 맞춤형 서비스를 대행하게 한 경우 또는 제97조에 따른 자율조정 시행사유에 포함된 설계변경인 경우에는 설계변경에 대한 타당성 검토를 별도로 의뢰하지 아니 할 수 있다.

③ 조달청장은 제2항 본문에 따라 설계변경의 타당성에 대한 검토를 의뢰받은 경우 15일 이내에 그 결과를 당해 중앙관서의 장에게 통보하여야 한다.

제59조(관계 법령 등의 협의) 기획재정부장관은 총사업비 관리와 관련있는 법령·기준 등의 조정이 필요한 경우 관계기관의 장과 협의할 수 있다.

제60조(조정기준의 준용) 이 장의 총사업비 조정기준은 기획재정부장관이 각 중앙관서의 장의 총사업비 조정 요구에 따라 총사업비를 협의·조정하는 경우뿐만 아니라 다음 각 호의 경우에도 준용한다.

1. 중앙관서의 장이 관리대상 사업 이외의 사업에 대해 총사업비를 자체적으로 조정하는 경우
2. 중앙관서의 장이 제100조의 규정에 따라 총사업비를 자율적으로 조정하는 경우

제2절 경비별 세부 조정기준

제1관 공사비의 조정기준

제61조(공사비의 정의) ① 공사비(정보화사업은 “구축비”라 한다. 이하 같다)라 함은 총사업비 중 보상비와 시설부대경비(정보화사업의 경우 “부대경비”라 한다. 이하 같다)를 제외한 일체의 경비를 말한다.

② 제1항의 공사비에는 문화재의 시굴비·발굴비, 임목·지정·건축폐기물처리비, 사후환경영향평가비·어업피해영향조사비 등 관련법령에 따라 시행하는 조사용역비, 초기·정기안전점검비 등 관련법령에 따라 시행하는 안전점검비, 건강보험료·국민연금보험료·고용보험료·공사손해보험료 등 법정보험료, 기반시설부담금·용수분담금 등 「부담금관리 기본법」에 따른 각종 부담금(개발제한구역보전부담금, 농지보전부담금, 생태계보전협력금 등 토지와 관련된 부담금은 제외한다), 준공도서전산화비용·지역정비사업비 등 기타 법정경비를 포함한다.

③ 공사비(구축비)는 당해 건설사업 또는 정보화사업에 직접 소요되는 비용으로 한정하고, 준공 이후 운영단계에서 필요한 자산취득비·장비비·관서운영비 등은 포함하지 아니한다. 다만, 건설과정에서 시설물의 일부로서 시공이 불가피한 실험장비, 제2조제6항제2호의 장비구입비 등은 예외로 할 수 있다.

제62조(설계 단계) ① 기본설계 완료사업에 대해서는 예비타당성조사 또는 타당성조사 등에서 제시된 사업계획과 비교하여 세부내역별 증감사유를 검토하고, 다음 각 호의 기준을 적용하여 총사업비를 조정한다.

1. 당초 계획을 유지한 사업으로서 유사 사업의 공사단가와 비교하여 차이가 크지 아니한 경우에는 원칙적으로 기본설계 결과를 반영하여 총사업비를 조정
2. 당초 계획보다 사업규모 등이 증가하였거나 사업내용이 변경된 경우에는 사업물량 증가 또는 사업내용 변경의 타당성 등을 검토
3. 공사 단가가 유사 사업에 비해 높은 경우에는 평균 단가 등을 감안하여 기본설계 결과

의 적정성을 검토

4. 삭제 <2013.11.1.>

② 실시설계 완료사업에 대해서는 제22조의 규정에 따른 실시설계 결과에 대한 조달청의 단가 적정성 검토 결과를 감안하여 다음 각 호에 따라 총사업비를 조정한다.

1. 당초 계획 또는 기본설계 내용을 유지한 사업으로서 유사 사업의 공사 단가와 비교하여 차이가 크지 아니한 경우에는 원칙적으로 실시설계 결과를 반영
2. 당초 계획 또는 기본설계 보다 사업규모 등이 증가하였거나 사업내용이 변경된 경우에는 사업물량 증가 또는 사업내용 변경의 타당성 등을 검토
3. 공사 단가가 유사사업에 비해 높은 경우에는 평균 단가 등을 감안하여 실시설계 결과의 적정성을 검토
4. 삭제 <2013.11.1.>

제63조(계약 단계) 공사계약 체결 결과 제26조의 규정에 의한 낙찰차액이 발생한 경우에는 그 낙찰차액을 감액한 금액으로 총사업비를 조정한다.

제64조(시공 단계) ① 공사 착공 이후의 설계변경으로 인한 총사업비의 증액은 원칙적으로 인정하지 아니한다. 다만, 다음 각 호의 어느 하나에 해당하는 경우에는 실소요액을 반영하여 총사업비를 조정할 수 있다.

1. 물가변동, 시설의 안전 강화, 실시설계 과정에서 예상하지 못했던 지장물 또는 연약지반의 발견 등 불가피한 사유로 인해 설계변경이 필요한 경우
2. 새로운 공법의 도입, 기자재의 설치 등으로 건설중인 시설의 성능이 대폭 개선될 것으로 예상되는 경우

② 실시설계 이후 법령의 제·개정으로 설계 변경이 필요한 경우에는 그에 따른 실소요액을 반영한다. 다만, 법령이 아닌 시방서, 기준, 설계지침 등의 개정으로 인해 설계 변경이 필요한 경우는 원칙적으로 시설 안전과 관련된 사항에 대해서만 총사업비를 조정한다.

1. 삭제 <2013.11.1.>
2. 삭제 <2013.11.1.>

③ 「국가를 당사자로 하는 계약에 관한 법률 시행령」 제64조의 규정에 따라 물가 변동으로 인하여 총사업비를 변경하는 경우에는 조달청장의 사전검토 결과 및 다음 각 호의 기준에 따라 이를 조정한다. 다만, 시공회사의 귀책사유로 인하여 공사기간이 연장됨에 따라 발생하는 물가변동분에 대하여는 그러하지 아니하다.

1. 계약체결 이후 90일이 경과하고, 「정부 입찰·계약 집행기준」에 따라 산출한 지수조정률(k) 또는 품목조정률에 100분의 3 이상의 증감이 있는 경우
2. 공정예정표상 조정기준일 이전에 이행이 완료되어야 할 부문 중 시공자의 귀책사유에 의해 사업추진이 지연된 부분은 물가변동 적용 대상에서 제외
3. 공사 미계약분, 물가상승 예상분 등 확정되지 아니한 물가조정 요구는 불인정. 다만, 다음 연도 완공사업으로서 다음 연도에 물가상승으로 인한 공사비 증액이 불가피할 것

으로 예상되는 사업은 당해 연도 6월말 이전에 해당 물가상승 예상분의 반영을 위한 총사업비 조정을 시행하고, 다음 연도에 조달청 검토를 거친 금액으로 공사비를 정산

④ 제3항제1호의 지수조정률 또는 품목조정률의 기준률은 입찰일(수의계약의 경우에는 계약체결일을, 2차 이후의 계약금액 조정에 있어서는 직전 조정기준일을 말한다)을 100으로 한다.

⑤ 조달청 관급자재 단가 인상으로 인해 총사업비를 변경하는 경우에는 조달청 관급자재 조달계약 체결 결과를 반영하여 총사업비를 조정한다.

⑥ 「국가를 당사자로 하는 계약에 관한 법률 시행령」 제65조의 규정에 의한 설계변경으로 인하여 총사업비를 변경하고자 하는 경우에는 설계변경에 따른 금액이 동 규정에 의한 계약단가 또는 예정가격단가 등에 의해 산정된 것인지 여부를 확인한 후 총사업비를 조정한다.

⑦ 공사 착공 이후에 도시계획 변경 등으로 인해 설계변경이 필요한 경우에는 당해 설계변경으로 인하여 발생하는 추가 소요는 원칙적으로 지자체 등 그 원인제공자가 부담하도록 한다.

⑧ 계속비 예산사업으로서 조기준공 등을 목적으로 연부액을 초과하여 민간 선(先)투자가 이루어져 이에 대한 인센티브를 지급하기로 한 경우 그 인센티브액은 다음과 같이 산정하여 총사업비에 반영할 수 있다. 이 경우 중앙관서의 장은 당해 선투자액 및 인센티브액을 예산집행지침이 정하는 바에 따라 다음 연도 예산에서 지급하여야 한다.

• 민간 선투자 인센티브액 = $\sum[(I \times P)/365일 \times r]$
  · 선투자액(I) : 계속비 연부액을 초과하여 시공업체가 시공한 물량의 가치
  · 선투자 기간(P) : 선투자 공사에 대한 기성 검사를 마친 다음 날부터 대가지급 청구일까지의 일수
  · 인센티브율(r) : 「사회기반시설에 대한 민간투자법」 제30조제1항에 따른 산업기반신용보증기금과 전담 금융기관 간 협약된 금리에 당해 보증수수료율을 합한 값과 6% 중 작은 값

⑨ 발주기관의 귀책사유로 공사기간이 연장되고 이로 인해 공사현장의 유지 및 관리에 직접 필요한 비용(일반관리비·이윤 제외)이 추가로 발생하여 다음 각 호의 기준에 따라 협의 조정을 요청한 경우 실소요액을 반영하여 총사업비를 조정할 수 있다. 다만, 계약당사자간 책임이 혼재되어 있어 책임한계가 불명확한 경우에는 균분으로 한다.

1. 준공일 전년도 5월 31일까지 신청한다.
2. 공기연장의 책임소재·사유, 연장기일 등 관련 증빙자료를 총사업비 조정요구서와 함께 제출해야 한다.

⑩중앙관서의 장은 조기 준공된 경우에는 공사현장에 직·간접적으로 소요되는 비용을 감액하는 등 정산을 해야 한다

제2관 보상비의 조정기준

제65조(보상비의 구분) 보상비는 직접보상비와 간접보상비로 구분한다.

1. 직접보상비 : 「공익사업을 위한 토지 등의 취득 및 보상에 관한 법률」 및 같은 법 시행령, 기타 보상 관계법령의 규정에 의한 토지 등의 손실보상액·이주대책비용·이주정착금 등 당해 사업 지역에 재산을 소유하거나 주거를 갖고 있는 주민에게 직접 지급되는 보상금액
2. 간접보상비 : 분할측량 비용·감정평가 비용(제18조제2항 내지 제5항에 따라 표본기준가격조사를 하는 경우 그 비용을 포함)·권리이전 비용·이주대책 등의 위탁수수료, 공사구간 내 지장물의 이설비, 개발제한구역보전부담금, 농지보전부담금, 생태계보전협력금 등 당해 공사에 필요한 토지의 취득 또는 보상업무에 소요되는 부대경비

제65조의2(지가상승으로 인한 보상비 증가액의 총사업비에의 반영시점) 물량변동이 아닌 지가상승으로 인한 보상비 증가액은 당해 토지 등에 대한 감정평가 결과에 따라 보상가액이 확정된 시점에서 총사업비에 반영한다. 다만, 실시설계가 완료된 시점에서는 지가상승분을 포함한 당시의 보상비 예정액을 총사업비에 반영한다.

제66조(감정평가 결과에 의한 보상비 조정) ① 토지 등의 보상액은 「감정평가 및 감정평가사에 관한 법률」 제2조제4호에 따른 2인 이상의 감정평가업자(이하 "감정평가업자"라 한다)의 평가액을 산술평균한 금액으로 한다.

② 2인 이상의 감정평가업자가 산출한 평가액의 차이가 1.1배를 초과하는 경우 또는 당해 평가가 관계법령에 위반하거나 부당하게 이루어진 것으로 판단되는 등 그 감정평가액을 적정한 것으로 인정할 수 없는 특별한 사유가 있는 경우에는 제3의 감정평가업자에게 재평가를 의뢰하여 보상비를 산정한다.

③ 설계시 또는 공사진행 과정에서 불가피한 사유로 인하여 감정평가를 실시하지 아니한 경우에는 제1항 및 제2항의 규정에도 불구하고 당해 토지의 개별공시지가, 인근 토지의 감정평가액 등을 감안하여 추정 보상비를 산정하되, 추후 감정평가를 거쳐 산출된 금액으로 보상비를 정산한다.

제67조(법령 등에 의한 보상비 조정) ① 분할측량 비용·감정평가 비용·권리이전 비용·이주대책 등의 위탁수수료 등은 「공익사업을 위한 토지 등의 취득 및 보상에 관한 법률」, 「부동산 가격공시에 관한 법률」, 「감정평가 및 감정평가사에 관한 법률」 등 관계법령에서 정한 바에 따라 산정한다.

② 제1항의 규정에 의한 이주대책 등의 위탁수수료는 다목적댐·방조제 건설 등 보상규모가 크거나 지자체 등에 보상업무 등을 위탁하는 것이 효율적이라고 판단되는 경우에 한하여 반영한다.

제3관 시설부대경비의 조정기준

제68조(시설부대경비의 정의) 시설부대경비(정보화사업은 "부대경비"라 한다. 이하 같다)라 함은 감리비, 설계비, 시설부대비(정보화사업은 "부대비"라 한다. 이하 같다)로 하며, 사전조사 및 기본계획 수립에 소요되는 경비는 제외한다.

② 삭제 <2013.11.1.>

제69조(설계비의 조정기준) ① 설계비는 공사비에 '예산안 편성 및 기금운용계획안 작성 세부지침'에서 정한 설계요율을 적용하여 산정하며, 정보화사업은 업무재설계에 소요되는 비용과 '소프트웨어사업 대가산정 가이드'의 정보전략계획수립비를 적용하여 산정한다. 다만, 관련법령 또는 공종별·내역별 분리발주 등으로 인하여 개별설계가 불가피한 경우에는 각 공종별·내역별 공사비에 해당 요율을 적용하여 산정할 수 있다.

② 제1항의 요율 적용을 위한 공사비에는 제61조제2항에 따른 경비를 제외한다.

③ 설계계약 체결 결과 제26조의 규정에 의한 낙찰차액이 발생한 경우에는 그 낙찰차액을 감액한 금액으로 설계비를 조정한다.

④ 시공과정에서 사업계획의 변경에 따라 설계변경이 필요하여 재설계하는 경우에도 제1항 및 제2항의 규정에 의하여 산정된 설계비를 반영하되, 기존 설계의 활용 가능성 등을 감안하여 보정할 수 있다.

⑤ 연약지반의 분포 등에 따라 조사비용이 일반적인 수준을 초과할 경우 그 초과된 부분에 대하여는 설계비에 반영할 수 있다.

제70조(감리비의 조정기준) ① 건설사업의 감리비는 공사비에 '예산안 편성 및 기금운용계획안 작성지침'에서 정한 전면책임감리요율을, 정보화사업은 '정보시스템 감리기준'을 적용하여 산정한다. 다만, 관련법령 또는 공종별·내역별 분리발주 등으로 인하여 공종별·내역별 개별감리가 불가피한 경우에는 각 공종별·내역별 공사비에 해당요율을 적용하여 산정할 수 있다.

② 제1항의 요율 적용을 위한 공사비에는 제61조제2항에 따른 경비를 제외한다.

③ 「조달사업에 관한 법률」 제6조에 따라 조달청에서 공사 관리 등을 대행할 때 발생하는 조달수수료 등은 감리비의 일부분으로 관리하며, 감리계약 체결시 이를 포함한다.

④ 감리계약 체결 결과 제26조의 규정에 의한 낙찰차액이 발생한 경우에는 그 낙찰차액을 감액한 금액으로 감리비를 조정한다.

⑤ 시공과정에서 물가변동분을 제외한 물량변동으로 인하여 공사비가 최초 계약 당시보다 100분의 10을 초과하여 조정되는 경우 제1항에 의한 전면책임감리요율을 적용하여 감리비를 조정한다.

(예시) 당초 공사비 : 1,500억원, 당초 감리비(요율 3.19%) : 47.9억원
조정후 공사비 : 2,500억원(물량변동 500억원, 물가변동 500억원)
추가 감리비 : 14.9억원=500억원(물량변동분)×2.98%(조정 후 공사비 2,500억원에 해당하는 전면 책임감리 요율)
조정후 감리비 : 62.8억원= 당초 감리비(47.9)+추가감리비(14.9)

⑥ 공사물량의 변동 없이 사업기간이 연장되는 경우 감리원의 투입 인원·등급 조정 등을 통하여 감리비가 추가로 발생되지 아니하도록 하여야 하며, 기간 연장에 따른 감리비의 추가 요구는 인정하지 아니한다. 다만, 감리원의 투입 인원·등급 조정 등으로도 감리비의 추가 발생이 불가피한 경우 기간연장의 귀책사유가 발주처에 있는 경우에 한하여 전체 감리비 계약금액의 5% 범위 내에서 조정할 수 있다.

⑦ 「국가를 당사자로 하는 계약에 관한 법률 시행령」 제64조의 규정에 의한 물가변동으로 인한 감리비의 조정은 조달청장의 사전 검토 결과에 따른다. 다만, 시공회사의 귀책사유로 인하여 공사기간이 연장됨에 따라 발생하는 물가변동분에 대하여는 그러하지 아니하다.

제71조(시설부대비의 조정기준) ① 시설부대비(정보화사업은 '부대비')는 공사비에 '예산안 편성 및 기금운용계획안 작성지침'에서 정한 시설부대비요율을 적용하여 산정하며, 공종별 또는 내역별로 개별 요율을 적용하여 산정하여서는 아니된다. 정보화사업의 부대비는 조달수수료 등 법정경비에 한한다.

② 제1항의 요율 적용을 위한 공사비에는 제61조제2항에 따른 경비를 제외한다.

③ 공사계약 체결에 따라 낙찰차액을 감액하여 공사비를 조정하는 경우에는 시설부대비도 감액 조정한다.

④ 시공과정에서 공사비가 조정되는 경우 당해 조정된 공사비에 '예산안 편성 및 기금운용계획안 작성지침' 에 의한 시설부대비요율을 적용하여 시설부대비를 조정한다.

제72조(다른 법령에 의한 시설부대경비의 조정기준) 「한국수자원공사법」 제9조제4항, 「농어촌정비법」 제115조제1항 등 사업관련 법령에서 규정한 정부업무 대행에 대한 비용 등은 예산편성시 적용한 요율, 책임감리 시행여부, 사업규모 및 내용 등을 감안하여 보정할 수 있다.

제3절 부문별 세부 조정기준

제1관 도로 부문

제73조(과업범위의 제한) ① 타 도로와의 연결도로, 지방도의 신설 또는 확·포장 등 건설 중인 당해 도로사업과 직접 관련이 없는 공사물량과 관련된 경비는 원칙적으로 총사업비에 반영하지 아니한다.

② 기존 국도의 노후교량 보수 등에 소요되는 유지관리 경비와 지자체에 이관 예정인 도

로의 유지보수에 소요되는 경비는 당해 도로사업의 총사업비에 반영하지 아니한다.

③ 국도사업 중 시의 동(洞) 구간은 원칙적으로 과업범위에서 제외한다. 다만, 시의 동 구간에 대한 도로 신설 또는 확장계획이 '대도시혼잡도로 개선계획'에 반영되어 있는 경우 또는 원활한 교통처리를 위해 당해 국도사업과의 연계에 필요한 최단 접속지점까지의 동 구간은 과업범위에 포함할 수 있다.

④ 준공 이전 임시개통에 따라 소요되는 유지관리 경비는 당해 도로사업의 총사업비에 반영하지 아니한다.

제74조(도로사업 설계결과의 세부 조정기준) 설계가 완료된 도로사업에 대해서는 다음 각 호의 기준을 고려하여 총사업비를 조정한다.

1. 사업계획의 적정성 : 제4조제1항의 규정에 따른 사업추진 단계에서 이전단계(이전단계가 면제 또는 생략된 경우 그 이전단계)의 공사물량과 비교하여 노선, 연장, 도로 폭 등에 변동이 있는지 여부. 다만, 시가지·우량농지 우회, 지형·지역조건 등 불가피한 사유로 인한 노선 변경은 설계과정에서의 대안 검토의 충실성 등을 감안하여 조정 가능
2. 물량 변동 여부 및 규모의 적정성 : 물가 또는 지가상승분을 제외한 총사업비가 예비타당성조사 당시 반영된 총사업비 대비 100분의 20 이상 증가하였는지 여부. 이 경우, 물가상승으로 인한 총사업비의 변동 규모는 건설기술연구원에서 매월 발표하는 건설공사지수 또는 한국은행에서 발표하는 건설투자 GDP 디플레이터 중에 증가율이 낮은 지수를 적용
   가. 삭제 <2013.11.1.>
   나. 삭제 <2013.11.1.>
3. 적용 단가의 적정성 : km 당 건설단가가 유사 사업 또는 유사 공종과 비교하여 적정한지 여부. 이 경우, 구조물 증가 등으로 유사 사업 또는 유사 공종의 km 당 건설단가와 크게 차이가 있는 경우, 설계상의 연장·물량에 「도로업무편람」등의 토공·구조물별 표준단가를 적용하여 표준사업비를 추정한 후 표준사업비 대비 설계상 총사업비가 100분의 120 미만이면 적용단가가 적정한 것으로 간주
   가. 삭제 <2013.11.1.>
   나. 삭제 <2013.11.1.>

제75조(IC 설치) ① 착공 이후 건설중인 노선에서 IC를 추가로 설치하고자 하는 경우에는 IC 간격, IC 신설 필요성 등을 감안하여 결정하되, IC 신설을 지자체가 요구하는 경우에는 당해 지자체가 사업비의 일부를 부담하는 조건으로 그 신설을 허용할 수 있다.

② 택지개발·산업단지개발 등으로 인해 IC 신설이 필요하게 되는 등 부담주체가 명백한 경우에는 그 원인자가 IC 신설 비용의 전부를 부담한다.

③ 이미 완공되어 운용중인 노선에 IC를 추가로 설치하고자 하는 경우에는 원인자가 그 신설 비용의 전부를 부담한다.

④ 고속도로의 경우 제1항의 사유로 IC를 설치할 경우에는 제82조의 철도역 신설에 관한

규정을 준용한다.

제76조(IC 접속도로의 확장) ① 당해 사업시행으로 인하여 접속도로의 병목현상이 직접적으로 발생하거나 심화되어 그 병목현상의 해소를 위해 IC와 직접 접속되는 국도 또는 지방도의 확장이 필요한 경우에는 설계변경을 허용할 수 있다.

② 제1항의 규정에도 불구하고 타 도로와의 연결도로, 대상 도로 주변의 산업단지 또는 문화유적지 등으로의 진입도로 개설과 관련된 설계변경은 허용하지 아니한다.

제77조(토공구간의 교량화) ① 토공구간의 교량화는 <별표 6> '토공구간 교량화 설계변경 요구서'를 종합적으로 검토하여 허용 여부를 결정한다.

② 중앙관서의 장은 토공구간의 교량화로의 설계 변경을 하고자 하는 경우에는 관련 분야의 전문기관으로 하여금 <별표 6> '토공구간 교량화 설계변경 요구서'를 검토하도록 한 후 그 결과를 첨부하여 기획재정부장관과 협의하여야 한다.

제78조(교차로의 입체화) ① 교차로의 입체화는 원칙적으로 중앙관서의 장이 공신력 있는 전문기관에 의뢰하여 예측한 목표연도의 교차로 서비스 수준이 E 이하일 경우에 한하여 허용한다.

② 제1항의 규정에도 불구하고 교통사고 다발 우려 등 안전확보 차원에서 불가피하다고 인정되는 경우에는 목표연도의 교차로 서비스 수준이 D 이상이라 하더라도 입체화로의 설계변경을 허용할 수 있다.

제79조(기타 민원사항 반영) 배수구조물, 농로, 방음벽, 진입도로 개설 등의 지역주민 민원사항은 원칙적으로 인정하지 아니한다. 다만, 다음 각 호의 어느 하나에 해당하는 경우에는 실소요액을 반영할 수 있다.

1. 도로 신설에 따라 기존 시설의 이용에 지장을 주는 경우
2. 설계 변경으로 인하여 증가하는 총사업비 규모에 비해 교통혼잡 완화 또는 주변 개발지역과의 접근성 개선 등 주민의 편익이 크게 증가하는 경우
3. 설계시 또는 환경영향평가시 등에 비해 현장여건의 변화에 따라 「소음진동관리법 시행규칙」에서 정하고 있는 소음한도를 초과하여 방음벽의 추가 설치가 필요한 경우

제2관 철도 부문

제80조(과업범위의 제한) ① 지자체의 요구에 따른 공원 조성, 주차장 신설·확장 등 당해 철도건설과 직접 관련이 없는 공사물량과 관련된 경비는 원칙적으로 총사업비에 반영하지 아니한다.

② 운영중인 철도건널목의 입체화, 유지보수 비용 등은 철도 유지보수 사업 등 별도의 사업으로 추진한다.

③ 운영중인 지하철 구간의 지하철 종합안전대책에 따른 추가소요 경비는 전액 지자체가 부담한다.

제81조(기본·실시설계에 대한 조정) 기본·실시설계 금액은 노반, 궤도, 건물, 신호, 전력, 통신, 차량기지 등 공종별로 예비타당성조사표준지침(KDI)의 표준사업비 또는 유사사업과 공사단가 등을 비교·검토하여 조정한다.

제82조(철도역의 신설) ① 철도역 신설은 다음 각 호에서 정하는 바에 따른다.

1. 기본계획 이후 단계에서 철도역을 신설하는 경우
   가. 신설 역의 재무적 수익성이 확보되는 경우(R/C≥1) : 국가와 지자체 또는 개발사업자 등이 100분의 50씩을 분담하는 조건으로 허용 가능. 다만, 역 신설에 따른 역세권개발 또는 택지개발 등 주변지역 개발효과가 큰 경우에는 전액 당해 수익자에 의한 부담을 조건으로 허용 가능
   나. 신설 역의 재무적 수익성이 확보되지 아니한 경우(R/C<1) : 신설 역의 경제적 타당성이 인정(B/C≥1)되고, 향후 신설 역의 운영단계에서 운영수입이 운영비용을 초과하는 경우에 한하여 역 신설을 허용하되, 재무적 수익성이 확보될 때까지의 사업비('R/C≥1'에 해당하는 금액)는 국가와 지자체 또는 개발사업자 등이 100분의 50씩을 분담하고, 재무적 수익성이 확보되지 아니하는 부분에 대한 사업비('R/C<1'에 해당하는 금액)는 지자체 또는 개발사업자 등이 전액을 부담

(예시) 신설 역에 소요되는 사업비가 1,000억원이고, 재무적 수익성이 확보되는 사업비('R/C≥1'에 해당하는 금액)가 600억원인 경우 · 600억원은 국가 300억원(50%), 지자체 또는 개발사업자 등 300억원(50%)씩 분담하고, · 재무적 수익성이 확보되지 못하는 사업비에 해당하는 400억원은 지자체 또는 개발사업자 등이 전액 추가 부담

2. 운영중인 노선에 철도역을 신설하는 경우 : 신설 역의 경제적 타당성이 인정되고(B/C≥1), 향후 신설 역의 운영단계에서 운영수입이 운영비용을 초과하는 경우에 한하여 지자체 또는 개발사업자 등이 사업비의 전부를 부담하는 조건으로 역 신설을 허용

② 제1항의 규정에 의해 철도역을 신설하는 경우에는 국가와 지자체 또는 개발사업자 등 간에 재원분담에 대한 협약 체결 등을 전제로 한다.

제83조(환승역의 신설) 환승역의 신설은 환승으로 인한 비용 및 편익 등을 고려하여 경제적 타당성이 있는 경우(B/C≥1)에만 인정하되, 다음 각 호에서 정하는 바에 따라 광역철도 시행분(중앙부처)과 도시철도 시행분(지자체)으로 구분하여 시행주체별로 재원분담 비율을 설정하여 총사업비를 조정한다.

1. 광역철도 및 도시철도 환승역 동시 계획 또는 시공시
   가. 해당 철도 정거장 등 단독시설 : 각각 부담
   나. 정거장간 환승통로 등 환승시설 : 각 100분의 50씩 분담
   다. 대합실, 출입구 등 공동 사용시설 : 각 100분의 50씩 분담
2. 건설중인 철도에서 기 운영중인 철도와의 환승역 시공시

가. 건설중인 철도 정거장 : 건설중인 철도 사업시행자 부담
나. 기존 역과의 환승시설 : 건설중인 철도 사업시행자 부담
다. 기존 역 시설의 개보수 : 건설중인 철도 사업시행자 부담

第84조(차량기지의 신설) 차량기지는 교통영향평가에 따른 소요차량 수와 인근 기지의 수용능력을 감안하여 신설 여부를 결정하되, 미설계된 신설 기지의 총사업비는 수용능력과 대지면적 등을 타 기지와 비교하여 추정한다.

第85조(도로부문 조정기준의 준용) 기타 현장여건 변동, 민원사항(방음벽 설치, 토공구간 교량화 등) 등은 관련 도로부문의 조정기준을 준용한다.

제3관 수자원 부문

第86조(송수관로의 설치) ① 광역상수도의 송수관로는 원칙적으로 당해 상수도에 대한 수요지자체의 경계지점까지 설치한다. 다만, 2개 이상의 읍·면·동을 단일급수구역으로 하여 통합배수지를 운영하는 경우에는 최대 수요 지자체의 통합배수지 입구까지 설치한다.

② 제1항의 규정에도 불구하고 송수관로가 통과하는 지자체의 경우 그 지자체가 필요로 하는 지점의 송수관로에 용수구만 설치한다.

③ 공업용수도의 송수관로는 당해 공단 사업지구 경계지점까지 설치하며, 당해 사업지구에 용수를 공급하는 배수지가 그 사업지구 외곽에 위치하는 경우에는 당해 배수지 입구까지 설치한다.

第87조(하천의 기본·실시설계) ① 기본·실시설계 후 총사업비는 이전단계의 당초 계획과의 사업물량, 유사 사업과의 공사단가 등을 비교·검토하여 조정한다. 이 경우 도로부문 등 타 부문의 세부 조정기준을 준용할 수 있다.

② 생태하천 조성은 토취장 변경, 체육시설·관찰시설, 산책로, 습지복원 등의 구조·위치·수량 변경 등 발생시 도입가능 시설 여부, 시설기준 적합 여부, 이용자 안전, 환경 및 생태계에 미치는 영향 등을 종합적으로 고려하여 조정할 수 있다. 이 경우 '하천설계기준' 및 '자연친화적 하천관리지침', '생태하천조성계획·설계요령' 등에 따른 설계지침을 참고할 수 있다.

第88조(하천 착공 후 설계변경 등) ① 착공 후에는 원칙적으로 당해 사업에 직접적으로 영향을 미치는 다른 하천정비사업의 계획변경, 공사 중 태풍·홍수 등 천재지변으로 인한 계획변경이나 사업물량의 변동이 불가피한 경우 등에 한하여 설계변경 및 총사업비의 조정을 허용할 수 있다.

② 히도준설 공시에서 준설토 수량의 증감, 오염토 수량의 증감, 준설토 처리방법의 변경 등이 발생한 경우에는 준설 목적 달성, 계획홍수위, 수량확보의 지장여부 등을 종합적으로 검토하여 총사업비를 조정할 수 있다.

③ 생태하천조성사업, 강변저류지 등의 사업에 지자체에서 친수공간, 주민편의시설 등을

추가로 요구할 경우에는 해당 지자체가 사업비의 전부 또는 일부를 부담하는 조건으로 허용할 수 있다.

제89조(댐 수몰지 자생수목의 이식) 환경영향평가시 협의된 댐 사업지구내의 보호가치가 있는 동식물의 이식, 서식지 확보 등에 필수적인 경비는 총사업비에 반영한다. 다만, 조경목적의 과도한 사업물량과 관련된 경비에 대해서는 그러하지 아니하다.

제90조(관리비) 관리비는 원칙적으로 「한국수자원공사법 시행령」 <별표> '사업 위탁·수탁 수수료율 기준표'에 따라 조정한다.

제4관 건축 부문

제91조(건축규모 등) ① 청사 등 업무용 공공건축물의 건축규모는 「정부청사관리규정」 등 관련규정에서 정하는 기준면적, 유사시설의 건축면적 등을 감안하여 조정한다.

② 건축사업의 부지규모는 「건축법」·「국토의 계획 및 이용에 관한 법률」 등 관계법령의 규정에 의하되, 용적율, 건폐율, 건물의 규모 또는 용도 등을 종합적으로 감안하여 합리적인 수준으로 결정한다.

③ 건축부지를 선정함에 있어서는 기존 국유지의 활용, 저활용되고 있는 기존 청사(법적 용적률의 50%미만 건축물)와의 공동·합동청사화 등 기존 국유지의 활용방안을 다각도로 검토하여야 한다.

④ 중앙관서의 장은 제3항의 규정에 의한 검토 결과에 해당 지역의 국유지 및 기존 청사 현황을 첨부하여 예산안 또는 총사업비 조정 요구시 제출하여야 한다.

⑤ 「정부청사관리규정」의 적용을 받는 기관의 청사 신축에 있어서 사업규모(부지 포함)의 변경이 있는 경우 반드시 행정안전부와 사전에 협의한 후에 기획재정부장관과 총사업비 등의 조정에 대하여 협의하여야 한다.

제92조(건축단가) 건축단가는 완공되었거나 건설중인 동일 또는 유사한 건축물의 건축단가와 비교하여 조정하되, 물가변동분·표준건축비·건설공사비지수 변동률 또는 한국은행에서 발표하는 건설투자 GDP 디플레이터 등을 감안하여 보정할 수 있다.

제93조(부설주차장의 설치) ① 부설주차장의 설치는 「주차장법」, 「도시교통정비 촉진법」, 해당 지역 「조례」 등에서 정하는 기준에 따라 합리적인 수준으로 조정한다.

② 도심지역에 건축하는 청사의 부설주차장 면적은 당해 청사에의 대중교통에 의한 접근성, 업무용 차량 보유대수, 비상근무자를 위한 주차 수요 등을 종합적으로 고려하여 결정하되, 원칙적으로 법정주차대수의 2배 이내, 지하주차장의 경우 지하 2층 이내로 한다.

③ 부설주차장의 지상화 또는 지하화 여부는 기 확보된 부지면적, 지가 등을 고려하여 결정한다.

제93조의2(기타 장식·조경공사 등) ① 미술장식품, 조경공사는 「문화예술진흥법」 등 관련 법령이나 법령에 근거한 조례에서 정한 최소 수준으로 조정한다.

② 실험실기자재 구입비 등 자산취득비 성격의 경비는 원칙적으로 당해 건축사업의 총사업비에 반영하지 아니한다.

③ 기타 시설의 성능개선과는 무관한 단순 외관치장 공사나 건축물의 본래 기능에 부합하지 아니하는 시설물의 설치 소요 경비는 당해 건축사업의 총사업비에 반영하지 아니한다.

제93조의3(지자체 소유 부지 사용에 따른 필요조치) ① 중앙관서의 장은 지자체가 제공하는 부지에 건축물을 건축하고자 하는 경우 당해 건축물을 당초의 목적대로 사용하는 기간 동안(사용기간이 연장된 경우 그 기간을 포함한다) 당해 부지를 무상으로 사용할 수 있도록 착공 이전단계에서 협약 체결 등 필요한 조치를 하여야 한다.

② 제1항의 협약서 등에는 당해 건축물을 사용함에 있어서 증축 또는 개축 등이 필요한 경우 관할 행정청으로부터 인·허가 등을 얻는데 해당 지자체가 토지 소유자로서 조건없이 동의 한다는 내용도 포함하여야 한다.

제5관 정보화 및 연구기반구축 R&D 부문

제94조(과업범위의 제한) ① 정보화사업에 대한 총사업비의 조정은 기본구상을 거친 기본계획 또는 정보화전략계획의 수립에서 시스템 구축 후 5년간 유지보수, 추가구축까지를 그 대상으로 하며, 당해 시스템 운영을 위해 매년 고정적으로 소요되는 경비 등은 제외한다.

② 연구기반구축 R&D사업의 총사업비의 조정은 공사비, 특수설비·연구장비비, 보상비, 시설부대경비 등 연구시설 및 연구장비의 구축비용까지를 그 대상으로 하며, 당해 연구기반구축 R&D사업의 유지관리에 매년 고정적으로 소요되는 유지비는 제외한다.

③ 기존 정보시스템(또는 연구시설장비)의 개·보수 등 당해 정보화 사업(또는 연구기반구축 R&D 사업)과 직접 관련이 없는 공사물량과 관련된 경비는 원칙적으로 총사업비에 반영하지 아니한다.

제95조(정보화 사업의 조정기준) ① 유지보수비는 구축 완료 후 소프트웨어 및 하드웨어의 라이센스 비용·유지보수비 등 시스템의 기능을 유지하기 위하여 소요되는 제 경비를 의미한다. 다만, 사용자가 시스템을 원활하게 사용할 수 있도록 지원하는 활동 및 공공요금, 여비 등 기타 시스템 운영을 위해 필요한 경비 등은 제외한다.

② 추가구축비는 시스템 구축 완료 후 기능의 변경·추가·보완, 소프트웨어 및 하드웨어 증설 등 시스템의 개선 및 고도화에 소요되는 제 경비를 의미한다.

③ 유지보수비 등은 정보화전략계획(예비타당성조사를 거친 경우 예비타당성 조사결과를 반영한 정보화전략계획을 의미한다) 수립 후 기획재정부장관과 협의된 비용을 기준으로 하며, 합리적인 사유없이 정보화전략계획에 따른 비용을 변경할 수 없다.

④ 시스템 통폐합 등 사업내용과 규모 등에 중대한 변경이 불가피한 경우에는 미리 기획재정부장관과 협의하여 조정할 수 있다.

⑤ 설계가 완료된 정보화사업에 대해서는 다음 각 호의 기준을 고려하여 총사업비를 조

정한다.

1. 사업계획의 적정성 : 당초의 기본계획(정보화전략계획)과 비교하여 기능점수, 정보시스템의 용량, 정보기술아키텍쳐 등에 변동이 있는지 여부
2. 물량변동 여부 및 규모의 적정성 : 환율변동 또는 물가상승분을 제외한 총사업비가 당초의 기본계획(정보화전략계획) 대비 100분의 20 이상 증가하였는지 여부
3. 적용단가의 적정성 : 기능점수 당 사업단가, 소프트웨어 및 하드웨어의 가격 등이 유사사업과 비교하여 적정한지 여부

(주 1) (기능점수) 소프트웨어의 기능규모를 표현하는 단위 (주 2) (정보기술아키텍쳐) 일정한 기준과 절차에 따라 업무, 응용, 데이터, 기술, 보안 등 조직전체의 구성요소들을 통합적으로 분석한 뒤 이들 간의 관계를 구조적으로 정리한 체제 및 이를 바탕으로 정보화 등을 통하여 구성요소들을 최적화하기 위한 방법

제95조의2(연구기반구축 R&D 사업의 조정기준) 설계가 완료된 연구기반구축 R&D 사업 중 건축관련 사항은 건축사업 검토기준을 적용하고, 특수설비·연구장비는 다음 각 호의 기준을 고려하여 총사업비를 조정한다.

1. 도입타당성 : 사업과의 부합성, 사양 및 수량의 적합성, 기 구축 설비 및 장비와의 중복성, 비용의 적정성 등 특수설비 및 연구장비 도입이 타당한지 여부
2. 건축적합성 : 공간 규모의 적합성, 공간 규격의 적합성, 건축공사비 책정의 적합성 등 건축물과 특수설비·연구장비의 상호 적합성 여부

제6관 기타 부문

제96조(조정기준의 준용) 항만사업, 공항사업, 농업개발사업 등 기타 부문에 대한 총사업비의 변경요구에 대해서는 도로사업·철도사업·건축사업 등의 부문별 총사업비 조정기준을 준용한다.

제7장 중앙관서 자율조정

제1절 중앙관서 자율조정의 개요

제97조(정의) 중앙관서 자율조정(이하 "자율조정"이라 한다)이라 함은 사업 소관부처에서 당초 사업구상 또는 설계단계에서 예상할 수 없거나, 구체화하기 어려운 상황에 대처할 수 있도록 일정한 설계변경 항목에 대하여는 기획재정부장관과의 사전협의 절차를 생략하여 중앙관서의 장의 책임 하에 총사업비를 조정하고, 사후에 기획재정부장관이 중앙관서의 총사업비 자율조정 실적을 점검·평가하는 일련의 절차를 말한다.

제98조(자율조정의 적용단계) ① 자율조정은 전체 사업추진단계 중 계약체결 이후 시공단계에 대해서만 적용한다. 다만, 설계비의 낙찰차액에 대하여는 시공단계 이전에도 자율조정 할 수 있다

② 제64조제3항제1호 및 제1항의 규정에도 불구하고, 기획재정부장관과 총사업비 협의를 이미 거쳤으나 실시설계 이후 발주의 지연 등으로 인해 물가변동분의 반영이 필요한 경우에는 입찰공고 이전 단계에서도 당해 중앙관서의 장의 책임하에 자율조정을 할 수 있다.

③ 제2항의 규정에 의한 물가변동분의 반영이 필요한 경우의 지수조정률 또는 품목조정률의 기준율은 제64조제4항에도 불구하고 실시설계 완료일을 100으로 한다.

제99조(자율조정의 대상사업) ① 자율조정 대상사업은 관리대상 사업으로 한다.

② 제1항의 규정에도 불구하고 일괄입찰사업 또는 대안입찰사업은 자율조정 대상사업에서 제외한다. 다만, 일괄입찰사업 또는 대안입찰사업의 경우에도 제100조제1항제1호 내지 제4호 또는 제2항제1호, 제3항제1호 내지 제4호에서 정한 사유로 총사업비의 조정이 필요한 경우에는 중앙관서의 장이 자율조정한다.

제2절 중앙관서의 자율조정 항목 등

제100조(자율조정 항목) ① 공사비 중 자율조정 항목은 다음 각 호와 같다.

1. 「국가를 당사자로 하는 계약에 관한 법률 시행령」 제64조의 규정에 따라 물가변동으로 인해 공사계약금액의 변경이 필요한 경우
2. 관급자재비의 변경이 필요한 경우. 다만, 관급자재를 사급자재 등으로 전환함에 따라 자재대의 변경이 필요한 경우에는 기획재정부장관과 협의 필요
3. 경유에 대한 세율 변경으로 총사업비의 조정이 필요한 경우
4. 낙찰차액 또는 집행잔액의 발생으로 총사업비의 감액이 필요한 경우
5. 공사물량 변동과 관련된 설계변경 항목은 아래와 같으며, <별표 2 붙임 3> '자율조정 세부항목 분류'에 의함
   가. 법정경비를 반영하는 설계변경
   나. 안전시설 강화로 인한 설계변경
   다. 현장여건 변동으로 인한 설계변경
6. 지자체·공공기관 또는 민간기관 등이 사업비 전액을 부담하는 전액 위탁사업 등의 추가로 인해 총사업비의 조정이 필요한 경우. 다만, 이 경우 재원부담 주체에 관해 국가와 지자체 또는 공공기관 간의 사전 협약체결 등을 전제
7. 제30조의 규정에 따른 긴급복구 선(先)조치 반영

② 보상비 중 자율조정 항목은 다음 각 호와 같다.

1. 감정평가 결과의 반영 또는 집행잔액의 발생에 따라 보상비의 조정이 필요한 경우
2. 제1항제5호에서 규정한 자율조정 항목과 관련하여 공사물량의 변동 또는 보상면적·물건

의 증감이 아닌 가격변동에 따라 보상비의 조정이 필요한 경우. 다만, 긴급복구 선조치 등 공사물량 자율조정 항목과 연계된 보상면적의 증감을 포함

3. 「공익사업을 위한 토지 등의 취득 및 보상에 관한 법률」, 「부동산 가격공시에 관한 법률」, 「감정평가 및 감정평가사에 관한 법률」 등 관계법령에서 정하는 바에 따라 분할측량 비용·감정평가 비용·권리이전 비용·이주대책비 등의 위탁수수료를 신규 반영하거나 그 금액을 조정하는 경우

③ 시설부대경비 중 자율조정 항목은 다음 각 호에서 정하는 바와 같다.

1. 「국가를 당사자로 하는 계약에 관한 법률 시행령」 제64조의 규정에 의해 물가변동으로 인해 감리비의 조정이 필요한 경우
2. 「국가를 당사자로 하는 계약에 관한 법률시행령」 제89조의 규정에 의해 낙찰탈락자에 대한 설계보상비의 지급이 필요한 경우
3. 설계비 및 감리비 등의 낙찰차액이 발생하거나 집행잔액의 발생으로 인해 총사업비의 감액이 필요한 경우
4. 공사비 낙찰차액의 감액에 따른 시설부대비의 감액이 필요한 경우
5. 제1항제5호의 규정에 의한 공사비 자율조정시 공사비 물량 증감에 따라 감리비 및 시설부대비의 증감이 필요한 경우

제101조(자율조정의 제한 등) ① 중앙관서의 장은 제100조에서 정한 자율조정 항목 이외의 설계변경 사항 및 사업기간의 연장을 수반하는 설계변경이 필요한 경우 공사계약 변경 이전에 기획재정부장관과 총사업비의 조정을 협의하여야 하며, 당해 설계변경 사항이 중앙관서 자율조정 항목에 해당하는지 여부에 대해 의문이 있는 경우에는 기획재정부장관과 협의하여 정한다.

② 제1항에 의한 기획재정부장관과 협의 조정이 필요한 항목은 <별표 2 붙임 4>와 같다

제102조(자율조정 한도액의 설정) ① 중앙관서의 장은 계약체결 이후 낙찰차액 감액 조정시 공사비 최종낙찰가액의 100분의 10을 자율조정 한도액으로 설정할 수 있다. 다만, 시공 중에 총사업비가 증가하여 관리대상 사업으로 편입된 사업에 대한 자율조정 한도액은 총사업비 조정 요구일을 기준으로 잔여 공사비의 100분의 10에 해당하는 금액으로 한다.

1. 삭제 <2013.11.1.>
2. 삭제 <2013.11.1.>

② 제1항의 규정에 의한 자율조정 한도액은 총사업비에 반영하지 아니하고 별도로 관리하되, 그 한도액의 일부 또는 전부를 실제로 집행한 경우에는 당해 집행 금액만큼 총사업비를 증액하여야 한다.

제103조(자율조정) ① 중앙관서의 장은 제102조의 규정에 의해 설정한 자율조정 한도액 내에서 제100조제1항제5호의 항목에 대해 총사업비를 자율적으로 조정할 수 있다. 다만, 제100조제1항제1호 내지 제4호, 제6호 내지 제7호, 제2항 및 제3항의 자율조정 항목은 자율조정 한도액에 제한을 받지 아니한다.

② 제1항의 규정에 의한 자율조정은 그 사유가 발생한 날로부터 6개월 이내에 하여야 한다.
③ 자율조정을 통하여 총사업비를 감액하는 경우 그 감액된 금액은 제102조의 규정에 의하여 설정된 한도액에 영향을 미치지 아니한다.
④ 중앙관서의 장은 제100조제1항제5호와 관련하여 자율조정 하고자 하는 단일 설계변경 항목의 금액이 자율조정 한도액의 잔액을 초과하는 경우에는 기획재정부장관과 총사업비의 변경을 협의하여야 하며, 변경 협의 결과 협의된 금액이 자율조정 한도액의 잔액을 초과한 경우 그 한도액의 잔액은 소진된 것으로 본다.
⑤ 중앙관서의 장은 제102조의 규정에 의해 설정된 자율조정 한도액이 소진된 경우 조정하고자 하는 항목이 제100조제1항제5호에 해당하더라도 기획재정부장관에게 총사업비의 조정을 요청하여야 한다.
⑥ 제1항의 규정에 의한 자율조정시에는 자율조정의 내용과 금액 등을 반드시 디지털예산회계시스템에 입력하여야 하며 디지털예산회계시스템 상에서 중앙관서의 장이 승인하지 아니한 자율조정사항은 인정하지 아니한다.
⑦ 중앙관서의 장은 제100조제1항제1호 내지 4호에 대해 발주기관(중앙관서의 장이 아닌 사업계획 승인기관이 별도로 있는 경우 중앙관서의 장이 둘 중 지정하는 자)에 그 범위를 정하여 자율조정 권한을 위임할 수 있으며, 이 경우 발주기관(또는 사업계획 승인기관)은 자율조정 후 중앙관서의 장에게 즉시 통보하여야 한다.

제3절 자율조정 결과 통보 및 사후평가

제104조(자율조정의 실적 통보) ① 중앙관서의 장은 제100조의 자율조정 항목에 대하여 '제6장 총사업비 조정기준'이 정하는 바에 따라 총사업비를 자율적으로 조정한 경우 디지털예산회계시스템 상에서 승인하여야 한다.
② 중앙관서의 장은 제1항의 자율조정 실적에 대하여 <별표 4> '중앙관서 총사업비 자율조정 내역서'에 따라 작성하여 자율조정일(자율조정 한도액 외 항목에 대한 조정의 경우) 또는 자율조정 한도액의 집행일(자율조정 한도액 내 항목에 대한 조정의 경우)이 속하는 월의 분기 익월 말일까지 기획재정부장관에게 제출하여야 한다.(제26조의 낙찰차액 감액을 위한 자율조정의 경우도 같다)

제105조(자율조정 결과의 사후평가) ① 기획재정부장관은 제104조에 따라 중앙관서의 장이 제출한 자율조정 실적 또는 총사업비 관리 과정에서 인지한 중앙관서의 장의 자율조정의 내용에 대한 적정성을 평가할 수 있다.
② 기획재정부장관은 제1항의 규정에 의한 평가결과 해당 중앙관서의 장이 지침을 위반하여 총사업비를 자율조정한 경우에는 해당 자율조정을 취소하거나 자율조정 항목 또는 자율조정 한도액을 축소·조정할 수 있으며, 제111조 또는 제112조의 규정에 따라 제재할 수 있다.

제106조(총사업비 관리 결과의 반영) 기획재정부장관은 제105조에 의한 자율조정 내용의 적정성, 제111조 또는 제112조에 의한 지침 등 위반사항에 대한 제재 결과, 해당 중앙관서의 내부 총사업비 관리조직 운영 여부 등을 종합평가하여 연차별로 자율조정 항목 또는 자율조정 한도액을 중앙관서별로 차등하여 부여할 수 있다.

제8장 행정사항

제1절 총사업비 조정 요구절차 등

제107조(관리대상 사업내역의 등록) ① 중앙관서의 장은 관리대상 사업의 사업규모, 총사업비, 사업기간 등을 매년 1월말까지 '디지털예산회계시스템'에 신규로 등록하거나 정비하여야 한다. 다만, 추가경정예산에의 반영으로 신규 편입 또는 증액되는 사업에 대하여는 당해 추가경정예산의 확정 후 10일 이내에 신규 등록 또는 정비하여야 한다.

② 제1항의 규정에 의한 관리대상 사업으로의 신규 등록 또는 정비 기준은 다음 각 호와 같다.

1. 당해 연도 예산 또는 기금운용계획에 타당성 조사비·설계비·보상비·공사비 등이 신규로 반영(국회 확정 기준)된 사업으로서 추정 총사업비가 제3조의 관리대상 사업에 해당하는 경우. 다만, 추정 총사업비가 제3조의 관리대상 사업에 해당하는 사업으로서 제13조의 타당성 조사 또는 제14조의 기본계획 수립의 주체가 제2조제2항 본문의 지자체 등 국가외의 자인 경우 그 지자체 등의 예산에 타당성조사 또는 기본계획의 수립에 필요한 비용이 반영되어 해당 중앙관서의 장에게 등록을 요청한 경우 등록 가능
2. 총액계상사업으로서 내역편성 등을 위해 기획재정부장관과의 협의가 필요하거나 전년도 말까지 추정 총사업비가 확정되지 아니하여 당해년도 3월말까지 기획재정부장관과 협의를 거쳐 편성내역, 추정 총사업비 등이 확정된 경우
3. 당초에는 관리대상 사업에 해당하지 않았으나 총사업비 증가 등으로 제3조의 관리대상 사업 요건을 충족하는 경우
4. 전년도에 완료된 사업으로서 제1항에 의한 관리대상 사업 내역의 등록에서 제외된 경우
5. 당초 관리대상 사업이었으나 총사업비 감액조정 등으로 제3조의 관리대상 사업 요건을 충족하지 못하여 제1항에 의한 관리대상 사업 내역의 등록에서 제외 할 필요가 있는 경우

③ 중앙관서의 장은 제2항제1호 단서에 따라 지자체 등의 예산에 타당성조사 또는 기본계획의 수립에 필요한 비용이 반영되도록 하고자 할 경우에는 사전에 기획재정부장관과 협의하여야 한다.

④ 제1항의 규정에 따라 디지털예산회계시스템에 등록되는 총사업비의 산정 범위와 확정 시점은 다음 각 호와 같다.

1. 예비타당성조사를 거친 사업은 조사 후 당해 사업의 예산이 처음으로 반영(국회확정 기준)된 시점의 총사업비(예비타당성조사 당시 반영된 예비비를 포함)
2. 예비타당성조사를 거치지 아니한 사업은 당해 사업의 예산이 처음으로 반영된 시점의 총사업비
3. 사업추진 과정에서 관리대상 사업으로 등록되는 사업의 경우 변경 사업비에 따라 예산이 반영된 시점의 총사업비

⑤ 예비타당성조사 당시 반영된 예비비는 기본계획의 수립, 기본설계의 시행 등으로 당해 사업에 대한 비용 항목이 확정되는 단계에서 제외하여 그 이후 예비비가 총사업비에 포함되지 아니하도록 하여야 한다.

제108조(수시조정 원칙) ① 중앙관서의 장은 관리대상 사업 중 사업규모, 총사업비, 사업기간 등의 변경이 필요한 경우에는 총사업비 조정요구서를 연중 수시로 제출할 수 있다.

② 중앙관서의 장은 법정경비의 반영, 현장여건의 변동 등에 따라 사업규모 또는 총사업비의 변동 사유가 발생한 경우 그 발생일로부터 1년이내에 기획재정부장관과 사업규모 또는 총사업비 등을 협의하여야 한다.

③ 기획재정부장관은 중앙관서의 장이 제2항의 규정에도 불구하고 총사업비 등의 변경 사유가 발생한 날로부터 1년이 경과하여 총사업비에 대한 협의 조정을 요구한 경우 사업추진 일정 등을 고려하여 불가피하다고 판단되는 경우를 제외하고는 그 협의에 응하지 아니할 수 있다.

제109조(총사업비의 조정요구) ① 중앙관서의 장은 제108조의 규정에 의해 총사업비의 조정을 요구하고자 하는 경우 <별표 1> '총사업비 조정 요구서 작성 양식'에 따라 작성하여 기획재정부장관에게 제출하여야 한다.

② 제1항의 규정에 의해 조정 요구서를 제출하는 경우에는 설계와 시공과정 등에서 총사업비가 변경된 원인과 책임소재를 명확히 하고 전임 담당자의 의견서를 첨부하여야 한다.

③ 제1항의 규정에 의한 총사업비의 조정 요구에 사업기간의 연장이 포함된 경우 그 연장사유를 구체적으로 기재하여 그 연장의 책임소재를 명확하게 하여야 한다.

④ 중앙관서의 장은 제1항의 규정에 의하여 총사업비의 조정을 요구하고자 하는 경우에는 미리 디지털예산회계시스템에 관련 자료를 입력한 후 동 시스템과 연계하여 기안된 공문을 제출하여야 하며, 예산절감을 위해 국토해양부의 토석정보공유시스템 등 유관시스템에 필요한 정보를 제공하는 등의 노력을 하여야 한다.

⑤ 중앙관서의 장은 총사업비 조정요구시 제102조의 규정에 의하여 설정된 사율조정 한도액이 소진된 경우 등 특별한 사유가 없는 한 제100조에 따른 자율조정 항목과 금액을 포함하여서는 아니된다.

⑥ 중앙관서의 장은 용역·시공계약 상대자가 고의 또는 중대한 과실로 총사업비를 적정

하게 산정하지 아니한 경우에는「국가를 당사자로 하는 계약에 관한 법률」제27조에 따른 정부사업 입찰참가 제한 등의 조치를 취하고 그 제재조치 실적 및 향후 조치계획을 첨부하여 제출하여야 한다.

⑦ 제1항의 규정에 의한 조정요구서의 서식은 다음 각 호와 같다.

1. 용지크기 : 반드시 A4용지 크기로 작성
2. 글자크기 : 사업명 14point, 대제목 13point, 중소제목 12point, 내용 12point, 표 11point (필요시 크기 조정)
3. 총사업비 협의 양식은 기획재정부 홈페이지(www.mosf.go.kr)에서 다운받아 사용
4. 양식중 "※"로 표시한 내용은 작성요령을 설명한 내용이므로 요구 시에는 삭제하여 제출

제110조(사업완료의 보고) 중앙관서의 장은 소관 관리대상 사업이 완료된 경우에는 그날로부터 30일 이내에 디지털예산회계시스템에 필요사항을 입력한 후 기획재정부장관에게 <별표 5> '총사업비 관리대상 사업 완료 보고서'를 작성하여 제출하여야 한다.

제2절 지침 위반사항에 대한 제재

제111조(지침 위반사항에 대한 제재) ① 기획재정부장관은 기획재정부장관과 사전 협의 없이 총사업비를 증액하는 등 관련법령 또는 이 지침을 위반하여 사업을 추진한 경우에는 다음 각 호에서 정하는 바에 따라 당해 총사업비와 당해 연도 또는 차년도의 사업수행기관 및/또는 당해 중앙관서의 기본경비 등에 당해연도 예산안작성 세부지침상의 시설부대비 요율의 10배에 해당하는 금액을 불이익을 부과하거나, 당해 사업의 예산배정을 조정 또는 유보할 수 있다. 다만, 지침위반의 경중, 위반의 고의 또는 과실 여부, 지침 위반으로 인한 당해 사업수행기관의 추가적인 사업비 부담, 동일 사항의 반복 위반 여부 등을 감안하여 불이익 금액의 50% 범위내에서 제재를 가중하거나 감면할 수 있다.

1. 전액 국고지원 사업의 경우 사업을 시행하는 중앙관서 및 정부출연·출자·보조기관의 기본경비(업무추진비 등)에 대하여 당해 연도의 예산배정이나 차년도의 예산안 편성 또는 예산배정 시 불이익을 부과하거나 해당 사업의 시설부대비에 불이익을 부과할 수 있다.
2. 정부와 지자체, 정부와 출연·출자·보조기관 등이 사업비를 분담하는 사업에 대해서는 당해 기관의 재정여건, 기본경비에 대한 정부지원 여부, 지침 위반의 경중 등을 감안하여 제1호의 제재 외에 임의설계 변경 금액 등(이하 "위반금액"이라 한다)에 해당하는 금액을 당해 기관이 부담하게 할 수 있다.

② 관계중앙관서의 장은 제1항의 제재를 요구받은 경우에는 상응하는 조치를 취하고 90일 이내에 그 결과를 기획재정부장관에게 통보하여야 한다.

제112조(관계공무원에 대한 제재) ① 기획재정부장관은 관계공무원이 이 지침을 위반한 사실을 발견한 경우에는 해당 중앙관서의 장에게 그 관계공무원에 대한 제재조치를 요구할 수 있다.

② 관계 중앙관서의 장은 제1항의 제재조치를 요구 받은 경우 당해 사업의 수행이 정부 출연·출자·보조기관 등에 위탁되어 있는 경우에는 그 사업 수행기관의 관계자에 대하여도 제재에 필요한 조치를 할 수 있다.

③ 관계 중앙관서의 장은 제1항의 제재를 요구받은 경우 위반정도에 상응하는 조치를 취하고 90일 이내에 그 결과를 기획재정부장관에게 통보하여야 한다.

④ 관계 중앙관서의 장은 불가피한 사유로 제1항의 제재 요구를 받은 날로부터 90일을 초과하여 제재조치를 시행한 경우에는 관계공무원에 대한 제재조치 결과와 함께 제재조치 결과 통보 지연에 대한 경위서도 함께 제출하여야 한다.

제113조(조달계약 위반에 대한 제재) 기획재정부장관은 제25조제2항 내지 제4항을 위반하여 예산상의 사업비를 초과한 예정가격으로 입찰·발주한 경우에는 제111조의 규정에 의한 발주의뢰 기관에 대한 제재 뿐만 아니라 조달관서에 대해서도 당해 연도 또는 차년도 기본경비 등에 불이익을 부과하거나 해당 조달관서의 장에게 제112조의 규정에 의한 관계공무원 또는 관련자에 대한 제재 등을 요구할 수 있다.

제114조(설계자 등에 대한 제재) ① 중앙관서의 장은 기본계획 또는 설계용역을 수행한 자가 다음 각 호의 어느 하나에 해당하는 경우에는 「국가를 당사자로 하는 계약에 관한 법률」 제27조의 규정에 따라 입찰 참가자격을 제한하여야 한다.

1. 설계용역을 부실하게 수행하여 시공과정에서 잦은 설계변경을 유발한 자
2. 사전조사를 소홀히 하여 기본계획을 불합리하게 수립하고 설계 부실을 유발한 자
3. 고의 또는 과실로 총사업비를 적정하게 산정하지 아니한 자
4. 용역 의뢰자, 기타 이해관계인의 요청을 받은 기본계획 또는 설계를 사업목적 달성을 위한 적정규모 또는 규격 이상으로 확대하여 국고를 낭비하게 한 자
5. 사업목적 달성과는 무관하게 시공과정에서 총사업비를 증액 조정하기 위한 수단으로 설계 변경을 한 자
6. 부실 감리로 인하여 국고 낭비를 유발한 자

② 중앙관서의 장은 설계 등 용역업자가 다음 각 호의 어느 하나에 해당하는 경우에는 「건설기술진흥법」 제24조의 규정에 따라 용역업무의 수행을 일정기간 정지하게 하도록 국토교통부장관에게 요구할 수 있으며, 이 경우 국토교통부장관은 특별한 사유가 없는 한 이에 응하여야 한다.

1. 설계용역을 부실하게 수행하여 시공과정에서 잦은 설계 변경을 유발한 자
2. 사전조사를 소홀히 하여 기본계획을 불합리하게 수립하고 설계 부실을 유발한 자

③ 기획재정부장관은 기본계획 또는 설계용역 결과에 따른 총사업비 등을 협의하는 과정에서 제1항의 입찰참가자격 제한 또는 용역업무수행 제한 사유를 발견한 때에는 관계 중앙관서의 장 또는 국토교통부장관에게 그에 상응하는 조치를 취 할 것을 요구할 수 있으며, 당해 조치를 취하기가 곤란한 법정 수탁기관에 대해서는 당해 사업의 시설부대경비를 삭감할 수 있다.

부칙 〈제9999호, 2016.6.1.〉

제1조(시행일) 이 지침은 2016년 6월 1일부터 시행한다. 다만, 제2조제3항 및 제6항, 제6조 단서, 제57조제6항 내지 제7항, 제61조제2항 및 제65조 2호 후반부, 제94조 개정규정은 신규사업부터 적용하고, 제18조제2항 "한국감정원법에 따른 한국감정원"은 2016년 9월 1일부터 적용한다.

제2조(경과규정) 이 지침 시행일 이전에 기획재정부에 총사업비 조정요구서가 접수된 사업은 종전의 지침을 적용한다.

부칙 〈제317호, 2017.1.1.〉

제1조(시행일) 이 지침은 2017년 1월 1일부터 시행한다.

제2조(공기연장 비용 관련 적용례) 제64조제9항 신설규정은 '17년 1월 이후 중앙관서의 장이 공사에 실제 소요되는 기간 등을 고려하여 사업기간을 산정한 공사 입찰공고분부터 적용한다.

부칙 (2018.7.12 시행)

제1조(시행일) 이 지침은 2018년 7월 12일부터 시행한다.

제2조(경과규정) 이 지침 시행일 이전에 기획재정부에 총사업비 조정요구서가 접수된 사업은 종전의 지침을 적용한다.

부칙 〈제590호, 2022.2.3.〉

제1조(시행일) 이 지침은 2022년 2월 3일부터 시행한다.

제2조(경과규정) 이 지침 시행일 이전에 기획재정부에 총사업비 조정요구서가 접수된 사업은 종전의 지침을 적용한다.

제Ⅱ권 계약예규·고시 및 조달청 시설공사 집행기준 등

Part 2. 조달청 시설공사 집행기준

1 조달청 입찰참가자격사전심사기준

조달청 시설총괄과-656호, 2022. 9. 23.

제1조(목적) 이 기준은 계약예규 「입찰참가자격사전심사요령」(이하 "사전심사요령"이라 한다)에 따라 조달청에서 집행하는 시설공사의 입찰에 적용할 입찰참가자격사전심사(이하 "사전심사"라 한다.)의 운용기준을 정함에 그 목적이 있다.

제2조(대상공사) 사전심사 대상공사는 다음 각 호와 같다.

1. 「국가를 당사자로 하는 계약에 관한 법률 시행령」(이하 "시행령"이라 한다) 제42조제4항 제1호에 따라 낙찰자를 결정하는 공사로서 추정가격 300억 원 이상의 공사
2. 시행령 제6장과 제8장에 따른 공사
3. 제3조에서 규정한 고난도 공종이 포함된 공사

제3조(대상공종의 구분) 사전심사 대상공종은 고난도 공종이 포함된 공사와 일반 공종의 공사로 구분하며 고난도 공종이 포함된 공사는 해당공종 추정가격이 200억원 이상으로서 다음 각 호의 어느 하나에 해당하는 공사를 말하며, 다음 각 호의 공사 이외의 공사는 일반 공종의 공사로 구분한다.

1. 다음 각 목의 어느 하나에 해당하는 교량건설공사
   가. 기둥 사이의 거리가 50미터 이상이거나 길이 500미터 이상인 교량건설공사
   나. 교량건설공사와 교량 외의 건설공사가 복합된 공사의 경우에는 교량건설공사(기둥 사이의 거리가 50미터 이상이거나 길이 500미터 이상인 것에 한한다)부분의 추정가격이 200억 원 이상인 교량건설공사
2. 터널건설공사. 다만, 터널건설공사와 터널 외의 건설공사가 복합된 공사의 경우에는 터널건설공사부분의 추정가격이 200억 원 이상인 것에 한한다.
3. 항만공사
4. 지하철공사
5. 공항건설공사
6. 쓰레기소각로건설공사
7. 폐수처리장건설공사
8. 하수종말처리장건설공사
9. 관람집회시설공사
10. 전시시설

제4조(사전심사 신청자격) 사전심사 신청자격은 다음 각 호와 같다.

1. 제3조에서 규정한 고난도 공종이 포함된 공사는 「조달청 등급별유자격자명부 등록 및 운용기준」(이하 "등급별유자격자명부운용기준"이라 한다) 제4호에서 정하는 시공능력평가액에 따른다.
2. 제3조에서 규정한 일반 공종의 공사로서 「조달청 시설공사 실적에 의한 경쟁입찰 집행기준」(이하 "실적경쟁집행기준"이라 한다.) 제2조 [별표]에서 정한 실적경쟁 입찰대상에 해당하는 경우에는 실적경쟁집행기준 제2조 [별표]에서 정한 실적인정기준에 해당하는 실적보유자로 한다.
3. 제2조제1호 및 제2호에서 규정한 공사로서 등급별유자격자명부운용기준을 적용하는 공사는 동 운용기준에 따른다. 다만, 제2조제2호에 따른 입찰의 경우 수요기관에서 등급별유자격자명부운용기준 제5호에서 정하는 시공능력평가액으로 제한토록 요청한 경우에는 등급별유자격자명부운용기준 제5호에서 정하는 시공능력평가액에 따라 제한할 수 있다.
4. 제1호부터 제3호까지에 해당하지 아니하는 경우에는 입찰공고에서 정하는 바에 따른다.

제5조(사전심사기준일 등) ① 경영상태 입찰참가 적격 및 [별표2] 및 [별표3]의 각 심사항목별 심사기준일은 입찰공고 등에서 따로 정한 경우를 제외하고는 입찰공고일로 한다.

② 신인도 분야의 심사항목별 평가는 관련자료가 관련기관으로부터 조달청에 접수된 날과 관보에 게재된 날 중 먼저인 날을 당해 사실의 발생일로 하여 해당기간을 적용한다. 다만, 처분기관의 지정일이 나중인 경우에는 처분지정일을 당해 사실 발생일로 본다.

③ 제2항의 감점에 대한 취소, 효력정지, 해제 등을 사전심사신청마감일(이하 "마감일"이라 한다)까지 관련기관으로부터 조달청이 통보받은 경우 또는 해당업체가 관련증빙자료를 구비하여 조달청에 제출하여 당해 사실이 확인된 경우 접수일로부터 감점하지 아니한다.

제6조(배점기준) ① 사전심사대상공사의 기술적 공사이행능력부문의 분야별 심사항목 및 배점기준은 [별표2] 및 [별표3]과 같다.

② 당해 공사의 심사항목별 평가요소에 대하여 심사의 필요성이 없다고 인정될 경우에는 당해 평가요소의 평가점수는 배점한도를 적용한다.

③ 가산점 등으로 해당 심사분야별 평가점수가 배점한도를 초과하는 경우에는 배점한도를 적용한다. 이 경우 신인도 평가점수를 포함한 점수는 100점을 초과할 수 없다.

제7조(평가방법) ① 사전심사는 대한건설협회 등 관련법령에 의하여 설립된 협회(이하 "관련협회"라 한다)로부터 통보되어 마감일 현재 국가종합전자조달(G2B)시스템(이하 "시스템"이라 한다)에 등록된 자료, 제4항제3호, 제9조제1항에 따라 신청자가 제출하는 서류, 조달청에서 필요하다고 인정하여 조사·확인한 자료로 평가한다.

② 사전심사는 경영상태부문과 기술적 공사이행능력부문으로 구분하여 심사하며, 경영상태부문의 적격요건을 충족한 자를 대상으로 기술적 공사이행능력부문을 심사한다.

③ 경영상태부문 심사는 다음 각 호와 같다.

1. 경영상태부문은 신용평가등급으로 평가한다.

2. 「신용정보의 이용 및 보호에 관한 법률」 제4조제1항제1호 또는 「자본시장과 금융투자업에 관한 법률」 제9조제26항의 업무를 영위하는 신용조회사 또는 신용평가사(이하 "신용정보업자"라 한다.)가 입찰공고일 이전에 평가하여 유효기간 내에 있는 『회사채에 대한 신용평가등급』, 『기업어음에 대한 신용평가 등급』, 『기업신용평가등급』 중 마감일 현재에 시스템을 통해 조회된 가장 최근 평가일의 신용평가등급으로 평가한다. 다만, 가장 최근의 신용평가등급이 같은 날 다수가 있어 그 결과가 상이할 경우 가장 낮은 등급으로 평가한다.

2-1. 합병한 업체에 대하여는 합병 후 새로운 신용평가등급(다만, 입찰공고일 이전에 합병한 업체는 입찰공고일 이전에 평가받은 합병 후 새로운 신용평가등급으로 평가하되, 동 평가서가 없을 경우 PQ서류 제출마감일까지 시스템에 등록한 합병 후 새로운 신용평가등급)으로 하며, 그 전까지는 합병대상업체 중 가장 낮은 신용평가등급을 받은 업체의 신용평가등급으로 심사한다

④ 기술적 공사이행능력부문은 시공경험평가, 기술능력평가, 시공평가결과, 지역업체 참여도, 중소기업 참여도, 신인도 분야를 종합적으로 심사하며, 분야별 심사방법은 다음 각 호와 같다.

1. 시공경험

가. 제3조에서 규정한 고난도 공종이 포함된 공사의 공종별 동일공사와 유사공사의 범위는 [별표1]과 같으며 시공실적 제출 및 심사기준은 [별표9]에 따른다. 다만, 사전심사 신청자격을 제4조제2호에 따르는 경우 동일공사의 범위는 실적경쟁집행기준의 [별표]를 준용한다.

나. 최근 10년간 당해공사와 동일 또는 유사한 종류의 시공실적(이하 "동일 또는 유사실적"이라 한다)은 입찰공고일을 기준하여 최근 10년간의 실적을 평가하며, 심사항목 및 배점기준은 [별표2], [별표4]와 같다. 다만, 사전심사 신청자격을 제4조제2호에 따르는 경우 평가기준은 실적경쟁집행기준의 [별표]를 준용한다.

다. 최근 10년간 당해공사와 동일한 공종의 시공실적(이하 '최근 10년간 동일공종그룹 실적'이라 한다)은 관련협회의 통계완료 최종년도를 기준으로 최근 10년간 동일공종그룹 실적을 평가하며, 심사항목 및 배점기준은 [별표2] 및 [별표6]와 같다

라. 최근 5년간 업종별 공사실적(이하 "최근 5년간 업종실적"이라 한다)은 관련협회의 통계완료 최종년도를 기준으로 최근 5년간의 업종별 시공실적을 평가하며, 심사항목 및 배점기준은 [별표2] 및 [별표7]와 같다

마. 최근 5년간 업종실적(또는 최근 10년간 동일공종그룹 실적) 평가는 다음 각 호의 자료에 따른다.

(1) 관련협회로부터 통보되어 시스템에 등록된 최근 5년간 업종실적(또는 최근 10년간 동일공종그룹 실적)자료

(2) 시스템에 등록된 자료가 없는 경우에는 관련협회에서 증명하여 마감일 이내에 조달

청에 제출한 최근 5년간 업종실적(또는 최근 10년간 동일공종그룹 실적)증명자료

바. 상호시장 진출 허용공사는 국토교통부 고시 「종합·전문업종간 상호시장 진출을 위한 건설공사실적 인정기준」에 따라 평가한다.

사. 국토교통부 고시 「건설공사 발주 세부기준」 제8조의2에 따라 (주력)업무분야(이하 '전문업무분야'라 한다)를 시공자격으로 발주한 전문공사의 경우 최근 5년간 업종실적은 전문업무분야 실적으로 평가한다.

2. 기술능력

가. 최근년도 건설부문 매출액에 대한 건설부문 기술개발투자비율(전기·정보통신·소방공사 등의 업체인 경우 전기·정보통신·소방부문 등의 매출액 및 기술개발투자 비율을 의미한다. 이하 "기술개발투자비율"이라 한다)은 계약예규 적격심사기준 제5조 관련 [별표] 2. 추정가격이 100억원 미만 50억원 이상인 공사의 주2) 제2호부터 제5호까지에 따른 결산서로 평가한다.

나. '신기술개발·활용실적' 평가방법은 다음 각 호와 같다.

(1) 「건설기술진흥법」 제14조, 「환경기술 및 환경산업 지원법」 제7조, 「국가통합교통체계효율화법」 제102조, 「자연재해대책법」 제61조에 따라 신기술로 지정·고시된 실적을 대상으로 한다.

(2) 심사기준일 현재 보호기간 내에 있는 신기술 개발·활용실적을 대상으로 평가하며, 활용실적은 보호기간 내에 있는 신기술의 활용한 총 누계금액으로 평가한다.

(3) 공동개발의 경우 개발에 참여한 개발자수로 나누어 평가한다.

(4) 「건설기술진흥법」 제14조, 「환경기술 및 환경산업 지원법」 제7조, 「국가통합교통체계효율화법」 제102조, 「자연재해대책법」 제61조에 따라 지정된 신기술을 활용한 실적으로 평가한다.

(5) 신기술개발·활용실적은 '한국건설교통신기술협회', '한국환경산업기술원', '국토교통과학기술진흥원', '한국방재협회'로부터 통보되어 마감일 현재 조달청 시스템에 등록된 자료로 평가한다. 다만, 시스템에 등록된 자료가 없는 경우 등에는 사전심사신청자가 '한국건설교통신기술협회', '한국환경산업기술원', '국토교통과학기술진흥원', '한국방재협회'에서 심사기준일 이전의 신기술개발·활용 실적을 [별첨양식 14]에 따라 발급받아 마감일까지 조달청에 제출한 경우에는 제출된 자료로 평가한다.

3. 시공평가 결과

가. 당해 사전심사에 제출한 동일 또는 유사 시공실적에 대한 「건설기술진흥법」 제50조에 따른 시공평가 결과를 기준으로 평가한다.

나. '가'목에서 규정하는 실적 중 시공평가결과가 없는 경우에는 다음과 같이 평가한다.

(1) 건설기술진흥법령의 규정에 따른 시공평가대상 공사로서 평가자료를 제출(또는 등록)하지 아니한 경우에는 80점 적용

(2) 건설기술진흥법령의 적용을 받지 아니하는 공사인 경우 80점 적용. 다만, 해외에서

시공한 공사는 90점 적용

다. 「건설기술진흥법」 제50조에 따라 시공평가된 공사에 공동수급체 구성원(공동이행방식)으로 참여한 경우 시공평가결과는 공동수급체 대표자가 받은 시공평가결과를 적용한다.

라. 시공평가결과에 의한 평가는 "가"목의 평가결과를 가중평균하여 산정한 점수에 해당하는 등급으로 평가한다.

4. 지역업체 참여도

가. 공동수급체 구성원 중 당해 공사현장이 소재하는 특별시, 광역시, 도, 특별자치시 및 특별자치도(이하 "시·도"라 한다)의 관할구역 안에 법인등기부상 본점(개인사업자인 경우에는 해당 사업에 관한 사업자등록증 또는 관련법령에 의한 허가·인가·면허·등록·신고 등 관련서류상의 사업장 소재지를 말한다.)이 소재한 업체(이하 '지역업체'라 한다.)의 참여지분율과 해당 지역소재기간 가중치를 곱하여 산정한 비율(이하 '조정지분율의 합'이라 한다)로 평가한다.

(1) '지역업체 참여지분율'은 제8조제2항에 따른 시공비율 평가를 적용한다. 다만, 시공비율은 주공종에 참여하는 공동수급체에 한하여 적용하고 주공종이외 공종에 참여하는 업체의 지분율은 시공비율 적용에서 제외한다.

(2) 가중치 산정방법

지역소재기간 가중치 = 지역소재일/3,650

다만, 가중치가 1을 초과할 경우 가중치는 1로 한다

(3) 지역소재기간 가중치 산정에서 '지역소재일'은 입찰참가자격등록증에 기재된 지역과 최근 등록일자(지역을 변경한 경우에는 변경등록일자. 단, 동일 시·도로 변경 등록한 경우에는 제외한다)이후 입찰공고일까지 일수로 산정한다.

(4) 「건설산업기본법」 제85조의2제1항에 따라 건설업종을 말소하고 말소 전의 건설업종과 전부 또는 일부 중복되는 건설업종으로 6개월 이내에 등록한 경우에는 변경등록 전의 지역소재기간을 합산하여 지역소재일을 산정한다.

나. 지역업체는 해당 계약을 이행하는데 필요한 면허·허가·등록 등의 자격요건을 갖춘 상태로 입찰공고일 현재 90일 이상 해당 시·도에 법인등기부상(또는 입찰참가자격등록증상) 본점이 소재한 업체이어야 한다.

다. 시행령 제72조제3항에 따른 공사, 시행령 제6장과 제8장에 따른 공사, 계약예규 「공동계약 운용요령」 제2조의3에 따른 공사, 해당지역에 공사의 이행에 필요한 자격을 갖춘 자가 10인 미만인 경우에는 지역업체 참여도분야를 평가하지 아니한다.

5. 신인도

가. 사고사망만인율 평가

(1) 사고사망만인율 평가는 최근 3년간 고용노동부장관이 산정한 평균사고사망만인율의 가중평균 대비 사고사망만인율의 가중평균에 의한다.

(2) 고용노동부장관이 평가를 유보한 업체에 대하여는 사고사망만인율 평가에서 제외한다.

나. 건설업체의 산업재해 예방활동 실적평가는 전년도(1.1~12.31)실적을 고용노동부장관이 평가하여 통보한 점수에 의한다.

다. 사고사망만인율, 산재예방활동실적, 부실벌점, 협력관계 우수업체, 공공시설분야 대중소기업 협력프로그램 우수업체 및 환경관련 법령에 의한 처분에 대한 평가는 통보기관이 정한 기간으로 한다.

라. 녹색건설관련 인증실적 중 제로에너지 건축물 인증실적과 친환경 건축물 인증실적에 대한 평가는 당해공사 평가대상업종이 건축공사일 경우에 한하여 적용한다.

마. 평가요소 '당해 계약에서의 표준계약서 사용 여부' 평가는 신청자가 공정거래위원회에서 보급한 표준계약서를 사용하고자 하는 경우에 한하여 평가한다.

제8조(공동수급체의 평가방법) ① 공동수급체 대표자(주계약자관리방식의 경우 주계약자, 이하 같다.)에게 그 이행내용 및 이행방법을 구체적으로 명시한 공동수급체현황표(별첨양식2 또는 별첨양식2-1)를 제출하게 하여야 한다.

② 제1항에서 규정하는 공동수급체현황표상의 각 구성원의 공사참여지분율에 시공능력평가액을 한도로 하여 산정한 비율(이하 "시공비율"이라고 한다)은 다음 각 호와 같이 산정하며 시공경험, 기술자보유평가, 기술개발투자비율, 신인도, 지역업체 참여도(가산점), 중소업체 참여도 평가에 적용한다.

1. 1건 공사가 복합 업종인 경우 각 구성원의 시공비율은 입찰공고에서 달리 정한 경우를 제외하고는 주된공사('주공사'라 하며 이하 같다)에 해당하는 업종의 추정금액(도급자가 설치하지 아니하는 관급자재대를 제외하며, 이하 같다.)을 기준으로 산정하며 주공사 이외의 업종 해당 추정금액은 시공비율 산정에서 제외한다. 이 경우 평가대상업종 및 업종별 추정금액은 입찰공고에 따른다.
2. 제1호의 규정에도 불구하고 공동수급체 각 구성원의 시공비율에 추정금액을 곱한 금액이 시공능력평가액을 초과하면 그 구성원의 시공비율은 시공능력평가액에 해당하는 시공비율만 인정하여 평가하고 잔여 시공비율은 다른 구성원에 배분하여 평가하지 않는다. 다만, 입찰참가자가 평가대상업종에 단독(1인)으로 참여한 경우에는 시공능력평가액에 따른 평가를 하지 아니한다.
3. 토목건축공사업자의 경우 시공비율은 입찰공고의 평가대상 업종에 해당하는 토목 또는 건축분야의 시공능력평가액을 기준으로 평가한다.
4. 주계약자관리방식의 경우 주공사 종합건설업 구성원만을 대상으로 평가하며, 주공사에 해당하는 종합건설업종의 추정금액을 기준으로 시공비율을 산정한다.
5. 전문업무분야를 시공자격으로 발주한 전문공사의 경우 제1호 및 제2호 규정의 "업종"은 "업무분야"로 본다.

③ 공동수급체의 심사분야별 평가방법은 다음 각 호와 같다.

1. 경영상태

가. 모든 공동수급체 구성원별로 신용평가등급을 각각 평가한다. 다만, 일괄입찰, 대안입

찰, 기술제안입찰의 경우 설계분야 구성원은 경영상태 평가에서 제외한다

2. 기술적 공사이행능력부문

가. 시공경험

(1) 동일(또는 유사)실적 평가는 공동수급체 구성원별 시공실적에 각각의 시공비율을 곱하여 산정한 실적을 합산하여 평가한다.

(2) 최근 5년간 업종실적 및 최근 10년간 동일공종그룹 실적 평가는 공동수급체 구성원별 시공실적에 각각의 시공비율을 곱하여 산정한 실적을 합산하여 평가한다. 다만, 사전심사 신청자격을 제4조제3호 본문에 따라 등급별유자격자명부운용기준에 따르는 경우에는 공동수급체 대표자와 구성원별 시공실적(시공비율 적용안함)을 합산하여 평가하되, 일부구성원이 대표자의 등급보다 높은 등급의 구성원인 경우는 시공실적에 시공비율을 곱한 실적을 합산하여 평가한다.

나. 기술능력

(1) 기술자 보유평가는 공동수급체 각각의 보유내용에 시공비율을 곱한 후 합산하여 평가한다.

(2) 기술개발투자비율 평가는 공동수급체 구성원별로 각각 산출한 평가점수에 시공비율을 곱한 후 이를 합산하여 평가한다.

(3) 기술개발투자비율 평가는 업체평균 건설부문 기술개발투자비율 대비 사전심사 대상업체의 건설부문 기술개발투자비율로 평가하되, 평가대상업종이 토목·건축공사인 경우 공동수급체 구성원의 기술개발투자비율 평가는 등급별유자격자명부운용기준에서 정한 해당 구성원이 속한 해당등급 업체평균 건설부문 기술개발투자비율 대비 구성원의 건설부문 기술개발투자비율로 각각 평가한다.

(4) 신기술개발·활용실적은 공동수급체 대표자와 구성원의 실적을 합산하여 평가한다.

다. 시공평가결과는 공동수급체 구성원(주계약자관리방식인 경우에는 주공사 종합건설업 구성원)의 당해 사전심사에 제출한 동일 또는 유사 시공실적에 대한 「건설기술진흥법」 제50조에 따른 시공평가결과를 가중평균하여 산정한 점수에 해당하는 등급으로 평가한다.

라. 신인도평가는 공동수급체 구성원(주계약자관리방식인 경우에는 주공사 종합건설업 구성원)별로 각각 산출한 평가점수(배점한도 미적용)에 각각의 시공비율을 곱한 후 이를 합산하여 평가(배점한도 적용)한다.

④ 지역업체 참여도(또는 가산점) 평가는 당해공사에 공동수급체를 구성한 경우에 한하며, 공동수급체 구성원에 지역업체가 참여한 경우 조정 지분율의 합에 따라 평가를 한다. 이 경우 당해공사가 복합 업종으로 구성된 경우에는 전체공사 구성원에 대한 지역업체 조정 지분율의 합으로 평가한다. 다만, 「독점규제 및 공정거래에 관한 법률」에 따른 상호출자제한기업집단 소속 계열회사간에 공동수급체를 구성한 경우에는 해당 지역업체의 조정 지분율은 조정 지분율의 합 산정에서 제외한다.

⑤ 중소기업 참여도 평가는 당해공사에 공동수급체를 구성한 경우에 한하며, 당해공사가 복합 업종으로 구성된 경우에는 전체공사 구성원에 대한 중소기업 참여지분율(공동수급체 대표자가 중소기업인 경우에는 대표자를 제외한 중소기업 참여비율을 평가)로 평가하되, 중소기업 인정(평가) 및 참여지분율 산정방법은 다음 각 호와 같다.

1. 중소기업은 「중소기업 기본법」에 따라 판단하며, 중소기업업체의 해당 여부는 심사기준일 이전에 중소기업중앙회(공공구매종합정보(http://smpp.go.kr/))에 중소기업 업체로 등록되어 마감일 까지 시스템에 통보된 최근의 자료로 평가한다.
2. '중소기업 참여지분율'은 제8조제2항에 따른 시공비율을 적용한다. 다만, 시공비율은 주공종에 참여하는 공동수급체에 한하여 적용하고 주공종이외 공종에 참여하는 업체의 지분율 산정 시에는 시공비율을 적용하지 아니한다.

⑥ 제4항에 따른 지역업체 가산점 평가는 시행령 제42조제1항에 따른 공사, 시행령 제6장과 제8장에 따른 공사, 계약예규 「공동계약 운용요령」 제2조의3에 따른 공사에 다음 각 호와 같이 지역업체 가산점 평가를 한다. 다만, 「공공기관 지방이전에 따른 혁신도시 건설 및 지원에 관한 특별법」 제2조제2호에 정의된 "이전공공기관"의 청사 신축사업(일괄·대안 입찰공사를 제외)일 경우에 한하여 지역업체 조정 지분율의 합이 40%초과 매2% 증가할 때마다 종합평점에서 1점씩 가산하며, 최대 5점을 초과할 수 없고, 당해공사가 광주·전남 혁신도시 개발사업으로서 광주광역시와 전라남도소재 건설업체는 당해공사에 지역업체로 참여할 수 있으며, 주계약자관리방식인 경우에는 <별첨양식2-1>에 따라 평가 한다.

1. 공사현장이 1개의 시·도에 있는 경우에는 기술적 공사이행능력부문의 종합평점에서 다음과 같은 가산점을 적용하여 평가한다.

지역업체 조정 지분율의 합	가산점
25% 이상, 30% 미만	2점
30% 이상, 35% 미만	4점
35% 이상, 40% 미만	6점
40% 이상	8점

2. 공사현장이 2개 이상의 시·도에 걸치는 경우에는 해당 지역의 가산점을 합산한 후 이를 기술적 공사이행능력부문의 종합평점에 가산하여 평가한다. 이 경우 각각의 1개 지역에 대한 가산점은 다음과 같다.

지역업체 조정 지분율의 합	가산점
12.5% 이상, 15% 미만	1점
15% 이상, 17.5% 미만	2점
17.5% 이상, 20% 미만	3점
20% 이상	4점

3. 당해공사가 지역의무공동계약 공사, 해당지역소재 업체가 10인 미만인 공사 및 입찰공

고에서 가산평가를 제외한 공사의 경우에는 가산평가를 하지 아니한다. 다만, 지역의무공동계약 공사이거나 해당지역소재 업체가 10인 미만인 공사라 할지라도 「공공기관 지방이전에 따른 혁신도시 건설 및 지원에 관한 특별법」 제2조제2호에 정의된 “이전공공기관”의 청사 신축사업일 경우에 한하여 지역업체 조정 지분율의 합이 40%초과 매2% 증가할 때마다 종합평점에서 1점씩 가산하며, 최대 5점까지만 가산 평가한다.

4. 지역업체 배점(가점) 부여를 위한 지역업체 인정기준은 다음 각 목과 같다

가. [별표2] 제1호, 제3호 및 제5호의 지역업체 참여도 평가 시 지역업체는 제7조제4항제4호나목에 따른다.

나. 제6항 본문에 따른 지역업체 가산점 평가 시 지역업체는 계약예규 「공사입찰유의서」에 따라 해당 계약을 이행하는데 필요한 면허·허가·등록 등의 자격요건을 갖춘 상태로 입찰공고일 전일 해당 시·도에 법인등기부상(또는 입찰참가자격등록증상) 본점이 소재한 업체이어야 한다. 다만, 제6항 단서조항에 따른 ‘이전공공기관’의 청사 신축사업(일괄·대안입찰 공사를 제외)의 지역업체 가산점 평가 시 지역업체는 가목을 준용한다.

⑦ 다음 각 호의 어느 하나에 해당하는 경우에는 기술적 공사이행능력부문의 평가에서 제외한다. 이 경우 평가제외자의 시공비율은 다른 구성원에게 배분하지 아니한다.

1. 공동수급체 구성원 중 평가대상 업종 이외 업종의 공동수급체 구성원
2. 공동수급체 구성원의 주공사 시공비율이 다음 각 목에 해당하는 경우

가. 「국가를 당사자로 하는 계약에 관한 법률」의 적용을 받는 공사는 10%미만. 단, 추정가격 1,000억원 이상인 일괄입찰, 대안입찰, 기술제안입찰 및 주계약자관리방식에 따른 계약인 경우 5% 미만

나. 「지방자치단체를 당사자로 하는 계약에 관한 법률」의 적용을 받는 공사는 5%미만, 단, 추정가격 1,000억원 미만인 일괄입찰, 대안입찰, 기술제안입찰인 경우 10%미만

다. 가내지 나목에도 불구하고 개별공사 입찰공고서에 최소출자비율을 별도 명시한 경우 해당 출자비율 미만

제9조(사전심사 신청 및 철회) ① 사전심사 신청자가 마감일까지 제출하여야 할 서류는 다음 각 호와 같다.

1. 사전 심사신청서(별첨양식 1)
2. 공동수급체 현황표(별첨양식 2)
3. 공종별 동일 또는 유사공사 실적명세서 및 자기평점(별첨양식 4)
4. 건설기술자보유현황표(별첨양식 8-1)
5. 「건설기술진흥법」 제50조에 따른 시공평가결과(증명서), 「건설기술진흥법」 제14조, 「환경기술 및 환경산업지원법」 제7조, 「국가통합교통체계효율화법」 제102조, 「자연재해대책법」 제61조에 따라 지정된 신기술 보유현황
6. 제출서류가 한국어 이외의 언어에 의해 작성된 경우는 한국어 번역 및 번역공증서
7. 신인도 항목의 각 평가요소별 가점에 대한 증빙서류(표준하도급계약 및 건설기계임대차

계약 사용계획 포함)와 감점에 대한 원인을 취소하거나, 효력의 정지, 해제 등을 증빙하는 서류

8. 입찰공고시 요구한 서류 각1부

② 사전심사 신청자는 마감일 이후에는 신청내용의 철회나 변경을 요구할 수 없다.

③ 제1항에 따라 제출된 서류 등이 미비하거나 불명확한 경우에는 3일이내의 기간을 정하여 보완을 요구할 수 있다.

제10조(심사관련서류 제출 생략) 사전심사 신청자가 다음 각 호의 증빙자료를 마감일 이전에 조달청에 제출하여 시스템에 등록된 경우에는 자료의 인정 유효기간 내에는 관련 증빙자료 제출을 생략하게 할 수 있다.

1. 동일 또는 유사 공사실적(시공평가점수 포함)
2. 최근 10년간 동일공종그룹 실적(금액)
3. 최근 5년간 토목, 건축 등 건설산업기본법령과 전기공사업법령 등의 업종구분에 의한 실적(금액)
4. 신기술개발 및 활용실적
5. 경영상태 확인서류
6. 신인도의 가산점 항목에 대한 증빙서류
7. 건설기술자 보유 증빙서류
8. 기술개발투자비율에 대한 증빙서류

제11조(적격자선정 결격사항) ① 다음 각 호의 어느 하나에 해당하는 경우에는 입찰적격자 선정에서 제외 한다

1. 입찰공고시 요구하는 입찰참가자격 요건을 구비하지 못한 경우
2. 마감일 후에 사전심사 신청서류가 접수된 경우
3. 동일입찰에 대하여 중복적으로 공동수급체를 구성한 경우
4. 공동수급체 대표자가 부도, 부정당업자제재, 영업정지, 입찰무효 등(이하 '부도 등'이라 한다)의 상태에 있는 경우(다만, 결격사유가 입찰참가등록 마감일 이전에 소멸되는 경우는 제외)
5. 종합심사낙찰제 대상공사로서 공동계약인 경우 공동수급협정서상의 공동수급체 대표자의 출자비율(복합업종인 경우 주공사 출자비율)이 100분의 50 미만인 경우 (다만, 주계약자관리방식의 경우는 제외)
6. 공동수급체의 구성원수가 입찰공고에서 정한 구성원수를 초과한 경우
7. 공동이행방식의 경우 공동수급협정서상의 출자비율(복합업종인 경우 주공사 출자비율)이 다음 각 목에 해당하는 경우

가. 「국가를 당사자로 하는 계약에 관한 법률」의 적용을 받는 공사는 10%미만. 단, 추정가격 1,000억원 이상인 일괄입찰, 대안입찰, 기술제안입찰 및 주계약자관리방식에 따른 계약인 경우 5%미만

나. 「지방자치단체를 당사자로 하는 계약에 관한 법률」의 적용을 받는 공사는 5%미만, 단, 추정가격 1,000억 원 미만인 일괄입찰, 대안입찰, 기술제안입찰인 경우 10%미만

다. 가내지 나목에도 불구하고 개별공사 입찰공고서에 최소출자비율을 별도 명시한 경우 해당 출자비율 미만

8. 주계약자관리방식의 경우로서 다음 각 목의 어느 하나에 해당하는 경우

가. 「독점규제 및 공정거래에 관한 법률」에 의한 상호출자제한기업집단 소속 계열회사간에 공동수급체를 구성한 경우

나. 종합건설업이 전문건설업과 공동도급을 하지 아니한 경우

다. 종합건설업면허와 전문건설업면허를 동시에 갖춘 업체가 종합건설업부분과 전문건설업 부분에 함께 참여한 경우

라. 전문건설업의 경우 최근 3년간 해당 전문공사의 업종실적이 당해 발주공사 추정금액 중 해당 전문공사에 해당하는 추정금액 대비 1/2배 미만인 경우

9. 기타, 다른 법령 등에 의한 결격사유 해당 시

제12조(입찰적격자 선정) ① 사전심사결과 경영상태부문에 대한 적격요건과 기술적 공사이행능력부문에 대한 적격요건을 모두 충족하는 자를 입찰적격자로 선정한다.

② 경영상태부문의 적격요건은 다음 각 호와 같다.

1. 공사규모별 신용평가등급 적격요건

가. 전체공사 추정가격이 1,500억 원 이상인 공사

(1) 회사채에 대한 신용평가등급의 경우 BBB-(단, 공동이행방식 및 분담이행방식의 공동수급체 대표자 이외의 구성원(이하 “구성원”이라 한다)은 BB0) 이상

(2) 기업어음에 대한 신용평가등급의 경우 A3- (단, 구성원은 B+) 이상

(3) 기업신용평가등급의 경우 회사채에 대한 신용평가등급 BBB- (단, 구성원은 BB0)에 준하는 등급 이상

나. 전체공사 추정가격이 1,500억 원 미만 500억 원 이상인 공사

(1) 회사채에 대한 신용평가등급의 경우 BB+(단, 구성원은 BB0) 이상

(2) 기업어음에 대한 신용평가등급의 경우 B+ 이상

(3) 기업신용평가등급의 경우 회사채에 대한 신용평가등급 BB+ 에 준하는 등급 이상(단, 구성원은 BB0)에 준하는 등급 이상

다. 전체공사 추정가격이 500억 원 미만인 공사

(1) 회사채에 대한 신용평가등급의 경우 BB- (단, 구성원은 B+) 이상

(2) 기업어음에 대한 신용평가등급의 경우 B0(단, 구성원은 B-) 이상

(3) 기업신용평가등급의 경우 회사채에 대한 신용평가등급 BB- (단, 구성원은 B+)에 준하는 등급 이상

라. 주계약자관리방식의 경영상태 평가는 가목 내지 다목의 공사규모별 분담이행 방식의 경영상태 적격기준을 적용하되, 사전심사를 통과할 수 있는 부계약자가 주계약자보다

현저히 적은 경우 등 입찰의 경쟁성이 확보되지 않을 때는 공고서에 반영하여 부계약자의 적격기준을 달리 정할 수 있다

③ 기술적 공사이행능력부문의 적격요건은 종합평점 90점 이상(1건 공사로서 복합 사전심사 대상공사인 경우에는 공종별로 각각 산출한 평가점수가 90점 이상)으로 한다.

④ 입찰적격자 선정이후 낙찰자 선정이전에 공동수급체구성원 중 구성원의 일부가 부도 등의 결격사유가 발생한 경우(결격사유가 입찰등록 마감일 이전에 소멸되는 경우에는 제외) 입찰적격자로 선정된 자는 잔존구성원만으로 출자비율 또는 분담내용을 변경하거나 결격사유가 발생한 구성원을 대신할 새로운 구성원을 추가하여 제1항부터 제3항까지에 따른 입찰적격자 선정범위에 해당되는지의 여부를 재심사신청하여야 한다. 이 경우 계약담당공무원은 당초 입찰적격자 선정기준과 동일한 방법으로 심사하여 입찰적격자 선정범위에 해당되는 때에는 해당 공동수급체를 입찰에 참가하게 하여야 한다. 다만, 공동수급체대표자가 부도 등의 결격사유가 발생한 경우에는 당해 공동수급체를 입찰에 참가하게 하여서는 아니 되며, 입찰 이후에는 낙찰자 결정대상에서 제외하여야 한다.

⑤ 보증기관에서 보증이행업체를 지정하여 보증이행업체 자격의 심사를 요청한 경우에는 다음 각 호와 같이 평가한다.

1. 보증이행업체는 입찰공고 시 정한 입찰참가자격과 동등이상의 자격을 갖춘 자로서 경영상태부분의 적격요건을 충족하고 기술적 공사이행능력부문이 제3항에 해당하는 자로 한다.
2. 심사기준은 입찰공고일 당시 심사기준(사전심사기준, 업체평균비율 등)에 따른다.
3. 경영상태, 기술적 공사이행능력평가에 필요한 보증이행업체의 자료는 보증기관이 보증시공 청구를 조달청에 요청(접수)한 날의 자료로 한다.

제13조(심사결과 통지 등) ① 입찰적격자를 선정한 경우에는 지체없이 그 적격 여부와 이의신청 접수기한을 시스템에 공시한다.

② 제1항의 이의신청 접수기한은 시스템에 공시한 날로부터 3일 이내로 정하되, 필요한 경우 연장할 수 있다.

③ 사전심사 신청자는 이의신청 접수기한 이내에 당해업체 심사관련서류와 평가점수의 열람을 요구할 수 있으며, 조달청 사전심사 담당자(이하 "심사자"라 한다.)의 오류 또는 중대한 착오 등으로 평가점수에 이의가 있는 경우에는 이의신청 접수기한 이내에 시스템을 통하여 이의신청을 할 수 있다. 이 경우 심사결과에 대하여 이의가 있어 재심사를 요청한 때에는 심사자는 재심사 등 필요한 조치를 하여야 한다. 단, 입찰공고에 이의신청 방법 등을 달리 정한 경우에는 그에 따른다.

제14조(기타 사항) ① 당해공사의 시공경험, 기술능력 등의 구체적인 평가기준은 입찰공고에서 정하는 바에 따른다.

② 이 기준에서 별도로 정하지 아니한 사항에 대한 소수점처리는 다음 각 호와 같다.

1. 공동수급체 각 구성원의 지분율은 공동수급협정서상의 지분율을 적용하되 공동수급협정서상 소수점 산정기준은 다음 각목과 같다

가. 업종별 비율과 출자(분담)비율은 소수점 둘째자리까지 산정한다

나. 전체지분율은 소수점 여섯째자리까지 산정한다

2. 공동수급체 각 구성원의 시공비율은 소수점 셋째자리에서 절사한다.

3. 각 분야별 평가점수에 가감율이 있는 경우에는 가감율을 적용한 후 분야별 최종단계 점수를 소수점 셋째자리에서 반올림 한다.

③ 이 기준에서 정하지 아니한 사항 또는 공사의 특성 및 규모 등으로 인하여 이 기준을 적용하기 곤란하거나 수요기관의 공사이행에 필요하다고 인정되는 경우, 이에 필요한 조건을 입찰공고에 반영하여 집행할 수 있다.

제15조(존속기한) 이 훈령은 「훈령·예규 등의 발령 및 관리에 관한 규정」에 따라 이 훈령을 발령한 후의 법령이나 현실 여건의 변화 등을 검토하여야 하는 2023년 12월 31일까지 효력을 가진다.

부 칙

제1조(시행일) 이 기준은 2022년 1월 1일부터 시행한다.

제2조(적용례) 이 기준은 2022년 1월 1일 이후 입찰 공고 분부터 적용한다.

제3조(사전심사 신청자격에 관한 적용례) 상호시장 진출 허용공사로서 제4조제1호 및 제3호에 따라 신청자격을 시공능력평가액으로 제한하는 경우 국토교통부에서 종합·전문업종간 상호시장 진출을 위한 시공능력평가액을 공시하기 전에는 일반경쟁 입찰로 발주할 수 있다.

제4조(시공비율 평가방법에 관한 적용례) 상호시장 진출 허용공사로서 제8조제2항 시공비율 산정 시 국토교통부에서 종합·전문업종간 상호시장 진출을 위한 시공능력평가액을 공시하기 전에는 시공비율 대신 공동수급협정서상 참여지분율을 적용한다.

[별표 1]

공종별 동일공사 및 유사공사 범위
(제3조에 따른 고난도 공종이 포함된 공사에 적용)

공 종 \ 구 분	최근 10년간 당해공사와 동일한 종류의 공사실적	최근 10년간 당해공사와 유사한 종류의 공사실적
1) 교량		
A. · 경간 200m 이상 포함 교량	○ 길이 100m 이상 A등급 교량	○ 길이 200m 이상 B등급 교량
B. · 경간 200m 미만 100m 이상 포함교량 · 경간 50m 이상이 포함된 연육교, 연도교, 해상교량	○ 길이 100m 이상의 A등급교량, 길이 200m 이상 B등급 교량	
C. · 경간 50m 이상 포함 교량, 1,000m 이상의 일반교량 (경간 10m 이상)	○ 길이 100m 이상 A, B, C등급 교량	
D. · 500m이상의 일반교량 (경간 10m 이상)	○ 길이 100m 이상 A, B, C, D등급 교량	
2) 공항 가. 활주로, 유도로, 계류장	○ 10,000㎡ 이상의 활주로, 유도로, 계류장공사	○ 도로폭 4차로 이상과 길이 1km 이상이 포함된 고속도로, 국도의 신설공사(확·포장공사 포함) ※면적으로 환산적용
나. 청사 (여객 및 화물터미널)	○ 공항청사, 철도역사, 여객자동차터미널, 화물터미널, 항만 및 종합여객시설로서 3,000㎡ 이상의 건축공사	○ 3,000㎡ 이상의 지하철역사
3) 항 만 가. 계류시설	○ 30억원 이상의 계류시설 ※ 준설, 매립 제외	○ 30억원 이상의 외곽시설 ※ 준설, 매립 제외
나. 외곽시설	○ 30억원 이상의 외곽시설 ※ 준설, 매립 제외	○ 30억원 이상의 계류시설 (간척용 방조제 포함) ※ 준설, 매립 제외

구 분 / 공 종	최근 10년간 당해공사와 동일한 종류의 공사실적	최근 10년간 당해공사와 유사한 종류의 공사실적
4) 지하철(도시철도)	○ 100m 이상의 지하구간 지하철공사	○ 철도·도로의 200m 이상인 터널부분공사
5) 터널공사	○ 철도·도로의 200m 이상인 터널부분공사, 100m 이상의 지하구간 지하철공사(지하차도공사 제외)	
6) 쓰레기소각로	○ 소각단위 30톤/일 이상의 쓰레기 소각로 · 소각단위 용량톤수 : 쓰레기 1일소각톤수	
7) 폐수종말처리장 가. 폐수종말처리장	○ 처리용량 3,000톤/일 이상의 폐수 또는 하수종말처리장	○ 처리용량 5,000톤/일 이상의 폐수 또는 하수종말처리장의 고도처리시설
나. 고도처리시설	○ 처리용량 3,000톤/일 이상의 폐수 또는 하수종말처리장 ○ 처리용량 5,000톤/일 이상의 폐수 또는 하수종말처리장의 고도처리시설	
8) 하수종말처리장 가. 하수종말처리장	○ 처리용량 3,000톤/일 이상의 폐수 또는 하수종말처리장	○ 처리용량 5,000톤/일 이상의 폐수 또는 하수종말처리장의 고도처리시설
나. 고도처리시설	○ 처리용량 3,000톤/일 이상의 폐수 또는 하수종말처리장 ○ 처리용량 5,000톤/일 이상의 폐수 또는 하수종말처리장의 고도처리시설	
9) 관람집회 시설 가. 공연장, 집회장	○ 연면적 3,000㎡ 이상인 공연장, 집회장	○ 연면적 3,000㎡ 이상인 전시시설
나. 관람장, 관람용도의 바닥면적의 합계가 1,000㎡ 이상인 운동장체육관	○ 연면적 3,000㎡ 이상인 관람장, 운동장, 체육관	
10) 전시시설(전시장)	○ 연면적 3,000㎡ 이상인 전시장	○ 연면적 3,000㎡ 이상인 공연장, 집회장

※ 주 :

1) 동일 및 유사한 종류의 공사실적 평가는 별도로 정한 경우를 제외하고 금액을 기준으로 비교 평가한다.

2) 사전심사대상 공사의 범위는 관련법령에서 정하는 바에 의하며 이 기준의 공종과 동일 및 유사공사 분류가 없거나 적용이 곤란한 경우는 입찰공고에 반영하여 집행할 수 있다.

3) 당해공사에 포함된 교량 또는 터널이 상·하행선으로 구조물이 각각 분리된 경우에는 합산한 규모(또는 금액)를 기준으로 사전심사대상 여부를 판단한다.

3-1) 교량 또는 터널의 상·하행선이 분리된 경우 각각 실적으로 인정한다. 단, 동일한 단위구조물(체)로서 상·하행선 연장이 다른 경우에는 합산연장의 1/2로 한다.

3-2) 교량공사에 있어서 등급이 같거나 다른 경우에 평가기준규모와 금액은 사전심사대상요건 이상인 각 교량을 합산하여 적용하되 등급이 다른 경우에는 상위등급을 적용한다.

3-3) 교량의 범위는 입찰공고에서 특별히 정한 경우를 제외하고는 차량교통용 교량을 말한다.

4) 지하철공사의 경우 연장은 교행선에 관계없이 시점과 종점 구간으로 한다.

5) 항만공사의 경우 외곽시설과 계류시설이 복합된 경우 복합공사 추정가격이 200억원이상을 사전심사대상으로 하며, 각각의 시설이 추정가격 200억원이상에 해당하는 경우에는 제12조제3항의 기준에 따라 평가하고, 추정가격 200억원미만에 해당하는 외곽시설(또는 계류시설)은 주공사에 포함하여 평가한다.

6) 용도가 복합된 건물의 실적은 건축법령상의 용도를 기준으로 산정하며, 공용부분 등은 아래와 같이 평가한다.

6-1) 주차장, 기계실등 공용부분은 당해건물의 주용도에 포함(용도별로 공용부분이 구분된 경우에는 그 내용에 따라 평가)한다. (주차장은 공용부분으로 본다)

6-2) 근린생활시설은 당해건물의 주용도에 포함한다. (다만, 근린생활시설이 주용도인 경우는 근린생활시설로 한다)

6-3) 동일건물에서 각 용도별 면적의 합계가 1,000㎡미만인 시설은 당해 건물의 주용도 시설에 포함한다.

6-4) 주용도란 동일 건물내에서 면적이 큰 시설을 말한다.

7) 건축물의 용도분류는 이 기준에 따로 정하지 아니한 경우 건축법령의 규정에 준한다.

[별표 2]

기술적 공사이행능력부문 분야별 심사항목 및 배점기준

1. 지역업체 참여 배점제 적용공사

(제3조에 따른 고난도 공종이 포함된 공사로서 종합심사낙찰제 대상공사에 적용)

심사항목	평가요소	배점	등급	평점
① 시공경험평가 (40점)				
가. 최근 10년간 당해공사와 동일한 종류의 공사실적	금액(실적인정 규모이상공사(종)의 각각 준공금액의 합계액) : 관급포함	30	[별표 4 '가' 참조]	
나. 최근 10년간 당해공사와 유사한 종류의 공사실적	금액(실적인정 규모이상공사(종)의 각각 준공금액의 합계액) : 관급포함	22	[별표 4 '가' 참조]	
다. 최근 5년간 업종실적	입찰공고 시 해당업종 명시	10	[별표 7 참조]	
② 기술능력평가 (41점)				
가. 당해공사의 시공에 필요한 기술자 보유상황(회사 보유 인력으로 평가)	1) 당해 사전심사대상공사와 동일 및 유사한 종류의 공사에 3년 이상 종사한 경력기술자	16	[별표 8 참조]	
	2) 일반기술자	8	[별표 8 참조]	
나. 신기술개발・활용 실적	3) 신기술 개발건수	3	A. 2건 이상 B. 1건 이상 C. 0.5건 이상 D. 0.5건 미만 E. 없음	3 2 1 0.5 0
	4) 신기술 활용실적(금액)	3	A. 300억원 이상 B. 300억원 미만 200억원 이상 C. 200억원 미만 150억원 이상 D. 150억원 미만 100억원 이상 E. 100억원 미만 10억원 이상 F. 10억원 미만 1억원 이상	3.0 2.5 2.0 1.5 1.0 0.5
다. 기타 당해공사 시공에 특히 필요한 사항	5) 당해공사의 동일(유사)실적 이상으로 준공기한 경과정도	3	A. 2년이내 시공실적 B. 5년이내 시공실적 C. 7년이내 시공실적 D.10년이내 시공실적	3.0 2.5 2.0 1.5
라. 최근년도 건설부문매출액에 대한 건설부문 기술개발투자비율	6) 업체평균 건설부문기술개발투자비율에 대한 해당업체 건설부문 기술개발 투자비율	8	A.150% 이상 B.100% 이상 C. 50% 이상 D. 10% 이상 E. 10% 미만	8.0 7.5 7.0 6.5 6.0
③ 시공평가결과 (10점)				
시공평가 결과	시공평가 점수	10	A. 95점 이상 B. 90점 이상 C. 85점 이상 D. 80점 이상 E. 80점 미만	10 9 8 7 6
④ 지역업체 참여도 (5점)				
지역업체 참여도	조정 지분율의 합	5	A. 40% 이상 B. 35% 이상, 40% 미만 C. 30% 이상, 35% 미만 D. 20% 이상, 30% 미만 E. 10% 이상, 20% 미만	5 4 3 2 1
⑤ 중소기업 참여도 (4점)				
중소기업 참여도	참여 지분율	4	A. 40% 이상 B. 30% 이상, 40% 미만 D. 20% 이상, 30% 미만 E. 10% 이상, 20% 미만	4 3 2 1
⑥ 신인도 (+5, -7점)	[별표 3 참조]			

2. 지역업체 참여 배점제 적용 제외공사

(제3조에 따른 고난도 공종이 포함된 공사로서 적격심사, 지역의무공동도급, 턴키/대안, 주계약자관리방식 등의 공사에 적용)

<table>
<tr><th>심사항목</th><th>평가요소</th><th>배점</th><th>등급</th><th>평점</th></tr>
<tr><td colspan="5">① 시공경험평가 (45점)</td></tr>
<tr><td>가. 최근 10년간 당해공사와 동일한 종류의 공사실적</td><td>금액(실적인정 규모이상공사(종)의 각각 준공금액의 합계액) : 관급포함</td><td>34</td><td colspan="2">[별표 4 '나' 참조]
(지역의무공동도급공사는 별표 4 '다' 참조)</td></tr>
<tr><td>나. 최근 10년간 당해공사와 유사한 종류의 공사실적</td><td>금액(실적인정 규모이상공사(종)의 각각 준공금액의 합계액) : 관급포함</td><td>22</td><td colspan="2">[별표 4 '나' 참조]
(지역의무공동도급공사는 별표 4 '다' 참조)</td></tr>
<tr><td>다. 최근 5년간 업종실적</td><td>입찰공고 시 해당업종 명시</td><td>11</td><td colspan="2">[별표 7 참조]</td></tr>
<tr><td colspan="5">② 기술능력평가 (41점)</td></tr>
<tr><td rowspan="2">가. 당해공사의 시공에 필요한 기술자 보유상황(회사 보유 인력으로 평가)</td><td>1) 당해 사전심사대상공사와 동일 및 유사한 종류의 공사에 3년 이상 종사한 경력기술자</td><td>16</td><td colspan="2">[별표 8 참조]</td></tr>
<tr><td>2) 일반기술자</td><td>8</td><td colspan="2">[별표 8 참조]</td></tr>
<tr><td rowspan="2">나. 신기술개발· 활용 실적</td><td>3) 신기술 개발건수</td><td>3</td><td>A. 2건 이상
B. 1건 이상
C. 0.5건 이상
D. 0.5건 미만
E. 없음</td><td>3
2
1
0.5
0</td></tr>
<tr><td>4) 신기술 활용실적(금액)</td><td>3</td><td>A. 300억원 이상
B. 300억원 미만 200억원 이상
C. 200억원 미만 150억원 이상
D. 150억원 미만 100억원 이상
E. 100억원 미만 10억원 이상
F. 10억원 미만 1억원 이상</td><td>3.0
2.5
2.0
1.5
1.0
0.5</td></tr>
<tr><td>다. 기타 당해공사 시공에 특히 필요한 사항</td><td>5) 당해공사의 동일(유사)실적 이상으로 준공기한 경과정도</td><td>3</td><td>A. 2년이내 시공실적
B. 5년이내 시공실적
C. 7년이내 시공실적
D. 10년이내 시공실적</td><td>3.0
2.5
2.0
1.5</td></tr>
<tr><td>라. 최근년도 건설부문매출액에 대한 건설부문 기술개발투자비율</td><td>6) 업체평균 건설부문기술개발투자비율에 대한 해당업체 건설부문기술개발 투자비율</td><td>8</td><td>A. 150% 이상
B. 100% 이상
C. 50% 이상
D. 10% 이상
E. 10% 미만</td><td>8.0
7.5
7.0
6.5
6.0</td></tr>
<tr><td colspan="5">③ 시공평가결과 (10점)</td></tr>
<tr><td>시공평가 결과</td><td>시공평가 점수</td><td>10</td><td>A. 95점 이상
B. 90점 이상
C. 85점 이상
D. 80점 이상
E. 80점 미만</td><td>10
9
8
7
6</td></tr>
<tr><td colspan="5">④ 중소기업 참여도 (4점)</td></tr>
<tr><td>중소기업 참여도</td><td>참여 지분율</td><td>4</td><td>A. 40% 이상
B. 30% 이상, 40% 미만
D. 20% 이상, 30% 미만
E. 10% 이상, 20% 미만</td><td>4
3
2
1</td></tr>
<tr><td>⑤ 신인도 (+5, -7점)</td><td colspan="4">[별표 3 참조]</td></tr>
</table>

3. 지역업체 참여 배점제 적용공사

(제3조에 따른 일반 공종이 포함된 실적제한 공사로서 종합심사낙찰제 대상공사에 적용)

심사항목	평가요소	실적제한공사		
		배점	등급	평점
① 시공경험평가 (40점)				
가. 최근 10년간 당해공사와 동일한 종류의 공사실적	규모 또는 금액(실적인정 규모이상 공사(종)의 각각 준공금액의 합계액, 관급포함	30	# 참조	
나. 최근 5년간 업종실적	입찰공고 시 해당업종 명시	10	[별표 7 참조]	
② 기술능력평가 (41점)				
가. 당해공사의 시공에 필요한 기술자 보유상황 (회사 보유 인력으로 평가)	1) 당해 공종 경력 기술자	7	A. 4.0 이상 B. 3.0 이상 C. 2.0 이상 D. 1.0 이상	7 6 5 4
	2) 일반기술자	20	A. 20인 이상 B. 15인 이상 C. 10인 이상	20 16 11
나. 신기술개발 · 활용 실적	3) 신기술 개발건수	2	A. 0.5건 이상 B. 0.5건 미만 C. 없음	2 1 0
	4) 신기술 활용실적(금액)	2	A. 100억원 이상 B. 100억원 미만 50억원 이상 C. 50억원 미만 5억원 이상 D. 5억원 미만 1억원 이상	2.0 1.5 1.0 0.5
다. 최근년도 건설부문매출액에 대한 건설부문 기술개발투자비율	5) 업체평균 건설부문기술개발투자비율에 대한 해당업체 건설부문기술개발 투자비율	10	A. 150% 이상 B. 100% 이상 C. 50% 이상 D. 10% 이상 E. 10% 미만	10.0 9.5 9.0 8.5 8.0
③ 시공평가결과 (10점)				
시공평가 결과	시공평가 점수	10	A. 95점 이상 B. 90점 이상 C. 85점 이상 D. 80점 이상 E. 80점 미만	10 9 8 7 6
④ 지역업체 참여도 (5점)				
지역업체 참여도	조정 지분율의 합	5	A. 40% 이상 B. 35% 이상, 40% 미만 C. 30% 이상, 35% 미만 D. 20% 이상, 30% 미만 E. 10% 이상, 20% 미만	5 4 3 2 1
⑤ 중소기업 참여도 (4점)				
중소기업 참여도	참여 지분율	4	A. 40% 이상 B. 30% 이상, 40% 미만 D. 20% 이상, 30% 미만 E. 10% 이상, 20% 미만	4 3 2 1
⑥ 신인도 (+5, -7점)	[별표 3 참조]			

1. 공사실적 평가 : 추정가격500억원 이상의 평가 등급 및 배점
- 평가기준규모 대비 300%이상 30점, 255%이상 27.7점, 210%이상 25.4점, 165%이상 23.1점, 120%이상 20.8점, 75%이상 17.4점, 60%이상 15점

2. 공사실적 평가 : 추정가격500억원 미만의 평가 등급 및 배점
- 평가기준규모 대비 200%이상 30점, 170%이상 27.7점, 140%이상 25.4점, 110%이상 23.1점, 80%이상 20.8점, 50%이상 17.4점, 40%이상 15점

4. 지역업체 참여 배점제 적용 제외공사

(제3조에 따른 일반 공종이 포함된 실적제한 공사로서 지역의무공동도급, 턴키/대안, 주계약자관리방식 등의 공사에 적용)

심사항목	평가요소	실적제한공사		
		배점	등급	평점
① 시공경험평가 (45점)				
가. 최근 10년간 당해공사와 동일한 종류의 공사실적	규모 또는 금액(실적인정 규모 이상공사(종)의 각각 준공금액의 합계액, 관급포함	34	# 참조	
나. 최근 5년간 업종실적	입찰공고 시 해당업종 명시	11	[별표 7 참조]	
② 기술능력평가 (41점)				
가. 당해공사의 시공에 필요한 기술자 보유상황(회사 보유 인력으로 평가)	1) 당해 공종 경력 기술자	7	A. 4.0 이상 B. 3.0 이상 C. 2.0 이상 D. 1.0 이상	7 6 5 4
	2) 일반기술자	20	A. 20인 이상 B. 15인 이상 C. 10인 이상	20 16 11
나. 신기술개발· 활용 실적	3) 신기술 개발건수	2	A. 0.5건 이상 B. 0.5건 미만 C. 없음	2 1 0
	4) 신기술 활용실적(금액)	2	A. 100억원 이상 B. 100억원 미만 50억원 이상 C. 50억원 미만 5억원 이상 D. 5억원 미만 1억원 이상	2.0 1.5 1.0 0.5
다. 최근년도 건설부문매출액에 대한 건설부문 기술개발투자비율	5) 업체평균 건설부문기술개발투자비율에 대한 해당업체 건설부문기술개발 투자비율	10	A. 150% 이상 B. 100% 이상 C. 50% 이상 D. 10% 이상 E. 10% 미만	10.0 9.5 9.0 8.5 8.0
③ 시공평가결과 (10점)				
시공평가 결과	시공평가 점수	10	A. 95점 이상 B. 90점 이상 C. 85점 이상 D. 80점 이상 E. 80점 미만	10 9 8 7 6
④ 중소기업 참여도 (4점)				
중소기업 참여도	참여 지분율	4	A. 40% 이상 B. 30% 이상, 40% 미만 C. 20% 이상, 30% 미만 D. 10% 이상, 20% 미만	4 3 2 1
⑤ 신인도 (+5, -7점)	[별표 3 참조]			

#1. 공사실적 평가 : 추정가격500억원 이상의 평가 등급 및 배점(지역의무는 괄호값 적용)
- 평가기준규모 대비 300%이상 34점(34점), 255%이상 31점(31.7점), 210%이상 28점(29.4점), 165%이싱 25점(27.1점), 120%이상 22점(24.8점), 75%이상 19점(21.4점), 60%이상 16점(19점)

2. 공사실적 평가 : 추정가격500억원 미만의 평가 등급 및 배점(지역의무는 괄호값 적용)
- 평가기준규모 대비 200%이상 34점(34점), 170%이상 31점(31.7점), 140%이상 28점(29.4점), 110%이상 25점(27.1점), 80%이상 22점(24.8점), 50%이상 19점(21.4점), 40%이상 16점(19점)

5. 지역업체 참여 배점제 적용공사
(제3조에 따른 일반 공종이 포함된 공사로서 종합심사낙찰제 대상공사에 적용)

심사항목	평가요소	일반공종공사			기타공종공사		
		배점	등급	평점	배점	등급	평점
① 시공경험평가 (40점)							
가. 최근 10년간 당해공사와 동일한 공종그룹의 공사 실적	입찰공고 시 해당공종 명시	20	[별표 6 참조]		평가 제외		
나. 최근 5년간 업종 실적	입찰공고 시 해당업종 명시	20	[별표 7 참조]		40	[별표 7 참조]	
② 기술능력평가 (45점)							
가. 당해공사의 시공에 필요한 기술자 보유상황(회사 보유 인력으로 평가)	1) 당해 공종 경력 기술자	평가제외			좌 동		
	2) 일반기술자	31	A. 15인 이상 B. 12인 이상 C. 10인 이상	31 25 19	좌 동		
나. 신기술개발 · 활용 실적	3) 신기술 개발건수	2	A. 0.5건 이상 B. 0.5건 미만 C. 없음	2 1 0	좌 동		
	4) 신기술 활용실적(금액)	2	A. 100억원 이상 B. 100억원 미만 50억원 이상 C. 50억원 미만 5억원 이상 D. 5억원 미만 1억원 이상	2.0 1.5 1.0 0.5	좌 동		
다. 최근년도 건설부문매출액에 대한 건설부문 기술개발투자비율	5) 업체평균 건설부문기술개발투자비율에 대한 해당업체 건설부문기술개발 투자비율	10	A. 150% 이상 B. 100% 이상 C. 50% 이상 D. 10% 이상 E. 10% 미만	10.0 9.5 9.0 8.5 8.0	좌 동		
③ 시공평가결과 (6점)							
시공평가 결과	시공평가 점수	배점한도 적용			좌 동		
④ 지역업체 참여도 (5점)							
지역업체 참여도	조정 지분율의 합	5	A. 40% 이상 B. 35% 이상, 40% 미만 C. 30% 이상, 35% 미만 D. 20% 이상, 30% 미만 E. 10% 이상, 20% 미만	5 4 3 2 1	좌 동		
⑤ 중소기업 참여도 (4점)							
중소기업 참여도	참여 지분율	4	A. 40% 이상 B. 30% 이상, 40% 미만 C. 20% 이상, 30% 미만 D. 10% 이상, 20% 미만	4 3 2 1	좌 동		
⑥ 신인도 (+5, -7점)	[별표 3 참조]						

6. 지역업체 참여 배점제 적용 제외공사

(제3조에 따른 일반 공종이 포함된 공사로서 지역의무공동도급, 턴키/대안, 주계약자관리방식 등의 공사에 적용)

심사항목	평가요소	일반공종공사			기타공종공사		
		배점	등급	평점	배점	등급	평점
① 시공경험평가 (45점)							
가. 최근 10년간 당해공사와 동일한 공종그룹의 공사실적	입찰공고 시 해당공종 명시	20	[별표 6 참조]		평가 제외		
나. 최근 5년간 업종 실적	입찰공고 시 해당업종 명시	25	[별표 7 참조]		45	[별표 7 참조]	
② 기술능력평가 (45점)							
가. 당해공사의 시공에 필요한 기술자 보유상황(회사 보유 인력으로 평가)	1) 당해 공종 경력 기술자	평가 제외			좌 동		
	2) 일반기술자	31	A 15인 이상 B 12인 이상 C 10인 이상	31 25 19	좌 동		
나. 신기술개발 · 활용 실적	3) 신기술 개발건수	2	A. 0.5건 이상 B. 0.5건 미만 C. 없음	2 1 0	좌 동		
	4) 신기술 활용실적(금액)	2	A. 100억원 이상 B. 100억원 미만 50억원 이상 C. 50억원 미만 5억원 이상 D. 5억원 미만 1억원 이상	2.0 1.5 1.0 0.5	좌 동		
다. 최근년도 건설부문매출액에 대한 건설부문 기술개발 투자비율	5) 업체평균 건설부문 기술개발투자비율에 대한 해당업체 건설부문기술개발 투자비율	10	A. 150% 이상 B. 100% 이상 C. 50% 이상 D. 10% 이상 E. 10% 미만	10.0 9.5 9.0 8.5 8.0	좌 동		
③ 시공평가결과 (6점)							
시공평가 결과	시공평가 점수	배점한도 적용			좌 동		
④ 중소기업 참여도 (4점)							
중소기업 참여도	참여 지분율	4	A. 40% 이상 B. 30% 이상, 40% 미만 D. 20% 이상, 30% 미만 E. 10% 이상, 20% 미만	4 3 2 1	좌 동		
⑤ 신인도 (+5, −7점) [별표 3 참조]							

※주 :

① 시공경험 평가

1) 최근 10년간 동일공사실적과 유사공사실적 심사항목은 택일 적용

2) 동일 또는 유사공사의 실적증명서는 매 사전심사 신청시마다 제출하는 것을 원칙으로 하되 다른 공사의 사전심사에서 검증되어 시스템에 등록된 실적은 사전심사 신청시 제출하는 공종별 동일 또는 유사공사 실적명세서에 조달청 등록번호를 기재하여 제출할 경우에는 실적증명서의 제출을 생략하게 할 수 있다.

3) 제3조에 따른 일반 공종이 포함된 공사로서 실적보유자로 제한하는 경우 평가기준 규모(또는 금액)는 입찰공고에 명시한다.

4) 합병등의 경우 시공경험평가는 "[별표9]의 4. 11)"에 따른다.

5) 최근 10년간 동일 또는 유사한 종류의 공사실적은 입찰공고일로부터 기산하여 10년 이전부터 PQ신청마감일 까지의 준공실적으로 한다.(예시 : 입찰공고일이 2010년 8월 5일이고, PQ신청마감일이 2010년 9월 8일인 경우 시공실적은 2000년 8월 6일부터 2010년 9월 8일 까지의 준공실적)

5-1) 유사한 종류의 공사실적은 동일과 유사한 종류의 공사실적을 합산하여 계상한다

6) 지역업체 참여 배점제가 적용되는 공사로서 외국건설업자(「건설산업기본법」 제9조에 따라 건설업 등록을 한 외국인 또는 외국법인을 말하며 공동수급체 구성원인 경우도 포함)에 대해서는 지역업체 참여 배점제 적용 제외공사의 기술적 공사이행능력부문 분야별 심사항목 및 배점기준을 적용하며, 중소기업 참여도 평가는 배점한도를 적용한다.

7) [별표2] 제5호내지 제6호의 최근 10년간 동일공종그룹 실적평가시 평가대상공종은 입찰공고시 명시하며 동일공종그룹 분류는 다음 표와 같다. 이 외 동일공종그룹 분류 항목은 기타공종공사 평가에 따른다.

구분	평가대상공종	동일공종그룹 분류
토목	교통시설	도로, 교량, 터널, 공항, 지하철, 철도
	수자원시설	항만, 댐, 운하, 하천, 치수, 상하수도, 정수장
건축	주거시설	단독주택 및 공동주택, 주거상업겸용건물
	비주거시설	주거시설에 포함되지 아니한 시설

② 기술능력 평가

1) 건설기술자의 종류 및 보유내용은 건설기술자보유증명서(별첨양식8)에 의하며, 당해 사전심사대상공사와 동일 및 유사한 종류의 공사에 3년이상 종사한 경력기술자(이하 '경력기술자'라 한다), 일반기술자의 증명은 한국건설기술인협회로부터 통보되어 시스템에 등록되거나, 사전심사신청자가 제출(등록)한 자료로 평가한다. 다만, 당해 입찰공고에서 별도로 정한 경우에는 입찰공고의 내용에 따라 평가한다.

1-1) 당해공사의 시공에 필요한 기술자 보유내용에 변동이 있는 경우에는 소정의 절차에 따라 시스템에 변경등록을 하여야 한다.

1-2) 경력기술자 평가방법(별첨양식 9)

가) 별첨양식8의 일반기술자로서 당해 사전심사대상공사와 동일 또는 유사한 종류의 공사현장에 3년이상(자격취득 전. 후 포함) 종사한 기술자에 대하여는 다음 기술자 등급계수, 경력계수 및 관리능력계수를 곱하여 산정한다.

- 등급계수 : 특급기술자 1.0, 고급기술자 0.75,
  중급기술자 0.5, 초급기술자 0.25
- 경력계수 : 3년 이상 1.0, 5년 이상 1.5, 10년 이상 2.0
- 관리능력계수(현장대리인 경력) : 2년 미만 1.0, 2년 이상 1.1, 5년 이상 1.3

나) 건설기술자의 등급구분은 건설기술진흥법령 등에 따라 설립된 건설기술인협회, 전력기술인협회 등

관련기관의 기술자 등급 구분을 기준으로 한다.

1-3) 준설공사에 대하여 일반기술자의 등급기준은 다음과 같이 적용한다.

평 가 요 소	배점	추정가격 1,000억원 이상인 경우		추정가격 1,000억원 미만 ~ 500억원 이상인 경우		추정가격 500억원 미만인 경우	
		평 가 등 급	평점	평 가 등 급	평점	평 가 등 급	평점
일반 기술자	31	A. 16인 이상 B. 12인 이상 C. 8인 이상	31 25 19	A. 12인 이상 B. 9인 이상 C. 6인 이상	31 25 19	A. 9인 이상 B. 7인 이상 C. 6인 이상	31 25 19

1-4) 조경공사인 경우에는 일반기술자평가 시 토목기술자와 조경기술자를 합산하여 평가한다.

1-5) 1건 공사가 복합 사전심사대상 공사인 경우 경력기술자인 동일인은 각 사전심사대상 공사에 중복하여 평가한다.

2) 신기술개발·활용실적은 제7조제4항제2호나목에 따라 평가한다.

2-1) 건설신기술과 환경신기술과 교통신기술과 자연재해저감신기술을 합산하여 평가한다.

2-2) 신기술개발건수는 신기술보유업체로 평가한다.

2-3) 신기술을 보유하지 않은 업체로서 신기술 시공실적이 있는 경우에는 신기술활용실적(금액)으로 평가한다.

3) 당해공사의 동일(유사)실적 이상으로 준공기한 경과정도평가에 따른 기간계산은 입찰공고일로부터 기산하여 준공일까지의 기간으로 하며, 당해 사전심사에서 제출한 동일실적(유사실적을 선택한 경우에는 유사실적) 중 최근에 준공한 실적(1건)을 대상으로 평가한다.

4) 기술개발투자비율 평가 시 건설부분 매출액 또는 기술개발투자비가 '0'인 경우에는 최하등급의 평점을 적용한다.

③ 시공평가결과 평가

1) 시공평가점수는 당해 사전심사에 제출한 동일 또는 유사 시공실적에 대한 「건설기술진흥법」 제50조에 따른 시공평가 결과를 기준으로 가중평가한다.

*(산식)시공평가점수 ={실적규모(또는 금액)×시공평가결과}의 합÷실적규모(또는 금액)의 합

2) 제3조에서 규정한 일반공종이 포함된 공사로서 신청자격을 실적보유자 이외의 방법에 의하는 경우에는 배점한도를 적용한다.

④ 지역업체 참여도 평가

제7조제4항제4호에 따라 평가한다.

[별표 3]

신인도 평가 (+5, -7점)

심사항목	평 가 요 소	배점	등 급	평점
가. 시공업체 로서의 성실성	1) 최근 1년간 「건설산업기본법」에서 정한 벌금 이상의 행정형벌, 영업정지, 영업·면허·등록취소 처분 또는 과징금 부과처분을 받은 자	-2	A. 「건설산업기본법 시행령」 제80조 [별표6]에 의거 영업정지 또는 과징금을 선택할 수 있는 규정에 따라 영업정지 또는 과징금부과 처분을 받은 사실이 있는 자 B. 벌금이상의 행정형벌(집행유예 포함), 영업정지(건설산업기본법 시행령」 제80조 [별표6]에 의거 영업정지 또는 과징금을 선택할 수 없는 영업정지만 해당. 처분기간 만료 후 1년간 적용), 영업·면허·등록취소(말소)처분을 받은 사실이 있는 자	-1.0 -2.0.
	2)국토교통부장관이 평가 통보한 부실벌점 (최근 2년간 건설업체별 누계평균 부실벌점)	-5	A. 1점이상 2점미만 B. 2점이상 10점미만 C. 10점이상 15점미만 D. 15점이상 20점미만 E. 20점이상	-0.2 -1.0 -2.0 -3.0 -5.0
나. 하도급 관련사항	3)최근 1년간 국토교통부장관이 협력업자와의 협력관계를 평가한 결과 그 실적이 우수한 자	+3	A. 평점95점이상인 자 B. 평점90점이상 95점미만인 자 C. 평점80점이상 90점미만인 자 D. 평점70점이상 80점미만인 자 E. 평점60점이상 70점미만인 자	+3.0 +2.0 +1.5 +1.0 +0.5
	4)당해계약에서의 표준계약서 사용여부	+3 (-6)	A. 계약금액의 30%이상 표준하도급 계약서 사용 B. 계약금액의 40%이상 표준하도급 계약서 사용 C. 계약금액의 1%이상 건설기계임대차 표준계약서 사용	+1 (-2) +2 (-4) +1 (-2)
	5)최근 2년간 공정거래위원회 위원장으로부터 불공정하도급거래행위로 과징금 부과 처분을 받은 사실이 있는 자	-7	A. 과징금부과 처분을 받은 사실이 있는 자 B. 과징금부과 처분을 2회 받은 사실이 있는 자 C. 과징금부과 처분을 3회이상 받은 사실이 있는 자	-3.0 -5.0 -7.0
	6) 최근 2년 이내에 공정거래위원장으로부터 하도급 상습위반자로 통보 받은 자	-7	최근 2년 이내에 공정거래위원장으로부터 하도급 상습위반자로 통보 받은 자	-7
	7) 동반성장위원회가 동반성장지수를 평가한 결과 그 실적이 우수한 자	+2	〈동반성장지수 평가등급〉 A. 최우수 B. 우수	 +2 +1
	8)공정거래위원회가 공정거래협약 이행실적을 평가한 결과 그 실적이 우수한 자	+1	〈공정거래협약 이행실적 평가등급〉 A. 최우수 B. 우수	 +1 +0.5

심사항목	평 가 요 소	배점	등 급	평점
	9) 조달청이 공공시설분야 대중소기업 협력프로그램 이행 실적을 평가한 결과 그 실적이 우수한 자	+0.5 (-0.5)	〈1차년도 협약서 이행평가 결과〉 A. A등급 B. B등듭	 +0.5 (-0.5) +0.3 (-0.3)
다. 건설재해 및 제재처분	10) 최근 3년간 고용노동부장관이 산정한 사고사망만인율의 가중평균이 평균사고사망만인율의 가중평균이하인 자	-1 ~ +1	A. 평균사고사망만인율 0.20배이하 B. 평균사고사망만인율 0.40배이하 C. 평균사고사망만인율 0.60배이하 D. 평균사고사망만인율 1.0배 이하 E. 평균사고사망만인율 1.0배 초과 F. 평균사고사망만인율 1.5배 초과	+1.0 +0.6 +0.3 0.0 -0.5 -1.0
	11) 최근 1년간 건설업체의 산업재해 예방 활동 실적을 고용노동부장관이 평가한 결과 그 실적이 우수한자	+1	A. 평점 95점 이상인 자 B. 평점 90점 이상 95점 미만인 자 C. 평점 85점 이상 90점 미만인 자 D. 평점 80점 이상 85점 미만인 자 E. 평점 75점 이상 80점 미만인 자 F. 평점 75점 미만인 자	+1.0 +0.8 +0.6 +0.4 +0.2 0.0
	12) 최근 1년동안 「산업안전보건법」 제30조제3항에 따른 산업안전보건관리비 사용의무를 위반하여 목적외 사용금액이 1,000만원을 초과하거나 사용내역서를 작성·보존하지 아니한 자	-1	A. 과태료처분을 받은 사실이 있는 자 B. 과태료처분을 2회 이상 받은 사실이 있는 자	-0.5 -1.0
	13) 최근 1년동안 「산업안전보건법시행규칙」 별표 1 제1호 및 제6호에 따른 산업재해발생 보고의무 위반건수가 배분된 자	-2	과태료처분을 받은 산업재해발생 보고의무 위반 1건당 -0.2점씩 부여하여 최대 -2.0까지 부여	-0.2/건
	14) 최근 1년동안 산업안전보건법령 위반으로 동일현장에서 벌금이상의 행정형벌을 2회 이상 받은 자	-1	A. 2회 받은 자 B. 3회 이상 받은 자	-0.5 -1.0
	15) 최근 1년간 환경관련법령에 따른 벌금이상의 행정형벌, 영업정지, 과징금 이상의 처벌을 받은 자	-1	A. 1회 받은 자 B. 2회 이상 받은 자	-0.5 -1.0
라. 녹색건설 관련 인증실적	16) 제로에너지건축물 인증등급	1	A. 1등급 B. 2등급 C. 3등급 D. 4등급 E. 5등급	+1.0 +0.9 +0.8 +0.7 +0.6
	17) 녹색건축 인증등급	1	A. 최우수 B. 우수	+1.0 +0.5
	18) 녹색기술이나 녹색사업 인증서 또는 녹색전문기업 확인서를 보유한 자	2	녹색기술이나 녹색사업 인증서 또는 녹색전문기업 확인서 보유	+2
마. 고용개선 관련	19) 상습 또는 고액 임금체불	-2	「근로기준법」에 따라 고용노동부장관으로부터 체불사업주로 명단이 공개중인 자	-2
	20) 적극적 고용개선조치 미이행	-2	「남녀고용평등과 일·가정 양립 지원에 관한 법률」에 따라 최근 2년 이내에 고용노동부장	-2

심사항목	평 가 요 소	배점	등 급	평점
			관으로부터 적극적 고용개선조치 미이행 사업주로 명단이 공표된 자	
	21) 종합건설업종 비정규직 등의 사용 평균비율에 대한 해당업체의 비정규직 등의 사용비중(「고용정책기본법」상 '고용형태공시제'에 따라 공시된 소속근로자와 소속 외 근로자 중 기간없는 단시간근로자와 기간제근로자, 소속 외 근로자가 차지하는 비율)	+2	A. 평균비율 0.5배 미만 B. 평균비율 0.6배 미만 C. 평균비율 0.7배 미만 D. 평균비율 0.8배 미만 E. 평균비율 0.8배 이상 및 미공시한 경우	+2.0 +1.5 +1.0 +0.5 0
	22) 최저임금법 위반	−2	최근 3년 이내에 「최저임금법」 위반으로 유죄판결이 확정된 자	−2
바. 일자리 창출관련	23) 최근년도 건설고용지수(건설근로자공제회발표) 평가에 따른 평가등급을 보유한 자	+3	A. 1등급인 자 B. 2등급인 자	+3 +2
	24) 일자리창출 실적(고용인력 증가 등)이 확인되는 자	+3	A. 근로내용 확인신고서(고용보험법시행규칙 별지 7호 서식)로 신고한 최근 6개월 평균 고용인원·급여지급액이 그 이전 6개월 평균보다 증가한 경우 B. 국세청 홈텍스 또는 관할세무서에서 발급한 표준손익계산서, 「법인세법」 등에 따라 관할세무서에 신고된 손익계산서(공인회계사 또는 세무사 증명필요)상 전년도 급여액(퇴직급여액 제외)이 전전년도 급여액(퇴직급여액 제외)보다 증가한 경우	+2.5 +0.5
사. 기타	25) 산업위기대응특별지역 업체와 공동수급체를 구성한 자	+3	산업위기대응특별지역 업체 조정지분율의 합 A. 10% 이상 20% 미만 B. 20% 이상 30% 미만 C. 30% 이상 35% 미만 D. 35% 이상 40% 미만 E. 40% 이상	 +1.0 +1.5 +2.0 +2.5 +3.0

※ 주 :

1) 업종에 구분없이 사업자별로 평가한다.
2) 전기공사, 정보통신공사, 전문공사 및 소방공사는 신인도를 평가하지 않되, 준설공사를 사전심사로 집행할 경우는 신인도를 평가한다.

2-1) < 삭 제 >

3) 합병등의 경우 가점항목은 가장높은 등급의 점수를, 감점항목과 사고사망만인율은 가장 낮은 등급의 점수를 적용한다.
4) '가'목 1)의 평가요소 중 영업정지기간 등은 소송 등으로 효력정지되었다가 재개될 경우 기 제재된 기간은 제외하고 산정한다.
5) < 삭 제 >
6) 가점과 감점항목이 있을 때에는 이를 상계하여 평가한다.
7) < 삭 제 >

8) '나'목 3)의 평가는 2011년부터 국토교통부장관이 조달청에 통보한 자료로 평가하며, 2011년 이전에 통보된 자료로 평가할 경우로서 평점 90점이상(95점이상포함)인 자는 2점으로 평가한다.

9) '나'목 7) 및 8)의 동반성장지수와 공정거래협약 이행실적에 대한 평가는 다음과 같다.

9-1) 동반성장지수와 공정거래협약 평가에 따른 가점은 1개 업체에 1개만을 적용하며, 대기업과 「중소기업기본법」에 따른 중소기업(공동수급체의 경우 대표자 기준)이 모두 참여하는 입찰에는 적용하지 않음.

9-2) PQ신청 마감결과 대기업들만 참여한 경우에 적용한다.

9-3) 관계기관의 장이 확인해 준 자료로 평가하되, 유효기간 이내인 것에 한하여 평가한다. 다만, 유효기간이 정해지지 아니한 경우에는 입찰공고일 전일부터 기산하여 1년 이내에 받은 것에 한하여 평가한다.

10) '나'목 9)의 평가는 조달청이 발표한 자료로 평가하며, 조달청이 발표한 인센티브 부여기간 내 입찰공고건에 대하여 등급별로 평가한다.

11) <삭제>

12) 사고사망만인율 및 평균사고사망만인율의 가중평균은 다음 산식에 의하여 산정한다.

- [최근년도 사고사망만인율×0.5+최근년도 1년전 사고사망만인율×0.3+최근년도 2년전 사고사망만인율×0.2(단, 최근년도 1년전 사고사망만인율 또는 최근년도 2년전 사고사망만인율을 산정하지 않은 경우에는 최근년도 사고사망만인율과 산정한 연도 사고사망만인율의 평균값으로 한다)]

12-1) 사고사망만인율의 가중평균은 다음과 같이 산정한다.

- 시행일로부터 1년 이내: 최근년도 사고사망만인율
- 시행일로부터 2년 이내: 최근년도 사고사망만인율과 최근년도 1년전 사고사망만인율의 평균값(단, 최근년도 사고사망만인율 또는 최근년도 1년전 사고사망만인율을 산정하지 않은 경우에는 산정한 연도 사고사망만인율로 한다.)

13) '다'목의 14) 산업안전보건법령 위반에 따른 행정형벌에 대한 감점은 2020.3.18.이후 공공공사 현장에서 발생한 법령 위반사항에 한하며, 해당 공사의 발주기관(「조달사업에 관한 법률」 제5조의2에 따라 조달청장에게 계약을 의뢰하는 공사에 대하여는 수요기관을 말한다)의 입찰에서 감점한다.

14) '다'목 10)부터 14)까지의 관련 세부 산정방법 및 건수는 고용노동부에서 정한 내용 및 통보건수에 의하며, 평점배분은 고용노동부 건수산정방식에 따른다.

15) '라'목의 녹색건설관련 인증실적 평가는 다음과 같다.

15-1) 제로에너지건축물 인증등급은 「건축물 에너지효율등급 인증 및 제로에너지건축물 인증에 관한 규칙」 제4조에 따라 지정된 인증기관의 장이 [별첨양식 13])에 따라 발급한 '녹색건설관련 인증실적 증명서'로 평가한다.

15-2) 녹색건축 인증등급은 「녹색건축의 인증에 관한 규칙」 제4조에 따라 지정된 인증기관의 장이 [별첨양식 13])에 따라 발급한 '녹색건설관련 인증실적 증명서'로 평가한다.

15-3) 녹색기술이나 녹색사업 인증서 또는 녹색전문기업 확인서는 「녹색인증제 운영요령」 [별지 제4호~제6호]에 따라 발급된 인증서 또는 확인서로 평가한다.

15-4) 사전심사신청자는 입찰공고일 이전에 인증 또는 확인 받은 내용을 [별첨양식 13] 또는 「녹색인증제 운영요령」 [별지 제4호~제6호]에 따라 발급받아 마감일까지 제출하여야 하며, 인증서 유효기간이 경과된 경우에는 평가하지 아니한다. 단, 인증서 유효기간이 없는 경우의 유효기간은 인증일로부터 5년으로 한다.

15-5) 제로에너지건축물 인증실적과 녹색건축 인증실적 보유에 따른 가점은 당해공사 평가대상업종이 건축공사일 경우에 한하여 적용한다.

16) '나'목의 하도급관련사항 심사항목의 '당해계약에서의 표준계약서 사용여부' 평가는 다음과 같다.

16-1) 신청자가 표준계약서를 사용하고자 신청한 경우에 한하여 평가한다.

16-2) 신청자는 표준하도급계약서 및 건설기계임대차 표준계약서 사용계획을 신청할 수 있다. 이 경우 표

준하도급계약서의 사용은 A, B등급 중 하나의 등급만 선택하여 신청할 수 있으며, 건설기계임대차 표준계약서 사용(하도급자의 건설기계임대차계약은 제외)은 당해공사 평가대상업종이 토목공사업일 경우에 한하여 적용한다.

16-3) 신청자가 16-2)에 따라 신청하여 심사에서 가점을 받은 경우로서 해당공사의 낙찰자(계약상대자, 이하 같음)로 결정된 경우에는 낙찰자는 계약예규 「공사계약일반조건」 제53조(적격·PQ심사관련사항 이행) 제3항에 따라 당해공사 대가지급을 청구할 때 표준계약서 사용계획의 이행결과로서 하도급 및 건설기계임대차 계약서를 제출하여야 한다.

16-4) 계약예규 「공사계약일반조건」의 제53조제5항에 따라 계약담당공무원(조달사업에 관한 법률 제3조에 따라 조달청에 의뢰하여 계약한 공사로서 수요기관이 공사관리를 하는 경우에는 수요기관)은 낙찰자가 표준계약서를 사용하지 않은 경우 해당 업체명, 부여한 가점과 그에 따른 감점, 표준계약서 사용계획 대비 미사용 비율(계약금액 기준)을 지성성보처리상치에 게재하고 동 사실을 낙찰자에게 통보하여야 한다.

16-5) 낙찰자가 16-3)에 따른 계약서를 제출하지 않거나 하수급인 등의 계약상 이익을 제한하는 내용으로 표준계약서의 일부를 수정·삭제한 경우 또는 이면계약을 체결한 경우에는 표준계약서를 사용하지 않은 것으로 본다.

16-6) 표준계약서 사용을 이유로 가점을 받았으나 실제 계약 이행시에 표준계약서를 사용하지 않은 낙찰자는 16-4)에 따라 계약담당공무원이 낙찰자에게 통보한 날로부터 향후 3년 내에 입찰공고되는 사전심사기준의 적용을 받는 입찰에 참가할 경우 표준계약서 사용으로 받은 가점 대비 미사용 비율에 해당되는 부분의 2배를 감점한다. 이 경우 산정된 감점은 소수점 둘째자리에서 절사한다.(감점산정방법(예) : 표준하도급계약을 계약금액의 30%로 사용계획서를 제출 후 사용계획서 대비 88%를 미사용 한 경우

⇒ 0.88(미사용비율)× 1점(가점)× 2(2배 감점)=1.76→△1.7점

16-7) 16-2)의 표준계약서 사용에 따른 가점 부여 및 16-3) 내지 16-6)의 표준계약서 사용 불이행에 따른 감점 부여는 해당 공동수급체 대표자(신청자)에게만 부여하고, 표준계약서 사용 불이행에 따른 감점을 받은 업체가 공동수급체 구성원(대표자 포함)으로 입찰에 참여한 경우에는 신인도 평가에서 제8조제2항에 따라 평가에 포함한다.

16-8) 표준계약서 사용을 이유로 가점을 받았으나 이를 이행하지 아니하여 타 공공기관에서 시스템을 통하여 표준계약서 이행여부에 대한 감점 통보를 받은 경우에는 심사자는 통보된 감점을 그대로 사전심사평가에 반영하며, 동일한 업체가 2건 이상의 감점을 받은 경우에는 합산하여 반영하되, 감점의 한도는 12점으로 한다. 다만, 당해공사의 평가대상업종이 토목공사업 이외의 업종은 감점한도를 8점으로 한다.

17) '마'목 19)의 평가는 입찰공고일 기준으로 고용노동부장관이 공개중인 체불사업주 명단의 '사업장'을 기준으로 적용한다.

18) '마'목 20) 의 평가는 입찰공고일 기준 최근 2년 이내에 고용노동부장관이 공표한 적극적 고용개선조치 미이행 사업주 명단의 자료에 표시된 '사업장'을 기준으로 적용한다.
다만, 2017년 5월 1 일 이후 공표된 자부터 적용한다.

19) '마'목 21) 의 평가는 고용노동부 「고용정책기본법」에 의거 '고용형태공시제' 공시의무 대상기업에 대하여 '고용안정정보망(워크넷)'을 통해 입찰공고일 기준 최근 공시된 고용인원 정보로 평가한다.

19-1) 비정규직 등의 사용비중은 [(기간없는 단시간근로자수+기간제 근로자수+소속 외 근로자수)/(소속근로자수+소속외 근로자수)] 에 따라 산정하며, 소수점 넷째 자리에서 반올림한다.

19-2) 종합건설업 비정규직 등의 사용 평균비율은 한국표준산업분류상의 '중분류(종합건설업)' 업종의 비정규직 등의 사용비중 평균을 말한다.

20) '마'목 22) 의 평가는 PQ신청 마감일(적격심사의 경우에는 입찰서 제출 마감일 전일)을 기준으로 최근 3년 이내에 최저임금법 제28조 위반으로 유죄 판결이 확정되어 고용노동부장관으로부터 통보된 자(확정일자 시점의 사업자등록번호 기준 사업장)에 대하여 적용한다. 다만, 2018.1.1 이후 최초 공고분 부터 적용한다.

21) '바' 항목과 관련하여 종합건설업으로 발주하는 공사는 23)과 24) 중 입찰자가 택일하여 제출한 자료를 기준으로 평가하며 이 외에는 24)로 평가한다. 24)로 평가하는 경우 근로내용 확인신고서에 의한 평가점수와 표준손익계산서 등에 의한 평가점수를 합산한다.

21-1) 23) 항목의 건설고용지수 평가는 입찰공고일 기준 최근년도 건설근로자공제회 발표자료로 평가한다.

21-2) 23) 항목의 평가등급은 건설고용지수에 의하되, 100점(환산점수 0.4점)은 1등급, 80점(환산점수 0.32점)은 2등급으로 평가한다.

21-3) 근로내용 확인신고서는 입찰공고일 기준 전전월 귀속자료를 제출받되, 계약담당공무원이 입찰공고에 입찰공고일로부터 3개월 이내의 범위에서 기준시점을 별도로 명시한 경우에는 그에 의할 수 있다.

21-4) 계약담당공무원은 입찰공고에 명시 한 경우 근로내용 확인신고서에 갈음하여 한국고용정보원 등 관련법령에 따라 고용정보를 수집·관리하는 기관으로부터 제공받은 자료로 평가할 수 있다.

21-5) 입찰공고일 전전월 기준으로 1년 이내에 설립한 업체에 대하여는 근로내용 확인신고서로 신고한 고용인원·급여지급액 평가에 대해 배점한도(+2.5점)를 부여하며, 설립일은 법인인 경우 법인등기부등본상 법인등기일을 기준으로 하며, 법인이 아닌 사업자는 사업자등록증명서 상 사업자등록일을 기준으로 한다.

21-6) 표준손익계산서 등에 의한 평가의 경우 입찰공고일의 최근 결산일 기준 2년 이내 설립된 기업은 배점한도(+0.5점)를 부여한다. 설립일은 법인인 경우 법인등기부등본상 법인등기일을 기준으로 하며, 법인이 아닌 사업자는 사업자등록증명서 상 사업자등록일을 기준으로 한다.

21-7) 24) B. 의 전년도 표준손익계산서는 입찰공고일 기준 최근 년도 자료를 기준으로 평가한다.

22) '사'목 25)의 평가는 당해 공사현장이 「국가균형발전특별법」 제17조에 따른 산업위기대응특별지역(이하 '산업위기지역')을 포함한 경우에 한하여 적용하며 평가방법은 다음과 같다.

22-1) 공동수급체 구성원 중 산업위기지역 업체의 참여지분율과 해당 지역소재기간 가중치를 곱하여 산정한 비율(이하 '조정 지분율의 합')로 평가하며, 그 외 평가방법은 제8조제4항을 적용한다.

[별표 4]

시공경험평가 중 최근 10년간 공사실적의 평가등급 및 평점

([별표2] 제1호 및 제2호 관련)

제1호 : 교량(B등급)공사

<table>
<tr><th rowspan="2">심사항목</th><th colspan="2" rowspan="2">구 분
(당해 PQ공사 부분 추정가격 기준)</th><th colspan="7">평가등급(시공실적 : 억원)</th></tr>
<tr><th>A등급</th><th>B등급</th><th>C등급</th><th>D등급</th><th>E등급</th><th>F등급</th><th>G등급</th></tr>
<tr><td rowspan="7">A. 최근 10년간 당해공사와 동일한 종류의 공사실적</td><td colspan="2">1,000억원 이상</td><td>1,100</td><td>900</td><td>750</td><td>600</td><td>400</td><td>250</td><td>200</td></tr>
<tr><td colspan="2">1,000억원 미만 ~ 500억원 이상</td><td>700</td><td>600</td><td>500</td><td>400</td><td>300</td><td>200</td><td>160</td></tr>
<tr><td colspan="2">500억원 미만 ~ 300억원 이상</td><td>550</td><td>450</td><td>350</td><td>300</td><td>200</td><td>150</td><td>120</td></tr>
<tr><td colspan="2">300억원 미만</td><td>300</td><td>250</td><td>200</td><td>150</td><td>120</td><td>100</td><td>80</td></tr>
<tr><td rowspan="3">평 점</td><td>가</td><td>30점</td><td>27.7점</td><td>25.4점</td><td>23.1점</td><td>20.8점</td><td>17.4점</td><td>15점</td></tr>
<tr><td>나</td><td>34점</td><td>31점</td><td>28점</td><td>25점</td><td>22점</td><td>19점</td><td>16점</td></tr>
<tr><td>다</td><td>34점</td><td>31.7점</td><td>29.4점</td><td>27.1점</td><td>24.8점</td><td>21.4점</td><td>19점</td></tr>
<tr><td rowspan="7">B. 최근 10년간 당해공사와 유사한 종류의 공사실적</td><td colspan="2">1,000억원 이상</td><td>1,100</td><td>900</td><td>750</td><td>600</td><td>400</td><td>250</td><td>200</td></tr>
<tr><td colspan="2">1,000억원 미만 ~ 500억원 이상</td><td>700</td><td>600</td><td>500</td><td>400</td><td>300</td><td>200</td><td>160</td></tr>
<tr><td colspan="2">500억원 미만 ~ 300억원 이상</td><td>550</td><td>450</td><td>350</td><td>300</td><td>200</td><td>150</td><td>120</td></tr>
<tr><td colspan="2">300억원 미만</td><td>300</td><td>250</td><td>200</td><td>150</td><td>120</td><td>100</td><td>80</td></tr>
<tr><td rowspan="3">평 점</td><td>가</td><td>22점</td><td>20점</td><td>18점</td><td>16점</td><td>14점</td><td>12점</td><td>10점</td></tr>
<tr><td>나</td><td>22점</td><td>20점</td><td>18점</td><td>16점</td><td>14점</td><td>12점</td><td>10점</td></tr>
<tr><td>다</td><td>22점</td><td>20점</td><td>18점</td><td>16점</td><td>14점</td><td>12점</td><td>10점</td></tr>
</table>

※ 주

1) 평점 '가' : 종합심사낙찰제 대상공사, 평점 '나' : 일괄/대안/기술제안 등의 공사, 평점 '다' : 지역의무공동도급 대상공사 적용
2) 심사항목의 'A'와 'B'는 택일하여 적용
3) 동일 및 유사한 종류의 공사실적 평가는 입찰공고에서 별도로 정한 경우를 제외하고 [별표1]에서 정한 동일 및 유사한 종류의 공사범위에 해당하는 공사의 시공실적(준공금액 + 도급자설치관급금액)을 합산한 금액을 기준으로 평가등급에 해당하는 점수로 평가한다.
4) A등급의 금액은 당해 등급에 해당하는 금액이상의 실적을 말하고, B~F등급의 금액은 당해등급 직상등급의 금액미만, 당해등급에 해당하는 금액 이상을 말한다.(예 : PQ부분의 추정가격이 1,000억원 이상인 공사에서 동일실적 금액이 900억원인 경우 B등급으로 평가)
5) 당해 공사가 계약조건 등으로 인하여 경쟁성확보가 곤란한 경우에는 평가등급별 시공실적 금액을 조정하여 적용할 수 있다.

제2호 : 교량(C등급 이하)공사

심사항목	구 분 (당해 PQ공사 부분 추정가격 기준)		평가등급(시공실적 : 억원)						
			A등급	B등급	C등급	D등급	E등급	F등급	G등급
A. 최근 10년간 당해공사와 동일한 종류의 공사실적	1,000억원 이상		3,500	3,000	2,300	1,900	1,400	900	700
	1,000억원 미만 ~ 500억원 이상		2,400	2.000	1,600	1,000	930	650	500
	500억원 미만 ~ 300억원 이상		1,900	1,500	1,200	800	650	480	400
	300억원 미만		700	530	370	290	240	160	140
	평 점	가	30점	27.7점	25.4점	23.1점	20.8점	17.4점	15점
		나	34점	31점	28점	25점	22점	19점	16점
		다	34점	31.7점	29.4점	27.1점	24.8점	21.4점	19점
B. 최근 10년간 당해공사와 유사한 종류의 공사실적	1,000억원 이상		3,500	3,000	2,300	1,900	1,400	900	700
	1,000억원 미만 ~ 500억원 이상		2,400	2.000	1,600	1,000	930	650	500
	500억원 미만 ~ 300억원 이상		1,900	1,500	1,200	800	650	480	400
	300억원 미만		700	530	370	290	240	160	140
	평 점	가	22점	20점	18점	16점	14점	12점	10점
		나	22점	20점	18점	16점	14점	12점	10점
		다	22점	20점	18점	16점	14점	12점	10점

주. 제1호의 주)의 내용과 동일

제3호 : 지하철공사

심사항목	구 분 (당해 PQ공사 부분 추정가격 기준)		평가등급(시공실적 : 억원)						
			A등급	B등급	C등급	D등급	E등급	F등급	G등급
A. 최근 10년간 당해공사와 동일한 종류의 공사실적	1,000억원 이상		2,500	2,100	1,700	1,400	1,000	600	500
	1,000억원 미만 ~ 500억원 이상		1,900	1,600	1,300	1,000	800	500	400
	500억원 미만		1,200	1,000	800	650	450	300	250
	평 점	가	30점	27.7점	25.4점	23.1점	20.8점	17.4점	15점
		나	34점	31점	28점	25점	22점	19점	16점
		다	34점	31.7점	29.4점	27.1점	24.8점	21.4점	19점
B. 최근 10년간 당해공사와 유사한 종류의 공사실적	1,000억원 이상		2,500	2,100	1,700	1,400	1,000	600	500
	1,000억원 미만 ~ 500억원 이상		1,900	1,600	1,300	1,000	800	500	400
	500억원 미만		1,200	1,000	800	650	450	300	250
	평 점	가	22점	20점	18점	16점	14점	12점	10점
		나	22점	20점	18점	16점	14점	12점	10점
		다	22점	20점	18점	16점	14점	12점	10점

주. 제1호의 주)의 내용과 동일

제4호 : 공항(활주로, 유도로, 계류장)공사

심사항목	구 분 (당해 PQ공사 부분 추정가격 기준)		평가등급(시공실적 : 억원)						
			A등급	B등급	C등급	D등급	E등급	F등급	**G등급**
A. 최근 10년간 당해공사와 동일한 종류의 공사실적	1,000억원 이상		**800**	**700**	**600**	**450**	**350**	**200**	**160**
	1,000억원 미만 ~ 500억원 이상		**550**	**450**	**350**	**300**	**200**	**150**	**130**
	500억원 미만		**350**	**300**	**250**	**200**	**150**	**100**	**80**
	평 점	**가**	**30점**	**27.7점**	**25.4점**	**23.1점**	**20.8점**	**17.4점**	**15점**
		나	**34점**	**31점**	**28점**	**25점**	**22점**	**19점**	**16점**
		다	**34점**	**31.7점**	**29.4점**	**27.1점**	**24.8점**	**21.4점**	**19점**
B. 최근 10년간 당해공사와 유사한 종류의 공사실적	1,000억원 이상		**800**	**700**	**600**	**450**	**350**	**200**	**160**
	1,000억원 미만 ~ 500억원 이상		**550**	**450**	**350**	**300**	**200**	**150**	**130**
	500억원 미만		**350**	**300**	**250**	**200**	**150**	**100**	**80**
	평 점	**가**	**22점**	**20점**	**18점**	**16점**	**14점**	**12점**	**10점**
		나	**22점**	**20점**	**18점**	**16점**	**14점**	**12점**	**10점**
		다	**22점**	**20점**	**18점**	**16점**	**14점**	**12점**	**10점**

주. 제1호의 주)의 내용과 동일

제5호 : 터널공사

심사항목	구 분 (당해 PQ공사 부분 추정가격 기준)		평가등급(시공실적 : 억원)						
			A등급	B등급	C등급	D등급	E등급	F등급	**G등급**
A. 최근 10년간 당해공사와 동일한 종류의 공사실적	1,000억원 이상		**3,500**	**3,000**	**2,100**	**1,900**	**1,500**	**1,100**	**900**
	1,000억원 미만 ~ 500억원 이상		**2,900**	**2,500**	**2,000**	**1,600**	**1,400**	**1,000**	**800**
	500억원 미만 ~ 300억원 이상		**2,400**	**2,000**	**1,600**	**1,400**	**900**	**700**	**600**
	300억원 미만		**700**	**550**	**410**	**290**	**240**	**180**	**150**
	평 점	**가**	**30점**	**27.7점**	**25.4점**	**23.1점**	**20.8점**	**17.4점**	**15점**
		나	**34점**	**31점**	**28점**	**25점**	**22점**	**19점**	**16점**
		다	**34점**	**31.7점**	**29.4점**	**27.1점**	**24.8점**	**21.4점**	**19점**
B. 최근 10년간 당해공사와 유사한 종류의 공사실적	1,000억원 이상		**3,500**	**3,000**	**2,100**	**1,900**	**1,500**	**1,100**	**900**
	1,000억원 미만 ~ 500억원 이상		**2,900**	**2,500**	**2,000**	**1,600**	**1,400**	**1,000**	**800**
	500억원 미만 ~ 300억원 이상		**2,400**	**2,000**	**1,600**	**1,400**	**900**	**700**	**600**
	300억원 미만		**700**	**550**	**410**	**290**	**240**	**180**	**150**
	평 점	**가**	**22점**	**20점**	**18점**	**16점**	**14점**	**12점**	**10점**
		나	**22점**	**20점**	**18점**	**16점**	**14점**	**12점**	**10점**
		다	**22점**	**20점**	**18점**	**16점**	**14점**	**12점**	**10점**

주. 제1호의 주)의 내용과 동일

제6호 : 항만(계류시설)공사

심사항목	구 분 (당해 PQ공사 부분 추정가격 기준)		평가등급(시공실적 : 억원)						
			A등급	B등급	C등급	D등급	E등급	F등급	G등급
A. 최근 10년간 당해공사와 동일한 종류의 공사실적	1,000억원 이상		700	600	500	400	300	200	150
	1,000억원 미만 ~ 500억원 이상		550	450	350	300	200	150	120
	500억원 미만 ~ 300억원 이상		350	300	250	200	150	100	70
	300억원 미만		250	200	150	130	100	70	50
	평 점	가	30점	27.7점	25.4점	23.1점	20.8점	17.4점	15점
		나	34점	31점	28점	25점	22점	19점	16점
		다	34점	31.7점	29.4점	27.1점	24.8점	21.4점	19점
B. 최근 10년간 당해공사와 유사한 종류의 공사실적	1,000억원 이상		700	600	500	400	300	200	150
	1,000억원 미만 ~ 500억원 이상		550	450	350	300	200	150	120
	500억원 미만 ~ 300억원 이상		350	300	250	200	150	100	70
	300억원 미만		250	200	150	130	100	70	50
	평 점	가	22점	20점	18점	16점	14점	12점	10점
		나	22점	20점	18점	16점	14점	12점	10점
		다	22점	20점	18점	16점	14점	12점	10점

주. 제1호의 주)의 내용과 동일

제7호 : 항만(외곽시설)공사

심사항목	구 분 (당해 PQ공사 부분 추정가격 기준)		평가등급(시공실적 : 억원)						
			A등급	B등급	C등급	D등급	E등급	F등급	G등급
A. 최근 10년간 당해공사와 동일한 종류의 공사실적	1,000억원 이상		900	750	600	500	350	250	180
	1,000억원 미만 ~ 500억원 이상		700	600	500	400	300	200	150
	500억원 미만 ~ 300억원 이상		550	450	350	300	200	150	120
	300억원 미만		300	250	200	170	140	110	80
	평 점	가	30점	27.7점	25.4점	23.1점	20.8점	17.4점	15점
		나	34점	31점	28점	25점	22점	19점	16점
		다	34점	31.7점	29.4점	27.1점	24.8점	21.4점	19점
B. 최근 10년간 당해공사와 유사한 종류의 공사실적	1,000억원 이상		900	750	600	500	350	250	180
	1,000억원 미만 ~ 500억원 이상		700	600	500	400	300	200	150
	500억원 미만 ~ 300억원 이상		550	450	350	300	200	150	120
	300억원 미만		300	250	200	170	140	110	80
	평 점	가	22점	20점	18점	16점	14점	12점	10점
		나	22점	20점	18점	16점	14점	12점	10점
		다	22점	20점	18점	16점	14점	12점	10점

주. 제1호의 주)의 내용과 동일

제8호 : 공연·집회시설

심사항목	구 분 (당해 PQ공사 부분 추정가격 기준)		평가등급(시공실적 : 억원)						
			A등급	B등급	C등급	D등급	E등급	F등급	G등급
A. 최근 10년간 당해 공사와 동일한 종류의 공사실적	1,000억원 이상		600	450	350	250	190	150	120
	1,000억원 미만 ~ 500억원 이상		450	380	300	230	180	130	100
	500억원 미만 ~ 300억원 이상		350	300	250	200	150	100	70
	300억원 미만		250	200	150	130	100	80	50
	평 점	가	30점	27.7점	25.4점	23.1점	20.8점	17.4점	15점
		나	34점	31점	28점	25점	22점	19점	16점
		다	34점	31.7점	29.4점	27.1점	24.8점	21.4점	19점
B. 최근 10년간 당해 공사와 유사한 종류의 공사실적	1,000억원 이상		600	450	350	250	190	150	120
	1,000억원 미만 ~ 500억원 이상		450	380	300	230	180	130	100
	500억원 미만 ~ 300억원 이상		350	300	250	200	150	100	70
	300억원 미만		250	200	150	130	100	80	50
	평 점	가	22점	20점	18점	16점	14점	12점	10점
		나	22점	20점	18점	16점	14점	12점	10점
		다	22점	20점	18점	16점	14점	12점	10점

주. 제1호의 주)의 내용과 동일

제9호 : 관람시설

심사항목	구 분 (당해 PQ공사 부분 추정가격 기준)		평가등급(시공실적 : 억원)						
			A등급	B등급	C등급	D등급	E등급	F등급	G등급
A. 최근 10년간 당해 공사와 동일한 종류의 공사실적	1,000억원 이상		600	500	400	300	250	150	100
	1,000억원 미만 ~ 500억원 이상		300	250	200	150	120	80	60
	500억원 미만 ~ 300억원 이상		250	210	170	130	100	70	50
	300억원 미만		200	160	120	90	60	50	40
	평 점	가	30점	27.7점	25.4점	23.1점	20.8점	17.4점	15점
		나	34점	31점	28점	25점	22점	19점	16점
		다	34점	31.7점	29.4점	27.1점	24.8점	21.4점	19점
B. 최근 10년간 당해 공사와 유사한 종류의 공사실적	1,000억원 이상		600	500	400	300	250	150	100
	1,000억원 미만 ~ 500억원 이상		300	250	200	150	120	80	60
	500억원 미만 ~ 300억원 이상		250	210	170	130	100	70	50
	300억원 미만		200	160	120	90	60	50	40
	평 점	가	22점	20점	18점	16점	14점	12점	10점
		나	22점	20점	18점	16점	14점	12점	10점
		다	22점	20점	18점	16점	14점	12점	10점

주. 제1호의 주)의 내용과 동일

제10호 : 전시시설

심사항목	구 분 (당해 PQ공사 부분 추정가격 기준)		평가등급(시공실적 : 억원)						
			A등급	B등급	C등급	D등급	E등급	F등급	G등급
A. 최근 10년간 당해공사와 동일한 종류의 공사실적	1,000억원 이상		300	250	200	150	100	50	40
	1,000억원 미만 ~ 500억원 이상		250	200	150	130	100	50	40
	500억원 미만		200	150	130	120	70	50	30
	평 점	가	30점	27.7점	25.4점	23.1점	20.8점	17.4점	15점
		나	34점	31점	28점	25점	22점	19점	16점
		다	34점	31.7점	29.4점	27.1점	24.8점	21.4점	19점
B. 최근 10년간 당해공사와 유사한 종류의 공사실적	1,000억원 이상		300	250	200	150	100	50	40
	1,000억원 미만 ~ 500억원 이상		250	200	150	130	100	50	40
	500억원 미만		200	150	130	120	70	50	30
	평 점	가	22점	20점	18점	16점	14점	12점	10점
		나	22점	20점	18점	16점	14점	12점	10점
		다	22점	20점	18점	16점	14점	12점	10점

주. 제1호의 주)의 내용과 동일

제11호 : 공항(여객 및 화물터미널)

심사항목	구 분 (당해 PQ공사 부분 추정가격 기준)		평가등급(시공실적 : 억원)						
			A등급	B등급	C등급	D등급	E등급	F등급	G등급
A. 최근 10년간 당해공사와 동일한 종류의 공사실적	1,000억원 이상		1,200	1,000	800	650	450	300	240
	1,000억원 미만 ~ 500억원 이상		800	700	600	450	350	200	160
	500억원 미만		350	300	250	200	150	100	80
	평 점	가	30점	27.7점	25.4점	23.1점	20.8점	17.4점	15점
		나	34점	31점	28점	25점	22점	19점	16점
		다	34점	31.7점	29.4점	27.1점	24.8점	21.4점	19점
B. 최근 10년간 당해공사와 유사한 종류의 공사실적	1,000억원 이상		1,200	1,000	800	650	450	300	240
	1,000억원 미만 ~ 500억원 이상		800	700	600	450	350	200	160
	500억원 미만		350	300	250	200	150	100	80
	평 점	가	22점	20점	18점	16점	14점	12점	10점
		나	22점	20점	18점	16점	14점	12점	10점
		다	22점	20점	18점	16점	14점	12점	10점

주. 제1호의 주)의 내용과 동일

제12호 : 하수 · 폐수종말처리장(또는 고도처리시설)

심사항목	구 분 (당해 PQ공사 부분 추정가격 기준)		평가등급(시공실적 : 억원)						
			A등급	B등급	C등급	D등급	E등급	F등급	G등급
A. 최근 10년간 당해공사와 동일한 종류의 공사실적	1,000억원 이상		1,100	900	750	600	400	250	180
	1,000억원 미만 ~ 500억원 이상		900	750	600	500	350	200	150
	500억원 미만 ~ 300억원 이상		700	600	500	400	300	200	120
	300억원 미만		400	350	300	250	150	100	60
	평 점	가	30점	27.7점	25.4점	23.1점	20.8점	17.4점	15점
		나	34점	31점	28점	25점	22점	19점	16점
		다	34점	31.7점	29.4점	27.1점	24.8점	21.4점	19점
B. 최근 10년간 당해공사와 유사한 종류의 공사실적	1,000억원 이상		1,100	900	750	600	400	250	180
	1,000억원 미만 ~ 500억원 이상		900	750	600	500	350	200	150
	500억원 미만 ~ 300억원 이상		700	600	500	400	300	200	120
	300억원 미만		400	350	300	250	150	100	60
	평 점	가	22점	20점	18점	16점	14점	12점	10점
		나	22점	20점	18점	16점	14점	12점	10점
		다	22점	20점	18점	16점	14점	12점	10점

주. 제1호의 주)의 내용과 동일

제13호 : 쓰레기소각로

심사항목	구 분 (당해 PQ공사 부분 추정가격 기준)		평가등급(시공실적 : 억원)						
			A등급	B등급	C등급	D등급	E등급	F등급	G등급
A. 최근 10년간 당해공사와 동일한 종류의 공사실적	500억원 이상		600	500	400	300	250	150	90
	500억원 미만 ~ 300억원 이상		400	350	300	250	150	100	60
	300억원 미만		250	200	150	130	100	50	30
	평 점	가	30점	27.7점	25.4점	23.1점	20.8점	17.4점	15점
		나	34점	31점	28점	25점	22점	19점	16점
		다	34점	31.7점	29.4점	27.1점	24.8점	21.4점	19점
B. 최근 10년간 당해공사와 유사한 종류의 공사실적	500억원 이상		600	500	400	300	250	150	90
	500억원 미만 ~ 300억원 이상		400	350	300	250	150	100	60
	300억원 미만		250	200	150	130	100	50	30
	평 점	가	22점	20점	18점	16점	14점	12점	10점
		나	22점	20점	18점	16점	14점	12점	10점
		다	22점	20점	18점	16점	14점	12점	10점

주. 제1호의 주)의 내용과 동일

[별표 5] 〈삭제〉

[별표 6]

시공경험평가 중 최근 10년간 동일공종그룹 실적의 평가방법 및 평점

([별표2] 5호 및 6호 관련)

1. 교통시설

대상공사	평가대상 공종의 추정가격(A)	주 공종	보정계수 (a)	시공경험 중 최근 10년간 동일공종 그룹 실적계수(C)
일반공사, 1등급공사	〈 삭제 〉	토목	a=1.00	실적계수(C) = B(최근 10년간 동일공종그룹실적) / [A(평가대상 동일공종그룹의 추정가격) * 10 * a(보정계수)] (단, 실적계수(C)가 1을 초과하는 경우에는 1로 계상한다)
2등급공사	〈 삭제 〉	토목	a=0.30	
3등급공사	〈 삭제 〉	토목	a=0.22	
4등급공사	〈 삭제 〉	토목	a=0.13	
5등급공사	-	토목	a=0.10	
[별표2] 제5호 및 제6호의 일반공사평점				평점 = (실적계수(C) × 10)+10

2. 수자원시설

대상공사	평가대상 공종의 추정가격(A)	주 공종	보정계수 (a)	시공경험 중 최근 10년간 동일공종 그룹 실적계수(C)
일반공사, 1등급공사	〈 삭제 〉	토목	a=1.00	실적계수(C) = B(최근 10년간 동일공종그룹실적) / [A(평가대상 동일공종그룹의 추정가격) * 10 * a(보정계수)] (단, 실적계수(C)가 1을 초과하는 경우에는 1로 계상한다)
2등급공사	〈 삭제 〉	토목	a=0.30	
3등급공사	〈 삭제 〉	토목	a=0.20	
4등급공사	〈 삭제 〉	토목	a=0.18	
5등급공사	-	토목	a=0.10	
[별표2] 제5호 및 제6호의 일반공사평점				평점 = (실적계수(C) × 10)+10

3. 주거시설

대상공사	평가대상 공종의 추정가격(A)	주 공종	보정계수 (a)	시공경험 중 최근 10년간 동일공종 그룹 실적계수(C)
일반공사, 1등급공사	〈 삭제 〉	건축	a=1.00	실적계수(C) = B(최근 10년간 동일공종그룹실적) / [A(평가대상 동일공종그룹의 추정가격) × 10 × a(보정계수)] (단, 실적계수(C)가 1을 초과하는 경우에는 1로 계상한다)
2등급공사	〈 삭제 〉	건축	a=1.00	
3등급공사	〈 삭제 〉	건축	a=0.30	
4등급공사	〈 삭제 〉	건축	a=0.10	
5등급공사	-	건축	a=0.05	
[별표2] 제5호 및 제6호의 일반공사평점				평점 = (실적계수(C) × 10)+10

4. 비주거시설

대상공사	평가대상 공종의 추정가격(A)	주 공종	보정계수 (a)	시공경험 중 최근 10년간 동일공종 그룹 실적계수(C)
일반공사, 1등급공사	〈 삭제 〉	건축	a=1.00	실적계수(C) = B(최근 10년간 동일공종그룹실적) / [A(평가대상 동일공종그룹의 추정가격) × 10 × a(보정계수)] (단, 실적계수(C)가 1을 초과하는 경우에는 1로 계상한다)
2등급공사	〈 삭제 〉	건축	a=1.00	
3등급공사	〈 삭제 〉	건축	a=0.70	
4등급공사	〈 삭제 〉	건축	a=0.55	
5등급공사	-	건축	a=0.35	
[별표2] 제5호 및 제6호의 일반공사평점				평점 = (실적계수(C) × 10)+10

* 주)1. 1내지 4호의 당해 공사가 계약조건 등으로 경쟁성 확보가 곤란한 경우에는 평가방법 및 평점을 조정하여 적용할 수 있으며, 평가대상 공종의 추정가격은 입찰공고에 명시한다.
  2. 최근 10년간 동일공종그룹 실적 평점은 소수점 셋째자리에서 절사한다.

[별표 7]

시공경험평가 중 최근 5년간 업종실적의 평가방법 및 평점 ([별표2] 관련)

대상공사	평가대상 업종의 추정가격(A)	공종	보정계수 (a)	시공경험 중최근 5년간 업종실적 실적계수(C)
고난도 포함공사, 실적제한, 일반공사, 1등급공사	〈 삭제 〉	토목 건축 기타	a=1.00	실적계수(C) = (최근 5년간 업종실적) / (평가대상 업종의 추정가격 × 5 × 해당 평가등급의 보정계수(a)) (단, 실적계수(C)가 1을 초과하는 경우에는 1로 계상한다)
2등급공사	〈 삭제 〉	토목	a=0.50	
		건축	a=0.80	
3등급공사	〈 삭제 〉	토목	a=0.38	
		건축	a=0.40	
4등급공사	〈 삭제 〉	토목	a=0.27	
		건축	a=0.33	
5등급공사	-	토목	a=0.16	
		건축	a=0.22	
[별표2]제1호 및 제3호의 평점(10점)				평점 = 실적계수(C) × 10
[별표2]제2호 및 제4호의 평점(11점)				평점 = 실적계수(C) × 11
[별표2] 제5호의 일반공종공사평점(20점)				평점 = 실적계수(C) × 20
[별표2] 제6호의 일반공종공사평점(25점)				평점 = 실적계수(C) × 25
[별표2] 제5호의 기타공종공사평점(40점)				평점 = 실적계수(C) × 40
[별표2] 제6호의 기타공종공사평점(45점)				평점 = 실적계수(C) × 45

* 주)1. 당해 공사가 계약조건 등으로 경쟁성 확보가 곤란한 경우에는 평가방법 및 평점을 조정하여 적용할 수 있으며, 평가대상 업종의 추정가격은 입찰공고에 명시한다.
2. 조경·시설물유지보수·궤도·문화재공사의 평가방법 및 평점은 다음과 같다.

<table>
<tr><th>심사항목</th><th colspan="2">구 분
(평가대상 업종의 추정가격 기준)</th><th>보정계수</th><th>시공경험 중 최근 5년간 업종실적 실적계수(C)</th></tr>
<tr><td rowspan="7">최근 5년간
업종실적(금액)</td><td>〈 삭제 〉</td><td></td><td>〈 삭제 〉</td><td rowspan="3">실적계수(C) = (최근 5년간 업종실적) / (평가대상 업종의 추정가격 × 5 × 해당 평가등급의 보정계수(a))

(단, 실적계수(C)가 1을 초과하는 경우에는 1로 계상한다)</td></tr>
<tr><td>조경공사</td><td></td><td>a=0.23</td></tr>
<tr><td>시설물유지보수공사
궤도, 문화재공사</td><td></td><td>a=0.11</td></tr>
<tr><td colspan="3">별표2 제3호의 실적제한공사 평점</td><td>평점 = 실적계수(C) × 10</td></tr>
<tr><td colspan="3">별표2 제4호의 실적제한공사 평점</td><td>평점 = 실적계수(C) × 11</td></tr>
<tr><td colspan="3">별표2 제5호의 기타공종 공사 평점</td><td>평점 = 실적계수(C) × 40</td></tr>
<tr><td colspan="3">별표2 제6호의 기타공종 공사 평점</td><td>평점 = 실적계수(C) × 45</td></tr>
</table>

3. 준설공사의 평가방법 및 평점은 다음과 같다

<table>
<tr><th colspan="2" rowspan="2">구 분
(평가대상 추정가격 기준)</th><th colspan="5">평가등급(시공실적 : 억원)</th></tr>
<tr><th>A등급</th><th>B등급</th><th>C등급</th><th>D등급</th><th>E등급</th></tr>
<tr><td rowspan="2">준설
공사</td><td>500억원 이상</td><td>1000</td><td>800</td><td>600</td><td>500</td><td>400</td></tr>
<tr><td>500억원 미만~300억원 이상</td><td>900</td><td>700</td><td>500</td><td>400</td><td>300</td></tr>
<tr><td colspan="2">[별표2]제5호의 기타공종공사 평점</td><td>40</td><td>36</td><td>32</td><td>28</td><td>24</td></tr>
<tr><td colspan="2">[별표2]제6호의 기타공종공사 평점</td><td>45</td><td>41</td><td>37</td><td>33</td><td>29</td></tr>
</table>

4. 최근 5년간 업종실적 평점은 소수점 셋째자리에서 절사한다.

[별표 8]

기술자보유상황평가

([별표2]제1호 및 제2호 관련)

심 사 항 목	평 가 요 소	배점	추정가격 1,000억원 이상인 경우		추정가격 1,000억원 미만 ~ 500억원 이상인 경우		추정가격 500억원 미만인 경우	
			평 가 등 급	평점	평 가 등 급	평점	평 가 등 급	평점
가. 당해공사의 시공에 필요한 기술자 보유상황(회사 보유 인력으로 평가)	1)당해 사전심사 대상공사와 동일 및 유사한 종류의 공사에 3년 이상 종사한 경력기술자	16	A. 4.5 이상 B. 3.3 이상 C. 2.6 이상 D. 1.3 이상	16.0 13.5 11.0 8.5	A. 4.0 이상 B. 3.0 이상 C. 2.0 이상 D. 1.0 이상	16.0 13.5 11.0 8.5	A. 4.0 이상 B. 3.0 이상 C. 2.0 이상 D. 1.0 이상	16.0 13.5 11.0 8.5
	2)일반기술자	8	A. 26인 이상 B. 20인 이상 C. 13인 이상	8.0 5.5 3.0	A. 20인 이상 B. 15인 이상 C. 10인 이상	8.0 5.5 3.0	A. 15인 이상 B. 12인 이상 C. 10인 이상	8.0 5.5 3.0

[별표 9]

시공실적 제출 및 심사 기준

1. 적용범위
   1) 제7조제4항제1호의 평가에 적용한다.
   2) 「건설산업기본법 시행규칙」 제22조제2항제1호 ‘가’목 부터 ‘마’목까지에 따른 공사실적 등의 제출방법은 다른 법령에 따라 발주하는 공사에도 준용한다.

2. 시공실적의 증명방법
   1) 시공실적의 증명은“별첨양식 5, 5-1 또는 6”에 따른다.
   2) 1)의 내용을 관련협회에 등록하거나, 국가기관·지방자치단체·정부투자기관의 장이 ‘1)’의 내용을 공사관련 주무기관장에게 통보한 내용을 관련협회가 확인하는 경우 관련협회의 확인서도 가능하다.
   3) 공사지역별 소관 협회
      가) 국내공사 : 건설협회등 관련협회
      나) 국외공사 : 해외건설협회
   4) 외국인 건설업자가 외국에서 시공한 공사는 「건설산업기본법 시행규칙」 제22조제2항제1호‘바’목에 의한 방법으로 하며 다른 법령의 적용을 받는 공사의 경우에도 이를 준용한다.
   5) 하도급공사 : ‘1)과 ‘2)’의 방법에 따라 증명하되, 원도급자의 증명이 추가되어야 한다.

3. 시공실적 제출에 필요한 관련서류
   1) 발주자가 법인·개인이거나, 자체공사인 경우는 인·허가서류 및 공사가 준공되었다는 관계서류(도급계약서 포함) 및 금융거래내역서(또는 전자세금계산서)
   2) 건축공사 실적의 경우는 건축물의 용도에 따른 면적이 기재된 관계서류(국내공사인 경우 건축물대장)
   3) 시공실적증명서에 전체공사 시공금액(준공 및 관급), 전체실적 공종과 사전심사대상공종의 시공규모 및 금액을 확인할 수 있는 내역서, 도면 및 관계서류 사본(원본제시)
   4) 공동계약실적의 경우는 계약서와 공동수급협정서 사본(원본제시)
   5) 국외공사인 경우는 외국환은행에서 발행하는 준공일 기준 매매기준율증명서 및 금융거래내역서
   6) 시공실적증명서 및 관련서류가 외국어로 작성된 경우는 한국어번역 및 공증서류

4. 시공실적 심사기준

1) 공통사항

가) 심사의 대상 : 심사기준일 현재 준공된 실적

나) 실적심사는 증명서 발급기관에서 발급한 내용을 기준으로 심사함을 원칙으로 한다.

다) 제출된 실적증명서의 입증책임은 당해업체에 있다.

2) 시공실적의 실적규모 인정

1건의 단위구조물(체)로서 당해 공사의 인정기준규모에 해당되는 경우에 한하여 실적으로 인정하며, 이 경우 1건이라 함은 단위 계약건중 시공실적 인정기준에 부합되는 각 단위구조물(체)을 말한다.

3) 시공실적의 실적금액 인정

가) 2)에 따른 실적인정 규모에 해당하는 공사금액을 실적금액으로 인정하며 도급자설치관급(지급)자재 금액을 포함한다. 다만 준공금액·관급금액 미기재 및 불분명한 부분은 인정하지 아니한다.

나) 국외공사인 경우에는 준공일 기준 「외국환거래법」에 따른 기준환율(매매기준율)로 환산한다.

4) 공동계약의 실적 인정

가) 공동이행방식으로 이행한 실적은 시공비율에 해당하는 규모(또는 금액)를 실적으로 인정한다. 다만, 발주기관의 승인을 받아 공사를 분리하여 시공한 경우로써, 입증서류(공동수급체의 시공내용을 기재하고 구성원 전원이 기명날인하고 발주기관이 증명한 실적증명서, 발주기관의 분리시공 승인서류 등)를 제출하는 경우에는 실제 시공한 내용으로 실적을 인정할 수 있다.

나) 공동계약 또는 종합건설업자간 하도급으로 시공한 공사에 참여한 각각의 업체 모두가 공동으로 사전심사(실적심사)를 신청한 경우 동 실적은 1건 실적으로 보아 실적인정기준에 적합한 지를 평가하며, 적합한 경우 각 구성원의 실적은 인정받은 실적에 시공당시의 시공비율(또는 하도급 내용)을 곱한 후 당해 공사에 적용하는 각각의 시공비율을 곱하여 산출한다.

다) 주계약자관리방식에 따른 경우의 실적인정

㉮ 종합건설업자가 주계약자로서 다른 전문건설업자와 분담하여 시공하는 경우 전문건설업자가 시공한 실적(금액)에 해당하는 실적(금액)을 주계약자의 실적에 가산하여 인정한다.

㉯ 종합건설업자가 주계약자로서 다른 종합건설업자와 분담하여 시공하는 경우 다른 종합건설업자가 시공한 실적(금액)의 1/2에 해당하는 실적(금액)을 주계약자의 실적에 가산하여 인정한다.

㉰ 주계약자가 아닌 공동수급체 구성원의 실적은 분담하여 시공한 실적만큼 각각 실적으로 인정한다.

5) 공동계약의 입찰참가자격 인정

공동계약 또는 종합건설업자간 하도급으로 시공한 공사에 참여한 각각의 업체 모두가 공동으로 사전심사(실적심사)를 신청한 경우의 입찰참가자격은 동 실적에 시공당시의 시공비율을 곱하여 산출한 실적(또는 하도급내용)을 대상으로 평가한다.

6) 공사의 일부분을 하도급한 경우의 실적인정

가) 종합건설업자가 종합건설업자에게 하도급한 경우이거나 전문건설업자가 전문건설업자에게 하도급한 경우 원도급자의 실적은 하도급을 제외한 부분만 인정하며 하수급자의 실적은 하수급하여 시공한 부분만 인정한다.

나) 실적대상구조물인 교량의 일부분에 해당하는 철강재설치공사업에 해당하는 공사를 '97년 7월 10일이전에 철강재설치공사업자에게 하도급 한 경우 원도급자의 실적은 하도급 부분을 제외한 공사금액을 당해 교량공사의 실적으로 인정하며, 동 교량실적에 대한 규모(량)는 하도급부분을 제외한 공사금액이 당해 공사에서 차지하는 비율을 당해 규모(량)에 곱하여 산출한다.

다) 종합건설업자가 전문건설업자에게 하도급한 경우에는 원도급자와 하수급자(전문건설업자) 각각의 실적으로 인정한다.

7) 공사의 부분시공 등에 대한 실적인정

가) 실적보유자가 10개사 미만이고 필요하다고 인정되는 경우에는 다음 각 호의 어느 하나에 해당하는 실적을 인정할 수 있으며, 이 경우 입찰공고에 명시한다.

㉮ 당해공사가 심사기준일 현재 총공사 예정공정율과 실행공정율을 각각 50%를 초과한 경우 발주기관의 장이 확인한 완성부분에 해당하는 시공실적.

㉯ 공동계약 또는 하도급하여 준공한 실적이 1건공사로 인정되지 않더라도 실제 시공한 실적금액이 당해 공사대비 50%이상이거나, 금회 발주공사의 50%이상에 해당되는 시공실적.

㉰ 당해 심사기준일 현재 10년을 초과한 시공실적

나) 기존 구조물의 보수·보강 등 동일 구조물의 일부분만을 시공한 경우 당해 발주공사가 보수·보강공사인 경우에 한하여 실적으로 인정한다.

8) 계속공사로 준공한 공사의 실적인정

단일구조물공사를 연차별로 분할 발주한 계속공사인 경우에는 최근 10년간 시공한 당해공사와 동일한 용도의 단위구조물(체)을 1건 실적으로 간주한다. 이 경우 각 단위구조물(체)별로 공사규모 및 준공금액이 명시된, '별첨양식5'의 '주) 6'에 따른 서류가 첨부되어야 한다.

9) 시공중인 장기계속공사(또는 계속비공사)의 실적인정

전체공사(총공사)가 준공되기 이전이라도 발주기관이 인수하여 사용·관리중인 시설물은 인수 사용일을 준공일로 하여 실적으로 인정할 수 있다.

10) 업종별 실적인정

가) 「건설산업기본법령」 등 관련법령에 따라 당해공사 시공에 필요한 업종에 등록하고 시공한 공사실적만 인정한다.

나) 관련법령의 제·개정으로 등록업종(면허) 분류가 변경된 경우에도 당해 공사의 시공 당시를 기준으로 등록(면허)사항을 충족하고 시공된 경우에만 실적으로 인정한다.

11) 합병 등에 따른 실적인정

가) 「건설산업기본법」에 따른 합병등을 한 업체의 실적은 합병등에 따른 권리, 의무를 포괄적으로 승계하였다는 증빙서류를 조달청에 제출한 경우에는 다음과 같이 평가한다.

(1) 합병의 경우에는 존속되거나 신설된 업체의 실적은 소멸된 자의 실적을 승계한 것으로 합산하여 평가한다.

(2) 분할의 경우에는 권리, 의무를 승계받은 업체의 실적으로 본다.

(3) 사업양수도의 경우에는 해당업종을 양수한 자의 실적으로 평가한다.

나) 다른 법령에서 합병 등에 따른 실적인정방법을 별도로 명시한 경우에는 당해 업종별 관련법령에 따라 처리한다.

12) 공동수급체 구성원의 부도 등에 따른 실적인정

시공중 공동수급체 구성원의 부도 등으로 공동계약비율이 변경된 경우에는 변경된 공동계약비율을 적용하여 평가한다. 다만, 공동계약비율이 변경되지 아니하거나 보증시공 등으로 잔여공사가 시공된 경우에는 잔여공사 중 자기가 실제로 시공한 부분에 한하여 실적으로 인정한다.

5. 붙 임

가. 시설공사 준공실적 증명서 (별첨양식 5)

나. 시설공사 기성실적 증명서 (별첨양식 6)

[별첨양식 1]

사전심사 신청서

○ 공사관리번호 :
○ 공 사 명 :
○ 수 요 기 관 :
○ 입 찰 일 시 : 201 . . .

위 공사에 대한 입찰참가자격심사서류를 붙임과 같이 제출하오니 우리회사(공동수급체구성원 포함)가 제출한 붙임 자료에 의거 입찰참가자격을 심사(향후 적격심사 포함)하여 주시기 바라며, 만일 제출한 서류(귀청 등록자료 포함)가 귀청 심사기준에 저촉되면 귀청 심사기준에 따라 조치하여도 아무런 이의를 제기하지 않겠음을 확약합니다.

201 . . .

제출자 (공동수급체 대표자) 주 소 :
회사명 :
대표자 :

붙임 : 1. 공동수급체 현황표 1부
2. 공종별 동일 및 유사공사 실적명세서 1부
3. 기술자보유현황표 1부
4. 경영상태 평가방법 선택사항(제7조제3항 관련)
5. 시공평가결과 (증명서)
6. 기타첨부서류 각1부
(자기평가기술서, 시공실적증명서, 건설기술자보유증명서, 건설기술자경력사항확인서 등).

조 달 청 장 귀 하

[별첨양식 2]

공동수급체(또는 단독) 현황표

가. 대상공사

관 리 번 호		수요기관	
공 사 명		입찰일시	

나. 공동수급체 구성현황

구 분		구성원(대표자)	구성원(2)	구성원(3)	구성원(4)	구성원(5)
① 회 사 명						
② 대 표 자		(인)	(인)	(인)	(인)	(인)
③ 이행방식 및 그 내용	이행방식					
	토목(100%)					
	건축(100%)					
	기타(100%)					
④ 시 공 비 율(%)						
⑤ 사업자등록번호						
⑥ 시공능력평가액		천원	천원	천원	천원	천원
⑦ 업종 등	토,건등 순위					
	보유업종, 번호					
⑧ 동일(또는 유사)공사실적 (금액)		별첨 공종별 동일 공사 및 유사공사 실적명세서에 따라 평가 희망	좌 동	좌 동	좌 동	좌 동
⑨ 최근 10년간 동일공종그룹 실적 (금액)		조달청 등록내용으로 평가희망	좌 동	좌 동	좌 동	좌 동
⑩ 5년간 업종실적금액		조달청 등록내용으로 평가희망	좌 동	좌 동	좌 동	좌 동
⑪ 기술자보유 평가(경력, 일반)						
⑫ 경영상태 평가	등급평가일					
	등급구분(회사채, 기업어음, 신용평가)					
	평가받은 신용정보업체					
	등급현황					
⑬ 최근 입찰공고일 기준 3개월 이내 합병, 분할, 사업양수도 여부						
⑭ 신인도 등록내용						
⑮ 기 타 사 항	전화번호					
	주 소					
	작 성 자					

주) : 1. 공동수급체의 경우에는 제8조제2항에 따라 평가합니다.
2. 당해공사에 필요한 주공사의 업종(면허)을 보유하지 않은 업체간 공동이행 방식은 불가함.
3. 조달청에 등록된 실적 등의 내용으로 평가 희망시는 해당란에“조달청 등록내용대로 평가 희망”을 기재할 것
4. 정정개소에는 반드시 날인하시기 바람
5. 단독 참여의 경우에는 구성원(대표자)란에 기재하시기 바랍니다.
6. 업종비율 및 출자비율(분담비율)은 소수점 둘째자리까지 작성하시기 바랍니다
7. 전체지분율은 소수점 여섯째자리까지 산정합니다

[별첨양식 2-1]

공동수급체(또는 단독) 현황표

(주계약자관리방식)

가. 대상공사

관 리 번 호		수요기관	
공 사 명		입찰일시	

나. 공동수급체 구성현황

구 분		구성원(주계약자)	구성원(2)	구성원(3)	구성원(4)	구성원(5)
① 회 사 명						
② 대 표 자		(인)	(인)	(인)	(인)	(인)
③ 분 담 내 용		첨부양식에 별도 기재				
④ 사업자등록번호						
⑤ 시공능력평가액		천원	천원	천원	천원	천원
⑥ 업종 등	토,건등 순위					
	보유업종, 번호					
⑦ 동일(또는 유사)공사실적(금액)		별첨 공종별 동일 공사 및 유사공사 실적명세서에 따라 평가 희망	좌 동	좌 동	좌 동	좌 동
⑧ 최근 10년간 동일공종그룹 실적(금액)		조달청 등록내용으로 평가희망	좌 동	좌 동	좌 동	좌 동
⑨ 5년간 업종실적금액		조달청 등록내용으로 평가희망	좌 동	좌 동	좌 동	좌 동
⑩ 기술자보유 평가 (경력, 일반)						
⑪ 경영상태 평가	등급평가일					
	등급구분(회사채, 기업어음, 신용평가)					
	평가받은 신용정보업체명					
	등급현황					
⑫ 최근 입찰공고일 기준 3개월 이내 합병, 분할, 사업양수도 여부						
⑬ 신인도 등록내용						
⑭ 기 타 사 항	전화번호					
	주 소					
	작 성 자					

주) :1. 분담내용은 구성원 각각의 보유업종·시공능력평가액 등을 감안하여 시공비율을 산정함.
2. 당해공사에 필요한 주공사의 업종(면허)을 보유하지 않은 업체간 분담은 불가함.
3. 조달청에 등록된 실적 등의 내용으로 평가 희망시는 해당란에 "조달청 등록내용대로 평가 희망"을 기재할 것
4. 정정개소에는 반드시 날인하시기 바람
5. ③ 분담내용은 첨부양식에 별도 기재하여 제출하여야 합니다.

[첨 부]

분 담 내 용(예 시)

○ 공동수급체 공사참여지분율(추정가격(부가가치세포함) 기준)

- 총 공사 참여지분율

업종(업종비율)			구성원(주계약자)	구성원(종합)	구성원(종합)	구성원(전문)	계
① 종합 건설업	④ 토목공사업 (주공사)	(60%)	60%	30%	10%		100%
	건축공사업	(10%)	100%	0%	0%		100%
	조경공사업	(10%)	0%	100%	0%		100%
② 건산법 이외 업종	전기공사업	(5%)	0%	100%	0%	0%	100%
	정보통신 공사업	(5%)	0%	0%	100%	0%	100%
	소방공사업	(5%)	100%	0%	0%	0%	100%
③ 전문 건설업	토공	(5%)				100%	100%
구성원별 총공사 참여비율의 합계 ① +② +③			51.00%	33.00%	11.00%	5.00%	100%
주공사참여비율의 합계 ④			60.00%	30.00%	10.00%	0%	100%

[별첨양식 3]

업 체 현 황 조 서

<table>
<tr><td colspan="3">상 호</td><td></td><td>대표자</td><td></td><td>전화번호</td><td></td></tr>
<tr><td colspan="3">사업자등록번호</td><td></td><td>영업소재지</td><td colspan="3"></td></tr>
<tr><td colspan="8">보유 등록(면허)현황</td></tr>
<tr><td colspan="3">업 종</td><td>등록(면허)번호</td><td>취득년월일</td><td>시공능력
평가액</td><td>평가
순위</td><td>비 고</td></tr>
<tr><td colspan="3">토목건축공사업</td><td></td><td></td><td></td><td></td><td rowspan="20"></td></tr>
<tr><td colspan="3">토목공사업</td><td></td><td></td><td></td><td></td></tr>
<tr><td colspan="3">건축공사업</td><td></td><td></td><td></td><td></td></tr>
<tr><td colspan="3">철강재설치공사업</td><td></td><td></td><td></td><td></td></tr>
<tr><td colspan="3">준설공사업</td><td></td><td></td><td></td><td></td></tr>
<tr><td colspan="3">조경공사업</td><td></td><td></td><td></td><td></td></tr>
<tr><td colspan="3">해외건설업</td><td></td><td></td><td></td><td></td></tr>
<tr><td colspan="3">전기공사업</td><td></td><td></td><td></td><td></td></tr>
<tr><td colspan="2" rowspan="2">전기통신공사업</td><td>일반</td><td></td><td></td><td></td><td></td></tr>
<tr><td>별 종</td><td></td><td></td><td></td><td></td></tr>
<tr><td colspan="3">수질오염방지시설업</td><td></td><td></td><td></td><td></td></tr>
<tr><td colspan="3">대기오염방지시설업</td><td></td><td></td><td></td><td></td></tr>
<tr><td colspan="3">소음진동방지시설업</td><td></td><td></td><td></td><td></td></tr>
<tr><td colspan="3">오수처리시설업</td><td></td><td></td><td></td><td></td></tr>
<tr><td rowspan="3">소 방
시 설
공사업</td><td colspan="2">전문</td><td></td><td></td><td></td><td></td></tr>
<tr><td rowspan="2">일
반</td><td>기계</td><td></td><td></td><td></td><td></td></tr>
<tr><td>전기</td><td></td><td></td><td></td><td></td></tr>
<tr><td rowspan="3">전문
건설업</td><td colspan="2"></td><td></td><td></td><td></td><td></td></tr>
<tr><td colspan="2"></td><td></td><td></td><td></td><td></td></tr>
<tr><td colspan="2"></td><td></td><td></td><td></td><td></td></tr>
</table>

상기 회사에 대하여 우리협회에 등록·확인·제출·통보·신고·조사된 내용에 따라 작성하였음을 확인합니다.

201 년 월 일

0000 협회장(인)

[별첨양식 4]

공종별 동일공사 또는 유사공사 실적 명세서 및 자기평점

(별표2의 시공경험평가 중 동일(유사) 공사실적 평가관련)

○ 사전심사신청 공사명 :

사전심사 대상 공종	동일(유사)공사실적 심사신청 내용						
	공 사 명	구분	규 모	금 액 (관급포함)	시공자	준공일자	조달청(협회) 등록번호
	소 계						
	소 계						
	소 계						

자기평점 (참고사항)	경영상태평가	신용평가등급					
	공사이행능력평가	시공경험 평가(점)	기술능력 평가(41점)	시공평가결과 평가(10점)	지역참여도 평가(점)	중소기업 참여도평가(점)	신인도 평가 (±5점)
	점	점	점	점	점	점	점

본 사전심사 신청공사에 대하여 동일(유사)공사 실적을 위와 같이 제출하오니 위 제출내용에 따라 평가하여 주시기 바라며 자료의 누락 또는 착오 등으로 인한 불이익에 대하여는 하등의 이의를 제기하지 않겠습니다.

201 . . .

제 출 자(공동수급체 대표자) 주 소 :

성 명 :

대 표 자 : (인)

※ 주 1. 1건의 동일 또는 유사실적은 중복하여 신청할 수 없다.

2. 관련협회 또는 조달청에 등록한 공사는 등록번호를 기재하여 제출

[별첨양식 5]

시설공사 준공실적증명서

(별표2의 시공경험평가 중 동일(유사) 공사실적 평가관련)

Ⅰ. 일반적인 사항

<table>
<tr><td>1) 공사명</td><td colspan="4"></td><td rowspan="2">2)발주기관
(발 주 자)</td><td rowspan="2"></td></tr>
<tr><td>1-1) 공사위치</td><td colspan="4"></td></tr>
<tr><td rowspan="2">3) 시공자
(대 표)</td><td>3-1)회 사 명</td><td></td><td>3-2)등록번호</td><td></td><td>3-3)대 표 자</td><td></td></tr>
<tr><td>3-4)영업소재지</td><td colspan="3"></td><td>3-5)전화번호</td><td></td></tr>
</table>

<table>
<tr><td rowspan="4">4) 계약 및 준공
(장기계속 또는 계속비 공사는 총 공사 기준 작성)</td><td colspan="4">4) 총 공 사 기 준</td><td colspan="4">4) 년 차(금차) 공 사 기 준</td></tr>
<tr><td>4-1)
계약일자</td><td></td><td>4-4)공사금액
(준공+관급)</td><td></td><td>4-1)
계약일자</td><td></td><td>4-4)공사금액
(준공+관급)</td><td></td></tr>
<tr><td>4-2)
착공일자</td><td></td><td>4-5)
준공금액</td><td></td><td>4-2)
착공일자</td><td></td><td>4-5)
준공금액</td><td></td></tr>
<tr><td>4-3)
준공일자</td><td></td><td>4-6)
관급금액</td><td></td><td>4-3)
준공일자</td><td></td><td>4-6)
관급금액</td><td></td></tr>
</table>

<table>
<tr><td rowspan="2">5) 공사 성질</td><td>건설공사</td><td>신규공사( ), 확장공사( ), 개·보수공사( ) ※해당란에 ○표</td></tr>
<tr><td>전기,통신</td><td>설치(신설, 증설, 이설, 개설)공사, 보수공사( ) ※해당란에 ○표</td></tr>
<tr><td colspan="2">6) 공동계약여부</td><td>공동이행방식( ), 분담이행방식( ), 단독도급( ) ※해당란에 ○표</td></tr>
<tr><td colspan="2">7) 실적의 종류</td><td>개념설계( ), 기본설계( ), 실시설계( ), 시공( ), 감리( ), 품질,공사관리( ),
시운전( ), 기자재제작설치( ), 기자재설치( ), 기타( ) ※해당란에 ○표</td></tr>
</table>

Ⅱ.시공실적의 내용 * 공동수급체 구성원별로 구분 작성

<table>
<tr><td>구 분</td><td>시 공 자 (대표)</td><td>시 공 자</td><td>시 공 자</td></tr>
<tr><td>1) 회 사 명</td><td></td><td></td><td></td></tr>
<tr><td>1-1) 사업자등록번호</td><td></td><td></td><td></td></tr>
<tr><td>2) 대 표</td><td>(인)</td><td>(인)</td><td>(인)</td></tr>
<tr><td>3) 공사금액</td><td>지분율: %</td><td>지분율: %</td><td>지분율: %</td></tr>
<tr><td>3-1) 준공금액</td><td></td><td></td><td></td></tr>
<tr><td>3-2) 도급자설치
관급금액</td><td></td><td></td><td></td></tr>
<tr><td>3-3) 시공평가점수</td><td colspan="3">최종 시공평가결과(점수) 점</td></tr>
<tr><td>4) 전체공사 시공규모
: 구체적인
시공물량 표시</td><td colspan="3"></td></tr>
<tr><td>4-1) 전체 실적 공종 또는 사전심사대상 공종에 대한 시공규모 및 금액</td><td colspan="3"></td></tr>
</table>

<table>
<tr><td>5) 시공회사별 실적공종 또는 사전심사대상 공종 시공규모, 방법(공법)</td><td></td><td></td><td></td></tr>
<tr><td>6) 시공회사별 실적공종 또는 사전심사대상 공종의 금액</td><td></td><td></td><td></td></tr>
<tr><td>6-1) 시공회사별 실적공종 또는 사전심사대상공종의 준공금액</td><td></td><td></td><td></td></tr>
<tr><td>6-2) 시공회사별 실적공종 또는 사전심사대상공종의 도급자설치 관급금액</td><td></td><td></td><td></td></tr>
<tr><td>7) 하도급 내용 (하도급대비 원도급금액 포함)</td><td colspan="3">* 하도급자별로 구분 작성(종합건설업자가 전문건설업자에게 하도급 한 경우는 해당 없음으로 표기)</td></tr>
<tr><td>7-1) 하도급자</td><td></td><td></td><td></td></tr>
<tr><td>7-2) 하도급공사 규모 및 내용</td><td></td><td></td><td></td></tr>
<tr><td>7-3) 하도급금액(준공+관급)</td><td></td><td></td><td></td></tr>
<tr><td>Ⅲ. 붙 임</td><td colspan="3"></td></tr>
<tr><td colspan="4">1) 기타 실적내용을 증명할 수 있는 서류</td></tr>
<tr><td colspan="4">위와 같이 공사(총공사) 준공실적이 있음을 증명하여 주시기 바랍니다.
201 . . .
귀하
주 소 :
회 사 명 :
대 표 :</td></tr>
<tr><td colspan="4">위 내용을 증명함
(발급기관명)</td></tr>
<tr><td colspan="4">※ 주 :
1) 기재란이 부족한 경우 및 입찰설명서(공고) 요구내용의 기재란이 없는 경우는 별지 작성 가능함.
2) 당해공사 시공실적심사에 필요한 내용이 불분명 등의 경우는 평가에서 제외할 수 있음
3) 합병 등을 한 업체와 시공중 부도·탈퇴 등으로 시공비율이 달라진 업체는 그 사실과 내용을 본 실적증명서에 기재하고 관련 자료를 첨부하여야 함.
4) 본 기재란에 대한 해당사항이 없으면 "해당없음"으로 표기하여야 함.
5) 시공실적증명서 및 첨부물마다 간인(서명)을 하여야 함.
6) 계속공사인 경우에는 최근10년이내에 준공한 공사의 최초부터 최종공사의 동일한 용도의 단위구조물(체) 각각의 규모 및 금액을 기재하되, 차수별 공사내용(공사명, 공사규모, 공사금액, 준공일등 실적심사에 필요한 사항) 및 채색구분된 도면(평면도, 종·횡단면도)을 첨부하시기 바라며, 그 내용이 불분명하거나 누락되어 실적심사가 곤란한 경우는 불인정함.</td></tr>
</table>

[별첨양식 5-1]

전기(정보통신)공사 준공실적 증명서

(별표2의 시공경험평가 중 동일(유사) 공사실적 평가관련)

<table>
<tr><td colspan="6">Ⅰ. 일반적인 사항</td></tr>
<tr><td>1) 공 사 명</td><td colspan="2"></td><td rowspan="2">3) 발주기관
(발주자)</td><td colspan="2" rowspan="2"></td></tr>
<tr><td>2) 공사위치</td><td colspan="2"></td></tr>
<tr><td rowspan="2">4) 시 공 자
(대 표)</td><td>회사명</td><td></td><td>등록 번호</td><td></td><td>대표자</td></tr>
<tr><td>영업소재지</td><td></td><td>전화 번호</td><td colspan="2"></td></tr>
<tr><td rowspan="3">5) 계약 및 준공
(총공사기준)</td><td>계약일자</td><td></td><td>준공 금액</td><td colspan="2"></td></tr>
<tr><td>착공일자</td><td></td><td rowspan="2">도급자설치관급금액</td><td colspan="2" rowspan="2"></td></tr>
<tr><td>준공일자</td><td></td></tr>
<tr><td rowspan="3">6) 시공중인 장기계속 공사 또는 계속비 공사의 인정실적</td><td>인수사용일</td><td></td><td rowspan="3">실 적 규 모</td><td colspan="2" rowspan="3"></td></tr>
<tr><td>인수사용 금 액</td><td></td></tr>
<tr><td>도급자설치 관급금액</td><td></td></tr>
<tr><td>7) 공사성질</td><td colspan="5">설치 【신설( ), 이설( ), 증설( ), 개설( ), 조정( )】 공사, 보수공사( ), 교체공사( )
※해당란에 ○ 표</td></tr>
<tr><td>8) 실적종류</td><td colspan="5">설계( ), 시공( ), 감리( ), 기타( ) ※해당란에 ○ 표</td></tr>
<tr><td>9) 공동계약 여부</td><td colspan="5">단독계약( ), 공동계약 【공동이행방식( ), 분담이행방식( )】 ※해당란에 ○ 표</td></tr>
<tr><td>10) 하도급 유무</td><td colspan="5">하도급 있음( ), 하도급 없음 ( ) ※해당란에 ○ 표</td></tr>
<tr><td colspan="6">Ⅱ. 전체 시공실적 규모</td></tr>
<tr><td>11) 입찰예정공사의 입찰공고서상 인정실적과 일치하는 시공실적 규모</td><td colspan="5">(공고서와 일치하는 실적만 기재)</td></tr>
<tr><td>12) 기타 시공실적 규모</td><td colspan="5"></td></tr>
</table>

<table>
<tr><td colspan="4">Ⅲ. 공동수급 내용
※ 구성원 전원의 날인을 필하고, 각 란별 구분하여 작성 (빈란은 "해당없음" 기재)</td></tr>
<tr><td>구 분</td><td>1.시공자(대표)</td><td>2.시공자</td><td>3.시공자</td></tr>
<tr><td>1) 회 사 명</td><td></td><td></td><td></td></tr>
<tr><td>1-1) 사업자등록번호</td><td></td><td></td><td></td></tr>
<tr><td>2) 대 표 자</td><td>(인)</td><td>(인)</td><td>(인)</td></tr>
<tr><td>3) 지분율(%)</td><td>%</td><td>%</td><td>%</td></tr>
<tr><td>4) 준공금액</td><td></td><td></td><td></td></tr>
<tr><td>5) 도급자설치관급액</td><td></td><td></td><td></td></tr>
<tr><td>5-1) 시공평가점수</td><td colspan="3">최종 시공평가결과(점수) 점</td></tr>
<tr><td>6) 공동수급체별 실적 규모</td><td></td><td></td><td></td></tr>
<tr><td colspan="4">※ 상기의 공동계약을 증명하기 위해 계약서와 공동계약협정서를 첨부하여야 한다.</td></tr>
</table>

<table>
<tr><td colspan="4">Ⅳ. 하도급 사항
(하도급실적이 없는 경우는 "해당없음" 기재)</td></tr>
<tr><td>1) 회 사 명</td><td></td><td></td><td></td></tr>
<tr><td>2) 대 표 자</td><td>(인)</td><td>(인)</td><td>(인)</td></tr>
<tr><td>3) 하도급 실적규모 : 구체적으로 기재</td><td></td><td></td><td></td></tr>
<tr><td>4) 하도급 준공금액</td><td></td><td></td><td></td></tr>
<tr><td>5) 하도급자설치 관급 금액</td><td></td><td></td><td></td></tr>
<tr><td>6) 원도급자 증명</td><td>대 표 : (인)</td><td>대 표 : (인)</td><td>대 표 : (인)</td></tr>
<tr><td colspan="4">※ 하도급 사항 증명을 위해 상기 6)항 원도급자(공동이행방식은 공동수급체 전원) 증명 날인이 있어야 한다.</td></tr>
<tr><td colspan="4">Ⅴ. 신청 및 확인 사항</td></tr>
<tr><td colspan="4">1) 신청인 [원도급자( ), 하도급자( )] 은 조달청 집행 시설(전기, 정보통신)공사의 입찰참가를 위해 상기의 공사준공(기성)실적에 대해 귀 기관으로부터 확인 받고자 하오니 이를 증명하여 주시기 바랍니다.
201 . . .
귀 하

신청인의 주 소 :
회사명 : 대 표 : (인)</td></tr>
<tr><td colspan="4">2) 상기 시공실적내용을 증명합니다

- 확인자의 소속 : , 성 명 : (인), 연락처 :
- 발급기관명 :</td></tr>
</table>

※ 실적증명서 제출시 유의사항
1) 제출된 시공실적증명서상에 허위사실이 있을 시 부정당업체 제재 등의 조치를 받음.
2) 당해공사 시공실적심사에 필요한 내용이 불분명하거나 증빙자료의 누락으로 실적심사가 곤란한 경우는 평가에서 제외할 수 있음.
3) Ⅰ-6)의 시공 중인 장기계속공사 또는 계속비공사의 인정실적은 전체공사가 준공되기 이전에 발주기관에서 인수하여 사용·관리중임을 증빙하는 확인서를 제출할 것.
4) 발주자가 법인·개인이거나 자체공사인 경우는 당해공사의 인·허가서류 및 공사준공을 증명할 수 있는 관련서류와 도급계약서, 부가가치세 공급가액증명서를 첨부할 것.
5) Ⅲ-6)의 공동수급체별 실적규모는 공동수급체 구성원별로 각각 분리하여 기재하여야 하며, 하도급사항이 있을 경우 하도급실적규모는 제외하고 공동수급체 구성원별로 기재할 것.

[별첨양식 6]

시설공사 기성실적 증명서

(별표2의 시공경험평가 중 유사 공사실적 평가관련)

Ⅰ. 일반적인 사항							
1) 공 사 명						2) 발주기관 (발주자)	
1-1) 공사위치							
3) 시공자(대표)	3-1)회사명		3-2)등록번호			3-3)대표자	
	3-4)영업소재지					3-5)전화번호	
4) 계약 및 준공 (장기계속 또는 계속비 공사는 총공사 기준 작성)	4) 총 공 사 기 준				4) 금 차 공 사 기 준			
	4-1) 계약일자		4-4)공사금액 (계약+관급)		4-1) 계약일자		4-4)공사금액 (계약+관급)	
	4-2) 착공일자		4-5) 계약금액		4-2) 착공일자		4-5) 계약금액	
	4-3) 준공예정일자		4-6) 관급금액		4-3) 준공예정일자		4-6) 관급금액	

5) 공사성성질	건설공사	신규공사( ), 확장공사( ), 개·보수공사 ( ) ※해당란에 ○표
	전기,통신	설치(신설, 증설, 이설, 개설)공사, 보수공사( ) ※해당란에 ○표
6) 공동계약 여부		공동이행방식( ), 분담이행방식( ), 단독도급( ) ※해당란에 ○표
7) 실적의 종류		개념설계( ), 기본설계( ), 실시설계( ), 시공( ), 감리( ), 품질,공사관리( ), 시운전( ), 기자재제작설치( ), 기자재설치( ), 기타( ) ※ 해당란에 ○표

Ⅱ.시공실적의 내용	* 공동수급체 구성원별로 구분 작성		
구 분	시 공 자 (대표)	시 공 자	시 공 자
1) 회 사 명			
1-1) 사업자등록번호			
2) 대 표	(인)	(인)	(인)
3) 공사 금액 (계약+관급)	(지분율: %)	(지분율: %)	(지분율: %)
3-1) 전체공사 시공금액 (도급자설치관급 포함)	(기성율: %)	(기성율: %)	(기성율: %)
3-2) 시공평가점수	시공 중 평가결과(점수) 점		
4) 전체공사 계약 규모 : 구체적인 시공물량 표시			
4-1) 전체실적 공종 또는 사전심사대상공종에 대한 시공규모 및 금액			

<table>
<tr><td rowspan="3">5) 실적증명 발급일 기준 전체공사의 시공내용, 공법
※별지작성 가능</td><td>공 종</td><td>단위</td><td>전체공사
수 량</td><td>시공완료
수 량</td><td>잔량</td><td>전체공사
금 액</td><td>기성지급
금 액</td><td>기성비율</td></tr>
<tr><td></td><td></td><td></td><td></td><td></td><td></td><td></td><td></td></tr>
<tr><td>합 계</td><td></td><td></td><td></td><td></td><td></td><td></td><td></td></tr>
<tr><td rowspan="3">6) 실적증명 발급일 기준, 실적공종 또는 사전심사대상공종의 시공내용,공법
※ 별지작성 가능</td><td>공 종</td><td>단위</td><td>전체공사
수 량</td><td>시공완료
수 량</td><td>잔량</td><td>전체공사
금 액</td><td>기성지급
금 액</td><td>기성비율</td></tr>
<tr><td></td><td></td><td></td><td></td><td></td><td></td><td></td><td></td></tr>
<tr><td>합 계</td><td></td><td></td><td></td><td></td><td></td><td></td><td></td></tr>
<tr><td colspan="3">7) 하도급 내용(하도급대비 원도급금액 포함)
※하도급자별로 구분 작성</td><td colspan="6">※전문건설업자에게 하도급 한 경우는 해당 없음으로 표기</td></tr>
<tr><td>7-1) 하도급자</td><td colspan="3"></td><td colspan="3"></td><td colspan="2"></td></tr>
<tr><td>7-2) 하도급자 면허</td><td colspan="3"></td><td colspan="3"></td><td colspan="2"></td></tr>
<tr><td>7-3) 하도급 공사 규모 및 금액</td><td colspan="3"></td><td colspan="3"></td><td colspan="2"></td></tr>
<tr><td rowspan="3">7-4) 실적증명 발급일 기준 시공내용
※별지작성 가능</td><td>공 종</td><td>단위</td><td>전체공사
수 량</td><td>시공완료
수 량</td><td>잔 량</td><td>전체공사
금 액</td><td>기성지급
금 액</td><td>기성비율</td></tr>
<tr><td></td><td></td><td></td><td></td><td></td><td></td><td></td><td></td></tr>
<tr><td>합 계</td><td></td><td></td><td></td><td></td><td></td><td></td><td></td></tr>
<tr><td colspan="2">Ⅲ. 붙 임</td><td colspan="7"></td></tr>
<tr><td colspan="9">1) 기타 당해 실적을 증명할 수 있는 서류</td></tr>
<tr><td colspan="9">위의 공사는 실적증명서 발급일 현재 사전심사대상공사의 총공사 예정공정율과 실행공정율이 각각 50%를 초과한 공사로서 상기내용과 같이 기성대가를 지급하였음을 증명하여 주시기 바랍니다.
201 . . . .
귀하
주 소 :
회 사 명 :
대 표 :</td></tr>
<tr><td colspan="9">위 내용을 증명함
(발급기관명)</td></tr>
</table>

※ 주 :

1) 기재란이 부족한 경우 및 입찰설명서(공고) 요구내용의 기재란이 없는 경우는 별지 작성 가능함.
2) 당해공사 시공실적심사에 필요한 내용이 불분명 등의 경우는 평가에서 제외할 수 있음
3) 합병 등을 한 업체와 시공 중 부도·탈퇴 등으로 시공비율이 달라진 업체는 그 사실과 내용을 본 실적증명서에 기재하고 관련 자료를 첨부하여야 함.
4) 본 기재란에 대한 해당사항이 없으면 "해당없음"으로 표기하여야 함.
5) 시공실적증명서 및 첨부물나나 간인(서명)을 하여야 함.
6) 계속공사인 경우에는 최근 10년 이내에 준공한 공사의 최초부터 최종공사의 당해공사와 동일한 용도의 단위구조물(체) 각각의 규모 및 금액을 기재하되, 차수별 공사내용(공사명, 공사규모, 공사금액, 준공일 등 실적심사에 필요한 사항) 및 채색구분된 도면(평면도, 종·횡단면도)을 첨부하시기 바라며, 그 내용이 불분명하거나 누락되어 실적심사가 곤란한 경우는 불인정함.

[별첨양식 7]

시설공사 (   )년간 업종(동일공종그룹)시공실적 명세서

(별표2의 시공경험평가 중 최근 10(5,3)년간 (동일공종그룹)공사실적 평가관련)

<table>
<tr><td>조달청 입찰참가
등록번호</td><td colspan="3"></td><td>사업자등록번호</td><td colspan="2"></td></tr>
<tr><td>회 사 명</td><td colspan="3"></td><td>대 표 자</td><td colspan="2"></td></tr>
<tr><td>영업소재지</td><td colspan="3"></td><td>전 화 번 호</td><td colspan="2"></td></tr>
<tr><td rowspan="2">업 종 별
등록 번 호</td><td>토 건</td><td>토 목</td><td></td><td></td><td></td><td></td></tr>
<tr><td>제 호</td><td>제 호</td><td>제 호</td><td>제 호</td><td>제 호</td><td>제 호</td></tr>
</table>

최근 년도별 시설공사 실적금액 내용

(금액단위 : 만원)

<table>
<tr><td>구 분</td><td>동일공종그룹별
(또는 업종별)</td><td>건수</td><td>실적금액</td><td>비 고</td></tr>
<tr><td>20 년도</td><td></td><td></td><td></td><td rowspan="6">주)
1. 입찰공고일 직전년도말 기준 최근년도 순서대로 기재하되 관련협회의 최종 통계완료 년도를 기준으로 역산하여 10년(5년,3년)실적을 적용함
2. 입찰공고상의 해당업종(동일공종그룹) 관련 공사만 기재
예1) 토목공사일 경우 토목, 건축공사일 경우 건축일 경우 건축만 기재
예2) 동일공종그룹은 [별표2]주)7)에 따라 구분하여 표기 (교통시설, 수자원시설 등)
3. 공동수급체의 경우에는 구성원별로 각각 작성
4. 실적금액은 당해연도의 실적금액 기재
* 실적증명서는 별첨양식 7-1을 사용하며 실적증명내용에 업종(면허)별(또는 동일공종그룹별) 실적금액이 불분명한 경우에는 인정하지 아니 함</td></tr>
<tr><td>20 년도</td><td></td><td></td><td></td></tr>
<tr><td>20 년도</td><td></td><td></td><td></td></tr>
<tr><td>20 년도</td><td></td><td></td><td></td></tr>
<tr><td>20 년도</td><td></td><td></td><td></td></tr>
<tr><td>합 계</td><td></td><td></td><td></td></tr>
</table>

붙 임 : 년도별 시설공사 (동일공종그룹)준공실적   매

위와 같이 최근 10(5,3)년간 우리회사에서 시공한 공사의 (동일공종그룹)시공실적 명세서(실적증명서 포함)를 제출합니다.

201 . . .

주 소 :

성 명 :

대 표 자 :   (인)

※주 : 조달청에 입찰참가 등록을 하지 아니한 업체는 실적등록이 불가하오니 입찰참가 등록후 실적을 제출하시기 바랍니다.

[별첨양식 7-1]

시설공사 준공실적증명서

(별첨양식 7의 붙임 서식)

Ⅰ. 일반적인 사항

<table>
<tr><td>1) 공 사 명</td><td colspan="4"></td><td rowspan="2">2) 발주기관
(발 주 자)</td><td rowspan="2"></td></tr>
<tr><td>1-1) 공사위치</td><td colspan="4"></td></tr>
<tr><td rowspan="2">3) 시 공 자
(대 표)</td><td>3-1) 회사명</td><td></td><td>3-2) 업종 및
등록번호</td><td></td><td>3-3) 대 표 자</td><td></td></tr>
<tr><td>3-4) 영업소재지</td><td colspan="3"></td><td>3-5) 전화번호</td><td></td></tr>
<tr><td rowspan="3">4) 계약 및 준공</td><td>4-1) 계약일자</td><td></td><td colspan="2">4-4) 계약금액</td><td colspan="2"></td></tr>
<tr><td>4-2) 착공일자</td><td></td><td colspan="2">4-5) 시공누계금액</td><td colspan="2"></td></tr>
<tr><td>4-3) 준공일자</td><td></td><td colspan="2">4-6) 미 시공금액</td><td colspan="2"></td></tr>
<tr><td>5) 계약의 종류</td><td colspan="6">원도급( ), 하도급( ), 기타( ) ※해당란에 ○표</td></tr>
</table>

Ⅱ.시공실적의 내용

<table>
<tr><td colspan="2">구 분</td><td>시 공 자(대표)</td><td>시 공 자</td><td>시 공 자</td></tr>
<tr><td colspan="2">1) 회 사 명</td><td></td><td></td><td></td></tr>
<tr><td colspan="2">2) 대 표</td><td>(인)</td><td>(인)</td><td>(인)</td></tr>
<tr><td colspan="2">3) 시 공 금 액</td><td>지분율: %</td><td>지분율: %</td><td>지분율: %</td></tr>
<tr><td colspan="2">4) 업종(등록)별 00년도
공사내용</td><td></td><td></td><td></td></tr>
<tr><td rowspan="3">5) 업종별
00년도
시공금액</td><td>00업종</td><td></td><td></td><td></td></tr>
<tr><td>00업종</td><td></td><td></td><td></td></tr>
<tr><td>00업종</td><td></td><td></td><td></td></tr>
</table>

Ⅲ. 붙 임

1) 하도급을 받은 공사의 경우는 하도급계약서 및 당년도 시공금액에 대한 세금계산서를 첨부하여함

20 년도 중 위와 같이 공사 시공실적이 있음을 증명하여 주시기 바랍니다.

201 . . .

주 소 :

회 사 명 :

대 표 :

위 내용이 틀림없음을 증명함

(원도급사명)

위 내용이 틀림없음을 증명함

(발급기관명)

※ 주 :

1) 기재란이 부족한 경우 별지 작성 가능하며 당해공사 시공실적심사에 필요한 내용의 불분명 등의 경우는 평가에서 제외할 수 있다.
2) 하도급공사인 경우는 원도급자 및 발주기관(감독청)의 증명이 있어야 함
3) 민간공사 및 자체공사의 경우는 해당업종에 대한 공사내용과 공사금액이 투입되었다는 객관적인 증빙서류(하도급계약서, 세금계산서 등) 및 준공관련 서류가 첨부되어야 함
4) 본 실적증명서는 당해연도에 시공한 실적을 증명하는 서식이므로 하나의 공사를 다년간 시공한 경우는 연도별로 각각 증명서를 발급받아 제출하여야 함

[별첨양식 8]

건설기술자 보유증명서

(단위 : 명)

<table>
<tr><th>구분</th><th>기술
(직무)
분야</th><th>기술자 종류
(전문분야)</th><th>적용 사전심사대상공사</th><th>건설기술자수</th></tr>
<tr><td rowspan="10">일
반
기
술
자</td><td>토 목</td><td>건설기술진흥법시행령 [별표1]에 따른 건설기술자 전문분야</td><td>당해 사전심사대상공종이 토목분야인 공사(교량, 공항, 댐,간척, 항만, 철도, 지하철, 터널, 준설, 상수도, 하수도 등)</td><td></td></tr>
<tr><td colspan="3">〈 삭 제 〉</td><td></td></tr>
<tr><td>건 축</td><td>건설기술진흥법시행령 [별표1]에 따른 건설기술자 전문분야</td><td>당해 사전심사대상공종이 건축분야인 공사(관람집회시설, 전시시설, 공용청사, 공동주택 등)</td><td></td></tr>
<tr><td colspan="3">〈 삭 제 〉</td><td></td></tr>
<tr><td>조 경</td><td>건설기술진흥법시행령 [별표1]에 따른 건설기술자 전문분야</td><td>당해 사전심사대상공종이 조경분야인 공사(공원조성 등)</td><td></td></tr>
<tr><td colspan="3"></td><td></td></tr>
<tr><td>기 계
·
환 경</td><td>건설기술진흥법시행령 [별표1]에 따른 건설기술자 전문분야</td><td>당해 사전심사대상공종이 산업설비분야인 공사(에너지저장시설, 발전소, 쓰레기소각로, 폐수·하수종말처리장 등)</td><td></td></tr>
<tr><td colspan="3">〈 삭 제 〉</td><td></td></tr>
<tr><td>전 기
전 자</td><td>건설기술진흥법시행령 [별표1]에 따른 건설기술자 전문분야</td><td>당해 사전심사대상공종이 전기·전자분야인 공사(송전, 변전 등)</td><td></td></tr>
<tr><td colspan="3">〈 삭 제 〉</td><td></td></tr>
<tr><td colspan="5">위와 같이 우리회사의 기술자 보유 내용이 발급기준일(입찰공고일)현재 신고된 기술자와 같음을 확인하여 주시기 바랍니다.
201 . . .
※ 발급기준일(입찰공고일) : 201 . . .　　주 소 :
회사명 :
사업자등록번호 :
대표자 :　　　　(인)</td></tr>
<tr><td colspan="2">(발급기관명)</td><td colspan="3">위 사실을 확인함.</td></tr>
</table>

※ 주 :

1) 기술자 보유증명은 당해 기술분야별로 작성하여야 함.
2) 사전심사대상공종 경력기술자는 "별첨양식9"를 첨부하여야 함.

[별첨양식 8-1]

건설기술자 보유현황표

가. 일반기술자현황

구분	회 사 별 보 유 인 원 수							비고
회사명	○○회사	○○회사	○○회사	○○회사	○○회사	○○회사	합계	
사업자등록번호								
일반기술자 (인 원 수)								
경력기술자 (점 수)								

나. 경력기술자 현황

번호	성명	소속	생년월일	기술자등급	공 사 명	참여기간	점수	비고
								증명서 첨 부
합 계								

[별첨양식 9]

건설기술자 경력사항 확인서

<table>
<tr><td>소 속</td><td></td><td>직 위</td><td></td><td colspan="2">사전심사
대상공종</td><td></td></tr>
<tr><td>성 명</td><td></td><td>생년월일</td><td colspan="4"></td></tr>
<tr><td>기술분야</td><td>기술자 종류</td><td colspan="2">기술자 등급</td><td colspan="2" rowspan="2">건설분야
종사기간</td><td rowspan="2">년 월</td></tr>
<tr><td></td><td></td><td colspan="2"></td></tr>
<tr><td colspan="7">○ 해당분야 공사 참여 실적 * 금액 : 도급자설치 관급금액 포함 및 천원단위 기재</td></tr>
<tr><td>발주자</td><td>공 사 명</td><td>사전심사 해당공종
공사규모 및 금액</td><td>공사금액</td><td>사전심사
대상공종
참여기간</td><td>사전심사
대상공종
참여일수</td><td>담당업무
(책임정도)</td></tr>
<tr><td></td><td></td><td></td><td></td><td></td><td></td><td></td></tr>
<tr><td colspan="6">사전심사 대상공종 참여 합산기간
(1년은 365일을 기준으로 계산하고 나머지 일수는 30일을 기준으로 월을 계산)</td><td>년 월</td></tr>
<tr><td colspan="7">위와 같이 우리회사 소속 직원의 발급기준일(입찰공고일)현재 기술자 경력사항을 확인하여 주시기 바랍니다.
201 . . .
※ 발급기준일(입찰공고일) : 201 . . . 주 소 :
회사명 :
대표자 : (인)</td></tr>
<tr><td colspan="7">(발급기관명) 위 사실을 확인함.</td></tr>
</table>

* 주 :

1) 경력기술자는 초급기술자 이상 기술자로서 [별표1] 또는 당해 입찰공고에서 정한 동일 또는 유사한 종류에 해당하는 공사현장에 3년 이상 (자격취득 전후 포함) 종사한 기술자의 경우에 해당됨.
   ※ 경력기술자 평가의 동일 및 유사한 종류에 해당하는 공사현장은 근무 회사의 시공비율과 관계없이 공사현장 자체가 [별표1] 또는 당해 입찰공고에서 정한 동일 또는 유사한 종류에 해당하는 경우 그 대상이 됨.
2) 공종의 공사규모 및 금액이 불분명한 경우에는 평가에서 제외할 수 있다.
3) 기술자등급란에는 건설기술진흥법의 〈 부분삭제 〉 기술자등급 기재

[별첨양식 10]

기술개발투자비율 및 업종별 실적확인서

사업자등록번호			상호		
대표자		영업소재지		전화번호	
구 분	토목건축공사업(등록번호0000호)				
공사업별시공능력평가액 (금액단위 : 백만원)	토건평가액	토목평가액	건축평가액		

1. 건설부문 기술개발투자비율 평가자료

건설부문기술개발 투자비율	%	산출근거(단위 : 천원)	
		건설부문기술개발투자비	건설부문 총매출액

* 발급기준: 201 년 월 일 기준, 결산서를 기준으로 발급

2. 시공경험 평가자료 단위 : 천원

연도별 실적 / 업종별	년도	년도	년도	년도	년도	년도

상기 내용은 건설관련법령에 의거 우리협회에 위탁된 업무에 따라 작성하였음을 확인합니다.

201 년 월 일
0000 협회장(인)

[별첨양식 11]

건설부문 기술개발 투자비율 확인서

사업자등록번호		상 호			
대표자		영업소재지		전화번호	
업 종	토목·건축	토목	건축	산업·환경	
공사업 등록번호					

1. 건설부문 기술개발 투자비율 검토내용

구 분	경영비율(%)	산출근거(단위: 천원)	
건설부문기술개발 투자비율	%	건설부문기술개발투자비	건설부문 총매출

2. 검토기준
   가. 결산서 작성사유 :
   나. 결산서의 종류 :
   다. 결산서 작성년월일 :
   라. 감사의견 : 적정, 한정, 부적정, 의견거절 등 명시

상기 내용은 위 기재업체의 최근에 업계 전체 평균비율이 산정된 이후 최초결산서 또는 합병, 분할, 사업양수도에 따라 등기일이나 수리일 또는 1개월이 경과한 월말을 기준으로 작성된 결산서, 정기결산서에 대한 감사보고서로서 「주식회사외부감사에관한법률」의 규정에 따른 감사보고서 작성절차를 거쳐 감사의견을 작성하였음을 확인합니다.

201 년 월 일

사무소 :
주 소 :
연락처 :
감사인 : (인)

1. 시스템에 입찰참가 등록을 하지 아니한 업체는 결산서 내용 등록이 불가하오니 입찰참가등록 후 결산서를 제출하시기 바랍니다.

[별첨양식 12]

시공평가결과 증명서

Ⅰ. 일반적인 사항

<table>
<tr><td>1) 공사명</td><td colspan="3"></td><td rowspan="2">2) 발주기관
(발 주 자)</td><td rowspan="2"></td></tr>
<tr><td>1-1) 공사위치</td><td colspan="3"></td></tr>
<tr><td rowspan="3">3) 시공자</td><td colspan="2">3-1) 회 사 명</td><td></td><td>3-2) 대 표 자</td><td></td></tr>
<tr><td colspan="2">3-3) 사업자등록번호</td><td colspan="3"></td></tr>
<tr><td colspan="2">3-3) 영업소재지</td><td></td><td>3-4) 전화번호</td><td></td></tr>
<tr><td rowspan="4" colspan="2">4) 계약 및 준공
(장기계속 또는
계속비 공사는 총공사
기준 작성)</td><td colspan="4">4) 총 공 사 기 준</td></tr>
<tr><td>4-1) 계약일자</td><td></td><td>4-4) 공사금액
(준공+관급)</td><td></td></tr>
<tr><td>4-2) 착공일자</td><td></td><td>4-5) 준공금액</td><td></td></tr>
<tr><td>4-3) 준공일자</td><td></td><td>4-6) 관급금액</td><td></td></tr>
<tr><td colspan="2">Ⅱ. 시공평가결과</td><td colspan="4"></td></tr>
<tr><td colspan="2">평 점</td><td colspan="2">점</td><td colspan="2">※ 건설기술진흥법 제50조 관련</td></tr>
<tr><td colspan="6">위와 같이 시공평가 평점을 증명하여 주시기 바랍니다.

201 . . .
귀하
주 소 :
회 사 명 : 대 표 :</td></tr>
<tr><td colspan="6">위 내용을 증명함
(발급기관명)</td></tr>
<tr><td colspan="6">※ 주
1. 조달청 입찰참가자격사전심사기준에 의하여 심사자료로 활용
2. 건설기술진흥법 시행규칙 제44조에 의거 기 발급 받은 경우에 해당 증명서로 제출하시기 바랍니다</td></tr>
</table>

[별첨양식 13]

녹색건설관련 인증실적 증명서

<table>
<tr><td>신인도 등록 신청분야
(해당란 √ 표)</td><td colspan="4">□ 「녹색건축물 조성 지원법」 제17조에 따른 '제로에너지건축물' 인증
□ 「녹색건축물 조성 지원법」 제16조에 따른 '녹색건축' 인증</td></tr>
<tr><td rowspan="6">인증내용
(건축물)
※본인증만 해당</td><td colspan="2">인증번호</td><td colspan="2"></td></tr>
<tr><td colspan="2">건축물명</td><td colspan="2"></td></tr>
<tr><td colspan="2">소재지 주소</td><td colspan="2"></td></tr>
<tr><td colspan="2">인증유효기간</td><td colspan="2"></td></tr>
<tr><td colspan="2">인증일자</td><td colspan="2"></td></tr>
<tr><td colspan="2">인증등급</td><td colspan="2"></td></tr>
<tr><td rowspan="4">시공업체
(건축공사)</td><td colspan="2">회사명</td><td colspan="2"></td></tr>
<tr><td colspan="2">대표자</td><td colspan="2"></td></tr>
<tr><td colspan="2">사업자등록번호</td><td colspan="2"></td></tr>
<tr><td colspan="2">건축(토건)공사업 등록번호</td><td colspan="2"></td></tr>
<tr><td rowspan="3">신 청 인
연 락 처</td><td>부 서</td><td></td><td>연락전화</td><td></td></tr>
<tr><td>직 위</td><td></td><td>FAX번호</td><td></td></tr>
<tr><td>성 명</td><td></td><td>e-Mail</td><td></td></tr>
<tr><td colspan="5">위 내용을 증명함
년 월 일
인증기관명 : (관인)</td></tr>
<tr><td colspan="5">인증서 발급부서 :
담당자 : 직급 성명 (인) (전화번호:)</td></tr>
</table>

년 월 일

신 청 인(시공업체)의 주 소 :

회사명 :

대 표 : (인)

주) 인증유효기간이 없는 경우는 '인증유효기관 없음'으로 표시

※ 붙임 서류 : 인증서 사본 1부. 끝

[별첨양식 14]

신청분야 (해당란 √ 표)	건설신기술 환경신기술 교통신기술 자연재해저감신기술	□ □ □ □		발급번호	

건설(또는 환경, 교통, 자연재해저감)신기술 현황 및 활용실적 증명서

상 호		대 표	
소 재 지		전화번호	

■ 신기술 개발현황

보유신기술(지정번호)	00건(제000호, 제000호)

■ 활용실적

지정번호	활용 년도	고시 일자	만료 일자	활용 건수	활용 금액 (천원)
제000호					
합계				00건	000

■ 미보유 신기술 활용실적

구분	지정번호	활용 년도	고시 일자	만료 일자	활용 건수	활용 금액 (천원)
신기술 활용실적						
소계					0건	00

건설기술진흥법 시행규칙 제14조 또는 한국환경산업기술원 신기술인증·기술검증 업무규정 제24조제4항 또는 국가통합교통체계효율화법 시행규칙 제46조 또는 자연재해대책법시행령 제49조에 따라 신기술 현황 및 활용실적을 증명합니다.

201 년 월 일

한국건설교통신기술협회 회장 또는 한국환경산업기술원장 또는 한국건설교통기술평가원장 또는 한국방재협회장 (직인)

2 조달청 시설공사 적격심사 세부기준

조달청 규제개혁법무담당관실-4253, 2012. 8.23
조달청 시설총괄과-3970, 2013. 6.26
조달청 시설총괄과-184, 2014. 1.13
조달청 시설총괄과-4928, 2014. 8.19
조달청 시설총괄과-1034, 2015. 1.29
조달청 시설총괄과-11252, 2015.12.23
조달청 시설총괄과-8398, 2016.10. 4
조달청 시설총괄과-616, 2017. 1.16
조달청 시설총괄과-5024, 2018. 6.26
조달청 시설총괄과-1980, 2019. 3. 4
조달청 시설총괄과-4874, 2019. 6.13
조달청 시설총괄과-9946, 2019.12.18
조달청 시설총괄과-2224. 2020. 3.16
조달청 시설총괄과-4543. 2020. 5.26
조달청 시설총괄과-11019. 2020.12.26
조달청 시설총괄과-1320. 2021. 2.15
조달청 시설총괄과-8362, 2021. 9. 1
조달청 시설총괄과-12826. 2021.12.30
조달청 시설총괄과-1586. 2022. 2.11
조달청 시설총괄과-5611. 2022. 6.17

제1조(목적) 이 기준은 계약예규 「적격심사기준」(이하 "적격심사기준"이라 한다)에 의거 조달청에서 집행하는 시설공사 계약에 적용할 적격심사세부기준을 정함에 그 목적이 있다.

제2조(평가기준) ① 적격심사의 공사규모별 세부평가기준은 다음 각 호와 같다. <개정 2021.2.15.>

1. 추정가격 100억원 미만 50억원 이상인 공사의 평가기준 : [별표 1]
2. 추정가격 50억원 미만 10억원 이상(전기·정보통신·소방시설·문화재공사 등은 50억원 미만 3억원 이상)인 공사의 평가기준 : [별표 2]
3. 추정가격 10억원 미만 3억원 이상인 공사(건설산업기본법에 따른 건설공사에 해당)의 평가기준: [별표 3]

4. 추정가격 3억원 미만 2억원 이상(전기·정보통신·소방시설·문화재공사 등은 3억원 미만 8천만원 이상)인 공사의 평가기준 : [별표 4]
5. 추정가격 2억원 미만(전기·정보통신·소방시설·문화재공사 등은 8천만원 미만)인 공사의 평가기준 : [별표 5]

② 각 심사항목별 심사기준일은 입찰공고 등에 다르게 정한 경우를 제외하고는 입찰공고일로 한다.

③ 시공경험, 경영상태의 평가자료 제출 및 평가방법은 입찰공고에서 달리 정한 경우를 제외하고는 다음 각 호와 같다. <개정 2021.2.15., 2021.12.30., 2022.2.11., 2022.6.17.>

1. 대한건설협회, 대한전문건설협회, 한국전기공사협회, 한국정보통신공사협회, 대한설비건설협회, 한국소방시설협회, 한국건설기술인협회, 대한시설물유지관리협회(이하 "관련협회"라 한다) 등으로부터 통보되거나, 업체로부터 조달청에 직접 제출(관련협회가 없어 실적관리를 하지 않거나, 관련협회에서 실적관리를 하지 않는 업체의 경우)되어 입찰서 제출 마감일 전일까지 국가종합전자조달(G2B)시스템(이하 "시스템"이라 한다)에 등록된 자료[최근 5년간 시공경험, 기술능력, 시공평가결과, 경영상태]로 평가한다. 다만 제2조제1항제1호의 평가기준에 따른 경영상태 평가 시에는 적격심사기준에 의한 감사보고서 또는 검토보고서를 추가로 제출받아 평가한다. "최근 5년간"의 기준은 관련협회의 통계 완료 최종년도를 기준으로 한다.
2. 제1호에 의해 직접 제출하는 경우 시공능력공시액은 관련협회에서 증명한 자료에 의하며, 최근 5년간 시공경험에 관한 평가자료는 관련협회에서 증명한 연도별 시공실적을 제출하여야 한다. 다만, 관련협회가 없는 경우에는 입찰공고에서 정하는 바에 따른다.
3. 「조달청 시설공사 실적에 의한 경쟁입찰 집행기준」에 의한 경쟁입찰공사의 실적평가는 입찰공고에서 정한 기한내에 제출된 시공실적의 자료로 평가하며 시공실적의 인정방법은 「조달청 입찰참가자격 사전심사 기준」(이하 "사전심사기준"이라 한다)의 [별표 9] 또는 입찰공고에 정한 바에 의한다.
4. 제1호에도 불구하고 제6항에 따라 입찰자가 상호시장에 진출하는 경우(종합건설사업자가 전문공사에 참가하거나 전문건설사업자가 종합공사에 참가하는 경우) 시공경험, 영업기간 등의 평가자료는 관련협회로부터 입찰자가 직접 발급받은 자료(관련협회 증명 필요)를 제출받아 평가한다.
5. 경영상태 평가는 다음 각 호와 같다.
   가. 경영상태평가는 해당 공사규모별 평가기준표 [별표 6] 내지 [별표 10]에 의한다.
   나. 신용평가등급에 의한 평가는 「신용정보의 이용 및 보호에 관한 법률」 제4조제1항제1호 또는 「자본시장과 금융투자업에 관한 법률」 제9조제26항의 업무를 영위하는 신용정보업자가 입찰공고일 이전에 평가하여 유효기간내에 있는 『회사채에 대한 신용평가등급』, 『기업어음에 대한 신용평가등급』, 『기업신용평가등급』 중에서 가장 최근의 등급에 의하여 평가한다. 또한 동종의 신용평가등급인 경우에도 가장 최근의 등급에

의한다. 다만, 합병한 업체에 대하여는 입찰서 제출마감일 전일까지 발급받은 유효기간 내의 가장 최근 등급에 의하여 평가할 수 있다.

나-1. <삭제>

나-2. 나.의 단서에 따라 합병한 업체가 입찰서 제출마감일 전일까지 새로운 신용평가등급을 발급받은 경우에는 새로운 신용평가등급으로 평가할 수 있고, 그 전까지는 합병대상 업체 중 가장 낮은 신용평가등급을 적용한다. <개정 2013.6.26>

나-3. 제4조제1항 및 제2항에서 적격심사 대상자 선정을 위한 예상종합 평점을 평가할 때에는 신용정보업자가 조달청에 통보하여 입찰서제출 마감일 전일까지 시스템에 등록된 자료로 평가할 수 있나.

다. 재무제표 등에 의한 경영상태의 심사 항목별 평가요소에 적용하는 업계전체 가중평균비율(이하 "평균비율"이라 한다)은 관련협회에서 조사 통보한 최근의 비율을 적용한다.

라. 재무제표 등에 의한 업체별 경영상태 평가는 적격심사기준의 [별표] '2' '주2) 경영상태 평가방법'에 규정한 결산서에 의한다.

마. '라'목의 규정에 의한 경영상태 평가 시 결산서는 다음의 경우에 한하여 평가자료로 인정한다.

1) 관련협회로부터 통보되어 시스템에 등록된 경우

2) 결산서 또는 관련협회에서 발급한 경영상태 등의 확인서 [별표 15]를 조달청에 직접 제출한 경우

바. '마'목의 '2).'의 규정에 의하여 결산서를 조달청에 직접 제출하는 경우에는 「주식회사 등의 외부감사에 관한 법률」(이하 "외감법"이라 한다)의 규정에 의한 감사인의 회계감사를 받은 후 그 감사보고서 [별표 16] 또는 한국공인회계사회의 「재무제표 등에 대한 검토업무 기준」에 따라 작성한 검토보고서 [별표 16 준용] 상의 재무제표를 첨부하여야 한다.

사. 추정가격 100억원 미만 50억원 이상 공사의 경우 적격심사 대상자가 제출하는 결산서는 '바'목의 감사보고서 또는 한국공인회계사회의 「재무제표 등에 대한 검토업무 기준」에 따라 작성한 검토보고서[별표 16 준용] 상의 재무제표에 의거 평가하고, 제출된 평가서류는 관련 협회에도 제출하도록 하여야 한다.

아. 추정가격이 100억원 미만 50억원 이상 공사는 '라'목 및 '바'목의 규정에 의하여 제출된 감사보고서(회계년도말 결산서에 대한 감사보고서 포함) 또는 '사'목의 규정에 의하여 제출된 검토보고서 상의 감사 및 검토의견이 '한정의견'(또는 한정검토보고서)인 경우 경영상태 평점에서 5/100를, '부적정의견'(또는 부적정검토보고서) 또는 '의견거절'(또는 검토결론 표명거절)인 경우 10/100을 감점 처리하며, '마'목의 규정에 따라 합병 또는 분할합병한 업체는 합병대상업체 중 가장 낮은 업체의 감사의견을 적용하고 정당한 사유로 감사인 의견이 없는 합병 대상업체는 적정의견으로 본다.

6. 당해 공사의 입찰참가에 필요한 복수의 업종중 하나의 업종에만 등록하여도 입찰참가자

격을 부여하는 공사(「건설산업기본법」에 따른 건설공사는 제외한다)의 경우 입찰공고에 따라 경영상태, 시공경험은 해당분야의 배점한도를 부여할 수 있다. 다만, 「건설산업기본법」에 따른 건설공사 등에 대해 경영상태, 시공경험에 배점한도를 부여하지 않는 경우 경영상태, 시공경험은 입찰자의 입찰참가 업종을 기준으로 평가한다. <개정 2021.2.15..>

7. 관련협회가 심사분야별·항목별 평가자료를 관리하지 아니하거나 관련협회가 없는 등의 사유로 시스템에 등록된 자료 또는 조달청에 제출된 자료가 없는 업종은 입찰공고에 따라 해당 심사분야는 배점한도를 부여할 수 있다. <개정 2021.2.15..>

④ 신인도의 평가자료 제출, 평가방법은 입찰공고에서 달리 정한 경우를 제외하고는 다음 각 호와 같다. <개정 2021.12.30..>

1. 평가자료는 제2조제3항제1호에 따라 입찰서 제출마감일 전일까지 시스템에 등록된 자료로 평가하며, 조달청에서 시스템에 등록을 허용하지 않은 평가자료에 대해 제4조제1항에 따라 입찰자가 제출하는 자료에 의한다. 다만, 사전심사기준 제5조제3항의 적용은 이 기준 제4조제1항에서 정한 이의 신청기간까지 제출된 자료로 평가한다.
2. 신인도 평가는 해당 공사규모별 평가기준표 [별표 1] 내지 [별표 5]에 의한다.

⑤ 가산점 등으로 해당 심사분야별 평가점수가 배점한도를 초과하는 경우에는 배점한도를 적용한다.

⑥ 「건설산업기본법」에 따라 종합공사를 시공하는 업종(이하 “종합업종”이라 한다)을 등록한 건설사업자(이하 “종합건설사업자”라 한다)와 전문공사를 시공하는 업종(이하 “전문업종”이라 한다)을 등록한 건설사업자(이하 “전문건설사업자”라 한다)가 모두 참가할 수 있는 입찰(이하 “상호시장 진출을 허용한 입찰”이라 한다)의 시공경험, 경영상태(경영상태 심사방법 중 최근년도 부채비율 및 유동비율, 영업기간), 하도급관리계획의 적정성 평가는 다음 각 호와 같으며, 이 항에서 정하지 않은 심사항목은 [별표 1] 내지 [별표 5]를 따른다. <신설 2021.2.15.. 개정 2021.9.1. 2021.12.30., 2022.6.17.>

1. 시공경험 : 국토교통부고시 「종합·전문업종간 상호시장 진출을 위한 건설공사실적 인정기준」을 기준으로 한다.
   가. 전문건설사업자가 전문공사로 구성된 추정가격 10억원 이상인 종합공사에 참가하는 경우에는 입찰공고에 명시한 추정금액 기준 전문업종별 구성비율로 배점을 구분하고 각 전문업종별로 평가해 합산한다.
   나. 2023. 12. 31. 이전 입찰공고한 공사로서 전문건설사업자가 전문공사로 구성된 추정가격 10억원 미만 3억원 이상인 종합공사에 참가하는 경우에는 각 전문업종별 실적을 합산해 평가한다. 다만, 전문업종별 실적이 입찰공고에 명시한 각 전문업종별 추정금액(공동수급체 구성원은 추정금액에 전문업종의 공사참여 지분율을 곱한 값) 대비 1/5 미만인 업종이 있는 전문건설사업자는 입찰공고에 명시한 추정금액 기준 전문업종별 구성비율로 배점을 구분하고 각 전문업종별로 평가해 합산한다.
   다. 2024. 1. 1. 이후 입찰공고한 공사로서 전문건설사업자가 전문공사로 구성된 추정가격 10억원 미만 3억원 이상인 종합공사에 참가하는 경우에는 입찰공고에 명시한 추정금액 기준 전문업종별 구성비율로 배점을 구분하고 각 전문업종별로 평가해 합산한다.

라. 2021. 1. 1. 이후의 건설공사실적은 건설사업자가 상대시장(종합건설사업자의 경우 전문공사를, 전문건설사업자의 경우 종합공사를 말한다. 이하 같다)에서 수행한 건설공사실적으로 평가한다.

2. 경영상태(최근년도 부채비율 및 유동비율) : 관련협회가 조사·통보한 종합건설사업자 및 전문건설사업자의 가중평균비율을 기준으로 한다.

가. 종합건설사업자의 부채비율 및 유동비율은 종합건설사업자의 가중평균비율을 기준으로 등급을 정해 평가한다.

나. 전문건설사업자의 부채비율 및 유동비율은 전문건설사업자의 가중평균비율을 기준으로 등급을 정해 평가한다. 다만, 전문건설사업자가 전문공사에 참가하는 경우 전문건설사업자의 부채비율 및 유동비율은 해당 전문업종의 가중평균비율을 기준으로 등급을 정해 평가한다.

3. 경영상태(영업기간) : 건설사업자가 상호시장에 진출하는 경우(종합건설사업자가 전문공사에 참가하거나 전문건설사업자가 종합공사에 참가하는 경우)에는 건설사업자가 입찰참가하는 공사업종의 등록일 중 가장 빠른 날로부터 심사기준일까지의 기간 및 [별표 6]을 기준으로 영업기간을 산정한다.

4. 하도급관리계획의 적정성 : [별표 14]에도 불구하고 직접 시공하는 경우에는 배점한도를 부여한다.

⑦ 「건설산업기본법」 및 국토교통부고시 「건설공사 발주 세부기준」 제8조의2에 따라 주력업무분야를 시공자격으로 하는 전문공사 입찰의 시공경험 평가는 다음 각 호와 같으며, 이 항에서 정하지 않은 심사항목은 [별표 1] 내지 [별표 5]를 따른다. <신설 2021.12.30., 개정 2022.6.17..>

1. 전문·종합건설사업자가 전문공사의 주력업무분야에 참여하거나 전문건설사업자가 상호시장 진출 시 주력업무분야가 필요한 종합공사에 참여하는 경우에는 해당 주력업무분야 실적을 기준으로 한다.

2. 주력업무분야를 시공자격으로 하는 전문공사 입찰의 경우에는 제2조 제6항 및 제8항, 제3조의 "전문업종"은 "주력업무분야"로 본다.

⑧ 제6항에도 불구하고 「건설산업기본법」 및 국토교통부고시 「건설공사 발주 세부기준」 제9조에 따른 시설물유지관리업의 업무내용에 해당하는 완성된 시설물에 대한 개량·보수·보강하는 공사로서 전문업종(시설물유지관리업을 제외한다. 이하 이 항에서 같다) 2개 이상 복합된 전문공사(이하 "복합 시설물유지관리업 전문공사"라 한다) 입찰의 시공경험, 경영상태(경영상태 심사방법 중 최근년도 부채비율 및 유동비율, 영업기간), 하도급관리계획의 적정성 평가는 다음 각 호와 같으며, 이 항에서 정하지 않은 심사항목은 [별표 1] 내지 [별표

5]를 따른다. <신설 2021.9.1., 개정 2021.12.30., 2022.6.17.>

1. 시공경험 : 상호시장 진출을 허용한 입찰에서 종합건설사업자가 복합 시설물유지관리업 전문공사에 참가하는 경우에는 국토교통부 고시 「종합·전문업종간 상호시장 진출을 위한 건설공사실적 인정기준」에 따라 인정받은 전문업종 실적을 기준으로 한다.
   가. 시설물유지관리업을 등록한 건설사업자(이하 "시설물유지관리사업자"라 한다)가 복합 시설물유지관리업 전문공사에 참가하는 경우에는 시설물유지관리업 실적을 기준으로 한다.
   나. 전문건설사업자(시설물유지관리사업자를 제외한다. 이하 이 항에서 같다) 및 종합건설사업자가 추정가격 10억원 이상인 복합 시설물유지관리업 전문공사에 참가하는 경우에는 입찰공고에 명시한 추정금액 기준 전문업종별 구성비율로 배점을 구분하고 각 전문업종별로 평가해 합산한다.
   다. 2023. 12. 31. 이전 입찰공고한 공사로서 전문·종합건설사업자가 추정가격 10억원 미만 3억원 이상인 복합 시설물유지관리업 전문공사에 참가하는 경우에는 각 전문업종별 실적을 합산해 평가한다. 다만, 전문업종별 실적이 입찰공고에 명시한 각 전문업종별 추정금액(공동수급체 구성원은 추정금액에 전문업종의 공사참여 지분율을 곱한 값) 대비 1/5 미만인 업종이 있는 전문·종합건설사업자는 입찰공고에 명시한 추정금액 기준 전문업종별 구성비율로 배점을 구분하고 각 전문업종별로 평가해 합산한다.
   라. 2024. 1. 1. 이후 입찰공고한 공사로서 전문·종합건설사업자가 추정가격 10억원 미만 3억원 이상인 복합 시설물유지관리업 전문공사에 참가하는 경우에는 입찰공고에 명시한 추정금액 기준 전문업종별 구성비율로 배점을 구분하고 각 전문업종별로 평가해 합산한다.
   마. 「종합·전문업종간 상호시장 진출을 위한 건설공사실적 인정기준」 제2조제2항제2호에 따른 업종전환 이후의 건설공사실적은 건설사업자가 상대시장에서 수행한 건설공사 실적으로 평가한다.
2. 경영상태(최근년도 부채비율 및 유동비율) : 관련협회가 조사·통보한 시설물유지관리사업자 및 전문·종합건설사업자의 가중평균비율을 기준으로 한다.
   가. 시설물유지관리사업자의 부채비율 및 유동비율은 시설물유지관리업의 가중평균비율을 기준으로 등급을 정해 평가한다.
   나. 전문건설사업자의 부채비율 및 유동비율은 전문건설사업자의 가중평균비율을 기준으로 등급을 정해 평가한다.
   다. 종합건설사업자의 부채비율 및 유동비율은 종합건설사업자의 가중평균비율을 기준으로 등급을 정해 평가한다.
3. 경영상태(영업기간) : 종합건설사업자가 복합 시설물유지관리업 전문공사에 참가하는 경우에는 종합건설사업자가 입찰 참가하는 공사업종의 등록일 중 가장 빠른 날로부터 심사기준일까지의 기간 및 [별표 6]을 기준으로 영업기간을 산정한다.

4. 하도급관리계획의 적정성 : [별표 14]에도 불구하고 직접 시공하는 경우에는 배점한도를 부여한다.

제3조(공동수급체의 평가방법) ① 공동수급체의 수행능력("시공경험, 경영상태, 신인도"를 말하며 이하 같다) 평가는 다음 각 호와 같다. <개정 2021.2.15., 2021.9.1., 2021.12.30., 2022.6.17.>

1. 시공경험은 공동수급체 구성원별 각각의 시공경험에 시공비율을 곱한 후 이를 합산하여 평가한다. 다만, 「조달청 등급별 유자격자명부 등록 및 운용기준」에 의한 경쟁입찰공사의 경우 공동수급체 구성원이 각각 보유한 시공경험을 합산하되, 공동수급체 구성원 중 대표사보다 상위등급 업체일 경우에는 그 구성원의 시공경험에 시공비율을 곱한 실적을 합산한다.
2. 경영상태, 신인도는 공동수급체 구성원별로 각각 산출한 점수에 시공비율을 곱한 후 이를 합산해 평가한다. 다만, 제2조제6항제1호가목·나목 단서·다목, 제2조제8항제1호나목·다목 단서·라목에 따라 평가하는 경우 경영상태, 신인도는 공동수급체 구성원별로 산출한 점수에 평가대상 업종(평가대상 주력업무분야를 포함한다. 이하 같다)의 시공비율(전문업종별로 시공비율에 입찰공고에 명시한 추정금액 기준 구성비율을 곱한 후 이를 합산)을 곱한 후 이를 합산해 평가한다.
3. 제2조제3항제6호 내지 제7호에 따라 수행능력 중 일부 또는 전부에 배점한도를 부여하는 공동수급체 구성원의 경우에도 시공비율을 적용해 평가한다.
   가. 각 구성원의 시공비율은 주 공사에 해당하는 업종의 추정금액(도급자가 설치하지 아니하는 관급자재대를 제외하며, 이하 같다.)을 기준으로 산정하며 주공사 이외의 업종 해당 추정금액은 시공비율 산정에서 제외한다. 다만, 평가 대상업종 및 업종별 추정금액은 입찰공고 내용에 따른다.
   나. 건설산업기본법령 적용 공사로 추정가격이 50억원(전문공사는 5억원)이상인 경우 공동수급체 각 구성원의 시공비율 산정은 사전심사기준 제8조제2항에 의한다.
   다. 건설산업기본법령 이외의 법령을 적용받는 공사로 추정가격이 5억원 이상인 경우 공동수급체 각 구성원의 시공비율을 입찰금액(다른 법령에 의한 업종해당 입찰금액은 제외하며, 추정금액에 의한 해당업종의 구성비율을 입찰금액에 곱하여 산정한다. 업종별 추정금액은 입찰공고시 명시한다)에 곱한 금액이 시공능력공시액을 초과하는 경우 그 구성원의 시공비율은 시공능력공시액에 해당하는 시공비율로 평가하고 잔여 시공비율은 다른 구성원에게 배분하지 아니한다.

② 공동수급체 각 구성원의 시공비율은 입찰공고에서 다르게 정한 경우를 제외하고는 다음 각 호와 같으며, 평가대상 업종을 기준으로 산정한다. <개정 2021.2.15., 2021.9.1., 2021.12.30.>

1. 평가대상 업종이 건설산업기본법령의 적용을 받는 공사로서 평가대상 업종의 추정가격이 50억원(전문공사는 5억원) 이상인 경우 공동수급체 각 구성원의 시공비율은 다음 각 목에 따라 산정한다. 다만, 상호시장 진출을 허용한 입찰에서 시공비율 산정에 필요한

시공능력평가액이 공시되지 않는 등의 이유로 시공비율을 산정할 수 없는 경우에는 공동수급체 각 구성원의 평가대상 업종(제2조제6항제1호가목·나목 단서·다목에 따라 평가하는 경우에는 전문업종)의 공사참여 지분율을 시공비율로 본다.

가. 공동수급체 각 구성원의 시공능력평가액을 평가대상 업종의 추정금액(도급자가 설치하지 아니하는 관급자재 금액을 제외하며, 이하 같다.)으로 나누어 산정한다. 다만, 산정한 시공비율이 평가대상 업종의 공사참여 지분율을 초과하는 경우 시공비율은 평가대상 업종의 공사참여 지분율로 하고, 잔여 시공비율을 다른 구성원에게 배분하지 아니한다.

나. 토목건축공사업을 등록한 건설사업자의 시공비율은 평가대상 업종에 해당하는 토목 또는 건축분야의 시공능력평가액을 기준으로 산정한다.

다. 입찰자가 평가대상 업종에 단독(1인)으로 참가하는 경우에는 시공능력평가액에 따른 시공비율을 산정하지 아니한다.

2. 제1호에도 불구하고 평가대상 업종이 건설산업기본법령의 적용을 받는 복합 시설물유지관리업 전문공사로서 평가대상 업종의 추정가격이 5억원 이상인 경우 공동수급체 각 구성원의 시공비율은 다음 각 목에 따라 산정한다. 다만, 상호시장 진출을 허용한 입찰에서 시공비율 산정에 필요한 시공능력평가액이 공시되지 않는 등의 이유로 시공비율을 산정할 수 없는 경우에는 공동수급체 각 구성원(종합건설사업자)의 평가대상 업종(제2조제8항제1호나목·다목 단서·라목에 따라 평가하는 경우에는 전문업종)의 공사참여 지분율을 시공비율로 본다.

가. 시설물유지관리사업자의 시공능력평가액을 시설물유지관리업의 추정금액으로 나누어 산정한다. 다만, 산정한 시공비율이 시설물유지관리업의 공사참여 지분율을 초과하는 경우 시공비율은 시설물유지관리업의 공사참여 지분율로 하고, 잔여 시공비율을 다른 구성원에게 배분하지 아니한다.

나. 전문건설사업자(시설물유지관리사업자를 제외한다. 이하 이 호에서 같다)의 시공능력평가액을 전문업종(시설물유지관리업을 제외한다. 이하 이 호에서 같다)의 추정금액으로 나누어 전문업종별로 산정한다. 다만, 산정한 시공비율이 전문업종의 공사참여 지분율을 초과하는 경우 시공비율은 전문업종의 공사참여 지분율로 하고, 잔여 시공비율을 다른 구성원에게 배분하지 아니한다.

다. 제2조제8항제1호다목 본문에 따라 평가하는 전문건설사업자는 나목에도 불구하고 전문업종별로 나목에 따라 산정한 시공비율에 입찰공고에 명시한 추정금액 기준 구성비율을 곱한 후 이를 합산해 산정한다.

라. 입찰자가 평가대상 업종에 단독(1인)으로 참가하는 경우에는 시공능력평가액에 따른 시공비율을 산정하지 아니한다.

3. 평가대상 업종이 전기공사업법령, 정보통신공사업법령, 소방시설공사업법령 등의 적용을 받는 공사로서 평가대상 업종의 추정가격이 5억원 이상인 경우 공동수급체 각 구성원의

시공비율은 다음 각 목에 따라 산정한다.

가. 공동수급체 각 구성원의 시공능력평가액을 평가대상 업종의 입찰가격으로 나누어 산정한다. 다만, 산정한 시공비율이 평가대상 업종의 공사참여 지분율을 초과하는 경우 시공비율은 평가대상 업종의 공사참여 지분율로 하고, 잔여 시공비율을 다른 구성원에게 배분하지 아니한다.

나. 평가대상 업종의 입찰가격은 입찰자의 입찰가격(도급금액)에 입찰공고에 명시한 추정가격+부가가치세 대비 당해업종의 추정가격+부가가치세 구성비율을 곱하여 산정한 금액에 따른다.

다. 입찰자가 평가대상 업종에 단독(1인)으로 참가하는 경우에는 시공능력평가액에 따른 시공비율을 산정하지 아니한다.

4. 제1호 내지 제3호에 해당하지 않는 경우에는 평가대상 업종(제2조제6항제1호가목·나목 단서·다목, 제2조제8항제1호나목·다목 단서·라목에 따라 평가하는 경우에는 전문업종)의 공사참여 지분율을 시공비율로 본다.

5. 제1호 내지 제4호에도 불구하고 관련협회가 시공능력평가액을 공시하지 않거나 관련협회가 없는 등의 사유로 시공능력평가액이 공시되지 않는 업종을 포함한 공사는 입찰공고에 따라 평가대상 업종의 공사참여 지분율을 시공비율로 본다.

③ 공동수급체 구성원내에 당해 공사현장이 있는 특별시, 광역시, 도에 본사를 둔 지역업체의 가산평가는 [별표 17]에 따른다. 다만, 단독으로 입찰에 참가한 경우와 「독점규제 및 공정거래에 관한 법률」에 의한 상호출자제한기업집단소속 계열회사간 공동수급체를 구성하는 경우에는 적용하지 아니한다. <개정 2014.8.19., 2021.12.30.>

④ 다음 각호에 해당하는 경우에는 평가에서 제외한다. 이 경우 평가제외자의 시공비율은 다른 구성원에 배분하지 아니한다. 제2호에 해당하는 자에 대하여는 제2조의 평가기준에 따라 수행능력평가 분야에서 배점한도를 적용하는 심사항목의 경우에도 평가에서 제외한다. <개정 2021.2.15., 2021.9.1.. 2021.12.30.>

1. 공동수급체 구성원중 평가대상 업종 이외의 업종만을 공동도급으로 입찰에 참여한 자.
2. 공동수급체 구성원 중 이 기준 제3조제2항에 의하여 산정한 평가대상 업종의 시공비율(제2조제6항제1호가목·나목 단서·다목, 제2조제8항제1호나목·다목 단서·라목에 따라 평가하는 종합·전문건설사업자는 전문업종별로 시공비율에 입찰공고에 명시한 추정금액 기준 구성비율을 곱한 후 이를 합산)이 10%미만인 자.

제4조(적격심사 세부절차) ① 최저가 입찰자부터 당해공사 수행능력(신인도 평가요소 중 '당해계약에서의 표준 계약서 사용여부'및 시스템에 등록을 허용하지 않은 신인도는 해당분야 배점한도를 잠정 적용한다)과 입찰가격, 자재 및 인력조달 가격의 적정성(추정가격 100억원 미만 50억원 이상인 공사의 경우 [별표 12] 평가산식의 노무비와 제경비 적정성 평가는 배점한도를 적용하고 당해공사의 난이도 계수를 곱하여 산출한 점수를 잠정 적용한다), 하도급관리 계획의 적정성(배점한도를 잠정 적용한다)의 평가점수를 합산하여 예상종합평점이

적격통과점수(95점 이상)에 미달되는 각 입찰자에게는 평가점수를 통보하고 통보일로부터 3일 이내에 이의신청을 할 수 있도록 한다. 다만, 입찰가격점수와 다른 심사분야의 배점한도를 합산한 종합평점이 적격통과점수에 미달하는 입찰자에게는 평가점수를 통보하지 아니할 수 있다. <개정 2021.12.30.>

② 제1항에 의한 예상종합 평점이 적격통과점수 이상인 최저가 입찰자를 적격심사대상자로 선정하고, 추정가격 50억원 이상공사에 대하여는 [별표 13]의 하도급관리 계획서, 자재 및 인력조달가격 평가서류, 경영상태 평가서류(자재 및 인력조달가격 평가서류와 경영상태 평가서류는 추정가격 100억원 미만 50억원 이상인 공사의 경우에 한함), 표준하도급계약서 등의 사용계획서(신청자에 한함)[별표 18], 제2조제4항제1호에 따라 시스템에 등록을 허용하지 않은 신인도 평가자료(신청자에 한함)를 제출토록 하여 평가하며, 입찰자(적격심사 대상자)가 재무비율 및 신용평가 중 신용평가를 선택한 경우는 회사채·기업어음·기업신용평가등급 등 신용평가기관의 공시내용을 확인하여 평가하고, 제출기한은 통보를 받은 날로부터 7일(경영상태 평가서류는 10일) 이내로 한다. <개정 2021.12.30.>

③ 당해공사 수행관련 결격사유인 기술자 보유 미달 여부를 확인할 수 있는 서류를 제출하게 하며, 제출기한은 통보를 받은 날로부터 7일 이내로 한다.

④ 제2항에 의하여 제출된 하도급 관리계획서와 자재 및 인력조달가격의 적정성은 [별표 14]와 [별표 12]에 따라 평가한다. <개정 2021.12.30.>

⑤ 적격심사 결과 종합평점이 적격통과점수이상인 경우에는 낙찰예정자로 선정하며, 제2항에 따라 제출한 서류의 미비, 오류, 불명확 등으로 종합평점이 적격통과점수 미만인 때에는 1회에 한하여 보완하게 할 수 있으며 그 기간은 3일 이내로 한다.

⑥ <삭제> <개정 2013.6.26>

⑦ 제2항에서 규정한 평가서류의 제출요구를 받고 소정의 기일까지 서류를 제출하지 않거나, 제5항에 따라 요청한 보완서류를 기한내에 제출하지 않는 경우 및 보완 후에도 종합평점이 적격통과점수에 미달하는 경우에는 낙찰대상에서 제외하고 차 순위 입찰자에 대하여 동일한 방법으로 심사하여 낙찰자를 결정한다.

⑧ 입찰자가 제출한 입찰내역서중 발주기관이 배부한 내역서상의 공종별 목적물 물량의 누락 또는 변경된 공종·수량에 대한 예정가격조서상의 금액이 예정가격의 5/100이상인 경우에도 계약 체결 시까지 보완하게 할 수 있다.

⑨ 적격심사에 소요되는 행정소요일수를 감안하여 계약담당공무원이 필요하다고 인정하는 경우에는 예정가격 이내 입찰자를 대상으로 동시에 적격심사를 할 수 있다. <신설 2021.2.15>

제5조(순공사원가 기준 낙찰 배제 세부절차) ① 예정가격이 100억원 미만인 공사인 경우에는 입찰가격을 예정가격 중 다음 각 호에 해당하는 금액의 합계액(이하 이 조에서 "순공사원가"라 한다)의 100분의 98 미만으로 입찰한 자는 심사대상에서 제외한다.

1. 재료비·노무비·경비
2. 제1호에 대한 부가가치세

② 예정가격 중 순공사원가는 다음 각 호와 같이 산정한다.
1. (예비가격기초금액 중 재료비, 노무비, 경비와 이에 대한 부가가치세를 합산한 금액) × (예정가격 / 예비가격기초금액)
2. 제1호에 따라 산정한 값의 소수점 첫째자리 이하는 절상한다.

③ 예정가격 중 순공사원가의 100분의 98은 다음 각 호와 같이 산정한다.
1. (제2항에 따라 산정한 예정가격 중 순공사원가) × (98 / 100)
2. 제1호에 따라 산정한 값의 소수점 첫째자리 이하는 절상한다.

제6조(적격심사 결격 및 재심사) ① 적격심사대상자가 낙찰자 선정 이전에 부도(부도업체에 대한 법원의 회생절차개시결정이 있는 경우에는 제외한다)·파산·해산·부정당업자 제재·영업정지·입찰무효 등의 상태에 있는 경우에는 당해공사 수행능력 결격사유로 본다.

② 적격심사대상자가 입찰공고일 현재 공사관련 법령이 정하는 업종 등록기준의 기술자 보유기준에 미달하는 경우에는 당해공사 수행능력 결격사유로 본다. 다만, 공사관련 법령에서 정한 일시적 등록기준 미달(4대보험 가입자격상실 확인서상 퇴사일 기준)로서 입찰서 제출 마감일 전일까지 4대보험 관련기관에 자격취득 사실을 신고하고 등록기준을 충족하는 경우에는 등록기준 미달로 보지 아니한다.

③ 복합업종 공사의 경우 전체 업종을 대상으로 각 업종 등록기준의 기술자 보유기준 미달여부를 확인하며, 공동수급체의 경우 전체 구성원(공동이행방식 및 분담이행방식)에 대하여 각 구성원이 참여한 업종을 대상으로 당해업종 등록기준의 기술자 보유기준 미달여부를 확인한다.

④ 기술자 보유기준 미달여부 확인은 입찰공고일 현재를 기준으로 공사관련 법령에 따라 기술자 정보를 관리하는 협회로부터 통보되어 시스템에 등록된 자료나 직접 발급받은 자료를 제출받아 확인한다. 다만, 협회에서 관리하는 자료로 확인할 수 없는 경우에는 적격심사대상자로부터 기술자 자격증 사본, 4대 보험 가입증명서류 등 필요한 자료를 제출받아 확인할 수 있다.

⑤ 공동수급체 구성원 중 대표자가 제1항 또는 제2항에 해당하는 경우에는 당해 공동수급체의 결격사유로 보며, 대표자 이외의 구성원이 제1항 또는 제2항에 해당하는 경우에는 해당 구성원을 제외하고 잔존구성원의 출자비율 또는 분담내용을 변경하게 하여 재심사한다.

⑥ 상호시장 진출을 허용한 입찰에서 입찰자가 상호시장에 진출하는 경우(종합건설사업자가 전문공사에 참가하거나 전문건설사업자가 종합공사에 참가하는 경우) 입찰참가 등록마감일까지 당해 공사를 시공하는 업종의 등록기준을 갖추어야 하고, 등록기준에 미달하는 경우에는 낙찰자 결정 대상에서 제외된다. <신설 2021.2.15>

제7조(부정한 방법으로 심사서류를 제출한 자의 처리) 적격심사대상자가 이 세부기준의 규정에 따라 제출한 서류중 부정 또는 허위로 작성된 서류가 포함된 것으로 판명된 때에는 적격심사기준 제10조의 규정에 따라 처리한다.

제8조(기타사항) ① 이 세부기준에 정하지 아니한 사항에 대하여는 「적격심사기준」, 「입찰참

가자격 사전심사요령」 등 관련 계약예규와 사전심사기준 등 조달청 집행기준을 적용하며, 공사의 특성에 따라 이 기준을 적용하기 곤란하다고 인정되는 사항에 대하여는 입찰공고에 별도로 정하여 집행할 수 있다.

② 이 기준 내용 중 계산결과 소수점이하의 숫자가 있는 경우 별도로 정하지 아니한 때에는 다음 각 호에 따라 산정 한다. <개정 2021.2.15>

1. 시공비율의 소수점 여섯째 자리 이하는 버림 한다.
2. 시공경험, 기술능력, 시공평가결과, 경영상태, 신인도, 자재 및 인력조달가격의 적정성, 하도급 관리계획의 적정성 평가에 대해 해당분야별 평가 최종단계 점수의 소수점 셋째 자리 이하는 올림 한다.
3. 기타 평가 최종단계 점수의 소수점 셋째 자리 이하는 올림 한다.

제9조(재검토기한) 「훈령·예규 등의 발령 및 관리에 관한 규정」에 따라 이 지침에 대하여 2022년 6월 20일 기준으로 매3년이 되는 시점(매 3년째의 12월 31일까지를 말한다)마다 그 타당성을 검토하여 개선 등의 조치를 하여야 한다.

부 칙

이 기준은 2012년 5월 1일 입찰공고하는 공사부터 적용한다.

부 칙〈2012. 8. 23〉

이 지침은 2012년 8월 25일부터 시행한다.

부 칙〈2013. 6. 26〉

이 지침은 2013년 7월 1일부터 시행한다.

부 칙〈2014. 1. 13〉

이 지침은 2014년 1월 14일부터 시행한다.

부 칙〈2014. 8. 19〉

이 지침은 2014년 9월 1일 입찰공고하는 공사부터 적용한다.

부　　칙〈2015. 1. 29〉

이 지침은 2015년 2월 1일 입찰공고하는 공사부터 적용한다.

부　　칙〈2015. 12. 23〉

이 지침은 2016년 1월 1일 입찰공고하는 공사부터 적용한다.

부　　칙〈2016. 10. 4〉

이 지침은 2016년 10월 15일 입찰공고하는 공사부터 적용한다.

부　　칙〈2017. 1. 16〉

이 지침은 2017년 1월 16일 입찰공고하는 공사부터 적용한다.

부　　칙〈2018. 6. 26〉

이 지침은 2018년 7월 16일 입찰공고하는 공사부터 적용한다.

부　　칙〈2019. 3. 4〉

이 지침은 2019년 3월 5일 입찰공고하는 공사부터 적용한다.

부　　칙〈2019. 6. 13〉

이 지침은 2019년 6월 15일 입찰공고하는 공사부터 적용한다. 다만, [별지 #1]부터 [별지 #7]까지의 입찰가격 평가 및 [별표 6]의 주2) 개정규정은 2019년 8월 1일 입찰공고하는 공사부터 적용한다.

부　　칙〈2019. 12. 18〉

이 지침은 2019년 12월 18일 입찰공고하는 공사부터 적용한다.

부　　칙〈2020. 3. 16〉

이 지침은 2020년 3월 18일 입찰공고하는 공사부터 적용한다.

부　　칙〈2020. 5. 26〉

이 지침은 2020년 5월 27일 입찰공고하는 공사부터 적용한다.

부　　칙〈2020. 12. 26.〉

이 지침은 2021년 1월 1일 입찰공고하는 공사부터 적용한다.

부　　칙〈2021. 2. 15.〉

이 지침은 2021년 2월 15일 입찰공고하는 공사부터 적용한다. 다만, 2021년 3월 27일 입찰공고분까지 제3조제2항제2호나목의 '추정가격+부가가치세'를 '추정금액'으로 적용하며, [별지 #3] 내지 [별지 #7]의 입찰가격 평가 및 [별표7-1]의 개정규정은 2021년 3월 28일 입찰공고하는 공사부터 적용한다.

부　　칙 〈2021. 9. 1.〉

이 지침은 2021년 9월 1일 입찰공고하는 공사부터 적용한다.

부　　칙〈2021. 12. 30.〉

이 지침은 2022년 1월 1일 입찰공고하는 공사부터 적용한다.

부　　칙〈2022. 2. 11.〉

이 지침은 2022년 2월 14일 입찰공고하는 공사부터 적용한다.

부　　칙〈2022. 6. 17.〉

이 지침은 2022년 6월 20일 입찰공고하는 공사부터 적용한다.

[별지]

평 가 기 준 표

1. <삭제>

2. <삭제>

3. 추정가격 100억원 미만 50억원 이상인 공사의 평가기준 : 별지 #3

4. 추정가격 50억원 미만 10억원 이상(전문공사 및 전기·정보통신·소방시설·문화재공사 등은 50억원 미만 3억원 이상)인 공사의 평가기준 : 별지 #4

5. 추정가격 10억원 미만 3억원 이상인 일반건설공사의 평가기준: 별지 #5

6. 추정가격 3억원 미만 2억원 이상(전기·정보통신·소방시설·문화재공사 등은 3억원 미만 8천만원 이상, 전문공사는 3억원 미만 1억원 이상)인 공사의 평가기준 : 별지 #6

7. 추정가격 2억원 미만(전기·정보통신·소방시설·문화재공사 등은 8천만원미만, 전문공사는 1억원 미만)인 공사의 평가기준 : 별지 #7

[별표 1] 〈개정 2020.3.18., 2020.12.26., 2021.2.15., 2021.9.1., 2021.12.30., 2022.6.17.〉

추정가격 100억원 미만 50억원 이상인 공사의 평가기준

1. 수행능력 평가(30점)

○ 시공경험, 경영상태, 신인도의 심사항목 점수를 합산하여 평가하며 점수는 심사분야별로 각각 평가한다.

○ 시공경험(15점) : 입찰방법에 따라 선택 적용

입 찰 방 법	실 적 사 항	점 수 배 점	비 고
실적에 의한 경쟁입찰공사(15점) [주)1. 참조]	최근 10년간 당해공사와 동일한 종류의 공사실적	최근 10년간 당해공사와 동일한 종류의 공사실적을 평가 기준 규모로 나누어 백분율로 나타낸 값을 포함하는 등급으로 배점 A : 100% 이상 : 15.0점 B : 85% 이상 : 13.7점 C : 70% 이상 : 12.4점 D : 50% 이상 : 11.0점 E : 30% 이상 : 9.7점 F : 30% 미만 : 8.2점	
실적에 의한 경쟁입찰 이외의 경쟁입찰공사(15점) [주)2. 내지 5. 참조 (주력업무분야를 시공자격으로 하는 전문공사 입찰의 경우에는 "전문업종"은 "주력업무분야"로, "업종"은 "업무분야"로 본다.)]	최근 5년간 당해공사 업종(또는 주력업무 분야)의 공사실적(금액)	점수 = 실적계수×15 (단, 평점상한은 15점임) *실적계수=당해공사 업종(또는 주력업무 분야)의 실적 합계액÷(예비가격기초금액×B**) **B=2 (단, '조달청등급별유자격자명부등록 및 운용기준'에 의한 경쟁입찰공사는 토목공사에서 B=1, 건축공사에서 B=2를 적용한다.)	실적은 업종별(토목, 건축, 전문 업종별, 전기, 정보통신, 소방시설, 문화재 등) 또는 주력업무분야별로 구분적용함

주) 1. 입찰공고에서 특별히 규정한 경우를 제외하고는 평가기준규모는 당해 시공실적대상공사(종)의 단위구조물에 대한 규모로 하며, 동일한 종류의 공사실적으로 인정하는 규모는 입찰참가자격에서 정한 규모로 한다. (평가기준 규모와 공사실적 인정기준 규모는 입찰공고에 명시)

2. 업종별 공사실적은 관급자재 금액을 제외한 금액을 기준으로 한다.

2.1 종합건설사업자가 전문공사에 참가하거나 전문건설사업자가 종합공사에 참가하는 경우 평가대상(입찰참가) 업종 공사실적은 국토교통부고시 「종합·전문업종간 상호시장 진출을 위한 건설공사실적 인정기준」을 기준으로 한다.

3. 공동수급체는 4. 내지 7.에 따라 각 공동수급체 구성원(대표자 포함)의 최근 5년간 평가대상(입찰참

가) 업종 공사실적 합계액에 각 공동수급체 구성원의 시공비율을 곱해 산정한 금액을 합산한 금액으로 평가한다(평가대상 업종 및 업종별 추정금액은 입찰공고에서 명시). 다만, 「조달청 등급별 유자격자명부 등록 및 운용기준」에 따른 경쟁입찰공사는 4. 및 제3조제1항제1호 단서조항에 따라 평가한다.

4. 종합공사 평가 : 공동수급체로서 종합공사에 참가하는 각 공동수급체 구성원(대표자 포함)은 4.1 내지 4.3을 따른다.

4.1 종합건설사업자는 종합업종 공사실적에 시공비율을 곱해 산정한 금액(제3조제1항제1호에 따라 보유한 시공경험을 합산하는 경우에는 공사실적)을 기준으로 한다.

4.1.1 주계약자관리방식으로 참가하는 공동수급체 구성원(주계약자 제외)은 종합업종 공사실적에 시공비율을 곱해 산정한 금액(제3조제1항제1호에 따라 보유한 시공경험을 합산하는 경우에는 공사실적)을 "예비가격기초금액×B×시공비율" 까지만 인정한다.

* B=2(다만, 「조달청 등급별 유자격자명부 등록 및 운용기준」에 의한 경쟁입찰공사는 토목공사 B=1, 건축공사 B=2)

4.2 전문건설사업자는 전문업종별로 공사실적에 시공비율을 곱해 산정한 금액(제3조제1항제1호에 따라 보유한 시공경험을 합산하는 경우에는 공사실적)을 기준으로 한다.

4.2.1 주계약자관리방식으로 참가하는 공동수급체 구성원(주계약자 제외)은 전문업종별로 공사실적에 시공비율을 곱해 산정한 금액(제3조제1항제1호에 따라 보유한 시공경험을 합산하는 경우에는 공사실적)을 "전문업종 예비가격기초금액×B×시공비율" 까지만 인정한다.

4.2.2 전문업종별 배점은 평점상한에 입찰공고에서 명시한 추정금액 기준 해당 전문업종 구성비율을 곱하여 산정한다. 전문업종별 평가의 점수는 전문업종별 배점한도까지만 인정하며, 전문업종별 평가점수가 배점을 초과하더라도 다른 전문업종에 배분하지 아니한다.

4.2.3 전문업종별 평가기준규모(금액)는 예비가격기초금액×B에 입찰공고에서 명시한 추정금액 기준 해당 전문업종 구성비율을 곱하여 산정한다.

4.2.4 전문업종별 평가점수는 4.2 및 4.2.1에 따라 산정한 금액을 4.2.3의 전문업종별 평가기준규모(금액)로 나눈 값에 4.2.2의 전문업종별 배점을 곱하여 산정한다.

4.2.5 전문업종별 평가점수는 합산하여 시공경험 평가점수를 산정한다.

4.3 전문건설사업자가 상호시장 진출 허용 입찰로 종합공사실적을 보유하고 있는 경우에는 동 실적으로 시공경험을 우선 평가한다.

4.3.1 전문건설사업자의 상호시장진출허용입찰로 보유한 종합공사실적에 해당 전문업체의 시공비율을 곱하여 금액을 산정한다.

4.3.2 배점은 평점상한을 적용한다.

4.3.3 평가기준규모(금액)는 예비가격기초금액×B를 적용한다.

4.3.4 평가점수는 4.3.1에 따라 산정한 금액을 4.3.3의 평가기준규모(금액)로 나눈 값에 4.3.2 배점을 곱한다.

4.3.5 4.3.4의 평가점수는 4.2.5의 전문업종별 평가점수에 합산한다.

4.3.6 4.2.3의 전문업종별 평가기준규모 및 4.2.2의 전문업종별 배점은 4.3.1의 시공비율을 적용한 종합공사실적 및 종합공사실적에 해당하는 점수를 제외하고 산정한다.

4.3.7 종합건설사업자와 전문건설사업자간 공동수급체를 구성한 경우에도 4.3.6을 적용한다.

5. 전문공사(복합 시설물유지관리업 전문공사 제외) 평가 : 공동수급체로서 전문공사에 참가하는 각 공동수급체 구성원(대표자 포함)은 전문업종 공사실적에 시공비율을 곱해 산정한 금액을 기준으로 한다.

5.1 다만, 제2조제7항제1호에 따라 평가하는 전문·종합건설사업자는 주력업무분야 공사실적에 시공비율을 곱해 산정한 금액을 기준으로 한다.

6. 복합 시설물유지관리업 전문공사 평가 : 공동수급체로서 복합 시설물유지관리업 전문공사에 참가하는 각 공동수급체 구성원(대표자 포함)은 6.1 내지 6.2를 따른다.

6.1 시설물유지관리사업자는 시설물유지관리업 공사실적에 시공비율을 곱해 산정한 금액을 기준으로 한다.

6.2 전문건설사업자(시설물유지관리사업자 제외) 및 종합건설사업자는 전문업종(시설물유지관리업 제외)별로 공사실적에 시공비율을 곱해 산정한 금액을 기준으로 한다.

6.2.1 전문업종별 배점은 평점상한에 입찰공고에서 명시한 추정금액 기준 해당 전문업종 구성비율을 곱하여 산정한다. 전문업종별 평가의 점수는 전문업종별 배점한도까지만 인정하며, 전문업종별 평가점수가 배점을 초과하더라도 다른 전문업종에 배분하지 아니한다.

6.2.2 전문업종별 평가기준규모(금액)는 예비가격기초금액×2에 입찰공고에서 명시한 추정금액 기준 해당 전문업종 구성비율을 곱하여 산정한다.

6.2.3 전문업종별 평가점수는 6.2에 따라 산정한 금액을 6.2.2의 전문업종별 평가기준규모(금액)로 나눈 값에 6.2.1의 전문업종별 배점을 곱하여 산정한다.

6.2.4 전문업종별 평가점수는 합산하여 시공경험 평가점수를 산정한다.

7. 전기·정보통신·소방시설·문화재공사 등 평가 : 공동수급체로서 전기·정보통신·소방시설·문화재공사 등에 참가하는 각 공동수급체 구성원(대표자 포함)은 해당 업종 공사실적에 시공비율을 곱해 산정한 금액을 기준으로 한다.

○ 경영상태(15점) : 입찰자가 제출하는 재무비율 등(최근년도 부채비율 및 유동비율, 영업기간) 또는 신용평가등급 자료 중 어느 하나로 평가한다.

- 재무비율의 점수 = [별표 6] 경영상태평가기준에 의한 종합평점×15/45로 한다.
- 신용평가에 의한 점수는 [별표 10]에 의한다.

○ 종합공사 신인도(±0.9) : (사전심사기준에 의한 신인도 평점+근로시간 조기단축 신인도 평점)×18/100

- 사전심사기준에 의한 신인도 평점 : 사전심사기준 [별표3] 신인도 평가에 따른다.(다만, 사전심사기준 신인도 평가 심사항목 ‘다. 건설재해 및 제재처분’ 10) 평가 시 감점항목은 적용하지 않고, ‘사. 기타’ 25)는 평가하지 않음)
- 근로시간 조기단축 신인도 평점 : 근로시간 단축의 시행시기 도래 이전 근로시간을 52시간으로 단축하여 시행한 업체로서 고용노동부로부터 근로시간 단축 확인을 받은 업체는 1점 부여('21. 6. 30. 까지 부여)
- 전문건설사업자가 종합공사에 참가하는 경우 사전심사기준 신인도 평가 심사항목 ‘나. 하도급 관련사항’ 4) 당해계약에서의 표준계약서 사용여부는 배점한도 부여
- 시공경험, 경영상태, 신인도 평가점수의 합이 수행능력 배점한도를 초과할 수 없음

○ 전문·전기·정보통신·소방시설·문화재공사 등 신인도(±0.9) : 다음과 같이 평가한 점수에 100분의 30을 곱해 산정

- 시공경험, 경영상태, 신인도 평가점수의 합이 수행능력 배점한도를 초과할 수 없음

신인도 평가

구분	심사항목	등급 및 평점
시공업체로서의 성실성	최근 1년간 「건설산업기본법」에서 정한 벌금 이상의 행정형벌, 영업정지, 영업·면허·등록취소 처분 또는 과징금 부과처분을 받은 자	사전심사기준 신인도 평가 심사항목 중 '가 시공업체로서의 성실성' 1)에 따름
	국토교통부장관이 평가 통보한 부실벌점 (최근 2년간 건설업체별 누계평균 부실벌점)	사전심사기준 신인도 평가 심사항목 중 '가 시공업체로서의 성실성' 2)에 따름
하도급 관련사항	최근 2년간 공정거래위원회 위원장으로부터 불공정하도급거래행위로 과징금 부과 처분을 받은 사실이 있는 자	사전심사기준 신인도 평가 심사항목 중 '나. 하도급 관련사항 ' 5)에 따름
	최근 2년 이내에 공정거래위원장으로부터 하도급 상습 위반자로 통보 받은 자	사전심사기준 신인도 평가 심사항목 중 '나. 하도급 관련사항 ' 6)에 따름
건설재해 및 제재처분	최근 1년동안 「산업안전보건법」 제30조제3항에 따른 산업안전보건관리비 사용의무를 위반하여 목적외 사용금액이 1,000만원을 초과하거나 사용내역서를 작성·보존하지 아니한 자	사전심사기준 신인도 평가 심사항목 중 '다. 건설재해 및 제재처분' 12)에 따름
	최근 1년동안 「산업안전보건법시행규칙」 별표 1 제1호 및 제6호에 따른 산업재해발생 보고의무 위반건수가 배분된 자	사전심사기준 신인도 평가 심사항목 중 '다. 건설재해 및 제재처분' 13)에 따름
	최근 1년동안 산업안전보건법령 위반으로 동일현장에서 벌금이상의 행정형벌을 2회 이상 받은 자	사전심사기준 신인도 평가 심사항목 중 '다. 건설재해 및 제재처분' 14)에 따름
	최근 1년간 환경관련법령에 따른 벌금이상의 행정형벌, 영업정지, 과징금 이상의 처벌을 받은 자	사전심사기준 신인도 평가 심사항목 중 '다. 건설재해 및 제재처분' 15)에 따름
일자리 창출기업	일자리창출 실적(고용인력 증가 등)이 확인되는 자	사전심사기준 신인도 평가 심사항목 중 '바. 일자리창출 관련' 24)에 따름
근로시간 조기단축 기업	근로시간 단축의 시행시기 도래 이전 근로시간을 52시간으로 단축하여 시행한 업체로서 고용노동부로부터 근로시간 단축 확인을 받은 업체 ('21. 6. 30. 까지 부여)	+1

주) 사전심사기준. [별표 3] 신인도평가 주 2)는 적용하지 않는다.

2. 입찰가격 평가 (50점)

○ $50 - 2 \times \left| \left(\frac{88}{100} - \frac{\text{입찰가격-A}}{\text{예정가격-A}} \right) \times 100 \right|$ = 입찰가격점수

- A : 국민연금, 건강보험, 퇴직공제부금비, 노인장기요양보험, 산업안전보건관리비, 안전관리비, 품질관리비의 합산액
- ㅣ ㅣ는 절대값 표시임
- (입찰가격-A)을 (예정가격-A)으로 나눈 결과 소수점 이하의 숫자가 있는 경우에는 소수점 다섯째자리에서 반올림한다.

○ (입찰가격-A)이 (예정가격-A) 이하로서 (예정가격-A)의 100분의 90.5 이상인 경우의 평점은 45점으로 한다.

○ 최저 평점은 2점으로 한다.

3. 자재 및 인력조달 가격의 적정성 평가(10점)

○ [별표 12] 자재 및 인력조달가격의 적정성 평가기준에 의한다.

4. 하도급관리계획의 적정성 평가(10점)

○ [별표 13]의 하도급관리계획서를 대상으로 [별표 14]의 평가방법에 의한다.

[별표 2] 〈개정 2020.5.27, 2020.12.26. 2021.2.15., 2021.9.1., 2021.12.30., 2022.6.17.〉

추정가격 50억원 미만 10억원 이상(전기·정보통신·소방시설·문화재공사 등은 50억원 미만 3억원 이상)인 공사의 평가기준

1. 수행능력 평가(30점)

○ 시공경험(15점) : 입찰방법에 따라 선택 적용

입 찰 방 법	실 적 사 항	점 수 배 점	비 고
실적에 의한 경쟁입찰공사(15점)	최근 10년간 당해공사와 동일한 종류의 공사실적	최근 10년간 당해공사와 동일한 종류의 공사실적을 평가 기준 규모로 나누어 백분율로 나타낸 값을 포함하는 등급으로 배점 A : 75% 이상 : 15.0점 B : 65% 이상 : 13.7점 C : 55% 이상 : 12.4점 D : 45% 이상 : 11.0점 E : 30% 이상 : 9.7점 F : 30% 미만 : 8.2점	실적인정 등은 [별표 1]의 주)1. 과 같음
실적에 의한 경쟁입찰 이외의 경쟁입찰공사(15점) [주)1. 내지 7. 참조(주력업무분야를 시공자격으로 하는 전문공사 입찰의 경우에는 "전문업종"은 "전문업무분야"로, "업종"은 "업무분야"로 본다.)]	최근 5년간 당해공사 업종(또는 주력업무분야의 공사실적 (금액)	점수 = 실적계수×15.0 (단,평점상한은 15.0점임) *실적계수 = 당해공사 업종(또는 주력업무분야)의 실적합계액÷(예비가격기초금액×1)	실적은 업종별(토목, 건축, 전문업종별, 전기, 정보통신, 소방시설, 문화재 등) 또는 주력업무분야별로 구분적용함

주) 1. 추정가격 10억원 미만의 전기·정보통신·소방시설·문화재공사 등의 실적계수 산정은 예비가격기초금액의 1/2 대비 실적합계액으로 평가한다.

2. 업종별 공사실적은 관급자재 금액을 제외한 금액을 기준으로 한다.

2.1 종합건설사업자가 전문공사에 참가하거나 전문건설사업자가 종합공사에 참가하는 경우 평가대상(입찰참가) 업종 공사실적은 국토교통부고시 「종합·전문업종간 상호시장 진출을 위한 건설공사실적 인정기준」을 기준으로 한다.

3. 공동수급체는 4. 내지 7.에 따라 각 공동수급체 구성원(대표자 포함)의 최근 5년간 평가대상(입찰참가) 업종 공사실적 합계액에 각 공동수급체 구성원의 시공비율을 곱해 산정한 금액을 합산한 금액으로 평가한다(평가대상 업종 및 업종별 추정금액은 입찰공고에서 명시). 다만, 「조달청 등급별 유자격자명부 등록 및 운용기준」에 따른 경쟁입찰공사는 4. 및 제3조제1항제1호 단서조항에 따라 평가한다.

3.1 공동수급체로서 참가하는 신설사업자는 최근 5년간 평가대상(입찰참가) 업종 공사실적 합계액이 예비가격기초금액의 1/2배 이상 1배 미만인 경우 실적계수 산정을 위한 공사실적을 예비가격기초금액의 1배

로 본다. 다만, 공동수급체로서 추정가격 10억원 미만인 전기·정보통신·소방시설·문화재공사 등에 참가하는 신설사업자는 최근 5년간 평가대상(입찰참가) 업종 공사실적 합계액이 예비가격기초금액의 1/2배 미만인 경우 실적계수 산정을 위한 공사실적을 예비가격기초금액의 1/2배로 본다.

3.2 공동수급체 내 각 신설사업자의 공사참여 지분율이 20%를 초과하는 경우 해당 신설사업자는 3.1 적용에서 제외하며, 공동수급체 내 모든 신설사업자의 공사참여 지분율의 합이 40%를 초과하는 경우 공동수급체 내 모든 신설사업자를 3.1 적용에서 제외한다.

3.3 3.1 내지 3.2에 따른 신설사업자는 등록기간(양수·양도를 통한 영업기간 합산) 3년 미만인 사업자를 의미한다.

4. 종합공사 평가 : 공동수급체로서 종합공사에 참가하는 각 공동수급체 구성원(대표자 포함)은 4.1 내지 4.3을 따른다.

4.1 종합건설사업자는 종합업종 공사실적에 시공비율을 곱해 산정한 금액(제3조제1항제1호에 따라 보유한 시공경험을 합산하는 경우에는 공사실적)을 기준으로 한다.

4.1.1 주계약자관리방식으로 참가하는 공동수급체 구성원(주계약자 제외)은 종합업종 공사실적에 시공비율을 곱해 산정한 금액(제3조제1항제1호에 따라 보유한 시공경험을 합산하는 경우에는 공사실적)을 "예비가격기초금액×1×시공비율" 까지만 인정한다.

4.2 전문건설사업자는 전문업종별로 공사실적에 시공비율을 곱해 산정한 금액(제3조제1항제1호에 따라 보유한 시공경험을 합산하는 경우에는 공사실적)을 기준으로 한다.

4.2.1 주계약자관리방식으로 참가하는 공동수급체 구성원(주계약자 제외)은 전문업종별로 공사실적에 시공비율을 곱해 산정한 금액(제3조제1항제1호에 따라 보유한 시공경험을 합산하는 경우에는 공사실적)을 "전문업종 예비가격기초금액×1×시공비율" 까지만 인정한다.

4.2.2 전문업종별 배점은 평점상한에 입찰공고에서 명시한 추정금액 기준 해당 전문업종 구성비율을 곱하여 산정한다. 전문업종별 평가의 점수는 전문업종별 배점한도까지만 인정하며, 전문업종별 평가점수가 배점을 초과하더라도 다른 전문업종에 배분하지 아니한다.

4.2.3 전문업종별 평가기준규모(금액)는 예비가격기초금액×1에 입찰공고에서 명시한 추정금액 기준 해당 전문업종 구성비율을 곱하여 산정한다.

4.2.4 전문업종별 평가점수는 4.2 및 4.2.1에 따라 산정한 금액을 4.2.3의 전문업종별 평가기준규모(금액)로 나눈 값에 4.2.2의 전문업종별 배점을 곱하여 산정한다.

4.2.5 전문업종별 평가점수는 합산하여 시공경험 평가점수를 산정한다.

4.3 전문건설사업자가 상호시장 진출 허용 입찰로 종합공사실적을 보유하고 있는 경우에는 동 실적으로 시공경험을 우선 평가한다.

4.3.1 전문건설사업자의 상호시장진출허용입찰로 보유한 종합공사실적에 해당 전문업체의 시공비율을 곱하여 금액을 산정한다.

4.3.2 배점은 평점상한을 적용한다.

4.3.3 평가기준규모(금액)는 예비가격기초금액×1을 적용한다.

4.3.4 평가점수는 4.3.1에 따라 산정한 금액을 4.3.3의 평가기준규모(금액)로 나눈 값에 4.3.2 배점을 곱한다.

4.3.5 4.3.4의 평가점수는 4.2.5의 전문업종별 평가점수에 합산한다.

4.3.6 4.2.3의 전문업종별 평가기준규모 및 4.2.2의 전문업종별 배점은 4.3.1의 시공비율을 적용한 종합공사실적 및 종합공사실적에 해당하는 점수를 제외하고 산정한다.

4.3.7 종합건설사업자와 전문건설사업자간 공동수급체를 구성한 경우에도 4.3.6을 적용한다.

5. 전문공사(복합 시설물유지관리업 전문공사 제외) 평가 : 공동수급체로서 전문공사에 참가하는 각 공동수급체 구성원(대표자 포함)은 전문업종 공사실적에 시공비율을 곱해 산정한 금액을 기준으로 한다.

5.1 다만, 제2조제7항제1호에 따라 평가하는 전문·종합건설사업자는 주력업무분야 공사실적에 시공비율을 곱해 산정한 금액을 기준으로 한다.

6. 복합 시설물유지관리업 전문공사 평가 : 공동수급체로서 복합 시설물유지관리업 전문공사에 참가하는 각 공동수급체 구성원(대표자 포함)은 6.1 내지 6.2를 따른다.

6.1 시설물유지관리사업자는 시설물유지관리업 공사실적에 시공비율을 곱해 산정한 금액을 기준으로 한다.

6.2 전문건설사업자(시설물유지관리사업자 제외) 및 종합건설사업자는 전문업종(시설물유지관리업 제외)별로 공사실적에 시공비율을 곱해 산정한 금액을 기준으로 한다.

6.2.1 전문업종별 배점은 평점상한에 입찰공고에서 명시한 추정금액 기준 해당 전문업종 구성비율을 곱하여 산정한다. 전문업종별 평가의 점수는 전문업종별 배점한도까지만 인정하며, 전문업종별 평가점수가 배점을 초과하더라도 다른 전문업종에 배분하지 아니한다.

6.2.2 전문업종별 평가기준규모(금액)는 예비가격기초금액×1에 입찰공고에서 명시한 추정금액 기준 해당 전문업종 구성비율을 곱하여 산정한다.

6.2.3 전문업종별 평가점수는 6.2에 따라 산정한 금액을 6.2.2의 전문업종별 평가기준규모(금액)로 나눈 값에 6.2.1의 전문업종별 배점을 곱하여 산정한다.

6.2.4 전문업종별 평가점수는 합산하여 시공경험 평가점수를 산정한다.

7. 전기·정보통신·소방시설·문화재공사 등 평가 : 공동수급체로서 전기·정보통신·소방시설·문화재공사 등에 참가하는 각 공동수급체 구성원(대표자 포함)은 해당 업종 공사실적에 시공비율을 곱해 산정한 금액을 기준으로 한다.

○ 경영상태(15점) : 입찰자가 제출하는 재무비율 등(최근년도 부채비율 및 유동비율, 영업기간) 또는 신용평가등급 자료 중 어느 하나로 평가한다.

- 재무비율은 [별표 7]의 경영상태 평가방법에 의하고, 신용평가는 [별표 10]에 의한다. 다만, 50억원 미만 10억원 이상 토목 또는 건축공사(토건 포함), 10억원 미만 3억원 이상 전기·정보통신·소방시설·문화재공사 등의 경우 「여성기업지원에 관한 법률」 제2조제1호에 따른 여성기업(이하 "여성기업"이라 하며, 공공구매 종합정보망에 등록한 자에 한함), 「사회적기업 육성법」 제2조제1호에 따른 사회적기업(이하 "사회적기업"이라 하며, 사회적기업 인증을 받은 자에 한함), 「장애인기업활동 촉진법」 제2조제2호에 따른 장애인기업(이하 "장애인기업"이라 하며, 공공구매종합정보망에 등록된 자에 한함)의 시공비율이 30%이상인 때에는 경영상태 취득점수(공동수급체 전체의 점수를 말한다)에 10%를 가산평가 한다.

○ 종합공사 신인도 (-1점~+4점) : 다음과 같이 평가하되, 시공경험, 경영상태, 신인도 평가점수의 합이 수행능력 배점한도를 초과할 수 없다.

신인도 평가

구분	심사항목	등급 및 평점
건설재해 및 제재처분	최근 3년간 고용노동부장관이 산정한 사고사망만인율의 가중평균이 평균사고사망만인율의 가중평균이하인 자	사전심사기준 신인도 평가 심사항목 중 '다. 건설재해 및 제재처분' 10)에 따름. 다만, 다. 10) 평가 시 감점항목은 적용하지 아니함
	최근 1년간 건설업체의 산업재해 예방 활동 실적을 고용노동부장관이 평가한 결과 그 실적이 우수한 자	사전심사기준 신인도 평가 심사항목 중 '다. 건설재해 및 제재처분' 11)에 따름
	최근1년동안 산업안전보건법령 위반으로 동일현장에서 벌금이상의 행정형벌을 2회이상 받은자	사전심사기준 신인도 평가 심사항목 중 '다. 건설재해 및 제재처분' 14)에 따름

구분	심사항목	등급 및 평점
일자리 창출기업	최근년도 건설고용지수(건설근로자공제회발표) 평가에 따른 평가등급을 보유한 자	사전심사기준 신인도 평가 심사항목 중 '바. 일자리창출 관련' 23)에 따름
	일자리창출 실적(고용인력 증가 등)이 확인되는 자	사전심사기준 신인도 평가 심사항목 중 '바. 일자리창출 관련' 24)에 따름
근로시간 조기단축 기업	근로시간 단축의 시행시기 도래 이전 근로시간을 52시간으로 단축하여 시행한 업체로서 고용노동부로부터 근로시간 단축 확인을 받은 업체('21. 6. 30. 까지 부여)	+1

○ 전문·전기·정보통신·소방시설·문화재공사 등 신인도(-1점 ~ +4점) : 다음과 같이 평가하되, 시공경험, 경영상태, 신인도 평가점수의 합이 수행능력 배점한도를 초과할 수 없다.

구분	심사항목	등급 및 평점
건설재해 및 제재처분	최근 1년동안 산업안전보건법령 위반으로 동일현장에서 벌금이상의 행정형벌을 2회 이상 받은 자	사전심사기준 신인도 평가 심사항목 중 '다. 건설재해 및 제재처분' 14)에 따름
일자리 창출기업	일자리창출 실적(고용인력 증가 등)이 확인되는 자	사전심사기준 신인도 평가 심사항목 중 '바. 일자리창출 관련' 24)에 따름
근로시간 조기단축 기업	근로시간 단축의 시행시기 도래 이전 근로시간을 52시간으로 단축하여 시행한 업체로서 고용노동부로부터 근로시간 단축 확인을 받은 업체 ('21. 6. 30. 까지 부여)	+1

주) 사전심사기준 [별표 3] 신인도평가 주 2)는 적용하지 않는다.

2. 입찰가격 평가(70점)

○ $70 - 4 \times \left| \left(\frac{88}{100} - \frac{\text{입찰가격-A}}{\text{예정가격-A}} \right) \times 100 \right| = \text{입찰가격점수}$

- A : 국민연금, 건강보험, 퇴직공제부금비, 노인장기요양보험, 산업안전보건관리비, 안전관리비, 품질관리비의 합산액
- | | 는 절대값 표시임
- (입찰가격-A)을 (예정가격-A)으로 나눈 결과 소수점 이하의 숫자가 있는 경우에는 소수점 다섯째자리에서 반올림한다.

○ (입찰가격-A)이 (예정가격-A) 이하로서 (예정가격-A)의 100분의 89.25 이상인 경우의 평점은 65점으로 한다.

○ 최저 평점은 2점으로 한다.

3. <삭제>

[별표 3] 〈개정 2020.5.27., 2021.2.15., 2021.9.1., 2021.12.30., 2022.6.17.〉

추정가격 10억원 미만 3억원 이상(건설산업기본법에 따른 건설공사에 해당)의 평가기준

1. 수행능력 평가(20점)

○ 시공경험(10점) : 입찰방법에 따라 선택 적용

입 찰 방 법	실 적 사 항	점 수 배 점	비 고
실적에 의한 경쟁입찰공사(10점)	최근 10년간 당해공사와 동일한 종류의 공사실적	최근 10년간 당해공사와 동일한 종류의 공사실적을 평가 기준 규모로 나누어 백분율로 나타낸 값을 포함하는 등급으로 배점 A : 75% 이상 : 10.0점 B : 65% 이상 : 9.2점 C : 55% 이상 : 8.4점 D : 45% 이상 : 7.6점 E : 30% 이상 : 6.6점 F : 30% 미만 : 5.5점	실적인정 등은 [별표 1]의 주)1.과 같음
실적에 의한 경쟁입찰 이외의 경쟁입찰공사(10점) [주)1. 내지 7. 참조(주력업무분야를 시공자격으로 하는 전문공사 입찰의 경우에는 "전문업종"은 "전문업무분야"로, "업종"은 "업무분야"로 본다.)]	최근 5년간 당해공사 업종(또는 주력업무분야)의 공사실적(금액)	점수 = 실적계수×10점 (단, 평점상한은 10점임) *실적계수=당해공사 업종(또는 주력업무분야)의 실적 합계액÷(예비가격기초금액×1/2)	실적은 업종별(토목, 건축, 전문 업종별, 전기, 정보통신, 소방시설, 문화재 등) 또는 주력업무분야별로 구분적용함

주) 1. 업종별 공사실적은 관급자재 금액을 제외한 금액을 기준으로 한다.

1.1 종합건설사업자가 전문공사에 참가하거나 전문건설사업자가 종합공사에 참가하는 경우 평가대상(입찰참가) 업종 공사실적은 국토교통부고시 「종합·전문업종간 상호시장 진출을 위한 건설공사실적 인정기준」을 기준으로 한다.

2. 공동수급체는 3. 내지 6.에 따라 각 공동수급체 구성원(대표자 포함)의 최근 5년간 평가대상(입찰참가) 업종 공사실적 합계액에 각 공동수급체 구성원의 시공비율을 곱해 산정한 금액을 합산한 금액으로 평가한다(평가대상 업종 및 업종별 추정금액은 입찰공고에서 명시). 다만, 「조달청 등급별 유자격자명부 등록 및 운용기준」에 따른 경쟁입찰공사는 3. 및 제3조제1항제1호 단서조항에 따라 평가한다.

2.1 공동수급체로서 참가하는 신설사업자는 최근 5년간 평가대상(입찰참가) 업종 공사실적 합계액이 예비가격기초금액의 1/2배 미만인 경우 실적계수 산정을 위한 공사실적을 예비가격기초금액의 1/2배로 본다.

2.2 공동수급체 내 각 신설사업자의 공사참여 지분율이 20%를 초과하는 경우 해당 신설사업자는 2.1 적용에서 제외하며, 공동수급체 내 모든 신설사업자의 공사참여 지분율의 합이 40%를 초과하는 경우 공동

수급체 내 모든 신설사업자를 2.1 적용에서 제외한다.

2.3 2.1 내지 2.2에 따른 신설사업자는 등록기간(양수·양도를 통한 영업기간 합산) 3년 미만인 사업자를 의미한다.

3. 종합공사 평가 : 공동수급체로서 종합공사에 참가하는 각 공동수급체 구성원(대표자 포함)은 3.1 내지 3.4를 따른다.

3.1 종합건설사업자는 종합업종 공사실적에 시공비율을 곱해 산정한 금액(제3조제1항제1호에 따라 보유한 시공경험을 합산하는 경우에는 공사실적)을 기준으로 한다.

3.1.1 주계약자관리방식으로 참가하는 공동수급체 구성원(주계약자 제외)은 종합업종 공사실적에 시공비율을 곱해 산정한 금액(제3조제1항제1호에 따라 보유한 시공경험을 합산하는 경우에는 공사실적)을 "예비가격기초금액×1/2×시공비율" 까지만 인정한다.

3.2 제2조제6항제1호나목 본문에 따라 평가하는 전문건설사업자는 각 전문업종별 공사실적을 합산(이하 "합산 공사실적"이라 한다)하고, 합산 공사실적에 시공비율을 곱해 산정한 금액(제3조제1항제1호에 따라 보유한 시공경험을 합산하는 경우에는 합산 공사실적)을 기준으로 한다.

3.2.1 주계약자관리방식으로 참가하는 공동수급체 구성원(주계약자 제외)은 합산 공사실적에 시공비율을 곱해 산정한 금액(제3조제1항제1호에 따라 보유한 시공경험을 합산하는 경우에는 합산 공사실적)을 "예비가격기초금액×1/2×시공비율" 까지만 인정한다.

3.3 제2조제6항제1호나목 단서 또는 다목에 따라 평가하는 전문건설사업자는 전문업종별로 공사실적에 시공비율을 곱해 산정한 금액(제3조제1항제1호에 따라 보유한 시공경험을 합산하는 경우에는 공사실적)을 기준으로 한다.

3.3.1 주계약자관리방식으로 참가하는 공동수급체 구성원(주계약자 제외)은 전문업종별로 공사실적에 시공비율을 곱해 산정한 금액(제3조제1항제1호에 따라 보유한 시공경험을 합산하는 경우에는 공사실적)을 "전문업종 예비가격기초금액×1/2×시공비율" 까지만 인정한다.

3.3.2. 전문업종별 배점은 평점상한에 입찰공고에서 명시한 추정금액 기준 해당 전문업종 구성비율을 곱하여 산정한다. 전문업종별 평가의 점수는 전문업종별 배점한도까지만 인정하며, 전문업종별 평가점수가 배점을 초과하더라도 다른 전문업종에 배분하지 아니한다.

3.3.3 전문업종별 평가기준규모(금액)는 예비가격기초금액×1/2에 입찰공고에서 명시한 추정금액 기준 해당 전문업종 구성비율을 곱하여 산정한다.

3.3.4 전문업종별 평가점수는 3.3 및 3.3.1에 따라 산정한 금액을 3.3.3의 전문업종별 평가기준규모(금액)로 나눈 값에 3.3.2의 전문업종별 배점을 곱하여 산정한다.

3.3.5 전문업종별 평가점수는 합산하여 시공경험 평가점수를 산정한다.

3.4 전문건설사업자가 상호시장 진출 허용 입찰로 종합공사실적을 보유하고 있는 경우에는 동 실적으로 시공경험을 우선 평가한다.

3.4.1 전문건설사업자의 상호시장진출허용입찰로 보유한 종합공사실적에 해당 전문업체의 시공비율을 곱하여 금액을 산정한다.

3.4.2 배점은 평점상한을 적용한다.

3.4.3 평가기준규모(금액)는 예비가격기초금액×1/2을 적용한다.

3.4.4 평가점수는 3.4.1에 따라 산정한 금액을 3.4.3의 평가기준규모(금액)로 나눈 값에 3.4.2 배점을 곱한다.

3.4.5 3.4.4의 평가점수는 3.2 또는 3.3.5의 전문업종별 평가점수에 합산한다.

3.4.6 3.3.3의 전문업종별 평가기준규모 및 3.3.2의 전문업종별 배점은 3.4.1의 시공비율을 적용한 종합공사실적 및 종합공사실적에 해당하는 점수를 제외하고 산정한다.

3.4.7 종합건설사업자와 제2조제6항제1호나목 단서 또는 다목에 따라 평가하는 전문건설사업자 간 공동수급체를 구성한 경우에도 3.4.6을 적용하여 한다.

4. 전문공사(복합 시설물유지관리업 전문공사 제외) 평가 : 공동수급체로서 전문공사에 참가하는 각 공동수급체 구성원(대표자 포함)은 전문업종 공사실적에 시공비율을 곱해 산정한 금액을 기준으로 한다.

4.1 다만, 제2조제7항제1호에 따라 평가하는 전문·종합건설사업자는 주력업무분야 공사실적에 시공비율을 곱해 산정한 금액을 기준으로 한다.

5. 복합 시설물유지관리업 전문공사 평가 : 공동수급체로서 복합 시설물유지관리업 전문공사에 참가하는 각 공동수급체 구성원(대표자 포함)은 5.1 내지 5.3을 따른다.

5.1 시설물유지관리사업자는 시설물유지관리업 공사실적에 시공비율을 곱해 산정한 금액을 기준으로 한다.

5.2 제2조제8항제1호다목 본문에 따라 평가하는 전문건설사업자(시설물유지관리사업자 제외) 및 종합건설사업자는 각 전문업종(시설물유지관리업 제외)별 공사실적을 합산한 공사실적에 전체 평가대상 업종의 시공비율을 곱해 산정한 금액을 기준으로 한다.

5.3 제2조제8항제1호다목 단서·라목에 따라 평가하는 전문건설사업자(시설물유지관리사업자 제외) 및 종합건설사업자는 전문업종(시설물유지관리업 제외)별로 공사실적에 시공비율을 곱해 산정한 금액을 기준으로 한다.

5.3.1 전문업종별 배점은 평점상한에 입찰공고에서 명시한 추정금액 기준 해당 전문업종 구성비율을 곱하여 산정한다. 전문업종별 평가의 점수는 전문업종별 배점한도까지만 인정하며, 전문업종별 평가점수가 배점을 초과하더라도 다른 전문업종에 배분하지 아니한다.

5.3.2 전문업종별 평가기준규모(금액)는 예비가격기초금액×1/2에 입찰공고에서 명시한 추정금액 기준 해당 전문업종 구성비율을 곱하여 산정한다.

5.3.3 전문업종별 평가점수는 5.3에 따라 산정한 금액을 5.3.2의 전문업종별 평가기준규모(금액)로 나눈 값에 5.3.1의 전문업종별 배점을 곱하여 산정한다.

5.3.4 전문업종별 평가점수는 합산하여 시공경험 평가점수를 산정한다.

6. 전기·정보통신·소방시설·문화재공사 등 평가 : 공동수급체로서 전기·정보통신·소방시설·문화재공사 등에 참가하는 각 공동수급체 구성원(대표자 포함)은 해당 업종 공사실적에 시공비율을 곱해 산정한 금액을 기준으로 한다.

○ 경영상태 평가(10점) : 입찰자가 제출하는 재무비율(최근년도 부채비율 및 유동비율) 또는 신용평가등급 자료 중 어느 하나로 평가한다.

- 재무비율은 [별표 8]의 경영상태 평가방법에 의하고, 신용평가는 [별표 10]에 의한다. 다만, 토목 또는 건축공사(토건 포함), 전문공사의 경우 여성기업(공공구매 종합정보망에 등록한 자에 한함)의 시공비율이 30% 이상인 때에는 경영상태 취득점수(공동수급체 전체의 점수를 말한다)에 10%를 가산평가 하고, 사회적기업(사회적기업 인증을 받은 자에 한함), 장애인기업(공공구매종합정보망에 등록된 자에 한함)의 시공비율이 30% 이상인 때에는 경영상태 취득점수(공동수급체 전체의 점수를 말한다)에 10%를 가산평가 한다.

○ 신인도(-1점~+4점)

- [별표 2]에 따라 평가하되, 시공경험, 경영상태, 신인도 평가점수의 합이 수행능력 배점한도를 초과할 수 없다.

2. 입찰가격 평가(80점)

○ $80 - 20 \times \left| \left(\frac{88}{100} - \frac{\text{입찰가격-A}}{\text{예정가격-A}} \right) \times 100 \right|$ = 입찰가격점수

- A : 국민연금, 건강보험, 퇴직공제부금비, 노인장기요양보험, 산업안전보건관리비, 안전관리비, 품질관리비의 합산액

- | | 는 절대값 표시임

- (입찰가격-A)을 (예정가격-A)으로 나눈 결과 소수점 이하의 숫자가 있는 경우에는 소수점 다섯째자리에서 반올림한다.

○ (입찰가격-A)이 (예정가격-A) 이하로서 (예정가격-A)의 100분의 88.25 이상인 경우의 평점은 75점으로 한다.

○ 최저 평점은 2점으로 한다.

3. <삭제>

[별지 4] 〈개정 2020.5.27., 2021.2.15., 2021.9.1., 2021.12.30., 2022.6.17.〉

추정가격 3억원 미만 2억원 이상(전기·정보통신·소방시설·문화재공사 등은 3억원 미만 8천만원 이상)인 공사의 평가기준

1. 수행능력 평가(10점)

○ 시공경험(5점)

입찰방법	실적사항	점수배점	비고
실적에 의한 경쟁입찰 이외의 경쟁입찰공사 *주력업무분야를 시공자격으로 하는 전문공사 입찰의 경우에는 "전문업종"은 "주력업무분야"로, "업종"은 "업무분야"로 본다.	최근 5년간 공사실적	점수 = 실적계수×5점 (단, 평점상한은 5점임) *실적계수 = 공사 실적 합계액÷(예비가격기초금액×1/2)	

주) 1. 업종별 공사실적은 관급자재 금액을 제외한 금액을 기준으로 한다.

1.1 종합건설사업자가 전문공사에 참가하거나 전문건설사업자가 종합공사에 참가하는 경우 공사실적은 국토교통부고시 「종합·전문업종간 상호시장 진출을 위한 건설공사실적 인정기준」을 기준으로 한다.

2. 종합공사 및 전기·정보통신·소방시설·문화재공사 등 평가 : 동일한 법령에 의해 등록된 공사실적을 모두 합산한 금액을 기준으로 한다.

2.1 다만, 전문건설사업자가 종합공사에 참가하는 경우에는 「종합·전문업종간 상호시장 진출을 위한 건설공사실적 인정기준」에 따라 인정받은 종합공사 실적을 합산한 금액을 기준으로 한다.

3. 전문공사(복합 시설물유지관리업 전문공사 제외) 평가 : 해당 전문업종 공사실적을 기준으로 한다.

3.1 다만, 제2조제7항제1호에 따라 평가하는 전문·종합건설사업자는 해당 주력업무분야 공사실적을 기준으로 한다.

4. 복합 시설물유지관리업 전문공사 평가 : 시설물유지관리업 공사실적을 기준으로 한다.

4.1 다만, 전문건설사업자(시설물유지관리사업자 제외) 및 종합건설사업자는 각 전문업종(시설물유지관리업 제외)별 공사실적을 합산한 금액을 기준으로 한다.

5. 공동수급체는 각 공동수급체 구성원(대표자 포함)의 최근 5년간 공사실적 합계액에 각 공동수급체 구성원의 시공비율을 곱해 산정한 금액을 합산한 금액으로 평가한다(평가대상 업종 및 업종별 추정금액은 입찰공고에서 명시).

5.1 공동수급체로서 참가하는 신설사업자는 최근 5년간 공사실적 합계액이 예비가격기초금액의 1/2배 미만인 경우 실적계수 산정을 위한 공사실적을 예비가격기초금액의 1/2배로 본다.

5.2 공동수급체 내 각 신설사업자의 공사참여 지분율이 20%를 초과하는 경우 해당 신설사업자는 5.1 적용에서 제외하며, 공동수급체 내 모든 신설사업자의 공사참여 지분율의 합이 40%를 초과하는 경우 공동수급체 내 모든 신설사업자를 5.1 적용에서 제외한다.

5.3 5.1 내지 5.2에 따른 신설사업자는 등록기간(양수·양도를 통한 영업기간 합산) 3년 미만인 사업자를 의미한다.

○ 경영상태(5점) : 입찰자가 제출하는 재무비율(최근년도 부채비율 및 유동비율) 또는 신용

평가등급 중 어느 하나로 평가한다.

- 재무비율은 [별표 9]의 경영상태 평가방법에 의하고, 신용평가는 [별표 10]에 의한다. 다만, 토목 또는 건축공사(토건 포함), 전문공사 및 전기·정보통신·소방시설·문화재공사 등은 여성기업(공공구매 종합정보망에 등록된 자에 한함), 사회적기업(사회적기업 인증을 받은 자에 한함), 장애인기업(공공구매종합정보망에 등록된 자에 한함)의 시공비율이 30% 이상인 때에는 경영상태 취득점수(공동수급체 전체의 점수를 말한다)에 10%를 가산평가 한다.

○ 신인도(-1점~+4점)

- [별표 2]에 따라 평가하되, 시공경험, 경영상태, 신인도 평가점수의 합이 수행능력 배점한도를 초과할 수 없다.

2. 입찰가격 평가(90점)

○ $90 - 20 \times \left| \left(\frac{88}{100} - \frac{\text{입찰가격-A}}{\text{예정가격-A}} \right) \times 100 \right|$ = 입찰가격점수

- A : 국민연금, 건강보험, 퇴직공제부금비, 노인장기요양보험, 산업안전보건관리비, 안전관리비, 품질관리비의 합산액
- ㅣㅣ는 절대값 표시임
- (입찰가격-A)을 (예정가격-A)으로 나눈 결과 소수점 이하의 숫자가 있는 경우에는 소수점 다섯째자리에서 반올림한다.

○ (입찰가격-A)이 (예정가격-A) 이하로서 (예정가격-A) 100분의 88.25 이상인 경우의 평점은 85점으로 한다.

○ 최저 평점은 2점으로 한다.

3. <삭제>

[별지 5] 〈개정 2020.5.27., 2021.2.15., 2021.9.1., 2021.12.30., 2022.6.17.〉

추정가격 2억원(전기·정보통신·소방시설·문화재공사 등은 8천만원)미만인 공사의 평가기준

1. 수행능력(경영상태)평가(10점)

○ 입찰자가 제출하는 재무비율(최근년도 부채비율 및 유동비율) 또는 신용평가등급 중 어느 하나로 평가한다.

○ 재무비율은 [별표 8]의 경영상태 평가방법에 의하고, 신용평가는 [별표 10]에 의한다. 다만, 토목 또는 건축공사(토건 포함), 전문공사 및 전기·정보통신·소방시설·문화재공사 등은 여성기업(공공구매 종합정보망에 등록된 자에 한함), 사회적기업(사회적기업 인증을 받은 자에 한함), 장애인기업(공공구매종합정보망에 등록된 자에 한함)의 시공비율이 30% 이상인 때에는 경영상태 취득점수(공동수급체 전체의 점수를 말한다)에 10%를 가산평가한다.

○ 특별신인도 가점 (2점) : 업종(주력업무분야를 시공자격으로 하는 전문공사 입찰은 주력업무분야)별 최근 5년간 실적합계액이 당해 공사 예비가격기초금액 이상인 경우 가산 평가한다.

- 종합건설사업자가 전문공사에 참가하거나 전문건설사업자가 종합공사에 참가하는 경우 시공경험(공사실적)은 국토교통부고시 「종합·전문업종간 상호시장 진출을 위한 건설공사 실적 인정기준」을 기준으로 한다.
- 전문건설사업자가 종합공사에 참가하는 경우 특별신인도는 제2조제6항제1호나목 또는 다목을 준용해 평가한다.
- 전문건설사업자(시설물유지관리사업자 제외) 및 종합건설사업자가 복합 시설물유지관리업 전문공사에 참가하는 경우 특별신인도는 제2조제8항제1호다목 또는 라목을 준용해 평가한다.

○ 신인도(-1점~+4점)

- [별표 2]에 따라 평가하되, 경영상태, 신인도 평가점수의 합이 수행능력 배점한도를 초과할 수 없다.

2. 입찰가격 평가(90점)

○ $90 - 20 \times \left| \left(\frac{88}{100} - \frac{\text{입찰가격-A}}{\text{예정가격-A}} \right) \times 100 \right| =$ 입찰가격점수

- A : 국민연금, 건강보험, 퇴직공제부금비, 노인장기요양보험, 산업안전보건관리비, 안전관

리비, 품질관리비의 합산액

- | |는 절대값 표시임
- (입찰가격-A)을 (예정가격-A)으로 나눈 결과 소수점 이하의 숫자가 있는 경우에는 소수점 다섯째자리에서 반올림한다.

○ (입찰가격-A)이 (예정가격-A) 이하로서 (예정가격-A)의 100분의 88.25 이상인 경우의 평점은 85점으로 한다.

○ 최저 평점은 2점으로 한다.

3. <삭제>

[별표 6] 〈개정 2021.2.15., 2021.9.1., 2021.12.30., 2022.2.14.〉

추정가격 100억원 미만 50억원 이상인 공사의 경영상태 평가기준

심 사 항 목	평 가 요 소	배점	등 급	평점
가. 최근년도 부채비율 (부채총계/자기자본)	1) 업체평균 부채비율에 대한 해당업체 비율	22.0	A. 50% 미만 B. 75% 미만 C. 100% 미만 D. 125% 미만 E. 125% 이상	22.0 19.7 17.5 15.2 13.0
나. 최근년도 유동비율 (유동자산/유동부채)	2) 업체평균 유동비율에 대한 해당업체 비율	21.0	A. 150% 이상 B. 120% 이상 C. 100% 이상 D. 70%이상 E. 70% 미만	21.0 18.7 16.5 14.2 12.0
다. 삭 제	3) 삭제			
라. 영업기간		2.0	5년 이상 5년 미만 3년 이상 3년 미만	2.0 1.8 1.5

※주 :

1) 부채총계, 유동부채가 '0'이하인 경우에는 해당 수치를 '0'으로 본다.
   - 평가결과 부(-)의 수치로 나타나는 경우 최저등급으로 평가하며, 업체평균비율이 부(-)의 수치인 심사항목은 해당업체의 비율이 (+) 수치인 업체는 A등급, (-)수치인 해당업체는 E등급으로 평가한다.
2) 평균비율이 없는 심사항목에 대하여는 배점한도를 적용한다.
3) 영업기간의 평가기준
   - 영업기간은 건설업체가 심사기준일 현재 보유하고 있는 건설업면허 취득 또는 등록일로부터 심사기준일까지의 기간을 기준으로 평가하며, 관련협회로부터 통보되어 시스템에 등록된 자료에 의한다.
   - 상호시장 진출을 허용한 입찰의 영업기간은 제2조제6항제3호(복합 시설물유지관리업 전문공사는 제2조제8항제3호)에 따라 산정하고, 관련협회로부터 입찰자가 직접 발급받은 자료(관련협회 증명 필요)를 제출받아 평가한다.
   - 보유한 건설업면허 또는 등록의 변동이 있었던 경우(건설산업기본법 제8조제1항의 규정에 의한 동일한 종류의 건설업면허를 말함)에는 종전에 보유하였던 건설업면허 또는 등록의 보유기간을 합산하여 평가한다. 단, 건설산업기본법 시행규칙 부칙(제598호, 2007.12.31) 제3조제1항에 따라 새로 등록한 업종이 전문공사를 시공하는 업종인 경우에는 새로 등록한 업종으로 실적전환이 인정된 기간을 영업기간으로 인정함(2007.12.31 이전에 전문공사를 시공하는 업종을 보유하고 있는 경우에는 해당 업종을 보유한 기간을 영업기간으로 합산하되 중복되는 기간은 제외함)
   - 대통령령 제31328호 「건설산업기본법 시행령」 일부개정령 부칙 제7조(시설물유지관리업의 업종전환에 관한 특례) 및 국토교통부고시 「시설물유지관리업 업종전환 세부기준」에 따라 시설물유지관리업의 업종을 전환한 경우에는 종전에 보유했던 시설물유지관리업 면허 또는 등록의 보유기간을 영업기간으로 인정한다.
4) 평균부채비율 및 평균유동비율은 입찰공고에서 명시한 적격심사 평가대상 업종 또는 업체의 평균부채비율 및 평균유동비율로 한다.

5) 심사항목의 분모나 분자에 '0'이 있는 경우에는 다음과 같이 적용한다.

심 사 항 목	분모 '0'	분자 '0'
최근년도 부채비율 (부채총계/자기자본)	최저등급	배점한도
최근년도 유동비율 (유동자산/유동부채)	배점한도	최저등급

6) 심사항목의 분모와 분자가 모두 '0'인 경우에는 최저등급을 적용한다.

[별표 7] 〈개정 2014.8.19., 2021.2.15., 2021.9.1., 2021.12.30., 2022.2.14.〉

추정가격 50억원 미만 10억원 이상(전기·정보통신·소방시설·문화재공사 등은 50억원 미만 3억원 이상)인 공사의 경영상태 평가기준

심 사 항 목	평 가 요 소	배점	평 가 등 급		평점
			A공사	B공사	
가. 최근년도 부채비율 (부채총계/ 자기자본)	1)업종별 평균 부채비율에 대한 해당업체의 비율	7	A. 50% 미만 B. 75% 미만 C. 100% 미만 D. 125% 미만 E. 125% 이상	A. 100% 미만 B. 130% 미만 C. 160% 미만 D. 190% 미만 E. 190% 이상	7.0 6.2 5.4 4.6 3.8
나. 최근년도 유동비율 (유동자산/ 유동부채)	2)업종별 평균 유동비율에 대한 해당업체 비율	7	A. 150% 이상 B. 120% 이상 C. 100% 이상 D. 70% 이상 E. 70% 미만	A. 100% 이상 B. 90% 이상 C. 80% 이상 D. 70% 이상 E. 70% 미만	7.0 6.2 5.4 4.6 3.8
다. 영업기간		1	3년 이상 3년 미만 1년 이상 1년 미만		1.0 0.9 0.8

※ 주 :

1) 당해 회계연도에 새로 설립되거나 설립등기한 업체(합병 또는 분할합병으로 신설된 경우는 제외한다. 이하 "신설업체"라 한다.)의 경우 최초 결산서에 의한 평가시에는 적격심사세부기준 제2조제3항제5호에 의한 경영상태평가자료 또는 기업진단보고서에 의한 자료로 평가 가능함
2) 평가등급의 'A'공사는 추정가격 50억원 미만 10억원 이상인 공사에 적용함
3) 평가등급의 'B'공사는 추정가격 10억원 미만 3억원 이상인 전기·정보통신·소방시설·문화재공사 등에 적용하며, 최저 평점은 E등급으로 평가 함
4) 영업기간의 평가기준
 - 영업기간은 건설업체가 심사기준일 현재 보유하고 있는 건설업면허 취득 또는 등록일로부터 심사기준일까지의 기간을 기준으로 평가하며, 관련협회로부터 통보되어 시스템에 등록된 자료에 의한다.
 - 상호시장 진출을 허용한 입찰의 영업기간은 제2조제6항제3호(복합 시설물유지관리업 전문공사는 제2조제8항제3호)에 따라 산정하고, 관련협회로부터 입찰자가 직접 발급받은 자료(관련협회 증명 필요)를 제출받아 평가한다.
 - 보유한 건설업면허 또는 등록의 변동이 있었던 경우(건설산업기본법 제8조제1항에 따라 동일한 종류의 건설업면허를 말함)에는 종전에 보유하였던 건설업면허 또는 등록의 보유기간을 합산하여 평가한다. 단, 건설산업기본법 시행규칙(제598호, 2007.12.31) 부칙 제3조제1항에 따라 종전 업종의 실적을 새로 등록한 업종의 실적으로 전환한 경우에는 다음과 같이 영업기간을 인정한다.
 - 대통령령 제31328호 「건설산업기본법 시행령」 일부개정령 부칙 제7조(시설물유지관리업의 업종전환에 관한 특례) 및 국토교통부고시 「시설물유지관리업 업종전환 세부기준」에 따라 시설물유지관리업의 업종을 전환한 경우에는 종전에 보유했던 시설물유지관리업 면허 또는 등록의 보유기간을 영업기간으로 인정한다.

 가. 새로 등록한 업종이 전문공사를 시공하는 업종인 경우에는 새로 등록한 업종으로 실적전환이 인정된 기간을 영업기간으로 인정함(2007.12.31 이전에 전문공사를 시공하는 업종을 보유하고 있는 경우에는

해당 업종을 보유한 기간을 영업기간으로 합산하되, 중복되는 기간은 제외함)

나. 새로 등록한 업종이 종합공사를 시공하는 업종인 경우에는 추정가격이 30억원 미만인 공사의 적격심사 시에 한하여 실적전환이 인정된 기간을 영업기간으로 인정함

5) 평균부채비율 및 평균유동비율은 입찰공고에서 명시한 적격심사 평가대상 업종 또는 업계의 평균부채비율 및 평균유동비율로 한다.

6) [별표 6] 주1), 주2), 주5), 주6)을 적용한다.

[별표 8] 〈개정 2021.2.15., 2021.12.30., 2022.1.1.〉

추정가격 10억원 미만 3억원 이상인 공사(건설산업기본법에 따른 건설공사)와 2억원 미만(전기·정보통신·소방시설·문화재공사 등은 8천만원 미만)인 공사의 경영상태 평가기준

심 사 항 목	평 가 요 소	배점	등 급	평점
가. 최근년도 부채비율 (부채총계/ 지기자본)	1)업종별 평균 부채비율에 대한 해당업체의 비율	5	A. 100% 미만 B. 130% 미만 C. 160% 미만 D. 190% 미만 E. 190% 이상	5.0 4.5 4.0 3.5 3.0
나. 최근년도 유동비율 (유동자산/ 유동부채)	2)업종별 평균 유동비율에 대한 해당업체 비율	5	A. 100% 이상 B. 90% 이상 C. 80% 이상 D. 70% 이상 E. 70% 미만	5.0 4.5 4.0 3.5 3.0

※ 주 :

1) [별표 7]의 주1) 및 주5)를 적용하며 최저평점은 E등급으로 평가함. 다만, 추정가격 2억원 미만인 공사(전기·정보통신·소방시설·문화재공사 등은 8천만원 미만)의 경우 [별표 7] 주1)의 신설업체에 한해 관련법령에 의하여 업종등록시 제출된 재무제표로도 평가 가능함.
2) [별지 6] 주1), 주2), 주5), 주6)을 적용함.

[별표 9] 〈개정 2021.2.15., 2021.12.30., 2022.1.1.〉

추정가격 3억원 미만 2억원 이상(전기·정보통신·소방시설·문화재공사 등은 3억원 미만 8천만원 이상)인 공사의 경영상태 평가기준

심사항목	평가요소	배점	등급	평점
가.최근년도부채비율 (부채총계/자기자본)	1)업종별 평균 부채비율에 대한 해당업체의 비율	3	A. 100% 미만 B. 130% 미만 C. 160% 미만 D. 190% 미만 E. 190% 이상	3.0 2.7 2.4 2.1 1.8
나.최근년도유동비율 (유동자산/유동부채)	2)업종별 평균 유동비율에 대한 해당업체의 비율	2	A. 100% 이상 B. 90% 이상 C. 80% 이상 D. 70% 이상 E. 70% 미만	2.0 1.8 1.6 1.4 1.2

※ 주 :

1) [별표 7]의 주1) 및 주5)를 적용하며 최저평점은 E등급으로 평가함. 다만, 추정가격 3억원미만인 공사(전기·정보통신·소방시설·문화재공사 등 포함)의 경우 [별표 7] 주1)의 신설업체에 한해 관련법령에 의하여 업종등록 시 제출된 재무제표로도 평가 가능함.
2) [별지 6] 주1), 주2), 주5), 주6)을 적용함.

[별표 10] 〈개정 2021.2.15., 2021.12.30., 2022.1.1.〉

신 용 평 가 등 급 표

○ 「신용정보의 이용 및 보호에 관한 법률」 제4조제1항제1호 또는 「자본시장과 금융투자업에 관한 법률」 제9조제26항의 업무를 영위하는 신용정보업자가 제2조제3항제5호나목에 따라 제출한 신용평가등급을 기준으로 경영상태를 평가하는 경우 다음의 표에 의하여 평가한다. 다만, 유효한 신용평가등급이 없는 경우에는 "0점"으로 처리한다. <개정 2013.6.26>

회사채에 대한 신용평가등급	기업어음에 대한 신용평가등급	기업신용평가등급	등급별 점수		
			등급 제한 이외 공사	등급제한 공사	
				종합건설 사업자	전문건설 사업자
A+이상	A2+이상	회사채에 대한 신용평가등급 A+에 준하는 등급	35.0	35.0	35.0
A0	A20	회사채에 대한 신용평가등급 A0에 준하는 등급	35.0	35.0	35.0
A-	A2-	회사채에 대한 신용평가등급 A-에 준하는 등급	35.0	35.0	35.0
BBB+	A3+	회사채에 대한 신용평가등급 BBB+에 준하는 등급	35.0	35.0	35.0
BBB0	A30	회사채에 대한 신용평가등급 BBB0에 준하는 등급	35.0	35.0	35.0
BBB-	A3-	회사채에 대한 신용평가등급 BBB-에 준하는 등급	35.0	35.0	35.0
BB+, BB0	B+	회사채에 대한 신용평가등급 BB+, BB0에 준하는 등급	35.0	35.0	35.0
BB-	B0	회사채에 대한 신용평가등급 BB-에 준하는 등급	34.1	34.5	34.5
B+, B0, B-	B-	회사채에 대한 신용평가등급 B+, B0, B-에 준하는 등급	33.3	33.5	34.0
CCC+이하	C 이하	회사채에 대한 신용평가등급 CCC+에 준하는 등급 이하	30.0	30.0	30.0

※ 경영상태 평가를 신용평가로 선택하였을 경우 배점 적용기준(등급제한 공사 포함)

주)

1. 등급제한공사란 「조달청 등급별 유자격자명부 등록 및 운용기준」에 따라 경쟁을 제한하는 경우를 말한다.
2. 등급별 점수에 비례해 3. 내지 7.에 따라 계산한 결과 소수점 이하 숫자가 있는 경우 소수점 둘째자리에서 반올림한다.
3. 추정가격 100억원 미만 50억원 이상인 공사의 경영상태 평가 점수 = 등급별 점수×15/35

4. 추정가격 50억원 미만 10억원 이상(전기·정보통신·소방시설·문화재공사 등은 50억원 미만 3억원 이상)인 공사의 경영상태 평가 점수 = 등급별 점수×15/35
5. 추정가격 10억원 미만 3억원 이상인 공사(건설산업기본법에 따른 건설공사에 해당)의 경영상태 평가 점수 = 등급별 점수×10/35
6. 추정가격 3억원 미만 2억원 이상(전기·정보통신·소방시설·문화재공사 등은 3억원 미만 8천만원 이상)인 공사의 경영상태 평가 점수 = 등급별 점수×5/35
7. 추정가격 2억원 미만(전기·정보통신·소방시설·문화재공사 등은 8천만원 미만)인 공사의 경영상태 평가 점수 = 등급별 점수×10/35

[별표 11] 〈개정 2022.1.1.〉

공사종류별 자재 및 인력조달가격의 난이도 계수표

<table>
<tr><th>등급</th><th>공 사 종 류</th><th>기본
계수</th><th>적용 난이도계수</th><th>비 고</th></tr>
<tr><td>A</td><td>① 현수교, 사장교, 연육교, 연도교, 해상교량, 아치교, 트러스교가 포함된 교량공사
② 쓰레기 소각로 건설공사</td><td>0.80</td><td rowspan="5">○ 전체공사금액 대비 당해등급에 해당하는 공사의 공사금액 비율에 따라 아래와 같이 적용
- 70% 이상은 당해 등급의 기본계수적용
- 70% 미만, 50% 이상은 당해 등급의 하위등급 기본계수 적용
- 50% 미만, 30% 이상은 당해 등급의 차 하위 등급 기본계수 적용
- 30% 미만은 당해 등급의 차차 하위등급 기본 계수 적용
- 최하 기본계수는 1.00 적용</td><td rowspan="5">-난이도 계수는 예비가격기초금액을 기준으로 산정함.

-A~D등급에 해당하는 공사가 복합된 공사는 주공종(금액이 큰공종)을 기준으로 함</td></tr>
<tr><td>B</td><td>① 경간50m 이상이 포함된 연장 500m 이상의 교량공사
② 지하구간의 지하철공사
③ 터널공사
④ 공항(활주로, 유도로, 계류장, 청사)건설공사
⑤ 폐수종말처리장 건설공사
⑥ 하수종말처리장 건설공사
⑦ PQ대상 건축공사</td><td>0.85</td></tr>
<tr><td>C</td><td>① A 및 B등급 이외의 교량공사
② 항만공사
(준설, 매립공사제외)
③ B등급 이외의 건축공사</td><td>0.90</td></tr>
<tr><td>D</td><td>① 철도공사
(지상구간지하철 포함)
② 고속도로공사</td><td>0.95</td></tr>
<tr><td>E</td><td>① D등급 이상에 속하지 않는 일반공사
② 전문·전기·정보통신·소방시설 기타 공사</td><td>1.00</td></tr>
</table>

※ 적용 난이도 계수는 예비가격 기초금액 발표시 함께 발표함

[별표 12] 〈개정 2019.12.18., 2022.1.1.〉

자재 및 인력조달가격 적정성 평가기준

1. 평가산식 : {노무비 평가점수 + 제경비(기타경비, 일반관리비, 이윤) 평가점수)} × 공사종류별 난이도계수[별표 11]

2. 노무비 평가

○ 입찰서상의 노무비율을 노무비 기준율로 나누어 백분율로 나타낸 값으로 평가

○ 입찰서상 노무비율 = $\frac{\text{직접노무비 + 간접노무비}}{\text{입찰금액}} \times 100\ \%$

○ 배점 : 7점

- 추정가격 100억원 이상 공사는 10점, 추정가격 100억원 미만 공사는 7점

입찰서상 노무비율	기준율의 100% 이상	기준율의 90% 이상	기준율의 90% 미만
점수	7	6	5

3. 제경비의 적정성 평가

○ 입찰서상의 각 비율을 각 기준율로 나누어 백분율로 나타낸 값을 각각 평가한 후 그 점수를 합산

○ 배점 : 3점(각 경비별 배점 1점)

입찰서상 기타경비, 일반관리비, 이윤 비율	기준율의 100%이상	기준율의 85%이상	기준율의 85%미만
점 수	0.5	1	0.5

주) 1. 제경비 중 기타경비 비율 평가는 기준율의 100% 이상인 경우에도 배점한도를 적용한다.
2. 노무비, 기타경비·일반관리비·이윤 비율 산출은 조달청 공사입찰특별유의서 제12조(붙임양식 5)에 의하여 제출된 '산출내역서 집계표'에 의한다.
3. 노무비 및 제경비의 적정성 평가에 적용하는 노무비 및 각 경비별 기준율은 예비가격기초금액 발표시 함께 발표한다.

[별표 13] 〈개정 2019.6.15., 2022.1.1.〉

하도급관리 계획서

공사관리번호 :

공　사　명 :

<table>
<tr><td colspan="4">하도급할 공사</td><td rowspan="2">하도급업체와 계약할 금액
(지급자재금액)</td><td rowspan="2">하도급
대금 직불
계획</td></tr>
<tr><td>공사
종류</td><td>규모
(물량)</td><td>조사
금액</td><td>입찰
금액</td></tr>
<tr><td>○
공사</td><td>1식</td><td></td><td></td><td></td><td>%</td></tr>
<tr><td>○○공사</td><td>1식</td><td></td><td></td><td></td><td>%</td></tr>
<tr><td></td><td></td><td></td><td></td><td></td><td></td></tr>
<tr><td colspan="2">합　계</td><td>(B)</td><td>(C)</td><td>(D)</td><td></td></tr>
<tr><td colspan="2">입찰가격
(A)</td><td colspan="2">하도급비율(C/A):　%
지역업체와의 하도급 비율 :　%</td><td>·하도급 부분 조사금액 대비 하도급업체 계약금액(D/B) :　%
·하도급 부분 입찰금액 대비 하도급업체 계약금액(D/C) :　%</td><td></td></tr>
</table>

위와 같이 ○○○○건설공사에 대한 하도급 관리계획서를 제출하며, 공사계약특수조건 제9조제2항에 따라 하도급 계약내용 통보 14일 이전까지 하수급 예정자 등을 확정하여 하도급관리계획서(보완)를 제출하겠으며, 이를 제출하지 않거나 정당한 사유없이 하도급관리계획대로 이행치 아니할 경우에는 국가계약법령, 입찰공고, 계약조건 등에서 정하는 바에 따라 처분, 불이익 등을 받더라도 이의를 제기하지 아니할 것임을 확약합니다.

201　년　　월　　일

입찰자(제출자)　대표회사 상　호 :
대표자 :
구성원(공동 도급구성원 모두 기재)
상　호 :
대표자 :

조　　달　　청　　장 귀 하

첨부서류 : 1. 하도급 할 공사 및 하수급 예정자와 계약할 내역서　　각 1부

※ 작성요령(상기 작성예시 내용 참조)

1. 하도급비율은 "입찰가격(A) 대비 하도급 할 공사의 합계금액(B)"으로 산정하고 하도급 할 공사금액에는 수급인의 지급자재 금액을 제외한다.
2. '하도급대금 직불계획'은 "하도급대금 직불금액(수요기관이 하수급자에게 직접 지급할 금액) / 하수급자와 계약할 총 금액"으로 산정하여 표기하여야 한다.
3. 하수급 금액비율은 반올림하지 않는다.
4. 지역업체 하도급 비율은 "입찰가격(A)대비 지역업체에 하도급하는 공사의 합계금액"을 말한다.

[별표 14] 〈개정 2019.12.18., 2021.2.15., 2022.1.1.〉

하도급 관리계획의 적정성 평가

심사항목	등급별 평점		비 고
	등 급	평 점	
단일공종공사 등		10	전문, 전기, 정보통신, 소방시설·문화재공사 등 단일공종 공사는 만점으로 평가함
하도급금액 비율	A:77%미만	5	주2)에 따라 평가
	B:77%이상 ~80%미만	6	
	C:80%이상 ~82%미만	7	
	D:82%이상	8	
하도급대금 직불계획	A: 30% 이상 B: 20% 이상	2 1	직불비율=수요기관이 하수급자에 직접 지급할 금액 / 총 하도급 계약할 금액
계		10	

※ 주 :

1) '지역업체 하도급 비율'이 20% 이상인 경우 가점 1점 부여(다만, 배점범위 내에서 가점 부여)
 - 지역소재는 특별시, 특별자치시, 광역시, 도를 기준으로 한다.

2) 하도급금액 비율 평가
 - 다음 두 가지 항목을 모두 평가하여 동시에 충족할 경우에는 만점(D등급)을 부여하고, 두 가지 항목을 동시에 충족하지 못하는 경우에는 ① 에 의해 하도급금액비율을 평가하여 등급(C, B, A 중)을 부여한다.
   ① 하도급업체와 계약을 체결할 금액의 합계가 하도급할 부분에 대한 입찰금액(직·간접 노무비, 재료비, 경비를 기준으로 산출한 금액에 일반관리비, 이윤, 부가세를 포함한 금액, 지급자재 및 하도급대금 지급보증서 발급금액은 제외)의 합계의 100분의 82이상 일 것
   ② 하도급업체와 계약을 체결할 금액의 합계가 조달청 조사금액 합계의 100분의 64 이상일 것
 - 하도급업체와 계약을 체결할 금액의 합계가 하도급할 부분에 대한 입찰금액(직·간접 노무비, 재료비, 경비를 기준으로 산출한 금액에 일반관리비, 이윤, 부가세를 포함한 금액, 지급자재 및 하도급대금 지급보증서 발급금액은 제외)의 합계의 100분의 82이상이나 조달청 조사금액 합계의 100분의 64 미만인 경우 C등급을 부여한다.

3) 하도급관리 계획서를 제출하지 않은 경우 전체 공사를 직접시공 하는 것으로 간주하고 배점한도를 부여한다. 정당한 사유 없이 직접시공하지 않은 경우 국가계약법령, 입찰공고, 계약조건 등에서 정하는 바에 따라 입찰참가자격제한 처분 등 불이익을 받을 수 있다.

[별표 15] 〈개정 2022.1.1.〉

경영상태 등의 확인서

사업자등록번호			감사의견				
상호		대표자		영업소재지		전화번호	
공사업종류, 등록번호	토목건축공사업(등록번호0000호)						
공사업별시공능력공시액 (금액단위 : 백만원)	토건공시액		토목공시액			건축공시액	

1. 경영상태 평가자료

구 분	경영비율	산출근거(단위 : 천원)	
부채비율		부채총계	자기자본
유동비율		유동자산	유동부채
차입금 의존도		차입금	총자산
영업이익 대비 이자보상배율		영업이익	이자비용
매출액 순이익율		순이익(법인세 차감전)	총매출액
총자산순이익율		순이익(법인세 차감전)	총자산
총자산 대비 영업현금흐름비율		영업활동으로인한 현금흐름	총자산
자산회전율		매출액	(기초총자산+기말총자산)÷2
건설부문기술개발 투자비율		건설부문 기술개발투자비	건설부문 총매출액
기술개발 투자비율		기술개발투자액	총매출액

발급기준 : 1.경영항목 : 20 . 일 기준 (년말결산서,반기결산서, 월말결산서, 최초결산서)에 의거 발급

2. 시공여유율 평가자료 〈삭제〉

3. 시공경험 평가자료

단위 : 천원

연도별 실적 / 업종별	년도	년도	년도	년도	년도
연도별 실질자본금					

상기 내용은 건설관련법령에 의거 우리 협회에 위탁된 업무에 따라 작성하였음을 확인합니다.

20 년 월 일

0000 협회장(인)

[별표 16] 〈개정 2022.1.1.〉

(최초, 월말, 년말)결산서 감사보고서

<table>
<tr><td>사업자등록번호</td><td colspan="2"></td><td>상 호</td><td colspan="2"></td></tr>
<tr><td>대표자</td><td></td><td>영업소재지</td><td></td><td>전화번호</td><td></td></tr>
<tr><td>업 종</td><td>토목·건축</td><td>토목</td><td>건축</td><td>산업·환경</td><td></td></tr>
<tr><td>공사업 등록번호</td><td></td><td></td><td></td><td></td><td></td></tr>
<tr><td colspan="6">1. 경영상태 검토내용</td></tr>
</table>

<table>
<tr><td>구 분</td><td>경영비율(%)</td><td colspan="2">산출근거(단위 : 천원)</td></tr>
<tr><td rowspan="2">부채비율</td><td rowspan="2"></td><td>부채총계</td><td>자기자본</td></tr>
<tr><td></td><td></td></tr>
<tr><td rowspan="2">유동비율</td><td rowspan="2"></td><td>유동자산</td><td>유동부채</td></tr>
<tr><td></td><td></td></tr>
<tr><td rowspan="2">차입금 의존도</td><td rowspan="2"></td><td>차입금</td><td>총자산</td></tr>
<tr><td></td><td></td></tr>
<tr><td rowspan="2">영업이익 대비
이자보상배율</td><td rowspan="2"></td><td>영업이익</td><td>이자비용</td></tr>
<tr><td></td><td></td></tr>
<tr><td rowspan="2">매출액 순이익율</td><td rowspan="2"></td><td>순이익(법인세 차감전)</td><td>총매출액</td></tr>
<tr><td></td><td></td></tr>
<tr><td rowspan="2">총자산순이익율</td><td rowspan="2"></td><td>순이익(법인세 차감전)</td><td>총자산</td></tr>
<tr><td></td><td></td></tr>
<tr><td rowspan="2">총자산 대비
영업현금흐름비율</td><td rowspan="2"></td><td>영업활동으로인한 현금흐름</td><td>총자산</td></tr>
<tr><td></td><td></td></tr>
<tr><td rowspan="2">자산회전율</td><td rowspan="2"></td><td>매출액</td><td>(기초총자산+기말총자산)÷2</td></tr>
<tr><td></td><td></td></tr>
</table>

<table>
<tr><td rowspan="2">건설부문기술개발
투자비율</td><td rowspan="2"></td><td>건설부문기술개발투자비</td><td>건설부문 총매출액</td></tr>
<tr><td></td><td></td></tr>
<tr><td rowspan="2">기술개발 투자비율</td><td rowspan="2"></td><td>기술개발투자액</td><td>총매출액</td></tr>
<tr><td></td><td></td></tr>
<tr><td colspan="4">2. 검토기준
가. 결산서 작성사유 :
나. 결산서의 종류 :
다. 결산서 작성년월일 :
라. 감사의견 : 적정, 한정, 부적정, 의견거절 등 명시</td></tr>
</table>

상기 내용은 위 기재업체의 최근에 업계 전체 평균비율이 산정된 이후 최초결산서 또는 합병, 분할, 사업양수도에 따라 등기일이나 수리일 또는 1개월이 경과한 월말을 기준으로 작성된 결산서, 정기결산서에 대한 감사보고서로서 「주식회사외부감사에관한법률」의 규정에 따른 감사보고서 작성절차를 거쳐 감사의견을 작성하였음을 확인합니다.

20 년 월 일

사무소 :
주 소 :
연락처 :
감사인 : (인)

※ 1. 국가종합전자조달(G2B)시스템에 입찰참가 등록을 하지 아니한 업체는 결산서 내용 등록이 불가하오니 입찰참가등록 후 결산서를 제출하시기 바랍니다.
2. 차입금은 장·단기차입금, 금융리스부채, 기타차입금, 사채를 포함하는 이자부 부채를 말함

[별표 17] 〈개정 2019.6.15., 2021.9.1., 2022.1.1.〉

지역업체 참여에 따른 가산점

조정 지분율의 합	공사규모별		
	[별표 1] 내지 [별표 2]	[별표 3]	[별표 4] 내지 [별표 5]
25% 이상~30% 미만	1.7	1.1	0.6
30% 이상~35% 미만	2.2	1.5	0.7
35% 이상~40% 미만	2.7	1.8	0.9
40% 이상~45% 미만	3.2	2.1	1.1
45% 이상~50% 미만	3.7	2.5	1.2
50% 이상	4.1	2.8	1.4

주)1. 가산점은 공사규모별로(제2조의 별지1~별지7) 각 지역업체 지분율(지역업체 지분율 산정은 주)6.에 따름)과 아래의 해당 지역소재기간 가중치(지역소재일 산정은 주)7.에 따름)를 곱하여 산정한 '조정 지분율의 합'에 해당하는 위 표의 점수를 해당 공동수급체의 수행능력 최종 평가점수에 합산하며, 수행능력 평점은 배점한도를 초과할 수 없다.

$$\text{지역소재기간가중치} = \frac{\text{지역소재일}}{3650}$$

다만, 산출한 가중치가 1을 초과할 경우 가중치는 1로 한다.

2. 공사현장이 2개 이상의 시·도에 걸치는 경우에는 2개지역 각각의 가산점을 합산하여 평가하며, 이 경우 1개지역의 '조정 지분율의 합'과 '공사규모별 가산점'은 위 표 해당항목의 1/2로 한다.(소수점 셋째자리에서 반올림)
3. 해당공사가 복합업종으로 구성된 경우와 주계약자관리방식은 전체공사에 대한 지역업체 지분율로 평가한다.
3-1. 전체공사에 대한 지역업체 지분율은 공종별 지역업체 지분율의 합에 해당공종의 구성비율[입찰공고에서 명시한 전체공사의 추정가격(부가가치세 포함) 대비 해당공종의 추정가격(부가가치세 포함) 비율을 말한다]을 곱하여 합산한다.
3-2. 주계약자관리방식의 전체공사에 대한 지역업체 지분율 산정은 사전심사기준 〈별첨양식 2-1〉을 준용한다.
4. 지역제한 경쟁입찰로 공고된 공사, 지역의무공동도급으로 공고된 공사와 당해 지역 안에 공사의 이행에 필요한 자격을 갖춘 자가 10인 미만인 공사는 지역가산평가에서 제외한다.
5. 「공공기관 지방이전에 따른 혁신도시건설 및 지원에 관한 특별법」 제2조제2호에 정의된 "이전공공기관의 청사신축사업인 경우(지역제한 경쟁입찰은 제외)"에는 '주) 4호'에도 불구하고 '조정 지분율의 합'이 40% 초과 매 2% 증가할 때 마다 해당 공동수급체의 수행능력 최종 평가점수에 아래 점수를 가산하며, 수행능력 평점은 배점한도를 초과할 수 없다.

〈아 래〉

공사 규모별	[별표 1] 내지 [별표 2]	[별표 3]	[별표 4] 내지 [별표 5]
가산점	0.3	0.2	0.1
가산점 상한	1.5	1.0	0.5

5-1. '주)5호'의 경우 당해 공사가 광주·전남혁신도시 개발사업인 경우 광주광역시와 전라남도 소재 업체 모두를 지역업체로 인정한다.
6. '지역업체 지분율'은 제3조제2항 등의 규정에 따른 시공비율 평가를 적용한다. 다만, 주공종에 참여하지 않는 업체의 경우 공동수급협정서(공동수급체현황표)상의 지역업체 지분율을 적용한다.
7. 지역소재기간 가중치 산정에서 '지역소재일'은 해당 계약을 이행하는데 필요한 면허·허가·등록 등의 자격요건을 갖춘 날과 법인등기부상 본점을 해당 시·도에 최종 등기한 날(또는 입찰참가자격등록증상 본점을 해당 시·도에 최종 등록한 날) 중 최근일자로 부터 입찰공고일까지 일수로 한다.
8. 「건설산업기본법」 제85조의2제1항에 따라 건설업종을 말소하고 말소 전의 건설업종과 전부 또는 일부 중복되는 건설업종으로 6개월 이내에 등록한 경우에는 변경등록 전의 지역소재기간을 합산하여 지역소재일을 산정한다.

[별표 18] 〈개정 2022.1.1.〉

표준하도급계약서 등의 사용 계획서

공사관리번호 :

공　사　명 :

입찰(계약)금액 (A)	표준 하도급 계약서 사용			건설기계 임대차 표준계약서 사용	
	하도급 공사금액	표준 하도급 계약서사용 금액(B)	비율 (B/A)	금액(C)	비율 (C/A)

주) 1. 건설임대차 표준계약서 사용계획은 평가대상업종이 토목공사일 경우에 한함
2. 표준하도급 계약서 사용금액은 하도급 공사금액을 초과할 수 없음

위와 같이 표준계약서 사용계획을 제출하고 사용계획서에 정한 바대로 이행할 것을 확약하오며, 위 계획서에 따라 신인도 가점을 받은 후 실제 계약이행시에 위 내용대로 이행하지 않은 경우, 향후 조달청 및 타 공공기관에서 집행하는 입찰에서 신인도 감점 등 어떠한 불이익도 감수할 것을 확약합니다.

20　　년　　월　　일

입찰자(제출자) 대표회사 상　호 :

대표자 :

구성원(공동수급체 구성원 모두 기재)

상　호 :

대표자 :

3 조달청 공사계약 종합심사낙찰제 심사세부기준

(제정) (조달청 토목환경과-324호, 2016.02.01)
(개정) (조달청 토목환경과-260호, 2017.01.19)
(개정) (조달청 토목환경과-4914호, 2017.12.18)
(개정) (조달청 토목환경과-325호, 2018.01.31)
(개정) (조달청 토목환경과-752호, 2019.03.05)
(개정) (조달청 토목환경과-2825호, 2019.07.26)
(개정) (조달청 토목환경과-5095호, 2019.12.30)
(개정) (조달청 토목환경과-2532호, 2020.05.26)
(개정) (조달청 토목환경과-3243호, 2020.06.30)
(개정) (조달청 토목환경과-552호, 2021.02.15)
(개정) (조달청 토목환경과-1629호, 2021.04.12)
(개정) (조달청 토목환경과-6762호, 2021.12.29)
(개정) (조달청 토목환경과-1078호, 2022.03.11)

제1조(목적) 이 기준은 기획재정부 계약예규 「공사계약 종합심사낙찰제 심사기준」에 따라 조달청에서 집행하는 시설공사 중 종합심사낙찰제 대상공사의 낙찰자 결정 시 필요한 세부기준을 규정함을 목적으로 한다.

제2조(정의) 이 기준에서 사용하는 용어의 뜻은 다음과 같다.

1. "심사위원회"란 제20조 및 제22조에 따른 물량심사 및 시공계획심사를 위하여 제23조에 따라 조달청이 구성한 "종합심사낙찰제 물량·시공계획 심사위원회"를 말한다.
2. "설계서"란 계약예규 「공사계약일반조건」 제2조제4호에 따른 공사시방서, 설계도면, 현장설명서 및 물량내역서를 말한다.
3. "설계내역서"란 수요기관에서 공사계약 요청을 위해 조달청에 제출한 내역서를 말한다.
4. "조사내역서"란 시설공사의 예정가격 결정을 위하여 계약예규 「예정가격작성기준」에 따라 조달청에서 작성한 내역서를 말한다.
5. "물량내역서"란 계약예규 「공사계약일반조건」 제2조제8호가목에 따라 조달청이 작성한 내역서로서 공종별 목적물을 구성하는 품목 또는 비목과 동 품목 또는 비목의 물량, 규격, 단위 등이 표시된 내역서를 말한다.
6. "산출내역서"란 계약예규 「공사계약일반조건」 제2조제9호에 따라 입찰금액 또는 계약금액

을 구성하는 물량, 규격, 단위, 단가 등을 기재한 내역서를 말한다.

7. “법정경비”란 관련 법령에 따라 계상이 의무화되어 있는 경비로서 산재보험료, 고용보험료, 국민건강보험료, 국민연금보험료, 퇴직공제부금비, 노인장기요양보험료, 산업안전보건관리비, 건설하도급대금지급보증서발급수수료, 건설기계대여대금지급보증서발급수수료, 부가가치세 등을 말한다.
8. “경비 등 합계”란 세부공종 입찰금액에 포함되지 않은 경비로서 법정경비를 제외한 기타경비, 공사이행보증서발급수수료, 제비율 제외 항목 및 공사손해보험료 등을 말한다.
9. “피에스(이하 PS, Provisional Sum)항목”이란 미리 물량이나 금액을 확정할 수 없는 등의 사유로 인해 현장설명 시 배부하는 물량내역서 상에 금액 등을 지정한 항목을 말한다.
10. “세부시행요령”이란 법정경비, 경비 등 합계, PS 항목, 고정비용 비중 등 조달청에서 입찰자에게 제공하는 기준을 말한다.
11. “세부공종”이란 조사내역서, 물량내역서, 산출내역서, 하도급내역서에 물량 및 단위가 표시된 최소단위 공종을 말한다.
12. “기준단가”는 입찰단가를 심사하기 위한 기준으로 제9조에 따라 세부공종별로 산정한 단가를 말한다.
13. “물량내역수정허용 세부공종”이란 제17조에 따라 수요기관이 물량내역서의 수정을 허용한 세부공종을 말한다.
14. “물량산출기준”이란 입찰자가 설계서의 물량을 바르게 산출하게 하고, 물량산출적정성을 판단하는 기준으로 삼기 위하여 수요기관에서 작성 후 조달청에서 검토하여 현장설명 시에 배부한 물량산출설명서, 물량산출유의서, 물량산출근거를 말한다.
15. “물량내역 수정사유서”란 물량내역수정입찰에서 입찰자가 산출내역서 작성프로그램으로 작성하거나 등록한 물량수정사유(별지 제7호), 수량산출서(별지 제8호, 물량신설공종은 별지 제9호), 증빙서류를 말한다.
16. “시공계획서”는 고난도 공사의 시공관리, 자원조달, 품질관리, 안전관리, 환경관리 등의 시공계획 심사를 위해 입찰자가 제출하는 서류를 말한다.
17. “고난도공사”란 [별표2-1]의 동일공사실적 심사공종이 포함된 공사를 말한다.
18. “실적제한공사”란 「조달청 시설공사 실적에 의한 경쟁입찰 집행기준」에 따라 실적경쟁입찰로 집행하는 공사를 말한다.
19. “일반공사”란 추정가격 300억원 이상이면서 제17호와 제18호에 해당하지 않는 공사를 말한다.
20. “간이형공사”란 추정가격 100억원 이상 300억원 미만이면서 제17호와 제18호에 해당하지 않는 공사를 말한다.
21. “직접공사비”란 세부공종별 단가(재료비, 직접노무비, 산출경비)에 수량을 곱하여 산정 후 합산한 금액을 말한다.
22. “심사위원회 운영규정”이란 조달청 훈령 「조달청 종합심사낙찰제 물량·시공계획 심사

위원회 설치 및 운영규정」을 말한다.

23. "상호시장 진출 허용 공사"란 국토교통부 고시 「건설공사 발주 세부기준」 제6조 및 제7조에 따라 시공자격을 갖춘 건설사업자의 입찰참가를 허용하는 공사를 말한다.
24. 국토교통부 고시 「건설공사 발주 세부기준」 제8조의2에 따라 (주력)업무분야(이하 '전문업무분야'라 한다)를 시공자격으로 발주한 전문공사의 경우 제12조, 제13조의 "업종"은 "업무분야"로 본다.

제3조(입찰공고) 계약담당공무원은 입찰공고에 다음 각 호의 사항을 명시하여야 한다.

1. 종합심사낙찰제 적용 대상이라는 점
2. 종합심사 세부기준 열람에 관한 사항, 심사에 필요한 서류와 제출기한 등
3. 입찰참가자격 사전심사 실시 여부
4. 현장설명 실시 여부
5. 하도급계획서를 작성하여 제출한 경우에는 하도급계획서에 따라 하도급계약을 체결할 의무가 부여됨과 동시에 불이행 시 차기 입찰에서 받을 불이익
6. 배치기술자 시공경력 평가 시 제출한 계획서(배치 예정 기술자 목록 등)에 따라 이행할 의무가 부여됨과 동시에 불이행 시 차기 입찰에서 받을 불이익
7. 시공계획 심사 시 제출한 계획서에 따라 이행할 의무가 부여됨과 동시에 불이행 시 차기 입찰에서 받을 불이익
8. 그 밖에 법령, 행정규칙 등에서 입찰공고에 명시하도록 정한 사항

제4조(입찰참가자격 사전심사) ① 계약담당공무원은 입찰자의 자격을 미리 심사하여 경쟁입찰에 참가할 수 있는 적격자를 선정한다. 다만, 제2조제18호의 실적제한공사 중 추정가격 300억원 미만이거나 제2조제20호의 간이형공사는 사전심사를 실시하지 않는다.

② 제1항의 입찰참가자격 사전심사(이하 "PQ심사"라 한다)는 조달청 '입찰참가자격 사전심사기준'을 따른다.

제5조(현장설명 시 교부서류) ① 계약담당공무원은 종합심사낙찰제 대상공사에 대한 입찰을 집행하고자 할 때에는 입찰에 참가하려는 자가 열람할 수 있도록 다음 각 호의 서류를 비치하여야 하며, 현장설명 시 입찰자에게 이를 교부하여야 한다.

1. 산출내역서 작성방법 및 하도급계획서 작성방법
2. 설계도면 등 설계서
3. 조사내역서(재료비·노무비·경비·합계금액 및 예정가격산정자료), 세부시행요령 등 입찰금액 산정에 참고가 되는 자료
4. 물량내역서(표준시장단가를 적용한 세부공종 및 표준시장단가 포함) 단, 순수내역입찰로 발주하는 공사에 대해서는 물량내역서를 교부하지 아니하며, 산출내역서 작성을 위한 지침을 교부할 수 있다.
5. 물량내역수정허용 세부공종, 물량산출기준(고난도 공사로 한정한다)
6. 시공계획서 작성방법(고난도 공사로 한정한다.)

7. 그 밖의 참고사항을 기재한 서류

② 계약담당공무원은 현장설명을 하지 않는 경우 또는 현장설명을 하는 경우라도 필요할 때에는 전자조달시스템에 제1항 각 호의 서류를 게재하여 열람 및 교부를 갈음할 수 있다.

제6조(입찰서 등의 제출) ① 입찰자는 입찰 시 다음 각 호의 서류를 제출해야 한다.

1. 입찰서
2. 제5조제1항제1호의 산출내역서 작성방법에 따른 산출내역서
3. 제5조제1항제1호의 하도급계획서 작성방법에 따른 하도급계획서. 다만, 제2조제18조의 실적제한공사 중 추정가격 300억원 미만이거나 제2조제20조의 간이형공사는 제14조에 따른 종합심사점수가 최고점인 자부터 제출한다.
4. [별표5] 또는 [별표5-1]의 종합심사에 필요한 서류. 다만 관련법령에 따라 설립된 협회(이하 “관련협회”라 한다)로부터 통보되어 전자조달시스템에 등록된 자료는 제출을 생략할 수 있다.
5. 그 밖에 입찰공고에서 요구한 자료

② 입찰자는 제1항 각 호의 서류를 전자조달시스템을 통하여 입찰서 제출 마감일시까지 제출해야 하며, 입찰공고문에서 제출방법 및 제출기한을 다르게 정하는 경우에는 입찰공고문에 따른다.

③ 입찰자는 제1항제4호의 서류 중 물량산출근거(물량신설공종 단가산출근거 포함) 목록과 시공계획서 목록은 입찰서와 함께 전자조달시스템을 이용하여 제출하여야 하며, 제16조 및 제22조에 따라 심사대상자로 통보받은 자는 증빙서류를 통보 받은 날로부터 3일 이내에 동 시스템을 이용하여 [별지 제12호]의 유의사항에 따라 제출하여야 한다.

④ 입찰자는 서류 제출 마감일시 이후에는 서류의 반환이나 변경제출을 요구할 수 없다.

제7조(균형가격의 산정) ① 계약담당공무원은 균형가격 산정 시 다음 각 호의 어느 하나에 해당하는 경우에는 모든 입찰금액이 부적정한 것으로 간주하여 해당 입찰자를 심사대상에서 제외한다.

1. 「국가계약법시행령」 제39조제4항에 따른 무효입찰
2. 입찰서상의 금액과 산출내역서상의 금액이 일치하지 아니한 입찰
3. 입찰금액이 예정가격보다 높거나 예정가격의 100분의 70미만인 경우
4. 이윤 또는 세부공종(세부공종 내 각 비목 포함)에 음(-)의 입찰금액이 있는 경우. 다만 조달청에서 정한 금액이 음(-)의 금액인 경우에는 예외로 한다.
5. 산출내역서상의 세부공종별 직접노무비 단가가 조달청이 작성한 조사내역서상의 세부공종별 직접노무비 단가의 100분의 80 미만인 경우
6. 산출내역서상의 세부공종별 단가가 조달청이 작성한 조사내역서상의 세부공종별 단가의 100분의 50 미만이거나 100분의 150 초과인 경우
7. 산출내역서상의 각 항목별 PS금액이 물량내역서의 각 비목별(재료비, 노무비, 경비)금액과 다른 경우

8. 국민건강보험료, 국민연금보험료, 노인장기요양보험료, 퇴직공제부금비, 산업안전보건관리비, 안전관리비, 품질관리비의 각 항목별 금액이 조달청이 반영하도록 요구한 금액과 다른 경우
9. 산출내역서상의 법정경비(산업재해보상보험료, 고용보험료, 환경보전비, 하도급대금지급보증서발급수수료, 건설기계대여대금지급보증서발급수수료, 부가가치세 등을 각각 심사)의 각 항목별 금액이 세부시행요령에 따라 산출한 금액 미만인 경우
10. 간접노무비, 일반관리비, 경비 등 합계(기타경비, 공사이행보증수수료, 제비용 제외항목, 공사손해보험료 등을 각각 심사)의 각 항목별 금액이 세부시행요령에 따라 산출한 금액의 1000분의 997 미만인 경우
11. 조사내역서상 세부공종 단가가 표준시장단가만으로 이루어진 경우 산출내역서상 세부공종별 단가(재료비,노무비,경비의 각 비목)가 조사내역서상 세부공종별 단가의 1000분의 997 미만인 경우
12. 주계약자관리방식의 경우 산출내역서의 직접공사비 합계액 대비 부계약자 공종별 직접공사비 비율이 조사금액의 직접공사비 합계액 대비 부계약자 공종별 직접공사비 비율 미만인 경우

② 균형가격은 제1항에 해당하는 입찰자의 입찰금액을 제외하고 남은 입찰금액을 다음 각 호에 따라 제외하고 산술평균하여 산정하며 소수점 이하는 절사한다.
1. 입찰금액이 20개를 초과한 경우에는 입찰금액 순으로 상위 100분의 20이상과 하위 100분의 20이하에 해당하는 입찰금액을 제외한다.
2. 입찰금액이 10개 이상 20개 이하인 경우에는 입찰금액 순으로 상위 100분의 40이상과 하위 100분의 10이하에 해당하는 입찰금액을 제외한다.
3. 입찰금액이 10개 미만인 경우에는 입찰금액 순으로 상위 100분의 50이상과 최하위에 해당하는 입찰금액을 제외한다. 단, 입찰서가 2개인 경우에는 제외하지 않는다.
4. 입찰금액 순위 상위 또는 하위기준에 해당하는 입찰금액이 2개 이상 동일한 경우에는 위 제1호부터 제3호까지의 규정에서 정한 제외범위에 포함되는 개수만큼 각각 제외한다.
5. 제1호부터 제4호까지의 규정에 따른 입찰금액을 제외하고 남은 입찰금액이 예정가격의 100분의 88을 초과하는 경우에는 해당 입찰금액을 제외한다.

③ 제2항에도 불구하고 제2조제18호의 실적제한공사 중 추정가격 300억원 미만이거나 제2조제20호의 간이형공사의 균형가격은 제1항에 해당하는 입찰자의 입찰금액을 제외하고 남은 입찰금액을 제2항 제1호부터 제4호에 따라 제외하고 산술평균하여 산정하며 소수점 이하는 절사한다.

④ 제2항 및 제3항에 따른 입찰금액을 제외하고 남은 입찰서가 1개인 경우에는 해당 입찰금액을 균형가격으로 한다. 이때 소수점 이하는 절사한다.

⑤ 제2항에 따라 입찰서의 입찰금액을 제외하였으나 모든 입찰서의 입찰금액이 제외되는 경우에는 예정가격의 100분의 88을 균형가격으로 한다. 이때 소수점 이하는 절사한다.

⑥ 제2항 및 제3항에 따라 제외하는 입찰서의 입찰금액 개수 산정 시 소수점 이하는 절사한다.

제8조(균형단가의 산정) ① 계약담당공무원은 균형단가 산정 시 제7조제1항에 해당하는 입찰자의 산출내역서의 세부공종별 입찰단가를 제외하고 남은 입찰자의 산출내역서의 세부공종별 입찰단가를 다음 각 호에 따라 제외하고 산술평균하여 산정하며 소수점 이하는 절사한다. 다만, 남은 입찰자의 산출내역서의 세부공종별 입찰단가가 1개인 경우에는 그 입찰단가를 균형단가로 한다.

1. 세부공종별 입찰단가가 20개를 초과한 경우에는 세부공종별 입찰단가 순으로 상위 100분의 20이상과 하위 100분의 20이하에 해당하는 세부공종별 입찰단가를 제외한다.
2. 세부공종별 입찰단가가 10개 이상 20개 이하인 경우에는 세부공종별 입찰단가 순으로 상위 100분의 40이상과 하위 100분의 10이하에 해당하는 세부공종별 입찰단가를 제외한다.
3. 세부공종별 입찰단가가 10개 미만인 경우에는 세부공종별 입찰단가 순으로 상위 100분의 50이상과 최하위에 해당하는 세부공종별 입찰단가를 제외한다. 단, 세부공종별 입찰단가가 2개 이하인 경우에는 제외하지 않는다.
4. 세부공종별 입찰단가 순위 상위 또는 하위기준에 해당하는 세부공종별 입찰단가가 2개 이상 동일한 경우 위 1호부터 3호까지의 규정에서 정한 제외범위에 포함되는 개수만큼 각각 제외한다.

② 제1항에 따라 제외하는 세부공종별 입찰단가 개수 산정 시 소수점 이하는 절사한다.

제9조(기준단가의 산정) ① 제2조제17호의 고난도공사, 제2조제18호의 실적제한공사 중 추정가격 300억원 이상인 공사 및 제2조제19호의 일반공사의 세부공종별 단가심사를 위한 기준단가는 다음 계산식에 따라 산정하며 소수점 이하는 절사한다. 이때, 예가산출률은 예정가격을 예비가격기초금액으로 나눈 백분율을 말하며 소수점 셋째자리 이하는 절사한다.

기준단가 = 조사내역서의 세부공종 단가 × 예가산출률 × 0.7 + 균형단가 × 0.3

② 제2조제18호의 실적제한공사 중 추정가격 300억원 미만이거나 제2조제20호의 간이형공사의 세부공종별 단가심사를 위한 기준단가는 다음 계산식에 따라 산정하며 소수점 이하는 절사한다. 이때, 예가산출률은 제1항과 같다.

기준단가 = 조사내역서의 세부공종 단가 × 예가산출률 × 0.9 + 균형단가 × 0.1

제10조(심사항목 및 배점) ① 심사항목 및 배점기준은 다음 각 호와 같다.

1. 일반공사 : [별표1-1]
2. 고난도공사 : [별표1-2]
3. 실적제한공사 : 다음 각 목과 같다.
   가. 추정가격 300억원 이상 : [별표1-3]. 단, 수요기관의 장과 계약담당공무원이 제20조 및 제22조의 물량내역수정 및 시공계획 심사가 필요하다고 인정하는 경우 입찰금액 심사분야는 제2호의 심사항목과 배점기준을 적용한다.
   나. 추정가격 300억원 미만 : [별표1-4]

4. 간이형공사 : [별표1-5]

② 해당 공사에 심사할 수 없는 항목이 있거나 일부 항목을 심사하지 않는 경우에는 다른 규정이 없으면 한 해당 심사항목은 배점한도를 부여할 수 있다.

③ 심사분야별 및 심사항목별 점수는 각각 부여된 배점한도를 초과할 수 없으며 심사분야별 점수를 합산한 종합평점은 100점을 초과할 수 없다.

제11조(심사기준일 등) ① 심사항목별 심사기준일은 입찰공고 등에서 따로 정한 경우를 제외하고는 입찰공고일로 한다.

② 심사항목별 심사점수 등의 계산 결과 소수점 이하가 있는 경우에는 별도 규정이 없으면 소수점 아래 넷째자리에서 반올림한다.

제12조(복합업종의 심사방법 등) 1건 공사가 복합 업종인 경우에는 공사수행능력 분야 심사시 심사대상 업종은 주된 공사(추정금액을 기준으로 규모가 큰 공사를 말한다)의 업종으로 한다. 다만, 공사의 특성 및 규모, 업종의 비율 등을 고려하여 2개 이상 업종의 심사가 필요하다고 인정되는 경우에는 입찰공고에 반영하여 집행할 수 있다.

제13조(공동수급체 심사방법) ① 계약담당공무원은 공동수급체 대표자에게 그 이행내용 및 이행방법을 구체적으로 명시한 "공동수급협정서"를 전자조달시스템을 통하여 제출토록 하여야 한다.

② 제1항에서 규정하는 공동수급협정서상의 각 구성원의 공사참여지분율에 시공능력평가액을 한도로 하여 산정한 비율(이하 "시공비율"이라 한다)은 다음 각 호와 같이 산정한다.

1. 1건 공사가 복합 업종인 경우 각 구성원의 시공비율은 입찰공고에서 달리 정한 경우를 제외하고는 주된 공사에 해당하는 업종의 추정금액(수급인이 설치하지 않는 관급자재비를 제외한다.)을 기준으로 산정하며 주된 공사 이외의 업종 해당 추정금액은 시공비율 산정에서 제외한다. 이 경우 심사 대상 업종 및 업종별 추정금액은 입찰공고에 따른다.
2. 제1호의 규정에도 불구하고 공동수급체 각 구성원의 공동수급협정서상의 공사참여지분율에 추정금액을 곱한 금액이 시공능력평가액을 초과하면 그 구성원의 시공비율은 시공능력평가액에 해당하는 시공비율만 인정하여 심사하고 잔여 시공비율은 다른 구성원에 배분하여 심사하지 않는다.
3. 토목건축공사업자의 경우, 시공비율은 입찰공고의 심사대상 업종에 해당하는 토목 또는 건축분야의 시공능력평가액을 기준으로 심사한다.
4. <삭제>
5. 분담이행방식으로 공동수급체를 구성하여 입찰에 참가하는 경우, 주된 공사 이외의 공사를 분담한 구성원은 심사대상에서 제외한다.
6. 상호시장 진출 허용공사로서 상대 업역에 참여한 자의 시공비율은 공동수급체 구성원별 공사참여지분율에 상호시장 진출에 따라 평가된 상대 업종 시공능력평가액을 한도로 하여 산정한다. 종합공사에 전문건설사업자가 참여한 경우 시공비율은 전문업종별로 각각 적용한다.

③ 공동수급체 각 구성원의 시공비율(%)은 소수점 셋째자리에서 절사한다.

제14조(종합심사 점수 산정) ① 일반공사는 공사수행능력점수, 사회적 책임점수(공사수행능력점수의 배점한도 내에서 가산한다), 입찰금액점수(단가 심사점수 및 하도급 계획 심사점수 포함) 및 계약신뢰도 점수를 합산하여 종합심사 점수를 산정한다.

② 고난도 공사는 공사수행능력점수, 사회적 책임점수(공사수행능력점수의 배점한도 내에서 가산한다), 입찰금액점수(단가 심사점수 및 하도급계획 심사점수, 물량심사점수 및 시공계획 심사점수 포함, 물량심사점수(가점)을 가산하되 배점한도를 초과할 수 없다) 및 계약신뢰도 점수를 합산하여 종합심사 점수를 산정한다.

③ 실적제한공사는 다음 각 호에 따라 점수를 합산하여 종합심사 점수를 산정한다.

1. 추정가격 300억원 이상 : 공사수행능력점수, 사회적 책임점수(공사수행능력점수의 배점한도 내에서 가산한다), 입찰금액점수(단가 심사점수 및 하도급 계획 심사점수 포함) 및 계약신뢰도 점수. 다만, 제10조제1항제3호가목 단서에 해당하는 경우에는 공사수행능력점수, 사회적 책임점수(공사수행능력점수의 배점한도 내에서 가산한다), 입찰금액점수(단가 심사점수 및 하도급계획 심사점수, 물량심사점수 및 시공계획 심사점수 포함, 물량심사점수(가점)을 가산하되 배점한도를 초과할 수 없다) 및 계약신뢰도 점수
2. 추정가격 300억원 미만 : 공사수행능력점수(경영상태점수 포함), 사회적 책임점수(공사수행능력점수의 배점한도 내에서 가산한다), 입찰금액점수(단가 심사점수 및 하도급 계획 심사점수 포함) 및 계약신뢰도 점수

④ 간이형공사는 공사수행능력점수(경영상태점수 포함), 사회적 책임점수(공사수행능력점수의 배점한도 내에서 가산한다), 입찰금액 점수(단가심사점수 및 하도급계획 심사점수 포함) 및 계약신뢰도 점수를 합산하여 종합심사 점수를 산정한다

⑤ 제1항부터 제4항에 따라 종합심사 점수를 산정할 때 제7조제1항에 해당하는 입찰자는 종합심사 점수를 산정하지 않는다.

제15조(낙찰자 결정) ① 계약담당공무원은 제14조에 따라 산정된 종합심사 점수가 최고인 자를 낙찰자로 결정한다.

② 입찰자가 다음 각 호의 어느 하나에 해당하는 경우에는 낙찰자 결정에서 배제한다.

1. 제7조제1항에 해당하는 입찰자
2. 제6조제1항제2호에 따른 산출내역서가 조달청 입찰금액 심사 시스템에서 판독되지 않는 입찰자
3. 제6조제3항에 따른 증빙서류 제출 시 [별지 제12호]의 제3호 및 제4호에 해당하는 입찰자

③ 종합심사 점수가 최고점인 자가 2인 이상인 경우에는 다음 각 호의 순으로 낙찰자를 결정한다.

1. 공사수행능력점수(배점한도 내에서 사회적 책임을 가산한 점수를 말한다)가 높은 자
2. 입찰금액이 균형가격에 근접한 자. 다만, 다음 각 목의 경우에는 입찰금액이 낮은 자
   가. 제2조제17호의 고난도공사

나. 제2조제18호의 실적제한 공사 중 추정가격이 300억원 이상인 공사

다. 제2조제19호의 일반공사

라. 제2조제18호의 실적제한공사 중 추정가격이 300억원 미만인 공사와 제2조제20호의 간이형공사에서 균형가격이 예정가격의 100분의88 이상인 경우

3. 입찰공고일을 기준으로 최근 1년간 해당 수요기관에서 낙찰받은 종합심사낙찰제 공사의 계약금액(공동수급체로 낙찰받은 경우에는 전체 공사부분에 대한 지분율을 적용한 금액을 말한다)이 적은 자

4. 추첨

④ 제1항 및 제3항에도 불구하고 예정가격이 100억원 미만인 공사의 경우에는 입찰금액을 예정가격 중 재료비·노무비·경비 및 이에 대한 부가가치세를 합산한 금액(이하 이 조에서 '순공사원가'라 한다)의 100분의 98 미만으로 입찰한 자는 낙찰자에서 제외한다.

1. 예정가격 중 순공사원가는 다음 각목과 같이 산정한다.

가. 예정가격 중 순공사원가 = 예비가격 기초금액 중 순공사원가 × (예정가격 ÷ 예비가격기초금액)

나. 예정가격을 예비가격기초금액으로 나눈 백분율을 소수점 셋째자리에서 절사하여 둘째자리까지 산정한다.

다. 가목의 계산결과 소수점처리는 소수점 첫째자리 이하는 절상한다.

2. 예정가격 중 순공사원가에 100분의 98을 곱한 금액은 다음과 같이 산정한다.

가. 제1호에 따라 산정된 예정가격 중 순공사원가 × (98÷100)

나. 가목의 계산결과 소수점처리는 소수점 첫째자리 이하는 절상한다.

제16조(물량심사 대상자 선정) 계약담당공무원은 고난도 공사에 대하여 제14조제2항에 따라 점수(물량심사 예상가점 포함, 물량심사와 시공계획심사 감점 제외)를 산정한 후 점수가 최고점인 자 순(동점자가 2인 이상인 경우 제15조제3항에 따른다)으로 물량심사 대상자로 선정한다.

제17조(물량내역수정허용 세부공종 선정기준) ① 제2조제13호에 따른 물량내역수정허용 세부공종의 선정은 수요기관에서 정한다.

② 수요기관은 공사의 내용, 난이도, 연계성 등을 고려하여 가능한 설계내역서 직접공사비의 10%이상을 물량내역수정허용 세부공종으로 선정하여야 한다.

③ 수요기관은 물량내역수정허용 공종 선정 시 단위 구조물을 대상으로 하되, 공사의 특성 등을 고려하여 조달청과 협의하여 선정할 수 있다.

제18조(물량내역서 수정 허용범위 등) ① 입찰자는 설계서에 근거하여 다음 각호에 따라 수정물량내역(공종명, 규격, 단위, 수량)을 산정하여야 한다.

1. 설계도면과 공사시방서에 따라 물량내역서의 수정물량내역을 산정한다.

2. 설계서(공사시방서, 설계도면, 현장설명서)간 상이한 경우 또는 설계서의 내용이 불분명한 경우 입찰자는 조달청에 서면으로 확인한 후 수정물량내역서를 작성하여야 하며 이를

이행하지 않아 발생하는 불이익에 대한 책임은 입찰자에게 있다.

② 입찰자는 다음 각 호에 해당하는 경우에는 반드시 조달청에 서면으로 승인을 받아야 한다. 다만, 조달청에서 변경내용을 전자조달시스템에 게재한 경우에는 모든 입찰자가 승인을 받은 것으로 간주한다.

1. 물량내역서의 물량을 "0"으로 하는 경우
2. 물량내역서의 물량을 신설하는 경우

③ 입찰자는 수정물량내역 산출 시 제2조제14호의 물량산출기준, [별지 제11호]의 물량산출요령에 따라 산출하여야 한다.

제19조(물량내역서 작성기준) 입찰자는 물량내역서를 수정할 경우에는 다음 각 호에서 정한 방법을 준수하여야 한다.

1. 물량내역의 작성은 조달청에서 교부한 물량내역서의 내용 및 체계(위치별, 구조물별, 작업순서별)를 원칙적으로 유지하여야 한다.
2. 조달청에서 교부한 물량내역서의 세부공종(공종명, 규격, 단위)이 설계서와 상이한 경우에는 해당 세부공종의 물량을 "0"으로 하지 않고 [별지 제11호] 제9호에 따라 수정하여야 한다.
3. 조달청에서 교부한 물량내역서의 물량이 증감되는 경우에는 해당 세부공종에서 물량을 수정하여야 한다.
4. 세부공종이 신설되는 물량은 별도 공종(이하 "물량신설공종"이라 한다)으로 구분하여 입찰금액에 합산하여야 한다.

제20조(물량산출적정성 검토 및 심사) ① 물량산출적정성 검토는 제16조에 따라 물량심사 대상자로 선정된 입찰자가 수정한 물량을 대상으로 한다.

② 계약담당공무원은 제6조제3항에 따라 물량산출근거를 제출받아 물량산출 적정성검토 대상 세부공종의 최종물량을 산정하여야 한다. 이때, 조사내역서 담당자는 수요기관과 협의하여 공동(설계자 포함)으로 물량산출 적정성을 검토하고 최종물량을 산정한다.

③ 계약담당공무원은 제2항에서 산정된 최종물량과 제21조의 물량산출 부적합 처리에 대하여 해당 심사대상자에게 통보하고, 심사대상자는 통보받은 날부터 3일 이내에 재검토 요청할 수 있다.

④ 계약담당공무원은 재검토 요청이 있는 경우 최종물량을 검토하여 심사대상자의 재검토 요청 및 최종물량을 심사위원회에 상정하여야 한다. 다만, 제3항의 재검토 요청이 없는 경우에는 제2항에서 산정한 물량을 최종물량으로 확정하고 평가한다.

⑤ 심사위원회는 제4항의 재검토 요청 사항 및 제19조제4호의 물량신설공종 단가산출근거의 내용을 검토하여 심사위원회 운영규정 제14조제3항에 따라 최종물량 및 단가산출근거의 적합여부를 확정하여야 한다.

⑥ 계약담당공무원은 제5항에 따라 확정한 최종물량을 기준으로 [별표4] 2-3 주)에 따라 평가한다.

제21조(물량산출 부적합 처리 등) 계약담당공무원은 입찰자의 물량산출근거가 다음 각 호의 어느 하나에 해당하는 경우에는 해당 세부공종의 물량을 부적합한 것으로 간주하고 물량심사에서 감점해야 한다.

1. 총계방식으로 작성("1식단가" 또는 "복합단가")한 물량내역서의 단가 구성내용을 변경한 경우
2. 물량내역서의 공종별 목적물 물량을 다른 공종에 배분하여 산출내역서를 작성한 경우
3. 제18조제2항을 위반한 경우
4. 설계서(도면, 시방서, 현장설명서)의 변경에 해당하는 물량내역 수정인 경우
5. 물량내역수정허용공종 이외의 세부공종의 물량을 수정한 경우
6. 조달청에서 교부한 물량내역서의 물량내역(공종명, 규격, 단위)을 틀리게 수정한 경우
7. 물량검토 대상 세부공종에서 제2조제15호의 물량내역 수정사유서(물량수정사유, 수량산출서, 증빙서류)의 전부 또는 일부가 없는 경우
8. 수정한 세부공종의 물량과 수정사유서(물량수정사유, 수량산출서, 증빙서류)의 내용이 다른 경우
9. 제19조제2호를 위반하여 해당세부공종을 바르게 수정하지 않고, 세부공종 물량을 "0"으로 하거나, 세부공종의 물량삭감으로 인하여 추가되어야 할 주요물량을 물량신설공종으로 생성하지 않은 경우
10. 제2조제14호의 물량산출기준, [별지 제11호]의 물량산출요령과 다르게 수정한 경우

제22조(시공계획심사) ① 계약담당공무원은 제16조에 따라 물량심사대상자로 선정된 자에 대하여 제20조에 따른 물량심사점수를 포함하여 최고점인 자(2인 이상인 경우에는 제15조제3항에 따른다)를 대상으로 순차적으로 시공계획을 심사한다.

② 계약담당공무원은 제23조에 따른 심사위원회에서 시공계획을 심사하게 한다.

③ 시공계획심사는 심사대상자가 제6조제3항에 따라 제출한 시공계획서를 대상으로 한다.

제23조(심사위원회 구성) ① 조달청장은 제20조 및 제22조에 따른 심사를 위해 심사위원회를 구성 및 운영한다.

② 심사위원회의 구성 및 운영은 「조달청 종합심사낙찰제 물량·시공계획 심사위원회 설치 및 운영규정」에 따른다.

제24조(심사서류의 보완) ① 계약담당공무원은 제6조제1항에 따라 제출된 서류(입찰서 제외)의 내용이 불명확하여 인지할 수 없는 경우 기한을 정하여 보완을 요구할 수 있다. <삭제>

② 제1항에서 정한 기한까지 보완을 요구한 서류가 제출되지 아니한 경우 당초 제출된 서류만으로 심사하되 당초 제출된 서류가 불명확하여 심사하기 곤란한 경우 해당서류를 심사에서 제외할 수 있다.

제25조(재심사) ① 계약담당공무원은 제14조에 따라 산정된 점수를 통보 받은 자가 통보일로부터 3일 이내에 자기(본인) 심사결과에 대한 재심사를 요청하였을 때에는 특별한 사유가 없으면 재심사하여야 한다.

② 제1항에도 불구하고 제20조 및 제22조에 따른 심사위원회의 심사결과에 대해서는 재심사를 요청할 수 없다.

제26조(부정한 방법으로 심사서류를 제출한 자 등에 대한 처리) ① 계약담당공무원은 제6조에 따라 제출된 서류가 위조, 변조, 부정 또는 허위로 작성된 것으로 판명된 때에는 다음 각 호와 같이 처리하여야 한다.

1. 계약체결 이전인 경우에는 낙찰자 결정대상에서 제외 또는 결정 통보를 취소한다.
2. 계약체결 이후인 경우에는 해당 계약을 해제 또는 해지할 수 있다.

② 계약담당공무원은 제1항에 해당하는 자에게 시행령 제76조에 의한 입찰참가자격제한조치를 하여야 한다.

제27조(그 밖의 사항) 이 기준에 정하지 아니한 사항 또는 공사의 특성 및 규모 등으로 인하여 이 기준을 적용하기 곤란하거나 수요기관의 공사이행에 필요하다고 인정되는 경우에는 필요한 조건을 입찰공고에 반영하여 집행할 수 있다.

제28조(재검토기한) 「훈령·예규 등의 발령 및 관리에 관한 규정」에 따라 이 기준은 2022년 1월 1일 기준으로 매3년이 되는 시점(매 3년째의 12월 31일까지를 말한다)마다 그 타당성을 검토하여 개선 등의 조치를 하여야 한다.

부 칙

제1조(시행일) 이 기준은 2020년 7월 1일부터 시행한다.

제2조(적용례) 이 기준은 시행일 이후에 입찰공고를 한 분부터 적용한다.

제3조(하도급계획심사에 대한 경과규정) 제24조제1항 단서의 개정규정은 2020년 12월 17일까지 입찰공고한 분까지 적용한다.

부 칙

제1조(시행일) 이 기준은 2021년 2월 15일부터 시행한다. 다만, [별표3]9.의 개정규정은 2021년 3월 28일부터 시행한다.

제2조(적용례) 이 기준은 시행일 이후에 입찰공고를 한 분부터 적용한다.

제3조(하도급계획심사에 대한 경과규정) 제24조제1항 단서의 개정규정은 2020년 12월 17일까지 입찰공고한 분까지 적용한다.

부 칙

제1조(시행일) 이 기준은 2021년 4월 12일부터 시행한다.

제2조(적용례) 이 기준은 시행일 이후에 입찰공고를 한 분부터 적용한다.

제3조(하도급계획심사에 대한 경과규정) 제24조제1항 단서의 개정규정은 2020년 12월 17일까지 입찰공고한 분까지 적용한다.

제4조(시공비율 평가방법에 관한 적용례) 상호시장 진출 허용공사로서 [별표 2], [별표 3] 시공비율 산정 시 국토교통부에서 종합·전문업종간 상호시장 진출을 위한 시공능력평가액을 공시하기 전에는 시공비율 대신 공동수급협정서상 참여지분율을 시공비율로 적용할 수 있다.

부 칙

제1조(시행일) 이 기준은 2022년 1월 1일부터 시행한다.

제2조(적용례) 이 기준은 시행일 이후에 입찰공고를 한 분부터 적용한다.

제3조(하도급계획심사에 대한 경과규정) <삭제>

제4조(시공비율 평가방법에 관한 적용례) 상호시장 진출 허용공사로서 [별표 2], [별표 3] 시공비율 산정 시 국토교통부에서 종합·전문업종간 상호시장 진출을 위한 시공능력평가액을 공시하기 전에는 시공비율 대신 공동수급협정서상 참여지분율을 시공비율로 적용할 수 있다.

부 칙

제1조(시행일) 이 기준은 2022년 3월 14일부터 시행한다.

제2조(적용례) 이 기준은 시행일 이후에 입찰공고를 한 분부터 적용한다.

제3조(하도급계획심사에 대한 경과규정) <삭제>

제4조(시공비율 평가방법에 관한 적용례) 상호시장 진출 허용공사로서 [별표 2], [별표 3] 시공비율 산정 시 국토교통부에서 종합·전문업종간 상호시장 진출을 위한 시공능력평가액을 공시하기 전에는 시공비율 대신 공동수급협정서상 참여지분율을 시공비율로 적용할 수 있다.

[별표 1-1] 〈개정 2021.12.29.〉

일반공사 심사항목 및 배점기준

심사 분야	심사 항목		배 점
공사수행능력 (50점)	전문성 (28.5점)	시공실적	15점
		동일공종 전문성 비중	3.5점
		배치 기술자	10점
	역량 (20점)	시공평가점수	15점
		규모별 시공역량	3점
		공동수급체 구성	2점
	일자리 (1.5점)	건설인력고용	1.5점
	사회적책임 (0점~+2점)	건설안전	-0.8점~+0.8점
		공정거래	0.6점
		지역경제 기여도	0.8점
	소계		**50점**
입찰금액 (50점)	입찰금액		50점
	가격 산출의 적정성(감점)	단가	-4점
		하도급계획	-2점
	소계		**50점**
계약신뢰도 (감점)	배치기술자 투입계획 위반		감점
	하도급관리계획 위반		감점
	하도급금액 변경 초과비율 위반		감점
	시공계획 위반		감점
합 계			**100점**

주) 사회적책임의 각 심사항목별 점수를 합산한 점수가 음(-)인 경우는 0점으로 한다.

[별표 1-2] 〈개정 2021.12.29.〉

고난도공사 심사항목 및 배점기준

<table>
<tr><th>심사 분야</th><th colspan="2">심사 항목</th><th colspan="2">배 점</th></tr>
<tr><td rowspan="11">공사수행능력
(50점)</td><td rowspan="3">전문성
(31.5점)</td><td>시공실적 또는 시공인력(선택)</td><td colspan="2">15점</td></tr>
<tr><td>동일공종 전문성 비중</td><td colspan="2">5.5점</td></tr>
<tr><td>배치 기술자</td><td colspan="2">11점</td></tr>
<tr><td rowspan="3">역량
(17점)</td><td>시공평가점수</td><td colspan="2">15점</td></tr>
<tr><td>규모별 시공역량</td><td colspan="2">-</td></tr>
<tr><td>공동수급체 구성</td><td colspan="2">2점</td></tr>
<tr><td>일자리
(1.5점)</td><td>건설인력고용</td><td colspan="2">1.5점</td></tr>
<tr><td rowspan="3">사회적책임
(0점~+2점)</td><td>건설안전</td><td colspan="2">-0.8점~+0.8점</td></tr>
<tr><td>공정거래</td><td colspan="2">0.6점</td></tr>
<tr><td>지역경제 기여도</td><td colspan="2">0.8점</td></tr>
<tr><td colspan="2">소계</td><td colspan="2">50점</td></tr>
<tr><td rowspan="8">입찰금액
(50점)</td><td colspan="2">입찰금액</td><td colspan="2">50점</td></tr>
<tr><td rowspan="5">가격 산출의
적정성(감점)</td><td>단가</td><td colspan="2">-4점</td></tr>
<tr><td>하도급계획</td><td colspan="2">-2점</td></tr>
<tr><td rowspan="2">물량심사</td><td>감점</td><td>-2점</td></tr>
<tr><td>가점</td><td>1점</td></tr>
<tr><td>시공계획심사</td><td colspan="2">-2점</td></tr>
<tr><td colspan="2">소계</td><td colspan="2">50점</td></tr>
<tr><td rowspan="4">계약신뢰도
(감점)</td><td colspan="2">배치기술자 투입계획 위반</td><td colspan="2">감점</td></tr>
<tr><td colspan="2">하도급관리계획 위반</td><td colspan="2">감점</td></tr>
<tr><td colspan="2">하도급금액 변경 초과비율 위반</td><td colspan="2">감점</td></tr>
<tr><td colspan="2">시공계획 위반</td><td colspan="2">감점</td></tr>
<tr><td colspan="3">합 계</td><td colspan="2">100점</td></tr>
</table>

주) 사회적책임의 각 심사항목별 점수를 합산한 점수가 음(-)인 경우는 0점으로 한다.

[별표 1-3] 〈개정 2020.06.30., 2021.12.29.〉

실적제한공사 심사항목 및 배점기준(추정가격 300억원 이상)

심사 분야	심사 항목		배점
공사수행능력 (50점)	전문성 (31.5점)	시공실적 또는 시공인력(선택)	15점
		동일공종 전문성 비중	5.5점
		배치 기술자	11점
	역량 (17점)	시공평가점수	15점
		규모별 시공역량	-
		공동수급체 구성	2점
	일자리 (1.5점)	건설인력고용	1.5점
	사회적책임 (0점~+2점)	건설안전	-0.8점~+0.8점
		공정거래	0.6점
		지역경제 기여도	0.8점
	소계		**50점**
입찰금액 (50점)	입찰금액		50점
	가격 산출의 적정성 (감점)	단가	-4점
		하도급계획	-2점
	소계		**50점**
계약신뢰도 (감점)	배치기술자 투입계획 위반		감점
	하도급관리계획 위반		감점
	하도급금액 변경 초과비율 위반		감점
	시공계획 위반		감점
합 계			**100점**

주)

1. 제10조제1항제3호가목 단서에 따라 물량심사 및 시공계획 심사를 실시하는 경우에는 입찰금액 심사분야의 심사항목, 배점 및 평가방법은 [별표1-2]의 입찰금액 심사분야를 적용한다.
2. 사회적책임의 각 심사항목별 점수를 합산한 점수가 음(-)인 경우는 0점으로 한다.

[별표 1-4] 〈신설 2019.12.30., 2021.12.29.〉

실적제한공사 심사항목 및 배점기준(추정가격 300억원 미만)

<table>
<tr><th>심사분야</th><th colspan="2">심사 항목</th><th>배점</th></tr>
<tr><td rowspan="11">공사수행능력
(40점)</td><td>경영상태
(10점)</td><td>경영상태</td><td>10점</td></tr>
<tr><td rowspan="2">전문성
(18점)</td><td>시공실적</td><td>10점</td></tr>
<tr><td>배치 기술자</td><td>8점</td></tr>
<tr><td rowspan="2">역량
(12점)</td><td>규모별 시공역량</td><td>6점</td></tr>
<tr><td>공동수급체 구성</td><td>6점</td></tr>
<tr><td rowspan="4">사회적책임
(0점~+2점)</td><td>건설안전</td><td>-0.4점~+0.4점</td></tr>
<tr><td>공정거래</td><td>0.4점</td></tr>
<tr><td>건설인력고용</td><td>0.4점</td></tr>
<tr><td>지역경제 기여도</td><td>0.8점</td></tr>
<tr><td colspan="2">소계</td><td>40점</td></tr>
<tr><td colspan="2">입찰금액</td><td>60점</td></tr>
<tr><td rowspan="3">입찰금액
(60점)</td><td rowspan="2">가격 산출의
적정성(감점)</td><td>단가</td><td>-4점</td></tr>
<tr><td>하도급계획</td><td>-2점</td></tr>
<tr><td colspan="2">소계</td><td>60점</td></tr>
<tr><td rowspan="4">계약신뢰도
(감점)</td><td colspan="2">배치기술자 투입계획 위반</td><td>감점</td></tr>
<tr><td colspan="2">하도급관리계획 위반</td><td>감점</td></tr>
<tr><td colspan="2">하도급금액 변경 초과비율 위반</td><td>감점</td></tr>
<tr><td colspan="2">시공계획 위반</td><td>감점</td></tr>
<tr><td colspan="3">합 계</td><td>100점</td></tr>
</table>

주) 사회적책임의 각 심사항목별 점수를 합산한 점수가 음(-)인 경우는 0점으로 한다.

[별표 1-5] 〈신설 2019.12.30., 2021.12.29.〉

간이형 공사 심사항목 및 배점기준

<table>
<tr><th>심사분야</th><th colspan="2">심사 항목</th><th>배점</th></tr>
<tr><td rowspan="10">공사수행능력
(40점)</td><td>경영상태
(10점)</td><td>경영상태</td><td>10점</td></tr>
<tr><td rowspan="2">전문성
(18점)</td><td>시공실적</td><td>10점</td></tr>
<tr><td>배치 기술자</td><td>8점</td></tr>
<tr><td rowspan="2">역량
(12점)</td><td>규모별 시공역량</td><td>6점</td></tr>
<tr><td>공동수급체 구성</td><td>6점</td></tr>
<tr><td rowspan="4">사회적책임
(0점~+2점)</td><td>건설안전</td><td>-0.4점~+0.4점</td></tr>
<tr><td>공정거래</td><td>0.4점</td></tr>
<tr><td>건설인력고용</td><td>0.4점</td></tr>
<tr><td>지역경제 기여도</td><td>0.8점</td></tr>
<tr><td colspan="2">소계</td><td>40점</td></tr>
<tr><td rowspan="4">입찰금액
(60점)</td><td colspan="2">입찰금액</td><td>60점</td></tr>
<tr><td rowspan="2">가격 산출의
적정성(감점)</td><td>단가</td><td>-4점</td></tr>
<tr><td>하도급계획</td><td>-2점</td></tr>
<tr><td colspan="2">소계</td><td>60점</td></tr>
<tr><td rowspan="4">계약신뢰도
(감점)</td><td colspan="2">배치기술자 투입계획 위반</td><td>감점</td></tr>
<tr><td colspan="2">하도급관리계획 위반</td><td>감점</td></tr>
<tr><td colspan="2">하도급금액 변경 초과비율 위반</td><td>감점</td></tr>
<tr><td colspan="2">시공계획 위반</td><td>감점</td></tr>
<tr><td colspan="3">합 계</td><td>100점</td></tr>
</table>

주) 사회적책임의 각 심사항목별 점수를 합산한 점수가 음(-)인 경우는 0점으로 한다.

[별표 2] 〈개정 2019.7.26., 2021.2.15., 2021.4.12., 2021.12.29.〉

공사수행능력 세부 심사방법([별표1-1], [별표1-2], [별표1-3])

1. 심사공종의 구분

1) 심사공종은 발주공사와 동일공사실적 심사공종과 일반공사실적 심사공종으로 구분하며, 다음 표와 같다. 다만, 「조달청 시설공사 실적에 의한 경쟁입찰 집행기준」에 따르는 경우에는 해당 실적을 심사공종으로 한다.

업종	동일공사실적 심사공종	일반공사실적 심사공종
토목	교량, 터널, 항만, 지하철	교통시설, 수자원시설, 기타토목시설
건축	관람집회, 전시	주거시설, 비주거시설
산업환경	쓰레기소각로, 폐수처리장, 하수처리장	산업환경
조경	-	조경
준설	-	준설

2) 동일공사실적 심사공종은 [별표 2-1]의 해당되는 공종(교량 등)의 추정가격이 200억원 이상이 포함된 공사를 대상으로 한다.

3) 동일공사실적 심사공종과 일반공사실적 심사공종이 복합된 공사의 경우에는 동일공사실적 심사공종에 한하여 평가한다.

4) 동일공사실적 심사공종이 2개 이상인 경우에는 동일공사실적 심사공종의 합계 금액 대비 각각의 동일공사실적 심사공종의 비율에 따라 점수를 산정하여 합산한다.

(예시) 교량 및 터널 동일공사실적 심사공종이 포함된 공사

심사 공종	발주공사		시공실적 평가		합산점수
	추정가격	비율(A)	평가 점수(B)	환산점수(A×B)	
교량	300억원	60%	11.5	6.9	6.9+4.8 = 11.7
터널	200억원	40%	12.0	4.8	

5) 4)의 비율에 따른 점수 산정은 시공실적, 시공인력, 동일공종 전문성 비중, 시공평가점수 항목에 적용한다.

6) 동일공사실적 심사공종의 등급이 같거나 다른 경우에는 금액은 합산하고, 등급은 상위등급을 적용하여 평가한다.

7) 동일공사실적 심사공종에 포함되지 않는 토목, 건축공사는 교통시설, 수자원시설, 기타토목시설, 주거시설, 비주거시설의 공종그룹실적으로 평가하며, 공종그룹의 분류는 다음 표와 같다.

업종	공종그룹	공종그룹 분류
토목	교통시설	도로, 교량, 터널, 공항, 지하철, 철도
	수자원시설	항만, 댐, 운하, 하천, 치수, 상하수도, 정수장
	기타토목시설	교통시설 및 수자원시설에 포함되지 아니한 시설
건축	주거시설	단독주택 및 연립주택, 아파트, 주거상업겸용건물
	비주거시설	주거시설에 포함되지 아니한 시설

8) 동일공사실적 심사공종에 포함되지 않는 산업환경설비공사, 조경공사, 준설공사는 업종실적으로 평가한다.

9) 심사공종의 구분에 포함하지 않거나, 공사의 특성 및 규모 등으로 인하여 이 기준을 적용하기 곤란한 경우에는 평가방법을 입찰공고에 반영하여 집행할 수 있다.

2. 시공실적 심사

1) 시공실적 평가에 제출되는 동일공사실적의 평가는 「조달청 입찰참가자격사전심사기준」 [별표9]의 시공실적 제출 및 심사기준에 따른다.

2) 시공실적의 평가방법은 [별표2-2]부터 [별표2-5]까지의 시공실적의 평가등급 및 평점에 따른다.

3) 발주공사가 복합 업종인 경우에는 주된 공사에 해당하는 업종을 대상으로 평가한다.

4) 시공실적의 경과기간에 따른 조정계수는 1.0을 적용하되, 공사의 특성 및 규모 등으로 인하여 필요하다고 인정되는 경우에는 조정계수를 조정하여 적용할 수 있다.

5) 공동수급체의 경우 동일공사실적은 구성원별 시공실적에 시공비율(공사참여지분율에 시공능력평가액을 한도로 하여 산정한 비율)을 반영하지 아니하고 합산한다. 다만, 일반공사실적은 각 구성원의 시공실적에 시공비율을 곱한 후 합산한다.

6) 최근 10년간 시공실적은 입찰공고일로부터 기준으로 10년 이내의 실적을 말하며, 시공실적 제출 마감일까지의 준공실적으로 한다.

7) 실적심사공종의 범위에 해당하는 시공실적은 매 심사 신청시마다 실적증명서류를 제출하는 것을 원칙으로 하되 전자조달시스템에 등록된 실적을 제출하는 경우에는 실적증명서류 제출을 생략할 수 있다.

8) 공공기관 발주공사의 '시공실적증명서'는 전자조달시스템을 통해 발급받아 제출하여야 한다. 다만, 개별 전자발급시스템 사용기관의 실적증명서는 해당기관의 실적증명서를 제출할 수 있다.

9) 공종그룹실적 및 업종실적은 관련 협회에서 심사하여 발급한 증명서를 제출할 수 있다. 다만 관련협회로부터 전자조달시스템에 통보되는 경우에는 제출을 생략할 수 있다.

10) 상호시장 진출 허용공사의 경우 다음과 같이 평가한다.

10-1) 종합공사에 전문건설사업자가 참여한 경우 전문건설사업자의 실적은 업종실적 또는 공종그룹실적으로 적용하여 평가한다.

10-2) 상대 업역에 참여한 자의 업종실적은 국토교통부 고시 「종합·전문업종간 상호시장 진출을 위한 건설공사실적 인정기준」에 따른다. 전문건설사업자의 공종그룹실적은 동 기준에 따라 인정된 전문업종 실적을 공종그룹별 실적으로 분류하여 적용하며, 당해공사의

전문업종에 해당하는 공종그룹실적만 평가대상에 포함한다.

11) 전문업무분야를 시공자격으로 발주한 전문공사의 경우 업종실적은 전문업무분야 실적으로 평가한다.

12) 실적심사공종의 범위에 해당하는 시공실적은 입찰공고에서 별도로 정한 경우를 제외하고는 [별표2-1]에서 정한 실적심사공종 범위에 해당하는 공사의 시공실적(준공금액+도급자설치관급금액)을 합산한 금액으로 평가한다.

13) 시공실적점수는 배점한도를 초과할 수 없다.

14) 해당 공사의 특성 및 규모 등으로 인하여 필요하다고 인정되는 경우에는 시공실적의 평가등급 및 평점을 조정하여 적용할 수 있다.

3. 시공인력 심사

심사항목	심사요소	배점	등급	평점
시공인력	해당공사 시공에 필요한 기술자 보유	15	A. 25.0 이상 B. 22.5 이상 C. 20.0 이상 D. 17.5 이상	15.0점 14.5점 14.0점 13.5점
시공인력 등급		**등급 = Σ(등급계수*경력계수*관리능력계수)**		

※ 주 :

1) 시공인력심사는 입찰참가 업체가 시공실적 심사 대신 동 공사 참여경험이 있는 인력을 제출한 경우 이를 심사하는 것을 말한다.

2) 시공인력심사는 고난도 공사 중 시공실적 심사만으로 해당공사의 경쟁성이 확보되기 어렵다고 판단되는 경우(예시 : 입찰참가가능업체가 15개사 미만인 경우)에 적용하며, 시공인력 심사 여부는 해당 입찰공고에 따른다.

3) 시공인력 기술자는 해당 공사와 동일한 공사의 현장에 종사한 기술자에 대하여 다음의 등급계수, 경력계수, 관리능력계수를 반영하여 산정한다.
   - 등급계수 : 기술자 등급(특급 1.0, 고급 0.75, 중급 0.5, 초급 0.25)
   - 경력계수 : 동일공사 현장경력(3년이상 1.0, 5년이상 1.5, 10년이상 2.0)
     (동일공사 현장경력이 3년미만인 경우 0점 처리)
   - 관리능력계수 : 동일공사 현장대리인 경력(2년미만 1.0, 2년이상 1.1, 5년이상 1.3)

4) 시공인력 심사 대상 기술자는 입찰공고일 전일 현재 입찰자 소속 임·직원이어야 하고, 심사대상 인원은 20인 이내로 제한한다.

5) 공동수급체의 경우에는 시공비율을 반영하지 아니하고 합산하며, 공동수급체 대표자와 주된공사의 공동수급협정서 지분율 30%이상 업체를 대상으로 한다.

6) 시공인력 심사를 위한 동일공사실적 심사공종의 분류는 [별표2] 1. 심사공종의 구분에서 정한 기준에 따른다.

7) 시공인력 기술자는 동일공사실적 또는 일반공사실적 심사공종의 배치기술자와 중복하여 평가할 수 있다.

8) 해당공사가 동일공사실적 심사공종이 2개 이상인 복합공종의 경우에는 공종별 시공인력 심사점수에 해당공사의 공종 비율을 곱한 후 합산하여 산정하며, 동일인은 각각의 심사공종에 중복하여 평가할 수 있다.

9) 시공인력은 입찰참가 업체가 해당공사의 심사공종과 동일한 근무경력을 한국건설기술인협회에 신청하여 전자조달시스템에 통보되어 등록되거나, 한국건설기술인협회 등 관련기관에서 발급한 경력증명서 또는 경력확인서로 확인하여 심사한다.

4. 동일공종 전문성 비중 심사

1) 동일공종 전문성 비중은 발주공사와 동일한 공종그룹실적에 따라 구분하여 평가한다.
2) 발주공사가 복합 업종인 경우에는 주된 공사에 해당하는 업종을 대상으로 평가한다.
3) 동일공종 전문성 비중의 산정 및 평가방법은 "동일공종 전문성 비중 평가등급 및 평점"에 따른다.
4) 공동수급체의 동일공종 전문성 비중은 각 구성원의 평점에 시공비율을 곱하여 합산하여 평가한다.
5) 동일한 공종그룹실적 및 업종실적은 관련 협회에서 심사하여 발급한 증명서를 제출할 수 있다. 다만 관련협회로부터 전자조달시스템에 통보되는 경우에는 제출을 생략할 수 있다.
6) 토목 및 건축이외의 업종은 동일공종 전문성 평가는 배점한도를 적용한다.
7) 상호시장 진출 허용공사의 종합공사에 전문건설사업자가 참여한 경우 동일공종그룹실적 및 업종실적은 [별표2] 2. 10) 10-2)에 따른다.
8) 해당 공사의 특성 및 규모 등으로 인하여 필요하다고 인정되는 경우에는 평가등급 및 평점을 조정하여 적용할 수 있다.

동일공종 전문성 비중 평가등급 및 평점

평가등급	일반공사 (배점 3.5점)	교통시설	수자원시설	기타토목시설	비주거시설	주거시설
	고난도공사 (배점 5.5점)	교량, 터널, 지하철 등	항만 등	폐기물 매립장 등	관람집회, 전시, 크린룸 등	-
A등급	3.5 5.5	40%이상	30%이상	50%이상	50%이상	50%이상
B등급	3.4 5.4	40%미만 30%이상	30%미만 20%이상	50%미만 40%이상	50%미만 40%이상	50%미만 40%이상
C등급	3.3 5.3	30%미만 20%이상	20%미만 10%이상	40%미만 30%이상	40%미만 30%이상	40%미만 30%이상
D등급	3.2 5.2	20%미만 10%이상	10%미만 5%이상	30%미만 20%이상	30%미만 20%이상	30%미만 20%이상
E등급	3.1 5.1	10%미만	5%미만	20%미만	20%미만	20%미만
전문성 비중	$\text{동일공종 전문성 비중} = \frac{(\text{10년간 동일 공종그룹실적})}{(\text{10년간 동일 업종실적})} \times 100$					

5. 배치기술자 심사

<table>
<tr><th rowspan="2">심사
항목</th><th rowspan="2" colspan="2">심사요소</th><th colspan="2">배점</th><th rowspan="2">점수</th></tr>
<tr><th>일반
공사</th><th>고난도
공사</th></tr>
<tr><td rowspan="4">배치
기술자</td><td colspan="2">공사현장에 배치할
현장대리인
시공참여경력</td><td>7</td><td>8</td><td>평점 = [(A×2)/(365×6년)+B/(365×6년)] × (배점)
- A : 동일공사실적 또는 일반공사실적 심사공종 공사의 현장대리인 참여경력(근무일수)
- B : 동일공사실적 또는 일반공사실적 심사공종 공사의 기타직위 참여경력(근무일수)
(단, 평점은 배점을 초과할 수 없음.)</td></tr>
<tr><td rowspan="3">공사현장에
배치할
분야별 책임자
및 참여경력</td><td>시공</td><td colspan="2">1</td><td rowspan="3">평점 = (배점)×(C/(365×5년)
- C : 일반공사실적 심사공종 또는 해당업종 공사의 분야별 책임자 참여경력(근무일수)
(단, 평점은 배점을 초과할 수 없음.)</td></tr>
<tr><td>안전</td><td colspan="2">1</td></tr>
<tr><td>품질</td><td colspan="2">1</td></tr>
<tr><td>계</td><td></td><td></td><td>10</td><td>11</td><td></td></tr>
</table>

※ 주 :

1) 배치기술자심사는 입찰참가업체가 공사현장에 배치할 현장대리인 및 분야별 책임자의 시공참여경력을 심사하는 것을 말하며 발주공사가 복합업종인 경우에는 주된 공사에 해당하는 업종을 대상으로 평가하는 것을 원칙으로 하되, 공사특성 상 필요하다고 인정되는 경우에는 종된 공사에 해당하는 업종을 포함하여 평가할 수 있다.

2) 배치기술자 중 현장대리인의 심사대상 공종은 [별표2]1.1)에서 정하고 있는 발주공사와 동일공사실적 또는 일반공사실적 심사공종으로 구분하여 평가하며, 동일공사실적 심사공종의 참여경력은 [별표2-1]에서 정한 동일한 종류의 공사에 참여한 근무일수를 합산한다.
다만, 동일공사실적 심사공종에 포함되지 않는 산업환경설비공사, 조경공사, 준설공사는 해당업종으로 구분하여 평가한다.

3) 현장대리인의 참여경력은 기성실적누계 또는 준공금액(관급금액 제외)이 최소인정규모 이상인 경우에만 인정한다.

구 분	기성실적누계 또는 준공금액(관급 제외) 기준 (인정규모)
고난도 공사	100억원 이상 공사
1등급 공사	100억원 이상 공사
2등급 공사	50억원 이상 공사
3등급 이하 공사	30억원 이상 공사
조경 공사	10억원 이상 공사

4) 해당공사의 심사대상 업종과 심사대상자가 제출한 공사의 입찰공고에서 요구한 업종(부대공종포함)이 일치하는 경우에는 부대공종 현장대리인 경력도 인정한다.

5) 발주공사가 동일공사실적 심사공종이 2개 이상인 복합공종인 경우 배치기술자 중 현장대리인의 심사는 공종 비율이 가장 높은 1개의 실적심사공종만으로 평가한다.

6) 분야별 책임자 중 시공책임자의 공사규모별 배치인원은 다음과 같으며, 시공책임자의 경력심사는 발주공사와 동일한 동일공종그룹의 시공분야 참여 근무일수를 합산하여 평가한다. 시공책임자가 2인 이상일 경우에는 각 시공책임자별 개별 평점을 산술평균하여 산정한다.(다만, 조경공사, 준설공사, 산업환경설비공사는 해당업종으로 구분하여 평가한다.)

주된 공사 공사규모	시공책임자 배치기술자
추정가격 500억원 미만	1인
추정가격 500억원 이상 1,000억원 미만	2인
추정가격 1,000억원 이상	3인

7) 분야별 책임자 중 품질책임자, 안전책임자의 배치인원은 각 1인이며, 품질 또는 안전 책임자의 경력심사는 발주공사의 주된 업종과 동일한 업종의 품질 또는 안전분야 참여 근무일수를 합산하여 평가한다.
8) 배치기술자는 입찰공고일 전일 현재 입찰자 소속 임·직원이어야 하고, 입찰공고일 기준 6개월(180일) 이전부터 재직하지 아니한 자에 대해서는 평가점수의 80%만 인정한다. 단, 조달청 등급별 유자격자명부 중 3등급이하에 해당하는 일반공사에 참여한 3등급이하 업체에 대해서는 배치기술자가 3개월이상 재직한 경우는 평가점수의 100%를 적용한다.
9) 상호시장 진출 허용공사의 종합공사에 전문건설사업자가 참여한 경우 분야별 책임자 참여경력 평가 시 하도급으로 참여한 경력은 50%를 인정한다.
10) 현장대리인 및 분야별책임자는 「건설산업기본법」, 「건설기술진흥법」, 「산업안전보건법」 등 관련법령에서 정하는 자격요건을 갖추어야 한다.
11) 공동수급체의 경우, 공동수급체가 공동으로 제출하는 배치 예정기술자를 심사한다. 다만, 현장대리인은 대표자 소속이어야 한다.
12) 시공참여경력은 입찰참가 업체가 해당공사의 심사공종과 동일한 근무경력을 한국건설기술인협회에 신청하여 전자조달시스템에 통보되어 등록되거나, 한국건설기술인협회 등 관련 기관에서 발급한 경력확인서 또는 경력증명서에 의하여 확인한다.
13) 배치기술자는 원칙적으로 교체하지 못하며 다음의 경우에 한하여 계약담당공무원(조달사업법 제3조에 따라 조달청에 의뢰하여 계약한 공사로서 수요기관이 공사관리를 하는 경우에는 수요기관 담당공무원을 말한다. 이하 "13)" 및 "14)"에서 이와 같다)의 승인을 받아 당초 심사시 취득한 점수 이상의 점수를 획득할 수 있는 기술자(배치기술자의 변경요청일을 기준으로 판단하되, 가)내지 다) 및 마)의 경우에는 변경요청일 현재 6개월(180일) 이상 근무(다만, 3등급이하 일반공사의 3등급이하업체는 3개월(90일)로 적용하며, 2019년 3월 5일 입찰공고분부터 적용한다.)할 것을 요하지는 아니한다)로 대체할 수 있다.
   가) 배치기술자의 사망, 퇴직 등 근무관계가 종료된 경우
   나) 배치기술자의 질병, 출산 등으로 정상적인 근무가 곤란한 경우
   다) 배치기술자가 해당 현장에 배치된 때로부터 3년 이상이 경과되고 해당 공사의 공정률이 50%를 초과하는 경우
   라) 2개 이상의 공사에 동일한 배치기술자 투입계획을 제출하여 2개 이상의 공사에 낙찰예정인 경우(이 경우 각 수요기관 담당공무원과 협의하여 기술자 대체)
   마) 기타 정당한 사유로 수요기관에서 인정하여 승인한 경우
14) 계약담당공무원은 매년 2회 이상 낙찰자의 배치기술자 투입계획 이행여부를 조사하고, 이를 위반한 경우 즉시 그 위반사실을 조달청에 통보하여야 하며, 위반사항을 통보받은 날 이후 2년 동안 조달청이 발주하는 종합심사낙찰제 대상공사(개찰일 기준)에서 매건당 0.2점씩 감점한다.
15) 배치기술자 투입계획 위반 건수는 해당기술자 1인당 1건으로 산정하고, 감점 대상은 투입계획을 위반한 공동수급체 전체 구성원으로 하되 분담이행 구성원은 제외한다. <삭제>
16) 14) 및 15)에 따라 감점을 부여받은 자가 입찰에 참가하는 경우 계약신뢰도(감점) 심사 시 해당 발주공사에서의 구성원별 시공비율을 적용하여 감점한다.
17) 배치기술자의 참여경력 인정기준은 다음과 같다.

심 사 요 소	해당공사 참여경력 인정기준
현장대리인	「건설기술진흥법 시행규칙」 제18조에 따라 신고한 경력 중 국토부 고시 「건설기술자 등급 인정 및 교육·훈련 등에 관한 기준」 별표3 제3호의 "시공"분야의 현장대리인 경력 (기타 직위경력은 심사공종의 시공분야 참여 경력임)

심 사 요 소		해당공사 참여경력 인정기준
분야별 책임자	시공	「건설기술진흥법 시행규칙」 제18조에 따라 신고한 경력 중 국토부 고시 「건설기술자 등급 인정 및 교육·훈련 등에 관한 기준」 별표3 제3호의 시공분야의 현장대리인 또는 시공분야의 참여기술자 경력
	안전	「건설기술진흥법 시행규칙」 제18조에 따라 신고한 경력 중 국토부 고시 「건설기술자 등급 인정 및 교육·훈련 등에 관한 기준」 별표3 제3호의 안전관리 분야의 안전관리자 또는 안전관리 참여기술자 경력
	품질	「건설기술진흥법 시행규칙」 제18조에 따라 신고한 경력 중 국토부 고시 「건설기술자 등급 인정 및 교육·훈련 등에 관한 기준」 별표3 제3호의 품질관리 분야의 품질관리자 또는 품질관리 참여 경력

6. 시공평가결과 심사

1) 시공평가 결과는 입찰참가 업체의 건설기술진흥법 제50조에 의한 시공평가결과를 심사하는 것을 말한다.

2) 시공평가 결과는 최근 3년간 입찰참가 업체가 동일공종그룹 공사에 대해 받은 시공평가 결과 점수(2015.1.1. 이후 시공평가결과에 한한다)를 공사규모에 따라 가중 평균하여 심사한다. 다만, 동일공종그룹에 대한 시공평가 결과가 없는 업체의 경우 해당 업체가 받은 동일업종에 대한 시공평가 결과를 적용하며, 동일업종 시공평가결과가 없는 경우에는 기본점수(D등급, 14.7점)를 부여한다.

3) 공동수급체 구성원의 시공평가결과는 공동수급체 대표자가 받은 시공평가결과를 적용한다.

4) 평가결과 자료는 한국시설안전공단이 송부한 자료를 활용한다.

5) 공동수급체의 시공평가결과는 구성원별 시공평가결과 평점에 시공비율을 곱한 후 합산하여 심사한다. 점수는 “시공평가점수 평가등급 및 평점”을 따른다.

6) 상호시장 진출 허용공사의 종합공사에 전문건설사업자가 참여한 경우 D등급(14.7점)을 적용한다.

7) 당해공사가 전문공사인 경우 배점한도를 적용한다.

8) 1)부터 5)까지의 규정에도 불구하고 2017.12.31.까지는 다음과 같은 방식으로 심사한다.

- 입찰참가업체의 동일업종 공사에 대해 받은 시공평가결과 점수를 대상으로 심사하되, 동일업종 공사에 대한 시공평가결과 심사가 곤란한 경우에는 전체공사에 대한 시공평가결과로 심사할 수 있다.
- 공동수급체의 경우에는 대표사와 주된공사의 공동수급협정서 지분율 30%이상인 업체(이하 “시공평가 대상업체”라 한다)를 심사대상으로 하며, 평가는 각 시공평가 대상업체의 시공평가결과 점수에 전체 시공평가 대상업체에서 해당 시공평가 대상업체가 차지하는 비율을 곱하여 합산한다.
- 한국시설안전공단의 자료가 정비 될 때 까지 시공평가 대상업체의 시공평가결과는 시공평가 결과를 평균하여 점수를 산정하며, 점수는 2016년 12월 31일 까지는 “2016년 적용평가등급 및 평점”을 적용한다.
- 시공평가결과가 없는 시공평가 대상업체는 기본점수를 부여한다. 다만, 2016년 12월 31일 까지는 기본점수는 B등급(14.9점)을 적용한다.

9) 해당 공사의 특성 및 규모 등으로 인하여 필요하다고 인정되는 경우에는 “시공평가점수 평가등급 및 평점”을 조정하여 적용할 수 있다.

시공평가점수 평가등급 및 평점

심사항목	2016년 적용 평가등급 및 평점			2017년 이후 평가등급 및 평점		
	평가등급	시공평가 점수	평점	평가등급	시공평가 점수	평점
시공평가점수	A등급	95점이상	15.0	A등급	95점이상	15.0
	B등급	95점미만 90점이상	14.9	B등급	95점미만 92점이상	14.9
	C등급	90점미만	14.8	C등급	92점미만 89점이상	14.8
	(2016년 적용 평가등급 및 평점은 2016년 12월 31일까지 한시적으로 적용 합니다.)			D등급	89점미만 86점이상	14.7
				E등급	86점미만 83점이상	14.6
				F등급	83점미만 80점이상	14.5
				G등급	80점미만	14.4

7. 규모별 시공역량 심사

심사항목	심사요소	배점	점수
규모별 시공역량	공사규모에 따른 시공역량점수 * 입찰공고시 명시	3	**평점 = 발주등급에 따른 참여업체 등급별 점수**

※ 주 :

1) 규모별 시공역량 심사는 「조달청 등급별 유자격자 명부 등록 및 운용기준」에 의한다. 동 명부에 의한 2등급이하의 공사는 상위 등급 업체의 공동도급 참여 지분율에 따라 점수를 감하는 방식으로 심사하며 발주공사가 복합 업종인 경우에는 주된공사에 해당하는 업종을 대상으로 평가한다.

2) <삭제>

3) 발주등급에 따른 참여업체 등급별 점수는 아래표에 따라 반영한다.

발주공사 \ 업체등급	1등급	2등급	3등급	4등급	5등급	6등급 이하
1등급	3	3	3	3	3	3
2등급	2.9	3	3	3	3	3
3등급	2.8	2.9	3	3	3	3
4등급	2.7	2.8	2.9	3	3	3
5등급	2.6	2.7	2.8	2.9	3	3

4) 공동수급체의 규모별 시공역량 심사는 구성원별 해당 등급별 점수에 시공비율을 곱한 후 합산하여 심사한다.

5) <삭제>

6) <삭제>

7) <삭제>

8) <삭제>

8. 공동수급체 구성 심사

심사항목	배점	참여비율 등급	점수
공동수급체 구성원 심사	**2**	A. 25% 이상 B. 20% 이상, 25% 미만 C. 15% 이상, 20% 미만 D. 10% 이상, 15% 미만 E. 10% 미만	2.000 1.875 1.750 1.625 1.500

※ 주 :

1) 공동수급체 구성 심사는 중소기업(대표자 제외)의 참여비율에 따라 등급별 점수를 부여한다.
2) 해낭공사가 복합업종으로 구성된 경우에는 공동수급체의 전체공사 구성원(대표자 제외)에 대한 중소기업 참여비율의 합으로 평가하며, 업종별 중소기업 참여비율의 합에 해당업종 구성비율[입찰공고시 명시한 전체공사의 추정가격(부가가치세 포함) 대비 해당업종의 추정가격(부가가체세 포함) 비율을 말한다]을 곱한 후 합산한다.
3) 중소기업은 「중소기업기본법」에 따라 판단하며, 중소기업의 해당여부는 심사기준일 이전에 중소기업중앙회(공공구매종합정보(http://smpp.go.kr)에 중소기업으로 등록된 자료로 평가한다.
4) 중소기업 참여비율은 시공비율 평가를 적용한다. 다만, 시공비율은 주업종에 참여하는 공동수급체 구성원에 한하여 적용하고, 주업종이외 업종에 참여하는 구성원의 참여비율은 공동수급협정서 지분율을 적용한다.

9. 건설인력고용 심사

심사항목	배점	평가요소	배점	등급	점수
건설인력고용	1.5	고용 탄력성	1.5	A. 고용탄력성 1등급 B. 고용탄력성 2등급 C. 고용탄력성 3등급 D. 고용탄력성 4등급 E. 고용탄력성 5등급 F. 고용탄력성 6등급	1.50 1.42 1.34 1.26 1.18 1.10
		근로기준법 준수 (임금체불 사업주 명단공개 횟수)	-0.20	A. 0건 B. 1 ~ 2건 C. 3 ~ 4건 D. 5 ~ 6건 E. 7 ~ 8건 F. 9건 이상	0.00 -0.04 -0.08 -0.12 -0.16 -0.20
건설인력고용 평점		**평점 = 고용탄력성 점수 + 근로기준법준수 점수**			

※ 주 :

1) 건설인력고용 심사점수는 고용탄력성 점수와 근로기준법 준수 점수의 합으로 산정하며, 발주공사가 복합업종인 경우에는 주된공사에 해당하는 업종을 대상으로 평가한다.
2) 고용탄력성은 표준화된 고용보험 피보험자 증감률에서 표준화된 기성액 증감률을 차감한 값을 말한다.
 2-1) 평가대상 기간은 입찰공고일이 속하는 년도의 전전년도부터 직전 3개년도로 한다.
 2-2) 고용보험 피보험자 수는 입찰자의 본사 및 입찰자가 원수급인인 건설현장에서 신고된 피보험자 수를 합산하여 산정한다. 해당 건설현장에서 신고된 피보험자 수는 원수급인이 신고한 피보험자 수와 고용보험 및 산업재해보상보험의 보험료징수 등에 관한 법률 제9조 및 고용보험법 제15조제2항에 의해 하수급인이 신고한 피보험자 수를 합산하여 산정한다.

2-3) 기성액은 「건설산업기본법」에 따라 대한건설협회에서 산정한 실적액, 전기공사업법에 따라 한국전기공사협회에서 산정한 실적액, 정보통신공사업법에 따라 한국정보통신공사협회에서 산정한 실적액, 소방시설공사업법에 따라 한국소방시설협회에서 산정한 실적액을 합산하여 산출한다.

2-4) 피보험자 증감률과 기성액 증감률은 각 2개 연도별 전년대비 증감률을 가중평균한 값으로 하되 최근의 증감률에 0.6을 곱하고 이보다 과거의 증감률에 0.4를 곱한 값으로 한다.

2-5) 피보험자 증감률과 기성액 증감률은 「건설산업기본법시행령」 제87조제1항제1호에 의해 국토해양부장관의 위탁을 받은 대한건설협회에 종합건설업을 등록한 업체를 모집단으로 하여 표준화하며, 표준화식은 아래와 같다.

· 표준화 산식 = (변수값-평균)/표준편차

3) 「근로기준법」 준수 점수는 「근로기준법」 제43조의2에 따른 임금체불사업주 명단 공개 횟수에 따라 차등점수를 부여한다.

3-1) 평가대상 기간은 입찰공고일이 속하는 년도의 전년도부터 직전 3개년도로 한다.

3-2) 명단공개 사업주의 범위는 입찰자와 심사대상 기간 동안 입찰자가 원수급인인 건설현장에서 「고용보험 및 산업재해보상보험의 보험료징수 등에 관한 법」 제9조 및 「고용보험법」 제15조제2항에 의해 피보험자를 신고한 하수급인을 포함한다.

3-3) 입찰자의 명단공개 횟수는 고용노동부 홈페이지 등에 공개된 명단을, 하수급인의 명단공개 횟수는 한국고용정보원 자료를 활용하여 확인한다.

4) 고용탄력성 평가등급은 고용노동부에서 매년 1월 발표하는 고용탄력성 등급(표준화점수 기준으로 산정) 기준으로 한다.

5) 공동수급체의 경우 건설인력고용 심사는 각 구성원별 건설인력고용 평점에 시공비율을 곱한 후 합산한다.

6) <상호시장 진출 허용공사의 종합공사에 전문건설사업자가 참여한 경우 고용 탄력성 점수는 기본점수(1.10점)을 적용하고, 근로기준법 준수 점수의 합으로 산정한다.

10. 건설안전 심사(가·감점)

심사 항목	배점	심사 요소	등급	점수
건설안전	-0.8 ~ +0.8	사고사망 만인율	평점 = 0.8(배점) - 0.8 × (해당업체가중평균 사고사망만인율 / 건설업가중평균사고사망만인율) (단, 해당업체 가중평균사고사망만인율이 건설업가중평균사고사망만인율의 2배 이상인 경우는 -0.8점)	
		산업재해 발생보고 위반건수	A. 1건 B. 2건 C. 3건 D. 4건 E. 5건	-0.16 -0.32 -0.48 -0.64 -0.80
		산업재해 예방활동 실적	A. 평점 90점 이상인 자 B. 평점 80점 이상 90점 미만인 자 C. 평점 70점 이상 80점 미만인 자 D. 평점 60점 이상 70점 미만인 자 E. 평점 50점 이상 60점 미만인 자 F. 평점 50점 미만인 자	+0.80 +0.72 +0.64 +0.56 +0.48 +0.40
		산업안전보건 관리비 사용 관련 위반 건수	A. 과태료처분을 받은 사실이 있는 자 B. 과태료처분을 2회 이상 받은 사실이 있는 자	-0.2 -0.4
		산업안전보건법령 위반에 따른 행정형벌 부과	A. 2회 받은 자 B. 3회 이상 받은 자	-0.2 -0.4

※ 주 :

1) 건설안전 심사점수는 사고사망만인율, 산업재해발생 보고 위반건수, 산업재해 예방활동 실적, 산업안전보건관리비 사용 관련 위반 건수, 산업안전보건법령 위반에 따른 행정형벌 부과 점수를 합산하여 점수를 산정하며, 발주공사가 복합 업종인 경우에는 주된공사에 해당하는 업종을 대상으로 평가한다.
2) 사고사망만인율은 산업안전보건법 시행규칙 별표 1에 따라 산출한다.
3) 산업재해 발생보고 위반건수는 산업안전보건법 시행규칙 별표1 제1호 및 제6호에 따라 산정한다.
4) 사고사망만인율 및 평균사고사망만인율의 가중평균은 다음 산식에 의하여 산정한다.
   - [최근년도 사고사망만인율×0.5+최근년도 1년전 사고사망만인율×0.3+최근년도 2년전 사고사망만인율×0.2(단, 최근년도 1년전 사고사망만인율 또는 최근년도 2년전 사고사망만인율을 산정하지 않은 경우에는 최근년도 사고사망만인율과 산정한 연도 사고사망만인율의 평균값으로 한다)]

4-1) 사고사망만인율의 가중평균 산정시 다음에 따라 종전의 사망만인율을 활용한다.
   - 시행일로부터 1년 이내: 최근년도 1년전 사망만인율 및 최근년도 2년전 사망만인율(단, 최근년도 1년전 사망만인율 또는 최근년도 2년전 사망만인율을 산정하지 않은 경우에는 최근년도 사고사망만인율과 산정한 연도 사망만인율의 평균값으로 한다)
   - 시행일로부터 2년 이내: 최근년도 2년전 사망만인율(단, 최근년도 1년전 사고사망만인율 또는 최근년도 2년전 사망만인율을 산정하지 않은 경우에는 최근년도 사고사망만인율과 산정한 연도 사망만인율 또는 사고사망만인율의 평균값으로 한다)

5) 산업재해 발생보고 위반건수는 최근 1년동안의 기간 중에 과태료 부과처분이 확정된 건으로 산정한다.

6) 산업재해 예방활동 실적은 최근 1년간 고용노동부장관이 실시한 평가 결과에 따라 산정한다. 단, 평점이 없는 경우 F등급을 부여한다.
7) 산업안전보건관리비 사용 관련 위반건수는 최근 1년 동안 「산업안전보건법」 제89조제2항에 따른 산업안전보건관리비 사용의무를 위반하여 목적 외 사용한 금액이 1,000만원을 초과하거나 사용내역서를 작성·보존하지 않아 과태료 처분이 확정된 건으로 산정하고, 처분건수에 따라 점수를 산정한다.
8) 산업안전보건법령 위반 행정형벌 부과 건수는 최근 1년간 동일현장에서 벌금이상의 행정형벌을 받은 건으로 산정하며, 부과 건수에 따라 점수를 산정한다.
9) 계약담당공무원은 한국산업안전보건공단에서 2)부터 5)까지에 따라 산출한 입찰자의 사고사망만인율 등의 점수를 확인하고 심사에 반영하여야 한다.
10) 공동수급체의 경우 건설안전 심사는 구성원별 건설안전 평점에 시공비율을 곱한 후 합산한다.
11) 상호시장 진출 허용공사의 종합공사에 전문건설사업자가 참여한 경우 사고사망만인율 점수는 기본점수(0.40점)을 적용하고, 나머지 심사요소 점수의 합으로 산정한다.

11. 공정거래 심사(가점)

<table>
<tr><th rowspan="2">심사
항목</th><th rowspan="2">배점</th><th rowspan="2">평가
요소</th><th rowspan="2">배점</th><th colspan="5">점수</th></tr>
<tr><td rowspan="2">심사요소</td><td rowspan="2">평가 등급</td><td colspan="3">점수</td></tr>
<tr><td rowspan="12">공정
거래</td><td rowspan="12">0.60</td><td rowspan="8">상호
협력
평가</td><td rowspan="8">0.60</td><td>'21년</td><td>'22년</td><td>'23년</td></tr>
<tr><td rowspan="6">상호협력평가
등급</td><td>A. 95점이상</td><td>0.60</td><td>0.60</td><td>0.60</td></tr>
<tr><td>B. 90점이상~95점미만</td><td>0.58</td><td>0.55</td><td>0.50</td></tr>
<tr><td>C. 80점이상~90점미만</td><td>0.56</td><td>0.50</td><td>0.40</td></tr>
<tr><td>D. 70점이상~80점미만</td><td>0.54</td><td>0.45</td><td>0.30</td></tr>
<tr><td>E. 60점이상~70점미만</td><td>0.52</td><td>0.40</td><td>0.20</td></tr>
<tr><td>F. 60점미만</td><td>0</td><td>0</td><td>0</td></tr>
<tr><td>공공시설분야
대중소기업
협력프로그램
평가</td><td>〈제1차 년도 평가결과〉
A. 성장지원 기업(최우수)
B. 성장지원 기업(우수)
C. 성장희망 기업(최우수)
D. 성장희망 기업(우수)
〈제2차 년도 평가결과〉
A. 성장지원 기업(최우수)
B. 성장지원 기업(우수)
C. 성장희망 기업(최우수)
D. 성장희망 기업(우수)
〈제3차 년도 평가결과〉
A. 성장지원 기업(최우수)
B. 성장지원 기업(우수)
C. 성장희망 기업(최우수)
D. 성장희망 기업(우수)</td><td colspan="3">+0.1 (−0.1)
+0.05 (−0.05)
+0.05 (−0.05)
0 (0)

+0.2 (−0.2)
+0.1 (−0.1)
+0.1 (−0.1)
+0.05 (−0.05)

+0.4 (−0.4)
+0.2 (−0.2)
+0.2 (−0.2)
+0.1 (−0.1)</td></tr>
<tr><td rowspan="4">공정
거래
관련법
준수</td><td rowspan="4">−0.60</td><td>행위유형</td><td>조치정도</td><td colspan="3">감점</td></tr>
<tr><td>입찰담합 등
공동행위
(공정거래법
제19조)</td><td>A. 시정명령
B. 과징금 10억미만
C. 과징금 10억이상~30억미만
D. 과징금 30억이상
E. 법인고발
F. 법인 및 개인고발</td><td colspan="3">−0.09
−0.12
−0.15
−0.18
−0.21
−0.24</td></tr>
<tr><td>하도급법
위반행위</td><td>A. 시정명령
B. 과징금
C. 고발</td><td colspan="3">−0.09
−0.15
−0.21</td></tr>
<tr><td>기타 공정거래법
위반행위</td><td>A. 시정명령
B. 과징금
C. 고발</td><td colspan="3">−0.06
−0.12
−0.15</td></tr>
<tr><td colspan="2">공정거래 평점</td><td colspan="7">평점 = 상호협력평가 점수 + 공정거래관련법준수 점수(감점)
(단, 음(-)인 경우에는 0점으로 한다.)</td></tr>
</table>

※ 주 :

1) 공정거래 심사점수는 상호협력평가 점수에서 공정거래관련법준수 점수를 합산하여 산정하며, 발주공사가 복합 업종인 경우에는 주된공사에 해당하는 업종을 대상으로 평가한다.

2) 상호협력평가 등급

2-1) 상호협력평가 등급이라 함은 「건설산업기본법」 제48조에 의한 상호협력평가 등급을 말한다.

2-2) 상호협력평가 등급 점수는 국토교통부가 매년 6월 30일 공표하는 상호협력평가 등급에 따라 심사하며 공표일부터 1년간 적용한다.

2-3) 상호협력평가 점수 간격은 현행 0.02점에서 '22년부터 0.05점, '23년부터 0.1점으로 한다.

3) 공공시설분야 대중소기업 협력프로그램

3-1) 평가결과 등급은 「공공시설분야 대중소기업 협력 프로그램 운영규정」에 따른 협약이행결과 평가등급을 말한다.

3-2) 인센티브 부여기간 내 입찰공고 건에 대해 n차 년도에 해당하는 등급별로 점수를 산정하고 n차 년도 평가결과를 중복하여 적용하지 않는다.

3-3) 조달청은 평가대상 기업이 허위자료 제출, 불공정 행위 등을 한 경우에는 「공공시설분야 대중소기업 협력프로그램 운영규정」에 따라 인센티브를 부여받은 기간의 2배 이내 기간 동안 감점할 수 있다.

4) 공정거래관련법 준수

4-1) 공정거래관련법이란 「독점규제 및 공정거래에 관한 법률」(공정거래법이라 한다), 「하도급거래 공정화에 관한 법률」(하도급법이라 한다)을 말한다.

4-2) 공정거래관련법의 위반행위 시점은 공정거래위원회 의결일(소송진행중인 경우 해당소송의 확정판결일)을 기준으로 하되, 입찰공고일이 속하는 년도의 직전 2개년도를 대상으로 한다.

4-3) 공정거래관련법의 위반행위 여부는 입찰참가자가 제출하는 다음 정보가 포함된 서류로 평가한다.
가. 입찰공고일 기준 직전 2년간 해당 입찰참가자에 대한 공정거래위원회의 행위유형별 조치사실
나. 입찰참가자가 가.의 처분에 대하여 소송이 진행중인 경우에는 이를 입증하는 자료
다. 입찰공고일 기준 직전 2년간 행위유형별 조치사실에 대한 소송의 확정판결 및 이에 대한 입증자료

4-4) 입찰참가자가(공동수급체의 경우 각 구성원이) 대상기간 중 하나의 의결에 다수의 조치가 있는 경우 그 중 가장 높은 점수만 감점하며, 다수의 의결이 있는 경우 각 의결의 조치 중 높은 점수의 합을 감점한다. 다만, 감점의 합은 -0.60점을 초과할 수 없다.

5) 공동수급체의 경우 공정거래 심사는 각 구성원의 점수에 시공비율을 곱한 후 합산하여 평가하되, 전체 공동수급체의 상호협력평가점수에서 공정거래관련법 준수점수를 합산하여 산정한다. 다만, 합산하여 산정한 점수가 음(-)인 경우에는 0점으로 한다.

6) 상호시장 진출 허용공사의 종합공사에 전문건설사업자가 참여한 경우 상호협력평가 등급 점수는 기본점수(0.52점)을 적용하고, 공공시설분야 대중소기업 협력프로그램 평가 점수와 공정거래관련법 준수 점수의 합으로 산정한다. 다만, 상호협력평가 등급 기본점수는 '22년은 0.40점, '23년부터는 0.20점을 적용한다.

12. 지역경제 기여도 심사(가점)

심사항목	심사요소	배점	점수
지역경제 기여도	**지역업체 참여비율**	0.80	평점 = 0.80(배점) × (지역업체 참여비율 / 20%) (단, 해당공동수급체의 지역업체 참여비율이 20% 이상인 경우는 0.80점)

※ 주 :

1) 지역경제 기여도 심사점수는 지역업체(대표자 제외)의 참여비율에 따라 산식으로 평가한다.
2) 해당공사가 복합업종으로 구성된 경우에는 공동수급체의 전체공사 구성원(대표자 제외)에 대한 지역업체 참여비율의 합으로 평가하며, 업종별 지역업체 참여비율의 합에 해당업종 구성비율[입찰공고시 명시한 전체공사의 추정가격(부가가치세 포함) 대비 해당업종의 추정가격(부가가체세 포함) 비율을 말한다]을 곱한 후 합산한다.
3) 지역업체는 해당 계약을 이행하는데 필요한 면허·허가·등록 등의 자격요건을 갖춘 상태로 입찰공고일 현재 90일 이상 해당 공사현장을 관할하는 시·도에 법인등기부상(또는 입찰참가자격등록증상) 본점이 소재한 업체이어야 한다.
4) 해당지역에 공사의 이행에 필요한 자격을 갖춘 자가 10인 미만인 경우에는 지역경제 기여도를 평가하지 아니한다.
5) 지역업체 참여비율은 시공비율 평가를 적용한다. 다만, 시공비율은 주업종에 참여하는 공동수급체 구성원에 한하여 적용하고, 주업종이외 업종에 참여하는 구성원의 참여비율은 공동수급협정서 지분율을 적용한다.
6) 「독점규제 및 공정거래에 관한 법률」에 따른 상호출자제한 기업집단 소속 계열 회사 간에 공동수급체 구성시 해당 지역업체는 지역업체 참여비율 산정에서 제외한다.

[별표 2-1]

동일공사실적 심사공종의 범위

구 분 공 종	최근 10년간 당해공사와 동일한 종류의 공사실적
1) 교량	
A등급 · 경간 200m 이상 포함 교량	○ 길이 100m 이상 A등급 교량
B등급 · 경간 200m 미만 100m 이상 포함교량 · 경간 50m이상이 포함된 연육교, 연도교, 해상교량	○ 길이 100m이상의 A등급교량, 길이 200m 이상 B등급 교량
C등급 · 경간 50m 이상 포함 교량, 1,000m이상의 일반 교량(경간 10m이상)	○ 길이 100m 이상 A, B, C등급 교량
2) 항 만 가. 계류시설	○ 30억원 이상의 계류시설(준설, 매립 제외)
나. 외곽시설	○ 30억원 이상의 외곽시설(준설, 매립 제외)
3) 지하철(도시철도)	○ 100m이상의 지하구간 지하철공사
4) 터널공사	○ 철도·도로의 200m이상인 터널부분공사, 100m이상의 지하구간 지하철공사(지하차도공사 제외)
5) 쓰레기소각로	○ 소각단위 30톤/일 이상의 쓰레기 소각로 · 소각단위 용량톤수 : 쓰레기 1일소각톤수
6) 폐수종말처리장 가. 폐수종말처리장	○ 처리용량 3,000톤/일 이상의 폐수 또는 하수종말 처리장
나. 고도처리시설	○ 처리용량 3,000톤/일 이상의 폐수 또는 하수종말 처리장 ○ 처리용량 5,000톤/일 이상의 폐수 또는 하수종말 처리장의 고도처리시설
7) 하수종말처리장 가. 하수종말처리장	○ 처리용량 3,000톤/일 이상의 폐수 또는 하수종말 처리장
나. 고도처리시설	○ 처리용량 3,000톤/일 이상의 폐수 또는 하수종말 처리장 ○ 처리용량 5,000톤/일 이상의 폐수 또는 하수종말 처리장의 고도처리시설
8) 관람집회 시설 가. 공연장, 집회장	○ 연면적 3,000㎡ 이상인 공연장, 집회장
나. 관람장, 관람용도의 바닥면적의 합계가 1,000㎡ 이상인 운동장체육관	○ 연면적 3,000㎡ 이상인 관람장, 운동장, 체육관
9) 전시시설(전시장)	○ 연면적 3,000㎡ 이상인 전시장

[별표 2-2]

시공실적의 평가등급 및 평점

1. 교량(B등급이상)

구분 (별표2-1 실적심사공종 범위에 해당하는 추정가격)	평가등급	
	만점계수(B)	시공실적 평가방법
1,000억원 이상	**1.00**	시공실적점수=15점(배점)×(최근 10년간 시공실적)/(발주공사의 동일 실적심사공종 범위에 해당하는 추정가격×B)
1,000억원 미만 ~ 500억원 이상	**1.00**	
500억원 미만 ~ 300억원 이상	**1.70**	
300억원 미만	**1.50**	
배 점	15점	

2. 교량(C등급이상)

구분 (별표2-1 실적심사공종 범위에 해당하는 추정가격)	평가등급	
	만점계수(B)	시공실적 평가방법
1,000억원 이상	**2.50**	시공실적점수=15점(배점)×(최근 10년간 시공실적)/(발주공사의 동일 실적심사공종 범위에 해당하는 추정가격×B)
1,000억원 미만 ~ 500억원 이상	**2.50**	
500억원 미만 ~ 300억원 이상	**4.80**	
300억원 미만	**5.00**	
배 점	15점	

3. 지하철

구분 (별표2-1 실적심사공종 범위에 해당하는 추정가격)	평가등급	
	만점계수(B)	시공실적 평가방법
1,000억원 이상	**1.60**	시공실적점수=15점(배점)×(최근 10년간 시공실적)/(발주공사의 동일 실적심사공종 범위에 해당하는 추정가격×B)
1,000억원 미만 ~ 500억원 이상	**1.40**	
500억원 미만	**2.60**	
배 점	15점	

4. 터널

<table>
<tr><th rowspan="2">구분
(별표2-1 실적심사공종 범위에 해당하는 추정가격)</th><th colspan="2">평가등급</th></tr>
<tr><th>만점계수(B)</th><th>시공실적 평가방법</th></tr>
<tr><td>1,000억원 이상</td><td>3.30</td><td rowspan="5">시공실적점수=15점(배점)×(최근 10년간 시공실적)/(발주공사의 동일 실적심사공종 범위에 해당하는 추정가격×B)</td></tr>
<tr><td>1,000억원 미만 ~ 500억원 이상</td><td>3.30</td></tr>
<tr><td>500억원 미만 ~ 300억원 이상</td><td>4.00</td></tr>
<tr><td>300억원 미만</td><td>4.40</td></tr>
<tr><td>배 점</td><td>15점</td></tr>
</table>

5. 항만(계류시설)

<table>
<tr><th rowspan="2">구분
(별표2-1 실적심사공종 범위에 해당하는 추정가격)</th><th colspan="2">평가등급</th></tr>
<tr><th>만점계수(B)</th><th>시공실적 평가방법</th></tr>
<tr><td>1,000억원 이상</td><td>1.00</td><td rowspan="5">시공실적점수=15점(배점)×(최근 10년간 시공실적)/(발주공사의 동일 실적심사공종 범위에 해당하는 추정가격×B)</td></tr>
<tr><td>1,000억원 미만 ~ 500억원 이상</td><td>1.00</td></tr>
<tr><td>500억원 미만 ~ 300억원 이상</td><td>1.50</td></tr>
<tr><td>300억원 미만</td><td>1.80</td></tr>
<tr><td>배 점</td><td>15점</td></tr>
</table>

6. 항만(외곽시설)

<table>
<tr><th rowspan="2">구분
(별표2-1 실적심사공종 범위에 해당하는 추정가격)</th><th colspan="2">평가등급</th></tr>
<tr><th>만점계수(B)</th><th>시공실적 평가방법</th></tr>
<tr><td>1,000억원 이상</td><td>1.30</td><td rowspan="5">시공실적점수=15점(배점)×(최근 10년간 시공실적)/(발주공사의 동일 실적심사공종 범위에 해당하는 추정가격×B)</td></tr>
<tr><td>1,000억원 미만 ~ 500억원 이상</td><td>0.90</td></tr>
<tr><td>500억원 미만 ~ 300억원 이상</td><td>1.20</td></tr>
<tr><td>300억원 미만</td><td>1.70</td></tr>
<tr><td>배 점</td><td>15점</td></tr>
</table>

7. 공연·집회

구분 (별표2-1 실적심사공종 범위에 해당하는 추정가격)	평가등급	
	만점계수(B)	시공실적 평가방법
1,000억원 이상	**0.41**	시공실적점수=15점(배점)×(최근 10년간 시공실적)/(발주공사의 동일 실적심사공종 범위에 해당하는 추정가격×B)
1,000억원 미만 ~ 500억원 이상	**0.39**	
500억원 미만 ~ 300억원 이상	**0.74**	
300억원 미만	**1.17**	
배 점	15점	

8. 관람

구분 (별표2-1 실적심사공종 범위에 해당하는 추정가격)	평가등급	
	만점계수(B)	시공실적 평가방법
1,000억원 이상	**0.55**	시공실적점수=15점(배점)×(최근 10년간 시공실적)/(발주공사의 동일 실적심사공종 범위에 해당하는 추정가격×B)
1,000억원 미만 ~ 500억원 이상	**0.45**	
500억원 미만 ~ 300억원 이상	**0.7**	
300억원 미만	**0.83**	
배 점	15점	

9. 전시

구분 (별표2-1 실적심사공종 범위에 해당하는 추정가격)	평가등급	
	만점계수(B)	시공실적 평가방법
1,000억원 이상	**0.61**	시공실적점수=15점(배점)×(최근 10년간 시공실적)/(발주공사의 동일 실적심사공종 범위에 해당하는 추정가격×B)
1,000억원 미만 ~ 500억원 이상	**0.57**	
500억원 미만	**1.06**	
배 점	15점	

10. 하·폐수처리장

구분 (별표2-1 실적심사공종 범위에 해당하는 추정가격)	평가등급	
	만점계수(B)	시공실적 평가방법
1,000억원 이상	**0.78**	시공실적점수=15점(배점)×(최근 10년간 시공실적)/(발주공사의 동일 실적심사공종 범위에 해당하는 추정가격×B)
1,000억원 미만 ~ 500억원 이상	**0.45**	
500억원 미만 ~ 300억원 이상	**0.80**	
300억원 미만	**1.20**	
배 점	15점	

11. 쓰레기소각로

구분 (별표2-1 실적심사공종 범위에 해당하는 추정가격)	평가등급	
	만점계수(B)	시공실적 평가방법
500억원 이상	**1.50**	시공실적점수=15점(배점)×(최근 10년간 시공실적)/(발주공사의 동일 실적심사공종 범위에 해당하는 추정가격×B)
500억원 미만 ~ 300억원 이상	**1.20**	
300억원 미만	**1.30**	
배 점	15점	

[별표 2-3] 〈개정 2021.4.12.〉

공종그룹실적의 평가등급 및 평점

1. 토목(1등급)

구분 (주된공사의 추정가격)	만점계수(B)			
	교통	수자원	기타토목	공종그룹실적 평가방법
1,500억원 이상	**4.40**	**2.00**	**2.93**	시공실적점수=15점(배점)×(최근 10년간 공종그룹실적)/(주된공사의 추정가격×B)
1,500억원 미만 ~ 1,000억원 이상	**0.53**	**0.27**	**1.07**	
1,000억원 미만 ~ 750억원 이상	**0.40**	**0.40**	**1.10**	
750억원 미만 ~ 500억원 이상	**0.53**	**0.53**	**1.47**	
500억원 미만	**0.80**	**0.80**	**2.20**	
배 점	15점			

2. 토목(2등급)

구분 (주된공사의 추정가격)	만점계수(B)			
	교통	수자원	기타토목	공종그룹실적 평가방법
750억원 이상	**0.80**	**0.40**	**1.19**	시공실적점수=15점(배점)×(최근 10년간 공종그룹실적)/(주된공사의 추정가격×B)
750억원 미만 ~ 500억원 이상	**0.71**	**0.37**	**1.07**	
500억원 미만	**0.52**	**0.28**	**1.14**	
배 점	15점			

3. 토목(3등급)

구분 (주된공사의 추정가격)	만점계수(B)			
	교통	수자원	기타토목	공종그룹실적 평가방법
500억원 이상	**0.62**	**0.66**	**0.74**	시공실적점수=15점(배점)×(최근 10년간 공종그룹실적)/(주된공사의 추정가격×B)
500억원 미만	**0.56**	**0.52**	**0.68**	
배 점	15점			

4. 토목(4등급, 5등급)

구분 (주된공사의 추정가격)	만점계수(B)			
	교통	수자원	기타토목	공종그룹실적 평가방법
500억원 미만	**0.36**	**0.42**	**0.46**	시공실적점수=15점(배점)×(최근 10년간 공종그룹실적)/(주된공사의 추정가격×B)
배 점	15점			

5. 건축(1등급)

구분 (주된공사의 추정가격)	만점계수(B)		
	주거	비주거	공종그룹실적 평가방법
1,500억원 이상	**14.67**	**10.67**	시공실적점수=15점(배점)×(최근 10년간 공종그룹실적)/(주된공사의 추정가격×B)
1,500억원 미만 ~ 1,000억원 이상	**5.33**	**1.33**	
1,000억원 미만 ~ 750억원 이상	**6**	**1.5**	
750억원 미만 ~ 500억원 이상	**5.33**	**1.33**	
500억원 미만	**4**	**1**	
배 점	15점		

6. 건축(2등급)

구분 (주된공사의 추정가격)	만점계수(B)		
	주거	비주거	공종그룹실적 평가방법
750억원 이상	**4.27**	**3.6**	시공실적점수=15점(배점)×(최근 10년간 공종그룹실적)/(주된공사의 추정가격×B)
750억원 미만 ~ 500억원 이상	**4**	**3.33**	
500억원 미만	**5.6**	**4.6**	
배 점	15점		

7. 건축(3등급)

구분 (주된공사의 추정가격)	만점계수(B)		
	주거	비주거	공종그룹실적 평가방법
500억원 이상	**2.4**	**3.6**	시공실적점수=15점(배점)×(최근 10년간 공종그룹실적)/(주된공사의 추정가격×B)
500억원 미만	**1.4**	**2.8**	
배 점	15점		

8. 건축(4등급, 5등급)

구분 (주된공사의 추정가격)	만점계수(B)		
	주거	비주거	공종그룹실적 평가방법
500억원 미만	**0.54**	**2.23**	시공실적점수=15점(배점)×(최근 10년간 공종그룹실적)/(주된공사의 추정가격×B)
배 점	15점		

1) 주계약자관리방식으로서 주계약자를 제외한 건설사업자의 동일공종그룹실적은 다음과 같이 산정한다.

1-1) 종합건설사업자의 동일공종그룹실적은 '주된공사의 추정가격×B' 까지만 인정한다.

1-2) 전문건설사업자의 동일공종그룹실적은 '주된공사의 추정가격×B×해당 전문업종 비율' 까지만 인정한다.

2) 종합공사에 전문건설사업자가 참여하는 경우에는 전문업종별로 실적을 각각 산정한 후 합산하여 평가한다. 전문업종별 실적은 전문건설사업자별 해당 공종그룹실적에 각각의 시공비율을 곱하여 합산하되, 합산 실적은 다음 ① 또는 ② 중 큰 금액 까지만 인정한다.

① : 주된공사의 추정가격×B×해당 전문업종 비율×{Σ(각 전문건설사업자의 해당 전문업종 시공비율)}

② : 주된공사의 추정가격×B×해당 전문업종 비율×(1-종합건설사업자의 실적계수)

* 종합건설사업자의 실적계수 = Σ(각 종합건설사업자의 공종그룹실적×시공비율)÷주된공사의 추정가격×B. (소수점 셋째자리 이하는 버림)

[별표 2-4] 〈개정 2021.4.12.〉

업종실적의 평가등급 및 평점

1. 산업·환경설비

구분 (주된공사의 추정가격)	평가등급	
	만점계수(B)	시공실적 평가방법
500억원 이상	**6.80**	시공실적점수=15점(배점)×(최근 10년간 업종실적)/(주된공사의 추정가격×B)
500억원 미만	**5.60**	
배 점	15점	

2. 조경

구분 (주된공사의 추정가격)	평가등급	
	만점계수(B)	시공실적 평가방법
500억원 이상	**2.00**	시공실적점수=15점(배점)×(최근 10년간 업종실적)/(주된공사의 추정가격×B)
500억원 미만	**1.84**	
배 점	15점	

3. 준설

구분 (주된공사의 추정가격)	평가등급	
	만점계수(B)	시공실적 평가방법
500억원 이상	**4.00**	시공실적점수=15점(배점)×(최근 10년간 업종실적)/(주된공사의 추정가격×B)
500억원 미만	**2.40**	
배 점	15점	

1) 주계약자관리방식으로서 주계약자를 제외한 건설사업자의 시공실적은 다음과 같이 산정한다.

1-1) 종합건설사업자의 시공실적은 '주된공사의 추정가격×B' 까지만 인정한다.

1-2) 전문건설사업자의 시공실적은 '주된공사의 추정가격×B×해당 전문업종 비율' 까지만 인정한다.

2) 종합공사에 전문건설사업자가 참여하는 경우에는 전문업종별로 실적을 각각 산정한 후 합산하여 평가한다. 전문업종별 실적은 전문건설사업자별 해당 전문업종 시공실적에 각각의 시공비율을 곱하여 합산하되, 합산 실적은 다음 ① 또는 ② 중 큰 금액 까지만 인정한다.

① : 주된공사의 추정가격×B×해당 전문업종 비율×{Σ(각 전문건설사업자의 해당 전문업종 시공비율)}

② : 주된공사의 추정가격×B×해당 전문업종 비율×(1-종합건설사업자의 실적계수)

* 종합건설사업자의 실적계수 = Σ(각 종합건설사업자의 시공실적×시공비율)÷주된공사의 추정가격×B. (소수점 셋째자리 이하는 버림)

[별표 2-5]

실적경쟁 입찰의 평가등급 및 평점

<table>
<tr><td rowspan="2">공사규모
(실적대상공종)</td><td colspan="2">평가등급</td></tr>
<tr><td>만점계수(B)</td><td>시공실적 평가방법</td></tr>
<tr><td>추정가격 500억원 이상</td><td>3.00</td><td rowspan="3">시공실적점수=15점(배점)×(최근 10년간 실적금액)/
(평가기준 규모 또는 금액×B)</td></tr>
<tr><td>추정가격 500억원 미만</td><td>2.00</td></tr>
<tr><td>배 점</td><td>15점</td></tr>
</table>

1) 평가기준 규모 또는 금액은 실적경쟁 입찰 대상 규모 또는 금액을 기준으로 하되, 공사의 특성 및 규모, 경쟁성 등을 고려하여 조정할 수 있다.

[별표 3] 〈개정 2020.6.30., 2021.4.12., 2021.12.29., 2022.3.11.〉

공사수행능력 세부 심사방법([별표1-4], [별표1-5])

1. 경영상태 심사

   1) 경영상태부문은 신용평가등급으로 평가한다.

   2) <삭제>

   3) 해당공사가 복합업종으로 구성된 경우의 경영상태 심사는 주된 공사의 업종으로 심사한다.

   4) <삭제>

   5) 「신용정보의 이용 및 보호에 관한 법률」 제4조제1항제1호 또는 「자본시장과 금융투자업에 관한 법률」 제9조제26항의 업무를 영위하는 신용조회사 또는 신용평가사(이하 '신용정보업자'라 한다.)가 입찰공고일 이전에 평가하여 유효기간 내에 있는 『회사채에 대한 신용평가등급』, 『기업어음에 대한 신용평가 등급』, 『기업신용평가등급』 중 마감일 현재에 시스템을 통해 조회된 가장 최근 평가일의 신용평가등급으로 평가한다. 다만, 가장 최근의 신용평가등급이 같은 날 다수가 있어 그 결과가 상이할 경우 가장 낮은 등급으로 평가한다.

   6) 합병한 업체에 대하여는 합병 후 새로운 신용평가등급(다만, 입찰공고일 이전에 합병한 업체는 입찰공고일 이전에 평가받은 합병 후 새로운 신용평가등급으로 평가하되, 동 평가서가 없을 경우 입찰서제출 마감일까지 시스템에 등록한 합병 후 새로운 신용평가등급)으로 하며, 그 전까지는 합병대상업체 중 가장 낮은 신용평가등급을 받은 업체의 신용평가등급으로 심사한다.

   7) 입찰자가 등록대상 신용평가등급을 나라장터에 전송하지 않을 것을 신용정보업자에게 요구·약속하여 그 이전의 유리한 평가자료로 평가받을 경우 해당 입찰자는 입찰 무효로 처리되거나 낙찰자에서 배제됩니다.

      * 경영상태 심사 평점 = 경영상태 점수 × 10/35

   8) 신용평가등급은 다음 표에 따라 평가하며, 유효한 신용평가등급이 없는 경우에는 "0점"으로 처리한다.

신용평가평가등급에 대한 평가등급 및 점수

회사채에 대한 신용평가등급	기업어음에 대한 신용평가등급	기업신용평가등급	경영상태 점수
A+이상	A2+이상	A+에 준하는 등급	**35.0**
A0	A20	A0에 준하는 등급	**35.0**
A-	A2-	A-에 준하는 등급	**35.0**
BBB+	A3+	BBB+에 준하는 등급	**35.0**
BBB0	A30	BBB0에 준하는 등급	**35.0**
BBB-	A3-	BBB-에 준하는 등급	**35.0**
BB+,BB0	B+	BB+,BB0에 준하는 등급	**34.7**
BB-	B0	BB-에 준하는 등급	**34.2**
B+,B0,B-	B-	B+,B0,B-에 준하는 등급	**33.1**
CCC+이하	C이하	CCC+에 준하는 등급이하	**32.1**

2. 시공실적 심사

1) 시공실적 평가는 업종실적으로 평가하며 관련협회의 확인금액을 적용한다.
2) 최근 5년간 시공실적은 관련협회의 통계완료 최종년도를 기준으로 최근 5년간 동일업종 실적을 평가하며, [별표3-1]의 업종실적의 평가등급 및 평점에 따른다. 단, 실적제한 대상공사의 경우는 최근 10년간 해당공사와 동일한 종류의 공사실적으로 평가하되 입찰공고에서 특별히 규정한 경우를 제외하고는 평가기준규모는 당해시공실적 대상공사(종)의 단위구조물에 대한 규모로 하며, 동일한 종류의 공사실적으로 인정하는 규모는 입찰참가자격에서 정한 규모로 한다.(평가기준 규모와 공사실적인정기준 규모는 입찰공고에 명시)
3) 발주공사가 복합 업종인 경우에는 주된 공사에 해당하는 업종을 대상으로 평가한다.
4) 시공실적의 경과기간에 따른 조정계수는 1.0을 적용하되, 공사의 특성 및 규모 등으로 인하여 필요하다고 인정되는 경우에는 조정계수를 조정하여 적용할 수 있다.
5) 공동수급체의 경우 각 구성원의 시공실적에 시공비율을 곱한 후 합산한다.
6) 업종실적은 관련 협회에서 심사하여 발급한 증명서를 제출할 수 있다. 다만 관련협회로부터 전자조달시스템에 통보되는 경우에는 제출을 생략할 수 있다.
7) 상호시장 진출 허용공사의 경우, 상대 업역으로 참여한 자의 업종실적은 국토교통부 고시 「종합·전문업종간 상호시장 진출을 위한 건설공사실적 인정기준」에 따른다.
8) 전문업무분야를 시공자격으로 발주한 전문공사의 경우 업종실적은 전문업무분야 실적으로 평가한다.
9) 시공실적점수는 배점한도를 초과할 수 없다.
10) 당해 공사의 특성 및 규모 등으로 인하여 필요하다고 인정되는 경우에는 시공실적의 평가등급 및 평점을 조정하여 적용할 수 있다.

3. 배치기술자 심사

<table>
<tr><th rowspan="2">심사
항목</th><th rowspan="2" colspan="2">심사요소</th><th>배점</th><th rowspan="2">점수</th></tr>
<tr><th>일반공사</th></tr>
<tr><td rowspan="4">배치
기술자</td><td colspan="2">공사현장에 배치할
현장대리인
시공참여경력</td><td>5</td><td>평점 = [(A×2)/(365×3년)+B/(365×3년)] × (배점)

- A : 동일업종 공사의 현장대리인 참여경력(근무일수)
- B : 동일업종 공사의 기타직위 참여경력(근무일수)
(단, 평점은 배점을 초과할 수 없음.)</td></tr>
<tr><td rowspan="3">공사현장에
배치할
분야별
책임자 및
참여경력</td><td>시공</td><td>1</td><td rowspan="2">해당 기술자 보유 여부만 평가(주3) 참고)</td></tr>
<tr><td>품질</td><td>1</td></tr>
<tr><td>안전</td><td>1</td><td>평점 = (배점)×C/(365×3년)

- C : 해당업종 공사의 분야별 책임자 참여경력(근무일수)
(단, 평점은 배점을 초과할 수 없음.)</td></tr>
<tr><td>계</td><td colspan="2"></td><td>8</td><td></td></tr>
</table>

※ 주 :

1) 배치기술자심사는 입찰참가업체가 공사현장에 배치할 현장대리인의 시공참여경력을 심사하는 것을 말하며 동일업종의 경력으로 평가한다. 발주공사가 복합업종인 경우에는 주된 공사에 해당하는 업종을 대상으로 평가하는 것을 원칙으로 하되, 공사특성 상 필요하다고 인정되는 경우에는 종된 공사에 해당하는 업종을 포함하여 평가할 수 있다.

2) 현장대리인의 참여경력은 기성실적누계 또는 준공금액(관급금액 제외)이 최소인정규모 이상인 경우에만 인정한다.

구 분	기성실적누계 또는 준공금액(관급 제외) 기준 (인정규모)
	30억원 이상 공사

3) 심사대상자는 계약담당공무원으로부터 배치기술자 심사관련 서류제출을 요구받은 날로부터 15일 이내에 서류를 제출해야 하며, 미제출 시 평가에서 제외한다. 배치기술자 심사는 서류제출일 현재 입찰자 소속 임·직원을 대상으로 평가한다.

* 배치기술자는 각 분야별로 각각 평가하며 평가된 인원은 다른 분야에서 제외하고 평가하며, 기술자 보유여부는 건설기술인협회로부터 통보되어 나라장터에 등록된 자료 또는 입찰자가 제출한 자료로 확인

** 시공책임자, 품질책임자 보유여부는 추정가격 200억원이상 300억원미만 실적제한공사에만 적용하고 그 외 공사의 경우는 배점한도 적용

*** 전기·통신·소방공사 등 안전책임자 경력 평가가 곤란한 경우 배점한도 적용

4) 상호시장 진출 허용공사의 종합공사에 전문건설사업자가 참여한 경우 분야별 책임자 참여경력 평가 시 하도급으로 참여한 경력은 50%를 인정한다.

5) 현장대리인 및 분야별 책임자는 「건설산업기본법」, 「건설기술진흥법」, 「산업안전보건법」 등 관련법령에서 정하는 자격요건을 갖추어야 한다.

6) 공동수급체의 경우에는 현장대리인은 대표자 소속이어야 한다.
7) 시공참여경력은 입찰참가 업체가 해당공사의 동일업종과 동일한 근무경력을 한국건설기술인협회에 신청하여 전자조달시스템에 통보되어 등록되거나, 한국건설기술인협회 등 관련 기관에서 발급한 경력확인서 또는 경력증명서에 의하여 확인한다.
8) 배치기술자는 원칙적으로 교체하지 못하며 다음의 경우에 한하여 계약담당공무원(조달사업법 제3조에 따라 조달청에 의뢰하여 계약한 공사로서 수요기관이 공사관리를 하는 경우에는 수요기관 담당공무원을 말한다. 이하 "8)" 및 "9)"에서 이와 같다)의 승인을 받아 당초 심사시 취득한 점수 이상의 점수를 획득할 수 있는 기술자(배치기술자의 변경요청일을 기준으로 판단하되, 가)내지 다) 및 마)의 경우에는 변경요청일)로 대체할 수 있다.
   가) 배치기술자의 사망, 퇴직 등 근무관계가 종료된 경우
   나) 배치기술자의 질병, 출산 등으로 정상적인 근무가 곤란한 경우
   다) 배치기술자가 해당 현장에 배치된 때로부터 3년 이상이 경과되고 해당 공사의 공정률이 50%를 초과하는 경우
   라) 2개 이상의 공사에 동일한 배치기술자 투입계획을 제출하여 2개 이상의 공사에 낙찰예정인 경우(이 경우 각 수요기관 담당공무원과 협의하여 기술자 대체)
   마) 기타 정당한 사유로 수요기관에서 인정하여 승인한 경우
9) 계약담당공무원은 매년 2회 이상 낙찰자의 배치기술자 투입계획 이행여부를 조사하고, 이를 위반한 경우 즉시 그 위반사실을 조달청에 통보하여야 하며, 위반사항을 통보받은 날 이후 2년 동안 조달청이 발주하는 종합심사낙찰제 대상공사(개찰일 기준)에서 매건당 0.2점씩 감점한다.
   - 다만, 당초 심사 시 배점한도를 적용한 기술자는 배치기술자 투입계획 이행여부 대상에 포함하지 않는다.
10) 배치기술자 투입계획 위반 건수는 해당기술자 1인당 1건으로 산정하고, 감점 대상은 투입계획을 위반한 공동수급체 전체 구성원으로 하되 분담이행 구성원은 제외한다.
11) 9) 및 10)에 따라 감점을 부여받은 자가 입찰에 참가하는 경우 계약신뢰도(감점) 심사 시 당해 발주공사에서의 구성원별 시공비율을 적용하여 감점한다.
12) 배치기술자의 참여경력 인정기준은 다음과 같다.

심 사 요 소		해당공사 참여경력 인정기준
현장대리인		「건설기술진흥법 시행규칙」 제18조에 따라 신고한 경력 중 국토부 고시 「건설기술자 등급 인정 및 교육·훈련 등에 관한 기준」 별표3 제3호의 "시공"분야의 현장대리인 경력 (기타 직위경력은 심사공종의 시공분야 참여 경력임)
분야별 책임자	시공	「건설기술진흥법 시행규칙」 제18조에 따라 신고한 경력 중 국토부 고시 「건설기술자 등급 인정 및 교육·훈련 등에 관한 기준」 별표3 제3호의 시공분야의 현장대리인 또는 시공분야의 참여기술자 경력
	안전	「건설기술진흥법 시행규칙」 제18조에 따라 신고한 경력 중 국토부 고시 「건설기술자 등급 인정 및 교육·훈련 등에 관한 기준」 별표3 제3호의 안전관리 분야의 안전관리자 또는 안전관리 참여기술자 경력
	품질	「건설기술진흥법 시행규칙」 제18조에 따라 신고한 경력 중 국토부 고시 「건설기술자 등급 인정 및 교육·훈련 등에 관한 기준」 별표3 제3호의 품질관리 분야의 품질관리자 또는 품질관리 참여 경력

4. 규모별 시공역량 심사

심사항목	심사요소	배점	점수
규모별 시공역량	공사규모에 따른 시공역량점수 * 입찰공고시 명시	6	**평점 = 발주등급에 따른 참여업체 등급별 점수**

※ 주 :

1) 규모별 시공역량 심사는 「조달청 등급별 유자격자명부 등록 및 운용기준」에 의한다. 동 명부에 의한 2등급이하의 공사는 상위 등급 업체의 공동도급 참여 지분율에 따라 점수를 감하는 방식으로 심사하며 발주공사가 복합 업종인 경우에는 주된공사에 해당하는 업종을 대상으로 평가한다.
2) <삭제>
3) 발주등급에 따른 참여업체 등급별 점수는 아래표에 따라 반영한다.

업체등급 / 발주공사	1등급	2등급	3등급	4등급	5등급	6등급	7등급이하
1등급	6	6	6	6	6	6	6
2등급	5.9	6	6	6	6	6	6
3등급	5.8	5.9	6	6	6	6	6
4등급	5.7	5.8	5.9	6	6	6	6
5등급	5.6	5.7	5.8	5.9	6	6	6
6등급	5.5	5.6	5.7	5.8	5.9	6	6
7등급	5.4	5.5	5.6	5.7	5.8	5.9	6

4) 공동수급체의 규모별 시공역량 심사는 구성원별 해당 등급별 점수에 시공비율을 곱한 후 합산하여 심사한다.
5) <삭제>
6) <삭제>
7) <삭제>
8) <삭제>
9) 주업종이 토목 또는 건축공사업이 아니거나 실적제한 대상 공사인 경우에는 규모별 시공역량 점수는 배점한도를 적용한다.

5. 공동수급체 구성 심사

심사항목	배점	참여비율 등급	점수
공동수급체 구성원 심사	**6**	A. 25%이상 B. 20%이상, 25%미만 C. 15%이상, 20%미만 D. 10%이상, 15%미만 E. 10%미만	6.000 5.875 5.750 5.625 5.500

※ 주 : [별표2] 8. 주1)~주4)의 내용과 동일하게 적용

6. 건설인력고용 심사(가점)

<table>
<tr><th>심사항목</th><th>배점</th><th>평가요소</th><th>배점</th><th>등급</th><th>점수</th></tr>
<tr><td rowspan="2">건설인력고용</td><td rowspan="2">0.4</td><td>고용 탄력성</td><td>0.4</td><td>A. 고용탄력성 1등급
B. 고용탄력성 2등급
C. 고용탄력성 3등급
D. 고용탄력성 4등급
E. 고용탄력성 5등급
F. 고용탄력성 6등급</td><td>0.40
0.32
0.24
0.16
0.08
0.00</td></tr>
<tr><td>근로기준법 준수
(임금체불 사업주
명단공개 횟수)</td><td>-0.20</td><td>A. 0건
B. 1 ~ 2건
C. 3 ~ 4건
D. 5 ~ 6건
E. 7 ~ 8건
F. 9건 이상</td><td>0.00
-0.04
-0.08
-0.12
-0.16
-0.20</td></tr>
<tr><td colspan="2">건설인력고용 평점</td><td colspan="4">평점 = 고용탄력성 점수 + 근로기준법준수 점수
(단, 음(-)인 경우에는 0점으로 한다.)</td></tr>
</table>

※ 주 :

1) [별표2] 9. 주1)~주5)의 내용과 동일하게 적용
2) 상호시장 진출 허용공사의 종합공사에 전문건설사업자가 참여한 경우 고용 탄력성 점수는 기본점수(0.08점)을 적용하고, 근로기준법 준수 점수의 합으로 산정한다.

7. 건설안전 심사(가·감점)

<table>
<tr><th>심사항목</th><th>배점</th><th>심사요소</th><th>배점</th><th>점수</th></tr>
<tr><td rowspan="5">건설안전</td><td rowspan="5">-0.4
~
+0.4</td><td>사고사망
만인율</td><td colspan="2">평점 = 0.4(배점) - 0.4 × (해당업체가중평균
사고사망만인율 / 건설업가중평균사고사망만인율)
(단, 해당업체 가중평균사고사망만인율이 건설업가중평균사고사망만인율의 2배 이상인 경우는 0.4점)</td></tr>
<tr><td>산업재해
발생보고
위반건수</td><td>A. 1건
B. 2건
C. 3건
D. 4건
E. 5건</td><td>-0.08
-0.16
-0.24
-0.32
-0.40</td></tr>
<tr><td>산업재해 예방활동
실적</td><td>A. 평점 90점 이상인 자
B. 평점 80점 이상 90점 미만인 자
C. 평점 70점 이상 80점 미만인 자
D. 평점 60점 이상 70점 미만인 자
E. 평점 50점 이상 60점 미만인 자
F. 평점 50점 미만인 자</td><td>+0.40
+0.36
+0.32
+0.28
+0.24
+0.20</td></tr>
<tr><td>산업안전보건관리비
사용 관련 위반 건수</td><td>A. 과태료처분을 받은 사실이 있는 자
B. 과태료처분을 2회 이상 받은 사실이 있는 자</td><td>-0.1
-0.2</td></tr>
<tr><td>산업안전보건법령
위반에 따른
행정형벌 부과</td><td>A. 2회 받은 자
B. 3회 이상 받은 자</td><td>-0.1
-0.2</td></tr>
</table>

※ 주 :

1) 건설안전 심사점수는 [별표 2] 10. 주1) ~ 주11)의 내용과 동일하게 적용한다.
2) 상호시장진출 허용공사의 종합공사에 전문건설사업자가 참여한 경우 사고사망만인율 점수는 기본점수(0.20점)을 적용하고, 나머지 심사요소 점수의 합으로 산정한다.

8. 공정거래 심사(가점)

<table>
<tr><th>심사
항목</th><th>배점</th><th>평가
요소</th><th>배점</th><th colspan="5">점수</th></tr>
<tr><td rowspan="25">공정
거래</td><td rowspan="25">0.40</td><td rowspan="16">상호
협력
평가</td><td rowspan="16">0.40</td><td colspan="2" rowspan="2">상호협력평가 등급</td><td colspan="3">점수</td></tr>
<tr><td>'21년</td><td>'22년</td><td>'23년</td></tr>
<tr><td rowspan="6">상호협력평가
등급</td><td>A. 95점이상</td><td>0.40</td><td>0.40</td><td>0.40</td></tr>
<tr><td>B. 90점이상~95점미만</td><td>0.38</td><td>0.37</td><td>0.34</td></tr>
<tr><td>C. 80점이상~90점미만</td><td>0.36</td><td>0.34</td><td>0.28</td></tr>
<tr><td>D. 70점이상~80점미만</td><td>0.34</td><td>0.31</td><td>0.22</td></tr>
<tr><td>E. 60점이상~70점미만</td><td>0.32</td><td>0.28</td><td>0.16</td></tr>
<tr><td>F. 60점미만</td><td>0</td><td>0</td><td>0</td></tr>
<tr><td rowspan="3">공공시설분야
대중소기업
협력프로그램
평가</td><td>〈제1차 년도 평가결과〉
A. 성장지원 기업(최우수)
B. 성장지원 기업(우수)
C. 성장희망 기업(최우수)
D. 성장희망 기업(우수)</td><td colspan="3">+0.1
(−0.1)
+0.05
(−0.05)
+0.05
(−0.05)
0
(0)</td></tr>
<tr><td>〈제2차 년도 평가결과〉
A. 성장지원 기업(최우수)
B. 성장지원 기업(우수)
C. 성장희망 기업(최우수)
D. 성장희망 기업(우수)</td><td colspan="3">+0.2
(−0.2)
+0.1
(−0.1)
+0.1
(−0.1)
+0.05
(−0.05)</td></tr>
<tr><td>〈제3차 년도 평가결과〉
A. 성장지원 기업(최우수)
B. 성장지원 기업(우수)
C. 성장희망 기업(최우수)
D. 성장희망 기업(우수)</td><td colspan="3">+0.4
(−0.4)
+0.2
(−0.2)
+0.2
(−0.2)
+0.1
(−0.1)</td></tr>
<tr><td rowspan="9">공정
거래
관련법
준수</td><td rowspan="9">−0.40</td><td>행위유형</td><td>조치정도</td><td colspan="3">감점</td></tr>
<tr><td>입찰담합 등
공동행위
(공정거래법
제19조)</td><td>A. 시정명령
B. 과징금 10억미만
C. 과징금 10억이상~30억미만
D. 과징금 30억이상
E. 법인고발
F. 법인 및 개인고발</td><td colspan="3">−0.06
−0.08
−0.10
−0.12
−0.14
−0.16</td></tr>
<tr><td>하도급법
위반행위</td><td>A. 시정명령
B. 과징금
C. 고발</td><td colspan="3">−0.06
−0.10
−0.14</td></tr>
<tr><td>기타 공정거래법
위반행위</td><td>A. 시정명령
B. 과징금
C. 고발</td><td colspan="3">−0.04
−0.08
−0.10</td></tr>
<tr><td colspan="2">공정거래 평점</td><td colspan="7">평점 = 상호협력평가 점수 + 공정거래관련법준수 점수(감점)
(단, 음(−)인 경우에는 0점으로 한다.)</td></tr>
</table>

※ 주 :

1) [별표2] 11. 주1)~주5)의 내용과 동일하게 적용하되 주4-4)의 감점의 합은 -0.40점을 초과할 수 없다.

2) 상호시장 진출 허용공사의 종합공사에 전문건설사업자가 참여한 경우 상호협력평가 등급 점수는 기본점수(0.32점)을 적용하고, 공공시설분야 대중소기업협력프로그램 평가 점수와 공정거래관련법 준수 점수의 합으로 산정한다. 다만, 상호협력평가 등급 기본점수는 '22년은 0.28점, '23년부터는 0.16점을 적용한다.

9. 지역경제 기여도 심사(가점)

심사항목	심사요소	배점	점수
지역경제 기여도	**지역업체 참여비율**	0.80	평점 = 0.80(배점) × (지역업체 참여비율 / 30%) (단, 해당공동수급체의 지역업체 참여비율이 30% 이상인 경우는 0.80점)

※ 주 : [별표2] 12. 주1)~주6)의 내용과 동일하게 적용하되, 대표자를 포함하여 평가한다.

[별표 3-1] 〈신설 2019.12.30.〉 〈개정 2021.4.12.〉

업종실적의 평가등급 및 평점

가. 간이형 공사

1. 토목

구분 (주된공사의 추정가격)	평가등급	
	만점계수(B)	시공실적 평가방법
300억원 미만	**1.3**	시공실적점수=10점(배점)×(최근 5년간 당해업종의 실적합계액)/(예비가격기초금액×B)
배 점	10점	

2. 건축

구분 (주된공사의 추정가격)	평가등급	
	만점계수(B)	시공실적 평가방법
300억원 미만	**2.0**	시공실적점수=10점(배점)×(최근 5년간 당해업종의 실적합계액)/(예비가격기초금액×B)
배 점	10점	

3. 전문, 조경, 전기, 통신, 산업환경설비, 문화재 공사 등

구분 (주된공사의 추정가격)	평가등급	
	만점계수(B)	시공실적 평가방법
300억원 미만	3.0	시공실적점수=10점(배점)×(최근 5년간 당해업종의 실적합계액)/(예비가격기초금액×B) ※ 단, 준설공사는 만점계수를 1.3으로 적용
배 점	10점	

1) 주계약자관리방식으로서 주계약자를 제외한 건설사업자의 시공실적은 다음과 같이 산정한다.

1-1) 종합건설사업자의 시공실적은 '예비가격기초금액×B' 까지만 인정한다.

1-2) 전문건설사업자의 시공실적은 '예비가격기초금액×B×해당 전문업종 비율'까지만 인정한다.

2) 종합공사에 전문건설사업자가 참여하는 경우에는 전문업종별로 실적을 각각 산정한 후 합산하여 평가한다. 전문업종별 실적은 전문건설사업자별 해당 전문업종 시공실적에 각각의 시공비율을 곱하여 합산하되, 합산 실적은 다음 ① 또는 ② 중 큰 금액 까지만 인정한다.

① : 예비가격기초금액×해당 전문업종 비율×{Σ(각 전문건설사업자의 해당 전문업종 시공비율)}

② : 예비가격기초금액×해당 전문업종 비율×(1-종합건설사업자의 실적계수)

* 종합건설사업자의 실적계수 = Σ(각 종합건설사업자의 시공실적×시공비율)÷예비가격기초금액. (소수점 셋째자리 이하는 버림)

나. 실적제한 공사

구분 (주된공사의 추정가격)	평가 기준 규모 대비					
300억원 미만	**A등급 200%이상**	**B등급 165%이상**	**C등급 130%이상**	**D등급 90%이상**	**E등급 50%이상**	**F등급 50%미만**
배 점	10점	9.2점	8.3점	7.4점	6.5점	5.5점
평가 방법	최근 10년간 당해공사와 동일한 종류의 공사실적을 평가 기준 규모로 나누어 백분율로 나타낸 값을 포함하는 등급으로 배점					

[별표 4] 〈개정 2019.7.26., 2021.12.29.〉

입찰금액 심사 및 가격 산출의 적정성 심사방법

1. 입찰금액 심사

심사항목	배점	점수
입찰금액	50 또는 60	① 균형가격 이하일 경우 - 입찰금액 심사점수 = $\sqrt{1-A\times(\frac{\text{당해투찰금액}-\text{균형가격}}{\text{예정가격}-\text{균형가격}})^2}\times\text{배점}$ ② 균형가격 초과일 경우 - 입찰금액 심사점수 = $\sqrt{1-B\times(\frac{\text{당해투찰금액}-\text{균형가격}}{\text{예정가격}-\text{균형가격}})^2}\times\text{배점}$ - A계수는 1.0, B계수는 1.0을 원칙으로 한다. 단, 계약담당공무원은 해당공사의 특성 등을 고려하여 다르게 정할 수 있으며, 다르게 정할 경우 입찰공고에 명시한다.

※ 주 :

1) 입찰금액 심사는 예정가격과 제7조의 균형가격을 통해 입찰금액에 따른 가격점수를 산식에 따라 산출하는 것을 말한다.

2) 산식의 제곱근내부 계산값이 음수인 경우 입찰금액 심사점수는 0으로 한다.

2. 가격 산출의 적정성 심사

1) 가격 산출의 적정성 심사는 세부공종의 단가, 하도급계획, 물량·시공계획심사 등을 통해 적정한 공사비 산정과 공정한 하도급거래를 보장하기 위한 심사를 말한다.

2-1. 단가 심사(감점)

심사항목	배점	점수
단가	−4	**평점 = (배점) × (1-단가점수 × 1/100)** - 단가점수 = **Σ(세부공종별가중치i × 세부공종별 단가점수i)**

※ 주 :

1) 단가심사는 입찰자가 제출하는 산출내역서로 심사한다.

2) <삭제>

3) 단가심사는 조사내역서 상 직접공사비에 해당하는 모든 세부공종을 대상으로 심사한다. 다만, 조사내역서상 세부공종의 합계금액이 음(-)의 금액이거나 PS금액이거나 표준시장단가만으로 이루어진 경우와 제17조에 따라 선정한 물량내역수정허용 세부공종은 단가심사에서 제외한다.

4) 단가점수는 세부공종별 가중치와 세부공종별 단가점수의 곱을 합산하여 산정하며, 소수점 아래 셋째자리에서 반올림한다.

5) 세부공종별 가중치는 조사내역서상 직접공사비에 해당하는 전체 세부공종의 합계금액에 대한 각 세부공종 금액으로 산정하며, 전체 가중치의 합계는 1로 한다. 세부공종별 가중치는 소수점 아래 일곱째자리에서 반올림하여 산정하며, 가중치의 합계가 1이 되지 않을 경우 세부공종금액이 가장 큰 세부공종에서 보정한다. 세부공종금액의 크기가 같을 경우 물량내역서상의 세부공종 순서에서 가장 앞선 세부공종에서 보정한다. 다만, 조사내역서상 세부공종의 합계금액이 음(-)의 금액이거나 PS금액이거나 표준시장단가만으로 이루어진 경우에는 가중치 산정에서 제외한다.

6) 제2조제17호의 고난도공사, 제2조제18호의 실적제한공사 중 추정가격 300억원 이상인 공사 및 제2조제19호의 일반공사에서 세부공종별 단가점수는 세부공종 입찰단가가 제9조에 따라 산정된 세부공종 기준단가의 ±18%이내인 경우 100점으로 평가하고, 그 외는 0점으로 평가한다. 다만, 조사내역서의 직접공사비에서 고정비용(표준시장단가만으로 적용된 세부공종, PS공종, 음(-)의 금액 등)이 차지하는 비중이 20%이상인 공사는 다음과 같이 평가기준을 설정하여, 세부시행요령에 명시한다.

고정비용 비중	100점	0점
20%이상~25% 미만	세부공종 기준단가의 ±19% 이내	그 외의 경우
25%이상~30% 미만	세부공종 기준단가의 ±20% 이내	그 외의 경우
30%이상~40% 미만	세부공종 기준단가의 ±21% 이내	그 외의 경우
40% 이상	세부공종 기준단가의 ±22% 이내	그 외의 경우

7) 제2조제18호의 실적제한공사 중 추정가격 300억원 미만 및 제2조제20호의 간이형공사에서 세부공종별 단가점수는 세부공종 입찰단가가 제9조에 따라 산정된 세부공종 기준단가의 ±15%이내인 경우 100점으로 평가하고, 그 외는 0점으로 평가한다. 다만, 조사내역서의 직접공사비에서 고정비용(표준시장단가만으로 적용된 세부공종, PS공종, 음(-)의 금액 등)이 차지하는 비중이 20%이상인 공사는 다음과 같이 평가기준을 설정하여, 세부시행요령에 명시한다.

고정비용 비중	100점	0점
20%이상~25% 미만	세부공종 기준단가의 ±16% 이내	그 외의 경우
25%이상~30% 미만	세부공종 기준단가의 ±17% 이내	그 외의 경우
30%이상	세부공종 기준단가의 ±18% 이내	그 외의 경우

2-2. 하도급계획 심사(감점)

심사항목	배점	평가요소	점수
하도급계획	-2	하도급금액 비율	**평점 = (배점) × (1-하도급점수 × 1/100)** - 하도급점수 = **Σ(하도급계획심사업종별가중치i × 하도급계획심사업종별 하도급점수i)**
계약신뢰도	감점	하도급금액 비율 위반	하도급금액 비율 위반 시 하도급계약 건당 -0.05점 감점
		하도급금액 변경 초과 비율 위반	하도급금액변경 초과비율 위반 시 -0.05점 감점

※ 주 :

1) 하도급계획 심사는 하도급계획서를 제출한 하도급계획심사업종별 하도급금액의 적정성을 심사한다.

2) 전기공사업, 정보통신공사업, 소방시설공사업이 포함된 복합업종 공사의 경우 해당업종, 주계약자관리

방식에 의한 경우 구성원에 해당하는 분담이행은 하도급계획서를 제출하지 않는다.

3) 상호시장 진출 허용공사로서 상대 업역에 참여하여 해당 건설사업자가 직접 시공하는 부분에는 하도급계획서를 제출하지 않는다.

4) 하도급계획심사업종별 하도급내역서 상 세부공종의 전문건설업종은 조달청에서 배부한 물량내역서에 명기된 전문건설업종을 따른다.

5) 하도급점수는 하도급계획심사업종별 가중치와 하도급계획심사업종별 하도급점수의 곱을 합산하여 산정하며, 소수점 아래 셋째자리에서 반올림한다.

5-1) 하도급계획심사업종별 가중치는 조사내역서상 하도급계획서를 제출한 전체부분의 합계금액(직·간접 노무비, 재료비, 경비를 기준으로 산출한 금액에 일반관리비, 이윤, 부가세를 포함한 금액, 단, 하도급계약과 무관한 공사이행보증수수료, 건설하도급대금지급보증서발급수수료, 공사손해보험료, 수급인이 하수급인에게 지급하는 사새, 세비율적용 제외항목, 원가계산서 상 PS항목을 제외, 이하 "조사내역서상 금액")에 대한 하도급계획서를 제출한 각 하도급계획심사업종에 대한 조사내역서상 금액으로 산정하며, 전체 가중치의 합계는 1로 한다. 하도급계획심사업종별 가중치는 소수점 아래 일곱째자리에서 반올림하여 산정하며, 가중치의 합계가 1이 되지 않을 경우 각 하도급계획심사업종에 대한 조사내역서상 금액이 가장 큰 하도급계획심사업종에서 보정한다. 하도급계획심사업종에 대한 조사내역서상 금액의 크기가 같을 경우 하도급계획서를 제출한 순서에서 가장 앞선 하도급계획심사업종에서 보정한다.

5-2) 하도급계획심사업종별 하도급점수는 하도급계획심사업종별로 하도급업체에 지급할 금액이 조사내역서상 금액의 100분의 64이상으로서, 하도급할 부분에 대한 입찰금액의 100분의 82이상인 경우 100점으로 평가하고, 그 외는 0점으로 평가한다. 주 2)에 따른 제외업종이 하도급계획심사업종별 하도급내역서에 포함된 경우에도 0점으로 평가한다. 또한, 주 4)에 따라 조달청에서 배부한 물량내역서에 명기된 전문건설업종과 다르게 하도급계획심사업종별 하도급내역서가 작성된 경우에도 0점으로 평가한다.

6) 계약담당공무원(조달사업법 제3조에 따라 조달청에 의뢰하여 계약한 공사로서 수요기관이 공사관리를 하는 경우에는 수요기관 담당공무원을 말한다.)은 낙찰자가 향후 시공 과정에서 직접시공을 하도급으로 전환하려 하거나, 하도급계획을 제출하였으나 직접시공 하려고 하는 경우 변경하는 부분에 해당하는 금액(해당 공사에서 1회 이상 변경한 경우에는 누적금액)이 낙찰금액의 10% 범위 내인 경우에만 변경을 승인할 수 있다. 다만, 직접시공을 하도급으로 전환하려고 하는 경우에는 하도급 대금이 5-2)와 15-1)의 금액비율 요건을 충족하는 경우에만 변경을 승인하여야 한다.

7) 수요기관 담당공무원은 매년 2회 이상 낙찰자의 하도급계획 이행여부를 확인하여야 하며, 하도급계획 불이행을 확인한 경우에는 즉시 그 위반사실을 조달청에 통보하여야 한다. 조달청은 위반사항을 통보받은 날 이후 2년 동안 조달청이 발주하는 종합심사낙찰제 대상공사(개찰일 기준)에서 감점[5-2) 또는 15-1)의 금액비율 요건 위반 시 하도급계약건당 -0.05점, 6)의 요건 위반 시 -0.05점]을 부여한다.

8) 6)에도 불구하고 하도급업체의 파산, 해산, 부도 및 하도급업체의 귀책사유에 따른 계약해제·해지 등 계약상대자의 책임 없는 사유로 하도급계약이 이행불능에 이를 때에는 감점하지 않는다.

9) 감점대상은 하도급계획을 불이행한 공동수급체 전체 구성원으로 하되 분담이행 구성원은 제외한다.

10) 7) 및 9)에 따라 감점을 부여받은 자가 입찰에 참가하는 경우 계약신뢰도(감점) 심사 시 해당 발주공사에서의 구성원별 시공비율을 적용하여 감점한다.

11) 하도급계획서를 제출하지 않은 경우 전체 공사를 직접시공 하는 것으로 간주한다.

12) 해당공사가 전문·전기·정보통신·소방공사 등 단일공종공사일 경우 또는 3)에 해당하는 경우로서 건설사업자가 직접 시공하는 경우 하도급계획심사에서 제외한다.

13) 5-2)에도 불구하고 「조달청 입찰참가자격사전심사기준」에 따라 표준하도급계약서 사용으로 가점을 받

고, 종합심사낙찰제의 심사와 관련한 가점을 받은 해당비율 미만으로 하도급계획서를 제출한 경우에는 하도급점수를 0점으로 평가한다.

14) 조달청에서 배부한 물량내역서에 하도급심사제외공종으로 명기된 세부공종은 낙찰자의 향후 시공과정에서 직접시공 또는 하도급여부와 관계없이 하도급금액 변경 초과비율 위반 점검을 위한 변경금액에 포함하지 않는다.

15) 1) 및 5)에도 불구하고 제2조제18호의 실적제한공사 중 추정가격 300억원 미만 및 제2조제20호의 간이형공사의 하도급계획 심사는 하도급계획서를 제출한 전체 하도급 계약금액의 합계액을 기준으로 하도급금액의 적정성을 심사한다.

15-1) 하도급점수는 하도급업체에 지급할 금액이 조사내역서상 금액의 100분의 64이상으로서, 하도급할 부분에 대한 입찰금액의 100분의 82이상인 경우 100점으로 평가하고, 그 외는 0점으로 평가한다. 주 2)에 따른 제외업종이 하도급계획심사 하도급내역서에 포함된 경우에도 0점으로 평가한다.

2-3. 물량 심사(가·감점) (고난도 공사로 한정하여 적용)

심사항목	배점		점수
물량	감점	-2	평점 = (배점) × (1-물량점수×1/100) - 물량점수 = Σ(세부공종별가중치i × 세부공종별 물량점수i)
	가점	1점	평점 = $A \times (1-\sqrt{1-B\times(\frac{\Sigma 물량내역수정금액}{예정가격-균형가격})^2})$ - 물량내역수정금액 = Σ(|입찰물량-추정물량|×세부공종별 입찰단가) - A : 입찰금액심사 배점의 1.5배 (75점) - B : 입찰금액심사 산식 B계수의 1.3배 (1.3) - A, B에 대하여 계약담당 공무원은 해당공사의 특성 등을 고려하여 다르게 정할 수 있으며, 다르게 정할 경우 입찰공고에 명시하여야 한다.

※ 주 :

1) 물량심사는 현장설명 시 교부하는 물량내역서에 명시된 물량내역수정허용 세부공종에 대하여 입찰자가 수정한 물량내역을 대상으로 심사한다.

2) 물량심사 점수는 감점 평점과 가점 평점을 합산하여 산정한다.

3) 물량심사 감점은 세부공종별 가중치와 세부공종별 물량점수의 곱을 합산하여 산정하며, 소수점 아래 셋째자리에서 반올림한다.

3-1) 세부공종별 가중치는 조사내역서상 전체 물량내역수정허용 세부공종의 합계금액에 대한 각 물량내역수정허용 세부공종 금액으로 산정하며, 전체 가중치의 합계는 1로 한다. 세부공종별 가중치는 소수점 아래 일곱째자리에서 반올림하여 산정하며, 가중치의 합계가 1이 되지 않을 경우 세부공종금액이 가장 큰 세부공종에서 보정한다. 세부공종금액의 크기가 같을 경우 물량내역서상의 세부공종 순서에서 가장 앞선 세부공종에서 보정한다.

3-2) 물량신설공종의 세부공종별 가중치는 조사내역서상 전체 물량내역수정 허용 세부공종의 합계금액에 대한 물량신설공종의 각 세부공종 입찰금액으로 산정한다. 세부공종별 가중치는 소수점 아래 일곱째자리에서 반올림하여 산정한다.

3-3) 세부공종별 물량점수는 세부공종 입찰물량이 최종물량 대비 ±2%이내인 경우 100점으로 심사하고, 그 외는 0점으로 심사한다.

4) 물량심사 가점은 세부공종별 물량내역수정금액을 합산한 후 산식으로 산정하며, 소수점 아래 넷째자리

에서 반올림하고, 1점을 한도로 한다.

4-1) 물량내역수정금액은 세부공종별 입찰물량이 추정물량 대비 ±2%를 초과하고 최종물량 대비 ±2% 이내인 경우에 합산하여 산정한다. 다만, 세부공종별 최종 물량이 추정물량 대비 ±2% 이내인 경우에는 합산하지 않는다.

4-2) 세부공종별 물량내역수정금액은 입찰물량에서 추정물량을 뺀 절대값과 세부공종별 입찰단가를 곱하여 산정한다.

4-3) 제18조제2항제2호에 따라 신설되는 세부공종은 심사위원회에서 단가심사를 하고 부적합 시 해당 세부공종은 물량수정금액 합산에서 제외한다.

4-4) 제18조제2항의 단서조항에 따라 변경내용을 전자조달시스템에 게재한 세부공종은 물량수정금액 합산에서 제외한다.

5) 물량내역수정허용 세부공종의 물량을 전혀 수정하지 않은 경우 물량심사 점수는 0점으로 한다.

2-4. 시공계획 심사(감점) (고난도 공사로 한정하여 적용)

심사항목	배점	점수
시공계획	-2	**평점 = (배점) × (1-시공계획점수 × 1/80)** - 시공계획점수가 80점이상일 경우 시공계획심사점수는 0점으로 한다.
계약신뢰도	감점	시공계획 위반 시 -0.05점 감점

※ 주 :

1) 시공계획점수는 심사위원회 운영규정 제14조제5항에 따라 산정한다.

2) 시공계획점수는 소수점 아래 셋째자리에서 반올림한다.

3) 시공계획의 평가내용 및 배점은 다음의 표와 같다.

구분(배점)	평가항목(배점)	세부 평가항목	평 점	비고
일반사항(100) ↓ (70)	1. 시공관리(20)	-현장조직구성 및 공기산정 등 공정계획 수립의 적정성	수(10),우(8),미(6),양(4),가(2)	
		-주요 구조물 등 시공관리계획의 적정성	수(10),우(8),미(6),양(4),가(2)	
	2. 자원조달(20)	-인력/자재/장비 투입계획의 적정성	수(10),우(8),미(6),양(4),가(2)	
		-자재 반입 및 관리계획의 적정성	수(10),우(8),미(6),양(4),가(2)	
	3. 품질관리(20)	-시공단계별 품질관리계획 수립내용의 적정성	수(10),우(8),미(6),양(4),가(2)	
		-주요자재 품질시험계획의 적정성	수(10),우(8),미(6),양(4),가(2)	
	4. 안전관리(20)	-안전관리(안전점검, 안전교육) 계획의 적정성	수(10),우(8),미(6),양(4),가(2)	
		-안전관리조직 운영계획의 적정성	수(10),우(8),미(6),양(4),가(2)	
	5. 환경관리(20)	-공사장 및 주변 환경관리(대기/수질오염, 소음, 진동, 미세먼지 저감 등) 계획의 적정성	수(10),우(8),미(6),양(4),가(2)	
		-폐기물/위험물 관리계획의 적정성	수(10),우(8),미(6),양(4),가(2)	
중점사항(30)	중점관리(30)	수요기관이 중점 평가해야 할 필요성이 있다고 판단하는 공종의 시공 또는 품질계획 등	수(30),우(24),미(18),양(12),가(6)	
합 계				

3-1) 시공계획점수 배점은 일반사항 100점을 70점으로 환산하여 중점사항과 합산하여 100점으로 한다. 다만, 중점사항이 없는 경우에는 일반사항 점수를 배점(100점)으로 한다.

3-2) 중점사항의 세부평가항목은 현장설명 시 배부하는 자료(세부시행요령)에 안내한다.

4) 세부 평가항목별 평가기준은 다음과 같다

(수) : 계량화(또는 구체화), 적법성, 공사의 특성 분석, 예상문제점 및 대책이 모두 작성되고 그 내용이 해당 공사 적용에 모두 우수한 경우

(우) : 계량화(또는 구체화), 적법성, 공사의 특성 분석, 예상문제점 및 대책이 모두 작성되고 그 내용이 해당 공사 적용에 우수하나 일부 보통인 부분이 있는 경우

(미) : 계량화(또는 구체화), 적법성, 공사의 특성 분석, 예상문제점 및 대책이 모두 작성되고 그 내용이 해당 공사 적용에 보통이상이나 일부 미흡인 부분이 있는 경우

(양) : 계량화(또는 구체화), 적법성, 공사의 특성 분석, 예상문제점 및 대책 중 예상문제점 및 대책이 누락되거나 내용이 전체적으로 미흡한 경우

(가) : 계량화(또는 구체화), 적법성, 공사의 특성 분석, 예상문제점 및 대책 중 대부분 항목을 작성하지 않았거나 내용이 형식적인 경우

5) 심사위원은 세부평가항목별 평가 시 평가사유서를 구체적으로 기술하여야 하며, 기타 심사관련 사항은 심사위원회 규정에 따른다.

6) 시공계획서를 제출하지 않는 경우 시공계획심사 점수는 -2점으로 한다.

7) 수요기관 담당공무원은 매년 2회 이상 낙찰자의 시공계획서의 이행여부를 점검하여야 하며, 시공계획 불이행을 확인한 경우에는 즉시 그 위반사실을 조달청에 통보하여야 한다. 조달청은 위반사항을 통보받은 날 이후 2년 동안 조달청이 발주하는 종합심사낙찰제 대상공사(개찰일 기준)에서 감점(-0.05점)을 부여한다. 단, 점검대상 항목은 정량적으로 평가가 가능한 부분으로 한정한다.

8) 감점대상은 시공계획을 불이행한 공동수급체 전체 구성원으로 하되 분담이행 구성원은 제외한다.<삭제>

9) 7) 및 8)에 따라 감점을 부여받은 자가 입찰에 참가하는 경우 계약신뢰도(감점) 심사 시 해당 발주공사에서의 구성원별 시공비율을 적용하여 감점한다.

[별표 5] 〈개정 2021.12.29.〉

제출서류 목록표(제6조 관련, [별표1-1], [별표1-2], [별표1-3])

심사분야	연번	내 용	발행기관	비고
총 괄	1	종합심사낙찰제 심사신청서	신청자	
	2	종합심사 자기평가기술서	신청자	
	3	공동수급체 현황표	신청자	
시공실적	4	공종별 동일공사 시공실적명세서	신청자	
	5	시설공사 준공실적 증명서	발주기관, 관련협회	
시공인력	6	시공인력 보유현황표	신청자	
	7	건설기술자 경력사항 확인서	발주기관, 관련협회	
	8	배치기술자 시공참여공사 실적증명서	발주기관, 관련협회	
공종전문성	9	동일공종그룹 증명서	관련협회	
배치기술자	10	배치기술자 배치계획서	신청자	
	11	건설기술자 경력사항 확인서	관련협회	
	12	배치기술자 시공참여공사 실적증명서	발주기관, 관련협회	
시공평가	13	시공평가 결과 증명서	발주기관, 관련협회	
입찰금액	14	산출내역서	신청자	
하도급계획	15	하도급계획서	신청자	
물량심사	16	물량산출근거(물량내역 수정사유서 포함) 물량신설공종 단가산출근거	신청자	
시공계획 심사	17	시공계획서	신청자	
건설인력 고용	18	고용탄력성 점수 확인서	고용노동부	
	19	근로기준법 준수 점수 확인서	고용노동부	
건설안전	20	사고사망만인율 확인서	한국산업안전보건공단	
	21	〈삭제〉	〈삭제〉	
	22	산업재해발생 보고의무 위반 확인서	한국산업안전보건공단	
공정거래	23	상호협력평가점수 확인서	관련기관, 관련협회	
	24	공정거래관련법 준수관련 처분 확인서 소송진행 및 소송판결 관련 입증자료	공정거래위원회	
기 타		* 입찰공고조건상 요구 또는 기타 필요시		

[별표 5-1]

제출서류 목록표(제6조 관련, [별표1-4],[별표1-5])

심사분야	연번	내 용	발행기관	비고
총 괄	1	종합심사낙찰제 심사신청서	신청자	
	2	종합심사 자기평가기술서	신청자	
	3	공동수급체 현황표	신청자	
시공실적	4	공종별 동일공사 시공실적명세서	신청자	실적에 의한 경쟁입찰 등에 해당하는 경우
	4	시설공사 준공실적 증명서	발주기관, 관련협회	
배치기술자	5	배치기술자 배치계획서	신청자	입찰이후 계약담당공무원으로부터 서류제출을 요구받은 경우 제출
	6	건설기술자 경력사항 확인서	관련협회	
	7	배치기술자 시공참여공사 실적증명서	발주기관, 관련협회	
입찰금액	8	산출내역서	신청자	
하도급계획	9	하도급계획서	신청자	입찰이후 계약담당공무원으로부터 서류제출을 요구받은 경우 제출
건설인력 고용	10	고용탄력성 점수 확인서	고용노동부	
	11	근로기준법 준수 점수 확인서	고용노동부	
건설안전	12	사고사망만인율 확인서	한국산업안전보건공단	
	13	〈삭제〉	〈삭제〉	
	14	산업재해발생 보고의무 위반 확인서	한국산업안전보건공단	
공정거래	15	상호협력평가점수 확인서	관련기관, 관련협회	
	16	공정거래관련법 준수관련 처분 확인서 소송진행 및 소송판결 관련 입증자료	공정거래위원회	
기 타		* 입찰공고조건상 요구 또는 기타 필요시		

[별지 제1호 서식]

종합심사낙찰제 심사신청서

ㅇ공사관리번호 :
ㅇ공 사 명 :
ㅇ수 요 기 관 :
ㅇ입 찰 일 시 : 20 . . .

위 공사에 대한 종합심사 서류를 붙임과 같이 제출하오니 우리 회사(공동수급체구성원 포함)가 제출한 붙임 자료에 따라 종합심사를 하여 주시기 바라며, 만일 제출한 서류(귀청 등록자료 포함)가 귀청 심사기준에 저촉되면 귀청 심사기준에 따라 조치하여도 아무런 이의를 제기하지 않겠음을 확약합니다.

20 . . .

제 출 자 (공동수급체 대표자) 주 소 :
회사명 :
대표자 :

붙 임 : 1) 종합심사 자기심사 및 심사표 1부
2) 종합심사에 필요한 서류 각 1부

조 달 청 장 귀 하

[별지 제2-1호 서식] 〈개정 2021.12.29.〉

종합심사낙찰제 자기평가기술서([별표1-1]일반공사)

1. 대상공사

공 고 번 호	*000000000-00*	입 찰 일 시	*0000-00-00*
공 사 명	*00000 연안정비 공사*		

2. 종합평점(입찰금액 제외)

심사 분야	심사 항목		평점(예시)
공사수행능력 (50점)	전문성 (28.5점)	시공실적	*15점*
		동일공종 전문성 비중	*3.44점*
		배치 기술자	*9.849점*
	역량 (20점)	시공평가점수	*14.89점*
		규모별 시공역량	*2.96점*
		공동수급체 구성	*2.0점*
	일자리 (1.5점)	건설인력고용	*1.01점*
	사회적책임 (0점~2점)	건설안전	*0.524점*
		공정거래	*0.500점*
		지역경제 기여도	*0.8점*
	소계		***50점***
계약신뢰도 (감점)	배치기술자 투입계획 위반		*0점*
	하도급관리계획 위반		*0점*
	하도급금액 변경 초과비율 위반		*0점*
	시공계획 위반		*0점*
합 계			*50점*

3. 공사수행능력

3-1. 시공실적 심사(*예시 토목2등급, 수자원시설*)

구 분			구성원Ⅰ	구성원Ⅱ	구성원Ⅲ
일반공사 시공실적	심사자료	최근 10년간 시공실적(A)	*450억원*	*250억원*	*100억원*
		시공비율(B)	*50%*	*40%*	*10%*
		최근 10년간 시공실적(A×B) (시공비율 반영)	*15점×(450억원×50%+250억원×40%+100억원×10%)/(800×0.4) → 15점초과*		
	점수		*15점*		

3-2. 동일공종 전문성비중 심사(*수자원*)

구 분			구성원Ⅰ	구성원Ⅱ	구성원Ⅲ
동일공종 전문성 비중	심사자료	최근 10년간 동일공종그룹 실적 총액(A)	*00000원*	*00000원*	*0000원*
		최근 10년간 동일업종 실적 총액(B)	*00000원*	*00000원*	*00000원*
		공정전문성 (A/B×100)	*35%*	*25%*	*15%*
		평점(C)	*3.5*	*3.4*	*3.3*
		시공비율(D)	*50%*	*40%*	*10%*
		구성원별 점수 (시공비율 반영) (C×D)	*1.75*	*1.36*	*0.33*
	점수		*3.44*		

3-3. 배치기술자 심사

<table>
<tr><td colspan="4">구 분</td><td colspan="6">합계</td></tr>
<tr><td rowspan="3">공사현장에 배치할 현장대리인 시공참여경력</td><td rowspan="2">심사자료</td><td>현장대리인</td><td>근무일수</td><td colspan="6">800일</td></tr>
<tr><td>기타직위 (시공)</td><td>근무일수</td><td colspan="6">1,000일</td></tr>
<tr><td colspan="3">점수</td><td colspan="6">7.0점</td></tr>
<tr><td colspan="4" rowspan="2">구분</td><td colspan="4">시공(1~3)</td><td rowspan="2">안전(1)</td><td rowspan="2">품질(1)</td></tr>
<tr><td>시공1</td><td>시공2</td><td>시공3</td><td>평균</td></tr>
<tr><td rowspan="2">공사현장에 배치할 분야별 책임자 참여경력</td><td>심사자료</td><td colspan="2">근무일수</td><td>2,500일</td><td>2,000일</td><td>1,000일</td><td></td><td>2,500일</td><td>1,900일</td></tr>
<tr><td colspan="3">점수</td><td>1점</td><td>1점</td><td>0.548점</td><td>0.849점</td><td>1점</td><td>1점</td></tr>
<tr><td colspan="4">총계</td><td colspan="6">9.849점</td></tr>
</table>

3-4. 시공평가점수 심사

구 분			구성원Ⅰ	구성원Ⅱ	구성원Ⅲ
시공평가점수	심사자료	최근 10년간 동일공종그룹 시공평가점수	96	-	-
		최근 10년간 동일업종 시공평가점수	-	89	-
		시공비율	50%	40%	10%
		평점	15점	14.8점	14.7점
	점수		15.0×(50/100)+14.8×(40/100)+14.7×(10/100)= 14.89점		

3-5. 규모별 시공역량 심사(등급제한공사)

구 분			구성원Ⅰ	구성원Ⅱ	구성원Ⅲ
규모별 시공역량	심사자료	업체 등급	2등급	1등급	5등급
		시공비율(A)	50%	40%	10%
		등급별 점수(B)	3.0	2.9	3.0
		구성원별 점수(A×B) (시공비율 반영)	1.5	1.16	0.3
	점수		2.96		

3-6. 공동수급체 구성 심사

구 분				구성원Ⅰ (대표자)	구성원Ⅱ	구성원Ⅲ
공동수급체 구성	심사자료	중소기업 해당 여부		*대표자 제외*	*중기업*	*소기업*
		주된 공사	토목업종 (100%)	*50%*	*40%*	*10%*
		주된공사 이외의 공사	00업종(00%)	-	-	-
			00업종(00%)	-	-	-
		산정식(참여비율)			*40%*	*10%*
	점수			*40%+10%=50% (2.0점)*		

3-7. 건설인력고용 심사

구 분			구성원Ⅰ	구성원Ⅱ	구성원Ⅲ
건설인력고용	심사자료	고용탄력성(A)	*1.26*	*1.1*	-
		근로기준법 준수(B)	*-0.12*	*-0.04*	-
		평점(C=A+B)	*1.14*	*1.06*	-
		시공비율(D)	*70%*	*20%*	*9.5%*
		구성원별 점수 (C×D)	*0.798*	*0.212*	-
	점수(∑C×D)		*0.798 + 0.212 = 1.01*		

주) 1. 고용탄력성(A) : 입찰참가자의 고용탄력성 점수에 따른 등급별 점수

2. 근로기준법 준수(B) : 입찰참가자의 임금체불사업주 명단 공개 횟수에 따른 등급별 점수

4. 사회적 책임

4-1. 건설안전 심사

구 분			구성원Ⅰ	구성원Ⅱ	구성원Ⅲ
건설안전	심사자료	사고사망만인율(A)	0.8−0.8(0/2.075) =0.8	0.8−0.8(5.245/2.075) =−0.8	0.8−0.8(0.415/2.075) =0.64
		산업재해발생 보고위반건수(B)	−	1건 = −0.16	−
		산재예방활동실적(C)	92점 = 0.80	평점 없음 = 0.40	82점 = 0.72
		산업안전보건관리비 목적 외 사용(D)	−	−	1회 = −0.2
		산재위반으로 형벌(E)	−	−	−
		평점 (F=A+B+C+D+E)	0.8	−0.56	0.8
		시공비율(G)	70%	20%	9.5%
		구성원별 점수 (F×G)	0.56	−0.112	0.076
	점수(∑F×G)		0.56 − 0.112 + 0.076 = 0.524		

주) 1. 사고사망만인율(A) : 평가산식에 의한 사고사망만인율 점수

2. <삭제>

3. <삭제>

4-2. 공정거래 심사

구 분			구성원Ⅰ	구성원Ⅱ	구성원Ⅲ
공정거래	심사자료	시공비율(A)	70%	20%	9.5%
		상호협력 평가(B)	0.56	0.56	0.56
		대중소기업 협력프로그램 평가(C)	0.05	−	−
		구성원별 점수 (D=A×(B+C))	0.42	0.112	0.0532
		상호협력 평가 점수(E=∑A×D)	0.5852		
		공정거래 관련법 준수(F)	−0.12	−	−0.12
		구성원별 점수 (A×F)	−0.084	−	−0.0013
		공정거래관련법 준수 점수(G=∑A×F)	−0.0853		
	점수(E+G)		0.5852 − 0.0853 = 0.4999 (소수점 넷째자리에서 반올림) 0.500		

주) 1. 상호협력평가(B) : 입찰참가자의 상호협력평가 점수에 따른 등급별 점수

2. 공정거래관련법 준수(F) : 입찰참가자의 위반행위유형별 조치정도에 따른 감점 합계 (단, 입찰참가자의 (공동수급체의 경우 각 구성원의)감점합계는 -0.6점을 초과할 수 없다)

4-3. 지역경제 기여도 심사

<table>
<tr><td colspan="4">구 분</td><td>구성원Ⅰ
(대표자)</td><td>구성원Ⅱ</td><td>구성원Ⅲ</td></tr>
<tr><td rowspan="6">지역경제
기여도</td><td rowspan="5">심사자료</td><td colspan="2">지역명</td><td>○○시(해당)</td><td>○○시(해당)</td><td>○○시(해당)</td></tr>
<tr><td>주된 공사</td><td>토목업종
(90%)</td><td>90%x70%=63%</td><td>90%x20%=18%</td><td>90%x9.5%=8.55%</td></tr>
<tr><td rowspan="2">주된공사
이외의
공사</td><td>소방업종
(10%)</td><td>10%x80%=8%</td><td>10%x20%=2%</td><td>-</td></tr>
<tr><td>00업종(00%)</td><td>-</td><td>-</td><td>-</td></tr>
<tr><td colspan="2">산정식(참여비율)</td><td></td><td>20%</td><td>8.55%</td></tr>
<tr><td colspan="3">점수</td><td colspan="3">20%+8.55%=28.55%
(20%이상) 0.8점</td></tr>
</table>

주) 전체 지역업체 참여비율 합계 시 대표자 및 비지역업체 참여비율은 제외한다.

[별지 제2-2호 서식] 〈개정 2021.12.29.〉

종합심사낙찰제 자기평가기술서([별표1-2], [별표1-3])

1. 대 상 공 사

공 고 번 호	*000000000-00*	입 찰 일 시	*0000-00-00*
공 사 명	*00000 계류시설공사*		

2. 종 합 평 점(입찰금액 제외)

<table>
<tr><th>심사 분야</th><th colspan="2">심사 항목</th><th>평점(예시)</th></tr>
<tr><td rowspan="11">공사수행능력
(50점)</td><td rowspan="3">전문성
(31.5점)</td><td>시공실적 또는 시공인력(선택)</td><td>15점</td></tr>
<tr><td>동일공종 전문성 비중</td><td>5.44점</td></tr>
<tr><td>배치 기술자</td><td>10.849점</td></tr>
<tr><td rowspan="3">역량
(17점)</td><td>시공평가점수</td><td>14.89점</td></tr>
<tr><td>규모별 시공역량</td><td>-</td></tr>
<tr><td>공동수급체 구성</td><td>2점</td></tr>
<tr><td>일자리
(1.5점)</td><td>건설인력고용</td><td>1.01점</td></tr>
<tr><td rowspan="3">사회적책임
(0점~2점)</td><td>건설안전</td><td>0.524</td></tr>
<tr><td>공정거래</td><td>0.500점</td></tr>
<tr><td>지역경제 기여도</td><td>0.8점</td></tr>
<tr><td colspan="2">소계</td><td>50점</td></tr>
<tr><td rowspan="4">계약신뢰도
(감점)</td><td colspan="2">배치기술자 투입계획 위반</td><td>0점</td></tr>
<tr><td colspan="2">하도급관리계획 위반</td><td>0점</td></tr>
<tr><td colspan="2">하도급금액 변경 초과비율 위반</td><td>0점</td></tr>
<tr><td colspan="2">시공계획 위반</td><td>0점</td></tr>
<tr><td colspan="3">합 계</td><td>50점</td></tr>
</table>

3. 공사수행능력

3-1. 시공실적 심사(*예시 계류시설*)

구 분			구성원Ⅰ	구성원Ⅱ	구성원Ⅲ
일반공사 시공실적	심사자료	최근 10년간 시공실적	*450억원*	*250억원*	*100억원*
		시공비율	-	-	-
		최근 10년간 시공실적	*15점×(450억원+250억원+100억원)/(400×1.4) → 15점초과*		
	점수		*15점*		

3-2. 시공인력 심사

구 분			합계			
시공인력	심사자료		기술자등급	동일공사 현장경력	동일공사 현장대리인 경력	시공인력 등급
		시공인력1	*특급*	*7년*	*3년*	*1.65*
		시공인력2	*고급*	*6년*	*1년*	*1.125*
		시공인력3	*중급*	*5년*	*없음*	*0.75*
		~	~	~	~	~
		시공인력등급(합계)	*38.625*			
	점수		*14점*			

3-3. 동일공종 전문성비중 심사(*수자원*)

구 분			구성원Ⅰ	구성원Ⅱ	구성원Ⅲ
동일공종 전문성 비중	심사자료	최근 10년간 동일공종그룹 실적 총액(A)	*00000원*	*00000원*	*0000원*
		최근 10년간 동일업종 실적 총액(B)	*00000원*	*00000원*	*00000원*
		공정전문성 (A/B×100)	*35%*	*25%*	*15%*
		평점(C)	*5.5*	*5.4*	*5.3*
		시공비율(D)	*50%*	*40%*	*10%*
		구성원별 점수 (시공비율 반영) (C×D)	*2.75*	*2.16*	*0.53*
	점수		*5.44*		

3-4. 배치기술자 심사

<table>
<tr><th colspan="4">구 분</th><th colspan="6">합계</th></tr>
<tr><td rowspan="3">공사현장에 배치할 현장대리인 시공참여경력</td><td rowspan="2">심사자료</td><td>현장대리인</td><td>근무일수</td><td colspan="6">800일</td></tr>
<tr><td>기타직위 (시공)</td><td>근무일수</td><td colspan="6">1,000일</td></tr>
<tr><td colspan="3">점수</td><td colspan="6">8점</td></tr>
<tr><td colspan="4" rowspan="2">구분</td><td colspan="4">시공(1~3)</td><td rowspan="2">안전(1)</td><td rowspan="2">품질(1)</td></tr>
<tr><td>시공1</td><td>시공2</td><td>시공3</td><td>평균</td></tr>
<tr><td rowspan="2">공사현장에 배치할 분야별 책임자 참여경력</td><td>심사자료</td><td colspan="2">근무일수</td><td>2,500일</td><td>2,000일</td><td>1,000일</td><td></td><td>2,500일</td><td>1,900일</td></tr>
<tr><td colspan="3">점수</td><td>1점</td><td>1점</td><td>0.548점</td><td>0.849점</td><td>1점</td><td>1점</td></tr>
<tr><td colspan="4">총계</td><td colspan="6">10.849점</td></tr>
</table>

3-5. 시공평가점수 심사

<table>
<tr><th colspan="3">구 분</th><th>구성원Ⅰ</th><th>구성원Ⅱ</th><th>구성원Ⅲ</th></tr>
<tr><td rowspan="5">시공평가점수</td><td rowspan="4">심사자료</td><td>최근 10년간 동일공종그룹 시공평가점수</td><td>96</td><td>-</td><td>-</td></tr>
<tr><td>최근 10년간 동일업종 시공평가점수</td><td>-</td><td>89</td><td>-</td></tr>
<tr><td>시공비율</td><td>50%</td><td>40%</td><td>10%</td></tr>
<tr><td>평점</td><td>15점</td><td>14.8점</td><td>14.7점</td></tr>
<tr><td colspan="2">점수</td><td colspan="3">15.0×(50/100)+14.8×(40/100)+14.7×(10/100)=14.89점</td></tr>
</table>

3-6. 규모별 시공역량 심사(*해당없음*)

<table>
<tr><th colspan="3">구 분</th><th>구성원Ⅰ</th><th>구성원Ⅱ</th><th>구성원Ⅲ</th></tr>
<tr><td rowspan="5">규모별 시공역량</td><td rowspan="4">심사자료</td><td>업체 등급</td><td>-</td><td>-</td><td>-</td></tr>
<tr><td>시공비율</td><td>-</td><td>-</td><td>-</td></tr>
<tr><td>등급별 점수</td><td>-</td><td>-</td><td>-</td></tr>
<tr><td>구성원별 점수 (시공비율 반영)</td><td>-</td><td>-</td><td>-</td></tr>
<tr><td colspan="2">점수</td><td colspan="3">-</td></tr>
</table>

3-7. 공동수급체 구성 심사

<table>
<tr><th colspan="4">구 분</th><th>구성원Ⅰ
(대표자)</th><th>구성원Ⅱ</th><th>구성원Ⅲ</th></tr>
<tr><td rowspan="7">공동수급체
구성</td><td rowspan="6">심사자료</td><td colspan="2">중소기업 해당 여부</td><td>대표자 제외</td><td>중기업</td><td>소기업</td></tr>
<tr><td>주된 공사</td><td>토목업종
(100%)</td><td>50%</td><td>40%</td><td>10%</td></tr>
<tr><td rowspan="2">주된공사
이외의
공사</td><td>00업종(00%)</td><td>-</td><td>-</td><td>-</td></tr>
<tr><td>00업종(00%)</td><td>-</td><td>-</td><td>-</td></tr>
<tr><td colspan="2">산정식(참여비율)</td><td></td><td>40%</td><td>10%</td></tr>
<tr><td colspan="3">점수</td><td colspan="3">40%+10%=50%
(2.0점)</td></tr>
</table>

3-8. 건설인력고용 심사

<table>
<tr><th colspan="3">구 분</th><th>구성원Ⅰ</th><th>구성원Ⅱ</th><th>구성원Ⅲ</th></tr>
<tr><td rowspan="6">건설인력고용</td><td rowspan="5">심사자료</td><td>고용탄력성(A)</td><td>1.26</td><td>1.10</td><td>-</td></tr>
<tr><td>근로기준법
준수(B)</td><td>-0.12</td><td>-0.04</td><td>-</td></tr>
<tr><td>평점(C=A+B)</td><td>1.14</td><td>1.06</td><td>-</td></tr>
<tr><td>시공비율(D)</td><td>70%</td><td>20%</td><td>9.5%</td></tr>
<tr><td>구성원별 점수
(C×D)</td><td>0.798</td><td>0.212</td><td>-</td></tr>
<tr><td colspan="2">점수(∑C×D)</td><td colspan="3">0.798 + 0.212 = 1.01</td></tr>
</table>

주) 1. 고용탄력성(A) : 입찰참가자의 고용탄력성 점수에 따른 등급별 점수
2. 근로기준법 준수(B) : 입찰참가자의 임금체불사업주 명단 공개 횟수에 따른 등급별 점수

4. 사회적 책임

4-1. 건설안전 심사

구 분			구성원Ⅰ	구성원Ⅱ	구성원Ⅲ
건설안전	심사자료	사고사망만인율(A)	0.8-0.8(0/2.075) =0.8	0.8-0.8(5.245/2.075) =-0.8	0.8-0.8(0.415/2.075) =0.64
		산업재해발생 보고위반건수(B)	-	1회 = -0.16	-
		산재예방활동실적(C)	92점 = 0.80	평점 없음 = 0.40	82점 = 0.72
		산업안전보건관리비 목적 외 사용(D)	-	-	1건 = -0.2
		산재위반으로 형벌(E)	-	-	-
		평점 (F=A+B+C+D+E)	0.8	-0.56	0.8
		시공비율(G)	70%	20%	9.5%
		구성원별 점수 (F×G)	0.56	-0.112	0.076
	점수(ΣF×G)		0.56 - 0.112 + 0.076 = 0.524		

주) 1. 사고사망만인율(A) : 평가산식에 의한 사고사망만인율 점수

2. <삭제>

3. <삭제>

4-2. 공정거래 심사

구 분			구성원Ⅰ	구성원Ⅱ	구성원Ⅲ
공정거래	심사자료	시공비율(A)	70%	20%	9.5%
		상호협력 평가(B)	0.56	0.56	0.56
		대중소기업 협력프로그램 평가(C)	0.05	-	-
		구성원별 점수 (D=A×(B+C))	0.42	0.112	0.0532
		상호협력 평가 점수(E=ΣA×D)	0.5852		
		공정거래 관련법 준수(F)	-0.12	-	-0.12
		구성원별 점수 (A×F)	-0.084	-	-0.0013
		공정거래관련법 준수 점수(G=ΣA×F)	-0.0853		
	점수(E+G)		0.5852 - 0.0853 = 0.4999 (소수점 넷째자리에서 반올림) 0.500		

주) 1. 상호협력평가(B) : 입찰참가자의 상호협력평가 점수에 따른 등급별 점수

2. 공정거래관련법 준수(F) : 입찰참가자의 위반행위유형별 조치정도에 따른 감점 합계 (단, 입찰참가자의 (공동수급체의 경우 각 구성원의)감점합계는 -0.6점을 초과할 수 없다)

4-3. 지역경제 기여도 심사

<table>
<tr><th colspan="4">구 분</th><th>구성원Ⅰ
(대표자)</th><th>구성원Ⅱ</th><th>구성원Ⅲ</th></tr>
<tr><td rowspan="7">지역경제
기여도</td><td rowspan="6">심사자료</td><td colspan="2">지역명</td><td>ㅇㅇ시(해당)</td><td>ㅇㅇ시(해당)</td><td>ㅇㅇ시(해당)</td></tr>
<tr><td>주된 공사</td><td>토목업종
(90%)</td><td>90%x70%=63%</td><td>90%x20%=18%</td><td>90%x9.5%=8.55%</td></tr>
<tr><td rowspan="2">주된공사
이외의
공사</td><td>소방업종
(10%)</td><td>10%x80%=8%</td><td>10%x20%=2%</td><td>-</td></tr>
<tr><td>00업종(00%)</td><td>-</td><td>-</td><td>-</td></tr>
<tr><td colspan="2">산정식(참여비율)</td><td></td><td>20%</td><td>8.55%</td></tr>
<tr></tr>
<tr><td colspan="3">점수</td><td colspan="3">20%+8.55%=28.55%
(20%이상) 0.8점</td></tr>
</table>

주) 전체 지역업체 참여비율 합계 시 대표자 및 비지역업체 참여비율은 제외한다.

[별지 제2-3호 서식] 〈개정 2021.12.29., 2022.3.11.〉

종합심사낙찰제 자기평가기술서([별표1-4], [별표1-5])

1. 대상공사

공 고 번 호	*000000000-00*	입 찰 일 시	*0000-00-00*
공 사 명	*00000 지방도 공사*		

2. 종합평점(입찰금액 제외)

심사 분야	심사 항목		평점(예시)
공사수행능력 (40점)	경영상태 (10점)	경영상태	*9.854*
	전문성 (18점)	시공실적	*10.0*
		배치 기술자	*8.0*
	역량 (12점)	규모별 시공역량	*5.82*
		공동수급체 구성	*6.0*
	사회적책임 (0점~2점)	건설인력고용	*0.156*
		건설안전	*0.262*
		공정거래	*0.345*
		지역경제 기여도	*0.8*
	소계		***40점***
계약신뢰도 (감점)	배치기술자 투입계획 위반		*0점*
	하도급관리계획 위반		*0점*
	하도급금액 변경 초과비율 위반		*0점*
합 계			*40점*

3. 공사수행능력

3-1. 경영상태 심사(*예시, 입찰공고일 : 2019. 5. 1.*)

<table>
<tr><th colspan="3">구 분</th><th>구성원Ⅰ</th><th>구성원Ⅱ</th><th>구성원Ⅲ</th></tr>
<tr><td rowspan="9">일반공사
시공실적</td><td rowspan="8">심사자료</td><td>신용평가등급</td><td>회사채</td><td>기업신용평가</td><td>기업신용평가</td></tr>
<tr><td>등급</td><td>BBB+</td><td>BB-</td><td>B-</td></tr>
<tr><td>평가일</td><td>2018. 1. 1</td><td>2018. 5. 5</td><td>2019. 2. 3</td></tr>
<tr><td>유효기한</td><td>2021.12.31</td><td>2021. 5. 4</td><td>2022. 2. 2</td></tr>
<tr><td>경영상태 평점</td><td>35.0</td><td>34.2</td><td>33.1</td></tr>
<tr><td>환산 점수(A)</td><td>10=35×10/35</td><td>9.7714285
=34.2×10/35</td><td>9.4571428
=33.1×10/35</td></tr>
<tr><td>시공비율(B)</td><td>50%</td><td>40%</td><td>10%</td></tr>
<tr><td>시공비율 반영(A×B)</td><td colspan="3">(35×10/35×50%+34.2×10/35×40%+33.1×10/35×10%)=9.8542857 → 9.854점</td></tr>
<tr><td colspan="2">점수</td><td colspan="3">9.854점</td></tr>
</table>

3-2. 시공실적 심사(*예시 토목5등급*)

<table>
<tr><th colspan="3">구 분</th><th>구성원Ⅰ</th><th>구성원Ⅱ</th><th>구성원Ⅲ</th></tr>
<tr><td rowspan="4">일반공사
시공실적</td><td rowspan="3">심사자료</td><td>최근 5년간
시공실적(A)</td><td>400억원</td><td>300억원</td><td>100억원</td></tr>
<tr><td>시공비율(B)</td><td>50%</td><td>40%</td><td>10%</td></tr>
<tr><td>최근 5년간
시공실적(A×B)
(시공비율 반영)</td><td colspan="3">10점×(400억원×50%+300억원×40%+100억원×10%)/(250×1.3) → 10점 초과</td></tr>
<tr><td colspan="2">점수</td><td colspan="3">10점</td></tr>
</table>

3-3. 배치기술자 심사

<table>
<tr><th colspan="4">구 분</th><th colspan="3">합계</th></tr>
<tr><td rowspan="3">공사현장에
배치할
현장대리인
시공참여경력</td><td rowspan="2">심사자료</td><td>현장대리인</td><td>근무일수</td><td colspan="3">500일</td></tr>
<tr><td>기타직위
(시공)</td><td>근무일수</td><td colspan="3">650일</td></tr>
<tr><td colspan="3">점수</td><td colspan="3">{(500×2)/(365×3)+650/(365×3)}×5 = 5.0점</td></tr>
<tr><td colspan="4">구 분</td><td>시공(1)</td><td>안전(1)</td><td>품질(1)</td></tr>
<tr><td rowspan="2">공사현장에
배치할
분야별 책임자
참여경력</td><td colspan="2">심사자료</td><td>근무일수</td><td>-</td><td>2,500일</td><td>-</td></tr>
<tr><td colspan="3">점수</td><td>1점</td><td>1점</td><td>1점</td></tr>
<tr><td colspan="4">총계</td><td colspan="3">8점</td></tr>
</table>

* [별표1-4의 경우] 분야별 참여기술자(시공책임자, 품질책임자) 명시

3-4. 규모별 시공역량 심사(*예시 5등급 제한공사*)

<table>
<tr><th colspan="3">구 분</th><th>구성원Ⅰ</th><th>구성원Ⅱ</th><th>구성원Ⅲ</th></tr>
<tr><td rowspan="5">규모별
시공역량</td><td rowspan="4">심사자료</td><td>업체 등급</td><td>3등급</td><td>3등급</td><td>6등급</td></tr>
<tr><td>시공비율(A)</td><td>50%</td><td>40%</td><td>10%</td></tr>
<tr><td>등급별 점수(B)</td><td>5.8</td><td>5.8</td><td>6.0</td></tr>
<tr><td>구성원별 점수(A×B)
(시공비율 반영)</td><td>2.9</td><td>2.32</td><td>0.6</td></tr>
<tr><td colspan="2">점수</td><td colspan="3">5.82</td></tr>
</table>

* 실적제한 대상공사는 배점한도 적용

3-5. 공동수급체 구성 심사

<table>
<tr><th colspan="4">구 분</th><th>구성원Ⅰ
(대표자)</th><th>구성원Ⅱ</th><th>구성원Ⅲ</th></tr>
<tr><td rowspan="7">공동수급체
구성</td><td rowspan="6">심사자료</td><td colspan="2">중소기업 해당 여부</td><td>대표자 제외</td><td>중기업</td><td>소기업</td></tr>
<tr><td>주된 공사</td><td>토목업종
(100%)</td><td>50%</td><td>40%</td><td>10%</td></tr>
<tr><td rowspan="2">주된공사
이외의
공사</td><td>00업종(00%)</td><td>-</td><td>-</td><td>-</td></tr>
<tr><td>00업종(00%)</td><td>-</td><td>-</td><td>-</td></tr>
<tr><td colspan="2">산정식(참여비율)</td><td></td><td>40%</td><td>10%</td></tr>
<tr><td colspan="2"></td><td colspan="3"></td></tr>
<tr><td colspan="3">점수</td><td colspan="3">40%+10%=50%
(6.0점)</td></tr>
</table>

4. 사회적 책임

4-1. 건설인력고용 심사

구 분			구성원Ⅰ	구성원Ⅱ	구성원Ⅲ
건설인력 고용	심사자료	고용탄력성(A)	*0.40*	*0.08*	***0.0***
		근로기준법 준수(B)	*-0.12*	*-0.04*	-
		평점(C=A+B)	*0.28*	*0.04*	-
		시공비율(D)	*50%*	*40%*	*10%*
		구성원별 점수 (C×D)	*0.14*	*0.016*	-
	점수(ΣC×D)		*0.14 + 0.016 = 0.156*		

주) 1. 고용탄력성(A) : 입찰참가자의 고용탄력성 점수에 따른 등급별 점수
2. 근로기준법 준수(B) : 입찰참가자의 임금체불사업주 명단 공개 횟수에 따른 등급별 점수

4-2. 건설안전 심사

구 분			구성원Ⅰ	구성원Ⅱ	구성원Ⅲ
건설안전	심사자료	사고사망만인율(A)	*0.4-0.4(0/2.075) =0.4*	*0.4-04(5.245/2.075) =-0.4*	*0.4-0.4(0.415/2.075) =0.32*
		산업재해발생 보고위반건수(B)	-	*1건 = -0.08*	-
		산재예방활동실적(C)	*92점 = 0.40*	*평점 없음 = 0.20*	*82점 = 0.36*
		산업안전보건관리비 목적 외 사용(D)	-	-	*1회 = -0.1*
		산재위반으로 형벌(E)	-	-	-
		평점 (F=A+B+C+D+E)	*0.4*	*-0.28*	*0.4*
		시공비율(G)	*70%*	*20%*	*9.5%*
		구성원별 점수 (F×G)	*0.28*	*-0.056*	*0.038*
	점수(ΣF×G)		*0.28 - 0.056 + 0.038 = 0.262*		

주) 1. 사고사망만인율(A) : 평가산식에 의한 사고사망만인율 점수
2. <삭제>
3. <삭제>

4-3. 공정거래 심사

<table>
<tr><th colspan="3">구 분</th><th>구성원Ⅰ</th><th>구성원Ⅱ</th><th>구성원Ⅲ</th></tr>
<tr><td rowspan="10">공정거래</td><td rowspan="9">심사자료</td><td>시공비율(A)</td><td>50%</td><td>40%</td><td>10%</td></tr>
<tr><td>상호협력 평가(B)</td><td>0.40</td><td>0.40</td><td>0.32</td></tr>
<tr><td>대중소기업
협력프로그램 평가(C)</td><td>0.05</td><td></td><td></td></tr>
<tr><td>구성원별 점수
(D=A×(B+C))</td><td>0.225</td><td>0.16</td><td>0.032</td></tr>
<tr><td>상호협력 평가
점수(E=∑A×D)</td><td colspan="3">0.417</td></tr>
<tr><td>공정거래 관련법 준수(F)</td><td>-0.12</td><td>-</td><td>-0.12</td></tr>
<tr><td>구성원별 점수
(A×F)</td><td>-0.06</td><td>-</td><td>-0.012</td></tr>
<tr><td>공정거래관련법 준수
점수(G=∑A×F)</td><td colspan="3">-0.072</td></tr>
<tr><td colspan="2">점수(E+G)</td><td colspan="3">0.417 - 0.072 =
(소수점 넷째자리에서 반올림) 0.345</td></tr>
</table>

주) 1. 상호협력평가(C) : 입찰참가자의 상호협력평가 점수에 따른 등급별 점수
2. 공정거래관련법 준수(F) : 입찰참가자의 위반행위유형별 조치정도에 따른 감점 합계
(단, 입찰참가자의(공동수급체의 경우 각 구성원의)감점합계는 -0.4점을 초과할 수 없다)

4-4. 지역경제 기여도 심사

<table>
<tr><th colspan="4">구 분</th><th>구성원Ⅰ
(대표자)</th><th>구성원Ⅱ</th><th>구성원Ⅲ</th></tr>
<tr><td rowspan="7">지역경제
기여도</td><td rowspan="6">심사자료</td><td colspan="2">지역명</td><td>ㅇㅇ시(해당)</td><td>ㅇㅇ시(해당)</td><td>ㅇㅇ시(해당)</td></tr>
<tr><td>주된 공사</td><td>토목업종
(90%)</td><td>90%x50%=45%</td><td>90%x40%=36%</td><td>90%x10%=9%</td></tr>
<tr><td rowspan="2">주된공사
이외의
공사</td><td>소방업종
(10%)</td><td>10%x80%=8%</td><td>10%x20%=2%</td><td>-</td></tr>
<tr><td>00업종(00%)</td><td>-</td><td>-</td><td>-</td></tr>
<tr><td colspan="2">산정식(참여비율)</td><td>대표자 제외</td><td>38%</td><td>9%</td></tr>
<tr><td colspan="3">점수</td><td colspan="3">38%+9%=47%
(30%이상) 0.8점</td></tr>
</table>

주) 전체 지역업체 참여비율 합계 시 대표자 및 비지역업체 참여비율은 제외한다.

[별지 제3호 서식]

시설공사 준공실적 증명서

(별표2의 동일공사실적 평가관련)

Ⅰ. 일반적인 사항

<table>
<tr><td>1) 공사명</td><td colspan="6"></td><td rowspan="2">2) 발주기관
(발 주 자)</td><td rowspan="2"></td></tr>
<tr><td>1-1) 공사위치</td><td colspan="6"></td></tr>
<tr><td rowspan="2">3) 시공자 (대 표)</td><td>3-1) 회 사 명</td><td colspan="2"></td><td>3-2) 등록번호</td><td colspan="2"></td><td>3-3) 대 표 자</td><td></td></tr>
<tr><td>3-4) 영업소재지</td><td colspan="5"></td><td>3-5) 전화번호</td><td></td></tr>
<tr><td rowspan="4">4) 계약 및 준공
(장기계속 또는 계속비 공사는 총공사 기준 작성)</td><td colspan="4">4) 총 공 사 기 준</td><td colspan="4">4) 년 차(금차) 공 사 기 준</td></tr>
<tr><td>4-1)
계약일자</td><td></td><td>4-4) 공사금액
(준공+관급)</td><td></td><td>4-1)
계약일자</td><td></td><td>4-4) 공사금액
(준공+관급)</td><td></td></tr>
<tr><td>4-2)
착공일자</td><td></td><td>4-5)
준공금액</td><td></td><td>4-2)
착공일자</td><td></td><td>4-5)
준공금액</td><td></td></tr>
<tr><td>4-3)
준공일자</td><td></td><td>4-6)
관급금액</td><td></td><td>4-3)
준공일자</td><td></td><td>4-6)
관급금액</td><td></td></tr>
<tr><td rowspan="2">5) 공사성질</td><td>건설공사</td><td colspan="7">신규공사( ), 확장공사( ), 개·보수공사( ) ※해당란에 ○표</td></tr>
<tr><td>전기, 통신</td><td colspan="7">설치(신설, 증설, 이설, 개설)공사, 보수공사( ) ※해당란에 ○표</td></tr>
<tr><td>6) 공동계약여부</td><td colspan="8">공동이행방식( ), 분담이행방식( ), 단독도급( ) ※해당란에 ○표</td></tr>
<tr><td>7) 실적의 종류</td><td colspan="8">개념설계( ), 기본설계( ), 실시설계( ), 시공( ), 감리( ), 품질, 공사관리( ),
시운전( ), 기자재제작설치( ), 기자재설치( ), 기타( ) ※해당란에 ○표</td></tr>
</table>

<table>
<tr><td colspan="2">Ⅱ. 시공실적의 내용</td><td colspan="2">* 공동수급체 구성원별로 구분 작성</td></tr>
<tr><td>구 분</td><td>시 공 자 (대표)</td><td>시 공 자</td><td>시 공 자</td></tr>
<tr><td>1) 회 사 명</td><td></td><td></td><td></td></tr>
<tr><td>1-1) 사업자등록번호</td><td></td><td></td><td></td></tr>
<tr><td>2) 대 표</td><td>(인)</td><td>(인)</td><td>(인)</td></tr>
<tr><td>3) 공사금액</td><td>지분율: %</td><td>지분율: %</td><td>지분율: %</td></tr>
<tr><td>3-1) 준공금액</td><td></td><td></td><td></td></tr>
<tr><td>3-2) 도급자설치관급금액</td><td></td><td></td><td></td></tr>
<tr><td>3-3) 시공평가점수</td><td colspan="3">최종 시공평가결과(점수) 점</td></tr>
<tr><td>4) 전체공사 시공규모 : 구체적인 시공물량 표시</td><td colspan="3"></td></tr>
<tr><td>4-1) 전체 실적 공종 또는 사전심사대상공종에 대한 시공규모 및 금액</td><td colspan="3"></td></tr>
</table>

5) 시공회사별 실적공종 또는 사전심사대상공종 시공규모, 방법(공법)			
6) 시공회사별 실적공종 또는 사전심사대상공종의 금액			
6-1) 시공회사별 실적공종 또는 사전심사대상 공종의 준공금액			
6-2) 시공회사별 실적공종 또는 사전심사대상 공종의 도급자설치 관급금액			
7) 하도급 내용 (하도급대비 원도급금액 포함)	* 하도급자별로 구분 작성(종합건설업자가 전문건설업자에게 하도급 한 경우는 해당 없음으로 표기)		
7-1) 하도급자			
7-2) 하도급공사 규모 및 내용			
7-3) 하도급금액(준공+관급)			
Ⅲ. 붙 임			
1) 기타 실적내용을 증명할 수 있는 서류			

위와 같이 공사(총공사) 준공실적이 있음을 증명하여 주시기 바랍니다.

201 . . .

귀하

주 소 :
회 사 명 :
대 표 :

위 내용을 증명함

(발급기관명)

※ 주 :
1) 기재란이 부족한 경우 및 입찰설명서(공고) 요구내용의 기재란이 없는 경우는 별지 작성 가능함.
2) 당해공사 시공실적심사에 필요한 내용이 불분명 등의 경우는 평가에서 제외할 수 있음
3) 합병 등을 한 업체와 시공중 부도·탈퇴등으로 시공비율이 달라진 업체는 그 사실과 내용을 본 실적증명서에 기재하고 관련 자료를 첨부하여야 함.
4) 본 기재란에 대한 해당사항이 없으면 "해당없음"으로 표기하여야 함.
5) 시공실적증명서 및 첨부물마다 간인(서명)을 하여야 함.
6) 계속공사인 경우에는 최근10년이내에 준공한 공사의 최초부터 최종공사의 동일한 용도의 단위구조물(체) 각각의 규모 및 금액을 기재하되, 차수별 공사내용(공사명, 공사규모, 공사금액, 준공일등 실적심사에 필요한 사항) 및 채색구분된 도면(평면도, 종·횡단면도)을 첨부하시기 바라며, 그 내용이 불분명하거나 누락되어 실적심사가 곤란한 경우는 불인정함.

[별지 제4호 서식]

건설기술자 경력사항 확인서

<table>
<tr><td>소 속</td><td></td><td>직 위</td><td></td><td colspan="3">종합심사
대상공종</td><td></td></tr>
<tr><td>성 명</td><td></td><td>생년월일</td><td colspan="5"></td></tr>
<tr><td>기술분야</td><td>기술자 종류</td><td colspan="2">기술자 등급</td><td colspan="3" rowspan="2">건설분야
종사기간</td><td rowspan="2">일</td></tr>
<tr><td></td><td></td><td colspan="2"></td></tr>
<tr><td colspan="8">○ 해당분야 공사 참여 실적 * 금액 : 도급자설치 관급금액 포함 및 천원단위 기재</td></tr>
<tr><td>발주자</td><td>공 사 명</td><td>종합심사 해당공종
공사규모 및 금액</td><td>공사금액</td><td>종합심사
대상공종
참여기간</td><td colspan="2">종합심사 대상공종
참여일수</td><td>담당업무
(책임정도)</td></tr>
<tr><td></td><td></td><td></td><td></td><td></td><td colspan="2"></td><td></td></tr>
<tr><td colspan="6">종합심사 대상공종 참여 합산기간
(1년은 365일을 기준으로 계산하고 나머지 일수는 30일을 기준으로 월을 계산)</td><td colspan="2">일</td></tr>
<tr><td colspan="8">위와 같이 우리회사 소속 직원의 발급기준일(입찰공고일)현재 기술자 경력사항을 확인하여 주시기 바랍니다.
201 . . .
※ 발급기준일(입찰공고일) : 201 . . . 주 소 :
회사명 :
대표자 : (인)</td></tr>
<tr><td colspan="8">(발급기관명) 위 사실을 확인함.</td></tr>
</table>

* 주 :

1) 시공인력평가 대상 기술자는 직무분야 등급이 초급기술자 이상 기술자로서 해당 입찰공고에서 정한 동일공사에 해당하는 공사현장에 3년이상 (자격취득 전후 포함) 종사한 기술자의 경우에 해당됨.
   ※ 기술자 평가의 동일한 종류에 해당하는 공사현장은 근무 회사의 시공비율과 관계없이 공사현장 자체가 [별표2-1] 또는 해당 입찰공고에서 정한 동일한 종류에 해당하는 경우 그 대상이 됨.
2) 공종의 공사규모 및 금액이 불분명한 경우에는 평가에서 제외할 수 있다.
3) 기술자등급란에는 건설기술진흥법의 기술자등급 기재

[별지 제5호 서식]

시공평가결과 증명서

Ⅰ. 일반적인 사항

<table>
<tr><td>1) 공사명</td><td colspan="4"></td><td rowspan="3">2) 발주기관
(발 주 자)</td><td rowspan="3"></td></tr>
<tr><td>1-1)
공사위치</td><td colspan="4"></td></tr>
<tr><td>1-2)업종*</td><td colspan="2"></td><td>1-3)공종그룹**</td><td></td></tr>
<tr><td rowspan="3">3) 시공자</td><td colspan="2">3-1)회 사 명</td><td colspan="2"></td><td>3-2)대 표 자</td><td></td></tr>
<tr><td colspan="2">3-3)사업자등록번호</td><td colspan="4"></td></tr>
<tr><td colspan="2">3-3)영업소재지</td><td colspan="2"></td><td>3-4)전화번호</td><td></td></tr>
<tr><td colspan="2" rowspan="4">4) 계약 및 준공
(장기계속 또는
계속비 공사는
총공사 기준 작성)</td><td colspan="5">4) 총 공 사 기 준</td></tr>
<tr><td>4-1)
계약일자</td><td></td><td>4-4)
공사금액
(준공+관급)</td><td colspan="2"></td></tr>
<tr><td>4-2)
착공일자</td><td></td><td>4-5)
준공금액</td><td colspan="2"></td></tr>
<tr><td>4-3)
준공일자</td><td></td><td>4-6)
관급금액</td><td colspan="2"></td></tr>
<tr><td colspan="3">Ⅱ. 시공평가결과</td><td colspan="4"></td></tr>
<tr><td colspan="2">평 점</td><td colspan="2">점</td><td colspan="3">※ 건설기술진흥법 제50조제2항 관련</td></tr>
<tr><td colspan="7">위와 같이 시공평가 평점을 증명하여 주시기 바랍니다.
201 . . .
귀하
주 소 :
회 사 명 : 대 표 :</td></tr>
<tr><td colspan="7">위 내용을 증명함
(발급기관명)</td></tr>
<tr><td colspan="7">※ 주
1. 1-2)업종*과 1-3)공종그룹**은 [별표2] 1. 심사공종의 구분 상의 공종그룹 분류표에 의하며, 공종그룹이 없는 산업환경설비공사, 조경공사, 준설공사는 업종만 명시한다.</td></tr>
</table>

[별지 제6호 서식]

하도급 계획서

공사관리번호 :

공　사　명 :

하도급할 공사			하수급자와 계약할 금액 (C)	가중치 (A/D)	조사금액 대비 (C/A)	입찰금액 대비 (C/B)	비 고
하도급계획 심사업종	조사금액 (A)	입찰금액 (B)					
토공사업	2,000,000	1,400,000	1,200,000	0.20000	60%	85.714%	
석공사업	2,000,000	1,700,000	1,394,000	0.20000	69.7%	82%	
상하수도설비공사업	3,000,000	2,600,000	2,132,000	0.30000	71.066%	82%	
포장공사업	2,000,000	1,500,000	1,230,000	0.20000	61.5%	82%	
조경식재공사업	1,000,000	800,000	656,000	0.10000	65.6%	82%	
합계	10,000,000 (D)	8,000,000	6,612,000	1	-	-	

위와 같이 하도급계획서를 제출하며, 위의 하도급계획서에 정한 하도급 조건대로 계약을 체결한 후 성실시공이 이루어지도록 최선을 다하겠으며, 만일 이와 같은 내용이 사실과 다르거나 정당한 사유 없이 하도급계획대로 이행치 아니할 경우에는 어떠한 불이익을 받더라도 이의를 제기하지 아니할 것임을 확약합니다.

20　년　　월　　일

입찰자(제출자)　대표회사 상　호 :
대표자 :
구성원(공동이행 구성원 모두 기재)
상　호 :
대표자 :

조　달　청　장 귀하

첨부서류 : 하도급계획심사업종별 하도급할 공사금액 및 하수급자와 계약할 공사금액 내역서
(각 공사비산출서 포함) 각 1부.

※ 작성요령

1. [별지 제6-1호], [별지 제6-2호]는 하도급계획심사업종별로 작성한다.
2. 하도급계획심사업종별 가중치는 소수점 아래 일곱째자리에서 반올림한다.
3. <삭제>
4. <삭제>
5. 조사금액(A), 입찰금액(B), 하수급자와 계약할 금액(C)는 세부시행요령의 안내에 따라 작성한다.

[별지 제6-1호 서식]

하도급계획심사업종 공사비산출서

공 사 명 :

하도급계획심사업종명 :

구 분	조사금액		입찰금액		하도급금액
	산출방법	금액	산출방법	금액	금액
1. 순공사원가					
가. 재료비					
가-1. 직접재료비		①		⑤	⑨
나. 노무비					
나-1. 직접노무비		②		⑥	⑩
나-2. 간접노무비	[나1]의 0%				
다. 경비					
다-1. 산출경비		③		⑦	⑪
다-2. 산재보험료	[나]의 0%				
다-3. 고용보험료	[나]의 0%				
다-4. 건강보험료	[나1]의 0%				
다-5. 노인장기요양보험료	[다4]의 0%				
다-6. 연금보험료	[나1]의 0%				
다-7. 퇴직공제부금비	[나1]의 0%				
다-8. 산업안전보건관리비	관급포함시 b,c 중 작은 값				
a. 일반경우	[가+나1]의 0%				
b. a의 1.2배					
c. 관급자재대 포함	[가+나1+관급자재대]의 0%				
다-9. 환경보전비	[가+나1+다1]의 0%				
다-10. 공사이행보증수수료		0		0	0
다-11. 하도급대금지급 보증서발급수수료	[가+나1+다1]의 0%	0		0	0
다-12. 건설기계대여대금 지급보증서발급금액	[가+나1+다1]의 0%				
다-13. 기타경비	[가+나]의 0%				
2. 일반관리비	[1]의 0%				
3. 이윤	[나+다+2]의 0%				
4. 미확정설계항목(PS)		0		0	0
5. 제비율적용 제외공종		0		0	0
6. 총원가	1+2+3+4+5				
7. 공사손해보험료		0		0	0
8. 소계	6+7				
9. 부가가치세	[8]의 0%				
10. 매입세					
11. 총계	8+9+10				
금 액		(A)		(B)	(C)
도급자설치관급자재대 (부가세별도)					

[별지 제6-2호 서식]

하도급계획심사업종 내역서

공 사 명 :

하도급계획심사업종명 :

세부공종코드	세부공종명	규격	수량	단위	조사금액								입찰금액								하도급금액							
					재료비		노무비		경비		합계		재료비		노무비		경비		합계		재료비		노무비		경비		합계	
					단가	금액	단가	금액	단가	금액	단가	금액	단가	금액	단가	금액	단가	금액	단가	금액	단가	금액	단가	금액	단가	금액	단가	금액
하도급 계획심사업종별 직접공사비 합계						①		②		③		④		⑤		⑥		⑦		⑧		⑨		⑩		⑪		⑫

[별지 제7호 서식]

물량내역수정사유서

세부공종명	세부공종코드	수량산출서											물량수정사유
		열람·교부한 물량내역 (추정물량)			수정한 물량내역 (입찰물량)			물량신설공종 물량내역 (입찰물량)					
		규격	단위	수량	규격	단위	수량	품명	규격	단위	수량	단가	

① 물량수정사유에 대한 물량산출 근거는 제6조제3항에 따라 증빙서류로 제출

[별지 제8호 서식]

수 량 산 출 서

<table>
<tr><th rowspan="2">세부
공종명</th><th rowspan="2">세부
공종
코드</th><th rowspan="2">규격</th><th rowspan="2">단위</th><th colspan="4">수량산출내역</th><th rowspan="2">비고</th></tr>
<tr><th>추정물량
(A)</th><th>입찰물량
(B)</th><th>증감
(B-A)</th><th>수량산출
산식</th></tr>
<tr><td></td><td></td><td></td><td></td><td></td><td></td><td></td><td></td><td>증빙서류 첨부
(별지 가능)</td></tr>
<tr><td></td><td></td><td></td><td></td><td></td><td></td><td></td><td></td><td></td></tr>
<tr><td></td><td></td><td></td><td></td><td></td><td></td><td></td><td></td><td></td></tr>
</table>

[별지 제9호 서식]

수 량 산 출 서 (물량신설공종)

<table>
<tr><th rowspan="2">세부
공종명</th><th rowspan="2">세부
공종
코드</th><th rowspan="2">규격</th><th rowspan="2">단위</th><th colspan="2">수량산출내역</th><th rowspan="2">비고</th></tr>
<tr><th>수량</th><th>산 식</th></tr>
<tr><td></td><td></td><td></td><td></td><td></td><td></td><td>증빙서류
첨부
(별지 가능)</td></tr>
<tr><td></td><td></td><td></td><td></td><td></td><td></td><td></td></tr>
<tr><td></td><td></td><td></td><td></td><td></td><td></td><td></td></tr>
</table>

※ 단가산출서(물량신설공종)는 일위대가나 단가산출식으로 제출 (적용된 품은 증빙자료 첨부)

[별지 제10호 서식]

물량내역수정 승인요청서 (제18조제2항 관련)

세부 공종명	세부공종코드	교부 물량내역 (추정물량)			승인요청 물량내역			수정사유
		규격	단위	수량	규격	단위	수량	
00								

※ 붙 임 : 승인요청 증빙자료 (설계서, 수량산출서, 증빙서류 등)

[별지 제11호] 〈개정 2021.12.29.〉

물 량 산 출 요 령

1. 입찰자는 수요기관에서 물량내역수정을 허용한 공종으로 한정하여 물량내역서를 수정하여야 한다.
2. 설계변경에 해당하는 입찰자의 물량내역작성은 물량수정사유로 인정하지 않는다.
3. 물량내역서를 수정하는 세부공종의 물량산출은 공사시방서 및 설계도면(이하 설계도서라 함)에 의한 정미량을 원칙으로 한다. 단, 조달청이 물량내역서의 물량을 소요량으로 적용한 경우에는 소요량으로 한다.
   - ○ 정미량 : 공사 목적물에 투입되는 자재량을 말하며, 도면물량이라고도 한다. 또한, 도면물량에는 공제하지 않은 수량(체적과 면적·길이 등)을 포함한다.
   - ○ 소요량 : 정미량+할증량(시공손실량)
     - ※ 소요량이란 시방 및 도면에 따라 산출된 재료의 정미량에 운반, 절단, 가공 등 시공 중에 발생되는 손실량을 더한 양
4. 설계서의 정미량을 산출할 수 없는 물량내역서의 물량은 조달청에서 정한 물량산출기준에 따라 산출하여야 한다. (예, 숏크리트 리바운드량, 인력공수, 할증비율(%), 부속자재량, 여굴량, 공제하지 않는 대상 등)
5. 입찰자는 토공 유동량(성토량, 사토량, 반입토량 등)의 산출방법 및 기준은 조달청에서 정한 물량산출기준에 따라야 한다.
6. 최종확인물량 및 입찰자의 물량수정은 물량산출근거의 물량산정방법(물량의 단위 및 소수점처리)에 따라 단계별 물량 산정(수정) 및 최종물량산정(수정)을 하여야 한다. 다만 조달청이 물량산출기준을 제시하지 않은 물량을 산정하는 경우에는 입찰자가 제시한 적정한 소수점처리기준을 인정하며, 이에 따른 물량산출 오차는 오차로 보지 않는다.
7. 조달청은 물량산출기준(물량산출설명서 및 물량산출유의서 등)를 작성·교부하여 모든 입찰자가 동일한 기준에 따라 물량을 산출할 수 있도록 자료 및 데이터를 입찰자에게 제공하여야 한다.
8. 본 물량산출요령과 물량산출기준이 다른 경우에는 물량산출기준에 따른다.
9. 심사세부기준 제19조제1항제2호의 물량내역서의 세부공종(공종명, 규격, 단위)이 설계서와 상이한 경우란 세부공종의 물량내역이 설계서와 일치하지 않으나 목적, 기능, 위치 등을 고려할 때 설계서에 따라 시공하여야 하는 경우를 말하며, 이 경우에는 해당 세부공종의 물량을 "0"으로 하지 않고 물량내역을 설계서에 따라 바르게 수정하여야 한다.
10. 물량산출기준 간에 상충되거나 불명확한 기준은 반드시 조달청에 확인하여야 하며 이를 이행하지 않아 발생하는 책임은 입찰자에게 있다.

11. 측정하는 도구에 따른 기계오차, 기술자의 숙련도에 따른 개인오차 등에 의해 발생할 수 있는 입찰자의 주관적 물량수정사유는 인정하지 않는다.
12. 조달청 최종확인물량 확정 및 입찰자의 산출내역서 물량은 교부한 물량내역서의 소수점 자리수 및 지위(止位)와 동일하게 산정하여야 한다.
13. 물량산출 부적합 처리 기준 해석(제21조)
   가. 제21조제1항제1호 : 총계방식으로 작성("1식단가" 또는 "복합단가")한 물량내역서의 단가 구성내용을 변경한 경우
      - 예시1) 설계구성 내용(표층+기층+노체)을 임의로 수정(표층으로만 구성)한 경우
      - 예시2) 도로경계석 A타입, B타입의 물량이 합산되어 하나의 세부공종으로 작성된 물량내역서를 입찰자가 이를 구분하여 수정한 경우
   나. 제21조제1항제4호 : 설계서(도면, 시방서, 현장설명서)의 변경에 해당하는 물량내역 수정인 경우
      - 설계서의 누락·오류, 현장상태와 설계서의 상이, 공사비절감, 시공기간 단축 등의 사유로 물량내역서의 물량(품명,규격,단위,수량)을 수정하는 경우는 설계서의 변경에 해당
      - 설계서의 변경 예시
         ① 설계서가 관계법령 또는 설계요령에서 정한 기준에 부합되지 아니하여 관계법령 또는 설계요령에서 정한 기준에 따라 물량을 수정한 경우
         ② 설계서 물량이 구조역학상, 활용상, 목적상 필요 없어 물량을 수정하는 경우
         ③ 경계적 시공을 사유로 물량을 수정한 경우
         ④ 수정허용공종의 단가가 중복 또는 단가의 오류 등의 사유로 물량을 수정하는 경우
         ⑤ 현장조건(토질, 지하수위 등)의 사유로 물량을 수정하는 경우
         ⑥ 기타 설계서의 변경에 준하는 경우
   다. 제21조제1항제9호 : 해당 세부공종을 바르게 수정하지 아니하고, 세부공종의 물량을 "0"으로 하거나, 세부공종의 물량삭감으로 인하여 추가되어야 할 물량을 물량신설공종으로 생성하지 않은 경우
      - 예시1) 설계서(도면) : 우수관(100mm, PVC관), 물량내역서 : 우수관(100mm, PE관)인 경우, 우수관의 규격을 PE관에서 PVC관으로 수정하지 않고, 해당 세부공종 물량을 "0"으로 하는 경우 부적합
      - 예시2) 물량내역허용 세부공종 토사절취 100m^{3}가 도면확인 결과 토사절취가 80m^{3}이고, 연암절취가 20m^{3}인 경우, 물량내역수정 시 토사절취 물량 80m^{3}만 수정하고, 연암절취는 신설(물량신설공종)하지 않거나, 물량신설공종의 물량이 적정하지 않은 경우 부적합

[별지 제12호]

증빙서류 등 제출 시 유의사항

1. 입찰자는 물량산출근거(물량신설공종 단가산출근거 포함) 목록 및 시공계획서 목록을 작성하여 입찰서와 함께 전자조달시스템을 이용하여 제출하여야 하며, 물량심사 또는 시공계획심사 대상자로 통보받은 자는 증빙서류를 동 시스템을 이용하여 제출하여야 한다.
2. 물량심사 또는 시공계획심사 대상자로 통보받아 제출하는 증빙서류(PBD파일)는 대상자로 통보받은 날로부터 3일 이내에 전자조달시스템을 이용하여 제출하여야 한다. 이 경우 증빙서류 파일용량이 25MB를 초과할 경우에는 25MB미만으로 나누어서 제출하여야 한다.
3. 제출하는 증빙서류(PBD파일)는 입찰시 전자조달시스템을 이용하여 제출한 BID파일에 기록된 증빙서류목록, 증빙서류의 작성일자, 증빙서류의 용량과 동일하여야 하며, 이중 어느 하나가 동일하지 않은 경우에는 증빙서류를 제출하지 않은 것으로 본다.
4. 물량심사 또는 시공계획심사 대상자는 전자조달시스템을 이용하여 제출하는 증빙서류(PBD파일)의 제출여부를 확인하여야 하며, 제출된 증빙서류에 암호가 설정되었거나 컴퓨터 바이러스에 감염되는 등의 사유로 증빙서류를 판독하기 곤란한 경우에는 증빙서류를 제출하지 않은 것으로 본다.
5. 산출내역서, 증빙서류 등은 투찰일 현재 전자조달시스템을 통하여 조달청에서 제공하는 산출내역서 작성프로그램에서 작성하여야 한다. 해당 프로그램에서 작성하지 않아 규격에 맞지 않는 산출내역서를 제출하여 심사에서 제외되는 경우 모든 책임은 입찰자에게 있다.
6. 전자입찰로 집행하는 경우 적정성심사를 위한 내용이 기재된 산출내역서 등의 제출과 첨부서류의 하자에 관한 사항은 각각 「국가종합전자조달시스템 전자입찰특별유의서」 제9조 및 「전자조달의 이용 및 촉진에 관한 법률 시행령」 제5조 제6항에 따른다.
7. 계약담당공무원은 입찰공고에서 달리 정한 경우 및 제6조제3항에 따라 제출하는 서류를 제외하고는 입찰자가 입찰 시 제출한 자료 외에 적정성심사를 위한 자료를 별도로 제출받지 아니한다.

[별지 제13호 서식] 〈개정 2019.12.30〉

<table>
<tr><td colspan="4">시공계획서 (예 시)</td></tr>
<tr><td>사 업 명</td><td colspan="3"></td></tr>
<tr><td>입 찰 자</td><td>OO건설(주)</td><td>대 표 자</td><td></td></tr>
<tr><td colspan="4">1. 공사개요
1.1 사업명
1.2 사업개요
1.2.1 사업목적
1.2.2 사업내용
1.2.3 사업위치
1.3 공종
1.3.2 공사위치(위치도 포함)
1.3.3 공사내용(참고도면 등 첨부)

2. 시공관리계획
2.1 현장 조직구성(조직도로 대체 가능)
2.2 공정계획(예정공정표로 대체 가능)
2.3 시공계획
2.3.1 시공흐름도(Flow Chart로 대체 가능)
2.3.2 시공단계별 관리계획(시공단계별로 일반사항과 핵심사항 등에 대한 관리계획 정리)
2.4 기타사항

3. 자원조달계획
3.1 인력투입계획
3.2 자재투입계획(공급원 현황 포함)
3.3 장비투입계획
3.4 자재 반입 및 관리계획(현장검사 및 검수 등 포함)
3.5 기타사항

4. 품질관리계획
4.1 품질관리 일반(품질관리 목표 포함)
4.2 시공단계별 품질관리계획
4.3 자재 품질시험 계획(시험항목, 방법, 빈도, 물량, 회수, 장소 등)
4.4 기타사항

5. 안전관리계획
5.1 안전관리일반
5.2 안전점검계획
5.3 안전교육계획
5.4 안전관리조직 운영계획

6. 환경관리계획
6.1 대기오염 방지대책
6.2 수질오염 방지대책
6.3 소음/진동 저감대책
6.4 미세먼지 저감대책
6.5 폐기물 관리
6.6 위험물 관리
6.7 공사장 주변 관리

7. 기타사항계획</td></tr>
</table>

4 조달청 등급별 유자격자명부 등록 및 운용기준

조달청공고 제2021-9호

조달청 등급별 유자격자명부 등록 및 운용기준을 다음과 같이 공고합니다.

2021. 4. 12.
조 달 청 장

1. 등록대상자 및 적용대상공사

1.1 유자격자명부 등록대상자

○ 건설산업기본법에 의한 토건, 토목 또는 건축공사업자로 등록된 자(외국업체는 정부조달협정 가입국에 한함)로서 입찰공고일 현재의 시공능력평가액이 「국가를 당사자로 하는 계약에 관한 법률」 제4조제1항의 규정에 의한 기획재정부장관이 정하여 고시하는 금액(이하 '고시금액'이라 한다) 이상인 자

○ 건설산업기본법에 따라 전문공사를 시공하는 업종(이하 "전문업종"이라 한다)을 등록한 건설사업자(이하 "전문건설사업자"라 한다)가 종합공사에 참가하는 경우에는 당해 종합공사를 구성하는 전문업종을 모두 등록한 건설사업자(외국업체는 정부조달협정 가입국에 한함)로서 4.에 해당하는 자 <신설 2021.4.12>

○ 종합공사를 시공하는 업종(토건, 토목, 건축공사업)과 전문업종을 모두 등록한 건설사업자는 토건, 토목 또는 건축공사업 기준으로 유자격자명부에 등록 <신설 2021.4.12>

1.2 적용 대상공사

○ 추정가격 고시금액 이상의 토목 및 건축공사로서 경쟁입찰 대상공사

○ 다만, 국내입찰에서 입찰참가자격사전심사요령 제5조 각호에 해당되는 공사의 경우 또는 국내·국제입찰에서 유자격자 명부를 적용하는 것이 적정하지 않다고 인정되는 경우에는 제외함

2. 등록내용

(단위 : 미만~이상)

등급	공사배정규모(추정금액기준)		시공능력평가액 (토건, 토목, 건축)	비 고
	토목공사	건축공사		
1	1700억원 이상	1200억원 이상	6000억원 이상	
2	1700억원~950억원	1200억원~950억원	6000억원~1200억원	
3	950억원~550억원	950억원~550억원	1200억원~600억원	
4	550억원~400억원	550억원~400억원	600억원~330억원	
5	400억원~220억원	400억원~220억원	330억원~200억원	
6	220억원~140억원	220억원~130억원	200억원~120억원	
7	140억원~고시금액	130억원~고시금액	120억원~고시금액	

※ 주) 입찰공고일 현재의 시공능력평가액기준임

3. 등록 및 운용기준

3.1 등급별 유자격자명부에 의한 입찰참가신청 기준은 다음과 같다.

3.1.1 공사배정규모에 따라 해당 등급별 유자격자명부에 등록한 자중 입찰공고 또는 입찰설명서에서 정한 입찰참가 자격요건에 적합한 자로 한다.

3.1.2 국제입찰의 경우 해당 등급이상인 자 중 입찰공고 또는 입찰설명서에 정한 입찰참가자격요건에 적합한 자로 할 수 있다.

3.2 공동수급체를 구성하여 입찰에 참여하고자 할 경우에는 해당 등급에 등록된 자가 대표자이어야 한다.

3.2.1 해당 등급이하로 등록된 공동수급체 구성원(대표자를 포함한다) 전체의 계약참여지분율 합(여러 업종이 복합된 공사에서는 전체 업종을 기준)은 80%이상이어야 한다. 다만, 등급별 유자격자명부 등록대상자가 아닌 업체는 해당 등급 이하로 등록된 공동수급체 구성원으로 본다. <신설 2013.6.26>

3.2.2 2등급이하 공사에서 1등급으로 등록된 공동수급체 구성원 전체의 계약참여지분율 합은 10%이하이어야 한다. <신설 2013.6.26>

3.2.3 3.2.1 및 3.2.2의 적용에서 여러 업종이 복합된 공사에 주 공종 이외 공종에 참여하는 구성원의 등급은 당해 구성원이 주 공종에서 갖는 등급과 동일하게 적용한다. <신설 2013.12.26>

3.3 등급별 유자격자 명부상 토건업으로 등록된 자에 대한 시공능력 평가액은 토건시공능력평가액에 의거 등급 명부에 편성된다.

3.3.1 등급에 의한 경쟁입찰에서 공동수급체를 구성한 경우 토건업 등록업체의 시공능력 평가액 합산은 토건시공능력 평가액에 의한다.

3.4 건설산업기본법상의 토목공사업자 또는 건축공사업자는 대상공사의 주 공종 업종인 경우에 한하여 명부에 등록된 것으로 본다.

3.4.1 토목공사업 또는 건축공사업자로 등록된 업체의 경우에는 업종별 시공능력평가액에 의하여 해당 등급 명부에 편성되는바, 토목공사업 및 건축공사 업종에 각각 등록된 업체의 경우에는 업종별 시공능력평가액에 따른 등급에 편성되어 발주되는 공사의 공종에 따라 해당공사 입찰에 참여할 수 있다.

3.5 공사규모에 따른 등급별 배정은 해당공사의 추정금액을 기준으로 하되 「국가를 당사자로 하는 계약에 관한 법률」 제21조에서 정한 장기계속 공사의 경우에는 총공사 추정금액을 기준으로 한다.

3.6 등급별 배정은 총공사 추정금액을 기준으로 하며, 주 공종에 따라 토목 또는 건축공사에 배정한다. 이 때 주 공종은 추정금액을 기준으로 규모가 큰 공사를 말한다.

3.7 등급별 유자격자명부 등록은 건설산업기본법에 의하여 국토교통부장관(대한건설협회, 대한전문건설협회)이 발표한 최근년도 토건, 토목, 건축공사업 및 전문업종의 시공능력평가액에 의한다.

3.7.1 건설업의 양도양수 등으로 시공능력평가액의 변경이 있는 경우에도 3.7과 같다.

4. 전문건설사업자의 유자격자명부 등록 〈신설 2021.4.12〉

4.1 건설산업기본법에 따라 전문건설사업자가 종합공사에 참가하는 경우에는 당해 종합공사를 구성하는 전문업종을 모두 등록한 건설사업자로서 4.2 기준을 만족하는 자는 유자격자명부에 등록된 것으로 본다.

4.2 당해 종합공사를 구성하는 전문업종을 모두 등록한 전문건설사업자의 등급은 2. 등록내용에 따른 당해 종합공사 등급의 시공능력평가액 최저금액 및 최고금액(이하 "등급 최저금액" 및 "등급 최고금액"이라 한다), 전문건설사업자의 전문업종별 시공능력평가액(이하 "전문업종별 시공능력평가액"이라 한다), 입찰공고에 명시한 추정금액 기준 전문업종별 구성비율(이하 "구성비율"이라 한다)을 적용해 4.2.1 내지 4.2.3에 따라 결정한다.

4.2.1 모든 전문업종별 시공능력평가액이 등급 최저금액에 구성비율을 곱한 금액 이상이고, 각 전문업종별 시공능력평가액을 합산한 금액(이하 "합산 시공능력평가액"이라 한다)이 등급 최고금액 미만인 전문건설사업자는 당해 종합공사 등급으로 편성한다. 다만, 1등급 공사에 대해서는 모든 전문업종별 시공능력평가액이 1등급 최저금액에 구성비율을 곱한 금액 이상인 경우 1등급으로 편성한다.

4.2.2 모든 전문업종별 시공능력평가액이 등급 최저금액에 구성비율을 곱한 금액 이상이고, 합산 시공능력평가액이 등급 최고금액 이상인 전문건설사업자는 합산 시공능력평가액을 기준으로 당해 종합공사 등급보다 상위 등급으로 편성한다.

4.2.3 4.2.1 및 4.2.2에 해당하지 않는 전문건설사업자는 유자격자명부에 등록하지 아니한다. 다만, 3.2.1 적용 시 유자격자명부 등록대상자가 아닌 전문건설사업자는 해당 등급 이하로 등록된 공동수급체 구성원으로 본다.

5. 시공능력평가액에 의한 경쟁입찰

5.1 시공능력평가액에 의한 경쟁입찰에서의 입찰참가자격(공동수급체를 구성할 경우 대표사를 말함)은 발주되는 공사의 공종에 따라 토건업체의 경우 토목부분 또는 건축부분의 시공능력평가액에 의하여 입찰참가자격을 부여한다.

5.1.1 시공능력 평가액에 의하여 집행되는 공사에서 공동수급체를 구성한자 중 토건업체에 대하여는 발주되는 공사의 공종에 따라 토목 또는 건축 부분의 시공능력평가액을 각각 적용한다.

5.2 시공능력평가액에 의한 경쟁입찰에서 입찰참가자격(공동수급체를 구성할 경우 대표사를 말함)의 기준은 특별한 사유가 없는 한 해당공사 추정금액의 70% 이상 시공능력 보유자를 유자격자로 한다. 다만, 해당공사 추정금액의 70%가 추정가격을 초과하는 경우에는 해당공사 추정가격 이상 시공능력 보유자를 유자격자로 한다.

5.3 토목·건축 복합공사인 경우에는 주 공종에 해당하는 공사의 추정금액 70% 이상 시공능력 보유자를 유자격자로 한다. 이때 주 공종은 추정금액을 기준으로 규모가 큰 공사를 말한다. 다만, 해당공사 추정금액의 70%가 추정가격을 초과하는 경우에는 해당공사 추정가격 이상 시공능력 보유자를 유자격자로 한다.

6. 시 행

이 등급별 유자격자명부 등록 및 운용기준은 2021년 4월 12일 입찰공고 되는 공사부터 적용한다.

6.1 (재검토기한) 「훈령·예규 등의 발령 및 관리에 관한 규정」에 따라 이 공고에 대하여 2021년 1월 1일 기준으로 매3년이 되는 시점(매 3년째의 12월 31일까지를 말한다)마다 그 타당성을 검토하여 개선 등의 조치를 하여야 한다.

부　　칙 〈2012. 12. 31〉

이 기준은 2013년 1월 1일부터 시행한다.

부　　칙 〈2013. 6. 26〉

이 기준은 2013년 7월 1일부터 시행한다.

부　　칙 〈2013. 12. 26〉

이 기준은 2014년 1월 1일부터 시행한다.

부 칙 〈2014. 12. 30〉

이 기준은 2015년 1월 1일부터 시행한다.

부 칙 〈제2016-119호, 2016. 11. 22〉

이 기준은 2017년 1월 1일부터 시행한다.

부 칙 〈제2017-5호, 2017. 1. 11〉

이 기준은 2017년 1월 12일부터 시행한다.

부 칙〈제2017-123호, 2017. 12. 26〉

이 기준은 2018년 1월 1일부터 시행한다.

부 칙〈제2018-146호, 2018. 12. 27〉

이 기준은 2019년 1월 1일부터 시행한다.

부 칙〈제2019-244호, 2019. 12. 18〉

이 기준은 2019년 12월 18일부터 시행한다.

부 칙〈제2021-9호, 2021. 4. 12〉

이 기준은 2021년 4월 12일부터 시행한다.

5 조달청 시설공사 실적에 의한 경쟁입찰 집행기준

[시행 2022. 1. 1.] [조달청지침 제12850호, 2021. 12. 30., 폐지제정]
조달청 시설총괄과-10573호, 2017.12.8

제1조(목적) 이 기준은 회계예규 계약예규 「정부 입찰·계약 집행기준」 제2장(제한경쟁입찰의 운용)과 행정자치부예규 「지방자치단체 입찰 및 계약 집행기준」 제4장(제한입찰 운영요령)의 규정에 따라 조달청에서 집행하는 시공실적 보유자를 대상으로 하는 경쟁입찰(이하 '실적경쟁 입찰'이라 한다)공사의 세부 집행기준을 정함에 그 목적이 있다.

제2조(실적경쟁 입찰의 대상) 실적경쟁 입찰로 집행할 수 있는 경우는 다음 각호의 1에 해당하는 공사부분의 추정금액이 당해공사(장기계속공사의 경우는 총공사. 이하 같다) 추정금액의 20%이상인 경우 그 대상으로 한다.

1. [별표]에 규정된 공사
2. 대한민국 이외의 지역에서 시공하는 공사
3. 기타 특수기술 또는 특수공법을 요하는 공사로서 그 특성상 실적경쟁 입찰로 집행하는 것이 필요하다고 인정되는 공사

제3조(적용원칙) ① 실적경쟁 입찰은 수요기관의 요청이 있는 경우에 한하여 검토, 적용한다.

② 실적에 의한 입찰참가자격의 제한은 실적경쟁 입찰 대상의 규모(량) 또는 추정금액의 1/3을 원칙으로 한다. 다만, 수요기관의 요구가 있는 경우에는 실적인정기준과 입찰대상 규모의 1배 범위 내에서 협의 조정할 수 있다.

③ 시공실적의 인정기준 및 평가기준은 [별표]에 의하며, 당해 공사의 평가기준 규모(또는 금액)는 입찰공고에 명시한다.

④ 제2조제3호에 따라 실적경쟁 입찰로 집행하는 경우 시공실적 심사는 수요기관에서 실시한다.

제4조(시공실적 제출) ① 시공실적 심사를 위한 실적증명서 및 증빙서류는 입찰공고일을 기준으로 작성하여 입찰공고에서 정한 실적제출 마감일까지 제출토록 하여야 한다.

② 제1항에 의한 서류 등이 미비하거나 불명확한 경우에는 3일이내의 기간을 정하여 보완을 요구할 수 있다.

제5조(시공실적 심사) ① 시공실적이라 함은 입찰공고일 기준 10년 이내에 준공된 1건의 공사실적으로서 당해 입찰공고의 실적인정기준에 부합하는 실적을 말한다.

② 시공실적의 증명방법 및 인정에 관한 사항은 입찰공고일 기준 「조달청 입찰참가자격사전심사기준」 [별표 9]에 의한다.

제6조(기타사항) 이 기준에서 정하지 아니한 사항 또는 공사의 특성 및 규모에 따라 이 기준을 적용하기 곤란하다고 인정되는 경우에는 입찰공고에 반영하여 집행할 수 있다.

제7조(재검토기한) 「훈령·예규 등의 발령 및 관리에 관한 규정」에 따라 이 지침은 2021년 12월 31일 기준으로 매 3년이 되는 시점(매 3년째의 12월 31일까지를 말한다)마다 그 타당성을 검토하여 개선 등의 조치를 하여야 한다.

부 칙 〈2018. 1. 16〉

1. 이 기준은 2018년 1월 16일 입찰공고 하는 공사부터 적용한다.
2. 이 기준 시행과 동시에 조달청시설공사 실적에 의한 경쟁입찰 집행기준(조달청 시설총괄좌-432, 2015.01.16.)은 폐지한다.

부 칙 〈제12850호, 2021. 12. 30.〉

1. 이 기준은 2022년 1월 1일 입찰공고 하는 공사부터 적용한다.
2. 이 기준 시행과 동시에 조달청 시설공사 실적에 의한 경쟁입찰 집행기준(조달청 시설총괄과-11018호, 2020.12.28.)은 폐지한다.

[별 표] 〈2021.12.30.〉

실적경쟁 입찰대상 및 평가기준

실적경쟁 입찰대상	실적인정기준	평가기준
1) 추정가격 100억원 이상의 건축공사로서 클린룸 1,000㎡이상이 포함된 건축물(클린룸 청정도 Class M10,000 이상)	○ 클린룸 1,000㎡ 이상이 포함된 3,000㎡이상의 건축물 ※ 클린룸 청정도 Class M10,000 이상인 실적만 인정	○ 당해 공사규모 (최대규모 : 30,000㎡)
2) 추정가격 100억원 이상의 건축공사로서 연면적 5,000㎡ 이상인 종합병원	○ 3,000㎡ 이상의 종합병원, 병원, 치과병원, 한방병원, 정신병원 및 요양소, 전염병원, 마약진료소	○ 당해 공사규모 (최대규모 : 30,000㎡)
3) 추정가격 100억원 이상인 건축물 리모델링 공사	○ 30억원 이상인 건축물 리모델링(리노베이션) 실적	○ 당해 공사규모(금액)
4) 추정가격 10억원 이상인 전차선로 공사	○ 합성전차선 시공실적 2km이상 ※ 합성전차선 : 전차선, 조가선 또는 AL강체	○추정가격 100억원 미만 - 당해 공사규모의 1/3배 ○추정가격 100억원 이상 - 20km
5) 추정가격 10억원 이상인 항공등화시설 공사	○ 항공등화시설 시공실적 1개 이상 ※ 공항시설법 시행규칙 제6조 규정에 의한 항공등화시설(헬기장등화, 비상용활주로등은 제외)만 인정	○당해 공사규모의 1/3배 (최대규모 : 300개)
6) 추정가격 10억원 이상인 항행안전시설(공항시설법 시행규칙 제7조 또는 제8조 시설)	○ 공항시설법 시행규칙 제7조 또는 제8조 각 호의 시설 시공실적 1건 이상	○당해 공사규모(금액)의 1/3배 (최대규모 : 10억원)
7) 케이블 포설 (154KV급 이상)	○ 당해공사와 동일 또는 상위 전압급으로서 당해 공사규모의 1/3이상	○당해 공사규모 (최대규모 : 3,000m)
8) 추정가격 5억원 이상의 특수교 케이블 공사	○ 특수교(현수교, 사장교) 주 케이블 설치 연장 50m 이상의 실적	○ 당해 공사규모의 1/3배 (최대규모 : 200m)
9) 추정가격 15억원 이상의 항만내 진보강 공사	○ 항만(또는 어항) 외곽(또는 계류) 시설의 기초 또는 전·후면에 천공하거나 압력을 가하여 보강재를 설치한 5억원 이상의 실적	○ 당해 공사규모 (최대규모 : 50억원)
10) 추정가격 100억원 이상의 농업토목공사 ※ 다만, 조달청 입찰참가자격사전심사기준 제3조 각호의 공종(단일구조물의 추정가격이 30억원 이상) 포함 공사에 한함	○ 30억원 이상의 농업토목공사	○ 당해 공사규모 (최대규모 : 300억원)

실적경쟁 입찰대상	실적인정기준	평가기준
11) 추정가격 100억원 이상의 단지조성공사 ※ 다만, 조달청 입찰참가자격사전심사기준 제3조 각호의 공종(단일구조물의 추정가격이 30억원 이상) 포함 공사에 한함	○ 150,000㎡ 이상의 단지조성공사	○ 당해 공사규모 (최대규모 : 1,500,000㎡)
12) 조달청 입찰참가자격사전심사기준 제3조 각호의 공종이 포함된 공사로서 해당 공종의 추정가격이 100억원 이상 200억원 미만인 공사	○ 조달청 입찰참가자격사전심사기준에 따름	○ 당해 공사규모

※ 주 :

1) 실적인정기준의 금액은 준공금액(도급자 설치 관급금액 포함)을, 평가기준의 금액은 추정금액을 기준으로 한다.
2) 평가기준에서 정한 규모(또는 금액)가 최대규모(또는 금액)보다 클 경우에는 최대규모(또는 금액)를 적용한다.

6 경쟁촉진을 위한 공사의 수의계약사유 평가기준

조달청 토목환경과-4997호. 2019.12.20

제1조(목적) 이 기준은 계약예규 「정부입찰·계약 집행기준」(기획재정부계약예규)(이하 '집행기준'이라 한다)에서 규정하고 있는 수의계약사유에 대하여 객관적인 세부평가기준을 수립, 집행함으로서 계약행정의 공정성 및 투명성을 제고하는데 있다.

제2조(용어의 정의) 이 기준에서 사용하는 용어의 정의는 다음과 같다.

1. '금차공사'라 함은 이 기준에 따른 수의계약 평가대상 공사를 말하며, 예산확보와 복합공사 여부를 불문하고 계약 요청한 전체 공사금액을 기준으로 한다.
2. '전차공사'라 함은 금차공사와 동일체구조물을 형성하여 장래 하자발생 시 그 책임구분이 불분명한 사유(이하 '하자사유'라 한다)가 발생될 수 있는 하자보수보증기간 내 또는 시공 중에 있는 전차구조물이거나 금차공사기간 대비 시공 중인 공사의 잔여 공사기간의 비율(이하 '시간적중복도'라 한다)이 40%이상이고 공간적으로 중복되어 작업상 혼잡을 야기(이하 '혼잡사유'라 한다)할 수 있는 공사를 말한다.
3. '중복금액' 또는 '접합금액'은 전차공사 구조물과 기능이 상호 연결되어 동일체구조물을 형성하여 하자사유가 발생되고 동일인이 계속하여 시공함이 적합하다고 판단되는 금차공사금액 중 하자계류잔여기간 내에 시공하는 금차공사금액으로서 '중복금액'은 수직적 분할(상·하)로 접합시공되는 금액, '접합금액'은 횡 또는 종 방향으로 접합시공되는 금액을 말하며, 제16조제1항 각 호의 공종을 제외한 공사를 기준으로 하자계류잔여기간 내에 당해 구조물을 시공하는데 필요로 하는 재료비(도급자설치 관급금액 포함), 노무비, 산출경비, 제경비 등을 합한 완성공사비를 기준으로 계산한다.
4. '혼잡금액'이라 함은 금차공사금액 중 시공 중인 전차공사와 시간적·공간적으로 중복되어 제14조의 유형에 의한 작업상 혼잡사유로 시공하는 금차공사금액을 말하며, 제16조제2항의 공종을 제외한 공사를 기준으로 시공 중복기간 내에 당해 구조물 시공에 필요한 재료비, 노무비, 산출경비, 제경비 등을 합한 완성공사비를 기준으로 계산한다.
5. '공사금액'이란 시설부대비(용역비, 보상비 등)를 제외한 공사 예정금액(추정가격 + 부가가치세 + 도급자설치 관급금액)을 말하며, 전차공사가 설계변경 등으로 계약금액이 증감된 경우에는 증감된 금액을 당초 공사예정금액에 가감한 금액을 말한다.

제3조(수의계약 요청) ① 수요기관의 장은 수의계약으로 추진하고자 하는 공사가 집행기준 제8조 본문의 사실상 경쟁불가에 해당하는 경우에 한하여 평가자료(별첨양식1, 2, 3, 4, 5에

수요기관에서 판단하여 기재한 자료를 말함)를 첨부하여 수의계약으로 요청하여야 하며, 이러한 요건을 구비하지 않은 계약요청은 경쟁 입찰로 처리한다.

② 경쟁 입찰로 진행 중인 공사에 대하여 이해 당사자가 수의계약으로 검토 요청한 경우에는 관련서류를 수요기관에 이첩하고 수요기관에서 경쟁 입찰공고의 현장설명일 기준 4일 이전에 제1항에 따른 평가 자료를 구비하여 수의계약으로 요청하면 검토하여 조치할 수 있다.

③ 신기술등의 사유로 수의계약을 추진하는 경우에는 입찰참여 기회균등과 공정한 경쟁을 유도하기 위하여 수의계약요청서를 접수일로부터 5일이상 국가종합전자조달시스템에 사전 공개하여야 한다.

④ 제3항에 따라 업계의 의견이 있는 경우 수요기관의 장과 협의 후 재검토 할 수 있다.

제4조(평가 및 계약방법) ① 수의계약요청서에 의한 수의계약사유 평가는 <별첨양식 2, 3, 4>에 따라 일반사항(만점 30점)과 기술사항(만점 70점)으로 구분 평가한다.

② 별첨양식2의 내용 중 제11조에 관한 사항과 별첨양식3,4는 해당기술과에서, 그 외는 시설총괄과에서 각각 평가한다.

③ 수의계약사유 종합평점이 90점 이상에 해당하는 공사는 수의계약으로 추진할 수 있다.

④ 종합평점 80점 이상인 공사 중 예산절감 등 불가피한 사유로 사실상 경쟁이 불가능하다고 판단되는 공사는 계약심사협의회의에 부의할 수 있으며 그 결과에 따라 수의계약으로 추진할 수 있다.

⑤ 금차공사에 신규공사('전차공사와 다른 위치에서 신규로 시공하는 공사', 이하 같다.)가 포함된 경우에는 신규공사부분을 분리하여 계약추진 할 수 있다.

⑥ 금차공사가 복합공종으로 구성된 공사는 주 공사(공사금액이 많은 공사)에 의한 평점(이 경우도 금차공사는 전체공사를 기준으로 평가한 점수를 말함)으로 계약방법을 추진하는 것을 원칙으로 하되 부대공사의 비율이 40%이상이고 평점이 만점인 경우는 주공사의 평점과 가중 평균한 평점으로 계약방법을 추진한다.

제5조(평가자료) 이 기준에 따른 수의계약사유 평가 시의 중복·접합금액, 혼잡금액, 마감금액, 신기술이나 특허공법(이하 '신기술등'이라 함)금액과 제11조 관련(품질, 가격, 공사기간 등)의 평가를 위한 공사금액 등의 계량적 수치는 제3조의 규정에 따라 수요기관에서 제출한 자료를 기준으로 평가하는 것을 원칙으로 한다.

제6조(기간계산) ① 금차공사의 착공예정일은 특별한 사유가 없는 한 수의계약 요청서의 발송일로 부터 30일후로 한다. 다만, 계약협의 등으로 30일을 경과한 경우에는 수의계약사유 평가일(최초 결재 상신한 날)을 착공예정일로 본다.

② 하자계류 잔여기간은 금차공사의 착공예정일로부터 전차공사의 하자보수보증기한(시공중인 전차공사는 준공예정일로부터 공종별 하자담보책임기간을 환산한 기한)까지의 기간으로 한다.

③ 작업상혼잡의 시공 중복기간은 금차공사의 착공예정일로부터 작업상 혼잡사유가 발생

하는 전차공사의 계약서에 명기된 준공예정일까지의 기간으로 계산한다. 이 경우 공사계약서의 공사기한보다 설계서에 의한 준공예정일이 나중인 경우에는 설계서의 절대공사기간을 기준으로 계산한다. 다만, 설계변경 등으로 공사기간이 연장 또는 단축된 경우에는 변경된 기한을 기준으로 하되 시공자의 귀책사유에 의한 연장은 인정하지 않는다.

제7조(일반사항 평가) ① 일반사항 심사항목의 평가기준일은 별도로 정한 경우를 제외하고는 수의계약요청서의 발송일로 한다.

② 경영상태의 평가는 '조달청 시설공사 적격심사세부기준'(조달청 시설총괄과-1034, 2015.1.29)(이하 "적격심사기준"이라 한다)에 의하여 다음 각호에 따라 평가한다.

1. 추정가격 100억원 이상인 공사는 적격심사세부기준의 <별표7>에 따라 "신용평가등급에 의한 경우"로 평가 한다
2. 추정가격 100억원 미만인 공사는 적격심사세부기준 <별지3> 내지 <별지7>에서 정한 공사종류별 추정가격에 해당하는 경영상태 평가기준 및 방법으로 평가한다.
   (단, <별지3>내지<별지7>단서에 의한 가산평가는 적용하지 않는다)

③ 국가를 당사자로 하는 계약에 관한 법률(이하 '국가계약법' 이라한다)시행령 제76조의 규정에서 정한 부정당업자 제재처분을 받았거나 같은법 시행령 제76조제8항에서 정한 부정당업자 제재처분을 받은 자는 별첨양식2에 의한다.

④ 신인도 평가는 조달청 입찰참가자격 사전심사기준(조달청 시설총괄과-5699호, 2015. 6. 30.)(이하 "사전심사"이라 한다)에 의하여 다음 각호에 따라 평가하며 별첨양식2에 의한다.

1. 추정가격 50억원 이상인 공사는 사전심사기준에 따라 평가한다.
   다만, 사전심사기준 중 부정당업자 제재처분은 평가항목에서 제외한다.
2. 추정가격 50억원 미만인 공사는 평가를 생략 한다.

⑤ 수의계약 대상자가 공동수급체인 경우 제2항의 평가는 적격심사세부기준, 제4항의 평가는 사전심사기준에 의한다.

제8조(기술사항 평가) ① 기술사항 평점은 다음 각호의 기준에 따라 평가한 점수를 적용한다.

1. 별첨양식 3 또는 4에 의한 하자사유의 기술사항평가는 1)의 공사규모비 평점과 ㉮ 내지 ㉰의 규모비 평점을 비교하여 낮은 평점을 기술사항 평점으로 한다. 이 경우 ㉮ 내지 ㉰ 평점은 가장 높은 점수를 기준으로 한다.
2. 별첨양식 3에 의한 작업상 혼잡사유(이하 '혼잡사유'라 한다)의 기술사항 평가는 1)의 공사규모비 평점과 ㉮의 규모비 평점을 비교하여 낮은 평점을 기술사항 평점으로 한다.
3. 별첨양식 3 또는 4에 의한 기술사항 평가사유(하자, 혼잡, 마감, 신기술등 보유)가 2개이상 중복되는 공사는 기술사항 평가점수중 높은 사유의 평점과 하위 평가점수의 1/2에 해당하는 점수를 합산한 점수를 적용하되 70점을 초과할 수 없다.

② 별첨양식 3또는 4에 의한 기술사항 평가표의 평가구분 중 Ⅱ항의 평가는 Ⅰ항의 표기비율과 Ⅲ항의 표기비율 사이에 해당하는 비율을 계산식의(　)에 넣어서 계산하여 평점을 하되, 소숫점 첫째자리에서 절사한다.

제9조(공사규모비 평가) ① 별첨양식3 또는 4의 기술사항 평가표중 하자 및 혼잡사유의 공사규모비 평가방법은 다음 각 호와 같다

1. 하자사유 1)의 공사규모비 평가는 금차공사금액 대비 제2조제2호의 하자사유에 해당하는 전차공사를 합산한 공사금액을 백분율로 계산하여 평가한다.

2. 혼잡사유 1)의 공사규모비 평가는 금차공사금액 대비 제2조제2호의 혼잡사유에 해당하는 전차공사의 전체공사금액을 백분율로 계산하여 평가한다.

② 전차공사가 장기계속공사인 경우 공사예정금액은 다음 각 호와 같이 적용하되 수요기관의 판단에 따라 각 차수별 수의계약사유에 해당하는 규모 및 구체적 중복내용 산출이 가능한 경우에는 예외로 한다.

1. 하자사유의 전차공사금액은 전차공사가 하나의 동일체구조물인 경우에는 전체공사금액을 적용하고, 전차공사가 2개 이상의 동일체 구조물인 경우에는 금차공사와 동일체구조물을 형성하는 부분의 전차공사금액을 합산한다.
2. 혼잡사유의 전차공사금액은 혼잡사유가 있는 차수별 전차공사 중 준공예정일이 가장 나중인 것을 적용하여 시간적중복도가 40%이상에 해당하면 혼잡관련 차수별 공사의 전체공사금액을 모두 합산한다.

③ 계속공사로서 연차별로 발주하여 계약한 전차공사금액은 금차공사와 직접적으로 접합 또는 중복시공 되거나 수직적 기초를 공통으로 하는 부분에 해당하는 하자보수보증기간 내 연차별 전차공사 부분의 공사금액을 모두 합산한다.

제10조(중복·접합 및 혼잡규모비 평가) ① 별첨양식 3, 4의 기술사항 평가표 중 하자사유 ㉮ 내지 ㉰의 규모비평가와 혼잡사유 ㉮의 규모비평가는 다음 각 호와 같이 평가한다.

1. 하자사유 ㉮의 중복, ㉯의 접합, ㉰의 접합·중복시공 규모비 평가는 금차 공사금액 대비 제2조제3호에 해당하는 공사금액을 백분율로 계산하여 평가한다.
2. 중복 또는 접합시공이 동시에 이루어지는 하자사유의 공사는 중복부분 규모로 평가한 점수와 중복·접합금액을 합산한 공사금액을 접합규모로 평가한 점수를 비교하여 높은 점수를 적용한다.
3. 혼잡사유 ㉮의 혼잡공사 규모비 평가는 금차 공사금액 대비 제2조제4호에 해당하는 공사금액을 백분율로 계산하여 평가한다.

② 별첨양식 4의 기술사항 평가표 중 하자사유 ㉮ 내지 ㉰의 규모비평가는 접합시공으로 평가하며 금차 공사금액 대비 제2조제3호에 해당하는 공사금액을 백분율로 계산하여 평가한다.

제11조(품질, 가격, 공사기간 등의 평가) 금차공사의 일부 또는 전부가 다음 각호의 사유에 해당하는 내용으로서 전차 또는 금차시공자가 시공하는 것이 국가에 유리하다고 판단되는 경우에는 금차 공사금액 대비 각호의 사유에 해당하는 금차 공사금액을 합산한 금액을 백분율로 계산하여 별첨양식 2에 따라 평가한다.

1. 천재·지변 또는 비상재해 긴급복구 공사부분이 포함된 공사

2. 전차 또는 금차시공자의 보유기술(특허·신기술)에 해당하는 공사부분이 포함되어 품질확보 및 예산절감이 가능한 공사 단, 공사금액은 제13조제2항에 따라 산정한다.
3. 전차시공자가 확보(소유, 임대)하고 있는 특수자재, 특수장비(대선, 예선등) 또는 부대시설(자재운반로, 아스팔트플랜트, 콘크리트플랜트, 크랏샤, 작업장, 야적장, 하치장, 적출장, 석산, 토취장, 가시설물, 기타)등의 이용으로 경쟁입찰로 집행하는 것 보다 전차시공자가 시공하는 것이 품질확보, 예산절감, 공사기간 단축 등 국가에 유리한 공사부분이 포함된 공사. 단, 계약방법에 따른 행정소요일수 차이로 조기착공·준공 가능하여 국가에 유리한 공사는 제외한다.
4. 공사위치 또는 재료 구득장소가 관련법에 따라 개발이 제한되어 추가적인 자연환경을 훼손할 수 없고 인근에서 재료를 구득하는 것 보다 예산이 절감되거나 전차시공자소유의 부대시설 등의 이용으로 예산절감이 가능한 공사부분이 포함된 공사
5. 중앙집중제어장치 등이 시스템적으로 작동되도록 상호연결 시공되어야 하는 전기·정보통신 공사부분이 포함된 공사
6. 금차공사에 필요한 부대시설(자재 운반로, 아스팔트 플랜트, 콘크리트 플랜트, 크랏샤, 작업장, 야적장, 하치장, 적출장, 석산, 제작장, 토취장 등)의 일부 또는 전부를 확보(소유, 임대)한 것을 사용하므로 환경훼손을 경감, 예산절감 또는 공사기간 단축이 가능한 공사
7. 기타 수요기관이 인정하는 사유(안전관리, 품질관리, 공정관리, 원가관리)로 전차시공자가 시공하는 것이 경쟁입찰로 집행하는 것보다 유리한 공사부분이 포함된 공사

제12조(마감공사 평가) 금차공사가 집행기준 제8조제3호에 해당하는 공사로서 수의계약으로 추진코자 하는 경우에는 기 시공한 공사와 시공 중인 공사를 합산한 전체 전차공사금액 대비 금차 공사금액을 백분율로 계산하여 평가한다.

제13조(신기술등 보유 평가) ① 금차공사에 집행기준 제8조제1항제4호에 해당하는 신기술등의 기술사용료의 지급에 의한 기술지원만으로는 계약목적 달성이 어려워 기술보유자가 직접 시공하여야 하는 공사로서 사실상 경쟁이 불가하다고 판단되어 수의계약으로 추진코자 하는 경우에는 금차공사금액대비 신기술등에 해당하는 공사금액을 백분율로 계산하여 별첨 양식 3 또는 4에 따라 평가한다.

② 금차공사에 다수의 신기술등이 포함된 경우에도 제1항에 따라 하나의 신기술등으로 보아 평가할 수 있으며, 수의계약대상이 되는 경우에는 금차공사에 포함된 기술보유자 전체를 구성원으로 하는 공동수급체와 공동계약 형식으로 수의계약을 체결할 수 있다.

③ 신기술등에 해당하는 공사금액은 신기술등과 직접 관련 있는 재료비, 제작·설치비를 포함하여 산정한다. 재료비의 경우 신기술등의 기술범위를 구현하는데 필요한 재료에 한하여 인정한다.

제14조(작업상 혼잡의 유형) 시공 중인 전차공사와 금차공사가 작업상 혼잡을 초래할 수 있는 유형은 다음 각 호와 같다.

1. 두개이상 공사의 중복 시공으로 혼잡이 예상되는 경우
2. 시공 중인 공사구간을 다른 공사의 자재운반로, 작업장, 하치장으로 사용하여 혼잡이 예상되는 경우
3. 공사용 자재의 상호유용으로 혼잡이 예상되는 경우
4. 석산, 토취장, 작업장(아스팔트 플랜트, 콘크리트 플랜트, 크랏샤 등), 단일 진입로(폭4m 이하), 기타 부수적인 장소를 공동으로 사용하여 혼잡이 예상되는 경우
5. 기타 사유로 혼잡이 예상되는 경우

제15조(수의계약 배제 등) ① 제4조제3항 내지 제4항에 해당하는 공사라도 계약 요청일로부터 계약 일까지의 기간 내에 수의계약대상자가 다음 각 호에 해당하면 수의계약 대상에서 제외한다.

1. 관계법규에 의한 부정당업자 재제기간 중 또는 영업정지기간 중에 있는 자
2. 부도·파산 등의 상태에 있어 계약이행이 어렵다고 판단되는 자
   다만, 수요기관에서 정상적인 시공이 가능하다는 의견서를 첨부하여 계약 요청한 경우에는 예외로 한다.

② 수의계약 대상자가 공동수급체로서 제1항제1호 내지 제2호의 본문에 해당하는 자가 포함된 경우에는 해당자를 제외하고 잔존구성원으로 수의계약 사유를 평가하여 제4조제3항 내지 제4항에 따라 수의계약으로 추진할 수 있다.

제16조(경쟁 입찰의 대상) ① 다음 각 호에 해당하는 공사는 하자사유가 경미 하거나 하자보수가 용이한 공사로 보아 수의계약사유 평가대상에서 제외하며 특별한 사유가 없는 한 경쟁 입찰로 추진한다.

1. 하천축제, 하천호안, 도로포장, 상·하수도접합, 조경, 준설, 토공 등 이와 유사한 토목공사
2. 동일체구조물을 형성하지 아니하는 횡 접합에 의한 건축공사
3. 전차공사에서 시공되었거나 시공 중인 동일구조물이외에서 이루어지는 전기·정보통신공사 다만, 별첨양식4의 ㉯ 내지 ㉰에 의한 평가대상이 되는 전기·정보통신공사는 예외로 한다.

② 작업선·후에 따라 시공하거나 작업현장이 넓은 지역 또는 소형장비·인력으로 시공하여 작업상 혼잡사유가 경미하다고 판단되는 조경·준설공사 및 전기·정보통신·기계설비공사 등은 작업상 혼잡사유에 의한 수의계약 평가대상에서 제외하며 특별한 사유가 없는 한 경쟁 입찰로 집행한다.

제17조(수의계약사유 평가양식) ① 이 기준에서 사용하는 수의계약사유의 평가양식은 다음 각 호와 같다.

1. 수의계약 요청사유 및 평점 산출근거<별첨양식1>
2. 일반사항 평가표<별첨양식2>
3. 토목 및 건축공사 기술사항 평가표<별첨양식3>
4. 전기·정보통신·기계설비공사 기술사항 평가표<별첨양식4>

5. 신기술·특허공법 선정사유서<별첨양식5>

② 수의계약요청 대상공사가 제1항제3호 내지 제4호의 공사에 해당되지 않는 경우에는 공사의 특성을 고려하여 별첨양식3 또는 별첨양식4를 준용할 수 있다.

제18조(재검토기한) 「훈령·예규 등의 발령 및 관리에 관한 규정」에 따라 이 기준에 대하여 2020년 1월 1일 기준으로 매3년이 되는 시점(매 3년째의 12월 31일까지를 말한다)마다 그 타당성을 검토하여 개선 등의 조치를 하여야 한다.

부 칙 〈제3547호, 2016. 11. 4〉

1. 이 지침은 2016년 11월 5일 공사계약요청분부터 시행한다.
2. 이 지침 시행과 동시에 「경쟁촉진을 위한 공사의 수의계약사유 평가기준」(조달청 토목환경과-2014호. 2015.7.20.)은 폐지한다.

부 칙 〈2019. 12. 20〉

이 지침은 발령한 날부터 시행한다.

[별첨양식 1]

<table>
<tr><th colspan="9">수의계약 요청사유 및 평점 산출근거</th></tr>
<tr><td colspan="2">구 분</td><td colspan="7">내 용</td></tr>
<tr><td rowspan="12">관련공사현황</td><td rowspan="7">전차공사</td><td>공 사 명</td><td colspan="6"></td></tr>
<tr><td>공사개요</td><td colspan="6"></td></tr>
<tr><td>예정금액</td><td colspan="3">원</td><td>추정가격</td><td colspan="2">원</td></tr>
<tr><td>부 가 세</td><td colspan="3">원</td><td>관급금액</td><td colspan="2">원</td></tr>
<tr><td rowspan="2">계약방법</td><td rowspan="2"></td><td rowspan="2">낙찰율</td><td rowspan="2">%</td><td rowspan="2">제1차공사</td><td>낙 찰 율</td><td>%</td></tr>
<tr><td>입찰일자</td><td></td></tr>
<tr><td>공사기간</td><td colspan="3"></td><td>하자보증기간</td><td colspan="2"></td></tr>
<tr><td rowspan="5">금차공사</td><td>공 사 명</td><td colspan="6"></td></tr>
<tr><td>공사개요</td><td colspan="6"></td></tr>
<tr><td>예정금액</td><td colspan="3"></td><td>추정가격</td><td colspan="2"></td></tr>
<tr><td>부 가 세</td><td colspan="3"></td><td>관급금액</td><td colspan="2"></td></tr>
<tr><td>발송일자</td><td colspan="3"></td><td>공사기간</td><td colspan="2"></td></tr>
<tr><td rowspan="2">수의계약사유</td><td colspan="2">계약예규 수의요령 제2조본문의 사실상 경쟁 불가능한 사유</td><td colspan="6"></td></tr>
<tr><td colspan="2">계약예규 수의요령 제2조 각호 해당사유</td><td colspan="6"></td></tr>
<tr><td rowspan="7">수의 사유별
기술 사항 평가 자료</td><td colspan="2" rowspan="2">하자사유</td><td colspan="6">공사규모비 = (금차공사와 동일체 구조물을 형성하는 전차공사 금액) / (금차공사 금액) ×100= %</td></tr>
<tr><td colspan="6">중복·접합 규모비 = (전차공사와 동일체 구조물을 형성하는 금차중복(접합)금액) / (금차공사 금액) ×100= %</td></tr>
<tr><td colspan="2" rowspan="3">혼잡사유</td><td colspan="6">시간적중복도 = (시공 중복기간) / (금차 공사기간) ×100= %</td></tr>
<tr><td colspan="6">공사규모비 = (시간적중복도 40%이상인 전차공사의 전체금액) / (금차공사 금액) ×100= %</td></tr>
<tr><td colspan="6">혼잡금액규모비 = (금차혼잡금액) / (금차공사 금액) ×100= %</td></tr>
<tr><td colspan="2">마감공사</td><td colspan="6">뒷마무리 또는 부대시설 공사 규모비 = (금차공사 금액) / (전차금액(시공중, 기시공포함 금액)) ×100= %</td></tr>
<tr><td colspan="2">신기술등 보유</td><td colspan="6">신기술등 부분규모비 = (신기술등 부분에 해당하는 금차공사 금액) / (금차공사 금액) ×100= %</td></tr>
<tr><td colspan="3">제11조의 품질, 가격, 공사기간 등의 평가자료</td><td colspan="6"></td></tr>
<tr><td colspan="9">○ 수의계약 요청시 첨부하여야 하는 서류 :
1. 전차공사와 금차공사가 채색 구분된 도면(평면도, 종단면도, 횡단면면도)
2. 별첨양식 2 내지 4에 의한 일반 및 기술사항 평가표 각 1부.
3. 수의사유별 일반 및 기술사항 평가자료(근거)</td></tr>
</table>

[별첨양식 2]

일 반 사 항 평 가 표

(전차공사관리번호 :   )

○ 관리번호 :

○ 공 사 명 :

담당		인
확인		인

구 분	심 사 항 목	등 급	평 점
경영상태 (10점)	○ 재무제표등에 의한 경우 - 적격심사세부기준 〈별지3〉 내지 〈별지7〉적용 ○ 신용평가등급에 의한 경우 - 적격심사세부기준〈별표7〉적용	공사규모별평가기준에 따라 평가 신용평가등급에 따라 평가	평가기준에 의한 종합평점÷배점한도 × 10점 평가기준에 의한 신용평가점수÷최고등급배점 × 10점
제7조3항과 관련한 제재처분 (-10점)	국가계약법에 의한 부정당업자 제재처분 사실이 있는 자 * 처분기간 만료 후 1년간 적용	6월미만의 제재처분	-5점
		6월이상의 제재처분	-10점
제7조4항과 관련한 신인도평점	○ 추정가격이 50억원 이상인 공사 -「사전심사세부기준」에 의한 신인도평가 단, 부정당업자 제재[가.2),3)] 관련항목 제외 ○ 추정가격이 50억원 미만인 공사 - 평가생략	「사전심사기준」에 의한 평점	± 점
제11조와 관련한 품질, 가격, 공사기간등의 평가(20점)	○ 금차 공사금액 대비 제11조 각호의 사유에 해당하는 공사부분을 합산한 금액 비율로 평가 (금차 공사금액 중 제11조 각호의 사유에 해당하는 공사의 합산금액÷금차공사금액) × 100 = %	㉮ 5% 이상	5점
		㉯ 10% 이상	10점
		㉰ 20% 이상	15점
		㉱ 30% 이상	20점

점 수 집 계	일반사항 평점 : 점	○ 경쟁계약 추진대상( )
	기술사항 평점 : 점	○ 수의계약 심사대상( ) - 심사대상 사유 :
	평가점수 합계 : 점	○ 수의계약 추진대상( )

[별첨양식 3]

기 술 사 항 평 가 표

(토목 및 건축공사)

○ 관리번호 :
○ 공 사 명 :

작성	담당		인
	확인		인

사유별	평 가 항 목	평 가 구 분		
		Ⅰ	Ⅱ	Ⅲ
하 자 사 유	1) 제9조1항1호의 하자관련 전차공사 규모비 평가 (전차 공사금액/금차 공사금액)	10%미만	$25+45\times\frac{(\ )-10}{40}=$ 점	50% 이상
	㉮ 제10조1항1호의 중복시공 규모비 평가 (금차중복금액/금차 공사금액)	10%미만	$25+45\times\frac{(\ )-10}{40}=$ 점	50% 이상
	㉯ 제10조1항1호 내지 2호의 접합시공 규모비 평가 (금차접합금액/금차 공사금액)	20%미만	$25+45\times\frac{(\ )-20}{55}=$ 점	75% 이상
	㉰ 제10조1항1호의 보수·보강공사의 접합·중복시공 규모비 평가 (금차중복·접합금액/금차 공사금액)	50%미만	$25+45\times\frac{(\ )-50}{30}=$ 점	80% 이상
혼 잡 사 유	1) 제9조1항2호의 혼잡관련 전차공사 (전차 공사금액/금차 공사금액)	20%미만	$25+45\times\frac{(\ )-20}{30}=$ 점	50% 이상
	㉮ 제10조1항3호의 혼잡공사 규모비 평가 (금차혼잡금액/금차 공사금액)	15%미만	$25+45\times\frac{(\ )-15}{20}=$ 점	35% 이상
마 감 공 사	1) 제12조의 마감공사 평가 (금차 공사금액/전차 공사금액)	25%이상	$25+45\times\frac{25-(\ )}{20}=$ 점	5% 미만
신기술등 보 유	1) 제13조의 신기술등 보유 평가 (금차 신기술등 부분 금액/금차 공사금액)	50%이상	$25+45\times\frac{(\ )-50}{45}=$ 점	95% 이상
평 점		25점	점	70점
비 고				

[별첨양식 4]

기 술 사 항 평 가 표

(전기·정보통신·기계설비공사)

○ 관리번호 :
○ 공 사 명 :

작성	담당		인
	확인		인

사유별	평 가 항 목	평 가 구 분		
		I	II	III
하 자 사 유	1) 제9조1항1호의 하자관련 전차공사 규모비 (전차 공사금액/금차 공사금액)	10% 미만	$25+45\times\frac{(\ )-10}{40}$ = 점	50% 이상
	㉮ 제10조2항의 접합시공 규모비 평가 (금차접합금액/금차 공사금액)	20% 미만	$25+45\times\frac{(\ )-20}{55}$ = 점	75% 이상
	㉯ 제10조2항(중앙집중제어장치 또는 단말기의 상호 연결시공시)의 접합 시공 규모비평가 (금차접합금액/금차 공사금액)	10% 미만	$25+45\times\frac{(\ )-10}{40}$ = 점	50% 이상
	㉰ 제10조2항(운행구간에서 철도·전철 등 특수시설이 상호 연결시공시)의 접합시공 규모비 평가 (금차접합금액/금차 공사금액)	10% 미만	$25+45\times\frac{(\ )-10}{40}$ = 점	50% 이상
신기술등 보 유	1) 제13조의 신기술등 보유 평가 (금차 신기술등 부분 금액/금차 공사금액)	50% 이상	$25+45\times\frac{(\ )-50}{45}$ = 점	95% 이상
평 점		25점	점	70점
비고 (평가 근거)				

[별첨양식 5]

신기술·특허공법 선정사유서

공 사 명	
수요기관	
예산액	
공사개요	
수의계약 요청사유	
신기술· 특허공법 선정사유서	

7 공사입찰특별유의서

[시행 2014.9.1] [조달청지침 제4928호, 2014.8.19, 일부개정]
[시행 2016.1.1] [조달청지침 제11252호, 2015.12.23, 일부개정]
[시행 2016.4.1] [조달청지침 제2615호, 2016.3.22, 일부개정]
[시행 2017.1.16] [조달청지침 제616호, 2017.1.16, 일부개정]
[시행 2018.12.1] [조달청지침 제9690호, 2018.11.29, 일부개정]
[시행 2020.7.1] [조달청지침 제5899호, 2020.6.29, 일부개정]
[시행 2021.2.15] [조달청지침 제1320호, 2021.2.15, 일부개정]
[시행 2022.1.1] [조달청 시설총괄과-12847호, 2021.12.30, 일부개정]

제1조(목적) 이 공사입찰특별유의서(이하 "특별유의서"라 한다.)는 조달청이 집행하는 공사입찰에 참가하고자 하는 자가 특히 유의하여야 할 사항을 정함을 목적으로 한다.

제2조(용어의 정의) 이 특별유의서에서 사용하는 용어의 정의는 특별유의서에서 달리 정하는 경우를 제외하고는 계약예규 「공사입찰유의서」(이하 "유의서"이라 한다) 제2조에 정한 바에 의한다.

제3조(시설공사·용역업체등록) ① 입찰공고에서 별도로 정한 경우를 제외하고는 입찰에 참가하고자 하는 자는 「국가종합전자조달시스템 입찰참가자격등록규정」에 따라 개찰일 전일까지 등록하여야 한다.

② 「국가를 당사자로 하는 계약에 관한 법률 시행규칙」(이하 "시행규칙"이라 한다) 제15조 제5항의 규정에 따라 조달청 이외의 관서에 입찰참가자격 등록을 하여 개찰일 전일까지 국가종합전자조달(G2B)시스템(이하 "시스템"이라 한다)에 등록사항이 게재된 경우에는 제1항의 등록을 한 것으로 본다. 단, 입찰공고에 달리 정한 경우에는 그러하지 아니하다.

제4조(입찰참가자격) ① 입찰에 참가하고자 하는 자는 입찰공고 및 입찰설명서에서 정한 바에 따라 자격요건을 충족하여야 하며, 입찰서 제출 마감일까지 계속 유지하여야 한다.

② 부도, 파산, 해산, 영업정지 등(이하 "부도 등"이라 한다)의 상태에 있는 자는 제1항에서 정한 입찰참가자격의 결격사유로 본다. 다만, 부도업체에 대한 법원의 회생절차개시결정이 있는 경우에는 입찰참가자격을 부여할 수 있다.

③ 여러 업종이 복합된 복합공사에서 주업종(입찰공고서에 명시한 업종별 추정금액이 가장 큰 업종) 이외 업종에 참여하는 자의 해당업종 시공능력평가액은 다음 각호에 규정한 금액을 초과하여야 한다.

1. 주업종 이외 업종 공사가 건설산업기본법령의 적용을 받는 공사로서 업종별 추정가격이 각각 50억원(전문공사는 5억원)이상인 경우에는 당해업종의 추정금액
2. 주업종 이외 업종 공사가 전기공사업법령, 정보통신공사업법령, 소방시설공사업법령의 적용을 받는 공사로서 추정가격이 5억원 이상인 경우에는 당해업종의 입찰가격. 다만, 총액입찰로 집행한 공사 또는 업종별 입찰가격이 명시되지 않은 경우의 업종별 입찰가격은 입찰자의 입찰가격(도급금액)에 입찰공고서에 명시한 추정가격+부가가치세 대비 당해업종의 추정가격+부가가치세 구성비율을 곱하여 산정한 금액에 따른다.

제4조의2(상호시장 진출을 위한 시공자격 등) ① 종합공사를 시공하는 업종을 등록한 건설사업자(이하 “종합건설사업자”라 한다)가 전문공사 입찰에 참가하거나 전문공사를 시공하는 업종을 등록한 건설사업자(이하 “전문건설사업자”라 한다)가 종합공사 입찰에 참가하는 경우 입찰참가 등록마감일까지 해당 공사를 시공하는 업종의 등록기준을 갖추어야 하고, 이를 시공 중에는 유지해야 한다.

② 입찰에 참가하고자 하는 자가 제1항에 따라 입찰참가 등록마감일까지 해당 공사를 시공하는 업종의 등록기준에 미달하는 경우에는 낙찰자로 결정될 수 없다.

③ 종합공사를 시공하는 업종과 전문공사를 시공하는 업종을 모두 등록한 건설사업자는 입찰참가 시 종합공사 또는 전문공사 업종을 선택해야 하고, 이를 해당 공사 입찰에 참가한 업종으로 본다.

④ 종합건설사업자가 전문공사 입찰에 참가하거나, 전문건설사업자가 종합공사 입찰에 참가하는 경우 제4조제3항에 따른 해당업종 시공능력평가액은 다음 각 호와 같다.

1. 종합건설사업자가 입찰 참가하는 종합공사 업종의 시공능력평가액×2/3
2. 전문건설사업자가 입찰 참가하는 전문공사 업종의 시공능력평가액 합산

[본조신설 2021.2.15.]

제5조(현장설명) ① 현장설명에 참가하는 자는 유의서 제6조제1항에서 규정한 국가기술자격수첩 또는 기술자경력수첩 및 위임장 등을 현장설명자에게 제시하여야 한다.

② 입찰설명서에 첨부되지 아니한 설계서 및 물량내역서 또는 「조달청 종합심사낙찰제 심사세부기준」(이하 ‘종합심사세부기준’이라 한다) 제5조에 규정한 심사에 필요한 자료의 작성방법 등은 현장설명 장소에서 열람 또는 교부받을 수 있다. 다만, 시스템 게시로 열람 또는 교부를 갈음할 수 있다.

제6조(공동계약) ① 공동계약을 하고자 하는 자는 소정의 공동수급협정서를 작성하여 개찰일 전일까지 제출하여야 한다.

② 계약담당공무원은 공동계약 유형별 구성원 수와 구성원별 계약참여 최소지분율을 다음 각호와 같다.

1. 분담이행방식에 의하는 경우 : 5인 이하
2. 공동이행방식에 의하는 경우 : 5인 이하, 10% 이상
3. 주계약자관리방식에 의하는 경우 : 10인 이하, 5% 이상

③ 「조달청 등급별 유자격자명부 등록 및 운용기준」에 따른 등급제한 공사에 대하여는 해당등급 이하로 등록된 공동수급체 구성원(대표자를 포함한다) 전체의 계약참여지분율 합은 80%이상이어야 한다. 다만, 2등급 이하 공사에서 1등급으로 등록된 공동수급체 구성원 전체의 계약참여지분율 합은 전체 계약참여지분율의 10%이하이어야 한다. <신설 2013.6.26>

④ 제3항에 의한 경우 여러 업종이 복합된 복합공사에서 계약참여지분율은 전체 업종을 기준으로 하고, 등급별 유자격자명부 등록대상자가 아닌 업체는 해당등급 이하로 등록된 공동수급체 구성원으로 본다. <신설 2013.6.26>

⑤ 동일입찰에 대하여 중복하여 공동수급체를 구성하여서는 아니 된다.

⑥ 입찰참가자격사전심사(이하 '사진심사'라 한다)대상공사의 입찰인 경우 제1항에 의한 공동수급협정서는 사전심사신청시 제출한 공동수급체현황표로 갈음한다.

⑦ 공동수급체를 구성하여 입찰에 참가한 경우 제4조제3항에서 규정하는 입찰자의 시공능력평가액은 각 공동수급체 구성원의 해당업종 시공능력평가액을 합산하여 적용한다. <개정 2021.2.15>

⑧ 분담이행방식의 경우에는 구성원 각각의 분담시공부분에 대한 입찰가격을 기재한 서류(붙임양식 1)를 산출내역서에 첨부하여야 한다.

⑨ 제1항 내지 제7항에 위반하여 입찰한 경우에는 입찰참가자격이 없는 자가 한 입찰로 본다. <개정 2013.6.26>

제7조(사전심사기준 등) ① 입찰공고에서 사전심사대상공사로 정한 경우에는 계약예규「입찰참가자격사전심사요령」 및「조달청 입찰참가자격 사전심사기준」(이하 각각 "사전심사요령", "사전심사기준"이라 한다)에 따른다.

② 「조달청 시설공사 실적에 의한 경쟁입찰 집행기준」에 의한 실적경쟁입찰에서 시공실적의 증명 등은 사전심사기준 별표9의 시공실적 제출 및 심사기준에 따른다.

③ 「조달청 시설공사 적격심사세부기준」(이하 "적격심사세부기준"이라 한다.)에서 규정하는 "자재 및 인력조달가격의 적정성 평가"분야의 평가요소인 입찰금액, 입찰서상의 노무비, 기타경비, 이윤 및 일반관리비는 제12조제2항에서 규정한 "산출내역서 집계표" 상의 금액을 적용하며, 계약예규「정부 입찰·계약 집행기준」 제21조의 규정에 의하여 입찰시 제출한 산출내역서를 조정하는 경우에도 조정된 "산출내역서 집계표" 상의 금액을 적용하지 아니한다.

제8조(입찰보증금 납부 면제) ① 「국가를 당사자로 하는 계약에 관한 법률 시행령」(이하 "시행령"이라 한다) 제37조제3항제6호의 규정에 의거 입찰보증금 납부 면제대상에 해당되는 자는 다음 각호 이외의 자로 한다. <개정 2021.2.15., 2021.12.30>

1. 입찰공고일 이전 1년 이내에 시행령 제76조제2항제2호가목의 사유로 입찰참가자격제한을 받은 자(입찰참가자격 제한 기간 중인 경우를 포함한다)
2. 계약체결을 기피할 우려가 있어 계약담당공무원이 입찰공고에 명시한 요건에 해당하는 자

② 입찰보증금 납부를 면제받고자 하는 자가 제출하는 입찰보증금지급각서는 입찰보증금 납부확약 내용이 명기된 입찰서 제출로 갈음한다.

제9조(입찰) ① 입찰참가의 대리는 경쟁입찰참가자격등록증에 입찰대리인으로 등록된 자이어야 한다.

② 제1항의 규정에도 불구하고 제3조에서 규정하는 바에 따라 입찰대리인을 등록하지 않은 경우에는 입찰서 제출시각 전까지 입찰대리인을 지정할 수 있으며, 이 경우 위임장 등 관련 증빙서류를 입찰집행관에게 제출하여야 한다.

③ 입찰자(입찰대리인 포함)는 신분증·경쟁입찰참가자격등록증 및 동 등록증 상의 인감을 지침하고 입찰에 참가하여야 한다.

④ 제3항의 규정에 불구하고 경쟁입찰참가자격등록증에 인감을 등록하지 않은 경우에는 입찰서 제출 시 인감증명서(또는 「본인서명사실 확인 등에 관한 법률」 제2조제3호에 따른 본인서명사실확인서)와 사용인감신고서(필요 시)를 함께 제출하여야 하며, 이 경우 신고한 사용인감을 지참하고 입찰에 참가할 수 있다.

⑤ 제1항 내지 제4항의 규정에 불구하고 상시입찰 및 우편입찰의 경우에는 정당한 권한을 가진 자가 입찰한 것으로 본다.

⑥ 공동수급체를 구성하여 입찰에 참가하는 경우 입찰자는 당해 공동수급체 대표자이어야 한다. 이 때에 공동수급체 구성원은 입찰에 관한 일체의 권한을 공동수급체 대표자에게 위임한 것으로 본다.

⑦ 입찰집행관은 입찰자에게 질서유지에 필요한 명령을 내릴 수 있으며 이에 불응하는 자에 대하여 퇴장명령 또는 입찰무효선언을 할 수 있다.

제10조(입찰서의 작성) ① 입찰자는 조달청에서 정한 소정의 입찰서(붙임양식 4)를 사용하여야 하며 기명날인을 함에 있어서 반드시 입찰자 성명(법인인 경우 대표자 성명)을 기재하고, 입찰참가자격등록증상에 등록된 사용인감 또는 제9조제4항에 따라 신고한 사용인감(서명으로 등록 또는 신고한 경우에는 서명을 말함)으로 날인하여야 한다.

② 입찰집행상 필요하다고 인정할 경우에는 입찰자로 하여금 입찰집행관이 입찰장소에서 직접 배포한 입찰서를 사용하게 할 수 있다. 이 경우 입찰집행관이 확인 배포한 입찰서를 사용하지 아니할 경우에는 제9조제7항을 적용한다.

③ 공사손해보험 가입대상 공사로서 계약상대자에게 공사손해보험에 가입하도록 하는 경우 공사입찰에 참가하는 자는 계약예규 「정부 입찰·계약 집행기준」 제12장(공사의 손해보험가입 업무집행)에 따라 공사손해보험 가입에 필요한 보험료를 입찰가격 산출내역서에 반영하여야 한다.

④ 입찰자가 제시하는 입찰가격에는 계약예규 「예정가격 작성기준」에서 정한 비목 및 공사관련 제세공과금이 포함된 것으로 본다.

제11조(입찰서의 제출) ① 입찰자는 지정된 개찰일시와 장소에서 입찰집행관의 요청에 따라 입찰서를 제출하여야 한다.

② 우편입찰을 하고자 할 경우에는 입찰서를 봉함한 봉투의 겉면에 공사관리번호, 사업자 등록번호, 공사명, 개찰일시, 업체명 및 대표자 성명, 연락가능한 전화번호를 기재하고 개

찰일 전일 근무시간까지 도착되도록 하여야 한다.

③ 상시입찰을 하고자 할 경우에는 개찰일 3일전부터 개찰시간 이전까지 입찰공고상에 지정된 상시입찰함에 입찰서를 투입하여야 한다.

④ 우편 또는 상시입찰의 경우 입찰서의 분실·훼손 또는 지연에 대한 책임은 입찰자에게 있다.

⑤ 전자입찰로 집행하는 공사와 입찰공고에서 달리 정한 경우를 제외하고는 모든 입찰에서 상시·우편·직접입찰이 가능하며, 내역입찰의 경우 입찰서와 산출내역서와는 간인을 하여 제출하여야 한다.

제12조(산출내역서의 제출) ① 입찰공고에서 현상설명시 배부한 전산내역디스켓을 이용하여 산출내역서를 작성토록 요구한 경우에는 이에 따라야 한다. 이 경우 입찰자는 작성된 전산내역디스켓을 함께 제출하여야 하며 산출내역서와 전산내역디스켓 내용이 상이한 경우에는 산출내역서를 기준으로 처리한다.

② 산출내역서의 작성, 조정 및 입찰무효의 범위는 계약예규 「정부 입찰·계약 집행기준」 제7장(내역입찰의 집행)에 의하되, 동 집행기준 제20조제2호 및 제3호에 대하여는 다음과 같이 적용한다.

1. 입찰자는 "산출내역서 집계표(붙임 양식 5)"를 작성 제출하여야 하며 동 집행기준 제20조제2호에 의한 항목별 합산금액 확인은 제출된 산출내역서 집계표에 의한다.
2. 동 집행기준 제20조제3호의 경우에는 계약체결시까지 보완하게 할 수 있다.

③ 산출내역서의 표지에는 동내역서의 작성에 참여한 자 전원의 소속, 직책 및 성명을 기재하고 날인하여야 한다.

제13조(부대입찰) <삭제, 2003.12.27>

제14조(개찰) ① 입찰자 또는 그 입찰대리인은 개찰에 참관할 수 있다.

② 입찰집행관은 개찰에 참관하고자 하는 자로 하여금 신분증 및 입찰참가자격등록증의 제시를 요구할 수 있다.

제15조(낙찰자의 결정) ① 낙찰자는 입찰공고 및 입찰설명서에서 정한 요건에 적합한 자로서 계약예규 「적격심사기준」 및 적격심사세부기준에서 정한 바에 따라 결정된다. 다만, 종합심사낙찰제 대상공사는 입찰공고 및 입찰설명서에서 정한 요건에 적합한 자로서 계약예규 「종합심사낙찰제 심사기준」 및 종합심사세부기준에서 정한 바에 따른다.

② 낙찰예정자는 서면으로 낙찰자 선정통보를 받기 전까지는 낙찰자로서의 지위가 인정되지 아니한다.

③ 업종별 등록기준 미달여부를 판단하기 위하여 필요하다고 인정하는 때에는 「신용정보의 이용 및 보호에 관한 법률」 제4조제1항제1호 또는 「자본시장과 금융투자업에 관한 법률」 제9조제26항의 업무를 영위하는 신용정보업자로 하여금 당해 업체에 대한 신용조사(등록기준 미달여부 판단에 필요한 항목 포함)를 할 수 있다.

④ 제3항의 등록기준 미달여부 판단은 당해공사의 입찰참가자격으로 요구된 해당업종에

대하여 관계법령상의 등록기준을 대상으로 하며, 공동수급체의 경우에는 당해공사의 공동수급표준협정서(공동이행방식 및 분담이행방식)상의 구성원에 대하여 각 구성원의 당해 공동이행업종과 분담이행업종을 대상으로 한다.

⑤ 신용조사보고서 검토결과 제4항의 등록기준에 미달하는 경우 낙찰대상자에서 제외되며, 이에 대하여 이의제기나 그로 인한 손해배상을 청구할 수 없다.

⑥ 「국가를 당사자로 하는 계약에 관한 법률」 제27조의 규정에 의한 부정당업자로 입찰참가자격제한을 받은 자는 당해 제한기간 내에는 낙찰자로 결정될 수 없다.

제16조(입찰취소) ① 낙찰자 선정통보 이전에 수요기관의 예산사정, 공공사업계획의 변경등 불가피한 사유가 있을 때에는 당해 입찰을 취소할 수 있다.

② 입찰자는 제1항에서 규정하는 조치에 대하여 이의제기나 그로 인한 손해배상을 청구할 수 없다.

제17조(서류 제출마감) ① 입찰참가자격 등을 증명하는 입찰관련서류는 입찰공고 또는 입찰설명서에서 정한 기한 내에 제출하여야 하며 마감일 이후에 제출한 서류는 유효를 주장할 수 없다.

② 서류제출 마감일을 정한 경우에는 당일 근무시간이전까지를 의미하며, 근무시간은「국가공무원 복무규정」등 관련규정에서 정하는 바에 의한다.

③ 입찰공고 및 입찰설명서에 개찰일 전일까지 기한을 정한 경우로서 그 전일이 일요일·공휴일(임시휴일 포함)일 경우에는 개찰일 전 전일을 기한으로 본다.

제18조(불공정행위 금지 등) ① 입찰자 또는 계약상대자는 입찰·낙찰, 계약체결 또는 계약이행 등의 과정에서 입찰 및 계약의 공정한 질서를 저해하는 다음 각 호의 어느 하나에 해당하는 행위를 하여서는 아니 된다.

1. 금품·향응 등의 공여·약속 또는 공여의 의사를 표시하는 행위
2. 입찰가격의 사전 협의 또는 특정인의 낙찰을 위한 담합 등 공정한 경쟁을 방해하는 행위
3. 공정한 직무수행을 방해하는 알선·청탁을 통하여 입찰 또는 계약과 관련된 특정 정보의 제공을 요구하는 행위
4. 하수급인 또는 자재·장비업자의 계약상 이익을 부당하게 제한하는 행위
5. 그 밖에 입찰 및 계약 등 과정에서 공정한 경쟁을 저해하는 행위

② 입찰자 또는 계약상대자는 제1항 각 호에 따른 행위가 「국가를 당사자로 하는 계약에 관한 법률」 제5조의3 등 관계 법령에 위반되는 경우 해당 입찰·낙찰이 취소되거나 계약이 해지·해제될 수 있고, 입찰참가자격 제한 대상에 해당되는 경우 「국가를 당사자로 하는 계약에 관한 법률」 제27조 등 관계 법령에 따라 부정당업자로 입찰참가자격 제한처분을 받을 수 있다.

③ 계약담당공무원은 제1항 각 호의 위반행위를 확인하기 위하여 입찰자 또는 계약상대자에게 관련 자료제출을 요청할 수 있으며, 입찰자 또는 계약상대자는 특별한 사정이 없는 한 적극 협조하여야 한다.

④ 입찰자 또는 계약상대자는 계약담당공무원이 제1항제2호 위반행위의 확인을 위하여 제3항에 따른 자료제출을 요청함에도 불구하고 협조를 하지 않는 경우 "부당한 공동행위 고발요청 기준"에 따라 불이익을 받을 수 있다.

제19조(사전심사 및 적격심사자료 확인의무) ① 입찰에 참가하고자 하는 자는 시스템의 '자기실적' 조회기능 등을 이용하여 관련협회로부터 통보되어 시스템에 등록된 자기 심사자료의 정확성 여부를 확인하여야 한다.

② 제1항의 의무를 이행하지 않으므로 인한 책임은 입찰자에게 있으며, 관련협회로부터 통보된 심사자료 등의 부정확 등을 사유로 심사결과에 이의를 제기할 수 없다.

제20조(공사계약 이행보증의 보증기간) 낙찰자가 시행규칙 제55조에서 규정하는 보증보험증권 등으로 계약이행을 보증하는 경우, 보증기간 종료일을 당해공사의 실제준공일 이후로 하는 특약을 설정하여야 한다.

제21조(관련서식) <삭제, 2006. 7. 3>

제22조(숙지의무) 입찰자는 입찰과 관련한 기획재정부 계약예규, 고시, 통첩 및 조달청 공고, 집행절차 등을 숙지·준수하여야 하며 이를 위반함으로써 발생하는 모든 불이익에 대한 책임은 입찰자에게 있다.

제23조(정보안내) 입찰에 참가하고자 하는자는 시스템(http://www.g2b.go.kr)를 통하여 입찰공고 및 동 결과에 대한 정보를 얻을 수 있다.

제24조(재검토기한) 「훈령·예규 등의 발령 및 관리에 관한 규정」에 따라 이 지침에 대하여 2021년 1월 1일 기준으로 매3년이 되는 시점(매 3년째의 12월 31일까지를 말한다)마다 그 타당성을 검토하여 개선 등의 조치를 하여야 한다.

부 칙 〈제4585호, 2009.8.21〉

이 지침은 2009년 8월 24일부터 시행한다.

부 칙 〈제4253호, 2012.8.23〉

이 지침은 2012년 8월 25일부터 적용한다.

부 칙 〈제3970호, 2013.6.26〉

이 지침은 2013년 7월 1일부터 적용한다.

부　　칙 〈제4928호, 2014.8.19〉

이 지침은 2014년 9월 1일 입찰공고하는 공사부터 적용한다.

부　　칙 〈제11252호, 2015.12.23〉

이 지침은 2016년 1월 1일 입찰공고하는 공사부터 적용한다.

부　　칙 〈제2615호, 2016.3.22〉

이 지침은 2016년 4월 1일 입찰공고하는 공사부터 적용한다.

부　　칙 〈제616호, 2017.1.16〉

이 지침은 2017년 1월 16일 입찰공고하는 공사부터 적용한다.

부　　칙 〈제9690호, 2018.11.29〉

이 지침은 2018년 12월 1일 입찰공고하는 공사부터 적용한다.

부　　칙 〈제5899호, 2020.6.29〉

이 지침은 2020년 7월 1일 입찰공고하는 공사부터 적용한다.

부　　칙 〈제1320호, 2021. 2.15 〉

이 지침은 2021년 2월 15일 입찰공고하는 공사부터 적용한다.

부　　칙 〈제12847호, 2021. 12. 30.〉

이 지침은 2022년 1월 1일 입찰공고하는 공사부터 적용한다.

[붙임양식 1]

공동수급체 분담이행 내용

공사명 :

구분 \ 구성원			구성원 1	구성원 2	- - - - -	합 계
시공분담내용						
공사비	재료비					
	노무비					
	경비	산재보험료				
		안전관리비				
		기타경비				
		소계				
	순공사원가합계액					
	일반관리비					
	이윤					
	총공사원가합계액					
	부가가치세					
	총액					

[붙임양식 2] (삭제, 2003.12.27)

[붙임양식 3] (삭제, 2003.12.27)

[붙임양식 4]

입　찰　서

<table>
<tr><td rowspan="3">입찰
내용</td><td>공 고 번 호</td><td>제　　　　　호</td><td>입 찰 일 자</td><td>.　.　.</td></tr>
<tr><td>건　　　명</td><td colspan="3"></td></tr>
<tr><td>금　　　액</td><td colspan="3">금　　　　　원정(　　　　　　)</td></tr>
<tr><td rowspan="3">입
찰
자</td><td>상호또는법인명칭</td><td></td><td>법인등록번호</td><td></td></tr>
<tr><td>주　　　소</td><td></td><td>전 화 번 호</td><td></td></tr>
<tr><td>대　표　자</td><td></td><td>생 년 월 일</td><td></td></tr>
<tr><td rowspan="2">입
찰
보
증
금</td><td>납　　　부</td><td colspan="3">· 보증금율 :　　　　%
· 보 증 액 : 금　　　　원정(₩　　　　　)
· 보증금 납부방법</td></tr>
<tr><td>납 부 면 제 및
지 급 확 약</td><td colspan="3">· 사유 :
· 본인은 낙찰 후 계약 미체결시 귀기관에 낙찰금액에 해당하는 소정의 입찰보증금을 현금으로 납부할 것을 확약합니다.</td></tr>
</table>

본인은 「국가를 당사자로 하는 계약에 관한 법률 시행규칙」에 의한 「공사입찰유의서」·「공사입찰특별유의서」 및 입찰안내서에 따라 응찰하며, 이 입찰이 귀 기관에 의하여 수락되면 「공사계약일반조건」·「공사계약특수조건」 및 설계서(입찰안내서를 포함한다)에 따라 위의 입찰금액으로 준공기한 내에 공사를 완성할 것을 확약하며 입찰서를 제출합니다.

붙임 : 산출내역서 1부.(100억원 이상 공사의 경우)

.　.　.

입찰자　　　　　　(인)

조달청장 귀하

[붙임양식 5]

산출내역서 집계표

○ 공사원가계산서 기준

항 목 별	금 액	비 고
1. 순 공 사 원 가	0000원	
1-1. 재 료 비	0000원	
1-2. 노 무 비	0000원	
(1) 직 접 노 무 비	0000원	
(2) 간 접 노 무 비	0000원	
1-3. 경 비	0000원	
(1) 산 출 경 비	000원	
(2) 산 재 보 험 료	000원	
(3) 고 용 보 험 료	000원	
(4) 퇴 직 공 제 부 금	000원	
(5) 산 업 안 전 보 건 관 리 비	000원	
(6) 기 타 경 비	000원	
(7) 국 민 건 강 보 험 료	000원	
(8) 국 민 연 금 보 험 료	000원	
(9) 건 설 하 도 급 보 증 수 수 료	000원	
-	000원	
-	000원	
2. 일 반 관 리 비	0000원	
3. 이 윤	0000원	
4. 공 사 손 해 보 험 료	0000원	
5. 부 가 가 치 세	0000원	
6. 총 계	00000원	

주) 1. 추정가격 100억원이상 공사는 공종별(가설공사, 토공사, ----)산출내역서 집계표를 첨부하여야 하고, 구조물이 2이상인 경우에는 각 구조물의 공종별 금액을 합산하여 표기하여야 함

2. 추정가격 100억원미만 50억원이상 공사는 공종별(가설공사, 토공사, ---) 산출내역서 집계표를 별도 요청시 제출하여야 함

8 국가종합전자조달시스템 전자입찰특별유의서

제정 2002.09.12 조달청 전자12140-4호
개정 2003.04.07 조달청고시 제2003- 2호
개정 2004.10.05 조달청고시 제2004- 5호
개정 2005.02.07 조달청고시 제2005- 2호
제정 2006.07.01 조달청고시 제2006- 5호
개정 2007.02.15 조달청고시 제2007- 6호
개정 2007.10.23 조달청고시 제2007-18호
개정 2010.01.27 조달청고시 제2010- 2호
개정 2010.03.30 조달청고시 제2010-11호
개정 2010.08.17 조달청고시 제2010-23호
개정 2012.08.23 조달청고시 제2012-26호
개정 2013.10.14 조달청고시 제2013-38호
개정 2013.12.24 조달청고시 제2013-46호
개정 2014.04.29 조달청고시 제2014-10호
개정 2015.02.02 조달청고시 제2015- 3호
개정 2015.04.27 조달청고시 제2015-14호
개정 2015.10.19 조달청고시 제2015-29호
개정 2016.05.16 조달청고시 제2016-19호
개정 2017.06.22 조달청고시 제2017-13호
개정 2019.12.19 조달청고시 제2019-21호
개정 2020.12.18 조달청고시 제2020-59호

제1조(목적) 이 유의서는 전자조달이용자가 「전자조달의 이용 및 촉진에 관한 법률」(이하 「전자조달법」이라 한다) 제7조에 따라 국가종합전자조달시스템(이하 "전자조달시스템"이라 한다)으로 입찰서를 제출함에 있어 특별히 유의하여야 할 사항을 정함을 목적으로 한다.

제2조(용어의 정의) ① 이 유의서에서 사용하는 용어의 정의는 다음 각 호와 같다.

1. "조달업체"란 「전자조달법」 제17조제1항에 따라 전자조달시스템에 이용자 등록을 한 자를 말한다.
2. "지정공인인증기관"이란 「전자서명법」 제4조에 따른 공인인증기관 중 운영자가 지정하여 전자조달시스템상의 인증업무를 수행하는 기관을 말한다.
3. "문서접수지원서버"란 전자문서의 송·수신을 목적으로 전자조달시스템에 설치된 전산장비를 말한다.

4. "난수발생기"란 특정한 배열순서나 규칙적 의미를 갖지 않는 임의의 수를 만들어내는 알고리즘을 말한다.
5. "계약담당자"란 계약에 관한 사무를 각 수요기관 또는 수요기관 외의 자(이하 "수요기관 등"이라 한다) 또는 조달청장으로부터 위임받은 자를 말한다.
6. "전자입찰집행자"란 조달청 고시 「국가종합전자조달시스템 이용약관」 제4조제2항에 따라 이용자로 등록을 한 사람을 말한다.
7. "전자입찰자"란 전자입찰에 참가하는 자를 말한다.
8. "관련협회"란 대한건설협회, 대한전문건설협회, 한국전기공사협회, 한국정보통신공사협회, 대한기계설비건설협회, 한국소방안전원, 한국건설기술인협회 등 관련법령에 의하여 설립된 협회를 말한다.
9. "일반입찰"이란 직접입찰, 우편입찰, 상시투찰함입찰 등 전자입찰 이외의 방법으로 실시하는 입찰을 말한다.
10. "사업자인증서"란 수요기관 등 또는 조달업체가 전자조달업무, 기타의 목적으로 지정공인인증기관으로부터 발급 받은 공인인증서를 말한다.
11. "개인인증서"란 「전자서명법」 제4조에 따른 공인인증기관으로부터 조달업체 대표자 또는 입찰대리인 명의로 발급 받은 모든 개인용 공인인증서를 말한다. 단, 개인용 인증서에는 개인의 신원을 확인할 수 있는 정보가 포함되어 있어야 한다.
12. "지문보안기기"란 다음의 각목의 기기를 말한다.
  가. 조달청 "나라장터 생체인식보안기기 제품 지정 및 관리 규정"에 따라 생체인식보안기기로 지정된 제품으로서 전자서명생성키, 지문 등 비밀정보를 안전하게 저장·보관하기 위하여 키 생성·전자서명 생성 등이 기기내부에서 처리되도록 구현된 하드웨어 기기
  나. 스마트폰 등 모바일 기기에 지문인식기능을 내장하여 지문인식 신원확인에 활용 할 수 있고 조달청이 제공하는 보안기능을 설치 가능한 기기
13. "지문인식 신원확인 입찰"이란 지문보안기기를 이용하여 온라인에서 전자입찰자(대표자 또는 입찰대리인)의 신원을 확인하는 입찰을 말한다.
14. "안전입찰서비스"란 조달업체 이용자PC의 안전성을 확보하기 위해 조달청이 제공하여 조달업체 이용자PC에 설치된 프로그램으로서 안전한 입찰서 제출 업무를 처리하는 소프트웨어를 말한다.
15. "모바일 전자입찰 서비스"란 전자입찰 서비스를 스마트폰 등 모바일 기기를 통해 제공하는 것을 말한다.

② 이 유의서에서 따로 정의하는 용어를 제외하고는 「전자조달법」, 「같은 법 시행령」, 「같은 법 시행규칙」(이하 "전자조달법령"이라 한다) 「국가를 당사자로 하는 계약에 관한 법률」, 「같은 법 시행령」, 「같은 법 시행규칙」(이하 "국가계약법령"이라 한다), 「지방자치단체를 당사자로 하는 계약에 관한 법률」, 「같은 법 시행령」, 「같은 법 시행규칙」(이하 "지방계약법령"

이라 한다) 및 계약예규 등 관련규정에서 정한 바에 따른다.

제3조(다른 법령 등과의 관계) 전자조달시스템에 의한 전자입찰에 관하여는 다른 법령, 계약예규, 이용약관 등에 특별한 규정이 있는 경우를 제외하고는 이 유의서에서 정하는 바에 의한다.

제4조(전자입찰참가를 위한 업체등록) ① 전자입찰에 참가하고자 하는 자는 전자입찰서 제출마감일 전일까지 「국가종합전자조달시스템 입찰참가자격등록규정」에 따라 조달청에 입찰참가자격의 등록을 하여야 한다. 다만, 입찰공고에 등록기한을 따로 정한 경우에는 공고내용에 따른다.

② 「국가를 당사자로 하는 계약에 관한 법률 시행규칙」(이하 "국가계약법 시행규칙"이라 한다) 제15조제5항 및 지방자치단체를 당사자로 하는 계약에 관한 법률 시행규칙」(이하 "지방계약법 시행규칙"이라 한다) 제15조제5항에 따라 각 중앙관서의 장 또는 지방자치단체의 장 또는 계약담당자가 등록을 받아 전자입찰서 제출마감일 전일까지 전자조달시스템에 동 등록사항을 게재하면 제1항에 따라 등록된 것으로 본다.

제5조(관련 규정 및 절차 등의 숙지) 전자입찰에 참가하고자 하는 자는 「전자조달법령」, 「국가계약법령」, 「지방계약법령」, 계약예규, 고시, 통첩, 공고사항, 이용약관, 안내서, 공지사항 등을 자세히 알고 지켜야 하며 이를 따르지 아니하여 발생하는 불이익에 대한 책임은 전자입찰자에게 있다.

제6조(전자입찰참가신청서류 등의 제출) ① 전자입찰참가신청서, 입찰보증금 등의 제출은 입찰공고에 정한 바에 따른다.

② 제1항에 정한 서류 등의 기재오류로 인하여 발생하는 불이익에 대한 책임은 전자 입찰자에게 있다.

제7조(전자입찰의 참가방법 등) ① 전자입찰에 참가하는 방법은 다음과 같다. <개정 2020.12.18.>

1. 전자입찰자는 제5호에 따라 지문보안기기에 저장된 지문정보와 지정공인인증기관에서 발급 받은 사업자인증서를 이용하여 전자조달시스템에 접속하여야 하며 접속 중에는 전자조달시스템의 안내에 따라야 한다.

1-2. 안전입찰서비스가 적용되는 입찰에 참가하고자 하는 전자입찰자는 미리 이용자PC에 해당 소프트웨어를 설치한 후 안전입찰서비스를 사용하여 입찰에 참가하여야 한다.

1-3. 모바일 전자입찰 서비스를 이용하는 전자입찰자는 모바일에 제공하는 보안기능을 미리 설치한 후 입찰에 참가하여야 한다.

2. 전자입찰자는 복수 예비가격이 적용되는 전자입찰의 경우에는 복수예비가격 번호 중에서 2개의 예비가격번호를 반드시 추첨하여야 한다.

2-2. 전자입찰자는 입찰서를 작성하여 전송할 때 제5호에 따라 지문보안기기에 저장된 지문정보를 이용하여 신원을 확인받아야 한다. 다만, 제1호에 따라 시스템에 접속하거나, 지문인증 후에는 일정시간 동안에는 신원확인 절차를 생략하고 입찰서를 제출할 수 있다.

3. 전자입찰서의 제출은 전자조달시스템을 이용하여 입찰서를 송신함으로써 완료되며, 입찰자는 입찰 후 보낸 문서함에서 입찰서가 이상 없이 제출되었음을 확인하여야 한다. 다만, 같은사항에 대하여 같은IP(Internet Protocol)주소에서는 1통의 입찰서만 제출할 수 있다.

3-2. 복수예비가격이 적용되는 입찰(조달청 입찰에 한함)의 경우 전자입찰자는 산정가능한 최대 복수예비가격(국가계약법이 적용되는 입찰은 기초금액의 102%, 지방계약법이 적용되는 입찰은 기초금액의 103%) 미만으로 입찰서를 제출하여야 한다. 다만, 협상에 의한 계약, 경쟁적 대화에 의한 계약, 실시설계 기술제안 입찰, 대안 입찰은 제외한다.

4. 전자입찰서의 제출 시각은 「전자조달법」 제11조에 따라 전자입찰서가 전자조달시스템 문서접수지원서버에 접수된 시각으로 한다.

5. 지문인식 신원확인 입찰이 적용되는 입찰에 참가하고자 하는 전자입찰자는 미리 조달청이 정한 절차에 따라 지문보안기기에 전자입찰자의 지문정보를 등록하여야 한다.

6. 조달업체는 조달청 담당공무원 또는 조달청과 협약한 기관의 「개인정보보호법」 제2조의 개인정보처리자로부터 대표자 또는 입찰대리인의 신원을 확인받은 후지정공인인증기관을 통하여 지문정보를 등록하여야 합니다.

7. 지문이 등록된 지문보안기기가 장애, 인식 오류 등으로 지문정보에 의한 입찰자의 신원확인이 곤란한 경우에는 다음 각 호의 절차에 따라 예외적으로 기존 인증서(사업자인증서와 개인인증서)를 이용하여 전자입찰서를 제출할 수 있다.

가. <별표 1>서식으로 신청서를 작성하여 입찰서 제출기한까지 전자조달시스템을 통해 전자적으로 제출한 후 전자입찰서를 입찰서 제출기한까지 제출하여야 한다. 다만, 예외적용 신청서는 입찰자별로 2회까지 제출할 수 있다.

나. 가목에 따라 신청서를 제출한 시점부터 48시간(토요일, 일요일, 법정공휴일은 포함하여 계산하지 아니한다.) 동안에는 기존 인증서를 이용하여 전자입찰서를 제출할 수 있다.

다. 나목에 따라 기존 인증서를 이용하여 전자입찰서를 제출한 자는 다음 입찰서 제출 이전에 조달청(본청 조달등록팀 또는 각 지방청 민원실)을 방문하여 지문인식오류 사유서를 제출하고, 지문보안기기 점검 등 필요한 조치를 취하여야 한다. 이와 같은 조치를 취한 자는 가목 단서에도 불구하고 가목에 의한 예외적용 신청서를 2회까지 다시 제출할 수 있다.

8. 손가락 장애·손상 등으로 지문등록이 곤란한 자는 미리 조달청(본청 조달등록팀 또는 각 지방청 민원실)에 <별표 1>서식으로 신청서를 제출한 후 확인을 거쳐 기존 인증서를 이용하여 전자입찰서를 제출할 수 있다. 다만, 손가락 손상, 지문인식 오류 등 일시적으로 지문등록이 곤란하여 지문등록을 하지 않은 자는 "지문인식 신원확인 예외적용 신청서"를 제출한 날로부터 6월 이내에 제5호에 따라 지문보안기기에 지문정보를 등록하여야 한다.

9. 안전입찰서비스의 설치 및 작동 오류 등으로 안전입찰서비스 사용이 곤란한 전자입찰자는 다음 각 호의 절차에 따라 예외적으로 기존 웹방식으로 전자입찰서를 제출할 수 있다.
10. 안전입찰서비스의 설치 및 작동 오류 등으로 안전입찰서비스 사용이 곤란한 전자입찰자는 다음 각 호의 절차에 따라 예외적으로 기존 웹방식으로 전자입찰서를 제출할 수 있다.
   가. <별표 4>서식으로 사유서를 작성하여 입찰서 제출기한까지 전자조달시스템을 통해 전자적으로 제출한 후 전자입찰서를 입찰서 제출기한까지 제출하여야 한다. 다만, 예외적용 사유서는 입찰자별로 2회까지 제출할 수 있다.
   나. 가목에 따라 사유서를 제출한 시점부터 48시간(도요일, 일요일, 법정공휴일은 포함하여 계산하지 아니한다) 동안에는 기존 웹방식에 의해 전자입찰서를 제출할 수 있다.
   다. 나목에 따라 기존 웹방식으로 전자입찰서를 제출한 자는 다음 입찰서 제출 이전에 조달청 콜센터를 통해 안전입찰서비스 설치 및 정상 작동 여부 등 필요한 조치를 취하여야 한다. 이와 같은 조치를 취한 자는 가목 단서에도 불구하고 가목에 의한 예외적용 사유서를 2회까지 다시 제출할 수 있다.

② 전자입찰자가 지정공인인증기관에서 발행한 전자인증서를 발급받아 전자입찰에 참가하는 경우 정당한 권한을 가진 자가 기명날인한 전자입찰서를 제출한 것으로 본다.

③ 공동수급체를 구성하여 전자입찰에 참가하는 경우 입찰자는 해당 공동수급체 대표자이어야 한다. 이때에 공동수급체구성원은 전자입찰에 관한 모든 권한을 공동수급체 대표자에게 위임한 것으로 본다.

제8조(입찰자의 자기정보 관리 철저 및 부적격자 입찰서 자동 차단) ① 입찰자는 전자조달시스템에 등록된 조달업체 정보, 입찰심사 자료 등 자기정보와 "부적격입찰자의 입찰서 자동차단 적용범위<별표 2>"에 따라 전자조달시스템에 등록된 전자입찰공고서의 "투찰제한" 사항 등을 확인하고 입찰에 참가하여야 한다. 이에 따르지 않아 발생하는 불이익에 대한 책임은 입찰자에게 있다.

② 입찰자는 전자조달시스템에 등록된 자기정보가 사실과 다른 경우에는 해당 정보를 신속히 수정하거나 정보를 제공한 기관이 수정하도록 신속하게 조치하여야 합니다.

③ 운영자는 전자조달시스템에 등록된 자기정보가 "부적격 입찰자의 입찰서 자동차단 적용범위"에 해당하는 경우에는 전자조달시스템에 의해 입찰서를 차단할 수 있다.

④ 전자조달시스템에 등록된 자기정보가 사실과 다르게 등록되어 제1항에 따라 전자조달시스템에 의해 전자입찰서 제출을 제한받은 자가 긴급히 입찰에 참가하고자 하는 경우에는 <별표 3>서식으로 신청서를 작성하여 전자조달시스템으로 제출하여야 한다. 이 경우 운영자는 "전자입찰서 제출 임시 허용 신청서"에 등록된 업종은 신청서 제출시점으로부터 48시간(토요일, 일요일, 법정 공휴일은 포함하여 계산하지 아니한다.) 동안은 전자조달시스템으로 전자입찰서 제출을 허용할 수 있다.

⑤ 계약담당자는 제4항에 따라 "전자입찰서 제출 임시 허용 신청서"를 제출한 자가 낙찰대

상자일 경우에는 낙찰대상자의 전자조달시스템에 등록된 자기정보와 입찰참가자격 등을 확인한 후 낙찰자선정 및 계약을 체결하여야 한다.

제9조(전자내역입찰) ① 전자내역입찰의 경우 전자입찰자는 산출내역서 등을 전자조달시스템의 안내에 따라 첨부파일로 제출하여야 한다. 다만, 각 수요기관 등의 장, 조달청장 또는 계약담당자는 산출내역서 등을 첨부파일로 수신하기 곤란한 사유가 있는 경우에는 전자입찰서 제출마감일 전일까지 따로 제출하게 할 수 있다.

② 제1항에 따라 첨부파일로 제출한 산출내역서 등은 정당한 권한을 가진 자가 기명 날인한 것으로 본다.

제10조(입찰참가자격사전심사 및 적격심사자료의 확인 의무) ① 공사의 전자입찰에 참가하고자 하는 자는 전자조달시스템의 "자기실적" 조회기능 등을 이용하여 관련협회로부터 통보되어 전자조달시스템에 게재된 입찰참가자격사전심사 및 적격심사자료의 정확성 여부를 확인하여야 한다.

② 전자입찰집행자는 전자조달시스템에 게재된 전자입찰자의 사업자등록번호와 관련협회에서 통보된 사업자등록번호가 일치하지 아니하여 심사자료를 조회할 수 없는 경우에는 그 자료를 제외하고 평가할 수 있다.

③ 제1항에 따른 심사자료의 확인의무를 이행하지 아니하여 발생한 불이익에 대한 책임은 전자입찰자에게 있으며, 관련협회로부터 통보된 심사자료의 부정확 등을 이유로 심사결과에 이의를 제기할 수 없다.

제11조(전자입찰의 개찰) ① 전자입찰의 개찰은 입찰공고에 분명하게 적힌 입찰장소에서 지정된 일시에 전자입찰집행자가 집행하며, 전자입찰자 또는 그 대리인은 개찰에 참관할 수 있다. 이 경우 전자입찰집행자는 개찰에 참관하고자 하는 자에게 신분증 및 입찰참가등록증의 제시를 요구할 수 있다.

② 전자입찰의 개찰은 전자입찰집행자가 개찰용 컴퓨터를 통해 지정공인인증기관에서 발급한 전자인증서로 전자조달시스템에 연결하여 집행한다.

③ 전자입찰과 일반입찰을 병행하여 실시하는 경우에는 전자입찰과 일반입찰을 동시에 개찰한다.

제12조(전자입찰의 예정가격의 결정) ① 복수예비가격을 작성하여 전자조달시스템에서 예정가격을 결정할 경우에는 제7조제1항제2호에 따라 전자입찰자가 선택한 예비가격번호 중 가장 많이 추첨된 번호순으로 4개를 선정하여, 해당 각 번호의 예비가격을 산술 평균하여 예정가격을 결정한다. 다만, 전자입찰과 일반입찰을 병행하여 실시하는 경우에는 일반입찰자 중 직접입찰에 참여한 자가 선택한 예비가격번호를 포함하여 예정가격을 결정한다.

② 제1항에 따라 예정가격을 결정할 때 같은 빈도로 추첨된 예비가격번호가 2개 이상인 경우에는 그 중에서 낮은 번호부터 선택하며, 복수예비가격 적용시 판독이 불가능한 번호가 발생할 경우에는 이를 가장 많이 추첨된 번호로 보아 예정가격을 결정할 수 있다.

③ 제1항에 따라 추첨된 예비가격번호가 4개 미만인 경우에는 부족한 번호를 추첨되지 아

니한 예비가격번호 중에서 전자조달시스템의 난수발생기로 선택한다.

④ 제1항에 따라 산술평균한 결과값의 소수점처리는 소수점 첫째자리에서 절상한다. 다만, 「국가계약법」 제22조 등에서 규정한 단가계약을 위한 입찰인 경우에는 소수점 셋째자리에서 절상한다.

제13조(입찰의 취소) ① 낙찰자선정통보 이전에 수요기관 등의 예산사정, 사업계획의 변경 등 불가피한 사유가 있을 때에는 해당 입찰을 취소할 수 있다.

② 전자입찰자가 정상적으로 전자입찰서를 제출하였으나 PC나 전자조달시스템의 오류 등으로 인하여 공정한 입찰의 집행이 곤란하다고 판단될 경우 해당 입찰 전체를 취소할 수 있다.

③ 전자입찰자는 제1항 및 제2항의 조치에 대하여 이의제기나 그로 인한 손해배상을 청구할 수 없다.

제14조(적격심사결과의 확인 및 이의) ① 적격심사대상자로 통보받아 적격심사신청서를 전자입찰집행자에게 송신한 전자입찰자는 전자조달시스템을 통하여 그 심사결과를 확인할 수 있다.

② 제1항에 따른 심사결과에 이의가 있는 자는 전자입찰집행자가 심사결과 공개 시에 정한 기간 내에 그 사유를 명확하게 적어 전자조달시스템을 통하여 이의신청을 할 수 있으며, 그 이의신청에 대한 접수 여부는 전자입찰자가 직접해당 전자입찰집행자에게 확인하여야 한다.

제15조(동일가격입찰인 경우의 낙찰자 결정) ① 수요기관의 장, 조달청장 또는 계약담당자는 「국가계약법 시행령」 제47조 또는 「지방계약법 시행령」 제48조에 따라 동일가격 입찰에 대해 추첨에 의하여 낙찰자를 결정하는 경우 전자조달시스템을 통해 자동으로 추첨하는 방식을 적용할 수 있다.

② 수요기관의 장, 조달청장 또는 계약담당자는 제1항에 따라 낙찰자 또는 계약상대자를 결정하는 경우 입찰공고시 그 내용을 분명하게 밝혀야 한다.

제16조(전자재입찰) ① 전자입찰로 「국가계약법 시행령」 제20조 및 「지방계약법 시행령」 제19조에 따라 재입찰을 실시하는 경우에는 전자조달시스템에서 입찰시간을 다시 정하여 입찰에 부칠 수 있다.

② 제1항에 따른 전자재입찰에 참가하고자 하는 자는 개찰결과 조회화면에서 새로 정한 입찰서 제출마감시간 내에 전자입찰서를 제출하여야 한다.

제17조(전자입찰의 연기공고) ① 전자입찰의 연기공고는 전자조달시스템의 "연기공고 게시판"에 게재한다. 필요에 따라 전자공동수급협정서 등의 제출기한, 전자입찰서 접수마감일시, 개찰일시 등의 일부 또는 전부를 연기할 수 있다.

② 제1항에 따라 전자입찰을 연기할 경우 이미 유효하게 제출된 전자입찰서 및 전자공동수급협정서 등은 연기된 전자입찰에 유효하게 접수된 것으로 보며 다시 제출할 수 없다.

제18조(정보안내) 전자입찰의 공고 및 결과에 대한 정보는 전자조달시스템(http://www.g2b.go.kr)에 제공된다.

제19조(기타사항) 전자입찰과 일반입찰은 원칙적으로 병행하지 않으나 입찰공고에서 따로 정하는 경우에는 그러하지 아니한다.

제20조(재검토기한) 「훈령·예규 등의 발령 및 관리에 관한 규정」에 따라 이 고시에 대하여 2021년 1월 1일 기준으로 매3년이 되는 시점(매 3년째의 12월 31일까지를 말한다)마다 그 타당성을 검토하여 개선 등의 조치를 하여야 한다.

부 칙 〈제2015-29호, 2015.10.19〉

제1조 이 규정은 발령한 날로부터 시행한다.

제2조 이 규정 시행과 동시에 「국가종합전자조달시스템 전자입찰특별유의서」(조달청 고시 제2015-14호, 2015.04.27)는 폐지한다.

부 칙 〈조달청 고시 제2016-19호, 2016.5.16〉

제1조 이 규정은 발령한 날로부터 시행한다.

제2조 이 규정 시행과 동시에 「국가종합전자조달시스템 전자입찰특별유의서」(조달청 고시 제2015-29호, 2015.10.19)는 폐지한다.

부 칙 〈제2017-13호, 2017.6.22〉

제1조 이 규정은 2017년 7월 4일부터 시행한다.

제2조 이 규정 시행과 동시에 「국가종합전자조달시스템 전자입찰특별유의서」(조달청 고시 제2016-19호, 2016. 5. 16.)는 폐지한다.

부 칙 〈조달청 고시 제2019 - 21호, 2019. 12. 19.〉

제1조 이 규정은 2020년 4월 18일부터 시행한다.

제2조 이 규정 시행과 동시에 「국가종합전자조달시스템 전자입찰특별유의서」(조달청 고시 제2017-13호, 2017. 6. 22.)는 폐지한다.

부 칙 〈2020-59호, 2020. 12. 18. 〉

제1조 이 고시는 2020년 12월 24일부터 시행한다.

[별표 1]

지문인식 신원확인 예외적용 신청서

사업자등록번호		상 호 명	
예외적용 신청자		생년월일	
신 청 사 유	□ 입찰자 지문정보 인식 불가(손가락 상처 등) □ 지문보안기기 제품 장애(연결 실패 등) □ 지문인식 오류 또는 인증 실패 □ 기타(세부 내용 기재)		

위와 같은 사유로 지문인식 신원확인이 곤란하여 제7조제1항제7호에 따른 인증서를 이용한 전자입찰 참가신청서를 제출하며 다음 사항을 준수할 것을 확약합니다.

1. 당사의 대표자를 포함한 입찰대리인은 전자조달시스템으로 전자입찰에 참가함에 있어 「전자서명법」 제23조, 「국가를 당사자로 하는 계약에 관한 법률 시행령」 제76조, 「지방자치단체를 당사자로 하는 계약에 관한 법률 시행령」 제92조 및 「독점규제 및 공정거래에 관한 법률」 제19조에 따라 불공정 행위를 하지 않을 것으로 확약합니다.
2. 향후 이 확약서의 내용을 이행하지 않은 경우에는 관계 법령에 따라 어떠한 처벌도 감수할 것임을 확약합니다.

200 년 월 일

상 호 명 :

대 표 자 : (인)

조 달 청 장 귀하

[별표 2]

부적격 입찰자의 입찰서 자동차단 적용범위

구분	차단 범위(부적격자)	근거

〈공통사항〉

1. 입찰참가자격 등록 마감일	전자입찰서 제출마감일 전일까지 입찰참가자격 등록되지 않은 자	▪국가계약법시행규칙 제40조제4항 ▪전자입찰특별유의서 제4조
2. 입찰참가자격 등록 정보	업체상태가 이중등록, 양도·양수, 면허증 반납, 등록취소, 등록유효기간 경과한 자	▪전자입찰특별유의서 제4조
3. 부정당업자	부정당업자 제재 중인 자	▪국가계약법시행령 제76조
4. 1PC-1입찰서 제출	같은 입찰건에 대해 같은 PC에서 1통 이상의 입찰서	▪전자조달법시행령 제5조제2항
5. 1IP-1입찰서 제출	같은 입찰건에 대해 같은 IP주소에서 1통 이상의 입찰서	▪전자입찰특별유의서 제7조제1항

〈각 수요기관 등의 장 또는 계약담당자가 입찰공고시 등록사항〉

1. 업종, 면허 등 등록 여부	해당 업종·면허 등을 입찰참가자격으로 등록되지 않은 자	국가계약법시행령 제12조, 입찰공고서
2. 내역입찰 첨부여부	추정가격 100억원 이상 공사로서 산출내역서를 제출하여야 하는 경우 내역서를 첨부하지 않은 입찰서	▪국가계약법시행령 제14조제6항 ▪전자입찰특별유의서 제11조
3. 현장설명 참가여부	현장설명에 참가하지 않은 입찰자 *300억원 이상, 100억원 이상공사로서 현장설명을 실시한 경우	시행령 제14조의2 제2항
4. 공동계약	▪공동수급체 구성원이 5명 초과, 최소지분율이 10% 미만. ▪단, 턴키,대안은 구성원 10명초과, 최소지분율은 5% 미만 ▪지역업체 의무공동도급	공동계약 운용요령 제9조제5항 공사입찰유의서 제15조제11호 국가계약법시행령 제72조제3항
5. 지역제한	입찰공고일 전일부터 입찰일까지 해당 시·도에 법인 등기부상 본점 소재지(개인사업자인 경우에는 사업자등록증 또는 관련 법령에 따른 허가·인가·면허·등록·신고 등에 관련된 서류에 기재된 사업장의 소재지)를 두고 있지 않은 자	국가계약법시행령 제21조제1항6호 *공사입찰유의서 제3조의2제2항 단서는 적용 배제
6. 물품목록번호 등록 여부	해당 물품목록번호(6자리 대·중·소 분류번호 또는 8자리 대·중·소·세 분류번호)로 입찰참가자격이 등록되지 않은 자	입찰공고서

구분	차단 범위(부적격자)	근거
7. 제조 여부	제조로 입찰참가자격이 등록되지 않은 자	입찰공고서
8. PQ, 실적제한	PQ, 실적심사 결과 적격자로 등록되지 않은 자	국가계약법시행령 제13조 및 제21조
9. 지명경쟁	입찰참가자로 지명되지 않은 자	국가계약법 제7조 단서
10. 시공능력공시액	시공능력공시액이 미달한 자	국가계약법시행령 제21조제1항1호 및 국가계약법규칙 제25조제2항2호

주) 1. "공통시항"은 전자입찰공고서에 투찰제한 등록 여부에 관계없이 부적격 입찰자의 입찰서를 전자조달시스템으로 자동 차단할 수 있다.

2. 운영자는 "부적격 입찰자의 입찰서 자동차단 적용범위"를 확대하고자 하는 경우 "운영자 공지사항" 공지를 통해 갈음할 수 있다.

3. 시공능력공시액에 의한 부적격 입찰자의 입찰서 자동차단은 2010.9.1 입찰공고분부터 적용한다.

[별표 3]

전자입찰서 제출 임시 허용 신청서

<table>
<tr><td>사업자등록번호</td><td></td><td>상호명</td><td></td></tr>
<tr><td>사실과 다르게 등록된 자기정보</td><td colspan="3"></td></tr>
<tr><td>해당 사유</td><td colspan="3"></td></tr>
<tr><td>전자입찰서 제출 허용 업종</td><td colspan="3">* 전자조달시스템에 의해 입찰자의 자기정보를 조회한 후 등록된 해당업종 선택</td></tr>
<tr><td>참가하고자 하는 입찰공고번호</td><td colspan="3">①
②
③
* 전자조달시스템에 의해 해당 입찰공고번호를 조회한 후 해당 입찰공고번호 선택</td></tr>
</table>

국가종합전자조달시스템에 폐사의 자기정보가 사실과 다르게 등록되어 있어 조속히 해당 정보를 변경하거나, 정보를 제공한 해당 기관에 수정 요청할 예정이오니 제8조에 따라 위의 입찰 건에 대해서는 전자입찰서 제출 임시 허용 신청서를 제출하오니 조치하여 주시기 바랍니다.

200 년 월 일

상 호 명 :

대 표 자 : (인)

조 달 청 장 귀하

[별표 4]

안전 입찰서비스 예외적용 사유서

사업자등록번호		상 호 명	
예외적용 신청자			
신 청 사 유	□ 안전 입찰서비스 설치 또는 이용 실패 □ 기타(세부 내용 기재)		

위와 같은 사유로 안전 입찰서비스 이용이 곤란하여 제7조제1항제9호에 따른 기존 웹방식을 이용하여 전자입찰서를 제출하며 다음 사항을 준수할 것을 확약합니다.

1. 당 사의 대표자를 포함한 입찰대리인은 나라장터에 의한 전자입찰에 참가함에 있어 안전 입찰서비스를 이용한 입찰서 제출이 불가능하여 기존 웹방식을 이용하여 전자입찰서를 제출함에 있어 반드시 PC의 보안 상태를 점검한 후 입찰서를 제출할 것을 확약합니다.

2. 향후 이 확약서의 내용을 이행하지 않아 발생하는 모든 피해에 대해서는 어떠한 이의제기나 소송 등을 제기하지 않을 것을 확약합니다.

년 월 일

상 호 명 :

대 표 자 : (인)

입 찰 자 : (인)

조 달 청 장 귀하

[별표 5]

안전 입찰서비스를 이용한 입찰서 제출 적용 기준(제7조 관련)

1. 안전 입찰서비스 적용 대상

나라장터를 통해 공고되는 모든 입찰은 안전 입찰서비스를 사용하여 입찰서를 제출하여야 합니다. 단, 안전 입찰서비스의 운영안정성 확보를 위해 안전 입찰서비스 이용은 다음과 같이 단계별로 적용합니다.

《 안전 입찰서비스 단계별 적용 기준 》

구 분	조달청 집행 입찰		
내 용	조달청에서 집행하는 시설공사 → 물품 → 용역 순으로 적용		
대상 입찰	시설공사	물품	용역
적용 시기	'15.2.16일 공고분부터 적용	'15.3.16일 공고분부터 적용	'15.4.6일 공고분부터 적용

* 수요기관이 직접 공고 집행하는 입찰은 안전 입찰서비스 운영 상황을 고려하여 최종 결정

9 공사계약특수조건

(조달청 시설총괄과-2408, 2010.2.25)
조달청 시설총괄과-3218, 2013.5.15 개정
조달청 시설총괄과-3970, 2013.6.26 개정
조달청 시설총괄과-3472, 2014.5.30 개정
조달청 시설총괄과-4928, 2014.8.19 개정
조달청 시설총괄과-7479, 2015.8.31 개정
조달청 시설총괄과-2615, 2016.3.22. 개정
조달청 시설총괄과-4058, 2018.5.31 개정
조달청 시설총괄과-4875, 2019.6.13. 개정
조달청 시설총괄과-9946, 2019.12.18. 개정

제1조(목적) 이 공사계약특수조건(이하 "특수조건"이라 한다)은 조달청 계약담당공무원과 계약상대자가 체결하는 공사도급계약의 내용을 규정함을 목적으로 한다.

제2조(정의) ① 이 특수조건에서 사용하는 용어의 정의는 특수조건에서 달리 정하는 경우를 제외하고는 계약예규 「공사계약일반조건」(이하 "일반조건"이라한다) 제2조에서 정한 바에 따른다.

② 공사의 착공, 공사감독, 하도급관리, 대가의지급, 기성 및 준공검사, 재해방지조치, 인수, 하자관리, 변경계약 등 공사현장에서 계약이행과 관련된 사항에 대하여는 달리 규정한 경우를 제외하고는 수요기관 업무로 보며, 이때 수요기관의 장(그 위임을 받은 공무원을 포함한다. 이하 같다)을 계약담당공무원으로 본다. 여기서 수요기관이란 「조달사업에 관한 법률」 제2조제5호에서 정한 기관을 말한다.

제3조(수입인지 및 국·공채의 매입) 계약상대자는 「인지세법」, 「주택도시기금법」, 「도시철도법」 및 당해 지방자치단체의 조례 등에서 규정한 바에 따라 수입인지 또는 국·공채를 매입하고 그 매입필증 등을 계약담당공무원에게 제출하여야 한다.

제4조(장기계속계약의 잔여공사 계약) 장기계속계약의 경우 제2차이후 공사계약은 부기한 총공사 부기금액에서 이미 계약된 금액을 공제한 잔여금액의 범위안에서 계약을 체결하여야 한다.

제5조(공사손해보험의 가입) ① 계약상대자는 계약예규 「정부 입찰·계약 집행기준」 제12장(공사의 손해보험가입 업무집행) 및 일반조건 제10조에서 정하는 바에 따라 공사손해보험 계

약목적물의 착공일(공사손해보험가입 비대상공사가 포함된 공사의 경우에는 손해보험가입 대상공사 착공일을 말함)이전에 공사손해보험 또는 조립보험(이하 "보험"이라 한다)에 가입하여야 한다.

② 「정부 입찰·계약 집행기준」 제57조에서 정한 손해의 담보에 대한 계약상대자의 자기부담금은 매 건당 각각 1억원이하로 한다. 다만, 공사의 특성 및 여건에 따라 자기부담금의 최고한도액을 1억원을 초과하지 않는 범위내에서 조정할 수 있다.

③ 보험약관은 특별히 정한 경우를 제외하고는 도심지내의 공사는 영국식 약관, 기타공사는 독일식 보통약관으로 한다.

④ 계약상대자는 공사보험 계약일로부터 6개월 이내에 보험회사로부터 위험도조사보고서(Risk Survey Report)를 징구하여 수요기관에 제출하여야 한다. 다만, 공사의 특성 및 여건에 따라 불가피한 경우 수요기관의 장과 협의하여 제출기한을 연장할 수 있다.

⑤ 계약상대자는 보험회사가 제출한 위험도 조사보고서에 따른 적절한 위험방지 조치를 취하여야 하며, 공정율 50% 전후에 이미 제출한 위험도조사보고서의 내용을 보완하여 다시 제출하여야 한다.

⑥ 공사계약금액이 증감(「국가를 당사자로 하는 계약에 관한 법률 시행령」(이하 "시행령"이라 한다) 제64조부터 제66조에 따른 계약금액의 증감)된 경우 보험가입금액의 증감은「정부 입찰·계약 집행기준」 제57조제4항에 따르며, 계약상대자는 계약금액 변경일로부터 14일 이내에 보험계약을 변경처리하여야 한다.

⑦ 계약상대자는「정부 입찰·계약 집행기준」 제62조제2호에 따라 계약금액의 변경, 설계변경, 공사중단 등의 공사계약 변경사항을 보험회사에 통지하여야 한다.

⑧ 보험가입대상 공사에 대한 보험가입 지연으로 발생하는 보험사고의 보상·배상은 계약상대자 부담으로 하며 보험가입대상 공사의 준공일까지 보험에 가입하지 않는 경우에는 예정가격조서상에 계상된 보험료를 감액 조치한다.

⑨ 계약상대자는 보험사 선정시 당해 보험사의 재정상태, 담보능력등을 감안하여 건실한 보험사를 선정하여야 하며 부실보험사 선정으로 보상 또는 배상을 받지 못할 경우에는 계약상대자 부담으로 한다.

⑩ 계약상대자는 예정가격조서상에 계상된 보험료와 보험가입시 실제 납입한 보험료간의 차액발생을 이유로 보험가입을 거절하거나 동 차액의 정산을 요구할 수 없으며, 수요기관은 보험가입 이전에 청구하는 기성대가에 대하여는 지급을 유보할 수 있다.

⑪ 계약상대자는 보험계약서류, 위험도 조사보고서, 보험사고 발생 및 처리현황, 보험계약 종결보고서를 수요기관에 제출하여야 한다.

⑫ 제1항부터 제10항에서 규정한 사항이외에 보험과 관련된 기타 계약조건은 일반조건 제10조 및 「정부 입찰·계약 집행기준」 제12장(공사의 손해보험가입 업무집행)에 정한 바에 따른다.

제6조(대가의 지급 등) ① 선금의 지급은 관련법령 등에서 달리 규정하는 경우를 제외하고는

계약예규「정부 입찰·계약 집행기준」제10장(선금의 지급 등)에서 정한 바에 따른다.

② 계약상의 지급통화는 입찰공고 또는 계약서에서 특별히 정한 경우를 제외하고 대한민국 원화로 한다.

제6조의2(하도급의 승인 등) ① 계약상대자가 계약된 공사의 일부를 제3자에게 하도급 하고자 할 때에는 건설산업기본법 등 관련법령에 정한 바에 의하여야 한다.

② 계약상대자는 제1항의 규정에 의하여 하도급한 경우에도 이 계약상의 책임과 의무가 면제되지는 아니하며, 공사 시공과 관련하여 하수급인·하수급인의 대리인·근로자의 행위에 대하여 책임을 져야 한다.

제6조의3(하도급대가의 직접지급) ① 계약상대자가 하도급대가지급 2회 이싱 지체, 하도급부분에 대한 계약갱신미반영, 하도급불신고로 인하여 계약담당공무원으로부터 지적받은 공사의 하도급대금의 지급은 계약상대자가 계약담당공무원에게 의뢰한 것으로 보아 계약담당공무원이 하수급인에게 직접 지급한다.

② 제1항의 경우 계약상대자에 대한 대금지급 채무는 하수급인에게 지급한 한도 안에서 소멸한 것으로 본다.

제6조의4(하도급관리시스템의 이용) ① 계약상대자는 입찰참가시 하도급계약을 나라장터하도급관리시스템(이하 '하도급지킴이'이라한다)을 이용하기로 확약한 경우에는 착공계 제출 시 수요기관에 '하도급지킴이 이용확약서'를 제출하여야 한다.

② 제1항에 따라 하도급관리를 '하도급지킴이'를 통하여 처리하기로 확약한 경우 계약상대자는 '하도급지킴이'를 통하여 하도급 계약을 체결하여야 하고, 하도급대금, 노무비, 장비·자재대금 지급 등을 '하도급지킴이'를 통하여 전자적으로 처리 하여야 한다.

③ 하도급 대금 등의 지급방법(인출제한, 지급확인)에 대해서는 계약담당공무원과 협의한 방법에 따른다. 단, 하도급대금, 노무비, 장비·자재대금 등의 지급방법은 반드시 인출제한으로 한다.

④ 계약담당공무원은 '하도급지킴이이용확약서'를 제출한 계약상대자가 확약서의 내용대로 이행하는지를 수시로 확인하여야 하고, 미 이행시 시정조치를 하여야 한다.

제7조(노임지급) 계약담당공무원은 원활한 계약이행을 위하여 필요하다고 인정할 경우에는 공사현장에 종사하는 근로자의 노임지급과 관련하여 필요한 지시를 할 수 있으며, 계약상대자가 이를 이행하지 아니할 경우 당해 공사대금에서 노임을 공제하여 근로자에게 직접 지불할 수 있다. 다만, 현장근로자의 노임을 직접 공제해서는 아니되는 정당한 사유가 있음을 계약상대자가 증명한 경우에는 그러하지 아니하다.

② 계약상대자는 노임을 계약금액 산출내역서에 명시하여야 하며, 이를 명시하지 아니한 경우 관련법령의 규정에 의거 압류가 금지되는 노임은 노동부장관이「산업재해보상보험법」의 규정에 따라 고시하는 당해연도의 건설공사 노무비율을 계약금액에 곱하여 산출한 금액으로 본다.

제7조의2(총액입찰공사의 산출내역서 작성 제출) ① 수요기관은「국가를 당사자로 하는 계약에

관한 법률 시행령」 제14조제6항제1호 단서에 따라 낙찰자로 결정된 후 착공신고서를 제출하는 때에 제출하는 산출내역서상의 세부공종별 단가(합계단가)가 조사금액 단가(합계단가)의 70% 미만인 경우에는 계약상대자에게 산출내역서상의 세부공종별 단가를 수정하도록 요구할 수 있다.

② 계약상대자는 제1항에 따라 수요기관에서 산출내역서상의 세부공종 단가의 수정을 요구한 경우에는 요구받은 날로부터 3일 이내에 입찰금액 범위내에서 산출내역서를 다시 작성하여 제출하여야 한다.

③ 계약상대자는 산출내역서를 작성할 때 수요기관에서 일부 세부공종 또는 총괄내역서상 비목에 사후원가검토조건인 잠정금액(Provisional Sum : P.S.)을 적용하여 조사금액 내역서를 작성한 경우 동 조사금액과 동일한 금액을 계약상대자가 제출하는 산출내역서에 반영하여야 한다.

제8조(환경오염방지 및 품질관리 등) ① 계약상대자는 대기오염, 수질오염, 소음, 진동, 악취 등으로 환경피해가 발생하거나 인근주민 또는 통행인에게 불편이 없도록 「대기환경보전법」, 「수질환경보전법」, 「소음·진동규제법」, 「폐기물관리법」, 「오수·분뇨및축산폐수의처리에관한법률」 등 관계법령 및 설계서에 따라 발생 오염물질 종류와 예상량, 처리방법, 처리시행자등이 포함된 환경오염방지계획을 수립하여야 한다.

② 계약상대자는 공사 품질을 확보할 수 있도록 「건설기술진흥법령」에 따른 품질관리계획 또는 품질시험계획을 수립하고 이를 성실히 이행하여야 한다. 다만, 추정가격이 300억원 이상인 공사입찰의 경우로서 예정가격의 70퍼센트 미만으로 낙찰된 공사의 경우에는 품질시험계획 수립 대상인 경우에도 품질관리계획을 수립하여야 한다.

③ 계약상대자는 공사착공신고서 제출시 제1항 및 제2항의 환경오염방지계획서와 품질관리계획서 또는 품질시험 계획서(이하 "계획서"라 한다)를 계약담당공무원에게 제출하여 승인을 받아야 하며, 계약담당공무원이 보완을 요청하였을 때에는 이에 따라야 한다.

④ 계약상대자는 계획서를 현장에 비치하고, 오염방지, 품질시험·관리 이행실적을 기록 유지하여야 하며, 계약담당공무원이 환경오염방지계획 및 이행실적의 제출을 요구할 때에는 그에 따라야 한다.

⑤ 수요기관의 장은 계약상대자가 시행하는 공사에 대하여 제2항에 따라 수립한 계획에 따라 품질관리를 적정하게 실시하는지의 여부를 확인하고 그 결과에 따라 필요한 조치를 할 수 있으며, 계약상대자는 확인에 적극 협조하여야 한다.

제8조의2(폐기물의 처리) ① 계약상대자는 폐기물관리법령에 따라 폐기물처리업자로 허가된 자에게 위탁하여 폐기물을 처리하여야 한다. 다만, 관련법령에 따라 폐기물처리시설을 설치하여 승인을 받았거나 신고 후 직접 처리하는 경우에는 그러하지 아니하다.

② 계약상대자는 폐기물관리법령에 따라 폐기물을 처리하여야 하며 이를 위반하여 처리하는 경우 계약담당공무원은 이의 시정을 요구할 수 있다.

③ 계약상대자가 제2항에 따른 시정 요구에 응하지 않을 경우 계약담당공무원이 폐기물처

리업자에게 위탁하여 처리할 수 있으며 이에 소용되는 비용은 계약상대자의 부담으로 한다.

④ 계약담당공무원이 폐기물을 폐기물처리업자에게 직접 위탁하여 처리하는 경우에도, 계약상대자는 계약담당공무원 및 폐기물처리업자와 협의하여 폐기물의 반출 등에 필요한 적정한 편의를 제공하여야 한다.

제9조(적격심사 관련사항의 준수의무) ① 계약상대자는 「조달청 시설공사 적격심사세부기준」 제4조제2항에 따른 하도급관리계획서를 제출한 경우 적격심사 당시 제출한 내용대로 철저하게 이행하여야 한다.

② 제1항 전단에 따라 하도급관리계획서를 제출한 경우 계약상대자는 「건설산업기본법」 제29조제4항에 따라 수요기관에 하도급 계약내용을 통보하기 14일 이전까지 [별첨양식 2]에 따라 하도급관리계획서를 보완하여 수요기관에 제출하여야 한다. 다만, 이 경우 적격심사 당시 제출한 내용(하도급비율, 하수급금액비율, 하도급대금직불계획)을 변경할 수 없다.

③ 계약상대자는 공사를 수행함에 있어 불가피한 사유로 제2항에서 규정하는 하도급관리계획서의 하도급사항을 변경하고자 할 경우에는 당초의 하도급 조건 이상으로 하여 수요기관의 장의 사전 승인을 받아야 한다.

제10조(산업안전보건관리비, 품질관리비, 환경보전비 목적 외 사용금지 및 기술지도 계약) ① 계약담당공무원은 계약상대자가 계약금액에 포함된 산업안전보건관리비, 품질관리비, 환경보전비 및 건설근로자 퇴직공제부금(이하 "산업안전보건관리비 등이라 한다)을 산업안전보건법령 또는 건설기술진흥법령 또는 건설산업기본법령에서 정한 목적 이외에 사용하거나 목적대로 사용하지 아니한 경우 그 금액을 감액조치 한다.

② 계약상대자는 제1항에 따른 산업안전보건관리비 등을 목적 외에 사용하지 않았음을 이유로 안전관리, 환경관리 및 품질관리를 소홀히 하여서는 아니된다.

③ 계약상대자는 「산업안전보건법 시행규칙」 제32조제3항에 따른 "노동부령이 정하는 자"에 해당하는 규모의 건설공사는 기술지도계약을 공사착공 후 14일 이내에 체결하고 기술지도계약서를 수요기관의 장에게 제출하여야 한다. 다만, 동 조항 단서 각 호의 어느 하나에 해당하는 공사인 경우에는 그러하지 아니하다.

④ 계약담당공무원은 계약상대자가 산업안전보건법령 및 제3항에 따른 기술지도계약대상공사에 대하여 기술지도계약을 체결하지 아니한 경우에는 「산업안전보건법」 제30조제1항에 따라 계상한 산업안전보건관리비의 20%에 해당하는 금액을 감액하며, 기술지도계약을 지연체결하여 수수료가 조정된 경우에는 조정된 금액만큼 감액한다.

제10조의2(산업안전보건관리비 등의 계상) ① 관련법령의 규정에 따라 공사비에 포함하도록 한 산업안전보건관리비 등은 다음에 해당하는 금액을 계약금액 산출내역서에 포함하여야 한다.

1. 예비가격기초금액에 계상된 산업안전보건관리비 등에 투찰율(예비가격기초금액 대비 계약금액 비율을 말하며, 이하 이 조에서 같다)을 곱한 금액 이상

② 계약상대자가 제1항에서 규정하는 비용을 포함하지 않은 경우, 계약담당공무원은 계약체결 이후라도 당해 비용을 산출내역서에 포함하고 그로 인하여 증감된 차액은 계약예규「

정부 입찰·계약 집행기준」 제21조제2항의 규정에 따라 조정하도록 요구할 수 있으며 계약상대자는 이에 따라야 한다.

제11조(공사감독관의 지시) 계약상대자는 공사감독관의 구두지시가 있을 경우(지시내용의 이행 전후에 관계없이) 이를 지체없이 서면으로 확인하여야 한다.

제12조(계약상대자에 의한 도면) ① 공사 일부분의 시공상세도면을 계약상대자가 작성토록 설계서에 명시된 경우 계약상대자는 필요한 시공상세도면·계산서 등을 작성 제출하여 당해 공종의 착공전까지 공사감독관의 확인을 받아야 한다.

② 계약상대자는 제1항에 따른 시공상세도면 등에 대하여 공사감독관의 서면 승인을 받기 전까지는 당해 공종을 착수하여서는 아니된다. 시공상세도면 등에 대한 공사감독관의 승인은 제1항에 따른 계약상대자의 책임을 감면시키지 아니한다.

③ 공사감독관은 공사전·공사중 또는 준공여부와 관계없이 계약상대자가 제공한 시공상세도면 등의 결함을 발견한 경우에는 그의 시공상세도면 등을 변경·수정토록 하고 그에 따라 시공토록 지시할 수 있다.

제13조(인접공사 계약자에 대한 협조) ① 계약상대자는 계약담당공무원의 요구가 있을 경우 이 계약의 공사현장내 또는 인접 공사현장(이하 "인접공사"라 한다)에서 다음 각호의 자가 자기공사를 이행하는 데 필요한 적절한 편의를 제공하여야 한다.

1. 계약담당공무원과 계약한 다른 계약자 및 그들의 고용인
2. 인접 공사현장의 시공자

② 이 계약을 이행함에 있어 공사 전체 또는 일부분이 인접공사 계약의 적절한 시행 또는 그 결과에 의존할 때에는, 계약상대자는 이 계약의 이행에 악영향을 끼칠 수 있는 명백한 위반 또는 결함을 조사하여 즉시 서면으로 공사감독관에게 통보하여야 한다. 계약상대자가 이를 이행하지 아니한 경우에는 계약상대자는 인접공사 계약의 이행이 이 공사를 진행하는데 적합함을 인정하는 것으로 본다.

제14조(하자보수 책임승계 등) 계약상대자는 이전의 계약상대자가 이행한 공사를 계속하여 시공하는 경우 이전 계약상대자가 이행한 부분에 대하여도 하자보수의 책임을 진다. 다만, 계약상대자가 하자발생 사유가 자신의 귀책이 아님을 입증하였거나 하자책임 구분이 분명한 경우에는 그러하지 아니하다.

제15조(하자담보) ① 일반조건 제33조에서 정한 하자담보책임기간은 「국가를 당사자로 하는 계약에 관한 법률 시행규칙」(이하 '시행규칙'이라 한다.) 제70조에서 정한 바에 따르며, 장기계속공사에 있어서 하자담보책임기간은 시행령 제60조제2항에서 정한 바에 따른다.

② 일반조건 제34조에서 정한 하자보수보증금은 계약서에 정한 바에 따른다. 다만, 공종별 하자보수보증금율은 시행규칙」 제72조에서 정한 바에 따르며, 장기계속공사에 있어서 하자보수보증금은 시행령 제62조제3항에서 정하는 바에 따라 납부하여야 한다

제15조의2(공사현장 품질관리자) ① 계약상대자는 계약된 공사에 적격한 품질관리자(「건설기술 진흥법」 등 관계 법령에 따라 품질관리원으로 인정하고 있는 자로서 건설기술자 교육을

이수한 자를 말한다. 이하 같다)를 지명하여 계약담당공무원에게 통지하여야 한다.

② 품질관리자는 공사현장에 상주하면서 현장대리인을 보좌하여 공사감독관의 지시에 따라 품질관리계획 또는 품질시험계획에 따라 품질관리 업무를 처리하여야 한다.

제15조의3(안전관리 및 재해예방) ① 계약상대자는 공사안전 관련법규 및 발주기관의 안전관리지침 등에 따라 안전관리에 철저를 기하여야 하며, 공사수행 중 발생하는 화재·도난·유실·손상 등과 계약상대자의 종업원과 고용원의 안전에 대한 책임을 진다.

② 계약상대자는 공사의 안전관리를 위하여 「건설기술진흥법 시행령」 제98조에 따라 안전관리조직, 안전관리대책, 안전점검계획 등이 포함된 안전관리 계획을 수립하여 계약담당공무원의 승인을 받아야 한다.

③ 계약상대자는 안전관리과 재난예방을 위하여 건설기술진흥법 시행령」 제100조에 따라 정기안전점검을 받아야 하며, 점검결과에 따라 안전관리계획에 의한 필요한 조치를 하여야 한다.

제16조(공사관리) ① 계약담당공무원은 계약관리를 위하여 필요하다고 인정할 경우에는 공사현장에 대하여 다음 각 호의 사항을 조사·점검하거나 계약상대자에게 자료를 요구할 수 있다.

1. 시공상태
2. 안전관리 상태
3. 설계변경등 계약내용 변경에 관한 사항
4. 공사현장 관리상태
5. 하도급에 관한 사항
6. 기타 계약조건 이행사항

② 계약담당공무원은 제1항에 따른 조사·점검 결과 계약상대자가 계약조건 및 설계서 등의 계약내용과 다르게 시공한 사항에 대하여는 시정토록 조치할 수 있다.

③ 계약담당공무원은 제1항 또는 제2항의 결과에 대하여 시행령 제13조 및 제42조에 따른 심사에 반영할 수 있다.

④ 계약담당공무원 및 조달청장의 위임을 받은 공무원은 공사관리를 위하여 필요한 경우 제1항 각호의 사항을 조사·점검하거나 자료의 제출을 요구할 수 있다.

제16조의2(공사계약내용의 변경) ① 수요기관의 장은 계약담당공무원은 공사계약 체결이후에 발생하는 설계변경 등으로 인하여 계약내용을 변경하고자 하는 경우에는 나라장터를 통하여 변경계약을 체결하여야 한다. 다만 나라장터를 통한 변경계약이 곤란한 경우에는 변경계약 체결 후, 나라장터를 통하여 변경계약 내용을 조달청장에게 통보하여야 한다.

② 제1항에도 불구하고, 수요기관의 장이 조달청장에게 변경계약을 요청하여야 하는 사항은 다음 각호와 같다.

1. 출자비율변경(공동수급체 구성원 변경포함)
2. 계약상대자 변경

제16조의3(관급자재 수급일정표 제출 등) ① 계약상대자는 공사계약일반조건 제17조제1항제2호

에 의한 공사공정예정표를 제출하는 경우 관급자재의 수급일자별 품목, 규격, 및 수량 등이 포함된 관급자재 수급일정표를 수요기관의 장에게 제출하여야 한다.

② 계약상대자는 관급자재 수급일정표의 변경이 필요한 경우 미리 수요기관의 장의 승인을 받아야 한다. 다만, 부득이한 경우에는 관급자재 수급 변경일정을 관급자재 납품업체에 대해 직접 통보할 수 있다.

③ 계약상대자는 공사이행에 필요한 경우 관급자재 납품업체에 대한 정보(업체명, 전화번호, 담당자 등)를 수요기관의 장에게 요구할 수 있다.

제17조(법령의 준수 등) ① 계약상대자는 각종 법령, 조례, 규칙 또는 공사수행과 관련하여 공공기관에 의하여 요구되는 사항을 준수하여야 하며, 법령 및 계약내용등이 상호 일치하지 않거나 모순이 있어 계약이행에 어려움이 예상될 경우 지체 없이 계약담당공무원에게 이를 서면으로 확인하여야 한다.

② 계약상대자는 어떠한 경우에도 이 계약의 체결 또는 이행과 관련하여 관련공무원에게 금품 또는 향응을 제공하여서는 아니된다.

③ 제2항을 위반함으로써 받게 되는 모든 불이익에 대한 책임은 계약상대자에게 있다.

제17조의2(공동계약 내용의 준수) ① 공동계약의 경우 공동수급체의 구성원은 출자비율 또는 분담내용대로 계약이행에 참여하여야 한다.

② 계약상대자는 공사 착공신고서 제출 시 공동수급체 구성원별 출자비율 또는 분담내용에 따른 다음 각 호의 내용이 포함된 공동계약이행계획서(이하 "계약이행계획서"라 한다)를 수요기관에 제출하여 승인을 받아야 한다. 다만, 불가피한 사유가 있는 경우 수요기관의 장의 승인을 받아 착공신고서 제출일로부터 30일 이내에 제출할 수 있다.

1. 구성원별 이행부분 및 내역서(이행부분을 구분하지 아니하는 경우에는 제외)
2. <별첨양식 1>의 공동계약이행계획서
3. 그 밖의 수요기관이 요구하는 사항

③ 수요기관의 장은 공동수급체구성원이 연명으로 출자비율 또는 분담내용을 준수하는 범위 내에서 제2항에 따른 계약이행계획서의 변경에 대한 승인을 요청하는 때에는 공사의 적정한 이행을 위하여 필요하다고 인정되는 경우에 한하여 이를 승인할 수 있다.

제18조(부도 등으로 인한 보증시공 청구) ① 일반조건 제44조제1항 각호의 사유로 인하여 계약을 해지·해제할 수 있을 경우에는 공사이행보증회사에게 보증시공을 청구하거나 공동수급체 구성원에게 잔여공사를 완성하게 할 수 있다.

② 계약상대자의 파산·해산·부도·법정관리,워크아웃(기업구조조정촉진법에 따라 채권단이 구조조정 대상으로 결정하여 구조조정중인 업체), 중도탈퇴(이하 "부도 등"이라 한다)로 인하여 준공기한까지 공사를 완성할 가능성이 없다고 인정될 경우에는 계약자의 동의여부에 불구하고 제1항에 정한 조치를 할 수 있다.

③ 공동수급체 구성원 중 부도 등이 발생한 자에 대하여는 부도 등의 발생일로부터 1개월 이내에 당해 구성원의 잔여 출자비율을 '0'으로 조정하고, 공사이행보증회사에 보증시공을

청구 할 수 있으며, 정당한 이유 없이 당초 협정서의 내용대로 공사를 이행하지 않는 경우 수요기관의 장 및 잔여구성원 전원의 탈퇴요청이 있으면 당해 구성원의 동의여부에 불구하고 탈퇴조치하고 제1항에 정한 조치를 할 수 있다.

④ 공동수급체 구성원 중 부도 등으로 출자비율을 변경하여 잔여공사지분이 없는 구성원이 있는 경우에는 대가지급신청·계약내용변경 및 장기계속공사의 차수계약 등은 잔여공사지분이 있는 구성원만의 서명 날인에 의할 수 있다.

제19조(분쟁의 해결) ① 일반조건 제51조제1항에서 규정하는 협의는 문서로 하여야 한다.

② 계약상대자는 당해 계약의 이행과 관련하여 분쟁의 사유가 되는 사안이 발생한 날 또는 지시나 통지를 접수한 날로부터 30일 이내에 계약담당공무원과 공사감독관에게 동시에 협의를 요청하여야 한다.

③ 계약담당공무원은 제2항에서 규정하는 협의요청을 받은 날로부터 60일 이내에 계약상대자의 요구사항에 대한 수용 여부를 결정하여 계약상대자에게 통지하여야 한다. 다만, 부득이한 사유가 있는 경우 30일의 범위내에서 결정기한을 연장할 수 있으며 연장하는 사유와 기한을 계약상대자에게 통지하여야 한다.

④ 계약상대자는 제3항에서 규정하는 통지를 받은 날로부터 30일 이내에 통지내용에 대한 수용여부를 계약담당공무원에게 통보하여야 하며, 이 기간내에 통보하지 않은 경우에는 이를 거절한 것으로 본다.

⑤ 일반조건 제51조제2항에서 규정하는 「중재법」에 의한 중재로써 분쟁을 해결하고자 하는 경우에는 사전에 계약당사자간에 중재로서 분쟁을 해결한다는 별도의 서면합의가 있어야 한다.

제19조의2(불공정행위의 신고) ① 수요기관 또는 계약상대자의 계약이행 과정에서 불공정 행위가 있을 경우에는 「조달청 불공정행위 신고센터(전화 1644-0412)」에 신고하여야 한다.

② 제1항의 불공정행위 유형은 다음 각 호와 같다.

1. 발주자가 설계변경을 요구하고 계약금액을 증액해 주지 않거나, 적정금액을 반영해 주지 않는 행위
2. 발주자의 선금 또는 기성금(준공금) 지급 지연 행위
3. 일반적인 대가보다 현저하게 낮은 수준으로 하도급 대금을 결정·강요하는 행위
4. 발주자로부터 선금을 받아 하수급인에게 지급하지 않거나 지정기일(15일 이내)을 초과하여 지급하는 행위
5. 하도급 대금을 부당하게 감액하는 행위
6. 하도급 대금을 지정기일(15일)을 초과하여 지급하는 행위
7. 발주처로부터 설계변경이나 물가변동에 의한 계약금액 증액을 받고 하도급 대금을 증액하지 않는 행위
8. 공사의 전부를 하도급 하는 행위 및 하도급 받은 공사를 재 하도급 하는 행위
9. 기타 임금체불 등

③ 계약이행과정에서 불공정 행위를 발견한 경우 누구든지 이를 불공정행위 신고센터에 신고할 수 있다.

④ 계약상대자는 하도급 계약 체결시 "제② 항의 불공정 행위가 있을 경우 「조달청 불공정행위 신고센터」에 신고하여야 한다"는 내용을 명기하여야 한다.

제19조의3(불공정행위 금지 등) ① 입찰자 또는 계약상대자는 입찰·낙찰, 계약체결 또는 계약이행 등의 과정에서 입찰 및 계약의 공정한 질서를 저해하는 다음 각 호의 어느 하나에 해당하는 행위를 하여서는 아니 된다.

1. 금품·향응 등의 공여·약속 또는 공여의 의사를 표시하는 행위
2. 입찰가격의 사전 협의 또는 특정인의 낙찰을 위한 담합 등 공정한 경쟁을 방해하는 행위
3. 공정한 직무수행을 방해하는 알선·청탁을 통하여 입찰 또는 계약과 관련된 특정 정보의 제공을 요구하는 행위
4. 하수급인 또는 자재·장비업자의 계약상 이익을 부당하게 제한하는 행위
5. 그 밖에 입찰 및 계약 등 과정에서 공정한 경쟁을 저해하는 행위

② 입찰자 또는 계약상대자는 제1항 각 호에 따른 행위가 「국가를 당사자로 하는 계약에 관한 법률」 제5조의3 등 관계 법령에 위반되는 경우 해당 입찰·낙찰이 취소되거나 계약이 해지·해제될 수 있고, 입찰참가자격 제한 대상에 해당되는 경우 「국가를 당사자로 하는 계약에 관한 법률」 제27조 등 관계 법령에 따라 부정당업자로 입찰참가자격 제한처분을 받을 수 있다.

③ 계약담당공무원은 제1항 각 호의 위반행위를 확인하기 위하여 입찰자 또는 계약상대자에게 관련 자료제출을 요청할 수 있으며, 입찰자 또는 계약상대자는 특별한 사정이 없는 한 적극 협조하여야 한다.

④ 입찰자 또는 계약상대자는 계약담당공무원이 제1항제2호 위반행위의 확인을 위하여 제3항에 따른 자료제출을 요청함에도 불구하고 협조를 하지 않는 경우 "부당한 공동행위 고발요청 기준"에 따라 불이익을 받을 수 있다.

제20조(채권양도) 계약상대자는 이 계약에 의하여 발생한 채권(공사대금청구권)을 제3자에게 양도하고자 하는 경우에는 미리 연대보증인 또는 공사이행보증서 발급기관의 동의를 얻어 계약담당공무원의 서면승인을 받아야 한다.

제21조(보칙) ① 계약예규 「공동계약운용요령」에 따라 공동수급체가 제출한 공동수급협정서는 계약담당공무원의 사전승인 없이는 변경할 수 없다.

② 계약이행과 관련한 기간의 계산은 특별한 규정이 없는 한 민법에서 정한 바에 따른다.

③ 일반조건 제22조에 따라 물가변동에 의한 계약금액을 조정할 경우는(품목조정율, 지수조정율)을 적용한다.

④ 계약상대자는 계약서에 명시된 주소가 변경되었을 때에는 즉시 계약담당공무원, 수요기관의 장 및 공사감독관에게 서면으로 변경 신고를 하여야 하며, 이를 이행하지 아니하여 발생하는 불이익은 계약상대자에게 있다.

⑤ 계약상대자의 전화·팩스번호 등 의사전달 수단의 변경시에도 제4항을 준용한다.

제22조(재검토기한) 「훈령·예규 등의 발령 및 관리에 관한 규정」에 따라 이 지침에 대하여 2020년 1월 1일 기준으로 매3년이 되는 시점(매 3년째의 12월 31일까지를 말한다)마다 그 타당성을 검토하여 개선 등의 조치를 하여야 한다.

부 칙

이 특수조건은 2010년 3월 2일 입찰공고분부터 적용한다.

부 칙 〈2013. 5. 15〉

이 특수조건은 2013년 5월 15일 입찰공고분부터 적용한다.

부 칙 〈2013. 6. 26〉

이 특수조건은 2013년 7월 1일 입찰공고분부터 적용한다.

부 칙 〈2014. 5. 30〉

이 특수조건은 2014년 6월 9일 입찰공고분부터 적용한다.

부 칙 〈2014. 8. 19〉

이 특수조건은 2014년 9월 1일 입찰공고분부터 적용한다.

부 칙 〈2015. 8. 31〉

이 특수조건은 2015년 9월 7일 입찰공고분부터 적용한다.

부 칙 〈2016. 3. 22〉

이 특수조건은 2016년 4월 1일 입찰공고분부터 적용한다.

부 칙〈2018. 5. 31〉

이 특수조건은 2018년 5월 31일 입찰공고분부터 적용한다.

부　　칙〈2019. 6. 13.〉

이 특수조건은 2019년 6월 19일 입찰공고분부터 적용한다.

부　　칙〈2019. 12. 18.〉

이 특수조건은 2019년 12월 18일 입찰공고분부터 적용한다.

[별첨양식 1]

공동계약 이행계획서

1. 공동수급체

<table>
<tr><td>공사명</td><td colspan="3"></td><td>대표사</td><td colspan="3"></td></tr>
<tr><td rowspan="2">구성원</td><td>구성원명</td><td></td><td></td><td></td><td></td><td></td><td></td></tr>
<tr><td>출자비율
(분담내용)</td><td></td><td></td><td></td><td></td><td></td><td></td></tr>
</table>

2. 운영위원회

<table>
<tr><td colspan="2">구성인원</td><td>총 명</td><td>구성방법</td><td colspan="2"></td></tr>
<tr><td rowspan="6">구성원별
운영위원</td><td>구 분</td><td>소속회사</td><td colspan="2">직 책</td><td>성 명</td></tr>
<tr><td>위원장</td><td></td><td colspan="2"></td><td></td></tr>
<tr><td>위 원</td><td></td><td colspan="2"></td><td></td></tr>
<tr><td></td><td></td><td colspan="2"></td><td></td></tr>
<tr><td></td><td></td><td colspan="2"></td><td></td></tr>
<tr><td></td><td></td><td colspan="2"></td><td></td></tr>
</table>

3. 공사현장 조직 및 인원 투입 현황

<table>
<tr><td>현장소장</td><td colspan="4">소속 : 직책 : 성명 : 기술자격 :</td><td colspan="2">현장 총인원(연인원)</td><td colspan="2">명</td></tr>
<tr><td rowspan="7">구성원별
파견인원</td><td rowspan="2">구성원명</td><td rowspan="2">출자비율</td><td rowspan="2">파견인원</td><td colspan="3">구성원별 파견자</td><td colspan="2">근무시기</td></tr>
<tr><td>직책
(현장 내)</td><td>성 명</td><td>기술자격</td><td>투입</td><td>철수</td></tr>
<tr><td></td><td></td><td>명</td><td></td><td></td><td></td><td></td><td></td></tr>
<tr><td></td><td></td><td>명</td><td></td><td></td><td></td><td></td><td></td></tr>
<tr><td></td><td></td><td>명</td><td></td><td></td><td></td><td></td><td></td></tr>
<tr><td></td><td></td><td></td><td></td><td></td><td></td><td></td><td></td></tr>
<tr><td></td><td></td><td></td><td></td><td></td><td></td><td></td><td></td></tr>
</table>

4. 필요장비 및 투입 현황

장 비 명	투입방법	투입자	투입시기
	(구성원, 임대, 기타)		
	(구성원, 임대, 기타)		
	(구성원, 임대, 기타)		
	(구성원, 임대, 기타)		

5. 회계사무

<table>
<tr><td>주관부서</td><td colspan="2"></td><td>경리책임자</td><td></td><td>관리계좌</td><td colspan="2">계좌번호 :
계좌명의 :</td></tr>
<tr><td>처리기준</td><td colspan="7">(독립 기준 적용, 대표사 기준, 기타)</td></tr>
<tr><td colspan="3">자금의 집행 및 조달방법</td><td colspan="5"></td></tr>
<tr><td rowspan="4">기 성 금
수령계좌</td><td colspan="3">구성원별</td><td>은행명</td><td>계좌번호</td><td colspan="2">비 고</td></tr>
<tr><td colspan="3"></td><td></td><td></td><td colspan="2"></td></tr>
<tr><td colspan="3"></td><td></td><td></td><td colspan="2"></td></tr>
<tr><td colspan="3"></td><td></td><td></td><td colspan="2"></td></tr>
</table>

주) 1. 인원 및 장비는 공사공정예정표, 공정별 인력 및 장비투입계획서에 의거 작성(인원은 현장관리 인력에 한함)
2. 운영위원회의 구성방법은 각사 1인, 지분에 따른 참여 등 구체적 방법 기술
3. '필요장비 및 투입'의 투입자는 구성원 보유 장비를 투입하는 경우 기재
4. 자금집행 및 조달방법 등 소요자금의 지분에 따른 안분 등 구체적인 방법 기술
5. 운영위원회, 현장의 기구조직 및 인원투입, 장비투입, 공사비 부담, 회계처리 등 공동계약 운영에 필요한 세부사항 중 '양식'에 포함되지 않은 사항은 첨부문서로 포함
6. 장기계속공사는 당해연도계약(차수계약)을 기준으로 작성

[별첨양식 2] 〈개정 2019.12.18〉

하도급관리 계획서(보완)

공사관리번호 :

공 사 명 :

하 수 급 예 정 자				하도급할 공사				하수급예정자와 계약할금액 (지급자재금액)	하도급대금 직불계획
상 호 및 대 표 자	사업자 등록번호 / 소재지	등록업종 (시공능력 공시액)	선정 방법	공사 종류	규 모 (물량)	조사 금액	입찰 금액		
ㅇㅇ건설(주) 홍길동(인)	서울	토공사업 (2,000,000)	수의	토공사	1 식	000	000	000 (　　)	%
ㅇㅇ건설산업 (주) 김길동(인)	충남	철근콘크리트 공사업 (3,000,000)	지명 경쟁	구조물 공사	1 식	000	000	000 (　　)	%
입찰가격(A) : 10,000,000				합 계		000 (B)	000 (C)	000 (D)	
				하도급비율(C/A) : % 지역업체하도급비율 : %				·하도급 부분 조사금액 대비 하도급업체 계약금액(D/B) : % ·하도급 부분 입찰금액 대비 하도급업체 계약금액(D/C) : %	

위와 같이 ㅇㅇㅇㅇ건설공사에 대한 하도급 관리계획서를 제출함에 있어 위의 하도급 관리계획서에 정한 하수급 예정자와 하도급 조건대로 계약을 체결한 후 성실시공이 이루어지도록 최선을 다하겠으며, 만일 이와같은 내용이 사실과 다르거나 정당한 사유없이 하도급관리계획대로 이행치 아니할 경우에는 어떠한 불이익을 받더라도 이의를 제기하지 아니할 것임을 확약하고 하도급관리계획서를 제출합니다.

201 년 월 일

입찰자(제출자) 대표회사 상 호 :
대표자 :
구성원(공동 도급구성원 모두 기재)
상 호 :
대표자 :
조 달 청 장 귀 하

첨부서류 : 1. 하도급 할 공사 및 하수급 예정자와 계약할 내역서 각 1부
2. 하수급 예정자의 인감증명(또는 사용인감 신고서) 각 1부

※ 작성요령(상기 작성예시 내용 참조)

1. 2종이상의 전문 공사업을 등록한 하수급 예정자에게 등록업종별로 하도급하고자 할 경우에는 등록 업종별로 작성한다.
2. 하수급 예정자의 날인은 인감증명서상의 인감 또는 사용인감 신고서상의 사용인감을 날인한다.
3. 하도급비율은 "입찰가격(A) 대비 하도급 할 공사의 합계금액(C)"으로 산정하고 하도급 할 공사금액에는 수급인의 지급자재 금액을 제외한다.
4. 하수급 금액비율은 반올림하지 않는다.

5. 하수급 예정자를 결정하지 않은 공종의 경우, 하수급예정자의 상호, 사업자등록번호 등은 공란으로 한다.
6. 하수급 예정자에 대한 사항을 제외하고, 적격심사 시 제출한 하도급관리계획서에 기재한 사항을 변경하지 않는다.
7. 지역업체 하도급 비율은 입찰가격(A) 대비 지역업체에 하도급하는 공사의 합계금액"을 말한다.

[별첨양식 3]

「하도급지킴이」 이용 확약서

당 사는 본 공사 낙찰을 받아 계약을 체결하는 경우, 본 공사에 대한 하도급계약 체결·이행에 있어 계약상대자이자 원수급인으로서 아래 사항을 성실히 이행할 것을 확약합니다.

○ 당 사는 「하도급지킴이」를 이용('표준하도급계약서'에 기반)하여 하도급 계약을 체결하겠습니다. 아울러, 하도급자(자재·장비업체 포함)와 수기로 하도급계약을 체결하는 경우에도 시스템에 등록하겠습니다.
(※ PQ심사 및 적격심사 시, '표준하도급계약서 등의 사용계획서'를 제출하여 평가받은 경우에는 사용계획서에 정한 바를 준수하여야 합니다)

○ 당 사는 하도급 대금, 노무비, 장비·자재대금 등을 「하도급지킴이」를 이용하여 전자적으로 지급하겠습니다.

- 당 사 몫 외의 하도급대금, 노무비, 장비·자재대금 등의 지급은 "인출 제한" 기능을 사용하겠습니다.
- 수요기관의 하도급대금, 노무비, 장비·자재대금의 직접 지급 또는 적정 지급 여부 확인에 적극 응하겠습니다.

201 .　.　.

서약자 : ○○회사　대표 ○○○ (인)

조달청장 귀하

10 일괄입찰 등의 공사입찰특별유의서

조달청 규제개혁법무담당관-4253, 2012. 8.23
조달청 시설총괄과-6396호, 2013.11.11
조달청 시설총괄과-184호, 2014. 1.13
조달청 시설총괄과-4928호, 2014. 8.19
조달청 시설총괄과-1034호, 2015. 1.29
조달청 시설총괄과-2615호, 2016. 3.22
조달청 시설총괄과-616호, 2017. 1.16
조달청 시설총괄과-9690호, 2018.11.29
조달청 시설총괄과-9946호, 2019.12.18
조달청 시설총괄과-5899호, 2020. 6.29.
조달청 시설총괄과-1320호, 2021. 2.15.
조달청 시설총괄과-12848호, 2021.12.30.

제1조(목적) 이 일괄입찰 등의 공사입찰특별유의서는 일괄입찰, 대안입찰, 실시설계 기술제안입찰 또는 기본설계 기술제안입찰로 집행하는 공사의 입찰(이하 "일괄입찰 등"이라 한다)에 참가하고자 하는 자가 유의하여야 할 사항을 정함을 목적으로 한다.

제2조(용어의 정의) 이 일괄입찰 등의 공사입찰특별유의서에서 사용하는 용어의 정의는 이 일괄입찰 등의 공사입찰특별유의서에서 따로 정하는 경우를 제외하고는 계약예규 「공사입찰유의서」(이하 "유의서"라 한다) 제2조에서 정하는 바에 의한다.

제3조(경쟁입찰참가자격의 등록) ① 입찰에 참가하고자 하는 자는 입찰공고 또는 입찰참가통지서에 기재된 입찰참가신청 마감일까지 「국가를 당사자로 하는 계약에 관한 법률 시행규칙」(이하 "시행규칙"이라 한다) 제15조에서 규정하는 바에 따라 경쟁입찰참가자격의 등록을 하여 그 등록사항이 동조제5항에서 규정한 "지정정보처리장치"(국가종합전자조달시스템을 말하며, 이하 "시스템"이라 한다)에 게재되어야 한다. 다만, 입찰공고에서 달리 정한 경우에는 그에 따른다.

② 제1항에서 규정하는 바에 따라 경쟁입찰참가자격의 등록을 한 자는 그 등록사항이 시스템에 게재되었는지 여부를 확인하여야 하며, 이를 이행하지 않음으로 인한 책임은 입찰자에게 있다.

제4조(경쟁입찰참가자격) ① 입찰에 참가하고자 하는 자는 입찰공고 또는 입찰참가통지서 등

에서 정한 자격요건을 충족하는자 이어야 한다. 여러 업종이 복합된 복합공사에서 주업종(입찰공고서에 명시한 업종별 추정금액이 가장 큰 업종) 이외 업종에 참여하는 자의 해당 업종 시공능력평가액은 다음 각호에 규정한 금액을 초과하여야 한다. 여기에서 "추정금액"이라 함은 시행령 제2조제1호에 규정한 추정가격에 도급자가 설치하는 관급자재의 금액과 부가가치세액을 합한 금액을 말한다.

1. 건설산업기본법령의 적용을 받는 공사인 경우에는 당해 업종의 추정금액
2. 전기공사업법령, 정보통신공사업법령, 소방시설공사업법령의 적용을 받는 공사인 경우에는 당해 업종의 입찰가격. 다만, 업종별 입찰가격이 명시되지 않은 경우의 업종별 입찰가격은 다음 각목과 같이 산정하고, 입찰공고에서 당해업종의 추정금액을 구분하여 명시하지 않은 업종은 적용하지 아니한다.
   가. 일괄입찰 및 기본설계 기술제안입찰은 입찰자의 입찰가격에 입찰공고서에 명시한 추정금액 대비 당해업종의 추정금액 구성비율을 곱하여 산정한다.
   나. 대안입찰 및 실시설계 기술제안입찰은 입찰자의 입찰가격(도급금액)에 입찰공고서에 명시한 추정가격+부가가치세 대비 당해업종의 추정가격+부가가치세 구성비율을 곱하여 산정한다.

② 외국업체가 입찰에 참가하고자 하는 경우에는 <삭제> 국내법의 규정에 따라 당해 공사에 필요한 업종을 등록하고 제3조에서 규정하는 경쟁입찰참가자격의 등록을 하여야 한다.

③ 부도·파산·해산·영업정지 등(이하 "부도 등"이라 한다)의 상태에 있는 자는 제1항 내지 제2항에서 규정하는 입찰참가자격에 결격사유가 있는 것으로 본다. 다만, 부도업체에 대한 법원의 회생절차개시 결정이 있는 경우에는 입찰참가자격을 부여할 수 있다.

제4조의2(상호시장 진출을 위한 시공자격 등) ① 종합공사를 시공하는 업종을 등록한 건설사업자(이하 "종합건설사업자"라 한다)가 전문공사 입찰에 참가하거나 전문공사를 시공하는 업종을 등록한 건설사업자(이하 "전문건설사업자"라 한다)가 종합공사 입찰에 참가하는 경우 입찰참가 등록마감일까지 해당 공사를 시공하는 업종의 등록기준을 갖추어야 하고, 이를 시공 중에는 유지해야 한다.

② 입찰에 참가하고자 하는 자가 제1항에 따라 입찰참가 등록마감일까지 해당 공사를 시공하는 업종의 등록기준에 미달하는 경우에는 낙찰자로 결정될 수 없다.

③ 종합공사를 시공하는 업종과 전문공사를 시공하는 업종을 모두 등록한 건설사업자는 입찰참가 시 종합공사 또는 전문공사 업종을 선택해야 하고, 이를 해당 공사 입찰에 참가한 업종으로 본다.

④ 종합건설사업자가 전문공사 입찰에 참가하거나, 전문건설사업자가 종합공사 입찰에 참가하는 경우 제4조제1항에 따른 해당업종 시공능력평가액은 다음 각 호와 같다.

1. 종합건설사업자가 입찰 참가하는 종합공사 업종의 시공능력평가액×2/3
2. 전문건설사업자가 입찰 참가하는 전문공사 업종의 시공능력평가액 합산

[본조신설 2021.2.15.]

제5조(관련법령 등의 숙지 및 준수의무) 입찰에 참가하고자 하는 자는 유의서 제5조에서 규정하는 입찰 관련법령 및 입찰에 관한 서류 외에 「일괄입찰 등의 공사계약특수조건」을 숙지하고 이를 준수하여야 한다.

제6조(현장설명) ① 입찰에 참가하고자 하는 자가 현장설명에 참가하지 않음으로서 현장여건 등 설계·입찰 및 계약에 필요한 정보를 입수·숙지하지 못한 경우 그 책임은 입찰참가자에게 있다. 다만, 입찰공고 등에서 반드시 현장설명에 참가 하도록 한 경우에는 그에 따라야 한다.

② 현장설명에 참가하는 자는 유의서 제6조제1항에서 규정하는 기술자수첩 및 위임장 등을 현장설명자에게 제시하여야 한다.

③ 입찰설명서에 첨부되시 않은 입찰안내서는 현장설명징소에서 열람 또는 배부 받을 수 있으며, 대안입찰, 실시설계 기술제안입찰 또는 기본설계 기술제안입찰의 경우에는 설계도서 및 물량내역서를 함께 열람 또는 배부 받을 수 있다. 다만, 배부 받고자 하는 경우 입찰공고에서 소정의 금액을 납부하도록 하였을 때에는 그에 따라야 한다.

제7조(입찰보증금) ① 「국가를 당사자로 하는 계약에 관한 법률 시행령」(이하 "시행령"이라 한다.) 제37조제3항제6호의 규정에 의하여 입찰보증금 면제대상에 해당하는 자는 다음 각호 이외의 자로 한다. <개정 2021.2.15., 2021.12.30.>

1. 입찰공고일 이전 1년 이내에 시행령 제76조제2항제2호가목의 사유로 입찰참가자격제한을 받은 자(입찰참가자격 제한 기간 중인 경우를 포함한다)
2. 계약체결을 기피할 우려가 있어 계약담당공무원이 입찰공고에 명시한 요건에 해당하는 자

② 입찰보증금을 면제받고자 제출하는 입찰보증금 지급각서는 입찰보증금 납부 확약 내용이 명기된 입찰서의 제출로 갈음한다.

③ 보증서 등에 의한 입찰보증금의 보증기간 만료일은 유의서 제7조제6항의 규정에 불구하고 실시설계기간 만료일 90일 이후까지로 하여야 한다.

제8조(공동계약) ① 공동계약을 하고자 하는 자는 소정의 공동수급협정서를 입찰참가신청 마감일까지 제출하여야 한다. 다만, 입찰공고에서 시스템을 이용하여 제출하도록 한 경우에는 그에 따라야 한다.

② 공동계약을 하고자 하는 자는 5인 이하로 공동수급체를 구성하여야 하며, 공동이행방식에 의한 공동계약의 경우 구성원별 계약참여 최소지분율은 10% 이상으로 하여야 한다. 다만, 시행령 제6장 및 제8장에 따른 공사 중 추정가격이 1,000억원 이상인 공사의 경우 최소 지분율은 5% 이상으로 하되, 구성원 수는 10인 이내로 하여야 한다.

③ 동일입찰에 대하여 중복적으로 공동수급체를 구성하여서는 아니된다.

④ 주공사가 토목, 건축공사, 산업·환경설비 공사인 경우 건설산업기본법에 의한 건설업의 토목건축 또는 산업·환경설비 시공능력평가액기준 상위 10위 이내 업체 상호간에는 공동수급체를 구성하여서는 아니된다. 다만, 단독으로 실적·업종(면허)이 부족하여 보완하는 경우에는 적용하지 아니한다.

⑤ 공동수급체 구성원 각각의 시공능력평가액은 제4조제1항에 규정한 금액을 초과하여야

한다. <개정 2021.2.15.>

⑥ 제1항 내지 제5항의 규정에 위반하여 입찰한 경우에는 입찰참가자격이 없는 자가 한 입찰로 본다.

⑦ 설계분야에만 참가하는 구성원은 제2항에서 규정한 구성원 수에 포함하지 아니한다.

제9조(입찰안내서에 대한 질의) ① 입찰에 참가하고자 하는 자는 설계 전에 공사의 기본계획 및 입찰안내서를 면밀히 검토하여야 하며, 공사의 기본계획 및 입찰안내서의 내용상 누락, 오류, 상호모순 또는 불분명한 사항 등이 있는 경우 현장설명일(현장설명을 실시하지 않는 공사의 경우 입찰참가자격사전심사 신청마감일)로부터 30일 이내에 계약담당공무원에게 서면으로 질의할 수 있다. 다만, 입찰안내서에 별도로 기간을 정한 경우에는 그에 따른다.

② 계약담당공무원은 제1항에서 규정하는 서면질의가 있는 경우 특별한 사유가 없는 한 질의마감일로부터 20일 이내에 현장설명 참가자 전원(현장설명을 실시하지 않는 공사의 경우 입찰참가자격사전심사 결과 입찰적격자)에게 서면으로 답변하되 질의자 이외의 자에게는 그 내용을 시스템 또는 발주기관의 인터넷홈페이지 게시로 갈음할 수 있다.

제10조(공사현장 및 지질조사 등) ① 입찰에 참가하고자 하는 자는 설계 전에 공사현장에 대한 측량 및 지질·지반조사 등 설계에 필요한 제반조사를 입찰에 참가하고자 하는 자의 책임 하에 실시하여야 한다. 다만, 입찰안내서 등에서 발주기관이 측량 또는 지질·지반조사 등을 실시하여 해당 자료를 제공하고 그 자료를 기준으로 설계하도록 정한 경우에는 그에 따른다.

② 발주기관은 공사현장에 대한 지질·지반조사 등에 따른 주민의 불편 최소화 ·환경보호 및 비용절감 등을 위하여 필요하다고 인정하는 경우에는 입찰에 참가하고자 하는 자를 지질·지반조사 등에 공동으로 참여하게 할 수 있으며 입찰에 참가하고자 하는 자는 이에 따라야 한다.

③ 입찰에 참가하고자 하는 자는 공사현장 및 주변 환경을 조사하여 공사현장의 출입방법 및 필요설비와 위험요인 등 설계 및 입찰에 영향을 줄 수 있는 자료 또는 정보를 조사하여야 한다.

④ 입찰에 참가하고자 하는 자는 계약예규 「공사계약일반조건」(이하 "일반조건"이라 한다) 제21조제5항제6호에서 규정하는 사유로 지질·지반조사 등이 곤란한 경우, 관련자와 문서로 협의하여야 하며 조사가 불가능한 경우에는 관련 증빙자료를 첨부하여 설계도서 제출시 함께 제출하여야 한다.

⑤ 입찰에 참가하고자 하는 자는 발주기관이 보유하고 있는 공사현장에 관한 자료 등 설계도서 작성에 필요한 자료의 제공을 요구할 수 있으며, 발주기관의 장은 현장설명 참가자(현장설명을 실시하지 않는 공사의 경우 입찰참가자격사전심사 결과 입찰적격자) 전원에게 이를 제공할 수 있다.

⑥ 발주기관의 장이 제5항에서 규정하는 바에 따라 제공한 자료에 대한 확인 책임은 입찰자에게 있으며, 발주기관은 제1항 단서에서 규정한 경우를 제외하고는 당해 자료의 정확성

또는 충분성에 대하여 책임을 지지 아니한다.

⑦ 입찰에 참가하고자 하는 자는 제1항 내지 제3항에서 규정한 바에 따라 공사현장 등에 대한 조사 후 복구가 필요한 경우에는 자기의 비용으로 이를 복구하여야 한다.

제11조(설계도서의 제출) ① 입찰에 참가하고자 하는 자는 발주기관이 제시하는 공사의 기본계획·입찰안내서의 지침 및 내용과 관련법령의 규정에 따라 설계도서를 제출하여야 한다.

② 입찰에 참가하고자 하는 자는 제10조에서 규정하는 조사자료에 따라 설계도서를 작성하여야 하며, 조사자료의 정확성과 그에 따른 설계도서의 내용에 대한 책임은 입찰자에게 있다. 다만, 제10조제1항 단서의 규정에 따라 발주기관이 조사 자료를 제공하고 그 자료를 기준으로 설계하도록 한 경우에는 그러하지 아니하다.

③ 설계도서에 대한 심의 결과 적격으로 판정된 경우에도 입찰자의 설계도서에 대한 책임이 면제되는 것은 아니며, 설계심의 또는 계약체결 이후라도 설계상 오류·누락 및 불일치 등의 하자가 발견된 경우 입찰자의 부담으로 이를 보완하여야 한다. 다만, 설계서의 하자가 발주기관이 제공한 공사의 기본계획 또는 입찰안내서의 내용과 제10조제1항 단서에서 제공한 자료의 오류·부정확 또는 누락에 기인한 경우에는 그러하지 아니하다.

제12조(입찰) ① 입찰참가의 대리는 경쟁입찰참가자격등록증에 입찰대리인으로 등록된 자이어야 한다.

② 제1항의 규정에 불구하고 제3조에서 규정하는 바에 따라 입찰대리인을 등록하지 않은 경우에는 입찰서 제출시각 전까지 입찰대리인을 지정할 수 있으며, 이 경우 위임장 등 관련 증빙서류를 입찰집행관에게 제출하여야 한다.

③ 입찰자(입찰대리인 포함)는 신분증·경쟁입찰참가자격등록증 및 동 등록증 상의 인감을 지참하고 입찰에 참가하여야 한다.

④ 제3항의 규정에 불구하고 경쟁입찰참가자격등록증에 인감을 등록하지 않은 경우에는 입찰서 제출 시 인감증명서(또는 「본인서명사실 확인 등에 관한 법률」 제2조제3호에 따른 본인서명사실확인서)와 사용인감 신고서(필요시)를 함께 제출하여야 하며, 이 경우 신고한 사용인감을 지참하고 입찰에 참가할 수 있다.

⑤ 공동수급체를 구성하여 입찰에 참가하는 경우 입찰자는 당해 공동수급체 대표자이어야 한다. 이때에 공동수급체 구성원은 입찰에 관한 일체의 권한을 공동수급체 대표자에게 위임한 것으로 본다.

⑥ 입찰집행관은 입찰자에게 질서유지에 필요한 명령을 내릴 수 있으며 이에 불응하는 자에 대하여 퇴장명령 또는 입찰무효선언을 할 수 있다.

제13조(일괄입찰의 입찰서 작성) ① 입찰자는 "붙임 양식 1" 서식의 입찰서를 사용하여야 하며, 기명날인을 함에 있어서 반드시 입찰자 성명(법인인 경우 대표자성명)을 기재하고 경쟁입찰참가자격 등록증상에 등록된 사용인감 또는 제12조제4항에 따라 신고한 사용인감으로 날인하여야 한다. 다만, 전자입찰로 집행하는 경우에는 「국가종합전자조달시스템 전자입찰특별유의서」 및 입찰공고에 정한 바에 따른다.

② 입찰자가 제시한 입찰금액에는 다음 각호를 포함한 것으로 본다.

1. 계약상대자에게 공사손해보험에 가입하도록 하는 입찰의 경우 계약예규 「정부 입찰·계약 집행기준」 제12장에 따라 공사손해보험 가입에 필요한 공사보험료
2. 계약예규 「예정가격 작성기준」에서 정한 비목 및 공사관련 제세공과금
3. 설계비와 설계심의위원회의 설계 지적사항 보완 등 계약자의 책임에 속하는 설계변경에 소요되는 비용

제14조(대안입찰의 입찰서 작성) ① 입찰자는 "붙임 양식 2" 서식의 입찰서를 사용하여야 하며, 기명날인은 제13조제1항에 정한 바에 따른다.

② 제13조제2항은 본 조에 준용한다.

제14조의2(실시설계 기술제안입찰 등의 입찰서 작성) ① 입찰자는 "붙임 양식 3" 또는 "붙임 양식 4" 서식의 입찰서를 사용하여야 하며, 기명날인은 제13조제1항에 정한 바에 따른다.

② 제13조제2항은 본 조에 준용한다.

제15조(일괄입찰의 입찰서 제출) ① 입찰자는 지정된 입찰일시와 장소에서 입찰집행관의 요청에 따라 입찰서를 제출하여야 한다.

② 입찰자는 입찰집행일시에 설계도서, 제13조제1항에서 규정한 입찰서와 공종별총괄내역서를 제출하여야 한다. 이 경우 공종별총괄내역서는 입찰서와 간인을 하여야 한다.

③ 관련법령에 사용금액을 정산하도록 규정한 건설근로자퇴직공제부금, 산업안전보건관리비, 환경보전비 등은 법령에서 규정한 금액 이상을 산출내역서에 계상하여야 한다.

제16조(대안입찰의 입찰서 제출) ① 대안을 제출하는 입찰자는 입찰집행일시에 대안설계도서, 제14조제1항에 규정한 입찰서, 대안입찰에 대한 산출내역서(대안공종 포함)와 원안입찰에 대한 산출내역서를 제출하여야 한다. 이 경우 입찰서는 원안입찰금액과 대안입찰금액을 각각 명시하여 제출하여야 한다.

② 대안을 제출하지 않는 입찰자는 입찰집행일시에 제14조제1항에 규정한 입찰서와 제17조의 규정에 따른 산출내역서를 함께 제출하여야 한다.

③ 산출내역서는 입찰서와 간인하여 제출하여야 한다.

④ 제15조제1항 및 제3항은 본 조에 준용한다.

제16조의2(실시설계 기술제안입찰 등의 입찰서 제출) ① 입찰자는 입찰집행일시에 「기술제안입찰 등에 의한 낙찰자결정 세부기준」 제5조 내지 제6조에 따라 입찰서, 기술제안서 및 산출내역서를 제출하여야 한다. 이 경우 산출내역서는 입찰서와 간인하여 제출하여야 한다.

② 제15조제1항 및 제3항은 본 조에 준용한다.

제17조(대안입찰의 산출내역서 제출) ① 산출내역서의 작성, 조정 및 입찰 무효의 범위는 계약예규 「정부입찰·계약집행기준」 제9장 내역입찰의 집행에 의하되, 동 기준 제20조제2호 및 제3호에 대하여는 다음과 같이 적용한다.

1. 입찰자는 "붙임 양식5" 서식의 산출내역서 집계표를 작성 제출하여야 하며 동 기준 제20조제2호에 의한 항목별 합산금액 확인은 제출된 산출내역서 집계표에 의한다.

2. 동 기준 제20조제3호의 경우에는 계약체결 시까지 보완하게 할 수 있다.

② 입찰공고에서 원안입찰에 대한 산출내역서를 현장설명시 배부한 전산내역디스켓을 이용하여 작성하도록 요구한 경우 입찰자는 작성된 전산내역디스켓을 산출내역서와 함께 제출하여야 하며 산출내역서와 전산내역디스켓 내용이 상이한 경우에는 산출내역서를 기준으로 처리한다.

③ 대안공종에 대한 설계와 산출내역서를 작성할 때 관급자 및 도급자가 설치하는 관급자재의 금액은 발주기관이 정한 규격, 단가, 물량을 적용해야 한다.

④ 산출내역서의 표지에는 동 내역서의 작성에 참여한 자 전원의 소속, 직책 및 성명을 기재하고 날인하여야 한다.

제17조의2(실시설계 기술제안입찰 등의 산출내역서 제출) ① 산출내역서의 작성, 조정 및 입찰무효의 범위는 계약예규「정부입찰·계약집행기준」제9장 내역입찰의 집행에 의하되, 동 기준 제20조제2호에 대하여는 다음과 같이 적용한다.

1. 입찰자는 "붙임 양식5" 서식의 산출내역서 집계표를 작성 제출하여야 하며 동 기준 제20조제2호에 의한 항목별 합산금액 확인은 제출된 산출내역서 집계표에 의한다.

② 산출내역서의 제출방법 등은 입찰공고에 정한 바에 따른다.

③ 기술제안 공종에 대한 산출내역서를 작성할 때 관급자 및 도급자가 설치하는 관급자재의 금액은 발주기관이 정한 규격, 단가, 물량을 적용해야 한다.

제18조(대안입찰의 입찰가격 평가) 대안입찰 공사는 입찰가격(도급금액)을 기준으로 평가한다.

1. 삭제
2. 삭제

제18조의2(실시설계 기술제안입찰 등의 입찰가격 평가) 실시설계 기술제안입찰 공사는 입찰가격(도급금액)을 기준으로 평가한다.

제18조의3(입찰참가자격 사전심사) 계약담당공무원은 시행령 제13조에 따라 일괄입찰 등에 대한 입찰참가자격 사전심사를 실시하는 경우 「조달청 입찰참가자격 사전심사세부기준」에 따라 실시한다.

제19조(설계심의대상자 선정) 대안입찰의 경우 대안입찰서를 제출한 자 중 시행령 제86조제1항에 규정한 낙찰적격입찰자의 설계도서를, 일괄입찰의 경우에는 입찰자가 제출한 설계도서를 제20조제1항에 정한 바에 따라 설계심의 한다.

제20조(일괄입찰 등의 설계서 및 기술제안서 평가) ① 설계의 적격여부, 대안채택 여부와 설계점수 평가 및 기술제안서 평가는 중앙건설기술심의위원회(지방건설기술심의위원회를 포함한다) 또는 기술자문위원회의 심의에 의한다.

② 설계심의위원회는 설계도서의 심의 또는 기술제안서 평가를 위하여 필요한 경우 입찰자에게 설계도서에 대한 설명 또는 관련 자료의 제출을 요구할 수 있으며, 입찰자는 이에 성실히 응하여야 한다.

제21조(입찰금액개찰) ① 일괄입찰의 경우에는 제20조의 규정에 의한 설계도서 평가결과 설계

점수가 높은 순으로 선정된 6인을 대상으로 입찰금액개찰을 실시하며, 대안입찰의 경우에는 설계점수가 높은 순으로 선정된 6인과 원안입찰자 모두를 대상으로 입찰금액 개찰을 실시한다. 또한 실시설계 기술제안입찰 및 기본설계 기술제안입찰의 경우에는 기술제안 점수가 높은 순으로 6명을 대상으로 입찰금액 개찰을 실시한다.

② 입찰금액개찰의 일시·장소 및 대상자는 별도의 문서통보에 의하며, 대상자 이외의 자에게는 통지하지 아니할 수 있다.

③ 입찰자 또는 입찰대리인은 입찰금액개찰에 참관할 수 있다.

④ 입찰집행관은 입찰금액개찰에 참관하고자 하는 자로 하여금 신분증 및 경쟁입찰참가자격 등록증의 제시를 요구할 수 있다.

제22조(실시설계적격자·낙찰자의 선정) ① 실시설계적격자 또는 낙찰자는 입찰공고 또는 입찰참가통지서에서 정한 요건에 적합한 자로서 시행령 제6장, 제8장, 계약예규 「일괄입찰 등에 의한 낙찰자 결정기준」 및 「조달청 일괄입찰 등에 의한 낙찰자 결정 세부기준」 제8조 내지 제12조 또는 제17조 내지 제20조, 「기술제안입찰 등에 의한 낙찰자결정세부기준」 제10조에 따라 선정한다.

② 제1항에 따라 심사한 결과 해당 기준에 적합한 자가(또는 선정 대상자가) 2인 이상인 경우에는 추첨에 의하여 실시설계적격자 또는 낙찰자를 선정한다.

③ 제1항 및 제2항 규정에 의한 실시설계적격자 또는 낙찰자는 서면으로 선정통보를 받기 전까지 실시설계적격자 또는 낙찰자로서의 지위가 인정되지 아니한다.

④ 「국가를 당사자로 하는 계약에 관한 법률」 제27조의 규정에 의하여 입찰참가자격제한을 받은 자는 당해 제한기간 내에는 실시설계적격자 또는 낙찰자로 결정될 수 없다.

제23조(설계도서 등의 보완) ① 입찰자는 기본설계입찰서·대안입찰서에 첨부된 설계도서 또는 실시설계도서가 공사의 기본계획·입찰안내서의 내용 또는 기본설계내용에 비추어 미비하거나 그 내용이 불분명하여 보완을 요구받은 경우 보완을 요구받은 날로부터 30일 이내에 보완하여야 한다. 다만, 발주기관이 별도로 보완기간을 명시한 경우에는 그에 따르며, 불가피한 사유로 30일 이내에 보완할 수 없는 경우에는 그 사유와 기간을 명시하여 발주기관의 장의 승인을 받아야 한다.

② 제1항에서 규정하는 바에 따라 설계도서 보완에 소요되는 비용은 입찰자가 부담하여야 한다. 다만, 보완을 요구받은 사항이 제11조제3항 단서의 규정에 의한 경우와 발주기관의 책임 있는 사유로 인한 경우에는 그러하지 아니하다.

제24조(실시설계적격자의 의무) ① 실시설계적격자는 지정된 기한까지 실시설계도서를 제출하여야 하며, 실시설계적격자 선정 통지를 받은 날로부터 10일이내에 실시설계 과업수행 계획을 발주기관에 제출하여야 한다.

② 실시설계적격자는 기본설계심의토론회 과정에서 보완하기로 확약한 사항과 기본설계심의결과 보완을 요구받은 사항 및 사업승인 조건 등을 실시설계에 반영하여야 하며, 발주기관으로부터 사업승인 등 업무수행에 필요한 자료나 실시설계 추진실적에 대한 자료제출

요구가 있는 경우 이에 응하여야 한다.

제25조(실시설계 적격자의 부도 등) 계약담당공무원은 실시설계적격자로 선정된 자가 실시설계 중 입찰무효 또는 부도 등의 사유로 당해 공사를 이행할 수 없는 경우로서 공사의 시급성 등을 감안 부득이한 경우 다음 각호에 따라 조치할 수 있다. <개정 2014.1.13>

1. 입찰무효 또는 부도 등의 상태에 있는 자가 공동수급체의 대표자인 경우로서 잔여 구성원만으로 입찰참가자격을 충족할 때에는, 구성원 전원이 연명으로 요청하는 경우 출자비율이나 분담내용을 변경하고 대표자를 새로 선임하게 할 수 있다.
2. 입찰무효 또는 부도 등의 상태에 있는 자가 공동수급체의 대표자인 경우로서 잔여구성원만으로는 입찰참가자격을 충족하지 못할 때에는 실시설계적격자에서 제외하고, 제22조의 규정에 따른 평가결과 종합점수가 높은 입찰자 순으로 실시설계적격자를 재선정할 수 있다.
3. 입찰무효 또는 부도 등의 상태에 있는 자가 대표자를 제외한 공동수급체의 구성원인 경우로서 잔여 구성원만으로 입찰참가자격을 충족할 때에는 구성원이 연명으로 출자비율이나 분담내용을 변경 요청하는 경우 이를 변경하게 할 수 있으며, 잔여 구성원만으로 입찰참가자격을 충족하지 못할 때에는 구성원이 연명으로 구성원의 추가 보완을 요청하는 경우 보완하게 할 수 있다.
4. 단독입찰의 경우에는 제2호를 준용한다.

제26조(실시설계부적격) ① 실시설계도서에 대한 심의 결과 부적격으로 판정된 경우에는 1회에 한하여 30일 이내에 보완하여 제출하게 할 수 있으며, 이 경우 설계도서 재심의에 소요되는 실비는 실시설계적격자가 부담하여야 한다.

② 제1항에 의하여 보완하여 제출한 실시설계도서 재심의 결과 부적격으로 판정된 경우에는 계약대상자에서 제외한다.

③ 실시설계적격자가 제2항의 규정에 의거 계약상대자에서 제외된 경우 입찰보증금을 국고 귀속하며, 입찰보증금 지급각서의 제출로 입찰보증금 납부를 갈음한 경우에는 입찰보증금액에 상당하는 금액을 현금으로 즉시 납부하여야 한다.

④ 실시설계적격자가 정당한 사유 없이 소정의 기한 내에 실시설계도서를 제출하지 않는 경우에도 제1항 내지 제3항을 준용한다.

제27조(설계·시공병행공사의 계약) ① 설계·시공 병행방식으로 집행하는 입찰인 경우, 실시설계적격자는 입찰시 제출한 우선시공분 산출내역서와 공종별 총괄내역서를 제출하여야 한다.

② 실시설계적격자는 총공사에 대하여 실시설계 적격통지를 받은 경우에는 총공사에 대한 산출내역서를 다시 작성하여 당초 제출한 산출내역서와 대체하여야 하며, 이 때 계약금액은 증액할 수 없다.

③ 실시설계적격자는 실시설계 적격통지를 받은 공사계약의 이행 중 사정변경이 있은 경우에는 발주기관과 협의하여 조치하여야 한다.

④ 계약담당공무원은 우선시공분실시설계(fast track분) 적격통지를 받은 공사 이외의 부분에 대한 실시설계가 부적합할 경우 우선시공분실시설계 적격통지를 받은 공사 중 인수 가

능한 부분에 한하여 타절준공하고 계약을 해지할 수 있다.

⑤ 계약이 해지된 경우 발주기관에서 인수가 곤란한 부분에 대한 공사현장의 원상복구, 인수, 인계 등에 대하여는 발주기관과 상호 협의하여 계약자의 책임하에 조치하여야 한다.

제28조(설계비 등 보상) ① 설계비 등의 보상은 발주기관이 당해공사의 설계비 등 보상을 목적으로 책정한 예산의 범위 내에서 계약예규 「정부입찰·계약집행기준」 제17장의 대형공사 및 기술제안입찰의 설계비 등 보상에 따라 보상할 수 있다.

② 설계비 등 보상의 대상은 일괄입찰 또는 기술제안입찰의 경우 낙찰탈락자 중 설계점수(또는 기술제안서점수)가 입찰공고에 명시한 일정점수를 초과하는 자로 하며, 대안입찰인 경우에는 대안채택 및 설계심의 결과 적격 판정된 자로서 설계점수가 높은 순으로 6인 중 낙찰자로 선정되지 아니한 자로 한다.

③ 설계비 등의 보상기준은 설계·시공일괄입찰과 기술제안입찰은 공사예산액, 대안입찰은 대안부분에 대한 예산액을 기준으로 한다.

④ 입찰의 무효에 해당하거나 무효에 해당하는 사실이 사후에 발견된 자 및 계약예규 「정부입찰·계약 집행기준」 제85조에 해당하지 않는 자는 설계비 등 보상 대상자에서 제외하며, 입찰의 무효사실이 발견되기 이전에 설계비 등을 보상받은 자는 현금으로 즉시 반환하여야 한다.

제29조(설계 사전설명 금지) 입찰자는 설계심의 중에 설계심의위원과 개별 접촉하여서는 아니되며, 개별 접촉한 사실이 발견되었을 경우 입찰안내서 등에서 정한 설계점수를 감점할 수 있으며, 해당 심의위원은 향후 3년간 당해 발주기관이 집행하는 공사의 설계심의위원 선정 대상에서 배제할 수 있다.

제30조(사업계획의 변경) ① 발주기관은 사업목적을 효과적으로 달성하기 위하여 부득이하거나 불가피한 경우 사업계획을 변경할 수 있다.

② 제1항에서 정하는 바에 따라 사업계획이 변경된 경우 입찰에 참가하고자 하는 자 또는 입찰자는 설계변경 등 이에 필요한 조치를 하여야 한다.

③ 실시설계적격자 선정 후 실시설계 중 사업계획의 변경으로 인한 설계변경으로 계약금액을 조정할 사유가 발생할 경우에는 시행령 제91조제2항에 따라 계약금액을 조정할 수 있다.

제31조(입찰취소) ① 낙찰자 선정통보 이전에 발주기관의 예산사정, 공공사업계획의 변경 등 불가피한 사유가 있는 경우에는 당해 입찰을 취소할 수 있다.

② 발주기관의 귀책사유로 입찰이 취소된 경우의 설계비 보상은 계약예규 「정부입찰·계약 집행기준」에 따른다.

제32조(공사계약 이행보증의 보증기간) 낙찰자가 시행규칙 제55조에서 규정하는 보증보험증권 등으로 계약이행을 보증하는 경우, 보증기간 종료일을 당해 공사의 실제준공일 이후로 하는 특약을 설정하여야 한다.

제33조(관련규정의 적용) ① 이 일괄입찰 등의 공사입찰특별유의서에 열거되지 아니한 입찰관련 제반 규정은 「국가를 당사자로 하는 계약에 관한 법령」, 유의서, 계약예규 「일괄입찰

등에 의한 낙찰자 결정기준」·「입찰참가자격사전심사요령」, 「기술제안입찰 등에 의한 낙찰자결정 세부기준」, 「특정조달을 위한 국가를 당사자로 하는 계약에 관한 법률 시행령 특례규정·동 규칙」 등을 적용한다.

② 입찰집행 전에 유의서 등 관련 규정이 개정될 경우 정정공고에 의하여 개정된 유의서 등 관련 규정에 의할 수 있다.

제34조(서류 제출마감) ① 입찰참가자격 등을 증명하는 입찰관련서류는 입찰공고 또는 입찰참가통지서에서 정한 기한 내에 제출하여야 한다.

② 서류제출 마감일을 정한 경우에는 당일 근무시간 이전까지를 의미하며, 근무시간은 「국가공무원복무규정」 등 관련규정에서 정하는 바에 의한다.

③ 입찰공고 또는 입찰참가통지서에 입찰참가신청마감일 전일 또는 입찰 집행일 전일까지 기한을 정한 경우로서 그 전일이 일요일·공휴일(임시휴일 포함)일 경우에는 입찰참가신청마감일 또는 입찰집행일 전 최종 근무일을 기한으로 본다.

제35조(불공정행위 금지 등) ① 입찰자 또는 계약상대자는 입찰·낙찰, 계약체결 또는 계약이행 등의 과정에서 입찰 및 계약의 공정한 질서를 저해하는 다음 각 호의 어느 하나에 해당하는 행위를 하여서는 아니 된다.

1. 금품·향응 등의 공여·약속 또는 공여의 의사를 표시하는 행위
2. 입찰가격의 사전 협의 또는 특정인의 낙찰을 위한 담합 등 공정한 경쟁을 방해하는 행위
3. 공정한 직무수행을 방해하는 알선·청탁을 통하여 입찰 또는 계약과 관련된 특정 정보의 제공을 요구하는 행위
4. 하수급인 또는 자재·장비업자의 계약상 이익을 부당하게 제한하는 행위
5. 그 밖에 입찰 및 계약 등 과정에서 공정한 경쟁을 저해하는 행위

② 입찰자 또는 계약상대자는 제1항 각 호에 따른 행위가 「국가를 당사자로 하는 계약에 관한 법률」 제5조의3 등 관계 법령에 위반되는 경우 해당 입찰·낙찰이 취소되거나 계약이 해지·해제될 수 있고, 입찰참가자격 제한 대상에 해당되는 경우 「국가를 당사자로 하는 계약에 관한 법률」 제27조 등 관계 법령에 따라 부정당업자로 입찰참가자격 제한처분을 받을 수 있다.

③ 계약담당공무원은 제1항 각 호의 위반행위를 확인하기 위하여 입찰자 또는 계약상대자에게 관련 자료제출을 요청할 수 있으며, 입찰자 또는 계약상대자는 특별한 사정이 없는 한 적극 협조하여야 한다.

④ 입찰자 또는 계약상대자는 계약담당공무원이 제1항제2호 위반행위의 확인을 위하여 제3항에 따른 자료제출을 요청함에도 불구하고 협조를 하지 않는 경우 "부당한 공동행위 고발요청 기준"에 따라 불이익을 받을 수 있다.

제36조(재검토기한) 「훈령·예규 등의 발령 및 관리에 관한 규정」에 따라 이 지침에 대하여 2021년 1월 1일 기준으로 매3년이 되는 시점(매 3년째의 12월 31일까지를 말한다)마다 그 타당성을 검토하여 개선 등의 조치를 하여야 한다.

부 칙

제1조(시행일) 이 특별유의서는 2012년 4월 2일 입찰공고하는 공사부터 적용한다.

제2조(설계비 보상에 관한 적용례) 제28조 및 제31조의 규정에도 불구하고 지방자치단체를 당사자로 하는 계약에 관한 법률의 적용을 받는 공사는 행정자치부 예규 "지방자치단체 입찰 및 계약집행기준"에 따른다.

부 칙 〈2012. 8. 23〉

이 지침은 2012년 8월 25일부터 시행한다.

부 칙 〈2013. 11. 11〉

제1조(시행일) 이 지침은 2013년 11월 11일 입찰공고분부터 시행한다.

제2조(설계비 보상에 관한 적용례) 제28조 및 제31조의 규정에도 불구하고 지방자치단체를 당사자로 하는 계약에 관한 법률의 적용을 받는 공사는 행정자치부 예규 "지방자치단체 입찰 및 계약 집행기준"에 따른다.

부 칙 〈2014. 1. 13〉

제1조(시행일) 이 지침은 2014년 1월 14일 입찰공고분부터 시행한다.

부 칙 〈2014. 8. 19〉

제1조(시행일) 이 지침은 2014년 9월 1일 입찰공고분부터 시행한다.

부 칙 〈2015. 1. 29〉

제1조(시행일) 이 지침은 2015년 2월 1일 입찰공고분부터 시행한다.

부 칙 〈2016. 3. 22〉

이 지침은 2016년 4월 1일 입찰공고분부터 적용한다.

부 칙〈2017. 1. 16〉

이 지침은 2017년 1월 16일 입찰공고분부터 적용한다.

부　칙〈2018. 11. 29〉

이 지침은 2018년 12월 1일 입찰공고분부터 적용한다.

부　칙〈2019. 12. 18〉

이 지침은 2019년 12월 18일 입찰공고분부터 적용한다.

부　칙〈2020. 6. 29〉

이 지침은 2020년 7월 1일 입찰공고분부터 적용한다.

부　칙〈2021. 2. 15〉

이 지침은 2021년 2월 15일 입찰공고분부터 적용한다.

부　칙〈2021. 12. 30.〉

이 지침은 2022년 1월 1일 입찰공고분부터 적용한다.

[붙임 양식 1]

<table>
<tr><td colspan="5">입 찰 서(일괄입찰용)</td></tr>
<tr><td rowspan="4">입찰내용</td><td>공 고 번 호</td><td>제 호</td><td>입찰일자</td><td>. . .</td></tr>
<tr><td>공 사 명</td><td colspan="3"></td></tr>
<tr><td>입 찰 금 액</td><td colspan="3"></td></tr>
<tr><td>준 공 기 한</td><td></td><td>사업자등록번호</td><td></td></tr>
<tr><td rowspan="2">입찰보증금</td><td>납 부</td><td colspan="3">· 보증금율 : %
· 보 증 액 : 금 원정(₩)
· 보증금 납부방법</td></tr>
<tr><td>납 부 면 제 및
지 급 확 약</td><td colspan="3">· 사유 :
· 본인은 낙찰 후 계약 미체결시 귀기관에 낙찰금액에 해당하는 소정의 입찰보증금을 현금으로 납부할 것을 확약합니다.</td></tr>
<tr><td colspan="5">본인은 「국가를 당사자로 하는 계약에 관한 법률 시행규칙」에 의한 「일괄입찰 등의 공사입찰특별유의서」, 「공사입찰유의서」및 입찰안내서에 따라 응찰하며, 이 입찰이 귀 기관에 의하여 수락되면 「일괄입찰 등의 공사계약특수조건」, 「공사계약일반조건」 및 설계도서(입찰안내서를 포함한다)에 따라 위의 입찰금액으로 준공기한 내에 공사를 완성할 것을 확약하며 입찰서를 제출합니다.

붙임 : 1. 기본설계도서 1부.
2. 공종별총괄내역서 1부.
3. 우선시공분 실시설계도서(산출내역서 포함) 1부.

. . .

주 소 :
상 호 :
대 표 자 : (인)

귀하</td></tr>
</table>

※ 붙임 3.은 우선시공분실시설계도서 제출 공사의 경우에 적용함.

[붙임 양식 2]

<table>
<tr><td colspan="4" align="center">입 찰 서(대안입찰용)</td></tr>
<tr><td>공고번호</td><td>제 호</td><td>입찰일자</td><td>. . .</td></tr>
<tr><td>공 사 명</td><td colspan="3"></td></tr>
<tr><td rowspan="3">입찰금액</td><td>원 안</td><td colspan="2"></td></tr>
<tr><td>대 안 공 종</td><td colspan="2"></td></tr>
<tr><td>대 안</td><td colspan="2"></td></tr>
<tr><td>준공기한</td><td></td><td>사업자등록번호</td><td></td></tr>
<tr><td rowspan="2">입
찰
보
증
금</td><td>납 부</td><td colspan="2">· 보증금율 : %
· 보 증 액 : 금 원정(₩)
· 보증금 납부방법</td></tr>
<tr><td>납 부 면 제 및
지 급 확 약</td><td colspan="2">· 사유 :
· 본인은 낙찰 후 계약 미체결시 귀기관에 낙찰금액에 해당하는 소정의 입찰보증금을 현금으로 납부할 것을 확약합니다.</td></tr>
<tr><td colspan="4">본인은 「국가를 당사자로 하는 계약에 관한 법률 시행규칙」에 의한 「일괄입찰 등의 공사입찰특별유의서」,「공사입찰유의서」및 입찰안내서에 따라 응찰하며, 이 입찰이 귀 기관에 의하여 수락되면 「일괄입찰 등의 공사계약특수조건」, 「공사계약일반조건」및 설계도서(입찰안내서를 포함한다)에 따라 위의 입찰금액으로 준공기한 내에 공사를 완성할 것을 확약하며 입찰서를 제출합니다.

붙임 : 1. 원안입찰산출내역서 1부.
2. 대안입찰산출내역서 1부.(대안입찰자에 한하며 대안공종과 대안입찰내역으로 구분)

주 소 :
상 호 :
대 표 자 : (인)

귀하</td></tr>
</table>

※ 입찰금액 작성시 유의사항
1) 원안은 발주기관의 설계에 따라 작성된 물량내역서에 의하여 산출한 도급금액 전체
2) 대안공종은 입찰안내서상에 명시한 대안공종분에 대하여 입찰자가 산출한 금액
3) 대안은 상기 2)항의 대안공종 금액과 대안공종분이 아닌 공사분의 산출내역서에 의해 산출한 도급금액

[붙임 양식 3]

<table>
<tr><td colspan="4">입 찰 서(실시설계 기술제안입찰용)</td></tr>
<tr><td>공고번호</td><td>제 호</td><td>입찰일자</td><td>. . .</td></tr>
<tr><td>공 사 명</td><td colspan="3"></td></tr>
<tr><td>입찰금액</td><td colspan="3"></td></tr>
<tr><td>준공기한</td><td></td><td>사업자등록번호</td><td></td></tr>
<tr><td rowspan="2">입찰보증금</td><td>납 부</td><td colspan="2">· 보증금율 : %
· 보 증 액 : 금 원정(₩)
· 보증금 납부방법</td></tr>
<tr><td>납부면제 및 지급확약</td><td colspan="2">· 사유 :
· 본인은 낙찰 후 계약 미체결시 귀기관에 낙찰금액에 해당하는 소정의 입찰보증금을 현금으로 납부할 것을 확약합니다.</td></tr>
<tr><td colspan="4">본인은 「국가를 당사자로 하는 계약에 관한 법률 시행규칙」에 의한 「일괄입찰 등의 공사입찰특별유의서」, 「공사입찰유의서」 및 입찰안내서에 따라 응찰하며, 이 입찰이 귀 기관에 의하여 수락되면 「일괄입찰 등의 공사계약특수조건」, 「공사계약일반조건」 및 설계도서(입찰안내서를 포함한다)에 따라 위의 입찰금액으로 준공기한 내에 공사를 완성할 것을 확약하며 입찰서를 제출합니다.

붙임 : 1. 기술제안서 1부.
2. 산출내역서 1부.

주 소 :
상 호 :
대 표 자 : (인)

귀하</td></tr>
</table>

※ 입찰금액 작성시 유의사항

1) 입찰금액은 기술제안서상에 제시한 기술제안을 적용하여 입찰자가 산출한 금액

[붙임 양식 4]

입 찰 서(기본설계 기술제안입찰용)

입찰내용	공 고 번 호	제 호	입찰일자	. . .
	공 사 명			
	입 찰 금 액			
	준 공 기 한		사업자등록번호	
입찰보증금	납 부	· 보증금율 : % · 보 증 액 : 금 원정(₩) · 보증금 납부방법		
	납부면제 및 지급확약	· 사유 : · 본인은 낙찰 후 계약 미체결시 귀기관에 낙찰금액에 해당하는 소정의 입찰보증금을 현금으로 납부할 것을 확약합니다.		

본인은 「국가를 당사자로 하는 계약에 관한 법률 시행규칙」에 의한 「일괄입찰 등의 공사입찰특별유의서」, 「공사입찰유의서」및 입찰안내서에 따라 응찰하며, 이 입찰이 귀 기관에 의하여 수락되면 「일괄입찰 등의 공사계약특수조건」, 「공사계약일반조건」및 설계도서(입찰안내서를 포함한다)에 따라 위의 입찰금액으로 준공기한 내에 공사를 완성할 것을 확약하며 입찰서를 제출합니다.

붙임 : 1. 공종별총괄내역서 1부.
2. 우선시공분 실시설계도서(산출내역서 포함) 1부.

. . .

주 소 :
상 호 :
대 표 자 : (인)

귀하

※ 붙임 2.는 우선시공분실시설계도서 제출 공사의 경우에 적용함.

[붙임 양식 5]

산출내역서 집계표

항 목 별	금 액	비 고
1. 공 종 별 합 계	0000원	
(1) 가 설 공 사	000원	
(2) 기 초 공 사	000원	
(3) 토 공 사	000원	
(4) 철 근 콘 크 리 트 공 사	000원	
—	—	
—	—	
—	—	
2. 간 접 노 무 비	0000원	
3. 경 비	0000원	
(1) 산 재 보 험 료	000원	
(2) 산 업 안 전 보 건 관 리 비	000원	
(3) 고 용 보 험 료	000원	
(4) 기 타 경 비	000원	
4. 일 반 관 리 비	0000원	
5. 이 윤	0000원	
6. 공 사 손 해 보 험 료	0000원	
7. 부 가 가 치 세	0000원	
8. 총 계	00000원	

※ 구조물이 2 이상인 경우에는 각 구조물의 공종별(가설공사, 토공사‥)금액을 합산하여 표기하어야 함.

11 일괄입찰 등의 공사계약특수조건

조달청 규제개혁법무담당관-4253, 2012.8.23
조달청 시설총괄과-184, 2014.1.13
조달청 시설총괄과-4928, 2014.8.19
조달청 시설총괄과-7479, 2015.8.31
조달청 시설총괄과-2615, 2016.3.22
조달청 시설총괄과-4058, 2018.5.31
조달청 시설총괄과-4875, 2019.6.13
조달청 시설총괄과-9946, 2019.12.18

제1조(목적) 이 일괄입찰 등의 공사계약특수조건은 일괄입찰, 대안입찰(대안이 채택된 공종에 한한다), 실시설계 기술제안입찰 또는 기본설계 기술제안입찰로 집행하여 계약담당공무원과 계약상대자가 체결하는 공사도급계약의 내용을 규정함을 목적으로 한다.

제2조(정의) ① 이 일괄 등 계약조건에서 사용하는 용어의 정의는 다음과 같으며, 이 일괄입찰 등의 공사 계약특수조건에서 달리 정하는 경우를 제외하고는 계약예규 「공사계약일반조건」(이하 "일반조건"이라 한다) 제2조에 정한 바에 따른다.

1. "발주기관"이라 함은 일괄입찰, 대안입찰, 실시설계 기술제안입찰 또는 기본설계 기술제안입찰 대상공사의 도급계약을 체결하는 기관을 말한다. 다만, 설계도서 심의 및 그 관련 업무와 공사의 착공·감독·하도급관리·대가의 지급·검사·재해 방지조치·인수·하자관리 등 당해 공사를 이행하는 기관이 다른 경우에는 달리 규정하지 아니한 경우 해당기관을 발주기관이라 한다.
2. "계약담당공무원"이라 함은 일괄입찰, 대안입찰, 실시설계 기술제안입찰 또는 기본설계 기술제안입찰 공사를 계약하는 중앙관서의 장(그 위임을 받은 공무원을 포함한다. 이하 같다)을 말한다. 다만, 설계도서 심의 및 그 관련업무와 공사의 착공·감독·하도급관리·대가의 지급·검사·재해 방지조치·인수·하자관리 등 공사현장에서 계약이행과 관련된 사항에 대해서는 달리 규정한 경우를 제외하고는 수요기관의 장(그 위임을 받은 공무원을 포함한다. 이하 같다)을 계약담당공무원으로 본다. 여기서 수요기관이라 함은 「조달사업에 관한 법률」 제2조제5호에서 정한 기관을 말한다.
3. "입찰안내서"라 함은「국가를 당사자로 하는 계약에 관한 법률시행령」(이하 "시행령"이라 한다) 제79조제1항제7호에 규정된 문서로서 "입찰안내서"라는 명칭으로 제공하는 문서

를 말하며, 그 내용에 대한 질의답변 등 계약담당공무원이 추가 또는 변경의 필요성이 있어 통보한 문서를 포함한다.

4. "현장설명서"라 함은 공사 현장상황 및 입찰안내서에 표기하기 어려운 사항 등 입찰참가자에게 설계·입찰가격의 결정 및 계약의 이행에 필요한 정보를 입찰 전에 제공하거나 설명하기 위하여 현장설명시 제공한 문서를 말한다.
5. "산출내역서"라 함은 시행령 제85조제2항 내지 제3항의 규정에 의거 입찰자 또는 계약상대자가 물량과 단가를 기재하여 제출한 내역서를 말한다. 다만, 시행령 제85조제7항에 의거 설계심의 결과 보완을 요구한 경우에는 보완을 완료한 후 제출한 내역서를 말한다.
6. "공사목적물"이라 함은 계약상대자가 계약문서에 따라 계약을 이행하여 발주기관에 인도하는 목적물을 말한다.
7. "공사용지"라 함은 공사목적물이 시공되는 장소 및 계약문서로서 공사의 수행에 부수적으로 필요하다고 명시한 장소로서 발주기관이 계약상대자에게 제공하는 일단의 토지 및 장소를 말한다.
8. "공사현장대리인"이라 함은 계약상대자로부터 계약의 이행과 관련한 권한과 책임을 위임받은 자를 말한다.
9. "목적물별 완공기한"이라 함은 후속공사 시행에 지장이 없도록 하기 위하여 발주기관이 입찰시 지정하였거나 계약문서에 별도로 정한 공사목적물의 부분 또는 공종별 공사완료일을 말한다.
10. "시공도서"란 계약상대자가 공사시공을 위하여 작성하여 제출하는 도면 및 계산서, 시공상세도면, 견본, 사양, 모형, 작업 및 유지보수 지침서 및 기타 기술 자료로서 공사감독관의 승인을 받은 것을 말한다.
11. 이 조건에서 따로 정하는 경우를 제외하고는 시행령,「특정조달을 위한 국가를 당사자로 하는 계약에 관한 법률 시행령 특례규정」(이하 "특례규정"이라 한다),「국가를 당사자로 하는 계약에 관한 법률 시행규칙」(이하 "시행규칙"이라 한다) 및 계약예규「공사입찰유의서」(이하 "유의서"라 한다),「공사계약 일반조건」(이하 "일반조건"이라 한다)에서 정하는 바에 의한다.

제3조(계약문서) ① 계약문서는 계약서, 설계서, 입찰안내서(공사의 기본계획 및 지침을 포함한다), 일괄입찰 등 공사계약특수조건, 일반조건, 산출내역서로 구성된다. 다만, 산출내역서는 계약금액의 조정 및 기성부분에 대한 대가의 지급시에 적용할 기준으로서 계약문서의 효력을 가진다.

② 일반조건 제3조에서 규정하는 계약당사자 간의 통지문서 등은 계약문서로서의 효력을 갖는다.

③ 계약문서는 상호보완의 효력을 갖지만 해석의 우선 순위는 다음 각호의 순서에 의한다.

1. 계약서
2. 입찰안내서

3. 공사시방서 및 설계도면
4. 일괄입찰 등 공사계약특수조건
5. 일반조건

제4조(계약기간) ① 계약기간은 계약담당공무원과 계약상대자가 계약서에 기명날인(서명을 포함한다. 이하 같다)한 날로부터 계약서에 명시된 준공일까지의 기간을 말한다.

② 계약상대자는 제1항의 준공일과 별도로 목적물별 완공기한을 정하여 계약체결한 경우에는 목적물별 완공기한 내에 해당부분의 공사를 완료하여야 한다.

제5조(사용언어) ① 일반조건 제4조제2항의 규정에 따라 외국어를 사용하거나 외국어와 한국어를 병행하여 사용한 경우, 계약의 이행과 관련하여 외국어를 한국어로 또는 한국어를 외국어로 번역·통역하는데 소요되는 비용은 계약상대자가 부담한다. 다만, 발주기관의 필요에 의하여 외국어로 번역·통역하는데 소요되는 비용은 발주기관이 부담한다.

② 제1항에서 규정하는 번역 또는 통역을 함에 있어 착오 또는 오류로 인하여 발생하는 각종 손실·손해 등에 대한 책임은 계약상대자가 부담하며 번역에 소요되는 기간은 공사기간에 포함된 것으로 본다.

③ 계약상대자는 통역 등 외국어와 한국어를 병행 사용함에 따른 공사지연을 이유로 공사기간의 연장을 요청할 수 없다.

제6조(통지 등) ① 계약당사자간의 통지는 서면으로 하여야 한다. 다만, 계약문서에 별도로 정한 경우에는 그에 따른다.

② 통지는 계약상대자 또는 그 위임을 받은 대리인에게 할 수 있으며, 통지 장소는 서면으로 달리 정한 경우를 제외하고는 계약서에 기재된 주소로 한다.

③ 계약담당공무원·공사감독관 및 그 위임을 받은 대리인의 구두 지시를 서면으로 확인할 필요가 있다고 판단되는 경우에는 계약상대자는 그 구두지시가 있은 날로부터 3일 이내에 서면으로 확인요청을 하여야 하며, 계약담당공무원 ·공사감독관 및 그 위임을 받은 대리인은 그 요청을 받은 날부터 3일 이내에 사유 및 내용을 첨부하여 서면으로 통지하여야 한다.

제7조(수입인지 및 국·공채의 매입) ① 계약상대자는 「인지세법」, 「주택도시기금법」, 「도시철도법」 및 당해 지방자치단체의 조례 등에서 규정한 바에 따라 수입인지 및 국·공채를 매입하고 매입필증 등을 계약담당공무원에게 제출하여야 한다.

② 수입인지, 국·공채의 매입과 원금상환 등 제반절차는 매입당시의 관련법령 및 조례 등에서 정한 바에 따른다.

제8조(공사손해보험의 가입) ① 계약상대자는 계약예규 「정부 입찰·계약 집행기준」(이하 “집행기준”이라 한다) 및 일반조건 제10조에서 정하는 바에 따라 공사손해보험 계약목적물의 착공일 이전에 공사손해보험 또는 조립보험(이하 “보험”이라 한다)에 가입하여야 한다.

② 집행기준 제57조에서 정한 손해의 담보에 대한 계약상대자의 자기부담금은 매 건당 각각 1억원 이하로 한다. 다만, 공사의 특성 및 여건에 따라 자기부담금의 최고한도액을 1억원을 초과하지 않는 범위 내에서 조정할 수 있다.

③ 계약상대자는 보험에 가입함에 있어 설계결함으로 인한 사고발생시 계약목적물자체 이외에 정상적으로 시공된 부대 목적물 등에 입은 손해에 대하여도 설계결함담보특별약관에 가입하여야 한다.

④ 보험약관은 특별히 정한 경우를 제외하고는 도심지내의 공사는 영국식 약관, 기타공사는 독일식 보통약관으로 한다.

⑤ 계약상대자는 공사보험 계약일로부터 6개월 이내에 보험회사로부터 위험도조사보고서(Risk Survey Report)를 징구하여 수요기관에 제출하여야 한다. 다만, 공사의 특성 및 여건에 따라 불가피한 경우 발주기관의 장과 협의하여 제출기한을 연장할 수 있다.

⑥ 계약상대자는 보험회사가 제출한 위험도 조사보고서에 따른 적절한 위험방지 조치를 취하여야 하며, 공정율 50%의 시점에서 이미 제출한 위험도조사보고서의 내용을 보완토록 하여 다시 제출하여야 한다.

⑦ 공사계약금액이 증감된 경우 보험가입금액의 증감은 집행기준 제57조제4항에 의하며, 계약상대자는 계약금액 변경 일로부터 14일 이내에 보험계약을 변경하여야 한다.

⑧ 계약상대자는 집행기준 제62조제2호에 따라 계약금액의 변경, 설계변경, 공사중단 등 보험과 관련한 고지 또는 통지의무를 이행하여야 한다.

⑨ 계약상대자는 보험사 선정시 당해 보험사의 재정상태·담보능력 등을 감안하여 건실한 보험사를 선정하여야 하며 부실보험사 선정으로 보상 또는 배상을 받지 못할 경우에는 계약상대자 부담으로 한다.

⑩ 계약상대자는 보험계약서류, 위험도 조사보고서, 보험사고 발생 및 처리현황, 보험계약 종결보고서를 발주기관의 장에게 제출하여야 한다.

⑪ 보험가입 지연으로 발생하는 보험사고의 보상·배상은 계약상대자의 부담으로 하며 보험가입 이전에는 기성대가의 지급을 유보할 수 있다.

⑫ 일반조건 제10조제1항에 규정한 특별한 사유란 발주기관이 보험에 가입한 경우를 말하며, 계약상대자가 보험에 가입하지 아니한 경우 계약담당공무원이 계약상대자를 대신하여 보험에 가입하고 이에 소요되는 비용을 공사대금에서 감액할 수 있다.

⑬ 계약상대자가 보험약관에 부과된 조건을 준수하지 못함으로써 발생하는 모든 손실은 계약상대자가 부담한다.

⑭ 제1항 내지 제13항에서 규정한 사항 이외에 공사손해보험과 관련된 기타 계약조건은 일반조건 제10조 및 집행기준에서 정한 바에 의한다.

제9조(공사용지의 확보) ① 발주기관은 다음 각 호의 사항을 이행하고 공사용지를 확보하여 계약상대자가 공사의 수행에 필요로 하는 날까지 계약상대자에게 인도하여야 한다.

1. 공사용지의 토지 및 건물 보상, 거주자의 이주
2. 공사용지에 있는 지상 또는 지하지장물의 철거·이전. 다만, 계약상대자가 철거·이전하도록 계약문서에 명시되어 있거나 발주기관이 계약상대자로 하여금 철거·이전하도록 한 경우에는 그에 따른다.

② 제1항에서 규정하는 '계약상대자가 공사의 수행에 필요로 하는 날'이란 계약담당공무원이 계약상대자와 협의하여 공사용지 인도의 순서 및 시기를 결정하고 계약상대자에게 공사용지를 인도하기로 한 날을 말한다.

③ 계약상대자는 제2항에서 규정한 공사용지 인도 일정을 준수하여 공정추진계획을 수립하여야 하며, 공사용지 인도기일 이전에 당해 공사에 대한 착공계획을 수립할 수 없다. 계약상대자가 이를 이행하지 않아 발생되는 손해와 계약상대자가 발주기관의 사전승인 없이 공사용지를 변경함으로써 발생한 손해는 계약상대자가 부담한다.

④ 계약상대자의 책임 없는 사유로 공사용지의 인도가 지연되어 공사 수행에 직접적인 영향이 있는 경우 계약상대자는 계약금액의 조정 및 계약기간의 연장을 요청할 수 있다.

제10조(공사현장 대리인) ① 공사현장대리인은 일반조건 제14조제2항에 규정한 사항의 처리와 공사이행을 위하여 선량한 관리자로서의 주의의무를 다하여야 하며, 공사현장에 있지 않게 되는 때에는 다음 각호에 따라 공사감독관에게 통지하여야 한다.

1. 업무시간 중에 부재가 예상될 경우 공사감독관에게 통지하여 사전 승인을 받아야 한다.
2. 2일 이상 부재가 예상될 경우 대리인을 지명하여 공사감독관에게 통지하고 사전 승인을 받아야 한다.

② 공사현장대리인이 제1항에서 규정하는 사항을 이행하지 않음으로써 발생하는 공사의 지연 또는 기타 손실에 대하여는 계약상대자가 책임을 진다.

제11조(공사감독관) ① 계약담당공무원은 공사감독관을 지정 또는 변경한 경우 이를 계약상대자에게 지체없이 통지하여야 한다.

② 공사감독관은 계약상대자로부터 통지 등을 받은 사항 중 계약담당공무원의 승인이 필요하지 않은 사항에 대하여는 계약상대자가 통지내용을 이행하는데 지장이 없도록 신속하게 처리하여야 한다. 공사감독관이 이를 지체하여 공사가 지연된 경우 계약상대자는 공사기간의 연장을 요구할 권리를 갖는다.

③ 공사감독관은 계약담당공무원의 승인없이는 계약상대자의 의무와 책임을 면제시키거나 증감시킬 수 없다

제12조(공사수행계획서 및 세부계획서 제출) ① 계약상대자는 착공신고서 제출시 다음 각호의 내용이 포함된 전체 공사에 대한 공사수행계획서를 제출하여 공사감독관의 승인을 받아야 한다.

1. 일반조건 제17조제1항에서 규정한 서류
2. 연부액 또는 연차별 공사 수행계획
3. 설계도서 관리 계획
4. 공사 수행을 위한 각종 인·허가 이행계획
5. 계약이행에 필요한 조직표
6. 공사용지 확보 계획에 따른 공사 수행계획서

② 계약상대자는 제1항에서 규정한 공사수행계획서를 기본으로 다음 각호의 내용이 포함

된 구간별 또는 공종별 공사수행세부계획서를 당해 공사 착수 30일 전까지 제출하여 공사감독관의 승인을 받아야 한다.

1. 공사공정예정표
2. 안전관리계획
3. 환경관리계획
4. 품질시험계획 또는 품질관리계획
5. 인력 및 장비, 자재 투입계획
6. 교통처리계획
7. 계약도서 검토결과(계약도서간의 불일치 여부, 현장과의 일치여부 등)
8. 시공도서
9. 지장물 처리계획
10. 공사장 주변 건물 조사현황
11. 계약도서의 변경시 설계변경 사유
12. 공사시행 단계별 관리계획
13. 기타 공사에 필요하여 발주기관과 공사감독관이 요구하는 자료

③ 공사감독관은 공사수행계획서(공사수행세부계획서를 포함한다. 이하 같다)의 보완이 필요한 경우 이를 요구할 수 있으며 계약상대자는 이를 보완하여 승인을 받아야 한다.

④ 계약상대자는 공사수행계획서에 대한 공사감독관의 승인을 받지 아니하고는 공사에 착공할 수 없다. 다만, 공사감독관이 공사의 시급성 등을 고려하여 우선 착공하게 한 경우에는 그에 따른다.

⑤ 공사수행계획서 제출의 지체 또는 보완으로 인하여 공사이행이 지체되는 경우에 대한 책임은 계약상대자에게 있다.

제13조(시공도서의 작성) ① 계약상대자는 당해 공정 공사를 착수하기 전에 시공도서를 제출하여 공사감독관의 승인을 받아야 한다.

② 공사감독관이 시공도서가 부적합하다고 인정하여 보완을 요구하거나 추가서류의 제출을 요구한 경우에는 계약상대자의 비용으로 보완하여야 한다.

③ 공사감독관은 계약상대자가 제출한 시공도서의 결함을 발견한 경우 공사 전·후 또는 준공여부와 관계없이 언제라도 보완을 요구할 수 있으며 계약상대자는 이에 응하여야 한다.

제14조(품질관리 및 관리자 배치 등) ① 계약상대자는 공사 품질을 확보할 수 있도록 건설기술진흥법령에 따른 품질관리계획 또는 품질시험계획을 수립하고 이를 성실히 이행하여야 한다.

② 계약상대자는 계약된 공사에 적합한 품질관리자(「건설기술진흥법」 등 관계법령에 의하여 품질관리원으로 인정하고 있는 자를 말한다. 이하 같다)를 지명하여 계약담당공무원에게 통지하여야 한다.

③ 품질관리자는 공사현장에 상주하면서 현장대리인을 보좌하여 공사감독관의 지시에 따

라 품질관리계획 또는 품질시험계획에 따라 품질관리업무를 처리하여야 한다.

④ 계약상대자는 제12조제2항에 따라 승인받은 품질시험계획 또는 품질관리계획을 현장에 비치하고, 이 계획에 따른 이행실적을 기록 유지하여야 하며, 계약담당공무원이 계획 및 이행실적의 제출을 요구할 때에는 그에 따라야 한다.

⑤ 발주기관은 계약상대자가 시행하는 공사에 대하여 제1항에 따라 수립한 계획에 따라 품질관리를 적정하게 실시하는지의 여부를 확인하고 그 결과에 따라 필요한 조치를 할 수 있으며, 계약상대자는 확인에 적극 협조하여야 한다.

제15조(안전관리 및 재해예방) ① 계약상대자는 공사안전 관련법규 및 발주기관의 안전관리지침 등에 따라 안전관리에 철저를 기하여야 하며, 공사수행 중 발생하는 화재·도난·유실·손상과 계약상대자 및 하도급자의 종업원 또는 고용원의 안전에 대한 책임을 진다.

② 계약상대자는 공사의 안전관리를 위하여 「건설기술진흥법 시행령」 제98조의 규정에 따라 안전관리조직, 안전관리대책, 안전점검계획 등이 포함된 안전관리계획을 수립하여 계약담당공무원의 승인을 받아야 한다.

③ 계약상대자는 안전관리와 재해예방을 위하여 「건설기술진흥법 시행령」 제100조의 규정에 따라 정기안전점검을 받아야 하며, 점검결과에 따라 안전관리계획에 의한 필요한 조치를 하여야 한다.

제16조(산업안전보건관리비 등의 목적 외 사용금지 및 기술지도계약) ① 계약상대자가 계약금액에 포함된 산업안전보건관리비, 품질관리비, 환경보전비 및 건설근로자퇴직공제부금 등(이하 "산업안전보건관리비 등"이라 한다)을 산업안전보건법령, 건설기술진흥법령, 건설산업기본법령 등에서 정한 목적에 사용하지 아니하거나 다른 목적에 사용한 경우에는 그 금액을 감액조치 한다.

② 계약상대자는 제1항에서 규정한 산업안전보건관리비 등을 목적 외에 사용하지 않았음을 이유로 안전관리, 품질관리 및 환경관리를 소홀히 하여서는 아니 된다.

③ 계약상대자는 「산업안전보건법 시행규칙」 제32조제3항에 규정된 "노동부령이 정하는 자"에 해당하는 규모의 건설공사는 기술지도계약을 공사착공 후 14일 이내에 체결하고 기술지도계약서를 수요기관의 장에게 제출하여야 한다. 다만, 동 조항 단서 각호의 1에 해당하는 공사인 경우에는 그러하지 아니하다.

④ 계약상대자가 「산업안전보건법령」 등에 의하여 제3항에 규정한 기술지도계약대상공사에 대하여 기술지도계약을 체결하지 아니한 경우에는 「산업안전보건법」 제30조제1항의 규정에 의하여 계상한 산업안전보건관리비의 20%에 해당하는 금액을 감액하며, 기술지도계약 체결을 지연하여 수수료가 조정된 경우에는 조정된 금액만큼 감액한다.

제17조(환경오염 방지 등) ① 계약상대자는 대기오염, 수질오염, 소음, 진동, 악취 등으로 인한 환경피해 및 인근주민이나 통행인에게 불편이 없도록 다음 각호의 법령 및 설계서에 의거 발생 오염물질의 종류와 예상량, 처리방법, 처리 시행자 등이 포함된 환경오염방지계획을 수립하여 이행하여야 한다.

1. 「대기환경보전법」
2. 「수질 및 수생태계 보전에 관한 법률」
3. 「소음·진동규제법」
4. 「폐기물관리법」
5. 「하수도법」 등

② 계약담당공무원은 오염방지시설 및 대책 등 환경오염 방지를 위한 조치가 적절하지 못하다고 판단되는 경우 해당자재 및 공법의 사용을 제한하거나 대체방법을 요구할 수 있다.

③ 계약상대자는 환경오염방지계획서를 현장에 비치하고 오염방지 이행실적을 기록 유지하여야 하며, 계약담당공무원이 환경오염방지계획 및 이행실적의 제출을 요구하는 경우 이에 따라야 한다.

④ 제1항 내지 제3항에 규정한 바에 따라 환경오염방지에 소요되는 제반절차 및 그 이행과 제3자에 대한 피해 및 민원해결에 대한 책임은 계약상대자에게 있고 그 비용은 계약상대자가 부담한다. 다만, 관련법령 및 설계서의 규정을 준수하여 공사를 이행한 경우에는 그러하지 아니한다.

제18조(인접공사 또는 관련공사 계약자와의 협조) ① 계약상대자는 계약담당공무원의 요구가 있을 경우 공사현장내 또는 인접 공사현장(이하 "인접공사"라 한다)에서 다음 각호의 자가 그 공사이행에 필요한 적절한 편의를 제공하여야 한다.

1. 발주기관과 계약된 다른 계약자 및 그들의 고용인
2. 인접 공사현장의 시공자

② 이 계약을 이행함에 있어 공사의 전체 또는 일부분이 인접공사 계약자에 의한 공사의 적절한 시행 또는 그 결과에 의존할 때에는, 계약상대자는 이 계약의 이행에 지장을 초래하는 인접공사 계약자의 명백한 위반 사항 또는 시공상 결함을 조사하여 즉시 서면으로 공사감독관에게 통보하여야 한다. 계약상대자가 이를 통보하지 아니한 경우, 계약상대자는 인접공사 계약자에 의한 상기 작업이 이 공사를 진행하는데 적합함을 인정하는 것으로 본다.

제19조(휴일 및 야간작업) ① 일반조건 제18조제2항의 규정에 따라 휴일 및 야간 작업이 이루어지는 경우에도 공사감독관의 감독 하에 공사를 시행하여야 한다.

② 휴일 및 야간 작업으로 발생하는 발주기관 또는 공사감독관의 추가비용은 계약상대자의 부담으로 한다. 다만, 발주기관의 책임있는 사유로 인한 경우에는 그러하지 아니한다.

③ 계약담당공무원은 제2항의 규정에 따라 계약상대자가 부담할 금액을 기성 또는 준공금액에서 감액할 수 있다.

제20조(설계서에 대한 책임) ① 계약상대자는 설계서에 오류·누락 및 불일치 등의 하자가 있거나, 공사의 기본계획·입찰안내서의 내용 또는 기본설계 내용에 비추어 미비하거나 그 내용이 분명하지 아니하여 보완을 요구받은 경우 이를 이행하여야 한다.

② 계약상대자는 설계의 잘못으로 인하여 발주기관 또는 제3자 등이 입은 손해에 대하여 배상책임을 진다.

③ 계약상대자가 계약체결 이전에 제출한 설계서에 대하여 설계심의 결과 적격판정을 받은 경우에도 계약상대자의 설계서에 대한 책임이 면제되지는 아니한다.

④ 계약상대자가 시공도서에 대하여 공사감독관의 승인을 받은 경우에도 제1항에서 규정하는 설계서 하자 등이 발견된 경우에는 설계서에 대한 책임이 면제되지 아니한다.

⑤ 제1항 내지 제2항에서 규정한 설계서의 보완 및 그에 따른 비용과 손해배상책임은 계약상대자가 부담한다. 다만, 설계서의 하자나 미비 사항 등이 다음 각호의 1의 사유로 인한 경우에는 그러하지 아니한다.

1. 발주기관이 제시한 공사의 기본계획·입찰안내서의 내용에 모순이나 상이 등이 있는 경우
2. 발주기관이 측량 또는 지질·지반조사 등을 실시하여 해당자료를 제공하고 그 자료를 기준으로 설계를 하도록 한 공사에서 그 제공받은 자료에 모순이나 상이 등이 있는 경우

⑥ 계약상대자는 설계 전에 공사의 기본계획·입찰안내서의 내용과 발주기관으로부터 제공받은 자료를 면밀히 검토하여야 하며, 이를 소홀히 하여 설계서에 하자나 미비 등이 발생한 경우에는 제5항 단서의 규정에도 불구하고 계약상대자가 책임을 진다.

제21조(설계서의 수정·보완) ① 계약상대자는 계약담당공무원으로부터 공사의 수정·보완을 요구받은 경우에는 이에 따라 실시설계서를 수정·보완하여야 하며, 수정·보완한 설계서 및 지적사항에 대한 조치결과를 해당공사의 착공 이전까지 제출하여야 한다.

② 계약상대자는 부득이한 사유로 해당공사 착공일까지 제1항에서 규정한 수정 ·보완을 완료하지 못한 때에는 기간을 정하여 계약담당공무원의 승인을 받아야 한다.

③ 계약상대자는 제1항에 따라 수정·보완한 내용이 공사현장의 제반조건과 일치하는지 여부 등 공사시공과 관련된 사항에 대하여 검토한 후 그 결과를 계약담당공무원에게 통보하여야 하며, 계약담당공무원의 요구에 따라 필요한 조치를 하여야 한다.

제22조(설계변경 등) ① 설계변경을 하는 경우에도 일반조건 제21조제5항에 규정된 사유로 인한 경우와 다음 각호의 1의 사유로 인한 경우를 제외하고는 계약금액을 증액할 수 없다.

1. 제20조제5항 각호의 1의 사유로 인한 경우. 다만, 동조제6항에 해당하는 경우는 제외한다.
2. 발주기관이 기본설계 및 실시설계 심의시 공사의 기본계획·입찰안내서의 내용 또는 입찰자가 기본 설계입찰시 제시한 사항 이외에 대하여 시공을 요구하고, 계약체결 후 계약금액을 조정하겠다는 의사를 서면으로 합의한 경우

② 일반조건 제21조제5항 각호는 다음과 같이 적용한다.

1. “발주기관 또는 공사 관련기관이 교부한 지하매설 지장물도면과 현장 상태가 상이하거나 계약이후 신규로 매설된 지장물에 의한 경우”란 다음과 같다.
   가. 입찰 전 발주기관 또는 공사 관련기관이 제공한 지장물 도면과 계약상대자가 설계(기본 설계 및 실시설계를 포함한다)전에 현장조사를 통하여 작성한 지장물도면 모두에 표시되지 않았고, 예측할 수 없었던 지하매설물이 시공중 발견된 경우. 다만, 지하매설물을 계약상대자 책임하에 조사하도록 한 경우는 제외한다.
   나. 계약체결 이후 계약상대자가 발주기관에 사전보고 없이 신규로 매설한 지하매설물의

경우는 제외

2. "토지·건물소유주의 반대, 지장물의 존치, 관련기관의 인·허가 불허 등으로 지질조사가 불가능했던 부분의 경우"란 다음 각호를 충족한 경우에 한한다.
   가. 입찰자가 토지·건물소유주 및 인·허가기관 등 관련자와 최소 1회 이상 문서로 협의하여 발주기관이 인정한 경우
   나. 조사가 불가능하였던 부분에 대하여 그 내용을 관련 증빙자료를 첨부하여 입찰시 설계서와 함께 제출한 경우

제23조(대안입찰 설계변경 등) 대안입찰로 집행하여 계약체결한 공사로서 원안입찰에 의한 계약은 일반조건 제19조, 제19조의2, 제19조의3, 제19조의4, 제19조의6, 제19조의7, 제20조, 제23조를 적용한다.

제24조(설계변경 절차) ① 이 계약의 이행에 필요한 설계변경은 계약담당공무원의 승인 및 통지에 의하여야 한다.

② 계약상대자는 설계변경과 관련하여 계약담당공무원의 승인이 필요한 사안이 발생한 때에는, 사안이 발생한 날 또는 그 사안의 발생을 안 날로부터 14일 이내에 공사감독관과 계약담당공무원에게 동시에 통지하여야 한다. 다만, 천재지변 등 불가피한 사유로 14일이내에 통지할 수 없는 경우에는 당해 사유가 소멸된 날로부터 14일 이내에 통지하여야 한다.

③ 계약담당공무원은 제2항에서 규정하는 통지를 접수한 날로부터 21일 이내에 설계변경 등의 승인여부를 계약상대자에게 통지하여야 한다. 다만, 해당 기일 내에 승인여부를 결정하기가 곤란하다고 판단되는 경우 14일을 초과하지 않는 범위 내에서 통지기한을 연장할 수 있다. 이때 계약담당공무원은 연장하는 사유와 기한을 계약상대자에게 통지하여야 한다

④ 제3항에 의한 계약상대자의 계약금액조정 청구는 공사계약일반조건 제40조의 규정에 의한 준공대가(장기계속계약의 경우에는 각 차수별 준공대가) 수령 전까지 하여야 조정금액을 지급받을 수 있다. <개정 2014.8.19>

⑤ 계약상대자는 제3항에서 규정하는 계약담당공무원의 설계변경 승인 통지 이전에 시행한 공사에 대해서는 설계변경이 된 이후라도 계약금액의 조정 및 계약기간의 연장을 요구할 수 없다.

⑥ 계약담당공무원은 제5항에 규정한 바와 같이 계약상대자가 사전승인을 받지 않고 시공한 경우 계약상대자의 부담으로 원상 복구할 것을 요구할 수 있으며 계약상대자는 지체없이 이에 따라야 한다. 다만, 계약상대자가 원상복구 요구에 따르지 않을 경우 계약담당공무원은 원상 복구를 제3자에게 대행하도록 할 수 있으며 이에 소요된 비용은 대가지급시 공제할 수 있다.

제25조(발주기관의 필요에 의한 설계변경) 계약담당공무원이 일반조건 제21조제5항제1호 또는 일반조건 제19조의5의 규정에 의거 설계변경을 요구한 경우에는 계약상대자는 14일 이내에 설계변경의 이행가능 여부를 공사감독관과 계약담당공무원에게 동시에 통지하여야 한다. 이 경우 계약담당공무원은 계약상대자가 준비서류 작성 등을 위하여 기간 연장을 요청

하는 때에는 이를 승인할 수 있다.

제26조(설계변경으로 인한 계약금액의 조정) 설계변경으로 삭제 또는 변경되었던 공종 또는 품목 등을 다시 당초 설계대로 변경하는 경우에는 당초 감액조정한 단가를 적용한다. 다만, 추가되는 수량에 대하여는 일반조건 제21조제4항제2호를 적용한다.

제26조의2(실시설계 기술제안입찰 등의 기술제안 인정범위) 「기술제안입찰 등에 의한 낙찰자결정 세부기준」 제5조제3호에 따라 입찰자가 제출하는 산출내역서는 기술제안이 채택된 부분에 한하여 기술제안한 것으로 본다. <개정 2014.8.19>

제27조(기타 계약내용의 변경으로 인한 계약금액 조정 절차) ① 계약상대자는 일반조건 제23조에 규정된 계약내용의 변경으로 계약금액을 조정 받고자 하는 경우, 해당 계약내용 변경일로부터 30일 이내에 증빙서류를 첨부하여 공사감독관을 경유 계약담당공무원에게 계약금액의 조정을 요청하여야 한다. 다만, 천재지변 등 불가피한 사유로 기한내에 신청할 수 없는 경우에는 당해 사유가 소멸된 날로부터 14일 이내에 신청하여야 한다.

② 일반조건 제23조에 규정된 사유로 계약내용을 변경하고자 하는 경우 제24조제1항 내지 제3항을 준용한다.

제28조(물가변동으로 인한 계약금액의 조정) 물가변동으로 인한 계약금액의 조정은 일반조건 제22조에 정한 바에 의한다.

제29조(검사) ① 계약담당공무원이 관련법령에 따라 검사를 실시하여 시설물의 재해 및 재난예방과 안전성 확보 등을 위하여 정밀안전진단이 필요하다고 판단한 경우 정밀안전진단의 시행을 「시설물의 안전관리에 관한 특별법령」에서 규정하는 전문기관에 의뢰할 수 있다.

② 계약담당공무원은 제1항의 규정에 따라 정밀진단을 실시하는 경우 그 사유를 계약상대자에게 통보하여야 한다.

③ 계약담당공무원은 정밀안전진단 결과 안전상 문제가 있다고 판명된 경우 즉시 계약상대자에게 시정조치를 취하도록 하여야 한다. 이때 그러한 안전상 문제가 계약상대자의 귀책사유로 인한 경우에는 안전진단에 소요된 비용 및 보수비용을 계약상대자가 부담하여야 한다.

④ 제1항에서 규정하는 정밀안전진단 결과 안전상 문제가 계약상대자의 귀책사유로 판명된 사항을 계약상대자가 시정하지 않을 경우 계약담당공무원은 제3자로 하여금 대행하도록 할 수 있으며, 이에 소요되는 비용은 계약상대자가 부담한다.

⑤ 계약담당공무원은 준공검사결과 공사목적물의 사용에 지장이 없을 정도의 경미한 사항에 대하여는 계약상대자가 검사완료 통지를 접수한 후에 시정하도록 조치할 수 있다. 다만, 계약담당공무원은 검사완료 통지를 하기 전에 계약상대자로 하여금 시정계획을 서면으로 제출하도록 하여야 한다.

⑥ 계약상대자는 「시설물의 안전관리에 관한 특별법령」에 의거 설계서 등 관련서류를 준공검사요청서 제출시 첨부하여야 하며, 관련서류의 준비에 소요되는 비용은 계약금액에 포함된 것으로 본다.

⑦ 계약상대자는 건설기술진흥법령의 규정에 따라 준공 1개월 전까지 예비준공검사를 받

아야 하며, 예비준공검사에서 지적된 사항은 일반조건 제27조에서 규정하는 준공검사를 받기 전에 시정하여야 한다.

제30조(공사폐기물의 처리) ① 계약상대자는 설계 및 입찰시 예측이 불가능하였던 폐기물을 발견한 때에는 3일 이내에 공사감독관을 경유하여 계약담당공무원에게 통지하여야 한다.

② 계약상대자는 발주기관으로부터 폐기물관리법령의 규정에 따라 폐기물을 처리하기 위하여 폐기물 반출 및 이동통로의 제공을 요청받는 경우 이에 응하여야 한다. 다만, 폐기물처리를 포함하여 계약한 경우에는 폐기물관리법령의 규정에 따라 폐기물을 처리하여야 한다.

③ 제1항에서 규정하는 폐기물을 계약상대자가 처리하는 경우 그에 소요되는 비용은 발주기관이 부담하며, 계약상대자는 그 처리에 소요되는 기간에 대하여 계약기간의 연장을 요구할 수 있다.

④ 계약담당공무원은 계약상대자가 제1항의 통지를 불이행하고 임의로 공사를 수행한 경우 원상복구를 지시할 수 있으며 계약상대자는 이에 응하여야 한다.

⑤ 제2항 단서에 해당하는 경우로서 계약상대자가 폐기물관리법령에 위반하여 폐기물을 처리한 경우, 공사감독관은 폐기물처리업체에게 당해 업무를 대행시킬 수 있으며 이에 소요되는 비용을 계약상대자의 계약금액에서 감액할 수 있다.

⑥ 계약상대자는 제2항 단서에 해당하는 경우로서 폐기물처리를 폐기물처리 업체에게 위탁하여 처리하는 경우에도 성실한 감독자로서의 책임을 다하여야 한다.

제31조(피해보상 및 복구) ① 계약상대자는 공사 중 민원을 방지하기 위하여 노력하여야 하며 공사 진행과정에서 발생한 제3자에 대한 대인·대물 피해에 대하여 책임을 진다. 다만, 발주기관의 귀책사유로 인한 경우에는 그러하지 아니하다.

② 계약상대자는 공사완료 이후라도 공사로 인한 주변침하, 균열발생 등 의 피해에 대하여 일반조건 제33조에 규정된 하자보수보증기간 동안은 그 보상 및 복구 책임을 진다. 다만, 발주기관의 귀책사유로 인한 경우에는 그러하지 아니하다.

제32조(공사현장 인계에 따른 책임한계) 계약상대자는 착공일로부터 일반조건 제28조제1항에 의한 현장인수증명서 발급시까지 공사현장에서 발생하는 사고책임 등 현장관리와 관련한 책임을 진다.

제33조(불가항력) ① 계약상대자는 일반조건 제32조제1항에서 규정하는 불가항력 사태의 발생을 대비하여 적절한 예방조치를 취하여야 하며, 불가항력의 사태가 발생한 경우에도 피해를 최소화하기 위하여 선량한 관리자로서의 의무를 다 하여야 한다.

② 계약상대자가 다음 각호에 해당하는 사항을 고의 또는 중대한 과실로 이행하지 않은 경우에는 불가항력으로 인정하지 아니한다.

1. 계약상대자가 통제 가능한 경우
2. 계약상대자가 미리 예측하여 적절히 대비할 수 있는 경우
3. 계약상대자가 사태발생 후 적절히 대피하거나 극복할 수 있는 경우
4. 기타 계약상대자의 귀책사유에 기인한 경우

③ 제1항 내지 제2항을 적용함에 있어 적절한 예방조치 또는 미리 예측하여 적절히 대피할 수 있는 경우 등이란 공사현장에 10년 주기의 강우·홍수 및 범람에 대비한 예방조치를 말한다.

④ 계약담당공무원이 계약상대자로 하여금 태풍·홍수 및 기타 악천후 등에 대비한 손해보험에 가입하도록 한 경우, 보험에 의하여 보전되는 금액 이내의 손해는 발주기관이 부담하지 아니한다.

제34조(하자검사 및 하자보수) ① 일반조건 제35조의 규정에 부가하여 계약담당공무원(「시설물의 안전관리에 관한 특별법령」에 의한 관리주체를 포함한다. 이하 제2항 및 제3항에서 같다)은 「국가를 당사자로 하는 계약에 관한 법령」에 의한 하자검사가 전문적인 지식 또는 기술을 필요로 할 경우에는 전문기관에 의뢰하여 필요한 검사를 할 수 있다.

② 계약담당공무원은 「시설물의 안전관리에 관한 특별법령」의 규정에 의하여 하자담보책임기간 만료일전 6개월 이내에 정밀안전진단을 실시하고, 정밀안전진단결과 안전에 지장이 없다고 판정된 때에 한하여 최종검사를 시행하여 이상이 없을 경우 하자보수완료 확인서를 계약상대자에게 발급한다.

③ 계약담당공무원은 제2항에서 규정하는 정밀안전진단을 실시한 때에는 하자담보책임기간이 만료되기 전에 그 결과를 계약상대자에게 통지하여야 한다.

④ 제2항의 규정에 의하여 정밀안전진단결과 구조상 주요부분에 시공상의 잘못으로 인하여 중대한 하자가 발견된 때에는 관계법령 및 일반조건의 규정에도 불구하고 중대한 하자에 대한 시정이 완료될 때까지 하자담보책임기간이 연장되며, 하자 보수 공사를 실시할 경우 하자담보책임기간 중 공사감독에 소요되는 비용은 계약상대자가 부담한다.

⑤ 하자담보책임기간 내에 계약상대자의 귀책사유로 인하여 정밀안전진단을 실시해야 하는 경우 이에 소요되는 비용은 계약상대자가 부담한다.

⑥ 계약상대자는 일반조건 제33조에 의한 하자보수통지가 불합리하다고 인정하는 경우 계약상대자의 원인에 의한 결함이 아니라는 증빙자료(시험 등의 결과)를 첨부하여 계약담당공무원 또는 시설물관리주체에 이의를 제기할 수 있다.

⑦ 계약담당공무원은 하자내용이 중대하여 장기간 방치할 수 없을 경우 우선 응급보수를 지시할 수 있으며 계약상대자는 이에 따라야 한다. 이 경우 당해 하자가 계약상대자의 책임이 아닌 것으로 인정되면 하자보수에 소요되는 비용은 발주기관이 부담한다.

제35조(하자보수 책임승계 등) 다른 계약상대자가 이행한 공사를 계속하여 시공하는 계약상대자는 그 자신의 귀책사유로 인하여 하자가 발생하지 아니하였다는 것을 증명하지 못하는 한, 전 계약상대자에 의하여 이행된 부분에 대하여도 보수의 책임을 진다. 다만, 하자책임 구분이 분명한 경우는 그러하지 아니하다.

제36조(하자담보) ① 일반조건 제33조에서 정한 하자담보책임기간은 준공검사를 완료한 날로부터 계약서에 정한 바에 따른다. 다만, 공종별 하자담보책임기간은 시행규칙 제70조에서 정한 바에 따르며, 장기계속공사에 있어서 하자담보책임기간은 시행령 제60조제2항에 정한 바에 따른다.

② 일반조건 제34조에서 정한 하자보수보증금은 계약서에 정한 바에 따른다. 다만, 공종별 하자보수보증금율은 시행규칙 제72조에서 정한 바에 따라 장기계속공사에 있어서 하자보수보증금은 시행령 제62조제3항에 의하여 납부하여야 한다.

제37조(발굴물의 처리) ① 일반조건 제38조의 규정에 따라 조치하는 경우 계약상대자는 발굴물의 처리기간 동안 공사의 수행이 불가능한 경우 또는 작업이 수행되는 경우라도 작업효율이 저하되는 경우 이로 인한 계약기간의 연장 및 계약금액의 조정을 요청할 수 있다.

② 계약담당공무원은 제1항의 규정에 의하여 계약상대자로부터 발굴물 처리로 인한 계약금액의 조정 또는 계약기간의 연장을 요청 받은 경우 제27조의 규정을 준용하여 처리한다.

제38조(대가의 지급 등) ① 다른 규정이 없는 한 선금의 지급은 계약예규 선금지급요령에 의한다.

② 기성대가의 지급은 일반조건 제39조에 의한다.

③ 계약금액조정전의 기성대가의 지급은 일반조건 제39조의 2에 의한다.

④ 준공대가의 지급은 일반조건 제40조에 의한다.

⑤ 지급통화는 대한민국 원화로 한다.

제38조의2(하도급의 승인 등) ① 계약상대자가 계약된 공사의 일부를 제3자에게 하도급 하고자 할 때에는 건설산업기본법 등 관련법령에 정한 바에 의하여야 한다.

② 계약상대자는 제1항의 규정에 의하여 하도급한 경우에도 이 계약상의 책임과 의무가 면제되지는 아니하며, 공사 시공과 관련하여 하수급인·하수급인의 대리인·근로자의 행위에 대하여 책임을 져야 한다.

제38조의3(하도급대가의 직접지급) ① 계약상대자가 하도급대가지급 2회 이상 지체, 하도급부분에 대한 계약갱신미반영, 하도급불신고로 인하여 계약담당공무원으로부터 지적받은 공사의 하도급대금의 지급은 계약상대자가 계약담당공무원에게 의뢰한 것으로 보아 계약담당공무원이 하수급인에게 직접 지급한다.

② 제1항의 경우 계약상대자에 대한 대금지급 채무는 하수급인에게 지급한 한도 안에서 소멸한 것으로 본다.

제38조의4(하도급관리시스템의 이용) ① 계약상대자는 입찰참가시 하도급계약을 나라장터하도급관리시스템(이하 '하도급지킴이'이라한다)을 이용하기로 확약한 경우에는 착공계 제출 시 수요기관에 '하도급지킴이 이용확약서'를 제출하여야 한다.

② 제1항에 따라 하도급관리를 '하도급지킴이'를 통하여 처리하기로 확약한 경우 계약상대자는 '하도급지킴이'를 통하여 하도급 계약을 체결하여야 하고, 하도급대금, 노무비, 장비·자재대금 지급 등을 '하도급지킴이'를 통하여 전자적으로 처리 하여야 한다.

③ 하도급 대금 등의 지급방법(인출제한, 지급확인)에 대해서는 계약담당공무원과 협의한 방법에 따른다. 단, 하도급대금, 노무비, 장비·자재대금 등의 지급방법은 반드시 인출제한으로 한다.

④ 계약담당공무원은 '하도급지킴이이용확약서'를 제출한 계약상대자가 확약서의 내용대로 이행하는지를 수시로 확인하여야 하고, 미 이행시 시정조치를 하여야 한다.

제39조(노임지급) 계약담당공무원이 원활한 계약이행을 위하여 필요하다고 인정하는 경우에는 공사현장에 종사하는 근로자의 노임지급과 관련하여 필요한 지시를 할 수 있으며, 계약상대자가 이를 이행하지 아니할 경우 당해 공사대금에서 노임을 공제하여 근로자에게 직접 지불할 수 있다. 다만, 현장근로자의 노임을 계약담당공무원이 직접 지불해서는 아니되는 정당한 사유가 있음을 계약상대자가 증명하는 경우에는 그러하지 아니한다.

제40조(대가지급지연에 대한 이자) 대가지급 지연이자에 대해서는 일반조건 제41조에 의거 지연 발생시점의 금융기관 대출평균금리(한국은행 통계 월보 상의 금융기관 대출평균금리를 말한다)를 적용한다. 단, 계산결과 소수점이하의 숫자가 있는 경우 소수점 둘째 자리에서 반올림한다.

제41조(관련 법령등의 준수) ① 계약상대자는 당해 공사의 이행과 관련된 각종 법령·조례·규칙 또는 공공기관에 의하여 요구되는 사항(이하 "법령 등" 이라 한다)을 준수하여야 하며, 계약내용과 법령 등 이 상호 일치하지 않거나 모순되어 해석상 의문이 있는 경우 지체없이 계약담당공무원에게 이를 서면으로 확인하여야 한다.

② 법령 등은 별도의 약정이 없는 한 입찰일 당시 대한민국에서 적용되는 법령 등에 의한다.

③ 계약상대자는 본인, 그 고용인 및 하수급인이 법령 등을 위반하여 발생된 피해 및 민원 등에 대하여 책임을 진다. 이때, 법령 등의 위반으로 계약상대자가 처벌을 받은 경우라도 계약상 의무가 면제되거나 완화되지는 아니한다.

제42조(계약상대자의 책임있는 사유로 인한 계약의 해제 또는 해지) <삭제>

제42조의2(불공정행위 금지 등) ① 입찰자 또는 계약상대자는 입찰·낙찰, 계약체결 또는 계약이행 등의 과정에서 입찰 및 계약의 공정한 질서를 저해하는 다음 각 호의 어느 하나에 해당하는 행위를 하여서는 아니 된다.

1. 금품·향응 등의 공여·약속 또는 공여의 의사를 표시하는 행위
2. 입찰가격의 사전 협의 또는 특정인의 낙찰을 위한 담합 등 공정한 경쟁을 방해하는 행위
3. 공정한 직무수행을 방해하는 알선·청탁을 통하여 입찰 또는 계약과 관련된 특정 정보의 제공을 요구하는 행위
4. 하수급인 또는 자재·장비업자의 계약상 이익을 부당하게 제한하는 행위
5. 그 밖에 입찰 및 계약 등 과정에서 공정한 경쟁을 저해하는 행위

② 입찰자 또는 계약상대자는 제1항 각 호에 따른 행위가 「국가를 당사자로 하는 계약에 관한 법률」 제5조의3 등 관계 법령에 위반되는 경우 해당 입찰·낙찰이 취소되거나 계약이 해지·해제될 수 있고, 입찰참가자격 제한 대상에 해당되는 경우 「국가를 당사자로 하는 계약에 관한 법률」 제27조 등 관계 법령에 따라 부정당업자로 입찰참가자격 제한처분을 받을 수 있다.

③ 계약담당공무원은 제1항 각 호의 위반행위를 확인하기 위하여 입찰자 또는 계약상대자에게 관련 자료제출을 요청할 수 있으며, 입찰자 또는 계약상대자는 특별한 사정이 없는 한 적극 협조하여야 한다.

④ 입찰자 또는 계약상대자는 계약담당공무원이 제1항제2호 위반행위의 확인을 위하여 제3항에 따른 자료제출을 요청함에도 불구하고 협조를 하지 않는 경우 “부당한 공동행위 고발요청 기준”에 따라 불이익을 받을 수 있다.

제43조(부도 등으로 인한 보증시공 청구) ① 일반조건 제44조제1항 각호의 사유로 인하여 계약을 해지·해제할 수 있는 경우에는 공사이행보증회사에게 보증시공을 청구하거나 공동수급체 구성원에게 잔여공사를 완성하게 할 수 있다.

② 계약상대자의 파산, 해산, 부도, 법정관리, 워크아웃(기업구조조정촉진법에 따라 채권단이 구조조정대상으로 결정하여 구조조정중인 업체), 중토탈퇴(이하 “부도 등”이라 한다)로 인하여 준공기한까지 공사를 완성할 가능성이 없다고 인정될 경우에는 계약상대자의 동의여부에 불구하고 제1항에 규정하는 조치를 할 수 있다. <개정 2014.1.13>

③ 공동수급체 구성원 중 부도 등이 발생한 자에 대하여는 부도 등의 발생일로부터 1개월 이내에 당해 구성원의 잔여 출자비율을 임의조정 하거나 공사이행보증회사에 보증시공을 청구 할 수 있으며, 정당한 이유 없이 당초 협정서의 내용대로 공사를 이행하지 않는 경우 발주기관의 장 및 잔여구성원 전원의 탈퇴요청이 있으면 당해 구성원의 동의여부에 불구하고 탈퇴조치하고 제1항에 정한 조치를 할 수 있다.

④ 공동수급체 구성원중 부도 등으로 출자비율을 변경하여 잔여공사지분이 없는 구성원이 있는 경우에는 대가지급신청·계약내용변경 및 장기계속공사의 다음 차수 계약 등은 잔여공사지분이 있는 구성원만의 서명 날인에 의할 수 있다.

제44조(분쟁의 해결) ① 일반조건 제51조제1항에서 규정하는 협의는 문서로 하여야 한다.

② 계약상대자는 당해 계약의 이행과 관련하여 분쟁의 사유가 되는 사안이 발생한 날 또는 지시나 통지를 접수한 날로부터 30일 이내에 공사감독관을 경유하여 계약담당공무원에게 협의를 요청하여야 한다.

③ 계약담당공무원은 제2항에서 규정하는 협의요청을 받은 날로부터 60일 이내에 계약상대자의 요구사항에 대한 수용 여부를 결정하여 계약상대자에게 통지하여야 한다. 다만, 부득이한 사유가 있는 경우 30일의 범위 내에서 결정기한을 연장할 수 있으며 연장하는 사유와 기한을 계약상대자에게 통지하여야 한다.

④ 계약상대자는 제3항에서 규정하는 통지를 받은 날로부터 30일 이내에 통지내용에 대한 수용여부를 계약담당공무원에게 통보하여야 하며, 이 기간 내에 통보하지 않은 경우에는 이를 거절한 것으로 본다.

⑤ 일반조건 제51조제2항에서 규정하는 중재법에 의한 중재로써 분쟁을 해결하고자 하는 경우에는 사전에 계약당사자간에 중재로서 분쟁을 해결한다는 별도의 서면합의가 있어야 한다.

제45조(시공평가) 발주기관은 계약상대자가 시행한 공사에 대하여 「건설기술진흥법」 제50조, 동법시행령 제82조 및 동법시행규칙 제44조에 의한 시공상태를 평가하고 그 결과에 따라 필요한 조치를 할 수 있으며, 계약상대자는 평가에 적극 협조하여야 한다.

제46조(문서 등의 제출 지연에 대한 책임) 이 일괄입찰 등 공사계약특수조건 및 일반조건과 기

타 계약문서에서 요구하는 서류를 소정의 기한 내에 제출하지 않아 공사가 지연된 경우 그로 인하여 발생한 손해는 계약상대자가 부담한다.

제47조(공사관리) ① 계약담당공무원은 계약관리를 위하여 필요하다고 인정할 경우에는 공사현장에 대하여 다음 각호의 사항을 조사·점검하거나 계약상대자에게 자료를 요구할 수 있다.

1. 시공상태
2. 안전관리 상태
3. 설계변경 등 계약내용 변경에 관한 사항
4. 공사현장 관리상태
5. 하도급에 관한 사항
6. 기타 계약조건 이행사항

② 계약담당공무원은 제1항에 의한 조사·점검 결과 계약상대자가 계약조건 및 설계서 등의 내용과 다르게 시공한 사항에 대하여는 시정토록 조치할 수 있다.

③ 계약담당공무원은 제1항 또는 제2항의 결과에 대하여 시행령 제13조 및 제42조의 규정에 의한 심사에 반영할 수 있다.

④ 계약담당공무원 및 발주기관의 장의 위임을 받은 공무원은 공사관리를 위하여 필요한 경우 제1항 각호의 사항을 조사·점검하거나 자료의 제출을 요구할 수 있다.

제48조(발주기관의 협조) 계약담당공무원은 계약상대자가 공사이행과 관련한 각종 인·허가 등의 취득과 관련법령에서 요구하는 사항을 이행함에 있어 발주기관의 협력이 필요한 사항에 대하여 협조요청 하는 경우 성실히 응하여야 한다.

제49조(설계·시공병행 공사의 계약) ① 계약상대자는 공사의 일부(우선 시공분)에 대하여 실시설계 적격 통지를 받아 계약체결 한 후 총공사에 대한 최종 실시설계 적격 통지를 받은 경우에는 총공사에 대한 산출내역서를 당초 계약서의 산출내역서와 대체하여야 하며 계약금액은 원칙적으로 변경할 수 없다.

② 계약상대자는 실시설계 적격통지를 받은 우선 시공분 공사의 이행 중 사정이 변경된 경우 계약담당공무원과 협의하여 조치하여야 한다.

③ 계약담당공무원은 실시설계 심의결과 적격으로 통지한 우선 시공분 공사 이외의 부분에 대하여 실시설계 심의결과 최종 부적격 처리된 경우에는 실시설계 적격통지를 받은 공사 중 인수 가능한 부분에 한하여 타절 준공하고 계약을 해지할 수 있다.

④ 계약상대자는 계약이 해지된 경우 발주기관에서 인수가 곤란한 부분에 대한 공사현장의 원상복구, 인수, 인계 등에 대하여는 발주기관과 상호 협의하여 계약상대자의 책임하에 조치하여야 한다.

⑤ 계약상대자는 제3항에서 규정한 바에 따라 계약이 해지된 경우 타절 준공된 부분을 제외하고는 실시설계비용 등을 청구할 수 없으며, 즉시 일반조건 제44조제3항에 규정된 조치를 하여야 한다.

제50조(장기계속계약의 잔여공사 계약) 장기계속계약의 경우 제2차이후 공사계약은 부기한 총

공사 부기금액에서 이미 계약된 금액을 공제한 잔여금액의 범위 안에서 계약을 체결하여야 한다.

제51조(적격심사 관련사항의 준수의무) <삭제>

제52조(채권양도) 계약상대자는 이 계약에 의하여 발생한 채권(공사대금 청구권)을 제3자에게 양도하고자 하는 경우에는 미리 공사이행보증서 발급기관의 동의를 얻어 계약담당공무원의 서면승인을 받아야 한다.

제53조(보칙) ① 이 일괄입찰 등 공사계약특수조건에서 따로 정하지 않은 사항은 일반조건에 따른다.

② 계약예규 「공동계약 운용요령」에 의거 공동수급체가 제출한 공동수급협정서는 계약담당공무원의 사전승인 없이는 변경할 수 없다.

③ 계약이행과 관련한 기간의 계산은 특별한 규정이 없는 한 민법에서 정한 바에 따른다.

④ 일반조건 제22조에 따라 물가변동에 의한 계약금액을 조정할 경우는(품목조정율/지수조정율)을 적용한다.

⑤ 계약상대자는 계약서에 명시된 주소가 변경되었을 때에는 14일 이내에 계약담당공무원, 공사시행기관의 장 및 공사감독관에게 서면으로 주소변경 신고를 하여야 하며, 주소변경 신고를 하지 아니함으로써 발생하는 불이익은 계약상대자에게 귀속된다.

⑥ 계약상대자의 전화·팩스번호 등 의사전달 수단의 변경시에도 제5항을 준용한다.

제54조(재검토기한) 「훈령·예규 등의 발령 및 관리에 관한 규정」에 따라 이 지침에 대하여 2020년 1월 1일 기준으로 매3년이 되는 시점(매 3년째의 12월 31일까지를 말한다)마다 그 타당성을 검토하여 개선 등의 조치를 하여야 한다.

부　　칙

제1조(시행일) 이 특수조건은 2012년 4월 2일 입찰공고하는 공사부터 적용한다.

부　　칙〈2012. 8. 23〉

이 지침은 2012년 8월 25일부터 시행한다.

부　　칙〈2014. 1. 13〉

이 지침은 2014년 1월 14일부터 시행한다.

부　　칙〈2014. 8. 19〉

이 지침은 2014년 9월 1일부터 입찰공고하는 공사부터 적용한다.

부　　칙〈2015. 8. 31〉

이 지침은 2015년 9월 7일부터 입찰공고하는 공사부터 적용한다.

부　　칙〈2016. 3. 22〉

이 지침은 2016년 4월 1일 입찰공고하는 공사부터 적용한다.

부　　칙〈2018. 5. 31〉

이 지침은 2018년 5월 31일 입찰공고분부터 적용한다.

부　　칙〈2019. 6. 13〉

이 지침은 2019년 6월 19일 입찰공고분부터 적용한다.

부　　칙〈2019. 12. 18〉

이 지침은 2019년 12월 18일 입찰공고분부터 적용한다.

12 조달청 일괄입찰 등에 의한 낙찰자 결정 세부기준

조달청 규제개혁법무담당관실-4253, 2012.8.23
조달청 시설총괄과-184, 2014.1.13
조달청 시설총괄과-10731, 2015.12.10
조달청 시설총괄과-2615, 2016.3.22
조달청 시설총괄과-616, 2017.1.16
조달청 시설총괄과-5899호, 2020.6.29

제1장 총 칙

제1조(목적) 이 기준은 계약예규 「일괄입찰 등에 의한 낙찰자 결정기준」에 따라 조달청에서 일괄입찰 또는 대안입찰로 집행하는 시설공사(이하 '일괄입찰 등'이라 한다)의 낙찰자 결정을 위한 세부기준을 정함을 목적으로 한다.

제2조(정의) 이 세부기준에서 사용하는 용어의 정의는 다음과 같다.

1. "수요기관"이라 함은 「조달사업에 관한 법률」 제2조제5호에서 정한 기관을 말한다.
2. "계약담당공무원"이라 함은 일괄입찰·대안입찰 공사를 계약하는 중앙관서의 장(그 위임을 받은 공무원을 포함한다. 이하 같다)을 말한다. 다만, 설계도서 심의 및 그 관련업무와 공사의 착공·감독·하도급관리·대가의 지급·검사·재해 방지조치·인수·하자관리 등 공사현장에서 계약이행과 관련된 사항에 대해서는 달리 규정한 경우를 제외하고는 수요기관의 장(그 위임을 받은 공무원을 포함한다. 이하 같다)을 계약담당공무원으로 본다.

제3조(입찰참가자격 사전심사) ① 계약담당공무원은 일괄입찰 등에 대한 입찰참가자격 사전심사를 실시하는 경우「조달청 입찰참가자격 사전심사기준」에 따라 실시한다.

제4조(일괄입찰 등의 실시설계적격자 또는 낙찰자 결정방법 등 공고) ① 계약담당공무원은 중앙·지방건설기술심의위원회에서 다음 각호의 방법 중 당해 공사에 적합하다고 심의한 실시설계적격자 또는 낙찰자 결정방법과 수요기관의 장이 정한 제11조제2항 및 제20조제2항에 따른 설계점수 가중치 및 입찰가격 점수의 가중치를 입찰공고시 명시하여야 한다.

1. 최저가격으로 입찰한 자를 실시설계적격자 또는 낙찰자로 결정하는 방법(이하 "설계적합최저가방식"이라 한다)
2. 입찰가격을 설계점수로 나누어 조정된 수치가 가장 낮은 자를 실시설계적격자 또는 낙찰자로 결정하는 방법(이하 "입찰가격조정방식"이라 한다)

3. 설계점수를 입찰가격으로 나누어 조정된 점수가 가장 높은 자를 실시설계적격자 또는 낙찰자로 결정하는 방법(이하 "설계점수조정방식"이라 한다)
4. 설계점수와 가격점수에 가중치를 부여하여 각각 평가한 결과를 합산한 점수가 가장 높은 자를 실시설계적격자 또는 낙찰자로 결정하는 방법(이하 "가중치기준방식"이라 한다)
5. 계약금액을 확정하고 기본설계서만 제출하도록 한 경우 설계점수가 가장 높은 자를 실시설계적격자로 결정하는 방법(이하 "확정가격최상설계방식" 이라 한다)

② 수요기관의 장은 제1항에 따른 설계점수 가중치 및 입찰가격 점수의 가중치를 정하는 경우 조달청장과 협의하여야 한다.

③ 조달청장은 제2항에 따른 협의기준을 정할 수 있다.

④ <삭제>

⑤ 설계점수는 중앙·지방건설기술심의위원회, 조달청 또는 수요기관의 기술자문위원회 등에서 통보한 점수에 의한다.

제5조(입찰에 관한 서류의 열람·교부 등) 계약담당공무원이 현장설명참가자에게 열람 또는 교부할 서류는 다음 각호와 같으며, 지정정보처리장치(국가종합전자조달시스템) 또는 수요기관의 홈페이지에 게재함으로써 입찰에 참가하고자 하는 자에 대한 열람 또는 교부로 갈음할 수 있다. 다만, 입찰에 참가하고자 하는 자가 전자문서 등으로 요구하는 경우에는 전자문서 등으로 교부하여야 하며, 이 경우 소정의 금액을 납부토록 할 수 있다.

1. 입찰안내서
2. 실시설계서(대안입찰에 한함)
3. 설계평가를 위한 세부기준
4. 낙찰자결정방법 등에 관한사항(설계점수, 입찰가격점수의 산출방법 등)
5. 기타 필요한 사항

제2장 일괄입찰의 실시설계적격자 결정

제6조(일괄입찰의 실시설계적격자 결정) 계약담당공무원은 제4조에 따라 일괄입찰의 실시설계적격자를 결정함에 있어서는 이 장에서 정한 바에 따라야 한다.

제7조(실시설계적격자 결정대상자 선정) ① 계약담당공무원은 일괄입찰에 참가한 자에 대하여 국가를 당사자로 하는 계약에 관한 법률 시행령(이하 "시행령"이라 한다.) 제85조제5항 또는 제6항에 따라 입찰시 제출한 기본설계의 적격여부 및 설계점수를 중앙·지방건설기술심의위원회 또는 기술자문위원회로부터 통보 받은 때에는 기본설계적격자(제8조에 따라 낙찰자를 결정하는 경우에는 60점 이상 85점 이하에서 계약담당공무원이 정한 설계점수 이상을 받은 자) 중 설계점수가 높은 순으로 최대 6인(적격으로 통지된 입찰자가 6인 미만인 경우에는 적격으로 통지된 모든 입찰자)을 실시설계적격자 결정대상자로 선정하여야 한다.

② 〈삭제〉

③ 계약담당공무원은 제1항에 불구하고 시행령 제85조제5항 또는 제6항에 따른 기본설계적격자가 1인 이하인 경우에는 시행령 제87조제1항 단서에 정한 바에 따라 재공고입찰에 의하여야 한다.

제8조(설계적합최저가방식) ① 계약담당공무원은 설계적합최저가방식으로 실시설계적격자를 선정하는 경우 제7조에 따라 선정된 실시설계적격자 결정대상자(이하 "실시설계적격자 결정대상자"라 한다) 중에서 최저가격으로 입찰한 자를 실시설계적격자로 결정하여야 한다.

② 제1항에 따라 실시설계적격자를 결정할 수 있는 공사는 선형공사, 단순반복 축조공사 등 정형화된 설계기준에 따라 비용절감이 필요한 시설물을 설계·시공하는 공사를 말한다.

제9조(입찰가격조정방식) ① 계약담당공무원은 입찰가격조정방식으로 실시설계적격자를 선정하는 경우에는 실시설계적격자 결정대상자 중에서 입찰가격을 설계점수로 나누어 조정된 가격이 가장 낮은 자를 실시설계적격자로 결정하여야 한다.

조정가격 = 입찰가격/(설계점수/100)

② 제1항에 따라 실시설계적격자를 결정할 수 있는 공사는 비용절감 뿐만 아니라 고품질의 우수한 목적물을 얻고자 하는 일부 정형화된 설계기준에 따라 시설물을 설계·시공하는 공사를 말한다.

제10조(설계점수조정방식) ① 계약담당공무원은 설계점수조정방식으로 실시설계적격자를 선정하는 경우에는 실시설계적격자 결정대상자 중에서 설계점수를 입찰가격으로 나누어 조정된 수치가 가장 높은 자를 실시설계적격자로 결정하여야 한다.

조정점수 = [설계점수 × 추정가격(부가가치세를 포함)]/입찰가격

② 제1항에 따라 실시설계적격자를 결정할 수 있는 공사는 제9조제2항에 정한 바와 같다.

제11조(가중치기준방식) ① 계약담당공무원은 가중치기준방식으로 실시설계적격자를 선정하는 경우에는 실시설계적격자 결정대상자 중에서 설계점수와 입찰가격점수에 가중치를 부여하여 각각 평가한 결과를 합산한 점수가 가장 높은 자를 실시설계적격자로 결정하여야 한다.

② 제1항에 적용할 설계점수와 가격점수의 가중치는 공사의 기술난이도 등을 고려하여 별표에 따라 그 합계가 100이 되도록 수요기관의 장이 조달청장과 협의하여 정한다.

③ 가격점수는 다음의 산식을 적용하여 산정한다. 이 경우 최저입찰가격은 실시설계적격자 결정 대상자의 입찰가격 중 최저입찰가격을 말한다.

가격점수 = 가격점수가중치 × (최저입찰가격/당해입찰가격)

④ 제1항에 따라 실시설계적격자를 결정할 수 있는 공사는 시설물의 사용 목적상 창의적인 설계가 필요하거나 난이도가 높은 기술을 요하는 공사로써 비용절감뿐만 아니라 고품질의 목적물을 얻고자 하는 공사를 말한다.

제12조(확정가격최상설계방식) ① 계약담당공무원은 확정가격최상설계방식으로 실시설계적격자를 선정하는 경우에는 실시설계적격자 결정대상자 중에서 설계점수가 가장 높은 자를 실시설계적격자로 결정한다.

② 제1항에 따라 실시설계적격자를 결정할 수 있는 공사는 시설물의 사용 목적상 상징성,

기념성, 예술성 등의 창의적인 설계가 필요하거나 고난이도 기술을 요하는 공사로써 정해진 예산범위 내에서 최상의 시설물을 얻고자 하는 공사를 말한다.

제12조의2(일괄입찰의 일부 입찰무효시 설계점수의 조정) 계약담당공무원은 제7조 내지 제12조에도 불구하고 기본설계적격자 및 실시설계적격자를 선정함에 있어 시행령 제84조제1항제2호의 자(이하 이 기준에서 "설계업체"라 한다)의 일부에 입찰무효 사유가 있는 입찰참가자에 대하여는 중앙·지방건설기술심의위원회 또는 기술자문위원회로부터 통지받은 설계점수를 다음과 같이 조정한 설계점수를 적용한다.

설계점수= 설계평가총점수 - [(입찰무효사유가 있는 설계업체의 참여분야 지분율 × 해당분야 취득점수)+(입찰무효사유가 있는 설계업체의 참여분야 지분율 × 해당분야 취득점수)+......]

제13조(일괄입찰의 낙찰자 결정) ① 계약담당공무원은 제4조제1항 각호의 실시설계적격자 결정방법에 따라 실시설계적격자를 결정한 경우에는 중앙·지방건설기술심의위원회 또는 기술자문위원회에 실시설계의 적격여부에 대한 심의를 의뢰하여야 하며, 당해 실시설계의 적격 통지를 받은 때에는 동 실시설계적격자를 낙찰자로 결정한다.

② 제1항에 따른 낙찰자결정은 부득이한 사유가 없는 한 실시설계서가 제출된 날부터 60일 이내에 하여야 한다.

제3장 대안입찰의 낙찰자 결정

제14조(대안입찰의 낙찰자 결정) 계약담당공무원은 제4조에 따라 대안입찰의 낙찰자를 결정함에 있어서는 이 장에서 정한 바에 따라야 한다.

제15조(낙찰적격입찰 선정 등) ① 계약담당공무원은 입찰자가 제출한 대안입찰서의 대안입찰가격이 다음 각호의 요건을 모두 충족하는 경우에 이를 낙찰적격입찰로 선정한다.

1. 대안입찰 가격이 입찰자 자신의 원안입찰 가격보다 낮을 것
2. 대안입찰 가격이 총공사 예정가격 이하로서 대안공종에 대한 입찰가격이 대안공종에 대한 예정가격 이하일 것

② 수요기관의 장은 제1항에 따라 선정된 낙찰적격입찰의 대안설계서를 원안설계서와 함께 설계의 적격여부에 대한 심의 및 설계평가를 중앙건설심의위원회 또는 기술자문위원회에 의뢰하여야 한다.

③ 계약담당공무원은 대안입찰에 부친 결과 시행령 제86조제6항에 해당하는 때에는, 추정가격이 100억원 미만인 공사는 「적격심사기준」에 따라 적격심사를 거쳐 낙찰자를 결정 하며, 추정가격이 100억원 이상인 공사인 경우에는 「조달청 종합심사낙찰제 심사세부기준」에 따라 각 입찰자의 입찰가격, 공사수행능력 및 사회적 책임 등을 종합 심사하여 낙찰자를 결정한다.

④ 제1항 내지 제3항에 따른 낙찰자 결정은 부득이한 사유가 없는 한 입찰일로부터 80일 이내에 하여야 한다.

제16조(낙찰자 결정대상자 선정) ① 계약담당공무원은 다음 각 호에 해당하는 자를 낙찰자 결정대상자로 선정하여야 한다.

1. 원안입찰자(대안입찰서를 제출하였으나 제15조에 따라 낙찰적격 입찰에서 제외되었거나, 낙찰적격입찰 중 제2호에 포함되지 않은 입찰자를 포함한다. 이하 같다)
2. 시행령 제85조제5항 또는 제6항에 따라 중앙·지방건설기술심의위원회 또는 기술자문위원회로부터 적격으로 통지된 대안입찰서(제17조에 따라 낙찰자를 결정하는 경우에는 60점 이상 85점 이하에서 계약담당공무원이 정한 설계점수 이상을 받은) 중 설계점수가 높은 순으로 최대 6개의 대안(적격으로 통지된 대안이 6개 미만인 경우에는 적격으로 통지된 모든 대안)을 선정한 후, 선정된 대안의 설계점수와 원안설계점수를 비교하여 대안설계점수가 원안설계점수 보다 낮지 아니한 대안입찰서를 제출한 자

② 〈삭제〉

제17조(설계적합최저가방식) ① 계약담당공무원은 설계적합최저가방식에 따라 낙찰자를 결정하고자 하는 경우 제16조에 따라 선정된 낙찰자 결정대상자(이하 "낙찰자 결정대상자"라 한다) 중에서 최저가격으로 입찰한 자를 낙찰자로 결정하여야 한다.

② 제1항에 따라 낙찰자를 결정할 수 있는 공사는 선형공사, 단순반복 축조공사 등 정형화된 설계기준에 따라 비용절감이 필요한 시설물을 설계·시공하는 공사를 말한다.

제18조(입찰가격조정방식) ① 계약담당공무원은 입찰가격조정방식에 따라 낙찰자를 결정하는 경우에는 낙찰자 결정 대상자 중에서 입찰가격을 설계점수로 나누어 조정된 수치가 가장 낮은 자를 낙찰자로 결정하여야 한다.

조정가격 = 입찰가격/(설계점수/100)

② 제1항에 따라 실시설계적격자를 결정할 수 있는 공사는 비용절감뿐만 아니라 고품질의 우수한 목적물을 얻고자 하는 일부 정형화된 설계기준에 따라 시설물을 설계·시공하는 공사를 말한다.

제19조(설계점수조정방식) ① 계약담당공무원은 설계점수조정방식에 따라 낙찰자를 결정하는 경우에는 낙찰자 결정 대상자 중 설계점수를 입찰가격으로 나누어 조정된 수치가 가장 높은 자를 낙찰자로 결정하여야 한다.

조정점수 = (설계점수 × 예정가격)/입찰가격

② 제1항에 따라 실시설계적격자를 결정할 수 있는 공사는 제18조제2항에 정한 바와 같다.

제20조(가중치기준방식) ① 계약담당공무원은 가중치기준방식에 따라 낙찰자를 결정하는 경우에는 낙찰자 결정대상자 중 설계점수와 가격점수에 가중치를 부여하여 각각 평가한 결과를 합산한 점수가 가장 높은 자를 낙찰자로 결정하여야 한다.

② 제1항에 적용할 설계점수와 가격점수의 가중치는 공사의 기술난이도 등을 고려하여 별표에 따라 그 합계가 100이 되도록 수요기관의 장이 조달청장과 협의하여 정한다.

③ 가격점수는 다음의 산식을 적용하여 산정한다. 이 경우 최저입찰가격은 낙찰자 결정대상자의 입찰가격 중 최저입찰가격을 말한다.

가격점수 = 가격점수가중치 × (최저입찰가격/당해입찰가격)

④ 제1항에 따라 낙찰자를 결정할 수 있는 공사는 시설물의 사용 목적상 창의적인 설계가 필요하거나 난이도가 높은 기술을 요하는 공사로써 비용절감뿐만 아니라 고품질의 목적물을 얻고자 하는 공사를 말한다.

제20조의2(대안입찰의 일부 입찰무효시 설계점수의 조정) 계약담당공무원은 제16조 내지 제20조에도 불구하고 설계업체의 일부에 입찰무효 사유가 있는 입찰참가자가 있을 경우에는 낙찰자 결정대상자 및 낙찰자를 선정함에 있어 제12조의2를 준용한다.

제4장 보 칙

제21조(기타사항) 이 세부기준에 정하지 아니한 사항에 대하여는 입찰공고에 별도로 정하여 집행할 수 있다.

제22조(재검토기한) 「훈령·예규 등의 발령 및 관리에 관한 규정」에 따라 이 지침에 대하여 2020년 7월 1일 기준으로 매3년이 되는 시점(매 3년째의 6월 30일까지를 말한다)마다 그 타당성을 검토하여 개선 등의 조치를 하여야 한다.

부 칙

이 세부기준은 2011년 7월 29일 입찰공고 하는 공사부터 적용한다.

부 칙 〈2012. 8. 23〉

이 지침은 2012년 8월 25일부터 시행한다.

부 칙 〈2014. 1. 13〉

이 지침은 2014년 1월 14일부터 시행한다.

부 칙 〈2015. 12. 10〉

이 지침은 2015년 12월 14일부터 시행한다.

부　　칙 〈2016. 3. 22〉

이 지침은 2016년 4월 1일 입찰공고 하는 공사부터 적용한다.

부　　칙 〈2017. 1. 16〉

이 지침은 2017년 1월 16일 입찰공고 하는 공사부터 적용한다.

부　　칙〈2020. 6. 29〉

이 지침은 2020년 7월 1일 입찰공고 하는 공사부터 적용한다.

[별표]

공사등급(유형)별 설계가중치 적용기준 (제11조 및 제20조 관련)

등급 (유형)	기술적 난이도	설계가중치
A 기술 강조형	① 고난도·고기술이 필요한 특수교량 - 현수교, 사장교, 아치교, 트러스교 등 이에 준하는 공사 ② 공사여건이 극히 열악하여 시공자의 기술 및 경험이 요구되고 하자책임 보증이 중요한 공사 - 연육교, 연도교, 해상교량, 해저·하저터널, 평균 높이30m이상 항만구조물(단, 잔교식은 제외) 등 이에 준하는 공사 ③ 설계부실에 따른 안전사고 시 재산 및 인명피해가 커서 설계의 기술비중을 특히 중요시해야 할 필요가 있는 공사 - 댐(본체 및 여수로 공사에 한함), 철도(환승·복합역사 포함), 공항(활주로, 여객터미널) 등 이에 준하는 공사 ④ 기자재 공급자가 직접 설계와 시공을 하는 공사로서 성능보장이 특히 필요한 공사 - 폐기물(쓰레기, 슬러지 등) 소각시설, 철도차량기지, 열병합발전설비, 집단에너지시설 등 이에 준하는 공사	50 초과 ~ 80% 이하
B 균등 평가형	① 경간100m이상이 포함된 연장 500m이상의 교량, 장대터널(3,000m 이상, 방재 1등급 터널에 한함) ② 지하 10m이상의 복개식 도시철도(지하철) 등 이에 준하는 공사 ③ 평균 높이 20m이상인 항만구조물(방파제, 안벽, 단, 잔교식은 제외), 배수갑문(2,000㎥/sec 이상) ④ 관람집회시설(공연장, 집회장, 관람장, 운동장, 체육관), 전시시설(전시장) ⑤ 고도처리방식에 의한 정수장 ⑥ 폐수· 하수종말처리장(차집관로 제외), 생활폐기물 자동집하시설, 슬러지 건조시설 ⑦ 지능형교통체계시설, 공동주택, 학교, 병원, 공용청사 ⑧ 가스공급시설	40% 이상 ~ 60% 이하
C 가격 강조형	① A 및 B등급 이외의 공사	20% 이상 ~ 50% 미만

주) 등급별 설계가중치 세부 적용방법

1. A등급의 설계가중치에도 불구하고, 설계가중치의 상한은 추정가격 500억원 미만인 공사는 70%를, 추정가격 500억원 이상인 공사는 80%를 초과할 수 없다.
2. 기술적난이도에 따른 등급 적용은 해당공종의 공사비가 전체 공사비의 50%를 넘는 공종을 기준으로 한다.
3. 동일 등급 내에서의 설계가중치 결정은 전체 공사규모, 전체 공사규모 대비 해당공종 공사비의 비율, 공사의 기술적 난이도 및 발주 목적 등(이하 '공사규모 및 난이도 등'이라 한다)을 고려하여 결정하여야 한다.
4. 단일공종 금액이 전체 공사비의 30% 이상~50% 미만일 경우에는 하위등급(예, A등급 공사비율이 40%인 경우는 B등급 적용), 30% 미만인 경우에는 차하위등급을 적용(예, A등급 공사비율이 25%인 경우 C등급 적용)하여야 한다.
5. 공사규모 및 난이도 등을 감안하여 등급을 달리 적용할 수 있다. 다만, 공사 목적물의 상징성·기념성 등 발주목적 및 공사특성 등의 불가피한 사유로 상위 등급의 설계가중치를 적용하려는 경우에는 중앙(지방, 특별)건설기술심의위원회 또는 기술자문위원회의 자문을 거쳐 상위등급을 적용할 수 있다.
6. 시행령 제80조에 따라 일괄·대안입찰로 발주하는 공사로서, 공사명칭 등의 상이로 인하여 상기 A~C 등급에 해당공사가 명시되지 않은 경우, 발주하려는 공사의 내용·성격 등을 감안하여 가장 유사한 공사의 등급에 따른다.

13 기술제안입찰 등에 의한 낙찰자 결정 세부기준

조달청 규제개혁법무담당관-4253, 2012.8.23
조달청 시설총괄과-184, 2014.1.13
조달청 시설총괄과-10731, 2015.12.10
조달청 시설총괄과-2615, 2016.3.22
조달청 시설총괄과-616, 2017.1.16
조달청 시설총괄과-9690, 2018.11.29
조달청 시설총괄과-5899, 2020.6.29

제1장 총 칙

제1조(목적) 이 규정은 「국가를 당사자로 하는 계약에 관한법률 시행령」(이하 "시행령"이라 한다.) 제103조 내지 제105조에 따라 실시설계 기술제안입찰 및 기본설계 기술제안입찰(이하 "기술제안입찰 등"이라 한다.)의 기술제안서 평가방법 및 낙찰자결정 세부기준을 정함을 목적으로 한다.

제2조(용어의 정의) 본 규정에서 사용하는 용어의 정의는 다음과 같다.

1. "입찰안내서"란 수요기관의 장이 입찰의 기본계획과 지침을 제시하는 것으로 기술제안서 작성방법, 평가, 배점기준 및 낙찰자 결정방법 등을 명시하여 입찰에 참가하고자 하는 자에게 열람 또는 교부하는 문서를 말한다.
2. "기술제안서"란 입찰자가 수요기관의 장이 교부한 설계서 등을 검토하여 공사비절감방안, 공기단축방안, 공사관리방안 등을 제안하는 문서를 말한다.
3. "부속서류"란 기술제안 개요 또는 증빙자료 등 기술제안과 관련된 자료를 말한다.
4. '기술자문위원회'란 입찰자가 제시한 기술제안서의 심의·평가 및 실시설계서의 적정성을 심사하기 위해 「건설기술진흥법」 제6조 및 동법시행령 제19조에 따라 설치된 수요기관의 기술자문위원회 또는 「조달청 기술자문위원회 설치 및 운영규정」에 따라 설치된 위원회를 말한다.

제3조(입찰참가자격 및 입찰참가자격 사전심사) ① 계약담당공무원은 입찰 공고에서 정한 입찰참가자격 요건을 갖춘 자를 대상으로 입찰참가자격을 부여하여야 한다.

② 「조달청 입찰참가자격 사전심사세부기준」은 기술제안입찰 등의 입찰참가자격사전심사에 관하여 준용한다.

제4조(입찰에 관한 서류의 열람·교부 등) 계약담당공무원이 현장설명참가자 에게 열람 또는 교부할 서류는 다음 각호와 같으며, 지정정보처리장치(국가 종합전자조달시스템) 또는 수요기관의 홈페이지에 게재함으로써 입찰에 참가하고자 하는 자에 대한 열람 또는 교부로 갈음할 수 있다. 다만, 입찰에 참가하고자 하는 자가 전자문서 등으로 요구하는 경우에는 전자문서 등으로 교부하여야 하며, 이 경우 소정의 금액을 납부토록 할 수 있다.

1. 입찰안내서
2. 기본설계서(기본설계 기술제안입찰에 한함)
3. 실시설계서(실시설계 기술제안입찰에 한함)
4. 기술제안서 평가를 위한 세부기준
5. 낙찰자결정방법 등에 관한사항(기술제안점수·입찰가격점수의 산출방법 등)
6. 기타 필요한 사항

제5조(입찰서등의 작성 및 제출) 계약담당공무원은 입찰에 참가하고자 하는 자에게 입찰공고에서 정한 내용에 따라 다음 각호의 서류를 작성하여 제출하게 하여야 한다.

1. 입찰서
2. 기술제안서
3. 수요기관이 교부한 설계서 등을 바탕으로 기술제안서의 내용을 반영하여 물량과 단가를 명백히 한 산출내역서(실시설계 기술제안입찰에 한함)

제6조(기술제안서의 작성) ① 계약담당공무원은 입찰에 참가하고자 하는 자에게 다음 각호의 내용을 포함한 기술제안서를 작성하여 제출하게 하여야 한다.

1. 기술제안서에 포함하는 내용
   가. [별표 1]에 의한 요약서
   나. 입찰공고 및 입찰안내서에서 요구한 사항
2. 기술제안 내용과 산출내역서의 물량을 설명하기 위한 증빙자료(설계도서 등)

② 기술제안서의 작성기간은 현장설명일로부터(현장설명을 생략한 경우 사전 심사 통보일로부터) 120일을 표준으로 하며, 다만 공사의 종류나 목적, 특성 등을 감안 하여 그 기간을 조정할 수 있다.

③ 기술제안서의 분량은 요약서(생애주기비용 개선방안 포함, 20쪽 이내)를 포함하여 200쪽(양면, A4 규격) 이내로 하며, 부속서류를 제출할 경우 '공사비 절감방안' 등은 100쪽(A4 규격, 양면)이내, '생애주기비용 개선방안'은 150쪽 이내로 한다. 다만, 공사의 목적, 특성 등을 고려하여 분량이나 규격을 입찰안내서에서 별도로 정하는 경우 그에 따른다.

④ 기술제안의 범위는 입찰안내서에서 별도로 정한 경우 외에는 수요기관에서 교부한 설계서 전반에 대해 제안하는 것을 원칙으로 한다.

제7조(배점기준) ① 기술제안 입찰등에서 기술제안서 평가항목별 배점기준 등은 [별표 2] 또는 [별표 3]과 같다.

② 배점기준 등은 공사의 특성, 규모 등을 고려하여 다르게 정할 수 있으며, 이 경우 수요

기관의 장은 조달청장과 협의하여 조정할 수 있다.

제8조(심의 및 평가방법) 기술제안입찰 등에 의한 기술제안서 평가는 다음 각호와 같다.

1. 계약담당공무원은 기술제안입찰 등에서 입찰자가 제출한 기술제안서에 대한 심의를 수요기관의 장이 요청하는 경우 조달청 기술자문위원회에 의뢰할 수 있다.
2. 계약담당공무원은 기본설계 기술제안 입찰에서 실시설계적격자로 선정된 자가 시행령 제105조제3항 각호의 내용을 포함하여 제출한 실시설계서에 대한 심의를 수요기관의 장이 요청하는 경우 조달청 기술자문위원회에 의뢰할 수 있다.
3. 기술제안입찰 등의 기술제안서는 [별표 4] 또는 [별표 5] 에 따라 각 항목별로 상대평가하며, 평가등급 배분 및 평가방법은 [별표 6] 과 같다. 다만, 입찰공고 및 입찰안내서에 별도로 정한 경우에는 그에 따른다.
4. 기술제안서 실격처리는 [별표 7]에 의한다. 다만, 입찰공고 및 입찰안내서에 별도로 정한 경우에는 그에 따른다.
5. 평가항목이나 평가요소 중 일부에 대하여 심의 및 평가의 필요성이 없다고 판단되는 경우에는 "심의·평가대상 제외"로 공고할 수 있다.

제9조(적격자선정 결격 및 감점사항) ① 계약담당공무원은 다음 각호의 결격 사유가 있는 경우에는 적격자선정에서 제외한다.

1. 제출된 기술제안서의 내용이 부정 또는 허위임이 판명된 경우
2. 입찰공고에서 정한 입찰서 제출 마감일시까지 제5조에 의한 서류를 제출하지 아니한 경우

② 제1항 각호에서 정한 사유가 계약체결 이전에 발생한 경우에는 낙찰자 결정대상에서 제외하거나 결정통보를 취소하며, 계약체결일 이후 제1항제1호의 사유가 발생한 경우 당해 계약을 해제 또는 해지할 수 있다.

③ 기술제안입찰 등의 감점처리는 [별표 8]에 의하며, 입찰안내서 등에 별도로 정한 경우에는 그에 따른다.

제10조(기술제안입찰 등의 낙찰자 결정방법 등 공고) ① 계약담당공무원은 실시설계적격자 또는 낙찰자 결정방법을 적용함에 있어 「조달청 일괄입찰 등에 의한 낙찰자 결정 세부기준」 제4조, 제8조 내지 제11조, 제17조 내지 제20조를 준용한다. 이 경우 대안입찰은 실시설계 기술제안입찰, 일괄입찰은 기본설계 기술제안입찰로 본다.

② 기술제안 적격자가 1명 이하인 경우에는 재공고입찰에 의하여야 한다.

③ 실시설계도서 심의 결과 '부적격'으로 판정된 경우에는 1회에 한하여 30일 이내에 보완하여 제출하게 할 수 있으며, 이 경우 설계도서 재심의에 소요되는 실비는 실시설계적격자가 부담하여야 한다.

④ 제3항에 의하여 보완하여 제출한 실시설계도서 재심의 결과 부적격으로 판정된 경우에는 계약자 선정에서 제외한다.

제10조의2(기본설계 기술제안입찰의 일부 입찰무효시 기술제안점수의 조정) 계약담당공무원은 제10조에도 불구하고 실시설계적격자를 선정함에 있어 시행령 제84조제1항제2호의 자(이하

이 기준에서 "설계업체"라 한다)의 일부에 입찰무효 사유가 있는 입찰참가자에 대하여는 중앙·지방건설기술심의위원회 또는 기술자문위원회로부터 통지받은 기술제안점수를 다음과 같이 조정한 기술제안점수를 적용한다.

기술제안점수 = 기술제안평가총점수 - [(입찰무효사유가 있는 설계업체의 참여분야 지분율×해당분야 취득점수)+(입찰무효사유가 있는 설계업체의 참여분야 지분율×해당분야 취득점수)+……]

제11조(실시설계 기술제안입찰의 낙찰자 결정 등) ① 계약담당공무원은 중앙·지방건설 기술심의위원회 또는 기술자문위원회로부터 기술제안서의 적격여부 및 평가점수를 명백히 한 서류를 통지 받아 기술제안 적격자를 선정하여야 한다.

② 계약담당공무원은 중앙·지방건설기술심의위원회 또는 기술자문위원회로부터 적격자로 통지 받은 자 중 기술제안점수가 높은 순으로 최대 6명(적격으로 통지된 입찰자가 6명 미만인 경우에는 적격으로 통지된 모든 입찰자)을 선정한 후 제10조제1항에 따라 선택된 낙찰자 결정방법을 적용하여 낙찰자를 선정하여야 한다.

③ 실시설계 기술제안입찰의 경우 제2항에 따른 적격자는 기술제안서 평가회에서 제시된 보완요구 사항에 대하여 이행을 확약하여야 한다.

제12조(심의결과 통지) 계약담당공무원은 기술제안서의 심의결과를 해당자에게 통지하여야 하며, 평가결과를 국가종합전자조달시스템에 게시·공개한 경우에는 통지에 갈음할 수 있다.

제13조(이의신청) 입찰자가 기술제안서 심의결과에 대하여 이의신청을 할 수 있는 기한은 심의결과를 통지 받은 날 또는 국가종합전자조달시스템에 게시한 날부터 10일 이내로 한다. 다만, 기술제안서평가회에서 평가한 내용 및 결과에 대해서는 이의제기를 할 수 없다.

제14조(재심의) 제12조에 따라 통지를 받은 자가 이의신청 기한내에 평가의 중대한 착오 등을 이유로 재심의를 요청한 경우 특별한 사유가 없는 한 7일 이내에 재심의를 실시하여야 하며, 이 경우 당초 심의위원이 심의하는 것을 원칙으로 하되 불가피 할 경우 다른 위원으로 위촉할 수 있다.

제15조(기술제안의 반영) ① 실시설계 기술제안입찰에서 낙찰자로 선정된 자의 기술 제안내용에 대하여 중앙·지방건설기술심의위원회 또는 기술자문위원회의 심의결과 보완을 요구한 경우에는 산출내역서 금액의 증액 없이 설계서를 변경하여야 한다. 다만 보완 요구사항 반영으로 인하여 산출내역서 금액이 낮아질 경우에는 산출내역서 금액을 감액하여야 한다.

② 기본설계 기술제안입찰에서 실시설계적격자로 선정된 자의 기술제안내용에 대하여 중앙·지방건설기술심의위원회 또는 기술자문위원회의 심의결과 보완을 요구한 경우에는 보완내용을 실시설계적격자가 작성하는 실시설계서에 반영하여야 하며 또한 동 위원회의 실시설계서 심의결과 보완을 요구한 경우에는 보완사항 반영으로 산출내역서 금액이 낮아질 경우 산출내역서 금액을 감액하여야 한다.

③ 계약담당공무원은 실시설계 기술제안입찰의 낙찰자로 하여금 제1항에 따른 기술제안서의 보완사항에 대하여 해당 심의·평가위원에게 적격여부를 확인받아 계약 시 까지 제출하

도록 하여야 한다.

④ 수요기관의 장은 실시설계 기술제안입찰에 있어서 입찰자가 제안한 기술제안 사항을 검토 및 승인하여 조달청장에게 계약체결 요청한다.

⑤ 수요기관의 장은 계약자가 기술제안서의 내용을 반영하여 제출하는 설계서를 검토하여 승인한다.

제16조(기타사항) 실시설계 기술제안입찰 및 기본설계 기술제안입찰의 기술제안서 평가와 관련 중앙·지방건설기술심의위원회 또는 수요기관의 기술자문위원회에서 평가하는 경우에는 해당 위원회의 평가결과에 따르며, 이 세부기준에 정하지 아니한 사항에 대하여는 입찰공고에 별도로 정하여 집행할 수 있다.

제17조(운영경비) 기술제안입찰 등의 심의·평가를 조달청 기술자문위원회에서 수행하는 경우 소요되는 비용은 수요기관이 부담한다.

제18조(부칙) 이 기준은 2008년 7월 22일 이후 공고하는 기술제안입찰 등 공사에 적용한다.

제19조(재검토기한) 「훈령·예규 등의 발령 및 관리에 관한 규정」에 따라 이 지침에 대하여 2020년 7월 1일 기준으로 매3년이 되는 시점(매 3년째의 6월 30일까지를 말한다)마다 그 타당성을 검토하여 개선 등의 조치를 하여야 한다.

부 칙 〈2009.8.21〉

이 지침은 2009년 8월 24일부터 시행한다.

부 칙 〈2012.8.23〉

이 지침은 2012년 8월 25일부터 시행한다.

부 칙 〈2014.1.13〉

이 지침은 2014년 1월 14일부터 시행한다.

부 칙 〈2015.12.10〉

이 지침은 2015년 12월 14일부터 시행한다.

부 칙 〈2016.3.22〉

이 지침은 2016년 4월 1일 입찰공고하는 공사부터 적용한다.

부　　칙 〈2017.1.16〉

이 지침은 2017년 1월 16일 입찰공고하는 공사부터 적용한다.

부　　칙 〈2018.11.29〉

이 지침은 2018년 12월 1일 입찰공고하는 공사부터 적용한다.

부　　칙 〈2020.6.29〉

이 지침은 2020년 7월 1일 입찰공고하는 공사부터 적용한다.

[별표 1]

기술제안서 요약

○ 입찰공고번호		○ 입찰일시	2008년 0월 0일 00:00
○ 수요기관		○ 낙찰방식	
○ 공 사 명	○ ○ ○ 청사신축공사		
기술제안 내용 요약			
1. 시공 효율성 검토 등을 통한 공사비 절감방안			
2. 생애주기비용 개선방안			
3. 공기단축방안			
4. 공사관리방안			
5. 산출내역서 반영내용(실시설계 기술제안입찰일 경우) 또는 설계계획(기본설계 기술제안입찰일 경우)			
6. 기타 공고로 요구한 사항			
첨부 : 1) 2)			

[별표 2]

실시설계 기술제안입찰의 기술제안서 평가기준

<table>
<tr><th colspan="3">평가항목</th><th>평가요소</th><th>배점</th></tr>
<tr><td rowspan="23">기
술
점
수</td><td rowspan="6">공사비
절감방안</td><td rowspan="6">32</td><td>① 사전조사의 부합성(관련기관 협의 등)</td><td>6</td></tr>
<tr><td>② 구조물/공법 계획의 적정성</td><td>6</td></tr>
<tr><td>③ 신기술/신공법 도입의 적정성</td><td>5</td></tr>
<tr><td>④ 환경친화성(건설폐기물의 재활용 등)</td><td>5</td></tr>
<tr><td>⑤ 장래계획과의 부합성 및 기존시설과의 연계성</td><td>5</td></tr>
<tr><td>⑥ 방재/재난 도입의 적정성</td><td>5</td></tr>
<tr><td rowspan="4">생애주기
비용
개선방안</td><td rowspan="4">20</td><td>① 분석기준 및 방법의 적정성</td><td>4</td></tr>
<tr><td>② RFP 요구조건 반영 결과</td><td>5</td></tr>
<tr><td>③ 비용절감을 위한 유지관리 계획 제안의 적정성</td><td>5</td></tr>
<tr><td>④ 비용 산출의 적정성</td><td>6</td></tr>
<tr><td rowspan="2">공기단축
방안</td><td rowspan="2">12</td><td>① 공정계획의 수립 및 적정성</td><td>6</td></tr>
<tr><td>② 공기단축</td><td>6</td></tr>
<tr><td rowspan="8">공사관리
방안</td><td rowspan="8">24</td><td>① 시공 중 재난/구난계획 및 지장물처리 계획</td><td>3</td></tr>
<tr><td>② 시공 중 구조물/공사지역 안전계획</td><td>3</td></tr>
<tr><td>③ 시공 중 장비, 자재, 인력 운영계획</td><td>3</td></tr>
<tr><td>④ 사업관리운영시스템의 적정성</td><td>3</td></tr>
<tr><td>⑤ 작업장 및 현장주변 가설계획의 적정성</td><td>3</td></tr>
<tr><td>⑥ 건설공해 및 민원 방지계획</td><td>3</td></tr>
<tr><td>⑦ 리스크분석 및 관리계획의 적정성</td><td>3</td></tr>
<tr><td>⑧ 사업수행조직 구성의 적정성</td><td>3</td></tr>
<tr><td rowspan="2">산출내역</td><td rowspan="2">12</td><td>① 산출물량/금액/원가계산 제비율의 적정성</td><td>6</td></tr>
<tr><td>② 자료의 일치성 및 신뢰성</td><td>6</td></tr>
<tr><td>기 타</td><td>( )</td><td></td><td>( )</td></tr>
<tr><td colspan="2">합 계</td><td>100</td><td></td><td>100</td></tr>
</table>

※ 공사의 규모, 특성 등에 따라 평가 항목 및 요소별로 ±20% 범위에서 배점기준을 조정할 수 있으며 당해공사 입찰안내서에 별도로 정함

[별표 3]

기본설계 기술제안입찰의 기술제안서 평가기준

평가항목			평가요소	배점
기술점수	설계계획	15	① 시설계획의 적정성	5
			② 설비계획의 적정성	5
			③ 시스템/운용계획의 적정성	5
	공사비 절감방안	32	① 사전조사의 부합성(관련기관 협의 등)	6
			② 구조물/공법 계획의 적정성	6
			③ 신기술/신공법 도입의 적정성	5
			④ 환경친화성(건설폐기물의 재활용 등)	5
			⑤ 장래계획과의 부합성 및 기존시설과의 연계성	5
			⑥ 방재/재난 도입의 적정성	5
	생애주기 비용 개선방안	20	① 분석기준 및 방법의 적정성	4
			② RFP 요구조건 반영 결과	5
			③ 비용절감을 위한 유지관리 계획 제안의 적정성	5
			④ 비용산출의 적정성	6
	공기단축 방안	12	① 공정계획의 수립 및 적정성	6
			② 공기단축	6
	공사관리방안	21	① 시공 중 재난/구난계획 및 지장물처리 계획	3
			② 시공 중 구조물/공사지역 안전계획	3
			③ 시공 중 장비, 자재, 인력 운영계획	3
			④ 사업관리운영시스템의 적정성	3
			⑤ 작업장 및 현장주변 가설계획의 적정성	3
			⑥ 건설공해 및 민원 방지계획	2
			⑦ 리스크분석 및 관리계획의 적정성	2
			⑧ 사업수행조직 구성의 적정성	2
	기 타	( )		( )
합 계		100		100

※ 공사의 규모, 특성 등에 따라 평가 항목 및 요소별로 ±20% 범위에서 배점기준을 조정할 수 있으며 당해공사 입찰안내서에 별도로 정함

[별표 4]

실시설계 기술제안입찰의 기술제안서평가회 평가항목별 평가지침

□ 공사비절감방안

평가요소	배점	주요 평가내용	평가방법
① 사전조사의 부합성 (관련기관 협의 등)	6	•사전조사의 내용 – 공사의 특성에 적합하게 사전조사가 이루어졌는지의 여부 – 사전조사 내용의 현실성/충실도 •사전조사 내용과 공사비절감 제안요소들과의 부합성 – 공사비절감을 위해 요구되는 내용이 조사되었는지의 여부	• 평가요소의 점수를 합산하여 항목별 순위를 정함 •평가항목별로 상대평가(5등급) ※평가등급배분 및 가중치 참조 (별지6호)
② 구조물/공법 계획의 적정성	6	•주요 구조물/공법 계획 – 공사비절감 효과를 위한 구조물과 공법의 개선·변경이 충실히 제시되었는지의 여부 •공사특성 및 현장조건과의 일치성 – 당초의 설계의도를 준수하며 공사특성과 현장조건을 적절히 반영하였는지의 여부	상동
③ 신기술/신공법 도입의 적정성	5	•적용한 신기술/신공법의 적합성 – 당해 공사에 실제 적용 가능하고 공사비를 절감할 수 있는 신기술/신공법이 제시되었는지의 여부 •신기술/신공법 도입효과에 대한 분석 내용 – 적용하고자 하는 신기술/신공법의 도입사유 및 효과에 대한 분석내용의 적정성	상동
④ 기술제안의 환경친화성	5	•친환경성에 대한 분석 수준 – 제시하는 기술의 친환경성에 대한 분석 수준의 구체성 •친환경성 확보/향상으로 인한 환경비용 및 공사비절감 수준 – 건설폐기물 저감/재활용 측면 – CO_2 발생량 저감 측면 – 소음/진동 등 환경피해 저감 측면 – 기타 환경적 비용 저감 측면	상동

평가요소	배점	주요 평가내용	평가방법
⑤ 장래계획과 부합성 및 기존 시설과의 연계성	5	•장래계획 및 기존시설 분석 수준 - 공사/사업의 연속성과 확장계획, 기존 시설들과의 간섭/연계 등이 구체적으로 분석되었는지의 여부 •장래계획 및 기존시설 분석과 기술제안 내용의 연계성 - 분석 내용이 제시하는 기술제안과 일치되며, 기술제안으로 인해 공사비절감이 달성되는지의 여부 ※필요시 건축사와의 협의 등이 수행되었는지도 평가에 반영	•평가요소의 점수를 합산하여 항목별 순위를 정함 •평가항목별로 상대평가(5등급)
⑥ 방재/재난 도입의 적정성	5	•방재/재난 도입의 기술요소 - 방재/재난 도입기술의 우수성 및 효과(공사비절감)에 대한 판단 •구조물의 안전성에 대한 검토 내용 - 기술제안의 주요 내용에 대하여 충실히 구조물의 안전성 등에 대한 검토를 하였는지의 여부 ※필요시 건축사와의 협의 등이 수행되었는지도 평가에 반영	상동
[합 계]	32		

□ 생애주기비용 개선방안

평가요소	배점	주요 평가내용	평가방법
① 분석기준 및 방법의 적정성	4	• 분석을 위한 기준설정의 적정성 – 수선주기, 수선율, 교체주기 적용기준의 적정성 – 발주처에서 제시한 수선·교체기준에 없는 항목의 수선주기 및 수선율, 교체주기 적용기준의 적정성 – 할인율 기순설정의 적정성 – 내용년수 기준설정의 적정성 – 에너지비 산출을 위한 조건설정의 적정성 • 분석 범위, 절차 및 적용모델의 적정성 – 적용한 비용모델 및 분석목표에 부합하는 대상 설정의 적정성 – 분석절차의 적정성 – 적용모델의 적정성	• 평가요소의 섬수를 합산하여 항목별 순위를 정함 • 평가항목별로 상대평가(5등급)
② RFP 요구조건 반영결과	5	• RFP 요구조건 반영 결과 – 발주처 요구조건 반영 여부 (성능, 품질, 편의성, 비용, 공법 등 발주처의 요구조건에 대한 적용사항 비교) – 대안설계(기본설계 기술제안)의 경우, 대안의 LCC 측면의 적정성	• 평가요소의 점수를 합산하여 항목별 순위를 정함 • 평가항목별로 상대평가(5등급)
③ 비용절감을 위한 유지관리 계획 제안의 적정성	5	• LCC 절감을 위한 유지관리체계 제안의 적정성 – 유지관리 조직 및 업무분장 계획의 합리성 – 활용기법 제안의 적정성 • 유지보수(점검, 수선, 교체 등) 및 안전관리 계획 제안의 적정성 – 수시, 정기, 특별 점검계획 수립의 적정성 – 유지보수에 대비한 기술제안의 적정성 – 안전점검, 긴급재난 및 구난 계획 수립의 적정성	상동
④ 비용산출의 적정성	6	• 수선 및 교체비용 산출의 적정성 – 초기공사비 반영의 정확성 (내역서와 일치여부) – 수선 및 교체 대상항목의 누락 여부 – 수선율, 수선주기 및 교체주기의 임의반영 여부 • 에너지 절감계획의 적정성 – 에너지비용 산출의 정확성(설계내용의 정확한 반영) – 에너지 절감계획의 타당성 • LCC 절감액 및 실현가능성 – LCC 절감액의 상대비교 및 실현 가능성	상동

□ 공기단축방안

평가요소	배점	주요 평가내용	평가방법
① 공정계획의 수립 및 적정성	6	• 체계적인 공정표와 효율적이고 통합적인 관리계획이 제시되었는지를 다음의 요소에 대하여 평가 - 마일스톤(중간관리목표일) 계획 - 공사불능일 적용계획 - 전 공정의 예정공정표(C.P 표기) - 주요 공종에 대한 상세 공정계획 (핵심적 공종에 한하여 평가) - 기타 발주기관이 요구하는 사항	• 평가요소의 점수를 합산하여 항목별 순위를 정함 • 평가항목별로 상대평가(5등급)
② 공기단축	6	• 입찰자가 제안하는 단축된 공기를 정량적으로 평가 • 단축공기 평가시 시공자의 능력 및 공사특성 등을 고려하여 현실적인 공기를 제시한 것인지를 보기 위해 단축일수 산정근거를 함께 평가 ※ 총 공사기간(月) = 실시설계 + 인허가 + 시공기간 (작업불능일 포함하여 산정) ※'기본설계 기술제안입찰'은 여기에 제시한 총 공사기간을 산정·제안하며, '실시설계 기술제안입찰'은 설계 및 인허가 기간을 제외한 시공기간으로만 산정	상동 *공기단축 평가기준 [별표 9] 참조

□ 공사관리방안

평가요소	배점	주요 평가내용	평가방법
① 시공중 재난/구난계획 및 지장물처리 계획	3	• 시공 중 사고, 긴급재난의 리스크 요인 분석 및 대책 수립의 적정성 • 사업부지 및 주변의 지장물(지하, 지상) 파악 및 처리 계획의 적정성	• 평가요소의 점수를 합산하여 항목별 순위를 정함 • 평가항목별로 상대 평가(5등급)
② 시공중 구조물/공사지역 안전계획	3	• 시공 중 주요 안전계획의 적정성 - 주요 구조물의 안전관리 및 안전시설 계획 - 현장 및 현장 주변의 안전관리 및 안전시설 계획 - 현장 특성에 맞는 안전관리비 사용계획 - 현장 관리자 및 작업자에 대한 정기/수시 안전교육 계획 • 시공 중 교통처리계획의 적정성 - 공사단계별 교통처리계획 - 부지 내, 부지주변으로 구분한 교통처리 및 차량동선계획	• 평가요소의 점수를 합산하여 항목별 순위를 정함 • 평가항목별로 상대 평가(5등급)
③ 시공중 장비/자재/인력 운영계획	3	• 공정계획과 연계한 공종별/월별 주장비 투입 및 운영 계획의 적정성 • 공정계획과 연계한 공종별/월별 주자재 투입 및 운영 계획의 적정성 • 공정계획과 연계한 핵심인력(직원/노무) 투입 및 운영 계획의 적정성	상동
④ 사업관리운영시스템의 적정성	3	• 사업관리시스템 구축계획의 적정성 - 핵심적 관리요소간의 연계/통합 (공정관리, 원가관리, 품질관리, 설계관리 등 핵심 관리요소) - 정보화에 의한 PMIS 구축 계획 • 사업관리시스템 운영계획의 적정성 - 발주처, 시공자, 하도급자간의 승인/구축/업데이팅/전자결재/진도보고 등에 대한 운영 효율성	상동
⑤ 작업장 및 현장주변 가설계획의 적정성	3	• 합리적인 가설계획 수립의 적정성 - 주요 가시설물 설치계획 - 공사 단계별 자재야적장 계획 - 가설전기 및 용수 시설의 용량, 배치, 운영계획 - 주요 공종 및 가설재에 대한 공종별 가설계획 - 기타 발주기관이 요구하는 사항	상동

평가요소	배점	주요 평가내용	평가방법
⑥ 건설공해 및 민원 방지계획	3 (2)	• 현장 및 현장주변 공해요인에 대한 분석내용의 적정성 - 공사단계별(토공사, 골조공사, 마감공사 등)로 작성된 내용 평가 • 공해요인 방지 및 대응책 수립의 적정성(주변환경조사 및 공해요인 분석 결과를 토대로 평가) • 민원방지계획 수립의 적정성 - 예상 민원내용 분석 결과 - 예상 민원내용에 대한 방지 및 해결(최소화) 대책 - 민원 발생시 현장의 체계적인 대응관리 체계/시스템 - 기타 발주기관이 요구하는 사항	• 평가요소의 점수를 합산하여 항목별 순위를 정함 • 평가항목별로 상대평가(5등급)
⑦ 리스크분석 및 관리계획의 적정성	3 (2)	• 리스크분석 내용 및 대응하는 관리계획의 적정성 - 해당 사업의 리스크 분석 내용 - 분석결과 도출된 리스크 최소화 및 사전예방 대책 - 보증 및 보험가입계획 - 기타 발주기관이 요구하는 사항	상동
⑧ 사업수행조직 구성의 적정성	3 (2)	• 사업관리 조직도 및 필요인원 계획 수립의 적정성 • WBS, OBS, CBS의 효율적인 연계 및 운영방안 수립의 적정성 • 협력적 하도급 관리계획의 적정성 - 핵심적인 공종에 해당되는 주요 하도급 업체와의 파트너쉽 구축을 통한 효율성 사업수행 방안 평가(※ 자재, 장비, 인력/노무 업체로 구분하여 제시)	상동

※ ( )안의 배점은 기본설계 기술제안입찰의 경우임

□ 산출내역

평가요소	배점	주요 평가내용	평가방법
산출물량/금액/ 원가계산 제비율의 적정성	6	• 입찰자의 새로운 기술, 공법, 재료 등 기술제안 내용이 포함 또는 연관된 해당 공종의 산출물량/금액의 적정성을 평가 - 물량/금액 산출의 체계성/정확성 - 설계변경 가능성의 최소화 측면 • 입찰자가 작성하여 제출하는 제안산출내역서의 원가계산 제비율이 입찰안내서에서 제시한 기준에 적정한지 여부를 평가 • 산출내역서의 재료비, 직접노무비, 산출경비(기계경비)의 비목별 금액 비율(직접공사비에 대한 비목 금액의 가중치)의 적정성을 교부한 실시 설계서의 비목별 금액비율을 기준하여 적정성을 평가 (평가방법은 입찰안내서에 별도로 정함)	• 평가요소의 점수를 합산하여 항목별 순위를 정함 • 평가항목별로 상대평가(5등급)
자료의 일치성 및 신뢰성	6	• 세부공종과 산출물량, 금액의 기초자료 및 증빙자료 평가 • 발주기관에서 교부한 설계와 동등 이상의 기능·효과를 가진 기술, 공법, 기자재임을 증빙하는 자료의 신뢰성 평가	

[별표 5]

기본설계 기술제안입찰의 기술제안서평가회 평가위원별 평가기준

□ 공사비절감방안 - [별표 4]의 내용과 동일
□ 생애주기비용 개선방안 - [별표 4]의 내용과 동일
□ 공기단축방안 - [별표 4]의 내용과 동일
□ 공사관리방안 - [별표 4]의 내용과 동일
□ 설계계획

평가요소	배점	주요 평가내용	평가방법
① 시설계획의 적정성	5	• 배치 및 단지계획의 적정성 • 지반 및 기초계획의 적정성 • 건축계획의 적정성 • 구조계획의 적정성 • 토목계획의 적정성 • 조경계획의 적정성 • 설계진행 일정 및 통합관리, 변경관리 계획의 적정성 등	• 평가요소의 점수를 합산하여 항목별 순위를 정함 • 평가항목별로 상대평가(5등급)
② 설비계획의 적정성	5	• 기계설비계획의 적정성 • 전기설비계획의 적정성 • 정보통신설비계획의 적정성 • 기타 특수설비 또는 발주기관에서 별도로 요구한 계획의 적정성	
③ 시스템/운용계획의 적정성	5	• 시공후 사용 및 운영 측면을 고려하여 아래의 계획들에 대한 적정성을 상대적으로 평가 – 친환경적인 시설물의 사용/운용 측면의 계획 – 안전사고예방/무장애(barrier free) 측면의 계획 – 보안(시설물 자체, 시설 운용자) 측면의 계획 – 시설물의 유지보수, 점검 시스템 측면의 계획 – 기타 시설의 유형 등에 따라 발주기관이 요구하는 사항	상동

[별표 6]

제안서 평가 시 신청자수 별 평가등급 배분 및 평정방법

1. 신청자수 별 평가등급 배분

업체수	등급				
	수	우	미	양	가
2, 3	1	1	(1)		
4	1	1	1	1	
5	1	1	1	1	1
6	1	1	2	1	1
7	1	1	3	1	1
8	1	2	3	1	1
9	1	2	3	2	1
10	1	2	4	2	1
11	1	2	5	2	1
12	1	3	5	2	1
13	1	3	5	3	1
14	1	3	6	3	1
15	2	3	6	3	1
16	2	3	6	3	2
17	2	3	7	3	2
18	2	4	7	3	2
19	2	4	7	4	2
20	2	4	8	4	2

2. 차등비율

구분	평가항목별 차등	심의위원별 차등	총점 차등
차등비율	등급별(수~가)5~10%	5~10%	5~10%

* 설계점수의 채점방법 : 조달청 기술자문위원회 설치 및 운영규정 제42조 적용
* 세부평가방법 : 조달청 기술자문위원회 설치 및 운영규정에 따른다.

[별표 7]

기술제안입찰 등의 실격처리기준

<table>
<tr><th>평가
항목</th><th>평가기준</th><th>평가방법</th><th>실격여부 처리</th></tr>
<tr><td>공사비절감
방안</td><td>'입찰안내서'의
공사비절감방안 작성기준</td><td rowspan="6">- 설계기술심의회에서 '입찰안내서'에 정한 최소 성과요구수준에 미달하거나 중대한 결함이 있는 경우 심의위원 1/2 이상의 동의시 '부적합'으로 판정하고, 해당 기술제안서를 실격 처리

- 기술제안서 평가회에서 '기술제안서'의 항목별, 요소별 내용이 작성지침에서 정한 기준에 미달하는 경우 해당분야 평가위원 2/3 이상(평가위원이 2인 인 경우는 전원) 동의 시 '부적격'으로 판정하고, 해당부분을 실격(0점)처리할 수 있음</td><td>공사비절감방안
0점 처리
(배점 32점)</td></tr>
<tr><td>생애주기
비용개선
방안</td><td>'입찰안내서'의
생애주기비용 개선방안
작성기준</td><td>생애주기비용 개선방안
0점 처리
(배점 20점)</td></tr>
<tr><td>공기단축
방안</td><td>'입찰안내서'의
공기단축방안 작성기준</td><td>공기단축방안
0점 처리
(배점 12점)</td></tr>
<tr><td>공사관리
방안</td><td>'입찰안내서'의
공사관리방안 작성기준</td><td>공사관리방안
0점 처리
(배점 24(21)점)</td></tr>
<tr><td>산출내역</td><td>'입찰안내서'의
산출내역
작성 기준</td><td>산출내역
0점 처리
(배점 12점)</td></tr>
<tr><td>설계계획</td><td>'입찰안내서'의
설계계획
작성기준</td><td>설계계획
0점 처리
(배점 15점)</td></tr>
<tr><td colspan="4">① 기술제안서 전체의 실격이 아니더라도, 평가위원 2/3 이상의 동의를 통해 해당되는 평가항목 및 그 평가항목에 속하는 평가요소만을 실격으로(0점) 처리할 수 있음

② 실격제 평가(Pass or Fail)에 관한 세부적인 기준 및 처리방법 등은 해당 사업특성 등을 고려하여 별도로 정할 수 있음

③ 사전에 공고되지 않은 세부적인 실격처리의 기준 및 방법은 평가전에 해당 위원회에서 협의를 통해 결정할 수 있음</td></tr>
</table>

[별표 8]

기술제안입찰 등의 감점처리기준

항 목	감 점
1. 기술제안서 및 부속서류, 증빙자료(설계도면 등) 기준쪽수 초과 시 • 기술제안서 쪽수 제한 기준	쪽당 : 0.1점 (최대 0.5점)
2. 기술제안서 작성 지침 위반	
• 흑색 이외의 색상이나 표식 금지 • 이미지 파일 삽입 위배 • 바탕면 및 여백부 등의 치장 금지 (MAC작업 금지)	쪽당 : 0.1점 (최대 0.5점)
• 조감도 및 투시도, 시뮬레이션 사용 금지	쪽당 : 0.2점 (최대 1점)
• 기술제안서 규격 제한 기준 위배 • 기술제안서작성, 인쇄방법, 종이 재질 위배 등 기술제안서 작성지침 위반	쪽당 : 0.1점 (최대 0.5점)
• 본 과업구간의 현장사진 이외의 모든 사진 사용 시	쪽당 : 0.1점 (최대 0.5점)
3. 평가위원 선정 대상자에 대한 사전설명 금지 위배	1점
4. 사전 설명자료 작성 및 배포 금지 위배	1점

※ 총 감점이 3점 이상일 경우 3점까지만 감점처리

[별표 9]

공기단축 평가기준

구 분	공기단축 비율(공기단축일수/설계공사일수)					
	10% 이상	8% 이상	6% 이상	4% 이상	4% 미만	공기증가
등 급	A	B	C	D	E	부적격
배 점	5	4	3	2	1	0

※ 총공사 기간의 1개월은 30일로 환산하여 총공사 일수 산정

※ 공사의 제반특성상 별도의 공기단축이 요구되지 않거나 현실적으로 공기단축이 어려운 경우, 또는 과도한 공기단축이 부실시공 등으로 이어질 가능성이 있다고 판단될 때는 공기단축 평가기준을 조정하거나 공기단축 일수에 대한 평가를 제외할 수 있다.

14 국가종합전자조달시스템 입찰참가자격등록규정

제정 2003. 04. 07. 조달청고시 제2003- 1호
개정 2006. 09. 25. 조달청고시 제2006- 7호
개정 2007. 01. 09. 조달청고시 제2007- 1호
개정 2007. 06. 14. 조달청고시 제2007-11호
개정 2007. 11. 14. 조달청고시 제2007-19호
개정 2008. 11. 20. 조달청고시 제2008-17호
개정 2009. 10. 01. 조달청고시 제2009- 9호
개정 2010. 04. 01. 조달청고시 제2010- 9호
개정 2010. 07. 01. 조달청고시 제2010-21호
개정 2012. 08. 23. 조달청고시 제2012-39호
개정 2013. 01. 14. 조달청고시 제2013- 1호
개정 2014. 03. 05. 조달청고시 제2014- 5호
개정 2015. 10. 07. 조달청고시 제2015-28호
개정 2016. 06. 20. 조달청고시 제2016-24호
개정 2017. 09. 13. 조달청고시 제2017-23호
개정 2018. 07. 12. 조달청고시 제2018- 8호
개정 2018. 08. 31. 조달청고시 제2018-11호
개정 2019. 06. 13. 조달청고시 제2019- 5호
개정 2019. 12. 30. 조달청고시 제2019-24호
개정 2020. 07. 28. 조달청고시 제2020-31호
개정 2021. 05. 24. 조달청고시 제2021-11호
개정 2022. 10. 01. 조달청고시 제2022-21호

제1장 총 칙

제1조(목적) 이 규정은 기획재정부장관이 지정정보처리장치로 고시한 국가종합전자조달시스템(이하 “시스템”이라 한다)의 관리·운용자인 조달청장(이하 “운영자”라 한다)이 「국가를 당사자로 하는 계약에 관한 법률 시행규칙」(이하 “시행규칙”이라 한다) 제15조제1항에 따라 경쟁입찰참가자격의 등록(이하 “등록”이라 한다)에 관한 사항을 정함을 목적으로 한다.

제2조(용어의 정의) ① 이 규정에서 사용하는 용어의 정의는 다음 각 호와 같다.

1. “물품”이란 국내에서 생산 또는 공급되는 내자물품과 국외에서 생산 또는 공급되는 외자물품을 말한다.
2. “물품분류번호”란 「물품목록정보의 관리 및 이용에 관한 법률 시행령」 제9조제1항에 따라 2자리씩 4단계 계층구조로 이루어진 8자리 숫자를 말하며, “세부품명번호”는 물품의 구매 등에 효과적으로 사용할 수 있도록 용도·재질·형태 등에 따라 물품분류번호 8자리 숫자 다음에 2자리를 추가한 총 10자리 숫자를 말한다. <개정 2007.11.14, 2013.1.14>
3. “공사”란 「건설산업기본법」, 「전기공사업법」, 「정보통신공사업법」, 「소방시설공사업법」, 「문화재수리 등에 관한 법률」, 기타 다른 법률의 규정에 의한 토목·건축·산업설비·환경시설·조경·구조물·소방시설·문화재 등 시설물의 설치·유지·보수·해체·부지조성 등의 사업을 말한다. <수정 2015.10.7>
4. “용역”이란 다음 각 목의 어느 하나에 해당하는 것을 말한다.
   가. 「건설기술진흥법」, 「엔지니어링산업진흥법」, 「건축사법」, 「기술사법」, 「전력기술관리법」, 「정보통신공사업법」, 「소방시설공사업법」, 「공간정보의 구축 및 관리 등에 관한 법률」, 기타 다른 법률의 규정에 의한 감리 또는 설계 등의 기술 용역 <수정 2015.10.7>
   나. 「소프트웨어산업진흥법」, 「환경영향평가법」, 「폐기물관리법」, 「에너지이용합리화법」, 「시설물의 안전관리에 관한 특별법」, 기타 다른 법률의 규정에 의한 전산용역·전산장비유지용역·환경영향평가업·청사관리용역·청소용역 등 일반 용역
5. “이용기관”이란 「조달사업에 관한 법률」 제2조제4호에 따른 수요기관으로서 조달업무를 수행하기 위하여 시스템에 등록한 기관을 말한다.
6. “게재기관”이란 이용기관 중에서 자체적으로 경쟁입찰참가자격을 등록 받아 관리하고 있는 기관으로서 시행규칙 제15조제5항에 따라 자체 등록정보를 시스템에 게재한 기관을 말한다. <개정 2007.11.14>
7. “등록확인”이란 등록담당공무원이 등록신청서와 등록요건구비서류를 검토하여 등록을 확인하는 것을 말한다.
8. “대표대표자”란 입찰 및 계약 등에 관한 법률적 행위에 대표권을 행사하기 위하여 법인등기부등본(법인 사업자)과 사업자등록증(개인 사업자)상의 유효한 대표자들이 대리인으로 선정한 자 또는 관리인을 말한다. <개정 2006.9.25. 2014.3.5>
9. “업종코드”란 운영자가 업종DB분류체계에 의해 법령분야별로 업종을 분류하여 부여한 4자리 숫자로 이루어진 코드를 말하며, 업종DB분류코드 2자리 숫자와 업종일련번호 2자리 숫자를 차례로 배열하여 구성한다. <신설 2007.11.14>
10. “행정처분기관”이란 행정처분 주체가 되는 국가기관, 지방자치단체, 교육기관을 말한다. <신설 2010.4.1>
11. “지문인식 신원확인 입찰”이란 지문보안기기를 이용하여 온라인상에서 전자입찰자(대표자 또는 입찰대리인)의 신원확인을 적용하는 입찰을 말한다. <신설 2010.4.1> <수정

2016.6.20.>

12. “지문보안기기”란 조달청 “나라장터 생체인식(바이오)보안기기 제품 지정 및 관리규정”에 따라 생체인식(바이오)보안기기로 지정된 제품으로서 전자서명생성키, 지문 등 비밀정보를 안전하게 저장·보관하기 위하여 키생성·전자서명 생성 등이 기기 내부에서 처리되도록 구현된 하드웨어 기기를 말한다. <신설 2010.4.1> <수정 2016.6.20>
13. “관리인”이란 「채무자회생 및 파산에 관한 법률」 제2편 회생절차개시결정이 있는 업체의 관리인을 말한다. <신설 2014.3.5>
14. “국외소재업체”란 국외에서 물품·공사·용역 등의 사업을 하는 자로서 국내에 사업자등록을 하지 않은 업체 <신설 2015.10.7>

② 제1항 각 호의 용어 이외에는 「국가를 당사자로 하는 계약에 관한 법률」(이하 “법”이라 한다), 「조달사업에 관한 법률」 등 관련법령 및 계약예규에서 규정하는 바에 따른다.

제3조(다른 법령과의 관계) 등록에 관하여는 법, 「국가를 당사자로 하는 계약에 관한 법률 시행령」(이하 “시행령”이라 한다), 시행규칙, 시행령특례규정 및 시행특례규칙 등에서 달리 규정하는 경우를 제외하고는 이 규정이 정하는 바에 따른다.

제4조(등록의 구분) ① 등록의 분야에 따라 물품입찰참가자격등록, 공사입찰참가자격등록, 용역입찰참가자격등록 및 외자물품입찰참가자격등록으로 구분한다.

② 등록의 시기 및 사유에 따라 처음 등록하는 신규등록, 1년마다 자신의 등록내용을 스스로 확인·정비하는 자기정보확인등록, 등록사항의 일제정비 또는 유효기간 경과에 따른 갱신등록, 등록내용을 변경 또는 추가·삭제하는 변경등록, 등록취소사유 발생에 따른 말소등록으로 구분한다. <개정 2007.11.14, 2010.4.1>

③ 등록확인을 받은 자(이하 “등록자”라 한다)의 국내 사업자등록 여부에 따라 국내소재업체입찰참가자격등록과 국외소재업체입찰참가자격등록으로 구분한다. <수정 2015.10.7> <개정 2017.9.13>

제5조(등록의 요건) ① 국내소재업체로서 입찰참가자격 등록을 하고자 하는 자는 시행규칙 제18조의 예외규정을 제외하고 다음 각 호의 자격요건을 갖춘 자이어야 한다. <수정 2015.10.7.>

1. 다른 법령의 규정에 의하여 허가, 인가, 면허, 등록, 신고 등을 필요로 할 경우에는 해당 허가, 인가, 면허, 등록, 신고 등이 되어 있거나 기타 필요한 자격요건에 적합할 것 <수정 2017.9.13>
2. 보안측정 등의 조사가 필요한 경우에는 관계기관으로부터 적합판정을 받았을 것
3. 「소득세법」 제168조, 「법인세법」 제111조 또는 「부가가치세법」 제8조에 따라 해당 사업에 관한 사업자등록증을 교부받았거나, 「부가가치세법 시행령」 제12조제2항에 따라 고유번호증을 부여받았을 것<개정 2007.1.9, 2007.11.14, 2014.3.5, 2016.6.20> <수정 2017.9.13>

② 국외소재업체로서 입찰참가자격 등록을 하고자 하는 자는 다음 각 호의 자격요건을 갖추어야 한다. <신설 2015.10.7>

1. 보안측정 등의 조사가 필요한 경우에는 관계기관으로부터 적합 판정을 받았을 것

2. 소속국가의 사업자등록증 또는 점포소유증명서를 교부받았을 것(소속국가에서 두 개를 모두 취급하지 않을 경우, 이와 유사한 것으로서 소속국가로부터 적법한 사업자임을 증명하는 인증서를 교부받았을 것)

제6조(등록의 결격사유) ① <삭제>

② 등록에 필요한 제출서류내용(대표자의 성명, 상호 및 법인의 명칭 등)이 서로 다른 경우 등록을 할 수 없다. 단, 관련법령에 의해 불가피하게 다른 경우에는 적용하지 아니한다. <신설 2015.10.7>

제7조(등록번호) 국외소재업체입찰참가자격등록을 제외한 등록에 대하여는 별도의 등록번호를 부여하지 아니하고 본사의 사업자등록번호로 관리한다. 다만, 법인의 경우에는 본사의 법인등록번호와 사업자등록번호로 관리하되, 지사는 법인의 입찰참가자격등록증에 지사의 사업자등록번호를 기재하여 관리한다. <단서조항 추가 2008.11.20> <수정 2017.9.13>

제8조(등록정보의 이용) ① 이 규정 및 시행규칙 제15조제5항에 따라 시스템에 게재된 등록정보는 각 이용기관의 장 또는 계약담당공무원에게도 등록한 것으로 본다. 각 이용기관의 장 또는 계약담당공무원은 시스템을 통하여 입찰참가자격을 확인할 수 있으며, 입찰참가자가 고의 또는 과실로 시스템에 변경등록 등을 하지 않은 경우에 대비하여 낙찰자선정과정에서 낙찰대상자의 입찰참가자격을 별도 확인하여야 한다. <개정 2007.11.14>

② 각 이용기관의 장 또는 계약담당공무원이 해당 기관의 경쟁입찰업무에만 활용하기 위하여 등록을 받는 경우에는 입찰참가희망자가 해당 기관에 별도로 등록하여야 한다. <수정 2017.9.13>

제9조(등록의 시기 및 유효기간) ① 등록담당공무원은 연중 수시로 등록신청을 접수·처리하며 등록의 유효기간은 다음 각 호와 같다. 다만 각호에 따른 유효기간이 두 가지 이상 적용될 경우에는 그 중 먼저 도래하는 시점을 만료일로 한다. <개정 2007.11.14. 2017.9.13>

1. 제조물품에 대한 입찰참가자격의 등록 유효기간은 등록일로부터 3년간으로 한다. <단서조항 삭제 2017.9.13>
2. 제5조제1항제1호에 따른 허가, 인가, 면허, 등록, 신고 등에 유효기간이 있는 경우와 제22조 및 제25조에 따른 제출서류에 유효기간이 있는 경우에는 그 기간을 유효기간으로 한다. <개정 2016.6.20> <단서조항 삭제 2017.9.13>

② 해당 업체는 제1항제1호에서 정한 유효기간이 경과하기 전에 갱신등록을 하여야 하며, 유효기간이 경과하면 등록의 효력은 소멸된다. 갱신등록은 유효기간 만료 10일전까지 신청을 완료하여야 하며, 그 기간 내에 갱신등록 신청을 한 경우에는 갱신등록 확인일까지 등록의 효력이 있는 것으로 본다. <개정 2017.9.13, 2019.6.13>

③ 해당 업체는 제1항제2호에서 정한 유효기간이 경과하기 전에 관련법령에 따라 유효기간을 갱신하고 등록을 갱신하여야 한다. 다만, 등록을 갱신하지 않고 입찰에 참가하였더라도 관련법령에 따라 유효기간을 갱신한 경우에는 입찰서 제출마감일 이후 보완할 수 있다. <신설 2019.6.13>

④ 등록된 제조물품 중 「중소기업제품 구매촉진 및 판로지원에 관한 법률 시행령」 제6조 제1항에 따른 중소기업자간 경쟁제품 지정공고에서 제외된 제품은 조달청장이 별도의 신청없이 일반 제조물품으로 일괄 전환시킬 수 있으며, 이 경우 해당 물품의 등록 유효기간은 등록시에 확인한 유효기간을 적용한다. <신설 2019.6.13>

⑤ 운영자는 등록정보를 정비하기 위하여 필요한 경우에는 모든 등록자로 하여금 등록 내용의 전부 또는 일부에 대하여 갱신등록을 하게 할 수 있다. <개정 2009.10.1>

제9조의2(자기정보확인등록) ① 등록업체는 신규등록, 변경등록, 갱신등록, 자기정보확인등록을 하여야 하고 입찰에 참가하고자 하는자는 반드시 입찰서 제출 전까지 자기정보를 확인하고 입찰에 참가하여야 한다. 이를 따르지 않아 발생하는 불이익에 대한 책임은 등록업체에게 있다. <개정 2010.4.1, 2019.12.30>

② 등록업체는 시스템에 등록된 자기정보가 사실과 다를 경우, 사실과 다른 정보를 제공한 기관에 증빙자료 등을 제출하여 해당 기관으로 하여금 시스템에 등록된 자기정보를 수정·보완할 수 있도록 조치를 취해야 한다. <신설 2010.4.1>

제10조(등록증의 발급) ① 시행규칙 제15조제1항의 규정에 의하여 입찰참가자격을 등록한 자에게 경쟁입찰참가자격등록증<별지 제7호 서식>(이하 "등록증"이라 한다)을 발급하여야 하며, 등록증 발급은 등록자가 시스템에 접속하여 출력하는 방식으로 한다. <개정 2007.11.14, 2015.10.7> <수정 2017.9.13>

② 제1항에 따라 출력된 등록증은 계약담당공무원이 시스템을 통하여 입찰참가자격을 확인할 수 있는 경우에 한하여 등록증으로서의 효력을 갖는다.

제11조(입찰참가의 범위) ① 등록자가 참여할 수 있는 입찰의 범위는 물품의 경우에는 등록증에 등재된 세부품명 또는 품명, 품류의 입찰에 한하고, 공사 또는 용역의 경우에는 등재된 업종의 입찰에 한한다. <개정 2013.1.14>

② '외자물품'으로 등재되어 있지 아니한 경우에도 물품입찰참가자격등록자는 외자물품입찰 대상과 동종의 물품이 등재되어 있고 국내에서 납품이 가능하면 해당 외자물품입찰에 참가할 수 있다. <수정 2017.9.13>

제2장 등록 절차 및 기준

제12조(등록안내) ① 운영자는 등록에 필요한 다음 각 호의 사항을 시스템에서 안내하여야 한다. <수정 2017.9.13>

1. 등록신청자격
2. 등록신청에 따른 증빙서류
3. 등록방법 및 등록신청서 접수기간

4. 등록의 유효기간
5. 해당 등록공고가 정부조달협정의 적용을 받는다는 사실
6. 등록사항에 대한 문의처
7. 시행규칙 제15조제6항에 따른 사항 등 기타 필요한 사항

② 운영자는 필요한 경우 제1항의 안내내용을 안내서로 발행하여 관련 업계에 배포할 수 있다.

제13조(국내소재업체의 입찰참가자격 등록신청) ① 등록을 하고자 하는 자는 “나라장터”의 신규이용자등록에서 조달업체이용자로 등록 후 입찰참가자격등록신청을 하여야 하며, 등록신청 증빙서류는 신청자가 선택한 조달청 본청 또는 지방조달청으로 송부하여야 한다. <개정 2015.10.7>

② 등록을 하고자 하는 자는 운영자가 지정한 공인인증기관이 발급한 공인 인증서를 이용하여 등록을 신청하여야 한다. <단서조항 수정 2008.11.20> <단서조항 삭제 2015.10.7>

③ 등록을 하고자 하는 자는 본사의 사업자등록번호, 대표자의 성명(회생절차개시결정이 있는 업체의 경우는 관리인의 성명을 포함하여야 하며, 대표자 및 관리인이 여러 명인 경우는 모두를 포함), 주소로 등록을 신청하여야 한다. <개정 2006.9.25> <단서조항 추가, 2008.11.20> <개정 2009.10.1, 2014.3.5> <수정 2015.10.7> <개정 2016.6.20, 2018.7.12> [제9항으로 단서조항 이동, 2018.7.12]

④ 등록을 하고자 하는 자는 입찰 및 계약 등에 관한 법률적 행위에 대표권을 행사하기 위하여 제2조제1항8호에 따라 반드시 “대표대표자”1인을 선정하여야 한다. 또한, 대표자가 여러 명인 경우에는 각자대표인지 공동대표인지 여부를 구분하여 등록하여야 한다. <개정 2006.9.25> <개정 2016.6.20>

⑤ 등록을 하고자 하는 자는 시스템에 해당 업체에 재직 중인 임·직원에 한하여 입찰대리인을 등록할 수 있고, 입찰대리인의 자격확인을 위하여 재직증명서와 다음 각 호 중 어느 하나에 해당하는 자료를 제출하거나 인터넷정보망을 통한 조달청 승인자의 관련 자료 열람에 동의하여야 한다. 법인이 지사의 입찰대리인을 등록하고자 할 경우에도 동일하다. 다만, 부정당업자로 입찰참가자격을 제한 받고 있는 자는 대리인으로 등록할 수 없으며, 또한 1인이 중복 하여 2개 이상의 회사에 입찰대리인으로 등록 할 수 없다. <개정 2007.6.14, 2008.11.20, 2009.10.1, 2016.6.20> <수정 2017.9.13>

1. 4대 보험 중 어느 하나 가입 증명자료(최근 3개월 이내) <신설 2009.10.01>
2. 소속사에서 받은 급여와 관련, 해당 소속사에서 발급받은 소득세 납부 증명자료 <신설 2009.10.1> <수정 2016.6.20>
3. 법인 등기사항증명서 <신설 2009.10.1> <수정 2016.6.20> <개정 2017.9.13>

⑥ 본사 외에 지사를 등록한 법인의 경우에 동일 입찰 건에 대하여는 본사 또는 지사 중 1개사만 입찰에 참가할 수 있다. <신설 2008.11.20>

⑦ 지문인식 신원확인 입찰이 적용되는 공고에 참가하고자 하는 전자입찰자는 사전에 조달청이 정한 절차에 따라 지문보안기기에 전자입찰자의 지문정보를 등록하여야 하며, 입찰

서를 작성하여 전송할 때 지문보안기기를 통해 전자입찰자의 신원을 확인한 후 입찰에 참가하여야 한다. <신설 2010.4.1> <수정 2016.6.20>

1. 지문정보는 조달청 등록담당공무원 또는 조달청과 협약된 기관(이하 "협약기관")의 개인정보보호법에 따른 개인정보처리자의 입회하에 대표자 또는 입찰대리인의 신원확인을 거친 후 인증기관을 통하여 등록하여야 한다. <신설 2010.4.1> <개정 2016.6.20>
2. 전자입찰에 참가하고자 하는 자는 반드시 지문보안기기에 전자입찰자의 지문정보를 등록한 후 전자입찰에 참가하여야 한다.<신설 2010. 4. 1.> <수정 2016. 6. 20.>

⑧ 법인이 등록을 하고자 하는 경우 법인등기사항증명서에 표기된 상호로 등록신청하여야 한다. 다만, 괄호안에 추가 등기된 영문 또는 한자 표기는 생략할 수 있다. <신설 2016.6.20>

⑨ 법인의 경우 본사 이외에 지사를 등록하고자 하는 자는 법인등기사항증명서의 지점(분사무소)에 관한 사항에 해당 지사가 등재되어 있거나 또는 정관상에 지사에 대한 상호, 소재지가 등재되어 있어야 하고, 본사 대표(회생절차개시결정이 있는 업체의 경우는 관리인) 명의의 "지사등록이행각서"(별지 제1호 서식)를 제출하고 등록하여야 하며, 지사가 입찰 및 계약과 관련하여 입찰참가자격 제한사유에 해당될 경우에는 해당 법인에 대하여 입찰참가자격을 제한한다. <신설 2018.7.12> [종전 제3항에서 이동 <2018.7.12>]

⑩ 개인사업자는 보유한 복수의 사업장을 등록할 수 있다. 다만 사업종류가 동일한 복수의 업체가 있는 경우 한 곳을 지정하여 등록하여야 한다. 제23조에 따라 등재된 세부품명번호 또는 제25조의2에 따라 등재된 업종코드가 한 개 이상 중복되는 경우 사업종류가 동일한 것으로 본다. <신설 2018.7.12>

제13조의2(국외소재업체의 입찰참가자격 등록신청) ① 국외소재업체로서 입찰참가자격 등록신청자는 등록신청내용을 확인할 수 있도록 다음 각 호의 서류를 조달청 본청 또는 지방조달청에 우편 또는 직접 방문하여 제출하여야 한다. <신설 2015.10.7>

1. "국외소재업체 등록 신청서"(별지 제3호 서식)
2. 소속국가의 사업자등록증 또는 점포소유증명서(소속국가에서 두 개를 모두 취급하지 않을 경우, 이와 유사한 것으로서 소속국가로부터 적법한 사업자임을 증명하는 인증서)

② 외자·비축물자 입찰에 대하여 국외에서 전자입찰을 하고자 하는 자는 "국외소재업체 인증서 신청서"(별지 제4호 서식)를 추가로 작성하여 조달청 본청 또는 지방조달청에 우편 또는 직접 방문하여 제출하여야 한다. <신설 2015.10.7>

③ 등록신청서류는 한국어로 작성하여야 한다. 다만 한국어로 작성할 수 없는 경우에는 원본과 함께 한국어 번역문을 공증을 받아 첨부하여야 한다. <신설 2015.10.7>

④ 제1항제2호의 서류는 신청자 소속국가의 유관 사업당국 또는 관할 행정관서에서 발행한 것이어야 한다. <신설 2015.10.7>

⑤ 등록을 하고자 하는 자는 시스템에 해당 업체에 재직 중인 임·직원에 한하여 입찰대리인을 등록할 수 있고, 입찰대리인의 자격확인을 위하여 재직증명서와 대표자의 위임장을 제출하여야 한다. <신설 2015.10.7.> <수정 2017.9.13>

⑥ 지문인식 신원확인 입찰이 적용되는 공고에 참가하고자 하는 전자입찰자는 사전에 조달청이 정한 절차에 따라 지문보안기기에 전자입찰자의 지문정보를 등록하여야 하며, 입찰서를 작성하여 전송할 때 지문보안기기를 통해 전자입찰자의 신원을 확인한 후 입찰에 참가하여야 한다. <신설 2015.10.7> <수정 2016.6.20>

1. 지문정보는 조달청 등록담당공무원 또는 조달청과 협약된 기관(이하 "협약기관")의 개인정보보호법에 따른 개인정보처리자의 입회하에 대표자 또는 입찰대리인의 신원확인을 거친 후 인증기관을 통하여 등록하여야 한다. <개정 2016.6.20>
2. 지문인식 신원확인 입찰이 적용되는 전자입찰에 참가하고자 하는 자는 반드시 지문보안기기에 전자입찰자의 지문정보를 등록한 후 전자입찰에 참가하여야 한다. <수정 2016.6.20>

제14조(등록의 확인) ① 등록담당공무원은 등록신청서류가 접수되면 제5조, 제13조, 제13조의2, 제22조 또는 제25조 등의 검토를 거쳐 등록을 확인하여야 한다. <추가 2016.6.20>

② 등록신청에 필요한 증빙서류 중 「전자정부법」 제36조제1항에 따라 행정정보의 공동이용을 통하여 전자적으로 확인할 수 있는 서류는 등록담당공무원이 직접 확인한다. 다만, 등록신청자가 서류 확인에 동의하지 아니하는 경우에는 그 서류를 방문 또는 우편 등의 방법으로 제출하거나 직접 시스템에 게재하여 등록담당공무원의 확인을 받아야 한다. <개정 2017.9.13., 2021.5.24.>

③ 제2항에 따라 전자적으로 확인할 수 있는 서류도 등록담당공무원이 전산장애 등의 사유로 확인할 수 없을 때에는 등록신청자에게 관련 서류의 제출을 요청할 수 있으며, 원본을 제출해야 하는 서류(인감증명서 등)는 방문 또는 우편으로 제출하여야 한다. <개정 2017.9.13., 2021.5.24.>

④ 등록담당공무원은 등록업체가 법인인 경우에는 법인등기사항증명서에 표기된 상호로 신청 하였는지 여부를 확인하여야 한다. <신설 2016.6.20>

제15조(등록의 효력발생) ① 등록의 효력은 등록담당공무원의 등록확인에 의하여 발생한다. 단, 정보 제공기관으로부터 자동으로 연계되어 제공받는 정보와 행정처분기관을 통하여 시스템에 직접입력된 정보는 별도의 확인절차 없이 효력을 발생한다. <단서조항 추가 2010.4.1>

② 등록신청자는 시스템을 통하여 등록내용을 확인하여야 하며, 증빙서류가 미비하거나, 공장실사를 거부하여 등록확인이 되지 아니 한 책임은 등록신청자에게 있다. <개정 2007.11.14>

③ 신용정보기관 등으로부터 휴업 또는 폐업의 통보를 접수한 경우 운영자는 휴·폐업 업체 소속 입찰대리인의 등록을 취소할 수 있다. <신설 2009.10.1>

제16조(변경등록) ① 등록자는 시스템상의 등록정보가 변경되면 즉시 필요한 증빙서류를 첨부하여 변경등록신청을 하여야 하며, 변경등록에 대하여는 제13조 부터 제15조를 준용한다. 다만, 공급물품, 사용인감, 전화번호, 전자우편주소 또는 홈페이지 주소의 변경사항은 등록자가 시스템에 접속하여 변경내용을 입력하는 것으로써 변경등록이 이루어지며, 국외소재업체의 경우 "국외소재업체 등록사항변경 신청서"(별지 제5호 서식) 및 변경내용의 증빙서류를 조달청 본청 또는 지방조달청에 우편 또는 직접 방문하여 제출하여야 한다. <개정

2015.10.7>

② 등록자가 다음 각 호의 어느 하나에 해당하는 사항이 변경되었음에도 변경등록을 하지 아니하고 입찰에 참가하면 해당 입찰은 시행규칙 제44조제6호의3에 따라 무효가 된다. <수정 2017.9.13>

1. 상호 또는 법인의 명칭
2. 대표자의 성명(대표자가 여러 명인 경우는 모두를 포함) <개정 2006.9.25, 2009.10.1>

③ 등록자 중 개인에서 법인으로 전환되거나, 법인에서 개인으로 전환된 경우에는 해당 등록자는 등록을 말소하고 신규등록을 하여야 한다. <수정 2017.9.13>

④ 등록자 중 다른 법인에 합병되거나 또는 타 법인을 합병한 경우에는 합병된 자는 말소등록을, 합병한 자는 변경등록을 하여야 한다.

⑤ 등록사항이 말소된 자가 재등록할 경우에는 제1항을 준용한다. <개정 2007.11.14>

⑥ 행정처분 정보는 행정처분기관에서 시스템에 직접 입력함으로써 변경등록된 것으로 본다. <신설 2010.4.1>

⑦ 등록자 중 「채무자회생 및 파산에 관한 법률」에 따라 회생절차개시결정이 있는 경우에는 관리인을 대표자 정보에 추가등록하고 대표대표자로 변경등록을 하여야 한다. <신설 2014.3.5>

⑧ 등록자는 변경등록 신청 시 등록정보(사업자등록증, 법인등기사항증명서, 인·허가증, 면허수첩 등)를 모두 변경하여야 한다. <신설 2016.6.20>

제17조(사용인감의 등록) ① 운영자는 전자적인 업무처리 이외에 수기로 이루어지는 입찰, 계약업무 등에 사용하기 위하여 등록자의 사용인감을 시스템에 등록 받아 관리할 수 있다.

② 사용인감의 등록은 등록자가 직접 시스템에 게재하여 등록하는 방법과 등록담당공무원에게 사용인감계를 제출하여 등록하는 방법 중에서 선택할 수 있다.

③ 이용기관은 시스템에 사용인감을 등록한 자에 대하여는 입찰, 계약업무 등에 필요한 인감증명서 및 사용인감계를 제출한 것으로 본다.

제18조(등록신청의 처리기간) ① 등록담당공무원은 등록신청서류가 접수되면 8근무시간 이내에 처리하되 제23조의2제3항에 따라 공장실사를 하는 경우에는 접수 후 10일 이내에 처리한다. 다만, 등록신청내용의 보완 또는 확인이 필요하거나 전산장애 등 예상치 못한 사유로 등록업무의 지체가 불가피한 경우에는 그 사유와 등록 예정 일자를 신청인에게 통보하여야 한다. <개정 2007.11.14., 2021.5.24>

② 근무시간 이후에 신청된 등록서류는 다음 근무일 09:00에 접수된 것으로 본다.

제19조(등록말소) ① 다음 각 호의 어느 하나에 해당하는 경우에는 등록담당공무원은 등록을 말소할 수 있다. <단서 삭제> <개정 2007.11.14, 2010.4.1, 2014.3.5, 2017.9.13, 2020.7.28>

1. 등록자가 말소등록을 신청한 경우["입찰참가자격 말소 신청서"(별지 제6호 서식) 제출] <개정 2015.10.7>
2. 제9조에 따라 갱신등록, 변경등록을 하지 않은 경우 <개정 2007.11.14>
3. 등록신청내용이 사실과 다른 것으로 판명된 경우

4. 이중 등록된 경우
5. 등록요건의 유효기간이 경과한 경우
6. 사업자등록이 취소 또는 철회된 경우
7. 법인등록자 중 다른 법인으로 합병된 자의 경우
8. 삭 제 <개정 2019.12.30>
9. 등록된 제조물품에 대한 직접생산확인 결과 직접생산하지 않는 것으로 판정한 경우(등록담당공무원이 제조등록 요건 충족 여부를 재확인하여 요건을 충족하지 못하는 것으로 확인한 자에 한함) <신설 2014.3.5> <개정 2020.7.28>
10. 등록된 제조물품의 제조등록 요건 충족 여부 확인을 위한 조사를 정당한 사유 없이 거부할 경우 <신설 2014.3.5> <개정 2020.7.28>

② 제1항제2호부터 제10호의 경우에는 사전에 등록말소 의사를 통지하여 의견제출 기회를 부여하여야 하며, 통지 후 15일 이내에 별도의 의사표시가 없으면 해당 등록을 말소할 수 있다. <신설 2017.9.13> <개정 2019.12.30, 개정 2020.7.28>

③ 등록담당공무원은 제1항의 등록말소의 의사를 문서로 통지하고, 문서 확인이 곤란한 경우를 위하여 시스템에 공지할 수 있다. <개정 2010.4.1, 2010.7.1>

④ <삭 제> <개정 2020.7.28>

제3장 물품등록

제20조(물품등록의 구분) 물품등록은 제조와 공급으로 구분하여 등록한다.

제21조(물품등록의 대상) 물품등록을 하고자 하는 자는 제5조의 등록자격을 갖춘 자로서 다음 각 호의 어느 하나에 해당하는 자이어야 한다.

1. 「소득세법」 제168조, 「법인세법」 제111조 또는 「부가가치세법」 제8조에 따라 세무서장이 발행한 「사업자등록증」을 발급 받은 자로서 등록하는 물품의 제조나 공급이 가능한 국내소재업체 <수정 2015.10.7>
2. 외국에서 사업자등록증(또는 점포소유증명서)으로 확인되는 물품의 제조 또는 도ㆍ소매업을 영위하는 국외소재업체 <수정 2015.10.7>

제22조(물품등록의 신청서류) ① 물품입찰참가자격등록(변경 및 갱신등록 포함) 신청자는 등록신청내용을 확인할 수 있도록 다음 각 호의 서류를 제출하여야 한다. <개정 2014.3.5, 2015.10.7, 2018.8.31> <수정 2017.9.13>

1. 사업자등록증, 고유번호를 확인하는 서류 또는 사업자등록증명원 <추가 2016.6.20>
2. 법인인 경우 법인등기사항증명서, 개인인 경우 주민등록표 등본 <수정 2016.6.20>
3. 등록할 물품이 관련 법령에서 형식승인을 받도록 되어있는 경우 형식승인을 증명하는 서류

4. 창업벤처기업인 경우 이 사실을 증명하는 서류
5. <삭제> <개정 2015.10.7, 2017.9.13, 2020.7.28>
6. <삭제> <신설 2017.9.13> <개정 2018.8.31, 2020.7.28>
7. 인감증명서 또는「본인서명사실 확인 등에 관한 법률」제2조제3호에 따른 본인서명사실 확인서(이하 "본인서명사실확인서"라 한다) <수정 2016.6.20> <개정 2017.9.13>
8. 국외소재업체인 경우 소속국가의 사업자등록증 또는 점포소유증명서 <수정 2015.10.7>
9. 고유번호증으로 등록하는 경우에는 등록하고자 하는 물품에 대한 증명서류(인가, 승인, 허가증 등) <신설 2016.6.20> <수정 2017.9.13>

② 삭 제 <개정 2015.10.7>

③ 삭 제 <개정 2015.10.7>

④「중소기업제품 구매촉진 및 판로지원에 관한 법률」에 따른 중소기업자간 경쟁제품을 제조로 등록하는 경우에는 같은 법 제9조제4항에 따라 중소벤처기업부장관이 직접생산을 확인하여 증명한 서류를 추가로 제출(중소벤처기업부와 연계된 정보통신망으로 그 정보를 확인할 수 있는 경우 에는 서류 제출 생략)하여야 한다. <신설 2020.7.28>

⑤「조달청 제조물품 직접생산확인 기준」제2조제3호에 따른 일반제품을 제조로 등록하는 경우에는 다음 각 호의 서류를 추가로 제출하여야 한다. <신설 2020.7.28>

1.「조달청 제조물품 직접생산확인기준」별지 제1호 서식의 직접생산 확인 자체 기준표와 이 규정 별지 제8호 서식의 제조물품 직접생산 자기진단표 <신설 2020.7.28>
2. 공장등록증명서 또는 다음 각 목의 어느 하나에 해당하는 서류 <신설 2020.7.28>
   가. 중증장애인 생산품 생산시설 지정서 등 공공기관의 장이 직접생산을 확인한 서류 <신설 2020.7.28>
   나.「중소기업진흥에 관한 법률」제62조의10제1항 및 같은 법 시행령 제54조의10에 해당하는 소기업의 경우 사업자등록증 및 건축물관리대장 <신설 2020.7.28>
   다.「조달청 제조물품 직접생산확인기준」제9조에 따라 제조공장 확인이 가능한 경우에는 해당 서류 <신설 2020.7.28>
3. 자가보유 제조공장이 아닌 임차공장인 경우에는 임대차계약서 <신설 2020.7.28>
4. 관련 법령에 따라 받아야 하는 생산(제조) 인가·허가·등록증 <신설 2020.7.28>

⑥「조달청 제조물품 직접생산확인기준」제16조제5항에 따라 조달품질원장으로부터 창업·벤처기업 협업 승인을 받은 경우 협업 승인 공문을 제출하면 제5항의 서류를 제출할 필요가 없다. <신설 2020.7.28.>

⑦ 제4항에도 불구하고 중소기업자간 경쟁제품을 등록하고자 하는 자가「중소기업제품 구매촉진 및 판로지원에 관한 법률」제9조제1항 등 관련 법령에 따른 직접생산 확인이 필요한 경우가 아닌 입찰·계약에 참여하고자 하는 경우에는 제5항에 따라 제조등록을 할 수 있다. <신설 2021.5.24.>

제23조(세부품명의 등재) ① 제조의 물품입찰참가자격등록(변경 및 갱신등록 포함)의 경우에는

등록신청자는 제조물품의 세부품명등재를 위하여 제23조의2제1항에서 정한 직접생산 증명서류를 제출하여 등록담당공무원의 확인을 받아야 하며, 공급의 물품입찰참가자격등록의 경우에는 등록신청자가 입력한 세부품명으로 등재한다. <개정 2007.11.14, 2013.1.14, 2020.7.28>

② 물품입찰참가자격등록 신청자는 등록신청서에 등재할 물품의 세부품명번호(즉, 제2조제1항제2호의 10자리 분류번호)를 시스템에서 검색·입력하여야 하며, 해당 세부품명번호가 시스템에 등록되어 있지 않을 경우에는 시스템 등을 이용하여 목록화를 요청하고 해당 세부품명번호를 부여받아 입력하여야 한다. <개정 2007.11.14, 2013.1.14>

③ 사업자등록증의 종목란에 무역업, 수(출)입업, 무역대리업, 물품매도확약서 발행업, 오퍼업, 수입대행 등으로 기재된 자가 외자물품등록을 하고자 하는 경우에는 세부품명란에 "외자물품"으로 기재하여야 하며 외자물품의 세부품명번호는 0000000000로 표기한다. <개정 2013.1.14>

제23조의2(직접생산의 증명) ①제조 등록신청자(등록한 자 포함)는 직접생산을 입증할 수 있는 서류와 공장실사를 통해 해당 물품을 직접생산하는 것을 등록담당공무원에게 증명하여야 한다. <신설 2007.11.14>, <개정 2020.7.28>

1. <삭 제> <개정 2020.7.28>
2. <삭 제> <수정 2009.10.1> <수정 2010.4.1> <단서조항 추가 2010.4.1> <개정 2020.7.28>
3. <삭 제> <개정 2020.7.28>
4. <삭 제> <수정 2016.6.20, 2017.9.13> <개정 2020.7.28>
5. <삭 제> <신설 2018.7.12> <수정 2018.8.31> <개정 2020.7.28>

② 등록신청자가 다음 각 호의 어느 하나에 해당하는 서류를 제출하는 경우에는 등록담당공무원은 서류 확인만으로 등록신청자가 직접생산하는 것을 인정할 수 있다. <개정 2018.8.31, 2020.7.28>

1. 제22조제4항에 따른 직접생산 확인 증명서 <개정 2020.7.28>
2. 제22조제6항에 따른 협업승인 공문 <개정 2020.7.28>
3. 「소프트웨어산업 진흥법 시행규칙」 제12조제3항에 따라 발급된 소프트웨어 사업자 신고확인서 <개정 2009.10.1, 2010.7.1, 2015.10.7, 2018.7.12, 2018.8.31, 2020.7.28>
4. <삭 제> <신설 2018. 8. 31> <개정 2020.7.28>

③ 각 지방조달청장은 등록신청자가 제22조제5항의 서류를 제출한 경우 공장실사를 통해 등록신청자가 제출한 제22조제5항제1호의 '자체기준표' 또는 조달품질원장이 공고한 '품명별 세부 직접생산확인 기준'과 맞는지 확인하여야 한다. 다만, 다음 각 호의 어느 하나에 해당하는 경우에는 공장실사를 생략할 수 있다. <신설 2010.7.1> <개정 2014.3.5> <수정 2015.10.7> <개정 2020.7.28>

1. 제22조제5항제2호의 공장등록증명서나 같은 호 가목 또는 나목의 서류를 제출한 자로서 최근 3년 이내 직접생산한 제조물품의 납품실적증명서(별지 제2호 서식)를 제출한 경우

(단, 제19조제1항제9호 또는 제10호에 해당되어 등록말소된 물품을 재등록하는 경우에는 공장실사 실시) <신설 2020.7.28>

2. 최근 6개월 이내에 공장실사를 받은 자가 동일한 공장에서 제조하는 물품을 제조 등록 요청한 경우로서 등록담당공무원이 공장실사를 갈음하여 등록신청자로 하여금 직접생산 과정을 동영상(해당업체의 공장, 시설 등 증명)으로 촬영하여 증명하게 하는 경우 <신설 2020.7.28>

④ 삭제 <2018.8.31>

⑤ 조달청장은 천재지변, 감염병 확산, 기타 필요하다고 인정하는 경우 공장실사를 유예(유예에 관한 구체적인 내용은 나라장터에 공지)하거나 등록신청자로 하여금 직집생산 과정을 동영상(해당업체의 공장, 시설 등 증명)으로 촬영하여 제출하도록 함으로써 공장실사를 갈음 할 수 있다. <신설 2020.7.28>

⑥ 조달품질원장 또는 각 지방조달청장은 필요한 경우 정기 또는 수시로 직접생산 확인을 위한 조사를 할 수 있다. <신설 2020.7.28>

제23조의3(제조공장의 등록) ① 등록한 제조물품에 대하여 제23조의2에 따라 직접생산을 확인한 제조공장 정보를 등록하여야 한다. <신설 2018.7.12>

② 이미 등록된 제조물품을 생산하는 제조공장을 추가하려는 경우 제23조의2에 따라 해당 물품에 대한 직접생산 확인을 받아야 하며, 이 경우 제9조제2항에 따라 갱신등록을 한 것으로 본다. <신설 2018.7.12>

③ 공장을 이전하는 경우 이전하는 제조공장에 대하여 즉시 제23조의2에 따라 직접생산 확인을 다시 받아야 하며, 이 경우 제9조제2항에 따라 갱신등록을 한 것으로 본다. <신설 2018.7.12>

④ 한 제조물품에 대하여 복수의 제조공장을 등록하는 경우, 제9조제1항제2호의 적용은 유효기간이 가장 긴 제조공장을 기준으로 한다.

⑤ 등록된 제조물품에 대한 제조공장 정보가 모두 삭제된 경우 해당 제조물품의 등록을 말소할 수 있다. <신설 2018.7.12>

⑥ 제조공장에 대하여 다음 각 호의 정보를 등록하여야 하며, 이에 따른 증명서류를 제출하여야 한다. 다만 입력할 수 없는 불가피한 경우에는 그 사유와 증명하는 서류를 제출하여야 한다. <신설 2017.9.13> <개정 2018.7.12> [종전 제23조의2제6항에서 이동 <2018.7.12>]

1. 한국전력공사의 고객번호
2. 한국산업단지공단의 공장관리번호
3. 4대 보험 관련 기관의 사업장관리번호

제4장 공사 또는 용역등록

제24조(공사 또는 용역의 등록대상) ① 공사등록을 하고자 하는 자는 제5조에 따른 등록요건을 갖추고, 제2조제1항제3호에 해당하는 업의 등록수첩 등을 소지하여야 한다.

② 용역등록을 하고자 하는 자는 제5조의 자격을 갖추고, 제2조제1항제4호 각 목의 어느 하나에 해당하는 업의 등록증 등을 소시하여야 한다.

제25조(공사 또는 용역의 등록신청서류) 공사 또는 용역등록(변경 및 갱신등록 포함)을 하고자 하는 자는 등록신청내용을 확인할 수 있도록 다음 각 호의 서류를 제출하여야 한다.

1. 사업자등록증, 고유번호를 확인하는 서류 또는 사업자등록증명원 <추가 2016.6.20>
2. 법인인 경우 법인등기사항증명서, 개인인 경우 주민등록표 등본 <수정 2016.6.20>
3. 인감증명서 또는 본인서명사실확인서 <수정 2016.6.20> <개정 2017.9.13>
4. 제5조제1항제1호의 사실을 증명하는 해당 업종등록수첩 등(공사의 경우) <수정 2017.9.13>
5. 제5조제1항제1호의 사실을 증명하는 허가, 인가, 면허, 등록, 신고 증 또는 기타 필요한 자격의 해당 업 등록증(용역의 경우)
6. 고유번호증으로 등록하는 경우에는 등록하고자 하는 업종에 대한 증명서류(인가, 승인, 허가증 등) <신설 2016.6.20> <수정 2017.9.13>

제25조의2(업종의 등재) 공사 또는 용역의 등록 신청자는 등록신청서에 등재할 업종의 업종코드(4자리)를 시스템에서 검색·입력하여야 하며, 해당 업종코드가 시스템에 등록되어 있지 않을 경우에는 운영자에게 해당 업종코드를 부여받아 입력하여야 한다. <신설 2007.11.14>

제5장 보 칙

제26조(게재기관의 책임) 각 게재기관(조달청 포함)이 시스템에 게재한 등록내용에 대한 검증 책임은 각 게재기관에게 있다.

제27조(수의계약대상자의 등록) 시스템을 이용하여 수의계약을 체결하는 경우에도 수의계약대상자는 제13조에 따라 시스템에 등록을 하여야 한다.

제28조(등록의 점검) ① 운영자는 공사입찰참가자격등록업체의 시공능력평가액이 바뀔 때마다 해당 협회의 자료를 토대로 변경된 시공능력평가액을 시스템에 등록할 수 있다. 다만, 각 공사입찰참가자격등록자는 자신의 시공능력평가액이 사실대로 등록되어 있는지 확인하여야 하며, 동 확인을 소홀히 하여 발생하는 불이익에 대한 책임은 해당 등록자에게 있다. <수정 2017.9.13>

② 운영자는 등록자의 변경등록신청이 없는 경우에도 공정거래위원회에서 정하는 대규모기업집단 및 계열회사의 업태구분내용을 반영하여 등록정보를 일제 점검·정리할 수 있다.

③ 운영자는 제1항과 제2항의 사항을 포함하여 기타 등록사항의 이상여부를 수시로 점검할 수 있으며, 점검계획을 시스템에 게재하는 방법 등으로 안내할 수 있다.

제29조(등록현황관리) 운영자는 다음 각 호의 등록현황을 전자매체기록의 형태로 관리하여야 한다.

1. 등록분야별 등록자현황
2. 지역별 등록자현황
3. 국외소재업체등록자현황 <수정 2015.10.7>

제30조(재검토기한) 조달청장은 「행정규제기본법」 및 「훈령·예규 등의 발령 및 관리에 관한 규정」에 따라 이 고시에 대하여 2021년 7월 1일 기준으로 매3년이 되는 시점(매 3년째의 6월 30일까지를 말한다)마다 그 타당성을 검토하여 개선 등의 조치를 하여야 한다. <신설 2009.10.1> <개정 2014.3.5, 2015.10.7, 2016.6.20, 2017.9.13., 2019.12.30., 2020.7.28., 2021.5.24., 2022.10.1.>

부 칙〈제2003-1호, 2003.4.7〉

1. 이 규정은 2003.4.15부터 시행한다.
2. 조달청 훈령 제1186호 조달청입찰참가자격등록규정에 의하여 시스템에 등록된 사항은 이 규정에 의하여 등록된 것으로 본다.
3. 이 규정의 시행으로 조달청 훈령 제1186호 조달청입찰참가자격등록규정은 폐지한다.

부 칙〈제2006-7호, 2006.9.25〉

1. 이 규정은 2006.9.25.부터 시행한다.

부 칙〈제2007-1호, 2007.1.9〉

1. 이 규정은 2007.1.9부터 시행한다.

부 칙〈제2007-11호, 2007.6.14〉

1. 이 규정은 2007.6.14부터 시행한다.
2. 이 규정 시행 이전에 입찰대리인을 등록한 업체는 당해 업체의 임·직원이 아닌 입찰대리인의 등록사항을 말소하여야 한다.

부 칙〈제2007-19호, 2007.11.14〉

1. 이 규정은 2007.11.14부터 시행한다.
2. 종전 국가종합전자조달시스템입찰참가자격등록규정에 의하여 등록된 사항은 이 규정에 따라 등록된 것으로 본다.

부 칙〈제2008-17호, 2008.11.20〉

1. 이 규정은 2008.11.20부터 시행한다.
2. 종전 국가종합전자조달시스템입찰참가자격등록규정에 의하여 등록된 사항은 이 규정에 따라 등록된 것으로 본다.

부 칙〈제2009- 9호, 2009. 10. 1〉

제1조(시행일) 이 규정은 2009. 10. 1부터 시행한다. 다만, 제13조제5항1호에 의한 전산망을 통한 확인은 관련기관과의 정보제공협의가 완료된 이후부터 시행한다.

제2조(입찰대리인 중복 등록 관련 경과규정) 제13조 제5항 후단 중복 등록 관련 규정은 2010년 4월 1일부터 시행하며 종전 규정에 따라 중복 등록된 입찰대리인은 2010년 3월 31일까지 중복이 되지 않게 정리하여야 한다.

부 칙〈제2010- 9호, 2010. 4. 1〉

1. 이 규정은 2010. 4. 1부터 시행한다.

부 칙〈제2010- 21호, 2010.07.01〉

제1조(시행일) 이 규정은 2010.07.01부터 시행한다.

제2조(직접생산의 증명 관련 경과규정) 이 기준 시행일 이전에 종전의 규정에 따라 직접생산 확인을 신청한 경우에는 종전의 처리부서에서 처리토록 한다.

부 칙〈제2012- 39호, 2012.08.23〉

제1조(시행일) 이 규정은 2012.08.24부터 시행한다.

제2조 이 규정 시행과 동시에 조달청 고시 제 2010-21호(2010.7.1)는 폐지한다.

부 칙〈제2013- 1호, 2013.01.14〉

제1조(시행일) 이 규정은 2013.01.14부터 시행한다.

제2조 이 규정 시행과 동시에 조달청 고시 제 2012-39호(2012.8.23)는 폐지한다.

부 칙〈제2014- 4호, 2014.3.5〉

제1조(시행일) 이 규정은 2014.3.5.부터 시행한다.

제2조 이 규정 시행과 동시에 조달청 고시 제 2013-1호(2013.1.14)는 폐지한다.

부 칙〈제2015-28호, 2015.10.07.〉

제1조(시행일) 이 규정은 2015.10.07.부터 시행한다.

제2조 이 규정 시행과 동시에 조달청 고시 제 2014-4호(2014.3.5)는 폐지한다.

부 칙〈제2016-24호, 2016.6.20〉

제1조(시행일) 이 규정은 2016. 7. 15.부터 시행한다.

제2조 이 규정 시행과 동시에 조달청 고시 제 2015-28호(2015.10.7.)는 폐지한다.

부 칙〈제2017-23호, 2017.9.13.〉

제1조(시행일) 이 규정은 2017.11.3.부터 시행한다.

제2조 이 규정 시행과 동시에 조달청 고시 제 2016-24호(2016.6.20.)는 폐지한다.

부 칙〈제2018-8호, 2018.7.12.〉

제1조(시행일) 이 규정은 2018.9.21.부터 시행한다.

제2조 이 규정 시행과 동시에 조달청 고시 제 2017-23호(2017.9.13.)는 폐지한다.

부 칙〈제2018-11호, 2018.8.31.〉

제1조(시행일) 이 규정은 2018.9.21.부터 시행한다.

제2조 이 규정 시행과 동시에 조달청 고시 제 2018-8호(2018.7.12.)는 폐지한다.

부 칙〈제2019- 5호, 2019.6.13.〉

제1조(시행일) 이 규정은 2019.7. 1.부터 시행한다.

제2조 이 규정 시행과 동시에 조달청 고시 제 2018-11호(2018.8.31.)는 폐지한다.

부 칙〈제2019- 24호, 2019.12.30.〉

제1조(시행일) 이 규정은 2020. 2. 1.부터 시행한다.

부 칙〈제2020-31호, 2020.7.28.〉

제1조(시행일) 이 규정은 2020. 7. 31.부터 시행한다.

제2조 이 규정 시행과 동시에 조달청 고시 제 2019-24호(2019.12.30.)는 폐지한다.

부 칙〈제2021-11호, 2021.5.24.〉

제1조(시행일) 이 규정은 2021. 6. 1.부터 시행한다.

제2조 이 규정 시행과 동시에 조달청 고시 제 2020-31호(2020.7.28.)는 폐지한다.

부 칙〈제2022-21호, 2022.10.4.〉

제1조(시행일) 이 규정은 2022. 10. 05.부터 시행한다.

제2조 이 규정 시행과 동시에 조달청 고시 제 2021-11호(2021.6.1.)는 폐지한다.

제3조 종전 국가종합전자조달시스템 입찰참가자격등록규정에 의하여 등록된 사항은 이 규정에 따라 등록된 것으로 본다.

[별지 제1호 서식(제13조제9항)] 〈개정 2021.5.24.〉

지사 등록 이행각서

본 법인은 본사외 지사에 대해 입찰참가자격을 등록함에 있어서 본사 책임하에 신청할 것이며, 이에 따른 지사의 모든 입찰 및 계약 행위가 본사의 책임 하에 이루어지는 것임을 확약합니다.

아울러, 만약 지사등록 이후 지사의 원인 제공으로 인하여 부정당업자 제재처분을 받게 되는 경우 법인(본사·지사를 모두 포함)에 대하여 부정당업자로 입찰참가자격 제한을 받는 것을 인정하며 이의를 제기하지 않을 것임을 각서로서 확약합니다.

등 록 지 사 명 :
사업자등록번호 :

20 년 월 일

법인(본사)명 :
대표자 : (인)

첨부 1. 법인등기부등본 또는 정관 1부
2. 법인(본사)인감증명서 1부

* 등록하고자 하는 지사는 법인등기부등본에 등재 또는 정관에 명시되어 있는 지의 여부를 확인하고 등록하며, 등록규정 제14조제2항에 따라 첨부서류 중 등록담당공무원이 「전자정부법」 제36조제1항에 따라 행정정보 공동이용을 통하여 확인이 가능한 경우 별도로 제출하지 않아도 되나, 전산장애 등의 사유로 확인할 수 없을 때에는 제출을 요청할 수 있습니다.

[별지 제2호 서식(제23조의2 제2항3호)]

제 조 납 품 실 적 증 명 서

신 청 인	상 호		대표자	
	주 소			
	사 업 자 등록번호			
용 도		제 출 처		

계약번호	계 약 년월일	품 명	수량	금 액(원)	납 품 년월일	납 품 처

상기 신청인은 위와 같이 우리 기관(사)에 직접생산한 물품을 납품한 실적이 있음을 증명합니다.

년 월 일

○ ○ ○ **장** (인)

* 본 실적증명서에 표시된 용도는 신청인이 나라장터에서 실적증명서 신청 시 입력한 내용으로서 용도에 대한 인정 여부는 제출처에서 판단하는 사항임을 유의하시기 바랍니다.

[별지 제3호 서식(제13조의2 제1항1호)]

국외소재업체 등록 신청서
(Application for Registration)

<table>
<tr><td colspan="3">수신 : 대한민국 조달청장(To: Administrator, PPS)</td><td colspan="2">던스번호
(DUNS Number)</td><td></td></tr>
<tr><td>*회 사 명
(Name of Firm)</td><td colspan="2"></td><td colspan="2">사업자등록번호
(Taxpayer ID No.)</td><td></td></tr>
<tr><td>*대표자명
(Name of Chief Executive)</td><td colspan="2"></td><td colspan="2">*E-mail</td><td></td></tr>
<tr><td rowspan="2">*회사주소
(Address of Firm)</td><td colspan="2" rowspan="2"></td><td colspan="2">*전화번호(Tel. No.)</td><td></td></tr>
<tr><td colspan="2">*Fax 번호(Fax No.)</td><td></td></tr>
<tr><td rowspan="3">업 태
(Type of Firm)</td><td rowspan="3">○ 개인 / 법인
(Private Firm / Corporation)</td><td>소재국
(Country in which Firm is registered)</td><td></td><td>*개업일
(Open date for business)</td><td></td></tr>
<tr><td>자본금
(Capital of Firm)</td><td></td><td>종업원수
(Number of Employees)</td><td></td></tr>
<tr><td colspan="2">최근 3년간 매출액
(Sales Records for past 3 years)</td><td colspan="2"></td></tr>
<tr><td rowspan="4">입찰 및 계약서명권자
(Persons authorized to sign bids & contracts)</td><td colspan="2">직 위
(Job Title)</td><td colspan="2">성 명
(Name)</td><td>서명 또는 사용인감
(Signature or Seal)</td></tr>
<tr><td colspan="2"></td><td colspan="2"></td><td></td></tr>
<tr><td colspan="2"></td><td colspan="2"></td><td></td></tr>
<tr><td colspan="2"></td><td colspan="2"></td><td></td></tr>
<tr><td rowspan="3">*입찰참가 희망분류
(Products to be offered)</td><td colspan="3">세부품명(Detailed commodity)</td><td colspan="2">세부품명번호(Detailed commodity number)</td></tr>
<tr><td colspan="3"></td><td colspan="2"></td></tr>
<tr><td colspan="3"></td><td colspan="2"></td></tr>
<tr><td colspan="6">*한국 내에서 연락가능한 대리인에 대한 기재사항을 기입해 주십시오
(Please fill out the mentioned items about your agent who is contactable in Korea.)
○ 대리인 이름 (Name of agent) ○ 사무실 전화번호 (Office phone No.)
○ 휴대전화 번호 (Mobile phone No.) ○ 팩스번호 (Fax No.)
○ 주소 (Address)
○ 이메일 (E-mail)</td></tr>
<tr><td colspan="3">*제출서류
(Required Documents)</td><td colspan="3">○사업자등록증 또는 점포소유 증명서
(Certificate of Taxpayer's ID No. or Office Ownership)</td></tr>
</table>

※ 본인은 상기회사의 합법적인 대표자로서 위의 모든 사항에 대하여 틀림없음을 확인하는 동시에 경쟁입찰참가자격 등록을 신청합니다.
(I, as the legally authorized representative of the Firm, duly state that all of the above information is true and correct and hereby duly apply for registration.)

주-1. 제출서류는 신청자 소재국의 관할행정관서나 유관사업당국이 발행 또는 확인한 서류이어야 한다.
(Attention-1. Documents to be submitted must be issued or authenticated by Government Agency or concerned authority of the Applicant's country.)

주-2. 모든 기재사항은 한국어로 작성되어야 하며, 제출서류의 원본이 한국어 이외의 언어로 작성된 경우에는 원본에 한국어 번역문을 공증을 받아 제출하여야 함.
(Attention-2. This application form must be filled out in Korean. When the original documents are in a language other than Korean, they must be accompanied by a notarized Korean translation.)

***날짜**
(Date)

***대표자명**
(Name of Chief Executive)

***서명 또는 증명인감**
(Signature or Seal)

Agreement on Collection and Use of Personal Information and Provision to Third Party

* **I agree to the following terms of collection and use of personal information** ☐ **:** I, the applicant(s) whose name(s) appears above, hereby agree that the Administrator of Public Procurement Service retain and use my personal information contained in this application until my registration is terminated or cancelled, for the purpose of registration of firm and "procurement tasks" provided for in Article 2 Paragraph 3 of Act on the Use and Promotion of Electronic Public Procurement. I will not object to or challenge the denial of registration by Public Procurement Service on the basis of my non-agreement to this terms of collection and use of personal information

* **I agree to the following terms of provision of personal information to third party** ☐ **:** I, the applicant(s) whose name(s) appears above, hereby agree that the Administrator of Public Procurement Service provide my personal information contained in this application, until my registration is terminated or cancelled, to "procuring entities" provided for in Article 2 Paragraph 1 of Act on the Use and Promotion of Electronic Public Procurement, for the purpose of "procurement tasks" provided for in Article 2 Paragraph 3 of the same Act. I will not object to or challenge the denial of registration by Public Procurement Service on the basis of my non-agreement to this terms of provision of personal information to third party.

※ Please check the boxes to confirm your Agreement on Collection and Use of Personal Information and Provision to Third Party

Fields marked with asterisks [*] are required fields

[별지 제4호 서식(제13조의2 제2항)]

국외소재업체 인증서 신청서
(Application for Certification Service)

수신 : 대한민국 조달청장(To: Administrator, PPS)		던스번호 (DUNS Number)	
***회 사 명** (Name of Firm)		사업자등록번호 (Taxpayer ID No.)	
***대표자명** (Name of Chief Executive)		***E-mail**	
***회사주소** (Address of Firm)		***전화번호**(Tel. No.)	
		***Fax 번호**(Fax No.)	
인증기관	**한국정보인증 주식회사**		

*한국 내에서 연락가능한 대리인에 대한 기재사항을 기입해 주십시오
(Please fill out the mentioned items about your agent who is contactable in Korea)

○ 대리인 이름 (Name of agent) ______________ ○ 사무실 전화번호 (Office phone No.) ______________

○ 휴대전화 번호 (Mobile phone No.) ______________ ○ 팩스번호 (Fax No.) ______________

○ 주소 (Address) ______________

○ 이메일 (E-mail) ______________

I, as a legal representative of the firm whose name appears above, hereby apply for electronic certification service. I also hereby affirm that, in application for certification service and use of the certificate, I will abide by the responsibilities and liabilities of subscribers and rules relating to the use of certificate in accordance with Certification Practice Statement and Terms of Use for Certification Service established by the certification agency (KICA Inc.).

***날짜**
(Date) ______________

***대표자명**
(Name of Chief Executive) ______________

***서명 또는 증명인감**
(Signature or Seal) ______________

Agreement on Collection and Use of Personal Information and Provision to Third Party

* **I agree to the following terms of collection and use of personal information** □ **:** I, the applicant(s) whose name(s) appears above, hereby agree that the Administrator of Public Procurement Service retain and use my personal information contained in this application until my certificate expires (including termination), for the purpose of certificate issuance and management. I will not object to or challenge the denial of certificate issuance on the basis of my non-agreement to this terms of collection and use of personal information.

* **I agree to the following terms of provision personal information to third party** □ **:** I, the applicant(s) whose name(s) appears above, hereby agree that the Administrator of Public Procurement Service provide my personal information contained in this application, until my certificate expires (including termination), to KICA Inc., for the purpose of certificate issuance and management. I will not object to or challenge the denial of certificate issuance on the basis of my non-agreement to this terms of collection and use of personal information.

※ Please check the boxes to confirm your Agreement on Collection and Use of Personal Information and Provision to Third Party

Fields marked with asterisks [*] are required fields

[별지 제5호 서식(제16조제1항)]

국외소재업체 등록사항변경 신청서
(Application for Registration Amendment)

수신 : 대한민국 조달청장 (To: Administrator, PPS)		*조달청 사업자등록번호 (PPS Reg. No)	
*회 사 명 (Name of Firm)		*E-mail	

*변경내용 (Amendment)	현 행 (Now reads)	변 경 후 (Should read)
*증빙서류를 제출하시오 (Please attach the documentary evidence.)		

*한국 내에서 연락가능한 대리인에 대한 기재사항을 기입해 주십시오
(Please fill out the mentioned items about your agent who is contactable in Korea.)

○ 대리인 이름
(Name of agent) ______________________

○ 사무실 전화번호
(Office phone No.) ______________________

○ 휴대전화 번호
(Mobile phone No.) ______________________

○ 팩스번호
(Fax No.) ______________________

○ 주소
(Address) ______________________

○ 이메일
(E-mail) ______________________

※ 본인은 상기회사의 합법적인 대표자로서 위의 모든 사항에 대하여 틀림없음을 확인하는 동시에 경쟁입찰참가자격 등록을 신청합니다.
(I, as the legally authorized representative of the Firm, duly state that all of the above information is true and correct and hereby duly apply for registration.)

주-1. 제출서류는 신청자 소재국의 관할행정관서나 유관사업당국이 발행 또는 확인한 서류이어야 한다.
(Attention-1. Documents to be submitted must be issued or authenticated by Government Agency or concerned authority of the Applicant's country.)

주-2. 모든 기재사항은 한국어로 작성되어야 하며, 제출서류의 원본이 한국어 이외의 언어로 작성된 경우에는 원본에 한국어 번역문을 공증을 받아 제출하여야 함.
(Attention-2. This application form must be filled out in Korean. When the original documents are in a language other than Korean, they must be accompanied by a notarized Korean translation.)

***날짜**
(Date)

***대표자명**
(Name of Chief Executive)

***서명 또는 증명인감**
(Signature or Seal)

Agreement on Collection and Use of Personal Information and Provision to Third Party

* **I agree to the following terms of collection and use of personal information** □ **:** I, the applicant(s) whose name(s) appears above, hereby agree that the Administrator of Public Procurement Service retain and use my personal information contained in this application until my certificate expires (including termination), for the purpose of certificate issuance and management. I will not object to or challenge the denial of certificate issuance on the basis of my non-agreement to this terms of collection and use of personal information.

* **I agree to the following terms of provision personal information to third party** □ **:** I, the applicant(s) whose name(s) appears above, hereby agree that the Administrator of Public Procurement Service provide my personal information contained in this application, until my certificate expires (including termination), to KICA Inc., for the purpose of certificate issuance and management. I will not object to or challenge the denial of certificate issuance on the basis of my non-agreement to this terms of collection and use of personal information.

※ Please check the boxes to confirm your Agreement on Collection and Use of Personal Information and Provision to Third Party

Fields marked with asterisks [*] are required fields

[별지 제6호 서식(제19조제1항1호)]

입찰참가자격 말소 신청서

본인은 귀청에서 관리하고 있는 "국가종합전자조달 입찰참가자격 등록증"에 대하여 기 발급된 아래 사업자번호의 등록증을 등록말소 요청하오니 조치하여 주시기 바랍니다.

[말소 관련 사항]

구 분	사업자등록번호	상 호	사업자 소재지	업 태
말 소				
말소사유				

20 . . .

주 소 :
전 화 번 호 :
대표자 성명 : (인)
주민(법인)등록번호 :

조 달 청 장 귀하

붙임 : 1. 말소신청 사업자등록증 사본 1부.
2. 인감증명서 또는 본인서명사실확인서 1부. 끝

※ 입찰참가 자격 말소 신청서는 사업장 소재지 관할 지방조달청 팩스 발송하여 업무처리.

[별지 제7호 서식(제10조제1항)]

(제 1면)

경쟁입찰참가자격등록증

(수익사업을 하지 않는 비영리법인 및 국가기관 등으로 등록된 자)

※업체정보확인용QR코드

등 록 분 야	물 품 □　　공 사 □　　용 역 □　　외 자 □		
한글상호(영문상호)		협 업 구 분	해 당 □
사 업 자 등록번호		개 업 연 월 일	
본 사 주 소			
전 화 번 호		팩 스 번 호	
법 인 등 록 번 호		법 인 등 록 일	

「국가를 당사자로 하는 계약에 관한 법률 시행규칙」 제15조의 규정에 의하여 공공기관 경쟁입찰 참가자로 등록된 자임을 증명합니다.(단, 입찰 집행기관에서 국가종합전자조달시스템을 통하여 위 등록내용을 확인할 수 있는 경우에 한하여 등록증으로서의 효력을 갖게 됩니다.)

※ 입찰에 참여할 시에는 등록된 자기정보를 확인하고 필요한 경우 변경·갱신한 후 입찰에 참여하여 불이익을 받지 않도록 주의해 주시기 바랍니다.

등 록 일 자　0000/00/00
갱 신 일 자　0000/00/00
자 기 정 보 확인일자　0000/00/00
출 력 일 자　0000/00/00

조 달 청 장

발행기관명　00지방조달청
전화번호　0000-0000

(제 2면)

업체상태 정보				
업체상태	시작일자	종료일자	업종명	비고

대표자 정보						
성 명	주민등록번호	E-mail	대표자휴대폰	대표대표자여부	대표자구분	
					공동	각자

입찰참가 대리인		
직 위	성 명	주민등록번호

입찰참가 등록물품									
등록일	세부품명번호	세부품명	제조	제조생산 증명서류	제조생산증명 유효기간		등록유효기간		제조공장
					시작일자	종료일자	시작일자	종료일자	

* 등록유효기간은 「국가종합전자조달시스템 입찰참가자격 등록규정」 제9조제1항에 따른 유효기간이며, 이 기간이 경과하면 등록의 효력은 소멸되오니 경과 전에 갱신해주시기 바랍니다.

등록업종 및 시공능력					
업종명	등록번호	면허 취득일자	유효기간 만료일자	시공능력평가액	업종상태

※ 각 업종별로 유효기간 만료일 전일까지 갱신(재등록)해야 입찰참여 가능

고유번호증 등록사업 내용

※ 고유번호증으로 등록된 비영리사업자인 경우 해당조항호에 기재된 사업분야에 한함

※ 고유번호증으로 등록된 비영리사업자가 계약체결 시 해당 계약내용은 국세청으로 통보됩니다.

공장정보					
공장번호	공장명	공장주소	전화번호	임대여부	임대기간

(제 3면)

협업정보

세부품명	세부품명번호	사업자명	사업자 등록번호	공장주소	임대여부

지사정보

삭제여부	사업자등록번호	지사상호명	지사주소	지사 대표자	주민등록번호	고유번호증 여부

등록사항변경

연월일	변경항목	변경사항

20 . . .

조 달 청 장

(제 4면)

사용인감계

사업자등록번호: 상호:

위 사용인감은 「국가를 당사자로 하는 계약에 관한 법률 시행규칙」 제15조의 규정 및 「조달청 비축물자이용업체와 민간비축사업자등록·이용약관」 제4조에 의하여 국가종합전자조달시스템에 등록하기 위한 것으로 입찰·계약·수의시담 등 계약관련 및 비축물자 관련 모든 업무에 사용할 것임을 확인합니다.

조 달 청 장

[별지 제8호 서식(제22조 제5항 제1호)] 〈개정 2021.5.24.〉

제조물품 직접생산 자기진단표

아래 내용은 등록신청자가 「조달청 제조물품 직접생산 확인기준」에 따라 반드시 지켜야 할 사항이며, 이를 지키지 않는 것이 확인될 경우 계약 관련 법령에 따른 부정당업자 입찰참가자격 제한 처분, 「국가종합전자조달시스템 입찰참가자격등록규정」에 따른 등록 말소 등 행정처분을 받을 수 있습니다. 다음 각 항목에 대해 사실을 기초로 '예, 아니오'로 기재하여 주시기 바랍니다.

<table>
<tr><th colspan="2">점 검 항 목</th><th>자가점검</th></tr>
<tr><td colspan="2">수입 완제품 납품, 완제품 국내 하청생산 등과 같은 직접생산 위반 행위를 하지 않겠습니다.</td><td></td></tr>
<tr><td colspan="2">'직접생산 확인기준'을 정확하게 알고 있습니다.</td><td></td></tr>
<tr><td rowspan="3">생산
공장</td><td>제조공장 확인 결과 '직접생산확인 기준'을 충족합니다.</td><td></td></tr>
<tr><td>유효한 제조공장을 보유하고 있습니다.
- 공장정보가 건축물관리대장과 일치합니다.
- 단, 자가소유 공장이 아닌 임대인 경우 임대차계약서 사본 및 임차료 지급내역서 제출이 가능합니다.</td><td></td></tr>
<tr><td>동일소재지에 2개 이상의 제조공장이 운영되는 경우 격벽분리, 별도 출입구 보유, 생산시설·인력의 독립적 운영 등 실질적으로 공장을 분리 운영하고 있습니다.</td><td></td></tr>
<tr><td>생산
시설</td><td>'자체 기준표' 또는 '품명별 세부 기준'에 맞는 생산시설을 보유하고 있습니다.</td><td></td></tr>
<tr><td>생산
인력</td><td>'자체 기준표' 또는 '품명별 세부 기준'에 맞는 생산인력을 보유하고 있습니다. (대표자 제외 1명 이상)
- 생산인력에 대해서는 4대 보험을 완료하였습니다.</td><td></td></tr>
<tr><td>생산
공정</td><td>'자체 기준표' 또는 '품명별 세부 기준'에 명시된 생산공정을 충족하고 있습니다.
'품명별 세부기준'에 자체공정으로 명시되어 있는 경우 해당 품명을 직접 생산하는 데 필요한 생산공정 및 품질관리기준, 작업표준 등을 가지고 있습니다.</td><td></td></tr>
<tr><td rowspan="3">기타
사항</td><td>관련 법령에 따른 허가·인가·면허·등록·신고 등 증명서류를 보유하고 있습니다.</td><td></td></tr>
<tr><td>전기사용실적을 관리하고 있습니다.</td><td></td></tr>
<tr><td>원부자재 구입내역을 관리하고 있습니다.</td><td></td></tr>
</table>

위 점검내용은 사실에 입각하여 점검하였음을 확인함

년 월 일

회 사 명 :
공징 소재지 주소 :
대표이사 :

조달청장 귀하

15 국가종합전자조달시스템 이용약관

제정 2013.10.14, 조달청고시 제2013-37호
개정 2013.12.24, 조달청고시 제2013-45호
개정 2015.02.02, 조달청고시 제2015- 2호
개정 2016.05.16, 조달청고시 제2016-20호
개정 2017.06.22, 조달청고시 제2017-12호
개정 2019.12.19, 조달청고시 제2019-20호
개정 2020.12.18, 조달청고시 제2020-58호

제1장 총 칙

제1조(목적) 이 약관은 「전자조달의 이용 및 촉진에 관한 법률」(이하 "전자조달법"이라 한다) 제12조제1항에 따라 구축하여 운영하고 있는 국가종합전자조달시스템(이하 "전자조달시스템"이라 한다)의 관리·운용자인 조달청장(이하 "운영자"라 한다)이 수요기관, 수요기관 외의 자 및 조달업체가 조달업무를 수행하는데 필요한 사항을 정함을 목적으로 합니다.

제2조(용어의 정의) 이 약관에서 사용하는 용어의 정의는 다음 각 호와 같습니다.

1. "수요기관이용자"란 수요기관의 업무담당자로서 제4조제2항에 따라 전자조달시스템에 이용자등록을 한 사람을 말합니다.
2. "민간수요자의 이용자"란 수요기관 외의 자(이하 "민간수요자"라 한다)의 업무담당자로서 제4조제2항에 따라 전자조달시스템에 이용자등록을 한 사람을 말합니다.
3. "조달업체"란 「전자조달법」 제17조제1항에 따라 전자조달시스템에 이용자 등록을 한 자를 말합니다.
4. "지정공인인증기관"이란 「전자서명법」 제4조에 따라 공인인증기관 중 운영자가 지정하여 전자조달시스템 상의 인증업무를 수행하는 기관을 말합니다.
5. "문서접수지원서버"란 전자문서의 송·수신을 목적으로 전자조달시스템에 설치된 전산장비를 말합니다.
6. "물품목록번호"란 「물품목록 정보의 관리 및 이용에 관한 법률 시행령」 제9조제1항에 따라 물품분류번호 8자리 숫자와 물품식별번호 8자리 숫자를 차례로 배열하여 16자리의 숫자로 구성된 번호를 말합니다.
7. "문서함"이란 「전자문서 및 전자거래기본법」 제5조제1항에 따라 전자조달시스템에서 이

용하는 전자문서를 이용자가 열람하기 위하여 전자조달시스템에 설치된 기능을 말합니다.

8. "모바일 전자입찰 서비스"란 전자입찰 서비스를 스마트폰 등 모바일 기기를 통해 제공하는 것을 말합니다.
9. "개인인증서"란 「전자서명법」 제4조의 공인인증기관으로부터 조달업체 대표자 또는 입찰대리인 명의로 발급 받은 모든 개인용 공인인증서를 말합니다. 단, 개인용 인증서에는 개인의 신원을 확인할 수 있는 정보가 포함되어 있어야 합니다.
10. "지문보안기기"란 다음의 각 목의 기기를 말합니다.
    가. "나라장터 생체인식보안기기 제품 지정 및 관리 규정"에 따라 생체인식보안기기로 지정된 제품으로서 전자서명생성키, 지문 등 비밀정보를 안전하게 저장·보관하기 위하여 키 생성·전자서명 생성 등이 기기내부에서 처리되도록 구현된 하드웨어 기기
    나. 스마트폰 등 모바일 기기에 지문인식기능을 내장하여 지문인식 신원확인에 활용 할 수 있고 조달청이 제공하는 보안기능을 설치 가능한 기기
11. "지문인식 신원확인 입찰"이란 지문보안기기를 이용하여 온라인에서 전자입찰자(대표자 또는 입찰대리인)의 신원을 확인하는 입찰을 말합니다.
12. "안전입찰서비스"란 조달업체 이용자PC의 안전성을 확보하기 위해 조달청이 제공하여 조달업체 이용자PC에 설치된 프로그램으로서 안전한 입찰서 제출 업무를 처리하는 소프트웨어를 말합니다.
13. "전자조달시스템장애"(이하 "시스템장애"라 한다)란 전자조달시스템, 전자조달시스템에 연결된 네트워크, 공인인증서비스 등 업무처리의 기반이 되는 외부연계서비스에 문제가 발생하여 전자조달시스템에 연결하거나 전자문서를 송·수신하는 것이 불가능한 경우를 말합니다.
14. "전자적 제출"이란 전자조달시스템을 통해 입찰 서류를 제출하는 것을 말합니다.

제3조(약관의 적용 및 개정) ① 이 약관은 이용자등록을 위해 이 약관에 동의하는 것으로 효력이 발생합니다.

② 운영자는 전자조달시스템의 원활한 운영을 위하여 이 약관을 개정할 수 있으며 개정내용, 시행시기 등을 시행 7일전에 전자조달시스템에 공고합니다. 단, 긴급한 경우에는 변경 즉시 이를 공고하고 시행할 수 있습니다.

③ 제2항에 따라 개정된 약관은 내용이 관계 법령에 위배되지 않고 따로 경과규정이 없는 한 개정 이전에 등록한 이용자에게도 적용됩니다.

④ 이 약관에서 정하지 아니한 사항과 이 약관의 해석에 관하여는 「전자조달법령」, 「국가를 당사자로 하는 계약에 관한 법령」(이하 「국가계약법령」이라 한다), 「지방자치단체를 당사자로 하는 계약에 관한 법령」(이하 「지방계약법령」이라 한다, 「조달사업에 관한 법령」, 「전자문서 및 전자거래기본법령」, 「전자서명법령」 등 관련 법령에 따릅니다.

제2장 수요기관 등

제4조(전자조달시스템 이용자등록 등) ① 수요기관 또는 민간수요자(이하 "수요기관 등"이라 한다)는 조달청(본청 조달등록팀 또는 각 지방청 민원실)에서 전자조달시스템 이용자등록을 하여야 하며, 행정안전부의 행정표준코드 부여 대상 수요기관은 동 코드를 먼저 부여받아 이용자등록을 신청하여야 합니다.

② 수요기관 등의 이용자등록은 지정공인인증기관으로부터 인증서를 발급받은 후 이 약관에 동의하여 등록합니다. 각 수요기관 등은 필요한 경우에 2명 이상의 이용자를 등록할 수 있습니다.

③ 입찰참가수수료, 입찰보증금 등 현금을 받아야 하는 수요기관 등은 등록 후 전자조달시스템에 수금용 계좌를 등록하여야 합니다. 수요기관 등은 필요에 따라 2개 이상의 수금용 계좌를 등록할 수 있으며, 하나의 계좌에는 소속 수요기관 등의 이용자 중 1명만 등록하여야 합니다.

제5조(지정공인인증기관 선택) ① 수요기관 등의 장은 지정공인인증기관이 복수로 지정된 경우 지정공인인증기관의 보안정책, 피해보상 등 서비스내용을 고려하여 가입할 인증기관을 선택할 수 있습니다.

② 지정공인인증기관은 수요기관 등에 따라 서비스내용을 차별화 할 수 있습니다.

③ 제1항에도 불구하고 「국고금관리법」 제22조제1항에 따라 계약대금 지급업무를 위하여 각 수요기관의 장이 지출관 등으로 지정한 자는 금융결제원의 인증서를 발급받아 전자조달시스템의 대금이체업무를 처리하여야 합니다. 다만, 동 인증서는 제4조제2항에도 불구하고 따로 이용자등록 없이 사용할 수 있으며, 기타 다른 조달업무 목적으로는 사용할 수 없습니다.

제6조(전자조달시스템 서비스 이용범위) ① 전자조달시스템에서 이용할 수 있는 서비스 범위는 다음 각 호와 같습니다. 단, 민간수요자는 제2호, 제3호, 제5호만 이용 가능합니다.

1. 구매요청
2. 입찰공고, 전자입찰, 전자계약, 대금지불 등 전자조달처리 지원
3. 목록조회, 목록화 요청 등 목록시스템 이용
4. 각 수요기관의 장이 체결한 단가계약물품의 전자조달시스템 종합쇼핑몰등록 및 납품요구, 조달청장이 체결한 단가계약물품의 납품요구(제3자 단가계약물품의 납품요구 포함)
5. 기타 업체정보, 가격정보 등 정보 및 전자조달처리기능 이용

제7조(수요기관 등의 장의 역할과 책임) ① 각 수요기관 등의 장은 소속 업무담당자를 이 약관에 따라 이용자로 등록하게 하여야 합니다.

② 각 수요기관 등의 장은 소속 업무담당자가 전자조달시스템 이용방법을 자세히 알도록 하여야 하며, 등록한 인증서와 이용자를 관리하여야 합니다.

③ 수요기관 등의 이용자가 전자조달시스템을 통해 수행한 조달업무는 수요기관 등의 장이 수행한 것으로 봅니다.

④ 컴퓨터 백신프로그램 설치 등 수요기관 등의 시스템 보안책임은 해당 수요기관 등의 장에게 있습니다.

⑤ 각 수요기관 등의 장은 운영자가 전자조달시스템을 통하여 제공하는 정보를 이용할 경우 입찰조건, 관련규정 및 기준의 적용 등 이용에 필요한 사항을 확인하여야 하며, 이에 따른 책임은 수요기관 등의 장에게 있습니다.

제8조(수요기관 등의 이용자의 역할과 책임) ① 전자서명생성키가 저장된 저장장치 및 비밀번호에 대한 관리책임은 수요기관 등의 이용자에게 있습니다. 관리책임은 전자서명생성키 저장장치가 하드드라이브일 경우 해당 PC에 대한 접근통제를 말하며, 기타 저장매체일 경우 그 저장매체의 관리책임을 말합니다.

② 수요기관 등의 이용자는 자신의 전자서명생성키 정보가 도난당하거나 제3자가 사용하고 있음을 인지한 경우 지정공인인증기관의 정책에 따라 비밀번호 변경, 인증서 폐지 등 신속히 필요한 조치를 취하여야 합니다.

③ 수요기관 등의 이용자는 업체정보나 입찰공고 등 전자조달시스템에 본인이 등록·게재하는 모든 정보에 대하여 등록 직후 정상 등록여부를 조회하여 확인해야 합니다.

④ 수요기관 등의 이용자는 조달업무에 관련된 모든 규정, 이 약관, 수요기관 등 이용자안내서, 운영자가 전자조달시스템에 공지한 사용요령 등을 자세히 알고 지켜야 하며 이를 따르지 않아 발생하는 불이익에 대한 책임은 수요기관 등의 이용자에게 있습니다.

제9조(입찰공고 확인 등) ① 각 수요기관 등의 장 또는 계약담당자가 전자입찰을 집행하고자 하는 경우에는 입찰참가자격, 입찰방식, 입찰서제출마감일시, 개찰일시, 낙찰자 결정방법, 입찰참가자격이 없는 자의 입찰서 차단범위 등을 전자조달시스템에 등록하여야 합니다. 입찰참가자격이 없는 자의 입찰서 차단하는 범위는 <별표 1>에 따릅니다.

② 각 수요기관 등의 장은 전자조달시스템에서 제공하는 조달업체등록정보 외에 필요한 사항을 따로 관리할 수 있습니다.

제10조(수요기관 등의 입찰예정가격 작성 및 관리) ① 입찰예정가격은 해당 공고의 예정가격을 작성하는 권한이 있는 자(이하 "재무관"이라 한다)가 작성하되, 전자조달시스템은 재무관의 복수예비가격 생성 및 저장 또는 단일예정가격의 저장 기능을 제공합니다. 재무관은 이용자로 등록한 후 이 기능을 이용하여 입찰예정가격을 작성하여야 합니다.

② 제1항의 기능을 이용하여 저장된 예정가격은 「국가계약법 시행령」 제7조의2제1항 및 「지방계약법 시행령」 제8조제1항에 따라 밀봉하여 보관된 것으로 봅니다. 동 예정가격은 입찰서와 같은 방식으로 암호화되어 저장되며, 입찰서 접수를 마감하고 입찰집행관이 개찰한 이후에 확인할 수 있습니다.

③ 제1항의 기능을 이용한 복수예비가격은 공고시에 지정한 총 예비가격의 개수, 추첨할 예비가격의 개수 및 입찰전에 입력된 기초금액을 기준으로 재무관이 선정한 상하 범위 내

에서 난수표발생방식으로 적정 배분되어 생성됩니다.

④ 제3항의 규정에 따라 생성된 복수예비가격의 배열은 전자조달시스템에 의하여 무작위로 저장됩니다.

제11조(입찰참가자격 확인) ① 수요기관 등의 장은 전자조달시스템이 자동으로 차단하는 사항 이외에도 제9조제2항에 따라 전자조달시스템이 제공하는 조달업체정보 등을 이용하여 「국가를 당사자로 하는 계약에 관한 법률 시행규칙」(이하 "국가계약법시행규칙"이라 한다) 제14조제3항 및 「지방자치단체를 당사자로 하는 계약에 관한 법률 시행규칙」(이하 "지방계약법시행규칙"이라 한다) 제14조제3항에 따른 입찰참가자격을 입찰집행시에 확인·판정하거나 입찰시간의 단축 등을 위하여 입찰종료 후에 확인·판정할 수 있습니다. 다만, 입찰집행시에 부적격으로 판정한 입찰자의 입찰은 개찰결과 부적격으로 표시되고, 동 입찰자가 추첨한 예비가격은 추첨결과에 반영되지 않습니다.

② 수요기관 등의 장은 입찰자가 고의 또는 과실로 변경등록을 하지 않은 경우에 대비하여 낙찰예정자로부터 입찰참가자격에 관한 서류를 제출 받아 확인하여야 합니다. 「국가계약법시행규칙」 제44조제1항제6의3호 및 「지방계약법시행규칙」 제42조제5호에 따른 변경등록을 하지 않은 입찰자의 입찰은 무효입니다.

③ 「국가계약법시행규칙」 제15조제4항 및 「지방계약법시행규칙」 제15조제4항에 따른 경쟁입찰참가자격등록증(이하 "등록증"이라 한다)은 조달업체가 전자조달시스템에 접속하여 출력하는 방식으로 교부됩니다. 조달업체가 제출한 등록증은 수요기관 등의 이용자가 전자조달시스템에 접속하여 진위를 확인할 수 있습니다.

제12조(수요기관의 입찰참가자격 등록 게재) ① 각 수요기관의 장은 「국가계약법시행규칙」 제15조제5항 및 「지방계약법시행규칙」 제15조제5항에 따라 자체적으로 등록을 받은 업체정보가 전자조달시스템에 게재될 수 있도록 제2항의 조치를 하여야 합니다.

② 수요기관의 담당자는 소정의 운영절차교육을 받은 후 운영자 권한을 부여받아 전자조달시스템을 이용해 「국가종합전자조달시스템입찰참가자격등록규정」에 따라 등록정보를 게재하여야 합니다.

제13조(전자입찰의 낙찰선언) ① 전자입찰의 낙찰선언은 「국가계약법시행령」 및 「지방계약법시행령」 제40조제3항에 따라 최종낙찰자를 공고하는 방법으로 합니다.

② 전자조달시스템에서 입찰 후 공개되는 개찰결과 및 적격심사결과는 입찰서 제출결과 및 업체정보를 이용하여 자동산출된 적격심사결과를 보여주는 것으로 무효입찰 또는 취소된 입찰이 포함될 수 있습니다.

제14조(전자조달시스템의 의무적 이용 등) ① 각 수요기관의 장은 「국가계약법시행령」 제33조, 제76조제9항, 제93조 및 「지방계약법시행령」 제33조, 제92조제6항에 따른 입찰공고, 부정당업자제재통보, 계약실적 총보고는 반드시 전자조달시스템을 이용하여 수행하여야 합니다. 다만, 「국가계약법시행령」 및 「지방계약법시행령」의 적용을 받지 않는 수요기관의 장은 관련 규정에 따라 이를 수행할 수 있습니다.

② 수요기관의 장은 제1항에 따른 의무적 이용 외에 계약요청에서 대금지불까지의 조달업무, 전자입찰, 나라장터 종합쇼핑몰을 이용한 조달업무, 물품의 목록화 요청, 목록정보, 조달업체정보 등을 위하여 전자조달시스템을 이용할 수 있습니다.

제15조(전자지급의 처리) ① 수요기관 등의 장은 시중은행계좌에서 전자조달시스템을 이용하여 계약대금 등을 지급할 때에는 건당 이체수수료를 이용금융기관에 지불하여야 합니다. 다만, 각 수요기관 등의 장은 보유계좌의 이체수수료 지불에 대하여 각 금융기관과 따로 협의하여 정할 수 있습니다.

② 한국은행 국고계좌를 보유하고 있는 수요기관은 기획재정부장관이 운영하는 국가재정정보시스템과 연계된 전자조달시스템을 이용하여 계약대금 등을 지급할 수 있으며, 이 경우에 이체수수료 등은 국가재정정보시스템의 관련 규정에 따릅니다.

③ 제1항에 따른 계약대금의 지급은 이용금융기관의 영업일 근무시간에 처리하는 것을 원칙으로 합니다.

제16조(규정 제정 등) 운영자는 전자조달시스템을 통한 전자입찰에 적용할 「전자입찰특별유의서」 등 필요한 규정을 제정할 수 있으며, 따로 규정을 제정하여 적용할 필요가 있는 수요기관 등의 장은 전자조달시스템 운영에 문제가 없도록 규정에 반영할 내용을 운영자와 미리 협의하여야 합니다.

제3장 조달업체

제17조(이용자등록) 전자조달시스템을 이용하여 조달업무를 수행하거나 전자조달시스템에서 제공하는 정보를 이용하고자 하는 조달업체는 전자조달시스템에서 정한 방법에 따라 지정공인인증기관의 인증서비스에 가입하고 이용자로 등록하여야 합니다.

제18조(지정공인인증기관 선택) 조달업체는 지정공인인증기관이 복수로 지정된 경우 지정공인인증기관의 보안정책, 피해보상 등 서비스내용을 고려하여 가입할 인증기관을 선택할 수 있습니다.

제19조(전자조달시스템서비스 이용범위) 전자조달시스템에서 조달업체가 이용할 수 있는 서비스 범위는 다음 각 호와 같습니다.

1. 입찰정보의 입수 및 전자입찰의 참가
2. 목록조회, 목록화 요청 등 목록시스템 이용
3. 견적서 제출, 판매 등
4. 기타 온라인대금지급청구 등 전자조달처리기능 이용

제20조(조달업체의 역할과 책임) ① 전자서명생성키가 저장된 저장장치 및 비밀번호에 대한 관리책임은 조달업체에게 있습니다. 관리책임은 전자서명생성키 저장장치가 하드드라이브

일 경우 해당 PC에 대한 접근통제를 말하며, 기타 저장매체일 경우 그 저장매체의 관리책임을 말합니다.

② 조달업체는 자신의 전자서명생성키 정보가 도난당하거나 제3자가 사용하고 있음을 인지한 경우 지정공인인증기관의 정책에 따라 비밀번호의 변경, 인증서의 폐지 등 신속히 필요한 조치를 취하여야 합니다.

③ 조달업체는 전자조달시스템에 등록된 자기정보를 수시로 확인하여야 하며 전자조달시스템에 등록된 자기정보가 사실과 다른 경우에는 해당 정보를 신속히 수정하거나 정보를 제공한 기관이 수정하도록 신속하게 조치하여야 합니다.

④ 조달업체는 제25조제4항의 개별은행 인터넷뱅킹서비스 장애가 발생한 경우에는 타 은행 계좌를 통해 입찰참가수수료를 납부할 수 있도록 입찰참가수수료 납부용으로 2개 이상 은행의 계좌를 보유할 것을 권장합니다.

⑤ 컴퓨터 백신프로그램 및 안전입찰서비스 설치 등 전자조달시스템의 이용을 위하여 사용하는 개인용 컴퓨터에 대한 보안책임은 조달업체에게 있습니다.

⑥ 조달업체는 「국가계약법령」, 「지방계약법령」, 계약예규, 고시, 통첩, 공고, 약관, 전자조달시스템조달업체안내서, 운영자가 전자조달시스템에 공지한 사용요령 등의 내용을 자세히 알고 지켜야 하며 이를 따르지 않아 발생하는 불이익에 대한 책임은 조달업체에게 있습니다.

⑦ 모바일 전자입찰로 입찰에 참가하고자 하는 조달업체는 예상하지 못한 사유로 인하여 원활한 입찰에 참가하지 못할 경우 다른 방법으로 입찰에 참가할 수 있도록 충분한 시간적 여유를 고려하여 입찰에 참가할 것을 권장합니다.

⑧ 같은사항에 대하여 같은PC 및 같은IP(Internet Protocol)주소에서는 1통의 입찰서만 제출할 수 있습니다.

⑨ 지문인식 신원확인 입찰이 적용되는 입찰에 참가하고자 하는 전자입찰자는 미리 조달청이 정한 절차에 따라 지문보안기기에 전자입찰자의 지문정보를 등록하여야 하며, 입찰서를 작성하여 전송할 때 지문보안기기를 통해 전자입찰자의 신원을 확인한 후 입찰에 참가하여야 합니다.

⑩ 조달업체는 조달청 담당공무원 또는 조달청과 협약한 기관의 「개인정보보호법」 제2조의 개인정보처리자로부터 대표자 또는 입찰대리인의 신원을 확인받은 후 지정공인인증기관을 통하여 지문정보를 등록하여야 합니다.

⑪ 지문이 등록된 지문보안기기가 장애, 인식 오류 등으로 지문보안기기에 의한 입찰자의 신원확인이 곤란한 경우에는 다음 각 호의 절차에 따라 예외적으로 기존 인증서(사업자인증서와 개인인증서)에 의해 전자입찰서를 제출할 수 있습니다.

1. <별표 2>서식으로 신청서를 작성하여 입찰서 제출기한까지 전자조달시스템을 통해 전자적으로 제출한 후 전자입찰서를 입찰서 제출기한까지 제출하여야 합니다. 다만, 예외적용 신청서는 입찰자별로 2회까지 제출할 수 있습니다.
2. 제1호에 따라 신청서를 제출한 시점부터 48시간(토요일, 일요일, 법정공휴일은 포함하여

계산하지 아니한다) 동안에는 예외적으로 기존 인증서를 이용하여 전자입찰서를 제출할 수 있습니다.

3. 제2호에 따라 기존 인증서를 이용하여 전자입찰서를 제출한 자는 다음 입찰서 제출 이전에 조달청(본청 조달등록팀 또는 각 지방청 민원실)을 방문하여 지문인식오류 사유서를 제출하고 지문보안기기 점검 등 필요한 조치를 취하여야 합니다. 이와 같은 조치를 취한 자는 제1호 단서에도 불구하고 제1호에 의한 예외적용 신청서를 2회까지 다시 제출할 수 있습니다.

⑫ 손가락 장애·손상 등으로 지문등록이 곤란한 자는 미리 조달청(본청 조달등록팀 또는 각 지방청 민원실)에 <별표 2>서식으로 신청서를 제출한 후 확인을 거쳐 기존 인증서를 이용하여 전자입찰서를 제출할 수 있습니다. 다만, 손가락 손상, 지문인식 오류 등 일시적으로 지문등록이 곤란하여 지문등록을 하지 않은 자는 "지문인식 신원확인 예외적용 신청서"를 제출한 날로부터 6월 이내에 제10항에 따라 지문보안기기에 지문정보를 등록하여야 합니다.

⑬ 조달청장이 감염병 확산 우려 등을 고려하여 필요하다고 인정하는 경우에는 제9항부터 제12항에도 불구하고 전자입찰에 참여하는 전자입찰자는 지문정보의 사전 등록(신규, 추가, 변경 등록 모두 포함)을 하지 않아도 정해진 기간동안 전자입찰에 참가할 수 있습니다. 다만, 지문인식 신원확인 예외 적용을 받고자 하는 전자입찰자는 <별표 2> 서식으로 신청서를 입찰서 제출기한까지 전자조달시스템을 통해 제출하여야 합니다. <신설 2021.12.18.>

⑭ 안전입찰서비스 이용이 적용되는 입찰에 참가하고자 하는 전자입찰자는 미리 이용자PC에 해당 소프트웨어를 설치한 후 안전입찰서비스를 사용하여 입찰에 참가하여야 합니다. <종전의 제13항에서 이동>

⑮ 안전입찰서비스의 설치 및 작동 오류 등으로 안전입찰서비스 사용이 곤란한 전자입찰자는 다음 각 호의 절차에 따라 예외적으로 기존 웹방식으로 전자입찰서를 제출할 수 있습니다. <종전의 제14항에서 이동>

1. <별표 4>서식으로 사유서를 작성하여 입찰서 제출기한까지 전자조달시스템을 통해 전자적으로 제출한 후 전자입찰서를 입찰서 제출기한까지 제출하여야 합니다. 다만, 예외적용 사유서는 입찰자별로 2회까지 제출할 수 있습니다.
2. 제1호에 따라 사유서를 제출한 시점부터 48시간(토요일, 일요일, 법정공휴일은 포함하여 계산하지 아니한다) 동안에는 기존 웹방식에 의해 전자입찰서를 제출할 수 있습니다.
3. 제2호에 따라 기존 웹방식으로 전자입찰서를 제출한 자는 다음 입찰서 제출 이전에 조달청 콜센터를 통해 안전입찰서비스 설치 및 정상 작동 여부 등 필요한 조치를 취하여야 합니다. 이와 같은 조치를 취한 자는 제1호 단서에도 불구하고 제1호에 의한 예외적용 사유서를 2회까지 다시 제출할 수 있습니다.

⑯ 모바일 전자입찰 서비스를 이용하는 전자입찰자는 모바일에 제공하는 보안기능을 미리 설치한 후 입찰에 참가하여야 합니다. <종전의 제15항에서 이동>

제21조(등록증의 교부) 「국가계약법시행규칙」 제15조제4항 및 「지방계약법시행규칙」 제15조제4항에 따른 경쟁입찰참가자격등록증은 조달업체가 전자조달시스템에 연결하여 출력하는 방식으로 교부합니다.

제22조(전자입찰의 예정가격) 복수예비가가 적용된 전자입찰의 예정가격은 입찰자가 입찰서 송신 시 추첨한 예비가격추첨결과에 따라 결정되며, 무효인 입찰서를 제출한 입찰자가 추첨한 번호 또는 입찰취소를 신청하여 승인된 입찰자가 추첨한 번호도 예정가격결정에 반영될 수 있습니다.

제23조(변경공고 전자입찰 참가) ① 입찰공고번호의 차수가 변경되는 변경공고는 변경 전 입찰에 참가한 입찰자도 변경공고입찰에 다시 입찰서를 제출하여야 합니다.

② 제1항에도 불구하고 변경 전 입찰에 참가하여 공동수급협정서를 제출한 입찰자가 변경공고입찰에서 새로운 공동수급협정서를 제출하지 아니하면 기존의 공동수급협정서를 제출한 것으로 봅니다.

제4장 기 타

제24조(물품목록번호의 사용) ① 전자조달시스템은 물품분류 및 식별을 위하여 물품목록번호를 사용합니다. 물품목록번호에 관한 정보는 목록시스템을 이용하여 검색할 수 있습니다.

② 수요기관 등의 장은 물품목록번호를 물품검색, 계약요청, 입찰공고, 전자계약 등에 사용할 수 있으며, 조달업체는 물품목록번호를 물품검색, 경쟁입찰참가자격등록 등에 사용할 수 있습니다.

③ 해당 물품의 물품목록번호가 전자조달시스템에 등록되어 있지 않을 경우에는 전자조달시스템 등을 이용하여 목록화 요청을 하여 물품목록번호를 부여받아 사용하여야 합니다.

제25조(시스템장애 및 서비스중지) ① 운영자는 컴퓨터 등 전산장비의 보수점검·교체 등의 사유로 서비스제공을 일시적으로 중단할 수 있으며, 이 경우에 전자조달시스템에 미리 공지합니다.

② 운영자는 통제할 수 없는 시스템장애로 전자조달시스템운영이 중단될 경우에 수요기관 등의 장과 협의하여 업무를 처리할 수 있습니다.

③ 운영자는 시스템장애가 감지되는 긴급한 경우 수요기관 등의 개찰업무를 임시 중단하고 처리방안을 협의 할 수 있습니다.

④ 모바일 전자입찰과 관련된 장애 및 입찰참가수수료 납부를 위한 개별은행의 인터넷뱅킹 장애는 시스템장애에 포함되지 않습니다.

⑤ 제2항의 장애로 전자입찰서 등 입찰관련 서류의 접수나 입찰집행이 불가능한 경우에 운영자는 동 사실을 전자조달시스템 공지사항에 게시하고 <별표 3>의 전자조달시스템 장

애발생시 전자입찰 자동연기공고 기준에 따라 입찰서제출마감일시, 개찰일시, 공동수급협정서제출 마감일시 등을 한꺼번에 연기처리하는 등 전자조달시스템에 반영하고 연기공고 게시판에 동 내용을 게재합니다.

⑥ 시스템장애에 따른 자동연기 대상은 전자적으로 제출하는 서류에 한합니다. 다만, 같은 입찰서류에 대하여 입찰공고에서 제출 방법을 비 전자적 방법으로 한정하지 않은 서류는 자동연기 대상이 됩니다.

⑦ 계약대금의 전자적인 지급과 관련하여 금융망 등의 장애가 발생할 경우에 대비해 대금청구 후 법정시한 마감 전일까지는 대금을 지급할 것을 권장합니다. 마감일시까지 지급처리가 곤란할 것으로 예상되는 경우에는 전자조달시스템의 수기 처리기능을 이용하여 직접 지급할 수 있습니다.

⑧ 제2항의 시스템장애가 아닌 조달업체의 네트워크 또는 네트워크 서비스업체의 장애, 조달업체의 시스템정지 등의 사유로 입찰서 등이 전자조달시스템 문서접수지원서버에 입력되지 않은 경우에는 「전자조달법」 제11조제2항에 따라 조달업체가 송신하지 아니한 것으로 봅니다.

제26조(시스템장애로 인한 입찰의 연기공고) ① 조달업체 등은 제25조제5항에 따라 연기된 공고를 전자조달시스템의 연기공고 게시판에서 확인하여야 합니다.

② 제25조제5항에 따른 입찰연기의 경우 시스템장애발생 이전에 유효하게 접수된 입찰서, 입찰참가자격사전심사신청서(이하 "PQ심사신청서"라 한다), 공동수급협정서 등은 연기된 입찰에 유효하게 접수된 것으로 보며 다시 제출할 수 없습니다.

제27조(분쟁해결 및 재판관할) 이 약관의 해석에 관한 분쟁은 당사자간 협의로 해결하며, 협의에 의해 분쟁이 해결되지 않을 경우 소송에 의하고 그 재판관할은 민사소송법의 관련규정에 따릅니다.

제28조(재검토기한) 「훈령·예규 등의 발령 및 관리에 관한 규정」에 따라 이 고시에 대하여 2020년 1월 1일 기준으로 매3년이 되는 시점(매 3년째의 12월 31일까지를 말한다)마다 그 타당성을 검토하여 개선 등의 조치를 하여야 한다.

부 칙 〈제2019-20호, 2019.12.19〉

제1조 이 고시는 2020년 4월 18일부터 시행합니다.

제2조 이 국가종합전자조달시스템이용약관 시행과 동시에 조달청 고시 2017-12호(2017.6.22.)는 폐지합니다.

부 칙 〈2020-58호, 2020.12.18.〉

제1조 이 고시는 2020년 12월 24일부터 시행합니다.

[별표 1]

부적격 입찰자의 입찰서 자동차단 적용범위

구분	차단 범위(부적격자)	근거
〈공통사항〉		
1. 입찰참가자격 등록마감일	전자입찰서 제출마감일 전일까지 입찰참가자격 등록되지 않은 자	▪국가계약법시행규칙 제40조제4항 ▪전자입찰특별유의서 제4조
2. 입찰참가자격 등록정보	업체상태가 이중등록, 양도·양수, 면허증반납, 등록취소, 등록유효기간 경과한 자	전자입찰특별유의서 제4조
3. 부정당업자	부정당업자 제재 중인 자	국가계약법시행령 제76조
4. 1PC-1입찰서 제출	같은 입찰건에 대해 같은 PC에서 1통 이상의 입찰서	전자조달법시행령 제5조제2항
5. 1IP-1입찰서 제출	같은 입찰건에 대해 같은 IP주소에서 1통이상의 입찰서	전자입찰특별유의서 제7조제1항
〈각 수요기관 등의 장 또는 계약담당자가 입찰공고시 등록사항〉		
1. 업종, 면허 등 등록 여부	해당 업종·면허 등을 입찰참가자격으로 등록되지 않은 자	국가계약법시행령 제12조, 입찰공고서
2. 내역입찰 첨부여부	추정가격 100억원 이상 공사로서 산출내역서를 제출하여야 하는 경우 내역서를 첨부하지 않은 입찰서	▪국가계약법시행령 제14조제6항 ▪전자입찰특별유의서 제11조
3. 현장설명 참가여부	현장설명에 참가하지 않은 입찰자 *300억원 이상, 100억원 이상공사로서 현장설명을 실시한 경우	시행령 제14조의2 제2항
4. 공동계약	▪공동수급체 구성원이 5명 초과, 최소 지분율이 10% 미만. ▪단, 턴키,대안은 구성원 10명초과, 최소지분율은 5% 미만 ▪지역업체 의무공동도급	공동계약 운용요령 제9조제5항 공사입찰유의서 제15조제11호 국가계약법시행령 제72조제3항
5. 지역제한	입찰공고일 전일부터 입찰일까지 해당 시·도에 법인 등기부상 본점 소재지(개인사업자인 경우에는 사업자등록증 또는 관련 법령에 따른 허가·인가·면허·등록·신고 등에 관련된 서류에 기재된 사업장의 소재지)를 두고 있지 않은 자	국가계약법시행령 제21조제1항6호 *공사입찰유의서 제3조의2제2항 단서는 적용 배제
6. 물품목록번호 등록 여부	해당 물품목록번호(6자리 대·중·소 분류번호 또는 8자리 대·중·소·세 분류번호)로 입찰참가자격이 등록되지 않은 자	입찰공고서
7. 제조 여부	제조로 입찰참가자격이 등록되지 않은 자	입찰공고서
8. PQ, 실적제한	PQ, 실적심사 결과 적격자로 등록되지 않은 자	국가계약법시행령 제13조 및 제21조
9. 지명경쟁	입찰참가자로 지명되지 않은 자	국가계약법 제7조 단서
10. 시공능력공시액	시공능력공시액이 미달한 자	국가계약법시행령 제21조제1항1호 및 국가계약법규칙 제25조제2항2호

注) 1. "공통사항"은 전자입찰공고서에 투찰제한 등록 여부에 관계없이 부적격 입찰자의 입찰서를 전자조달시스템으로 자동 차단할 수 있다.

2. 운영자는 "부적격 입찰자의 입찰서 자동차단 적용범위"를 확대하고자 하는 경우 "운영자 공지사항" 공지를 통해 갈음할 수 있다.

3. 시공능력공시액에 의한 부적격 입찰자의 입찰서 자동차단은 2010.9.1 입찰공고분부터 적용한다.

[별표 2]

지문인식 신원확인 예외적용 신청서

사업자등록번호		상 호 명	
예외적용 신청자		생년월일	
신 청 사 유	□ 입찰자 지문정보 인식 불가(손가락 상처 등) □ 지문보안기기 제품 장애(연결 실패 등) □ 지문인식 오류 또는 인증 실패 □ 기타(세부 내용 기재)		

위와 같은 사유로 지문인식 신원확인이 곤란하여 제20조제11항에 따른 인증서를 이용한 전자입찰 참가신청서를 제출하며 다음 사항을 준수할 것을 확약합니다.

1. 당 사의 대표자를 포함한 입찰대리인은 나라장터에 의한 전자입찰에 참가함에 있어 「전자서명법」 제23조, 「국가계약법시행령」 제76조, 「지방계약법시행령」 제92조 및 「독점규제 및 공정거래에 관한 법률」 제19조에 따라 불공정 행위를 하지 않을 것으로 확약합니다.
2. 향후 이 확약서의 내용을 이행하지 않은 경우에는 관계 법령에 따라 어떠한 처벌도 감수할 것임을 확약합니다.

200 년 월 일

상 호 명 :

대 표 자 : (인)

조 달 청 장 귀하

[별표 3]

전자조달시스템 장애발생시 전자입찰 자동연기공고 기준(제25조 관련)

1. 자동연기 대상

전자조달시스템 장애시간 중 또는 장애복구 후 2시간 이내에 전자입찰서, 제안서 등 전자적으로 제출하는 입찰서류의 제출마감일시가 도래하였거나, 전자조달시스템 장애시간 중 개찰일시가 도래한 경우 해당 입찰서류의 제출 마감일시 또는 개찰일시

2. 자동연기공고 기준

가. 장애시간이 2시간 이내인 경우에는 장애복구일시로부터 입찰서제출 마감일시 2시간, 개찰일시는 3시간을 각각 연기한다. 단, 연기시간 산정 시 점심시간(12:00~13:00)은 제외한다.

나. 장애시간이 2시간을 초과하는 경우에는 장애복구일시로부터 입찰서제출 마감일시는 24시간, 개찰일시는 25시간을 각각 연기한다.
단, 입찰서 제출 마감일시를 연기하였으나 장애시간을 제외한 제출기간이 48시간 미만일 경우에는 장애복구일시로부터 입찰서 제출 마감일시는 48시간, 개찰일시는 49시간을 각각 연기한다.

다. '가' 및 '나'에도 불구하고 입찰서 제출은 마감되었으나 장애시간 중에 개찰시간이 도래한 입찰은 장애시간에 관계없이 장애복구시각을 기준으로 1시간 연기 처리한다.

라. 입찰보증금 납부기한 등 제출기한이 입찰서제출 마감일 전일(또는 당일)인 입찰서류(예시 참조)의 제출기한은 '가' 또는 '나'에 의해 연기된 입찰서제출 마감일시로 연기한다. 다만 입찰서류 제출기한이 금요일 또는 토요일, 입찰서제출 마감일이 월요일인 경우도 위와 같이 처리한다.
※ (예시) 제출기한이 입찰서제출 마감일 전일(또는 당일)인 입찰서류: 입찰보증금, 공동수급협정서(PQ제외), 입찰참가자격등록, 종합심사신청서, 종합평가심사신청서, 실적심사신청서(물품, 일반용역), 협상계약제안서 등

마. PQ심사신청서 등 서류 심사 후 전자입찰서를 접수하는 입찰서류(예시 참조)의 제출기한은 장애시간에 관계없이 장애복구일시로부터 24시간 연기한다.

※ (예시) 서류심사 후 전자입찰서를 접수하는 입찰서류:
PQ심사신청서, 공동수급협정서(PQ), 적격성심사신청서, 기술적이행능력평가서, 실적심사 신청서(시설공사, 기술용역), 경쟁적대화계약제안서 등

바. '가' 부터 '마' 까지에 따라 연기할 경우 입찰서제출 마감시간 등이 근무시간을 초과할 때에는 다음 근무일의 당초 마감시각으로 연기한다.

사. 장애시간은 운영자가 전자입찰시스템 공지한 장애발생시각부터 장애복구 완료시각까지의 시간을 말한다.

[별표 4]

안전 입찰서비스 예외적용 사유서

사업자등록번호		상 호 명	
예외적용 신청자			
신 청 사 유	□ 안전 입찰서비스 설치 또는 이용 실패 □ 기타(세부 내용 기재)		

위와 같은 사유로 안전 입찰서비스 이용이 곤란하여 제20조제14항에 따른 기존 웹방식을 이용하여 전자입찰서를 제출하며 다음 사항을 준수할 것을 확약합니다.

1. 당 사의 대표자를 포함한 입찰대리인은 나라장터에 의한 전자입찰에 참가함에 있어 안전 입찰서비스를 이용한 입찰서 제출이 불가능하여 기존 웹방식을 이용하여 전자입찰서를 제출함에 있어 반드시 PC의 보안상태를 점검한 후 입찰서를 제출할 것을 확약합니다.

2. 향후 이 확약서의 내용을 이행하지 않아 발생하는 모든 피해에 대해서는 어떠한 이의제기나 소송 등을 제기하지 않을 것을 확약합니다.

년 월 일

상 호 명 :

대 표 자 : (인)

입 찰 자 : (인)

조 달 청 장 귀하

〈별표 5〉

안전 입찰서비스를 이용한 입찰서 제출 적용 기준(제20조 관련)

1. 안전 입찰서비스 적용 대상

나라장터를 통해 공고되는 모든 입찰은 안전 입찰서비스를 사용하여 입찰서를 제출하여야 합니다. 단, 안전 입찰서비스의 운영안정성 확보를 위해 안전 입찰서비스 이용은 다음과 같이 단계별로 적용합니다.

《 안전 입찰서비스 단계별 적용 기준 》

구 분	조달청 집행 입찰		
내 용	조달청에서 집행하는 시설공사 → 물품 → 용역 순으로 적용		
대상 입찰	시설공사	물품	용역
적용 시기	'15.2.16일 공고분부터 적용	'15.3.16일 공고분부터 적용	'15.4.6일 공고분부터 적용

* 수요기관이 직접 공고 집행하는 입찰은 안전 입찰서비스 운영 상황을 고려하여 최종 결정

16 「조달청 시설공사 입찰참가자격 사전심사기준」 질의 응답

본 질의 응답은 조달청 시설공사 「입찰참가자격 사전심사기준」(시설총괄과-5013호, 2018.06.26개정)에 대한 질의·응답을 정리한 내용이며, 종전의 질의·응답 내용은 본 건으로 대체 합니다.

아울러, 입찰자들의 질의내용 답변, 문구 명확화 또는 오류 수정 등으로 본 질의응답집은 비정기적으로 보완될 예정이오니, 입찰참가자는 반드시 입찰 전에 마지막으로 게재된 질의응답집을 확인하여 주시기 바랍니다.

- 목　　차 -

는지?

1-20. 공공기관 지방이전에 따른 지역업체 가점 부여 시 해당공사 적용범위는?

1-21. PQ심사후 부정당업체제재 처분을 받았으나 입찰마감일 이전에 소멸된 경우 입찰참가는?

1-22. 주공사 시공비율이 사전심사기준 제8조제7항 2호에서 정한 기준 미만인 경우, 기술적 공사이행능력부문의 평가에서 제외하는 항목은?

1-23. 입찰참가자격 중 상위등급업체 참여비율 등 지분율 산정방법?

1-24. 나라장터에서 PQ심사신청서를 2회이상 중복제출한 경우 신청서 인정방법?

1-25. 기술형입찰에서 토목건축공사업(산업환경설비공사업 포함) 시공능력평가액 기준 상위 10위이내 업체 상호간 공동수급체 구성이 허용되는 경우?

1-26. 기술형입찰에서 설계분야 입찰참가자에 대한 경영상태 및 기술적공사 이행능력부문 평가방법?

1-27. 세종시에서 타지역으로 주소를 변경한 업체의 지역소재일 산정방법?

1-28. 발주기관의 시공평가 점수가 100점을 초과한 경우 사전심사 시공평가 결과 산정방법?

1-29. PQ대상공사에서 상호출자제한기업집단 소속 계열회사에 대한 지역업체 참여도(또는 가산점) 평가방법과 주계약자관리방식 또는 지역의무공동도급 시 입찰참가자격 적격자 판정방법?

Ⅱ. 시공경험

2-1. 사전심사에서 시공중인 장기계속공사의 실적인정 기준은?

2-2. 공동계약 시 공사실적이 없는 구성원이 있는 경우의 시공경험 평가는?

2-3. 시공경험 평가자료의 심사기준일은?

2-4. 시공경험 평가에서 최근 10년간 당해공사와 동일한 종류의 실적이라 함은?

2-5. 최근 5년간의 실적평가(또는 최근 10년간 동일공종 실적평가)에서 시공실적이 3년간 실적뿐인 경우?

2-6. 동일한 종류의 공사실적과 유사한 종류의 공사실적 심사에서 배점한도 적용은?

2-7. 사전심사 시 시공경험평가의 공종별 동일공사 시공실적 평가방법은?

2-8. 대표자의 자격을 등급으로 제한한 공동계약의 경우 최근 5년간실적 평가방법은?

2-9. 동일 또는 유사 실적 평가시 대상이 되는 시공실적은 ?

2-10. 업체가 보유한 실적이 사장교 실적일 때 해당되는 교량의 등급은 ?

2-11. 업체가 보유한 실적이 해상교량 실적일 때 해당되는 교량의 등급은 ?

2-12. 터널 인정범위 ?

2-13. 시공경험평가 중 최근 10년간 동일공종그룹 실적평가에서 평가대상 공종의 추정가격의 의미와 평가방법 ?

2-14. 고난도 공종이 포함된 지역의무공동도급 공사의 시공경험평가 기준은 ?

Ⅲ. 기술능력

3-1. 기술능력평가 분야 중 '신기술개발 및 활용실적' 심사항목의 평가방법은?

3-2. ‘신기술개발 및 활용실적’의 평가는 신기술을 보유한 경우에만 평가하는지?
3-3. 공동수급체의 신기술 개발 및 활용실적 평가방법은?
3-4. 신기술 공동개발자가 공동수급체를 구성하여 입찰에 참가한 경우 평가방법은?
3-5. 공동수급체의 경우 ‘기술개발투자비율’ 심사항목의 평가방법은?
3-6. 토목공사에 참여한 공동수급체의 기술개발투자비율 평가는?
3-7. 토목공사에 단독으로 참여한 업체의 기술개발투자비율 평가는?
3-8. 토목공사에 등급외(7등급미만) 업체의 기술개발투자비율 평가는?
3-9. 건설부문매출액에 대한 건설부문 기술개발투자비율이 0%인 경우 평점은?
3-10. 동일한 종류의 공사실적과 유사한 종류 모두 제출한 경우 준공기한 경과 정도의 평가는?
3-11. 기술능력평가의 ‘시공평가결과’ 항목의 평가방법은?
3-12. 복수의 동일실적을 제출한 경우 시공평가결과를 가중 평균하는 방법은?
3-13. 시공평가결과 평가 시 「건설기술관리법령」적용을 받지 아니하는 공사란?
3-14. 준설공사와 같은 경우 시공평가결과 평가는?
3-15. 경력기술자 평가 시 적용하는 관리능력계수란?
3-16. 관리능력계수는 현장대리인으로 종사한 기간만으로 평가하는 것인지?
3-17. 경력기술자의 인정범위, 직무 및 업무범위는?
3-18. 경력기술자 평가 시 적용하는 계수와 적용방법은?
3-19. 조경공사의 경우 일반기술자 평가방법은?
3-20. 일반기술자 인정기준일은?

Ⅳ. 신인도

4-1. 공동수급체 구성시 신인도 평가방법은?
4-2. 합병 등을 한 업체의 신인도 평가방법은?
4-3. 신인도 평가시 동일 업체에 평가요소의 평점이 2개 이상인 경우 ?
4-4. 신인도 평가시 합계점수가 배점한도를 초과하는 경우에도 시공비율을 곱하는지 ?
4-5. 녹색건설 관련 인증실적 제출방법 및 평가대상 공사는 ?
4-6. 표준계약서 사용여부에 따른 가점 신청방법은 ?
4-7. 당해공사가 건축공사인 경우 표준계약서 사용여부에 따른 최대 가점은 ?
4-8. 표준계약서 사용여부로 가점을 받았으나, 비 낙찰자인 경우 이행확인은 ?
4-9. 표준계약서 사용여부로 가점을 받았으나, 미이행시 감점 처리는 ?
4-10. 표준계약서 사용에 따른 가점과 감점이 있는 경우 신인도 평가는 ?
4-11. 담합으로 부정당업자 제재를 받은 경우 신인도 감점 적용 기간은?
4-12. 부정당업자 제재 만료일에 따른 제재기한과 감점 점수는?
4-13. 하도급 상습위반자로 통보받은 자 중 ‘12.1.12. 사면 대상자에 대한 처리방법은?
4-14. 동반성장지수와 공정거래협약 이행실적 평가방법 ?
4-15. 산업재해예방 활동 실적 평가 결과를 나라장터에서 확인하는 방법 ?

V. 경영상태

Ⅰ. 공통사항

1-1. 공동수급체 구성원의 시공비율 산정시 주공사에 해당하는 업종이란?
(사전심사기준 제8조제2항제1호)

〈답변〉

당해공사가 복합공사인 경우 추정금액을 기준으로 규모가 큰 공사를 주공사로 하며, 주공사의 업종이 평가대상 업종으로서 입찰공고에 명시
(2개 이상의 업종을 평가대상 업종으로 입찰공고를 할 수 있음)

예시1) 당해공사가 토목, 건축, 전기, 소방공사업으로 복합된 경우로서 주공사가 토목공사업(1개업종)으로 입찰공고 된 경우, 시공비율은 토목공사업을 기준으로 산정함

예시2) 당해공사가 토목, 건축, 전기, 소방공사업으로 복합된 경우로서 주공사가 토목 및 건축공사업(2개업종)으로 입찰공고 된 경우, 시공비율은 토목공사인 경우에는 토목분야 시공비율을 적용하고, 건축공사는 건축분야 시공비율을 적용함.

1-2. 기술적 공사이행능력 평가에서 공동수급체 구성원 중 평가대상 업종 이외 업종의 공동수급체 구성원이란? (사전심사기준 제8조제7항제1호)

〈답변〉

평가대상인 주공사 이외의 공사업종에 대하여 공동수급체로 참여하는 구성원을 말하며, 동 구성원에 대하여는 기술적 공사이행능력 평가대상(시공경험, 기술능력, 시공평가결과, 신인도)에서 제외함(단, 경영상태, 지역업체 참여도(가산점), 중소업체 참여도 평가는 공동수급구성원 모두를 대상으로 평가함.)

예시) 입찰참가자격을 토목공사업과 건축공사업을 등록한 업체로서 평가대상 업종(주공사)은 토목공사업으로 입찰공고 한 경우, 건축공사업은 주공사 업종이 아니므로 기술적 공사이행능력 평가대상(시공경험, 기술능력, 시공평가결과, 신인도)에서 제외함.(단, 경영상태, 지역업체 참여도(가산점), 중소업체 참여도 평가는 공동수급구성원 모두를 대상으로 평가함.)

1-3. 지역업체참여도 평가시 지역업체 요건은? (사전심사기준 제7조제4항제4호, 제8조제6항제4호)

〈답변〉

○ 지역업체는 해당 계약을 이행하는데 필요한 면허·허가·등록 등의 자격요건을 갖춘 상태로 입찰공고일 현재 90일 이상 해당 시·도에 법인등기부상(또는 입찰참가자격등록증상) 본점이 소재한 업체이어야 한다.

(해당 공사현장을 관할하는 특별시, 광역시 및 도에 법인등기부상(또는 입찰참가자격등록증상) 본점이 소재한 기간이 90일 미만인 경우는 지역업체 참여도 평가를 받을 수 없음)

1-4. 지역업체 대상여부를 '입찰공고일 현재 90일 이상 해당 공사현장을 관할하는 특별시, 광역시 및 도에 법인등기부상 본점이 소재한 업체' 일 경우 90일의 정의는 ? (사전심사기준 제7조제4항제4호)

〈답변〉

○ 지역업체 대상여부를 판단함에 있어 소재기간 산정은 해당계약을 이행하는데 필요한 면허·허가·등록 등의 자격요건을 갖춘 날과 법인등기부상 본점을 해당 시·도에 최종 등기한 날(또는 입찰참가자격등록증상 본점을 해당 시·도에 최종 등록한 날) 중 최근일자로부터 입찰공고일까지 일수로 산정되며 기본 정보는 나라장터에 등록된 '자기정보관리'에서 확인 할 수 있음.

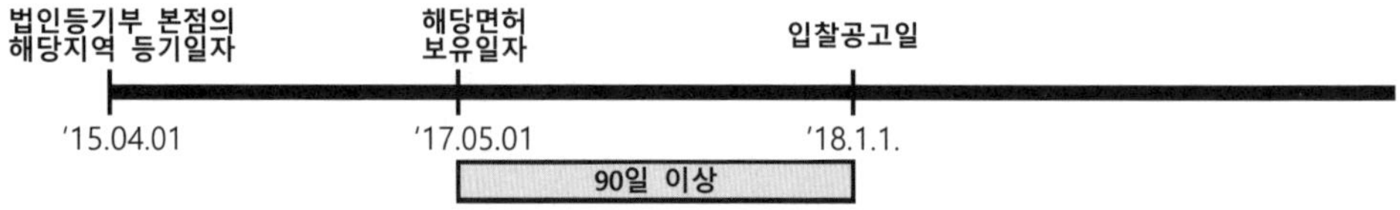

1-5. 『국가를 당사자로 하는 계약에 관한 법률 시행령』 제42조제1항 및 제4항의 규정에 따른 공사의 지역업체 참여도 및 지역업체 가산점 평가 여부는 ?

(사전심사기준 제7조제4항제4호 및 제8조제6항)

〈답변〉

○ 『국가를 당사자로 하는 계약에 관한 법률 시행령』 제42조제1항에 따른 공사는 적격심사 대상공사로 사전심사기준 제7조제4항제4호다목에 따라 지역업체 참여도 분야를 평가하지 아니하며, 동법 시행령 제42조제4항에 따른 공사는 종합심사낙찰제 대상공사로서 사전심사기준 제8조제6항에 따라 지역업체 가산점 평가를 하지 않음.

1-6. 지역업체 참여도 평가, 지역업체 가산점 평가 및 중소기업 참여도 평가에서 업체 지분율 산정은 주공사를 기준으로 산정하는지, 또한 지분율은 어떻게 산정하는지?

(사전심사기준 제7조제4항4호, 제8조제4항 및 제5항)

〈답변〉

○ 지역업체 참여도(가산점 평가 포함) 및 중소업체 참여도 평가는 해당 업체의 전체 참여지분율을 산정하여 평가함. 다만, 업체별 전체 참여지분율 산정 시 주공종 참여지분율은 사전심사기준 제8조제2항 본문에 따른 시공비율을 적용하여 계상하고 주공종이외 공종 참여지분율은 시공비율을 적용하지 아니하고 그대로 계상하여 이를 각각 합산 평가함.

- 지역업체 참여도(가산점 포함) 평가 시에는 지역소재기간 가중치를 추가로 산정(지역업체 조정 지분율의 합이라 함)하여 평가에 반영
- 또한, 지역업체 참여도(가산점 포함) 평가 시 지역업체 요건(질의응답 1-3 참조)을 충족하여야 평가에 반영됨.

○ 특히, 주공종에서 참여지분율 산정시 주공종 시공비율이 심사기준 제8조제7항제2호에 해당하는 경우에는 주공종 참여지분율 산정에서 제외함.

- 즉, 국가계약법 적용 종합심사낙찰제 대상공사로서 주공종 시공비율이 10%이상이어야 할 경우, 주공종(예, 토목공사업)에 참여하는 업체의 시공비율이 10%미만이라면 0%로 처리되어 지역업체 참여도(가산점 포함) 또는 중소업체 참여도 평가시 주공종 참여지분율이 0%로 계상됨.(질의응답 1-22 참조)

예시) 사례별 예시

가정 - 지역업체 및 중소기업 참여도 평점표가 아래와 같으며
- 지역업체는 상호출자제한기업집단 소속 계열회사가 아님

[지역업체, 중소기업 참여도 평점표]

구분	지역업체 평점표		중소기업 평점표	
	비율	점수	비율	점수
A	40%이상	5	40%이상	4
B	35%이상, 40%미만	4	30%이상, 40%미만	3
C	30%이상, 35%미만	3	20%이상, 30%미만	2
D	20%이상, 30%미만	2	10%이상, 20%미만	1
E	10%이상, 20%미만	1		

[질의사례 1]

구분	사업자등록번호	업체명	대표및 구성원구분	업종	공종별 비율 (1)	출자비율 (분담비율) (2)	전체 지분율 (3)
가	000-00-00000	A사	대표	토목공사업	100%	70%	70%
	000-00-00000	B사	구성원	토목공사업		20%	20%
	000-00-00000	C사	구성원	토목공사업		10%	10%

구분	추정금액 (4)	소요 시평액 (5)	실제 시평액 (6)	시공비율* (7=6/4)	시공비율을 고려한전체 참여지분율 (8=1*7)	중소기업 여부	지역	지역소재 기간
가	400억	280억	400억	70%	70%			4726일
		80억	60억	15%	15%	중소기업	해당지역	7300일
		40억	50억	10%	10%		해당지역	7300일

* 7번 항목은 소요시평액보다 실제시평액이 작은 경우 수식적용, 이외 출자비율 적용

본 공사는 지역참여배점제 적용공사로서 평가대상업종은 토목공사업이며 토목공사 추정금액은 400억임(관급자재 0원) 여기서 A사 토목시평액은 400억이며, B사는 토목시평액이 60억이며, C사 토목시평액은 50억임

이 경우 "가" 컨소시업이 받는 지역업체 참여도와 중소기업 참여도 점수는 각각 몇 점이 되는지요?

(답변) 지역업체 및 중소기업 참여도 평가시 시공비율은 주공종만 산정하며 이외공종은 전체지분율을 그대로 적용

· 지역업체 참여도

- B사 지역업체 참여도 = 시공비율을 고려한 전체 참여지분율(8) * 가중치 = 15% * 1 = 15%
  (B사 지역소재기간 가중치 = 7300/3650 = 1)
- C사 지역업체 참여도 = 시공비율을 고려한 전체 참여지분율(8) * 가중치 = 10% * 1 = 10%
  (C사 지역소재기간 가중치 = 7300/3650 = 1)
- 지역업체 참여도 비율 = B사 + C사 = 15% + 10% = 25%
- 지역업체 참여도 점수 = 2점

· 중소기업 참여도

- B사 중소기업 참여도 = 시공비율을 고려한 전체 참여지분율(8) = 15%
- 중소기업 참여도 점수 = 1점

[질의사례 2]

구분	사업자등록번호	업체명	대표및 구성원구분	업종	공종별비율 (1)	출자비율 (분담비율) (2)	전체지분율 (3)
가	000-00-00000	A사	대표	토목공사업	80%	70%	56%
	000-00-00000	B사	구성원	토목공사업		20%	16%
	000-00-00000	C사	구성원	토목공사업		10%	8%
	000-00-00000	A사	대표	조경공사업	20%	80%	16%
	000-00-00000	B사	구성원	조경공사업		10%	2%
	000-00-00000	C사	구성원	조경공사업		10%	2%

구분	추정금액 (4)	소요시평액 (5)	실제시평액 (6)	시공비율* (7=6/4)	시공비율을 고려한 전체참여지분율 (8=1*7)	중소기업여부	지역	지역소재기간
가	400억	280억	400억	70%	56%			4726일
		80억	60억	15%	12%	중소기업	해당지역	7300일
		40억	50억	10%	8%		해당지역	7300일
	100억	해당없음		해당없음	16%			4726일
					2%	중소기업	해당지역	7300일
					2%		해당지역	7300일

* 7번 항목은 소요시평액보다 실제시평액이 작은 경우 수식적용, 이외 출자비율 적용

본 공사는 지역참여배점제 적용공사로서 평가대상업종은 토목공사업이며 토목공사 추정금액은 400억임, 기타 조경공사 추정금액은 100억(관급자재 0원)

여기서 A사 토목시평액은 400억이고 조경시평액은 100억이며, B사는 토목시평액이 60억이고 조경시평액이 5억이며, C사는 토목시평액이 50억이며 조경시평액이 10억임

이 경우 "가" 컨소시엄이 받는 지역업체 참여도와 중소기업 참여도 점수는 각각 몇 점이 되는지요?

(답변) 지역업체 및 중소기업 참여도 평가시 시공비율은 주공종만 산정하며 이외공종은 전체지분율을 그대로 적용

· 지역업체 참여도

- B사 지역업체 참여도 = 시공비율을 고려한 전체 참여지분율(8) * 가중치 = (12%+2%) * 1 = 14%
  (B사 지역소재기간 가중치 = 7300/3650 = 1)
- C사 지역업체 참여도 = 시공비율을 고려한 전체 참여지분율(8) * 가중치 = (8%+2%) * 1 = 10%
  (C사 지역소재기간 가중치 = 7300/3650 = 1)
- 지역업체 참여도 비율 = B사 + C사 = 14% + 10% = 24%
- 지역업체 참여도 점수 = 2점

· 중소기업 참여도

- B사 중소기업 참여도 = 시공비율을 고려한 전체 참여지분율(8) = 12% + 2% = 14%
- 중소기업 참여도 점수 = 1점

[질의사례 3]

구분	사업자등록번호	업체명	대표및 구성원구분	업종	공종별비율 (1)	출자비율 (분담비율) (2)	전체지분율 (3)
가	000-00-00000	A사	대표	토목공사업	100%	60%	60%
	000-00-00000	B사	구성원	토목공사업		20%	20%
	000-00-00000	C사	구성원	토목공사업		20%	20%

구분	추정금액 (4)	소요 시평액 (5)	실제 시평액 (6)	시공비율* (7=6/4)	시공비율을 고려한전체 참여지분율 (8=1*7)	중소기업 여부	지역	지역소재기간
가	400억	240억	400억	60%	60%			4726일
		80억	60억	15%	15%	중소기업	해당지역	7300일
		80억	50억	12.5%	12.5%		해당지역	7300일

* 7번 항목은 소요시평액보다 실제시평액이 작은 경우 수식적용, 이외 출자비율 적용

본 공사는 지역의무공동도급(40%이상) 참여공사로서 평가대상업종은 토목공사업이며 토목공사 추정금액은 400억임(관급자재 0원)

여기서 A사 토목시평액은 400억이며, B사는 토목시평액이 60억이며, C사 토목시평액은 50억임

이 경우 "가" 컨소시업이 받는 지역업체 참여도와 중소기업 참여도 점수는 각각 몇 점이 되는지요?

(답변) 지역업체 및 중소기업 참여도 평가시 시공비율은 주공종만 산정하며 이외공종은 전체지분율을 그대로 적용

· 지역의무공동도급 비율 충족여부 = 지역의무공동도급 충족은 전체지분율(3)로서 평가하므로 B사 및 C사 합계 40%로서 지역의무비율 충족
  지역의무공동도급 대상공사로서 지역업체 참여도(가산점) 평가는 하지않음

· 중소기업 참여도
  - B사 중소기업 참여도 = 시공비율을 고려한 참여지분율 = 15%
  - 중소기업 참여도 점수 = 1점

[질의사례 4]

구분	사업자등록번호	업체명	대표및 구성원구분	업종	공종별 비율 (1)	출자비율 (분담비율) (2)	전체지분율 (3)
가	000-00-00000	A사	대표	토목공사업	80%	60%	48%
	000-00-00000	B사	구성원	토목공사업		20%	16%
	000-00-00000	C사	구성원	토목공사업		20%	16%
	000-00-00000	A사	대표	조경공사업	20%	50%	10%
	000-00-00000	B사	구성원	조경공사업		30%	6%
	000-00-00000	C사	구성원	조경공사업		20%	4%

구분	추정금액 (4)	소요시평액 (5)	실제시평액 (6)	시공비율* (7=6/4)	시공비율을 고려한 전체참여지분율 (8=1*7)	중소기업 여부	해당지역 여부	지역소재기간
가	400억	240억	400억	60%	48%			4726일
		80억	60억	15%	12%	중소기업	해당지역	7300일
		80억	50억	12.50%	10%		해당지역	7300일
	100억	해당없음		해당없음	10%			4726일
					6%	중소기업	해당지역	7300일
					4%		해당지역	7300일

* 7번 항목은 소요시평액보다 실제시평액이 작은 경우 수식적용, 이외 출자비율 적용

본 공사는 지역의무공동도급(40%이상) 참여공사로서 평가대상업종은 토목공사업이며 토목공사 추정금액은 400억임, 기타 조경공사 추정금액은 100억(관급자재 0원)

여기서 A사 토목시평액은 400억이고 조경시평액은 100억이며, B사는 토목시평액이 60억이고 조경시평액이 5억이며, C사는 토목시평액이 50억이며 조경시평액이 10억임

이 경우 "가" 컨소시엄이 받는 지역업체 참여도와 중소기업 참여도 점수는 각각 몇 점이 되는지요?

(답변) 지역업체 및 중소기업 참여도 평가시 시공비율은 주공종만 산정하며 이외공종은 전체지분율을 그대로 적용

지역의무공동도급 비율 충족여부 = 지역의무공동도급 충족은 전체지분율(3)로서 평가하므로 B사 및 C사 합계 42%로서 지역의무비율 충족

지역의무공동도급 대상공사로서 지역업체 참여도(가산점) 평가는 하지 않음

· 중소기업 참여도
  - B사 중소기업 참여도 = 시공비율을 고려한 참여지분율 = 12% + 6% = 18%
  - 중소기업 참여도 점수 = 1점

※ 지분율 산정시 소수점 처리방법

구 분	항 목	소수점처리방법	비 고
지역업체 참여도 (가산점 포함)	전체지분율(B)	공동수급협정서상 지분율 사용	소수점 여섯째자리
	시공비율(C)	소수점 셋째자리에서 절사	
	지역소재기간가중치(D)	소수점 처리없음	
	조정지분율(A)	소수점 처리없음	해당비율이 속한 등급으로 평가
중소업체 참여도	전체지분율(B)	공동수급협정서상 지분율 사용	소수점 여섯째자리
	시공비율(C)	소수점 셋째자리에서 절사	
	참여 지분율(A)	소수점 처리없음	해당비율이 속한 등급으로 평가

1-7. 지역업체와의 공동계약시 지역의무 공동계약 공사의 경우 가산점 부여는?

(사전심사기준 제7조제4항제4호, 제8조제6항제3호)

〈답변〉

○ 지역업체와의 공동계약시 가점제도는 지역업체의 수주기회를 확대하기 위한 것으로서 지역의무 공동계약으로 입찰 공고된 공사는 지역업체의 참여가 의무화되어 있으므로 지역업체 참여도, 지역업체 가산점 평가 대상이 아님.(「공공기관 지방이전에 따른 혁신도시 건설 및 지원에 관한 특별법」에 정의된 '이전공공기관'의 청사신축사업에 대한 가산점 관련 사항은 질의응답 1-20 참고)

1-8. 해당공사가 복합 업종인 경우로서 지역업체 참여도 평가 및 지역업체 가산점을 평가함에 있어 업종별 비율 산정 기준금액이 추정금액인지 또는 추정가격인지 여부?

(사전심사기준 제8조제4항)

〈답변〉

○ 해당공사가 복합 업종인 경우로서 지역업체 참여도 평가 및 지역업체 가산점 평가는 전체 공동수급체 구성원에 대한 지역업체 지분율로 평가하며, 이 경우 업종별 비율 산정 기준금액은 추정가격에 부가가치세를 포함한 금액임.

예시)

업종	추정가격+부가가치세(비율)	도급자설치관급금액	추정금액
토목공사업	55,000,000,000원(62.50%)	15,000,000,000원	70,000,000,000원
건축공사업	22,000,000,000원(25.00%)	10,000,000,000원	32,000,000,000원
조경공사업	11,000,000,000원(12.50%)	4,000,000,000원	15,000,000,000원

* 업종별 비율 산정 기준금액 = 추정가격 + 부가가치세

1-9. 지역업체의 지역소재기간 가중치 산정에서 지역소재일 산정방법은 ?

(사전심사기준 제7조제4항4호)

〈답변〉

○ '지역소재일'은 해당계약을 이행하는데 필요한 면허·허가·등록 등의 자격요건을 갖춘 날과 법인등기부상 본점을 해당 시·도에 최종 등기한 날(또는 입찰참가자격등록증상 본점을 해당 시·도에 최종 등록한 날) 중 최근일자로부터 입찰공고일까지 일수로 산정한다.

예시1) 기존에 있던 건설업 면허를 신설법인에 포괄적 양수도*를 통해 건설업 등록을 한 경우, 신설법인의 지역소재기간 산정 시 양수도 업체 모두 동일한 지역에 소재하고 있다면 기존에 건설업 면허를 보유하고 있는 양도업체의 지역소재기간 산정방법은?

예시1 답변) 신설법인의 해당계약을 이행하는데 필요한 면허·허가·등록 등의 자격요건을 갖춘 날과 법인등기부상 본점을 해당 시·도에 최종 등기한 날(또는 입찰참가자격등록증상 본점을 해당 시·도에 최종 등록한 날) 중 최근일을 기준으로 지역소재일을 산정합니다. 다만, 업체 간 분할·합병이 있는 경우에 분할·합병 사항, 본점소재지 이전 사항, 대표자 변동사항 등의 사실관계와 건설산업기본법령, 상법 등 관계법령을 고려하여 분할·합병 후 업체(입찰참가업체)와의 실체적 동일성이 인정되는 범위 내에서 분할·합병 전 업체의 지역소재기간을 인정받을 수 있습니다. 만약 분할·합병 전 업체의 '지역소재기간'을 인정받고자 하는 경우에는 반드시 관련 증빙서류를 사전심사신청서 제출기한까지 조달청 운영지원과 문서접수처에 공문으로 제출하여야 하며, 자료를 제출하지 아니하여 발생하는 불이익 등의 모든 책임은 입찰자에게 있습니다.

* 포괄적 양수도 : 건설업에 관한 자산과 권리·의무의 전부를 포괄적으로 양수·양도하는 경우

예시2) 한 업체가 두 개의 업종면허를 가지고 있으며 전문건설업(토공)은 '03.8.1 최초 등록(현재까지 10년 이상 A지역유지), 종합건설업(토목건축)은 '13.7.1. 추가 등록(현재까지 5년 이상 A지역유지)하고 있다면, 입찰참가자격이 '토목건축공사업 등록업체'인 입찰의 경우 동 업체의 지역소재일 산정방법은?

예시2 답변) 해당계약을 이행하는데 필요한 면허·허가·등록 등의 자격요건을 갖춘 날과 법인등기부상 본점을 해당 시·도에 최종 등기한 날(또는 입찰참가자격등록증상 본점을 해당 시·도에 최종 등록한 날) 중 최근일 기준으로 지역소재일을 산정하므로 '13.7.1.부터 입찰공고일까지 일수로 산정함

※ 업종 면허별 등록일에 따라 지역소재일 산정이 달라 질 수 있음

1-10. 지역의무공동도급 대상공사로서 중소기업업체 참여도 평가는 ?

(사전심사기준 제8조제5항)

〈답변〉

○ 지역의무공동도급 대상공사에서도 중소기업체 참여도를 평가하며, 당해공사에 공동수급체를 구성한 경우에 한하며, 당해공사가 복합 업종으로 구성된 경우에는 전체공사 구성원에 대한 중소기업 참여 비율에 따라 평가하며, 공동수급체 대표자가 중소기업인 경우에는 대표자를 제외하여 평가한다.

○ 지분율 산정방법은 질의응답 1-6 참조

1-11. 공사현장이 2개 이상의 지역에 겹치는 공사의 지역가산 평가는?

(사전심사기준 제8조제6항제2호)

〈답변〉

○ 지역업체 가산점 평가

공사현장이 2개 이상의 시·도에 겹치는 경우에는 해당지역의 가산점을 합산한 후 이를 기술적 공사이행능력부문의 종합평점에 가산하여 평가한다. 이 경우 각각의 1개 지역에 대한 가산점은 다음과 같다.

지역업체 조정 지분율의 합	가 산 점
12.5%이상, 15%미만	1점
15%이상, 17.5%미만	2점
17.5%이상, 20%미만	3점
20%이상	4점

○ 지역업체 참여도 평가

공사현장이 2개 이상의 시·도에 겹치는 경우에는 2개 지역 업체의 조정 지분율의 합으로 평가하며, 10% 이상 20% 미만이면 1점, 20% 이상 30% 미만이면 2점, 30% 이상 35% 미만이면 3점, 35% 이상 40% 미만이면 4점, 40% 이상이면 5점을 적용 함.

○ 지분율 산정방법은 질의응답 1-6 참조

1-12. 1건 공사로서 복합 사전심사대상공사인 경우 적격요건은 ?

(사전심사기준 제12조제3항)

〈답변〉

○ 1건으로 발주하는 공사에 복수의 사전심사대상 공종(예: 교량, 터널 등)이 포함된 경우에는 사전심사대상 공종별로 평가하여, 공종별 평가점수가 각각 90점 이상인 경우에 적격으로 처리 함

(예시) 교량 사전심사 평점 85점, 터널 사전심사 평점 95인 경우
⇒ 교량 사전심사 평점이 90점 미만으로 부적격 처리

1-13. 사전심사기준의 2단계 심사방식(Pass or Fail)의 의미는 ?

(사전심사기준 제7조제3항, 제8조제3항제1호 및 제12조제1항 내지 제3항)

〈답변〉

○ 부실한 업체를 사전 배제하고 충분한 자격을 갖춘 업체만이 입찰에 참여할 수 있도록 1단계 '경영상태 부문'과 2단계 '기술적 공사이행능력 부문'으로 분리하여 1단계를 통과한 업체를 대상으로 2단계 심사를 하여 1, 2단계의 적격요건을 충족하는 자에게 입찰참가자격을 부여

○ 1단계 : 경영상태 부문 심사

- 사전심사기준 제7조제3항 및 제12조제2항에 따름
- 공동계약의 경우 이행방식(공동이행 또는 분담이행) 및 출자비율에 관계없이 공동수급체 구성원별로 각각 경영상태 적격요건을 심사하며, 입찰참가적격요건을 충족시키지 못하는 구성원이 포함된 공동수급체는 경영상태 부문에 대한 입찰참가적격요건을 충족하지 못한 것으로 보아 공동수급체 전체를 입찰적격자 선정에서 제외함.

○ 2단계 : 기술적 공사이행능력 부문 심사

- 시공경험, 기술능력, 시공평가결과, 신인도 등을 평가하며, 적격기준은 종합평점 90점 이상을 적격자로 선정 함

1-14. 입찰공고일 현재 대한건설협회 등에서 On-Line으로 나라장터에 등록된 자료와 직접제출(상시제출)되어 나라장터에 등록된 자료의 의미?
(사전심사기준 제7조제1항)

〈답변〉

○ 사전심사기준 제7조제1항에 따라 대한건설협회 등으로부터 통보된 자료 및 동 기준 제7조제3항제2호 및 제4항제3호, 제9조제1항에 따라 신청자가 제출하는 서류로 평가함

- 예를 들면 업종별 5년간 실적 또는 경영상태 평가는 대한건설협회 등에서 On-Line으로 나라장터에 등록된 자료 또는 입찰공고일 기준으로 발급된 자료로 사전심사 신청서 제출기한까지 조달청 운영지원과 문서접수처에 문서로 제출한 자료(직접제출자료)로 평가 함

1-15. 중소기업 참여도 평가를 받는 중소기업의 판단기준 및 확인방법은 ?
(사전심사기준 제8조제5항)

〈답변〉

○ 「중소기업기본법」에 따른 중소기업 업체를 대상으로 중소기업 참여도 평가

○ 중소기업 업체의 해당여부는 심사기준일 이전에 중소기업중앙회(공공구매종합정보, http://smpp.go.kr)에 중소기업 업체로 등록되어 심사서류 제출 마감일(이하 마감일 이라한다)까지 조달청 시스템에 통보된 업체를 중소기업으로 판단하고, 해당 업체는 공공구매종합정보(http://smpp.go.kr) 및 조달청시스템(나라장터> 조달업체> 공사> 자기실적> 경영상태조회> 중소기업 확인)에서 확인할 수 있음.

○ 중소기업업체로 등록하고자 하는 경우에는 중소기업중앙회 공공구매종합정보(http://smpp.go.kr)에 회원등록 후, 업무센터에서 중소기업확인신청

1-16. 중소기업 참여도 평가를 위해 중소기업확인서를 발급받은 경우에 조달청에 제출하는 방법은? (사전심사기준 제8조제5항)

〈답변〉

○ 중소기업중앙회(공공구매종합정보, http://smpp.go.kr)를 통하여 중소기업확인서를 발급받은 경우에는 중소기업확인서를 조달청에 별도로 제출할 필요는 없으며, 공공구매종합정보 시스템과 나라장터 시스템이 전산적으로 연계되어 일반적으로 해당 중소기업확인서를 발급받은 다음날 전산적으로 조달청에 통보되게 되어 있음.(PQ신청자는 자료 송신 여부를 확인)

○ 중소기업 참여도 평가를 받고자 하는 경우에는 심사기준일 이전에 중소기업중앙회(공공구매종합정보, http://smpp.go.kr)를 통하여 중소기업확인서를 발급받고, 마감일까지 나라장터(나라장터> 조달업체업무> 공사> 자기실적> 경영상태조회> 중소기업확인)에 통보된 자료로 PQ심사.

1-17. 입찰공고 된 공사건에 대하여 공동수급체를 구성하지 아니하고 단독으로 입찰에 참여하고자 할 경우 지역업체 참여도(가산점) 평가 및 중소기업 참여도 평가를 받을 수 있는지 ? (사전심사기준 제8조제4항 및 제5항)

〈답변〉

○ 지역업체 참여도(가산점) 평가 및 중소기업 참여도 평가는 공동수급체 구성원 중 당해 공사현장을 관할하는 특별시, 광역시 및 도에 법인등기부상(또는 입찰참가자격등록증상) 본점이 소재한 업체의 조정지분율 및 중소기업의 시공비율을 기준으로 평가하므로 공동수급체를 구성하지 아니한 경우에는 지역업체 참여도(가산점) 평가 및 중소기업 참여도 평가를 받을 수 없음

1-18. 공동수급체 평가방법에서 시공비율 산정시 시공능력평가액을 한도로 한다는 의미는 ?
(사전심사기준 제8조제2항)

〈답변〉

○ 토목공사: 추정금액 500억원(토목 100%)

업체	공동수급협정서 (출자비율)	업체별 시공능력평가액	시공능력평가액 ÷ 추정금액	시공비율
A업체	50%	700억원	140%	50%
B업체	50%	200억원	40%	40%

B업체의 경우는 공동수급협정서상 출자비율은 50%이나 시공능력평가액을 한도로 한 시공비율은 40%로 평가됨

1-19. 「독점규제 및 공정거래에 관한 법률」에 의한 상호출자제한기업집단 소속 계열회사인 경우에도 지역업체 참여도 및 지역업체 가산점 평가에 따른 가점을 받을 수 있는 지?
(사전심사기준 제8조제4항)

〈답변〉

○ 사전심사기준 제8조제4항 단서조항에 따라 「독점규제 및 공정거래에 관한 법률」에 의한 상호출자제한기업집단 소속 계열회사간에 공동수급체를 구성한 경우에는 해당 지역업체의 조정 지분율은 조정 지분율의 합 산정에서 제외함.

< 예 시 >

- 국가계약법 적용 종합심사대상공사로서 사전심사기준 [별표2] 1호에 따라 지역업체 배점제를 적용받는 공사이고
- 평가대상업종인 토목공사 추정금액 500억원(토목 100%)인 공사이며
- A업체와 C업체는 상호출자제한기업집단 소속 계열회사인 경우

업체	공동수급협정서 (출자비율)	시공 비율	지역업체 소재기간	지역업체
A업체	70%	70%		-
B업체	20%	20%	5,000일	지역업체
C업체	10%	10%	7,000일	지역업체

※ 조정지분율의 합 = (B업체 + C업체) 조정지분율의 합
= (20% × 1) + (0% × 1) = 20%

* C업체의 경우 지역업체 조정지분율의 합 산정에서 제외(0%)

○ 아울러, 사전심사기준 제11조제1항 8호 가목에 따라 주계약자관리방식의 경우 「독점규제 및 공정거래에 관한 법률」에 의한 상호출자제한기업집단 소속 계열회사간에 공동수급체를 구성한 경우에는 적격자 선정에서 제외함

1-20. 사전심사기준에 「공공기관 지방이전에 따른 혁신도시 건설 및 지원에 관한 특별법」 제2조의 제2호에 정의된 '이전공공기관'의 청사신축사업의 경우 지역업체 참여 지분율의 합이 40%초과시 매 2%마다 1점의 가점을 부여하는데, 혁신도시내로 이전하는 공공기관 모두에 적용되는 지 ? (사전심사기준 제8조제6항)

〈답변〉

○ 기획재정부 고시 제2012-1호(2012.1.2.)에 따라 지역의무공동도급대상사업에 「공공기관 지방이전에 따른 혁신도시 건설 및 지원에 관한 특별법」 제2조제2호에 정의된 '이전공공기관'의 청사 신축사업이 추가됨에 따라 당해 발주공사가 이전공공기관의 청사신축사업일 경우로서 지역업체 참여 지분율의 합이 40%초과시 매 2%마다 1점씩 가산하여, 최대 5점까지 가점을 부여하고 있습니다.

이 경우 '이전공공기관'이라 함은 「공공기관 지방이전에 따른 혁신도시 건설 및 지원에 관한 특별법」 제2조제2호 및 동법 시행령 제2조에서 규정한 공공기관을 말함.

○ 지역업체 조정 지분율의 합 산정방법은 질의응답 1-6, 1-19 참조

1-21. 입찰참가자가 PQ심사 이후 부정당업자제재처분을 받았으나 입찰참가등록마감일 이전에 제재처분이 소멸된 경우 입찰에 참여가 가능한 지 ? (사전심사기준 제12조제4항)

〈답변〉

○ 사전심사기준 제12조제4항에 따라 PQ심사 이후 부정당업자제재처분을 받았으나 입찰등록마감일 이전에 제재처분이 소멸된 경우에는 입찰 참여가 가능함.

1-22. 주공사 시공비율이 사전심사기준 제8조제7항2호에서 정한 기준비율 미만인 경우, 기술적 공사이행능력부문의 평가에서 제외하는 항목은? (사전심사기준 제8조제7항)

〈답변〉

○ 공동수급체 구성원 중 주공사 시공비율이 사전심사기준 제8조제7항제2호에서 정하고 있는 기준비율 미만인 경우, 기술적 공사이행능력부문 중 시공경험, 기술능력, 시공평가결과, 신인도 항목은 평가에서 제외하며, 평가제외자의 시공비율은 다른구성원에게 배분하지 아니함.

- 다만, '13년 6월 기준개정으로 시공비율 반영이 추가된 지역업체 참여도(가산점 포함) 및 중소업체 참여도 항목에서 지역 또는 중소업체에 해당하는 공동수급체의 주공종 참여비율은 0%로 산정함

< 예 시 >

- 국가계약법 적용 종합심사대상공사로서 사전심사기준 제8조제7항제2호에서 정하고 있는 기준비율(최소참여지분율)이 10%이며,
- 평가대상업종이 토목공사업이며 토목공사 추정금액 500억원(토목 100%)인 공사인 경우

업체	업종	공동수급협정서 (출자비율)	업체별 시공능력평가액	시공능력평가액 ÷ 추정금액	시공 비율	지역업체 중소업체
A업체	토목공사업	90%	700억원	140%	90%	–
B업체	토목공사업	10%	30억원	6%	0%	지역업체 중소업체

※ B업체의 경우 지역업체(또는 중소업체) 참여비율(조정지분율의 합)이 0%로 산정됨.

1-23. 입찰참가자격 중 상위등급업체 참여 지분율 등 지분율 산정방법?

(사전심사기준 제11조제1항제1호, 제9호)

〈답변〉

○ 국가계약법시행령 제72조제3항(지방계약법시행령 제88조제3항) 및 우리청 집행기준 '등급별 유자격자 명부 등록 및 운용기준'에 의한 지역의무공동도급비율 및 상위등급업체 참여지분율 산정은 전체지분율을 기준으로 하며 전체지분율은 소수점 여섯째자리까지 산정함.

(지분율 산정 예시)

No.	사업자등록 번호	업체명	업종별 비율	면허명	출자 비율	기준 등급	업체 등급	전체지분율	상위등급 전체지분율 합[%]	적격 여부
1	000000000	A사	94.93%	토목공사업	50%	4	4	47.465 %	20.00386 %	부적격
	000000000	B사		토목공사업	31%	4	6	29.4283 %		
	000000000	C사		토목공사업	19%	4	2	18.0367 %		
	000000000	A사	5.07%	조경공사업	61.2%	4	4	3.10284 %		
	000000000	C사		조경공사업	38.8%	4	2	1.96716 %		

- 상기 예시의 경우 전체지분율이 20%를 초과하여 상위등급 비율 초과로 부적격
- 지역의무공동도급비율 준수여부도 동일한 방법으로 전체지분율을 산정하여 평가

1-24. 나라장터에서 PQ심사신청서를 2회이상 중복제출한 경우 신청서 인정방법?

〈답변〉

○ 1건공사의 입찰공고일 이후부터 PQ심사서류 제출마감일까지 PQ신청자는 여러번 신청서를 작성제출할 수 있으며, 이 경우 마감전 최종 제출된 신청서를 접수·평가함

1-25. 기술형입찰에서 토목건축공사업(산업환경설비공사업 포함) 시공능력평가액 기준 상위 10위 이내 업체 상호간 공동수급체 구성이 허용되는 경우?

〈답변〉

○ 우리청 일괄입찰 등의 공사입찰특별유의서 제8조제4항에 따라 주공사가 토목, 건축공사, 산업환경설비 공사인 경우 건설산업기본법에 의한 건설업의 토목건축 또는 산업환경설비 시공능력평가액 기준 상위 10위 이내 업체 상호간에는 공동수급체를 구성하여서는 아니됨. 다만, 단독으로 실적·업종(면허)이 부족하여 보완하는 경우에는 적용하지 아니함

○ 단독으로 사전심사를 통과할 수 있는지 여부는 입찰공고일 기준 조달청에 등록된 자료를

기준으로 당해공사의 평가방법(사전심사기준 [별표2] 각 호)에 따라 단독입찰의 경우로 심사하여 통과여부를 판단

1-26. 기술형입찰에서 설계분야 입찰참가자에 대한 사전심사에서 경영상태 및 기술적 공사이행능력부문 평가여부?

〈답변〉

○ 설계분야의 입찰참가자는 경영상태 및 기술적 공사이행능력부문(지역업체 참여도(가산점) 및 중소업체 참여도 포함) 평가에서 제외함

1-27. 세종시에서 타지역으로 주소를 변경한 업체의 지역소재일 산정방법?

〈답변〉

○ 종전 주소지가 세종특별자치시로 행정구역이 변경된 경우

- 지역소재기간 : 종전지역소재기간 + 세종시소재기간

○ 종전 주소지가 세종특별자치시 관할 구역에 해당하지 않고 세종특별자치시로 주소지를 이전한 경우

- 지역소재기간 : 세종시소재기간

○ 기존 주소지가 세종특별자치시로 행정구역이 변경된 후 다른 지역(예, 충남 홍성)으로 주소지를 이전한 경우

- 지역소재기간 : 다른 지역(충남 홍성) 소재기간

< 산정사례 >

구 분	도식례	지역소재일 산정방법
행정구역변경	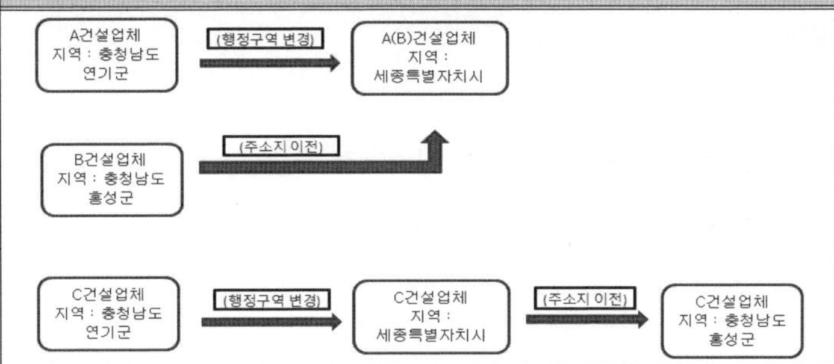	연기군 지역 소재기간부터
주소지이전		세종시 지역 소재기간부터
행정구역변경 + 주소지이전		홍성군 지역 소재기간부터

1-28. 발주기관의 시공평가 점수가 100점을 초과한 경우 사전심사 시공평가 결과 산정방법?

〈답변〉

○ 발주기관에서 발급받은 시공평가 점수를 그대로 적용함. 사전심사 시공평가 결과 점수산정시에는 100점을 초과한 점수를 그대로 반영하여 점수산정

1-29. PQ대상공사에서 「독점규제 및 공정거래에 관한 법률」에 따른 상호출자제한기업집단 소속 계열회사에 대한 지역업체 참여도(또는 가산점) 평가방법과 주계약자관리방식 또는 지역의무공동도급방식의 경우 입찰참가자격 적격자 판정방법?

〈답변〉

○ 지역업체 참여도(또는 가산점)은 상호출자제한기업집단 소속 계열회사간에 공동수급체를 구성한 경우에는 해당 지역업체의 조정 지분율은 조정 지분율의 합 산정에서 제외(조달청 입찰참가자격사전심사기준 제8조제4항)

- 산정방법은 1-19번 참조

○ 주계약자관리방식(국가계약법 적용공사에 해당)의 공동계약에서 상호출자제한기업집단 소속 계열회사간에 공동수급체를 구성한 경우에는 입찰참가자격 미부여(계약예규 제8장 공동계약운용요령 제9조제4항 및 우리청 입찰참가자격사전심사기준 제11조제1항제8호)

○ 지역의무공동도급계약(지방계약법 적용공사에 해당)에서 공동수급체를 구성하는 경우 해당 지역업체와 그 외 지역업체 간에 상호출자제한기업집단 소속 계열회사인 경우에는 입찰참가자격 미부여(지방계약예규 제7장 공동계약운영요령 제2절 1. 다. 2) 및 우리청 입찰참가자격사전심사기준 제11조제1항제9호)

Ⅱ. 시공경험

2-1. 사전심사에서 시공중인 장기계속공사의 실적인정 기준은?

(사전심사기준 [별표9] 4. 시공실적 심사기준의 9))

〈답변〉

○ 장기계속공사의 실적인정은 전체공사(총공사)가 준공되어야 하는 것이 원칙이나, 준공되

기 이전이라도 발주기관에서 인수하여 사용·관리중인 경우 이 부분을 실적으로 제출하였다면 해당 실적으로 인정 가능함. 다만, 이 경우 인수 사용일을 준공일로 하여 실적으로 인정함.

2-2. 공동계약 시 공사실적이 없는 구성원이 있는 경우의 시공경험 평가는?

〈답변〉

○ 공동수급체의 구성원 중 공사실적이 없는 구성원이 있는 경우 그 구성원의 실적은 '0'으로 평가하며, 그 시공비율은 잔존 구성원에 배분하지 아니함

2-3. 시공경험 평가자료의 심사기준일은? (사전심사기준 제5조제1항)

〈답변〉

○ 심사기준일은 평가자료의 내용을 심사하는 기준이 되는 날로서 평가자료 제출일과 구분되며, 입찰공고 등에 따로 정한 경우를 제외하고는 입찰공고일을 기준으로 함

2-4. 시공경험 평가에서 최근 10년간 당해공사와 동일한 종류의 실적이라 함은? (사전심사기준 제7조제4항)

〈답변〉

○ 당해 평가대상 공사와 동일한 종류의 공사로서 입찰공고일을 기산일로 역산하여 10년 이내에 준공한 공사실적의 합계를 말하며, 이 경우 1건 실적이 입찰공고 등에서 정하는 인정기준 규모(금액) 미만인 경우에는 시공실적에서 제외함

2-5. 시공경험 평가 중 최근 5년간의 실적평가(또는 최근 10년간의 동일공종그룹 실적평가)를 함에 있어서 신청자의 시공실적이 3년간 실적뿐인 경우 실적평가는?

〈답변〉

○ 3년간 실적만 있는 경우 5년간 실적평가(또는 10년간 동일공종그룹 실적평가)는 3년간의 실적금액을 기준으로 [별표 6] 또는 [별표 7]에 따라 평가함

2-6. 고난도 공종이 포함된 공사로서 시공경험평가는 최근 10년간 당해 공사와 동일한 종류의 공사실적 ('A'항목)과 최근 10년간 당해 공사와 유사한 종류의 공사실적('B' 항목) 중 택일 적용되는데, 이 경우 심사분야별 배점한도 적용은?

〈답변〉

○ PQ심사 신청자가 시공경험평가에서 'A'항목과 'B'항목 중 택일 적용하는 경우 배점한도는 사전심사기준상 시공경험분야의 배점기준을 적용함

2-7. 사전심사 시 시공경험평가의 공종별 동일공사 시공실적 평가방법은? (사전심사기준 [별표4])

〈답변〉

○ 당해공사 입찰공고서에 따라 사전심사기준 [별표 4] 의 해당공종에 대한 PQ규모에 해당하는 실적의 평가등급에 따라 평가함

(예시) 총 공사금액 1,000억원이며 PQ대상은 B등급교량으로서 추정가격 200억원, 종합심사낙찰제 대상공사(지역업체 참여 배점제 적용)인 경우

⇒ 동일한 공사 시공실적 평가기준은 사전심사기준 [별표 4] 제1호 '가'평점의 추정가격 300억원 미만에 해당

⇒ PQ신청자의 동일공사 실적이 280억원인 경우 평가등급은 B등급에 해당하는 27.7점으로 평가 (250억원 이상, 300억원 미만은 27.7점)

2-8. 대표자의 자격을 등급으로 제한한 공동계약의 경우 5년간 실적 평가방법은 ?

(사전심사기준 제4조제3호 및 제8조제3항제2호가목의(2))

〈답변〉

○ 사전심사 신청자격을 사전심사기준 제4조제3호의 규정에 의하는 경우에는 공동수급체 대표자의 시공실적에 대표자이외의 실적(시공비율 적용안함)을 합산하여 평가하되, 일부 구성원이 대표자의 등급보다 높은 등급의 구성원인 경우는 시공실적에 시공비율을 곱한 실적을 합산하여 평가한다.

- 신청자의 시공실적은 아래 ① 과 ② 를 합산

① 공동수급협정서상 대표자의 출자비율(복합 업종인 경우 주공사의 출자비율)이 50%이상에 해당하는 경우의 대표자 시공실적은 시공능력평가액이 추정금액 보다 많거나, 부족한 경우를 불문하고 대표자의 업종별 시공실적을 전부 인정

② 대표자이외의 시공실적은 구성원별 시공실적을 각각의 시공비율에 관계없이 전부 인정하되(다만, 심사기준 제8조제7항에 해당하는 경우에는 평가에서 제외한다), 일부 구성원이 대표자의 등급보다 높은 등급의 구성원인 경우는 시공실적에 시공비율을 곱한 실적을 합산

예시1) 당해공사가 1,000억원인 토목공사로 대표자의 참가자격을 2등급으로 제한한 경우 5년간 업종실적 평가 방법은

업체	공동수급협정서 (출자비율)	시공능력 평가액	시공능력평가액 ÷ 추정금액	등급별유자격자명부 해당등급	5년간 업종실적
A업체	50%	1,100억원	110%	2등급	500억원
B업체	10%	6,000억원	600%	1등급	800억원
C업체	40%	400억원	40%	4등급	200억원

⇒ 최근 5년간 업종실적은 500억원+(800억원×10%)+200억원 = 780억원

⇒ 평가방법은 [별표2] 6호 일반공종을 적용하고 2등급공사이며 평가대상업종의 추정가격이 90,909,090,909원이며 5년간 업종 실적 합계가 780억원이라면 평가점수는

실적계수 = 78,000,000,000원/(90,909,090,909원*5*0.5) = 0.3432

평가점수 = 실적계수 * 배점 = 0.3432 * 25점 = 8.58 = 8.58점임.

(최근 5년간 실적평점 및 최근 10년간 동일실적 평점 산정시 소수점 셋째자리에서 절사)

2-9. 동일(또는 유사)한 종류의 시공실적 평가 시 그 평가의 대상이 되는 시공실적은?

(사전심사기준 제7조제4항제1호나목)

〈답변〉

○ 사전심사기준 제9조제1항제3호에 따라 사전심사 신청자가 마감일까지 나라장터시스템에서 제출한 '공종별 동일(또는 유사)한 공사 실적명세서'(별첨양식 4) 상의 시공실적에 한하여 평가함.(실적명세서 작성 시 나라장터에 기 등록된 시공실적을 실적명세서에 누락한 경우에는 실적명세서에 명시된 실적만 평가함.)

2-10. 최대 경간장이 100m이고 교량 길이가 1km인 사장교 실적을 보유한 업체의 시공비율이 전체공사의 15%에 해당 된다면 해당업체의 교량실적은 B등급으로 인정받을 수 있는지 ? (사전심사기준 [별표1])

〈답변〉

○ 사전심사기준 [별표1]에서 B등급 교량은 경간 200m미만 100m이상 포함 교량으로서 업체의 시공실적 길이가 200m 이상인 경우에 B등급 교량으로 분류되므로, 해당업체 시공실적이 교량의 형태(사장교)와 관련 없이 경간장 100m로서 길이 150m인 경우에는 최소 연장(길이 200m이상)에 충족되지 않아 B등급 교량으로 인정 불가(C등급 교량으로 분류)

2-11. 최대 경간장이 40m이고 교량 길이가 1km인 연도교 실적을 보유한 업체의 시공비율이 전체공사의 25%에 해당 된다면 해당업체의 교량실적은 B등급으로 인정받을 수 있는지 ? (사전심사기준 [별표1])

〈답변〉

○ 사전심사기준 [별표1]에서 B등급 교량은 경간 50m이상이 포함된 연도교로서 업체의 시공실적 길이가 200m 이상인 경우에 B등급 교량으로 분류되므로, 해당업체 시공실적이 경간장 40m인 연도교로 길이 250m인 경우에는 최소 경간장(경간 50m이상)에 충족되지 않아 B등급 교량으로 인정 불가(C등급 교량으로 분류)

2-12. 터널 인정범위 ? (사전심사기준 [별표1])

〈답변〉

○ 터널의 범위는 입찰공고에서 특별히 정한 경우를 제외하고는 차량교통용터널(철도, 도로, 지하철(지하구간))을 말함(지하차도 제외)

2-13. 시공경험평가 중 최근 10년간 동일공종그룹 실적평가에서 평가대상 공종의 추정가격 의미와 평가방법? (사전심사기준 [별표2] 제5호내지 제6호, [별표6])

〈답변〉

○ 최근 10년간 동일공종그룹 실적평가의 평가대상 공종의 추정가격은 주공사 추정가격을 의미하며 평가대상 공종 및 추정가격은 입찰공고 시 명시.

○ 하나의 공사에 평가대상공종이 여러개 있는 경우에는 주된 평가대상공종으로 일괄 평가함.

평가대상공종 산정 예시) 건설공사 사례(금액은 추정가격)

<table>
<tr><th>공사명</th><th>업종별</th><th>공종별</th><th>평가대상공종</th><th>비고</th></tr>
<tr><td rowspan="4">00건설공사</td><td rowspan="2">토목공사 500억원</td><td>도로 400억원
(교통시설)</td><td rowspan="4">교통시설 500억원</td><td rowspan="4"></td></tr>
<tr><td>하천 100억원
(수자원시설)</td></tr>
<tr><td>조경공사 100억원</td><td>기타공종 100억원</td></tr>
<tr><td>전기공사 20억원</td><td>기타공종 20억원</td></tr>
</table>

평가예시) 당해공사가 1,000억원인 토목공사(도로공사, 교통시설)로 대표자의 참가자격을 2등급으로 제한한 경우 10년간 동일공종그룹 실적 평가 방법은

업체	공동수급협정서 (출자비율)	시공능력 평가액	시공능력평가액 ÷ 추정금액	등급별유자격자명부 해당등급	10년간 업종실적
A업체	50%	1,100억원	110%	2등급	500억원
B업체	10%	6,000억원	600%	1등급	800억원
C업체	40%	400억원	40%	4등급	200억원

⇒ 최근 10년간 동일공종그룹 실적은 500억원+(800억원×10%)+200억원 = 780억원

⇒ 평가방법은 [별표2] 5호 일반공종을 적용하고 2등급공사이며 평가대상업종(교통시설)의 추정가격이 90,909,090,909원이며 10년간 동일공종그룹 실적 합계가 780억원이라면 평가점수는

실적계수 = 78,000,000,000원/(90,909,090,909원*10*0.30) = 0.286

평가점수 = (실적계수 * 10) + 10 = (0.286 * 10점) + 10 = 12.86 = 12.86점임.

(최근 10년간 동일공종그룹 실적 평점 산정시 소수점 처리방법은 최근 5년간 업종실적 평가방법과 동일)

2-14. 고난도 공종이 포함된 지역의무공동도급 대상 공사의 시공경험 평가방법은 ?

〈답변〉

○ 고난도 공종이 포함된 공사의 시공경험 평가는 [별표 2] '기술적 공사이행능력부문 분야별 심사항목 및 배점기준'에 따르며 최근 10년간 당해공사와 동일한(유사한) 종류의 공사실적 등급 및 평점은 [별표 4]를 적용합니다.

만일, 해당공사가 지역의무공동도급 대상 공사일 경우에는 입찰방법과 관계없이 [별표 4]의 평점'다'를 적용하여 최근 10년간 당해공사와 동일한(유사한) 종류의 공사실적을 평가하게 됩니다.

Ⅲ. 기술능력

3-1. 기술능력평가 분야 중 '신기술개발 및 활용실적' 심사항목의 평가방법은?
(사전심사기준 제7조제4항제2호나목)

〈답변〉

○ 평가대상

- 「건설기술진흥법」 제14조, 「환경기술 및 환경산업지원법」 제7조, 「국가통합교통체계효율화법」 제102조, 「자연재해대책법」 제61조의 규정에 의거 지정·고시되어 심사기준일 현재 보호기간 내에 있는 신기술

  · 심사기준일 현재 보호기간이 경과된 경우에는 평가에서 제외

- 법인명의로 개발한 실적에 한하여 평가하며 공동 개발한 경우에는 개발업체 모두를 동일하게 인정하여 평가

○ 평가방법 : 개발실적(건수)과 활용실적(금액)을 평가

- 신기술 개발 : 심사기준일 현재 보호기간 내에 있는 신기술 보유 건수로 평가, 공동개발의 경우 개발에 참여한 개발자수로 나누어 평가
- 신기술 활용 : 심사기준일 현재 보호기간 내에 있는 신기술로서 보호기간 동안 활용한 총 실적으로 평가(심사기준일 이전 활용한 총 누계금액)

○ 평가자료 제출방법

- 신기술 개발 및 활용실적은 심사기준일 현재 '한국건설교통신기술협회', '한국환경산업기술원', '국토교통과학기술진흥원', '한국방재협회'로부터 통보되어 마감일 현재 조달청 시스템에 등록된 자료로 평가한다. 다만, 시스템에 등록된 자료가 없는 경우 등에는 사전심사신청자가 '한국건설교통신기술협회', '한국환경산업기술원', '국토교통과학기술진흥원', '한국방재협회'에서 심사기준일 이전의 신기술개발·활용 실적을 [별첨양식 14]에 따라 발급받아 마감일까지 조달청에 제출한 경우에는 제출된 자료로 평가함.

3-2. 기술능력평가의 심사항목 중 '신기술개발 및 활용실적'의 평가는 신기술을 보유한 경우에만 평가하는 것인지? (사전심사기준 제7조제4항제2호나목(4))

〈답변〉

○ 신기술 개발 실적은 개발자인 경우에 실적으로 인정하고, 활용실적은 신기술 보유 여부와

관계없이 신기술 활용한 실적으로 인정하고 있습니다.

3-3. 공동수급체 대표자와 구성원 모두 신기술 개발 및 활용실적이 있는 경우 평가방법은 ?

(사전심사기준 제8조제3항제2호나목(4))

〈답변〉

○ 신기술 개발 및 활용실적 평가는 공동수급체 대표자와 구성원의 실적을 합산하여 평가하되, 시공비율은 곱하지 아니함.

(예시) 대표자 A업체(시공비율 50%, 신기술 개발건수 2건, 활용실적 50억원), 구성원 B업체(시공비율 50%, 신기술 개발건수 1건, 활용실적 50억원)

⇒ 이 경우 신기술 개발건수는 3건, 활용실적은 100억원으로 평가

3-4. A사와 B사가 공동으로 신기술을 개발하여 각각 100억원의 실적을 보유한 경우로서, PQ대상공사에 공동수급체를 구성하여 입찰에 참가한 경우에 신기술 개발 건수 및 활용실적 평가는 ?

(사전심사기준 제7조제4항제2호나목의(3), 동기준 제8조제3항제2호나목의(4))

〈답변〉

○ 신기술 실적 인정은 사전심사기준 제7조(평가방법) 제4항제2호나목의 (3)에 따라 공동개발의 경우 개발에 참여한 개발자수로 나누어 평가하며, 신기술 개발 건수 및 활용실적 평가는 동 기준 제8조(공동수급체의 평가방법) 제3항제2호나목의 (4)에 따라 공동수급체 대표자와 구성원의 실적을 합산하여 평가함.

따라서, A사와 B사가 공동으로 신기술을 개발하여 실적을 보유한 경우로서, A사와 B사가 공동수급체를 구성하여 PQ대상공사에 참여한 경우, 신기술 개발 건수 및 활용실적 평가는 각사의 실적을 합산하여 평가함.

3-5. 공동수급체의 경우 '기술개발투자비율' 심사항목의 평가방법은?

(사전심사기준 제8조제3항제2호나목(2))

〈답변〉

○ 공동계약의 경우 '기술개발투자비율' 평가는 공동수급체 구성원별로 각각 산출한 점수에 시공비율을 곱한 후 이를 합산하여 평가함

(예시) 대표자 A업체(시공비율 65%, 기술개발투자비율 평점 8점),

구성원 B업체(시공비율 35%, 기술개발투자비율 평점 7점) 인 경우
⇒ 기술개발투자비 평점 = (8점 × 65%) + (7점 × 35%) = 7.65점

3-6. 당해공사가 토목공사인 경우 공동수급체의 '기술개발투자비율' 평가방법은?

(사전심사기준 제8조제3항제2호나목(3))

〈답변〉

○ 평가대상업종이 토목 또는 건축공사인 경우 공동수급체 구성원의 기술개발투자비율 평가는 등급별유자격자명부운용기준에서 정한 해당 구성원이 속한 해당등급 업체평균 건설부문 기술개발투자비율 대비 구성원의 건설부문 기술개발투자비율로 각각 평가한다.

예시) 당해공사가 1,000억원인 토목공사로, [별표2] 1호 적용받는 공사인 경우

업체	공동수급협정서 (출자비율)	시공능력 평가액	등급	기술개발투자비 (A, 천원)	건설부문 매출액 (B, 천원)
A업체	70%	1,000억원	2등급	1,947,204	49,895,619
B업체	10%	12,000억원	1등급	79,884,120	924,502,739
C업체	20%	300억원	4등급	1,600,578	16,271,612

등급별 유자격자명부 운용기준에서 정한 해당 등급별 업체평균 건설기술개발투자비율 (예시)

해당등급	1등급	2등급	3등급	4등급	5등급	6등급	7등급
평균비율 (예시)	5.07	4.36	4.19	4.06	4.06	3.25	2.20

공동수급체의 기술개발투자비율 평가는 다음과 같다.

업체	공동수급 협정서비율	(시공능력평가액 ÷ 추정금액)비율	기술개발 투자비율 (A/B=C)	해당등급 평균 기술개발 투자비율(D)	대비비율 (C/D)	평점
A업체	70%	80%	3.90%	4.36%	89.4%	7점
B업체	10%	1,200%	8.64%	5.07%	170.4%	8점
C업체	20%	30%	9.84%	4.06%	242.3%	8점

⇒ (7점 × 70%) + (8점 × 10%) + (8점 × 20%) = 7.3점

3-7. 당해공사가 토목공사인 경우, 단독 참여한 업체의 '기술개발투자비율' 평가방법은?

(사전심사기준 제7조제4항제2호 및 제8조제3항제2호나목(3))

〈답변〉

○ 평가대상업종이 토목 또는 건축공사인 경우 공동수급체 구성원의 기술개발투자비율 평가는 등급별유자격자명부운용기준에서 정한 해당 구성원이 속한 해당등급 업체평균 건설부문 기술개발투자비율 대비 구성원의 건설부문 기술개발투자비율로 각각 평가한다.

예시) 당해공사가 1,200억원인 토목공사로, [별표2-1] 적용받는 공사인 경우

업체	공동수급협정서 (출자비율)	시공능력 평가액	등급	기술개발투자비 (A, 천원)	건설부문 매출액 (B, 천원)
A업체	100%	1,000억원	2등급	1,947,204	49,895,619

- 등급별 유자격자명부 운용기준에서 정한 해당 등급별 업체평균 건설기술개발투자비율(예시)

해당등급	1등급	2등급	3등급	4등급	5등급	6등급	7등급
평균비율 (예시)	5.07	4.36	4.19	4.06	4.06	3.25	2.20

- 단독 참여한 업체의 기술개발투자비율 평가는 다음과 같다.

업체	공동수급 협정서비율	(시공능력평가액 ÷ 추정금액)비율	기술개발 투자비율 (A/B=C)	해당등급 평균 기술개발 투자비율(D)	대비비율 (C/D)	평점
A업체	100%	산정하지 않음	3.90%	4.36%	89.4%	7점

⇒ (7점 × 100%) = 7.0점

3-8. 당해공사가 토목공사인 경우, 등급별 유자격자명부 등급외(7등급 미만)업체의 '기술개발투자비율' 평가방법은? (사전심사기준 제8조제3항제2호나목(3))

〈답변〉

○ 평가대상업종이 토목 또는 건축공사인 경우 공동수급체 구성원의 기술개발투자비율 평가는 등급별유자격자명부운용기준에서 정한 해당 구성원이 속한 해당등급 업체평균 건설부문 기술개발투자비율 대비 구성원의 건설부문 기술개발투자비율로 각각 평가한다. 이 경우 등급외(7등급 미만) 업체의 기술개발투자비율 평가는 등급별 유자격자명부의 7등급업체 업체평균 건설부문 기술개발투자비율 대비 해당 업체의 건설부문 기술개발투자비율로 평가한다.

3-9. 최근년도 건설부문매출액에 대한 건설부문 기술개발투자비율이 0%인 경우 평점은 ? (사전심사기준 [별표 2] 주② 4))

〈답변〉

○ 기술개발투자비율 평가 시 건설부분 매출액 또는 기술개발투자비가 '0'인 경우에는 최하 등급의 평점을 적용 함

3-10. 시공경험평가에서 동일한 종류의 공사실적과 유사한 종류의 공사실적을 모두 제출한 경우 준공기한 경과 정도의 평가방법은 ? (사전심사기준 [별표 2] 주② 3))

〈답변〉

○ 당해공사의 준공기한 경과정도평가에 따른 기간계산은 입찰공고일로부터 시공실적의 준공일까지의 기간으로 산정하며, 동일한 종류의 공사실적으로 선택한 경우는 실적명세서에 제출한 동일실적 중 최근에 준공한 1건 실적을 대상으로 평가 하며, 유사한 종류의 공사실적으로 신청한 경우는 실적명세서에 제출한 유사실적(동일실적 포함) 중 최근에 준공한 1건 실적을 대상으로 평가 함

3-11. 기술능력평가의 '시공평가결과' 항목의 평가방법은? (사전심사기준 제7조제4항제3호)

〈답변〉

○ 평가대상 : 당해 입찰에서 시공경험(최근 10년간의 동일 또는 유사실적)을 평가받고자 제출하는 모든 시공실적에 대한 '시공평가점수'(「건설기술진흥법」 제50조 관련)

○ 평가방법 : 시공평가점수는 당해 사전심사에 제출한 동일 또는 유사 시공실적에 대한 '시공평가점수'를 가중평균 한 값을 기준으로 평가

○ 서류제출 : '시공평가결과'를 평가받으려면 사전심사기준 [별첨양식 5] 또는 [별첨양식 12]를 발주기관으로부터 발급(확인) 받아 조달청에 제출하여야 함

○ 평가점수 : 시공실적에 시공평가결과가 없는 경우에는 다음과 같이 평가

1) 「건설기술진흥법령」에 의한 시공평가대상 공사로서 평가자료가 없는 경우에는 80점
2) 「건설기술진흥법령」의 적용을 받지 아니하는 실적(민간공사 등) : 80점
3) 해외에서 시공한 실적 : 90점(다만, 해외에서 시공한 실적이라도 국내에서 발주한 경우(발주처가 국내에 소재한 정부·공공기관·민간을 말함) 시공평가점수를 제출하였다면 해당 점수를 적용하고 시공평가점수를 제출하지 아니하였다면 80점 적용)

○ 공동계약으로 시공한 실적의 경우 공동수급체 구성원의 시공평가점수는 대표자의 시공평가점수를 적용함(시공평가점수는 공동수급체 모두에게 동일하게 인정)

3-12. 시공평가결과 평가 시 복수의 동일실적을 제출한 경우 평가결과를 가중 평균한 점수로 한다는 의미는? (사전심사기준 제7조제4항제3호라목 및 [별표2] 주③)

〈답변〉

○ 시공평가점수 = {실적금액(원) × 시공평가결과}의 합 ÷ 실적금액(원)의 합

(예시) 대표자 A업체 : 시공비율 65%, 1건의 실적금액 150억원, 평가점수 80점,
구성원 B업체 : 시공비율 35%, 1건의 실적금액 100억원, 평가점수 95점
⇒ 이 경우 시공평가점수 산정은
{(150억원 × 80점)+(100억원 × 95점)} ÷ {150억원 + 100억원}=86점
※ 시공비율 적용 없음

3-13. 시공평가결과 평가 시 「건설기술진흥법령」 적용을 받지 아니하는 공사란? (사전심사기준 제7조제4항제3호 및 건설기술진흥법 제50조, 시행령 제82조)

〈답변〉

○ 『건설기술진흥법』제2조제6호 및 동법 시행령 제3조에서 규정하는 기관이 발주하는 공사로서 동법 제50조제1항 및 동법 시행령 제82조의 규정에 의한 시공평가 실시대상 공사에 해당하지 아니하는 공사를 말함

(예시) 민간공사, 100억원 미만 공사, 『건설기술진흥법 시행규칙』제32조의 규정에 해당하는 공사, 해외에서 시공되는 공사 등

3-14. 준설공사와 같은 경우 시공평가결과 평가는? (사전심사기준 제7조제4항제3호 및 건설기술진흥법 시행규칙 제32조)

〈답변〉

○ 준설공사는 사전심사기준 제3조에 따라 일반공사로 분류되며, 『건설기술진흥법 시행규칙』 제32조에 규정한 단순공종공사로 시공평가결과의 심사항목은 배점한도를 적용하여 평가할 수 있음(입찰공고에 명시)

3-15. 경력기술자 평가 시 적용하는 관리능력계수란? (사전심사기준 [별표 2]의 ② 기술능력평가)

〈답변〉

○ 관리능력계수란 경력기술자(해당 경력이 3년이상이어야 함)로서 현장대리인으로 종사한 경력을 평가하기 위하여 적용하는 계수

○ 관리능력계수는 현장대리인 종사기간에 따라 차등 적용함

- 현장대리인 경력 2년 미만 1.0, 2년 이상 1.1, 5년 이상 1.3

3-16. 경력기술자 평가에서 관리능력계수는 현장대리인으로 종사한 기간만으로 평가하는 것인지? (사전심사기준 [별표 2]의 주 ② 기술능력평가)

〈답변〉

○ 관리능력계수는 공사현장 경력이 3년 이상 된 경력기술자에 대하여, 그 중 현장대리인으로서 종사한 경력을 평가하는 것임.

- 현장대리인 경력만으로 관리능력계수를 산정함.

3-17. 경력기술자의 공사인정범위, 직무 및 업무분야 인정범위는? (사전심사기준 〈별첨양식 9〉)

〈답변〉

○ 공사인정범위는 사전심사기준 [별표1] 또는 입찰공고에서 정한 동일공사 및 유사공사 범위에 해당하는 공사에 3년이상 종사한 기술자를 경력기술자로 인정하며, 구체적인 경우 경력기술자에 관한 사항은 사전심사기준 [별첨양식 9]의 주 1)을 참고

○ 일반기술자와 경력기술자의 직무분야는 동일 기술분야(사전심사기준 <별첨양식 8>의 기술분야>로 제한됨

○ 다만, 업무분야 인정범위는 사전심사기준에서 별도로 예외규정을 운용하고 있지 아니함. (예 : 발주처 현장감독 업무를 수행한 경우도 인정범위에 해당) 다만, 건설기술인 협회의 기술인신고기준에 부합되어 기술인협회에 등록되어야 함.

3-18. 사전심사기준 [별표2] 주 ② 기술능력평가의 1-2)에서 경력기술자 평가 시 적용하는 계수와 적용방법은?

〈답변〉

○ 당해 사전심사대상 공사와 동일 또는 유사한 공사에 종사한 경력기술자 평가는 경력기술자의 등급계수, 경력계수, 관리능력계수를 곱한 값을 기준으로 평가하며, 경력기술자는 공사현장 종사기간이 3년 이상인 기술자를 말함

- 등급계수 : 특급기술자 1.0, 고급기술자 0.75, 중급기술자 0.5, 초급기술자 0.25

- 경력계수 : 3년이상 1.0, 5년이상 1.5, 10년이상 2.0

- 관리능력계수 : 현장대리인 경력 2년 미만 1.0, 2년 이상 1.1, 5년 이상 1.3

(예시) 기술능력평가 시 당해 사전심사대상 공종과 동일 및 유사한 공사현장 경력이 12년(현장대리인 경력이 6년임)인 특급기술자 1인과 공사현장경력이 6년(현장대리인 경력이 1년임)인 고급기술자 1인이 참가한 경우 경력기술자 평가는?

⇒ 산 식 = Σ(등급계수 × 경력계수 × 관리능력계수)
= (1.0×2.0×1.3=2.6)+(0.75×1.5×1.0=1.125)=3.725로 평가

3-19. 조경공사의 경우 일반기술자 평가대상은?

〈답변〉

○ 사전심사기준 [별표2] 주 ② 항 1-4)에 따라 조경공사인 경우에는 일반기술자평가 시 토목기술자와 조경기술자를 합산하여 평가하며

○ 이때 조경기술자는 일반기술자 중 조경기술자로 등재된 자를 말함

○ 동일인인 기술자가 복합적으로 등재된 경우에는 기술자 합산 평가 시 중복하여 평가받을 수 없음

3-20. 일반기술자 인정기준은?

〈답변〉

○ 일반기술자(토목, 건축 등)는 입찰공고일 기준으로 건설기술인협회에서 PQ서류 제출 마감일까지 송부된 자료로 평가하되 협회기준일자(입사신고서류 협회접수일)가 입찰공고일 이전이어야 기술자 평가에 포함됨.

- 주공종이 토목공사인 경우 일반기술자(토목분야)로 평가, 건축공사인 경우 일반기술자(건축분야)로 평가

Ⅳ. 신인도

4-1. 공동수급체 구성시 신인도 평가방법은? (사전심사기준 제8조제3항제2호라목)

〈답변〉

○ 공동수급체 구성원별로 각각 신인도 점수를 산출(배점한도 미적용)하고 산출된 각 구성원의 신인도 점수에 각각의 시공비율(시공능력평가액을 한도로 하여 산정한 비율)을 곱한 후 합산하여 평가 함

4-2. 합병 등을 한 업체의 신인도 평가방법은? (사전심사기준 [별표3] ※주의 3)

〈답변〉

○ 합병 등의 경우 가점항목은 합병 등을 한 업체 중 가장 높은 등급에 해당하는 업체의 점수를, 감점항목과 건설재해율 평가는 가장 낮은 등급에 해당하는 업체의 점수를 적용 함

4-3. 신인도 평가시 적용대상 기간 중에 1개 업체에 대한 동일 평가요소의 평점이 2개 이상일 경우의 중복 기간동안 평가방법은?

〈답변〉

○ 가점평가 항목인 경우에는 가장 높은 등급(점수) 하나만을, 감점평가 항목인 경우에는 가장 낮은 등급(점수) 하나만을 적용 함

(예시) 환경관련법령 위반으로 과징금 처분[-0.5점]과 벌금처벌[-1.0점]을 중복하여 받은 경우 → [-1.0점]을 적용하여 평가

4-4. 공동수급체의 신인도 평가에 있어서 각 공동수급체 구성원별로 산출한 신인도 합계점수가 배점한도를 초과하는 경우에도 배점한도에 시공비율을 곱하여 평가하는 것인지? (사전심사기준 제8조3항제2호라목)

〈답변〉

○ 각 공동수급체 구성원별 산출점수가 배점한도를 초과하더라도 산출된 점수에 업체지분만큼의 시공비율(시공능력평가액을 한도로 하여 산정한 비율)을 곱하여 산출하되 공동수급체의 최종 산출점수의 합계는 배점한도를 초과할 수 없음.

4-5. 신인도 평가항목 중 녹색건설 관련 인증실적 평가를 위한 인증실적 제출방법 및 평가대상 공사는 ? (사전심사기준 제7조제4항제5호다목)

〈답변〉

- 녹색건설관련 인증실적 평가는 '건축물에너지효율등급인증'과 '친환경건축물인증'실적으로 평가하며, 인증을 받은 건축물을 시공한 건축공사업체에게 신인도 가점을 부여하며, 사전심사기준 [별첨양식13]에 따라 인증기관(인증서 발급기관)에서 확인하여 발급한 <녹색건설관련 인증실적 증명서>와 인증서 사본을 조달청 시설총괄과로 우편 또는 직접 제출하면 됨.
- 하나의 업체가 2가지 이상의 인증을 받았더라도 각 인증별 최고 등급 1개만 평가 함
- 녹색건설 관련 인증실적은 당해공사 평가대상 업종이 건축공사일 경우에 한하여 적용 함

4-6. 신인도 평가항목 중 '당해 계약에서의 표준계약서 사용여부'에 따른 가점신청방법은 ? (사전심사기준 [별표 3] 나의 6))

〈답변〉

- 신인도 평가항목 중 '당해 계약에서의 표준계약서 사용여부'에 따른 가점신청은 나라장터 PQ심사신청서(전자문서) 작성시 입력란의 '표준계약서 사용여부'와 '표준계약서 사용계획서 작성'으로 갈음 함.(별도 문서 제출 생략)

  (표준계약서 사용여부에 따른 사용계획서 제출은 나라장터> 조달업체업무> 시설> PQ심사신청서 작성화면의 '표준계약서 사용여부' 및 '표준계약서 사용계획서작성'을 이용)

4-7. 해당공사가 건축공사인 경우에 '당해계약에서의 표준계약서 사용여부'로 최대 받을 수 있는 가점은 ? (사전심사기준 [별표 3] 나의 6))

〈답변〉

- 신인도 평가항목 중 '당해 계약에서의 표준계약서 사용여부'에 따른 가점은 '표준하도급계약서 사용'에 따른 가점과 '건설기계임대차 표준계약서 사용'에 따른 가점으로 구분할 수 있으며, '건설기계임대차 표준계약서 사용'에 따른 가점은 해당공사가 '토목공사업'인 경우에만 신청할 수 있음.

  또한, '표준하도급계약서 사용'에 따른 가점 신청은 A등급(30%이상 사용), B등급(40%이상 사용) 중 하나의 등급만 선택하여 신청할 수 있으므로, 해당공사가 건축공사인 경우에는 최대 2점의 가점을 신청할 수 있음.

4-8. 입찰참가자가 사전심사 신청시 '당해 계약에서의 표준계약서 사용여부'에 따른 신인도 가점을 받았으나, 비 낙찰자인 경우에도 이행여부 확인을 받아야 하는지 ?

(사전심사기준 [별표 3] 주 13-3)

〈답변〉

○ 신인도 평가항목 중 '당해 계약에서의 표준계약서 사용여부'에 따른 가점 신청은 입찰참가자가 사전심사 신청시에 신청할 수 있으며, 이행여부 확인은 가점 신청자 중 낙찰자(계약상대자)만 이행여부를 확인을 받아야 함.

4-9. PQ심사시 '당해 계약에서의 표준계약서 사용여부'에 따른 가점 신청시 계약금액의 40%이상 표준하도급 계약서 사용으로 2점의 가점을 받았으나 준공대가 지급시에 확인한 결과 사용계획서 대비 33%만 표준하도급계약서를 사용한 경우 감점 처리는 ?

(사전심사기준 [별표 3] 주 13-6)

〈답변〉

○ 계약금액의 40%이상 표준하도급 계약서 사용시 가점은 2점이고, 미이행시에는 미이행 비율에 해당되는 가점 비율에 2배를 감점 처리함.
(이 경우 산정된 감점은 소수점 둘째자리에서 절사함)

감점: 2점(가점) × 0.67(미사용 비율) × 2(2배 감점) = 2.68로 소수점 둘째자리에서 절사한 2.6점을 감점 처리함

(낙찰자는 감점이 통보된 날로부터 향후 3년 내에 입찰공고되는 사전심사기준에 의해 신인도 평가하는 공사의 입찰에 참여할 경우 해당 감점을 부여 받게 됨)

4-10. 토목단일 공종의 공사에 입찰참가자가 사전심사 신청시 A사(대표자)가 지분율60%, B사(구성원)가 지분율 40%로 공동수급체를 구성하여, 신인도 '당해 계약에서 표준계약서 사용여부'의 '표준하도급계약서 사용' 30%이상으로 신청한 경우 신인도 평가는 ?

※ A사와 B사의 신인도 평가항목에 기 등록된 점수는 다음 표와 같음

업 체 명	A사	B사
협력업자와 협력관계 우수점수	3점	1점
표준계약서 사용감점	- 1점	- 3점

(사전심사기준 [별표 3])

〈답변〉

○ 신인도 항목 중 '당해 계약에서의 표준계약서 사용여부'에 대한 가점 부여 및 표준계약서 사용 미이행에 따른 감점 부여는 해당 공동수급체 대표자에게만 부여되고, 표준계약서 사용 불이행에 따른 감점을 받은 업체가 공동수급체 구성원으로 입찰에 참여한 경우에는 사전심사기준 제8조제2항에 따라 평가함

업 체 명	A사	B사
지 분 율	60%	40%
협력업자와 협력관계 우수점수	3점	1점
표준계약서 사용 가점	1점	0점
표준계약서 미이행 감점	- 1점	- 3점
소 계	3점	- 2점
환산점수	1.8점(=3점×60%)	-0.8점(= -2점×40%)
신인도 최종평점	1.0점(=1.8점 + (-0.8점))	

4-11. 입찰공고일이 '11년 8월 16일인 토목공사에 입찰참여자가 '10년 6월 1일에 담합으로 부정당업자 제재를 3개월 받은 경우 신인도에서 감점대상인지 ? (사전심사기준 [별표3])

〈답변〉

○ 담합 또는 뇌물제공자로 부정당업자제재를 받은 경우 해당공사 입찰공고일 으로부터 1년 안에 제재 처분 발생일 또는 제재 처분기간이 포함될 경우에는 신인도 평가에서 감점대상이며, 부정당업자 제재 기간이 3개월인 경우에는 0.5점 감점 처리 됨.

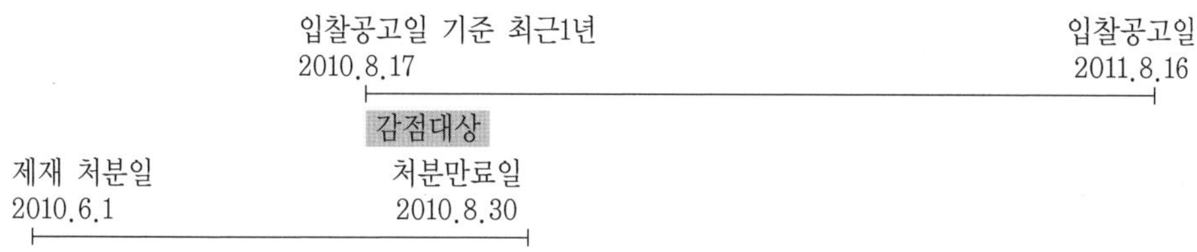

4-12. 부정당업자 제재 만료일이 '12.10.30.이고 제재기간이 6개월인 경우 감점기간과 감점 점수는 ? (사전심사기준 [별표3])

〈답변〉

○ 국가를 당사자로 하는 계약에 관한 법률 시행령 제76조제1항 각호 또는 다른 법령에 따라 부정당업자로 3개월 이상의 입찰참가자격 제한을 받은 후 만료일로부터 당해 제한기간 만큼의 기간이 경과하지 아니한 자로, 감점기간은 '12.10.31~'13.4.30이며, 감점점수는 -2점임.

4-13. 최근2년 이내에 공정거래위원장으로부터 하도급상습위반자로 통보받은자에 대하여 -7점 감점적용을 하는바, '12.1.12. 사면 대상자에 대한 처리방법은? (사전심사기준 [별표3])

〈답변〉

○ 조달청 공고 제2012-6호(2012.1.20) 건설업체등에 대한 제재조치의 해제 범위 에 따라 사면업체에 대하여는 2012.1.12.이후 입찰자격을 제한하는 조치는 취하지 아니함.

4-14. 동반성장지수와 공정거래협약 이행실적 평가방법 ? (사전심사기준 [별표3])

〈답변〉

○ 동반성장지수와 공정거래협약 이행실적 평가는 입찰에 참여하는 공동수급체 대표자들 중에서 「중소기업기본법」에 따른 중소기업이 있는 경우에는 적용하지 않음

- 따라서, PQ신청 마감결과 공동수급체 대표자들이 모두 대기업(또는 대기업과 중견기업)인 경우에만 평가함

4-15. 산업재해예방 활동 실적 평가 결과를 나라장터에서 확인하는 방법 ? (사전심사기준 [별표3])

〈답변〉

○ 최근 1년간 건설업체의 산업재해예방활동 실적은 매년 6월말 한국산업안전보건공단에서 평가하여 그 결과를 건설업체에게 통보하고,

나라장터에서 조달업체의 자기실적 조회를 통해서 해당 회사의 산업재해예방 활동 실적이 확인 가능합니다.

(확인방법 : 나라장터 → 조달업체업무 → 공사 → 자기실적 → 신인도 조회)

V. 경영상태

5-1. 경영상태부문 심사 방법 및 적격요건은 ? (사전심사기준 제7조제3항 및 제12조제2항)

〈답변〉

○ 경영상태부문 심사는 신용평가등급으로만 평가 함

○ 신용평가등급에 의한 평가는 「신용정보의 이용 및 보호에 관한 법률」 제4조제1항제1호 또는 「자본시장과 금융투자업에 관한 법률」 제335조의3에 의거 업무를 영위하는 신용조회사 또는 신용평가사(이하 '신용정보업자'라 한다.)가 심사기준일 이전에 평가하여 유효기간 내에 있는 『회사채에 대한 신용평가등급』, 『기업어음에 대한 신용평가등급』, 『기업신용평가등급』 중에서 가장 최근의 등급에 따라 평가한다. 다만, 가장 최근의 신용평가등급이 같은 날 다수가 있어 그 결과가 상이할 경우 가장 낮은 등급으로 평가

○ 상기 신용평가등급은 신용정보업자가 조달청에 통보하여 마감일 현재 시스템에 등록된 자료로 평가. 다만, 회사채·기업어음 등 신용평가기관의 평가내용을 확인하여 계약예규 위반사항 적발시 계약예규에 따라 조치

○ 신용평가등급에 의한 평가 적격 요건

- 추정가격 1,500억원 이상 : 회사채 BBB-(구성원 BB0) 이상, 기업어음 A3-(구성원 B+), 기업신용 BBB-(구성원 BB0) 이상
- 추정가격 1,500억원 미만 500억원 이상 : 회사채 BB+(구성원 BB0) 이상, 기업어음 B+, 기업신용 BB+(구성원 BB0) 이상
- 추정가격 500억원 미만 : 회사채 BB-(구성원 B+) 이상, 기업어음 B0(구성원 B-), 기업신용 BB-(구성원 B+) 이상

○ 심사기준일은 입찰공고 등에 따로 정한 경우를 제외하고는 입찰공고일을 기준으로 함

5-2. 추정가격 500억원 미만의 일괄입찰공사(또는 종합심사낙찰제 대상공사)에서 주공종이 토목공사업이 되고, 부공종이 전기공사업으로 발주된 경우에 공동수급체 구성을 토목공사업을 A업체(토목 60%)와 B업체(토목 40%)로 구성하고, 전기공사업은 C업체(전기 100%)로 구성한 경우 기업신용평가등급으로 경영상태 평가는 ? (사전심사기준 제12조제2항)

〈답변〉

○ 전체공사의 추정가격이 500억원 미만인 공사로 기업신용평가등급으로 경영상태를 평가하는 경우 BB-이나 구성원은 B+ 등급 이상이여야 함

○ 토목공사업의 경우는 대표사 A업체는 BB-이상이어야 하며, 구성원인 B업체는 B+이상 등급이여야 하며, 전기공사업의 C업체는 BB-이상 등급이여야 함

5-3. 추정가격 500억원 미만의 일괄입찰공사(또는 종합심사낙찰제 대상공사)에서 주공종이 토목공사업이 되고, 부공종이 전기공사업으로 발주된 경우에 공동수급체를 토목공사업을 A업체

(토목 60%)와 B업체(토목 40%)로 구성하고, 전기공사업은 A업체(전기 50%)와 C업체(전기 50%)로 구성한 경우 기업신용평가등급으로 경영상태 평가는 ? (사전심사기준 제12조제2항)

〈답변〉

○ 전체공사의 추정가격이 500억원 미만인 공사로 기업신용평가등급으로 경영상태를 평가하는 경우 BB-이나 구성원은 B+ 등급 이상이여야 함

○ 토목공사업의 경우는 A업체는 대표사로 BB-이상이어야 하며, 구성원인 B업체는 B+이상 등급이여야 하며, 전기공사업의 C업체는 전기공사업의 구성원으로 B+이상 등급이여야 함

5-4. 추정가격 500억원 미만 조달청 입찰참가자격사전심사 대상공사 입찰과 관련하여 공고서에 다음과 같은 유의사항이 있습니다. 이 경우 경영상태 통과기준은 ?

○ 공고서 문안

1.3 공동계약의 경우 이행방식(공동이행 또는 분담이행) 및 출자비율에 관계없이 공동수급체 구성원별로 각각 경영상태 적격요건을 심사하며, 입찰참가적격요건을 충족시키지 못하는 구성원이 포함된 공동수급체는 경영상태 부문에 대한 입찰참가적격요건을 충족하지 못한 것으로 보아 공동수급체 전체를 입찰적격자 선정에서 제외합니다.

※ 분담이행방식이 허용된 입찰의 경우 각 분담공종별 대표자는 「조달청 입찰참가사전심사기준」 제12조 제2항에서 정한 대표자의 기준등급 이상이어야만 경영상태부문의 적격자로 선정합니다.

○ 입찰참가현황

업체명	분담내용	전체 범위내 해당공사 비중
A	토목공사업 100%	토목공사업 80%
A	건축공사업 80%	건축공사업 17%
B	건축공사업 20%	
C	정보통신공사업 100%	정보통신공사업 3%

〈답변〉

○ 동 공고는 분담이행방식 공동수급체의 구성원일지라도 분담공종의 대표자인 경우 조달청 입찰참가자격사전심사기준 대표자의 통과 기준 경영상태를 충족하여야 통과하는 것으로, 동 공사 입찰자의 경우 분담공종 대표인 A(토목공사업 대표, 건축공사업 대표)와 C(정보통신공사업 대표)는 대표사의 통과기준(회사채인 경우 BB-이상, 기업어음인 경우 B0 이상, 기업신용평가등급인 경우 BB-이상)을 충족할 경우 통과 처리 됨.

5-5. 공동수급체 중 경영상태 평가 자료가 없는 구성원이 있는 경우 평가는?

(사전심사기준 제8조제3항제1호)

〈답변〉

○ 공동계약의 경우 이행방식(공동이행 또는 분담이행) 및 출자비율에 관계없이 공동수급체 구성원별로 각각 경영상태 적격요건을 심사하며, 입찰참가적격요건을 충족시키지 못하는 구성원이 포함된 공동수급체는 경영상태 부문에 대한 입찰참가적격요건을 충족하지 못한 것으로 보아 공동수급체 전체를 입찰적격자 선정에서 제외함.

5-6. 같은 날에 다수의 신용평가를 받아 국가계약법 적용을 받는 입찰 건의 경영상태 평가는 ?

○ 입찰공고일 : 2013. 8. 1.

신용평가기관	신용평가 평가일	평가결과	비고
A	2013.7.29	회사채 BB-	
B	2013.7.29	기업어음 B0	
C	2013.7.29	기업신용평가등급 BB-	
D	2013.7.29	기업신용평가등급 B+	

〈답변〉

○ 국가계약법 적용을 받는 입찰 건의 경우 같은 날 다수의 신용평가가 있는 경우 기재부 유권해석에 따라 2013. 8. 1.부 입찰 공고부터 가장 낮은 것으로 평가합니다. 따라서 동 건의 경우 가장 낮은 등급인 기업신용 평가등급 B+를 적용하여 평가 함.

참고로 동 건의 경우 회사채 BB-, 기업신용평가등급 BB-, 기업어음 B0는 같은 등급으로 처리 됨.

5-7. 합병·분할된 업체의 경영상태 평가는 ?

〈답변〉

○ 입찰공고일 이전에 합병·분할된 업체에 대하여는 합병·분할 후 평가받은 신용평가 등급으로 평가하며 합병 후 평가받은 신용평가등급이 없을 경우 합병대상 업체의 신용평가등급 중 가장 낮은 신용평가등급을 적용한다. 다만, 합병·분할 후 평가받은 신용평가등급의 경영상태 평가 심사기준일은 PQ서류 제출 마감일로 함.

17 「조달청 시설공사 적격심사세부기준」 질의 응답

- 목 차 -

공통사항

1. 시공경험, 경영상태 등 평가자료의 제출 및 평가방법
(적격 제2조제3항)

○ 심사기준일은 입찰공고일이며, 관련협회로부터 통보되거나 업체가 직접 제출하여 입찰서 제출 마감일 전일까지 나라장터에 등록된 자료로 평가함

* 입찰서 제출마감일 전일까지 등록된 자료라 하더라도 심사기준일 이후에 발생한 자료는 인정하지 않음

2. 적격심사기준 중 "입찰참가에 필요한 복수의 업종 중 하나의 업종에만 등록하여도 입찰참가 자격을 부여하는 공사" (적격 제2조제3항제6호)

○ 복수업종 중 1개의 업종에만 등록을 하여도 입찰참가 자격이 부여되는 공사를 말하며, 이 경우 시공경험 및 경영상태 평가는 배점 한도를 취득한 것으로 평가함

예) 입찰참가자격이 ① 실내건축공사업 또는 시설물유지관리업, ② 기계설비공사업 또는 난방시공업으로 입찰공고된 공사의 경우 시공경험 및 경영상태 평가점수는 배점한도를 적용함

* 전문공사업종에서 많이 나타나며, 특히 시설물유지관리업과 타 전문업종(실내건축, 미장방수, 도장공사업 등) 공사가 많음

3. 관련협회가 심사분야별·항목별 평가자료를 관리하지 않거나, 관련 협회가 없는 등의 사유로 시스템에 등록된 자료 또는 조달청에 제출된 자료가 없는 업종
(적격 제2조제3항제7호)

○ 평가대상 업종에 대한 전체 평균비율 및 업체별 평가자료가 관련협회에서 관리하고 있지 않거나, 조달청에도 등록되어 있지 않는 업종을 말하며, 이 경우 동 업종에 해당하는 공사의 평가는 해당 심사분야의 배점한도를 적용함

예) 전기, 통신 공사의 평균 기술개발투자비율

4. 공동수급체 구성원의 시공비율 산정 시 주된 공사에 해당하는 업종
(PQ 제8조제2항제1호, 적격 제3조제1항제2호)

○ 당해공사가 복합공사인 경우 추정금액(도급자가 설치하지 않는 관급자재대 제외)을 기준

으로 규모가 큰 공사를 주된 공사로 하며, 주된 공사의 업종이 평가대상 업종이 됨

예) 당해공사가 토목, 건축, 전기, 소방공사업 등이 복합된 공사로 주된 공사가 토목공사업으로 입찰공고 된 경우, 시공비율 산정은 토목공사업을 기준으로 산정하여 평가함

5. 공동수급체 구성원 중 평가대상 업종 이외 업종의 공동수급체 구성원

(PQ 제8조제2항제1호, 적격 제3조제3항제1호)

○ 평가대상인 주된 공사 이외의 공사업종에 대하여 공동수급체로 참여하는 구성원을 말하며, 동 구성원에 대하여는 평가대상에서 제외함

예) 입찰참가자격이 토목공사업과 건축공사업을 등록한 업체로하고 평가대상은 토목공사업으로 입찰공고한 경우, 건축공사업은 주공사 업종이 아니므로 평가대상에서 제외함.

6. 적격심사 평가 시 소수점 이하의 숫자가 있는 경우 처리방법 (적격 제8조제2항)

○ 입찰가격을 예정가격으로 나눈 경우에는 소수점 다섯째자리에서 반올림

○ 시공비율은 소수점 셋째자리에서 절사

○ 시공경험, 기술능력, 시공평가결과, 경영상태, 신인도, 자재 및 인력조달가격의 적정성에 대하여는 평가의 최종단계 점수를 소수점 세째자리에서 반올림

7. 지역업체와 공동계약 시 지역가산 평가 (PQ 제8조제6항, 적격 제3조제2항)

○ 지역소재업체 합산 시공비율이 일정비율 이상인 경우 아래와 같이 가산평가(신인도 분야는 제외)하되, '10.10월 개정 PQ기준에 따라 전체공사의 참여지분율에 의하여 가산평가

* 지역제한입찰, 지역의무공동도급, 지역업체가 10인 미만인 경우 적용 제외

- 지역업체 참여에 따른 가산점

지역업체 지분율의 합	공사규모별			
	[별지 #1~2]	[별지 #3~4]	[별지 #5]	[별지 #6~7]
25%이상~30%미만	2.3	1.7	1.1	0.6
30%이상~35%미만	3.0	2.2	1.5	0.7
35%이상~40%미만	3.6	2.7	1.8	0.9
40%이상~45%미만	4.3	3.2	2.1	1.1
45%이상~50%미만	4.9	3.7	2.5	1.2
50%이상	5.5	4.1	2.8	1.4

- 공사현장이 2개 시·도인 경우에는 2개 지역 각각의 가산점을 합산하여 평가하며, 이 경

우 1개지역의 '지역업체 지분율의 합'과 '공사규모별 가산점'은 위 표 해당 항목의 1/2로 함(소수점 셋째자리에서 반올림)

8. 가산평가가 있는 경우 분야별 평가점수의 소수점 처리 (적격 제8조제2항)

○ 시공경험, 기술능력, 경영상태 등의 평가에 있어서 지역가산에 의한 가산 등으로 평가점수에 가산비율 적용할 때에는 각 분야별 평가점수에 가산비율을 모두 적용한 최종단계 점수에서 소수점 처리함(가산비율 적용 단계마다 소수점처리 하지 않음)

9. 내역입찰로 집행하는 공사에 있어서 입찰서와 함께 제출한 산출내역서의 물량누락 또는 변경된 공종 등이 예정가격의 100분의 5 이상인 경우(내역입찰집행요령 제 4조제3호)에 해당할 때의 처리방법 (적격 제4조제8항)

○ 입찰자가 제출한 입찰내역서중 공종별 물량의 누락 또는 변경된 공종·수량에 대한 금액이 예정가격의 100분의 5 이상인 경우에도 계약체결 시까지 보완할 수 있도록 하고 있음

경영상태

10. 경영상태 평가 평가방법 (적격 제2조제3항제5호, 적격 [별지 #3-1])

○ 100억원 이상 공사는 신용평가등급으로 평가

○ 100억원 미만 공사 재무재표에 의한 결산서로 평가
(계약예규 적격심사기준 [별표] 2의 주)2 경영상태 평가방법

구 분	경영상태 평가 방법
100억 미만 ~ 50억 이상	- 직전회계년도 **정기결산서** - 당해 회계연도에 신설된 업체는 **최초결산서*** * 설립일 또는 등기일을 기준으로 작성한 결산서로 외감법 규정을 준용하여 작성된 감사보고서상의 재무제표 또는 한국공인회계사회의 「재부제표 등에 대한 검토업무 기준」에 따라 작성한 검토보고서
50억 미만 ~ 3억 이상	- 50억 이상과 동일하게 적용 - 신설업체의 경우 최초결산서에 의한 평가시 **기업진단보고서**로 평가 가능
3억 미만	- 50억 이상과 동일하게 적용 - 신설업체의 경우 최초결산서에 의한 평가시 **기업진단**보고서 외에 관련법령에 의하여 **업종등록 시 제출하는 재무제표로 평가** 가능

11. 경영상태 평가시 업체의 평균비율이 부(-)일때의 평가 (적격 [별지 #3-1])

○ 해당 업체의 평가결과 그 비율이 (-)일 때는 최저등급으로 평가함. 다만, 업체평균비율이 (-)일 때에는 해당업체의 비율이 (+)이면 최고등급을, (-)이면 최저등급으로 평가함

12. 경영상태 평가시 업체 평균비율이 부(-)인 경우로서 당해업체의 비율이 "0"인 경우 평가 적용

○ 이 경우 해당업체의 비율은 (+)에 준하여 평가

시공경험

13. 건설산업기본법령 이외의 법령을 적용받는 공사로 추정가격 5억원 이상인 경우 공동수급체 각 구성원의 시공비율 산정의 기준이 되는 평가대상업종(주공사)의 입찰금액 산정방법 (적격 제3조제1항제2호다)

○ 평가대상 업종의 입찰금액은 전체 공사예정금액에 대한 평가대상 업종의 구성비율을 입찰금액에 곱하여 산정하며, 평가대상 업종의 공사예정금액은 입찰공고 내용에 명시함

예) 전기공사와 소방공사가 복합된 공사로서 평가대상 업종이 전기공사이며, 입찰결과 적격심사대상자의 입찰금액이 20억원인 경우 전기공사에 해당하는 입찰금액

<입찰공고에 공사예정금액 25억(전기 20억, 소방 5억)인 경우>

- 전기공사 입찰금액 = 입찰금액 × 전기공사 공사예정금액 구성비율
  = 20억 × (20억/25억) × 100% = 20억 × 80% = 16억

14. 건설산업기본법령 이외의 법령을 적용받는 공사로 추정가격 5억원 이상인 경우 공동수급체 각 구성원의 시공비율 산정방법과 다른 법령에 의한 업종해당 입찰금액을 제외한다는 의미 (적격 제3조제1항제2호다)

○ 다른 법령에 의한 업종에 해당하는 입찰금액을 제외한 주공사 업종(평가대상업종)에 해당하는 입찰금액만을 기준으로 각 구성원의 시공비율을 산정하는 것을 말하며.

- 평가대상 업종에 해당하는 입찰금액에 각 구성원의 시공비율을 곱한 금액이 시공능력공시액을 초과하는 경우 그 구성원의 시공비율은 시공능력공시액에 해당하는 비율을 적용하여 평가함

예) 평가대상 공사가 전기공사로 입찰공고 된 복합공사{전기 20억(80%), 소방 5억(20%)}에서, 전기공사에 공동수급체(A사 50%, B사 35%M C사 15%)를 구성하여 입찰금액 20억원(전기분야 20억×80%=16억원)으로 입찰한 경우 각 구성원의 시공비율 산정

<시공능력공시액 : A사 14억원, B사 4억원, C사 3억원>

- 시공비율 산정(전기공사 입찰금액에 각 구성원의 시공비율을 곱한 금액이 시공능력공시액을 초과하면 시공능력공시액에 해당하는 비율 적용)

> · **A사 시공비율** : 16억 × 50% = 8억 ⇒ 50% 적용
> · **B사 시공비율** : 16억 × 35% = 5.6억 (시공능력공시액 4억원 초과)
> ⇒ 25% 적용{시공능력공시액 만큼 적용(4억/16억×100=25%)}
> · **C사 시공비율** : 16억 × 15% = 2.4억 ⇒ 15% 적용
> ※ 상기 공동수급체의 경우 총 90%만을 평가 받게됨

15. 시공경험 평가의 최근 3년간 당해공사의 업종별 공사실적에서 최근 3년간의 기산년도

(적격 제2조제3항제1호)

○ 시공경험 평가의 최근 3년간 당해공사의 업종별 실적평가에 있어서 실적금액은 입찰공고일을 기준으로 적용하는 관련협회의 최종 통계완료년도를 기산년도로 역산하여 3년 이내의 실적누계액을 적용함

예) 관련협회에서 통보된 실적통계 적용기준일이 매년 7. 1.(가정)인 경우 3년간의 실적금액 적용년도

- 2012. 6. 30. 이전 입찰공고분 : 2008년 ~ 2010년
- 2012. 7. 1. 이후 입찰공고분 : 2009년 ~ 2011년

16. 실적에 의한 경쟁입찰공사의 시공경험 평가시 최근 10년간 당해공사와 동일한 종류의 공사실적

(적격 별지 시공경험 평가기준)

○ 실적제한 공사의 경우 시공경험 평가요소인 공사실적은 동종의 공사로서 입찰공고일 기준 최근 10년 이내의 준공된 공사의 시공실적 합계를 말함

- 다만, 1건 공사의 시공실적이 당해 공사의 실적인정 기준규모(또는 금액) 미만인 공사는 실적으로 인정하지 아니하며 공사실적 인정기준 규모는 입찰공고에 명시함

17. 실적에 의한 경쟁입찰공사의 시공경험 평가시 실적평가의 기준이 되는 평가기준규모
(적격 별지 시공경험 평가기준)

○ 평가기준규모는 실적평가시 최근 10년간 당해공사와 동일한 종류의 공사실적(분자에 해당)을 평가하는 기준(분모에 해당)이 되며, 입찰공고에서 특별히 정한 경우를 제외하고는 당해공사의 시공실적 대상공사(공종)를 평가기준규모로 함(평가기준규모는 입찰공고에 명시)

18. 수행능력 평가시 적용하는 "PQ심사기준에 의한 종합평점 × 40/100"에서 "PQ심사기준에 의한 종합평점" 적용

○ PQ심사기준상 각 분야별 점수는 배점한도를 초과할 수 없으며 분야별 배점한도를 합한 점수가 100점을 초과하는 경우에는 100점을 한도로 적용함.

신인도

19. 공동수급체 구성시 신인도 평가방법 (적격 제3조 1항 2호 나)

○ 공동수급체 구성원별로 각각 신인도 점수를 산출하고 산출된 각 구성원의 신인도 점수에 각각의 시공비율(시공능력공시액을 한도로 산정한 비율)을 곱한 후 합산하여 평가함

20. 합병 등을 한 업체의 신인도 평가방법 (PQ [별표3] 주3))

○ 합병 등의 경우 가점항목은 가장 높은 등급의 점수를, 감점항목과 건설재해율 평가는 가장 낮은 등급의 점수를 적용함

21. 신인도 평가에서 과태료는 과징금에 포함하여 평가하는지

○ 과태료는 과징금과 동일한 행정벌이나 신인도 평가시 과태료는 과징금 범위에 포함시키지 아니하나,「산업안전보건법」관련* 과태료 처분은 감점함

* 산업안전관리비 사용의무를 위반하여 목적 외 사용금액이 1,000만원 초과 또는 산업재해 발생 보고의무 위반에 따른 과태료는 감점

> * **과태료**는 국가 또는 공공단체가 국민에게 과하는 금전벌을 말하는데 형벌이 아니고 일종의 행정처분 (형법 총칙의 규정이 적용되지 않음)
> * **과징금**은 행정청이 일정한 행정법상의 의무를 위반한 자에게 부과하는 금전적 제재조치(독점규제 및 공정거래에 관한 법률상의 과징금은 행정법상의 의무이행확보수단으로서의 '행정 제재적 요소'와 '부당이득환수적 요소'를 동시에 지니고 있어 형벌과 본질적으로 다른 성질을 가지고 있음)

22. 적격심사에서 신인도 평가는 모든 공사에 적용되는지 (적격 〈별지 #2〉 신인도)

○ 적격심사에서 신인도 평가는 추정가격 50억원 이상 공사에 대하여 평가

- PQ심사기준에 의하여 평가하며, 전문, 전기, 통신, 소방, 문화재공사는 신인도 평가를 하지 아니함, 다만 최근 1년간 조달청이 실시한 공사입찰 및 계약진행과정에서 허위사실 유포나 부당한 이의제기로 계약행정 지연 등 계약질서를 문란시켜 서면공고를 2회 이상 받은 경우 1점 감점함

* 준설공사(전문)를 PQ심사에 의하는 경우 적격심사시 신인도 평가

23. 추정가격 2억원(전기·정보통신·소방공사는 8천만원, 전문공사는 1억원) 미만인 공사의 수행능력평가시 특별신인도 가점(2점)평가 (적격 〈별지 #7〉)

○ 특별신인도 가점평가는 업종별 최근 3년간 실적합계액이 당해공사 예비가격기초금액 이상인 경우 수행능력(경영상태)점수가 부족한 경우 최고 2점까지 가산하여 주는 제도로 가산점을 합산하여 10점(배점)을 초과하지 못함

24. 추정가격 100억원 이상인 공사 중 PQ심사에 의하지 아니하는 공사의 평가기준 적용 시 신인도 점수를 계산함에 있어서 PQ심사기준에 의한 신인도 평가점수 × 24/100의 의미 (적격 별지2)

○ PQ심사기준에 의하여 평가한 후 최종 평가점수에 24/100을 곱하여 환산평가한다는 뜻임. 즉, 공동수급체 구성원별로 각각의 신인도 점수를 산출하고 산출된 각 구성원의 신인도 점수에 각각의 시공비율을 곱하여 합산한 PQ심사기준에 의한 신인도 평가점수의 결과치(배점한도는 ±5.0점)에 24/100을 곱하며 소숫점처리는 최종 단계에서 함.

하도급관리계획서 평가 등

25. 하도급관리계획의 적정성 평가에서 하수급예정자의 시공능력공시액 초과여부 검토방법 (적격 〈별표5〉)

○ 하수급예정자의 시공능력평가액은 하수급예정자와 계약할 금액에 하수급인이 설치하는 지급자재금액을 합한 금액이상 이어야 함

26. 자재 및 인력조달 가격의 적정성 평가에서 "입찰서상의 이윤 및 일반관리비" 산출 시 입찰내역서가 무효입찰에 해당되지 아니하나 계약예규 "정부 입찰 · 계약집행기준 제7장 내역입찰의 집행"의 규정에 따라 입찰내역서를 조정하는 경우 조정된 입찰내역서를 기준으로 하는지

○ 조달청 공사입찰 특별유의서 제12조제2항(붙임 양식5)에 의하여 제출된 산출내역서의 집계표를 기준으로 평가하며, 조정된 산출내역서로 평가하지 아니함

* 산출내역서의 조정은 계약 후 공사의 원활한 공사수행을 위하여 계약예규 "내역입찰 집행" 의 규정에 의하여 계약전에 바르게 조정하는 것임

27. 자재 및 인력조달가격 적정성 평가에서 기타경비율, 일반관리비율, 이윤율 계산 (적격 〈별표 8〉)

○ 제경비의 적정성 평가는 적용기준율 대비 입찰서상의 반영비율에 따라 각각 평가한 후 합산하며, 노무비 및 경비별 기준율은 예비가격기초금액 발표 시 함께 발표하며 산출내역 집계표에 의하여 평가

- 노 무 비 율 = (직접노무비+간접노무비) / 입찰금액
- 기타 경비율 = 기타경비 / (재료비+노무비)
- 일반관리비율 = 일반관리비 / (재료비+노무비+경비)
- 이 윤 율 = 이윤 / (노무비+경비+일반관리비)

28. 난이도 계수의 산정방법 (적격 〈별표 4〉)

○ 난이도 계수는 자재 및 인력조달 가격의 적정성 평가 시 공사의 난이도에 따라 곱하는 계수로 공사종류에 따라 5등급(0.8- 1.0)으로 구분하여 적용함(예비가격기초금액 발표시 함께 발표)

가. 산정기준

- 복합공사인 경우 주 공사(A~D 등급에 속한 공사 중 금액이 큰 공사, A~D등급에 속한 공사가 없는 경우에는 E등급 적용)를 산정대상으로 함
- 전체공사금액 및 주 공사 금액은 예비가격기초금액을 기준으로 산정

나. 산정방법

① 주 공사(당해등급) 선택

② 전체공사금액 대비 주 공사금액의 구성비율 산정

③ 당해등급을 기준으로 주 공사의 구성비율에 해당하는 등급의 기본계수 선택

⇒ 당해공사의 난이도 계수로 적용

주공사의 구성비율	구성비율에 따른 난이도계수 적용
70% 이상 70% 미만 - 50% 이상 50% 미만 - 30% 이상 30% 미만	당해등급(주 공사 기본등급)의 기본계수 당해등급의 하위등급의 기본계수 당해등급의 차 하위등급의 기본계수 당해등급의 차차 하위등급의 기본계수

예) 예비가격기초금액 500억원(터널공사 300억원, 기타공사 200억원)인 토목공사에서 터널공사가 주 공사인 경우의 난이도 계수 산정

- 터널공사 구성비율 : (300억/500억) × 100 = 60%
  - · 터널공사의 당해등급 : B등급(0.85)
  - · 구성비율 60% : 하위등급의 계수 적용
- 난이도 계수 : 터널공사의 당해등급(B등급)의 하위등급인 C등급의 기본계수인 0.9를 당해공사의 난이도 계수로 적용

29. 하도급관리계획의 적정성 평가와 관련 등급에 따른 비율 계산 결과 소숫점 이하가 있는 경우 소숫점 이하 처리

○ 소숫점 이하 처리(사사오입)를 하지 아니하고 평가함
(평가등급이 이상 또는 미만이므로 소숫점 처리할 의미가 없음)

30. 당해 공사 수행능력 결격여부(-10점) 확인 대상공사와 확인 방법 (적격 〈별지 #4〉)

○ 추정가격 50억원 미만 모든 공사가 대상이며, 입찰공고일 기준 공사관련 법령에 의한 등록기준상의 기술자 보유여부 확인

- 공동수급체인 경우 구성원 중 1개사라도 미달되면 감점
  - * 입찰공고일 기준 기술자보유 현황이 미달하더라도 입찰서 제출 마감일 전일까지 충족한 경우 감점 제외 (퇴사 후 50일을 초과하지 않은 경우에 한함)

- 종합건설공사 : 나라장터에 등록된 자료로만 평가
- 전문 등 기타공사 : 나라장터에 등록된 자료, 협회에서 발급받은 자료 또는 업체가 제출하는 기술자 자격증과 4대보험 가입증명서류로 확인

※ 조달청 시설총괄과-2727호(2012. 4. 26) 개정에 따른 신설업체의 수행능력평가

1. 신설업체 기준

1) (기본) 개별 공사업종의 등록일(양수.도를 통한 영업기간 합산) 기준으로 3년 미만인 업체

* 통상적인 영업기간 산정의 경우와는 달리 신설 업체 기준의 산정 시에 개별 공사 업종의 등록 일을 기준으로 하는 이유는 시공경험 평가의 공사실적을 업종별로 구분하여 적용하기 때문이며, 영업기간의 산정은 같은 법령의 적용을 받는 업종 면허 보유기간을 합산하는 것이 업체에 유리하며 신설업체의 판단은 그 반대에 해당하는 경우임.

2) (예외) 추정가격 3억원 미만 공사의 적격심사의 경우에는

- 건설산업기본법을 적용 받는 종합건설업과 전문건설업은 전체 중 최초 취득 일자를 기준
- 소방공사업법을 적용 받는 전문 및 일반소방시설공사업은 둘 중 최초 취득일자 기준
- 기타, 동일 법령 내에서 업종 구분 없는 전기공사, 정보통신공사 등은 해당 업종의 면허 취득 일자를 기준

* 추정가격 3억 미만 공사의 적격심사의 경우 동일한 법령에 의하여 등록된 업종의 실적금액을 모두 합산하여 평가한다란 조항이 있기 때문. 이외의 평가기준은 실적을 업종별로 구분 적용하고 있음.

2. 추정가격 50억원 미만 10억원 이상인 공사의 평가 기준 주)2 공동수급체에 포함되어 참여하는 신설업체에 대해서는, 최근 3년간 당해 공사업종의 공사실적이 예비가격기초금액의 1/2배 이상 2배 미만인 경우 실적계수 산정을 위한 해당 신설업체의 공사실적은 예비가격기초금액의 2배로 본다의 계산 실례

사례) 예비가격기초금액에 따른 신설업체 인정 (예비가격기초금액 : 40억원)

구분	대표사	구성사1	구성사2(등록 3년 미만)	구성사3(등록 3년 미만)
지분율	50%	20%	20%	10%
실적	120억원	60억원	60억원	10억원
신설업체 여부	-	-	인정	불인정

<실적계수 계산>

{(120억원×50%)+(60억원×20%)+(80억원*×20%)+(10억원**×10%)}÷{40억원×2} = 1.1125 ⇒ 1

(※ 실적계수는 1을 초과할 수 없음)

* 구성사2의 실적은 30억원으로 예비가격기초금액의 1/2배 이상 2배 미만

→ 실적계수 산정을 위한 구성사2의 실적을 40억원의 2배인 80억원으로 적용

** 구성사3의 실적은 10억원으로 예비가격기초금액의 1/2배 미만

→ 실적계수 산정을 위한 구성사3의 실적은 본래 실적인 10억원으로 적용

3. 신설업체는 각각의 지분율이 20%를 초과할 때에는 해당 신설업체는 평가완화 대상(실적계수 산정 시 예비가격기초금액의 2배로 봄)에서 제외하고, 모든 신설업체의 지분율 합이 40%를 초과할 때에는 모든 신설업체를 평가완화 대상에서 제외하며 대표사도 신설업체 평가완화 대상에서 제외하는 예

사례1) 대표사 및 20%초과 지분율을 가진 업체는 신설업체에서 제외
(예비가격기초금액 : 40억원)

구분	대표사(등록 3년 미만)	구성사1	구성사2(등록 3년 미만)	구성사3(등록 3년 미만)
지분율	20%	45%	25%	10%
실적	50억원	70억원	50억원	20억원
신설업체 여부	불인정	-	불인정	인정

<실적계수 계산>

{(50억원×20%)+(70억원×45%)+(50억원*×25%)+(80억원*×10%)}÷{40억원×2} = 0.775

* 대표사는 등록기간이 3년 미만이지만, 신설업체에서 제외

→ 실적계수 산정을 위한 대표사의 실적은 본래 실적인 50억원 적용

** 지분율이 20%를 초과하는 구성사2는 등록기간이 3년 미만이지만, 신설업체에서 제외

→ 실적계수 산정을 위한 대표사의 실적을 본래 실적인 70억원 적용

사례2-1) 신설업체 지분율 합이 40% 초과 시 모든 구성원을 신설업체에서 제외 (예비가격기초금액 : 40억원)

구분	대표사(등록 3년 미만)	구성사1	구성사2(등록 3년 미만)	구성사3(등록 3년 미만)
지분율	20%	39%	21%	20%
실적	90억원	60억원	20억원	20억원
신설업체 여부	불인정	-	불인정	불인정

※ 등록 3년 미만인 모든 구성원의 지분율 합이 61%

<실적계수 계산>

{(90억원×20%)+(60억원×39%)+(20억원*×21%)+(20억원*×20%)}÷{40억원×2} = 0.62

* 구성사3은 20% 이하로 신설업체 인정이 가능했지만, 등록 3년 미만인 대표사, 구성사2, 구성사3의 지분율 합이 61%가 되어 40% 초과
  → 구성사3 역시 실적계수 산정을 위해 본래 실적 적용

사례2-2) 신설업체 지분율 합이 40% 초과 시 모든 구성원을 신설업체에서 제외하는 두번째 사례 (예비가격기초금액 : 40억원)

구분	대표사	구성사1(등록 3년 미만)	구성사2(등록 3년 미만)	구성사3(등록 3년 미만)
지분율	55%	10%	15%	20%
실적	90억원	30억원	20억원	40억원
신설업체 여부	-	불인정	불인정	불인정

※ 모든 신설업체의 지분율 합이 45%로 40% 초과

<실적계수 계산>

{(90억원×55%)+(30억원×10%)+(20억원×15%)+(40억원×20%)}÷{40억원×2} = 0.79375

* 구성사1, 구성사2, 구성사3 모두 지분율이 20% 이하이나 구성사1, 구성사2, 구성사3의 지분율 합이 45%가 되어 40% 초과
  → 구성사1, 구성사2, 구성사3 모두 실적계수 산정을 위해 본래 실적 적용

18 「조달청 공사계약 종합심사낙찰제 심사세부기준」 질의 응답

토목환경과 - 0000호, 2020.1.21

본 질의응답은 조달청 「조달청 공사계약 종합심사낙찰제 심사세부기준」(토목환경과-5095호, 2019.12.30.)에 대한 질의·응답을 정리한 내용입니다.

※ 종전의 질의·응답(시설총괄과-1091호, '18.2.1.)은 본 질의·응답으로 대체됩니다.

- 목 차 -

2-18. 분야별 책임자 경력 평가 시 하도급경력을 인정하는지 여부?
2-19. 합병으로 소멸된 회사의 기술자가 합병회사로 이직한 경우?
2-20. 현장대리인의 자격요건이 기술사인 경우 인정기준일은?
2-21. 배치기술자를 착공과 동시에 배치하여야 하는지?
2-22. 간이형 종심제 배치기술자 평가방법은?
2-23. 간이형 종심제 배치기술자 채용시기 및 평가방법은?

3. 시공평가점수 심사

3-1. 2015.1.1. 이후 시공평가결과에 한한다의 의미는?
3-2. 시공평가결과 자료가 다수가 존재하는 경우 선택적으로 사용 가능 여부는?
3-3. 시설안전공단의 시공평가결과의 자료가 입찰에 수시로 반영되는지?
3-4. 시설안전공단의 자료가 정비될 때 까지 평균하여 점수를 산정한다는 의미는?
3-5. 시설안전공단이 송부하는 자료의 조달청 적용기준은?
3-6. 시공평가결과 심사에서 동일업종 심사가 곤란한 경우는?

4. 사회적책임 심사

4-1. 실적이 없는 업체의 건설인력고용 및 건설안전 심사는?
4-2. 공정거래관련법 준수 심사에 필요한 자료를 입찰자가 제출하여야 하는지?
4-3. ‘15.8.13이전 과징금 의결을 받았으나, 동 기준일 이후 확정판결을 받은 경우 감점 여부?

5. 기타

5-1. 공동수급체 구성원에게 부정당업자 제재사유가 발생한 경우
5-2. 종심제(간이형 포함) 대상 공사의 대표사 지분율은?
5-3. 간이형 종심제 공동수급체 구성시 하위등급사의 실적인정 비율은?
5-4. 공동수급체 구성 심사 시 단독으로 입찰할 경우 평가 방법은?
5-5. 종합심사서류제출 기한 및 방법은?

Ⅱ. 입찰금액 심사 분야

6. 입찰금액 심사

6-1. 입찰금액 심사에서 소수점처리 기준은 무엇인지?
6-2. 균형가격 산정 시 “입찰서의 입찰금액을 제외한다”의 의미?

7. 단가심사

7-1. 기준단가 산정 시 단계별로 절사 후 합산하는지/ 합산 후 절사하는지?
7-2. 단가점수 산정 시 세부공종별로 합산하여 반올림하는지?

8. 하도급계획심사

8-1. 하도급계획서를 전문건설업종별로 작성하여야 하는지 여부?
8-2. PQ심사(신인도평가)에서 표준계약서 사용으로 가점을 받은 경우 하도급계획서를 제출하여야 하는지?
8-3. 하도급계획서 작성 시 간접공사비항목 작성방법은?
8-4. 입찰금액 이윤을 0원이 아닌 금액으로 투찰하였으나, 하도급계획서의 입찰금액 및 하도급금액에는 이윤이 0원인 경우 감점되는지?

9. 물량·시공계획심사

9-1. 고난도의 물량심사에서 가점이 최대 1점이므로 점수 차이가 1점까지 물량심사 대상자로 선정한 후 물량심사를 하는지?
9-2. 물량심사(가·감점)의 판정에 대한 질의?
9-3. 물량심사(가·감점)의 산정 방법은?
9-4. 물량을 수정한 경우 입찰단가 평가기준은?
9-5. 입찰 시 제출하는 BID파일의 증빙서류 등은 입찰 전에 작성하여 제출하여야 하는지?
9-6. 물량심사 및 시공계획심사는 심사위원회에서 같은 날 심사하는지?
9-7. 물량을 수정하지 않아도 입찰물량이 최종물량 대비 ±2% 초과인 경우 해당 세부공종을 0점으로 평가하는지?
9-8. 심사위원회에서 심사하여 확정한 최종물량을 공개할 것인지?
9-9. 재검토요청을 하지 않은 경우 제20조제2항의 최종물량으로 심사하는지/제20조제5항의 최종물량으로 심사하는지?
9-10. 물량내역수정허용공종 관련 물량심사 가이드라인은?
9-11. 시공계획심사 시 평점(수,우,미,양,가)의 평가기준은?
9-12. 시공계획심사 시 중점사항의 세부평가항목과 배점기준은?

Ⅲ. 계약신뢰도 (감점)

10. 계약 신뢰도

10-1. 계약신뢰도의 각 심사항목의 위반사항의 점검 및 감점대상은?
10-2. 계약신뢰도 감점은 해당 심사항목에서 감점인지 / 전체 종합점수에서 감점인지?
10-3. 낙찰자가 입찰 당시 조달청에서 지정한 업종과 다르게 하도급 계약을 체결하는 경우 하도급계획 불이행에 해당하는지?
10-4. 복합공종(자재+시공)을 하도급으로 계획하여 입찰 후 시공만 하도급업체가 수행할 경우 하도급변경 금액에 합산하는지?

11. 하도급계획 적정이행을 위한 가이드라인

11-1. 하도급계약 시의 하도급계획 위반 여부

11-2. 직접시공 및 하도급계획 전환 시 위반 여부
11-3. 설계변경으로 인한 물량 증감, 신설, 삭제 시 위반 여부
11-4. 물가변동으로 인한 계약금액 조정시 하도급계획 위반 여부

12. 배치기술자 투입계획 위반

12-1. 배치기술자 투입계획 위반에 따른 감점 부여

Ⅰ. 공사수행능력 심사분야

1. 시공인력 심사

1-1. 시공인력 심사에서 심사대상 인원을 20인 이내로 제한하였는데, 입찰참가 업체별 20인 인지 아니면, 공동수급체 전체 20인 인지 여부 ?

〈답변〉

○ 시공인력 심사는 공동수급체 대표자와 주된 공사의 공동수급체 협정서 지분율 30%이상 업체를 평가대상으로 하며, 공동수급체 중 평가대상 업체 전체가 제출한 20인을 대상으로 심사합니다.

2. 배치기술자 심사

2-1. 건설산업기본법에서는 공사금액이 700억원 이상 공사의 경우 건설기술자를 기술사로 배치하도록 되어 있는데, 기술사 종목분야인 시공, 토질 등으로 제한하는지 아니면 토목 직무분야에 해당하면 되는지 ?

〈답변〉

○ 심사세부기준 [별표2] 5.배치기술자 심사 주1)에 따라 배치기술자는 공사에 해당하는 업종을 대상으로 평가하므로 평가대상 업종의 직무분야에 해당하는 기술사면 평가받을 수 있습니다.

○ [예시] 공사예정금액 800억원의 복합공사에서 주된 공사가 토목업종인 경우에는 건설기술진흥법 시행령 [별표1]의 토목분야만을 대상으로 평가하며, 전문분야는 별도로 규정하지 않습니다.(토목구조, 항만 및 해안 등 토목 전문분야 중 하나 만을 만족하면 됩니다.)

2-2. 배치기술자 심사의 시공분야에 현장소장·공무가 포함되는지 여부는 ?

〈답변〉

○ 국토부 고시 「건설기술자 등급 인정 및 교육·훈련 등에 관한 기준」[별표3] '건설기술자의 등급 산정 및 경력인정방법 등'에 따라 '시공'은 공사목적물이 정해진 공사기간 내에 적절한 비용으로 당초 의도된 품질을 갖출 수 있도록 현장을 관리하거나 공사를 시행하는 업무라고 규정하고 있으며,

○ 동 기준에 따라 공사목적물의 현장을 관리하는 '현장소장', '공무'분야의 경력은 시공분야 경력에 포함되어 평가될 수 있습니다.

2-3. 현장대리인 경력 산정에 현장소장 경력이 포함되는지 여부는 ?

〈답변〉

○ 국토부 고시「건설기술자 등급 인정 및 교육·훈련 등에 관한 기준」[별표3] '건설기술자의 등급 산정 및 경력인정방법 등' 및 계약예규「공사계약일반조건」제14조제2항에서 규정하는 현장대리인 경력을 건설기술인협회에서 인정받은 경우에만 평가받을 수 있습니다.

2-4. 배치기술자 평가 중 현장대리인 경력 평가 시 원도급과 하도급 현장대리인 경력을 구분 없이 모두 인정하는지 ?

〈답변〉

○ 현장대리인은 계약예규*에서 공사에 관한 모든 사항을 처리하여야 하며, 종합심사낙찰제는 원도급자를 선정하는 것이므로 원도급자의 현장대리인의 경력만 인정하여 평가합니다. (하도급자의 현장대리인의 경력은 평가에서 제외)

* 계약예규「공사계약일반조건」제14조제2항 : 공사현장대리인은 공사현장에 상주하여 계약문서와 공사감독관의 지시에 따라 공사현장의 관리 및 공사에 관한 모든 사항을 처리하여야 한다.

2-5. 배치기술자 평가 시 '동일한 종류의 공사에 참여한 기술자 근무일수를 합산한다'에서 '동일한 종류의 공사'의 최소인정규모는 공동수급체로 참여했을 경우 시공비율을 반영하여 산정한 규모인지, 시공비율과 관계없이 참여한 업체가 수행한 1건의 전체 공사규모인지 ?

〈답변〉

○ 배치기술자 평가에서 '동일한 종류의 공사'의 최소인정규모의 판단은 회사별 시공비율과 관계없이 공사현장 1건의 규모가 동일한 종류의 최소인정규모 이상인 경우에는 동일한 공사 현장으로 인정합니다.

○ [예시] 발주공사 계류시설로 동일공사를 심사세부기준 [별표2-1] 동일공사실적 심사공종의 범위에서 공사규모를 30억원 이상의 계류시설로 규정하고 있습니다.

- 50억원 항만 계류시설공사에 지분율 40%로 참여한 기술자를 배치기술자 평가에 제출한 경우에는 동 공사의 지분율과 관계없이 전체 공사금액이 항만계류시설 30억원 이상이므로 해당공사는 동일한 공사로 볼 수 있습니다.

2-6. 심사세부기준 [별표2] 5. 배치기술자 심사에서 2개 이상의 공사에 동일한 배치기술자 투입계획을 제출하여 2개 이상의 공사에 낙찰 예정인 경우에는 배치기술자 교체가 가능한데, 배치기술자 중복 제출을 인정하는 기준은 ?

〈답변〉

○ 2개 이상의 공사낙찰 예정은 우리 청 입찰공고 대상공사에 한하여 검토하며, 낙찰자로 선정된 공사에 심사자료(배치기술자 투입계획서)로 제출된 기술자는 낙찰자 선정일 이후 입찰참가 신청서 제출마감일인 공사에 입찰을 위한 심사로 활용할 수 없습니다.

○ 만일, 낙찰자로 선정된 공사의 심사자료로 제출한 배치기술자와 동일한 기술자를 낙찰자 선정일 이후 타 공사입찰 심사자료로 제출한 경우 배치기술자 위반으로 처리됩니다.

○ [예시] A공사 낙찰자 선정(3.17), B공사 신청서 제출마감일(3.17),
C공사 신청서 제출마감일(3.18)인 경우,
해당업체는 A공사에 배치기술자로 제출된 자를 B공사에 제출은 가능하나, C공사에 제출 시 배치기술자 위반(감점) 처리

2-7. 배치기술자 심사에서 참여경력은 건설기술인협회에서 발급한 경력사항확인서 또는 경력증명서로 확인하는데, 두 가지 증명서 중 선택적으로 제출이 가능한지 ?

〈답변〉

○ 동일공사 참여 경력을 확인하는 고난도 공사(실적제한 포함) 현장대리인은 경력사항확인서를 제출하여야 하며, 동일공종그룹 및 업종 경력을 확인하는 일반공사 현장대리인과 분야별 책임자는 경력사항확인서 또는 경력증명서를 제출하여야 합니다.

○ 다만, 기술인협회에 경력증명서를 신청 시 건설협회에서 발급하는 기성실적신고서를 함께 제출하여야 합니다.

2-8. 진행 중인 공사의 기술자 경력을 인정받을 수 있는지 ?

〈답변〉

○ 동일공사로서 공사현장의 규모가 심사세부기준 등 관련기준에서 요구한 최소규모 이상인 경우, 해당 기술자 근무경력은 공사가 진행 중이라 하더라도 배치기술자 경력평가에 활용할 수 있습니다.

2-9. 심사자료로 제출한 배치기술자가 계약직인 경우도 인정되는지 ?

〈답변〉

○ 배치기술자는 계약직 또는 정규직 관계없이 해당업체에 입찰공고일 기준 6개월 이상 근무자이면 100% 인정이 되며, 조달청 유자격자명부 중 3등급이하에 해당하는 일반공사에 참여한 3등급이하 업체에 대해서는 배치기술자가 3개월이상 재직한 경우에는 평가점수의 100%를 적용합니다.

2-10. 품질책임자의 경력심사에서 발주공사의 주된 업종과 동일한 업종의 품질분야 참여근무일수 산정시 동일업종 구분 기준은 ?

〈답변〉

○ 발주공사의 주된 업종은 우리청 「공사계약 종합심사낙찰제 심사세부기준」 제12조에 따라 복합공사에서 추정금액이 큰 업종을 말하며, 업종의 구분은 「건설산업기본법 시행령」[별표1] 건설업의 업종과 업종별 업무내용에 따릅니다.

(예시) 토목공사업, 건축공사업

2-11. 종심제 배치기술자 시공분야 참여경력일수에 시공관리업무가 포함되는지 여부는 ?

〈답변〉

○ 우리청 「공사계약 종합심사낙찰제 심사세부기준」의 배치기술자 중 시공분야의 참여경력은 「건설기술진흥법 시행규칙」 제18조 및 국토교통부 고시 「건설기술자 등급 인정 및 교육·훈련 등에 관한 기준」의 3. 건설공사의 업무 중 시공에 해당하는 경력만을 인정합니다.

○ 따라서 시공, 품질관리, 안전관리, 환경관리, 화약관리를 포함하고 있는 시공관리분야에서 시공분야 만이 시공경력으로 인정됩니다.

2-12. 시공책임자가 전문건설업체에서 전문공종별로 근무한 경력이 인정되는지 여부는 ?

〈답변〉

○ 시공책임자의 경력 산정시 전문공종(토공, 포장 등)에 근무한 경력은 전체공사에서 일부분을 시공한 경력으로 발주공사와 동일한 동일공종그룹 경력으로 인정되지 않습니다.

2-13. 입찰일 전, 후 배치예정기술자가 퇴사한 경우 낙찰자결정 과정에서 불이익 여부는?

〈답변〉

○ 종합심사신청서 제출기한 이전에 퇴사한 기술자를 배치기술자로 제출한 경우에는 배치기술자가 없는 것으로 평가하므로, 종심제 요구조건에 맞는 기술자를 동 기한까지 변경 제출하여야 합니다.

○ 종합심사신청서 제출기한 이후에 배치기술자가 퇴사한 경우에는 감점대상이 되지 않으며, 당초 심사 시 취득한 점수 이상의 점수를 획득할 수 있는 기술자로 대체할 수 있습니다.

2-14. 현장대리인 경력 심사 시 복합공사의 부대공종 경력 인정 여부와 심사 방법은?

〈답변〉

○ 전체공사를 총괄하는 현장대리인(1인)이 부대공종에 해당하는 직무분야(토목, 건축, 조경 등)에 참여한 경력에 한하여 인정됩니다.

※ 현장대리인 및 분야별책임자는 「건설산업기본법」, 「건설기술진흥법」, 「산업안전보건법」등 관련 법령에서 정하는 자격요건을 갖추어야 함

○ 경력은 다음의 두가지 요건을 만족하는 경우에 한하여 인정됩니다.

1) 건설기술자가 참여한 사업에서 요구한 면허와 금차 발주공사의 심사대상 공종이 일치하는 경우

(예시) · 참여사업 요구면허 : 조경공사업
· 금차 발주공사 심사대상공종 : 조경공사업

2) 참여한 사업에서 요구한 면허의 준공금액(관급제외)이 금차 발주공사의 최소인정규모 이상인 경우

(예시) · 참여사업 조경공사 준공금액(관급제외) : 20억원
· 금차 발주공사 심사대상공종 최소인정규모 : 10억원

○ 부대공종 포함여부는 업체가 제출한 실적증명서(업종명기), 발주시 입찰공고서(업종명기) 등으로 확인하며, 해당 자료는 입찰자가 제출하여야 합니다.

2-15. 시공분야 책임자의 경력이 심사대상 경력과 동일한지 여부를 확인하는 방법은?

〈답변〉

○ 입찰자가 제출한 시공분야 책임자의 경력이 입찰공고에서 요구한 심사공종(공종그룹, 업종)에 해당되는지 여부를 기성실적신고서 및 실적증명서로 확인하고,

○ 경력증명서의 직무분야가 입찰공고에서 요구한 동일공종 또는 업종과 동일하고, 업무분야가 시공분야이며 책임정도가 현장대리인 또는 시공참여기술자인 경우에 해당 경력을 시공분야의 경력으로 인정합니다.

2-16. 입찰공고일 기준 6개월 이전부터 재직하지 않은 배치기술자의 평가점수 산정방법은 ?

〈답변〉

○ 소속 회사의 임직원이 입찰공고일 기준 6개월(180일) 이전부터 재직하지 아니한 경우에는 평가점수의 80%만 인정합니다.

○ [예시] A건설 시공책임자 교통시설분야 경력심사
- 00 도로건설공사 근무 : 2010. 2. 1. ~ 2016. 1. 18.(2178일 경력인정)
- A건설 입사 : 2016. 3. 1. ~ 근무중
- 입찰공고일 : 2016. 5. 1.

→ A건설 시공책임자는 평가점수는 1점이나 입찰공고일 기준 6개월 이전부터 재직하지 아니하여 평가점수의 80%인 0.8점만 인정합니다.

2-17. 임직원이 퇴사한 후 같은 날 또는 다음 날 재입사하는 경우 계속 근무한 것으로 인정받을 수 있는지 여부 ?

〈답변〉

○ 배치예정 기술자가 퇴사한 후 같은 날 또는 다음 날 동일한 회사에 재입사하는 경우에는 계속 근무한 것으로 인정받을 수 있습니다.

○ [예시] 홍길동 근무경력

2015년 1월 1일(A건설, 입사) ~ 2016년 2월 2일(A건설, 퇴사)

2016년 2월 3일(A건설, 재입사) ~ 2016년 6월(A건설, 근무중)

→ A건설 임직원 홍길동은 2015년 1월 1일부터 2016년 6월까지 계속 근무하는 것으로 인정됩니다.

2-18. 분야별 책임자 경력 평가시 하도급경력을 인정하는지 여부 ?

〈답변〉

○ 종합건설업자가 종합건설업자에게 하도급한 경우에는 하도급업체 기술자의 시공분야, 품질관리분야, 안전관리분야 참여 경력은 해당 분야의 경력으로 인정됩니다.

2-19. 합병으로 소멸된 회사의 기술자가 합병 회사로 이직한 경우 합병회사에 계속 근무한 것으로 인정되는지 ?

〈답변〉

○ 합병 회사*는 합병으로 소멸된 회사의 권리의무를 승계하므로 합병 회사에 계속 근무하는 것으로 인정됩니다.

* 합병 후 존속한 회사 또는 합병으로 설립한 회사

2-20. 배치기술자 중 현장대리인의 자격요건이 '기술사'인 경우 동 자격의 인정기준일은 ?

〈답변〉

○ 종합심사 시 '기술사'의 자격은 종합심사신청서 제출 마감일 이전에 취득한 경우에 인정됩니다.

「조달청 공사계약 종합심사낙찰제 심사세부기준」

[별표2] 5. 배치기술자 심사의 ※ 주 7)에서 '현장대리인은 「건설산업기본법」에서 정하는 자격요건을 갖추도록 요구'하고 있으며, 동 법에서 공사예정금액이 700억원 이상인 지정 시설물*은 현장대리인 자격을 '기술사'로 요구하고 있습니다.

< 지정 시설물 >

1. 교량, 터널, 철도,
2. 고가도로·지하도·활주로·삭도·댐 및 항만시설 중 외곽시설·임항교통시설·계류시설
3. 연면적 5천제곱미터 이상인 공항청사·철도역사·여객자동차터미널·종합여객시설·종합병원·판매시설·관광숙박시설 및 관람집회시설
4. 16층 이상인 건축물(다만, 「주택법」 제2조제3호에 따른 공동주택을 제외)

2-21. 종합심사낙찰제 배치기술자를 착공과 동시에 배치하여야 하는지 ?

〈답변〉

○ 종합심사낙찰제에서 입찰시 제출한 배치기술자는 공사현장에 배치할 현장대리인과 분야별 책임자를 심사하는 것으로, 동 배치기술자는 해당공사의 착공과 동시에 배치하여야 할 것입니다.

○ 다만, 사전에 발주기관의 승인을 득한 경우에는 배치일시를 조정할 수 있습니다.

2-22. 간이 종심제에서 배치기술자 경력 평가시 현장대리인 경력과 기타직위 참여경력 모두를 가지고 있어야 하는지와 최소인정규모는 현장대리인 경력만 해당되는지 여부 ?

〈답변〉

○ 현장대리인경력 또는 기타직위 참여경력 중 배점을 받을 수 있는 경력이 있는 경우는 나머지 경력은 불필요합니다.

○ 30억원이상의 최소인정규모는 원칙적으로 현장대리인 및 기타직위 참여경력 모두 해당되나 공사의 특성(전기, 통신 공사등)을 고려하여 달리 적용(입찰공고문 명시)될 수 있습니다.

예시)

심사요소	배점	점수
	일반공사	
공사현장에 배치할 현장대리인 시공참여경력	5	**평점 = [(A×2)/(365×3년)+B/(365×3년)] × (배점)** - A : 동일업종 공사의 현장대리인 참여경력(근무일수) - B : 동일업종 공사의 기타직위 참여경력(근무일수) (단, 평점은 배점을 초과할 수 없음.)

가. A경력이 1.5년, B경력이 0년인 경우 :

→ [(1.5×2)/(365×3년)+0/(365×3년)] × (5) = 5

나. A경력이 0년, B경력이 3년인 경우 :

→ [(0×2)/(365×3년)+365×3/(365×3년)] × (5) = 5

2-23. 간이 종심제에서 배치기술자심사 시 관련 서류제출 마감일까지 채용하여도 평가가 가능한지 ?

〈답변〉

○ 배치기술자는 해당 입찰자의 임·직원 대상으로 발주기관이 정한 기준일(이하 "심사기준일")까지 재직여부에 따라 평가되며, 배치기술자의 재직일은 '4대 사회보험 가입자 가입내역 확인서' 상의 신고일을 기준으로 평가합니다.

○ 심사대상 현장대리인을 배치기술자심사 서류제출 마감일에 채용하더라도 서류제출기한까지 배치기술자심사와 관련된 서류를 제출한다면 평가가 가능하나, 신고일이 심사기준일보다 늦은 경우는 평가점수의 80%만 인정됩니다.

○ 또한, 서류제출기한 내에 배치기술자 배치계획서 및 '4대 사회보험 가입자 가입내역 확인서'를 제출하지 않은 경우 입찰자의 임·직원여부 판단이 불가하여 평가에서 제외(0점 처리)됨을 알려드립니다.

(예) 배치기술자 4대 사회보험가입 신고일별 평가점수 인정비율

	심사기준일 서류제출기한		평가점수
① 기준일까지 신고		⇒	100%
② 기준일 후 신고		⇒	80%
③ 서류 미제출 등		⇒	0점

3. 시공평가점수 심사

3-1. '시공평가 결과는 2015.1.1. 이후 시공평가결과에 한한다'의 의미는 ?

〈답변〉

○ 우리 청 종심제 시공평가결과 심사는 「건설기술진흥법」 제50조에 따라 국토교통부가 고시한 「건설기술용역 및 시공 평가지침」에 의한 시공평가결과 자료를 활용하며,

○ 동 지침은 '15.1.1. 이후 준공되는 건설공사부터 적용하므로, '15.1.1.이후 준공되고 '15.1.1. 이후 한국시설안전공단에 제출된 자료를 활용하여 시공평가결과를 심사합니다.

3-2. 시공평가결과 심사에서 시공평가결과 자료가 다수가 존재하는 경우 입찰자가 선택하여 활용할 수 있는지 여부 ?

〈답변〉

○ 발주공사와 동일한 공종그룹(또는 업종)의 시공평가결과 자료가 다수가 있는 입찰자의 경우에는 선택적으로 활용할 수 없고, 발주공사와 동일한 공종그룹(또는 업종)의 시공평가결과를 공사규모(준공금액*)에 따라 가중 평균하여 시공평가결과를 심사합니다.

* 시공평가결과 자료의 준공금액(관급 제외) 적용 시 출자비율에 관계없이 전체 공사의 준공금액을 반영합니다.

예) A업체가 받은 시공평가점수 현황

공사명	공사규모(억원)	시공평가점수
OOOO 국도 확장공사	200	90
OOOO 교량 신설공사	300	85
OOOO고속도로 확장공사	500	95

$$⇨ \text{A업체의 시공평가점수} = \frac{(200 \times 90\text{점}) + (300 \times 85\text{점}) + (500 \times 95\text{점})}{(200 + 300 + 500)} = 91\text{점}$$

3-3. '17.12.31까지는, 심사세부기준 시공평가결과 심사에서 '한국시설안전공단의 자료가 정비될 때 까지 시공평가결과는 시공평가 결과를 평균하여 점수를 산정한다'는 의미는 ?

〈답변〉

○ 시공평가결과 자료는 한국시설안전공단의 자료를 활용하되, 해당 자료가 정비되기 전 까지는 공사규모에 따른 가중평균을 적용하지 아니하고, 한국시설안전공단의 시공평가결과를 단순 평균하여 시공평가점수 평가등급 및 평점을 산정합니다.

3-4. '17.12.31까지는, 시공평가결과 심사에서 '동일업종 심사가 곤란한 경우 전체공사에 대한 시공평가결과로 심사한다'라고 규정, 동일업종 시공평가자료가 없는 경우 어떻게 심사하는 것인지 ?

〈답변〉

○ 토목공사로 발주되었으나, 입찰참가자의 시공평가결과 자료가 토목업종의 자료가 없는 경우에는 한국시설안전공단에서 우리 청으로 제출된 해당업체의 모든 시공평가결과를 활용하여 시공평가점수를 산정 합니다.

3-5. 국토교통부 지침에 의하면 시공평가결과는 한국시설안전공단에 제출하도록 되어 있어 심사에 활용되는 시공평가결과 평균값이 수시로 변동 가능하므로, 조달청 심사적용 기준은 ?

〈답변〉

○ 종합심사를 받기 위한 시공평가결과 자료는 조달청에 직접 제출하지 않고, 한국시설안전공단에 제출되어 공단이 송부한 자료를 활용합니다.

○ 이때, 입찰공고일 기준으로 최근 3년간 시공평가를 받은 자료(시공평가일 기준)로 평가하되, 입찰공고일 이전에 한국시설안전공단에서 우리 청에 통보한 자료만으로 평가합니다.

3-6. '18.1.1 이후 입찰공고분의 시공평가결과 심사에서 공동수급체의 시공평가결과 심사는 어떻게 심사하는지 ?

〈답변〉

○ 공동수급체의 시공평가결과는 구성원별 시공평가결과 평점에 시공비율을 곱한 후 합산하여 심사한다.

예)

구 분		구성원Ⅰ	구성원Ⅱ	구성원Ⅲ
시공평가결과	최근 10년간 동일공종그룹 시공평가점수	*96*	-	-
	최근 10년간 동일업종 시공평가점수	-	*89*	-
	시공비율	*50%*	*40%*	*10%*
	평점	*15점*	*14.8점*	*14.7점*
점수		*15.0×(50/100)+14.8×(40/100)+14.7×(10/100)=14.89점*		

4. 사회적 책임 심사

4-1. 기성실적이 없는 업체가 종합심사낙찰제에 공동수급체로 참여하는 경우에 건설인력고용과 건설안전 심사는 ?

〈답변〉

○ 건설인력고용과 건설안전 평가에서 기성실적이 없는 경우에는 해당항목의 가점은 부여하지 않습니다.

4-2. 사회적책임 분야 중 공정거래관련법 준수 여부 확인을 위해 입찰참가자가 공정거래위원회의 행위유형별 조치사실과 소송중인 경우는 이를 입증하는 서류를 제출하여야 하는지 ?

〈답변〉

○ 심사세부기준 [별표2] 11. 공정거래심사 주 3-3)에 따라 입찰참가자는 공정거래위원회 행위유형별 조치사실에 대한 서류를 제출하여야 하나, 해당 자료를 공정거래위원회가 우리청으로 통보한 경우에는 제출하지 않아도 됩니다.

* 입찰참가자는 '나라장터 〉 공사 〉 종합심사 〉 실적조회'에서 자사실적을 확인 하여야 하고, '실적

조회'에서 확인되지 않은 경우에는 공정거래위원회에서 직접 확인하여 우리청에 해당 자료를 제출하여야 합니다.

○ 입찰참가자가 공정거래 관련 처분에 대하여 소송이 진행 중인 경우와 처분에 대한 소송 확정판결을 받은 경우에는 이에 대한 입증자료를 제출하여야 감점을 받지 않습니다.

또한 공정거래 관련 처분에 대하여 소송이 진행 중인 경우 입찰참가자는 참여하는 공사 건 별로 입증자료를 각각 제출하여야 합니다.(공사건 별로 소송 입증자료를 제출하지 않은 경우 해당 공사는 감점을 부여합니다.)

4-3. 입찰담합으로 과징금 의결('15.05.02)을 받았으나, 과징금 취소소송 제기 후 과징금 확정판결('15.10.15)을 받은 경우 공정거래심사의 감점 여부 ?

〈답변〉

○ 위 질의는 '15.8.13 이전 공정거래위원회로부터 과징금의 의결을 받은 건으로 '건설업체 등에 대한 제재조치의 해제범위'(조달청 공고 제2015-70호)에 해당되어 공정거래심사에서 감점되지 않습니다.

5. 기타

5-1. 종합심사낙찰제 대상공사에서 공동수급체 구성원에게 부정당업자 제재 사유가 발생한 경우 구성원 추가가 가능한지 여부 ?

〈답변〉

○ 계약예규 「공사계약 종합심사낙찰제 심사기준」 제15조에 따라 공동수급체의 일부 구성원이 결격사유*가 있는 경우 구성원 추가를 허용하지 않고, 해당 구성원을 제외하고 잔존 구성원의 시공비율 또는 분담내용을 변경하여 재심사합니다.

* 결격사유 : 부도, 파산, 해산, 부정당업자 제재, 영업정지 등

- 다만, 공동수급체 대표자에게 결격사유가 있는 경우에는 해당 공동수급체 전체를 심사대상에서 제외합니다.

5-2. 종심제(간이형 포함) 대상공사에서 대표사의 지분율이 반드시 50%를 보유하여야 하는지 ?

〈답변〉

○ 계약예규 「공동계약 운용요령」 제4조에 따라 대표자의 출자비율 또는 분담내용이 50%이상이 되어야 합니다.

5-3. 간이형 종심제 시공실적 평가시 하위등급 업체와 공동으로 참여하는 경우 하위등급사의 실적이 출자비율과는 상관없이 100% 인정되는지 ?

〈답변〉

○ 각 구성원의 시공능력평가액을 고려한 시공비율을 산정하여 각 구성원 실적에 적용하여 평가됩니다.

5-4. 공동수급체 구성 심사 시 단독으로 입찰하는 경우 최소배점으로 평가가 가능한지 ?

〈답변〉

○ 공동수급체 구성심사 항목은 중소기업의 상호협력 및 경쟁력 강화를 위한 항목으로 단독으로 입찰하는 경우 '0'점으로 처리됩니다.

5-5. 종합심사서류제출 기한 및 방법은?

〈답변〉

○ 배치기술자 배치계획서를 제외한 서류([별표5-1]참고)는 입찰서제출 마감일 전일까지 제출하여야 하며, 배치계획서는 계약담당공무원이 별도로 해당 입찰자에게 제출을 요구한 경우에만 제출하면 됩니다.

○ 제출방법은 나라장터를 통한 온라인 제출이 원칙이나 입찰공고문에 별도로 명시한 경우는 입찰공고문에 따라 제출하시면 됩니다.

Ⅱ. 입찰금액 심사분야

6. 입찰금액 심사

6-1. 심사세부기준 [별표4] 1. 입찰금액 심사에서 소수점처리 기준이 별도로 없는데, 소수점처리 기준은 무엇입니까?

〈답변〉

○ 심사세부기준 제11조제2항에 따라 별도 규정이 없는 경우 소수점 아래 넷째자리에서 반올림합니다.

○ (예시) 입찰금액 심사점수가 49.9965125......인 경우 49.997점

6-2. 심사세부기준 제7조제2항의 각 호에서 "입찰서의 입찰금액을 제외한다"의 의미가 심사대상에서 제외하고 낙찰자 결정에서 배제한다는 의미인지 ?

〈답변〉

○ 심사세부기준 제7조제2항의 각 호에서 "입찰서의 입찰금액을 제외한다"의 의미는 "균형가격 산정 시 제외한다"는 의미이며, 심사대상자 및 낙찰자 결정에서 배제하지 않습니다.

7. 단가 심사

7-1. 심사세부기준 제9조(기준단가의 산정)의 기준단가 산정 시 각 단계별로 절사하여 합산하는지 ? 합산한 후 최종적으로 절사하는지 ?

〈답변〉

○ 기준단가는 조사내역서의 세부공종 단가에 예가산출율을 곱한 금액과 당해 균형단가에 공사규모별로 아래의 일정비율을 곱한 금액을 합산한 후 소수점 이하는 절사합니다.

공사규모	조사금액내역서×예가산출율	균형단가
고난도, 일반, 실적제한(추정가격 300억원 이상)	70%	30%
실적제한(추정가격 300억원 미만), 간이형공사	90%	10%

○ (예시) 조사금액내역서의 세부공종 단가 100원, 예가산출율 99.97%, 균형단가 82원일 경우,

- 고난도, 일반, 실적제한(추정가격 300억원 이상) 공사
  ☞ 기준단가 = 100×99.97%×70%+82×30% = 69.979+24.6 = 94.579 = 94
- 실적제한(추정가격 300억원 미만), 간이형 공사
  ☞ 기준단가 = 100×99.97%×90%+82×10% = 89.973+8.2 = 98.173 = 98

7-2. 심사세부기준 [별표4] 2-1. 단가심사에서 단가점수 산정 시 세부공종별로 더한 후 반올림하는지 ? 세부공종별로 반올림한 후 더하는지 ?

〈답변〉

○ 단가점수는 세부공종별가중치와 세부공종별 단가점수를 곱한 값을 모두 합산한 후 소수점 아래 셋째자리에서 반올림합니다.

○ 단가심사점수는 산식에 따라 계산 후 소수점 아래 넷째자리에서 반올림합니다.

○ (예시) 단가점수 = 0.111111×0+0.222222×100+0.333333×100+0.333334×100

= 88.8889 = 88.89

단가심사 점수 = (-4)×(1-88.89/100) = -0.4444 = -0.444점

8. 하도급계획 심사

8-1. 심사세부기준 [별표4] 2-2. 하도급계획심사에서 하도급계획심사업종별 하도급내역서를 조달청에서 배부한 물량내역서에 명기된 전문건설업종별로 작성하여야 하는지 ? 하도급할 세부공종의 공사내용이 전문건설업종과 다른 경우 감점하는지 ?

〈답변〉

○ 심사세부기준 [별표4] 2-2. 하도급계획심사에 따라 입찰자는 하도급계획심사업종별 하도급내역서를 전문건설업종별로 작성하여야 하며, 조달청에서 배부한 물량내역서에 명기된 전문건설업종과 다르게 하도급내역서가 작성된 경우 해당 하도급계획심사업종별 하도급점수는 0점으로 평가합니다.

○ 다만, 추정가격 300억원 미만 실적제한, 간이형 공사의 경우에는 물량내역서 배부시 전문건설업종을 명기하지 않으며, 입찰 후 계약담당공무원의 하도급계획서 제출 요청을 받은

입찰자가 직접 하도급 할 세부공종의 전문건설업종을 지정하여 하도급계획서를 작성하여야 합니다.

8-2. 조달청 입찰참가자격 사전심사기준 [별표3] 신인도평가 나. 하도급관련 사항에서 당해계약에서 표준계약서 사용으로 가점을 받은 경우 종합심사낙찰제에서 하도급계획서를 제출하여야 하는지 ?

〈답변〉

○ 조달청 입찰참가자격 사전심사기준에서 당해계약에서 표준계약서 사용으로 가점을 받은 경우 가점을 받은 해당비율이상으로 하도급계획서를 제출하여야 합니다. 가점을 받은 해당비율 미만으로 하도급계획서를 제출한 경우에는 하도급 점수를 0점으로 평가합니다.

([별표4] 2-2하도급심사 ※주12) 참고)

8-3. 하도급계획서 작성 시 심사세부기준 [별지제6-1호]의 하도급할 공사의 조사금액, 입찰금액, 하도급금액 산정 시 간접공사비, 일반관리비, 이윤 등(이하 간접공사비 등)의 산정 방법은 ?

〈답변〉

○ 하도급계획서는 나라장터에 게시된 물량내역서(BID파일)와 입찰내역작성프로그램을 이용하여 산출내역서와 동일한 BID파일내에서 작성하고 제출하여야 합니다.
다만, 추정가격 300억원 미만 실적제한, 간이형 공사는 입찰 후 계약담당공무원의 하도급계획서 제출 요청을 받은 입찰자가 엑셀파일로 작성하여제출하여야 합니다.

○ 하도급할 공사의 조사금액, 입찰금액의 각 항목별 간접공사비 등의 산출 방법은 **세부시행요령**에서 제시한 산식에 따라 직접공사비에 대한 비율로 산출하여야 합니다.

○ (예시)

$$\text{하도급 할 공사의 조사금액 일반관리비} = [\text{별표}]\ ① + ② + ③ \times \frac{\text{조사내역서 일반관리비}}{\text{조사내역서 직접공사비}}$$

$$\text{하도급 할 공사의 입찰금액 일반관리비} = [\text{별표}]\ ⑤ + ⑥ + ⑦ \times \frac{\text{산출내역서 일반관리비}}{\text{산출내역서 직접공사비}}$$

○ **하도급할 공사의 조사금액, 입찰금액**의 각 항목별 간접공사비 등의 포함 여부는 다음과 같이 적용하여야 합니다.

- 일반관리비, 이윤, 부가가치세는 반드시 포함

(단, 산출내역서에서 이윤을 “0”원 투찰 시 하도급할 공사의 입찰금액 산정에서 이윤은 “0원” 가능)

- 다만, 공사이행보증수수료, 건설하도급대금지급보증서발급수수료, 공사손해보험료, 제잡비제외공종, 원가계산서 상 PS항목은 제외
- 상기 간접공사비 이외의 항목은 하도급금액에 포함되어 하수급인이 부담하는 경우에 포함하여 산정하며, 하도급금액에 포함되지 않더라도 입찰자가 조사금액, 입찰금액에 포함한 경우 하도급할 공사의 조사금액, 입찰금액 산정 시 포함하여 산정

[별표1] 하도급계획심사업종 공사비산출서

구 분	조사금액	입찰금액	하도급금액
1. 순공사원가			
가. 재료비			
가-1. 직접재료비	①	⑤	⑨
나. 노무비			
나-1. 직접노무비	②	⑥	⑩
나-2. 간접노무비	△	△	△
다. 경비			
다-1. 산출경비	③	⑦	⑪
다-2. 산재보험료	△	△	△
다-3. 고용보험료	△	△	△
다-4. 건강보험료	△	△	△
다-5. 노인장기요양보험료	△	△	△
다-6. 연금보험료	△	△	△
다-7. 퇴직공제부금비	△	△	△
다-8. 산업안전보건관리비	△	△	△
다-9. 환경보전비	△	△	△
다-10. 안전관리비	×	×	×
다-11. 공사이행보증수수료	×	×	×
다-12. 하도급대금지급보증서발급수수료	×	×	×
다-13. 건설기계대여대금지급보증서발급금액	△	△	△
다-14. 기타경비	△	△	△
2. 일반관리비	○	○	△
3. 이윤	○	◉	△
4. 미확정설계항목(PS)	×	×	×
5. 제비율적용 제외공종	×	×	×
6. 총원가			
7. 공사손해보험료	×	×	×
8. 소계			
9. 부가가치세	○	○	○
10. 매입세			
11. 총계			
금 액	(A)	(B)	(C)
도급자설치관급자재대(부가세별도)			

※ ○ : 반드시 포함, △ : 입찰자선택, × : 미포함, ◉ : 0원 투찰시 미포함
※ 부가가치세 : 부가가치세법에 따라 영세율 또는 면세율에 해당하는 공사는 해당요율

[별표2] 하도급계획심사업종 내역서

공종코드	세부공종명	규격	수량	단위	조사금액								입찰금액								하도급금액							
					재료비		노무비		경비		합계		재료비		노무비		경비		합계		재료비		노무비		경비		합계	
					단가	금액	단가	금액	단가	금액	단가	금액	단가	금액	단가	금액	단가	금액	단가	금액	단가	금액	단가	금액	단가	금액	단가	금액
하도급계획심사업종별 직접공사비 합계						①		②		③		④		⑤		⑥		⑦		⑧		⑨		⑩		⑪		⑫

8-4. 입찰금액 이윤을 “0”원이 아닌 금액으로 투찰하였으나, 하도급계획서의 입찰금액 및 하도급금액에는 이윤이 “0”원으로 계상되어 있는 경우 또는 세부시행요령에서 규정하고 있는 산출식에 의해 산출된 금액 미만으로 적게 계상되어 있는 경우에 하도급계획심사 시 감점 사유에 해당되는지 ?

〈답변〉

○ ‘세부시행요령’에서 정한 산정방법에 따라 직접공사비와 간접공사비 각 항목별 금액을 산정한 후 합산하여 하도급할 공사의 조사금액 및 입찰금액, 하도급금액을 산정하며, 하도급계획심사는 ‘세부시행요령’에서 정한 산정방법에 따라 계상된 하도급할 공사의 조사금액 및 입찰금액, 하도급금액을 기준으로 심사합니다.

따라서, 하도급계획서에 이윤이 “0원” 또는 ‘세부시행요령’에서 정한 산출식에 의해 산출된 금액 미만으로 적게 계상되어 있다고 하여 감점사유가 되는 것이 아니며, 하도급계획심사업종별로 하도급금액이 하도급할 공사의 조사금액의 100분의 64미만이거나, 하도급할 공사의 입찰금액의 100분의 82 미만인 경우 0점으로 평가합니다.

9. 물량·시공계획 심사

9-1. 심사세부기준 제16조(물량심사 대상자 선정)에서 고난도공사에 대하여 제14조제2항에 따라 점수(물량심사 예상가점 포함, 물량심사와 시공계획심사 감점)를 산정한 후 점수가 최고점인 자 순으로 물량심사 대상자를 선정하는데, 물량심사에서 가점이 최대 1점이므로 점수 차이가 1점까지 물량심사 대상자로 선정한 후 물량심사를 하는지 ?

〈답변〉

○ 물량심사는 물량내역서에 명시된 물량내역수정허용 세부공종에 대하여 입찰자가 수정한 물량내역을 대상으로 심사합니다. 물량심사 가점(1점)으로 인하여 만점자가 다수 발생할 수 있으므로 물량심사 대상자 선정은 물량을 수정한 전체 입찰자를 대상자로 합니다.

9-2. 심사세부기준 [별표4] 2-3. 물량심사(가·감점)의 물량점수 가·감점 판정은 어떻게 하는지 ?

〈답변〉

○ 물량점수(감점) : 입찰물량이 최종물량 대비 ±2%이내인 경우 100점,
그 외 0점

○ 물량내역수정금액 : 입찰물량이 추정물량 대비 ±2%초과인 경우 합산
(최종물량이 추정물량 대비 ±2%이내 이거나 입찰물량이 최종물량 대비 ±2%초과인 세부공종은 합산에서 제외)

○ 단, 입찰물량이 최종물량 대비 ±2%이내인 경우라도 심사세부기준 제21조(물량산출 부적합 처리 등)에 해당하는 경우에는 물량심사에서 감점 처리 됩니다.

○ (예시)

추정물량 a	입찰물량 b	최종물량 c	감 점		가 점			
			감점판정 b/c-1	물량점수	가점판정1 b/a-1	가점판정2 c/a-1	가점판정3 b/c-1	합산여부
100	98	98	**+0.0%**	100	-2.0%	-2.0%	**0.0%**	×
100	98	97	**+1.0%**	100	-2.0%	**-3.0%**	**+1.0%**	×
100	97	98	**-1.0%**	100	**-3.0%**	-2.0%	**-1.0%**	×
100	95	100	-5.0%	0	**-5.0%**	0.0%	-5.0%	×
100	103	97	+6.2%	0	**+3.0%**	**-3.0%**	6.2%	×
100	110	109	**+0.9%**	100	**+10%**	**+9.0%**	**0.9%**	○
100	110	105	+4.8%	0	**+10%**	**+5.0%**	4.8%	×
신설	100	99	**+1.0%**	100	∞	∞	**+1.0%**	○
신설	100	98	+2.04%	0	∞	∞	+2.04%	×
신설	100	0	∞	0	∞	–	∞	×

9-3. 심사세부기준 물량점수 가·감점 산정 방법은?

〈답변〉

○ 물량심사(가·감점) 점수는 다음과 같습니다.

심사항목	배점		점수
물량	감점	−2점	평점 = (배점) × (1-물량점수×1/100) - 물량점수 = Σ(세부공종별가중치i × 세부공종별 물량점수i)
	가점	1점	평점 = $75 \times \left(1 - \sqrt{1 - 1 \times \left(\frac{\Sigma \text{물량내역수정금액}}{\text{예정가격} - \text{균형가격}}\right)^2} \right)$ - 물량내역수정금액 = Σ(|입찰물량-추정물량|×세부공종별 입찰단가) - B : 입찰금액심사 산식의 B계수의 1.3배(1.3)

○ (예시) 예정가격 1000억원, 균형가격 800억원

물량내역수정허용세부공종명	조사금액	세부공종가중치①	추정물량②	입찰물량③	최종물량④	감점			가점			
						감점판정(③/④)-1	세부공종물량점수⑤	물량점수(①×⑤)	가점판정(④/②)-1	가점판정(③/②)-1	세부공종입찰단가⑥	물량내역수정금액|③-②|×⑥
a	10억	0.1	100	98	98	0.0%	100	10	−2.0%	−2.0%	8백만	0
b	15억	0.15	100	95	100	−5.0%	0	0	0.0%	−5.0%	12백만	0
c	20억	0.2	100	95	95	0.0%	100	20	−5.0%	−5.0%	20백만	1억
d	25억	0.25	100	110	110	0.0%	100	25	10.0%	10.0%	10백만	1억
e	30억	0.3	100	95	103	−7.8%	0	0	3.0%	−5.0%	24백만	0
합계	100억	1						55				2억

※ 물량내역수정금액은 추정물량 대비 증가 또는 감소하는 입찰물량 공종의 수정금액 절대값의 합으로 산정
(예시) |(95-100)| × 20백만원 + |(110-100)| × 10백만원 = 2억원

☞ 물량심사 점수(감점) = (-2) × (1 - 55/100) = -0.9점

☞ 물량심사 점수(가점) = $75 \times \left(1 - \sqrt{1 - \left(1.3 \times \left(\frac{2\text{억원}}{1000\text{억원} - 800\text{억원}}\right)\right)^2} \right)$ = +0.005점

9-4. 심사세부기준 [별표4] 2-3. 물량심사(가·감점)에서 물량내역수정허용 세부공종의 물량을 수정하였을 경우 세부공종의 입찰단가 평가기준은?

〈답변〉

○ 고난도 공사의 물량내역수정허용세부공종은 단가심사를 실시하지 않습니다. 다만, 제7조 제1항 각호에 해당하는 경우에는 모든 입찰금액이 부적정한 것으로 간주하여 심사대상에서 제외합니다.

○ 또한, 심사세부기준 제18조제2항제2호에 따라 신설되는 물량신설공종은 심사위원회에서 단가산출의 적정성을 심사하고 부적합 시 해당 세부공종은 물량수정금액 합산에서 제외합니다. 따라서, 입찰자는 물량신설공종의 단가산출서 및 증빙서류를 제출하여야 합니다.

9-5. 심사세부기준 제6조제3항에서 증빙서류(시공계획서)는 심사대상자로 통보받은 날로부터 3일 이내에 제출하면 되나, 입찰시 제출하는 BID 파일에 기록된 증빙서류목록, 증빙서류의 작성일자, 증빙서류의 용량을 일치시키기 위해 입찰 전에 증빙서류(시공계획서)를 작성하여야 하는지 ?

〈답변〉

○ 심사세부기준 제6조제3항에 따라 제출하는 서류(물량산출근거, 물량신설공종단가산출근거, 시공계획서)는 [별지 제12호]의 유의사항에 따라 제출하여야 합니다. [별지 제12호]의 제3호에 해당하는 경우 낙찰자 결정에서 배제됩니다. 따라서, 모든 입찰서류는 입찰 전에 작성되어야 합니다.

9-6. 심사세부기준 제20조, 제22조, 제23조에 따른 물량심사 및 시공계획심사는 심사위원회에서 같은 날 심사하는지 ? 심사대상자는 1순위업체만 심사하는지 ?

〈답변〉

○ 심사위원회의 물량심사 결과에 따라 시공계획 심사대상자를 선정하게 되며, 이 경우 물량심사 및 시공계획심사 대상자의 수에 따라 물량심사와 시공계획심사를 다른 날에 시행할 수도 있습니다.

9-7. 심사세부기준 [별표4] 2-3. 물량심사에서 세부공종별 물량점수는 세부공종 입찰물량이 최종물량 대비 ±2%이내인 경우 100점으로 심사하고, 그 외는 0점으로 심사하는데, 물량을 수정하지 않아도 입찰물량이 최종물량 대비 ±2% 초과인 경우 해당 세부공종을 0점으로 평가하는지 ?

〈답변〉

○ 물량심사는 입찰자가 수정한 물량내역을 대상으로 심사하므로 수정하지 않은 경우에는 물량심사 감점(가점)은 없습니다.

9-8. 심사세부기준 제20조제2항에서 담당자는 최종물량을 산정하고, 제5항에서 심사위원회는 최종물량을 확정하게 되어 있습니다. 최종물량을 공개할 것인지 ?

〈답변〉

○ 심사세부기준 제20조제2항에 따라 계약담당자는 최종물량을 산정하고, 제3항에 따라 심사대상자에게 이를 통보합니다. 또한 심사세부기준 제20조제4항에 따른 재검토 요청으로 인

하여 제25조제2항에 따라 물량심사위원회를 개최하여 최종물량을 확정하는 경우 당해 심사결과는 나라장터에 공개됩니다.

9-9. 심사세부기준 제20조제3항에서 조달청에서 산정한 최종물량이 맞다고 판단하여 재검토요청을 하지 않은 경우 제20조제4항의 단서조항에 따라 심사하는지, 제20조제5항에 따라 심사위원회의 결과에 따라 확정된 최종물량으로 심사하는지 ?

〈답변〉

○ 심사세부기준 제20조제4항의 단서조항은 해당 세부공종에 대해 물량을 수정한 모든 업체가 재검토요청을 하지 않은 경우에 해당됩니다. 제20조제2항에 따라 검토하여 산정된 물량은 제20조제5항의 심사위원회 결과에 따라 확정된 최종물량과 다를 수 있습니다. 이 경우 재검토요청을 하지 않더라도 심사위원회 결과에 따른 확정된 최종물량으로 심사합니다.

9-10. 물량내역수정허용공종 관련 물량심사 가이드라인은?

〈답변〉

○ 조달청 홈페이지 > 정보제공 > 업무별자료 > 시설공사에서 “조달청 물량심사 가이드라인”을 확인하실 수 있으며, 주요 물량수정 사례별 작성 및 평가방법을 참고하시기 바랍니다.

9-11. 시공계획심사 시 평점(수,우,미,양,가)의 심사기준은?

〈답변〉

○ 시공계획서는 세부평가항목별로 구체화, 계량화, 적법성, 특성분석, 예상문제점의 5개 항목의 작성 유무와 세부평가항목별 작성내용의 우수성(우수, 보통, 미흡) 여부를 심사합니다.

○ 시공계획심사의 세부평가항목별 평점 기준은 다음과 같습니다.

(수) : 계량화(또는 구체화), 적법성, 공사의 특성 분석, 예상문제점 및 대책이 모두 작성되고 그 내용이 해당 공사 적용에 모두 우수한 경우

(우) : 계량화(또는 구체화), 적법성, 공사의 특성 분석, 예상문제점 및 대책이 모두 작성되고 그 내용이 해당 공사 적용에 우수하나 일부 보통인 부분이 있는 경우

(미) : 계량화(또는 구체화), 적법성, 공사의 특성 분석, 예상문제점 및 대책이 모두 작성되고 그 내용이 해당 공사 적용에 보통이상이나 일부 미흡인 부분이 있는 경우

(양) : 계량화(또는 구체화), 적법성, 공사의 특성 분석, 예상문제점 및 대책 중 예상문제점

및 대책이 누락되거나 내용이 전체적으로 미흡한 경우

(가) : 계량화(또는 구체화), 적법성, 공사의 특성 분석, 예상문제점 및 대책 중 대부분 항목을 작성하지 않았거나 내용이 형식적인 경우

9-12. 시공계획심사 시 중점사항의 세부평가항목과 배점기준은?

〈답변〉

○ 수요기관에서 공사의 특성에 따라 시공계획 심사 시 중점적으로 평가해야 하는 항목을 선정할 수 있으며, 중점사항의 세부평가항목은 세부시행요령에 안내합니다.

○ 시공계획심사 배점기준은 일반사항 100점을 70점으로 환산하여 중점사항 30점과 합산하여 100점으로 하며, 중점사항이 없는 경우에는 일반사항 점수를 전체배점(100점)으로 합니다.

Ⅲ. 계약 신뢰도 (감점)

10. 계약 신뢰도 (공통)

10-1. 계약신뢰도의 각 심사항목의 위반사항 점검절차 및 감점대상은?

〈답변〉

○ 계약예규 「공사계약일반조건」 제53조제2항에 따라 수요기관 담당공무원은 종합심사낙찰제 심사기준에서 규정한 이행상황을 수시로 확인하여야 하며, 제출된 내용대로 이행되지 않고 있을 경우 즉시 시정토록 조치하여야 합니다.

○ 수요기관 담당공무원은 매년 2회 이상 낙찰자의 계약신뢰도 각 심사항목 이행여부를 확인하고, 불이행을 확인한 경우 즉시 위반사실을 조달청에 통보하여야 합니다. 조달청은 위반사실을 통보받은 날 이후 2년 동안 조달청이 발주하는 종합심사낙찰제 대상공사(개찰일 기준)에서 감점합니다.

○ 감점대상은 불이행한 공동수급체 전체 구성원으로 하되 분담이행 구성원은 제외하고, 감점 시 위반한 공사에서의 시공비율은 미적용하고, 발주예정공사에서의 시공비율은 적용합니다.

○ (예시)

<table>
<tr><td colspan="4" rowspan="2">시공 중인 A공사</td><td colspan="4" rowspan="2">시공 중인 B공사</td><td colspan="8">발주중인 C공사 (개찰 전)</td></tr>
<tr><td colspan="4">case1</td><td colspan="4">case2</td></tr>
<tr><td colspan="2">구성원</td><td>시공비율</td><td>위반사항</td><td colspan="2">구성원</td><td>시공비율</td><td>위반사항</td><td colspan="2">구성원</td><td>시공비율</td><td>감점</td><td colspan="2">구성원</td><td>시공비율</td><td>감점</td></tr>
<tr><td rowspan="3">공동</td><td>a사</td><td>60%</td><td rowspan="3">배치기술자 2인
시공계획</td><td rowspan="3">공동</td><td>c사</td><td>70%</td><td rowspan="3">하도급 계약 2건
누적 금액 10% 초과</td><td rowspan="3">공동</td><td>a사</td><td>50%</td><td>(-0.2)*2*50%
+(-0.05)*50%
= -0.225</td><td rowspan="3">공동</td><td rowspan="2">c사</td><td rowspan="2">60%</td><td rowspan="2">(-0.2)*2
*60%
+(-0.05)
*60%
+(-0.05)*
2
*60%
+(-0.05)
*60%
= -0.36</td></tr>
<tr><td>b사</td><td>25%</td><td>e사</td><td>20%</td><td>e사</td><td>30%</td><td>(-0.05)*2*30%
+(-0.05)*30%
= -0.045</td></tr>
<tr><td>c사</td><td>15%</td><td>f사</td><td>10%</td><td>f사</td><td>20%</td><td>(-0.05)*2
*20%
+(-0.05)*20%
= -0.03</td><td>d사</td><td>40%</td><td>해당없음</td></tr>
<tr><td>분담</td><td>d사</td><td>100%</td><td>해당없음</td><td>분담</td><td>g사</td><td>100%</td><td>해당없음</td><td>분담</td><td>c사</td><td>100%</td><td>해당없음</td><td>분담</td><td>g사</td><td>100%</td><td>해당없음</td></tr>
<tr><td></td><td></td><td></td><td></td><td></td><td></td><td></td><td></td><td colspan="3">계약신뢰도 감점</td><td>-0.300</td><td colspan="3">계약신뢰도 감점</td><td>-0.360</td></tr>
</table>

10-2. 심사세부기준 [별표1-1], [별표1-2]에서 계약신뢰도 감점은 각 심사항목의 배점에서 감점하는지 ? 전체 종합심사점수에서 감점하는지 ?

〈답변〉

○ 계약신뢰도 분야의 심사항목은 배치기술자 투입계획 위반, 하도급관리계획 위반, 하도급금액 변경 초과비율 위반, 시공계획 위반입니다. 항목별 감점내용은 [별표2]와 [별표3]의 해당 심사항목에 명기되어 있습니다. 계약신뢰도 감점은 전체 종합심사점수에서 감점됩니다.

10-3 낙찰자가 실제 하도급 계약을 체결할 때, 입찰 당시 조달청에서 배부한 물량내역서상에 명기된 전문건설업종과 다르게 계약하는 경우, 하도급금액 비율 위반에 해당하는지 ? 또한 해당금액은 하도급금액변경 초과비율 위반 여부 판정시 하도급변경 금액에 합산하는지 ?

〈답변〉

○ 낙찰자의 하도급 계획 이행여부 확인은 '하도급금액비율위반' 및 '하도급금액 변경 초과비율 위반'에 대하여 점검하며, 입찰시 조달청에서 지정한 전문건설업종과 동일한 업종으로 하도급 계약을 체결하는지 여부는 점검대상에 해당하지 않습니다.

○ 다만, 조달청에서 지정한 전문건설업종과 다르게 하도급계약을 체결하는 경우에도 낙찰자가 입찰시 제출한 해당공종의 하도급금액 비율은 반드시 준수하여야 합니다.

10-4. 자재와 시공이 한 개의 세부공종으로 구성되어 있는 복합공종을 하도급으로 계획하여 입찰 후 시공만 하도급업체가 수행할 경우 하도급변경 금액에 합산하는지 ?

〈답변〉

○ 복합공종(자재+시공)을 하도급으로 계획서를 제출하고, 향후 시공과정에서 자재를 직접시공으로 전환한 경우에 해당하므로 '하도급금액 변경 초과비율 위반' 판정시 자재금액은 하도급변경 금액에 합산하여야 합니다.

11. 하도급계획 적정이행을 위한 가이드라인

ㅁ 하도급계획 이행 점검 개요

○ (근거) 계약예규 「공사계약 종합심사낙찰제 심사기준」[별표2] 및 조달청 훈령 「공사계약 조달청 종합심사낙찰제 심사세부기준」[별표2]

○ (목적) 매년 2회 이상 이행여부를 점검하여 불이행한 경우 계약신뢰도에서 2년 동안 종합심사 시 감점* 부여

① 하도급금액 비율 위반(하도급계약 건당 -0.05점)

② 하도급금액 변경 초과비율 위반(-0.05점)

ㅁ 하도급계획서 위반 유형별 판정

○ 하도급계약 시의 하도급계획 위반 여부

* 감점 방법, 감점 기준, 감점 부여하는 '하도급계약 건' 판정 기준 등

○ 직접시공과 하도급계획 상호 전환 시 하도급계획 위반 여부

○ 설계변경으로 인한 물량 증감(신설, 삭제) 시, 하도급계획 위반 여부

○ 물가변동으로 인한 계약금액 조정시, 하도급계획 위반 여부

☞ (참고사항) 추정가격 300억원 미만의 실적제한, 간이형 공사의 하도급계획 심사는 전체 하도급계약금액의 합계액을 기준으로 심사하므로, 향후 낙찰자의 하도급계획서 이행여부도 전체 하도급계약금액의 합계액을 기준으로 판단하여야 함

11-1. 하도급계약 시의 하도급계획 위반 여부

▶ 하도급계약 시에는 하도급계획서 상의 하도급금액비율 이상이어야 하고, 낙찰금액의 10% 범위 이내인 경우에 한하여 발주기관의 승인을 받아 변경 가능

ㅁ 하도급계획 불이행에 따른 감점 방법

○ 낙찰자의 하도급계획 이행여부를 확인하여, 불이행한 경우에는 위반 통보일로부터 2년 동안 종합심사 시 감점 부여(개찰일 기준)

* 최초 감점일로부터 2년간 0.05점만 감점. 향후 동일 하도급계약건에서 위반사실이 재적발 또는 추가적발 되어도 감점 누적 및 기간 연장 없음

** 하도급계획 불이행내용을 시정한 경우라도 기존 계약신뢰도 감점은 취소 불가

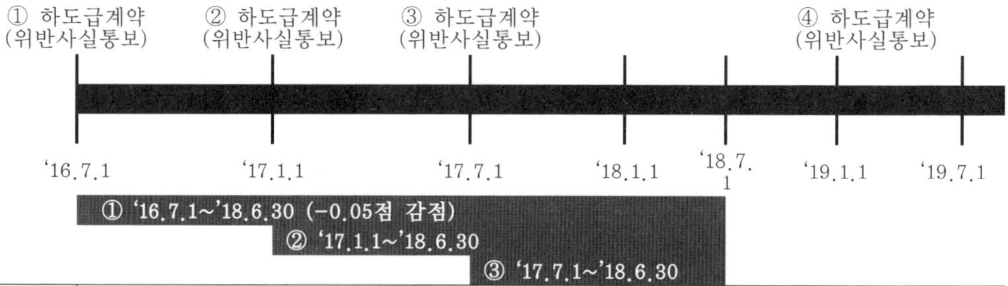

감점	-0.05	0	0

ㅁ 하도급계획 불이행에 따른 감점 기준

○ 하도급계획의 변경은 변경하는 부분에 해당하는 금액(해당공사에서 1회 이상 변경한 경우에는 누적금액)이 낙찰금액의 10% 범위 이내인 경우에 한하여 발주기관의 승인을 받아 변경 가능

* 낙찰자가 입찰 시 제출한 하도급계획서의 내용(조사금액 대비율 및 입찰금액 대비율 이상)에 따라 하도급계약을 체결해야 함

** 하도급계약 변경 요건에 해당하지 않거나, 변경요건에 해당하더라도 발주기관의 승인을 받지 않은 경우에는 감점대상에 해당

○ 하도급계약서의 하도급계약금액 비율과 하도급계약내역서의 직접공사비 합계액은, 각각 하도급계획서의 하도급금액비율 이상이고 하도급계획내역서의 직접공사비 합계액 이상

1) 단가만 변경이 있을 경우, 하도급금액 변경 초과비율 위반 여부 판정대상 아님

(예 시) 토공사업	하도급계획서 제출							case1 하도급계약		case2 하도급계약	
	수량	조사내역서		산출내역서		하도급계획					
		단가	금액	단가	금액	단가	금액	단가	금액	단가	금액
세부공종1	10	1,000	10,000	800	8,000	700	7,000	800	8,000	700	7,000
세부공종2	20	2,000	40,000	1,600	32,000	1,350	27,000	1,300	26,000	1,400	28,000
세부공종3	40	500	20,000	400	16,000	325	13,000	300	12,000	325	13,000
직접공사비 합계			**70,000**		**56,000**		**47,000**		**46,000**		**48,000**
제비율1			5,000		5,000		5,000		5,000		5,000
제비율2			10,000		8,000		7,000		7,000		6,000
제비율3			7,000		5,000		3,000		5,000		2,000
합계			**92,000**		**74,000**		**62,000**		**63,000**		**61,000**
				조사내역 대비		비율1	67.39%	비율1	68.47%	비율1	66.30%
				입찰금액 대비		비율2	83.78%	비율2	85.13%	비율2	82.43%

⇒ case1에서 하도급금액비율은 하도급계획서 이상이나, 직접공사비 합계액이 하도급계획서 미만으로 위반

⇒ case2에서 직접공사비 합계액은 하도급계획서 이상이나, 하도급금액비율이 하도급계획서 미만으로 위반

2) 제비율의 변경만 있을 경우, 하도급금액 변경 초과비율 위반 여부 판정대상 아님

(예 시) 토공사업	하도급계획서 제출							하도급계약 시						
	수량	조사내역서		산출내역서		하도급계획		수량	조사내역서		산출내역서		하도급계획	
		단가	금액	단가	금액	단가	금액		단가	금액	단가	금액	단가	금액
세부공종1	10	100	1,000	80	800	70	700	10	100	1,000	80	800	70	700
세부공종2	20	2,000	40,000	1,600	32,000	1,350	27,000	20	2,000	40,000	1,600	32,000	1,350	27,000
세부공종3	40	500	20,000	400	16,000	325	13,000	40	500	20,000	400	16,000	325	13,000
직접공사비 합계			**61,000**		**48,800**		**40,700**			**61,000**		**48,800**		**40,700**
제비율1			5,000		5,000		5,000							
제비율2			10,000		8,000		7,000			10,000		8,000		7,000
제비율3			7,000		5,000		3,000			7,000		5,000		3,000
합계			**83,000**		**66,800**		**55,700**			**78,000**		**61,800**		**50,700**
				조사내역 대비		비율1	67.11%				조사내역 대비		비율1	65.00%
				입찰금액 대비		비율2	83.38%				입찰금액 대비		비율2	82.04%

⇒ 하도급금액비율은 하도급계획서 미만으로 위반, 하도급금액변경 초과비율 (낙찰금액의 10%) 판정 기준 대상 아님

□ 감점 부여하는 '하도급 계약건'에 대한 판정 기준

○ 하도급금액비율 위반 점검 시, '하도급계약 건'의 기준은 각 전문공사업종별 각 하수급인과의 계약을 1건으로 인정

- 다만, 추정가격 300억원 미만, 실적제한, 간이형 공사는 전체 하도급 계약금액의 합계를 1건으로 인정

* 1개의 전문공사업종을 분할하여 다수의 하수급인과 하도급계약을 한 경우, 각 하도급계약내역서의 하도급금액은 하도급계획서 비율 이상이어야 함

** 다수의 전문공사업종을 통합하여 1개의 하수급인에게 하도급계약을 하는 경우, 하도급계약내역서의 전문공사업종별 하도급금액은 하도급계획서의 각 전문공사업종별 하도급금액비율 이상이어야 함

1. 하도급업체를 하도급범위 및 금액 변경 없이 교체한 경우 해당 하도급금액은 변경누적금액에 포함되지 않고, 어느 업체에 대하여 하도급을 할 것인지 여부는 점검 대상이 아님 2. 하도급계획서를 제출하지 않은 경우 하도급계획심사에서 감점되지 않으나, 전체공사를 직접 시공하는 것으로 간주

11-2. 직접시공 및 하도급계획 전환 시 위반 여부 판정기준

▶ 직접시공 → 하도급 : 변경한 부분에 해당하는 하도급금액이 조사내역서 상 금액의 100분의 64이상이고 입찰금액의 100분의 82이상을 충족하여야 함 ▶ 하도급 → 직접시공 : 잔여 하도급부분이 하도급계획서 상의 하도급금액비율 이상이어야 함

□ 하도급금액 변경 초과 비율 위반 여부 판정기준

○ 하도급계획의 변경은 변경하는 부분에 해당하는 금액이 낙찰금액의 10% 범위 이내인 경우에 한하며, 발주기관의 승인을 받아 변경 가능

* 누적금액 계산은 변경하는 부분에 해당하는 금액의 절대치의 누적으로, 직접시공을 하도급으로 전환한 부분과 하도급계획을 제출하였으나 직접시공으로 하려고 하는 부분이 서로 상쇄되지 않음

[예시]

1) 낙찰금액 : 400억 원 2) 직접시공 → 하도급 전환 : 30억 원 3) 하도급 계획 → 직접시공 : 20억 원 4) 누적 합계 = 30억 원 + 20억 원 = 50억 원 > 낙찰금액의 10% (40억 원) -- 5) 누적 합계가 낙찰금액의 10% 범위 초과하므로 불가

□ 직접시공을 하도급으로 전환하는 경우 위반 여부 판정기준

○ 직접시공을 하도급으로 전환하는 경우에는 전환부분의 하도급금액이 조사내역서 상 금액의 100분의 64이상이고 입찰금액의 100분의 82이상을 충족

* 입찰 시 세부시행요령에서 제시한 방법에 따라 하도급으로 전환한 부분의 조사금액과 입찰금액을 산정하여야 함

(예 시)		하도급계획서 제출				
		조사내역서	산출내역서	하도급계획	비율1	비율2
토공사업(계획서제출)		100,000	80,000	66,000	66.00%	82.50%
하도급계약 하수급인A	토공(당초)	100,000	80,000	66,000	66.00%	82.50%
	토공(추가)	100,000	75,000	64,000	64.00%	82.66%
	합계	200,000	155,000	130,000	65.00%	82.58%

* 토공(추가) 부분은 조사금액의 64%이상, 입찰금액의 82%이상으로 적정

□ 하도급을 직접시공으로 전환하는 경우 위반 여부 판정기준

○ 하도급계획을 제출하였으나 직접시공하려는 경우에는 직접시공으로 전환한 부분을 제외하고 하도급계획서 상의 하도급금액비율 이상

* 하도급금액 비율 및 직접공사비 합계액 판정 시에는 하도급계획서의 조사내역서 및 산출내역서에서도 해당 공종 삭제하여 비율 및 합계액 비교

[예시] [하도급계획 심사 시에 제출한 하도급계획서]

토공사업	하도급계획서 제출 시						
	수량	조사내역서		산출내역서		하도급계획	
		단가	금액	단가	금액	단가	금액
세부공종1	10	100	1,000	80	800	70	700
세부공종2	20	2,000	40,000	1,600	32,000	1,350	27,000
세부공종3	40	500	20,000	400	16,000	325	13,000
직접공사비 합계			**61,000**		**48,800**		**40,700**
제비율1			5,000		5,000		5,000
제비율2			10,000		8,000		7,000
제비율3			7,000		5,000		3,000
합계			**83,000**		**66,800**		**55,700**
				조사내역 대비		비율1	67.11%
				입찰금액 대비		비율2	83.38%

[Case 1] [세부공종을 하도급계획에서 직접시공으로 전환 시]

토공사업	수량	조사내역서		산출내역서		하도급내역서	
		단가	금액	단가	금액	단가	금액
세부공종1	10						
세부공종2	20	2,000	40,000	1,600	32,000	1,350	27,000
세부공종3	40	500	20,000	400	16,000	325	13,000
직접공사비 합계			**60,000**		**48,000**		**40,000**
제비율1			5,000		5,000		5,000
제비율2			10,000		8,000		7,000
제비율3			7,000		5,000		3,000
합계			**82,000**		**66,000**		**55,000**
				조사내역 대비		비율1	67.07%
				입찰금액 대비		비율2	83.33%

⇒ 하도급금액비율은 하도급계획서 미만으로 위반, 하도급금액변경 초과비율(낙찰금액의 10%) 판정 기준 대상

11-3. 설계변경으로 인한 물량 증감, 신설, 삭제 시 위반 여부

▶ 설계변경으로 인한 물량의 증감, 신설 및 삭제는 하도급금액 비율 점검대상에서 제외되고, 누적금액 계산에 포함하지 않음

ㅁ 설계변경으로 인한 물량의 증감, 신설 및 삭제 시 판정기준

○ 물량 증 및 신설은 하도급계획서를 제출한 부분이 아니므로 하도급금액비율 점검대상에서 제외, 누적금액 계산에 미포함

* 다만, 건설산업기본법에서는 하도급계약금액이 도급금액 중 하도급부분에 상당하는 금액의 100분의 82에 미달하거나, 발주자의 예정가격의 100분의 64에 미달하는 경우 하도급계약의 적정성을 심사토록 하고 있음

[예시]

(예 시)		하도급계획서 제출				
		조사내역서	산출내역서	하도급계획	비율1	비율2
토공사업(계획서제출)		**100,000**	**80,000**	**66,000**	**66.00%**	**82.50%**
하도급계약1 하수급인A	토공(당초)	100,000	80,000	66,000	66.00%	82.50%
	토공 (설계변경으로 물량 증·신설)	100,000	75,000	64,000	64.00%	82.66%
	합계	200,000	155,000	130,000	65.00%	82.58%

* 토공사업(설계변경으로 물량 증·신설)은 하도급금액비율을 점검대상에서 제외

** 낙찰금액의 10% 범위 이행여부 점검 시 누적금액에 불포함

○ 물량 감 및 삭제는 하도급계획서의 조사내역서 및 산출내역서에서도 감되거나 삭제되므로 하도급금액비율 점검대상에서 제외되고, 직접시공을 하도급으로 전환하거나 하도급계획을 직접 시공하는 경우가 아니므로 누적금액 계산에 포함하지 않음

* 하도급계약 변경사유가 세부공종의 감소 또는 삭제인 경우에 한하여, 해당 사유로 인한 하도급계약 변경 시 하도급금액비율 위반 여부를 점검하지 않음

11-4. 물가변동으로 인한 계약금액 조정시 하도급계획 위반 여부

> ▶ 물가변동으로 인하여 계약금액 조정된 경우 변경된 계약금액을 기준으로 하도급금액 비율, 하도급금액 변경 초과비율 위반여부를 판단

ㅁ 하도급계약금액에 물가변동 조정금액이 포함된 경우

○ 하도급공종의 입찰금액, 조사금액은 물가변동 조정금액을 반영하여 산정한 후 하도급 금액 비율 위반여부를 판단

* 하도급공종의 입찰금액, 조사금액의 물가변동조정금액은 하도급계약시 반영한 물가변동 조정율을 동일하게 적용하여 산정

[예시]

(예 시) 토공사업	하도급계획서 제출							하도급계약 시						
	수량	조사내역서		산출내역서		하도급계획		수량	조사내역서		산출내역서		하도급내역서	
		단가	금액	단가	금액	단가	금액		단가	금액	단가	금액	단가	금액
세부공종1	10	100	1,000	80	800	70	700	10	100	1,000	80	800	70	700
세부공종2	20	2,000	40,000	1,600	32,000	1,350	27,000	20	2,000	40,000	1,600	32,000	1,350	27,000
세부공종3	40	500	20,000	400	16,000	325	13,000	40	500	20,000	400	16,000	325	13,000
직접공사비 합계			**61,000**		**48,800**		**40,700**			**61,000**		**48,800**		**40,700**
제비율1			12,000		10,000		8,000			12,000		10,000		8,000
제비율2			10,000		8,000		7,000			10,000		8,000		7,000
물가변동 조정금액					4,400	3,500	3,000			4,400		3,500		3,000
합계			**83,000**		**66,800**		**55,700**			**87,400**		**70,300**		**58,700**
				조사내역 대비		비율1	67.11%				조사내역 대비		비율1	67.16%
				입찰금액 대비		비율2	83.38%				입찰금액 대비		비율2	83.49%

ㅁ 하도급계약금액에 물가변동 조정금액이 포함되지 않은 경우

○ 물가변동 조정기준일 이후에 하도급계약을 체결하여 하도급금액에 물가변동 조정금액이 반영되지 않은 경우에는

- 하도급공종의 입찰금액, 조사금액은 물가변동 조정금액을 미 반영하여 산정한 후 하도급금액 비율 위반 여부를 판단

* 다만, 하도급계약 이행 중 물가변동 조정이 재차 발생하여 물가변동 조정금액을 포함해 하도급계약을 변경하는 경우에는 하도급공종의 입찰금액, 조사금액에 물가변동 조정금액을 반영하여야 함

12. 배치기술자 투입계획 위반

12-1. 배치기술자 투입계획 위반에 따른 감점 부여

ㅁ 배치기술자 투입계획 위반에 따른 감점 방법

○ 계약담당공무원은 매년 2회 이상 배치기술자 투입계획 이행여부를 조사하고, 위반사항을 통보받은 날 이후 2년 동안 조달청이 발주하는 종합심사낙찰제 대상공사에서 매건당 0.2점씩 감점

- 배치기술자 투입계획 위반 건수는 해당기술자 1인당 1건으로 산정

[예시1] 배치기술자 점검에서 현장대리인과 시공책임자 배치 위반이 발생한 경우

▶ 16년 하반기 배치기술자 이행점검에서 현장대리인과 시공책임자 배치 위반이 동시에 발생한 경우

→ 해당기술자 1인당 1건으로 산정하여, 현장대리인 배치 위반 0.2점 감점과 시공책임자 배치 위반으로 0.2점 감점 부여

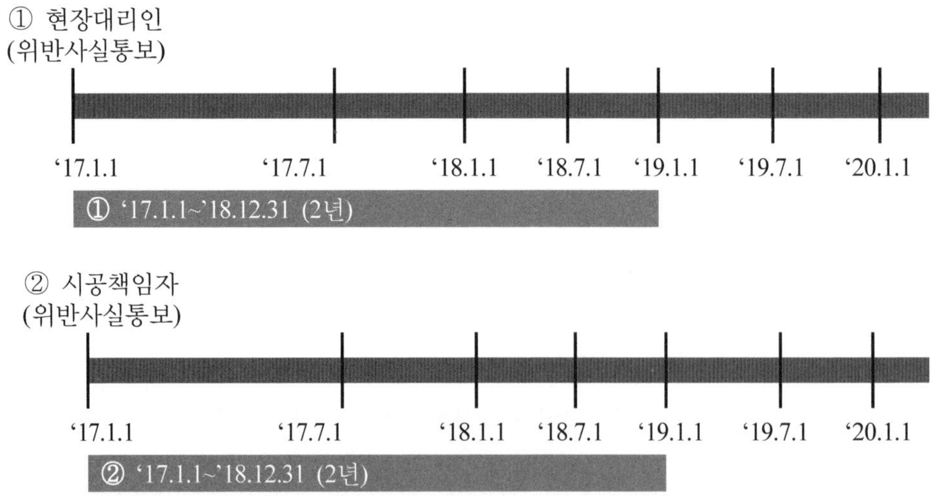

감점	-0.4 (2년)	0

[예시2] 시공분야 배치기술자 점검에서 위반사항이 추가로 발생한 경우(추정가격 500억원 미만 공사)

> ▶ 16년 하반기 배치기술자 이행점검에서 배치기술자 배치위반으로 감점을 부여
>
> ▶ 17년 상반기 배치기술자 이행점검에서 동일 분야인 시공에서 배치기술자 위반사항이 추가적으로 발생한 경우

→ 분야별책임자에서 위반사항 추가 발생 시점부터 새로이 감점 부여

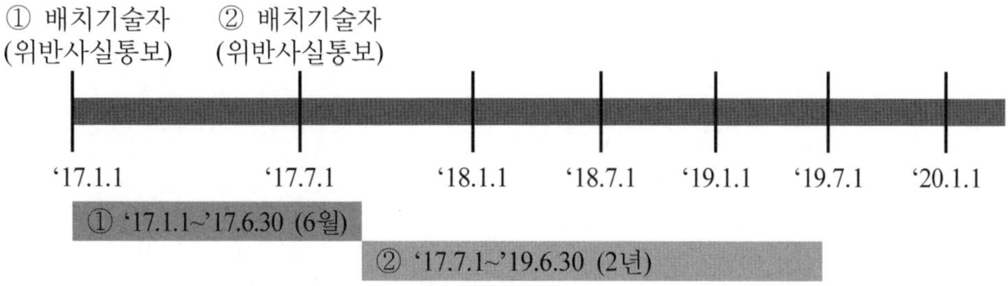

감점	-0.2 (2년 6월)	0

[예시3] 배치기술자 점검에서 시공책임자 2인에 대한 위반사항이 발생한 경우(추정가격 500억원 이상 1,000억원 미만 공사)

> ▶ 16년 하반기 배치기술자 이행점검에서 시공분야 책임자 2인에 대한 위반이 동시에 발생한 경우

→ 해당기술자 1인당 1건으로 산정하여, 시공책임자 책임자 1인당 0.2점씩 감점 부여

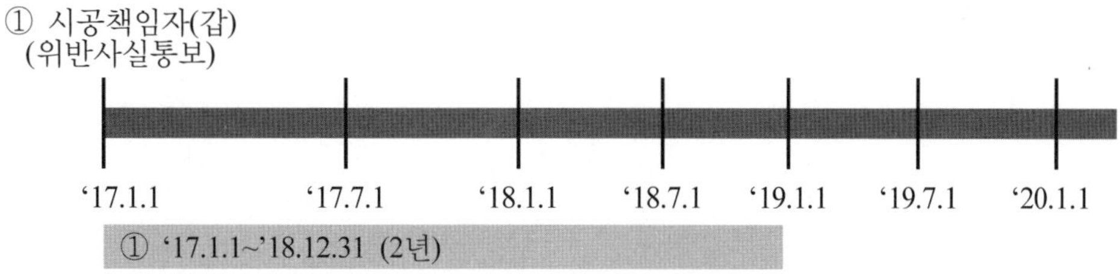

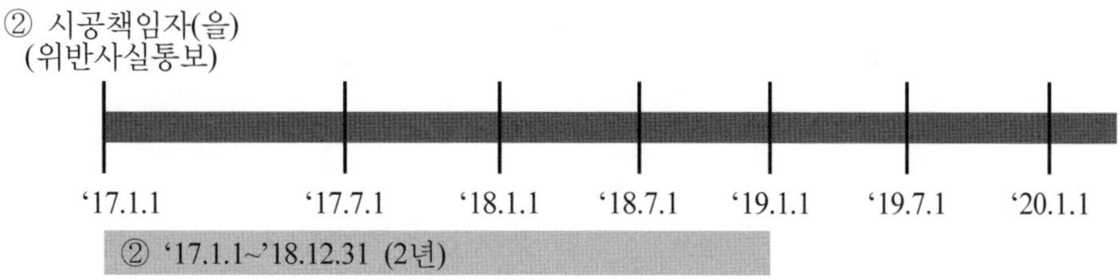

감점	-0.4 (2년)	0

제Ⅱ권 계약예규·고시 및 조달청 시설공사 집행기준 등

Part 3. 기타 행정규칙

1 공기업·준정부기관 계약사무규칙

[시행 2021. 10. 28.] [기획재정부령 제867호, 2021. 10. 28., 타법개정]

제1조(목적) 이 규칙은 「공공기관의 운영에 관한 법률」 제39조제3항에 따라 공기업·준정부기관의 계약의 기준과 절차, 입찰참가자격의 제한 등에 필요한 사항을 규정함을 목적으로 한다.

제2조(다른 법령과의 관계 등) ① 「공공기관의 운영에 관한 법률」(이하 "법"이라 한다) 제5조에 따른 공기업·준정부기관의 계약처리에 관하여 다른 법령에 특별한 규정이 있는 경우 외에는 이 규칙에서 정하는 바에 따른다.

② 공기업·준정부기관의 장(이하 "기관장"이라 한다)은 계약의 기준·절차 등과 관련하여 해당 공기업·준정부기관의 업무의 특성, 계약의 공정성 및 투명성 확보, 그 밖에 불가피한 사유가 있는 경우에는 기획재정부장관의 승인을 받아 이 규칙에서 정하는 내용과 다른 내용의 계약의 기준·절차를 정할 수 있다. 다만, 계약절차와 관련하여 다수공급자 물품계약 등 공개경쟁입찰을 준용한 계약체결 기준을 마련한 경우에는 기준을 마련한 후 7일 이내에 기획재정부장관에게 보고함으로써 그 승인을 갈음할 수 있다. <개정 2009. 3. 5.>

③ 기관장이 제2항 본문에 따른 승인을 요청할 때에는 주무기관의 장을 거쳐야 한다.

④ 기획재정부장관은 제2항 단서에 따라 보고받은 사항 중 계약의 공정성 및 투명성을 확보하기 위하여 필요하다고 인정하는 경우에는 감사원에 그 내용을 통지할 수 있다. <개정 2009. 3. 5.>

⑤ 공기업·준정부기관의 계약에 관하여 이 규칙에 규정되지 아니한 사항에 관하여는 국가를 당사자로 하는 계약에 관한 법령을 준용한다. 이 경우 "국가", "정부" 및 "국고"는 "공기업·준정부기관"으로, "중앙관서의 장"은 "기관장"으로, "계약담당공무원"은 "계약담당자"로 본다.

제3조(공기업·준정부기관의 지정·해제 등) ① 법 제6조에 따라 공기업·준정부기관으로 새로 지정되거나 재지정된 기관은 지정된 날이 속하는 회계연도에는 이 규칙에도 불구하고 지정 당시 적용되던 법령이나 해당 기관의 계약 관련 규정에서 정하는 바에 따른다.

② 공기업·준정부기관이 법 제6조에 따라 공기업·준정부기관에서 해제되거나 기타공공기관으로 변경 지정된 경우에는 해제 또는 변경 당시의 원인행위에 따른 사항은 다른 법령에 특별한 규정이 있는 경우를 제외하고는 이 규칙을 따른다.

제4조(국제입찰에 의할 공기업·준정부기관 조달계약의 범위) ① 별표 1에 따른 공기업·준정부기관은 정부가 가입하거나 체결한 정부조달에 관한 협정 및 이에 근거한 국제규범(이하 "정부

조달협정등"이라 한다)에 따라 별표 2에 해당하는 물품·용역 및 공사에 대하여 기획재정부장관이 정하여 고시하는 금액 이상인 조달계약을 체결하는 경우 국제입찰의 방법으로 하여야 한다. 다만, 다음 각 호의 어느 하나에 해당하는 경우에는 국제입찰에 의한 공기업·준정부기관 조달계약의 대상에서 제외한다. <개정 2009. 3. 5., 2013. 11. 18., 2014. 8. 26.>

1. 판매·재판매에 필요한 물품 또는 용역이나 판매·재판매를 위한 생산에 필요한 물품 또는 용역을 조달하는 경우
2. 「중소기업제품 구매촉진 및 판로지원에 관한 법률」에 따라 중소기업제품을 제조·구매하는 경우
3. 「양곡관리법」, 「농수산물유통 및 가격안정에 관한 법률」 및 「축산법」에 따라 농·수·축산물을 구매하는 경우
4. 「한국전력공사법」에 따른 한국전력공사가 중전기 품목 중 「관세법」에 따른 관세율표의 제8504호, 제8535호, 제8537호 및 제8544호에 해당하는 품목을 구매하는 경우
5. 삭제 <2014. 8. 26.>
6. 국가안보 또는 국방 목적 수행과 관련된 조달로서 중대한 안보상의 이익을 보호하기 위하여 필요한 경우
7. 공공의 질서·안정을 유지하거나 인간 또는 동식물의 생명·건강 및 지적소유권을 보호하기 위하여 필요한 경우
8. 자선단체, 장애인이나 재소자가 생산한 물품과 용역 등을 조달하는 경우
9. 급식 프로그램의 증진을 위하여 조달하는 경우
10. 부동산의 취득 및 임차나 비계약적 합의 또는 지원을 위하여 조달하는 경우
11. 재무대리 또는 예탁, 금융기관의 청산·관리나 공적부채 관련 서비스를 위하여 조달하는 경우
12. 개발원조 등 국제원조를 위하여 조달하는 경우
13. 합작 프로젝트 체결국의 공동 이행과 관련된 국제협약의 절차 또는 조건에 따라 조달하는 경우
14. 국제기구의 절차 또는 조건에 따르거나 국제적 공여 또는 차관 등을 재원으로 조달하는 경우로서 그 절차 또는 조건이 정부조달협정등과 불합치하는 경우

② 제1항에 따라 국제입찰의 방법으로 계약을 체결하려는 경우 이 규칙에서 정한 것 외의 계약의 방법 및 절차 등에 관하여는 「특정조달을 위한 국가를 당사자로 하는 계약에 관한 법률 시행령 특례규정」 및 「특정조달을 위한 국가를 당사자로 하는 계약에 관한 법률 시행 특례규칙」을 준용한다.

③ 국제입찰의 이행에 따른 공표사항은 정부조달협정등에서 정한 출판물에 공고하여야 한다.

④ 기관장 또는 제7조에 따라 위임 또는 위탁을 받아 계약 사무를 담당하는 자(이하 "계약담당자"라 한다)는 계약의 목적과 성질 등을 고려하여 필요하다고 인정되면 제1항에 따른 국제입찰대상이 아닌 경우에도 국제입찰의 방법으로 조달할 수 있다.

제5조(계약의 원칙) ① 공기업·준정부기관의 계약은 서로 대등한 입장에서 당사자의 합의에 따라 체결되어야 하며, 당사자는 계약의 내용을 신의성실의 원칙에 따라 이행하여야 한다.

② 기관장 또는 계약담당자는 계약을 체결할 경우 이 규칙 및 관계 법령에 따른 계약상대자의 계약상의 이익을 부당하게 제한하는 특약이나 조건을 정하여서는 아니 된다.

제6조(계약의 방법) ① 기관장 또는 계약담당자는 계약을 체결하려면 일반경쟁에 부쳐야 한다. 다만, 계약의 목적·성질·규모 등을 고려하여 필요하다고 인정되면 참가자를 지명하여 경쟁에 부치거나 수의계약을 할 수 있다.

② 제1항에 따른 경쟁은 입찰의 방법으로 하여야 하며, 입찰을 하려면 미리 입찰에 관한 사항을 공고하거나 통지하여야 한다.

③ 제1항 본문에 따라 일반경쟁에 부치는 경우, 국가를 당사자로 하는 계약에 관한 법령에서 정하는 바에 따라 입찰참가자격을 사전심사하거나, 시공능력, 기술능력, 실적, 재무상태, 법인등기부상 본점소재지(개인사업자인 경우에는 사업자등록증 또는 관련 법령에 따른 허가·인가·면허·등록·신고 등에 관련된 서류에 기재된 사업장의 소재지를 말한다. 이하 같다) 등으로 입찰참가자격에 필요한 요건을 정할 수 있다. <개정 2016. 9. 12.>

④ 제3항에 따라 기관장 또는 계약담당자는 추정가격이 다음 각 호의 어느 하나에 해당하는 경우에는 입찰참가자격을 법인등기부상 본점소재지가 공사의 현장 또는 물품의 납품지 등이 소재하는 특별시·광역시·특별자치시·도 또는 특별자치도의 관할구역에 등록된 업체로 한정할 수 있다. <신설 2016. 9. 12., 2019. 10. 4.>

1. 공사의 경우에는 다음 각 목의 금액
   가. 「건설산업기본법」에 따른 건설공사(전문공사는 제외한다): 「국가를 당사자로 하는 계약에 관한 법률」 제4조제1항 각 호 외의 부분 본문에 따른 고시금액 미만
   나. 「건설산업기본법」에 따른 전문공사와 그 밖에 공사 관련 법령에 따른 공사: 「국가를 당사자로 하는 계약에 관한 법률 시행규칙」 제24조제2항제1호나목에서 정한 금액 미만
2. 물품의 제조·구매, 용역 및 그 밖의 경우: 「국가를 당사자로 하는 계약에 관한 법률」 제4조제1항 각 호 외의 부분 본문에 따른 고시금액 미만

⑤ 다음 각 호의 어느 하나에 해당하는 경우에는 제1항을 적용하지 아니할 수 있다. <개정 2009. 3. 5., 2010. 9. 30.>

1. 「자본시장과 금융투자업에 관한 법률」에 따른 방법으로 증권에 관한 거래를 하는 경우
2. 부동산의 매입 또는 임차계약을 할 때 경쟁을 시킬 수 없는 부득이한 사유가 있는 경우
3. 「해외건설촉진법」 제6조제6항에 따른 공공기관이 같은 법 제2조제1호에 따른 해외공사를 수주하거나 수행할 때 발주자의 요구사항을 이행하여야 하거나 계약기간을 준수하여야 하는 등의 사유로 경쟁을 시킬 수 없는 부득이한 사유가 있는 경우

⑥ 기관장은 계약 업무의 원활한 수행을 위하여 등록신청, 입찰서 제출·접수 등을 해당 기관의 정보통신매체 및 프로그램을 통하여 하게 할 수 있다. <개정 2009. 3. 5.>

⑦ 기관장 또는 계약담당자가 제2조제5항에 따라 「국가를 당사자로 하는 계약에 관한 법

률」 제25조에 따른 공동계약에 대하여 같은 법 시행령 제72조를 준용하는 경우 같은 조 제3항제1호에 따른 고시금액은 이 규칙 제4조제1항 본문에 따라 기획재정부장관이 정하여 고시하는 금액을 말한다. <신설 2016. 9. 12.>

제6조의2(입찰의 성립) ①경쟁입찰은 2인 이상의 유효한 입찰로 성립한다.

② 제1항에도 불구하고 기관장 또는 계약담당자가 「국유재산법」 제31조제2항에 따른 정보처리장치를 이용하여 재산을 경쟁입찰로 매각하는 경우에는 1인 이상의 유효한 입찰로도 입찰이 성립한다. 다만, 기관장이 매각재산의 특성을 고려할 때 입찰 담합의 소지가 있다고 판단하는 경우에는 그러하지 아니하다.

[본조신설 2010. 9. 30.]

제6조의3(처분 부동산의 예정가격) ① 기관장 또는 계약담당자는 부동산을 처분하려는 경우에는 시가를 고려하여 해당 재산의 예정가격을 결정하여야 한다. 이 경우 예정가격의 결정방법은 다음 각 호와 같다. <개정 2016. 6. 30.>

1. 대장가격이 3천만원 이상인 경우(제2호의 경우는 제외한다): 둘 이상의 「부동산 가격공시 및 감정평가에 관한 법률」에 따른 감정평가업자(이하 "감정평가업자"라 한다)의 평가액을 산술평균한 금액
2. 대장가격이 3천만원 미만인 경우나 국가·지방자치단체 또는 다른 공공기관에 처분하는 경우: 하나의 감정평가업자의 평가액

② 감정평가업자의 평가액은 평가일부터 1년이 지나면 적용할 수 없다. <개정 2016. 6. 30.>

③ 기관장 또는 계약담당자는 경쟁입찰을 두 번 실시하여도 낙찰자가 없는 경우에는 세 번째 입찰부터 최초 매각 예정가격의 100분의 50을 최저한도로 하여 매회 100분의 10의 금액만큼 그 예정가격을 낮출 수 있다.

④ 기관장 또는 계약담당자가 제3항에 따라 예정가격을 낮추려는 경우에는 입찰(재입찰 및 재공고입찰을 포함한다)마다 이사회의 심의·의결을 거쳐야 한다.

[본조신설 2014. 8. 26.]

제6조의4(수입의 원인이 되는 계약의 예정가격 공개) 기관장 또는 계약담당자는 재산을 일반경쟁, 제한경쟁이나 지명경쟁으로 매각 또는 임대하는 경우에는 제6조제2항에 따른 공고 또는 통지를 할 때 입찰에 참가하는 자에게 예정가격을 공개해야 한다. 다만, 지분증권을 매각하는 경우 등 기관장이 해당 계약의 특성을 고려하여 예정가격을 비공개할 필요가 있다고 인정하는 경우에는 그렇지 않다. <개정 2021. 10. 28.>

[본조신설 2018. 7. 5.]

제7조(계약사무의 위임과 위탁) ① 기관장은 계약에 관한 사무를 그 소속직원에게 위임하거나 국가 또는 지방자치단체의 기관이나 다른 기관장(소속 직원을 포함한다)에게 위탁할 수 있다.

② 제1항에도 불구하고 기관장은 해당 공기업·준정부기관의 임직원이 계약에 관한 사무와 관련하여 「형법」 제129조부터 제132조까지, 제314조, 제315조, 제347조, 제347조의2, 제355조부터 제357조까지 및 제359조 중 어느 하나에 해당하는 죄를 범하였다는 혐의로 기소되

거나 해당 공기업·준정부기관의 임직원에 대하여 감사원, 주무부처 또는 해당 공기업·준정부기관의 감사로부터 파면, 해임, 강등 또는 정직(이하 "중징계"라 한다) 요구받은 경우에는 기소되거나 중징계 처분을 요구받은 날부터 10일 이내에 기획재정부장관과 조달청장에게 기소 또는 중징계 처분요구 사실을 통보하여야 하며, 그 기소되거나 중징계 처분을 요구받은 날부터 60일 이내에 해당 임직원이 관리하는 단위 부서(기소 또는 중징계 요구의 원인이 된 행위가 있었던 때를 기준으로 판단하며, 해당 임직원이 관리자가 아닌 경우에는 직상급 관리자가 관리하는 단위 부서를 말한다) 소관의 계약사무를 조달청장에게 위탁하는 방안을 마련하여 이사회의 심의·의결을 요청하고, 이사회가 의결한 경우 해당 계약사무를 조달청장에게 위탁하여야 한다. <신설 2014. 8. 26., 2018. 7. 5.>

③ 제2항에 따라 계약사무를 조달청장에게 위탁하는 경우 그 위탁기간은 위탁받은 날부터 2년으로 한다. <신설 2014. 8. 26.>

④ 기관장은 제2항에 따른 이사회의 의결 결과(조달청장에게 계약사무를 위탁하는 경우에는 위탁하는 사무의 구체적인 범위를 포함한다)를 기획재정부장관과 조달청장에게 통보하여야 한다. <개정 2018. 7. 5.>

⑤ 조달청장은 위탁받은 사무의 범위가 제2항에 따라 이사회가 심의·의결한 위탁 범위와 다른 경우 또는 전문성이 요구되는 등 조달청장이 수행하기 곤란한 경우에는 기관장에게 위탁사무 범위의 조정을 요구할 수 있으며, 기관장은 특별한 사유가 없으면 이에 따라야 한다. <신설 2014. 8. 26., 2018. 7. 5.>

⑥ 제2항의 임직원에 대하여 중징계 외의 처분이나 무죄판결이 확정되는 경우 해당 기관장은 제2항에 따른 계약사무의 위탁을 철회할 수 있으며, 이 경우 조달청장은 위탁 철회의 통지를 받은 날부터 30일 이내에 사무를 인계하여야 한다. <신설 2014. 8. 26.>

⑦ 계약사무의 위탁, 철회 및 위탁기간의 종료의 경우 다음 각 호의 구분에 따른 사무는 인계하지 아니한다. <신설 2014. 8. 26.>

1. 계약사무의 위탁: 제2항에 따른 이사회의 의결일 이전에 입찰공고를 하거나 계약을 체결한 계약사무
2. 계약사무의 철회: 제6항에 따라 조달청장이 위탁철회의 통지를 받은 날 이전에 입찰공고를 하거나 계약을 체결한 계약사무
3. 계약사무 위탁기간의 종료: 위탁기간 종료일 이전에 입찰공고를 하거나 계약을 체결한 계약사무

⑧ 제1항과 제2항에 따라 계약에 관한 사무를 위탁하는 경우에는 위탁조건, 위탁수수료, 그 밖에 필요한 사항을 명백히 하여야 한다. <개정 2014. 8. 26.>

제7조의2(중소기업자간 경쟁 제품의 구매위탁 의무에 대한 예외) ① 법 제44조제1항 단서에서 "기획재정부령으로 정하는 경우"란 다음 각 호의 어느 하나에 해당하는 경우를 말한다.

1. 계약목적을 달성하기 위하여 중소기업자간 경쟁 제품(이하 이 조에서 "제품"이라 한다)을 긴급히 구매할 필요가 있는 경우

2. 디자인 공모 및 선호도 조사 결과 등을 반영하여 미리 제품을 선정하고 구매할 필요가 있는 경우
3. 전산업무 소프트웨어 개발 등 용역사업과 관련된 제품으로서 각 기관의 고유사업을 지원하기 위하여 공기업·준정부기관에서 직접 구매하는 것이 적합한 경우
4. 공기업·준정부기관의 핵심 기자재로서 구매 전문성 및 품질 확보 등을 위하여 해당 기관에서 직접 구매할 필요가 있다고 조달청장이 인정하는 경우
5. 그 밖에 제품의 특수성·전문성·안전성 및 구매 시기 등을 고려할 때 공기업·준정부기관에서 직접 구매하는 것이 적합하다고 조달청장이 인정하는 경우

② 기관장 또는 계약담당자는 해당 기관의 수요물자 중 제1항에 해당하는 제품(품목을 포함한다. 이하 이 항에서 같다)과 제1항에 해당하지 아니하는 제품을 각각 「국가를 당사자로 하는 계약에 관한 법률 시행령」 제14조제3항에 따른 국가종합전자조달시스템(이하 "전자조달시스템"이라 한다)에 게재하거나 자체 전자조달시스템에 게재하여야 한다. <개정 2013. 9. 17.>

③ 기관장 또는 계약담당자는 제품을 해당 기관에서 직접 구매하는 경우에는 그 사유를 발주계획서 및 입찰공고문에 구체적으로 밝혀야 한다.

④ 기관장 또는 계약담당자는 제1항제4호 및 제5호에 따라 인정을 받으려는 경우에는 해당 제품의 품명·규격·수량·추정가격·수요시기 및 직접 구매의 필요성을 적은 신청서를 미리 조달청장에게 제출하여야 한다. 이 경우 조달청장은 신청을 받은 날부터 10일 이내에 그 결과를 해당 기관의 기관장 또는 계약담당자에게 통보하여야 한다.

[본조신설 2010. 3. 30.]

제8조(수의계약) ①기관장 또는 계약담당자는 다음 각 호의 어느 하나에 해당하는 경우에는 수의계약으로 할 수 있다. <개정 2010. 9. 30., 2013. 1. 25., 2013. 11. 18., 2014. 8. 26., 2016. 9. 12., 2018. 7. 5.>

1. 국가·지방자치단체와 계약을 체결하는 경우
2. 공기업·준정부기관이 그 자회사(해당 공기업·준정부기관이 발행주식총수 또는 총출자지분의 100분의 50 이상을 소유하고 있는 법인을 말한다. 이하 같다) 또는 출자회사(해당 공기업·준정부기관이 소유하고 있는 주식 또는 출자지분과 다른 공기업·준정부기관 또는 한국산업은행이 소유하고 있는 주식 또는 출자지분의 합계가 발행주식총수 또는 총출자지분의 100분의 50 이상인 법인을 말한다. 이하 같다)와 다음 각 목의 어느 하나에 해당하는 계약을 체결하는 경우

   가. 정부의 경영혁신을 위한 정책에 따라 공기업·준정부기관이 업무를 위탁하거나 대행시켜 시행하는 경우

   나. 해당 공기업·준정부기관이 가지고 있는 시설·설비 또는 「시설물의 안전관리에 관한 특별법」 제2조제2호에 따른 1종 시설물의 유지관리 등을 위하여 불가피한 경우

   다. 주무기관의 장이 인정하는 특정기술의 보호육성을 위하여 불가피한 경우

라. 공기업·준정부기관의 경영혁신을 위하여 공기업·준정부기관의 자회사 또는 출자회사를 정리하는 경우로서 주무기관의 장이 불가피하다고 인정하는 경우

2의2. 고용노동부장관이 고용안정을 위하여 기획재정부장관과 협의하여 고시하는 기준에 따라 파견근로자 등(공기업·준정부기관의 업무를 수행하던 근로자로 한정한다)을 비정규직 근로자(「기간제 및 단시간근로자 보호 등에 관한 법률」에 따른 기간제근로자 또는 단시간근로자를 말한다)가 아닌 근로자로 고용하는 자회사(다른 공공기관의 자회사를 포함한다), 출자회사(다른 공공기관의 출자회사를 포함한다) 또는 공공기관과 해당 파견근로자 등이 수행하는 업무에 관한 계약을 체결하는 경우

3. 해외사무소에서 사용하는 물품을 현지에서 구매하는 경우
4. 국가안전보장, 외교관계, 공익목적, 그 밖에 이에 준하는 사항으로서 비밀리에 계약을 체결할 필요가 있는 경우
5. 국산화를 촉진하기 위하여 기획재정부장관이 정하여 고시하는 개발선정품 세부기준을 충족하는 제품으로서 기관장이 개발선정품으로 지정한 제품을 그 지정일부터 3년 이내에 그 생산자로부터 제조·구매하는 경우
6. 공기업·준정부기관이 「대·중소기업 상생협력 촉진에 관한 법률」 제8조제1항에 따른 성과공유제를 시행하여 같은 조 제2항에 따른 성과공유제 확산 추진본부로부터 그 성과를 확인받은 후 2년 이내에 해당 수탁기업과 계약을 체결하는 경우
7. 「국가를 당사자로 하는 계약에 관한 법률 시행령」 제26조제1항·제2항에 따라 수의계약으로 하는 것이 가능한 경우(같은 조 제1항제3호사목에 따라 수의계약을 하는 경우에는 같은 목의 고시 금액에도 불구하고 이 규칙 제4조제1항 본문에 따라 기획재정부장관이 고시한 금액 미만의 물품을 구매하는 경우로 한정한다)
8. 「국가를 당사자로 하는 계약에 관한 법률 시행령」 제27조제1항에 따라 수의계약으로 하는 것이 가능한 경우
9. 「기업활동 규제완화에 관한 특별조치법」 제14조에 따라 공기업·준정부기관의 부동산을 부득이하게 공장용지로 사용하려는 중소기업자에게 매각하는 경우

② 제1항에도 불구하고 제4조에 따라 국제입찰에 의한 공기업·준정부기관 조달계약을 체결하는 경우에는 「특정조달을 위한 국가를 당사자로 하는 계약에 관한 법률 시행령 특례규정」 제23조 각 호의 어느 하나에 해당하는 경우에만 수의계약으로 할 수 있다. 이 경우 "특정조달계약"은 "공기업·준정부기관 조달계약"으로 본다. <신설 2014. 8. 26.>

③ 제1항에도 불구하고 기관장 또는 계약담당자는 다음 각 호의 어느 하나에 해당하는 경우에는 수의계약을 체결해서는 안 된다. <신설 2014. 8. 26., 2019. 10. 4.>

1. 해당 공기업·준정부기관의 퇴직자가 대표이사, 이사, 감사 또는 「상법」 제401조의2제1항 각 호의 어느 하나에 해당하는 자(비영리법인의 경우 이에 준하는 자를 말한다)로 근무하고 있는 법인과 그 퇴직자의 퇴직일부터 2년 이내에 계약을 체결하려는 경우
2. 해당 공기업·준정부기관의 퇴직자와 그 퇴직자의 퇴직일부터 2년 이내에 계약을 체결하

려는 경우

3. 해당 공기업·준정부기관의 퇴직자 모임·단체 또는 그 퇴직자 모임·단체의 회원사나 자회사와 계약을 체결하려는 경우

④ 기관장 또는 계약담당자는 법인과 수의계약을 체결하려는 경우에는 해당 법인으로부터 임원의 명단이 기재된 문서를 제출받아 제3항제1호에 해당하는 사람이 없음을 확인하여야 한다. 이 경우 기관장 또는 계약담당자는 해당 법인에 허위서류를 제출할 경우 계약을 해제·해지할 수 있고, 제15조에 따른 입찰참가자격 제한의 대상이 될 수 있음을 고지하여야 한다. <신설 2014. 8. 26.>

⑤ 제3항과 제4항은 제1항제1호·제2호·제2호의2·제7호[「국가를 당사자로 하는 계약에 관한 법률 시행령」 제26조제1항제1호·제2호 및 제5호가목(추정가격이 2천만원 이상으로서 전자조달시스템을 이용하여 견적서를 제출하는 경우로 한정한다)에 따라 수의계약을 체결하는 경우로 한정한다] 및 제8호에 따라 수의계약을 체결하는 경우에는 적용하지 아니한다. <신설 2014. 8. 26., 2018. 7. 5.>

⑥ 계약담당자가 제5항에 따라 수의계약을 체결한 때에는 그 내용을 기관장에게 보고하여야 하며, 기관장은 수의계약을 체결한 사실을 지체 없이 감사원에 통지하여야 한다. <신설 2014. 8. 26.>

[제목개정 2014. 8. 26.]

제8조의2(수의계약 관련 정보의 공개) ① 기관장 또는 계약담당자는 제8조제1항제2호 및 제7호(「국가를 당사자로 하는 계약에 관한 법률 시행령」 제26조제1항제2호에 따라 수의계약을 체결하는 경우로 한정한다)에 따라 수의계약을 체결한 경우에는 월별 해당 수의계약에 관한 다음 각 호의 사항(이하 이 조에서 "수의계약 관련 정보"라 한다)을 다음 달 말일까지 해당 공기업·준정부기관의 인터넷 홈페이지에 공개해야 한다. <개정 2016. 9. 12., 2019. 10. 4.>

1. 사업명과 계약이행기간
2. 계약상대자의 대표자 성명, 상호, 법인등기부상 본점소재지
3. 예정가격과 계약금액
4. 수의계약의 법령상 근거 및 구체적인 사유

② 제1항에 따라 공개한 수의계약 관련 정보는 최소한 해당 계약의 이행을 완료한 날부터 1년이 되는 날까지는 공개해야 한다. <개정 2019. 10. 4.>

[본조신설 2011. 8. 23.]

제9조(지명경쟁의 방법으로 할 수 있는 경우) 기관장 또는 계약담당자는 「국가를 당사자로 하는 계약에 관한 법률 시행령」 제23조제1항 각 호의 어느 하나에 해당하는 경우와 이 규칙 제8조 각 호의 어느 하나에 해당하는 경우에는 지명경쟁입찰의 방법으로 할 수 있다.

제10조(입찰보증금 등의 면제) ① 다음 각 호의 어느 하나에 해당하는 경우에는 입찰보증금을 면제할 수 있다.

1. 자회사가 입찰에 참가하는 경우

2. 출자회사가 입찰에 참가하는 경우
3. 「국가를 당사자로 하는 계약에 관한 법률 시행령」 제37조제3항에 따라 입찰보증금의 전부 또는 일부의 납부를 면제받는 자가 입찰에 참가하는 경우

② 계약보증금의 면제에 관하여는 제1항을 준용한다.

제11조(입찰보증금 등에 대한 이자) 기관장은 입찰참가자 및 계약상대자로부터 현금으로 납부받은 입찰보증금·계약보증금·하자보수보증금 등의 보증금에 대하여는 금융기관이 취급하는 보통예금의 금리수준에 해당하는 이자를 지급하여야 한다. 다만, 납부받은 날부터 10일 이내에 반환하는 경우에는 그러하지 아니하다.

제12조(적격심사기준의 작성) 기관장은 입찰참가자의 계약이행능력의 심사에 관하여 「국가를 당사자로 하는 계약에 관한 법률 시행령」 제42조제5항 본문에 따라 기획재정부장관이 정하는 심사기준(이하 "적격심사기준"이라 한다)에 따라 세부심사기준을 정할 수 있다. 다만, 공사 또는 물품 등의 특성상 필요하다고 인정되는 경우에는 기획재정부장관과의 협의를 거쳐 본문에 따른 적격심사기준과 달리 직접 심사기준을 정할 수 있다. <개정 2009. 3. 5., 2011. 8. 23.>

제13조(대가의 검사 전 지급) 기관장 또는 계약담당자는 다음 각 호의 어느 하나에 해당하는 경우로서 불가피하다고 인정되는 경우에는 검사 전에 계약의 대가를 지급할 수 있다.

1. 계약상대자가 국가·지방자치단체 또는 다른 공기업·준정부기관인 경우
2. 계약상대자가 자회사인 경우
3. 계약상대자가 출자회사인 경우
4. 국제 관례 등 부득이한 사유가 있다고 인정되는 경우

제14조(대가의 수납) ① 기관장 또는 계약담당자는 재산의 매각·대부, 용역의 제공, 그 밖에 수입의 원인이 되는 계약의 경우 계약상대자에게 그 대가를 미리 내게 하여야 한다. 다만, 다음 각 호의 어느 하나에 해당하는 경우에는 그러하지 아니하다.

1. 계약상대자가 국가·지방자치단체 또는 다른 공기업·준정부기관인 경우
2. 계약상대자가 자회사인 경우
3. 계약상대자가 출자회사인 경우
4. 계약상대자가 그 대가에 실비보상액을 가산한 금액 이상의 은행발행 지급보증서 또는 이행보증보험증권을 제출한 경우
5. 연불(延拂)수출 또는 수출 후 대금 송금의 결제 방식으로 수출계약을 체결한 경우

② 기관장 또는 계약담당자는 재산을 매각하는 계약을 할 때 다음 각 호의 어느 하나에 해당하는 경우 금융기관의 일반자금 대출이자율에 상당하는 이자를 붙여 계약체결 후 5년 이내의 기간에 걸쳐 그 대가를 나누어 내게 할 수 있다.

1. 계약상대자가 국가·지방자치단체 또는 다른 공기업·준정부기관으로서 해당 재산을 공공목적에 사용하기 위하여 사들이는 경우
2. 대가를 미리 내게 하는 경우로서 해당 계약의 체결이 불가능하다고 인정되거나 그 대가

를 나누어 내게 하는 것이 공기업·준정부기관에 현저히 유리하다고 인정되는 경우

③ 기관장 또는 계약담당자는 계약특성상 필요하다고 인정되는 경우에는 제2항에도 불구하고, 분할납부 기간을 10년 이내로 할 수 있다. <신설 2009. 9. 1.>

④ 기관장 또는 계약담당자는 제2항과 제3항의 경우 분할납부 이자는 계약상대자에게 계약목적물을 인도하거나 계약상대자가 계약목적물을 점유·사용하는 시점부터 부과한다. 다만, 계약상대자의 이익을 부당하게 제한하지 않는 범위에서 매각조건을 종합적으로 고려하여 필요하다고 인정되는 경우에는 계약당사자 간 합의에 의하여 이자 부과시점을 달리 정할 수 있다. <신설 2009. 9. 1.>

⑤ 기관장 또는 계약담당자는 재고자산 중 부동산에 대하여는 제1항 각 호 외의 부분 본문 및 제2항을 따르지 아니할 수 있다. <개정 2009. 9. 1.>

⑥ 기관장 또는 계약담당자는 수입의 원인이 되는 계약의 계약상대자가 대가의 납부를 지체한 경우 그 계약을 해제 또는 해지하지 아니하는 경우에는 그 대가에 금융기관의 일반자금대출 시 적용되는 연체이자율을 곱하여 산출한 금액을 이자로 가산하여 내게 하여야 한다. <개정 2009. 9. 1.>

제15조(부정당업자의 입찰참가자격 제한) 법 제39조제3항에 따라 기관장은 공정한 경쟁이나 계약의 적정한 이행을 해칠 것이 명백하다고 판단되는 자에 대해서는 「국가를 당사자로 하는 계약에 관한 법률」 제27조에 따라 입찰참가자격을 제한할 수 있다.

[전문개정 2016. 9. 12.]

제16조(의견 청취 및 심의 절차) ① 기관장은 제15조에 따라 입찰참가자격을 제한하려면 미리 해당 처분의 상대방 또는 그 대리인에게 의견을 진술할 기회를 주어야 하며, 필요하다고 인정되면 이해관계인의 의견을 들어야 한다. 다만, 해당 처분의 상대방 또는 그 대리인이 정당한 사유 없이 이에 따르지 아니하거나 소재 불명 등으로 의견진술의 기회를 줄 수 없는 경우에는 그러하지 아니하다. <개정 2016. 9. 12.>

② 기관장은 제1항에 따라 의견청취를 하려면 그 예정일 7일 전까지 처분의 상대방 또는 그 대리인에게 서면으로 그 사유·일시 및 장소 등을 알려야 한다.

③ 제2항에 따른 통지를 받은 처분의 상대방 또는 그 대리인은 지정된 일시에 출석하여 의견을 진술하거나 서면으로 의견을 제출할 수 있다.

④ 제2항에 따른 통지에는 정당한 사유 없이 이에 응하지 아니하는 경우에는 의견진술의 기회를 포기한 것으로 본다는 뜻을 명시하여야 한다.

⑤ 처분의 상대방 또는 그 대리인이 제3항에 따라 의견을 진술하는 경우에는 공기업·준정부기관의 관계 직원은 그 내용을 서면으로 작성하여 출석한 자에게 이를 확인하게 한 후 서명하도록 하거나 기명날인하도록 하여야 한다.

제17조(이의신청) ① 「국가를 당사자로 하는 계약에 관한 법률 시행령」 제110조제1항 각 호의 구분에 따른 금액 이상의 공기업·준정부기관 조달계약 과정에서 해당 기관장 또는 계약담당자로부터 다음 각 호의 어느 하나에 해당하는 사항으로 인하여 불이익을 받은 자(이하

이 조에서 "이의신청인"이라 한다)는 그 행위의 취소 또는 시정을 위하여 해당 기관장에게 이의신청을 할 수 있다. <개정 2018. 7. 5.>

1. 국제입찰에 의한 공기업·준정부기관 조달계약의 범위와 관련된 사항
2. 입찰참가자격과 관련된 사항
3. 입찰 공고와 관련된 사항
4. 낙찰자 결정과 관련된 사항
5. 계약금액 조정과 관련된 사항
6. 지체상금과 지체일수 산입범위와 관련된 사항

② 제1항에 따른 이의신청인은 이의신청의 원인이 되는 행위가 있었던 날부터 15일 이내 또는 그 행위가 있었던 것을 안 날부터 10일 이내에 해당 기관장에게 이의신청을 하여야 한다.

③ 해당 기관장은 이의신청을 받은 날부터 10일 이내에 이를 심사한 후 그 결과를 이의신청인에게 알려야 한다.

④ 제3항에 따른 결과에 대하여 이의가 있는 자는 그 통지를 받은 날부터 15일 이내에 「국가를 당사자로 하는 계약에 관한 법률」 제29조에 따른 국가계약분쟁조정위원회(이하 "위원회"라 한다)에 그 조정을 위한 재심을 청구(이하 "재심청구"라 한다)할 수 있다. <개정 2013. 11. 18.>

[제목개정 2018. 7. 5.]

제18조(국가계약분쟁조정위원회의 심사·조정) ① 위원회는 제17조제4항에 따른 재심청구를 심사·조정할 수 있다.

② 삭제 <2018. 7. 5.>

[제목개정 2013. 11. 18.]

제19조(세부 처리기준) ① 이 규칙의 시행에 필요한 사항은 기획재정부장관이 정하여 고시한다. <개정 2009. 3. 5.>

② 기관장은 제1항에 따라 기획재정부장관이 정하여 고시한 범위에서 이 규칙의 시행에 필요한 세부 사항을 정할 수 있다. <개정 2009. 3. 5.>

제20조(계약담당자의 교육) 기획재정부장관은 이 규칙의 시행에 따른 계약업무와 관련하여 계약담당자의 업무전문성 등을 향상시키기 위하여 교육을 실시할 수 있다. <개정 2009. 3. 5.>

부 칙 〈제586호, 2007. 11. 28.〉

제1조 (시행일) 이 규칙은 2008년 1월 1일부터 시행한다.

제2조 (일반적 경과조치) 이 규칙 시행 당시 종전의 「공기업·준정부기관 회계규칙」에 따라 행하여진 처분, 절차, 그 밖의 행위는 이 규칙에 따라 이루어진 것으로 본다.

제3조 (종전의 고시에 따라 행하여진 행위에 관한 경과조치) 2007년 6월 29일 당시 종전의 「정부투자기관 관리기본법」(법률 제5812호 정부투자기관관리기본법 중 개정법률에 따라 개정되기 전의 것을 말한다) 제20조제3항에 따라 재정경제부장관이 정한 고시에 따라 행하여진 행위는 이 규칙에 따라 행하여진 것으로 본다.

제4조 (혁신도시개발과 관련한 영업소 소재지 및 제한기준 금액에 대한 특례) ① 제2조제5항의 규정에 따라 준용되는 「국가를 당사자로 하는 계약에 관한 법률 시행규칙」 제25조제3항에도 불구하고, 법률 제8238호 「공공기관 지방이전에 따른 혁신도시 건설 및 지원에 관한 특별법」 부칙 제2조에 따라 혁신도시 개발예정지구로 지정된 광주·전남공동혁신도시를 개발하는 사업의 경우에는 주된 영업소 소재지에 대하여 광주광역시와 전라남도의 관할구역을 각각 분리하지 아니하고 동일한 소재지로 본다.

② 삭제 <2009. 3. 5.>

부 칙 〈제59호, 2009. 3. 5.〉

제1조(시행일) 이 규칙은 공포한 날부터 시행한다.

제2조(유효기간) 제6조제4항의 개정규정은 이 규칙 시행일부터 2년간 효력을 가진다.

제3조(계약체결 등에 관한 경과조치) 이 규칙 시행 전에 입찰공고를 한 후 이 규칙 시행 후에 실시하는 입찰, 낙찰자의 결정 및 계약체결과 이 규칙 시행 전에 실시한 입찰에서 낙찰된 후 이 규칙 시행 후에 체결된 계약에 관하여는 종전의 규정에 따른다.

부 칙 〈제97호, 2009. 9. 1.〉

제1조(시행일) 이 규칙은 2009년 9월 1일부터 시행한다.

제2조(적용례) 이 규칙은 이 규칙 시행 후 최초로 체결하는 계약분부터 적용한다.

부 칙 〈제135호, 2010. 3. 30.〉

제1조(시행일) 이 규칙은 2010년 3월 30일부터 시행한다.

제2조(적용례) 제7조의2의 개정규정은 이 규칙 시행 후 최초로 입찰공고하는 중소기업자간 경쟁 제품부터 적용한다.

부 칙 〈제170호, 2010. 9. 30.〉

제1조(시행일) 이 규칙은 공포한 날부터 시행한다. 다만, 제8조제5호 및 제7호의 개정규정은 2010년 10월 22일부터 시행한다.

제2조(적용례) 제6조제5항제3호 및 제6조의2의 개정규정은 이 규칙 시행 후 최초로 입찰공고

하는 분부터 적용한다.

제3조(경과조치) 이 규칙 시행 전에 신기술제품 또는 개발선정품으로 인정되거나 지정된 제품에 대한 수의계약에 관하여는 제8조제5호 및 제7호의 개정규정에도 불구하고 종전의 규정에 따른다.

부 칙 〈제230호, 2011. 8. 23.〉

제1조(시행일) 이 규칙은 공포한 날부터 시행한다.

제2조(일반적 적용례) 이 규칙은 이 규칙 시행 후 최초로 입찰공고하는 계약부터 적용한다.

제3조(수의계약 관련 정보의 공개에 관한 적용례) 제8조의2의 개정규정은 이 규칙 시행 후 최초로 체결하는 수의계약부터 적용한다.

제4조(부정당업자의 입찰참가자격 제한에 관한 적용례) 제15조제6항, 제7항 및 제11항의 개정규정은 이 규칙 시행 후 최초로 입찰참가자격 제한사유에 해당하는 부정당업자부터 적용한다.

부 칙 〈제288호, 2012. 6. 13.〉

(고유식별정보 처리 근거 마련을 위한 공기업·준정부기관 계약사무규칙 등 일부개정령)

제1조(시행일) 이 규칙은 공포한 날부터 시행한다.

제2조(서식에 관한 경과조치) 이 규칙 시행 당시 종전의 규정에 따른 서식은 이 규칙 시행일부터 3개월간 개정규정에 따른 서식과 함께 사용할 수 있다.

부 칙 〈제316호, 2013. 1. 25.〉

이 규칙은 공포한 날부터 시행한다.

부 칙 〈제360호, 2013. 9. 17.〉

(전자조달의 이용 및 촉진에 관한 법률 시행규칙)

제1조(시행일) 이 규칙은 2013년 9월 23일부터 시행한다.

제2조(다른 법령의 개정) ① 공기업·준정부기관 계약사무규칙 일부를 다음과 같이 개정한다.

제7조의2제2항 중 "지정정보처리장치"를 "국가종합전자조달시스템(이하 "전자조달시스템"이라 한다)"으로 한다.

제15조제6항 본문 중 "기획재정부장관이 지정·고시하는 정보처리장치(이하 "지정정보처리장치"라 한다)"를 "전자조달시스템"으로 하고, 같은 조 제7항·제9항 및 제11항 본문 중 "지

정정보처리장치"를 각각 "전자조달시스템"으로 한다.
②부터 ④까지 생략

부 칙 〈제375호, 2013. 11. 18.〉

이 규칙은 공포한 날부터 시행한다. 다만, 제4조제1항제1호 및 별표의 개정규정은 정부조달에 관한 협정 개정 의정서가 우리나라에서 발효되는 날부터 시행한다. <개정 2014. 8. 26.>

부 칙 〈제431호, 2014. 8. 26.〉

제1조(시행일) 이 규칙은 공포한 날부터 시행한다. 다만, 제4조제1항 각 호 외의 부분 중 본문(국제입찰의 방법으로 조달계약을 하여야 하는 물품·용역 및 공사에 관한 내용으로 한정한다), 같은 항 제5호부터 제14호까지, 제8조제2항, 별표 1 및 별표 2의 개정규정은 정부조달에 관한 협정 개정 의정서가 우리나라에서 발효되는 날부터 시행한다.

제2조(처분재산의 예정가격 결정에 관한 적용례) ① 제6조의3제1항 및 제2항의 개정규정은 이 규칙 시행 후 입찰공고를 하는 경우부터 적용한다.

② 제6조의3제3항 및 제4항의 개정규정은 경쟁입찰을 두 번 실시하여도 낙찰되지 아니하여 이 규칙 시행 후 최초로 세 번째 입찰을 하는 경우부터 적용한다.

제3조(계약사무의 위탁에 관한 적용례) 제7조제2항부터 제7항까지의 개정규정은 이 규칙 시행 후 계약사무와 관련하여 공기업·준정부기관의 임직원이 기소되거나 중징계 처분을 요구받는 경우부터 적용한다.

제4조(수의계약 제한에 관한 적용례) 제8조제3항부터 제6항까지의 개정규정은 이 규칙 시행 후 수의계약을 체결하는 경우부터 적용한다.

부 칙 〈제445호, 2014. 12. 8.〉

이 규칙은 공포한 날부터 시행한다. 다만, 별표 1 제4호의 개정규정은 「대한민국 정부와 호주 정부 간의 자유무역협정」이 발효되는 날부터 시행한다.

부 칙 〈제565호, 2016. 6. 30.〉

(행정규제 개선 등을 위한 국고금 관리법 시행규칙 등 일부개정령)

이 규칙은 2016년 7월 1일부터 시행한다.

부 칙 〈제571호, 2016. 9. 12.〉

제1조(시행일) 이 규칙은 공포한 날부터 시행한다.

제2조(부정당업자의 입찰참가자격 제한에 관한 경과조치) 제15조의 개정규정에도 불구하고 이 규칙 시행 전에 한 행위에 따른 입찰참가자격의 제한에 대해서는 종전의 규정에 따른다.

부 칙 〈제683호, 2018. 7. 5.〉

제1조(시행일) 이 규칙은 공포한 날부터 시행한다.

제2조(수입의 원인이 되는 계약의 예정가격 공개에 관한 적용례) 제6조의4의 개정규정은 이 규칙 시행 후 공고 또는 통지하는 입찰부터 적용한다.

제3조(계약사무의 위탁에 관한 적용례) 제7조의 개정규정은 이 규칙 시행 이후 계약에 관한 사무와 관련하여 공기업·준정부기관의 임직원이 기소되거나 중징계 처분을 요구받는 경우부터 적용한다.

제4조(국제입찰에 대한 이의신청에 관한 경과조치) 이 규칙 시행 전에 국제입찰에 따라 체결된 계약에 대해서는 제17조제1항 및 제18조의 개정규정에도 불구하고 종전의 규정에 따른다.

부 칙 〈제752호, 2019. 10. 4.〉

제1조(시행일) 이 규칙은 공포한 날부터 시행한다.

제2조(수의계약 제한에 관한 적용례) 제8조제3항제3호의 개정규정은 이 규칙 시행 이후 수의계약을 체결하는 경우부터 적용한다.

제3조(제한경쟁입찰의 대상에 관한 경과조치) 이 규칙 시행 전에 입찰공고를 한 경우에는 제6조제4항제1호나목의 개정규정에도 불구하고 종전의 규정에 따른다.

부 칙 〈제867호, 2021. 10. 28.〉

(어려운 법령용어 정비를 위한 개별소비세법 시행규칙 등 23개 기획재정부령 일부개정령)

이 규칙은 공포한 날부터 시행한다.

■ 공기업·준정부기관 계약사무규칙 [별표 1] 〈개정 2014.8.26.〉

국제입찰의 방법으로 조달계약을 해야 하는 공기업·준정부기관(제4조제1항 관련)

1. 「WTO 정부조달협정」에 따라 국제입찰의 방법으로 조달계약을 해야 하는 공기업·준정부기관

한국조폐공사, 한국전력공사, 대한석탄공사, 한국광물자원공사, 한국석유공사, 대한무역투자진흥공사, 한국도로공사, 한국토지주택공사, 한국수자원공사, 한국농어촌공사, 한국농수산식품유통공사, 한국관광공사, 한국철도공사, 근로복지공단, 한국가스공사, 한국철도시설공단

[주 1] 조달계약의 일부를 구성하거나 조달계약에 부수하는 운송 서비스의 조달은 적용 대상에서 제외한다.
[주 2] 한국전력공사 및 한국가스공사의 조달과 관련하여 다음의 용역은 적용 대상에서 제외한다.

WTO서비스분류 (GNS/W/120)	UN표준산품분류 (CPC)	대상 용역
1.A.e.	8672	엔지니어링 서비스
1.A.f.	8673	종합 엔지니어링 서비스
1.B.	84	컴퓨터 서비스 및 관련 서비스
1.F.e.	86761	성분·순도 검사 및 분석 서비스
1.F.e.	86764	기술 검사 서비스
1.F.m.	8675	관련 과학 및 기술 자문 서비스
1.F.n.	633, 8861~8866	철 제품, 기계류 및 장비에 부수하는 수선 서비스
1.F.c.	865	경영 자문 서비스
1.F.d.	86601	프로젝트 관리 서비스
2.C.	7523	통신 서비스(코드 및 프로토콜 변환 포함)

[주 3] 한국철도시설공단의 경우 다음의 분야에만 적용한다.
1) 일반철도 시설의 건설 및 조달
2) 일반철도 설계를 포함하는 엔지니어링 서비스
3) 일반철도 시설의 감독
4) 일반철도 시설의 관리

[주 4] 한국철도공사 및 한국철도시설공단의 조달과 관련하여, 노르웨이와 스위스가 그들의 관련 시장에서 대한민국의 사업자에게 동등하고 효과적인 시장접근을 허용할 때까지 적용 대상에서 제외한다.

2. 「한·칠레 자유무역협정」과 「한·싱가포르 자유무역협정」에 따라 국제입찰의 방법으로 조달계약을 해야 하는 공기업·준정부기관

한국조폐공사, 한국전력공사, 대한석탄공사, 한국광물자원공사, 한국석유공사, 대한무역투자진흥공사, 한국도로공사, 한국토지주택공사, 한국수자원공사, 한국농어촌공사, 한국농수산식품유통공사, 한국관광공사, 근로복지공단, 한국가스공사

3. 「한·페루 자유무역협정」에 따라 국제입찰의 방법으로 조달계약을 해야 하는 공기업·준정부기관

한국조폐공사, 한국전력공사, 대한석탄공사, 한국광물자원공사, 한국석유공사, 대한무역투자진흥공사, 한국도로공사, 한국토지주택공사, 한국수자원공사, 한국농어촌공사, 한국농수산식품유통공사, 한국관광공사, 한국철도공사, 근로복지공단, 한국가스공사

■ 공기업·준정부기관 계약사무규칙 [별표 2] 〈개정 2021. 10. 28.〉

국제입찰의 방법으로 조달계약을 해야 하는 물품·용역 및 공사(제4조제1항관련)

1. 국제입찰 대상 물품

별도로 정한 경우를 제외하고 모든 물품을 적용 대상으로 한다.

2. 국제입찰 대상 용역

WTO서비스분류 (GNS/W/120)	UN표준산품분류 (CPC)	대상 용역
1.A.b.	862	회계, 감사 및 부기 서비스
1.A.c.	863	세무 서비스
1.A.d.	8671	건축 서비스
1.A.e.	8672	엔지니어링 서비스
1.A.f.	8673	종합 엔지니어링 서비스
1.A.g.	8674	도시계획 및 조경 서비스
1.B.	84	컴퓨터 서비스
1.B.a.	841	컴퓨터 하드웨어 설치 관련 자문 서비스
1.B.b.	842	소프트웨어 실행 서비스
1.B.c.	843	데이터 처리 서비스
1.B.d.	844	데이터베이스 서비스
1.B.e.	845	사무 기계 및 장비(컴퓨터 포함)의 정비 및 수리서비스
1.E.a.	83103	운전자 없는 선박 관련 임대/리스 서비스
1.E.b.	83104	운전자 없는 항공기 관련 임대/리스 서비스
1.E.c.	83101, 83105*	운전자 없는 기타 운송장비 관련 임대/리스 서비스(승객 15인 미만 승용차에 한한다)
1.E.d.	83106, 83108, 83109	운전자 없는 기타 기계 및 장비 관련 임대/리스 서비스
	83107	운전자 없는 건설 기계 및 장비 관련 임대/리스 서비스
1.F.a.	8711, 8719	광고대행 서비스
1.F.b.	864	시장조사 및 여론조사 서비스
1.F.c.	865	경영 자문 서비스
1.F.d.	86601	프로젝트 관리 서비스
1.F.e.	86761*	성분·순도 검사 및 분석 서비스(대기, 물, 소음 수준 및 진동 수준에 대한 진단, 검사 및 분석 서비스로 한정한다)

WTO서비스분류 (GNS/W/120)	UN표준산품분류 (CPC)	대상 용역
	86764	기술 점검 서비스
1.F.f.	8811*, 8812*	농업 및 축산업 관련 자문 서비스
	8814*	임업에 부수하는 서비스(항공 진화 및 소독은 제외한다)
1.F.g.	882*	어업 관련 자문 서비스
1.F.h.	883*	광업 관련 자문 서비스
1.F.m.	86751, 86752	관련 과학 및 기술 자문 서비스
1.F.n.	633, 8861, 8862, 8863, 8864, 8865, 8866	장비의 정비 및 수리
1.F.p.	875	사진 서비스
1.F.q.	876	포장 서비스
1.F.r.	88442*	인쇄(스크린 인쇄, 그라비어 인쇄 및 인쇄 관련 서비스)
1.F.s.	87909*	속기 서비스, 행사 대행 서비스
1.F.t.	87905	번역 및 통역 서비스
2.C.j.	7523*	온라인 정보 및 데이터베이스 검색
2.C.k.	7523*	전자적 데이터 교환
2.C.l.	7523*	저장·전송, 저장·검색을 포함하는 고도/부가가치 팩스 서비스
2.C.m.	-	코드 및 프로토콜 변환
2.C.n.	843*	온라인 정보 및/또는 데이터 처리(거래처리를 포함한다)
2.D.a.	96112*, 96113*	영화 및 비디오 테이프 생산 및 배급 서비스(유선 TV 방송을 위한 서비스는 제외한다)
2.D.e.	-	음반 생산 및 배급 서비스(음향 녹음)
6.A.	9401*	폐수 처리 서비스(산업 폐수의 수집 및 처리 서비스로 한정한다)
6.B.	9402*	산업 폐기물 처리 서비스(산업 폐기물의 수집, 운반 및 처분 서비스로 한정한다)
6.D.	9404*, 9405*	배기가스 정화 서비스 및 소음저감 서비스(건설시공 서비스는 제외한다)
	9406*, 9409*	환경 검사 및 평가 서비스(환경영향평가 서비스로 한정한다)
9.A.	641	호텔 및 기타 숙박 서비스
9.A.	642	음식 수발 서비스
9.A.	6431	오락이 없는 음료 수발 서비스(CPC 6431의 철도 및 항공 운송 관련 시설은 제외한다)
9.B.	7471	여행 대리점 및 패키지 관광 전문 서비스(정부수송요청은 제외한다)
11.A.b.	7212*	국내 운송을 제외한 국제 운송

WTO서비스분류 (GNS/W/120)	UN표준산품분류 (CPC)	대상 용역
11.A.d.	8868*	선박의 정비 및 수리
11.F.b.	71233*	국내 운송을 제외한 컨테이너 화물의 운송
11.H.c.	748*	화물 운송 대행 서비스 - 해운 대행 서비스 - 해운 화물 주선 서비스 - 해송 중개 서비스 - 항공 화물 운송 대행 서비스 - 통관 서비스
11.I.	-	철도 운송을 위한 화물 주선

[주 1] UN표준산품분류란 중 별표(*)는 서비스 무역에 대한 최초의 양허에 관한 대한민국의 수정 조건부 양허안에 기술된 바에 따라 용역의 “일부”를 뜻한다.

[주 2] 국제입찰 대상 용역은 특정 국가에 대하여 그 국가가 동일한 용역을 우리나라에 개방한 경우에만 적용한다.

3. 국제입찰 대상 공사

UN표준산품분류(CPC)	대상 공사
51	건설 공사

2 기타공공기관 계약사무 운영규정

[시행 2018. 7. 5.] [기획재정부훈령 제385호, 2018. 6. 29., 일부개정.]

제1조 (목적) 이 규정은 「기타공공기관의 경영혁신에 관한 지침」 제22조의2 제2항에 근거하여 「공공기관의 운영에 관한 법률」(이하 "법"이라 한다) 제5조 제4항에 따른 기타공공기관의 경영혁신을 지원하기 위하여 계약의 체결·이행절차 등에 관한 세부사항을 규정함을 목적으로 한다.

제2조 (다른 법령과의 관계 등) ① 당해연도 예산규모가 250억원 이상인 기타공공기관의 계약처리에 관하여 다른 법령에 특별한 규정이 있는 경우 외에는 이 규정에서 정하는 바에 따른다.

② 기타공공기관의 장(이하 "기관장"이라 한다)은 계약의 기준·절차 등과 관련하여 해당 기타공공기관의 업무의 특성, 계약의 공정성 및 투명성 확보, 그 밖에 불가피한 사유가 있는 경우에는 기획재정부장관의 승인을 받아 이 규정에서 정하는 내용과 다른 내용의 계약의 기준·절차를 정할 수 있다. 다만, 계약절차와 관련하여 다수공급자 물품계약 등 공개경쟁입찰을 준용한 계약체결 기준을 마련한 경우에는 기준을 마련한 후 7일 이내에 기획재정부장관에게 보고함으로써 그 승인을 갈음할 수 있다.

③ 기관장이 제2항 본문에 따른 승인을 요청할 때에는 주무기관의 장을 거쳐야 한다.

④ 기타공공기관의 계약에 관하여 이 규정에 규정되지 아니한 사항에 관하여는 공기업·준정부기관 계약사무규칙 및 국가를 당사자로 하는 계약에 관한 법령을 준용한다. 이 경우 "국가", "정부", "국고" 및 "공기업·준정부기관"은 "기타공공기관"으로, "중앙관서의 장"은 "기관장"으로, "계약담당공무원"은 "계약담당자"로 본다.

제3조 (기타공공기관의 지정·해제 등) 기타공공기관이 법 제6조에 따라 기타공공기관에서 해제되거나 공기업·준정부기관으로 변경 지정된 경우에는 해제 또는 변경 당시의 원인행위에 따른 사항은 다른 법령에 특별한 규정이 있는 경우를 제외하고는 이 규정을 따른다.

제4조 (계약의 원칙) ① 기타공공기관의 계약은 서로 대등한 입장에서 당사자의 합의에 따라 체결되어야 하며, 당사자는 계약의 내용을 신의성실의 원칙에 따라 이행하여야 한다.

② 기관장 또는 계약담당자는 계약을 체결할 경우 이 규정 및 관계 법령에 따른 계약상대자의 계약상의 이익을 부당하게 제한하는 특약이나 조건을 정하여서는 아니 된다.

제5조 (계약의 방법) ① 기관장 또는 계약담당자는 계약을 체결하려면 일반경쟁에 부쳐야 한다. 다만, 계약의 목적·성질·규모 등을 고려하여 필요하다고 인정되면 참가자의 자격을 제

한하거나 참가자를 지명하여 경쟁에 부치거나 수의계약을 할 수 있다.

② 제1항에 따른 경쟁은 입찰의 방법으로 하여야 하며, 입찰을 하려면 미리 입찰에 관한 사항을 공고하거나 통지하여야 한다.

③ 제1항 본문에 따라 일반경쟁에 부치는 경우, 국가를 당사자로 하는 계약에 관한 법령에서 정하는 바에 따라 입찰참가자격을 사전심사하거나, 시공능력, 기술능력, 실적, 재무상태, 법인등기부상 본점(개인사업자인 경우에는 사업자등록증 또는 관련법령에 의한 허가·인가·면허·등록·신고 등 관련서류상의 사업장 소재지, 이하 '본점'이라 한다)의 소재지 등으로 입찰참가자격에 필요한 요건을 정할 수 있다.

④ 제3항에 따라 추정가격이 다음 각 호의 어느 하나에 해당하는 경우에는 입찰참가자격을 본점의 소재지(공사의 현장·납품지 등이 소재하는 특별시·광역시·도 또는 특별자치도의 관할구역을 말한다)에 등록된 업체로 정할 수 있다.

1. 「건설산업기본법」에 따른 건설공사(전문공사는 제외한다): 국가를 당사자로 하는 계약에 관한 법률 제4조제1항에 따른 고시금액 미만
2. 「건설산업기본법」에 따른 전문공사, 그 밖의 공사 관련 법령에 따른 공사: 7억원 미만
3. 물품의 제조·구매,용역,그 밖의 경우: 국가를 당사자로 하는 계약에 관한 법률 제4조제1항에 따른 고시금액 미만

⑤ 다음 각 호의 어느 하나에 해당하는 경우에는 제1항을 적용하지 아니할 수 있다.

1. 「자본시장과 금융투자업에 관한 법률」에 따른 방법으로 증권에 관한 거래를 하는 경우
2. 부동산의 매입 또는 임차계약을 할 때 경쟁을 시킬 수 없는 부득이한 사유가 있는 경우
3. 「해외건설촉진법」 제6조제6항에 따른 공공기관이 같은 법 제2조제1호에 따른 해외공사를 수주하거나 수행할 때 발주자의 요구사항을 이행하여야 하거나 계약기간을 준수하여야 하는 등의 사유로 경쟁을 시킬 수 없는 부득이한 사유가 있는 경우

⑥ 기관장은 계약 업무의 원활한 수행을 위하여 등록신청, 입찰서 제출·접수 등을 해당 기관의 정보통신매체 및 프로그램을 통하여 하게 할 수 있다.

제5조의2(수입의 원인이 되는 계약의 예정가격 공개) 기관장 또는 계약담당자는 재산을 일반경쟁, 제한경쟁이나 지명경쟁으로 매각 또는 임대하는 경우에는 제5조제2항에 따른 공고 또는 통지를 할 때 입찰에 참가하는 자에게 예정가격을 공개하여야 한다. 다만, 지분증권을 매각하는 경우 등 기관장이 해당 계약의 특성을 감안하여 예정가격을 공개하지 아니하여야 할 필요가 있다고 인정하는 경우에는 그러하지 아니하다.

제6조 (계약사무의 위임과 위탁) ① 기관장은 계약에 관한 사무를 그 소속직원에게 위임하거나 국가 또는 지방자치단체의 기관이나 다른 기관장(소속 직원을 포함한다)에게 위탁할 수 있다.

② 제1항에도 불구하고 기관장은 해당 기타공공기관의 임직원이 계약에 관한 사무와 관련하여 「형법」 제129조부터 제132조까지, 제314조, 제315조, 제347조, 제347조의2, 제355조부터 제357조까지 및 제359조 중 어느 하나에 해당하는 죄를 범하였다는 혐의로 기소되거나

해당 기타공공기관의 임직원에 대하여 감사원, 주무부처 또는 해당 기타공공기관의 감사로부터 파면, 해임, 강등 또는 정직(이하 "중징계"라 한다) 처분을 요구받은 경우에는 기소되거나 중징계 처분을 요구받은 경우에는 기소되거나 중징계 처분을 요구받은 날부터 10일 이내에 기획재정부장관과 조달청장에게 기소 또는 중징계 처분요구 사실을 통보하여야 하며, 그 기소되거나 중징계 처분을 요구받은 날부터 60일 이내에 해당 임직원이 관리하는 단위 부서(기소 또는 중징계 요구의 원인이 된 행위가 있었던 때를 기준으로 판단하며, 해당 임직원이 관리자가 아닌 경우에는 직상급 관리자가 관리하는 단위 부서를 말한다) 소관의 계약사무를 조달청장에게 위탁하는 방안을 마련하여 이사회의 심의·의결을 요청하고, 이사회가 의결한 경우 해당 계약사무를 조달청장에게 위탁하여야 한다.

③ 제2항에 따라 계약사무를 조달청에 위탁하는 경우 그 위탁기간은 위탁받은 날부터 2년으로 한다.

④ 기관장은 제2항에 따른 이사회의 의결 결과(조달청장에게 계약사무를 위탁하는 경우에는 위탁하는 사무의 구체적인 범위를 포함한다)를 기획재정부장관과 조달청장에게 통보하여야 한다.

⑤ 조달청장은 위탁받은 사무의 범위가 제2항에 따라 이사회가 심의·의결한 위탁범위와 다른 경우 또는 전문성이 요구되는 등 조달청이 수행하기 곤란한 경우에는 기관장에게 위탁사무범위의 조정을 요구할 수 있으며, 기관장은 특별한 사유가 없으면 이에 따라야 한다.

⑥ 제2항의 임직원에 대하여 중징계 외의 처분이나 무죄판결이 확정되는 경우 해당 기관장은 제2항에 따른 계약사무의 위탁을 철회할 수 있으며, 이 경우 조달청장은 위탁 철회의 통지를 받은 날부터 30일 이내에 사무를 인계하여야 한다.

⑦ 계약사무의 위탁, 철회 및 위탁기간의 종료의 경우 다음 각 호의 구분에 따른 사무는 인계하지 아니한다.

1. 계약사무의 위탁: 제2항에 따른 이사회의 의결일 이전에 입찰공고를 하거나 계약을 체결한 계약사무
2. 계약사무의 철회: 제6항에 따라 조달청장이 위탁철회의 통지를 받은 날 이전에 입찰공고를 하거나 계약을 체결한 계약사무
3. 계약사무 위탁기간의 종료: 위탁기간 종료일 이전에 입찰공고를 하거나 계약을 체결한 계약사무

⑧ 제1항과 제2항에 따라 계약에 관한 사무를 위탁하는 경우에는 위탁조건, 위탁수수료, 그 밖에 필요한 사항을 명백히 하여야 한다.

제7조 (수의계약으로 할 수 있는 경우) 기관장 또는 계약담당자는 다음 각 호의 어느 하나에 해당하는 경우에는 수의계약으로 할 수 있다.

1. 국가·지방자치단체와 계약을 체결하는 경우
2. 기타공공기관이 그 자회사(해당 기타공공기관이 발행주식총수 또는 총출자지분의 100분의 50 이상을 소유하고 있는 법인을 말한다. 이하 같다) 또는 출자회사(해당 기타공공기

관이 소유하고 있는 주식 또는 출자지분과 다른 공기업·준정부기관·기타공공기관 또는 한국산업은행이 소유하고 있는 주식 또는 출자지분의 합계가 발행주식총수 또는 총출자지분의 100분의 50 이상인 법인을 말한다. 이하 같다)와 다음 각 목의 어느 하나에 해당하는 계약을 체결하는 경우

가. 정부의 경영혁신을 위한 정책에 따라 기타공공기관이 업무를 위탁하거나 대행시켜 시행하는 경우

나. 해당 기타공공기관이 가지고 있는 시설·설비 또는 「시설물의 안전관리에 관한 특별법」 제2조제2호에 따른 1종 시설물의 유지관리 등을 위하여 불가피한 경우

다. 주무기관의 장이 인정하는 특정기술의 보호육성을 위하여 불가피한 경우

라. 기타공공기관의 경영혁신을 위하여 기타공공기관의 자회사 또는 출자회사를 정리하는 경우로서 주무기관의 장이 불가피하다고 인정하는 경우

2의2. 고용노동부장관이 고용안정을 위하여 기획재정부장관과 협의하여 고시하는 기준에 따라 파견근로자 등(기타공공기관의 업무를 수행하던 근로자로 한정한다)을 비정규직 근로자(「기간제 및 단시간근로자 보호 등에 관한 법률」에 따른 기간제근로자 또는 단시간근로자를 말한다)가 아닌 근로자로 고용하는 자회사(다른 공공기관의 자회사를 포함한다), 출자회사(다른 공공기관의 출자회사를 포함한다) 또는 공공기관과 해당 파견근로자 등이 수행하는 업무에 관한 계약을 체결하는 경우

3. 해외사무소에서 사용하는 물품을 현지에서 구매하는 경우

4. 국가안전보장, 외교관계, 공익목적, 그 밖에 이에 준하는 사항으로서 비밀리에 계약을 체결할 필요가 있는 경우

5. 국산화를 촉진하기 위하여 기관장이 지정하는 개발선정품을 지정한 날로부터 3년 이내에 그 생산자로부터 제조·구매하는 경우

6. 「국가를 당사자로 하는 계약에 관한 법률 시행령」 제26조제1항에 따라 수의계약으로 하는 것이 가능한 경우(같은 조 제1항제3호바목에 따라 수의계약을 하는 경우에는 같은 목의 고시 금액에도 불구하고 「공기업·준정부기관 계약사무규칙」 제4조제1항 본문에 따라 기획재정부장관이 고시한 금액 미만의 물품을 구매하는 경우로 한정한다)

7. 「기업활동 규제완화에 대한 특별조치법」 제14조에 따라 기타공공기관의 부동산을 부득이하게 공장용지로 사용하려는 중소기업자에게 매각하는 경우

제8조 (지명경쟁의 방법으로 할 수 있는 경우) 기관장 또는 계약담당자는 「국가를 당사자로 하는 계약에 관한 법률 시행령」 제23조제1항 각 호의 어느 하나에 해당하는 경우와 이 규정 제7조 각 호의 어느 하나에 해당하는 경우에는 지명경쟁입찰의 방법으로 할 수 있다.

제9조 (입찰보증금 등의 면제) ① 다음 각 호의 어느 하나에 해당하는 경우에는 입찰보증금을 면제할 수 있다.

1. 자회사가 입찰에 참가하는 경우
2. 출자회사가 입찰에 참가하는 경우

3. 「국가를 당사자로 하는 계약에 관한 법률 시행령」 제37조제3항에 따라 입찰보증금의 전부 또는 일부의 납부를 면제받는 자가 입찰에 참가하는 경우

② 계약보증금의 면제에 관하여는 제1항을 준용한다.

제10조 (입찰보증금 등에 대한 이자) 기관장은 입찰참가자 및 계약상대자로부터 현금으로 납부받은 입찰보증금·계약보증금·하자보수보증금 등의 보증금에 대하여는 금융기관이 취급하는 보통예금의 금리수준에 해당하는 이자를 지급하여야 한다. 다만, 납부받은 날부터 10일 이내에 반환하는 경우에는 그러하지 아니하다.

제11조 (적격심사기준의 작성) 기관장은 입찰참가자의 계약이행능력의 심사에 관하여 「국가를 당사자로 하는 계약에 관한 법률 시행령」 제42조제5항 본문에 따라 기획재정부장관이 정하는 심사기준(이하 "적격심사기준"이라 한다)에 따라 세부심사기준을 정할 수 있다. 다만, 공사 또는 물품 등의 특성상 필요하다고 인정되는 경우에는 본문에 따른 적격심사기준과 달리 직접 심사기준을 정할 수 있다.

제12조 (대가의 검사 전 지급) 기관장 또는 계약담당자는 다음 각 호의 어느 하나에 해당하는 경우로서 불가피하다고 인정되는 경우에는 검사 전에 계약의 대가를 지급할 수 있다.

1. 계약상대자가 국가·지방자치단체 또는 다른 공공기관인 경우
2. 계약상대자가 자회사인 경우
3. 계약상대자가 출자회사인 경우
4. 국제 관례 등 부득이한 사유가 있다고 인정되는 경우

제13조 (대가의 수납) ① 기관장 또는 계약담당자는 재산의 매각·대부, 용역의 제공, 그 밖에 수입의 원인이 되는 계약의 경우 계약상대자에게 그 대가를 미리 내게 하여야 한다. 다만, 다음 각 호의 어느 하나에 해당하는 경우에는 그러하지 아니하다.

1. 계약상대자가 국가·지방자치단체 또는 다른 공공기관인 경우
2. 계약상대자가 자회사인 경우
3. 계약상대자가 출자회사인 경우
4. 계약상대자가 그 대가에 실비보상액을 가산한 금액 이상의 은행발행 지급보증서 또는 이행보증보험증권을 제출한 경우
5. 연불(延拂)수출 또는 수출 후 대금 송금의 결제 방식으로 수출계약을 체결한 경우

② 기관장 또는 계약담당자는 재산을 매각하는 계약을 할 때 다음 각 호의 어느 하나에 해당하는 경우 금융기관의 일반자금 대출이자율에 상당하는 이자를 붙여 계약체결 후 5년 이내의 기간에 걸쳐 그 대가를 나누어 내게 할 수 있다.

1. 계약상대자가 국가·지방자치단체 또는 다른 공공기관으로서 해당 재산을 공공목적에 사용하기 위하여 사들이는 경우
2. 대가를 미리 내게 하는 경우로서 해당 계약의 체결이 불가능하다고 인정되거나 그 대가를 나누어 내게 하는 것이 기타공공기관에 현저히 유리하다고 인정되고, 계약상대자가 전항 제4호의 증서를 제출하거나 저당권을 설정하는 등 채권확보 조치를 이행한 경우

③ 기관장 또는 계약담당자는 계약특성상 필요하다고 인정되는 경우에는 제2항에도 불구하고, 분할납부 기간을 10년 이내로 할 수 있다.

④ 기관장 또는 계약담당자는 제2항과 제3항의 경우 분할납부 이자는 계약상대자에게 계약목적물을 인도하거나 계약상대자가 계약목적물을 점유·사용하는 시점부터 부과한다. 다만, 계약상대자의 이익을 부당하게 제한하지 않는 범위에서 매각조건을 종합적으로 고려하여 필요하다고 인정되는 경우에는 계약당사자 간 합의에 의하여 이자 부과시점을 달리 정할 수 있다.

⑤ 기관장 또는 계약담당자는 재고자산 중 부동산에 대하여는 제1항 각 호 외의 부분 본문 및 제2항을 따르지 아니할 수 있다.

⑥ 기관장 또는 계약담당자는 수입의 원인이 되는 계약의 계약상대자가 대가의 납부를 지체한 경우 그 계약을 해제 또는 해지하지 아니하는 경우에는 그 대가에 금융기관의 일반자금대출 시 적용되는 연체이자율을 곱하여 산출한 금액을 이자로 가산하여 내게 하여야 한다.

제14조 (부정당업자의 입찰참가자격 제한) ① 기관장은 계약상대자, 입찰자 또는 「국가를 당사자로 하는 계약에 관한 법률 시행령」 제30조제2항에 따라 전자조달시스템을 이용하여 견적서를 제출하는 자(이하 "계약상대자등"이라 한다)나 계약상대자등의 대리인, 지배인 또는 그 밖의 사용인이 공정한 경쟁이나 계약의 적정한 이행을 해칠 것이 명백한 경우로서 「국가를 당사자로 하는 계약에 관한 법률」 제27조제1항제2호·제3호·제5호·제7호 및 「국가를 당사자로 하는 계약에 관한 법률 시행령」 제76조제1항제1호가목에 해당하는 경우에는 계약상대자등에게 1개월 이상 2년 이하의 범위에서 그 입찰참가자격을 제한할 수 있다. 다만, 계약상대자등의 대리인, 지배인 또는 그 밖의 사용인의 행위로 인하여 입찰참가자격의 제한 사유가 발생한 경우로서 계약상대자등이 그 행위를 방지하기 위하여 상당한 주의와 감독을 게을리하지 아니한 경우에는 제한하지 아니한다.

② 제1항에 따른 입찰참가자격의 제한에 관한 기간, 제한기간의 가감, 그 밖에 필요한 사항은 「국가를 당사자로 하는 계약에 관한 법률 시행규칙」 제76조에서 정하는 바에 따른다.

③ 공동계약의 경우에는 입찰참가자격의 제한 사유를 직접 발생하게 한 자에 대하여 제1항을 적용한다.

④ 입찰참가자격을 제한받은 자가 법인이나 단체인 경우에는 그 대표자에 대하여, 중소기업협동조합인 경우에는 그 원인을 직접 발생하게 한 조합원에 대하여도 제1항을 적용한다. 다만, 법인 또는 단체의 대표자가 다수인 경우로서 해당 입찰 또는 계약에 관한 업무를 처리하지 아니한 대표자에 대하여는 그러하지 아니하다.

⑤ 입찰참가자격이 제한된 자를 대표자로 사용하여 그 대표자가 입찰에 관여하는 경우에는 그 사용자에 대하여도 제1항을 적용한다.

⑥ (삭제)

⑦ (삭제)

⑧ 기관장은 입찰참가자격이 제한된 자가 상호변경이나 대표자변경 등의 방법으로 제한기간에 입찰에 참가하는 것을 방지하기 위하여 입찰참가자의 주민등록번호(법인은 대표자의 주민등록번호), 법인등록번호(법인만 해당한다), 사업자등록번호, 관계 법령에 따른 면허 또는 등록번호 등을 확인하여야 한다.

⑨ 기관장 또는 계약담당자는 부득이한 사유가 없으면 입찰참가자격을 제한받은 자와 수의계약을 체결하여서는 아니 된다.

⑩ 입찰참가자격을 제한받은 자는 이의가 있으면 해당 기관장에게 그 취소 또는 변경을 신청할 수 있다.

⑪ 기관장은 「국가를 당사자로 하는 계약에 관한 법률」, 「지방자치단체를 당사자로 하는 계약에 관한 법률」, 「공기업·준정부기관 계약사무규칙」에 따라 입찰참가자격 제한 사실을 통보받거나 지정정보처리장치에 게재된 자에 대하여도 입찰에 참가할 수 없도록 할 수 있다.

제15조 (의견 청취 및 심의 절차) ① 기관장은 제14조제1항에 따라 입찰참가자격을 제한하려면 미리 해당 처분의 상대방 또는 그 대리인에게 의견을 진술할 기회를 주어야 하며, 필요하다고 인정되면 이해관계인의 의견을 들어야 한다. 다만, 해당 처분의 상대방 또는 그 대리인이 정당한 사유 없이 이에 따르지 아니하거나 소재 불명 등으로 의견진술의 기회를 줄 수 없는 경우에는 그러하지 아니하다.

② 기관장은 제1항에 따라 의견청취를 하려면 그 예정일 7일 전까지 처분의 상대방 또는 그 대리인에게 서면으로 그 사유·일시 및 장소 등을 알려야 한다.

③ 제2항에 따른 통지를 받은 처분의 상대방 또는 그 대리인은 지정된 일시에 출석하여 의견을 진술하거나 서면으로 의견을 제출할 수 있다.

④ 제2항에 따른 통지에는 정당한 사유 없이 이에 응하지 아니하는 경우에는 의견진술의 기회를 포기한 것으로 본다는 뜻을 명시하여야 한다.

⑤ 처분의 상대방 또는 그 대리인이 제3항에 따라 의견을 진술하는 경우에는 기타공공기관의 관계 직원은 그 내용을 서면으로 작성하여 출석한 자에게 이를 확인하게 한 후 서명하도록 하거나 기명날인하도록 하여야 한다.

제16조(이의신청) ① 「국가를 당사자로 하는 계약에 관한 법률 시행령」 제110조제1항 각 호의 구분에 따른 금액 이상의 기타공공기관 조달계약 과정에서 해당 기관장 또는 계약담당자로부터 다음 각 호의 어느 하나에 해당하는 사항으로 인하여 불이익을 받은 자(이하 이 조에서 "이의신청인"이라 한다)는 그 행위의 취소 또는 시정을 위하여 해당 기관장에게 이의신청을 할 수 있다.

1. 입찰참가자격과 관련된 사항
2. 입찰 공고와 관련된 사항
3. 낙찰자 결정과 관련된 사항
4. 계약금액 조정과 관련된 사항
5. 지체상금과 지체일수 산입범위와 관련한 사항

② 제1항에 따른 이의신청인은 이의신청의 원인이 되는 행위가 있었던 날부터 15일 이내 또는 그 행위가 있었던 것을 안 날부터 10일 이내에 해당 기관장에게 이의신청을 하여야 한다.

③ 해당 기관장은 이의신청을 받은 날부터 10일 이내에 이를 심사한 후 그 결과를 이의신청인에게 알려야 한다.

④ 제3항에 따른 결과에 대하여 이의가 있는 자는 그 통지를 받은 날부터 15일 이내에 「국가를 당사자로 하는 계약에 관한 법률」 제29조에 따른 국가계약분쟁조정위원회(이하 "위원회"라 한다)에 그 조정을 위한 재심을 청구(이하 "재심청구"라 한다)할 수 있다.

제17조(국가계약분쟁조정위원회의 심사·조정) 위원회는 제16조제4항에 따른 재심청구를 심사·조정할 수 있다.

제18조(재검토 기한) 「훈령·예규 등의 발령 및 관리에 관한 규정」에 따라 이 훈령에 대하여 2018년 7월1일 기준으로 매년 3년이 되는 시점(매 3년째의 6월 30일까지를 말한다)마다 그 타당성을 검토하여 개선 등의 조치를 하여야 한다.

부 칙 〈제9999호, 2010. 10. 22.〉

제1조(시행일) 이 규정은 2010년 10월 22일부터 시행한다.

부 칙 〈제9999호, 2011. 6. 24.〉

제1조(시행일) 이 규정은 2010년 7월 1일부터 시행한다.

제2조(적용례) 이 규정은 시행일 후 최초로 체결하는 계약분(다만, 경쟁입찰의 경우 시행일 후 입찰공고하는 계약분)부터 적용한다.

부 칙 〈제127호, 2012. 10. 26.〉

제1조(시행일) 이 규정은 2012년 10월 29일부터 시행한다.

제2조(적용례) 이 규정은 시행일 이후 입찰공고를 한 분부터 적용한다.

부 칙 〈제153호, 2013. 12. 4.〉

이 규정은 2013년 12월 10일부터 시행한다.

부 칙 〈제309호, 2016. 10. 4.〉

이 규정은 2016년 10월 12일부터 시행한다.

부　칙 〈제385호, 2018. 6. 29.〉

제1조(시행일) 이 규정은 2018년 7월 5일부터부터 시행한다.

제2조(수입의 원인이 되는 계약의 예정가격 공개에 관한 적용례) 제5조의2의 개정규정은 이 규정 시행 후 공고 또는 통지하는 입찰부터 적용한다.

제3조(계약사무의 위탁에 관한 적용례) 제6조의 개정규정은 이 규정 시행 이후 계약에 관한 사무와 관련하여 기타공공기관의 임직원이 기소되거나 중징계 처분을 요구받는 경우부터 적용한다.

3 건설공사금액의 하한

[시행 2016. 4. 18.] [국토교통부고시 제2016-210호, 2016. 4. 18., 폐지제정.]

1. 대상공사
  가. 국가기관 및 「공공기관 운영에 관한 법률」에 따라 기획재정부장관이 지정하여 고시한 공공기관 중 공기업과 준정부기관이 발주하는 건설공사로서 추정가격이 「국가를 당사자로 하는 계약에 관한 법률」 제4조제1항에 따라 기획재정부장관이 정하여 고시하는 금액(세계무역기구의 정부조달협정상 개방대상금액을 말한다) 미만인 공사
  나. 지방자치단체 및 「지방공기업법」에 따른 지방공기업 중 지방직영기업과 지방공사·공단이 발주하는 건설공사로서 추정가격이 「지방자치단체를 당사자로 하는 계약에 관한 법률」 제5조제1항에 따라 안전행정부장관이 정하여 고시하는 금액 미만인 공사
  다. 가목 및 나목에도 불구하고 수의계약공사는 제외한다.

2. 대상 건설업자
  가. 토목공사업, 건축공사업 및 토목건축공사업을 시공하는 업종에 등록한 건설업자로서 해당 업종에 대한 최근 년도 시공능력평가액이 1,200억원 이상인 건설업자
  나. 산업·환경설비공사업을 시공하는 업종에 등록한 건설업자로서 해당 업종에 대한 최근 년도 시공능력평가액이 41,000억원 이상인 건설업자
  다. 조경공사업을 시공하는 업종에 등록한 건설업자로서 해당 업종에 대한 최근 년도 시공능력평가액이 1,800억원 이상인 건설업자

3. 하한금액

하한금액은 해당 업체의 최근 년도 시공능력평가액의 1/100에 해당하는 금액으로 한다. 다만, 지방자치단체와 「공공기관 운영에 관한 법률」에 따라 기획재정부장관이 지정하여 고시한 공공기관 중 공기업과 준정부기관 및 「지방공기업법」에 따른 지방공기업 중 지방직영기업과 지방공사·공단이 발주하는 건설공사의 경우 하한금액이 아래의 금액을 초과할 수 없다.

  가. 토목공사, 건축공사 및 토목건축공사 : 200억원
  나. 산업·환경설비공사 : 180억원
  다. 조경공사 : 20억원

4. 적용기준

가. 공동도급으로 발주되는 공사의 경우에는 전체공사금액에 대하여 적용한다. 다만, 분담이행방식의 공동도급의 경우에는 공동도급 구성원별로 분담시공하는 공사금액에 대하여 적용한다.

나. 「국가를 당사자로 하는 계약에 관한 법률」 제21조 등에 따라 장기계속계약으로 발주되는 공사의 경우에는 전체공사금액에 대하여 적용한다.

다. 「건설산업기본법」 이외의 법령에 따라 등록 또는 신고 등을 하여야 도급받을 수 있는 공사와 복합된 공사로서 일괄 발주되는 공사의 경우에는 「건설산업기본법」상의 건설업종에 해당하는 공사에 한하여 하한금액을 적용한다.

라. 하한금액은 해당 공사의 추정금액 중 토목건축공사, 토목공사, 건축공사 산업·환경설비공사, 조경공사에 해당하는 부분에 대하여 각각 적용한다. 다만, 토목건축공사업을 시공하는 업종에 등록한 건설업자의 경우 토목건축공사, 토목공사, 건축공사에 대하여 적용한다.

5. 조치사항

가. 시·도지사(국토교통부장관이 지정하여 고시한 위탁기관)는 건설공사금액의 하한을 적용받는 건설업자의 건설업등록수첩에 건설공사금액의 하한을 기재하여야 한다.

나. 발주기관의 장은 건설공사금액의 하한을 적용받는 건설공사를 발주하는 경우 입찰공고시 추정가격을 명기하고, 추정금액에 대하여서는 토목건축공사업, 토목공사업, 건축공사업, 산업·환경설비공사업 및 조경공사업에 해당하는 금액을 구분하여 명기하여야 한다. 다만, 토목건축공사업을 포함하는 경우 토목공사업 및 건축공사업을 구분하지 않을 수 있다.

6. 재검토기한

국토교통부장관은 「훈령·예규 등의 발령 및 관리에 관한 규정」에 따라 이 고시에 대하여 2016년 7월 1일 기준으로 매 3년이 되는 시점(매 3년째의 6월 30일까지를 말한다)마다 그 타당성을 검토하여 개선 등의 조치를 하여야 한다.

7. 행정사항

가. (시행일) 이 고시는 발령한 날부터 시행한다.

나. (종전 고시의 폐지) 이 고시 시행과 동시에 국토교통부 고시 제2013-516호(2013. 9. 2)는 폐지한다.

4 건설공사 발주 세부기준

개정 2022.6.10. (국토교통부 고시 제2022-325호)

제1장 총 칙

제1조(목적) 이 고시는 「건설산업기본법」 제8조 및 제16조, 같은 법 시행령 제21조제3항 및 같은 법 시행규칙 제13조의4제2항에 따른 부대공사의 범위와 기준, 건설공사의 시공자격 등을 판단하기 위해 필요한 세부적인 사항을 정함을 목적으로 한다.

제2조(정의) 이 기준에서 사용하는 용어의 정의는 다음과 같다.

1. "주된 공사"란 「건설산업기본법 시행령」(이하 "영"이라 한다) 별표 1에 따른 종합공사를 시공하는 업종 및 전문공사를 시공하는 업종의 업무내용에 속하는 공사를 말한다.
2. "종된 공사"란 주된 공사 업종의 업무내용에 속하지 아니한 공사로서 시공 과정상 필수적으로 수반되는 공사를 말한다.
3. "신설공사"란 「건설산업기본법」 제2조제4호의 건설공사 중 토목공사, 건축공사, 산업설비공사, 조경공사, 환경시설공사, 그 밖에 명칭과 관계없이 시설물을 새로이 설치하는 공사(시설물을 설치하기 위한 부지조성공사를 포함한다) 및 기계설비나 그 밖의 구조물의 설치 및 해체공사 등을 말한다. 이 경우 제4호 단서에 따른 건설공사를 포함한다.
4. "유지보수 공사"란 시설물의 완공 이후 개량·보수·보강하는 공사를 말한다. 다만, 다음 각 목의 어느 하나에 포함하는 공사는 제외한다.
   가. 건축물의 증축·개축·재축 및 대수선공사
   나. 건축물을 제외한 그 밖의 시설물의 증설·확장공사 및 주요구조부를 해체한 후 복구·보강·변경하는 공사
5. "주력분야"란 영 제7조의2에 따라 전문공사를 시공하는 업종의 업무분야 중 주력으로 시공할 수 있는 업무분야를 말한다.

제3조(적용범위) 이 기준은 「건설산업기본법」(이하 "법"이라 한다) 제2조제10호에 따른 발주자(조달청 등에 공사계약 체결 업무를 의뢰하는 기관을 포함한다. 이하 같다)가 법 제2조제4호에 따른 건설공사에 대하여 적용하며, 관계 법령에서 특별히 정한 경우를 제외하고는 이 기준에서 정하는 바에 따른다.

제2장 건설공사의 발주

제4조(종합공사와 전문공사의 구분) 발주자는 건설공사의 세부내역을 검토하여 주된 공사와 부대공사를 결정하고, 해당 공사의 종합적인 계획·관리·조정의 필요성 여부에 따라 종합공사와 전문공사로 구분해야 한다.

제4조의2(신설공사와 유지보수 공사의 구분) 발주자는 건설공사 발주 시 신설공사와 유지보수 공사 여부를 구분하여 입찰공고문에 기재하여야 한다.

제5조(부대공사 판단기준) ① 법 제16조제2항 및 영 제21조제1항에 따른 부대공사의 범위는 다음 각 호와 같다.

1. 주된 공사를 시공하기 위하여 또는 시공함으로 인하여 필요하게 되는 종된 공사
2. 2종 이상의 전문공사가 복합된 공사로서 공사예정금액이 3억원 미만이고, 주된 전문공사의 공사예정금액이 전체 공사예정금액의 2분의 1 이상인 경우 그 나머지 부분의 공사
3. 영 별표 1에 따른 건설업종 중 기계설비공사업 및 가스시설시공업에 속한 공사 간의 복합된 공사를 그 중 주된 공사에 관한 업종의 건설사업자가 도급받는 경우 나머지 업종에 속한 공사

② 제1항제1호의 부대공사로 인정하는 기준은 다음 각 호와 같다.

1. 주된 공사와 부대공사의 공사 종류간에 종속성(從屬性) 및 연계성(連繫性)이 인정될 것
2. 건설공사의 업종별 업무내용 및 시공기술의 난이도 등을 고려할 때 주된 공사의 건설사업자가 시공할 수 있고 주된 공사의 건설사업자가 부대공사를 시공하더라도 공사의 품질이나 안전에 지장을 초래하지 않을 것

③ 제2항에 따른 부대공사 판단 시 발주자는 다음 각 호를 고려해야 한다.

1. 공사의 전·후 시공과정상 주된 공사에 수반되는 공사인지
2. 전체 공사 중 주된 공사의 규모를 초과하지 않는지
3. 공사구간·기간·시기, 연약지반 등 특수여건, 공정 전반에 대한 종합적인 계획·관리 및 조정의 필요성 등 현지 여건

④ 부대공사의 범위 및 기준에 관하여 필요한 세부적인 적용 방법 및 사례는 별표 1과 같다.

제6조(종합공사의 시공자격) ① 종합공사를 시공할 수 있는 자격은 법 제16조제1항에 따라 종합공사를 시공하는 업종을 등록한 건설사업자(이하 "종합건설사업자"라 한다)에게 있다. 다만, 다음 각 호의 어느 하나에 해당하는 경우에는 종합공사를 시공하는 업종을 등록하지 아니하고도 시공 자격이 있다.

1. 2개 업종 이상의 전문공사를 시공하는 업종을 등록한 건설사업자가 그 업종에 해당하는 전문공사로 구성된 종합공사를 도급받는 경우
2. 전문공사를 시공할 수 있는 자격을 보유한 건설사업자가 전문공사에 해당하는 부분을 시공하는 조건으로 하여, 종합공사를 시공할 수 있는 자격을 보유한 건설사업자가 종합

적인 계획, 관리 및 조정을 하는 공사를 공동으로 도급받는 경우

3. 전문공사를 시공하는 업종을 등록한 2 이상의 건설사업자가 그 업종에 해당하는 전문공사로 구성된 종합공사를 공정관리, 하자책임 구분 등을 고려하여 「건설산업기본법 시행규칙」(이하 "규칙"이라 한다)으로 정하는 바에 따라 공동으로 도급받는 경우
4. 법 제9조제1항에 따라 등록한 업종에 해당하는 건설공사를 이미 도급받아 시공하였거나 시공 중인 건설공사의 부대공사로서 다른 건설공사를 도급받는 경우
5. 발주자가 공사품질이나 시공상 능률을 높이기 위하여 필요하다고 인정한 경우로서 기술적 난이도, 공사를 구성하는 전문공사 사이의 연계 정도 등을 고려하여 영 제19조 각 호의 어느 하나에 해당하는 경우

② 제1항제3호에서 규정한 건설사업자의 경우 2024년 1월 1일부터 시공자격을 가진다.

제7조(전문공사의 시공자격) ① 전문공사를 시공할 수 있는 자격은 법 제16조제1항에 따라 전문공사를 시공하는 업종을 등록한 건설사업자(이하 "전문건설사업자"라 한다)에게 있다. 다만, 다음 각 호의 어느 하나에 해당하는 경우에는 전문공사를 시공하는 업종을 등록하지 아니하고도 시공 자격이 있다.

1. 토목공사업 또는 토목건축공사업을 등록한 건설사업자가 토목공사업 업무내용에 포함되는 전문공사를 도급받는 경우
2. 건축공사업 또는 토목건축공사업을 등록한 건설사업자가 건축공사업 업무내용에 포함되는 전문공사를 도급받는 경우
3. 산업환경설비공사업을 등록한 건설사업자가 산업환경설비공사업의 업무내용에 포함되는 전문공사를 도급받는 경우
4. 조경공사업을 등록한 건설사업자가 조경공사업의 업무내용에 포함되는 전문공사를 도급받는 경우
5. 법 제9조제1항에 따라 등록한 업종에 해당하는 건설공사를 이미 도급받아 시공하였거나 시공 중인 건설공사의 부대공사로서 다른 건설공사를 도급받는 경우
6. 발주자가 공사품질이나 시공상 능률을 높이기 위하여 필요하다고 인정한 경우로서 기술적 난이도, 공사를 구성하는 전문공사 사이의 연계 정도 등을 고려하여 영 제19조에 해당하는 경우

② 제1항제1호부터 제4호까지의 규정의 적용과 관련하여 공사예정금액이 2억원 미만인 전문공사에 대하여는 2024년 1월 1일부터 시공 자격이 있다.

제8조(건설공사의 발주방식) ① 발주자는 건설공사를 발주함에 있어 제6조 및 제7조에 따라 시공자격을 갖춘 건설사업자의 입찰참가를 허용해야 하며, 시공자격을 갖춘 건설사업자의 입찰참가를 제한하려는 경우 그 사유를 입찰공고문에 기재해야 한다.

② 발주자는 종합공사를 발주하려는 경우 해당 공사의 주된 공사를 구성하는 업종 및 구성비율을 입찰공고문에 기재해야 하며, 부대공사에 대하여는 기재하지 아니 한다.

③ 발주자는 공사예정금액이 2억원 미만인 건설공사를 발주함에 있어 법률 제16136호 건

설산업기본법 일부개정법률 제16조의 개정규정 시행일(2021년 1월 1일을 말한다) 이전에 발주한 공사(이하 이 항에서 "종전 공사"라 한다)와 공사내용, 현지 여건 등에서 동일성 또는 유사성이 인정되는 경우에는 종전 공사 구분에 따라 발주(종전 공사가 종합공사로 발주된 경우 종합공사로, 전문공사로 발주된 경우 전문공사로 발주하는 것을 말한다)하는 것을 우선 고려할 수 있다.

④ 발주자는 공사예정금액이 2억원 이상 3억 5천만원 미만인 전문공사의 경우에는 법 제25조제3항에 따라 해당 건설공사를 시공하는 업종을 등록하지 않은 건설사업자의 원도급을 제한할 수 있다.

제8조의2(전문건설업종 통합에 따른 건설공사의 발주방식) ① 발주자는 제8조제1항에 따라 종합공사에 전문건설사업자의 입찰을 허용하거나 전문공사에 종합건설사업자의 입찰을 허용하는 경우 해당 건설사업자에게 주력분야의 등록을 요구하여서는 아니 된다.

② 전문공사를 발주하고자 하는 경우 해당 공사를 구성하는 주된 공사의 업무분야가 전문적인 시공기술·공법·경험 및 인력·장비가 필요하다고 인정되는 공사에 대해서는 해당 업무분야를 주력분야로 등록하지 않은 전문건설사업자의 원도급 제한을 고려할 수 있다.

③ 전문공사를 시공하는 업종 중 2 이상의 업무분야가 복합된 공사를 발주하고자 하는 경우 전체 공사예정금액의 2분의 1 이상인 업무분야에 대해서는 해당 업무분야를 주력분야로 등록하지 않은 전문건설사업자의 원도급 제한을 우선 고려할 수 있다.

④ 발주자는 수중·준설공사업, 승강기·삭도공사업, 가스난방공사업을 등록한 자 및 기계가스설비공사업 중 기계설비공사를 주력분야로 등록한 자에 대해서는 주력분야의 공사만 수행하게 하여야 한다.

⑤ 다음 각 호의 어느 하나에 해당하는 공사를 발주함에 있어 대통령령 제31328호 건설산업기본법 시행령 일부개정령 별표 1의 개정규정 시행일(2022년 1월 1일을 말한다) 이전에 발주한 공사(이하 이 항에서 "종전 공사"라 한다)와 공사내용, 현지 여건, 종합적인 계획, 관리 및 조정의 필요성 등에서 동일성 또는 유사성이 인정되는 경우에는 종전 공사 구분에 따라 발주(종전 공사가 종합공사로 발주된 경우 종합공사로, 전문공사로 발주된 경우 전문공사로 발주하는 것을 말한다)하는 것을 우선 고려할 수 있다.

1. 토공사, 포장공사와 보링·그라우팅·파일공사 중 2 이상의 공사가 복합된 공사
2. 조경식재공사와 조경시설물설치공사가 복합된 공사

제9조(시설물유지관리업공사의 발주방식) ① 발주자는 영 별표 1에 따른 시설물유지관리업의 업무내용에 해당하는 완성된 시설물에 대한 개량·보수·보강하는 공사(이하 "시설물유지관리업공사"라 한다)를 발주함에 있어 시설물유지관리업을 등록한 건설사업자와 해당 공사의 시공자격을 갖춘 종합건설사업자 및 전문건설사업자의 입찰참가를 허용해야 하며, 시공자격을 갖춘 건설사업자의 입찰참가를 제한하려는 경우 그 사유를 입찰공고문에 기재해야 한다.

② 발주자는 전문공사를 시공하는 업종이 2개 이상 복합된 시설물유지관리업공사를 발주

하려는 경우 종합적인 계획·관리·조정의 필요성 여부에 따라 종합공사 또는 전문공사로 구분하여 발주해야 하며, 해당 공사의 주된 공사를 구성하는 업종 및 구성비율을 입찰공고문에 기재해야 하고, 부대공사에 대하여는 기재하지 아니 한다.

제10조(시공경험 평가) ① 발주자는 종합건설사업자가 전문공사 입찰에 참여하는 경우 대한건설협회에서 발급한 실적확인서를 제출받아 시공경험 분야를 평가해야 한다.

② 발주자는 전문건설사업자가 종합공사 입찰에 참여하는 경우 대한전문건설협회, 대한기계설비건설협회에서 발급한 실적확인서를 제출받아 시공경험 분야를 평가해야 한다.

③ 제1항 및 제2항에도 불구하고 발주자는 종합건설사업자 또는 전문건설사업자가 유지보수공사 입찰에 참여하는 경우 국토교통부장관이 영 제87조제2항에 따라 지정하여 고시하는 기관에서 발급한 실적확인서를 제출받아 시공경험 분야를 평가해야 한다.

제11조(등록기준 확인) ① 발주자는 종합건설사업자가 전문공사 입찰에 참여하거나 전문건설사업자가 종합공사 입찰에 참여하는 경우 법 제16조제3항 및 규칙 제13조의4에 따라 입찰참가 등록마감일까지 해당 공사를 시공하는 업종의 등록기준을 갖추고 이를 시공 중 유지하는 조건과 등록기준 구비에 관한 절차 및 방법을 입찰공고문에 반영하고, 서류조사 및 현장조사 등을 통해 해당 건설업종의 등록기준 충족여부를 확인해야 한다.

② 제1항에도 불구하고 2개 업종 이상의 전문공사를 시공하는 업종을 등록한 건설사업자가 그 업종에 해당하는 전문공사로 구성된 종합공사를 하도급 받는 경우에는 등록기준을 충족한 것으로 보며, 제6조제1항제3호의 경우에는 공동수급체 구성원들이 공동으로 필요한 등록기준을 갖춘 경우 충족한 것으로 본다.

③ 제1항에 따른 등록기준 충족여부 확인과 관련하여 입찰참가 등록마감일 현재 보유 중인 업종의 영 별표 2에 따른 등록기준 자본금의 합(영 제16조에 따른 건설업 등록기준의 특례를 적용한 자본금의 합을 말한다)이 시공하려는 종합공사의 업종 등록기준 중 자본금 이상인 경우에 해당하여 관련 협회의 자본금 충족 확인서가 발급된 경우에는 등록기준 중 자본금을 충족한 것으로 볼 수 있다.

④ 발주자는 제1항에 따른 건설업종의 등록기준 충족여부 확인 시 법 제49조에 따른 건설사업자의 실태조사,「건설업 관리규정」 및 별표 2를 참고한다.

제12조(하도급 제한) ① 발주자는 종합건설사업자가 전문공사 입찰에 참여하거나 전문건설사업자가 종합공사 입찰에 참여하는 경우 법 제29조제2항 및 제5항에 따라 원칙적으로 하도급이 제한되어 해당 공사를 직접 시공해야 함을 입찰공고문에 반영하고, 규칙 제25조의6에 따른 직접 시공 준수 여부 확인의 방법 등에 따라 시공과정에서 위반여부를 확인해야 한다.

② 발주자는 법 제29조제2항제2호 및 제5항 단서, 영 제31조의2에 따라 하도급을 승낙하려는 공사에 대하여는 사전에 입찰공고문에 그 사유를 기재해야 한다. 이 경우 발주자는 공사계약 조건 등에 하도급 사항을 반영해야 한다.

제13조(발주요령) 종합건설사업자의 전문공사 참여, 전문건설사업자의 종합공사 참여 등 업역개편과 관련된 구체적인 발주 사례 및 해설은 별표 3과 같다.

제3장 행정사항

제14조(재검토기한) 국토교통부장관은 이 고시에 대하여 「훈령·예규 등의 발령 및 관리에 관한 규정」에 따라 2021년 1월 1일을 기준으로 매 3년이 되는 시점(매 3년째의 12월 31일까지를 말한다)마다 그 타당성을 검토하여 개선 등의 조치를 해야 한다.

부　칙

제1조(시행일) 이 고시는 발령한 날부터 시행한다.

제2조(유효기간) 제8조제4항의 개정규정은 2023년 12월 31일까지 효력을 가진다.

제3조(건설공사 도급계약에 관한 적용례) 제8조제4항의 개정규정은 이 고시 시행 후 입찰공고(입찰공고를 하지 않는 경우에는 도급계약 체결을 말한다)하는 건설공사부터 적용한다.

[별표 1]

부대공사 판단요령

1. 목적

□ 이 요령은 제5조제4항에 따라 발주자가 건설공사의 부대공사를 판단하는 경우 부대공사의 범위 및 기준에 관하여 필요한 세부적인 적용 방법 및 사례를 규정함을 목적으로 함

2. 부대공사 판단기준

가. 건설사업자는 주된 공사를 시공하기 위하여 또는 시공함으로 인하여 필요하게 되는 종된 공사를 함께 도급 가능하며, 주된 공사 및 종된 공사의 의미, 부대공사 기준은 다음과 같이 적용함

《적용방법》

○ 주된 공사와 종된 공사의 일반적 의미
- 주된 공사 : 종합건설업종 및 전문건설업종의 업무내용에 속하는 공사(영 별표 1 참조)
- 종된 공사 : 주된 공사 업종의 업무내용에 속하지 아니한 공사로서 시공 과정상 필수적으로 수반되는 공사

○ 부대공사는 설계내용 및 현지여건 등을 고려하되, 특별한 경우를 제외하고는 갖추어야 할 요건은 다음과 같다.

① 공종간의 종속성 및 연계성
- 공사의 전·후 시공과정상 주된 공사에 반드시 수반되는 공사이어야 함
- 전체 공사 중 종된 공사의 규모는 주된 공사의 규모를 초과하지 아니함

② 시공기술상의 특성 및 작업방법
- 건설업종별 업무내용 및 시공기술상의 난이도 등을 고려하여 주된 공사의 건설사업자가 시공할 수 있어야 함
- 주된 공사 사업자가 시공하더라도 공사의 품질이나 안전에 지장을 초래하지 아니하여야 함

③ 기타 현지 여건 등
- 당해 공사의 공사구간·기간·시기, 연약지반 등 특수여건, 공정전반에 대한 종합적인 계획·관리 및 조정의 필요성 등

《관련 유권해석》

【건설정책과-3465, '20.7.24】

1. 부대공사는 건산법 시행령 제21조에 따라 주된 공사를 시공하기 위하여 또는 시공함으로 인하여 필요하게 되는 종된 공사, 2종 이상의 전문공사가 복합된 공사로서 공사예정금액이 3억원 미만이고 주된 전문공사의 공사예정금액이 전체 공사예정금액의 2분의 1이상인 경우 그 나머지 부분의 공사로 규정

2. 구체적으로 '주된 공사를 시공하기 위하여 또는 시공함으로 인하여 필요하게 되는 종된 공사'에 해당되는지는 공종간의 종속성 및 연계성(공사 전후 시공과정상 주된 공사에 반드시 수반되는 공사), 시공기술상의 특성(주된 공사의 건설사업자가 시공할 수 있어야함) 및 작업방법(주된 공사업자가 시공하더라도 공사품질이나 안전에 지장을 초래하지 않아야 함), 기타 현지여건 등을 고려하여 판단하여야 함

3. 따라서, 해당공사가 주된 공사와 그 부대공사(부대공사의 직접시공, 공종간의 연계성, 종속성 등 요건 충족 필요)에 해당하는 경우 주된 공사를 시공하는 업종을 등록한 건설사업자가 함께 도급받을 수 있을 것이나, 구체적으로 어느 업종의 업무범위에 해당하는지 여부 등은 해당공사의 업무내용에 따라 달라질 수 있으므로, 보다 자세한 사항은 같은 법 제25조 규정에 따라 발주자가 종합적인 계획·관리·조정의 필요성, 설계내용 및 작업방법, 시공기술상의 특성 및 현지여건, 부대공사 여부 등을 종합적으로 검토하여 판단할 사항임

【건설정책과-3276. '18.8.21】

1. 종합적인 계획, 관리 및 조정이 필요한 공사의 경우에는 종합공사를 시공하는 업종을 등록한 건설업자에게 도급하는 것이 원칙. 다만, 복합공사라 하더라도 부대공사와 같이 종합적인 계획, 관리 및 조정의 필요성이 적은 경우에는 예외적으로 종합건설업자가 아닌 자에게 도급이 가능한 경우도 있음

2. 당해 공사지역이 다양한 시설물들이 복잡하게 들어선 시가지 구간 등으로 다양한 공종의 공사가 수반되는지, 연약지반이 있어 지반보강공사 등 추가적인 공사가 필요한지, 관로공 이외 다른 공종의 규모 및 비율이 부대공사로 보기에 무리가 없는지, 종합적인 계획·관리 및 조정의 필요성이 적은지 등 제반상황을 종합적으로 감안하여 부대공사에 해당되는지 여부를 판단하여야 할 것이며 아울러, '종합적인 계획, 관리 및 조정'의 필요성은 발주자가 2개 이상의 전문공종으로 이루어진 복합공사에서 공종간의 선·후 공정관리, 인력·자재·장비·자금 등의 관리, 시공관리·품질관리·안전관리 등의 업무 수행 및 이를 위한 조직체계 등을 갖추어야 하는지 여부 등을 종합적으로 검토하여 판단하는 것임

【건설정책과-2839. '18.7.17】

1. 종된 공사 여부를 판단하기 위해서는 공사의 전·후 시공과정상 주된 공사에 반드시 수반되는지, 종된 공사의 규모가 주된 공사의 규모를 초과하지 않는지, 주된 공사의 건설업자가 시공할 수 있는지 등을 종합적으로 검토하여 판단토록 하고 있으며, 이는 어느 하나의 요건만 충족하면 되는 것이 아니라 특별한 경우를 제외하고는 모든 요건을 충족하는 경우 종된공사로 볼 수 있다는 의미임

나. 2종 이상의 전문공사가 복합된 공사로서 공사예정금액이 3억원 미만이고, 주된 전문공사의 공사예정금액이 전체 공사예정금액의 2분의 1이상인 경우 주된 전문공사를 수주한 건설사업자는 그 나머지 공사를 함께 도급가능

- 이 경우 공사의 전·후 시공과정상 주된 공사에 반드시 수반되는지 여부(영 제21조제1항제1호)에 대하여는 고려할 필요가 없음

《적용사례》

【마을 연결도로 확포장공사】

1. 당해 공사는 옹벽설치 L=321.3m, 아스팔트덧씌우기 A=2,050㎡, 부대공 1식으로 구성되어 있으며, 공사 예정금액은 205,500,000원임

2. 공종별 구성 비율은 철근·콘크리트 61.7%, 지반조성·포장공사 27.5%(포장공사 20.8%, 토공사 6.7%), 기타 부대공 10.8%이나 「건설산업기본법 시행령」 제21조제1항제2호에 따라 공사예정금액이 3억 원 미만이고 주된 전문공사인 철근·콘크리트공사가 전체 공사예정금액의 2분의 1이상이므로 전문공사인 철근·콘크리트공사(100%)로 발주함

3. 분야별 부대공사 관련 유권해석사례 및 해설

가. 상하수도공사 관련 유권해석

《관련 유권해석》

【건설정책과-2889, '19.06.21】

1. 일반적으로 상하수도·공업용수도 등의 용수관을 부설하기 위한 터파기나 되메우기공사는 상하수도설비공사의 부대공사로 볼 수 있을 것임.

2. 다만, 도로포장공사 등 일부 다른 공종을 상하수도설비공사의 부대공사로 볼 수 있는지 등 구체적인 해당여부에 대하여 건설산업기본법 시행령 제7조, 별표1 및 제21조제1항의 규정을 토대로 발주자가 당해 공사의 설계내용, 시공기술상의 특성 및 작업방법, 공종간의 종속성, 현지여건 등을 면밀히 검토하여 판단할 사항인 것으로 생각됨

【건설정책과-2011, '18.05.18】

1. 질의하신 하수관로 정비공사가 종합적인 계획, 관리 및 조정이 필요한 공사인 경우 토목공사업 등 종합공사를 시공하는 업종을 등록한 건설업자가 이를 도급받을 수 있으며, 전문공사와 그 부대공사에 해당하는 경우에는 상하수도설비공사업 등 전문공사를 시공하는 건설업자가 도급받을 수 있으므로 해당공사가 어느 업종의 업무 범위에 해당하는지 여부는 일부 구간이나 공종이 아닌 전체 건설공사에 대하여 종합적인 계획·관리·조정이 필요한 공사인지, 일부 공종이 부대공사에 해당하는지 여부 등을 종합적으로 검토하여 결정해야 할 것으로 판단됨

【건설경제담당관실-3352, '04.08.09】

1. 당해 건설공사가 구체적으로 어느 업종의 업무내용에 해당하는지 여부에 대하여는 발주자 등이 당해 공사의 내용과 범위, 설계 및 시공기술상의 특성, 현지여건, 종합적인 계획·관리·조정의 필요성 등 제반사정을 검토하여 판단하여야 할 것임

2. 이와 관련하여 동법시행령 제21조제1항의 규정에 의거, 주된 공사에 부대되는 공사라 함은 주된 공사의 건설업자가 도급·시공하더라도 공사의 품질이나 안전에 지장을 초래하지 않고 시공과정상 주된 공사에 종된 것으로서 일반적으로 부대공사의 규모는 주된 공사의 규모보다 적을 것으로 생각됨

3. 당해 공사내용에 현장 콘크리트 타설에 의한 박스형 암거 공사가 포함되어 있고, 토공·구조물공·포장공·추진공 등의 비중 등을 고려할 때, 당해 건설공사는 2 이상의 전문공사가 복합된 공사로서 상하수도설비공사를 제외한 나머지 공사를 모두 상하수도설비공사의 부대공사로 보기는 어려울 것으로 판단되므로 일반건설업(토목공사업 또는 토목건축공사업)으로 발주하는 것이 바람직할 것임.

【건설경제담당관실-1882, '04.05.08】

1. 당해 공사는 상하수도설비공사업, 토공사업, 철근콘크리트공사업, 보링그라우팅공사업, 비계구조물해체공사업 등의 업무내용에 해당하는 공사가 복합되어 있고, 토공·구조물공·가시설공·포장공·추진공 등의 비중을 고려할 때 상하수도설비공사를 제외한 나머지 공사를 모두 상하수도설비공사의 부대공사로 보기는 어려울 것으로 사료되며, 특히 침수지역의 개수로 공사 등은 상하수도공사업의 업무내용에 해당된다고 볼 수 없음. 이와 함께 설계내용, 시공기술상의 특성 등을 고려할 때 토목공사업 또는 토목건축공사업으로 발주하는 것이 바람직할 것임.

【건설경제담당관실-1883, '04.05.08】

1. 당해 공사는 상하수도설비공사업, 토공사업, 철근콘크리트공사업, 보링그라우팅공사업, 비계구조물해체공사업 등의 업무내용에 해당하는 공사가 복합되어 있고, 토공·구조물공·가시설공·포장공·추진공 등의 비중을 고려할 때 상하수도설비공사를 제외한 나머지 공사를 모두 상하수도설비공사의 부대공사로 보기는 어려울 것으로 사료되며, 특히 오수펌프장 건설공사는 상하수도설비공사업의 업무내용으로 볼 수 없음. 이와 함께 당해 공사의 설계내용, 시공기술상의 특성 등을 고려할 때 토목공사업 또는 토목건축공사업으로 발주하는 것이 바람직할 것임.

나. 도로분야 부대공사 적용사례 및 유권해석

《적용사례》

【○○휴게소 포장개량 및 표준모델 적용공사】

1. ○○휴게소 포장개량 및 표준모델 적용공사의 경우 지반조성·포장공사업과 도장·습식·방수·석공사업으로 발주된 공사로서, 추가적으로 금속창호·지붕건축물조립공사(표지판)가 동시에 수반되어야 하나, 표지판은 포장공사 완료 후 후속으로 진행되는 공사로 판단하였으며, 공사금액도 포장공사의 1.2%(포장공사 408백만원, 표지판 5백만원)로 주된 공사금액을 초과하지 않아 금속창호·지붕건축물조립공사를 부대공사로 처리하고, 해당 사업을 지반조성·포장공사업과 도장·습식·방수·석공사업으로 발주하였음

【국도00호선 시설물보수공사】

1. 당해 공사는 국도00호선 신축이음교체를 위한 공사로서 금속창호·지붕건축물조립공사가 주된 공사이며, 추가적으로 방수공사, 콘크리트 단면보수공사가 수반되나 이는 주된 공사를 시공함에 있어서 시공기술 및 공간적 측면에서 필수적으로 연계되며 그 비중이 약15.8%(약3,890만원)로 적고, 별도 공종으로 발주할 경우 하자책임소재 구분 곤란 등 시공관리의 효율성 측면에서 불리하다고 판단되어 도장·습식·방수·석공사 및 철근·콘크리트공사를 부대공사로 처리하여 금속창호·지붕건축물조립공사업으로 발주하였음

다. 철도분야 부대공사 적용사례 및 유권해석

《적용사례》

【○○선 ○○역 등 공조설비 개량 공사】

1. ○○선 ○○역 등 공조설비 개량 공사의 경우 기계가스설비공사업으로 발주된 공사로서, 철근콘크리트공사, 도장·습식·방수·석공사가 수반되어야 하나, 해당 공사들은 공조기 및 필터, 급·배기 송풍기, 덕트 및 배관설비 개량을 위한 종된 공종에 해당되고, 공사금액도 전체 공사예정금액의 10%에 불과하여 철근콘크리트공사 및 도장·습식·방수·석공사를 부대공사로 처리하고, 해당 사업을 기계가스설비공사업으로 발주하며 기계설비공사를 주력분야로 등록한 자에게 입찰참여를 허용함

라. 건축분야 관련 유권해석 및 적용사례

《유권해석 및 적용사례》

【1AA-1506-079064, '15.6.15】

1. 건축공사업을 등록한 건설업자가 기 도급 받은 인근 도로확장공사를 설계변경 등을 통해 도급받을 수 있는지와 관련, 해당 공사는 도급받은 인접 현장의 도로확포장공사로서 건축공사업의 업무내용에 해당하지 않고, 도급받아 시공하였거나 시공 중인 건설공사의 부대공사로 보기 어려울 것으로 사료되어 건축공사업을 등록한 건설업자가 도급 받을 수 없을 것으로 판단되나 구체적인 사항은 위 규정과 설계변경하고자 하는 내용 등을 종합적으로 검토하여 판단할 사항임

【00초 환경개선공사】

1. 당해 공사의 경우 실내건축공사업으로 발주된 공사로서, 목공사 및 수장공사 뿐만 아니라 실내에서 이루어지는 금속창호·지붕건축물조립공사, 도장·습식·방수·석공사는 실내건축공사업의 업무내용에 포함된다고 판단하였으며, 추가적으로 금속창호·지붕건축물조립공사가 수반되나 그 비중이 약13%(약4,300만원)로 적고 단일공사예산으로 편성되어 분할 발주함이 비효율적이고, 시공관리의 효율성 측면에서 불리하다고 판단되어 금속창호·지붕건축물조립공사를 부대공사로 보고 실내건축공사업으로 발주

바. 기계설비공사업, 가스시설시공업 및 난방시공업간의 도급가능 범위

《관련 규정》

【영 별표 1 비고 4.】

기계가스설비공사업 중 기계설비공사를 주력분야로 등록한 자는 주력분야의 공사만 수행

【영 별표 1 비고 5.】

기계가스설비공사업 중 기계설비공사를 주력분야로 등록한 자는 기계설비공사와 가스시설공사(제1종)가 복합된 공사로서 기계설비공사가 주된 공사인 경우에는 해당 공사의 가스시설공사(제1종)를 함께 수행가능

【영 별표 1 비고 6.】

기계가스설비공사업 중 기계설비공사를 주력분야로 등록한 자는 기계설비공사와 다음 각 목의 공사가 복합

된 공사의 경우에는 해당 공사를 수행가능
가. 난방공사(제1종)
나. 난방공사(제2종)
다. 플랜트 또는 냉동냉장설비 안에서의 고압가스배관의 설치·변경공사

【영 별표 1 비고 7.】
가스난방공사업 중 난방공사(제1종)를 주력분야로 등록한 자는 연면적 350제곱미터 미만인 단독주택의 난방공사(제1종)를 하는 경우에는 해당 주택의 기계설비공사를 함께 수행가능

【영 별표 1 비고 8.】
가스난방공사업 중 난방공사(제2종)를 주력분야로 등록한 자는 연면적 250제곱미터 미만인 단독주택의 난방공사(제2종)를 하는 경우에는 해당 주택의 기계설비공사를 함께 수행가능

[별첨] 공사 입찰참가자격결정 검토항목

구 분	검 토 항 목
주된 공사 / 부대공사 판단시	▪ 공종간의 종속성 및 연계성
	▪ 시공기술상의 특성 및 작업방법
	▪ 기타 현지 여건 등
종합공사 / 전문공사 판단시	▪ 공정관리(선·후공정관리)
	▪ 공사수행능력(인력, 자재, 장비, 자금 관리 등)
	▪ 공사관리능력(시공, 품질, 안전, 조직체계 관리)
최종 검토 의견	□ 종합건설업(　　　　　　　　공사업) □ 전문건설업(　　　　　　　　공사업)

[별표 2]

상대업종 등록기준 충족여부 확인 방법

1. 업역개편에 따른 상대업종 등록기준 충족여부 확인 방법

○ 발주자는 건설업의 등록기준을 갖추었음을 증명하는 서류를 첨부하여 도급계약 체결 전에(입찰계약의 경우에는 심사서류 제출마감일까지) 발주자에게 제출하도록 입찰공고문에 명시하고, 낙찰예정 상위 1순위 업체(1순위 업체 부적격시 차순위 업체)에 대하여 해당 건설업의 등록기준 충족 여부를 확인해야 함(별첨 참고)

(1) 전문건설사업자가 종합공사를 도급받으려는 경우(법 제16조제1항제1호 및 제3호): 영 제13조 및 영 별표 2의 건설업의 등록기준에 따라 해당 종합공사를 시공하는 업종의 기술능력과 자본금을 갖추었음을 증명하는 다음의 서류

가. 기술능력: 기술인력 보유현황에 관한 서류 및 고용·산업재해보상보험가입증명원

나. 자본금: 다음의 어느 하나에 해당하는 서류로서 상대 업종의 등록기준에 적합한 자본금을 보유했음을 증명하는 서류

1) 법인인 경우: 최근 결산일 기준 재무제표 또는 재무관리상태진단보고서 [법 제49조제2항 각 호 외의 부분에 따른 공인회계사, 세무사 또는 전문경영진단기관이 진단한 보고서만 해당하며, 진단기준일이 도급계약 체결일(입찰계약의 경우에는 입찰참가 등록마감일까지를 말한다) 기준 1년 이내인 것으로 한정. 이하 같음]

2) 개인인 경우: 영업용 자산액 명세서와 그 증명서류 또는 재무관리상태진단보고서

(2) 종합건설사업자가 전문공사를 도급받으려는 경우(법 제16조제1항제4호) : 영 제13조 및 영 별표 2의 건설업 등록기준에 따라 해당 전문공사를 시공하는 업종의 기술능력 및 시설·장비를 갖추었음을 증명하는 다음 각 목의 서류

가. 기술능력: 기술인력 보유현황에 관한 서류 및 고용·산업재해보상보험가입증명원

나. 시설·장비: 다음의 어느 하나에 해당하는 서류

1) 자기소유인 경우: 등록증 또는 등기증명서

2) 임대차(임대인 소유의 시설·장비를 직접 임대차하는 경우로 한정)의 경우: 임대차계약서 및 임대인의 자기소유임을 증명하는 서류 사본

《등록기준 점검요령》

○ 기술능력 보유여부 판단

- 건설산업기본법 시행령 별표 2에 규정된 해당 건설업종의 기술능력 등록기준을 파악
- 도급받으려는 건설사업자로부터 제출받은 1)건설기술인 경력증명서, 2)기술인자격증 사본, 3)4대 사회보험 사업장 가입자 명부 및 사업장고용정보현황(근로복지공단), 4)건설기술자 보유현황표[건설업 관리규정 별지 1] 등을 상호대조·확인하여 실질적인 고용여부 및 상대 업종 기술능력 기준에 적합한 자인지 여부를 판단

○ 자본금 보유여부 판단

가. 총자산에서 총부채를 뺀 금액(자본금)에서 부실자산 등에 해당하는 금액을 뺀 금액(실질자본금)을 기준으로 판단

나. 재무관리상태진단보고서를 제출하는 경우, 동 서류에 기재된 실질자본금으로 판단하되, 「건설업 관리규정」 별지 2 「건설업체 기업진단지침」(이하 '진단지침'이라 한다) 상 진단불능, 진단오류 등 부실 작성된 재무관리상태진단보고서에 해당하는 지를 확인하여 처리

다. 재무제표(국세청에 신고한 최근 사업년도 정기 연차결산일 기준)를 제출하는 경우, 다음의 기준에 따라 판단

1) 재무제표상 자본총계(총자산-총부채)에서 ① 무기명식 금융상품, ② 실재하지 않거나 출처가 불분명한 유가증권, ③ 가지급금, 대여금, ④ 미수금, 미수수익, ⑤ 선급금, 선납세금, 선급비용, ⑥ 부도어음, 장기성 매출채권, 대손처리할 자산, ⑦ 무형자산 등 「건설업 관리규정」 별지 2. 「건설업체 기업진단지침」 제13조에 따른 부실자산, 제28조에 따른 겸업자본, 부외부채(확인된 경우에 한한다)를 차감한 금액(실질자본금)에서 다음의 2)~4)에 따라 해당 건설업종 자본금 등록기준 이상인지를 판단

2) 1) 확인 후 현금, 예금, 매출채권, 재고자산, 투자자산, 유형자산 등에 대하여 진단지침에 따라 부실자산에 해당하는 경우 제외하고 판단

- 예시(현금 등): 자본총계의 100분의 1을 초과하는 현금은 부실자산 처리(진단지침 제14조)
- 예시(예금): 결산일 포함 30일 동안의 은행거래실적 평균잔액(결산기준일의 예금 잔액 초과 불가)으로 하되, 결산기준일 포함 60일간의 은행거래실적증명을 제시하지 못한 경우 부실자산 처리(진단지침 제15조) 등

3) 1)과 2)에 의해 확인한 실질자본금이 건설업종 자본금 등록기준 미만인 경우 1)의 ① ~ ⑦ 등의 항목 중 진단지침 상 실질자산으로 인정가능 여부를 확인하여 판단

- 예시(장기성 매출채권): 국가, 지자체 등으로부터 받을 채권은 관련부채 차감 후 실질자산 인정(진단지침 제17조)
- 예시(대여금): 종업원 주택자금 등은 증빙서류를 통하여 실재성 확인시 실질자산 인정(진단지침 제19조) 등

4) 발주자는 1)부터 3)에 따른 판단에 필요한 증빙자료를 요구하고, 진단지침에 따라 등록기준 충족여부 최종 판단

5) 발주자는 필요시 다음의 검증서류를 제출받아 확인 가능

·세무조정계산서(결산보고서 포함)

·세금계산서 합계표(매출처, 매입처) 등

2. 상대업종 건설공사 도급시 직접시공 준수 여부 확인 방법

○ 발주자는 종합건설사업자가 전문공사를 도급받아 시공하는 경우 또는 전문건설사업자가 종합공사를 도급받아 시공하는 경우, 해당 건설사업자의 노무비 지급, 자재납품, 장비사용 내역, 사회보험 및 소득세 납부내역 등 직접시공을 증빙할 수 있는 서류를 통하여 도급받은 공사를 직접시공 하였는지를 확인해야 함

[별첨] 등록기준 점검항목(예시)

연번	건설업 등록기준 점검항목
1-1	사무실이 등록된 주소지에 있는가?
1-2	사무실이 관할 등록지역 내에 있는가?
1-3	사무실이 적법한 건축물인가?(무허가, 무단증축, 불법용도변경 등)
1-4	사무실에 건설업 등록증 및 사업자등록증 게시하였는가?(영 제18조)
2	사무실로 사용할 수 있는 건물인가? ※ 건축물 대장을 통해 건물용도 확인 - 단독주택, 공동주택 등 주거용 건물 또는 축사, 퇴비사, 온실, 저장고 등 농업·임업·축산업·어업용 건물은 사무실로 인정하지 아니함.
3	사무실에 책상, 의자, 컴퓨터 등의 사무 장비를 갖추고 있는가?
4	사무실에 인터넷, 전화, 팩스 등의 통신설비를 갖추고 있는가? ※ 전화(인터넷) 가입사실 확인 증명서 또는 사용요금 납부내역서 확인 필요
5	사무실 내·외부에 간판 등 업체를 식별할 수 있는 표시가 있는가?
6	사무실을 독립 사무공간으로 사용하고 있는가? ※ 사무실에 복수의 건설업자가 사용할 경우 출입문이 독립적으로 존재하며 바닥에서 천장까지 파티션으로 구별되어 있는 경우에만 인정
7	임대차 계약서의 계약기간이 현재 유효한가? ※ 임대차 계약서 및 보증금 이체 자료, 확정일자 날인 등 확인
8	건설업 등록기준에 따른 기술능력이 적합한가? ※ 한국건설기술인협회에서 발급한 건설기술자 보유증명서 확인
9	기술자들의 고용보험 가입이력 내역서와 고용계약서가 적합한가? ※ 근로복지공단에서 발급한 보험가입증명원 및 기술자별 피보험가입이력 내역서, 고용계약서 확인
10	기술자들의 임금이 적정하게 지급되고 있는가? ※ 기술자별 급여명세서 및 이체내역 확인
11-1	기술자 수에 비해 공사현장이 과다한가? (공사현장 현황표 제출 및 확인)
11-2	현장 기술자 중복배치 허용 기준 준수하는가? (실제 역할 및 근무 내역 확인)
12	기술자가 실제 근무하는가? ※ 기술자에게 사실관계 질의(입사일, 관할 공사현장 등) 및 근거서류 확인

※ 발주자 상황에 따라 점검항목 변경 가능

[별표 3]

업역 개편 관련 발주요령

1. 목적

□ 이 요령은 제13조에 따라 업역 개편과 관련된 구체적인 발주 예시 등을 규정함으로써 건설공사 발주 시 참고할 수 있도록 함을 목적으로 함

2. 입찰공고문 작성 예시

□ 발주자는 건설공사 발주 시 다음 예시를 참고하여 입찰공고문을 작성한다.

《입찰공고문 작성 예시》

1. 입찰에 부치는 사항

가. 건　　명 : ○○○ ○○○ ○○공사
나. 공사구분 / 공사유형 : 종합공사 / 신설공사
다. 추정금액 : 금000,000,000원(추정가격: 000,000,000원+부가세: 00,000,000원)
라. 기초금액 : (입찰개시일 전일까지 별도 공고함)
마. 공사기간 : 착공일로부터 000일간
바. 공사내용 : 붙임 설계서 참고
　- ○○○ 일부 교체(000㎡), ○○○ 신설(000m)
사. 공사현장 : ○○시 ○○구
아. 시공자격 업종별 추정금액
　- 토목공사업 또는 토목건축공사업 : 금 000,000,000원(100%)
　- 지반조성·포장공사업 : 금 000,000,000원(65%)
　　철근·콘크리트공사업 : 금 000,000,000원(35%)

2. 입찰 및 계약방식 : (생　략)

3. 입찰참가자격

가. 「건설산업기본법」 제16조(건설공사의 시공자격) 제1항에 따라 토목공사업 또는 토목건축공사업을 등록한 건설사업자와 같은 항 단서 제1호에 따라 지반조성·포장공사업 및 철근·콘크리트공사업을 모두 등록하고 입찰참가 등록마감일까지 같은 법 시행령 별표 2의 토목공사업종 등록기준을 갖추고 시공 중에 유지 할 수 있는 건설사업자입니다.
나. 입찰공고일 전일부터 계약체결일까지 법인등기부상 본점소재지(개인사업자인 경우 사업자등록증 등 관련 서류상의 사업장 소재지)가 계속하여 ○○시에 소재한 업체

4. 기타

가. 「건설산업기본법」 제29조(건설공사의 하도급 제한) 및 같은 법 시행령 제31조의2(건설공사 하도급 예외적 허용 범위)에 따라 지반조성·포장공사업 및 철근·콘크리트공사업을 모두 등록한 건설사업자에 대하여는 직접시공 원칙이 적용되며, 이를 위반시 '계약의 해제·해지' 및 '「국가계약법」 제27조, 동법 시행령 제76조에 따른 부정당업자 입찰참가자격 제한' 등의 불이익을 받을 수 있습니다.

(이하 생략)

5 종합·전문업종간 상호시장 진출을 위한 건설공사 실적 인정기준

제정 2020. 12. 28. (국토교통부 고시 제2020-1121호)
개정 2021. 11. 12. (국토교통부 고시 제2021-1232호)

제1조(목적) 이 고시는 국토교통부령 제765호 건설산업기본법 시행규칙 일부개정령 부칙 제6조(건설공사실적 인정에 관한 특례)에 따라 필요한 사항을 정함을 목적으로 한다.

제2조(상호실적 인정기준) ① 종합공사를 시공하는 업종을 등록한 건설사업자(이하 "종합건설사업자"라 한다)가 전문공사 입찰에 참여하거나 전문공사를 시공하는 업종을 등록한 건설사업자(이하 "전문건설사업자"라 한다)가 종합공사 입찰에 참여하는 경우 적용하는 건설공사실적은 다음 각 호에 따른다.

1. 2020년 12월 31일 이전의 건설공사실적은 다음 각 목에 따라 산정한다.
   가. 종합건설사업자가 전문공사를 도급 받으려는 경우에는 별표에 따라 종합건설사업자의 건설공사실적을 업무분야별 실적으로 분개한 후 해당 전문공사에 해당하는 업종 또는 업무분야 실적의 3분의 2를 전문공사 실적으로 인정하되, 인정받은 전문공사 실적은 「건설산업기본법 시행규칙」(이하 "시행규칙"이라 한다) 제23조에 따른 전문공사를 시공하는 업종 및 업무분야의 시공능력 평가에서 제외한다.
   나. 전문건설사업자가 종합공사를 도급 받으려는 경우에는 전문공사 실적 중 해당 종합공사에 해당하는 업종의 실적을 종합공사 실적으로 인정하되, 인정받은 종합공사 실적은 시행규칙 제23조에 따른 종합공사를 시공하는 업종의 시공능력 평가에서 제외한다.
2. 2021년 1월 1일 이후의 건설공사실적은 건설사업자가 상대시장(종합건설사업자의 경우 전문공사를, 전문건설사업자의 경우 종합공사를 말한다. 이하 같다)에서 수행한 건설공사실적으로 한다.

② 「시설물유지관리업 업종전환 세부기준」(이하 "업종전환 세부기준"이라 한다)에 따라 종합공사를 시공하는 업종으로 전환한 건설사업자가 전문공사 입찰에 참여하거나, 「시설물유지관리업 업종전환 세부기준」에 따라 전문공사를 시공하는 업종으로 전환한 건설사업자가 종합공사 입찰에 참여하는 경우 적용하는 건설공사실적은 다음 각 호에 따른다.

1. 업종전환 이전의 건설공사실적은 다음 각 목에 따라 산정한다.
   가. 종합공사를 시공하는 업종으로 전환한 건설사업자가 전문공사를 도급 받으려는 경우

에는 업종전환 세부기준 제5조에 따라 전환한 실적 중 해당 전문공사에 해당하는 업종 또는 업무분야 실적의 3분의 2를 전문공사 실적으로 인정하되, 인정받은 전문공사 실적은 시행규칙 제23조에 따른 전문공사를 시공하는 업종 및 업무분야의 시공능력 평가에서 제외한다.

나. 전문공사를 시공하는 업종으로 전환한 건설사업자가 종합공사를 도급 받으려는 경우에는 업종전환 세부기준 제5조에 따라 전환한 실적 중 해당 종합공사에 해당하는 업종의 실적을 종합공사 실적으로 인정하되, 인정받은 종합공사 실적은 시행규칙 제23조에 따른 종합공사를 시공하는 업종의 시공능력 평가에서 제외한다.

2. 업종전환 이후의 건설공사실적은 건설사업자가 상대시장에서 수행한 건설공사실적으로 한다.

③ 제1항 및 제2항에 따른 건설공사실적은 백만원 단위로 환산하되, 소수점이 발생하는 경우 소수점 이하는 절사한다.

제3조(상호실적확인서 발급) 「건설산업기본법 시행령」 제87조제1항제2호에 따른 업무를 위탁받은 기관은 상대시장에 참여하려는 건설사업자의 요청이 있는 경우 제2조에 따라 산정한 실적에 대하여 별지 서식에 따른 실적확인서를 발급해야 한다.

제4조(건설업의 양도, 합병 및 상속 시 실적) 건설업에 관한 자산과 권리·의무의 전부를 포괄적으로 양도하거나 합병 또는 상속한 경우에는 양도인·피합병법인·피상속인이 제2조에 따라 인정받은 실적은 양수인·합병법인·상속인이 인정받은 것으로 한다.

제5조(재검토기한) 국토교통부장관은 이 고시에 대하여 「훈령·예규 등의 발령 및 관리에 관한 규정」에 따라 2021년 1월 1일을 기준으로 매 3년이 되는 시점(매 3년째의 12월 31일까지를 말한다)마다 그 타당성을 검토하여 개선 등의 조치를 해야 한다.

부 칙

이 고시는 2022년 1월 1일부터 시행한다.

[별표]

종합공사 실적에 대한 업무분야별 구분 비율표

(단위: %)

공종	시설물유형	업무분야별 구분 비율														합계
토목(23)	일반도로	토공사	52.8	철근·콘크리트 공사	22.4	포장공사	14.2	금속 구조물·창호·온실 공사	10.6							100.0
	고속도로	토공사	60.3	철근·콘크리트 공사	15.4	포장공사	13.9	금속 구조물·창호·온실 공사	10.4							100.0
	고속화도로	토공사	63.5	철근·콘크리트 공사	22.9	포장공사	7.8	금속 구조물·창호·온실 공사	5.8							100.0
	도로교량	철근·콘크리트 공사	50.2	철강재설치공사	22.9	강구조물 공사	17.2	토공사	9.7							100.0
	철도교량	철근·콘크리트 공사	41.4	철강재설치공사	28.0	토공사	23.3	강구조물 공사	7.3							100.0
	댐	토공사	62.6	철근·콘크리트 공사	31.1	보링·그라우팅공사	6.3									100.0
	간척	토공사	68.8	보링·그라우팅 공사	16.2	준설공사	15.0									100.0
	항만	수중공사	57.9	토공사	13.2	철근·콘크리트 공사	12.5	준설공사	8.4	보링·그라우팅공사	8.0					100.0

공종	시설물유형	업무분야별 구분 비율														합계
	공항	보링·그라우팅 공사	24.7	철근·콘크리트 공사	13.0	금속 구조물·창호·온실 공사	11.8	토공사	11.4	포장공사	9.2	실내건축 공사	8.6	강구조물 공사	8.2	100.0
		지붕판금·건축물 조립공사	6.7	기계설비 공사	6.4											
	도로터널	토공사	84.0	철근·콘크리트 공사	16.0											100.0
	철도터널	토공사	77.3	철근·콘크리트 공사	14.8	보링·그라우팅 공사	7.9									100.0
	일반철도	토공사	61.1	철근·콘크리트 공사	22.2	철도·궤도 공사	10.2	보링·그라우팅 공사	6.5							100.0
	고속철도	토공사	49.8	보링·그라우팅 공사	18.7	철근·콘크리트 공사	18.7	금속 구조물·창호·온실 공사	7.0	철도·궤도 공사	5.8					100.0
	지하철	토공사	64.1	보링·그라우팅 공사	13.6	철근·콘크리트 공사	9.1	기계설비 공사	6.7	금속 구조물·창호·온실 공사	6.5					100.0
	택지조성	토공사	79.0	철근·콘크리트 공사	10.5	상·하수도 설비공사	10.5									100.0
	공업용지조성	토공사	82.2	철근·콘크리트 공사	10.5	보링·그라우팅 공사	7.3									100.0
	치산·치수 및 사방하천	토공사	56.4	철근·콘크리트 공사	33.9	석공사	9.7									100.0

공종	시설물유형	업무분야별 구분 비율														합계
	상수도1천mm 이상	상·하수도 설비공사	92.3	토공사	7.7											100.0
	상수도1천mm 미만	상·하수도 설비공사	93.4	토공사	6.6											100.0
	하수도	상·하수도 설비공사	82.8	토공사	17.2											100.0
	관개수로 및 농지정리	철근·콘크리트 공사	50.1	토공사	29.1	상·하수도 설비공사	13.7	보링·그라우팅 공사	7.1							100.0
	정수장	철근·콘크리트 공사	41.1	토공사	21.2	상·하수도 설비공사	16.0	기계설비 공사	11.8	습식·방수 공사	9.9					100.0
	기타토목시설	토공사	71.9	철근·콘크리트 공사	20.5	상·하수도 설비공사	7.6									100.0
건축 (24)	단독주택 및 연립주택	철근·콘크리트 공사	34.2	기계설비 공사	18.6	금속 구조물·창호·온실 공사	17.3	실내건축 공사	13.0	비계·구조물 해체공사	9.4	습식·방수 공사	7.5			100.0
	저층아파트	철근·콘크리트 공사	43.8	기계설비 공사	17.0	실내건축 공사	10.8	금속 구조물·창호·온실 공사	10.4	비계·구조물 해체공사	9.8	습식·방수 공사	8.2			100.0
	고층아파트	철근·콘크리트 공사	30.7	금속 구조물·창호·온실 공사	14.8	실내건축 공사	13.6	습식·방수 공사	12.8	토공사	11.8	기계설비 공사	10.4	석공사	5.9	100.0
	초고층아파트	철근·콘크리트 공사	44.9	실내건축 공사	15.7	기계설비 공사	14.4	금속 구조물·창호·온실 공사	12.9	습식·방수 공사	12.1					100.0

공종	시설물유형	업무분야별 구분 비율												합계
	주거·사무실 겸용시설	철근·콘크리트 공사	37.2	기계설비 공사	19.6	금속 구조물·창호·온실 공사	17.5	토공사	12.3	실내건축 공사	7.4	습식·방수 공사	6.0			100.0
	상가·백화점·쇼핑센터	기계설비 공사	26.0	철근·콘크리트 공사	20.7	실내건축 공사	17.8	금속 구조물·창호·온실 공사	13.0	강구조물 공사	10.3	토공사	6.2	습식·방수 공사	6.0	100.0
	사무실빌딩	기계설비 공사	38.4	실내건축 공사	20.4	금속 구조물·창호·온실 공사	18.1	철근·콘크리트 공사	16.1	토공사	7.0					100.0
	오피스텔	철근·콘크리트공사	36.2	기계설비 공사	16.0	금속 구조물·창호·온실 공사	14.4	토공사	13.2	실내건축 공사	11.7	습식·방수 공사	8.5			100.0
	인텔리전트빌딩	금속 구조물·창호·온실 공사	32.9	철근·콘크리트 공사	25.5	토공사	17.9	습식·방수공사	8.6	실내건축 공사	8.2	강구조물 공사	6.9			100.0
	관공서건물 (11층이하)	철근·콘크리트 공사	31.9	기계설비 공사	22.3	금속 구조물·창호·온실 공사	16.3	실내건축 공사	13.0	습식·방수 공사	10.4	토공사	6.1			100.0
	관공서건물 (12층이상)	철근·콘크리트 공사	36.9	금속 구조물·창호·온실 공사	26.8	실내건축 공사	16.4	습식·방수 공사	12.4	토공사	7.5					100.0
	호텔, 숙박시설	실내건축 공사	32.1	기계설비 공사	24.9	철근·콘크리트 공사	24.5	금속 구조물·창호·온실 공사	12.2	토공사	6.3					100.0

공종	시설물유형	업무분야별 구분 비율														합계
	학교	철근·콘크리트 공사	33.6	금속 구조물·창호·온실 공사	19.7	기계설비 공사	17.2	실내건축 공사	15.5	습식·방수 공사	14.0					100.0
	병원	기계설비 공사	33.6	철근·콘크리트 공사	22.4	금속 구조물·창호·온실 공사	15.3	실내건축 공사	14.8	토공사	7.7	습식·방수 공사	6.2			100.0
	교회, 사찰 등 종교용 건물	철근·콘크리트 공사	28.8	기계설비 공사	22.5	금속 구조물·창호·온실 공사	14.4	토공사	10.1	실내건축 공사	9.5	습식·방수 공사	8.1	석공사	6.6	100.0
	전통양식건축	실내건축 공사	91.8	철근·콘크리트 공사	8.2											100.0
	기타 문화재, 유적건물	철근·콘크리트 공사	24.9	금속 구조물·창호·온실 공사	20.4	지붕판금·건축물 조립공사	19.2	실내건축 공사	15.7	습식·방수 공사	10.0	토공사	9.8			100.0
	경기장, 운동장	기계설비 공사	20.1	철근·콘크리트 공사	18.7	강구조물 공사	13.7	지붕판금·건축물 조립공사	11.2	실내건축 공사	11.0	금속 구조물·창호·온실 공사	10.7	습식·방수 공사	7.4	100.0
		토공사	7.2													
	전시시설	실내건축 공사	64.9	철근·콘크리트 공사	13.2	금속 구조물·창호·온실 공사	8.0	기계설비 공사	7.6	지붕판금·건축물 조립공사	6.3					100.0
	공장, 작업장용 건물	기계설비 공사	44.2	강구조물 공사	22.5	철근·콘크리트 공사	13.1	지붕판금·건축물 조립공사	10.8	금속 구조물·창호·온실 공사	9.4					100.0

공종	시설물유형	업무분야별 구분 비율												합계
	기계기구설치(플랜트제외)	강구조물 공사	41.4	지붕판금·건축물 조립공사	23.1	금속구조물·창호·온실공사	21.6	승강기 설치공사	13.9					100.0
	창고, 차고 터미널건물	강구조물 공사	24.9	철근·콘크리트 공사	19.4	지붕판금·건축물 조립공사	19.0	기계설비 공사	18.3	금속 구조물·창호·온실 공사	11.5	습식·방수 공사	6.9			100.0
	위험물저장소	철근·콘크리트 공사	36.3	기계설비 공사	25.3	금속 구조물·창호·온실 공사	24.6	강구조물 공사	13.8							100.0
	기타	철근·콘크리트공사	35.2	금속 구조물·창호·온실 공사	19.1	실내건축 공사	18.0	강구조물 공사	11.5	습식·방수 공사	8.4	토공사	7.8			100.0
산업 환경 설비 (11)	제철소, 석유화학 공장의 생산시설	기계설비 공사	100.0													100.0
	원자력발전소	철근·콘크리트 공사	35.2	기계설비 공사	19.1	도장	13.4	토공사	13.1	강구조물 공사	7.8	습식·방수 공사	6.0	금속 구조물·창호·온실 공사	5.4	100.0
	화력발전소	기계설비 공사	60.6	토공사	13.6	철근·콘크리트 공사	7.0	강구조물 공사	6.5	보링·그라우팅 공사	6.2	비계·구조물 해체공사	6.1			100.0
	열병합발전소	기계설비 공사	100.0													100.0
	수력발전소	기계설비 공사	100.0													100.0
	집단에너지 공급시설공사	기계설비 공사	57.0	가스1종	21.1	금속 구조물·창호·온실 공사	12.5	토공사	9.4							100.0

공종	시설물유형	업무분야별 구분 비율												합계
	쓰레기소각장	기계설비 공사	73.6	토공사	9.4	지붕판금·건축물 조립공사	9.1	철근·콘크리트 공사	7.9					100.0
	플랜트 설치공사	기계설비 공사	32.9	강구조물 공사	18.0	금속 구조물·창호·온실 공사	13.4	철근·콘크리트 공사	11.9	비계·구조물 해체공사	9.3	지붕판금·건축물 조립공사	7.3	토공사	7.2	100.0
	하수종말 처리장	기계설비 공사	28.2	철근·콘크리트 공사	24.1	상·하수도 설비공사	22.7	토공사	19.2	습식·방수 공사	5.8					100.0
	폐수종말 처리장	기계설비 공사	46.9	철근·콘크리트 공사	13.7	지붕판금·건축물 조립공사	13.2	습식·방수 공사	10.7	토공사	8.6	상·하수도 설비공사	6.9			100.0
	그밖의 산업환경설비	상·하수도 설비공사	35.9	기계설비 공사	17.1	토공사	14.2	철근·콘크리트 공사	11.4	금속 구조물·창호·온실 공사	8.4	습식·방수 공사	6.5	강구조물 공사	6.5	100.0
조경 (3)	수목원	조경식재 공사	100.0													100.0
	공원조성공사	조경 시설물 설치공사	47.1	조경식재 공사	36.1	철근·콘크리트 공사	9.4	토공사	7.4							100.0
	기타조경시설	조경 시설물 설치공사	56.3	조경식재 공사	43.7											100.0

※ 본 자료는 전문건설업종의 하도급 실적(`15년~`19년)을 토대로 해당 시설물 공사를 구성하는 전문건설업종의 업무분야 중 5% 이상을 차지하는 업무분야들로 분류하고, 5% 미만을 차지하는 업무분야는 5% 이상을 차지하는 업무분야의 구성 비율을 적용하여 배분함

■ 종합·전문업종간 상호시장 진출을 위한 건설공사실적 인정기준 [별지 서식]

상호실적 인정기준에 따른 건설공사 실적확인(신청)서

※ 어두운 난( )은 신청인이 작성하지 않습니다.

접수번호	접수일	처리기간 즉시

상호 (법인인 경우 법인명칭)					
대표자					
영업소 소재지					
건설업종 (종합 또는 전문)					
등록번호					

최근 ( )년간 아래와 같이 건설공사실적이 있음을 확인하여 주시기 바랍니다.

년 월 일

신청인 (서명 또는 인)

０００ 귀하

(단위 : 백만원)

업종구분 (종합 또는 전문 등록업종)	상대업종분야 또는 업무분야	년	년	년	년	년	합계
소 계							

위 사실을 확인합니다.

년 월 일

확인자 (서명 또는 인)

○○○○장

210mm×297mm[백상지(80g/㎡) 또는 중질지(80g/㎡)]

국가계약법령집

인쇄일 2022. 11. 07 | 발행일 2022. 11. 14 | 발행인 김 형 철
발행처 대한경제 | 주소 서울시 강남구 언주로 711, 12층(논현동, 건설회관) | 전화 02-515-7320 ~ 2
홈페이지 www.dnews.co.kr
정가 40,000원

 등록/제2-2호('62.11.21)

국가계약법령집

I 입찰·계약관련 주요법령

CONTENTS

1

국가를 당사자로 하는 계약에 관한 법률·시행령·시행규칙

국가를 당사자로 하는 계약에 관한 법률·시행령·시행규칙 목차

법 률	시 행 령	시 행 규 칙
제정 1995. 1. 5 법률 제 4868호	제정 1995. 7. 6 대통령령 제14710호	제정 1995. 7. 6 총리령 제511호
개정 1997.12.13 법률 제 5453호	개정 1996. 4. 8 대통령령 제14973호	개정 1996.12.31 총리령 제602호
개정 1997.12.13 법률 제 5454호	개정 1996.12.31 대통령령 제15186호	개정 1998. 2.23 총리령 제682호
개정 2002.12.30 법률 제 6836호	개정 1997. 7.10 대통령령 제15433호	개정 1999. 9. 9 재정경제부령 제104호
개정 2005.12.14 법률 제 7722호	개정 1997.12.31 대통령령 제15581호	개정 2000.12.30 재정경제부령 제174호
개정 2006.10. 4 법률 제 8050호	개정 1997.12.31 대통령령 제15582호	개정 2002. 3.25 재정경제부령 제251호
개정 2008. 2.29 법률 제 8852호	개정 1998. 2. 2 대통령령 제15614호	개정 2002. 8.24 재정경제부령 제274호
개정 2012. 3.21 법률 제11377호	개정 1998. 2.24 대통령령 제15661호	개정 2003.12.12 재정경제부령 제335호
개정 2012.12.18 법률 제11547호	개정 1999. 5.13 대통령령 제16308호	개정 2005. 9. 8 재정경제부령 제460호
개정 2013. 8.13 법률 제12028호	개정 1999. 6.30 대통령령 제16448호	개정 2006. 5.25 재정경제부령 제508호
개정 2014.12.30 법률 제12860호	개정 1999. 9. 9 대통령령 제16548호	개정 2006. 7. 5 재정경제부령 제512호
개정 2016. 3. 2 법률 제14038호	개정 1999.12.31 대통령령 제16682호	개정 2006.12.29 재정경제부령 제536호
개정 2017. 7.26 법률 제14839호	개정 2000. 7.27 대통령령 제16919호	개정 2007.10.10 재정경제부령 제578호
개정 2017.12.19 법률 제15219호	개정 2000. 8. 5 대통령령 제16943호	개정 2009. 3. 5 기획재정부령 제 58호
개정 2019.11.26 법률 제16578호	개정 2000.12.27 대통령령 제17019호	개정 2009. 8.31 기획재정부령 제 95호
개정 2020. 3.31 법률 제17133호	개정 2001. 8.25 대통령령 제17344호	개정 2010. 7.21 기획재정부령 제161호
개정 2020. 6. 9 법률 제17339호	개정 2002. 3.25 대통령령 제17546호	개정 2012. 5.18 기획재정부령 제284호
개정 2020. 6. 9 법률 제17348호	개정 2002. 4.20 대통령령 제17585호	개정 2013. 3.23 기획재정부령 제342호
개정 2020.10.20 법률 제17555호	개정 2002. 7.30 대통령령 제17688호	개정 2013. 6.19 기획재정부령 제352호
개정 2021. 1. 5 법률 제17816호	개정 2002.12. 5 대통령령 제17791호	개정 2013. 6.28 기획재정부령 제355호
	개정 2002.12.30 대통령령 제17824호	개정 2013. 9.17 기획재정부령 제360호
	개정 2003.12.11 대통령령 제18155호	개정 2014.11. 4 기획재정부령 제443호
	개정 2004. 4 .6 대통령령 제18359호	개정 2014.11.19 기획재정부령 제444호
	개정 2004.12.31 대통령령 제18666호	개정 2015. 6.30 기획재정부령 제487호
	개정 2005. 6.30 대통령령 제18903호	개정 2016. 2. 1 기획재정부령 제533호
	개정 2005. 9. 8 대통령령 제19035호	개정 2016. 9.23 기획재정부령 제573호
	개정 2006. 2. 8 대통령령 제19321호	개정 2017.12.28 기획재정부령 제644호
	개정 2006. 4.28 대통령령 제19463호	개정 2018.12. 4 기획재정부령 제699호
	개정 2006. 5.25 대통령령 제19483호	개정 2019. 9.17 기획재정부령 제751호
	개정 2006. 5.30 대통령령 제19494호	개정 2021. 7. 6 기획재정부령 제859호
	개정 2006.12.29 대통령령 제19782호	개정 2021.10.28 기획재정부령 제867호
	개정 2006.12.29 대통령령 제19806호	
	개정 2007.10.10 대통령령 제20319호	
	개정 2007.10.15 대통령령 제20323호	
	개정 2008. 2.29 대통령령 제20720호	
	개정 2008. 5.21 대통령령 제20789호	
	개정 2008. 7.29 대통령령 제20947호	

법 률	시 행 령	시 행 규 칙
	개정 2008.12.31 대통령령 제21202호 개정 2009. 5. 6 대통령령 제21480호 개정 2009. 6.26 대통령령 제21565호 개정 2009. 6.29 대통령령 제21578호 개정 2009. 8.18 대통령령 제21692호 개정 2009. 8.21 대통령령 제21698호 개정 2009.11.20 대통령령 제21834호 개정 2010. 7.21 대통령령 제22282호 개정 2010.11.15 대통령령 제22493호 개정 2010.12.13 대통령령 제22525호 개정 2011. 1.17 대통령령 제22626호 개정 2011. 1.24 대통령령 제22637호 개정 2011. 1.26 대통령령 제22638호 개정 2011. 2. 9 대통령령 제22660호 개정 2011.10.28 대통령령 제23267호 개정 2011.11. 1 대통령령 제23282호 개정 2011.11.23 대통령령 제23313호 개정 2011.12.31 대통령령 제23477호 개정 2012. 5.14 대통령령 제23778호 개정 2012.10. 8 대통령령 제24130호 개정 2013. 1.16 대통령령 제24317호 개정 2013. 3.23 대통령령 제24441호 개정 2013. 6.17 대통령령 제24601호 개정 2013. 9.17 대통령령 제24728호 개정 2013.12.30 대통령령 제25033호 개정 2013.12.30 대통령령 제25050호 개정 2014. 5.22 대통령령 제25358호 개정 2014.11. 4 대통령령 제25679호 개정 2014.11.19 대통령령 제25751호 개정 2015. 2.23 대통령령 제26108호 개정 2015. 6.22 대통령령 제26321호 개정 2015.12.31 대통령령 제26829호 개정 2016. 2.11 대통령령 제26975호 개정 2016. 5.31 대통령령 제27205호 개정 2016. 7.28 대통령령 제27401호 개정 2016. 9. 2 대통령령 제27475호 개정 2016. 9.29 대통령령 제27524호	

법 률	시 행 령	시 행 규 칙
	개정 2016.12.30 대통령령 제27751호 개정 2017. 1.26 대통령령 제27807호 개정 2017. 3.27 대통령령 제27958호 개정 2017. 7.26 대통령령 제28211호 개정 2018. 1.16 대통령령 제28586호 개정 2018. 3. 6 대통령령 제28690호 개정 2018.12. 4 대통령령 제29318호 개정 2018.12.11 대통령령 제29360호 개정 2019. 9.17 대통령령 제30078호 개정 2020. 1. 7 대통령령 제30337호 개정 2020. 2.18 대통령령 제30423호 개정 2020. 4. 7 대통령령 제30597호 개정 2020. 5. 1 대통령령 제30655호 개정 2020. 9.29 대통령령 제31053호 개정 2020. 9.29 대통령령 제31054호 개정 2020.12. 8 대통령령 제31220호 개정 2020.12. 8 대통령령 제31221호 개정 2020.12. 8 대통령령 제31222호 개정 2021. 1. 5 대통령령 제31380호 개정 2021. 2. 2 대통령령 제31429호 개정 2021. 2.17 대통령령 제31448호 개정 2021. 3.30 대통령령 제31557호 개정 2021. 7. 6 대통령령 제31864호 개정 2021. 9.14 대통령령 제31986호 개정 2022. 1.25 대통령령 제32370호 개정 2022. 3.25 대통령령 제32557호 개정 2022. 6.14 대통령령 제32690호 개정 2022. 6.28 대통령령 제32733호	

법 률	시 행 령	시 행 규 칙
	제1장 총 칙	**제1장 총 칙**
제1조(목적) 이 법은 국가를 당사자로 하는 계약에 관한 기본적인 사항을 정함으로써 계약업무를 원활하게 수행할 수 있도록 함을 목적으로 한다. [전문개정 2012.12.18] 판 대법원 1996. 04. 26. 선고 95다11436 판결	**제1조(목적)** 이 영은 「국가를 당사자로 하는 계약에 관한 법률」에서 위임된 사항과 그 시행에 관하여 필요한 사항을 규정함을 목적으로 한다. 〈개정 2005.9.8〉	**제1조(목적)** 이 규칙은 「국가를 당사자로 하는 계약에 관한 법률」 및 동법 시행령에서 위임된 사항과 그 시행에 관하여 필요한 사항을 규정함을 목적으로 한다. 〈개정 2005.9.8〉
	제2조(정의) 이 영에서 사용하는 용어의 정의는 다음과 같다. 〈개정 1996.12.31, 1999.9.9, 2005.9.8, 2007.10.10, 2008.2.29〉 1. "추정가격"이라 함은 물품·공사·용역 등의 조달계약을 체결함에 있어서 「국가를 당사자로 하는 계약에 관한 법률」(이하 "법"이라 한다) 제4조의 규정에 의한 국제입찰 대상여부를 판단하는 기준등으로 삼기 위하여 예정가격이 결정되기 전에 제7조의 규정에 의하여 산정된 가격을 말한다.	**제2조(정의)** 이 규칙에서 사용하는 용어의 정의는 다음과 같다. 〈개정 2003.12.12, 2005.9.8, 2006.5.25〉 1. "계약담당공무원"이라 함은 세입의 원인이 되는 계약에 관한 사무를 각 중앙관서의 장으로부터 위임 받은 공무원, 「국고금관리법」 제22조의 규정에 의한 재무관(대리재무관·분임재무관 및 대리분임재무관을 포함한다. 이하 같다), 「국가를 당사자로 하는 계약에 관한 법률」(이하

2. 삭제〈2020.4.7〉
3. "고시금액"이라 함은 법 제4조제1항 본문의 규정에 의하여 기획재정부장관이 고시한 금액을 말한다.
4. "공사이행보증서"라 함은 공사계약에 있어서 계약상대자가 계약상의 의무를 이행하지 못하는 경우 계약상대자를 대신하여 계약상의 의무를 이행할 것을 보증하되, 이를 보증한 기관이 의무를 이행하지 아니하는 경우에는 일정금액을 납부할 것을 보증하는 증서를 말한다.
5. 삭제 〈2010.7.21〉

"법"이라 한다) 제6조제1항의 규정에 의한 계약관(대리계약관·분임계약관 및 대리분임계약관을 포함한다. 이하 같다) 및 「국고금관리법」 제24조의 규정에 의하여 지출관으로부터 자금을 교부받아 지급원인행위를 할 수 있는 관서운영경비출납공무원(대리관서운영경비출납공무원·분임관서운영경비출납공무원 및 대리분임관서운영경비출납공무원을 포함한다. 이하 같다)과 기타 법령에 의하여 세입세출외의 자금 또는 기금의 출납의 원인이 되는 계약을 담당하는 공무원을 말한다.
2. "추정금액"이라 함은 공사에 있어서 「국가를 당사자로 하는 계약에 관한 법률 시행령」(이하 "영"이라 한다) 제2조제1호에 따른 추정가격에 「부가가치세법」에 따른 부가가치세와 관급재료로 공급될 부분의 가격을 합한 금액을 말한다.

법 률	시 행 령	시 행 규 칙
제2조(적용 범위) 이 법은 국제입찰에 따른 정부조달계약과 국가가 대한민국 국민을 계약상대자로 하여 체결하는 계약[세입(歲入)의 원인이 되는 계약을 포함한다] 등 국가를 당사자로 하는 계약에 대하여 적용한다. [전문개정 2012.12.18]		**제3조(적용범위)** 각 중앙관서의 장 또는 계약담당공무원은 계약에 관한 사무를 처리함에 있어서 다른 법령에 특별한 규정이 있는 경우를 제외하고는 이 규칙이 정하는 바에 의한다.
제3조(다른 법률과의 관계) 국가를 당사자로 하는 계약에 관하여는 다른 법률에 특별한 규정이 있는 경우를 제외하고는 이 법에서 정하는 바에 따른다. [전문개정 2012.12.18] 판 2012.12.27. 선고 2012다15695 판결	**제3조(다른 법령과의 관계)** ① 국가를 당사자로 하는 계약에 관하여는 다른 법령에 특별한 규정이 있는 경우를 제외하고는 이 영이 정하는 바에 의한다. ② 국제입찰에 의할 정부조달계약에 한하여 적용될 사항은 따로 대통령령으로 정한다.	
제4조(국제입찰에 따른 정부조달계약의 범위) ① 국제입찰에 따른 정부조달계약의 범위는 정부기관이 체결하는 물품·공사(工事) 및 용역의 계약으로서 정부조달협정과 이에 근거한 국제규범에 따라 기획재정부장관이 정하여 고시하는 금액 이상의 계약으로 한다. 다만, 다음 각 호의 어느 하나에 해당하는 경우에는		

국제입찰에 따른 정부조달계약의 대상에서 제외한다.

1. 재판매(再販賣)나 판매를 위한 생산에 필요한 물품이나 용역을 조달하는 경우
2. 「중소기업제품 구매촉진 및 판로지원에 관한 법률」에 따라 중소기업제품을 제조·구매하는 경우
3. 「양곡관리법」, 「농수산물 유통 및 가격안정에 관한 법률」 및 「축산법」에 따른 농·수·축산물을 구매하는 경우
4. 그 밖에 정부조달협정에 규정된 내용으로서 대통령령으로 정한 경우

② 제1항 각 호 외의 부분 본문에 따른 정부기관과 물품·공사 및 용역의 범위는 정부조달협정의 내용에 따라 대통령령으로 정한다.

③ 「국가재정법」 제6조에 따른 중앙관서의 장(이하 "각 중앙관서의 장"이라 한다) 또는 제6조에 따라 위임·위탁 등을 받아 계약사무를 담당하는 공무원(이하 "계약담당공무원"이

법률	시행령	시행규칙
라 한다)은 계약의 목적과 성질 등을 고려하여 필요하다고 인정하면 제1항에 해당하지 아니하는 경우에도 대통령령으로 정하는 바에 따라 국제입찰에 의하여 조달할 수 있다. [전문개정 2012.12.18] 유 계약제도과-352, '10.11.09 · 계약제도과-498, '10.12.13 계약제도과-1043, '11.09.02 · 계약제도과-1047, '11.09.02 계약제도과-1060, '11.09.06 · 계약제도과-99, '12.01.26 계약제도과-713, '12.06.07 · 계약제도과-1226, '12.09.19		
제5조(계약의 원칙) ① 계약은 서로 대등한 입장에서 당사자의 합의에 따라 체결되어야 하며, 당사자는 계약의 내용을 신의성실의 원칙에 따라 이행하여야 한다. ② 각 중앙관서의 장 또는 계약담당공무원은 제4조제1항에 따른 국제입찰의 경우에는 호혜(互惠)의 원칙에 따라 정부조달협정 가입국(加入國)의 국민과 이들 국가에서 생산되는 물품 또는 용역에 대하여 대한민국의 국민과 대한민국에서 생산되는 물품 또는 용역과 차별되는 특약(特約)이나 조건을 정하여서는	**제4조** 삭제〈2020.4.7〉	

아니 된다.

③ 각 중앙관서의 장 또는 계약담당공무원은 계약을 체결할 때 이 법 및 관계 법령에 규정된 계약상대자의 계약상 이익을 부당하게 제한하는 특약 또는 조건(이하 "부당한 특약등"이라 한다)을 정해서는 아니 된다. 〈신설 2019.11.26〉

④ 제3항에 따른 부당한 특약등은 무효로 한다. 〈신설 2019.11.26.〉

[전문개정 2012.12.18]

판 대법원 2006.06.19.자 2006마117 결정
서울고등법원 2012.06.15. 자 2011카합1987 결정

유 회계제도과-480, '10.03.20 · 계약제도과-910, '11.07.26
계약제도과-1119, '11.09.23 · 계약제도과-161, '12.02.14
계약제도과-174, '12.02.17 · 계약제도과-179, '12.02.20

제5조의2(청렴계약) ① 각 중앙관서의 장 또는 계약담당공무원은 국가를 당사자로 하는 계약에서 투명성 및 공정성을 높이기 위하여 입찰자 또는 계약상대자로 하여금 입찰·낙찰, 계약체결 또는 계약이행 등의 과정(준공·납품 이후를 포함한다)에서 직접적·간접적

제4조의2(청렴계약의 내용과 체결 절차) ① 법 제5조의2제1항에 따른 청렴계약(이하 "청렴계약"이라 한다)에 포함되어야 할 구체적인 내용은 다음 각 호와 같다. 〈개정 2019.9.17〉

1. 금품, 향응, 취업제공 및 알선 등의 요구·약속과 수수(授受) 금지 등에 관한 사항

법 률	시 행 령	시 행 규 칙
으로 금품·향응 등을 주거나 받지 아니할 것을 약정하게 하고 이를 지키지 아니한 경우에는 해당 입찰·낙찰을 취소하거나 계약을 해제·해지할 수 있다는 조건의 계약(이하 "청렴계약"이라 한다)을 체결하여야 한다. 〈개정 2020.6.9.〉 ② 청렴계약의 구체적 내용과 체결 절차 등 세부적인 사항은 대통령령으로 정한다. [본조신설 2012.12.18]	2. 입찰가격의 사전 협의 또는 특정인의 낙찰을 위한 담합 등 공정한 경쟁을 방해하는 행위의 금지에 관한 사항 3. 공정한 직무수행을 방해하는 알선·청탁을 통하여 입찰 또는 계약과 관련된 특정 정보의 제공을 요구하거나 받는 행위의 금지에 관한 사항 ② 각 중앙관서의 장 또는 법 제6조에 따라 계약사무의 위임·위탁을 받은 공무원(이하 "계약담당공무원"이라 한다)은 입찰자가 입찰서를 제출할 때 법 제5조의2에 따라 체결한 청렴계약의 계약서를 제출하도록 해야 한다. 〈개정 2019.9.17, 2020.4.7〉 [본조신설 2013.6.17]	
제5조의3(청렴계약 위반에 따른 계약의 해제·해지 등) 각 중앙관서의 장 또는 계약담당공무원은 청렴계약을 지키지 아니한 경우 해당 입찰·낙찰을 취소하거나 계약을 해제·해지하여야 한다. 다만, 금품·향응 제공 등 부정행위	**제4조의3(청렴계약을 위반한 계약의 계속 이행)** 각 중앙관서의 장은 법 제5조의3 단서에 따라 청렴계약을 지키지 아니한 해당 계약의 계속 이행을 승인할 때에는 계약 대상물의 성격과 해당 계약의 이행 정도 및 기간 등에 관하여	

의 경중, 해당 계약의 이행 정도, 계약이행 중단으로 인한 국가의 손실 규모 등 제반사정을 고려하여 공익을 현저히 해(害)한다고 인정되는 경우에는 대통령령으로 정하는 바에 따라 각 중앙관서의 장의 승인을 받아 해당 계약을 계속하여 이행하게 할 수 있다.

[본조신설 2012.12.18]

제5조의4(근로관계법령의 준수) 각 중앙관서의 장 또는 계약담당공무원은 계약을 체결할 때 계약상대자로 하여금 해당 계약을 이행하는 근로자(「하도급거래 공정화에 관한 법률」에 따른 수급사업자가 고용한 근로자를 포함한다)의 근로조건이 「근로기준법」 등 근로관계 법령을 준수하도록 하는 내용을 계약서에 포함시킬 수 있다.

[본조신설 2020.3.31]

[시행일 : 2020.10.1] 제5조의4

제6조(계약사무의 위임·위탁) ① 각 중앙관서의 장은 그 소관에 속하는 계약사무를 처리하기

기획재정부장관이 정하는 기준 등을 고려하여야 한다.

[본조신설 2013.6.17]

제5조(계약관의 대리와 분임 및 임명통지) ① 각 중앙관서의 장은 법 제6조제1항의 규정에 의

법 률	시 행 령	시 행 규 칙
위하여 필요하다고 인정하면 그 소속 공무원 중에서 계약에 관한 사무를 담당하는 공무원(이하 "계약관"이라 한다)을 임명하여 그 사무를 위임할 수 있으며, 그 소속 공무원에게 계약관의 사무를 대리(代理)하게 하거나 그 사무의 일부를 분장(分掌)하게 할 수 있다. ② 각 중앙관서의 장은 대통령령으로 정하는 바에 따라 다른 중앙관서 소속 공무원에게 계약관의 사무를 위탁할 수 있다. ③ 각 중앙관서의 장은 대통령령으로 정하는 바에 따라 그 소관의 계약에 관한 사무를 다른 관서에 위탁할 수 있다. ④ 제1항과 제2항에 따른 계약관의 사무의 위임·위탁, 대리 및 일부 분장은 각 중앙관서 소속 기관에 설치된 관직을 지정함으로써 갈음할 수 있다.	하여 계약에 관한 사무를 담당하는 공무원(이하 "계약관"이라 한다)을 임명하였거나 계약관의 사무를 대리 또는 그 일부를 분장하게 한 때에는 그 뜻을 「국고금관리법」 제22조에 규정한 재무관 및 지출관과 감사원에 통지하여야 한다. 〈개정 2005.9.8〉 ② 법 제6조제1항의 규정에 의하여 계약관의 사무의 전부를 대리하는 공무원은 대리계약관, 그 일부를 분장하는 공무원은 분임계약관, 분임계약관의 사무를 대리하는 공무원은 대리분임계약관으로 각각 칭한다. ③ 각 중앙관서의 장은 법 제6조제2항의 규정에 의하여 다른 중앙관서소속의 공무원에게 계약관의 사무를 위탁하고자 할 때에는 위탁을 받을 공무원과 위탁하고자 하는 사무의 범위에 대하여 미리 그 중앙관서의 장의 동의를 얻어 위탁하고, 그 뜻을 감사원에 통지하여야 한다. 계약관의 사무의 전부를 대리하거나 그 일부를 분장하는 공무원을 임명하는 경우	

	에도 또한 같다. ④ 법 제6조제3항에 의하여 각 중앙관서의 장이 그 소관에 속하는 계약에 관한 사무를 다른 관서에 위탁할 경우에도 제3항의 규정을 준용한다.	
⑤ 계약관은 대통령령으로 정하는 재정보증이 없으면 그 직무를 담당할 수 없다. [전문개정 2012.12.18]	**제6조(계약담당공무원의 재정보증)** ① 각 중앙관서의 장은 법 제6조제5항의 규정에 의하여 소속계약관의 재정보증에 관한 사항을 정하여 운영하여야 한다. ② 제1항의 규정에 의한 재정보증에 관하여 필요한 공통적인 사항은 기획재정부장관이 정한다. 〈개정 1999.9.9, 2008.2.29〉	
	제2장 추정가격 및 예정가격	**제2장 예정가격**
	제7조(추정가격의 산정) 각 중앙관서의 장 또는 계약담당공무원은 예산에 계상된 금액 등을 기준으로 하여 추정가격을 산정하되, 다음 각 호의 구분에 따른 금액으로 한다. 〈개정	

법 률	시 행 령	시 행 규 칙
	2021.1.5.〉 1. 공사계약의 경우에는 관급자재로 공급될 부분의 가격을 제외한 금액 2. 단가계약의 경우에는 당해 물품의 추정단가에 조달예정수량을 곱한 금액 3. 개별적인 조달요구가 복수로 이루어지거나 분할되어 이루어지는 계약의 경우에는 다음 각 목의 어느 하나 중에서 선택한 금액 가. 해당 계약의 직전 회계연도 또는 직전 12개월 동안 체결된 유사한 계약의 총액을 대상으로 직후 12개월 동안의 수량 및 금액의 예상변동분을 고려하여 조정한 금액 나. 동일 회계연도 또는 직후 12월 동안에 계약할 금액의 총액 4. 물품 또는 용역의 리스·임차·할부구매계약 및 총계약금액이 확정되지 아니한 계약의 경우에는 다음 각 목의 1에 의한 금액	

제8조의2(예정가격의 작성) ① 각 중앙관서의 장 또는 계약담당공무원은 입찰 또는 수의계약 등에 부칠 사항에 대하여 낙찰자 및 계약금액의 결정기준으로 삼기 위하여 미리 해당 규격서 및 설계서 등에 따라 예정가격을 작성하여야 한다. 다만, 다른 국가기관 또는 지방자치단체와 계약을 체결하는 경우 등 대통령령으로 정하는 경우에는 예정가격을 작성하

가. 계약기간이 정하여진 계약의 경우에는 총 계약기간에 대하여 추정한 금액

나. 계약기간이 정하여지지 아니하거나 불분명한 계약의 경우에는 1월분의 추정지급액에 48을 곱한 금액

5. 조달하고자 하는 대상에 선택사항이 있는 경우에는 이를 포함하여 최대한 조달가능한 금액

[본조신설 1996.12.31.]

[종전 제7조는 제7조의2로 이동〈1996.12.31〉]

유 계약제도과-728, '11.06.24

제7조의2(예정가격의 작성방법 등) ① 각 중앙관서의 장 또는 계약담당공무원이 법 제8조의2제1항 본문에 따라 예정가격을 작성하는 경우에는 해당 규격서 및 설계서 등에 따라 예정가격을 결정하고 이를 밀봉해 미리 개찰장소 또는 가격협상장소 등에 두어야 하며, 예정가격이 누설되지 않도록 해야 한다.

② 법 제8조의2제1항 단서에서 "다른 국가기

법 률	시 행 령	시 행 규 칙
지 아니하거나 생략할 수 있다. ② 각 중앙관서의 장 또는 계약담당공무원이 제1항 본문에 따른 예정가격을 작성할 경우에는 계약수량, 이행기간, 수급상황, 계약조건 등을 고려하여 계약목적물의 품질·안전 등이 확보되도록 적정한 금액을 반영하여야 한다. ③ 제1항 본문에 따른 예정가격의 작성시기, 결정방법, 결정기준, 그 밖에 필요한 사항은 대통령령으로 정한다. [본조신설 2019.11.26]	관 또는 지방자치단체와 계약을 체결하는 경우 등 대통령령으로 정하는 경우"란 다음 각 호의 구분에 따른 경우를 말한다. 〈개정 2020.5.1, 2021.7.6.〉 1. 예정가격을 작성하지 않는 계약: 제79조제1항제5호에 따른 일괄입찰 및 제98조제3호에 따른 기본설계 기술제안입찰 2. 예정가격의 작성을 생략할 수 있는 계약: 제26조제1항제5호가목 및 바목에 따른 수의계약(제30조제2항 본문에 따라 견적서를 제출하게 하는 경우는 제외한다), 제43조에 따른 협상에 의한 계약, 제43조의3에 따른 경쟁적 대화에 의한 계약 및 제70조에 따른 개산계약 [전문개정 2020. 4. 7] 유 회계제도과-1176, '09.07.15 **제8조(예정가격의 결정방법)** ① 예정가격은 계약을 체결하고자 하는 사항의 가격의 총액에 대하여 이를 결정하여야 한다. 다만, 일정한	

기간 계속하여 제조·공사·수리·가공·매매·공급·임차등을 하는 계약의 경우에 있어서는 단가에 대하여 그 예정가격을 결정할 수 있다.

② 공사계약에 있어서 그 이행에 수년이 걸리며 설계서 등에 의하여 전체의 사업내용이 확정된 공사(이하 "장기계속공사"라 한다) 및 물품의 제조 등의 계약에 있어서 그 이행에 수년이 걸리며 설계서 또는 규격서 등에 의하여 당해 계약목적물의 내용이 확정된 물품의 제조등(이하 "장기물품제조 등"이라 한다)의 경우에는 총 공사·총 제조 등에 대하여 예산상의 총 공사금액(관급자재 금액은 제외한다) 또는 총 제조금액(관급자재 금액은 제외한다)등의 범위안에서 예정가격을 결정하여야 한다. 〈개정 2008.12.31〉

제9조(예정가격의 결정기준) ① 각 중앙관서의 장 또는 계약담당공무원은 다음 각 호의 가격을 기준으로 하여 예정가격을 결정하여야 한다. 〈개정 2014.11.4〉

제4조(예정가격조서의 작성) 각 중앙관서의 장 또는 계약담당공무원은 영 제9조의 규정에 의하여 예정가격을 결정하고자 할 때에는 미리 예정가격조서를 작성하여야 한다.

법 률	시 행 령	시 행 규 칙
	1. 적정한 거래가 형성된 경우에는 그 거래실례가격(법령의 규정에 의하여 가격이 결정된 경우에는 그 결정가격의 범위 안에서의 거래실례가격)	**제5조(거래실례가격 및 표준시장단가에 따른 예정가격의 결정)** ① 영 제9조제1항제1호에 따른 거래실례가격으로 예정가격을 결정함에 있어서는 다음 각 호의 어느 하나에 해당하는 가격으로 하되, 해당거래실례가격에 제6조제1항제4호 및 제5호에 따른 일반관리비 및 이윤을 따로 가산하여서는 아니된다. 〈개정 1999.9.9, 2009.3.5〉 1. 조달청장이 조사하여 통보한 가격 2. 기획재정부장관이 정하는 기준에 적합한 전문가격조사기관으로서 기획재정부장관에게 등록한 기관이 조사하여 공표한 가격 3. 각 중앙관서의 장 또는 계약담당공무원이 2이상의 사업자에 대하여 당해 물품의 거래실례를 직접 조사하여 확인한 가격 ② 영 제9조제1항제3호에 따른 표준시장단가에 따라 예정가격을 결정할 때에 이미 수행한 공사의 종류별 계약단가, 입찰단가와 시공단

2. 신규개발품이거나 특수규격품 등의 특수한 물품·공사·용역 등 계약의 특수성으로 인하여 적정한 거래실례가격이 없는 경우에는 원가계산에 의한 가격. 이 경우 원가계산에 의한 가격은 계약의 목적이 되는 물품·공사·용역 등을 구성하는 재료비·노무비·경비와 일반관리비 및 이윤으로 이를 계산한다.

가 등을 토대로 시장상황과 시공상황을 고려하여 산정하되, 이와 관련하여 필요한 사항은 기획재정부장관이 정한다. 〈개정 1999.9.9, 2009.3.5, 2014.11.4〉

[제목개정 2014.11.4]

제6조(원가계산에 의한 예정가격의 결정) ① 공사·제조·구매(수입물품의 구매는 제외한다) 및 용역의 경우 영 제9조제1항제2호에 따라 원가계산에 의한 가격으로 예정가격을 결정함에 있어서는 그 예정가격에 다음 각 호의 비목을 포함시켜야 한다.
〈개정 1999.9.9, 2009.3.5〉

1. 재료비
   계약목적물의 제조·시공 또는 용역 등에 소요되는 규격별 재료량에 그 단위당 가격을 곱한 금액
2. 노무비
   계약목적물의 제조·시공 또는 용역 등에 소요되는 공종별 노무량에 그 노임단가를

법 률	시 행 령	시 행 규 칙
		곱한 금액 3. 경비 계약목적물의 제조·시공 또는 용역 등에 소요되는 비목별 경비의 합계액 4. 일반관리비 재료비·노무비 및 경비의 합계액에 제8조제1항(제10호를 제외한다)의 규정에 의한 일반관리비율을 곱한 금액 5. 이윤 노무비·경비(기획재정부장관이 정하는 비목은 제외한다) 및 일반관리비의 합계액에 제8조제2항(제3호는 제외한다)에 따른 이윤율을 곱한 금액 ② 수입물품을 구매하는 경우 원가계산에 의한 가격으로 예정가격을 결정함에 있어서는 그 예정가격에 다음 각 호의 비목을 포함시켜야 한다. 1. 수입물품의 외화표시원가 2. 통관료

3. 보세창고료
4. 하역료
5. 국내운반비
6. 신용장개설수수료
7. 일반관리비
   제1호 내지 제6호의 합계액에 제8조제1항 제10호의 규정에 의한 일반관리비율을 곱한 금액
8. 이윤
   제2호 내지 제7호의 합계액에 제8조제2항 제3호의 규정에 의한 이윤율을 곱한 금액

③ 각 중앙관서의 장 또는 계약담당공무원은 제1항 또는 제2항의 규정에 의하여 예정가격을 결정함에 있어서는 예정가격조서에 제1항 각 호 또는 제2항 각 호의 사항을 명백히 하여야 한다.

④ 재료비·노무비 및 경비의 비목은 기획재정부장관이 따로 정한다. 〈개정 1999.9.9, 2009.3.5〉

법 률	시 행 령	시 행 규 칙
		제7조(원가계산을 할 때 단위당 가격의 기준) ① 제6조제1항에 따른 원가계산을 할 때 단위당 가격은 다음 각 호의 어느 하나에 해당하는 가격을 말하며, 그 적용순서는 다음 각 호의 순서에 의한다. 〈개정 1998.2.23, 1999.9.9, 2005.9.8, 2009.3.5〉 1. 거래실례가격 또는 「통계법」 제15조에 따른 지정기관이 조사하여 공표한 가격. 다만, 기획재정부장관이 단위당 가격을 별도로 정한 경우 또는 각 중앙관서의 장이 별도로 기획재정부장관과 협의하여 단위당 가격을 조사·공표한 경우에는 해당 가격 2. 제10조제1호 내지 제3호의 1의 규정에 의한 가격 ② 각 중앙관서의 장 또는 계약담당공무원은 제1항제1호에 따른 가격을 적용함에 있어 다음 각 호의 어느 하나에 해당하는 경우에는 해당 노임단가에 그 노임단가의 100분의 15

이하에 해당하는 금액을 가산할 수 있다. 〈개정 1999.9.9, 2005.9.8, 2007.10.10, 2009.3.5, 2010.7.21〉

1. 「국가기술자격법」 제10조에 따른 국가기술자격 검정에 합격한 자로서 기능계 기술자격을 취득한 자를 특별히 사용하고자 하는 경우
2. 도서지역(제주특별자치도를 포함한다)에서 이루어지는 공사인 경우

제8조(원가계산에 의한 예정가격 결정시의 일반관리비율 및 이윤율) ① 원가계산에 의한 가격으로 예정가격을 결정함에 있어서 일반관리비의 비율은 다음 각 호의 구분에 따른 비율을 초과하지 못한다. 〈개정 2015.6.30〉

1. 공사 : 100분의 6
2. 음·식료품의 제조·구매 : 100분의 14
3. 섬유·의복·가죽제품의 제조·구매 : 100분의 8
4. 나무·나무제품의 제조·구매 : 100분의 9

법 률	시 행 령	시 행 규 칙
		5. 종이·종이제품·인쇄출판물의 제조·구매 : 100분의 14 6. 화학·석유·석탄·고무·플라스틱 제품의 제조·구매 : 100분의 8 7. 비금속광물제품의 제조·구매 : 100분의 12 8. 제1차 금속제품의 제조·구매 : 100분의 6 9. 조립금속제품·기계·장비의 제조·구매 : 100분의 7 10. 수입물품의 구매 : 100분의 8 11. 기타 물품의 제조·구매 : 100분의 11 12. 폐기물 처리·재활용 용역 : 100분의 10 13. 시설물 관리·경비 및 청소 용역 : 100분의 9 14. 행사관리 및 그 밖의 사업지원 용역 : 100분의 8 15. 여행, 숙박, 운송 및 보험 용역 : 100분의 5 16. 장비 유지·보수 용역 : 100분의 10 17. 기타 용역 : 100분의 6

② 원가계산에 의한 가격으로 예정가격을 결정할 때 이윤율은 다음 각 호의 어느 하나에 해당하는 율을 초과하지 못한다. 다만, 각 중앙관서의 장은 다음 각 호의 이윤율의 적용으로는 계약의 목적달성이 곤란하다고 인정되는 특별한 사유가 있는 경우에는 기획재정부장관과 협의하여 그 이윤율을 초과하여 정할 수 있다. 〈개정 1999.9.9, 2007.10.10, 2009.3.5〉

1. 공사 : 100분의 15
2. 제조·구매(「소프트웨어산업 진흥법」 제22조제1항에 따라 고시된 소프트웨어사업의 대가기준에 따른 소프트웨어개발을 포함한다) : 100분의 25
3. 수입물품의 구매 : 100분의 10
4. 용역(「소프트웨어산업 진흥법」 제22조제1항에 따라 고시된 소프트웨어사업의 대가기준에 따른 소프트웨어개발을 제외한다) : 100분의 10

법 률	시 행 령	시 행 규 칙
		제9조(원가계산서의 작성 등) ① 원가계산에 의한 가격으로 예정가격을 결정함에 있어서는 원가계산서를 작성하여야 한다. 다만, 각 중앙관서의 장 또는 계약담당공무원이 직접 원가계산 방법에 의하여 예정가격조서를 작성하는 경우에는 원가계산서를 따로 작성하지 아니할 수 있다. ② 각 중앙관서의 장 또는 계약담당공무원은 계약목적물의 내용·성질 등이 특수하여 스스로 원가계산을 하기 곤란한 경우에는 다음 각 호의 어느 하나에 해당하는 기관(이하 "원가계산용역기관"이라 한다)에 원가계산을 의뢰할 수 있다. 〈개정 1999.9.9, 2005.9.8, 2009.3.5, 2018.12.4〉 1. 정부 및 「공공기관의 운영에 관한 법률」에 따른 공공기관이 자산의 100분의 50 이상을 출자 또는 출연한 연구기관 2. 「고등교육법」 제2조 각 호의 규정에 의한 학교의 연구소

3. 「산업교육진흥 및 산학연협력촉진에 관한 법률」 제25조에 따른 산학협력단
4. 「민법」 기타 다른 법령의 규정에 의하여 주무관청의 허가등을 받아 설립된 법인
5. 「공인회계사법」 제23조의 규정에 의하여 설립된 회계법인

③ 원가계산용역기관은 다음 각 호의 요건을 모두 갖추어야 한다. 〈신설 2018.12.4〉
1. 정관 또는 학칙의 설립목적에 원가계산 업무가 명시되어 있을 것
2. 원가계산 전문인력 10명 이상을 상시 고용하고 있을 것
3. 기본재산이 2억원(제2항제2호 및 제3호의 경우에는 1억원) 이상일 것

④ 제3항에 따른 원가계산용역기관의 세부 요건은 기획재정부장관이 정한다. 〈신설 2018.12.4〉

⑤ 각 중앙관서의 장 또는 계약담당공무원은 제2항에 따라 원가계산을 의뢰한 경우 원가계

법　　률	시　행　령	시　행　규　칙
		산용역기관으로 하여금 이 규칙 및 기획재정부장관이 정하는 바에 의하여 원가계산서를 작성하게 하여야 한다. 〈개정 1999.9.9, 2009.3.5, 2018.12.4〉 [시행일 : 2019.3.5] 제9조
	3. 공사의 경우 이미 수행한 공사의 종류별 시장거래가격 등을 토대로 산정한 표준시장단가로서 중앙관서의 장이 인정한 가격	**제5조(거래실례가격 및 표준시장단가에 따른 예정가격의 결정)** ② 영 제9조제1항제3호에 따른 표준시장단가에 따라 예정가격을 결정할 때에 이미 수행한 공사의 종류별 계약단가, 입찰단가와 시공단가 등을 토대로 시장상황과 시공상황을 고려하여 산정하되, 이와 관련하여 필요한 사항은 기획재정부장관이 정한다. 〈개정 1999.9.9, 2009.3.5, 2014.11.4〉 [제목개정 20014.11.4]
	4. 제1호 내지 제3호의 규정에 의한 가격에 의할 수 없는 경우에는 감정가격, 유사한 물품·공사·용역 등의 거래실례가격 또는 견적가격	**제10조(감정가격 등에 의한 예정가격의 결정)** 영 제9조제1항제4호의 규정에 의한 감정가격, 유사한 거래실례가격 또는 견적가격은 다음 각호의 1의 가격을 말하며, 그 적용순서

는 다음 각 호의 순서에 의한다. 〈개정 2005.9.8, 2013.6.28〉

1. 감정가격 : 「부동산가격공시 및 감정평가에 관한 법률」에 의한 감정평가법인 또는 감정평가사(「부가가치세법」 제8조에 따라 평가업무에 관한 사업자등록증을 교부받은 자에 한한다)가 감정평가한 가격
2. 유사한 거래실례가격 : 기능과 용도가 유사한 물품의 거래실례가격
3. 견적가격 : 계약상대자 또는 제3자로부터 직접 제출받은 가격

제11조(예정가격결정시의 세액합산 등) ① 예정가격에는 다음 각 호의 세액을 포함시켜야 한다. 〈개정 2005.9.8, 2009.3.5〉

1. 「부가가치세법」에 의한 부가가치세
2. 「개별소비세법」에 따른 개별소비세
3. 「교육세법」에 의한 교육세
4. 「관세법」에 의한 관세
5. 「농어촌특별세법」에 의한 농어촌특별세

법 률	시 행 령	시 행 규 칙
		② 제1항의 규정을 적용함에 있어서 원가계산에 의한 가격으로 예정가격을 결정하는 경우 그 예정가격은 제6조제1항 또는 제2항의 규정에 의하여 계산한 금액에 제1항 각 호의 세액을 합하여 이를 계산한다. 이 경우 원가계산의 비목별 원재료의 단위당 가격은 제1항 각 호의 세액을 감한 공급가액으로 하며, 제1항제1호의 부가가치세는 당해계약목적물의 공급가액에 부가가치세율을 곱하여 산출한다. ③ 제2항의 규정을 적용함에 있어서 「부가가치세법」 제26조제1항 또는 「조세특례제한법」 제106조제1항의 규정에 의하여 부가가치세가 면제되는 재화 또는 용역을 공급하는 자와 계약을 체결하기 위하여 예정가격을 결정하는 경우에는 당해 계약상대자가 부담할 비목별 원재료의 부가가치세 매입세액해당액을 제6조제1항의 규정에 의하여 계산한 금액에 합산한다. 〈개정 1999.9.9, 2005.9.8, 2013.6.28〉

② 제1항의 규정에 불구하고 해외로부터 수입하고 있는 군용물자부품을 국산화한 업체와 계약을 체결하려는 경우에는 그 수입가격 등을 고려하여 방위사업청장이 인정한 가격을 기준으로 하여 예정가격을 결정할 수 있다. 〈신설 2003.12.11, 2006.2.8, 2007.10.10〉

③ 각 중앙관서의 장 또는 계약담당공무원은 제1항의 규정에 의하여 예정가격을 결정함에 있어서는 계약수량, 이행기간, 수급상황, 계약조건 기타 제반여건을 참작하여야 한다.

제12조(희망수량경쟁입찰시 예정가격의 결정)

① 영 제17조의 규정에 의한 희망수량경쟁입찰에 있어서의 예정가격은 당해 물품의 단가로 이를 정하여야 한다.

② 제1항의 경우 국고의 부담이 되는 물품의 제조 또는 구매에 관한 입찰인 때에는 그 입찰에 부치고자 하는 물품의 총 수량을 기준으로 한 예정가격조서에 의하여 당해물품의 단가를 정하여야 한다.

<table>
<tr><th>법 률</th><th>시 행 령</th><th>시 행 규 칙</th></tr>
<tr><td></td><td>④ 제1항 내지 제3항외에 예정가격의 결정에 관하여 필요한 사항은 기획재정부장관이 정한다. 〈개정 1999.9.9, 2003.12.11, 2008.2.29〉
유 회계제도과-774, '10.05.18, · 회계제도과-785, '10.05.19
회계제도과-1101, '10.07.15 · 회계제도과-1102, '10.07.15
회계제도과-1109, '10.07.19 · 회계제도과-1262, '10.08.05
회계제도과-1263, '10.08.05 · 회계제도과-1264, '10.08.05
회계제도과-1297, '10.08.10 · 계약제도과-39, '10.09.08
계약제도과-277, '10.10.21 · 계약제도과-367, '10.11.11
계약제도과-789, '11.07.05 · 계약제도과-1584, '11.12.29
계약제도과-19, '12.01.04 · 계약제도과-291, '12.03.19</td><td></td></tr>
<tr><td></td><td>제3장 계약의 방법</td><td>3장 계약의 방법</td></tr>
<tr><td>제7조(계약의 방법) ① 각 중앙관서의 장 또는 계약담당공무원은 계약을 체결하려면 일반경쟁에 부쳐야 한다. 다만, 계약의 목적, 성질, 규모 등을 고려하여 필요하다고 인정되면 대통령령으로 정하는 바에 따라 참가자의 자격을 제한하거나 참가자를 지명(指名)하여 경쟁에 부치거나 수의계약(隨意契約)을 할 수 있다.</td><td>제10조(경쟁방법) ① 법 제7조의 규정에 의한 경쟁은 입찰방법이나 입찰방법에 준하여 경매의 방법으로 하여야 한다. 〈개정 2008.12.31〉
② 각 중앙관서의 장 또는 계약담당공무원은 동산의 매각에 있어서 필요하다고 인정할 경우에는 이 영의 규정에 의한 입찰방법에 준하여 경매에 부칠 수 있다.
③ 각 중앙관서의 장 또는 계약담당공무원은</td><td>제22조(경매) ① 각 중앙관서의 장 또는 계약담당공무원은 영 제10조제2항의 규정에 의한 경매에 있어서는 예정가격을 제시하여 입찰하게 하고 최고입찰액을 발표한 후 다른 응찰자가 없을 때까지 다시 입찰하게 하여 최고가</td></tr>
</table>

② 제1항 본문에 따라 경쟁입찰에 부치는 경우 계약이행의 난이도, 이행실적, 기술능력, 재무상태, 사회적 신인도 및 계약이행의 성실도 등 계약수행능력평가에 필요한 사전심사기준, 사전심사절차, 그 밖에 대통령령으로 정하는 바에 따라 입찰 참가자격을 사전심사하고 적격자만을 입찰에 참가하게 할 수 있다.
③ 제1항에 따라 계약을 체결하는 과정에서 다른 법률에 따른 우선구매 대상이 경합하는 경우에는 계약의 목적이나 규모, 사회적 약자에 대한 배려 수준 등을 고려하여 계약상대자를 결정하여야 한다. 〈신설 2017.12.19〉
[전문개정 2012.12.18]

판 대법원 1996. 4. 26. 선고 95다11436 판결
대법원 2008.03.14. 선고 2006도7171 판결

유 계약제도과-1250, '11.10.21 · 계약제도과-1431, '11.11.30
계약제도과-1591, '11.12.29 · 계약제도과-188, '12.02.22
계약제도과-1005, '12.08.08 · 계약제도과-1529, '12.11.28

물품을 구매할 때 필요하다고 인정할 경우에는 이 영에 따른 입찰방법에 준하여 역경매에 부칠 수 있다. 〈신설 2008.12.31.〉

제11조(경쟁입찰의 성립) 경쟁입찰은 2인 이상의 유효한 입찰로 성립한다.

제12조(경쟁입찰의 참가자격) ① 각 중앙관서의 장 또는 계약담당공무원은 다음 각 호의 요건을 갖춘 자에 한하여 경쟁입찰에 참가하게 하여야 한다. 〈개정 1996.12.31, 1999.9.9, 2008.2.29.〉

1. 삭제 〈1999.9.9〉
2. 다른 법령의 규정에 의하여 허가·인가·면허·등록·신고 등을 요하거나 자격요건을 갖추어야 할 경우에는 당해 허가·인가·면허·등록·신고 등을 받았거나 당해 자격요건에 적합할 것
3. 보안측정 등의 조사가 필요한 경우에는 관계기관으로부터 적합판정을 받을 것

격의 입찰자를 낙찰자로 결정하여야 한다.
② 제1항의 규정에 의한 입찰의 경우 입찰보증금은 예정가격의 100분의 5 이상으로 하여야 한다.

법 률	시 행 령	시 행 규 칙
제27조의5(조세포탈 등을 한 자의 입찰 참가자격 제한) ① 각 중앙관서의 장은 대통령령으로 정하는 조세포탈 등을 한 자로서 유죄판결이 확정된 날부터 2년이 지나지 아니한 자에 대하여 입찰 참가자격을 제한하여야 한다. ② 제1항에 따라 입찰 참가자격을 제한받은 자와의 수의계약 체결에 관하여는 제27조제3	4. 기타 기획재정부령이 정하는 요건에 적합할 것 ② 「중소기업협동조합법」에 따른 중소기업협동조합이 물품의 제조·구매 또는 용역에 관한 경쟁입찰에 참가하는 경우(제1항제2호에 따른 요건을 갖춘 조합원으로 하여금 해당 물품을 제조 또는 구매하게 하거나 용역을 수행하게 하는 경우로 한정한다)에는 제1항제2호를 적용하지 아니한다. 〈신설 1999.9.9, 2005.9.8, 2006.5.30, 2007.10.10, 2013.6.17〉 1. 삭제 〈2007.10.10〉 2. 삭제 〈2007.10.10〉 ③ 법 제27조의5제1항에서 "대통령령으로 정하는 조세포탈 등을 한 자"란 다음 각 호의 어느 하나에 해당하는 자를 말한다. 〈신설 2013.12.30, 2017.3.2, 2018.12.4, 2019.9.17., 2021.2.17.〉 1. 「조세범 처벌법」 제3조에 따른 조세 포탈세액이나 환급·공제받은 세액이 5억원	**제14조(입찰참가자격요건의 증명)** ① 영 제12조제1항제4호에서 "기획재정부령이 정하는 요건"이란 「소득세법」 제168조·「법인세법」 제111조 또는 「부가가치세법」 제8조에 따라 해당사업에 관한 사업자등록증을 교부받거나 고유번호를 부여받은 경우를 말한다. 〈개정 1999.9.9, 2000.12.30, 2005.9.8, 2006.5.25, 2006.12.29, 2007.10.10, 2009.3.5, 2013.6.28〉 ② 각 중앙관서의 장 또는 계약담당공무원은 경쟁입찰에 참가하고자 하는 자로 하여금 제1항에 따른 요건은 사업자등록증 또는 고유번호를 확인하는 서류의 사본에 의하여, 영 제12조제1항제2호 및 제3호에 따른 요건은 관계기관(법령에 의하여 설립된 관련협회등 단체를 포함한다)에서 발행한 문서에 의하여 각각 이를 증명하게 하여야 한다. 〈개정 1998.2.23, 1999.9.9, 2006.5.25, 2007.10.10〉 ③ 제15조의 규정에 의하여 경쟁입찰참가자

항을 준용한다.

[본조신설 2013.8.13]

이상인 자

2. 「관세법」 제270조에 따른 부정한 방법으로 관세를 감면받거나 면탈하거나 환급받은 세액이 5억원 이상인 자

3. 「지방세기본법」 제102조에 따른 지방세 포탈세액이나 환급·공제 세액이 5억원 이상인 자

4. 「국제조세조정에 관한 법률」 제53조에 따른 해외금융계좌의 신고의무를 위반하고, 그 신고의무 위반금액이 「조세범 처벌법」 제16조제1항에 따른 금액을 초과하는 자

5. 「외국환거래법」 제18조에 따른 자본거래의 신고의무를 위반하고, 그 신고의무 위반금액이 같은 법 제29조제1항제3호에 해당하는 자

④ 각 중앙관서의 장 또는 계약담당공무원은 「형의 실효 등에 관한 법률」 제2조제5호에 따른 범죄경력자료의 회보서나 판결문 등의 입증서류를 제출하게 하는 등의 방법으로 계

격등록을 한 자는 등록된 종목 또는 품목에 한하여 교부받은 경쟁입찰참가자격등록증에 의하여 제2항의 규정에 의한 자격을 증명할 수 있다. 〈개정 2002.8.24〉

제15조(입찰참가자격의 등록) ① 각 중앙관서의 장 또는 계약담당공무원은 경쟁입찰업무를 효율적으로 집행하기 위하여 미리 경쟁입찰참가자격의 등록을 하게 할 수 있다. 등록된 사항이 변경된 때에도 또한 같다.

② 제1항에 따라 경쟁입찰참가자격의 등록을 하려는 자는 다음 각 호의 구분에 따른 서류를 제출하여야 한다. 〈개정 2006.5.25, 2007.10.10, 2009.3.5, 2010.7.21, 2013.9.17, 2015.6.30, 2016.9.23〉

1. 공사등록의 경우에는 다음 각 목의 서류
   가. 등록신청서
   나. 관련되는 허가·인가·면허·등록·신고 등을 증명하는 서류(필요한 경우에 한한다)

법 률	시 행 령	시 행 규 칙
	약상대방이 제3항 각 호의 어느 하나에 해당하는지를 계약 체결 전까지 확인하여야 한다. 〈신설 2013.12.30.〉 ⑤ 각 중앙관서의 장 또는 계약담당공무원은 계약상대방이 입찰에 참가할 때에 제4항에 따른 입증서류를 제출하기 어려운 경우에는 제3항 각 호의 어느 하나에 해당하지 아니한다는 사실을 적은 서약서를 제출하게 할 수 있다. 이 경우 서약서에는 서약서에 적은 내용과 다른 사실이 발견된 때에는 계약을 해제·해지할 수 있고, 부정당업자제재처분을 받을 수 있다는 내용이 포함되어야 한다. 〈신설 2013.12.30.〉 ⑥ 제3항에 해당하는 자에 대한 입찰 참가자격 제한에 관하여는 제76조제5항·제6항·제8항 및 제9항을 준용한다. 〈신설 2013.12.30, 2016.9.2, 2021.7.6.〉 유 회계제도과-817, '09.05.04 · 회계제도과-274, '10.02.18 회계제도과-569, '10.04.07 · 회계제도과-769, '10.05.18 회계제도과-902, '10.06.11 · 회계제도과-903, '10.06.11	다. 삭제 〈2006.7.5〉 라. 삭제 〈2006.7.5〉 마. 인감증명서 또는 「본인서명사실 확인 등에 관한 법률」 제2조제3호에 따른 본인서명사실확인서(이하 "본인서명사실확인서"라 한다) 2. 물품제조·구매등록의 경우에는 다음 각 목의 서류 가. 등록신청서 나. 관련되는 허가·인가·면허·등록·신고 등을 증명하는 서류(필요한 경우에 한한다) 다. 삭제 〈2006.7.5〉 라. 삭제 〈2006.7.5〉 마. 제조의 경우에는 「산업집적활성화 및 공장설립에 관한 법률 시행규칙」 제12조의3에 따른 공장등록대장 등본 또는 「중소기업진흥 및 제품구매촉진에 관한 법률」 제2조제8호에 따른

회계제도과-946, '10.06.18 · 계약제도과-17, '10.09.02
계약제도과-394, '11.04.15 · 계약제도과-873, '11.07.22
계약제도과-1112, '11.09.22 · 계약제도과-1114, '11.09.22
계약제도과-1531, '11.12.16 · 계약제도과-644, '12.05.24
계약제도과-812, '12.06.25 · 계약제도과-1526, '12.11.27

공공기관의 장이 직접 생산을 확인하여 증명하는 서류(공공기관의 장이 직접 생산을 확인하지 아니한 경우에는 조달청장이 직접 생산을 확인하여 증명하는 서류)

바. 인감증명서 또는 본인서명사실확인서

3. 용역등록의 경우에는 다음 각 목의 서류

가. 등록신청서

나. 관련되는 허가·인가·면허·등록·신고 등을 증명하는 서류(필요한 경우에 한한다)

다. 삭제 〈2006.7.5〉

라. 삭제 〈2006.7.5〉

마. 인감증명서 또는 본인서명사실확인서

③ 제2항에 따라 입찰참가자격의 등록신청을 받은 각 중앙관서의 장 또는 계약담당 공무원은 「전자정부법」 제36조제1항에 따른 행정정보의 공동이용을 통하여 법인 등기사항증명서, 공장등록증명서(제조등록의 경우에만 해

법 률	시 행 령	시 행 규 칙
		당한다) 및 다음 각 호의 서류를 확인하여야 한다. 다만, 경쟁입찰참가자격의 등록을 신청하려는 자가 다음 각 호의 서류 확인에 동의하지 아니하는 경우에는 그 서류(사업자등록증의 경우에는 그 사본을 말한다)를 첨부하도록 하여야 한다. 〈신설 2006.7.5, 2007.10.10, 2010.7.21, 2012.5.18〉 1. 사업자등록증, 고유번호를 확인하는 서류 또는 사업자등록증명원 2. 주민등록표 등본(개인의 경우만 해당한다) 3. 삭제 〈2012.5.18〉 ④ 각 중앙관서의 장 또는 계약담당공무원은 제1항의 규정에 의하여 입찰참가자격을 등록한 자에게 별지 제1호서식의 경쟁입찰참가자격등록증을 교부하여야 한다. 〈개정 2006.7.5〉 ⑤ 각 중앙관서의 장 또는 계약담당공무원은 제1항에 따라 등록을 받은 경우에는 「전자조달의 이용 및 촉진에 관한 법률」 제2조제4호에 따른 국가종합전자조달시스템(이하 "전자

조달시스템"이라 한다)에 게재하여야 한다. 이 경우 전자조달시스템에 게재된 등록사항은 다른 중앙관서의 장 또는 계약담당공무원에게도 등록한 것으로 본다. 〈개정 2006.5.25, 2006.7.5, 2007.10.10, 2013.9.17, 2015.6.30〉

⑥ 각 중앙관서의 장 또는 계약담당공무원은 당해 관서의 경쟁입찰업무에만 활용하기 위하여 경쟁입찰참가자격의 등록을 하게 할 수 있다. 이 경우 제5항은 적용하지 아니한다. 〈개정 2006.7.5〉

⑦ 각 중앙관서의 장 또는 계약담당공무원은 경쟁입찰참가자격의 등록과 관련된 다음 각 호의 사항을 전자조달시스템에 게재하여야 한다. 〈개정 2006.7.5, 2013.9.17〉

1. 경쟁입찰참가자격을 미리 등록할 수 있다는 뜻
2. 등록에 필요한 서류
3. 경쟁입찰참가자격 등록사항에 변동이 있는 경우에는 입찰참가전에 미리 변경등록

법 률	시 행 령	시 행 규 칙
		하여야 한다는 뜻 ⑧ 조달청장은 제5항에 따라 전자조달시스템에 게재된 등록사항에 대하여 별도의 유효기간을 둘 수 있다. 〈신설 2007.10.10, 2013.9.17, 2015.6.30〉 [전문개정 2002.8.24] **제16조(입찰참가자격에 관한 서류의 확인 등)** ① 각 중앙관서의 장 또는 계약담당공무원은 입찰참가자에 대하여 입찰참가자격의 유무 및 영 제76조의 규정에 의한 입찰참가자격제한의 여부를 확인하여야 한다. ② 각 중앙관서의 장 또는 계약담당공무원은 제1항의 규정에 의하여 확인을 한 결과 자격서류의 내용이 사실과 다른 때에는 그 사실을 당해서류의 제출자에게 통지하고 서류보완 등에 필요한 적절한 조치를 하여야 한다. **제17조(입찰참가자격의 부당한 제한금지)** 각 중앙관서의 장 또는 계약담당공무원은 영, 이 규칙 및 다른 법령에 특별한 규정이 있는 경우

제13조(입찰참가자격 사전심사) ① 각 중앙관서의 장 또는 계약담당공무원은 입찰참가자의 자격을 미리 심사하여 경쟁입찰에 참가할 수 있는 적격자를 선정할 수 있으며, 적격자를 선정한 경우에는 선정된 적격자에게 선정결과를 통지해야 한다. 〈개정 2010.7.21,

외에는 영 제12조의 규정에 의한 경쟁입찰참가자격외의 요건을 정하여 입찰참가를 제한하여서는 아니된다.

제18조(입찰참가자격요건 등록 등의 배제) 다음 각 호의 어느 하나에 해당하는 경우에는 제14조부터 제16조까지의 규정을 적용하지 아니한다. 다만, 영 제 76조에 따른 입찰참가자격 제한의 여부에 관한 확인은 그러하지 아니하다. 〈개정 2009.3.5〉

1. 국가·지방자치단체 또는 「공공기관의 운영에 관한 법률」에 따른 공공기관이 경쟁입찰에 참가하려는 경우
2. 세입의 원인이 되는 계약을 하는 경우

제39조(입찰참가의 통지 등) 각 중앙관서의 장 또는 계약담당공무원은 영 제13조 또는 영 제34조의 규정에 의하여 당해입찰참가적격자에게 입찰참가통지를 하는 때에는 별지 제2호서식의 경쟁입찰참가통지서에 의한다.

법　　률	시　행　령	시　행　규　칙
	2015.12.31, 2019.9.17〉 ② 각 중앙관서의 장 또는 계약담당공무원은 제1항에 따라 입찰참가자의 자격을 심사하는 경우에는 계약이행의 난이도, 이행실적, 기술능력, 재무상태, 사회적 신인도 및 계약이행의 성실도 등 계약수행능력을 평가하는 데에 필요한 요소들을 종합적으로 고려해 심사기준을 정하여야 한다. 〈개정 2010.7.21, 2019.9.17〉 ③ 각 중앙관서의 장 또는 계약담당공무원은 용역 등에 대해 관계법령에서 사업자 선정 절차 등을 규정하고 있는 경우에는 제2항에도 불구하고 그 절차 등에 따라 경쟁입찰에 참가할 수 있는 적격자를 선정할 수 있다. 〈개정 2010.7.21, 2019.9.17〉	**제23조(계약이행의 성실도 평가시 고려요소)** 각 중앙관서의 장 또는 계약담당공무원이 영 제13조제2항에 따라 계약이행의 성실도를 평가할 때에는 법 제5조의2제1항에 따른 청렴계약 준수정도, 「건설기술진흥법」 제53조에 따른 부실벌점, 같은 법 제50조에 따른 평가결과 등을 고려하여야 한다. 〈개정 2013.6.19, 2016.2.1〉 [전문개정 2010.7.21]
	④ 각 중앙관서의 장 또는 계약담당공무원은 입찰에 참가하려는 자가 입찰 전에 열람할 수 있도록 다음 각 호의 사항을 적은 서류를 갖추어 두어야 하며, 입찰에 참가하려는 자가	**제23조의2(입찰참가자격 사전심사 절차)** ① 영 제13조제4항 각 호 외의 부분 본문에 따른 열람 및 교부 기간은 입찰공고일부터 입찰참가자격 사전심사 신청 마감일까지로 한다.

요청하는 경우에는 이를 열람하게 하고 교부해야 한다. 다만, 「전자조달의 이용 및 촉진에 관한 법률」 제2조제4호에 따른 국가종합전자조달시스템(세입의 원인이 되는 경쟁입찰의 경우에는 「국유재산법」 제31조제2항 전단에 따라 기획재정부장관이 지정·고시하는 정보처리장치를 말하며, 이하 "전자조달시스템"이라 한다)에 이를 게재함으로써 열람 및 교부를 갈음할 수 있다. 〈신설 2010.7.21, 2013.9.17, 2018.12.4. 2019.9.17〉

1. 제2항에 따른 심사기준
2. 입찰참가자격의 사전심사에 필요한 증명서류의 작성 및 제출방법
3. 제1호 및 제2호의 사항 외에 입찰참가자격의 사전심사에 관한 사항

⑤ 제1항에 따른 입찰참가자격의 사전심사 절차 및 제2항에 따른 계약이행의 성실도 평가 시 고려요소에 관하여 필요한 사항은 기획재정부령으로 정한다. 〈신설 2010.7.21〉

② 제1항에 따른 입찰참가자격 사전심사 신청은 입찰공고일부터 7일 이상이 지난 날부터 하도록 하여야 하며, 신청기간은 10일 이상으로 하되, 입찰공고시 그 신청기간을 명시하여야 한다.

③ 각 중앙관서의 장 또는 계약담당공무원은 입찰참가자격 사전심사 신청 서류의 내용이 불명확하거나 누락된 서류가 있는 경우에는 3일 이내의 기간을 정하여 보완을 요구할 수 있다.

④ 각 중앙관서의 장 또는 계약담당공무원은 제2항에 따른 신청기간 또는 제3항에 따른 보완기간이 끝난 날부터 10일 이내에 입찰참가자격을 사전심사하여 그 결과를 전자조달시스템에 게재하여야 한다. 〈개정 2013.9.17〉

⑤ 입찰참가자격 사전심사를 신청한 자가 제4항에 따른 사전심사 결과에 이의가 있는 경우에는 영 제14조의2에 따른 현장설명일 3일 전까지 각 중앙관서의 장 또는 계약담당공무원에게 재심사를 요청할 수 있다. 이 경우

법 률	시 행 령	시 행 규 칙
	유 회계제도과-702, '09.04.15 · 회계제도과-1137, '09.07.09 회계제도과-1202, '09.07.21 · 회계제도과-1496, '09.09.04 회계제도과-1032, '10.07.02 · 계약제도과-199, '11.03.03 계약제도과-211, '11.03.04 · 계약제도과-424, '11.04.22 계약제도과-1428, '11.11.30 · 계약제도과-1466, '11.12.06 계약제도과-214, '12.02.29 · 계약제도과-314, '12.03.23 계약제도과-929, '12.07.13 · 계약제도과-1159, '12.09.04 계약제도과-1547, '12.11.30 **제14조(공사의 입찰)** ① 각 중앙관서의 장 또는 계약담당공무원은 공사를 입찰에 부치려는 때에는 다음 각 호의 서류(이하 "입찰관련서류"라 한다)를 작성해야 한다. 다만, 제42조제4항제1호 및 제2호에 따른 공사입찰의 경우에는 입찰에 참가하려는 자에게 제2호에 따른 물량내역서를 직접 작성(중앙관서의 장 또는 계약담당공무원이 교부하는 물량내역 기초자료를 참고하여 작성하는 경우를 포함한다)하게 할 수 있다. 〈개정 2010.7.21, 2015.12.31, 2018.12.4, 2019.9.17〉 1. 설계서 2. 공종별 목적물 물량내역서(이하 "물량내역서"라 한다)	요청을 받은 날부터 3일 이내에 그 재심사 결과를 통지하여야 한다. [본조신설 2010.7.21] [종전 제23조의2는 제23조의3으로 이동 〈2010.7.21〉]

3. 제1호 및 제2호의 서류 외에 입찰에 관한 서류로서 기획재정부령으로 정하는 서류

② 각 중앙관서의 장 또는 계약담당공무원은 입찰관련서류를 입찰에 참가하려는 자에게 열람하게 하고 교부해야 한다. 다만, 제1항 각 호 외의 부분 단서에 따라 입찰에 참가하려는 자에게 물량내역서를 작성하게 하는 경우에는 물량내역서를 열람 또는 교부하지 아니할 수 있다. 〈신설 2010.7.21, 2015.12.31. 2019.9.17〉

③ 각 중앙관서의 장 또는 계약담당공무원은 제2항에도 불구하고 입찰관련서류를 전자조달시스템에 게재함으로써 열람 또는 교부를 갈음할 수 있다. 〈개정 2010.7.21, 2013.9.17〉

④ 삭제 〈2006.5.25〉

⑤ 삭제 〈2006.5.25〉

제41조(입찰에 관한 서류의 작성) ① 영 제14조제1항제3호에서 "기획재정부령으로 정하는 서류"란 다음 각 호의 서류를 말한다. 〈개정 1999.9.9, 2006.5.25, 2009.3.5, 2010.7.21〉

1. 입찰공고문 또는 입찰참가통지서
2. 입찰유의서
3. 입찰참가신청서·입찰서 및 계약서 서식
4. 계약일반조건 및 계약특수조건

4의2. 삭제 〈2010.7.21〉

5. 영 제42조제5항·제6항에 따른 낙찰자 결정 관련 심사기준(세부심사기준을 포함한다)
6. 영 제6장 및 제8장을 적용받는 공사의 경우 입찰안내서
7. 기타 참고사항을 기재한 서류

② 영 제16조제1항 본문에서 "기획재정부령으로 정하는 입찰에 관한 서류"란 다음 각 호의 서류를 말한다. 〈개정 2010.7.21〉

1. 제1항제1호부터 제4호까지의 서류
2. 영 제43조제7항에 따른 계약체결기준(세

법 률	시 행 령	시 행 규 칙
	⑥ 공사입찰에 참가하려는 자는 입찰 시 입찰서와 함께 산출내역서를 중앙관서의 장 또는 계약담당공무원에게 제출해야 한다. 다만, 추정가격이 100억원 미만인 공사와 제20조제1항에 따라 재입찰에 부치는 공사의 경우에는 낙찰자로 결정된 후 착공신고서를 제출하는 때에 제출해야 한다. 〈개정 2015.12.31. 2019.9.17〉 ⑦ 제6항의 산출내역서는 물량내역서에 단가를 적는 방법으로 작성해야 한다. 다만, 제1항 각 호 외의 부분 단서에 따라 입찰에 참가하려는 자에게 물량내역서를 작성하게 하는 경우에는 직접 작성한 물량내역서에 단가를 적어야 한다. 〈개정 2015.12.31. 2019.9.17〉	부기준을 포함한다) 3. 용역계약의 경우 과업지시서 4. 제1호부터 제3호까지의 서류 외에 참고사항을 적은 서류 [전문개정 1996.12.31] [제목개정 2010.7.21] **제42조(입찰방법)** ① 각 중앙관서의 장 또는 계약담당공무원은 경쟁입찰에 참가하고자 하는 자로 하여금 별지 제5호서식(입찰 및 낙찰자 결정을 전산처리에 의하여 하고자 하는 경우에는 별지 제6호서식)의 입찰서를 제출하게 하여야 한다. ② 제1항의 규정에 의하여 제출하는 입찰서는 1인 1통으로 한다. ③ 각 중앙관서의 장 또는 계약담당공무원은 입찰에 참가하고자 하는 자가 별지 제3호서식의 입찰참가신청서를 제출하는 때부터 입찰개시시각전까지 입찰대리인을 지정하거나 지정된 입찰대리인을 변경하는 경우에는 그

⑧ 장기계속공사의 경우에는 총공사를 대상으로 하여 입찰하게 해야 한다. 〈개정 2019.9.17〉

[전문개정 1996.12.31]

유 회계제도과-104, '09.01.13 · 계약제도과-762, '12.06.12

대리인을 당해입찰에 참가하게 할 수 있다. 〈개정 1999.9.9〉

④ 각 중앙관서의 장 또는 계약담당공무원은 입찰서를 접수한 때에는 당해입찰서에 확인인을 날인하고 개찰시까지 개봉하지 아니하고 보관하여야 한다.

⑤ 제1항에 따라 제출하는 입찰서에 사용되는 인감(서명을 포함한다. 이하 이 항에서 같다)은 입찰참가신청서 제출시 신고한 인감과 같아야 한다. 〈개정 1996.12.31, 2016.9.23〉

⑥ 각 중앙관서의 장 또는 계약담당공무원은 영 제44조제1항의 규정에 의하여 물품의 제조 또는 구매계약을 체결하고자 하는 때에는 입찰시에 입찰자로 하여금 입찰서와 함께 당해 물품의 품질·성능·효율 등이 표시된 품질등의 표시서(이하 "품질 등 표시서"라 한다)를 제출하게 하여야 한다. 〈개정 1999.9.9., 2000.12.30〉

법 률	시 행 령	시 행 규 칙
	제14조의2(공사의 현장설명) ① 각 중앙관서의 장 또는 계약담당공무원은 공사입찰을 하는 경우 그 공사의 성질·규모 등을 고려하여 실제 공사현장에서 입찰참가자의 적정한 시공을 위한 현장설명을 실시할 수 있다. 〈개정 2019.9.17〉 ② 삭제 〈2019.9.17〉 ③ 제1항에 따른 현장설명은 공사의 규모에 따라 해당입찰서 제출마감일의 전일부터 기산하여 다음 각 호에서 정한 기간 전에 실시해야 한다. 다만, 제35조제4항의 경우에는 그 기간을 단축할 수 있다. 〈개정 2019.9.17〉 1. 추정가격이 10억원 미만인 경우 7일 2. 추정가격이 10억원 이상 50억원 미만인 경우 15일 3. 추정가격이 50억원 이상인 경우 33일 ④ 삭제 〈2010.7.21〉 [본조신설 2006.5.25] **제15조** 삭제 〈2019.9.17〉	**제41조의2** 삭제 〈2019.9.17〉

	제16조(물품의 제조·구매 및 용역 등의 입찰) ① 각 중앙관서의 장 또는 계약담당공무원은 물품의 제조·구매 및 용역 등을 입찰에 부치고자 할 때에는 기획재정부령으로 정하는 입찰에 관한 서류를 작성·비치하여야 하며, 입찰공고일부터 입찰등록마감일까지 입찰에 참가하고자 하는 자의 요청이 있는 경우 이를 열람하게 하여야 한다. 다만, 추정가격이 고시금액이상인 물품의 제조·구매 및 용역 등의 입찰의 경우에는 입찰에 참가하고자 하는 자의 요구가 있는 경우 이를 교부하여야 한다. 〈개정 2010.7.21〉 ② 각 중앙관서의 장 또는 계약담당공무원은 제1항에도 불구하고 입찰에 관한 서류를 전자조달시스템에 게재함으로써 열람 및 교부를 갈음할 수 있다. 〈신설 2010.7.21, 2013.9.17〉 ③ 각 중앙관서의 장 또는 계약담당공무원은 「소프트웨어 진흥법」 제2조제3호에 따른 소	**제41조(입찰에 관한 서류의 작성)** ② 영 제16조제1항 본문에서 "기획재정부령으로 정하는 입찰에 관한 서류"란 다음 각 호의 서류를 말한다. 〈개정 2010.7.21〉 1. 제1항제1호부터 제4호까지의 서류 2. 영 제43조제7항에 따른 계약체결기준(세부기준을 포함한다) 3. 용역계약의 경우 과업지시서 4. 제1호부터 제3호까지의 서류 외에 참고사항을 적은 서류 [전문개정 1996.12.31] [제목개정 2010.7.21]

법 률	시 행 령	시 행 규 칙
	프트웨어사업시 계약의 특성상 필요하다고 인정되는 경우에는 물품과 용역을 일괄하여 입찰에 부칠 수 있다. 〈개정 2000.12.27, 2005.9.8, 2010.7.21., 2020.12.8.〉 ④ 각 중앙관서의 장 또는 계약담당공무원은 제3항에 따라 물품과 용역을 일괄하여 입찰에 부치는 경우 제42조제1항·제3항, 제43조 및 제43조의3에 따른 낙찰자 결정방법 중에서 계약목적물의 특성에 적합하다고 판단되는 방법을 선택하여 입찰공고시 이를 명시하여야 한다. 〈개정 1999.9.9, 2006.5.25, 2010.7.21, 2018.12.4〉 ⑤ 물품의 제조·구매 및 용역 등의 입찰은 기획재정부령이 정하는 서식에 의한 입찰서에 의하여야 하며 입찰금액은 총액에 대하여 실시하는 입찰의 경우에는 총액을, 단가에 대하여 실시하는 입찰의 경우에는 단가를 각각 표시하여야 한다. 〈개정 1999.9.9, 2008.2.29, 2010.7.21〉	

⑥ 제14조제8항의 규정은 장기물품제조 등의 경우에 이를 준용한다. 〈개정 2010.7.21〉
[전문개정 1996.12.31]

제17조(다량물품의 입찰) ① 다량의 물품을 매각할 경우의 일반경쟁입찰은 그 매각수량의 범위안에서 수요자의 매수 희망수량과 그 단가를 입찰하게 할 수 있다.

② 다량의 수요물품을 제조 또는 구매할 경우의 일반경쟁입찰은 그 수요수량의 범위안에서 공급자가 공급할 희망수량과 그 단가를 입찰하게 할 수 있다.

③ 제1항 및 제2항의 규정에 의한 희망수량경쟁입찰 대상의 범위는 기획재정부령으로 정한다. 〈개정 1999.9.9, 2008.2.29〉

유 계약제도과-1037, '11.09.01 · 계약제도과-158, '12.02.14
계약제도과-550, '12.05.03 · 계약제도과-556, '12.05.04

제12조(희망수량경쟁입찰시 예정가격의 결정)
① 영 제17조의 규정에 의한 희망수량경쟁입찰에 있어서의 예정가격은 당해 물품의 단가로 이를 정하여야 한다.

② 제1항의 경우 국고의 부담이 되는 물품의 제조 또는 구매에 관한 입찰인 때에는 그 입찰에 부치고자 하는 물품의 총 수량을 기준으로 한 예정가격조서에 의하여 당해물품의 단가를 정하여야 한다.

제19조(희망수량경쟁입찰의 대상범위) 영 제17조의 규정에 의하여 희망수량경쟁입찰의 방법에 의할 수 있는 경우는 다음 각 호의 1과 같다.

1. 1인의 능력이나 생산시설로는 그 공급이 불가능하거나 곤란하다고 인정되는 다량의 동일물품을 제조하게 하거나 구매할 경우

법 률	시 행 령	시 행 규 칙
		2. 1인의 능력으로는 그 매수가 불가능하거나 곤란하다고 인정되는 다량의 동일물품을 매각할 경우 3. 수인의 공급자 또는 매수자와 분할계약하는 것이 가격·품질 기타 조건에 있어서 국가에 유리하다고 인정되는 다량의 동일물품을 제조·구매 또는 매각할 경우 **제20조(희망수량경쟁입찰의 입찰공고)** 희망수량경쟁입찰에 의하는 경우의 입찰공고에는 다음 각 호의 사항을 명시하여야 한다. 1. 희망수량에 의한 일반경쟁입찰이라는 사항 2. 영 제36조 각 호의 사항 3. 제47조제2항의 규정에 의한 입찰수량과 낙찰수량의 조정에 관한 사항 4. 기타 희망수량경쟁입찰에 관하여 필요한 사항 **제21조(2종 이상의 물품에 대한 희망수량경쟁입찰)** 각 중앙관서의 장 또는 계약담당공무원은 2종 이상의 물품에 대하여 희망수량경쟁입찰

제18조(2단계 경쟁 등의 입찰) ① 각 중앙관서의 장 또는 계약담당공무원은 물품의 제조·구매 또는 용역계약(단순한 노무에 의한 용역으로서 기획재정부령으로 정하는 용역의 계약을 제외한다)에 있어서 미리 적절한 규격등의 작성이 곤란하거나 기타 계약의 특성상 필요하다고 인정되는 경우에는 먼저 규격 또는 기술입찰을 실시한 후 가격입찰을 실시할 수 있다. 〈개정 2006.5.25, 2008.2.29, 2018.12.4〉

② 제1항의 경우 규격 또는 기술입찰을 개찰한 결과 적격자로 확정된 자에 한하여 가격입찰에 참가할 수 있는 자격을 부여하여야 한다.

③ 각 중앙관서의 장 또는 계약담당공무원은 제1항 및 제2항의 규정에 불구하고 물품의 제조·구매 또는 용역계약(단순한 노무에 의한 용역으로서 기획재정부령으로 정하는 용

에 부치고자 하는 경우에는 물품의 종류별로 단가 및 수량에 대하여 입찰을 하게 하여야 한다.

제23조의3(단순한 노무에 의한 용역) 영 제18조제1항·제3항, 제64조제8항 및 제66조제2항에서 "기획재정부령으로 정하는 용역"이란 다음 각 호의 어느 하나에 해당하는 용역을 말한다. 〈개정 2009.3.5, 2018.12.4〉

1. 청소용역
2. 검침(檢針)용역
3. 경비시스템 등에 의하지 아니하는 단순경비 또는 관리용역
4. 행사보조 등 인력지원용역
5. 그 밖에 제1호부터 제4호까지와 유사한 용역으로서 기획재정부장관이 정하는 용역

[본조신설 2006.5.25]

[제23조의2에서 이동 〈2010.7.21〉]

법 률	시 행 령	시 행 규 칙
	역의 계약을 제외한다)의 특성등에 따라 필요하다고 인정되는 경우에는 규격과 가격 또는 기술과 가격입찰을 동시에 실시할 수 있으며, 이 경우 규격입찰 또는 기술입찰을 개찰한 결과 적격자로 확정된 자에 한하여 가격입찰을 개찰하여야 한다. 〈개정 1996.12.31, 2006.5.25, 2008.2.29, 2018.12.4〉 ④ 각 중앙관서의 장은 제1항 내지 제3항의 규정에 의한 입찰을 실시하고자 할 때에는 입찰전에 평가기준 및 절차 등을 정하여 입찰에 참가하고자 하는 자가 이를 열람할 수 있도록 하여야 한다. 〈개정 1996.12.31〉 ⑤ 제3항의 규정에 의하여 가격입찰서를 개찰한 결과 낙찰자를 결정할 수 없는 경우로서 규격적격자 또는 기술적격자가 2인 이상인 때에는 그 규격적격자 또는 기술적격자에게 가격입찰서를 다시 제출하게 할 수 있다. 〈신설 1998.2.2〉 유 계약제도과-548, '10.12.20 · 계약제도과-285, '11.03.23	

제19조(부대입찰) ①각 중앙관서의 장 또는 계약담당공무원은 기획재정부령이 정하는 기준에 해당하는 공사를 입찰에 부치는 때에는 입찰자로 하여금 산출내역서에 입찰금액을 구성하는 공사중 하도급할 부분, 하도급금액 및 하수급인 등 하도급에 관한 사항을 기재하여 제출하게 하여야 한다. 다만, 다음 각호의 1에 해당하는 경우에는 그러하지 아니하다. 〈개정 2008.2.29, 2020.2.18〉

1. 제20조제1항의 규정에 의한 재입찰의 경우
2. 긴급을 요하는 공사입찰의 경우
3. 특별한 기술을 요하거나 지역의 특수성 등으로 인하여 하수급할 전문건설사업자가 없는 공사입찰의 경우
4. 건설공사의 하자에 따른 의무이행, 공정관리 또는 보안상의 필요 등의 사정으로 하도급을 하는 것이 부적합하다고 인정되는 공사입찰의 경우

②제1항의 규정에 의하여 하도급에 관한 사항

법 률	시 행 령	시 행 규 칙
	을 기재하게 하는 경우로서 장기계속 공사의 경우에는 총공사 입찰금액에 대하여 기재하게 하여야 한다. 다만, 공사의 이행기간을 고려하여 필요하다고 인정되는 경우에는 제1차년도에 이행하게 할 공사의 입찰금액에 한하여 기재하게 할 수 있다. ③제1항의 규정에 의한 부대입찰의 절차 그 밖에 필요한 사항은 기획재정부장관이 정하여 고시한다. 〈개정 2008.2.29〉 [본조신설 2002.3.25] [대통령령 제17546호(2002.3.25) 부칙 제2항의 규정에 의하여 이 조는 2003년 12월 31일까지 유효함] **제20조(재입찰 및 재공고입찰)** ① 경쟁입찰을 할 때 2인 이상의 유효한 입찰자가 없거나 낙찰자가 없을 경우 재입찰에 부칠 수 있다. 이 경우 재입찰은 새로운 입찰로 보지 않으며, 입찰자 또는 입찰횟수의 제한을 받지 않는다. 〈개정 2019.9.17〉	

② 입찰자나 낙찰자가 없는 경우 또는 낙찰자가 계약을 체결하지 않는 경우에는 재공고입에 부칠 수 있다. 〈개정 2019.9.17〉

③ 제1항 또는 제2항에 따른 의한 재입찰 또는 재공고입찰시에는 기한을 제외하고는 최초의 입찰에 부칠 때에 정한 가격 및 기타 조건을 변경할 수 없다. 〈신설 1998.2.2, 2019.9.17〉

유 계약제도과-677, '11.06.15 · 계약제도과-727, '11.06.24

제21조(제한경쟁입찰에 의할 계약과 제한사항 등) ① 법 제7조제1항 단서에 따라 경쟁참가자의 자격을 제한할 수 있는 경우와 그 제한사항은 다음 각 호와 같다. 이 경우 제1호부터 제6호까지 및 제9호의 제한사항에 대한 구체적인 제한기준은 기획재정부령으로 정한다. 〈개정 1996.12.31, 1997.7.10, 1999.9.9, 2005.9.8, 2006.5.25, 2007.10.10, 2008.2.29, 2009.11.20, 2010.7.21, 2011.1.17, 2011.10.28, 2012.10.8, 2014.5.22, 2016.9.2, 2016.9.29,

제13조(예정가격의 변경) 각 중앙관서의 장 또는 계약담당공무원은 영 제20조제2항의 규정에 의한 재공고입찰에 있어서도 입찰자 또는 낙찰자가 없는 경우로서 당초의 예정가격으로는 영 제27조제1항의 규정에 의한 수의계약을 체결할 수 없는 때에는 당초의 예정가격을 변경하여 새로운 절차에 의한 경쟁입찰에 부칠 수 있다.

법 률	시 행 령	시 행 규 칙
	2017.7.26, 2018.3.6, 2018.12.4., 2021.2.2, 2021.9.14, 2022.1.25, 2022.6.28.〉 1. 기획재정부령이 정하는 금액의 공사계약의 경우에는 시공능력 또는 당해 공사와 같은 종류의 공사실적	**제24조(제한경쟁입찰의 대상)** ① 영 제21조제1항제1호에서 “기획재정부령이 정하는 금액의 공사계약”이란 추정가격이 다음 각 호의 금액 이상인 공사계약을 말한다. 〈개정 2005.9.8, 2009.3.5〉 1. 「건설산업기본법」에 의한 건설공사(전문공사를 제외한다) : 30억원 2. 「건설산업기본법」에 의한 전문공사 그 밖의 공사관련 법령에 의한 공사 : 3억원
	2. 특수한 기술 또는 공법이 요구되는 공사계약의 경우에는 당해 공사수행에 필요한 기술의 보유상황 또는 당해 공사와 같은 종류의 공사실적 3. 특수한 설비 또는 기술이 요구되는 물품제조계약의 경우에는 당해 물품제조에 필요한 설비 및 기술의 보유상황 또는 당해 물품과 같은 종류의 물품제조실적	

4. 특수한 성능 또는 품질이 요구되어 다음 각 목의 품질 인증 등을 받은 물품을 구매하려는 경우에는 그 품질 인증 등을 받은 물품인지 여부
   가. 「산업표준화법」 제15조에 따른 인증을 받은 제품 또는 같은 법 제25조에 따른 우수한 단체표준제품
   나. 삭제 〈2017.1.26〉
   다. 「환경기술 및 환경산업 지원법」 제17조에 따라 환경표지의 인증을 받은 물품
   라. 「자원의 절약과 재활용촉진에 관한 법률」 제33조에 따른 기준에 적합하고 「산업기술혁신 촉진법 시행령」 제17조제1항제3호에 따른 품질 인증을 받은 재활용제품
5. 특수한 기술이 요구되는 용역계약의 경우에는 당해 용역수행에 필요한 기술의 보유상황 또는 당해 용역과 같은 종류의 용역수행실적

법 률	시 행 령	시 행 규 칙
	6. 추정가격이 기획재정부령으로 정하는 금액 미만인 계약의 경우에는 법인등기부상 본점소재지(개인사업자인 경우에는 사업자등록증 또는 관련 법령에 따른 허가·인가·면허·등록·신고 등에 관련된 서류에 기재된 사업장의 소재지를 말한다. 이하 같다) 7. 제22조의 규정에 의한 제한방법에 의하여 공사계약을 하는 경우에는 그 제한기준 8. 「중소기업제품 구매촉진 및 판로지원에 관한 법률 시행령」 제6조에 따라 중소벤처기업부장관이 지정·공고한 물품을 제조·구매하는 경우에는 「중소기업기본법」 제2조에 따른 중소기업자 8의2. 「중소기업제품 구매촉진 및 판로지원에 관한 법률」 제7조의2제2항제1호에 따른 제한경쟁입찰 방법에 따라 물품 제조·구매 계약 또는 용역 계약을 체결하는 경우에는 같은 호에 따른 공동사업에 참여한	② 영 제21조제1항제6호에서 "기획재정부령으로 정하는 금액"이란 다음 각 호의 금액을 말한다. 〈개정 1996.12.31, 1998.2.23, 1999.9.9, 2003.12.12, 2005.9.8, 2009.3.5, 2018.12.4〉 1. 공사의 경우에는 다음 각 목의 금액 가. 「건설산업기본법」에 따른 건설공사(전문공사는 제외한다) : 법 제4조제1항 각 호 외의 부분 본문에 따라 고시된 금액(이하 "고시금액"이라 한다) 나. 「건설산업기본법」에 따른 전문공사와 그 밖에 공사 관련 법령에 따른 공사: 10억원 2. 물품의 제조·구매, 용역, 그 밖의 경우에는 고시금액

소기업 또는 소상공인

9. 각 중앙관서의 장 또는 계약담당공무원이 계약이행의 부실화를 방지하기 위하여 필요하다고 판단하여 특별히 인정하는 경우에는 경쟁참가자의 재무상태

10. 추정가격이 고시금액 미만인 물품의 제조·구매 또는 용역(「엔지니어링산업 진흥법」 제2조제3호에 따른 엔지니어링사업 및 「건설기술 진흥법」 제2조제3호에 따른 건설엔지니어링을 제외한다)의 경우에는 다음 각 목의 구분에 따른 자

가. 추정가격이 1억원 미만인 물품의 제조·구매 또는 용역의 경우에는 「중소기업기본법」 제2조제2항에 따른 소기업, 「소상공인기본법」 제2조에 따른 소상공인, 「벤처기업육성에 관한 특별조치법」 제2조제1항에 따른 벤처기업 또는 「중소기업창업 지원법」에 따른 창업기업

나. 추정가격이 1억원 이상인 물품의 제조·

법 률	시 행 령	시 행 규 칙
	구매 또는 용역의 경우에는 「중소기업기본법」 제2조에 따른 중소기업자 11. 특정지역에 소재하는 자가 생산한 물품을 구매하려는 경우에는 다음 각 목의 어느 하나에 해당하는 자인지 여부 가. 「지역중소기업 육성 및 혁신촉진에 관한 법률」에 따른 중소기업특별지원지역에 입주(같은 조 제2항에 따른 지정기간만 해당한다)한 자 나. 「농어촌정비법」에 따른 농공단지에 입주한 자	
	② 각 중앙관서의 장 또는 계약담당공무원은 제1항의 규정에 의하여 경쟁참가자의 자격을 제한하고자 할 때에는 입찰공고에 그 제한사항과 제한기준을 명시하여야 한다.	**제25조(제한경쟁입찰의 제한기준)** ① 각 중앙관서의 장 또는 계약담당공무원은 영 제21조제1항에 의하여 제한경쟁입찰에 참가할 자의 자격을 제한하는 경우 이행의 난이도, 규모의 대소, 수급상황 등을 적정하게 고려해야 한다. 〈개정 2019.9.17〉 ② 각 중앙관서의 장 또는 계약담당공무원이 영 제21조제1항제1호부터 제3호까지 및 제5

호에 따라 공사·제조 또는 용역 등의 실적, 시공능력으로 제한경쟁입찰에 참가할 자의 자격을 제한하는 경우 그 실적, 시공능력은 다음 각 호의 기준에 따라야 한다. 〈개정 1996.12.31, 1998.2.23, 1999.9.9, 2005.9.8, 2006.5.25, 2017.12.28, 2019.9.17〉

1. 공사·제조 또는 용역 등의 경우에는 다음 각 목의 실적. 다만, 계약목적의 달성에 지장이 있는 경우를 제외하고는 가목의 실적을 우선적으로 적용하여야 한다.
   가. 공사·제조 또는 용역 등의 실적의 규모 또는 양에 따르는 경우(제조 또는 용역의 경우에는 추정가격이 고시금액 이상인 계약에 한정한다)에는 해당 계약목적물의 규모 또는 양의 1배 이내
   나. 공사·제조 또는 용역 등의 실적의 금액에 따르는 경우(제조 또는 용역의 경우에는 추정가격이 고시금액

법 률	시 행 령	시 행 규 칙
		이상인 계약에 한정한다)에는 해당 계약목적물의 추정가격(「건설산업기본법」등 다른 법령에서 시공능력 적용시 관급자재비를 포함하고 있는 경우에는 추정금액을 말한다. 이하 이 항에서 같다)의 1배 이내 2. 시공능력의 경우에는 해당 추정가격의 1배 이내 ③ 영 제21조제1항제6호에 따라 법인등기부상 본점소재지(개인사업자인 경우에는 사업자등록증 또는 관련 법령에 따른 허가·인가·면허·등록·신고 등에 관련된 서류에 기재된 사업장의 소재지를 말한다. 이하 같다)를 기준으로 제한경쟁입찰에 참가할 자의 자격을 제한하는 경우에는 법인등기부상 본점소재지가 해당 공사 등의 현장·납품지 등이 소재하는 특별시·광역시·특별자치시·도 또는 특별자치도(이하 이 항에서 "시·도"라 한다)의 관할구역(「공공기관 지방이전에 따른 혁신

도시 건설 및 지원에 관한 특별법」 제31조에 따른 공동혁신도시의 경우에는 해당 공동혁신도시 건설 공동 주체의 관할구역 전체를 말하며, 이하 이 항에서 같다) 안에 있는 자로 제한해야 한다. 다만, 다음 각 호의 어느 하나에 해당하는 경우에는 해당 공사 등의 현장·납품지 등이 있는 시·도에 인접한 시·도(이하 이 항에서 "인접 시·도"라 한다)의 관할구역 안에 있는 자를 포함해 제한할 수 있다. 〈개정 1996.12.31, 2007.10.10, 2012.5.18, 2015.6.30, 2016.9.23, 2019.9.17〉

④ 광역시·특별자치시 또는 도의 관할구역내에서 특별시·광역시 또는 특별자치시가 신설(편입된 경우를 제외한다)되는 경우에는 그 신설된 날부터 3년간은 종전의 광역시·특별자치시 또는 도의 관할구역과 신설된 특별시·광역시 또는 특별자치시의 관할구역은 이를 분리하지 아니한 것으로 보아 제3항의 규정을 적용한다. 〈개정 2012.5.18〉

법 률	시 행 령	시 행 규 칙
		⑤ 각 중앙관서의 장 또는 계약담당공무원은 영 제21조제1항에 따라 제한경쟁입찰에 참가할 자의 자격을 제한함에 있어서 같은 항 각 호 또는 각 호 내의 사항을 중복적으로 제한하여서는 아니된다. 다만, 영 제21조제1항제6호의 사항에 따라 제한하는 경우에는 같은 항 제2호의 사항과 중복하여 제한할 수 있으며, 영 제21조제1항제8호 또는 제10호의 사항에 따라 제한하는 경우에는 같은 항 각 호의 사항과 중복하여 제한할 수 있다. 〈개정 1996.12.31, 2009.3.5, 2018.12.4〉 ⑥ 각 중앙관서의 장 또는 계약담당공무원은 영 제22조의 규정에 의하여 공사를 성질별·규모별로 유형화하여 제한기준을 정하는 경우에는 제2항의 규정에 의한 제한기준에 의하지 아니할 수 있다.
	③ 각 중앙관서의 장 또는 계약담당공무원은 공사입찰로서 제1항제6호의 규정에 의하여 경쟁참가자의 자격을 제한하는 경우에 필요	**제26조(제한경쟁입찰 참가자격통지)** ① 각 중앙관서의 장 또는 계약담당공무원은 영 제21조제3항 또는 영 제22조제2항의 규정에 의하여

하다고 인정할 때에는 기획재정부령이 정하는 바에 의하여 당해 입찰참가적격자에게 제36조 각 호의 사항을 통지함으로써 제2항의 규정에 의한 입찰공고에 갈음할 수 있다. 〈개정 1996.12.31, 1999.9.9, 2008.2.29〉

유 회계제도과-51, '09.01.07 · 회계제도과-427, '09.03.05
회계제도과-572, '09.03.26 · 회계제도과-710, '09.04.15
회계제도과-711, '09.04.15 · 회계제도과-989, '09.06.07
회계제도과-1030, '09.06.15 · 계약제도과-559, '10.12.20
계약제도과-278, '11.03.22 · 계약제도과-286, '11.03.23
계약제도과-975, '11.08.12 · 계약제도과-1059, '11.09.06
계약제도과-1417, '11.11.29 · 계약제도과-1517, '11.12.14
계약제도과-828, '12.06.26 · 계약제도과-1487, '12.11.15

제22조(공사의 성질별·규모별 제한에 의한 입찰)

① 각 중앙관서의 장 또는 계약담당공무원은 공사를 성질별·규모별로 유형화하여 이에 상응하는 경쟁제한기준을 정하고 이를 미리 전자조달시스템에 공고하여 경쟁참가적격자로 하여금 등록신청을 하게 할 수 있다. 〈개정 2002.7.30, 2006.5.25, 2013.9.17〉

② 각 중앙관서의 장 또는 계약담당공무원은 제1항의 규정에 의한 등록신청을 받은 때에는 이를 심사하여 유형별·등급별로 경쟁참가적격자에게 입찰참가통지를 하는 경우에는 별지 제2호서식의 경쟁입찰참가통지서에 의하여야 한다.

② 제1항의 규정에 의한 입찰참가통지는 현장설명일 7일전(현장설명을 하지 아니하는 경우에는 입찰서 제출마감일 7일전)까지 하여야 한다. 다만, 긴급을 요하는 경우에는 입찰서 제출마감일 5일전까지 통지할 수 있다. 〈개정 1996.12.31.〉

법 률	시 행 령	시 행 규 칙
	격자를 선정하여 등록을 하고 공사 입찰시마다 당해 경쟁참가적격자에게 제36조 각 호의 사항을 통지하여 입찰참가신청을 하게 할 수 있다. ③ 각 중앙관서의 장은 제1항의 규정에 의하여 경쟁제한기준을 정하고자 할 때에는 기획재정부장관과 협의하여야 한다. 〈개정 1999.9.9, 2008.2.29〉	
	제23조(지명경쟁입찰에 의할 계약) ① 법 제7조제1항 단서에 따라 지명경쟁입찰에 부칠 수 있는 경우는 다음 각 호와 같다. 〈개정 1998.2.2, 1999.9.9, 2000.12.27, 2003.12.11, 2005.9.8, 2007.10.10, 2008.5.21, 2009.5.6, 2009.11.20, 2011.10.28, 2017.1.26, 2017.7.26, 2018.3.6, 2018.12.4〉 1. 계약의 성질 또는 목적에 비추어 특수한 설비·기술·자재·물품 또는 실적이 있는 자가 아니면 계약의 목적을 달성하기 곤란한 경우로서 입찰대상자가 10인 이내인 경우	**제27조(지명경쟁입찰의 지명기준)** 각 중앙관서의 장 또는 계약담당공무원은 영 제23조제1항제1호 내지 제3호·제6호 또는 제9호에 따라 지명경쟁입찰에 참가할 자를 지명하는 경우에는 다음 각 호의 기준에 의하여 지명하되, 경쟁원리가 적정하게 이루어지도록 하여야 한다. 〈개정 1998.2.23, 1999.9.9, 2005.9.8, 2006.5.25〉 1. 공사 가. 시공능력을 기준으로 지명하는 경우에는 제25조제2항제2호의 규정을 준용하여 지명할 것

2. 「건설산업기본법」에 의한 건설공사(전문공사를 제외한다)로서 추정가격이 3억원 이하인 공사, 「건설산업기본법」에 의한 전문공사로서 추정가격이 1억원 이하인 공사 또는 그 밖의 공사관련 법령에 의한 공사로서 추정가격이 1억원 이하인 공사를 하거나 추정가격이 1억원 이하인 물품을 제조할 경우
3. 추정가격이 5천만원 이하인 재산을 매각 또는 매입할 경우
4. 예정임대·임차료의 총액이 5천만원 이하인 물건을 임대·임차할 경우
5. 공사나 제조의 도급, 재산의 매각 또는 물건의 임대·임차외의 계약으로서 추정가격이 5천만원 이하인 경우
6. 「산업표준화법」 제15조에 따른 인증을 받은 제품 또는 같은 법 제25조에 따른 우수한 단체표준제품
7. 삭제 〈1999.9.9〉

나. 신용과 실적 및 경영상태를 기준으로 업체를 지명하되 특수한 기술의 보유가 필요한 경우에는 이를 보유한 자를 지명할 것
다. 삭제 〈1999.9.9〉

2. 물품의 제조·구매, 수리·가공 등 계약의 성질 또는 목적에 비추어 특수한 기술, 기계·기구, 생산설비 등을 보유하고 있는 자로 하여금 행하게 할 필요가 있는 경우에는 그 기술, 기계·기구, 생산설비 등을 보유한 자를 지명할 것

제28조 삭제 〈1999.9.9〉

법 률	시 행 령	시 행 규 칙
	8. 법 제7조 단서 및 이 영 제26조의 규정에 의하여 수의계약에 의할 수 있는 경우 9. 「자원의 절약과 재활용촉진에 관한 법률」 제33조의 규정에 의한 기준에 적합하고 「산업기술혁신 촉진법 시행령」 제17조제1항제3호에 따른 품질인증을 받은 재활용제품 또는 「환경기술 및 환경산업 지원법」 제17조의 규정에 의한 환경표지의 인증을 받은 제품을 제조하게 하거나 구매하는 경우 10. 「중소기업제품 구매촉진 및 판로지원에 관한 법률 시행령」 제6조에 따라 중소벤처기업부장관이 지정·공고한 물품을 「중소기업기본법」 제2조에 따른 중소기업자로부터 제조·구매할 경우 11. 「중소기업제품 구매촉진 및 판로지원에 관한 법률」 제7조의2제2항제2호에 따라 각 중앙관서의 장의 요청으로 「중소기업협동조합법」 제3조제1항에 따른 중소기업협동조합이 추천하는 소기업 또는 소	

상공인(해당 물품 등을 납품할 수 있는 소기업 또는 소상공인을 말한다)으로 하여금 물품을 제조하게 하거나 용역을 수행하게 하는 경우

② 각 중앙관서의 장의 위임을 받은 공무원은 제1항제1호의 규정에 의하여 지명경쟁입찰에 의하여 계약을 체결한 때에는 그 내용을 소속중앙관서의 장에게 보고하여야 하며, 각 중앙관서의 장은 이를 감사원에 통지하여야 한다. 〈개정 1998.2.2〉

유 회계제도과-13, '10.01.05 · 계약제도과-252, '11.03.16
계약제도과-432, '11.04.25 · 계약제도과-104, '12.01.27

제29조(지명경쟁계약의 보고서류 등) ① 계약담당공무원은 영 제23조제2항에 따라 지명경쟁입찰에 의한 계약(이하 "지명경쟁계약"이라 한다)을 보고하고자 할 때에는 제49조제1항 또는 제3항에 따른 계약서(해당계약서에 첨부하여야 하는 서류를 포함한다. 이하 이 조에서 같다)의 사본과 다음 각 호의 사항을 명백히 한 서류를 그 소속 중앙관서의 장에게 제출하여야 한다. 〈개정 1998.2.23, 2006.5.25〉

1. 계약의 목적
2. 예산과목
3. 적용법령조문 및 구체적인 적용사유
4. 삭제 〈2006.5.25〉
5. 삭제 〈2006.5.25〉

법 률	시 행 령	시 행 규 칙
	제24조(지명경쟁입찰 대상자의 지명) ① 각 중앙관서의 장 또는 계약담당공무원은 제23조의 규정에 의하여 지명경쟁입찰에 부치고자 할 때에는 5인 이상의 입찰대상자를 지명하여 2인 이상의 입찰참가신청이 있어야 한다. 다만, 지명대상자가 5인 미만인 때에는 대상자를 모두 지명하여야 한다. 〈개정 1998.2.2〉 ② 제1항의 경우에는 제36조 각 호의 사항을 각 입찰대상자에게 통지하여야 한다.	6. 기타 참고사항 ② 각 중앙관서의 장은 영 제23조제2항에 따라 감사원에 지명경쟁계약의 내용을 통지하는 때에는 제1항에 따른 계약서의 사본 및 서류를 함께 제출하여야 한다. 〈개정 2006.5.25〉 ③ 각 중앙관서의 장 또는 계약담당공무원은 지명경쟁입찰참가자로 지명된 자로부터 제27조의 규정에 의한 지명기준에 적합함을 증명하는 서류를 제출받아 이를 비치하여야 한다. [제목개정 1998.2.23]

③ 각 중앙관서의 장 또는 계약담당공무원은 제1항의 규정에 의하여 입찰대상자를 지명하고자 할 때에는 기획재정부령이 정하는 바에 의하여 이를 통지하고 입찰참가여부를 확인하여야 한다. 〈개정 1999.9.9, 2008.2.29〉

제25조(유사물품의 복수경쟁) 각 중앙관서의 장 또는 계약담당공무원은 품질·성능 또는 효율 등에 차이가 있는 유사한 종류의 물품 중에서 품질·성능 또는 효율 등이 일정수준 이상인 물품을 지정하여 구매하고자 하는 경우에는 복수경쟁에 부칠 수 있다. 이 경우 유사한 종류의 물품별로 작성된 예정가격에 대한 입찰금액의 비율이 가장 낮은 입찰자를 낙찰자로 한다.

제26조(수의계약에 의할 수 있는 경우) ① 법 제7조제1항 단서에 따라 수의계약을 할 수 있는 경우는 다음 각 호와 같다. 〈개정 2010.7.21., 2011.10.28., 2011.11.23., 2012.5.14., 2013.12.30., 2014.5.22., 2015.12.31., 2018.12.4.,

제30조(지명경쟁입찰 참가자격통지) 제26조의 규정은 지명경쟁입찰의 참가적격자에 대한 입찰참가통지에 관하여 이를 준용한다.

제36조(수의계약 적용사유에 대한 근거서류) 각 중앙관서의 장 또는 계약담당공무원은 영 제26조제1항제1호가목·다목, 제2호, 제3호가목부터 마목까지, 제4호가목부터 라목까지 또는 제5호다목·라목에 따라 수의계약을 체

법 률	시 행 령	시 행 규 칙
	2019.9.17., 2020.5.1., 2020.9.29., 2020.12.8., 2021.2.2., 2021.7.6.〉 1. 경쟁에 부칠 여유가 없거나 경쟁에 부쳐서는 계약의 목적을 달성하기 곤란하다고 판단되는 경우로서 다음 각 목의 경우 가. 천재지변, 감염병 예방 및 확산 방지, 작전상의 병력 이동, 긴급한 행사, 긴급복구가 필요한 수해 등 비상재해, 원자재의 가격급등, 사고방지 등을 위한 긴급한 안전진단·시설물 개선, 그 밖에 이에 준하는 경우 나. 국가안전보장, 국가의 방위계획 및 정보활동, 군시설물의 관리, 외교관계, 그 밖에 이에 준하는 경우로서 보안상 필요가 있거나, 국가기관의 행위를 비밀리에 할 필요가 있는 경우 다. 방위사업청장이 군용규격물자를 연구개발한 업체 또는 「비상대비자원 관리법」에 따른 중점관리대상업체로부터	결하려는 경우에는 그 적용사유에 해당되는지의 여부를 입증할 근거서류를 비치하여야 한다. [전문개정 2010.7.21]

군용규격물자(중점관리대상업체의 경우에는 방위사업청장이 지정하는 품목에 한정한다)를 제조·구매하는 경우

라. 비상재해가 발생한 경우에 국가가 소유하는 복구용 자재를 재해를 당한 자에게 매각하는 경우

2. 특정인의 기술이 필요하거나 해당 물품의 생산자가 1인뿐인 경우 등 경쟁이 성립될 수 없는 경우로서 다음 각 목의 경우

가. 공사와 관련하여 장래 시설물의 하자에 대한 책임 구분이 곤란한 경우로서 직전 또는 현재의 시공자와 계약을 하는 경우

나. 작업상 혼란이 초래될 우려가 있는 등 동일 현장에서 2인 이상의 시공자가 공사를 할 수 없는 경우로서 현재의 시공자와 계약을 하는 경우

다. 마감공사와 관련하여 직전 또는 현재의 시공자와 계약을 하는 경우

라. 접적지역 등 특수지역에서 시행하는

법 률	시 행 령	시 행 규 칙
	공사로서 사실상 경쟁이 불가능한 경우 마. 특허공법을 적용하는 공사 또는 「건설기술진흥법」 제14조에 따라 지정·고시된 신기술, 「환경기술 및 환경산업 지원법」 제7조에 따라 인증받은 신기술이나 검증받은 기술, 종전의 「전력기술관리법」(법률 제13741호로 개정되기 전의 것을 말한다) 제6조의2에 따라 지정·고시된 새로운 전력기술 또는 「자연재해대책법」 제61조에 따라 지정·고시된 방재신기술(각 해당 법률에 따라 지정된 보호기간 또는 유효기간 내의 경우로 한정한다)을 적용하는 공사로서 사실상 경쟁이 불가능한 경우 바. 해당 물품을 제조·공급한 자가 직접 그 물품을 설치·조립 또는 정비하는 경우 사. 이미 조달된 물품의 부품교환 또는 설비확충 등을 위하여 조달하는 경우로서 해당 물품을 제조·공급한 자 외의	

자로부터 제조·공급을 받게 되면 호환성이 없게 되는 경우

아. 특허를 받았거나 실용신안등록 또는 디자인등록이 된 물품을 제조하게 하거나 구매하는 경우로서 적절한 대용품이나 대체품이 없는 경우

자. 해당 물품의 생산자 또는 소지자가 1인뿐인 경우로서 다른 물품을 제조하게 하거나 구매해서는 사업목적을 달성할 수 없는 경우

차. 특정인의 기술·품질이나 경험·자격을 필요로 하는 조사·설계·감리·특수측량·훈련 계약, 특정인과의 학술연구 등을 위한 용역 계약, 관련 법령에 따라 디자인공모에 당선된 자와 체결하는 설계용역 계약의 경우

카. 특정인의 토지·건물 등 부동산을 매입하거나 재산을 임차 또는 특정인에게 임대하는 경우

법 률	시 행 령	시 행 규 칙
	3. 「중소기업진흥에 관한 법률」 제2조제1호에 따른 중소기업자가 직접 생산한 다음 각 목의 제품을 해당 중소기업자로부터 제조·구매하는 경우 가. 「중소기업제품 구매촉진 및 판로지원에 관한 법률」 제15조에 따라 성능인증을 받은 제품 나. 「소프트웨어 진흥법」 제20조에 따라 품질인증을 받은 제품 다. 「중소기업 기술혁신 촉진법」 제9조제1항제3호에 따른 지원을 받아 개발이 완료된 제품으로서 당초의 수요와 연계된 자가 구매를 협약한 제품 라. 「산업기술혁신 촉진법」 제16조에 따라 신제품으로 인증받은 제품 마. 「산업기술혁신 촉진법」 제15조의2, 「환경기술 및 환경산업 지원법」 제7조, 「건설기술 진흥법」 제14조 또는 「자연재해대책법」 제61조에 따라 인증 또는	

지정·고시된 신기술을 이용하여 제조한 제품으로서 주무부장관이 상용화 단계에서 성능을 확인한 제품

바. 「조달사업에 관한 법률 시행령」 제30조에 따라 우수조달물품으로 지정·고시된 제품

사. 「조달사업에 관한 법률 시행령」 제31조에 따라 지정·고시된 우수조달 공동상표의 물품(기획재정부장관이 고시한 금액 미만의 물품을 구매하는 경우에 한정한다)

아. 삭제 〈개정 2020.9.29.〉

자. 과학기술정보통신부장관이 「지능정보화 기본법」 제58조에 따른 정보보호시스템의 성능과 신뢰도에 관한 기준에 합치된 것으로 확인한 제품으로서 「전자정부법 시행령」 제69조에 따라 국가정보원장이 정한 정보보호시스템 유형별 도입요건을 준수한 제품

법　　률	시　행　령	시　행　규　칙
	차. 「재난 및 안전관리 기본법」 제73조의4 제1항에 따른 적합성 인증을 받은 재난안전제품 〈신설 2021.7.6.〉 4. 국가유공자 또는 장애인 등에게 일자리나 보훈·복지서비스 등을 제공하기 위한 목적으로 설립된 다음 각 목의 어느 하나에 해당하는 단체 등과 물품의 제조·구매 또는 용역 계약(해당 단체가 직접 생산하는 물품 및 직접 수행하는 용역에 한정한다)을 체결하거나, 그 단체 등에 직접 물건을 매각·임대하는 경우 가. 국가보훈처장이 지정하는 국가유공자 자활집단촌의 복지공장 나. 「국가유공자 등 단체설립에 관한 법률」에 따라 설립된 단체 중 상이를 입은 자들로 구성된 단체 다. 「중증장애인생산품 우선구매 특별법」 제9조제1항에 따라 지정받은 중증장애인생산품 생산시설	

라. 「사회복지사업법」 제16조에 따라 설립된 사회복지법인

5. 제1호부터 제4호까지의 경우 외에 계약의 목적·성질 등에 비추어 경쟁에 따라 계약을 체결하는 것이 비효율적이라고 판단되는 경우로서 다음 각 목의 경우

가. 다음의 어느 하나에 해당하는 계약

1) 「건설산업기본법」에 따른 건설공사(같은 법에 따른 전문공사는 제외한다)로서 추정가격이 4억원 이하인 공사, 같은 법에 따른 전문공사로서 추정가격이 2억원 이하인 공사 및 그 밖의 공사 관련 법령에 따른 공사로서 추정가격이 1억6천만원 이하인 공사에 대한 계약

2) 추정가격이 2천만원 이하인 물품의 제조·구매계약 또는 용역계약

3) 추정가격이 2천만원 초과 1억원 이하인 계약으로서 「중소기업기본법」 제

법 률	시 행 령	시 행 규 칙
	2조제2항에 따른 소기업 또는 「소상공인기본법」 제2조에 따른 소상공인과 체결하는 물품의 제조·구매계약 또는 용역계약. 다만, 제30조제1항제3호 및 같은 조 제2항 단서에 해당하는 경우에는 소기업 또는 소상공인외의 자와 체결하는 물품의 제조·구매계약 또는 용역계약을 포함한다. 4) 추정가격이 2천만원 초과 1억원 이하인 계약 중 학술연구·원가계산·건설기술 등과 관련된 계약으로서 특수한 지식·기술 또는 자격을 요구하는 물품의 제조·구매계약 또는 용역계약 5) 추정가격이 2천만원 초과 1억원 이하인 계약으로서 다음의 어느 하나에 해당하는 자와 체결하는 물품의 제조·구매계약 또는 용역계약 가) 「여성기업지원에 관한 법률」 제2조제1호에 따른 여성기업	

나) 「장애인기업활동 촉진법」 제2조제2호에 따른 장애인기업

다) 「사회적기업 육성법」 제2조제1호에 따른 사회적기업, 「협동조합 기본법」 제2조제3호에 따른 사회적협동조합, 「국민기초생활 보장법」 제18조에 따른 자활기업 또는 「도시재생 활성화 및 지원에 관한 특별법」 제2조제1항제9호에 따른 마을기업 중 기획재정부장관이 정하는 요건을 충족하는 자

6) 추정가격이 5천만원 이하인 임대차계약(연액 또는 총액을 기준으로 추정가격을 산정한다) 등으로서 공사계약 또는 물품의 제조·구매계약이나 용역계약이 아닌 계약

나. 재외공관이 사용하는 물품을 현지에서 구매하는 경우

법 률	시 행 령	시 행 규 칙
	다. 물품을 가공·하역·운송 또는 보관할 때 경쟁에 부치는 것이 불리하다고 인정되는 경우 라. 「방위사업법」에 따른 방산물자를 방위산업체로부터 제조·구매하는 경우 마. 다른 법령에 따라 국가사업을 위탁 또는 대행할 수 있는 자와 해당 사업에 대한 계약을 하는 경우 바. 다른 국가기관 또는 지방자치단체와 계약을 하는 경우 사. 「조달사업에 관한 법률」 제27조제1항에 따른 혁신제품을 구매하려는 경우 아. 「클라우드컴퓨팅 발전 및 이용자 보호에 관한 법률 시행령」 제8조의2제1항에 따라 선정된 디지털서비스에 관한 계약을 하는 경우〈신설 2020.9.29.〉	
	② 각 중앙관서의 장 또는 계약담당공무원은 제1항제3호 각 목의 제품을 구매하려는 경우에는 주무부장관(주무부장관으로부터 위임	**제31조** 삭제 〈2010.7.21〉

받은 자를 포함한다)의 해당 물품에 대한 인증 또는 지정 등이 유효한 기간(유효한 기간이 연장된 경우에는 연장된 기간까지 포함한다. 이하 이 항에서 같다)의 범위에서 수의계약을 체결할 수 있다. 다만, 해당 물품에 대한 인증 또는 지정 등이 유효한 기간이 6년을 넘는 경우에는 6년까지만 수의계약을 체결할 수 있다. 〈신설 2010.7.21, 2020.9.29.〉

③ 각 중앙관서의 장 또는 계약담당공무원은 제1항제4호에 따라 수의계약에 의하는 경우에는 다음 각 호의 사항을 확인해야 한다. 〈신설 2006.5.25, 2010.7.21, 2019.9.17〉

1. 수의계약 대상자의 자격요건
2. 수의계약의 대상물품의 직접생산여부

④ 각 중앙관서의 장 또는 계약담당공무원은 수의계약 대상자를 감독하는 주무부처의 장에게 제3항 각 호의 사항의 확인에 필요한 협조를 요청할 수 있다. 〈신설 2006.5.25, 2010.7.21, 2015.12.31〉

법률	시행령	시행규칙
	⑤ 계약담당공무원은 제1항제1호다목·라목, 같은 항 제2호, 제4호나목·다목 및 제5호다목·마목에 따라 수의계약을 체결한 때에는 그 내용을 소속중앙관서의 장에게 보고해야 하며, 각 중앙관서의 장은 보고받은 사항 중 제1항제2호에 따른 계약에 대해서는 이를 감사원에 통지해야 한다. 〈개정 1996.12.31, 1998.2.2, 2006.5.25, 2010.7.21, 2019.9.17〉 [시행일 : 2019.3.5] 제26조제1항제3호아목, 제26조제1항제5호가목5) 유 회계제도과-1625, '09.09.29 · 회계제도과-112, '10.01.18 회계제도과-941, '10.06.18 · 회계제도과-954, '10.6.22 회계제도과-1139, '10.07.21 · 회계제도과-1306, '10.08.11 계약제도과-337, '10.11.05 · 계약제도과-356, '10.11.09 계약제도과-366, '10.11.11 · 계약제도과-467, '11.05.03 계약제도과-1116, '11.09.22 · 계약제도과-1197, '11.10.13 계약제도과-277, '12.03.15 · 계약제도과-286, '12.03.19 계약제도과-319, '12.03.23 · 계약제도과-919, '12.07.12 계약제도과-1264, '12.09.28 · 계약제도과-1279, '12.10.09 ⑥ 삭제 〈2021.7.6.〉	**제35조(수의계약의 보고서류 등)** ① 계약담당공무원은 영 제26조제5항에 따라 수의계약을 보고하고자 할 때에는 제49조제1항 또는 제3항에 따른 계약서(해당계약서에 첨부하여야 하는 서류를 포함한다. 이하 이 조에서 같다)의 사본과 다음 각 호의 사항을 명백히 한 서류를 그 소속 중앙관서의 장에게 제출하여야 한다. 〈개정 1998.2.23, 2006.5.25, 2010.7.21〉 1. 계약의 목적 2. 예산과목 3. 적용법령조문 및 구체적인 적용사유 4. 삭제 〈2006.5.25〉 5. 삭제 〈2006.5.25〉 6. 삭제 〈2006.5.25〉 7. 기타 참고사항 ② 각 중앙관서의 장은 영 제26조제5항에 따라 감사원에 수의계약의 내용을 통지하는 때에는 제1항에 따른 계약서의 사본 및 서류

제27조(재공고입찰과 수의계약) ① 경쟁입찰을 실시한 결과 다음 각 호의 1에 해당하는 경우에는 수의계약에 의할 수 있다.

1. 제10조의 규정에 의하여 경쟁입찰을 실시하였으나 입찰자가 1인뿐인 경우로서 제20조제2항의 규정에 의하여 재공고입찰을 실시하더라도 제12조의 규정에 의한 입찰참가자격을 갖춘 자가 1인밖에 없음이 명백하다고 인정되는 경우
2. 제20조제2항의 규정에 의하여 재공고입찰에 부친 경우로서 입찰자 또는 낙찰자가 없는 경우

② 제1항의 규정에 의한 수의계약의 경우 보증금과 기한을 제외하고는 최초의 입찰에 부칠 때에 정한 가격 및 기타 조건을 변경할 수 없다.

③ 제1항제1호에도 불구하고 「재난 및 안전

를 함께 제출하여야 한다. 〈개정 2006.5.25, 2010.7.21〉

[제목개정 1998.2.23]

제32조(재공고입찰 등에 의한 수의 계약시 계약상대자 결정) 각 중앙관서의 장 또는 계약담당공무원은 영 제27조제1항제2호의 규정에 의하여 수의 계약을 체결하고자 할 때에는 국가에 가장 유리한 가격을 제시한 자를 계약상대자로 결정하여야 한다. 〈개정 1998.2.23.〉

제13조(예정가격의 변경) 각 중앙관서의 장 또는 계약담당공무원은 영 제20조제2항의 규정에 의한 재공고입찰에 있어서도 입찰자 또는 낙찰자가 없는 경우로서 당초의 예정가격으로는 영 제27조제1항의 규정에 의한 수의계약을 체결할 수 없는 때에는 당초의 예정가격을 변경하여 새로운 절차에 의한 경쟁입찰에 부칠 수 있다.

법 률	시 행 령	시 행 규 칙
	관리 기본법」 제3조제1호의 재난이나 경기침체, 대량실업 등으로 인한 국가의 경제위기를 극복하기 위해 기획재정부장관이 기간을 정하여 고시한 경우에는 제10조에 따라 경쟁입찰을 실시했으나 입찰자가 1인뿐인 경우 제20조제2항에 따른 재공고입찰을 실시하지 않더라도 수의계약을 할 수 있다. 〈신설 2020.5.1〉 [전문개정 1998.2.2.]	
	제28조(낙찰자가 계약을 체결하지 아니할 때의 수의계약) ① 낙찰자가 계약을 체결하지 아니할 때에는 그 낙찰금액보다 불리하지 아니한 금액의 범위안에서 수의계약에 의할 수 있다. 다만, 기한을 제외하고는 최초의 입찰에 부칠 때 정한 가격 및 기타 조건을 변경할 수 없다. ② 제1항의 규정은 낙찰자가 계약체결 후 소정의 기일내에 계약의 이행에 착수하지 아니하거나, 계약이행에 착수한 후 계약상의 의무를 이행하지 아니하여 계약을 해제 또는 해지한 경우에 이를 준용한다. 〈개정 1996.12.31〉	**제34조(희망수량경쟁입찰과 수의계약)** 각 중앙관서의 장 또는 계약담당공무원은 희망수량경쟁입찰에 있어서 낙찰자중 계약을 체결하지 아니한 자가 있는 경우에 영 제28조의 규정에 의하여 수의계약에 의할 때에는 물품의 제조나 구매에 있어서는 당해 낙찰자의 낙찰단가 이하로서, 물품의 매각에 있어서는 당해 낙찰자의 낙찰단가 이상으로 계약을 체결하여야 한다.

제29조(분할수의계약) 제26조제1항제5호라목, 제27조 및 제28조의 경우에 있어서는 예정가격 또는 낙찰금액을 분할하여 계산할 수 있는 경우에 한하여 그 가격 또는 금액보다 불리하지 아니한 금액의 범위안에서 수인에게 분할하여 계약을 할 수 있다. 〈개정 2010.7.21〉

제30조(견적에 의한 가격결정 등) ① 각 중앙관서의 장 또는 계약담당공무원은 수의계약을 체결하려는 경우에는 2인 이상으로부터 견적서를 받아야 한다. 다만, 다음 각 호의 어느 하나에 해당하는 경우에는 1인으로부터 받은 견적서에 의할 수 있다. 〈개정 1996.12.31, 2000.12.27, 2006.5.25, 2007.10.10, 2010.7.21, 2013.9.17, 2013.12.30, 2018.12.4., 2020.5.1., 2020.9.29, 2021.7.6.〉

1. 제26조제1항제1호가목·나목, 같은 항 제2호, 제27조 및 제28조에 따른 계약의 경우
2. 추정가격이 2천만원 이하인 경우. 다만, 제26조제1항제5호가목5)가)부터 다)까지

법 률	시 행 령	시 행 규 칙
	의 어느 하나에 해당하는 자와 계약을 체결하는 경우에는 5천만원 이하인 경우로 한다. 3. 제2항 본문에 따라 전자조달시스템을 이용하여 견적서를 제출받았으나 견적서 제출자가 1인뿐인 경우로서 다시 견적서를 제출받더라도 견적서 제출자가 1인밖에 없을 것으로 명백히 예상되는 경우	
	② 각 중앙관서의 장 또는 계약담당공무원은 제26조제1항제5호가목에 따른 수의계약 중 추정가격이 2천만원[같은 조 제1항제5호가목5)가)부터 다)까지의 어느 하나에 해당하는 자와 계약을 체결하는 경우에는 5천만원]을 초과하는 수의계약의 경우에는 전자조달시스템을 이용하여 견적서를 제출하도록 해야 한다. 다만, 계약의 목적이나 특성상 전자조달시스템에 의한 견적서제출이 곤란한 경우로서 기획재정부령으로 정하는 경우에는 그러하지 않다. 〈개정 2006.12.29, 2008.2.29, 2010.7.21, 2013.9.17, 2014.11.4, 2018.12.4,	**제33조(견적에 의한 가격결정 등)** ① 영 제30조제2항 단서에서 "전자조달시스템에 의한 견적서제출이 곤란한 경우로서 기획재정부령이 정하는 경우"란 다음 각 호의 어느 하나에 해당하는 경우를 말한다. 〈신설 2006.12.29, 2009.3.5, 2013.9.17〉 1. 전문적인 학술연구용역의 경우 2. 농·수산물 및 음식물(그 재료를 포함한다)의 구입 등 신선도와 품질을 우선적으로 고려하여야 하는 경우 3. 그 밖에 계약의 목적이나 특성상 전자조달시스템에 의한 견적서제출이 곤란한 경우

2020.5.1., 2021.7.6.〉

③ 각 중앙관서의 장 또는 계약담당공무원은 제26조제1항제5호가목 및 같은 조 제6항에 따른 수의계약 중 추정가격이 2천만원[같은 조 제1항제5호가목5)가)부터 다)까지의 어느 하나에 해당하는 자 또는 같은 조 제6항제4호 각 목의 어느 하나에 해당하는 자와 계약을 체결하는 경우에는 5천만원]을 초과하는 수의계약의 경우에는 전자조달시스템을 이용하여 견적서를 제출하도록 해야 한다. 다만, 계약의 목적이나 특성상 전자조달시스템에 의한 견적서제출이 곤란한 경우로서 기획재정부령으로 정하는 경우에는 그렇지 않다. 〈신설 2006.12.29, 2013.9.17〉

④ 각 중앙관서의 장 또는 계약담당공무원은 제2항에 따른 수의계약을 할 경우 계약이행의 용이성 및 효율성 등을 고려하여 필요하다고 인정되는 경우에는 견적서를 제출할 수 있는 자를 기획재정부령으로 정하는 바에 따라 법

로서 기획재정부장관이 정하는 경우

② 각 중앙관서의 장 또는 계약담당공무원이 영 제30조제4항에 따라 법인등기부상 본점소재지를 기준으로 견적서제출을 제한하는 경우에는 법인등기부상 본점소재지가 해당공사의 현장, 물품의 납품지 등이 소재하는 특별시·광역시·특별자치시·도 또는 특별자치도의 관할구역 안에 있는 자로 제한하여야 한다. 다만, 공사의 현장, 물품의 납품지 등이 소재하는 시(행정시를 포함한다. 이하 이 항에서 같다)·군(도의 관할구역 안에 있는 군을 말한다. 이하 이 항에서 같다)에 해당계약의 이행에 필요한 자격을 갖춘 자가 5인 이상인 경우에는 그 시·군의 관할구역 안에 있는 자로 제한할 수 있다. 〈신설 2006.12.29, 2012.5.18, 2016.9.23〉

③ 영 제30조제7항에서 "기획재정부령이 정하는 경우"란 다음 각 호의 경우를 말한다. 〈개정 1999.9.9, 2000.12.30, 2005.9.8,

법 률	시 행 령	시 행 규 칙
	인등기부상 본점소재지를 기준으로 하여 제한할 수 있다. 이 경우 제3항에 따른 안내공고에 그 제한사항과 제한기준을 명시하여야 한다. 〈신설 2006.12.29, 2008.2.29, 2016.9.2〉 ⑤ 기획재정부장관은 제2항에 따른 전자조달시스템을 이용한 견적서의 제출과 관련한 기준 및 세부절차, 제3항에 따른 안내공고의 시기 및 기간 등에 관하여 필요한 사항을 정할 수 있다. 〈신설 2006.12.29, 2008.2.29, 2013.9.17〉 ⑥ 제1항 또는 제2항에 따라 제출받은 견적서에 기재된 견적가격이 예정가격(제7조의2제2항에 따라 예정가격작성을 생략한 경우에는 추정가격에 부가가치세를 포함한 금액을 말한다)의 범위에 포함되지 아니하는 경우 등 계약상대자를 결정할 수 없는 때에는 다시 견적서를 제출받아 계약금액을 결정하여야 한다. 〈신설 2000.12.27, 2006.12.29, 2007.10.10〉 ⑦ 제1항·제2항 및 제6항에도 불구하고 기획	2006.12.29, 2009.3.5〉 1. 전기·가스·수도 등의 공급계약 2. 추정가격이 100만원 미만인 물품의 제조·구매·임차 및 용역계약 [제목개정 2006.12.29]

재정부령으로 정하는 경우에는 견적서제출을 생략하게 할 수 있다. 〈개정 1999.9.9, 2000.12.27, 2005.9.8, 2006.12.29, 2008.2.29, 2016.9.2〉

제31조(계속공사에 대한 수의계약시의 계약금액) 계속공사(제26조제1항제2호가목부터 다목까지의 규정에 따라 직전 또는 현재의 시공자와 수의계약을 체결할 수 있는 공사를 말한다)에 있어서 해당 공사 이후의 계약금액은 예정가격에 제1차공사의 낙찰률(예정가격에 대한 낙찰금액 또는 계약금액의 비율을 말한다)을 곱한 금액이하로 해야 한다. 다만, 기획재정부장관이 정하는 경우에는 그렇지 않다. 〈개정 1999.9.9, 2008.2.29, 2019.9.17〉

제32조(경쟁계약에 관한 규정의 준용) 수의계약의 체결에 관하여는 제12조제1항 및 제3항부터 제6항까지의 규정을 준용한다. 〈개정 2013.12.30〉
[전문개정 2007.10.10.]

제37조(경쟁계약에 관한 규정의 준용) 제14조제1항 및 제2항은 수의계약의 경우에 준용한다.
[전문개정 2009.3.5]

법 률	시 행 령	시 행 규 칙
	제4장 입찰 및 낙찰절차	**제4장 입찰 및 낙찰절차**
제8조(입찰 공고 등) ① 각 중앙관서의 장 또는 계약담당공무원은 경쟁입찰을 하는 경우에는 입찰에 관한 사항을 공고하거나 통지하여야 한다. ② 제1항에 따른 입찰 공고 또는 통지의 방법, 내용, 시기, 그 밖에 필요한 사항은 대통령령으로 정한다. [전문개정 2012.12.18]	**제33조(입찰공고)** ① 입찰방법에 의하여 경쟁에 부치고자 할 때에는 이 영에 특별한 규정이 있는 경우를 제외하고는 전자조달시스템을 이용하여 공고하여야 한다. 다만, 필요한 경우 일간신문 등에 게재하는 방법을 병행할 수 있다. 〈개정 1999.9.9, 2002.7.30, 2013.9.17〉 ② 각 중앙관서의 장 또는 계약담당공무원은 제1항에 따른 입찰공고 중 내용의 오류나 법령위반사항이 발견되어 공고사항의 정정이 필요한 경우에는 남은 공고기간에 5일 이상을 더하여 공고하여야 한다. 〈신설 2007.10.10〉	**제38조** 삭제 〈2002.8.24〉
	제34조(입찰참가의 통지) 각 중앙관서의 장 또는 계약담당공무원은 국가의 보안유지를 위하여 필요한 때에는 제33조의 규정에 불구하고 기획재정부령이 정하는 바에 의하여 당해 입찰참가적격자에게 제36조의 사항을 통지하	**제39조(입찰참가의 통지 등)** 각 중앙관서의 장 또는 계약담당공무원은 영 제13조 또는 영 제34조의 규정에 의하여 당해입찰참가적격자에게 입찰참가통지를 하는 때에는 별지 제2호서식의 경쟁입찰참가통지서에 의한다.

여 입찰참가신청을 하게 할 수 있다. 이 경우 통지시기에 관하여는 제35조의 규정을 준용한다. 〈개정 1999.9.9, 2008.2.29〉

제40조(입찰 참가신청) ① 각 중앙관서의 장 또는 계약담당공무원은 경쟁 입찰에 부치고자 할 때에는 입찰참가신청인으로 하여금 다음 각호의 서류를 제출하게 하여야 한다. 다만, 제15조의 규정에 의하여 자격등록을 한 자에 대하여는 입찰 보증금의 납부로써 다음 각 호의 서류의 제출에 갈음하게 할 수 있다.

1. 별지 제3호서식의 입찰참가신청서
2. 입찰참가자격을 증명하는 서류
3. 기타 입찰공고 또는 지명통지에서 요구한 서류

② 각 중앙관서의 장 또는 계약담당공무원은 입찰참가신청인이 제1항 각호의 서류를 제출한 때에는 그 서류의 내용을 검토하여 이를 접수하고 필요한 사항에 대하여 사실조사를 할 수 있다.

③ 각 중앙관서의 장 또는 계약담당공무원은 입찰참가신청서류를 접수한 때에는 별지 제4호서식의 입찰참가신청증을 교부하여야 한

법 률	시 행 령	시 행 규 칙
	제35조(입찰공고의 시기) ① 입찰공고는 입찰서 제출마감일의 전일부터 기산하여 7일전에 이를 행하여야 한다. 〈개정 1996.12.31, 2006.5.25〉 ② 공사입찰의 경우로서 제14조의2제1항에 따른 현장설명을 실시하는 경우에는 현장설명일의 전일부터 기산하여 7일전에 공고해야 한다. 다만, 제13조에 따라 입찰참가자격을 사전에 심사하려는 공사입찰의 경우에는 현장설명일 전일부터 기산하여 30일전에 공고해야 한다. 〈신설 1996.12.31, 2006.5.25, 2010.7.21, 2021.7.6.〉 ③ 공사입찰의 경우로서 현장설명을 실시하	다. 다만, 우편입찰의 경우 기타 필요하지 아니하다고 인정되는 경우에는 이를 생략할 수 있다. ④ 제1항 본문의 규정에 의하여 제출하는 입찰참가신청서류의 접수마감일은 입찰서 제출마감일 전일로 한다. 〈개정 1996.12.31〉

지 아니하는 때에는 입찰서 제출마감일의 전일부터 기산하여 다음 각 호에서 정한 기간 전에 공고하여야 한다. 〈개정 2006.5.25〉

1. 추정가격이 10억원 미만인 경우 7일
2. 추정가격이 10억원 이상 50억원 미만인 경우 15일
3. 추정가격이 50억원 이상인 경우 40일

④ 제1항부터 제3항까지의 규정에도 불구하고 다음 각 호의 어느 하나에 해당하는 경우에는 입찰서 제출마감일의 전날부터 기산하여 5일 전까지 공고할 수 있다. 〈개정 2015.6.22, 2020.5.1〉

1. 제20조제2항에 따른 재공고입찰의 경우

1의2. 국가의 재정정책상 예산의 조기집행을 위해 필요한 경우

2. 다른 국가사업과 연계되어 일정조정을 위하여 불가피한 경우
3. 긴급한 행사 또는 긴급한 재해예방·복구 등을 위하여 필요한 경우

법 률	시 행 령	시 행 규 칙
	4. 그 밖에 제2호 및 제3호에 준하는 경우 ⑤ 제43조에 따른 협상에 의한 계약 또는 제43조의3에 따른 경쟁적 대화에 의한 계약의 경우에는 제1항 및 제4항에도 불구하고 제안서 제출마감일의 전날부터 기산하여 40일 전에 공고하여야 한다. 다만, 다음 각 호의 어느 하나에 해당하는 경우에는 제안서 제출마감일의 전날부터 기산하여 10일 전까지 공고할 수 있다. 〈신설 2006.5.25, 2015.6.22, 2018.12.4〉 1. 제4항 각 호의 어느 하나에 해당하는 경우 2. 추정가격이 고시금액 미만인 경우 3. 삭제 〈2015.6.22〉 유 계약제도과-519, '11.05.16 **제36조(입찰공고의 내용)** 입찰공고에는 다음 각 호의 사항을 명시해야 한다. 〈개정 1999.9.9, 2002.3.25, 2002.7.30, 2006.5.25, 2011.12.31, 2013.9.17, 2016.9.2, 2018.12.4., 2019.9.17〉 1. 입찰에 부치는 사항	

2. 입찰 또는 개찰의 장소와 일시

3. 공사입찰의 경우에는 현장설명의 장소·일시 및 참가자격에 관한 사항

3의2. 제43조에 따른 협상에 의한 계약체결의 경우로서 제안요청서에 대한 설명을 실시하는 경우에는 그 장소 및 일시에 관한 사항

4. 입찰참가자의 자격에 관한 사항

4의2. 입찰참가등록 및 입찰관련서류에 관한 사항

5. 입찰보증금과 국고귀속에 관한 사항

6. 낙찰자결정방법(제42조제1항 또는 제4항에 따라 낙찰자를 결정하는 경우에는 낙찰자결정에 필요한 서류의 제출일 및 낙찰자 통보예정일을 포함한다)

7. 계약의 착수일 및 완료일

8. 계약하고자 하는 조건을 공시하는 장소

9. 제39조제4항의 규정에 의한 입찰무효에 관한 사항

법 률	시 행 령	시 행 규 칙
	10. 입찰에 관한 서류의 열람·교부장소 및 교부비용 11. 추가정보를 입수할 수 있는 기관의 주소 등 12. 제39조제1항에 따라 전자조달시스템 또는 각 중앙관서의 장이 지정·고시한 정보처리장치를 이용하여 입찰서를 제출하게 하는 경우에는 그 절차 및 방법 12의2. 제39조제2항에 따라 입찰서를 우편으로 제출하게 하는 경우에는 그 취지와 입찰서를 송부할 주소 13. 제72조의 규정에 의한 공동계약을 허용하는 경우에는 공동계약이 가능하다는 뜻(제72조제3항 및 제4항의 규정에 의한 공동계약인 경우에는 공동수급체구성원의 자격제한사항을 포함한다)과 공동계약의 이행방식 14. 제19조의 규정에 의한 부대입찰의 경우에는 그 취지 15. 제78조의 규정에 의한 입찰의 경우에는	

	대안입찰 또는 일괄입찰등에 관한 사항 15의2. 입찰 관련 비리 또는 불공정행위의 신고에 관한 사항 16. 제9조제1항제2호에 따른 예정가격 결정과 관련하여 계약의 목적이 되는 물품·공사·용역등을 구성하는 재료비·노무비·경비의 책정기준, 일반관리비율 및 이윤율 등 기획재정부장관이 정하는 기준 및 비율 17. 기타 입찰에 관하여 필요한 사항 [전문개정 1996.12.31] [대통령령 제17546호(2002.3.25) 부칙 제2항의 규정에 의하여 이 조 제14호는 2003년 12월 31일까지 유효함]	
제9조(입찰보증금) ① 각 중앙관서의 장 또는 계약담당공무원은 경쟁입찰에 참가하려는 자에게 입찰보증금을 내도록 하여야 한다. 다만, 대통령령으로 정하는 경우에는 입찰보증금의 전부 또는 일부의 납부를 면제할 수 있다.	**제37조(입찰보증금)** ① 법 제9조에 따른 입찰보증금은 입찰금액(단가에 대해 실시하는 입찰인 경우에는 그 단가에 매회별 이행예정량 중 최대량을 곱한 금액. 이하 이 항에서 같다)의 100분의 5 이상으로 해야 한다. 다만, 「재난 및 안전관리 기본법」 제3조제1호의 재난	**제43조(입찰보증금의 납부)** ① 각 중앙관서의 장 또는 계약담당공무원은 입찰참가자로 하여금 입찰신청마감일까지 별지 제3호서식의 입찰참가신청서와 함께 소정절차에 따라 영 제37조에 따른 입찰보증금을 납부하게 하여야 한다. 다만, 영 제37조제2항제4호에 따른

법 률	시 행 령	시 행 규 칙
② 제1항에 따른 입찰보증금의 금액, 납부방법, 그 밖에 필요한 사항은 대통령령으로 정한다. ③ 각 중앙관서의 장 또는 계약담당공무원은 낙찰자가 계약을 체결하지 아니하였을 때에는 해당 입찰보증금을 국고에 귀속시켜야 한다. 이 경우 제1항 단서에 따라 입찰보증금의 전부 또는 일부의 납부를 면제하였을 때에는 대통령령으로 정하는 바에 따라 입찰보증금에 해당하는 금액을 국고에 귀속시켜야 한다. [전문개정 2012.12.18]	이나 경기침체, 대량실업 등으로 인한 국가의 경제위기를 극복하기 위해 기획재정부장관이 기간을 정하여 고시한 경우에는 입찰보증금을 입찰금액의 1천분의 25 이상으로 할 수 있다. 〈개정 1996.12.31, 2014.11.4, 2019.9.17, 2020.5.1.〉 ② 입찰보증금은 현금(체신관서 또는 「은행법」의 적용을 받는 은행이 발행한 자기앞수표를 포함한다. 이하 같다) 또는 다음 각 호의 보증서등으로 납부하게 해야 한다. 〈개정 1996.4.8, 1996.12.31, 1997.7.10, 1997.12.31, 1998.2.2, 1999.5.13, 1999.9.9, 2000.8.5, 2002.4.20, 2002.12.5, 2003.12.11, 2004.12.31, 2005.9.8, 2006.12.29, 2007.10.10, 2008.2.29, 2008.7.29, 2009.6.29, 2010.11.15, 2011.1.17, 2011.1.24, 2011.1.26, 2011.2.9, 2012.5.14, 2013.3.23, 2014.5.22, 2014.11.4, 2016.2.11, 2016.5.31, 2019.9.17, 2020.12.8, 2021.7.6.〉 1. 「국가재정법 시행령」 제46조제4항에 따	보증서 중 1회계연도내의 모든 입찰(공사의 경우로 한정한다)에 대한 입찰보증금으로 납부할 수 있는 보증서의 경우에는 기획재정부장관이 정하는 바에 의하여 매 회계연도초에 이를 제출하게 할 수 있다. 〈개정 1999.9.9, 2009.3.5〉 ② 영 제37조제4항의 규정에 의한 입찰보증금에 해당하는 금액의 지급을 확약하는 내용의 문서는 별지 제3호서식의 입찰참가신청서에 따라 입찰참가신청을 하거나 입찰서를 제출하는 때에 이를 제출하여야 한다. 〈신설 1999.9.9, 2012.5.18〉 **제53조(현금에 의한 보증금 납부)** 각 중앙관서의 장 또는 계약담당공무원은 입찰참가자 또는 계약상대자가 제43조·제51조 및 제52조의 규정에 의한 보증금을 현금으로 납부할 때에는 세입세출외 현금출납공무원으로 하여금 정부보관금취급규칙에 의하여 수령하게 하여야 한다.

른 금융기관(이하 "금융기관"이라 한다) 및 「은행법」에 따른 외국은행이 발행한 지급보증서

2. 「자본시장과 금융투자업에 관한 법률 시행령」 제192조에 따른 증권
3. 「보험업법」에 따른 보험회사가 발행한 보증보험증권
4. 다음 각 목의 어느 하나에 해당하는 기관이 발행한 채무액 등의 지급을 보증하는 보증서
   가. 「건설산업기본법」에 따른 공제조합
   나. 「전기공사공제조합법」에 따른 전기공사공제조합
   다. 「신용보증기금법」에 따른 신용보증기금
   라. 「기술보증기금법」에 따른 기술보증기금
   마. 「정보통신공사업법」에 따른 정보통신공제조합
   바. 「엔지니어링산업 진흥법」에 따른 엔지니어링공제조합
   사. 「산업발전법」에 따른 공제조합

제54조(증권에 의한 보증금 납부) ① 각 중앙관서의 장 또는 계약담당공무원은 입찰참가자 또는 계약상대자가 제43조·제51조 및 제52조에 따른 보증금을 영 제37조제2항제2호에 따른 증권으로 납부할 때에는 유가증권취급공무원으로 하여금 정부유가증권취급규정에 의하여 수령하게 하여야 한다. 〈개정 2009.3.5〉

② 각 중앙관서의 장 또는 계약담당공무원은 계약상대자가 제43조·제51조 및 제52조의 규정에 의한 보증금을 국채 중 등록국채로 납부하는 때에는 국채등록필통지서와 함께 별지 제13호서식의 질권설정동의서를 제출하게 하여야 하며 유가증권취급공무원으로 하여금 정부유가증권취급규정에 의하여 보관하게 하여야 한다.

③ 유가증권취급공무원은 제2항의 규정에 의하여 국채등록필통지서와 질권설정동의서를 제출받은 때에는 부득이한 사유가 없는 한 지체없이 자신을 질권자로 하는 질권설정조

법 률	시 행 령	시 행 규 칙
	아. 「소프트웨어 진흥법」에 따른 소프트웨어공제조합 자. 「전력기술관리법」에 따른 전력기술인단체(산업통상자원부장관이 기획재정부장관과 협의하여 고시하는 단체에 한정한다) 차. 「건설폐기물의 재활용촉진에 관한 법률」에 따른 공제조합 카. 「골재채취법」에 따른 공제조합 타. 「지역신용보증재단법」에 따른 신용보증재단 파. 「관광진흥법」에 따른 한국관광협회중앙회 하. 「방위사업법」 제43조에 따라 보증업무를 수행하는 기관으로 지정받은 자 거. 「건설기술진흥법」에 따른 공제조합 너. 「소방산업의 진흥에 관한 법률」에 따른 소방산업공제조합 더. 「문화재수리 등에 관한 법률」에 따른	치를 하여야 한다. **제55조(보증보험증권 등에 의한 보증금 납부)** ① 각 중앙관서의 장 또는 계약담당공무원은 입찰참가자 또는 계약상대자가 제43조·제51조 및 제52조의 규정에 의한 보증금을 영 제37조제2항제1호·제3호 또는 제4호의 규정에 의한 지급보증서·보증보험증권 또는 보증서(이하 "보증보험증권 등"이라 한다)로 납부하고자 할 때에는 다음 각 호의 요건이 충족된 것으로 유가증권취급공무원에게 제출하게 하여야 한다. 〈개정 1996.12.31, 2005.9.8, 2006.12.29〉 1. 피보증인의 명의가 대한민국정부일 것 2. 보증금액이 납부하여야 할 보증금액 이상일 것 3. 보증기간은 보증금에 따라 다음 각 목의 어느 하나에 해당할 것 가. 입찰보증금 (1) 보증기간의 초일 : 입찰서 제출마감일 이전일 것

문화재수리협회

러. 「건축사법」에 따른 건축사공제조합

머. 「중소기업협동조합법」에 따른 중소기업중앙회

버. 「콘텐츠산업 진흥법」 제20조의2에 따른 콘텐츠공제조합

서. 「폐기물관리법」 제41조에 따른 폐기물처리 공제조합

어. 「공간정보산업 진흥법」 제24조에 따른 공간정보산업협회

저. 「한국해양진흥공사법」에 따른 한국해양진흥공사 〈신설 2021.7.6.〉

5. 제1호에 규정된 금융기관 및 외국금융기관과 체신관서가 발행한 정기예금증서

6. 「자본시장과 금융투자업에 관한 법률」에 따라 신탁업자가 발행하는 수익증권

7. 「자본시장과 금융투자업에 관한 법률」에 따라 집합투자업자가 발행하는 수익증권

③ 법 제9조제1항 단서에 따라 입찰보증금의

(2) 보증기간의 만료일 : 입찰서 제출마감일 다음날부터 30일 이후일 것. 다만, 영 제78조의 규정에 의한 공사입찰의 경우에는 입찰서 제출마감일 다음날부터 90일 이후이어야 한다.

나. 계약보증금

(1) 보증기간의 초일 : 계약기간 개시일

(2) 보증기간의 만료일 : 계약기간의 종료일 이후일 것

다. 하자보수보증금

(1) 보증기간의 초일 : 목적물을 인수한 날과 준공검사를 완료한 날 중에서 먼저 도래한 날

(2) 보증기간의 만료일 : 하자담보책임기간 종료일 이후일 것

4. 보증보험증권등에 기재된 보증내용이 입찰참가자 또는 계약상대자의 의무이행과 동일한 내용을 보증하는 것일 것

5. 보증보험증권인 경우에는 보증보험보통

법 률	시 행 령	시 행 규 칙
	전부 또는 일부의 납부를 면제할 수 있는 자는 다음 각 호와 같다. 〈개정 1996.12.31, 1997.7.10, 1997.12.31, 1998.2.2, 1999.6.30, 2000.12.27, 2004.12.31, 2005.9.8, 2006.4.28, 2006.5.25, 2007.10.10, 2008.2.29, 2009.6.26, 2011.1.26, 2011.2.9, 2015.2.23., 2018.12.4, 2019.9.17., 2021.7.6, 2022.3.25.〉 1. 국가기관 및 지방자치단체 2. 「공공기관의 운영에 관한 법률」에 따른 공공기관 3. 국가 또는 지방자치단체가 기본재산의 100분의 50이상을 출연 또는 출자(법률의 규정에 의하여 귀속시킨 경우를 포함한다. 이하 같다)한 법인 4. 「농업협동조합법」에 의한 조합·조합공동사업법인 및 그 중앙회(농협경제지주회사 및 그 자회사를 포함한다), 「수산업협동조합법」에 따른 어촌계·수산업협동조합 및 그 중앙회, 「산림조합법」에 따른 산림조합	보험약관에 규정된 면책사유에 불구하고 국고에 귀속시켜야 할 금액을 보증하는 특약조항이 있을 것 ② 유가증권취급공무원은 보증보험증권 등의 제출이 있는 때에는 제1항 각 호의 규정에 의한 사항등 기타 필요한 사항을 확인한 후 이를 정부유가증권취급규정에 의하여 보관하여야 한다. [제목개정 2009.3.5] **제56조(정기예금증서 등에 의한 보증금 납부)** ① 각 중앙관서의 장 또는 계약담당공무원은 입찰참가자 또는 계약상대자가 제43조·제51조 및 제52조의 규정에 의한 보증금을 영 제37조제2항제5호 내지 제7호의 규정에 의한 정기예금증서 또는 수익증권(이하 "정기예금증서 등"이라 한다)으로 납부하고자 하는 경우에는 유가증권취급공무원으로 하여금 정부유가증권취급규정에 의하여 수령하게 하여야 한다. 〈개정 2016.2.1〉

및 그 중앙회, 「중소기업협동조합법」에 따른 중소기업협동조합 및 그 중앙회에 의한 중소기업협동조합 및 그 중앙회

5. 「건설산업기본법」·「전기공사업법」·「정보통신공사업법」·「건설폐기물의 재활용촉진에 관한 법률」·「골재채취법」 또는 「문화재수리 등에 관한 법률」 등의 법령에 따라 허가·인가·면허를 받았거나 등록·신고 등을 한 자로서 입찰공고일 현재 관련 법령에 따라 사업을 영위하고 있는 자. 다만, 다음 각 목의 어느 하나에 해당하는 자는 제외한다.
   가. 입찰공고일 이전 1년 이내에 제76조제2항제2호가목의 사유로 입찰참가자격 제한을 받은 자(입찰참가자격 제한 기간 중인 경우를 포함한다)
   나. 계약체결을 기피할 우려가 있어 각 중앙관서의 장 또는 계약담당공무원이 입찰공고에 명시한 요건에 해당하는 자

② 제54조제2항 및 제3항의 규정 중 질권설정동의서의 제출, 등록국채의 보관, 질권의 설정에 관한 규정은 제1항의 규정에 의하여 정기예금증서 등으로 보증금을 납부하는 경우에 이를 준용한다. 〈개정 2016.2.1〉

제57조(주식에 의한 보증금 납부) ① 각 중앙관서의 장 또는 계약담당공무원은 입찰참가자 또는 계약상대자가 보증금을 주식(「자본시장과 금융투자업에 관한 법률」 제171조제4항에 따른 예탁증명서로 갈음하는 경우에는 예탁증명서를 말한다)으로 납부하고자 할 때에는 미리 「정부유가증권취급규칙」에 따른 유가증권취급점(이하 "유가증권취급점"이라 한다)에 납입하게 하여 「한국은행 정부유가증권취급규칙」에 따라 발행한 정부보관유가증권납입확인통지서와 함께 해당주식에 대한 양도증서 및 별지 제14호서식의 각서를 유가증권취급공무원에게 제출하게 해야 한다. 〈개정 1999.9.9., 2005.9.8., 2009.3.5., 2021.10.28.〉

법 률	시 행 령	시 행 규 칙
	5의2. 「기후위기 대응을 위한 탄소중립·녹색성장 기본법」 제60조제2항에 따라 녹색기술, 같은 법 제66조제4항에 따른 녹색제품 등에 대한 적합성 인증을 받거나 녹색전문기업으로 확인을 받은 자 중 기획재정부장관이 정하는 기준에 해당하는 자 6. 기타 경쟁입찰에서 낙찰자로 결정된 후 계약체결을 기피할 우려가 없다고 인정되는 자 ④ 각 중앙관서의 장 또는 계약담당공무원은 제3항에 따라 입찰보증금의 전부 또는 일부의 납부를 면제받은 자로 하여금 법 제9조제3항에 따른 국고귀속사유가 발생한 때에는 입찰보증금에 해당하는 금액을 납입할 것을 보장하기 위해 그 지급을 확약하는 내용의 문서를 제출하게 해야 한다. 〈개정 2019.9.17〉 유 회계제도과-1183, '09.07.16	② 유가증권취급점은 제1항에 따라 정부보관유가증권납입서와 주식을 제출받은 때에는 주식의 종류·권면액·기호·번호·장수 등과 상장증권인지의 여부를 확인하고 「한국은행정부유가증권취급규칙」에 따라 발행하는 정부보관유가증권납입확인통지서의 비고란에 해당 주식의 소유자(기명식 주식의 경우에는 최후의 양수인)의 성명을 주식별로 기재하고 해당주식을 제출한 자에게 교부해야 한다. 〈개정 1999.9.9., 2005.9.8., 2009.3.5., 2021.10.28.〉 **제58조(주식양도증서)** 제57조의 규정에 의하여 제출하는 주식의 양도증서는 다음 각 호의 규정에 의하여 작성된 것이어야 한다. 1. 양수인의 성명과 양도일자를 기재하지 아니한 것일 것 2. 양도인의 인감에 대하여 당해주식발행회사의 대조확인필인이 있을 것 3. 발행회사가 서로 다른 여러 종류의 주식을 제출한 때에는 주식발행회사별 주식양도

증서일 것

제59조(보증금의 납부확인) 세입세출외 현금출납공무원 또는 유가증권취급공무원은 제43조·제51조 및 제52조의 규정에 의한 보증금을 소정절차에 따라 납부받은 때에는 그 보증금 납부서에 납부확인인을 찍어 이를 지체없이 소속 중앙관서의 장 또는 계약담당공무원에게 송부하여야 한다.

제60조(보증기간 중 의무) 각 중앙관서의 장 또는 계약담당공무원은 보증기간 중 당해보증보험계약등의 약관·특약 또는 「상법」에 의하여 피보험자에게 주어진 다음 각 호의 의무를 성실히 이행하여야 한다. 〈개정 2005.9.8〉

1. 「상법」 제652조의 규정에 의한 위험의 변경 또는 증가의 통지의무
2. 「상법」 제657조의 규정에 의한 보험사고 발생의 통지의무
3. 「상법」 제680조의 규정에 의한 손해방지의 의무

법 률	시 행 령	시 행 규 칙
		4. 약관의 규정에 의한 조사승낙의 의무 5. 기타 약관 또는 특약에서 정한 의무 **제61조(보증보험증권 등의 보증기간의 연장)** 각 중앙관서의 장 또는 계약담당공무원은 계약의 체결일을 연기하거나 계약의 이행기간 또는 하자담보책임기간을 연장하고자 할 때에는 계약상대자로 하여금 당초의 보증기간내에 그 연장하고자 하는 기간을 가산한 기간을 보증기간으로 하여 제55조의 규정에 적합하게 보증보험증권 등을 유가증권취급공무원에게 제출하게 하여야 한다. **제62조(계약금액변경시의 보증금의 조정 및 추가납부 등)** 각 중앙관서의 장 또는 계약담당공무원은 영 제64조 내지 제66조의 규정에 의하여 계약금액이 조정된 때에는 이에 상응하는 금액의 보증금을 추가로 납부하게 하거나 계약상대자의 요청에 의하여 이를 반환하여야 한다.

제38조(입찰보증금의 국고귀속) ① 각 중앙관서의 장 또는 계약담당공무원은 제37조제2항의 규정에 의하여 입찰보증금을 보증서 등으로 받은 경우 법 제9조제3항의 규정에 의한 입찰보증금의 국고귀속사유가 발생한 때에는 지체없이 그 뜻을 제37조제2항 각 호의 해당 금융기관 또는 보증기관과 관계수입징

제63조(보증금의 반환) ① 각 중앙관서의 장 또는 계약담당공무원은 영 제37조·제50조 및 제62조의 규정에 의하여 납부된 보증금의 보증목적이 달성된 때에는 계약상대자의 요청에 의하여 즉시 이를 반환하도록 하여야 한다.

② 하자담보책임기간이 서로 다른 공종이 복합된 건설공사에 있어서는 제70조의 규정에 의한 공종별 하자담보책임기간이 만료되어 보증목적이 달성된 공종의 하자보수보증금은 계약상대자의 요청이 있을 때에는 즉시 이를 반환하여야 한다.

제64조(보증금 등의 국고귀속) ① 각 중앙관서의 장 또는 계약담당공무원은 영 제38조제1항의 규정에 의하여 제43조·제51조 및 제52조의 규정에 따라 납부된 보증금을 국고에 귀속하여야 할 사유가 발생한 경우에는 다음 각 호의 방법에 의하여 당해보증금을 처리하여야 한다. 〈개정 2003.12.12〉

법 률	시 행 령	시 행 규 칙
	수관 또는 유가증권취급공무원등에게 통지하고 기획재정부령이 정하는 바에 의하여 당해 입찰보증금을 현금으로 징수하게 하거나 정부소유유가증권으로 전환하게 하여야 한다. 〈개정 1999.9.9, 2003.12.11, 2008.2.29〉 ② 각 중앙관서의 장 또는 계약담당공무원은 법 제9조제1항 단서의 규정에 의하여 입찰보증금의 전부 또는 일부의 납부를 면제받은 자에게 법 제9조제3항의 규정에 의한 국고귀속사유가 발생한 때에는 그 뜻과 함께 제37조제4항의 규정에 의하여 지급을 확약한 문서를 갖추어 관계수입징수관에게 통지하고 당해 낙찰자로부터 입찰보증금에 상당하는 금액을 현금으로 징수하게 하여야 한다. 〈개정 2003.12.11〉 유 회계제도과-818, '09.05.04	1. 현금의 경우에는 세입세출외현금출납공무원과 관계수입징수관에게 그 뜻을 통지하여 수입금으로 징수하도록 요청하여야 한다. 2. 유가증권인 경우에는 유가증권취급공무원에게 그 뜻을 통지하여 정부유가증권취급규정에 의하여 정부소유유가증권으로 처리하도록 요청하여야 한다. 이 경우 등록국채에 있어서는 그 뜻을 유가증권취급점과 유가증권취급공무원에게 통지하여야 한다. 3. 보증보험증권 등인 경우에는 관계수입징수관·유가증권취급공무원 및 관계보증기관에 그 뜻을 통지하고 당해보증금을 수입금으로 징수함에 있어서 필요한 조치를 하게 하여야 한다. 4. 정기예금증서 등인 경우에는 관계수입징수관·유가증권취급공무원 및 당해금융기관에 그 뜻을 통지하고 당해보증금을 수입

제39조(입찰서의 제출·접수 및 입찰의 무효) ① 각 중앙관서의 장 또는 계약담당공무원은 입찰자가 입찰서를 제출하는 경우 전자조달시스템을 이용하여 입찰서를 제출하게 하여야 한다. 다만, 미리 기획재정부장관과 협의한 경우에는 전자조달시스템 외에 각 중앙관서의 장이 지정·고시한 정보처리장치를 이용하여 입찰서를 제출하게 할 수 있다. 〈개정 2011.12.31, 2013.9.17〉

으로 징수함에 필요한 조치를 하게 하여야 한다.

② 삭제 〈2010.7.21〉

제65조(희망수량경쟁입찰의 입찰보증금 국고귀속) 최후순위의 낙찰자가 그 의무를 이행하지 아니하여 입찰보증금을 국고에 귀속시키는 경우 당해 낙찰자의 낙찰수량에 대하여 제47조제2항의 규정이 적용된 때에는 그 낙찰된 수량에 비례한 입찰보증금만을 국고에 귀속시켜야 한다.

제42조(입찰방법) ① 각 중앙관서의 장 또는 계약담당공무원은 경쟁입찰에 참가하고자 하는 자로 하여금 별지 제5호서식(입찰 및 낙찰자 결정을 전산처리에 의하여 하고자 하는 경우에는 별지 제6호서식)의 입찰서를 제출하게 하여야 한다.

② 제1항의 규정에 의하여 제출하는 입찰서는 1인 1통으로 한다.

③ 각 중앙관서의 장 또는 계약담당공무원은

법 률	시 행 령	시 행 규 칙
	② 각 중앙관서의 장 또는 계약담당공무원은 제1항에도 불구하고 다음 각 호의 어느 하나에 해당하는 경우에는 입찰서를 입찰공고에 명시한 장소와 일시에 직접 또는 우편으로 제출하게 할 수 있다. 〈개정 2011.12.31, 2013.9.17〉 1. 법 제4조에 따른 국제입찰대상 계약인 경우 2. 전자조달시스템을 이용하기 어려운 경우 등 각 중앙관서의 장이 필요하다고 인정하는 경우 ③ 입찰자는 제출한 입찰서를 교환·변경 또는 취소하지 못한다. 다만, 기획재정부장관이 정하는 경우에는 그러하지 아니하다. 〈개정 1999.9.9, 2008.2.29〉	입찰에 참가하고자 하는 자가 별지 제3호서식의 입찰참가신청서를 제출하는 때부터 입찰개시시각전까지 입찰대리인을 지정하거나 지정된 입찰대리인을 변경하는 경우에는 그 대리인을 당해입찰에 참가하게 할 수 있다. 〈개정 1999.9.9〉 ④ 각 중앙관서의 장 또는 계약담당공무원은 입찰서를 접수한 때에는 당해입찰서에 확인인을 날인하고 개찰시까지 개봉하지 아니하고 보관하여야 한다. ⑤ 제1항에 따라 제출하는 입찰서에 사용되는 인감(서명을 포함한다. 이하 이 항에서 같다)은 입찰참가신청서 제출시 신고한 인감과 같아야 한다. 〈개정 1996.12.31, 2016.9.23〉 ⑥ 각 중앙관서의 장 또는 계약담당공무원은 영 제44조제1항의 규정에 의하여 물품의 제조 또는 구매계약을 체결하고자 하는 때에는 입찰시에 입찰자로 하여금 입찰서와 함께 당해 물품의 품질·성능·효율 등이 표시된 품질등

④ 제12조 및 제21조의 규정에 의한 경쟁참가의 자격이 없는 자가 행한 입찰 기타 기획재정부령이 정하는 사유에 해당하는 입찰은 무효로 한다. 〈개정 1998.2.2, 1999.9.9, 2008.2.29〉

유 회계제도과-417, '09.03.04 · 회계제도과-565, '09.03.25
회계제도과-669, '09.04.10 · 회계제도과-705, '09.04.15
회계제도과-1109, '09.07.03 · 회계제도과-1110, '09.07.03
회계제도과-1311, '09.08.14 · 회계제도과-12, '10.01.05
계약제도과-355, '11.04.08 · 계약제도과-1113, '11.09.22
계약제도과-1410, '11.11.24 · 계약제도과-1592, '11.12.29
계약제도과-395, '12.04.04 · 계약제도과-611, '12.05.18
계약제도과-672, '12.05.31 · 계약제도과-742, '12.06.08
계약제도과-977, '12.07.27 · 계약제도과-1430, '12.11.02

의 표시서(이하 "품질 등 표시서"라 한다)를 제출하게 하여야 한다. 〈개정 1999.9.9, 2000.12.30〉

제44조(입찰무효) ① 영 제39조제4항에 따라 무효로 하는 입찰은 다음과 같다. 〈개정 1996.12.31, 1999.9.9, 2002.3.25, 2002.8.24, 2006.5.25, 2006.12.29, 2009.3.5, 2012.5.18, 2013.9.17, 2016.2.1, 2016.9.23〉

1. 입찰참가자격이 없는 자가 한 입찰

1의2. 영 제76조제6항에 따라 입찰참가자격 제한기간 내에 있는 대표자를 통한 입찰

2. 입찰보증금의 납부일시까지 소정의 입찰보증금을 납부하지 아니하고 한 입찰
3. 입찰서가 그 도착일시까지 소정의 입찰장소에 도착하지 아니한 입찰
4. 동일사항에 동일인(1인이 수개의 법인의 대표자인 경우 해당수개의 법인을 동일인으로 본다)이 2통 이상의 입찰서를 제출한 입찰

법 률	시 행 령	시 행 규 칙
		5. 삭제 〈2006.5.25〉 6. 영 제14조제6항에 따른 입찰로서 입찰서와 함께 산출내역서를 제출하지 아니한 입찰 및 입찰서상의 금액과 산출내역서상의 금액이 일치하지 아니한 입찰과 그 밖에 기획재정부장관이 정하는 입찰무효사유에 해당하는 입찰 6의2. 삭제 〈2010.7.21〉 6의3. 제15조제1항에 따라 등록된 사항 중 다음 각 목의 어느 하나에 해당하는 등록사항을 변경등록하지 아니하고 입찰서를 제출한 입찰 가. 상호 또는 법인의 명칭 나. 대표자(수인의 대표자가 있는 경우에는 대표자 전원)의 성명 다. 삭제 〈2006.12.29〉 라. 삭제 〈2006.12.29〉 7. 삭제 〈2009.3.5〉 7의2. 영 제39조제1항에 따라 전자조달시스

		템 또는 각 중앙관서의 장이 지정·고시한 정보처리장치를 이용하여 입찰서를 제출하는 경우 해당 규정에 따른 방식에 의하지 아니하고 입찰서를 제출한 입찰 7의3. 삭제 〈2019.9.17〉 8. 영 제44조제1항의 규정에 의한 입찰로서 제42조제6항의 규정에 의하여 입찰서와 함께 제출하여야 하는 품질 등 표시서를 제출하지 아니한 입찰 9. 영 제72조제3항 또는 제4항에 따른 공동계약의 방법에 위반한 입찰 10. 영 제79조에 따른 대안입찰의 경우 원안을 설계한 자 또는 원안을 감리한 자가 공동으로 참여한 입찰 10의2. 영 제98조제2호에 따른 실시설계 기술제안입찰 또는 같은 조 제3호에 따른 기본설계 기술제안입찰의 경우 원안을 설계한 자 또는 원안을 감리한 자가 공동으로 참여한 입찰

법 률	시 행 령	시 행 규 칙
		11. 제1호부터 제10호까지 외에 기획재정부장관이 정하는 입찰유의서에 위반된 입찰 ② 제1항에도 불구하고 영 제72조에 따라 공동수급체를 구성한 입찰자의 대표자 외의 구성원이 제1항 각 호의 사유에 해당하는 경우에는 해당 구성원에 대해서만 입찰을 무효로 한다. 〈신설 2016.9.23〉 **제45조(입찰무효의 이유표시)** 각 중앙관서의 장 또는 계약담당공무원은 입찰을 무효로 하는 경우에는 무효여부를 확인하는데 장시간이 소요되는 등 부득이한 사유가 없는 한 개찰장소에서 개찰에 참가한 입찰자에게 이유를 명시하고 그 뜻을 알려야 한다. 다만, 영 제39조제1항에 따라 전자조달시스템 또는 각 중앙관서의 장이 지정·고시한 정보처리장치를 이용하여 입찰서를 제출하게 하는 경우에는 입찰공고에 표시한 절차와 방법으로 입찰자에게 입찰무효의 이유를 명시하고 그 뜻을 알려야 한다. 〈개정 2000.12.30, 2002.8.24, 2012.5.18, 2013.9.17〉

제40조(개찰 및 낙찰선언) ① 각 중앙관서의 장 또는 계약담당공무원은 입찰공고에 표시한 장소와 일시에 입찰자가 참석한 자리에서 개찰하여야 한다. 이 경우 입찰자로서 출석하지 아니한 자가 있는 때에는 입찰사무에 관계없는 공무원으로 하여금 개찰에 참여하게 할 수 있다.

② 각 중앙관서의 장 또는 계약담당공무원은 제출된 입찰서를 확인하고 유효한 입찰서의 입찰금액과 예정가격을 대조하여 적격자를 낙찰자로 결정한 때에는 지체없이 낙찰선언을 하여야 한다. 다만, 제42조제1항에 따라 계약이행능력 및 일자리창출 실적 등을 심사하여 낙찰자를 결정하거나 제42조제4항에 따라 각 입찰자의 입찰가격, 공사수행능력 및 사회적 책임 등을 종합적으로 심사하여 낙찰자를 결정하는 등 낙찰자결정에 장시간이 소요되는 때에는 그 절차를 거친 후 낙찰선언을 할 수 있다. 〈개정 2006.5.25, 2015.12.31,

제48조(개찰 및 낙찰선언) ① 각 중앙관서의 장 또는 계약담당공무원은 지정된 시간까지 입찰서를 접수한 때에는 입찰서의 접수마감을 선언하고, 입찰자의 참석하에 입찰서를 개봉하여야 한다. 다만, 영 제39조제1항에 따라 전자조달시스템 또는 각 중앙관서의 장이 지정·고시한 정보처리장치를 이용하여 입찰서를 제출하게 하는 경우에는 입찰공고에 표시한 절차와 방법으로 입찰서의 접수를 마감하고 입찰서를 개봉하여야 한다. 〈개정 2000.12.30, 2002.8.24, 2012.5.18, 2013.9.17〉

② 각 중앙관서의 장 또는 계약담당공무원은 영 제18조제3항에 따라 규격과 가격 또는 기술과 가격입찰을 동시에 실시하는 경우에는 영 제11조의 규정에 의하여 2인 이상의 유효한 입찰로 성립한 규격입찰 또는 기술입찰의 개찰결과 규격적격자 또는 기술적격자로 확정된 자가 1인인 경우에도 가격입찰서를 개봉할 수 있다. 〈개정 2010.7.21〉

법 률	시 행 령	시 행 규 칙
	2018.12.4〉 ③ 제39조제1항에 따라 전자조달시스템 또는 각 중앙관서의 장이 지정·고시한 정보처리장치를 이용하여 입찰서를 제출하는 방식의 경우에는 제1항 및 제2항의 규정에 불구하고 입찰공고에 표시한 절차와 방법에 의하여 개찰 및 낙찰선언을 한다. 〈개정 2002.7.30, 2011.12.31, 2013.9.17〉 [전문개정 2000.12.27]	③ 삭제 〈2000.12.30〉
제10조(경쟁입찰에서의 낙찰자 결정) ① 세입의 원인이 되는 경쟁입찰에서는 최고가격의 입찰자를 낙찰자로 한다. 다만, 계약의 목적, 입찰 가격과 수량 등을 고려하여 대통령령으로 기준을 정한 경우에는 그러하지 아니하다. ② 국고의 부담이 되는 경쟁입찰에서는 다음 각 호의 어느 하나의 기준에 해당하는 입찰자를 낙찰자로 한다. 1. 충분한 계약이행 능력이 있다고 인정되는 자로서 최저가격으로 입찰한 자	**제41조(세입이 되는 경쟁입찰에서의 낙찰자 결정)** 세입의 원인이 되는 경쟁입찰에 있어서는 예정가격 이상으로서 최고가격으로 입찰한 자를 낙찰자로 한다. **제42조(국고의 부담이 되는 경쟁입찰에서의 낙찰자 결정)** ① 각 중앙관서의 장 또는 계약담당공무원은 국고의 부담이 되는 경쟁입찰의 경우에는 예정가격 이하로서 최저가격으로 입찰한 자의 순으로 계약이행능력 및 기획재정부장관이 정하는 일자리창출 실적 등을 심사	

2. 입찰공고나 입찰설명서에 명기된 평가기준에 따라 국가에 가장 유리하게 입찰한 자
3. 그 밖에 계약의 성질, 규모 등을 고려하여 대통령령으로 특별히 기준을 정한 경우에는 그 기준에 가장 적합하게 입찰한 자

③ 각 중앙관서의 장 또는 계약담당공무원은 제2항에도 불구하고 공사에 대한 경쟁입찰로서 예정가격이 100억원 미만인 공사의 경우 다음 각 호에 해당하는 비용의 합계액의 100분의 98 미만으로 입찰한 자를 낙찰자로 하여서는 아니 된다. 〈신설 2019.11.26〉

1. 재료비·노무비·경비
2. 제1호에 대한 부가가치세

[전문개정 2012.12.18]

판 대법원 1999.06.25. 선고 99다5767 판결
대법원 2001.12.11. 선고 2001다33604 판결
대법원 2006.04.28. 선고 2004다50129 판결

하여 낙찰자를 결정한다. 〈개정 1999.9.9, 2000.12.27, 2003.12.11, 2006.5.25., 2018.12.4, 2019.9.17〉

② 삭제 〈2018.12.4〉

③ 각 중앙관서의 장 또는 계약담당공무원은 제1항에 불구하고 제18조에 따른 입찰의 경우에는 예정가격 이하로서 최저가격으로 입찰한 자를 낙찰자로 결정한다. 〈신설 2006.5.25〉

④ 각 중앙관서의 장 또는 계약담당공무원은 제1항에도 불구하고 다음 각 호의 공사 또는 용역입찰에 대해서는 예정가격 이하로 입찰한 입찰자 중 각 입찰자의 입찰가격, 공사수행능력(용역입찰의 경우에는 용역수행능력을 말하며, 제40조제2항 단서 및 이하에서 같다) 및 사회적 책임 등을 종합 심사하여 합산점수가 가장 높은 자를 낙찰자로 결정한다. 〈신설 2006.5.25, 2010.7.21, 2015.12.31, 2018.12.4, 2019.9.17, 2021.7.6.〉

1. 추정가격이 100억원 이상인 공사

법 률	시 행 령	시 행 규 칙
	2. 「문화재수리 등에 관한 법률」 제2조제1호에 따른 문화재수리로서 문화재청장이 정하는 공사 3. 「건설기술 진흥법」 제39조제2항에 따른 건설사업관리 용역으로서 추정가격이 20억원 이상인 용역 4. 「건설기술 진흥법 시행령」 제69조에 따른 건설공사기본계획 용역 또는 같은 영 제71조에 따른 기본설계 용역으로서 추정가격이 15억원 이상인 용역 5. 「건설기술 진흥법 시행령」 제73조에 따른 실시설계 용역으로서 추정가격이 25억원 이상인 용역 ⑤ 제1항에 따른 계약이행능력심사는 해당 입찰자의 이행실적, 기술능력, 재무상태, 과거 계약이행 성실도, 자재 및 인력조달가격·하도급관리계획·외주근로자 근로조건 이행계획의 적정성, 계약질서의 준수정도, 과거공사의 품질정도 및 입찰가격 등을 종합적으로	

고려하여 기획재정부장관이 정하는 심사기준에 따라 세부심사기준을 정하여 적격여부를 심사하며, 그 심사결과 적격하다고 인정되는 경우 낙찰자로 결정한다. 다만, 공사 또는 물품 등의 특성상 필요하다고 인정되는 경우에는 각 중앙관서의 장이 기획재정부장관과의 협의를 거쳐 직접 심사기준을 정할 수 있다. 〈개정 1999.9.9, 2000.12.27, 2005.9.8, 2006.5.25, 2007.10.10, 2008.2.29, 2019.9.17〉

⑥ 각 중앙관서의 장 또는 계약담당공무원은 제4항에 따른 종합 심사를 실시하려는 경우 입찰자의 계약이행실적, 인력배치계획, 사회적 책임 이행 노력 및 입찰가격 등을 종합적으로 고려하여 기획재정부장관이 정하는 심사기준에 따라 세부심사기준을 정하고, 입찰전에 입찰에 참가하려는 자가 그 기준을 열람할 수 있도록 해야 한다. 〈신설 2006.5.25, 2008.2.29, 2015.12.31, 2019.9.17〉

⑦ 각 중앙관서의 장 또는 계약담당공무원은

법 률	시 행 령	시 행 규 칙
	제4항에 따라 각 입찰자의 입찰가격, 공사수행능력 및 사회적 책임 등을 종합 심사하기 위해 종합심사낙찰제심사위원회(이하 이 조에서 "위원회"라 한다)를 둘 수 있다. 〈신설 2006.5.25, 2015.12.31, 2019.9.17〉 ⑧ 위원회는 각 중앙관서별로 그 중앙관서의 소속공무원(「조달사업에 관한 법률 시행령」 제11조에 따라 공사계약의 체결을 조달청장에게 요청한 경우에는 수요기관의 소속공무원을 포함한다), 계약에 관한 학식과 경험이 풍부한 자 등으로 구성하며, 위원회의 구성 및 운영에 관하여 필요한 세부사항은 각 중앙관서의 장이 정한다. 〈신설 2006.5.25, 2020.9.29.〉 유 회계제도과-265, '09.02.05 · 회계제도과-784, '09.04.28 회계제도과-806, '09.05.01 · 회계제도과-900, '09.05.15 회계제도과-1031, '09.06.15 · 회계제도과-1501, '09.09.08 회계제도과-631, '10.04.21 · 회계제도과-776, '10.05.18 회계제도과-940, '10.06.18 · 회계제도과-1030, '10.07.02 회계제도과-1353, '10.08.19 · 계약제도과-409, '10.11.23 계약제도과-619, '10.12.30 · 계약제도과-126, '11.02.11 계약제도과-186, '11.02.28 · 계약제도과-545, '11.05.19 계약제도과-559, '11.05.23 · 계약제도과-764, '11.07.04 계약제도과-1294, '11.11.01 · 계약제도과-188, '12.02.22 계약제도과-347, '12.03.28 · 계약제도과-677, '12.05.31	

계약제도과-976, '12.07.27 · 계약제도과-1019, '12.08.13
계약제도과-1082, '12.08.20 · 계약제도과-1259, '12.09.28
계약제도과-1526, '12.11.27

제43조(협상에 의한 계약체결) ① 각 중앙관서의 장 또는 계약담당공무원은 물품·용역계약을 할 때 계약이행의 전문성·기술성·긴급성, 공공시설물의 안전성 및 그 밖에 국가안보목적등의 이유로 필요하다고 인정되는 경우에는 제42조에도 불구하고 다수의 공급자들로부터 제안서를 제출받아 평가하여 협상적격자를 선정한 후 협상절차를 통해 국가에 가장 유리하다고 인정되는 자와 계약을 체결할 수 있다. 이 경우 예정가격을 작성한 경우에는 예정가격 이하로 입찰한 자 중에서 협상적격자를 선정해야 한다. 〈개정 1996.12.31, 2003.12.11, 2019.9.17, 2021.7.6.〉

② 각 중앙관서의 장 또는 계약담당공무원은 제1항에 따른 의한 계약을 체결하고자 하는 경우에는 입찰공고시 협상에 의한 계약이라는 뜻을 명시하여야 한다. 〈신설 1996.12.31,

법 률	시 행 령	시 행 규 칙
	2019.9.17〉 ③ 각 중앙관서의 장 또는 계약담당공무원은 협상에 의한 계약에 참가하고자 하는 자에게 제안요청서등 필요한 서류를 교부하여야 한다. 〈신설 1996.12.31〉 ④ 각 중앙관서의 장 또는 계약담당공무원은 제안요청서 등 필요한 서류를 전자조달시스템에 게재함으로써 제3항에 따른 제안요청서 등 필요한 서류의 교부에 갈음할 수 있다. 〈신설 2006.5.25, 2013.9.17〉 ⑤ 각 중앙관서의 장 또는 계약담당공무원은 제1항에 따라 계약을 체결하려는 경우 그 계약의 성질·규모 등을 고려하여 필요하다고 인정되는 경우에는 제안요청서 등에 대한 설명을 할 수 있다. 〈신설 2006.5.25〉 ⑥ 삭제 〈2019.9.17〉 ⑦ 각 중앙관서의 장 또는 계약담당공무원은 제1항에 따라 협상에 의한 계약을 체결하려는 경우에는 해당계약을 체결하려는 자의 이행	

실적, 기술능력, 사업수행계획, 재무상태 및 입찰가격 등을 종합적으로 고려하여 기획재정부장관이 정하는 계약체결기준에 따라 세부기준을 정하고, 계약을 체결하려는 자가 그 기준을 열람할 수 있도록 해야 한다. 다만, 「방위사업법」에 따른 방위력개선사업 수행을 위해 협상에 의한 계약을 체결하려는 경우에는 그 계약체결기준 및 절차는 방위사업청장이 정한다. 〈개정 2006.5.25, 2007.10.10, 2008.2.29, 2019.9.17〉

⑧ 각 중앙관서의 장 또는 계약담당공무원은 제1항에 따라 제안서를 평가하는 경우에는 제안서평가위원회(이하 이 조에서 "위원회"라 한다)의 심의를 거쳐야 한다. 다만, 「방위사업법」에 따른 방위력개선사업과 관련하여 협상에 의한 계약을 체결하려는 경우에는 「국방과학기술혁신 촉진법 시행령」 제3조제6항에 따른 연구개발사업제안서 평가팀의 심의로 위원회의 심의를 갈음할 수 있다. 〈신설 2006.5.25,

법 률	시 행 령	시 행 규 칙
	2007.10.10, 2013.12.30, 2021.3.30.〉 ⑨ 위원회는 각 중앙관서별로 그 중앙관서의 소속공무원, 계약에 관한 학식과 경험이 풍부한 자 등으로 구성하며, 위원회의 구성 및 운영에 관하여 필요한 세부사항은 각 중앙관서의 장이 정한다. 〈신설 2006.5.25〉 유 회계제도과-153, '09.01.19 · 회계제도과-1059, '09.06.22 회계제도과-1155, '09.07.10 · 회계제도과-1593, '09.09.23 회계제도과-596, '10.04.13 · 계약제도과-257, '11.03.16 계약제도과-387, '11.04.14 · 계약제도과-388, '11.04.14 계약제도과-425, '11.04.22 · 계약제도과-547, '11.05.19 계약제도과-952, '11.08.05 · 계약제도과-1013, '11.08.26 계약제도과-1195, '11.10.12 · 계약제도과-50, '12.01.11 계약제도과-1546, '12.11.30 **제43조의2(지식기반사업의 계약방법)** ① 각 중앙관서의 장 또는 계약담당공무원은 정보과학기술 등 집약도가 높은 지식을 활용하여 고부가가치를 창출하는 사업중 다음 각 호의 1에 해당하는 사업(이하 "지식기반사업"이라 한다)에 대한 계약을 체결하는 경우에는 제43조의 규정에 따라 협상에 의한 계약체결방법을 우선적으로 적용할 수 있다. 〈개정	

2005.9.8, 2009.8.18, 2009.8.21, 2011.1.17., 2014.5.22., 2020.12.8, 2021.9.14.〉

1. 「엔지니어링산업 진흥법」 제2조제3호에 따른 엔지니어링사업. 다만, 「건설기술진흥법」 제2조제3호의 규정에 의한 건설엔지니어링에 있어서는 고난도 또는 고기술을 요하는 경우에 한한다.
2. 「정보통신산업 진흥법」 제2조제2호에 따른 정보통신산업
3. 「지능정보화 기본법」 제3조제2호에 따른 정보화에 관한 사업
4. 「산업디자인진흥법」 제2조의 규정에 의한 산업디자인에 관한 사업
5. 「문화산업진흥 기본법」 제2조제1호의 규정에 의한 문화산업
6. 「온라인 디지털콘텐츠산업 발전법」 제2조제3호의 규정에 의한 온라인디지털콘텐츠산업
7. 기초과학 및 응용과학에 관한 학술연구용역

법 률	시 행 령	시 행 규 칙
	8. 그 밖에 각 중앙관서의 장이 이에 해당한다고 인정하는 사업 ② 각 중앙관서의 장 또는 계약담당공무원은 제1항의 규정에 의하여 협상에 의한 계약을 체결하고자 하는 경우에는 기획재정부장관이 정하는 제안서 평가방법 및 협상절차 등에 따라 세부기준을 정하여 그 계약을 체결하여야 한다. 〈개정 2008.2.29〉 [본조신설 2003.12.11] **제43조의3(경쟁적 대화에 의한 계약체결)** ① 각 중앙관서의 장 또는 계약담당공무원은 전문성·기술성이 요구되는 물품 또는 용역계약으로서 다음 각 호의 어느 하나에 해당하는 경우에는 제42조에도 불구하고 입찰대상자들과 계약목적물의 세부내용 등에 관한 경쟁적·기술적 대화(이하 "경쟁적 대화"라 한다)를 통하여 계약목적물의 세부내용 및 계약이행방안 등을 조정·확정한 후 제안서를 제출받고 이를 평가하여 국가에 가장 유리하다고 인정되는	

자와 계약을 체결할 수 있다. 이 경우 예정가격을 작성한 경우에는 예정가격 이하로 계약을 체결해야 한다. 〈개정 2021.7.6.〉

1. 기술적 요구 사항이나 최종 계약목적물의 세부내용을 미리 정하기 어려운 경우
2. 물품·용역 등의 대안이 다양하여 최적의 대안을 선정하기 어려운 경우
3. 상용화되지 아니한 물품을 구매하려는 경우
4. 그 밖에 계약목적물의 내용이 복잡하거나 난이도가 높은 경우 등으로서 각 중앙관서의 장이 필요하다고 인정하는 경우

② 각 중앙관서의 장 또는 계약담당공무원은 제1항에 따른 계약을 체결하려는 경우에는 입찰공고 시 경쟁적 대화에 의한 계약이라는 뜻을 명시하여야 한다.

③ 각 중앙관서의 장 또는 계약담당공무원은 경쟁적 대화를 하기 전에 입찰대상자의 제안내용 등을 심사하여 경쟁적 대화에 참여할 입찰대상자를 선정하여야 한다.

법 률	시 행 령	시 행 규 칙
	④ 각 중앙관서의 장 또는 계약담당공무원은 경쟁적 대화를 통하여 확정된 제안요청서 등 필요한 서류를 경쟁적 대화에 참여한 입찰대상자에게 내주어야 한다. ⑤ 각 중앙관서의 장 또는 계약담당공무원은 경쟁적 대화에 참여하고 제안서를 제출한 자 중 낙찰자로 선정되지 아니한 참여자에게 예산의 범위에서 경쟁적 대화 참여비용의 전부 또는 일부를 지급할 수 있다. ⑥ 경쟁적 대화에 의한 계약 체결 시 제안요청서에 대한 설명, 세부적인 계약체결기준 및 제안서 평가 등에 관하여는 제43조제4항, 제5항 및 제7항부터 제9항까지의 규정을 준용한다. 이 경우 "협상에 의한 계약"은 "경쟁적 대화에 의한 계약"으로 본다. 〈개정 2019.9.17〉 ⑦ 제1항부터 제6항까지에서 규정한 사항 외에 경쟁적 대화의 방법, 절차, 참여비용의 지급 등에 필요한 사항은 기획재정부장관이 정한다. [본조신설 2018.12.4]	

제44조(품질 등에 의한 낙찰자의 결정) ① 각 중앙관서의 장 또는 계약담당공무원은 물품의 제조 또는 구매계약에 있어서 필요하다고 인정할 경우에는 제42조의 규정에 불구하고 당해 물품의 입찰가격외에 품질 등을 종합적으로 참작하여 예정가격 이하로서 가장 경제성이 있는 가격으로 입찰한 자를 낙찰자로 한다. 〈개정 1999.9.9, 2000.12.27〉

② 각 중앙관서의 장 또는 계약담당공무원은 제1항의 규정에 의하여 낙찰자를 결정하고자 할 경우에는 당해 물품에 대한 품질 등의 평가기준을 입찰 전에 결정하여 입찰참가자로 하여금 이를 열람하게 하여야 한다. 〈개정 1999.9.9, 2000.12.27〉

제45조(다량물품을 매각할 경우의 낙찰자 결정) 제17조제1항의 규정에 의하여 다량의 물품을 희망수량에 따라 분할하여 매각하고자 할 경우에는 제41조의 규정에 불구하고 예정가격 이상의 단가로 입찰한 자중 최고가격으로 입

제46조(특정물품의 제조 또는 구매시의 품질 등에 의한 낙찰자 결정) 각 중앙관서의 장 또는 계약담당공무원은 영 제44조제1항의 규정에 의하여 낙찰자를 결정함에 있어서는 제42조제6항의 규정에 의하여 입찰서와 함께 제출된 품질등 표시서를 영 제44조제2항의 규정에 의한 평가기준에 따라 평가하고 특별한 사유가 없는 한 입찰일 또는 개찰일부터 10일 이내에 낙찰자를 결정하여야 한다.

제47조(희망수량경쟁입찰의 낙찰자 결정) ① 각 중앙관서의 장 또는 계약담당공무원은 영 제45조 또는 영 제46조의 규정에 의한 희망수량경쟁입찰의 낙찰자 결정에 있어서 낙찰자가 될 동가의 입찰자가 2인 이상 있을 때에는

법 률	시 행 령	시 행 규 칙
	찰한 자 순으로 매각수량에 도달할 때까지의 입찰자를 낙찰자로 한다. **제46조(다량물품을 제조·구매할 경우의 낙찰자 결정)** 제17조제2항의 규정에 의하여 다량의 물품을 희망수량에 따라 분할하여 제조·구매하고자 할 경우에는 제42조의 규정에 불구하고 예정가격이하의 단가로 입찰한 자 중 최저가격으로 입찰한 자 순으로 수요수량에 도달할 때까지의 입찰자를 낙찰자로 한다. 〈개정 1999.9.9, 2003.12.11〉 **제47조(동일가격 등의 입찰인 경우의 낙찰자 결정)** ① 각 중앙관서의 장 또는 계약담당공무원은 낙찰이 될 수 있는 동일가격으로 입찰한 자가 2인(제42조제4항에 따른 공사 또는 용역의 입찰에 해당하는 경우에는 합산점수가 동점인 상위 2인을 말한다) 이상인 경우로서 다음 각 호의 어느 하나에 해당하는 경우에는 해당 각 호에서 정한 방법에 따라 낙찰자를 결정하여야 한다. 〈개정 2006.5.25, 2015.12.31,	입찰수량이 많은 자를 우선순위의 낙찰자로 하며, 입찰수량이 동일한 때에는 영 제47조의 규정에 준하여 추첨으로 낙찰자를 결정한다. ② 제1항의 규정에 의하여 낙찰자를 결정함에 있어서 최후순위의 낙찰자의 수량이 다른 낙찰자의 수량과 합산하여 수요량 또는 매각량을 초과하는 경우에는 그 초과하는 수량은 이를 낙찰되지 아니한 것으로 본다.

2018.12.4〉

1. 제17조에 따른 희망수량에 의한 일반경쟁입찰인 경우 : 입찰수량이 많은 입찰자를 낙찰자로 결정하되, 입찰수량도 동일한 때에는 추첨에 의하여 낙찰자를 결정
2. 제42조제1항에 따라 낙찰자를 결정하는 경우 : 계약이행능력 및 일자리창출 실적 등 심사결과 최고점수인 자를 낙찰자로 결정하되, 계약이행능력 및 일자리창출 실적 등 심사결과도 동일한 때에는 추첨에 의하여 낙찰자를 결정
3. 삭제 〈2018.12.4〉
4. 제42조제3항에 따라 낙찰자를 결정하는 경우 : 규격 또는 기술우위자를 낙찰자로 결정하되, 규격 또는 기술평가 결과도 동일한 때에는 추첨에 의하여 낙찰자를 결정
5. 제42조제4항에 따라 낙찰자를 결정하는 경우: 공사수행능력과 사회적 책임의 합산점수가 높은 자로 결정하되, 해당 합산점

법 률	시 행 령	시 행 규 칙
	수가 동일한 경우에는 공사 또는 용역의 규모·특성 등을 반영하여 기획재정부장관이 정한 기준에 따라 낙찰자를 결정 ② 제1항의 경우 입찰자 중 출석하지 아니한 자 또는 추첨을 하지 아니한 자가 있을 때에는 입찰사무에 관계없는 공무원으로 하여금 이를 대신하여 추첨하게 할 수 있다. ③ 삭제 〈2006.5.25〉 [제목개정 2015.12.31] **제47조의2(시범특례에 따른 계약체결)** ① 각 중앙관서의 장 또는 계약담당공무원은 계약의 종류, 계약의 목적물 또는 계약 대상 사업의 혁신성·특수성 등을 고려할 때 제41조부터 제43조까지, 제43조의2, 제43조의3 및 제44조부터 제47조까지의 규정에 따른 계약체결 방법으로는 계약의 목적을 달성하기 곤란하다고 인정되는 경우에는 각 해당 규정에도 불구하고 기획재정부장관이 해당 계약의 체결에 관하여 한시적으로 정하는 기준·절차	

(이하 이 조에서 "시범특례"라 한다)에 따라 국가에 가장 유리하다고 인정되는 자와 계약을 체결할 수 있다.

② 각 중앙관서의 장 또는 계약담당공무원은 시범특례에 따른 계약을 체결하려는 경우에는 입찰공고를 할 때에 시범특례에 따른 계약이라는 뜻을 명시해야 하며, 계약을 체결하려는 자가 그 시범특례를 열람할 수 있도록 해야 한다.

③ 각 중앙관서의 장은 시범특례에 따른 계약 체결이 필요하다고 인정되는 경우에는 기획재정부장관에게 해당 계약에 적용될 시범특례를 정해 줄 것을 요청해야 한다.

④ 각 중앙관서의 장이 제3항에 따른 요청을 할 때에는 다음 각 호의 사항이 포함된 시범특례요청서를 제출해야 한다.

1. 계약의 목적물이나 계약을 통해 추진하려는 사업의 내용
2. 제41조부터 제43조까지, 제43조의2, 제43

법률	시행령	시행규칙
	조의3 및 제44조부터 제47조까지의 규정에 따른 계약체결 방법으로는 계약의 목적을 달성하기 곤란한 사유 등 시범특례 적용의 필요성 3. 해당 계약의 체결에 관한 기준·절차로 정할 필요가 있는 사항 4. 해당 계약의 체결을 위해 필요한 시범특례의 유효기간 5. 시범특례 적용 시 기대효과 6. 그 밖에 시범특례에 관하여 필요한 사항으로서 기획재정부장관이 정하는 사항 ⑤ 제3항에 따른 요청을 받은 기획재정부장관은 계약의 종류, 계약의 목적물 또는 계약대상 사업의 혁신성·특수성 등을 고려할 때 제4항제2호에 따른 시범특례 적용의 필요성이 있고, 해당 계약 체결의 공정성과 투명성 등을 확보하기 위해 별도의 계약 체결 기준·절차를 마련할 필요가 있다고 인정되는 경우에는 「조달사업에 관한 법률 시행령」 제7조	

제1항에 따른 공공조달제도개선위원회의 심의를 거쳐 시범특례를 정할 수 있다. 이 경우 해당 심의를 거치기 전에 관계 중앙관서의 장과 협의할 수 있다.

⑥ 시범특례의 유효기간은 제5항에 따라 시범특례를 정한 날부터 2년의 범위에서 기획재정부장관이 정하는 기간으로 하며, 기획재정부장관은 필요하다고 인정하는 경우 2년의 범위에서 한 차례 이상 유효기간을 연장할 수 있다.

⑦ 기획재정부장관은 시범특례에 따라 체결된 계약 및 계약 대상 사업 등에 대하여 성과평가를 실시한 후 그 결과를 바탕으로 해당 시범특례를 국가계약법령에 반영할 필요가 있는지를 검토해야 한다. 이 경우 국가계약법령에의 반영 여부에 관하여는 「조달사업에 관한 법률 시행령」 제7조제1항에 따른 공공조달제도개선위원회의 심의를 거쳐야 한다.

⑧ 기획재정부장관은 시범특례 제도의 효과적인 운영을 위하여 관련 전문기관 또는 단체에

법 률	시 행 령	시 행 규 칙
	다음 각 호의 조사·연구 등을 의뢰할 수 있다. 1. 시범특례와 관련한 국내외 사례 조사·연구 2. 시범특례 제도 운영에 관한 지침의 마련에 필요한 조사·연구 3. 제7항에 따른 성과평가에 필요한 조사·연구 4. 그 밖에 시범특례 제도의 효과적인 운영을 위하여 기획재정부장관이 필요하다고 인정하는 업무 ⑨ 제1항부터 제8항까지에서 규정한 사항 외에 시범특례 제도의 운영에 필요한 세부사항은 기획재정부장관이 정한다. [본조신설 2022.6.14.]	
	제5장 계약의 체결 및 이행	**제5장 계약의 체결 및 이행**
제11조(계약서의 작성 및 계약의 성립) ① 각 중앙관서의 장 또는 계약담당공무원은 계약을 체결할 때에는 다음 각 호의 사항을 명백하게 기재한 계약서를 작성하여야 한다. 다	**제48조(계약서의 작성)** ① 법 제11조제1항 본문의 규정에 의하여 각 중앙관서의 장 또는 계약담당공무원이 작성하는 계약서의 서식 기타 필요한 사항은 기획재정부령으로 정한다.	**제49조(계약서의 작성)** ① 각 중앙관서의 장 또는 계약담당공무원은 계약상대자를 결정한 때에는 지체없이 별지 제7호서식, 별지 제8호서식 또는 별지 제9호서식의 표준계약서에

만, 대통령령으로 정하는 경우에는 계약서의 작성을 생략할 수 있다.

1. 계약의 목적
2. 계약금액
3. 이행기간
4. 계약보증금
5. 위험부담
6. 지체상금(遲滯償金)
7. 그 밖에 필요한 사항

② 제1항에 따라 계약서를 작성하는 경우에는 그 담당 공무원과 계약상대자가 계약서에 기명하고 날인하거나 서명함으로써 계약이 확정된다.

[전문개정 2012.12.18]

판 대법원 2004.01.27. 선고 2003다14812 판결
대법원 2006.06.29. 선고 2005다41603 판결
대법원 2009.09.24. 선고 2009다52335 판결
대법원 2009.12.24. 선고 2009다51288 판결
서울중앙지방법원 2007.11.09. 선고 2006가합89942 판결

〈개정 1999.9.9, 2008.2.29〉

② 계약서에는 담당공무원이 기명날인하여야 한다. 다만, 외국인과 계약을 체결하는 경우 기타 특별한 사유가 있는 경우에는 서명으로써 이에 갈음할 수 있다.

제48조의2(국외공사계약) ① 각 중앙관서의 장 또는 계약담당공무원은 국외공사계약을 체결할 때에 원칙적으로 현지통화로 계약을 하여야 한다. 다만, 현지통화로 계약하기 곤란한 경우에는 계약상대자와 협의하여 원화 또는 미화로 계약할 수 있다.

② 각 중앙관서의 장 또는 계약담당공무원은 국외공사계약을 체결할 때 환율 또는 국제상관례 등을 고려하여 계약금액 조정 관련 특례를 설정할 수 있다.

[본조신설 2008.12.31]

제49조(계약서작성의 생략) 법 제11조제1항 단서의 규정에 의하여 계약서의 작성을 생략할 의하여 계약을 체결하여야 한다.

② 각 중앙관서의 장 또는 계약담당공무원은 제1항의 규정에 의한 표준계약서에 기재된 계약일반사항외에 당해계약에 필요한 특약사항을 명시하여 계약을 체결할 수 있다.

③ 각 중앙관서의 장 또는 계약담당공무원은 제1항의 규정에 의한 서식에 의하기가 곤란하다고 인정될 때에는 따로 이와 다른 양식에 의한 계약서에 의하여 계약을 체결할 수 있다.

④ 각 중앙관서의 장 또는 계약담당공무원은 영 제50조제6항제1호 내지 제3호 및 제5호의 규정에 의하여 계약보증금의 전부 또는 일부의 납부를 면제하는 경우에는 계약서에 그 사유 및 면제금액을 기재하고 계약보증금지급각서를 제출하게 하여 이를 첨부하여야 한다. 〈개정 1996.12.31, 2003.12.12〉

제50조(계약서의 작성을 생략하는 경우) 각 중앙관서의 장 또는 계약담당공무원은 영 제49조

법 률	시 행 령	시 행 규 칙
	수 있는 경우는 다음 각 호와 같다. 〈개정 1999.9.9〉 1. 계약금액이 3천만원 이하인 계약을 체결하는 경우 2. 경매에 부치는 경우 3. 물품매각의 경우에 있어서 매수인이 즉시 대금을 납부하고 그 물품을 인수하는 경우 4. 각 국가기관 및 지방자치단체 상호간에 계약을 체결하는 경우 5. 전기·가스·수도의 공급계약등 성질상 계약서의 작성이 필요하지 아니한 경우	에 따라 계약서의 작성을 생략하는 경우에는 계약상대자로부터 청구서·각서·협정서·승낙사항등 계약성립의 증거가 될 수 있는 서류를 제출받아 비치하여야 한다. 다만, 기획재정부장관이 따로 정하는 회계경리에 관한 서식에 의한 경우에는 그러하지 아니하다. 〈개정 1999.9.9, 2009.3.5〉
제12조(계약보증금) ① 각 중앙관서의 장 또는 계약담당공무원은 국가와 계약을 체결하려는 자에게 계약보증금을 내도록 하여야 한다. 다만, 대통령령으로 정하는 경우에는 계약보증금의 전부 또는 일부의 납부를 면제할 수 있다. ② 제1항에 따른 계약보증금의 금액, 납부방법, 그 밖에 필요한 사항은 대통령령으로 정한다.	**제50조(계약보증금)** ① 각 중앙관서의 장 또는 계약담당공무원은 법 제12조에 따른 계약보증금을 계약금액의 100분의 10 이상으로 납부하게 해야 한다. 다만, 「재난 및 안전관리 기본법」 제3조제1호의 재난이나 경기침체, 대량실업 등으로 인한 국가의 경제위기를 극복하기 위해 기획재정부장관이 기간을 정하여 고시한 경우에는 계약보증금을 계약금액	**제51조(계약보증금 납부)** ① 각 중앙관서의 장 또는 계약담당공무원은 계약을 체결하고자 할 때에는 낙찰자 또는 계약상대자로 하여금 계약체결전까지 별지 제10호서식의 계약보증금납부서와 함께 소정절차에 따라 영 제50조의 규정에 의한 계약보증금을 납부하게 하여야 한다. ② 각 중앙관서의 장 또는 계약담당공무원은

③ 각 중앙관서의 장 또는 계약담당공무원은 계약상대자가 계약상의 의무를 이행하지 아니하였을 때에는 해당 계약보증금을 국고에 귀속시켜야 한다. 이 경우 제1항 단서에 따라 계약보증금의 전부 또는 일부의 납부를 면제하였을 때에는 대통령령으로 정하는 바에 따라 계약보증금에 해당하는 금액을 국고에 귀속시켜야 한다.

[전문개정 2012.12.18]

판 대법원 1998.01.23. 선고 97다38329 판결
대법원 2004.12.10. 선고 2002다73852 판결

의 100분의 5 이상으로 할 수 있다. 〈개정 2020.5.1〉

② 제1항을 적용할 때 다음 각 호의 경우에는 해당 호에서 정하는 바에 따라 계약보증금을 국고에 귀속시켜야 한다. 〈개정 2022.6.14.〉

1. 성질상 분할할 수 있는 공사·물품 또는 용역 등에 관한 계약(법 제22조에 따른 단가계약은 제외한다)의 경우로서 기성부분 또는 기납부분을 검사를 거쳐 인수(인수하지 않고 관리·사용하고 있는 경우를 포함한다)한 경우: 당초의 계약보증금 중 기성부분 또는 기납부분에 해당하는 계약보증금은 제외하고 국고에 귀속
2. 법 제22조에 따른 단가계약의 경우로서 여러 차례로 분할하여 계약을 이행하는 경우: 당초의 계약보증금 중 이행이 완료된 부분에 해당하는 계약보증금은 제외하고 국고에 귀속

③ 제1항의 규정은 장기계속계약에 있어서 계약상대자가 제43조의 규정에 의하여 납부한 입찰보증금을 별지 제11호서식의 입찰보증금의 계약보증금 대체납부신청서에 의하여 계약보증금으로 대체할 것을 요청한 때에는 계약보증금으로 이를 대체정리하여야 한다.

제62조(계약금액변경시의 보증금의 조정 및 추가납부 등) 각 중앙관서의 장 또는 계약담당공무원은 영 제64조 내지 제66조의 규정에 의하여 계약금액이 조정된 때에는 이에 상응하는 금액의 보증금을 추가로 납부하게 하거나 계약상대자의 요청에 의하여 이를 반환하여야 한다.

법 률	시 행 령	시 행 규 칙
	계약상대자가 제69조제2항 후단 및 동조제3항의 규정에 의한 2차이후의 공사 또는 제조등의 계약을 체결하지 아니한 경우에 이를 준용한다. 〈개정 1999.9.9, 2005.9.8, 2007.10.10, 2022.6.14.〉 ④ 제1항부터 제3항까지의 규정에 따라 계약보증금을 국고에 귀속시키는 경우 그 계약보증금을 기성부분에 대한 미지급액과 상계 처리해서는 안 된다. 다만, 계약보증금의 전부 또는 일부를 면제한 경우에는 국고에 귀속시켜야 하는 계약보증금은 기성부분에 대한 미지급액과 상계 처리할 수 있다. 〈개정 2022.6.14.〉 ⑤ 제38조제1항 및 제2항의 규정은 계약보증금의 국고귀속의 경우에 이를 준용한다. 〈개정 2022.6.14.〉 ⑥ 법 제12조제1항 단서에 따라 계약보증금의 전부 또는 일부를 면제할 수 있는 경우는 다음 각 호와 같다. 〈개정 1998.2.2, 2005.9.8, 2006.12.29, 2010.7.21, 2011.2.9〉	

1. 제37조제3항제1호부터 제4호까지 및 제5호의2에 규정된 자와 계약을 체결하는 경우
2. 삭제 〈2006.12.29〉
3. 계약금액이 5천만원 이하인 계약을 체결하는 경우
4. 일반적으로 공정·타당하다고 인정되는 계약의 관습에 따라 계약보증금 징수가 적합하지 아니한 경우
5. 이미 도입된 외자시설·기계·장비의 부분품을 구매하는 경우로서 당해 공급자가 아니면 당해 부분품의 구입이 곤란한 경우

⑦ 계약보증금은 현금 또는 제37조제2항 각호에 규정한 보증서등으로 이를 납부하게 하여야 한다. 〈개정 1998.2.2〉

⑧ 「자본시장과 금융투자업에 관한 법률 시행령」 제192조에 따른 증권 또는 현금으로 납부된 계약보증금을 계약상대자가 특별한 사유로 제37조제2항제1호 내지 제5호에 규정된 보증서등으로 대체납부할 것을 요청한

법 률	시 행 령	시 행 규 칙
	때에는 동가치 상당액 이상으로 대체납부하게 할 수 있다. 〈개정 1999.9.9, 2005.9.8, 2008.7.29〉 ⑨ 삭제 〈1998.2.2〉 ⑩ 제37조제4항의 규정은 제6항제1호 내지 제3호 및 제5호의 규정에 의하여 계약보증금의 전부 또는 일부를 면제한 경우에 이를 준용한다. 〈개정 2003.12.11〉 ⑪ 삭제 〈2000.12.27〉 [전문개정 1996.12.31] 유 회계제도과-990, '09.06.07 · 회계제도과-399, '10.03.10 계약제도과-57, '12.01.12	
	제51조(계약보증금의 국고귀속) ① 각 중앙관서의 장 또는 계약담당공무원은 계약상대자가 정당한 이유없이 계약상의 의무를 이행하지 아니한 때에는 제50조의 규정에 의한 계약보증금(제52조제1항제2호 및 제3호의 규정에 의한 보증금액을 포함한다. 이하 같다)을 법 제12조제3항의 규정에 의하여 국고에 귀속시	**제64조(보증금 등의 국고귀속)** ① 각 중앙관서의 장 또는 계약담당공무원은 영 제38조제1항의 규정에 의하여 제43조·제51조 및 제52조의 규정에 따라 납부된 보증금을 국고에 귀속하여야 할 사유가 발생한 경우에는 다음 각 호의 방법에 의하여 당해보증금을 처리하여야 한다. 〈개정 2003.12.12〉

켜야 한다. 이 경우 제75조제1항의 규정을 준용한다. 〈개정 1996.12.31, 1998.2.2, 1999.9.9, 2000.12.27〉

② 제1항의 규정은 장기계속계약에 있어서 계약상대자가 제69조제2항 후단 및 동조제3항의 규정에 의한 2차 이후의 공사 또는 제조 등의 계약을 체결하지 아니한 경우에 이를 준용한다. 〈신설 1996.12.31〉

③ 제1항 및 제2항의 규정에 의하여 계약보증금을 국고에 귀속함에 있어서 그 계약보증금은 이를 기성부분에 대한 미지급액과 상계처리하여서는 아니된다. 다만, 계약보증금의 전부 또는 일부를 면제한 경우에는 국고에 귀속시켜야 하는 계약보증금은 기성부분에 대한 미지급액과 상계 처리할 수 있다. 〈신설 1996.12.31, 2006.5.25〉

④ 제38조제1항 및 제2항의 규정은 계약보증금의 국고귀속의 경우에 이를 준용한다.

⑤ 법 제22조에 따른 단가계약으로서 여러

1. 현금의 경우에는 세입세출외현금출납공무원과 관계수입징수관에게 그 뜻을 통지하여 수입금으로 징수하도록 요청하여야 한다.
2. 유가증권인 경우에는 유가증권취급공무원에게 그 뜻을 통지하여 정부유가증권취급규정에 의하여 정부소유유가증권으로 처리하도록 요청하여야 한다. 이 경우 등록국채에 있어서는 그 뜻을 유가증권취급점과 유가증권취급공무원에게 통지하여야 한다.
3. 보증보험증권 등인 경우에는 관계수입징수관·유가증권취급공무원 및 관계보증기관에 그 뜻을 통지하고 당해보증금을 수입금으로 징수함에 있어서 필요한 조치를 하게 하여야 한다.
4. 정기예금증서 등인 경우에는 관계수입징수관·유가증권취급공무원 및 당해금융기관에 그 뜻을 통지하고 당해보증금을 수입

법률	시행령	시행규칙
	차례로 분할하여 계약을 이행하는 경우에는 당초의 계약보증금 중 이행이 완료된 분에 해당하는 계약보증금은 국고에 귀속하지 아니한다. 〈신설 2013.12.30〉 유 회계제도과-1238, '09.07.29 · 회계제도과-1312, '09.08.14 회계제도과-151, '10.01.22 · 계약제도과-394, '12.04.04 계약제도과-769, '12.06.13 · 계약제도과-1192, '12.09.11	으로 징수함에 필요한 조치를 하게 하여야 한다. ② 삭제 〈2010.7.21〉
	제52조(공사계약에 있어서의 이행보증) ① 각 중앙관서의 장 또는 계약담당공무원은 공사계약을 체결하고자 하는 경우 계약상대자로 하여금 다음 각 호의 어느 하나에 해당하는 방법을 선택하여 계약이행의 보증을 하게 해야 한다. 다만, 각 중앙관서의 장 또는 계약담당공무원은 공사계약의 특성상 필요하다고 인정되는 경우에는 계약이행보증의 방법을 제3호에 따른 방법으로 한정할 수 있다. 〈개정 1999.9.9, 2000.12.27, 2006.5.25, 2010.7.21, 2018.12.4, 2019.9.17, 2020.5.1〉 1. 삭제 〈2010.7.21〉 2. 계약보증금을 계약금액의 100분의 15(「재	**제66조(공사계약에 있어서의 이행보증)** ① 삭제 〈2010.7.21〉 ② 각 중앙관서의 장 또는 계약담당공무원은 영 제52조의 규정에 의하여 공사이행보증서를 제출한 경우로서 계약상대자가 계약상의 의무를 이행하지 아니하는 경우에는 지체없이 공사이행보증서 발급기관에 그 의무를 이행할 것을 청구하여야 한다. 〈개정 1996.12.31, 2010.7.21〉 ③ 각 중앙관서의 장 또는 계약담당공무원은 제2항의 규정에 의한 청구에 의하여 공사이행보증서 발급기관이 지정한 업체(이하 "보증이행업체"라 한다)가 그 의무를 이행한 경우

난 및 안전관리 기본법」 제3조제1호의 재난이나 경기침체, 대량실업 등으로 인한 국가의 경제위기를 극복하기 위해 기획재정부장관이 기간을 정하여 고시한 경우에는 1천분의 75) 이상 납부하는 방법

3. 제50조제1항부터 제3항까지의 규정에 따른 계약보증금을 납부하지 않고 공사이행보증서[해당공사의 계약상의 의무를 이행할 것을 보증한 기관이 계약상대자를 대신하여 계약상의 의무를 이행하지 않는 경우에는 계약금액의 100분의 40(예정가격의 100분의 70미만으로 낙찰된 공사계약의 경우에는 100분의 50)이상을 납부할 것을 보증하는 것이어야 한다]를 제출하는 방법

② 각 중앙관서의 장 또는 계약담당공무원은 제1항 본문에 따라 계약이행을 보증한 경우로서 계약상대자가 계약이행보증방법의 변경을 요청하는 경우에는 1회에 한하여 변경하게 할 수 있다. 〈신설 2006.5.25, 2010.7.21〉

에는 계약금액중 보증이행업체가 이행한 부분에 상당하는 금액을 공사이행보증서 발급기관에 지급할 수 있도록 계약을 체결할 때에 미리 필요한 조치를 하여야 한다. 〈개정 1996.12.31, 2010.7.21〉

④ 각 중앙관서의 장 또는 계약담당공무원은 제1항 및 제3항의 규정에 의하여 보증이행업체로 된 자가 부적격하다고 인정되는 경우에는 계약상대자 또는 공사이행보증서 발급기관에 보증이행업체의 변경을 청구할 수 있다. 〈개정 1996.12.31, 2010.7.21〉

⑤ 제1항 내지 제4항의 규정은 용역계약의 경우에 이를 준용할 수 있다. 〈개정 1996.12.31〉

⑥ 삭제 〈1996.12.31〉

[제목개정 1996.12.31]

법률	시행령	시행규칙
	1. 삭제 〈2010.7.21〉 2. 삭제 〈2010.7.21〉 3. 삭제 〈2010.7.21〉 ③ 삭제 〈2010.7.21〉 ④ 기획재정부장관은 제1항에 따른 공사이행보증서의 제출등에 관하여 필요한 사항을 정할 수 있다. 〈신설 1999.9.9, 2006.5.25, 2008.2.29, 2019.9.17〉 ⑤ 용역계약의 경우 제1항부터 제4항까지의 규정을 준용할 수 있다. 〈신설 1996.12.31, 1999.9.9, 2006.5.25, 2019.9.17〉 유 회계제도과-240, '09.02.02 · 회계제도과-1055, '09.06.22 회계제도과-114, '10.01.18 · 계약제도과-249, '10.10.14 계약제도과-187, '11.02.28 · 계약제도과-763, '11.07.04 계약제도과-1585, '11.12.29 · 계약제도과-1155, '12.09.03 계약제도과-1258, '12.09.28 **제53조(손해보험의 가입)** ① 각 중앙관서의 장 또는 계약담당공무원은 계약을 체결함에 있어서 필요하다고 인정할 때에는 당해계약의 목적물등에 대하여 손해보험(「건설산업기본법」 제56조제1항제5호에 따른 손해공제를 포함한다. 이하 이 조에서 같다)에 가입하거나	

제13조(감독) ① 각 중앙관서의 장 또는 계약담당공무원은 공사, 제조, 용역 등의 계약을 체결한 경우에 그 계약을 적절하게 이행하도록 하기 위하여 필요하다고 인정하면 계약서, 설계서, 그 밖의 관계 서류에 의하여 직접 감독하거나 소속 공무원에게 그 사무를 위임하여 필요한 감독을 하게 하여야 한다. 다만, 대통령령으로 정하는 계약의 경우에는 전문기관을 따로 지정하여 필요한 감독을 하게 할 수 있다.

② 제1항에 따라 감독하는 자는 감독조서(監督調書)를 작성하여야 한다.

[전문개정 2012.12.18]

계약상대자로 하여금 손해보험에 가입하게 할 수 있다. 〈개정 1996.12.31, 2007.10.10〉

② 기획재정부장관은 제1항의 규정에 의한 손해보험가입과 관련된 필요한 사항을 정할 수 있다. 〈개정 1999.9.9, 2008.2.29〉

유 계약제도과-386, '11.04.14 · 계약제도과-715, '11.06.23

제54조(감독) ① 법 제13조제1항 단서에서 "대통령령으로 정하는 계약"이란 다음 각 호의 어느 하나에 해당하는 계약을 말한다. 〈개정 2005.9.8, 2006.5.25, 2014.5.22, 2018.12.4〉

1. 「건설기술진흥법」 제39조제2항, 「전력기술관리법」 제12조, 「문화재수리 등에 관한 법률」 제38조 또는 그 밖에 관련 법령상 의무적으로 건설사업관리 또는 감리를 하여야 하는 공사계약
2. 전문적인 지식 또는 기술을 필요로 하거나 기타 부득이한 사유로 인하여 법 제13조제1항 본문에 규정된 감독을 할 수 없는 제조 기타 도급계약

제67조(감독 및 검사) 법 제13조 및 법 제14조의 규정에 의하여 감독 또는 검사를 한 자는 감독 또는 검사의 결과 계약이행의 내용이 당초의 계약내용에 적합하지 아니한 때에는 그 사실 및 조치에 관한 의견을 감독조서 또는 검사조서에 기재하여 소속 중앙관서의 장 또는 계약담당공무원에게 제출하여야 한다.

제68조(감독 및 검사의 실시에 관한 세부사항) 각 중앙관서의 장은 필요하다고 인정할 때에는 감독 또는 검사에 관한 세부요령을 정할 수 있다.

제69조(감독 및 검사를 위탁한 경우의 확인) 각 중앙관서의 장 또는 계약담당공무원은 법 제

<table>
<tr><th>법 률</th><th>시 행 령</th><th>시 행 규 칙</th></tr>
<tr><td></td><td>② 각 중앙관서의 장 또는 계약담당공무원은 예정가격의 100분의 70 미만으로 낙찰되어 체결된 공사계약의 경우에는 부실시공을 방지하기 위하여 감독공무원의 수(제1항의 규정에 의한 계약중 공사계약의 경우에는 「건설기술진흥법」 등에 의하여 정하여진 건설사업관리기술인 또는 감리원의 수를 말한다)를 그 배치기준의 100분의 50 범위내에서 추가하여 배치할 수 있다. 〈신설 2003.12.11, 2005.9.8, 2014.5.22, 2018.12.11〉
③ 제2항의 규정에 의하여 추가로 소요되는 감독 또는 감리비용은 당해 공사예산 중 낙찰차액(예정가격과 낙찰금액간의 차액을 말한다)으로 충당할 수 있다. 〈신설 2003.12.11〉
유 회계제도과-598, '10.04.13</td><td>13조제1항 단서 및 법 제14조제1항 단서의 규정에 의하여 감독 또는 검사를 전문기관으로 하여금 수행하게 하는 경우에는 그 결과를 문서로 통보받아 이를 확인하여야 한다.</td></tr>
<tr><td>제14조(검사) ① 각 중앙관서의 장 또는 계약담당공무원은 계약상대자가 계약의 전부 또는 일부를 이행하면 이를 확인하기 위하여 계약서, 설계서, 그 밖의 관계 서류에 의하여 검사하거</td><td>제55조(검사) ① 법 제14조제1항에 따른 검사는 계약상대자로부터 해당 계약의 이행을 완료한 사실을 통지받은 날부터 14일(「재난 및 안전관리 기본법」 제3조제1호의 재난이나 경기침</td><td></td></tr>
</table>

나 소속 공무원에게 그 사무를 위임하여 필요한 검사를 하게 하여야 한다. 다만, 대통령령으로 정하는 계약의 경우에는 전문기관을 따로 지정하여 필요한 검사를 하게 할 수 있다.
② 제1항에 따라 검사하는 자는 검사조서(檢查調書)를 작성하여야 한다. 다만, 대통령령으로 정하는 경우에는 검사조서의 작성을 생략할 수 있다.
③ 각 중앙관서의 장 또는 계약담당공무원은 제1항에도 불구하고 다른 법령에 따른 품질인증을 받은 물품 또는 품질관리능력을 인증받은 자가 제조한 물품 등 대통령령으로 정하는 물품에 대하여는 같은 항에 따른 검사를 하지 아니할 수 있다.
④ 물품구매계약 또는 물품제조계약의 경우 물품의 특성상 필요한 시험 등의 검사에 드는 비용과 검사로 인하여 생기는 변형, 파손 등의 손상은 계약상대자가 부담한다.
[전문개정 2012.12.18]

체, 대량실업 등으로 인한 국가의 경제위기를 극복하기 위해 기획재정부장관이 기간을 정하여 고시한 경우에는 계약상대자로부터 해당 계약의 이행을 완료한 사실을 통지받은 날부터 7일) 이내에 완료해야 한다. 다만, 기획재정부장관이 정하는 경우에는 7일(본문에 따라 7일 이내에 검사를 완료해야 하는 경우에는 3일)의 범위에서 그 검사기간을 연장할 수 있다. 〈개정 1999.9.9, 2008.2.29, 2020.5.1〉
② 제1항의 규정에 의한 검사를 할 때 조사설계용역계약인 경우에는 당해 용역계약의 상대자가 조사설계대상사업의 총 사업비를 적정하게 산정하였는지의 여부를 함께 검사하여야 한다.
③ 법 제14조제1항 단서에서 "대통령령이 정하는 계약"이라 함은 제54조제1항 각 호의 1에 해당하는 계약을 말한다. 〈개정 2003.12.11〉
④ 기본설계(타당성 조사에 관한 내용을 포함한다. 이하 같다)와 실시설계를 구분하여 계

법 률	시 행 령	시 행 규 칙
	약을 체결한 경우에는 제1항의 규정에 의하여 실시설계용역에 대한 이행검사를 하는 때에 실시설계대상사업의 총 사업비의 산정이 적정한지의 여부를 기본설계서상의 총 사업비와 실시설계서상의 총 사업비를 비교하여 검사하여야 한다. 이 경우 기본설계서상의 총 사업비와 실시설계서상의 총 사업비에 차이가 있는 경우에는 실시설계용역의 계약상대자로 하여금 그 사유를 설명하는 자료를 제출하게 하여야 한다. ⑤ 천재·지변 등 불가항력의 사유로 제1항의 규정에 의한 기간내에 검사를 완료하지 못한 경우에는 당해 사유가 소멸한 날부터 3일 이내에 검사를 완료하여야 한다. ⑥ 각 중앙관서의 장 또는 계약담당공무원은 법 제14조제1항의 규정에 의한 검사를 함에 있어서 계약상대자의 계약이행내용의 전부 또는 일부가 계약에 위반되거나 부당함을 발견한 때에는 지체없이 필요한 시정조치를 하	

여야 한다. 이 경우 계약상대자로부터 그 시정을 완료한 사실을 통지받은 날부터 제1항의 규정에 의한 기간을 계산한다.

⑦ 제58조제3항의 규정에 의한 기성대가지급시의 기성검사는 법 제13조에 의한 감독을 행하는 자가 작성한 감독조서의 확인으로 갈음할 수 있다. 다만, 동 검사 3회마다 1회는 법 제14조에 의한 검사를 실시하여야 한다. 〈신설 1996.12.31, 1999.9.9〉

유 계약제도과-551, '10.12.20 · 계약제도과-1565, '11.12.23

제56조(검사조서의 작성생략) 법 제14조제2항 단서의 규정에 의하여 검사조서의 작성을 생략할 수 있는 경우는 다음 각 호와 같다. 〈개정 1999.9.9〉

1. 계약금액이 3천만원 이하인 계약의 경우
2. 매각계약의 경우
3. 전기·가스·수도의 공급계약 등 그 성질상 검사조서의 작성을 필요로 하지 아니하는 계약의 경우

법 률	시 행 령	시 행 규 칙
	제56조의2(검사를 면제할 수 있는 물품) 법 제14조제3항에 따라 검사를 하지 않을 수 있는 물품은 다음 각 호와 같다. 다만, 해당 물품이 국민의 생명 보호, 안전, 보건위생 등을 위하여 검사가 필요하다고 인정되거나, 불량 자재의 사용, 다수의 하자 발생, 관계 기관의 결함 보상명령 등으로 품질의 확인이 필요한 것으로 인정되는 경우에는 법 제14조제1항에 따른 검사를 해야 한다. 〈개정 2016.7.28, 2017.1.26, 2019.9.17〉 1. 「산업표준화법」 제15조에 따라 인증을 받은 제품 2. 「산업표준화법」 제31조의4제2항에 따라 수상자로 선정된 기업등 및 개인이 제조한 제품 3. 「조달사업에 관한 법률」 제18조에 따라 조달청장이 고시한 품질관리능력 평가기준에 적합한 자가 제조한 물품 〈개정 2020.9.29.	

[본조신설 2013.6.17.]

제57조(감독과 검사직무의 겸직) 제54조의 규정에 의한 감독의 직무와 제55조의 규정에 의한 검사의 직무는 겸할 수 없다. 다만, 다음 각호의 1에 해당하는 경우에는 그러하지 아니하다. 〈개정 1996.12.31, 1999.9.9, 2003.12.11〉

1. 특별한 기술을 요하는 검사에 있어서 감독을 행하는 자외의 자로 하여금 검사를 행하게 하는 것이 현저하게 곤란한 경우
2. 유지·보수에 관한 공사 등 당해 계약의 이행후 지체없이 검사를 하지 아니하면 그 이행의 확인이 곤란한 경우
3. 계약금액이 3억원 이하인 물품의 제조 또는 공사계약의 경우
4. 제54조제1항제1호에 규정한 공사계약의 경우
5. 제55조제7항 본문의 규정에 의하여 감독조서의 확인으로 기성검사를 갈음하는 경우

법 률	시 행 령	시 행 규 칙
제15조(대가의 지급) ① 각 중앙관서의 장 또는 계약담당공무원은 공사, 제조, 구매, 용역, 그 밖에 국고의 부담이 되는 계약의 경우 검사를 하거나 검사조서를 작성한 후에 그 대가(代價)를 지급하여야 한다. 다만, 국제관례 등 부득이한 사유가 있다고 인정되는 경우에는 그러하지 아니하다. ② 제1항에 따른 대가는 계약상대자로부터 대가 지급의 청구를 받은 날부터 대통령령으로 정하는 기한까지 지급하여야 하며, 그 기한까지 대가를 지급할 수 없는 경우에는 대통령령으로 정하는 바에 따라 그 지연일수(遲延日數)에 따른 이자를 지급하여야 한다. ③ 동일한 계약에서 제2항에 따른 이자와 제26조에 따른 지체상금은 상계(相計)할 수 있다. [전문개정 2012.12.18] 판 대법원 1999.02.12. 선고 98다49937 판결	**제58조(대가의 지급)** ① 법 제15조제2항에 따라 국고의 부담이 되는 계약의 대가는 제55조에 따른 검사를 완료한 후 계약상대자의 청구를 받은 날부터 5일(「재난 및 안전관리 기본법」 제3조제1호의 재난이나 경기침체, 대량실업 등으로 인한 국가의 경제위기를 극복하기 위해 기획재정부장관이 기간을 정하여 고시한 경우에는 계약상대자의 청구를 받은 날부터 3일) 이내에 지급해야 한다. 이 경우 계약당사자와 합의하여 5일을 초과하지 않는 범위에서 대가의 지급기한을 연장할 수 있는 특약을 정할 수 있다. 〈개정 2006.12.29, 2009.6.29, 2020.5.1〉 ② 천재·지변 등 불가항력의 사유로 지급기한내에 대가를 지급할 수 없게 된 경우에는 당해 사유가 소멸된 날부터 3일 이내에 대가를 지급하여야 한다. 〈개정 1996.12.31〉 ③ 법 제15조의 규정에 의하여 기성부분 또는 기납부분에 대한 대가를 지급하는 경우에는 제1항의 규정에 불구하고 계약수량, 이행의	

전망, 이행기간등을 참작하여 적어도 30일마다 지급하여야 한다. 〈개정 1996.12.31〉

④ 제3항에 따른 대가 지급시에는 제55조에 따른 검사를 완료하는 날 이전까지 계약상대자로 하여금 대가지급 청구를 하게 할 수 있으며, 검사완료일부터 5일 이내에 검사된 내용에 따라 대가를 확정하여 지급하여야 한다. 다만, 계약상대자가 검사완료일 후에 대가의 지급을 청구한 때에는 그 청구를 받은 날부터 5일 이내에 지급하여야 한다. 〈신설 1996.12.31, 2009.6.29〉

⑤ 각 중앙관서의 장 또는 계약담당공무원은 제1항 또는 제4항의 규정에 의한 대가지급의 청구를 받은 후 그 청구내용의 전부 또는 일부가 부당함을 발견한 때에는 그 사유를 명시하여 계약상대자에게 당해 청구서를 반송할 수 있다. 이 경우 반송한 날부터 재청구를 받은 날까지 기간은 제1항 또는 제4항의 지급기간에 이를 산입하지 아니한다. 〈개정

법 률	시 행 령	시 행 규 칙
	1996.12.31〉 ⑥ 제1항 및 제2항에 따른 기간을 산정하는 경우에는 공휴일 및 토요일을 제외한다. 〈신설 2006.12.29〉 유 회계제도과-148, '09.01.16 · 회계제도과-237, '09.02.02 회계제도과-730, '09.04.17 · 회계제도과-809, '09.05.01 회계제도과-1113, '09.07.06 · 회계제도과-1592, '09.09.23 회계제도과-1629, '09.09.29 · 회계제도과-275, '10.02.18 회계제도과-479, '10.03.20 · 회계제도과-861, '10.06.04 회계제도과-1065, '10.07.09 · 회계제도과-1140, '10.07.21 회계제도과-1305, '10.08.11 · 계약제도과-437, '10.11.29 계약제도과-561, '10.12.20 · 계약제도과-253, '11.03.16 계약제도과-284, '11.03.23 · 계약제도과-679, '11.06.15 계약제도과-891, '11.07.22 · 계약제도과-999, '11.08.24 계약제도과-1307, '12.10.15 · 계약제도과-1359, '12.10.22 **제59조(대가지급지연에 대한 이자)** 법 제15조제2항의 규정에 의하여 각 중앙관서의 장 또는 계약담당공무원이 대금지급청구를 받은 경우에 제58조의 규정에 의한 대가지급기한(국고채무부담행위에 의한 계약의 경우에는 다음 회계연도 개시 후 「국가재정법」에 의하여 당해 예산이 배정된 날부터 20일)까지 대가를 지급하지 못하는 경우에는 지급기한의 다음 날부터 지급하는 날까지의 일수(이하 "대가	

제16조(대가의 선납) 각 중앙관서의 장 또는 계약담당공무원은 재산의 매각·대부, 용역의 제공, 그 밖에 세입의 원인이 되는 계약에서는 다른 법령에 특별한 규정이 없으면 계약상대자에게 그 대가를 미리 내도록 하여야 한다. [전문개정 2012.12.18]	지급지연일수"라 한다)에 당해 미지급금액 및 지연발생 시점의 금융기관 대출평균금리(한국은행 통계월보상의 대출평균금리를 말한다)를 곱하여 산출한 금액을 이자로 지급하여야 한다. 〈개정 2005.9.8, 2006.5.25, 2006.12.29〉	
제17조(공사계약의 담보책임) 각 중앙관서의 장 또는 계약담당공무원은 공사의 도급계약을 체결할 때에는 그 담보책임의 존속기간을 정하여야 한다. 이 경우 그 담보책임의 존속기간은 「민법」 제671조에서 규정한 기간을 초과할 수 없다. [전문개정 2012.12.18]	**제60조(공사계약의 하자담보책임기간)** ① 각 중앙관서의 장 또는 계약담당공무원은 공사의 도급계약을 체결할 때에는 전체 목적물을 인수한 날과 준공검사를 완료한 날 중에서 먼저 도래한 날(공사계약의 부분 완료로 관리·사용이 이루어지고 있는 경우에는 부분 목적물을 인수한 날과 공고에 따라 관리·사용을 개	**제70조(하자담보책임기간)** ① 각 중앙관서의 장 또는 계약담당공무원은 영 제60조제1항 본문에 따라 공사계약을 체결할 때에 다음 각 호의 구분에 따른 공사의 종류별 구분에 따라 하자담보책임기간을 정해야 한다. 다만, 제7호를 제외한 각 공사의 종류 간의 하자책임을 구분할 수 없는 복합공사인 경우에는 주된

법 률	시 행 령	시 행 규 칙
	시한 날 중에서 먼저 도래한 날을 말한다)부터 1년 이상 10년 이하의 범위에서 기획재정부령이 정하는 기간동안 해당 공사의 하자보수를 보증하기 위한 하자담보책임기간을 정하여야 한다. 다만, 공사의 성질상 하자보수가 필요하지 아니한 경우로서 기획재정부령이 정하는 경우에는 그러하지 아니하다. 〈개정 1999.9.9, 2008.2.29, 2013.12.30, 2014.11.4〉 ② 장기계속공사에 있어서는 연차계약별로 제1항의 규정에 의한 하자담보책임기간을 정한다. 다만, 연차계약별로 하자담보책임을 구분할 수 없는 공사인 경우에는 제1차계약을 체결할 때에 총공사에 대하여 하자담보책임기간을 정하여야 한다. 〈신설 1999.9.9〉 유 회계제도과-1455, '09.08.27 · 계약제도과-353, '10.11.09 계약제도과-1262, '11.10.27 · 계약제도과-31, '12.01.10 계약제도과-127, '12.02.08 · 계약제도과-1272, '12.10.04	공사의 종류를 기준으로 하여 하자담보책임기간을 정하여야 한다. 〈개정 1999.9.9, 2014.11.4, 2019.9.17〉 1. 「건설산업기본법」에 따른 건설공사(제2호의 공사는 제외한다) : 「건설산업기본법 시행령」 제30조 및 [별표 4]에 따른 기간 2. 「건설산업기본법」에 따른 건설공사 중 자갈도상 철도공사(궤도공사 부분으로 한정한다) : 1년 3. 「공동주택관리법」에 따른 공동주택건설공사 : 「공동주택관리법 시행령」 제36조 제1항 및 별표 4에 따른 기간 4. 「전기공사업법」에 따른 전기공사 : 「전기공사업법 시행령」 제11조의2 및 [별표 3의2]에 따른 기간 5. 「정보통신공사업법」에 따른 정보통신공사 : 「정보통신공사업법 시행령」 제37조에 따른 기간 6. 「소방시설공사업법」에 따른 소방시설공

제61조(하자검사) ① 각 중앙관서의 장 또는 계약담당공무원은 제60조의 규정에 의한 하자담보책임기간중 연 2회 이상 정기적으로 하자를 검사하거나 소속공무원에게 그 사무를 위임하여 검사하게 하여야 한다.

② 제1항의 규정에 의한 하자검사가 특히 전문적인 지식 또는 기술을 필요로 하거나 예정

사 : 「소방시설공사업법 시행령」 제6조에 따른 기간

7. 「문화재수리 등에 관한 법률」에 따른 문화재 수리공사 : 「문화재수리 등에 관한 법률 시행령」 제19조 및 [별표 9]에 따른 기간
8. 「지하수법」에 따른 지하수개발·이용시설공사나 그 밖의 공사와 관련한 법령에 따른 공사 : 1년

② 영 제60조제1항 단서의 규정에 의하여 하자담보책임기간을 정하지 아니하는 경우는 제72조제2항 각호의 공사로 한다. 〈개정 1999.9.9〉

제71조(하자검사) ① 영 제61조의 규정에 의하여 하자검사를 하는 자는 제70조의 규정에 의한 하자담보책임기간중 연 2회 이상 정기적으로 하자검사를 하여야 하며, 하자담보책임기간이 만료되는 때에는 지체없이 따로 검사를 하여야 한다.

② 각 중앙관서의 장 또는 계약담당공무원은

법 률	시 행 령	시 행 규 칙
	가격의 100분의 86 미만으로 낙찰된 공사로서 「시설물의 안전 및 유지관리에 관한 특별법」 제2조제1호의 규정에 의한 시설물에 대한 것인 경우에는 각 중앙관서의 장 또는 계약담당공무원은 전문기관에 의뢰하여 필요한 검사를 하여야 한다. 〈개정 2003.12.11, 2005.9.8, 2018.1.16〉 ③ 제1항 및 제2항의 규정에 의하여 하자를 검사하는 자는 하자검사조서를 작성하여야 한다. 다만, 계약금액이 3천만원 이하인 공사계약의 경우에는 하자검사조서의 작성을 생략할 수 있다. 〈개정 1999.9.9〉 유 회계제도과-588, '10.04.10	영 제61조제2항의 규정에 의하여 하자검사를 전문기관에 의뢰하는 경우에는 그 결과를 문서로 통보받아 이를 확인하여야 한다. ③ 각 중앙관서의 장 또는 계약담당공무원은 제1항 및 제2항의 규정에 의한 하자검사결과 하자가 발견된 때에는 지체없이 필요한 조치를 하여야 한다. ④ 각 중앙관서의 장 또는 계약담당공무원은 하자검사를 하는 때에는 당해공사에 대한 하자보수관리부를 비치하고 다음 각 호의 사항을 기록·유지하여야 한다. 1. 공사명 및 계약금액 2. 계약상대자 3. 준공연월일 4. 하자발생내용 및 처리사항 5. 기타 참고사항
제18조(하자보수보증금) ① 각 중앙관서의 장 또는 계약담당공무원은 공사의 도급계약의 경우 계약상대자로 하여금 그 공사의 하자보	**제62조(하자보수보증금)** ① 법 제18조의 규정에 의한 하자보수보증금은 기획재정부령이 정하는 바에 의하여 계약금액의 100분의 2 이상	**제72조(하자보수보증금률)** ① 각 중앙관서의 장 또는 계약담당공무원은 공사계약을 체결할 때에 영 제62조제1항 본문의 규정에 의하여

수(瑕疵補修) 보증을 위하여 하자보수보증금을 내도록 하여야 한다. 다만, 대통령령으로 정하는 경우에는 하자보수보증금의 전부 또는 일부의 납부를 면제할 수 있다.

② 제1항에 따른 하자보수보증금의 금액, 납부시기, 납부방법, 예치기간, 그 밖에 필요한 사항은 대통령령으로 정한다.

③ 하자보수보증금의 국고 귀속에 관하여는 제12조제3항을 준용한다. 다만, 그 하자의 보수를 위한 예산이 없거나 부족한 경우에는 그 하자보수보증금을 그 하자의 보수를 위하여 직접 사용할 수 있다.

④ 제3항 단서의 경우에 사용하고 남은 금액은 국고에 납입하여야 한다.

[전문개정 2012.12.18]

판 대법원 1998.01.23. 선고 97다38329 판결

100분의 10 이하로 하여야 한다. 다만, 공사의 성질상 하자보수가 필요하지 아니한 경우로서 기획재정부령이 정하는 경우에는 하자보수보증금을 납부하지 아니하게 할 수 있다. 〈개정 1999.9.9, 2008.2.29〉

② 각 중앙관서의 장 또는 계약담당공무원은 제1항의 규정에 의한 하자보수보증금을 당해 공사의 준공검사 후 그 공사의 대가를 지급하기 전까지 납부하게 하고 제60조의 규정에 의한 하자담보책임기간동안 보관하여야 한다.

③ 장기계속공사에 있어서는 연차계약별로 제1항 및 제2항의 규정에 의한 하자보수보증금을 납부하게 하여야 한다. 다만, 연차계약별로 하자담보책임을 구분할 수 없는 공사인 경우에는 총공사의 준공검사 후 하자보수보증금을 납부하게 하여야 한다. 〈신설 1999.9.9〉

④ 법 제18조제1항 단서의 규정에 의하여 하자보수보증금의 납부를 면제할 수 있는 경우는 다음 각호와 같다. 〈개정 1996.12.31〉

다음 각호의 공종(각 공종간의 하자책임을 구분할 수 없는 복합공사인 경우에는 주된 공종을 말한다)구분에 의하여 계약금액에 대한 하자보수보증금률을 정하여야 한다.

1. 철도·댐·터널·철강교설치·발전설비·교량·상하수도구조물등 중요구조물공사 및 조경공사 : 100분의 5
2. 공항·항만·삭도설치·방파제·사방·간척등 공사 : 100분의 4
3. 관개수로·도로(포장공사를 포함한다)·매립·상하수도관로·하천·일반건축등 공사 : 100분의 3
4. 제1호 내지 제3호외의 공사 : 100분의 2

② 영 제62조제1항 단서에 따라 하자보수보증금을 납부하지 아니하게 할 수 있는 경우는 다음 각 호의 어느 하나의 공사로 한다. 〈개정 1998.2.23, 2005.9.8, 2013.6.19, 2014.11.4〉

1. 「건설산업기본법 시행령」 별표 1에 따른 건설업종의 업무내용 중 구조물 등을 해체

법 률	시 행 령	시 행 규 칙
	1. 삭제 〈2010.7.21〉 2. 제37조제3항제1호 내지 제4호에 규정된 자와 계약을 체결한 경우 ⑤ 제37조제2항·제4항 및 제38조의 규정은 하자보수보증금의 납부 및 국고귀속의 경우에 이를 준용한다. 〈개정 1998.2.2〉 유 회계제도과-863, '10.06.04 · 계약제도과-68, '12.01.16	하는 공사 2. 단순암반절취공사, 모래·자갈채취공사등 그 공사의 성질상 객관적으로 하자보수가 필요하지 아니한 공사 3. 계약금액이 3천만원을 초과하지 아니하는 공사(조경공사를 제외한다) **제52조(하자보수보증금의 납부)** 각 중앙관서의 장 또는 계약담당공무원은 공사의 준공검사를 마친 때에는 그 공사대가의 최종지출시까지 별지 제12호서식의 하자보수보증금납부서와 함께 영 제62조의 규정에 의한 하자보수보증금을 납부하게 하여야 한다.
	제63조(하자보수보증금의 직접사용) ① 법 제18조제3항 단서에 따라 하자보수보증금을 해당 하자의 보수를 위하여 직접 사용하고자 할 때에는 해당 하자보수보증금을 세입으로 납입하지 아니하고 세입·세출 외로 구분하여 회계처리한다. 〈개정 2015.12.31〉	**제73조(하자보수보증금의 직접사용)** ① 각 중앙관서의 장 또는 계약담당공무원은 영 제63조의 규정에 의하여 하자보수보증금을 직접 사용하고자 할 때에는 세입세출외 현금출납공무원 또는 유가증권취급공무원에게 그 뜻을 통지하고 당해하자보수에 필요한 조치를 하

② 제1항의 규정에 의한 하자보수보증금의 직접사용에 관한 절차는 기획재정부령으로 정한다. 〈개정 1999.9.9, 2008.2.29〉

여야 한다.

② 하자보수보증금을 영 제37조제2항의 규정에 의한 보증보험증권 등으로 제출하게 한 때에는 제1항의 규정에 의한 통지와 동시에 당해보증기관에 대하여 보증한 금액을 납부할 것을 통지하여야 한다.

③ 제1항에 따라 통지를 받은 유가증권취급공무원은 그가 보관하고 있는 유가증권 등에 관하여 다음 각 호의 조치를 하여야 한다. 〈개정 1999.9.9, 2009.3.5〉

1. 하자보수보증금을 영 제37조제2항의 규정에 의한 보증보험증권등으로 보관하고 있는 경우에는 즉시 당해보증기관에 그 보증채무의 이행을 청구하여야 한다.
2. 하자보수보증금을 상장증권인 주식으로 보관하고 있는 경우에는 국유재산에 관한 법령에서 정하는 바에 의하여 매각하여야 하며, 그 매각수수료는 매각대금 중에서 지급한다. 다만, 해당 상장증권의 매각대금이

법 률	시 행 령	시 행 규 칙
		하자보수보증금상당액에 미달할 것으로 판단되는 경우에는 이를 매각할 수 없다. 3. 하자보수보증금을 상장증권인 국채, 지방채, 국가가 지급보증을 한 채권 또는 사채 등 원리금의 상환기일이 확정되어 있는 채권으로 보관하고 있는 경우에는 국유재산에 관한 법령에서 정하는 바에 의하여 매각하여야 하며, 그 매각수수료는 매각대금 중에서 지급한다. 다만, 해당 상장증권의 매각대금이 하자보수보증금상당액에 미달할 것으로 판단되는 경우 또는 해당 상장증권의 최종원리금상환기일이 매각하고자 하는 날부터 30일 이내에 도래하는 경우에는 이를 매각할 수 없다. 4. 하자보수보증금을 영 제37조제2항제5호의 규정에 의한 정기예금증서로 보관하고 있는 경우에는 즉시 당해 금융기관에 현금지급을 청구하여야 한다. ④ 유가증권취급공무원은 보관하고 있는 유가

증권등을 제3항의 규정에 의하여 매각하거나 당해보증채무의 이행을 받은 때에는 보증기관등으로 하여금 그 대금을 직접 세입세출외현금출납공무원에게 납입하도록 하여야 한다.

⑤ 각 중앙관서의 장 또는 계약담당공무원은 하자보수보증금의 직접사용을 위하여 지출원인행위를 한 때에는 그 지출원인행위의 관계서류를 세입세출외현금출납공무원에게 송부하되, 하자보수보증금으로 제출된 상장유가증권이 제3항제2호 또는 제3호의 규정에 의한 방법에 의하여 매각되지 아니한 때에는 지출원인행위를 할 수 없다.

⑥ 세입세출외현금출납공무원은 제5항의 규정에 의하여 지출원인행위 관계서류를 송부받은 때에는 당해하자보수보증금중에서 그 하자보수의 대가를 지급하여야 한다.

⑦ 각 중앙관서의 장 또는 계약담당공무원은 제70조제1항의 규정에 의한 하자담보책임기간동안 제6항의 규정에 의한 대가를 지급

법 률	시 행 령	시 행 규 칙
		하고도 잔액이 있는 때에는 제64조제1항의 규정에 의하여 처리하여야 한다. 〈개정 2000.12.30〉
제19조(물가변동 등에 따른 계약금액 조정) 각 중앙관서의 장 또는 계약담당공무원은 공사계약·제조계약·용역계약 또는 그 밖에 국고의 부담이 되는 계약을 체결한 다음 물가변동, 설계변경, 그 밖에 계약내용의 변경(천재지변, 전쟁 등 불가항력적 사유에 따른 경우를 포함한다)으로 인하여 계약금액을 조정(調整)할 필요가 있을 때에는 대통령령으로 정하는 바에 따라 그 계약금액을 조정한다. 〈개정 2019.11.26〉 [전문개정 2012.12.18] 판 대법원 2003.08.22. 선고 2003다318 판결 대법원 2003.12.11. 선고 2001다3771 판결 대법원 2006.09.14. 선고 2004다28825 판결	**제64조(물가변동으로 인한 계약금액의 조정)** ① 각 중앙관서의 장 또는 계약담당공무원은 법 제19조의 규정에 의하여 국고의 부담이 되는 계약을 체결(장기계속공사 및 장기물품제조 등의 경우에는 제1차계약의 체결을 말한다)한 날부터 90일 이상 경과하고 동시에 다음 각 호의 어느 하나에 해당되는 때에는 기획재정부령이 정하는 바에 의하여 계약금액(장기계속공사 및 장기물품제조 등의 경우에는 제1차계약체결시 부기한 총 공사 및 총 제조 등의 금액을 말한다. 이하 이 장에서 같다)을 조정한다. 이 경우 조정기준일(조정사유가 발생한 날을 말한다. 이하 이 조에서 같다)부터 90일 이내에는 이를 다시 조정하지 못한다. 〈개정 1998.2.24, 1999.9.9, 2004.4.6, 2005.9.8, 2006.12.29, 2008.2.29〉	**제74조(물가변동으로 인한 계약금액의 조정)** ① 영 제64조제1항제1호의 규정에 의한 품목조정률과 이에 관련된 등락폭 및 등락률 산정은 다음 각호의 산식에 의한다. 이 경우 품목 또는 비목 및 계약금액등은 조정기준일 이후에 이행될 부분을 그 대상으로 하며, "계약단가"라 함은 영 제65조제3항제1호에 규정한 각 품목 또는 비목의 계약단가를, "물가변동당시가격"이라 함은 물가변동당시 산정한 각 품목 또는 비목의 가격을, "입찰당시가격"이라 함은 입찰서 제출마감일 당시 산정한 각 품목 또는 비목의 가격을 말한다. 〈개정 2005.9.8.〉

1. 입찰일(수의계약의 경우에는 계약체결일을, 2차 이후의 계약금액 조정에 있어서는 직전 조정기준일을 말한다. 이하 이 항 및 제6항에서 같다)을 기준일로 하여 기획재정부령이 정하는 바에 의하여 산출된 품목조정률이 100분의 3 이상 증감된 때
2. 입찰일을 기준일로 하여 기획재정부령이 정하는 바에 의하여 산출된 지수조정률이 100분의 3 이상 증감된 때

② 각 중앙관서의 장 또는 계약담당공무원은 제1항의 규정에 의하여 계약금액을 조정함에 있어서 동일한 계약에 대하여는 제1항 각 호의 방법 중 하나의 방법에 의하여야 하며, 계약을 체결할 때에 계약서에 계약상대자가 제1항제2호의 방법을 원하는 경우 외에는 동항제1호의 방법으로 계약금액을 조정한다는 뜻을 명시하여야 한다. 〈개정 1999.9.9, 2005.9.8〉

③ 「국고금관리법 시행령」 제40조의 규정에 의하여 당해 계약상대자에게 선금을 지급한

1. 품목조정률 =

$$\frac{\text{각 품목 또는 비목의 수량에 등락폭을 곱하여 산출한 금액의 합계액}}{\text{계약금액}}$$

2. 등락폭 = 계약단가 × 등락률
3. 등락률 =

$$\frac{\text{물가변동당시가격} - \text{입찰당시가격}}{\text{입찰당시가격}}$$

② 영 제9조제1항제2호의 규정의 의한 예정가격을 기준으로 계약한 경우에는 제1항제1호 산식중 각 품목 또는 비목의 수량에 등락폭을 곱하여 산출한 금액의 합계액에는 동합계액에 비례하여 증감되는 일반관리비 및 이윤 등을 포함하여야 한다.

③ 제1항제1호의 등락폭을 산정함에 있어서는 다음 각 호의 기준에 의한다. 〈개정 2005.9.8〉

1. 물가변동당시가격이 계약단가보다 높고 동 계약단가가 입찰당시가격보다 높을 경

법 률	시 행 령	시 행 규 칙
	것이 있는 때에는 제1항의 규정에 의하여 산출한 증가액에서 기획재정부령이 정하는 바에 의하여 산출한 금액을 공제한다. 〈개정 1999.9.9, 2002.12.30, 2005.9.8, 2008.2.29〉 ④ 각 중앙관서의 장 또는 계약담당공무원은 관계법령에 의하여 최고판매가격이 고시되는 물품을 구매하는 경우 기타 제1항의 규정을 적용하여서는 물품을 조달하기 곤란한 경우에는 계약체결시에 계약금액의 조정에 관하여 제1항의 규정과 달리 정할 수 있다. 〈신설 1999.9.9〉 ⑤ 제1항의 규정을 적용함에 있어서 천재·지변 또는 원자재의 가격급등으로 인하여 당해 조정제한기간내에 계약금액을 조정하지 아니하고는 계약이행이 곤란하다고 인정되는 경우에는 동항의 규정에도 불구하고 계약을 체결한 날 또는 직전 조정기준일부터 90일 이내에 계약금액을 조정할 수 있다. 〈신설 2004.4.6, 2005.9.8〉	우의 등락폭은 물가변동당시가격에서 계약단가를 뺀 금액으로 한다. 2. 물가변동당시가격이 입찰당시가격보다 높고 계약단가보다 낮을 경우의 등락폭은 영으로 한다. ④ 영 제64조제1항제2호에 따른 지수조정률은 계약금액(조정기준일 이후에 이행될 부분을 그 대상으로 한다)의 산출내역을 구성하는 비목군 및 다음 각 호의 지수 등의 변동률에 따라 산출한다. 〈개정 1999.9.9, 2009.3.5〉 1. 한국은행이 조사하여 공표하는 생산자물가기본분류지수 또는 수입물가지수 2. 정부·지방자치단체 또는 「공공기관의 운영에 관한 법률」에 따른 공공기관이 결정·허가 또는 인가하는 노임·가격 또는 요금의 평균지수 3. 제7조제1항제1호의 규정에 의하여 조사·공표된 가격의 평균지수 4. 그 밖에 제1호부터 제3호까지와 유사한

⑥ 제1항 각 호에 불구하고 각 중앙관서의 장 또는 계약담당공무원은 공사계약의 경우 특정규격의 자재(해당 공사비를 구성하는 재료비·노무비·경비 합계액의 100분의 1을 초과하는 자재만 해당한다)별 가격변동으로 인하여 입찰일을 기준일로 하여 산정한 해당자재의 가격증감률이 100분의 15 이상인 때에는 그 자재에 한하여 계약금액을 조정한다. 〈신설 2006.12.29, 2010.7.21〉

⑦ 각 중앙관서의 장 또는 계약담당공무원은 환율변동을 원인으로 하여 제1항에 따른 계약금액 조정요건이 성립된 경우에는 계약금액을 조정한다. 〈신설 2008.12.31〉

⑧ 제1항에도 불구하고 각 중앙관서의 장 또는 계약담당공무원은 단순한 노무에 의한 용역으로서 기획재정부령으로 정하는 용역에 대해서는 예정가격 작성 이후 노임단가가 변동된 경우 노무비에 한정하여 계약금액을 조정한다. 〈신설 2018.3.6〉

지수로서 기획재정부장관이 정하는 지수

⑤ 영 제64조제1항의 규정에 의하여 계약금액을 조정함에 있어서 그 조정금액은 계약금액중 조정기준일 이후에 이행되는 부분의 대가(이하 "물가변동적용대가"라 한다)에 품목조정률 또는 지수조정률을 곱하여 산출하되, 계약상 조정기준일전에 이행이 완료되어야 할 부분은 이를 물가변동적용대가에서 제외한다. 다만, 정부에 책임이 있는 사유 또는 천재·지변 등 불가항력의 사유로 이행이 지연된 경우에는 물가변동적용대가에 이를 포함한다.

⑥ 영 제64조제3항의 규정에 의하여 선금을 지급한 경우의 공제금액의 산출은 다음 산식에 의한다. 이 경우 영 제69조제2항·제3항 또는 제5항의 규정에 의한 장기계속공사계약·장기물품제조계약 또는 계속비예산에 의한 계약등에 있어서의 물가변동적용대가는 당해연도 계약체결분 또는 당해연도 이행금

법 률	시 행 령	시 행 규 칙
	유 회계제도과-102, '09.01.13 · 회계제도과-285, '09.02.06 회계제도과-389, '09.02.26 · 회계제도과-416, '09.03.04 회계제도과-421, '09.03.05 · 회계제도과-800, '09.04.30 회계제도과-813, '09.05.04 · 회계제도과-947, '09.05.28 회계제도과-1002, '09.06.09 · 회계제도과-1152, '09.07.10 회계제도과-1031, '10.07.02 · 회계제도과-1066, '10.07.09 회계제도과-1111, '10.07.19 · 회계제도과-1304, '10.08.11 계약제도과-57, '10.09.10 · 계약제도과-436, '10.11.29 계약제도과-1062, '11.09.06 · 계약제도과-1328, '11.11.08 계약제도과-549, '12.05.03 · 계약제도과-647, '12.05.24	액을 기준으로 한다. 공제금액=물가변동적용대가×(품목조정률 또는 지수조정률)×선금급률 ⑦ 제1항에 따른 물가변동당시가격을 산정하는 경우에는 입찰당시가격을 산정한 때에 적용한 기준과 방법을 동일하게 적용하여야 한다. 다만, 천재·지변 또는 원자재 가격급등 등 불가피한 사유가 있는 경우에는 입찰당시가격을 산정한 때에 적용한 방법을 달리할 수 있다. 〈개정 1999.9.9, 2005.9.8, 2009.3.5〉 ⑧ 제1항에 따라 등락률을 산정함에 있어 제23조의3 각 호에 따른 용역계약(2006년 5월 25일 이전에 입찰공고되어 체결된 계약에 한한다)의 노무비의 등락률은 「최저임금법」에 따른 최저임금을 적용하여 산정한다. 〈신설 2006.12.29, 2010.7.21〉 ⑨ 각 중앙관서의 장 또는 계약담당공무원이 제1항 내지 제7항의 규정에 의하여 계약금액을 증액하여 조정하고자 하는 경우에는 계약

제65조(설계변경으로 인한 계약금액의 조정) ① 각 중앙관서의 장 또는 계약담당공무원은 공사계약의 경우 설계변경으로 인하여 공사량의 증감이 발생한 때에는 법 제19조에 따라 해당 계약금액을 조정한다. 다만, 제14조제7항 단서에 따라 입찰에 참가하려는 자가 물량내역서를 직접 작성하고 단가를 적은 산출내역서

상대자로부터 계약금액의 조정을 청구받은 날부터 30일 이내에 계약금액을 조정하여야 한다. 이 경우 예산배정의 지연 등 불가피한 사유가 있는 때에는 계약상대자와 협의하여 조정기한을 연장할 수 있으며, 계약금액을 증액할 수 있는 예산이 없는 때에는 공사량 또는 제조량 등을 조정하여 그 대가를 지급할 수 있다. 〈신설 1999.9.9, 2005.9.8〉

⑩ 기획재정부장관은 제4항에 따른 지수조정률의 산출 요령 등 물가변동으로 인한 계약금액의 조정에 관하여 필요한 세부사항을 정할 수 있다. 〈신설 1999.9.9., 2009.3.5〉

제74조의2(설계변경으로 인한 계약금액의 조정)

① 영 제65조의 규정에 의한 설계변경은 그 설계변경이 필요한 부분의 시공전에 완료하여야 한다. 다만, 각 중앙관서의 장 또는 계약담당공무원은 공정이행의 지연으로 품질저하가 우려되는 등 긴급하게 공사를 수행하게 할 필요가 있는 때에는 계약상대자와 협의하

법 률	시 행 령	시 행 규 칙
	를 제출하는 경우로서 그 물량내역서의 누락사항이나 오류 등으로 설계변경이 있는 경우에는 그 계약금액을 변경할 수 없다. 〈개정 2007.10.10, 2010.7.21, 2022.6.14.〉 ② 계약담당공무원은 예정가격의 100분의 86 미만으로 낙찰된 공사계약의 계약금액을 제1항에 따라 증액조정하려는 경우로서 해당 증액조정금액(2차 이후의 계약금액 조정에 있어서는 그 전에 설계변경으로 인하여 감액 또는 증액조정된 금액과 증액조정하려는 금액을 모두 합한 금액을 말한다)이 당초 계약서의 계약금액(장기계속공사의 경우에는 제69조제2항에 따라 부기된 총공사금액을 말한다)의 100분의 10 이상인 경우에는 제94조제1항에 따른 계약심의위원회, 「국가재정법 시행령」 제49조에 따른 예산집행심의회 또는 「건설기술진흥법 시행령」 제19조에 따른 기술자문위원회(이하 "기술자문위원회"라 한다)의 심의를 거쳐 소속중앙관서의 장의 승인	여 설계변경의 시기 등을 명확히 정하고, 설계변경을 완료하기 전에 우선 시공을 하게 할 수 있다. ② 제74조제9항 및 제10항의 규정은 제1항의 규정에 의한 계약금액의 조정에 관하여 이를 준용한다. [본조신설 1999.9.9]

을 얻어야 한다. 〈개정 2003.12.11, 2005.9.8, 2006.5.25, 2006.12.29, 2014.5.22, 2015.6.22〉

③ 제1항의 규정에 의하여 계약금액을 조정함에 있어서는 다음 각 호의 기준에 의한다. 〈개정 1996.12.31, 2005.9.8〉

1. 증감된 공사량의 단가는 제14조제6항 또는 제7항의 규정에 의하여 제출한 산출내역서상의 단가(이하 "계약단가"라 한다)로 한다. 다만, 계약단가가 제9조의 규정에 의한 예정가격의 단가(이하 "예정가격단가"라 한다)보다 높은 경우로서 물량이 증가하게 되는 경우 그 증가된 물량에 대한 적용단가는 예정가격단가로 한다.
2. 계약단가가 없는 신규비목의 단가는 설계변경 당시를 기준으로 하여 산정한 단가에 낙찰률을 곱한 금액으로 한다.
3. 정부에서 설계변경을 요구한 경우(계약상대자에게 책임이 없는 사유로 인한 경우를 포함한다)에는 제1호 및 제2호의 규정에

법 률	시 행 령	시 행 규 칙
	불구하고 증가된 물량 또는 신규비목의 단가는 설계변경당시를 기준으로 하여 산정한 단가와 동단가에 낙찰률을 곱한 금액의 범위안에서 계약당사자간에 협의하여 결정한다. 다만, 계약당사자간에 협의가 이루어지지 아니하는 경우에는 설계변경당시를 기준으로 하여 산정한 단가와 동단가에 낙찰률을 곱한 금액을 합한 금액의 100분의 50으로 한다. ④ 각 중앙관서의 장 또는 계약담당공무원은 계약상대자가 새로운 기술·공법 등을 사용함으로써 공사비의 절감, 시공기간의 단축 등에 효과가 현저할 것으로 인정되어 계약상대자의 요청에 의하여 필요한 설계변경을 한 때에는 계약금액의 조정에 있어서 당해절감액의 100분의 30에 해당하는 금액을 감액한다. 〈개정 1999.9.9, 2003.12.11, 2008.12.31〉 ⑤ 제4항의 경우 새로운 기술·공법 등의 범위와 한계에 관하여 이의가 있을 때에는 기술자	

문위원회(기술자문위원회가 설치되어 있지 아니한 경우에는 「건설기술진흥법」 제5조에 따른 건설기술심의위원회를 말한다)의 심의를 받아야 한다. 이 경우 새로운 기술·공법 등의 범위와 한계, 이의가 있을 경우의 처리방법 등 세부적인 시행절차는 각 중앙관서의 장이 정한다. 〈개정 2008.12.31, 2014.5.22〉

⑥ 계약금액의 증감분에 대한 일반관리비 및 이윤 등은 제14조제6항 또는 제7항의 규정에 의하여 제출한 산출내역서상의 일반관리비율 및 이윤율등에 의하되 기획재정부령이 정하는 율을 초과할 수 없다. 〈개정 1996.12.31, 1999.9.9, 2008.2.29〉

⑦ 제1항 내지 제6항의 규정은 제조·용역 등의 계약에 있어서 계약금액을 조정하는 경우에 이를 준용할 수 있다.

유 회계제도과-936, '09.05.26 · 회계제도과-566, '10.04.07
회계제도과-568, '10.04.07 · 계약제도과-355, '10.11.09
계약제도과-489, '10.12.09 · 계약제도과-892, '11.07.22
계약제도과-888, '11.07.22 · 계약제도과-938, '11.08.02
계약제도과-998, '11.08.24 · 계약제도과-1117, '11.09.22

법 률	시 행 령	시 행 규 칙
	계약제도과-1399, '11.11.23 · 계약제도과-1582, '11.12.28 계약제도과-32, '12.01.10 · 계약제도과-152, '12.02.13 계약제도과-290, '12.03.19 · 계약제도과-513, '12.04.27 계약제도과-1194, '12.09.11 · 계약제도과-1214, '12.09.14	
	제66조(기타 계약내용의 변경으로 인한 계약금액의 조정) ① 각 중앙관서의 장 또는 계약담당공무원은 법 제19조의 규정에 의하여 공사·제조등의 계약에 있어서 제64조 및 제65조의 규정에 의한 경우외에 공사기간·운반거리의 변경등 계약내용의 변경으로 계약금액을 조정하여야 할 필요가 있는 경우에는 그 변경된 내용에 따라 실비를 초과하지 아니하는 범위안에서 이를 조정한다. 〈개정 1996.12.31〉 ② 각 중앙관서의 장 또는 계약담당공무원은 단순한 노무에 의한 용역으로서 기획재정부령으로 정하는 용역에 대해서는 「최저임금법」에 따른 최저임금액이 변동되어 당초의 계약금액(제64조제8항에 따라 계약금액 조정을 하는 경우를 포함한다)으로는 최저임금 지급이 곤란하다고 인정하는 경우로서 기획재정	**제74조의3(기타 계약내용의 변경으로 인한 계약금액의 조정)** ① 영 제66조의 규정에 의한 공사기간, 운반거리의 변경 등 계약내용의 변경은 그 계약의 이행에 착수하기 전에 완료하여야 한다. 다만, 각 중앙관서의 장 또는 계약담당공무원은 계약이행의 지연으로 품질저하가 우려되는 등 긴급하게 계약을 이행하게 할 필요가 있는 때에는 계약상대자와 협의하여 계약내용 변경의 시기 등을 명확히 정하고, 계약내용을 변경하기 전에 우선 이행하게 할 수 있다. ② 제74조제9항 및 제10항의 규정은 제1항의 규정에 의한 계약금액의 조정에 관하여 이를 준용한다. [본조신설 1999.9.9]

제20조(회계연도 시작 전의 계약체결) 각 중앙관서의 장 또는 계약담당공무원은 임차계약·운송계약·보관계약 등 그 성질상 중단할 수 없는 계약의 경우 대통령령으로 정하는 바에 따라 「국고금 관리법」 제20조에도 불구하고 회계연도 시작 전에 해당 연도의 확정된 예산의 범위에서 미리 계약을 체결할 수 있다.
[전문개정 2012.12.18]

부장관이 정하는 요건에 해당하는 경우 계약금액을 조정한다. 〈신설 2018.3.6〉

③제65조제6항의 규정은 제1항의 경우에 이를 준용한다. 〈개정 2018.3.6〉

유 회계제도과-174, '09.01.21 · 회계제도과-510, '09.3.17
회계제도과-512, '09.03.17 · 회계제도과-704, '09.4.15
회계제도과-786, '09.04.28 · 회계제도과-902, '09.5.15
회계제도과-1005, '09.06.10 · 회계제도과-1053, '09.6.22
회계제도과-1177, '09.07.15 · 회계제도과-1628, '09.9.29
회계제도과-777, '10.05.18 · 계약제도과-351, '10.11.9
계약제도과-18, '11.01.05 · 계약제도과-39, '11.1.12
계약제도과-94, '11.01.28 · 계약제도과-287, '11.3.23
계약제도과-154, '12.02.13 · 계약제도과-686, '12.06.01

제67조(회계연도 개시 전의 계약) 각 중앙관서의 장 또는 계약담당공무원은 법 제20조의 규정에 의하여 회계연도 개시 전에 계약을 체결하고자 할 때에는 그 회계연도 개시일 이후에 계약의 효력이 발생하도록 하여야 한다.
[전문개정 2005.9.8]

제68조(공사의 분할계약금지) ① 각 중앙관서의 장 또는 계약담당공무원은 기획재정부장관

법 률	시 행 령	시 행 규 칙
	이 정하는 동일 구조물공사 및 단일공사로서 설계서등에 의하여 전체 사업내용이 확정된 공사는 이를 시기적으로 분할하거나 공사량을 분할하여 계약할 수 없다. 다만, 다음 각 호의 어느 하나에 해당하는 공사의 경우에는 그러하지 아니하다. 〈개정 1996.12.31, 1999.9.9, 2002.7.30, 2008.2.29, 2013.12.30〉 1. 다른 법률에 의하여 다른 업종의 공사와 분리발주할 수 있도록 규정된 공사 2. 공사의 성질이나 규모등에 비추어 분할시공함이 효율적인 공사 3. 하자책임구분이 용이하고 공정관리에 지장이 없는 다음 각 목의 어느 하나에 해당하는 공사로서 분리 시공하는 것이 효율적이라고 인정되는 공사 가. 설계서가 별도로 작성되는 공사 나. 공사의 성격상 공사의 종류별로 시공의 목적물, 시기와 장소 등이 명확히 구분되는 공사	

제21조(계속비 및 장기계속계약) ① 각 중앙관서의 장 또는 계약담당공무원은 「국가재정법」 제23조에 따른 계속비사업에 대하여는 총액과 연부액을 명백히 하여 계속비계약을 체결하여야 한다.

② 각 중앙관서의 장 또는 계약담당공무원은 임차, 운송, 보관, 전기·가스·수도의 공급, 그 밖에 그 성질상 수년간 계속하여 존속할 필요가 있거나 이행에 수년이 필요한 계약의 경우 대통령령으로 정하는 바에 따라 장기계속계약을 체결할 수 있다. 이 경우 각 회계연도 예산의 범위에서 해당 계약을 이행하게 하여야 한다. 〈개정 2020.6.9.〉

② 각 중앙관서의 장은 공사의 예산 편성과 기본설계 등 사업의 계획 단계부터 제1항에 따른 분할·분리 계약의 가능 여부를 검토하여야 한다. 〈신설 2013.12.30〉

유 회계제도과-111, '09.01.14 · 회계제도과-276, '10.02.18
회계제도과-1385, '10.08.26 · 계약제도과-402, '11.04.19
계약제도과-917, '11.07.27 · 계약제도과-1444, '11.12.01
계약제도과-1062, '12.08.16

제69조(장기계속계약 및 계속비계약) ① 다음 각 호의 어느 하나에 해당하는 계약으로서 법 제21조에 따라 장기계속계약을 체결하려는 경우에는 각 소속중앙관서의 장의 승인을 받아 단가에 대한 계약으로 체결할 수 있다. 〈개정 2014.11.4〉

1. 운송·보관·시험·조사·연구·측량·시설관리 등의 용역계약 또는 임차계약
2. 전기·가스·수도 등의 공급계약
3. 장비, 정보시스템 및 소프트웨어의 유지보수계약

② 장기계속공사는 낙찰 등에 의하여 결정된 총 공사금액을 부기하고 당해 연도의 예산의

법 률	시 행 령	시 행 규 칙
[전문개정 2012.3.21] 유 회계제도과-1106, '09.07.03 · 회계제도과-1555, '09.9.16 회계제도과-223, '10.02.05 · 회계제도과-1354, '10.08.19 계약제도과-73, '10.09.13 · 계약제도과-434, '10.11.29 계약제도과-497, '10.12.13 · 계약제도과-470, '11.05.04 계약제도과-1118, '11.09.23 · 계약제도과-82, '12.01.19 계약제도과-743, '12.06.08 · 계약제도과-1309, '12.10.15	범위 안에서 제1차공사를 이행하도록 계약을 체결하여야 한다. 이 경우 제2차공사 이후의 계약은 부기된 총 공사금액(제64조 내지 제66조의 규정에 의한 계약금액의 조정이 있는 경우에는 조정된 총 공사금액을 말한다)에서 이미 계약된 금액을 공제한 금액의 범위 안에서 계약을 체결할 것을 부관으로 약정하여야 한다. ③ 장기물품제조등과 정보시스템 구축사업(구축사업과 함께 해당 정보시스템의 운영 및 유지보수사업을 포괄하여 계약을 체결하는 경우를 포함한다)의 계약체결방법에 관하여는 제2항을 준용한다. 〈개정 2014.11.4〉 ④ 제2항 및 제3항의 규정에 의한 제1차 및 제2차이후의 계약금액은 총 공사·총 제조 등의 계약단가에 의하여 결정한다. ⑤ 계속비예산으로 집행하는 공사에 있어서는 총 공사와 연차별공사에 관한 사항을 명백히 하여 계약을 체결하여야 한다.	

제22조(단가계약) 각 중앙관서의 장 또는 계약담당공무원은 일정 기간 계속하여 제조, 수리, 가공, 매매, 공급, 사용 등의 계약을 할 필요가 있을 때에는 해당 연도 예산의 범위에서 단가(單價)에 대하여 계약을 체결할 수 있다.

[전문개정 2012.12.18]

유 회계제도과-499, '09.03.17 · 계약제도과-1532, '11.12.16 계약제도과-1265, '12.10.02

제23조(개산계약) ① 각 중앙관서의 장 또는 계약담당공무원은 다음 각 호의 어느 하나에 해당하는 계약으로서 미리 가격을 정할 수 없을 때에는 대통령령으로 정하는 바에 따라 개산계약(概算契約)을 체결할 수 있다.

1. 개발시제품(開發試製品)의 제조계약
2. 시험·조사·연구 용역계약
3. 「공공기관의 운영에 관한 법률」에 따른 공공기관과의 관계 법령에 따른 위탁 또는 대행 계약
4. 시간적 여유가 없는 긴급한 재해복구를 위한 계약

제70조(개산계약) ① 각 중앙관서의 장 또는 계약담당공무원은 법 제23조의 규정에 의하여 개산계약을 체결하고자 할 때에는 미리 개산가격을 결정하여야 한다. 〈개정 1996.12.31〉

② 각 중앙관서의 장은 제1항의 규정에 의하여 개산계약을 체결하고자 할 때에는 입찰전에 계약목적물의 특성·계약수량 및 이행기간등을 고려하여 원가검토에 필요한 기준 및 절차등을 정하여야 하며, 이를 입찰에 참가하고자 하는 자가 열람할 수 있도록 하여야 한다. 〈개정 1996.12.31〉

③ 계약담당공무원은 제1항의 규정에 의하여

법 률	시 행 령	시 행 규 칙
② 제1항에 따른 개산계약의 사후정산의 절차·기준 등에 관하여 필요한 사항은 대통령령으로 정한다. ③ 각 중앙관서의 장 또는 계약담당공무원은 제1항에 따라 개산계약을 체결하는 경우 제2항에 따른 사후정산의 절차·기준 등에 대하여 입찰공고 등을 통하여 입찰참가자에게 미리 알려주어야 한다. [전문개정 2012.12.18] 유 회계제도과-165, '09.01.19 · 회계제도과-295, '09.02.10 회계제도과-600, '09.03.31 · 회계제도과-993, '09.06.07 회계제도과-1107, '09.07.03 · 회계제도과-1108, '09.07.03 회계제도과-944, '10.06.18 · 회계제도과-1386, '10.08.26 계약제도과-256, '11.03.16 · 계약제도과-471, '11.05.04 계약제도과-1524, '11.12.15 · 계약제도과-1587, '11.12.29 계약제도과-140, '12.02.08 · 계약제도과-252, '12.03.09 계약제도과-471, '12.04.18 · 계약제도과-577, '12.05.09 계약제도과-714, '12.06.07 · 계약제도과-1158, '12.09.04 계약제도과-1211, '12.09.14	개산계약을 체결한 때에는 이를 감사원에 통지하여야 하며, 계약의 이행이 완료된 후에는 제9조 및 제2항의 규정에 의한 기준 등에 따라 정산하여 소속중앙관서의 장의 승인을 얻어야 한다. 〈신설 1996.12.31〉 유 계약제도과-1064, '12.08.16	
제24조(종합계약) ① 각 중앙관서의 장 또는 계약담당공무원은 같은 장소에서 다른 관서, 지방자치단체 또는 「공공기관의 운영에 관한 법률」에 따른 공기업 및 준정부기관이 관련되는 공사 등에 대하여 관련 기관과 공동으로	**제71조(종합계약)** 기획재정부장관은 법 제24조의 규정에 의한 종합계약의 체결에 있어서 필요하다고 인정할 때에는 종합계약의 체결방법 기타 필요한 사항을 정할 수 있다. 〈개정 1999.9.9, 2008.2.29〉	

발주하는 계약(이하 "종합계약"이라 한다)을 체결할 수 있다.

② 종합계약을 체결하는 데에 관련되는 기관의 장은 그 계약체결에 필요한 사항에 대하여 협조하여야 한다.

[전문개정 2012.12.18]

유 회계제도과-1607, '09.09.25 · 계약제도과-370, '10.11.12

제25조(공동계약) ① 각 중앙관서의 장 또는 계약담당공무원은 공사계약·제조계약 또는 그 밖의 계약에서 필요하다고 인정하면 계약상대자를 둘 이상으로 하는 공동계약을 체결할 수 있다.

② 제1항에 따라 계약서를 작성하는 경우에는 그 담당 공무원과 계약상대자 모두가 계약서에 기명하고 날인하거나 서명함으로써 계약이 확정된다.

[전문개정 2012.12.18]

판 대법원 2011.05.26. 선고 2008도6341 판결
대법원 2013.02.28. 선고 2012다107532 판결
서울고등법원 2012.06.15. 자 2011카합1987 결정

제72조(공동계약) ① 법 제25조의 규정에 의한 공동계약의 체결방법 기타 필요한 사항은 기획재정부장관이 정한다. 〈개정 1999.9.9, 2008.2.29〉

② 각 중앙관서의 장 또는 계약담당공무원이 경쟁에 의하여 계약을 체결하고자 할 경우에는 계약의 목적 및 성질상 공동계약에 의하는 것이 부적절하다고 인정되는 경우를 제외하고는 가능한 한 공동계약에 의하여야 한다.

③ 각 중앙관서의 장 또는 계약담당공무원은 제2항에 따른 공동계약을 체결할 때 다음 각 호의 어느 하나에 해당하는 사업인 경우에는

법 률	시 행 령	시 행 규 칙
	공사현장을 관할하는 특별시·광역시·특별자치시·도 및 특별자치도에 법인등기부상 본점소재지가 있는 자 중 1인 이상을 공동수급체의 구성원으로 해야 한다. 다만, 해당 지역에 공사의 이행에 필요한 자격을 갖춘 자가 10인 미만인 경우에는 그렇지 않다. 〈개정 1999.9.9, 2002.3.25, 2006.12.29, 2009.6.29, 2010.7.21, 2011.2.9, 2016.9.2, 2020.2.18, 2020.4.7〉 1. 추정가격이 고시금액 미만이고 건설업 등의 균형발전을 위하여 필요하다고 인정되는 사업 2. 저탄소·녹색성장의 효과적인 추진, 국토의 지속가능한 발전, 지역경제 활성화 등을 위해 특별히 필요하다고 인정하여 기획재정부장관이 고시하는 사업. 다만, 외국건설사업자(「건설산업기본법」 제9조제1항에 따라 건설업의 등록을 한 외국인 또는 외국법인을 말한다)가 계약상대자에 포함	

된 경우는 제외한다.

④ 제3항의 규정에 의한 공동계약의 경우 공동수급체의 구성원 중 당해 지역의 업체와 그외 지역의 업체간에는 「독점규제 및 공정거래에 관한 법률」에 의한 계열회사가 아니어야 한다. 〈개정 1999.9.9, 2005.9.8〉

[대통령령 제30597호(2020.4.7) 부칙 제2조의 규정에 의하여 이 조 제3항제2호는 2029년 12월 31일까지 유효함. 다만, 2029년 12월 31일까지 입찰공고한 사업에 대해서는 그 사업이 종료될 때까지 제72조제3항제2호의 개정규정을 적용한다.]

유 회계제도과-1056, '09.06.22 · 회계제도과-1165, '09.07.14
회계제도과-1497, '09.09.04 · 회계제도과-258, '10.02.11
회계제도과-657, '10.04.28 · 계약제도과-248, '10.10.14
계약제도과-291, '10.10.26 · 계약제도과-92, '11.01.28
계약제도과-381, '11.04.13 · 계약제도과-521, '11.05.16
계약제도과-884, '11.07.22 · 계약제도과-1042, '11.09.02
계약제도과-1202, '11.10.13 · 계약제도과-1266, '11.10.27
계약제도과-592, '12.05.14 · 계약제도과-966, '12.07.26
계약제도과-1156, '12.09.03 · 계약제도과-1500, '12.11.20

제72조의2(지식기반사업의 공동계약) 각 중앙관서의 장 또는 계약담당공무원은 지식기반

법 률	시 행 령	시 행 규 칙
	사업중 수 개의 전문분야가 요구되는 복합사업에 입찰참가자가 공동으로 참가하고자 하는 경우에는 특별한 사유가 없는 한 이를 허용하여야 한다. [본조신설 2003.12.11] **제73조(사후원가검토조건부 계약)** ① 각 중앙관서의 장 또는 계약담당공무원은 입찰전에 예정가격을 구성하는 일부비목별 금액을 결정할 수 없는 경우에는 사후원가검토조건으로 계약을 체결할 수 있다. ② 각 중앙관서의 장은 제1항의 규정에 의한 계약을 체결하고자 할 때에는 입찰전에 계약목적물의 특성·계약수량 및 이행기간 등을 고려하여 사후원가검토에 필요한 기준 및 절차 등을 정하여야 하며, 이를 입찰에 참가하고자 하는 자가 열람할 수 있도록 하여야 한다. ③ 계약의 이행이 완료된 후에는 제9조 및 제2항의 규정에 의한 기준 등에 따라 원가를 검토하여 정산하여야 한다.	

[전문개정 1996.12.31]

유 계약제도과-436, '12.04.13 · 계약제도과-715, '12.06.07 계약제도과-922, '12.07.12 · 계약제도과-1004, '12.08.08

제73조의2(건설사업관리용역계약) ① 각 중앙관서의 장 또는 계약담당공무원은 「건설산업기본법」에 따른 공사를 계약함에 있어서 계약목적물의 특성·규모 및 이행기간 등을 고려하여 필요하다고 인정하는 경우에는 「건설산업기본법」 제2조제8호에 따른 건설사업관리에 관한 업무를 수행할 수 있는 자와 건설사업관리용역계약을 체결할 수 있다. 〈개정 2011.11.1〉

② 제1항에 따른 계약의 체결방법 그 밖에 필요한 사항은 기획재정부장관이 정한다. 〈개정 2008.2.29〉

[본조신설 2006.5.25]

제26조(지체상금) ① 각 중앙관서의 장 또는 계약담당공무원은 정당한 이유 없이 계약의 이행을 지체한 계약상대자로 하여금 지체상금을 내도록 하여야 한다.

제74조(지체상금) ① 각 중앙관서의 장 또는 계약담당공무원은 계약상대자(국가기관과 지방자치단체를 제외한다)가 계약상의 의무를 지체한 때에는 지체상금으로서 계약금액

제75조(지체상금률) 영 제74조제1항에 따른 지체상금률은 다음 각 호와 같다. 〈개정 1996.12.31, 2005.9.8, 2010.7.21, 2014.11.4, 2017.12.28〉

1. 공사: 1천분의 0.5

법 률	시 행 령	시 행 규 칙
② 제1항에 따른 지체상금의 금액, 납부방법, 그 밖에 필요한 사항은 대통령령으로 정한다. ③ 제1항의 지체상금에 관하여는 제18조제3항 단서를 준용한다. [전문개정 2012.12.18]	(장기계속공사계약·장기계속물품제조계약·장기계속용역계약의 경우에는 연차별 계약금액을 말한다. 이하 이 조에서 같다)에 기획재정부령이 정하는 율과 지체일수를 곱한 금액을 계약상대자로 하여금 현금으로 납부하게 하여야 한다. 이 경우 계약상대자의 책임없는 사유로 계약이행이 지체되었다고 인정될 때에는 그 해당일수를 지체일수에 산입하지 아니한다. 〈개정 1999.9.9, 2006.5.25, 2008.2.29〉 ② 제1항의 경우 기성부분 또는 기납부분에 대하여 검사를 거쳐 이를 인수한 경우(인수하지 아니하고 관리·사용하고 있는 경우를 포함한다. 이하 이 조에서 같다)에는 그 부분에 상당하는 금액을 계약금액에서 공제한 금액을 기준으로 지체상금을 계산하여야 한다. 이 경우 기성부분 또는 기납부분의 인수는 성질상 분할할 수 있는 공사·물품 또는 용역 등에 대한 완성부분으로서 인수하는 것에 한	2. 물품의 제조·구매(영 제16조제3항에 따라 소프트웨어사업시 물품과 용역을 일괄하여 입찰에 부치는 경우를 포함한다. 이하 이 호에서 같다): 1천분의 0.75. 다만, 계약 이후 설계와 제조가 일괄하여 이루어지고, 그 설계에 대하여 발주한 중앙관서의 장의 승인이 필요한 물품의 제조·구매의 경우에는 1천분의 0.5로 한다. 3. 물품의 수리·가공·대여,용역(영 제16조제3항에 따라 소프트웨어사업시 물품과 용역을 일괄하여 입찰에 부치는 경우의 그 용역을 제외한다) 및 기타: 1천분의 1.25 4. 군용 음·식료품 제조·구매: 1천분의 1.5 5. 운송·보관 및 양곡가공: 1천분의 2.5

한다. 〈개정 1999.9.9〉

③ 제1항 및 제2항에 따라 납부할 지체상금이 계약금액(제2항에 따라 기성부분 또는 기납부분에 대하여 검사를 거쳐 이를 인수한 경우에는 그 부분에 상당하는 금액을 계약금액에서 공제한 금액을 말한다)의 100분의 30을 초과하는 경우에는 100분의 30으로 한다. 〈신설 2018.12.4〉

유 회계제도과-426, '09.03.05 · 회계제도과-570, '09.03.25
회계제도과-1058, '09.06.22 · 회계제도과-1456, '09.08.27
계약제도과-40, '10.09.08 · 계약제도과-644, '11.06.07
계약제도과-882, '11.07.22 · 계약제도과-883, '11.07.22
계약제도과-1061, '11.09.06 · 계약제도과-1263, '11.10.27
계약제도과-1581, '11.12.28 · 계약제도과-56, '12.01.12
계약제도과-82, '12.01.19 · 계약제도과-136, '12.02.08
계약제도과-248, '12.03.09 · 계약제도과-578, '12.05.09
계약제도과-675, '12.05.31 · 계약제도과-1154, '12.09.03

제75조(계약의 해제·해지) ① 각 중앙관서의 장 또는 계약담당공무원은 법 제12조제3항의 규정에 의하여 계약보증금을 국고에 귀속시키는 경우에는 계약에 특별히 정한 것이 없는 한 당해 계약을 해제 또는 해지하고 계약상대자에게 그 사유를 통지하여야 한다.

법 률	시 행 령	시 행 규 칙
	② 각 중앙관서의 장 또는 계약담당공무원은 제74조제1항에 따른 지체상금의 징수사유가 발생하고 그 금액이 제50조제1항에 따른 계약보증금상당액(면제된 계약보증금을 포함한다)에 달하는 경우에는 다음 각 호의 구분에 따른 방법으로 계약을 해제 또는 해지하거나 유지할 수 있다. 〈개정 2010.7.21, 2018.12.4〉 1. 계약상대자의 귀책사유로 계약을 수행할 가능성이 없음이 명백하다고 인정되는 경우 : 법 제12조제3항에 따라 계약보증금을 국고에 귀속시키고 해당 계약을 해제 또는 해지한다. 2. 제1호 외의 경우로서 계약상대자의 계약이행가능성이 있고 계약을 유지할 필요가 있다고 인정되는 경우: 계약이행이 완료되지 아니한 부분에 상당하는 계약보증금(당초 계약보증금에 제74조제3항에 따른 지체상금의 최대금액을 더한 금액을 한도로 한다)을 추가 납부하게 하고 계약을 유지	

한다. 이 경우 계약보증금의 추가납부에 관하여는 제50조제6항부터 제8항까지 및 제10항을 준용한다.

유 회계제도과-105, '09.01.13 · 회계제도과-235, '09.02.02
계약제도과-279, '11.03.22 · 계약제도과-343, '11.04.06
계약제도과-379, '11.04.13 · 계약제도과-472, '11.05.04
계약제도과-716, '11.06.23 · 계약제도과-1187, '11.10.11
계약제도과-1381, '11.11.18 · 계약제도과-98, '12.01.26
계약제도과-356, '12.03.29 · 계약제도과-646, '12.05.24
계약제도과-1061, '12.08.16 · 계약제도과-1137, '12.08.30
계약제도과-1186, '12.09.10 · 계약제도과-1486, '12.11.15

제27조(부정당업자의 입찰 참가자격 제한 등) ① 각 중앙관서의 장은 다음 각 호의 어느 하나에 해당하는 자(이하 "부정당업자"라 한다)에게는 2년 이내의 범위에서 대통령령으로 정하는 바에 따라 입찰 참가자격을 제한하여야 하며, 그 제한사실을 즉시 다른 중앙관서의 장에게 통보하여야 한다. 이 경우 통보를 받은 다른 중앙관서의 장은 대통령령으로 정하는 바에 따라 해당 부정당업자의 입찰 참가자격을 제한하여야 한다.

1. 계약을 이행할 때에 부실·조잡 또는 부당하게 하거나 부정한 행위를 한 자

제76조(부정당업자의 입찰참가자격 제한) ① 법 제27조제1항제8호에서 "대통령령으로 정하는 기준에 따른 사망 등 중대한 위해"란 「산업안전보건법」 제38조, 제39조 또는 제63조에 따른 안전 및 보건조치 의무를 위반하여 동시에 2명 이상의 근로자가 사망한 경우를 말한다. 〈신설 2021.7.6.〉

② 법 제27조제1항제9호 각 목 외의 부분에서 "대통령령으로 정하는 자"란 다음 각 호의 구분에 따른 자를 말한다. 〈개정 2018. 12. 4., 2018. 12. 11., 2019. 9. 17., 2020. 12. 8., 2021. 7. 6.〉

제76조(부정당업자의 입찰참가자격 제한기준 등) 영 제76조제4항에 따른 부정당업자의 입찰참가자격 제한의 세부기준은 별표 2와 같다. [전문개정 2016.9.23.] 〈개정 2021.7.6.〉

제77조(입찰참가자격제한에 관한 게재 등) ① 계약담당공무원은 법 제27조제1항에 따른 부정당업자에 해당된다고 인정하는 자가 있을 때에는 지체없이 그 소속 중앙관서의 장에게 보고하여야 한다. 〈개정 2016.9.23〉

② 삭제 〈1999.9.9〉

③ 영 제76조제10항에 따른 게재는 별지 제15호서식의 부정당업자제재확인서를 전자조

법 률	시 행 령	시 행 규 칙
2. 경쟁입찰, 계약 체결 또는 이행 과정에서 입찰자 또는 계약상대자 간에 서로 상의하여 미리 입찰가격, 수주 물량 또는 계약의 내용 등을 협정하였거나 특정인의 낙찰 또는 납품대상자 선정을 위하여 담합한 자 3. 「건설산업기본법」, 「전기공사업법」, 「정보통신공사업법」, 「소프트웨어산업진흥법」 및 그 밖의 다른 법률에 따른 하도급에 관한 제한규정을 위반(하도급통지의무위반의 경우는 제외한다)하여 하도급한 자 및 발주관서의 승인 없이 하도급을 하거나 발주관서의 승인을 얻은 하도급조건을 변경한 자 4. 사기, 그 밖의 부정한 행위로 입찰·낙찰 또는 계약의 체결·이행 과정에서 국가에 손해를 끼친 자 5. 「독점규제 및 공정거래에 관한 법률」 또는 「하도급거래 공정화에 관한 법률」을 위반하여 공정거래위원회로부터 입찰참가자	1. 경쟁의 공정한 집행을 저해할 염려가 있는 자로서 다음 각 목의 어느 하나에 해당하는 자 가. 입찰 또는 계약에 관한 서류[제39조에 따라 전자조달시스템을 통해 입찰서를 제출하는 경우 「전자서명법」 제2조제6호에 따른 인증서(서명자의 실지명의를 확인할 수 있는 것으로 한정한다)를 포함한다]를 위조·변조하거나 부정하게 행사한 자 또는 허위서류를 제출한 자 나. 고의로 무효의 입찰을 한 자. 다만, 입찰서상 금액과 산출내역서상 금액이 일치하지 않은 입찰 등 기획재정부령으로 정하는 입찰무효사유에 해당하는 입찰의 경우는 제외한다. 다. 삭제 〈2019.9.17.〉 라. 입찰참가를 방해하거나 낙찰자의 계약체결 또는 그 이행을 방해한 자 마. 삭제 〈2019.9.17.〉	달시스템에 게재하는 방법으로 한다. 〈개정 2006.5.25, 2013.9.17., 2016.9.23., 2021.7.6.〉 ④ 각 중앙관서의 장은 전자조달시스템을 이용하여 입찰참가자의 입찰참가자격이 제한되고 있는 지 여부를 확인하여야 한다. 〈개정 2002.8.24, 2013.9.17〉 ⑤ 영 제76조제11항에 따른 공개는 별지 제15호서식의 부정당업자제재확인서(영 제76조제11항 각 호의 사항만 기재한다)를 입찰참가자격제한 기간 동안 전자조달시스템에 공개하는 방법으로 한다. 〈신설 2016.9.23, 2021.7.6.〉 [제목개정 1999.9.9, 2006.5.25] **제75조의2(부정당업자의 입찰참가자격 제한)** 영 제76조제2항제1호나목 단서에서 "입찰서상 금액과 산출내역서상 금액이 일치하지 않은 입찰 등 기획재정부령으로 정하는 입찰무효사유에 해당하는 입찰"이란 제44조제1항제6호 및 제6호의3에 따른 입찰을 말한다. 〈개정 2021.7.6.〉

격 제한의 요청이 있는 자

6. 「대·중소기업 상생협력 촉진에 관한 법률」 제27조제5항에 따라 중소벤처기업부장관으로부터 입찰참가자격 제한의 요청이 있는 자

7. 입찰·낙찰 또는 계약의 체결·이행과 관련하여 관계 공무원(제27조의3제1항에 따른 과징금부과심의위원회, 제29조제1항에 따른 국가계약분쟁조정위원회, 「건설기술 진흥법」에 따른 중앙건설기술심의위원회·특별건설기술심의위원회 및 기술자문위원회, 그 밖에 대통령령으로 정하는 위원회의 위원을 포함한다)에게 뇌물을 준 자

8. 계약을 이행할 때에 「산업안전보건법」에 따른 안전·보건 조치 규정을 위반하여 근로자에게 대통령령으로 정하는 기준에 따른 사망 등 중대한 위해를 가한 자

9. 그 밖에 다음 각 목의 어느 하나에 해당하는 자로서 대통령령으로 정하는 자

바. 삭제 〈2019.9.17.〉

사. 삭제 〈2019.9.17.〉

2. 계약의 적정한 이행을 해칠 염려가 있는 자로서 다음 각 목의 어느 하나에 해당하는 자

가. 정당한 이유 없이 계약을 체결 또는 이행(제42조제5항에 따른 계약이행능력심사를 위하여 제출한 하도급관리계획, 외주근로자 근로조건 이행계획에 관한 사항의 이행과 제72조 및 제72조의2에 따른 공동계약에 관한 사항의 이행을 포함한다)하지 아니하거나 입찰공고와 계약서에 명시된 계약의 주요조건(입찰공고와 계약서에 이행을 하지 아니하였을 경우 입찰참가자격 제한을 받을 수 있음을 명시한 경우에 한정한다)을 위반한 자

나. 조사설계용역계약 또는 원가계산용역계약에 있어서 고의 또는 중대한 과실로 조사설계금액이나 원가계산금액을

[본조신설 2019.9.17.]

법률	시행령	시행규칙
가. 입찰·계약 관련 서류를 위조 또는 변조하거나 입찰·계약을 방해하는 등 경쟁의 공정한 집행을 저해할 염려가 있는 자 나. 정당한 이유 없이 계약의 체결 또는 이행 관련 행위를 하지 아니하거나 방해하는 등 계약의 적정한 이행을 해칠 염려가 있는 자 다. 다른 법령을 위반하는 등 입찰에 참가시키는 것이 적합하지 아니하다고 인정되는 자 ② 삭제 〈1997. 12. 13.〉 ③ 각 중앙관서의 장 또는 계약담당공무원은 제1항에 따라 입찰 참가자격을 제한받은 자와 수의계약을 체결하여서는 아니 된다. 다만, 제1항에 따라 입찰 참가자격을 제한받은 자 외에는 적합한 시공자, 제조자가 존재하지 아니하는 등 부득이한 사유가 있는 경우에는 그러하지 아니하다. 〈개정 2012.12.18〉 ④ 제1항에도 불구하고 각 중앙관서의 장은	적정하게 산정하지 아니한 자 다. 「건설기술 진흥법」 제47조에 따른 타당성 조사 용역의 계약에서 고의 또는 중대한 과실로 수요예측 등 타당성 조사를 부실하게 수행하여 발주기관에 손해를 끼친 자 라. 감독 또는 검사에 있어서 그 직무의 수행을 방해한 자 마. 시공 단계의 건설사업관리 용역계약 시 「건설기술 진흥법 시행령」 제60조 및 계약서 등에 따른 건설사업관리기술인 교체 사유 및 절차에 따르지 아니하고 건설사업관리기술인을 교체한 자 3. 다른 법령을 위반하는 등 입찰에 참가시키는 것이 적합하지 아니하다고 인정되는 자로서 다음 각 목의 어느 하나에 해당하는 자 가. 계약을 이행하면서 안전대책을 소홀히 하여 공중에게 위해를 가한 자 나. 「전자정부법」 제2조제13호에 따른 정	

제1항 각 호의 행위가 종료된 때(제5호 및 제6호의 경우에는 중소벤처기업부장관 또는 공정거래위원회로부터 요청이 있었던 때)부터 5년이 지난 경우에는 입찰 참가자격을 제한할 수 없다. 다만, 제2호 및 제7호의 행위에 대하여는 위반행위 종료일부터 7년으로 한다. 〈신설 2016.3.2, 2017.7.26, 2020.6.9〉

⑤ 각 중앙관서의 장은 제1항에 따라 입찰참가자격을 제한할 경우, 그 제한내용을 대통령령으로 정하는 바에 따라 공개하여야 한다. 〈신설 2016.3.2〉

[제목개정 2012.12.18, 2016. 3. 2]

[시행일 : 2020.12.10] 제27조

보시스템의 구축 및 유지·보수 계약의 이행과정에서 알게 된 정보 중 각 중앙관서의 장 또는 계약담당공무원이 누출될 경우 국가에 피해가 발생할 것으로 판단하여 사전에 누출금지정보로 지정하고 계약서에 명시한 정보를 무단으로 누출한 자

다. 「전자정부법」 제2조제10호에 따른 정보통신망 또는 같은 조 제13호에 따른 정보시스템(이하 이 목에서 "정보시스템등"이라 한다)의 구축 및 유지·보수 등 해당 계약의 이행과정에서 정보시스템등에 허가 없이 접속하거나 무단으로 정보를 수집할 수 있는 비(非)인가 프로그램을 설치하거나 그러한 행위에 악용될 수 있는 정보시스템등의 약점을 고의로 생성 또는 방치한 자

③ 각 중앙관서의 장은 다음 각 호의 어느 하나에 해당하는 자(이하 "부정당업자"라 한

법 률	시 행 령	시 행 규 칙
	다)에 대해서는 즉시 1개월 이상 2년 이하의 범위에서 입찰참가자격을 제한해야 한다. 다만, 부정당업자의 대리인, 지배인 또는 그 밖의 사용인이 법 제27조제1항 각 호의 어느 하나에 해당하는 행위를 하여 입찰참가자격 제한 사유가 발생한 경우로서 부정당업자가 대리인, 지배인 또는 그 밖의 사용인의 그 행위를 방지하기 위해 상당한 주의와 감독을 게을리하지 않은 경우에는 부정당업자에 대한 입찰참가자격을 제한하지 않는다. 〈개정 2019.9.17., 2021.7.6.〉 1. 계약상대자, 입찰자 또는 제30조제2항에 따라 전자조달시스템을 이용해 견적서를 제출하는 자로서 법 제27조제1항제1호부터 제4호까지 및 제7호부터 제9호까지의 규정 중의 어느 하나에 해당하는 자 2. 법 제27조제1항제5호 또는 제6호에 해당하는 자 ④ 제3항에 따른 입찰참가자격 제한의 기간에	

관한 사항은 법 제27조제1항 각 호에 해당하는 행위별로 부실벌점, 하자비율, 부정행위 유형, 고의·과실 여부, 뇌물 액수 및 국가에 손해를 끼친 정도 등을 고려하여 기획재정부령으로 정한다. 〈개정 2021.7.6.〉

⑤ 법 제25조에 따른 공동계약의 공동수급체가 법 제27조제1항 각 호의 어느 하나에 해당하는 경우에는 입찰참가자격 제한의 원인을 제공한 자에 대해서만 제3항을 적용한다. 〈개정 2021.7.6.〉

⑥ 다음 각 호의 어느 하나에 해당하는 자가 법 제27조제1항 각 호의 어느 하나에 해당하는 경우에는 그 구분에 따른 자에 대해서도 제3항을 적용한다. 〈개정 2021.7.6.〉

1. 법인 또는 단체: 법인 또는 단체의 대표자(대표자가 여러 명 있는 경우에는 해당 입찰 및 계약에 관한 업무를 소관하는 대표자로 한정한다)
2. 「중소기업협동조합법」에 따른 중소기업

법 률	시 행 령	시 행 규 칙
	협동조합: 입찰참가자격 제한의 원인을 제공한 조합원 〈개정 2019.9.17, 2021.7.6.〉 ⑦ 각 중앙관서의 장 또는 계약담당공무원은 제3항, 제5항 또는 제6항에 따라 입찰참가자격을 제한받은 자에 대해 제한기간 동안에는 해당 관서에서 집행하는 입찰에 참가할 수 없도록 해야 한다. 〈개정 2019.9.17, 2021.7.6.〉 ⑧ 각 중앙관서의 장 또는 계약담당공무원은 경쟁입찰에서 낙찰된 자가 계약체결 전에 제3항, 제5항 또는 제6항에 따라 입찰참가자격 제한을 받은 경우에는 그 낙찰자와 계약을 체결해서는 안 된다. 다만, 법 제21조에 따른 장기계속계약의 낙찰자가 최초로 계약을 체결한 이후 입찰참가자격 제한을 받은 경우로서 해당 장기계속계약에 대한 연차별계약을 체결하는 경우에는 해당 계약상대자와 계약을 체결할 수 있다. 〈개정 2019.9.17, 2021.7.6.〉 ⑨ 각 중앙관서의 장 또는 계약 담당공무원은 제6항제1호에 따라 입찰참가자격이 제한된	
		제77조(입찰참가자격제한에 관한 게재 등) ① 생략

	자가 대표자인 법인 또는 단체에 대해서도 제7항 및 제8항을 적용한다. 다만, 다음 각 호에 해당하는 경우에는 적용하지 않는다. 〈개정 2019.9.17, 2021.7.6.〉 1. 대표자가 여러 명 있는 경우로서 입찰참가자격이 제한된 대표자가 입찰에 관여하지 않은 경우 2. 입찰참가자격이 제한된 대표자가 「중소기업협동조합법」에 따른 중소기업협동조합의 이사장(협동조합연합회 및 중소기업중앙회의 경우에는 회장을 말한다)인 경우로서 해당 중소기업협동조합이 입찰참가자격 제한 사유와 관련 없는 경우	② 생략
	⑩ 각 중앙관서의 장은 입찰참가자격 제한처분을 한 경우에는 다음 각 호의 사항을 명백히 하여 제2호에 따른 입찰참가자격 제한기간의 개시일 전까지 다른 중앙관서의 장 또는 계약담당공무원이 알 수 있도록 기획재정부령으로 정하는 바에 따라 전자조달시스템에	③ 영 제76조제10항에 따른 게재는 별지 제15호서식의 부정당업자제재확인서를 전자조달시스템에 게재하는 방법으로 한다. 〈개정 2006.5.25, 2013.9.17., 2016.9.23., 2021.7.6.〉 ④ 생략

법 률	시 행 령	시 행 규 칙
	게재해야 한다. 〈개정 2019.9.17, 2021.7.6.〉 1. 업체(상호)명·주소·성명(법인인 경우 대표자성명, 법인등록번호)·주민등록번호·사업자등록번호, 관계 법령상 면허 또는 등록번호 2. 입찰참가자격 제한기간 3. 입찰참가자격을 제한하는 구체적인 사유 4. 입찰참가자격 제한처분이 집행정지된 경우 그 집행정지 또는 집행정지의 해제사실 ⑪ 각 중앙관서의 장은 입찰참가자격 제한처분을 한 경우에는 법 제27조제5항에 따라 다음 각 호의 사항을 입찰참가자격 제한기간의 개시일 전까지 기획재정부령으로 정하는 바에 따라 전자조달시스템에 공개해야 한다. 〈개정 2019.9.17, 2021.7.6.〉 1. 업체(상호)명·성명(법인인 경우 대표자성명, 법인등록번호) 및 사업자등록번호 2. 제10항제2호부터 제4호까지에 해당하는 사항	⑤ 영 제76조제11항에 따른 공개는 별지 제15호서식의 부정당업자제재확인서(영 제76조11항 각 호의 사항만 기재한다)를 입찰참가자격제한 기간 동안 전자조달시스템에 공개하는 방법으로 한다. 〈신설 2016.9.23, 2021.7.6.〉 [제목개정 1999.9.9, 2006.5.25]

⑫ 각 중앙관서의 장 또는 계약담당공무원은 「지방자치단체를 당사자로 하는 계약에 관한 법률」 또는 「공공기관의 운영에 관한 법률」 등 다른 법령에 따라 입찰참가자격 제한을 한 사실을 통보받거나 전자조달시스템에 게재된 자에 대해서도 입찰에 참가할 수 없도록 해야 한다. 〈개정 2019.9.17, 2021.7.6.〉

⑬ 각 중앙관서의 장 또는 계약담당공무원은 제3항, 제5항 및 제6항에 따라 자격이 제한된 자와 제10항에 따라 전자조달시스템에 게재된 자가 상호·대표자 변경 등의 방법으로 제한기간 내에 입찰에 참가하는 것을 방지하기 위해 입찰참가자의 주민등록번호, 법인등록번호, 관계 법령상의 면허 또는 등록번호 등을 확인해야 한다. 〈개정 2019.9.17, 2021.7.6.〉

⑭ 제10항부터 제13항까지에서 규정한 사항 외에 입찰참가자격 제한의 통보 등에 필요한 사항은 기획재정부령으로 정한다. 〈개정 2019.9.17, 2021.7.6.〉

법 률	시 행 령	시 행 규 칙
	[전문개정 2016.9.2] 유 회계제도과-511, '09.03.17 · 회계제도과-1303, '09.08.12 회계제도과-478, '10.03.20 · 회계제도과-681, '10.05.03 계약제도과-56, '10.09.10 · 계약제도과-156, '11.02.18 계약제도과-815, '11.07.11 · 계약제도과-816, '11.07.11 계약제도과-838, '11.07.18 · 계약제도과-1409, '11.11.24 계약제도과-30, '12.01.10 · 계약제도과-131, '12.02.08 계약제도과-132, '12.02.08 · 계약제도과-287, '12.03.19 계약제도과-648, '12.05.24 · 계약제도과-671, '12.05.31 계약제도과-920, '12.07.12 · 계약제도과-1310, '12.10.15	
제27조의2(과징금) ① 각 중앙관서의 장은 제27조제1항에 따라 부정당업자에게 입찰 참가자격을 제한하여야 하는 경우로서 다음 각 호의 어느 하나에 해당하는 경우에는 입찰 참가자격 제한을 갈음하여 다음 각 호의 구분에 따른 금액 이하의 과징금을 부과할 수 있다. 1. 부정당업자의 위반행위가 예견할 수 없음이 명백한 경제여건 변화에 기인하는 등 부정당업자의 책임이 경미한 경우로서 대통령령으로 정하는 경우 : 위반행위와 관련된 계약의 계약금액(계약을 체결하지 아니한 경우에는 추정가격을 말한다)의 100분의 10에 해당하는 금액	**제76조의2(과징금 부과의 세부적인 대상과 기준)** ① 법 제27조의2제1항제1호에서 "부정당업자의 책임이 경미한 경우로서 대통령령으로 정하는 경우"란 다음 각 호의 어느 하나에 해당하는 경우를 말한다. 다만, 법 제27조제1항제2호, 같은 항 제4호부터 제7호까지, 이 영 제76조제2항제1호가목·나목·라목 및 같은 항 제2호나목·다목에 해당하는 자는 제외한다. 〈개정 2014.11.4, 2016.9.2, 2018.12.4, 2021.7.6.〉 1. 천재지변이나 그 밖에 이에 준하는 부득이한 사유로 인한 경우 2. 국내·국외 경제 사정의 악화 등 급격한 경제 여건 변화로 인한 경우	**제77조의2(과징금 부과의 세부적인 대상과 기준)** ① 법 제27조의2제1항과 영 제76조의2에 따라 과징금을 부과하는 위반행위의 종류와 위반 정도 등에 따른 과징금 부과율은 다음 각 호의 구분에 따른 별표 3 및 별표 4와 같다. 1. 법 제27조의2제1항제1호 및 영 제76조의2제1항에 따른 부정당업자의 책임이 경미한 경우의 과징금 부과기준 : 별표 3 2. 법 제27조의2제1항제2호 및 영 제76조의2제2항에 따른 입찰참가자격 제한으로 유효한 경쟁입찰이 명백히 성립되지 아니하는 경우의 과징금 부과기준 : 별표 4 ② 각 중앙관서의 장은 위반행위의 동기·내용

2. 입찰 참가자격 제한으로 유효한 경쟁입찰이 명백히 성립되지 아니하는 경우로서 대통령령으로 정하는 경우 : 위반행위와 관련된 계약의 계약금액(계약을 체결하지 아니한 경우에는 추정가격을 말한다)의 100분의 30에 해당하는 금액

② 각 중앙관서의 장은 제1항에 따른 과징금 부과를 하려면 대통령령으로 정하는 바에 따라 제27조의3에 따른 과징금부과심의위원회의 심의를 거쳐야 한다.

③ 제1항에 따른 과징금의 금액과 그 밖에 필요한 사항은 대통령령으로 정한다.

④ 각 중앙관서의 장은 제1항에 따라 과징금을 부과받은 자가 납부기한까지 내지 아니하면 국세 체납처분의 예에 따라 징수한다.

[본조신설 2012.12.18]

3. 발주자에 의하여 계약의 주요 내용이 변경되거나 발주자로부터 받은 자료의 오류 등으로 인한 경우
4. 공동계약자나 하수급인 등 관련 업체에도 위반행위와 관련한 공동의 책임이 있는 경우
5. 입찰금액 과소산정으로 계약체결·이행이 곤란한 경우로서 제36조제16호에 따른 기준 및 비율을 적용하는 등 책임이 경미한 경우
6. 금액단위의 오기 등 명백한 단순착오로 가격을 잘못 제시하여 계약을 체결하지 못한 경우
7. 입찰의 공정성과 계약이행의 적정성이 현저하게 훼손되지 아니한 경우로서 부정당업자의 책임이 경미하며 다시 위반행위를 할 위험성이 낮다고 인정되는 사유가 있는 경우

② 법 제27조의2제1항제2호에서 "입찰참가과 횟수 등을 고려하여 제1항에 따른 과징금 금액의 2분의 1의 범위에서 이를 감경할 수 있다.

[본조신설 2013.6.19]

법 률	시 행 령	시 행 규 칙
	자격 제한으로 유효한 경쟁입찰이 명백히 성립되지 아니하는 경우로서 대통령령으로 정하는 경우"란 입찰자가 2인 미만이 될 것으로 예상되는 경우를 말한다. 〈개정 2014.11.4〉 ③ 법 제27조의2제1항에 따른 과징금의 부과비율과 그 밖에 필요한 사항은 법 제27조제1항 각 호에 해당하는 행위별로 부실벌점, 하자비율, 부정행위의 유형, 고의·과실 여부 등을 고려하여 기획재정부령으로 정한다. 〈개정 2016.9.2〉 [본조신설 2013.6.17] **제76조의3(과징금의 부과 및 납부)** ① 각 중앙관서의 장은 법 제27조의2에 따라 과징금을 부과하려는 때에는 위반행위의 종류와 과징금의 금액을 분명하게 적은 서면으로 알려야 한다. ② 제1항에 따라 통지를 받은 자는 통지를 받은 날부터 60일 이내에 과징금을 부과권자가 정하는 수납기관에 내야 한다. 다만, 천재	

지변이나 그 밖의 부득이한 사유로 그 기간 내에 과징금을 낼 수 없을 때에는 그 사유가 해소된 날부터 30일 이내에 내야 한다.

③ 제2항에 따라 과징금을 받은 수납기관은 과징금을 낸 자에게 영수증을 내줘야 한다.

④ 과징금의 수납기관이 제2항에 따라 과징금을 받았을 때에는 지체 없이 그 사실을 부과권자에게 통보하여야 한다.

[본조신설 2013.6.17]

제76조의4(과징금 납부기한의 연장 및 분할납부) ① 각 중앙관서의 장은 법 제27조의2에 따라 부정당업자가 납부하여야 할 과징금이 계약금액의 10퍼센트를 초과하는 경우 또는 「중소기업기본법」 제2조에 따른 중소기업자에게 10억원을 초과하여 과징금을 부과하는 경우로서 다음 각 호의 어느 하나에 해당하는 사유로 인하여 과징금을 납부하여야 하는 자가 과징금의 전액을 일시에 납부하기가 어렵다고 인정되는 경우에는 그 납부기한을 연장

법 률	시 행 령	시 행 규 칙
	하거나 분할납부하게 할 수 있다. 1. 재해 또는 도난 등으로 재산에 현저한 손실을 입은 경우 2. 사업 여건의 악화로 사업이 중대한 위기에 처한 경우 3. 과징금을 일시납부하면 자금 사정에 현저한 어려움이 예상되는 경우 4. 그 밖에 제1호부터 제3호까지와 유사한 사유가 있는 경우 ② 제1항에 따라 과징금 납부기한의 연장이나 분할납부를 신청하려는 자는 과징금 납부를 통지받은 날부터 30일 이내에 납부기한의 연장 또는 분할납부의 사유를 증명하는 서류를 첨부하여 각 중앙관서의 장에게 신청하여야 한다. ③ 제1항에 따른 납부기한의 연장은 그 납부기한의 다음 날부터 1년을 초과할 수 없다. ④ 제1항에 따라 분할납부를 하게 하는 경우 분할된 납부기한 간의 간격은 3개월을 초과할	

제27조의3(과징금부과심의위원회) ① 제27조의2에 따른 과징금 부과 여부 및 과징금 금액의 적정성을 심의하기 위하여 기획재정부에 과징금부과심의위원회를 둔다.

② 제1항에 따른 과징금부과심의위원회의 구성과 운영 등에 필요한 사항은 대통령령으로 정한다.

[본조신설 2012.12.18]

수 없으며, 분할 횟수는 3회를 초과할 수 없다.

[본조신설 2013.6.17]

제76조의5(과징금부과심의위원회의 구성) ① 법 제27조의3에 따라 구성되는 과징금부과심의위원회(이하 이 장에서 "위원회"라 한다)는 위원장 1명을 포함하여 15명 이내의 위원으로 구성한다.

② 위원회의 위원장은 기획재정부 제2차관이 되고, 위원은 성별을 고려한 다음 각 호의 사람이 된다. 〈개정 2014.11.19, 2017.7.26, 2021.7.6.〉

1. 기획재정부, 국방부, 행정안전부, 공정거래위원회, 국민권익위원회, 조달청의 고위공무원단에 속하는 공무원 중에서 소속 기관의 장이 지명하는 사람 각 1명 〈단서 삭제〉
2. 계약 관련 분야에 관한 학식과 경험이 풍부한 사람으로서 다음 각 목의 어느 하나에 해당하는 사람 중에서 기획재정부장관이 위촉하는 민간위원 8명 이내

법 률	시 행 령	시 행 규 칙
	가. 「고등교육법」에 따른 대학에서 법학·경제학 또는 경영학의 부교수 이상의 직에 근무한 경력이 있는 사람 나. 변호사의 자격을 가진 사람으로서 그 자격과 관련된 업무에 5년 이상 재직 중이거나 재직한 사람 다. 정부조달계약 업무에 관한 학식과 경험이 풍부한 사람으로서 가목과 나목의 기준에 상당하다고 인정되는 사람 ③ 제2항제2호의 민간위원의 임기는 2년으로 하되, 연임할 수 있다. 〈개정 2021.7.6.〉 ④ 위원 중 공무원이 아닌 위원의 사임 등으로 인하여 새로 위촉된 위원의 임기는 전임위원 임기의 남은 기간으로 한다. [본조신설 2013.6.17] **제76조의6(위원장의 직무)** ① 위원장은 위원회를 대표하고, 위원회의 업무를 총괄한다. ② 위원장이 부득이한 사유로 직무를 수행할 수 없을 때에는 기획재정부장관이 지명하는	

위원이 그 직무를 대행한다.

[본조신설 2013.6.17]

제76조의7(위원의 제척·기피·회피) ① 위원회의 위원은 다음 각 호의 어느 하나에 해당하는 사건에 대한 심의에서 제척(除斥)된다. 〈개정 2021.7.6.〉

1. 위원 또는 그 배우자나 배우자이었던 사람이 해당 부정당업자(부정당업자가 법인·단체 등인 경우에는 그 임원을 포함한다. 이하 이 호 및 제2호에서 같다)이거나 부정당업자의 공동권리자 또는 공동의무자인 사건
2. 위원이 해당 부정당업자와 친족이거나 친족이었던 경우
3. 위원이나 위원이 속한 기관 또는 법인이 해당 사건에 관하여 증언, 진술, 자문, 연구, 용역 또는 감정을 한 경우
4. 위원이나 위원이 속한 중앙관서가 발주한 계약에 관련된 사건

법 률	시 행 령	시 행 규 칙
	5. 위원이 각 중앙관서의 소속 공무원으로서 해당 사건과 관련된 조사 또는 심사를 한 사건 ② 해당 사건의 부정당업자는 위원에게 공정한 심의를 기대하기 어려운 사정이 있는 경우에는 기피 신청을 할 수 있다. 이 경우 위원장은 이 기피 신청에 대하여 위원회의 의결을 거치지 아니하고 기피 여부를 결정한다. ③ 위원이 제1항 각 호의 제척 사유와 제2항의 기피 사유에 해당하는 경우에는 스스로 그 사건의 심의에서 회피(回避)하여야 한다. [본조신설 2013.6.17] **제76조의8(위원의 지명철회·해임 및 해촉)** ① 제76조의5제2항제1호 본문에 따라 위원을 지명한 자는 해당 위원이 다음 각 호의 어느 하나에 해당하는 경우에는 그 지명을 철회할 수 있다. 1. 심신장애로 인하여 직무를 수행할 수 없게 된 경우	

2. 직무와 관련된 비위사실이 있는 경우
3. 직무태만, 품위손상이나 그 밖의 사유로 인하여 위원으로 적합하지 아니하다고 인정되는 경우
4. 위원 스스로 직무를 수행하는 것이 곤란하다고 의사를 밝히는 경우
5. 제76조의7제1항 또는 제2항의 사유에 해당하는 데에도 불구하고 회피하지 아니한 경우

② 기획재정부장관은 제76조의5제2항제2호에 따른 민간위원이 제1항 각 호의 어느 하나에 해당하는 경우에는 해당 위원을 해촉(解囑)할 수 있다.

[본조신설 2016.9.2]

[종전 제76조의8은 제76조의9로 이동 〈2016.9.2.〉]

제76조의9(심의의 요청) ① 각 중앙관서의 장은 법 제27조의2제2항에 따라 과징금 부과 여부나 과징금 금액의 적정성 등에 관한 심의를

법　　률	시　행　령	시　행　규　칙
	요청할 경우에는 다음 각 호의 사항을 적은 서면을 위원회에 제출하여야 한다. 1. 부정당업자의 성명과 주소(법인인 경우에는 법인의 명칭, 주된 사무소의 소재지, 그 대표자의 성명을 말한다) 2. 과징금 부과가 필요한 사유 3. 과징금 부과 액수와 판단 근거 ② 제1항의 서면에는 다음 각 호의 서류를 첨부하여야 한다. 1. 부정당업자에게 입찰 참가자격을 제한하거나 과징금을 부과하게 된 원인과 사실을 증명하는 서류 2. 그 밖에 심의에 필요한 증거 서류 ③ 위원회는 제1항과 제2항에 따른 서류만으로는 과징금 부과 여부와 과징금 금액의 적정성을 판단하기 곤란한 경우에는 상당한 기간을 정하여 서류의 보완을 요청할 수 있다. 이 경우 서류의 보완에 걸리는 기간은 제76조의10제1항에 따른 심의 기간에 산입하지 아니	

한다. 〈개정 2016.9.2〉

[본조신설 2013.6.17]

[제76조의8에서 이동, 종전 제76조의9는 제76조의10으로 이동 〈2016.9.2〉]

제76조의10(심의) ① 위원회는 각 중앙관서의 장으로부터 심의 요청을 받은 날부터 60일 이내에 심의 결과를 통보하여야 한다. 다만, 부득이한 사정이 있으면 30일의 범위에서 그 기간을 연장할 수 있다.

② 위원회는 필요한 경우 부정당업자와 해당 중앙관서의 장에게 심의 요청된 사항에 관한 서류의 제출을 요구할 수 있으며, 관계 전문기관에 감정·진단과 시험 등을 의뢰할 수 있다.

③ 위원회는 심의·결정의 완료 전에 부정당업자 및 해당 중앙관서의 장과 그 대리인에게 의견을 진술할 기회를 주어야 하며, 필요한 경우에는 부정당업자 및 해당 중앙관서의 장과 그 대리인, 증인 또는 관계전문가로 하여금 위원회에 출석하게 하여 그 의견을 들을 수 있다.

법 률	시 행 령	시 행 규 칙
	[본조신설 2013.6.17] [제76조의9에서 이동, 종전 제76조의10은 제76조의11로 이동 〈2016.9.2〉] **제76조의11(위원회의 회의)** ① 위원장은 위원회의 회의를 소집하고, 그 의장이 된다. ② 위원회의 회의는 재적위원 과반수의 출석으로 개의(開議)하고, 출석위원 과반수의 찬성으로 의결한다. ③ 위원회에 위원회의 사무를 처리할 간사 1명을 둔다. ④ 제1항부터 제3항까지에서 규정한 사항 외에 위원회의 운영에 필요한 사항은 위원회의 위원장이 정한다. [본조신설 2013.6.17] [제76조의10에서 이동, 종전 제76조의11은 제76조의12로 이동 〈2016.9.2〉] **제76조의12(소위원회)** ① 위원회의 업무를 효율적으로 처리하기 위해 위원회에 공사분야소위원회 및 물품·용역분야소위원회(이하 이	

장에서 "소위원회"라 한다)를 각각 둘 수 있다. 〈개정 2021.7.6.〉

② 공사분야소위원회는 건설·전기통신 등 공사와 관련된 과징금 부과의 심의에 관한 사항을 담당한다.

③ 물품·용역분야소위원회는 물품의 제조·구매와 용역과 관련된 과징금 부과의 심의에 관한 사항을 담당한다.

④ 소위원회는 소위원회의 위원장을 포함하여 10명 이내의 위원으로 구성한다.

⑤ 소위원회의 위원장 및 위원은 위원회의 위원 중에서 위원회의 위원장이 지명하되, 심의 요청된 사항의 전문성을 고려하여 필요한 경우에는 위원회의 위원이 아닌 사람을 소위원회의 위원으로 임명하거나 위촉할 수 있다.

⑥ 소위원회는 위원회에 심의 요청된 사안에 대해 미리 심의하여 결정안을 작성할 수 있다. 이 경우 소위원회는 결정안을 작성한 경우에는 작성된 결정안을 위원회에 상정해야 한다.

법 률	시 행 령	시 행 규 칙
	〈개정 2021.7.6.〉 ⑦ 소위원회의 심의, 회의 및 소위원회에 출석한 위원 등의 수당에 관하여는 제76조의10, 제76조의11 및 제76조의13을 준용한다. 이 경우 "위원회"는 "소위원회"로, "위원회의 위원장"은 "소위원회의 위원장"으로 본다. 〈개정 2016.9.2.〉 ⑧ 제1항부터 제7항까지에서 규정한 사항 외에 소위원회의 운영에 필요한 사항은 위원회의 위원장이 정한다. [본조신설 2013.6.17] [제76조의11에서 이동, 종전 제76조의12는 제76조의13으로 이동 〈2016.9.2〉] **제76조의13(수당)** 위원회에 출석한 위원 및 관계전문가에 대해서는 예산의 범위에서 수당을 지급할 수 있다. 다만, 공무원인 위원이 그 소관 업무와 직접 관련되어 위원회에 출석하는 경우에는 그러하지 아니하다. [본조신설 2013.6.17]	

제27조의4(하도급대금 직불조건부 입찰참가) ① 각 중앙관서의 장은 계약상대자가 「건설산업기본법」 제34조제1항 또는 「하도급거래 공정화에 관한 법률」 제13조제1항이나 제3항을 위반한 사실을 확인한 때에는 해당 계약상대자 및 위반행위를 다른 중앙관서의 장에게 지체 없이 통보하여야 한다.

② 제1항의 통보가 있는 때에는 각 중앙관서의 장 또는 계약담당공무원은 같은 항의 계약상대자가 통보일부터 1년 이내에 입찰공고일이 도래하는 입찰에 참가하고자 하는 경우 계약상대자가 제15조제1항에 따른 대가 지급시 하도급대금은 발주기관이 하수급인에게 직접 지급하는 것에 합의한다는 내용의 확약서를 제출하는 경우에 한정하여 입찰참가를 허용하여야 한다.

[본조신설 2012.12.18]

[제76조의12에서 이동 〈2016.9.2〉]

제77조 삭제 〈1998.2.2〉

법 률	시 행 령	시 행 규 칙
	제6장 대형공사계약 **제78조(적용대상 등)** 대형공사계약 중 대안입찰 또는 일괄입찰에 의한 계약과 특정공사의 계약에 관하여는 이 장에 규정한 바에 의하되, 이 장에 특별한 규정이 없는 사항에 관하여는 이 영의 다른 장에 규정한 바에 의한다. 〈개정 1999.9.9〉 **제79조(정의)** ① 이 장에서 사용하는 용어의 정의는 다음 각 호와 같다. 〈개정 1999.9.9, 2006.5.25, 2007.10.10〉 1. "대형공사"라 함은 총공사비 추정가격이 300억원 이상인 신규복합공종공사를 말한다. 2. "특정공사"라 함은 총공사비 추정가격이 300억원 미만인 신규복합공종공사 중 각 중앙관서의 장이 대안입찰 또는 일괄입찰로 집행함이 유리하다고 인정하는 공사를 말한다.	**제6장 대형공사계약**

3. “대안”이라 함은 정부가 작성한 실시설계서상의 공종중에서 대체가 가능한 공종에 대하여 기본방침의 변동없이 정부가 작성한 설계에 대체될 수 있는 동등 이상의 기능 및 효과를 가진 신공법·신기술·공기단축등이 반영된 설계로서 해당실시설계서상의 가격이 정부가 작성한 실시설계서상의 가격보다 낮고 공사기간이 정부가 작성한 실시설계서상의 기간을 초과하지 아니하는 방법(공기단축의 경우에는 공사기간이 정부가 작성한 실시설계서상의 기간보다 단축된 것에 한한다)으로 시공할 수 있는 설계를 말한다.
4. “대안입찰”이라 함은 원안입찰과 함께 따로 입찰자의 의사에 따라 제3호의 대안이 허용된 공사의 입찰을 말한다.
5. “일괄입찰”이라 함은 정부가 제시하는 공사일괄입찰기본계획 및 지침에 따라 입찰시에 그 공사의 설계서 기타 시공에 필요한

법 률	시 행 령	시 행 규 칙
	도면 및 서류(이하 "도서"라 한다)를 작성하여 입찰서와 함께 제출하는 설계·시공일괄입찰을 말한다. 6. "기본설계입찰"이라 함은 일괄입찰의 기본계획 및 지침에 따라 실시설계에 앞서 기본설계와 그에 따른 도서를 작성하여 입찰서와 함께 제출하는 입찰을 말한다. 7. "입찰안내서"라 함은 제4호 내지 제6호의 규정에 의한 입찰에 참가하고자 하는 자가 당해공사의 입찰에 참가하기 전에 숙지하여야 하는 공사의 범위·규모, 설계·시공기준, 품질 및 공정관리 기타 입찰 또는 계약이행에 관한 기본계획 및 지침 등을 포함한 문서를 말한다. 8. "실시설계서"라 함은 기본계획 및 지침과 기본설계에 따라 세부적으로 작성한 시공에 필요한 설계서(설계서에 부수되는 도서를 포함한다)를 말한다. 9. "계속비대형공사"라 함은 공사비가 계속비	

예산으로 계상된 대형공사를 말한다.

10. "일반대형공사"라 함은 공사비가 계속비 예산으로 계상되지 아니한 대형공사를 말한다.

② 제1항제3호의 경우에 대체될 수 있는 설계의 범위와 한계에 관하여 이의가 있는 경우에는 「건설기술진흥법」 제5조에 따른 중앙건설기술심의위원회(특별건설기술심의위원회를 포함하며, 이하 "중앙건설기술심의위원회"라 한다)의 심의를 거쳐 각 중앙관서의 장이 그 범위와 한계를 정한다. 다만, 기술자문위원회를 설치·운영하고 있는 각 중앙관서의 장(그 소속기관의 장을 포함한다. 이하 이 장에서 같다)은 기술자문위원회의 심의를 거쳐 그 범위와 한계를 정할 수 있다. 〈개정 1998.2.2, 2005.9.8, 2006.5.25, 2014.5.22〉

제80조(대형공사 입찰방법의 심의 등) ① 각 중앙관서의 장은 대형공사 및 특정공사(이하 이 조에서 "대형공사등"이라 한다)의 경우 다음

법 률	시 행 령	시 행 규 칙
	각 호의 사항에 관하여 중앙건설기술심의위원회의 심의를 거쳐야 한다. 〈개정 1999.9.9, 2006.5.25, 2016.9.2〉 1. 입찰의 방법에 관한 사항 2. 제85조의2제1항에 따른 실시설계적격자의 결정방법에 관한 사항 3. 제85조의2제2항에 따른 낙찰자 결정방법에 관한 사항 ② 각 중앙관서의 장은 제1항에 따라 중앙건설기술심의위원회의 심의를 받으려는 때에는 해당 연도 이후에 집행할 대형공사등의 집행기본계획서를 다음 각 호에서 정하는 순서에 따라 국토교통부장관에게 제출하여야 하며, 대형공사등의 집행기본계획서의 작성방법과 제출시기 등에 관한 사항은 기획재정부령으로 정한다. 〈개정 2007.10.10, 2008.2.29, 2013.3.23, 2016.9.2〉 1. 기본설계서 작성 전에 일괄입찰로 발주할 공사와 그 밖의 공사로 구분하여 제출	**제78조(대형공사 및 특정공사의 집행기본계획서의 제출)** ① 각 중앙관서의 장은 대형공사 및 특정공사에 대하여는 매년 영 제80조제2항에 따라 다음 각 호의 사항이 포함된 집행기본계획서를 작성하여 해당연도의 1월 15일까지 국토교통부장관에게 제출하여야 한다. 다만, 공사의 미확정 등 그 기한 내에 제출할 수 없는 특별한 사유가 있는 경우에는 그 사유가 없어진 후 지체 없이 집행기본계획서를 작성하여 국토교통부장관에게 제출하여야 한다. 〈개정 1996.12.31, 1998.2.23, 2006.5.25,

2. 일괄입찰로 발주하지 아니하기로 결정된 공사에 대하여는 실시설계서를 작성한 후 대안입찰로 발주하려는 공사에 대하여 제출

③ 국토교통부장관은 제2항에 따라 제출된 대형공사등의 집행기본계획서에 대하여 중앙건설기술심의위원회의 심의를 거친 때에는 심의결과에 따라 대안입찰 또는 일괄입찰의 방법에 의하여 집행할 대형공사등과 그 실시설계적격자 또는 낙찰자 결정방법을 공고하여야 한다. 〈개정 1999.9.9, 2008.2.29, 2013.3.23, 2016.9.2〉

④ 삭제 〈2006.5.25〉

⑤ 각 중앙관서의 장은 대형공사등에 있어서 특별한 사유가 없는 한 제3항에 따라 공고된 입찰방법과 그 실시설계적격자 또는 낙찰자 결정방법에 따라 입찰을 하여야 한다. 〈개정 2006.5.25, 2016.9.2〉

[전문개정 1998.2.2]

유 회계제도과-956, '09.05.31 · 계약제도과-16, '10.09.02

2007.10.10, 2009.3.5, 2013.3.23〉

1. 공사명
2. 공사의 개요
3. 공사추정금액
4. 공사기간
5. 공사장의 위치
6. 입찰예정시기
7. 입찰방법(대안입찰의 경우에는 대안입찰에 부칠 사항 또는 범위) 및 제안이유
8. 삭제 〈2006.5.25〉
9. 사업효과
10. 기타 참고사항

② 각 중앙관서의 장은 영 제80조제2항제1호에 따라 기본설계서를 작성하기 전에 일괄입찰로 발주할 공사와 일괄입찰로 발주하지 아니할 공사(이하 "기타공사"라 한다)로 구분하여 집행기본계획서를 작성하여야 하며, 영 제80조제3항에 따라 기타공사로 심의된 공사 중 실시설계서를 작성한 후 대안입찰로 발주

법 률	시 행 령	시 행 규 칙
	계약제도과-1000, '11.08.24 · 계약제도과-1251, '11.10.21 계약제도과-1446, '11.12.01 · 계약제도과-1559, '11.12.22 **제81조** 삭제 〈1996.12.31〉 **제82조** 삭제 〈1996.12.31〉 **제83조** 삭제 〈1996.12.31〉	할 필요가 인정되는 공사에 대하여는 제1항에 따른 심의의뢰를 위하여 집행기본계획서를 작성하여야 한다. 〈개정 2007.10.10〉 ③ 국방부장관은 제1항에도 불구하고 국방부에 「건설기술진흥법」 제5조제2항에 따른 특별건설기술심의위원회가 설치되어 있는 경우에는 집행기본계획서를 국토교통부장관에게 제출하지 아니할 수 있다. 〈신설 2006.5.25, 2007.10.10, 2009.3.5, 2013.3.23, 2016.2.1〉 [제목개정 1996.12.31, 2007.10.10] **제79조(중앙건설기술심의위원회의 심의)** ① 국토교통부장관은 제78조제1항에 따라 집행기본계획서를 제출받은 때에는 「건설기술진흥법」 제5조제2항에 따른 중앙건설기술심의위원회로 하여금 집행기본계획서에 포함된 공사의 입찰방법에 관하여 심의하게 하여야 한다. 다만, 기타공사의 경우에는 심의를 생략하게 할 수 있다. 〈개정 2007.10.10, 2009.3.5, 2013.3.23, 2016.2.1〉

② 국토교통부장관은 중앙건설기술심의위원회의 심의가 완료된 경우에는 다음 각 호의 구분에 따라 해당중앙관서의 장에게 공사별로 심의결과를 통보하여야 한다. 〈개정 2007.10.10, 2009.3.5, 2013.3.23〉

1. 매년 1월 15일까지 제출된 집행기본계획서의 경우 : 매년 2월 20일까지
2. 매년 1월 16일 이후에 제출된 집행기본계획서의 경우 : 심의를 완료한 후 10일 이내

③ 각 중앙관서의 장은 특별한 사유가 없는 한 제2항에 따라 통보된 심의결과에 따라 집행기본계획서를 조정하여야 한다. 〈개정 2007.10.10〉

[전문개정 2006.5.25]

유 계약제도과-1130, '12.08.29

제79조의2(특별건설기술심의위원회의 심의) 국방부장관은 제79조제1항에 불구하고 국방부에 「건설기술진흥법」 제5조제2항에 따른 특별건설기술심의위원회가 설치되어 있는 경

법 률	시 행 령	시 행 규 칙
	제84조(일괄입찰 등의 입찰참가자격) ① 각 중앙관서의 장 또는 계약담당공무원은 다음 각 호의 요건을 모두 갖춘 자에 한하여 일괄입찰 또는 대안입찰에 참가하게 하여야 한다. 다	우에는 특별건설기술심의위원회로 하여금 집행기본계획서에 명시된 모든 공사의 입찰방법에 관하여 심의하게 하여야 한다. 〈개정 2007.10.10, 2016.2.1〉 [본조신설 2006.5.25] **제80조** 삭제 〈2006.5.25〉 **제81조(대안입찰 및 일괄입찰 대상공사의 공고)** 국토교통부장관 또는 국방부장관은 제79조제1항 또는 제79조의2에 따라 중앙건설기술심의위원회 또는 특별건설기술심의위원회의 심의를 완료한 때에는 대안입찰 및 일괄입찰의 방법으로 집행할 공사를 신문 또는 전자조달시스템에 공고하여야 한다. 〈개정 2009.3.5, 2013.3.23, 2013.9.17〉 [전문개정 2006.5.25]

만, 제1호 및 제2호의 요건 중 어느 하나만을 갖춘 자들이 공동으로 다음 각 호의 요건을 모두 갖추어 일괄입찰 또는 대안입찰에 참가하고자 하는 경우에는 이들의 입찰참가를 허용하여야 한다. 〈개정 2014.5.22. 2020.1.7, 2021.9.14.〉

1. 「건설산업기본법」 제9조에 따라 해당공사의 시공에 필요한 건설업의 등록을 한 자일 것
2. 「건설기술진흥법」 제26조에 따른 건설엔지니어링사업자 또는 「건축사법」 제23조에 따라 건축사업무신고를 한 자일 것

② 각 중앙관서의 장 또는 계약담당공무원은 제1항에 불구하고 대안입찰의 경우 대안을 제출하지 아니하고 원안에 의한 입찰을 하는 자에 대하여는 제1항제1호의 요건만을 갖춘 자에 대하여도 입찰에 참가하게 하여야 한다. [전문개정 2006.5.25]

유 계약제도과-885, '11.07.22

법 률	시 행 령	시 행 규 칙
	제84조의2 삭제 〈2010.7.21〉 **제85조(일괄입찰 등의 입찰절차)** ① 일괄입찰은 기본설계입찰을 실시하여 제87조제1항의 규정에 의하여 실시설계적격자로 선정된 자에 한하여 실시설계서를 제출하게 하여야 한다. ② 대안입찰자가 원안입찰과 함께 대안을 제출하는 경우 다음 각 호의 도서를 입찰서에 첨부하여 제출하게 하여야 한다. 다만, 동시에 2개이상의 대안을 제출할 수 없다. 〈개정 1999.9.9, 2005.9.8, 2006.5.25, 2014.5.22〉 1. 대안설계에 대한 구체적인 설명서 2. 「건설기술진흥법 시행령」 제11조의 규정에 의한 관계서류 3. 원안입찰 및 대안입찰에 대한 단가와 수량을 명백히 한 산출내역서 4. 대안의 채택에 따른 이점 기타 참고사항을 기재한 서류 5. 삭제 〈2006.5.25〉 ③ 일괄입찰자는 기본설계입찰서 또는 실시	

설계서에 다음 각호의 구분에 따른 도서를 첨부하여 제출하여야 한다. 〈개정 2005.9.8, 2014.5.22〉

1. 기본설계입찰서의 경우
   가. 기본설계에 대한 설명서
   나. 「건설기술진흥법 시행령」 제11조의 규정에 의한 관계서류
   다. 기타 공고로 요구한 사항
2. 실시설계서의 경우
   가. 실시설계에 대한 구체적인 설명서
   나. 「건설기술진흥법 시행령」 제11조의 규정에 의한 관계서류
   다. 단가 및 수량을 명백히 한 산출내역서
   라. 기타 참고사항을 기재한 서류

④ 삭제 〈1999.9.9〉

⑤ 각 중앙관서의 장 또는 계약담당공무원은 다음 각 호의 어느 하나에 해당하는 때에는 중앙건설기술심의위원회에 해당 설계의 적격여부에 대한 심의 및 설계점수평가를 의뢰

법 률	시 행 령	시 행 규 칙
	하여야 한다. 이 경우 중앙건설기술심의위원회는 기술적 타당성을 검토하고 설계의 적격여부를 명백히 한 서류(원안입찰의 경우를 제외한다) 및 설계점수를 해당 중앙관서의 장 또는 계약담당공무원에게 통지하여야 한다. 〈개정 1999.9.9, 2006.5.25, 2016.9.2〉 1. 대안입찰의 경우로서 원안설계서와 제86조제1항에 따라 선정된 낙찰적격입찰의 대안입찰서를 제출받은 때 2. 일괄입찰의 경우로서 제3항의 규정에 의한 기본설계입찰서 또는 실시설계서를 제출받은 때 3. 일괄입찰로 발주된 공사에 대하여 제20조에 따른 재공고입찰 결과 입찰자가 1인뿐인 경우로서 그 입찰자의 기본설계입찰서 또는 실시설계서를 제출받은 때 ⑥ 각 중앙관서의 장 또는 계약담당공무원은 제5항의 규정에 의한 설계심의에 대하여는 기술자문위원회의 심의로 갈음할 수 있다.	

다만, 기술자문위원회가 설치되어 있지 아니한 경우에는 그러하지 아니하다. 〈신설 1996.12.31, 1998.2.2, 2014.5.22〉

⑦ 중앙건설기술심의위원회 또는 기술자문위원회는 제5항 또는 제6항의 규정에 의하여 설계의 심의를 함에 있어서 대안입찰서·기본설계입찰서 또는 실시설계서에 첨부된 도서가 입찰의 기본계획 및 지침의 내용이나 기본설계의 내용에 비추어 미비하거나 그 내용이 분명하지 아니한 경우에는 이에 대한 보완을 요구할 수 있다. 〈개정 1996.12.31, 1999.9.9., 2014.5.22〉

제85조의2(일괄입찰 등의 실시설계적격자 또는 낙찰자 결정방법 등 선택) ① 각 중앙관서의 장 또는 계약담당공무원은 일괄입찰의 경우 제87조제1항에 따라 선정된 자를 대상으로 중앙건설기술심의위원회에서 공사의 목적 및 특성 등을 고려하여 다음 각 호의 어느 하나에 해당하는 방법 중 해당 공사에 가장 적합하다

법 률	시 행 령	시 행 규 칙
	고 심의한 방법으로 실시설계적격자를 결정하여야 한다. 〈개정 2011.2.9, 2016.9.2〉 1. 설계점수(제84조제1항제2호의 자가 제39조제4항에 따라 입찰무효에 해당하는 경우에는 기획재정부장관이 정하는 바에 따라 감점한 점수를 말한다. 이하 이 조에서 같다)가 기획재정부장관이 정하는 범위에서 각 중앙관서의 장 또는 계약담당공무원이 정한 기준을 초과한 자로서 최저가격으로 입찰한 자를 실시설계적격자로 결정하는 방법 2. 입찰가격을 설계점수로 나누어 조정된 수치가 가장 낮은 자 또는 설계점수를 입찰가격으로 나누어 조정된 점수가 가장 높은 자를 실시설계적격자로 결정하는 방법 3. 설계점수와 가격점수에 가중치를 부여하여 각각 평가한 결과를 합산한 점수가 가장 높은 자를 실시설계적격자로 결정하는 방법 4. 계약금액을 확정하고 기본설계서만 제출	

하도록 한 경우 설계점수가 가장 높은 자를 실시설계적격자로 결정하는 방법

② 각 중앙관서의 장 또는 계약담당공무원은 대안입찰의 경우 원안입찰자와 제86조제2항부터 제4항까지의 규정에 따라 채택된 대안을 제출한 자를 대상으로 중앙건설기술심의위원회에서 공사의 목적 및 특성 등을 고려하여 다음 각 호의 어느 하나에 해당하는 방법 중 해당 공사에 가장 적합하다고 심의한 방법으로 낙찰자를 결정하여야 한다. 〈개정 2016.9.2〉

1. 최저가격으로 입찰한 자를 낙찰자로 결정하는 방법
2. 입찰가격을 설계점수로 나누어 조정된 수치가 가장 낮은 자 또는 설계점수를 입찰가격으로 나누어 조정된 점수가 가장 높은 자를 낙찰자로 결정하는 방법
3. 설계점수와 가격점수에 가중치를 부여하여 각각 평가한 결과를 합산한 점수가 가장 높은 자를 낙찰자로 결정하는 방법

법 률	시 행 령	시 행 규 칙
	③ 각 중앙관서의 장 또는 계약담당공무원은 제1항 및 제2항에 따른 실시설계적격자 또는 낙찰자의 결정방법을 입찰공고를 할 때에 명시하여야 한다. ④ 일괄입찰에 있어 제1항제4호에 따라 실시설계적격자를 결정하는 경우에는 제79조제1항제5호 및 제6호에도 불구하고 기본설계입찰시 입찰서를 제출하게 하지 아니한다. ⑤ 제1항 및 제2항 각 호에 따른 실시설계적격자 및 낙찰자의 결정 방법에 필요한 설계점수·가격점수의 산출방법과 가중치, 설계와 가격 조정을 위한 산식, 그 밖에 필요한 사항은 기획재정부장관이 정한다. 〈개정 2008.2.29〉 [본조신설 2007.10.10] 유 계약제도과-488, '12.04.20 **제86조(대안입찰의 대안채택 및 낙찰자 결정)** ① 각 중앙관서의 장 또는 계약담당공무원은 제85조제2항에 따라 제출된 대안입찰서의 대안입찰가격(제3항 또는 제4항에 따른 조정을	

거친 후의 대안입찰가격을 포함한다)이 다음 각 호의 요건을 모두 충족하는 경우에는 이를 낙찰적격입찰로 선정한다.

1. 대안입찰가격이 입찰자 자신의 원안입찰가격보다 낮을 것
2. 대안입찰가격이 총공사 예정가격 이하로서 대안공종에 대한 입찰가격이 대안공종에 대한 예정가격 이하일 것

② 각 중앙관서의 장 또는 계약담당공무원은 제1항에 따라 선정된 낙찰적격입찰의 대안입찰서에 대하여 제85조제5항에 따라 설계의 적격여부 및 설계점수를 통지받은 때에는 적격으로 통지된 대안입찰서 중 설계점수가 높은 순으로 최대 6개의 대안(적격으로 통지된 대안이 6개 미만인 경우에는 적격으로 통지된 모든 대안)을 선정한 후 대안설계점수가 원안설계점수보다 높은 것을 대안으로 채택한다. 다만, 수개의 대안공종 중 일부 공종에 대한 대안설계점수가 원안설계점수보다 낮은 경

법 률	시 행 령	시 행 규 칙
	우에는 해당공종에 대한 대안공종은 이를 채택하지 않는다. 〈개정 2006.12.29, 2019.9.17〉 ③ 각 중앙관서의 장 또는 계약담당공무원은 제2항 단서에 따라 대안으로 채택되지 않은 공종이 있는 경우에는 대안입찰자의 대안입찰서상 해당공종의 입찰가격을 원안입찰시에 제출한 산출내역서상의 해당공종의 입찰가격으로 대체하여 전체 대안입찰가격을 조정해야 한다. 〈개정 2019.9.17〉 ④ 각 중앙관서의 장 또는 계약담당공무원은 제3항에 따른 조정을 거친 후 제2항 단서에 따라 대안으로 채택되지 않은 공종으로 인해 불가피하게 채택된 공종에 대한 설계의 일부를 수정해야 하는 경우에는 이를 수정할 수 있다. 다만, 수정하게 되는 공종의 입찰가격은 증액할 수 없다. 〈개정 2019.9.17〉 ⑤ 각 중앙관서의 장 또는 계약담당공무원은 원안입찰자와 제2항부터 제4항까지의 규정에 따라 채택된 대안을 제출한 자 중에서 제85	

조의2제2항에 따라 선택된 낙찰자 결정방법을 적용하여 낙찰자를 결정한다. 〈개정 2007.10.10, 2019.9.17〉

⑥ 각 중앙관서의 장 또는 계약담당공무원은 대안을 제출한 자가 없거나, 제5항에 따른 낙찰자가 없는 경우에는 원안입찰가격이 예정가격 이하로서 최저가격인 입찰을 제출한 자부터 순차적으로 다음 각 호의 방법에 따라 낙찰자를 결정한다. 〈개정 2015.12.31, 2018.12.4, 2019.9.17〉

1. 추정가격이 100억원 이상인 공사 : 제42조제4항에 따라 각 입찰자의 입찰가격, 공사수행능력 및 사회적 책임 등을 종합 심사하여 낙찰자를 결정
2. 제1호 외의 공사 : 제42조제1항에 따라 계약이행능력 및 일자리창출 실적 등을 심사하여 낙찰자를 결정

⑦ 제1항부터 제6항까지의 규정에 따른 낙찰자 결정은 부득이한 사유가 없는 한 입찰

법 률	시 행 령	시 행 규 칙
	일부터 80일 이내에 하여야 한다. 〈개정 2019.9.17〉 ⑧ 각 중앙관서의 장 또는 계약담당공무원은 제3항 및 제4항에 따른 조정 또는 수정을 하는 경우 미리 중앙건설기술심의위원회 또는 기술자문위원회의 심의를 거쳐야 한다. 〈개정 2014.5.22〉 [전문개정 2006.5.25] **제87조(일괄입찰의 낙찰자 선정)** ① 각 중앙관서의 장 또는 계약담당공무원은 기본설계입찰에 있어서 제85조제5항의 규정에 의한 통지를 받은 때에는 입찰자 중 설계점수가 높은 순으로 최대 6인(적격으로 통지된 입찰자가 6인 미만인 경우에는 적격으로 통지된 모든 입찰자)을 선정한 후 제85조의2제1항에 따라 선택된 실시설계적격자 결정방법을 적용하여 실시설계적격자로 결정한다. 다만, 제85조제5항에 따른 기본설계적격자가 1인 이하인 경우에는 재공고입찰에 의하여야 한다. 〈개정	

2006.5.25, 2006.12.29, 2007.10.10〉

② 각 중앙관서의 장 또는 계약담당공무원은 제85조제5항 및 제6항의 규정에 의하여 중앙건설기술심의위원회 또는 기술자문위원회로부터 당해 실시설계의 적격통지를 받은 때에는 그 실시설계서를 제출한 자를 낙찰자로 결정한다. 〈개정 1996.12.31, 2014.5.22〉

③ 각 중앙관서의 장 또는 계약담당공무원은 제1항의 규정에 의하여 실시설계적격자로 결정된 입찰자의 입찰금액이 계속비대형공사에 있어서는 계속비예산, 일반대형공사에 있어서는 총공사예산을 각각 초과하는 경우에는 예산의 범위안으로 가격을 조정하기 위하여 그 입찰자와 협의하여야 하며 협의가 성립되지 아니할 때에는 재공고입찰에 의하여야 한다. 〈개정 1999.9.9〉

④ 제1항 및 제2항의 규정에 의한 낙찰자의 결정은 부득이한 사유가 없는 한 실시설계서가 제출된 날부터 60일 이내에 하여야 한다.

법 률	시 행 령	시 행 규 칙
	⑤ 각 중앙관서의 장 또는 계약담당공무원은 제2항의 규정에 의한 낙찰자결정에 있어서 공사의 시급성 기타 특수한 사정으로 인하여 필요하다고 인정하는 경우에는 제1항의 규정에 의한 실시설계적격자로 하여금 당해공사를 공정별 우선순위에 따라 구분하여 실시설계서를 작성하게 할 수 있으며, 당해 실시설계서에 대하여 중앙건설기술심의위원회 또는 기술자문위원회로부터 실시설계적격통지를 받은 때에는 그 실시설계적격자를 낙찰자로 결정하고 우선순위에 따라 공사를 시행하게 할 수 있다. 〈신설 1999.9.9, 2014.5.22〉 ⑥ 각 중앙관서의 장 또는 계약담당공무원은 제5항의 규정에 의하여 낙찰자로 결정된 자로 하여금 공사를 시행하게 하기 전에 총 공사와 실시설계적격통지를 받은 공사에 대한 산출내역서를 제출하게 하여 이에 따라 계약을 체결하여야 한다. 〈신설 1999.9.9〉 ⑦ 각 중앙관서의 장 또는 계약담당공무원은	

총 공사에 대한 최종실시설계적격통지가 있는 때에는 제6항의 규정에 의하여 계약을 체결한 자로 하여금 산출내역서를 다시 작성하여 당초의 산출내역서와 대체하도록 하여야 한다. 이 경우 당초의 계약금액은 이를 증액할 수 없다. 〈신설 1999.9.9, 2000.12.27〉

⑧ 각 중앙관서의 장 또는 계약담당공무원은 제5항 및 제6항의 규정에 의하여 낙찰자를 결정하거나 계약을 체결하고자 하는 경우에는 실시설계서를 우선 제출하여야 하는 공종의 범위 및 제출기한, 산출내역서의 작성·제출에 관한 사항 등을 입찰안내서등에 명시하여 입찰에 참가하고자 하는 자가 입찰전에 미리 이를 알 수 있도록 하여야 한다. 〈신설 1999.9.9.〉

제88조 삭제 〈1999.9.9〉

제89조(설계비 보상) ① 각 중앙관서의 장 또는 계약담당공무원은 다음 각 호의 어느 하나에 해당하는 자의 전부 또는 일부에 대하여는 예산의 범위안에서 설계비의 일부를 보상할 수 있

법 률	시 행 령	시 행 규 칙
	다. 〈개정 1999.9.9, 2011.12.31, 2014.11.4〉 1. 제86조제2항 및 제87조에 따라 선정된 자 중 낙찰자로 결정되지 아니한 자 2. 발주기관의 귀책사유로 취소된 대안입찰 또는 일괄입찰에 참여한 자 ② 제1항의 규정에 의한 설계보상비의 지급기준 및 절차 등에 관하여 필요한 사항은 기획재정부장관이 정한다. 〈개정 1999.9.9, 2008.2.29〉 **제90조** 삭제 〈2006.5.25〉 **제91조(설계변경으로 인한 계약금액 조정의 제한)** ① 대안입찰 또는 일괄입찰에 대한 설계변경으로 대형공사의 계약내용을 변경하는 경우에도 정부에 책임있는 사유 또는 천재·지변 등 불가항력의 사유로 인한 경우를 제외하고는 그 계약금액을 증액할 수 없다. 〈개정 1996.12.31, 1999.9.9〉 ② 각 중앙관서의 장 또는 계약담당공무원은 일괄입찰의 경우 계약체결 이전에 실시설계	

적격자에게 책임이 없는 다음 각 호의 어느 하나에 해당하는 사유로 실시설계를 변경한 경우에는 계약체결 이후 즉시 설계변경에 의한 계약금액 조정을 하여야 한다. 〈신설 2007.10.10, 2014.5.22〉

1. 민원이나 환경·교통영향평가 또는 관련 법령에 따른 인허가 조건 등과 관련하여 실시설계의 변경이 필요한 경우
2. 발주기관이 제시한 기본계획서·입찰안내서 또는 기본설계서에 명시 또는 반영되어 있지 아니한 사항에 대하여 해당 발주기관이 변경을 요구한 경우
3. 중앙건설기술심의위원회 또는 기술자문위원회가 실시설계 심의과정에서 변경을 요구한 경우

③ 제1항 또는 제2항의 경우에 계약금액을 조정하고자 할 때에는 다음 각 호의 기준에 의한다. 〈개정 1998.2.2, 1999.9.9, 2005.9.8, 2007.10.10〉

법 률	시 행 령	시 행 규 칙
	1. 감소된 공사량의 단가 : 제85조제2항 및 제3항의 규정에 의하여 제출한 산출내역서상의 단가 2. 증가된 공사량의 단가 : 설계변경당시를 기준으로 산정한 단가와 제1호의 규정에 의한 산출내역서상의 단가의 범위안에서 계약당사자간에 협의하여 결정한 단가. 다만, 계약당사자 사이에 협의가 이루어지지 아니하는 경우에는 설계변경당시를 기준으로 산정한 단가와 제1호의 규정에 의한 산출내역서상의 단가를 합한 금액의 100분의 50으로 한다. 3. 제1호의 규정에 의한 산출내역서상의 단가가 없는 신규비목의 단가 : 설계변경당시를 기준으로 산정한 단가 유 계약제도과-993, '11.08.22 **제91조의2** 삭제 〈2006.5.25〉 **제92조(평가)** 각 중앙관서의 장 또는 계약담당공무원은 대형공사의 준공검사를 한 후에 평가	

단을 구성하여 당해 공사의 사업계획·시공과정·실적 및 효과 등에 대하여 평가를 실시할 수 있다.

제7장 계약정보의 공개 등

제92조의2(계약관련 정보의 공개) ①각 중앙관서의 장 또는 계약담당공무원은 분기별 발주계획, 입찰에 부칠 계약목적물의 규격, 계약체결, 계약변경 및 계약이행에 관하여 기획재정부령으로 정하는 사항을 전자조달시스템 또는 제39조제1항 단서에 따라 각 중앙관서의 장이 지정·고시한 정보처리장치에 공개하여야 한다. 다만, 제26조제1항제1호가목 중 작전상의 병력 이동에 따른 사유와 제26조제1항제1호나목 및 같은 항 제5호라목에 따른 사유로 인하여 체결하는 수의계약의 경우에는 그러하지 아니하다. 〈개정 2008.2.29, 2010.7.21, 2011.12.31, 2013.9.17, 2016.9.2〉

제7장 계약정보의 공개 등

제82조(계약정보의 공개) 영 제92조의2제1항 본문에서 "기획재정부령으로 정하는 사항"이란 다음 각 호의 사항을 말한다. 〈개정 2009.3.5, 2010.7.21, 2016.2.1, 2016.9.23〉

1. 당해 연도에 경쟁입찰 또는 수의계약에 의하여 계약을 체결하고자 하는 물품·공사·용역 등에 대한 분기별 발주계획
   가. 계약의 목적
   나. 계약 물량 또는 규모
   다. 예산액
2. 입찰에 부칠 계약목적물의 규격에 관한 사항
   가. 물품 제조·구매계약: 성능, 재질 및

법 률	시 행 령	시 행 규 칙
	② 각 중앙관서의 장 또는 계약담당공무원은 제1항 본문의 규정에 의한 공개내용에 변경이 있는 경우에는 변경된 사실을 지체 없이 공개하여야 한다. [본조신설 2005.9.8]	제원 등 계약목적물에 요구되는 조건 나. 용역계약: 과업 내용 등 계약상대자가 이행할 용역의 세부사항 3. 계약체결에 관한 사항 가. 계약의 목적 나. 입찰일 및 계약체결일 다. 추정가격 또는 예정가격 라. 계약체결방법(일반경쟁·제한경쟁·지명경쟁·수의계약, 지역제한 여부, 영 제72조제3항 적용 여부) 마. 계약상대자의 성명(법인인 경우에는 법인명) 바. 계약 물량 또는 규모 사. 계약금액(장기계속공사의 경우 총공사금액을 말한다. 이하 같다) 아. 지명경쟁 또는 수의계약의 경우에는 그 사유 자. 영 제42조제4항에 따라 낙찰자를 결정한 공사의 경우에는 입찰자별 입찰금액

		4. 계약변경에 관한 사항 가. 계약의 목적 나. 계약변경 전의 계약내용(계약 물량 또는 규모, 계약금액) 다. 계약의 변경내용 라. 계약변경의 사유 5. 계약이행에 관한 사항 가. 검사 및 검수 결과 나. 계약이행 완료일 [본조신설 2005.9.8]
제33조(계약실적보고서의 제출) 각 중앙관서의 장은 대통령령으로 정하는 바에 따라 계약실적보고서를 기획재정부장관에게 제출하여야 한다. [전문개정 2012.12.18]	**제93조(계약실적보고)** 각 중앙관서의 장 또는 계약담당공무원은 계약체결 또는 계약변경 후 30일 이내에 계약체결 및 계약변경에 관하여 기획재정부령이 정하는 사항을 기획재정부장관에게 제출하여야 한다. 다만, 제26조제1항제1호가목 중 작전상의 병력 이동에 따른 사유와 제26조제1항제1호나목 및 같은 항 제5호라목에 따른 사유로 인하여 체결한 수의계약의 경우에는 그러하지 아니하다. 〈개정	**제82조의2(계약실적보고)** 영 제93조 본문에서 "기획재정부령이 정하는 사항"이란 제82조제2호 및 제3호의 사항을 말한다. 〈개정 2009.3.5〉 [본조신설 2005.9.8]

법 률	시 행 령	시 행 규 칙
	2008.2.29, 2010.7.21〉 [전문개정 2005.9.8] **제94조(계약심의위원회의 설치)** ① 각 중앙관서의 장 또는 그 소속기관의 장은 물품·공사·용역 등 다음 각 호의 사항에 관한 자문에 응하도록 하기 위하여 계약심의위원회를 설치·운영할 수 있다. 〈개정 2005.9.8, 2006.5.25, 2007.10.10, 2015.6.22, 2016.9.2, 2018.12.4〉 1. 발주기관이 입찰참가자격요건, 부정당업자의 입찰참가자격 제한, 그 밖에 계약과 관련하여 질의한 사항 2. 입찰참가자 또는 계약상대자가 입찰, 계약체결 및 계약이행과 관련하여 질의하거나 시정을 요구한 사항 3. 제113조제4항에 따른 이의제기에 관한 사항 ② 제1항에 따른 계약심의위원회는 소속공무원, 계약에 관한 학식과 경험이 풍부한 사람, 시민단체(「비영리민간단체 지원법」 제2조에 따른 비영리민간단체를 말한다)가 추천하는	

사람 등으로 성별을 고려하여 구성한다. 〈개정 2005.9.8, 2015.6.22〉

③ 제1항에 따른 계약심의위원회의 구성 및 운영에 관하여 필요한 세부사항은 각 중앙관서의 장이 정한다. 〈개정 2015.6.22〉

[본조신설 2000.12.27]

[제목개정 2015.6.22]

유 계약제도과-1429, '11.11.30 · 계약제도과-1430, '11.11.30

제95조 삭제 〈2005.9.8〉

제96조(지정정보처리장치의 이용) ① 삭제 〈2013.9.17〉

② 각 중앙관서의 장 또는 계약담당공무원과 전자조달시스템을 관리·운영하는 조달청장은 제76조의 규정에 의한 부정당업자의 입찰참가자격제한, 제93조의 규정에 의한 계약실적보고, 그 밖의 계약과 관련된 정보를 당해 업무목적외의 용도로 사용하여서는 아니된다. 〈개정 2013.9.17〉

[본조신설 2002.7.30]

법률	시행령	시행규칙
		제83조(건설공사에 대한 자재의 관급) ① 각 중앙관서의 장은 공사를 발주하는 경우 다음 각 호의 어느 하나에 해당하는 경우에는 그 공사에 필요한 자재를 직접 공급할 수 있다. 〈개정 2005.9.8〉 1. 자재의 품질·수급상황·공사현장 등을 종합적으로 참작하여 효율적이라고 판단되는 경우 2. 주무부장관(주무부장관으로부터 위임받은 자를 포함한다)이 인정 또는 지정하는 신기술 인증제품으로서 다른 공사부분과 하자책임구분이 용이하고 공정관리에 지장이 없는 경우 ② 제1항에 따라 각 중앙관서의 장이 직접 공급하는 자재의 운용 및 관리에 관하여 필요한 사항은 기획재정부장관이 정하는 바에 의한다. 〈개정 1999.9.9, 2002.8.24, 2009.3.5〉 [제목개정 2002.8.24.]

제84조(소프트웨어사업에 대한 소프트웨어의 관급) ① 각 중앙관서의 장 또는 계약담당공무원은 「소프트웨어산업 진흥법」 제2조제3호에 따른 소프트웨어사업을 발주하는 경우 주무부장관이 고시하는 소프트웨어 제품을 직접 구매하여 공급하여야 한다.

② 제1항에도 불구하고 각 중앙관서의 장 또는 계약담당공무원은 다음 각 호의 어느 하나에 해당하는 때에는 소프트웨어 제품을 직접 구매하여 공급하지 아니할 수 있다.

1. 소프트웨어 제품이 기존 정보시스템이나 새롭게 구축하는 정보시스템과 통합이 불가능하거나 현저한 비용상승이 초래되는 경우
2. 소프트웨어 제품을 직접 공급하게 되면 해당 사업이 사업기간 내에 완성될 수 없을 정도로 현저하게 지연될 우려가 있는 경우
3. 그 밖에 분리발주로 인한 행정업무 증가 외에 소프트웨어 제품을 직접 구매하여 공급하는 것이 현저하게 비효율적이라고

법 률	시 행 령	시 행 규 칙
	제8장 기술제안입찰 등에 의한 계약 **제97조(적용대상 등)** 각 중앙관서의 장 또는 계약담당공무원은 상징성·기념성·예술성 등이 필요하다고 인정되거나 난이도가 높은 기술이 필요한 시설물 공사에 대하여는 실시설계 기술제안입찰 또는 기본설계 기술제안입찰에 의한 계약을 체결할 수 있으며, 그 계약에 대하여는 이 장에 규정한 바에 의하되, 이 장에 특별한 규정이 없는 사항에 관하여는 이 영의 다른 장에 규정한 바에 따른다. 〈개정 2010.7.21〉 1. 삭제 〈2010.7.21〉 2. 삭제 〈2010.7.21〉	판단되는 경우 ③ 제2항에 따라 소프트웨어를 직접 구매하여 공급하지 아니하는 경우에는 그 사유를 발주계획서 및 입찰공고문에 명시하여야 한다. [전문개정 2009.3.5]

[본조신설 2007.10.10]

제98조(정의) 이 장에서 사용하는 용어의 뜻은 다음 각 호와 같다. 〈개정 2010.7.21〉

1. "기술제안서"란 입찰자가 발주기관이 교부한 설계서 등을 검토하여 공사비 절감방안, 공기단축방안, 공사관리방안 등을 제안하는 문서를 말한다.
2. "실시설계 기술제안입찰"이란 발주기관이 교부한 실시설계서 및 입찰안내서에 따라 입찰자가 제1호에 따른 기술제안서를 작성하여 입찰서와 함께 제출하는 입찰을 말한다.
3. "기본설계 기술제안입찰"이란 발주기관이 작성하여 교부한 기본설계서와 입찰안내서에 따라 입찰자가 제1호에 따른 기술제안서를 작성하여 입찰서와 함께 제출하는 입찰을 말한다.

[본조신설 2007.10.10]

유 회계제도과-945, '10.06.18 · 계약제도과-549, '11.05.19
계약제도과-622, '11.06.01 · 계약제도과-1058, '11.09.06
계약제도과-1526, '11.12.15

법 률	시 행 령	시 행 규 칙
	제99조(실시설계 기술제안입찰 및 기본설계 기술제안입찰의 입찰방법의 심의 등) ① 각 중앙관서의 장은 제97조에서 정한 공사에 대하여 실시설계 기술제안입찰 또는 기본설계 기술제안입찰(이하 "실시설계 기술제안입찰등"이라 한다)을 실시하려는 경우 다음 각 호의 사항에 관하여 중앙건설기술심의위원회의 심의를 거쳐야 한다. 〈개정 2010.7.21, 2016.9.2〉 1. 입찰의 방법에 관한 사항 2. 제102조제1항에 따른 낙찰자의 결정방법에 관한 사항 3. 제102조제2항에 따른 실시설계적격자 결정방법에 관한 사항 ② 각 중앙관서의 장은 제1항에 따라 중앙건설기술심의위원회의 심의를 받으려는 때에는 해당 연도 이후에 집행할 제97조에서 정한 공사의 집행기본계획서를 다음 각 호에서 정하는 순서에 따라 국토교통부장관에게 제출하여야 하며, 실시설계 기술제안입찰등의 집	**제81조의2(실시설계 기술제안입찰 등의 입찰방법 심의 등)** 영 제99조제1항에 따른 실시설계 기술제안입찰등의 입찰방법 심의 등에 관하여는 제78조, 제79조, 제79조의2 및 제81조를 준용한다. [전문개정 2010.7.21]

행기본계획서의 작성방법과 제출시기 등에 관한 사항은 기획재정부령으로 정한다. 〈개정 2008.2.29, 2010.7.21, 2013.3.23, 2013.12.30〉

1. 기본설계서를 작성한 후 기본설계 기술제안입찰로 발주하려는 공사에 대하여 제출
2. 기본설계 기술제안입찰로 발주하지 아니하기로 결정된 공사에 대해서는 실시설계서를 작성한 후 실시설계 기술제안입찰로 발주하려는 공사에 대하여 제출

③ 제80조제3항과 제5항은 입찰방법 공고 등의 경우에 준용한다.

[본조신설 2007.10.10]

[제목개정 2010.7.21.]

제100조(실시설계 기술제안입찰 등의 입찰참가자격) 실시설계 기술제안입찰에 관하여는 제12조제1항을, 기본설계 기술제안입찰에 관하여는 제84조제1항을 각각 준용한다.

[전문개정 2010.7.21]

제101조 삭제 〈2010.7.21〉

법 률	시 행 령	시 행 규 칙
	제102조(실시설계 기술제안입찰 등의 낙찰자 결정방법 등 선택) ① 각 중앙관서의 장 또는 계약담당공무원은 실시설계 기술제안입찰의 경우 제104조 본문에 따라 선정된 자를 대상으로 중앙건설기술심의위원회에서 공사의 목적 및 특성 등을 고려하여 다음 각 호의 어느 하나에 해당하는 방법 중 해당 공사에 가장 적합하다고 심의한 방법으로 낙찰자를 결정하여야 한다. 〈개정 2010.7.21, 2016.9.2〉 1. 최저가격으로 입찰한 자를 낙찰자로 결정하는 방법 2. 입찰가격을 기술제안점수로 나누어 조정된 수치가 가장 낮은 자 또는 기술제안점수를 입찰가격으로 나누어 조정된 점수가 가장 높은 자를 낙찰자로 결정하는 방법 3. 기술제안점수와 가격점수에 가중치를 부여하여 각각 평가한 결과를 합산한 점수가 가장 높은 자를 낙찰자로 결정하는 방법 ② 각 중앙관서의 장 또는 계약담당공무원은	

기본설계 기술제안입찰의 경우 제106조제1항에 따라 기술제안적격으로 선정된 자를 대상으로 중앙건설기술심의위원회에서 공사의 목적 및 특성 등을 고려하여 다음 각 호의 어느 하나에 해당하는 방법 중 해당 공사에 가장 적합하다고 심의한 방법으로 실시설계적격자를 결정하여야 한다. 〈개정 2010.7.21, 2016.9.2〉

1. 최저가격으로 입찰한 자를 실시설계적격자로 결정하는 방법
2. 입찰가격을 기술제안점수로 나누어 조정된 수치가 가장 낮은 자 또는 기술제안점수를 입찰가격으로 나누어 조정된 점수가 가장 높은 자를 실시설계적격자로 결정하는 방법
3. 기술제안점수와 가격점수에 가중치를 부여하여 각각 평가한 결과를 합산한 점수가 가장 높은 자를 실시설계적격자로 결정하는 방법

법 률	시 행 령	시 행 규 칙
	③ 각 중앙관서의 장 또는 계약담당공무원은 제1항 또는 제2항에 따라 선택된 낙찰자 및 실시설계적격자 결정방법을 입찰공고를 할 때에 명시하여야 한다. ④ 각 중앙관서의 장은 제1항 및 제2항 각 호에 따른 낙찰자 및 실시설계적격자 결정방법에 필요한 기술제안점수·가격점수의 산출방법과 가중치, 기술과 가격 조정을 위한 산식, 그 밖에 필요한 사항을 정하여 입찰에 참가하려는 자가 열람할 수 있도록 하여야 한다. [본조신설 2007.10.10] [제목개정 2010.7.21] **제103조(실시설계 기술제안입찰의 입찰절차)** ① 각 중앙관서의 장 또는 계약담당공무원은 실시설계 기술제안입찰을 하는 경우 입찰자에게 다음 각 호의 내용을 포함한 기술제안서를 제출하게 하여야 한다. 다만, 공사의 특성 등을 고려하여 필요하면 그 내용의 일부를 변경할 수 있다. 〈개정 2010.7.21〉	

1. 시공 효율성 검토 등을 통한 공사비 절감 방안
2. 생애주기비용 개선방안
3. 공기단축방안
4. 공사관리방안
5. 발주기관이 교부한 설계서 및 입찰자가 제출하는 기술제안서의 내용을 반영하여 물량과 단가를 명백히 한 산출내역서
6. 그 밖에 입찰공고를 할 때에 요구된 사항

② 각 중앙관서의 장은 제1항에 따라 제출된 기술제안서의 평가를 위한 세부심사기준을 정하고 입찰에 참가하려는 자가 열람할 수 있도록 하여야 한다.

③ 각 중앙관서의 장 또는 계약담당공무원은 제1항에 따라 기술제안서를 제출받은 때에는 중앙건설기술심의위원회에 해당 기술제안서의 적격여부에 대한 심의 및 점수 평가를 의뢰하고 중앙건설기술심의위원회는 의뢰받은 기술제안서의 타당성을 검토하여 기술제안

법 률	시 행 령	시 행 규 칙
	서의 적격 여부 및 평가점수를 명백히 한 서류를 해당 중앙관서의 장 또는 계약담당공무원에게 통지하여야 한다. ④ 각 중앙관서의 장 또는 계약담당공무원은 제3항에 따른 기술제안서 심의 및 점수 평가에 대하여는 기술자문위원회의 심의 및 점수 평가로 갈음할 수 있다. 〈개정 2014.5.22〉 ⑤ 중앙건설기술심의위원회 또는 기술자문위원회는 제3항 또는 제4항에 따라 기술제안서 심의를 하는 경우 기술제안서가 입찰의 기본계획 및 지침의 내용이나 설계서의 내용에 비추어 미비하거나 그 내용이 분명하지 아니한 경우에는 이에 대한 보완을 요구할 수 있다. 〈개정 2014.5.22〉 [본조신설 2007.10.10] [제목개정 2010.7.21] **제104조(실시설계 기술제안입찰의 낙찰자 결정)** 각 중앙관서의 장 또는 계약담당공무원은 실시설계 기술제안입찰을 하는 경우 제103조제	

3항에 따른 통지를 받은 때에는 예정가격 이하로 입찰한 입찰자 중 기술제안점수가 높은 순으로 최대 6명(적격으로 통지된 입찰자가 6명 미만인 경우에는 적격으로 통지된 모든 입찰자)을 선정한 후 제102조제1항에 따라 선택된 낙찰자 결정방법을 적용하여 낙찰자를 결정한다. 다만, 제103조제3항에 따른 기술제안적격자가 1명 이하인 경우에는 재공고입찰에 따라야 한다. 〈개정 2010.7.21, 2021.7.6.〉

[본조신설 2007.10.10]

[제목개정 2010.7.21.]

제105조(기본설계 기술제안입찰의 입찰절차) ① 각 중앙관서의 장 또는 계약담당공무원은 기본설계 기술제안입찰을 하는 경우 입찰자에게 다음 각 호의 내용을 포함한 기술제안서를 제출하게 하여야 한다. 다만, 공사의 특성 등을 고려하여 필요하면 그 내용의 일부를 변경할 수 있다. 〈개정 2010.7.21〉

1. 시공 효율성 검토 등을 통한 공사비 절감

법 률	시 행 령	시 행 규 칙
	방안 2. 생애주기비용 개선방안 3. 공기단축방안 4. 공사관리방안 5. 그 밖에 입찰공고를 할 때에 요구된 사항 ② 각 중앙관서의 장은 제1항에 따라 제출된 기술제안서의 평가를 위한 세부심사기준을 정하고 입찰에 참가하려는 자가 열람할 수 있도록 하여야 한다. ③ 각 중앙관서의 장 또는 계약담당공무원은 제106조제1항 본문에 따라 실시설계적격자로 선정된 자에 한정하여 실시설계서를 제출하게 하여야 하며, 실시설계서에 다음 각 호의 도서를 첨부하게 하여야 한다. 〈개정 2014.5.22〉 1. 실시설계에 대한 구체적인 설명서 2. 「건설기술진흥법 시행령」 제11조에 따른 관계 서류 3. 단가 및 수량을 명백히 한 산출내역서 4. 그 밖에 참고 사항을 적은 서류	

④ 각 중앙관서의 장 또는 계약담당공무원은 다음 각 호의 어느 하나에 해당하는 경우에는 중앙건설기술심의위원회에 해당 기술제안서 또는 실시설계서의 적격여부에 대한 심의 및 점수 평가를 의뢰하고 중앙건설기술심의위원회는 의뢰받은 기술제안서 또는 실시설계서의 타당성을 검토하여 기술제안서 또는 실시설계서의 적격 여부 및 평가점수를 명백히 한 서류를 해당 중앙관서의 장 또는 계약담당공무원에게 통지하여야 한다. 〈개정 2016.9.2〉

1. 제1항에 따라 기술제안서를 제출받거나 제3항에 따라 실시설계서를 제출받은 경우
2. 기본설계 기술제안입찰로 발주된 공사에 대하여 제20조에 따른 재공고입찰 결과 입찰자가 1인뿐인 경우로서 그 입찰자의 기술제안서 또는 실시설계서를 제출받은 경우

⑤ 각 중앙관서의 장 또는 계약담당공무원은

법 률	시 행 령	시 행 규 칙
	제4항에 따른 기술제안서 또는 실시설계서 심의 및 점수평가에 대하여는 기술자문위원회의 심의 및 점수평가로 갈음할 수 있다. 〈개정 2014.5.22〉 ⑥ 중앙건설기술심의위원회 또는 기술자문위원회는 제4항 또는 제5항에 따라 기술제안서 또는 실시설계서의 심의를 하는 경우 기술제안서 또는 실시설계서에 첨부된 도서가 입찰의 기본계획 및 지침의 내용이나 기본설계(실시설계서를 심의하는 경우에는 기술제안서를 포함한다)의 내용에 비추어 미비하거나 그 내용이 분명하지 아니한 경우에는 이에 대한 보완을 요구할 수 있다. 〈개정 2014.5.22〉 [본조신설 2007.10.10] [제목개정 2010.7.21] **제106조(기본설계 기술제안입찰의 낙찰자 선정)** ① 각 중앙관서의 장 또는 계약담당공무원은 기본설계 기술제안입찰의 경우 제105조제4항에 따른 통지를 받은 때에는 입찰자 중 기술	

제안점수가 높은 순으로 최대 6명(적격으로 통지된 입찰자가 6명 미만인 경우에는 적격으로 통지된 모든 입찰자)을 선정한 후 제102조제2항에 따른 실시설계적격자 결정방법을 적용하여 실시설계적격자를 결정한다. 다만, 제105조제4항에 따른 기술제안적격자가 1명 이하인 경우에는 재공고입찰에 의하여야 한다. 〈개정 2010.7.21〉

② 각 중앙관서의 장 또는 계약담당공무원은 제105조제4항 및 제5항에 따라 중앙건설기술심의위원회 또는 기술자문위원회로부터 해당 실시설계의 적격통지를 받은 때에는 그 실시설계서를 제출한 자를 낙찰자로 선정한다. 〈개정 2014.5.22〉

③ 제87조제3항부터 제8항까지는 기본설계 기술제안입찰의 낙찰자결정에 관하여 준용한다. 〈개정 2010.7.21〉

[본조신설 2007.10.10]

[제목개정 2010.7.21]

법 률	시 행 령	시 행 규 칙
	제107조(기술제안입찰 제안서 작성비용 보상) ① 각 중앙관서의 장 또는 계약담당공무원은 다음 각 호의 어느 하나에 해당하는 자의 전부 또는 일부에 대해서는 예산의 범위에서 제안서 작성비용의 일부를 보상할 수 있다. 1. 제104조 및 제106조제1항에 따라 선정된 자 중 낙찰자로 결정되지 아니한 자 2. 발주기관의 귀책사유로 취소된 기술제안입찰에 참가한 자 ② 제1항에 따른 보상비의 지급 기준과 절차 등에 관하여 필요한 사항은 기획재정부장관이 정한다. [본조신설 2014.11.4] **제108조(설계변경으로 인한 계약금액조정)** 설계변경으로 인한 계약금액 조정에 관하여 실시설계 기술제안입찰에 따른 공사계약의 경우에는 제65조를, 기본설계 기술제안입찰에 따른 공사계약의 경우에는 제91조를 각각 준용한다. [전문개정 2010.7.21]	

제28조(이의신청) ① 대통령령으로 정하는 금액(국제입찰의 경우 제4조에 따른다) 이상의 정부조달계약 과정에서 해당 중앙관서의 장 또는 계약담당공무원의 다음 각 호의 어느 하나에 해당하는 행위로 불이익을 받은 자는 그 행위를 취소하거나 시정(是正)하기 위한 이의신청을 할 수 있다. 〈개정 2019.11.26〉

제109조(평가) ① 각 중앙관서의 장 또는 계약담당공무원은 이 장에 의한 공사의 준공검사를 한후에 평가단을 구성하여 해당 공사의 발주방식의 적정성, 시공과정·실적 및 효과 등에 대하여 평가를 실시할 수 있다.

② 제1항에 따른 평가단의 구성·운영, 그 밖에 평가에 관하여 필요한 사항은 각 중앙관서의 장이 정한다.

[본조신설 2007.10.10.]

제9장 이의신청과 국가계약분쟁조정위원회

제110조(이의신청을 할 수 있는 정부조달계약의 최소 금액 기준 등) ① 법 제28조제1항 각 호 외의 부분에서 "대통령령으로 정하는 금액"이란 다음 각 호의 구분에 따른 금액을 말한다. 〈개정 2014.11.4, 2018.12.4, 2019.9.17, 2021.7.6.〉

1. 공사 계약의 경우: 다음 각 목의 구분에

제8장 이의신청과 국가계약분쟁조정위원회

법 률	시 행 령	시 행 규 칙
1. 제4조제1항의 국제입찰에 따른 정부조달계약의 범위와 관련된 사항 1의2. 제5조제3항에 따른 부당한 특약등과 관련된 사항 2. 제7조에 따른 입찰 참가자격과 관련된 사항 3. 제8조에 따른 입찰 공고 등과 관련된 사항 4. 제10조제2항에 따른 낙찰자 결정과 관련된 사항 5. 그 밖에 대통령령으로 정하는 사항 ② 이의신청은 이의신청의 원인이 되는 행위가 있었던 날부터 20일 이내 또는 그 행위가 있음을 안 날부터 15일 이내에 해당 중앙관서의 장에게 하여야 한다. 〈개정 2020.3.31〉 ③ 해당 중앙관서의 장은 이의신청을 받은 날부터 15일 이내에 심사하여 시정 등 필요한 조치를 하고 그 결과를 신청인에게 통지하여야 한다. 〈개정 2020.3.31〉 ④ 제3항에 따른 조치에 이의가 있는 자는 통지를 받은 날부터 20일 이내에 제29조에	따른 금액 가. 「건설산업기본법」에 따른 종합공사 계약의 경우: 추정가격 10억원 나. 「건설산업기본법」에 따른 전문공사 계약의 경우: 추정가격 1억원 다. 가목 및 나목 외의 공사 계약의 경우: 추정가격 8천만원 2. 물품 계약의 경우 : 추정가격 5천만원 3. 용역 계약의 경우 : 추정가격 5천만원 ② 법 제28조제1항제5호에서 "대통령령으로 정하는 사항"이란 다음 각 호의 사항을 말한다. 〈신설 2014.11.4., 2021.7.6.〉 1. 제38조 및 제51조에 따른 입찰보증금 및 계약보증금의 국고귀속과 관련한 사항 2. 제64조부터 제66조까지, 제91조 및 제108조에 따른 계약금액 조정과 관련한 사항 3. 제70조제3항 및 제73조제3항에 따른 정산과 관련한 사항 〈신설 2021.7.6.〉 4. 제74조에 따른 지체상금과 지체일수 산입	

따른 국가계약분쟁조정위원회에 조정(調停)을 위한 재심(再審)을 청구할 수 있다. 〈개정 2020.3.31〉

[전문개정 2012.12.18]

제28조의2(분쟁해결방법의 합의) ① 각 중앙관서의 장 또는 계약담당공무원은 국가를 당사자로 하는 계약에서 발생하는 분쟁을 효율적으로 해결하기 위하여 계약을 체결하는 때에 계약당사자 간 분쟁의 해결방법을 정할 수 있다.

② 제1항에 따른 분쟁의 해결방법은 다음 각 호의 어느 하나 중 계약당사자 간 합의로 정한다.

1. 제29조에 따른 국가계약분쟁조정위원회의 조정
2. 「중재법」에 따른 중재

[본조신설 2017.12.19]

제29조(국가계약분쟁조정위원회) ① 국가를 당사자로 하는 계약에서 발생하는 분쟁을 심사·

범위와 관련한 사항 〈신설 2021.7.6.〉

5. 제75조에 따른 계약의 해제·해지와 관련한 사항 〈신설 2021.7.6.〉

[본조신설 2013.6.17]

[제목개정 2014.11.4]

[종전 제110조는 제116조로 이동 〈2013.6.17〉]

제111조(국가계약분쟁조정위원회의 위원 등) ① 법 제29조제3항 각 호 외의 부분에서 "대통

제85조 삭제 〈2016.9.23〉

제87조(위원회의 운영 등) 이 규칙에 규정한 것

법 률	시 행 령	시 행 규 칙
조정하게 하기 위하여 기획재정부에 국가계약분쟁조정위원회(이하 "위원회"라 한다)를 둔다. 〈개정 2017.12.19〉 ② 위원회는 위원장 1명을 포함하여 15명 이내의 위원으로 구성한다. 〈개정 2016.3.2〉 ③ 위원회의 위원장은 기획재정부장관이 지명하는 고위공무원단에 속하는 공무원이 되고, 위원은 대통령령으로 정하는 중앙행정기관 소속 공무원으로서 해당 기관의 장이 지명하는 사람과 다음 각 호의 어느 하나에 해당하는 사람 중 성별을 고려하여 기획재정부장관이 위촉하는 사람이 된다. 〈신설 2016.3.2〉 1. 「고등교육법」에 따른 대학에서 법학·재정학·무역학 또는 회계학의 부교수 이상의 직에 5년 이상 근무한 경력이 있는 사람 2. 변호사의 자격을 가진 사람으로서 그 자격과 관련된 업무에 5년 이상 재직 중이거나 재직한 사람 3. 정부의 회계 및 조달계약 업무에 관한 학식	령령으로 정하는 중앙행정기관 소속 공무원으로서 해당 기관의 장이 지명하는 사람"이란 기획재정부·국방부·행정안전부·국토교통부·조달청과 그 밖에 기획재정부장관이 필요하다고 인정하는 중앙행정기관의 고위공무원단에 속하는 공무원으로서 해당 기관의 장이 지명하는 공무원 각 1명을 말한다. 〈개정 2017.7.26, 2022.6.14.〉 ② 법 제29조제1항에 따른 국가계약분쟁조정위원회(이하 이 장에서 "위원회"라 한다)의 위원은 비상근으로 한다. ③ 위원장의 직무, 위원회의 운영 및 위원수당 등에 관하여는 제76조의6부터 제76조의8까지 및 제76조의11부터 제76조의제13까지의 규정을 준용한다. [전문개정 2016.9.2]	외에 위원회의 운영과 조정 절차에 관하여 필요한 사항은 위원회의 의결을 거쳐 위원장이 정한다. [본조신설 2013.6.19]

과 경험이 풍부한 사람으로서 제1호 또는 제2호의 기준에 상당하다고 인정되는 사람

④ 제3항 각 호의 위촉위원의 임기는 2년으로 하되, 연임할 수 있다. 〈신설 2016.3.2〉

⑤ 제3항 각 호의 위촉위원의 사임 등으로 인하여 새로 위촉된 위원의 임기는 전임위원 임기의 남은 기간으로 한다. 〈신설 2016.3.2〉

⑥ 제3항 각 호의 위촉위원은 금고 이상의 형의 선고를 받거나 장기간의 심신쇠약으로 직무를 수행할 수 없게 된 때를 제외하고는 임기 중 그 의사에 반하여 해촉되지 아니한다. 〈신설 2016.3.2〉

⑦ 위원회의 위원은 그 위원과 직접 이해관계가 있는 안건의 심사·조정에 참여할 수 없다. 〈신설 2016.3.2〉

⑧ 제2항부터 제7항까지에서 규정한 사항 외에 위원회의 운영 및 심사·조정 절차와 그 밖에 필요한 사항은 대통령령으로 정한다. 〈신설 2016.3.2〉

법 률	시 행 령	시 행 규 칙
[전문개정 2012.12.18] [제목개정 2016.3.2] **제30조(계약절차의 중지)** ① 위원회는 심사·조정을 시작하는 경우 청구인과 해당 중앙관서의 장에게 그 사실을 통지하여야 한다. 〈개정 2020.6.9.〉 ② 위원회는 해당 중앙관서의 장의 의견을 고려하여 필요하다고 인정하면 조정이 완료될 때까지 해당 입찰 절차를 연기하거나 계약체결을 중지할 것을 명할 수 있다. [전문개정 2012.12.18]		
제31조(심사·조정) ① 위원회는 특별한 사유가 없으면 심사·조정청구를 받은 날부터 50일 이내에 심사·조정하여야 한다. 〈개정 2017.12.19〉 ② 위원회는 심사·조정의 완료 전에 청구인 및 해당 중앙관서의 장과 그 대리인에게 의견을 진술할 기회를 주어야 하며, 필요한 경우에는 청구인 및 해당 중앙관서의 장과 그 대리인,	**제112조(심사)** ① 법 제30조제1항에 따라 심사·조정 청구의 사실을 통지받은 중앙관서의 장은 통지를 받은 날부터 14일 이내에 이에 대한 의견을 서면으로 위원회에 제출하여야 한다. ② 위원회는 필요한 경우 청구인 및 해당 중앙관서의 장에게 심사·조정이 요청된 사항에 관한 서류의 제출을 요구할 수 있으며, 관계 전문기관에 감정·진단과 시험 등을 의뢰할	

증인 또는 관계 전문가로 하여금 위원회에 출석하게 하여 그 의견을 들을 수 있다. 〈개정 2020.3.31〉

③ 제1항에 따른 조정은 청구인과 해당 중앙관서의 장이 조정이 완료된 후 15일 이내에 이의를 제기하지 아니한 경우에는 재판상 화해(和解)와 같은 효력을 갖는다. 〈신설 2020.3.31〉

[전문개정 2012.12.18]

수 있다.

③ 삭제 〈2020.5.1〉

[본조신설 2013.6.17]

제113조(조정) ① 위원회는 조정청구의 심사결과에 대하여 조정안을 작성하여 이를 청구인 및 해당 중앙관서의 장에게 알려야 한다.

② 제1항에 따른 조정안을 작성할 때 법 제28조제1항에 따른 행위로 청구인이 불이익을 받았다고 인정되는 경우에는 해당 중앙관서의 장 또는 계약담당공무원이 행한 행위를 취소 또는 시정하거나 그에 따른 손해배상 또는 손실보상을 하도록 하여야 한다.

③ 제2항에 따른 손해배상 또는 손실보상은 입찰 준비와 조정의 청구 과정에서 드는 비용으로 한정할 수 있다.

④ 각 중앙관서의 장은 법 제31조제2항에 따라 이의를 제기하려는 경우에는 제94조제1항에 따른 계약심의위원회의 자문을 거쳐 이의를 제기하는 취지와 사유 등이 포함된 서면을

법 률	시 행 령	시 행 규 칙
	위원회에 제출하여야 한다. 〈신설 2018.12.4〉 [본조신설 2013.6.17] **제114조(조정의 중지)** 위원회는 위원회에 조정 청구된 것과 같은 사안에 대하여 법원의 소송이 진행 중인 경우 그 심사·조정을 중지할 수 있다. 이 경우 중지 사유를 청구인 및 해당 중앙관서의 장에게 알려야 한다. [본조신설 2013.6.17] **제114조의2(소송 관련 사실의 통지)** 각 중앙관서의 장은 제113조에 따른 조정 결과에 불복하여 소송이 제기되거나 제114조에 따른 소송이 제기된 경우에는 그 사실 및 소송 결과를 기획재정부장관에게 알려야 한다. [본조신설 2018.12.4]	
	제115조(비용부담) ① 청구인은 위원회의 심사·조정과 관련한 비용을 부담한다. 다만, 청구인과 해당 중앙관서의 장 간에 약정이 있는 경우에는 그 약정에 따른다. ② 위원회의 심사·조정과 관련한 비용 부담에	**제86조(심사·조정 관련 비용 부담의 범위와 정산)** ① 영 제115조에 따라 심사·조정의 청구인이 부담할 비용의 범위는 다음 각 호와 같다. 1. 감정·진단과 시험에 드는 비용 2. 증인과 증거 채택에 드는 비용

관한 구체적인 사항은 기획재정부령으로 정한다.

[본조신설 2013.6.17]

제10장 보칙

제116조(고유식별정보의 처리) 각 중앙관서의 장 또는 계약담당공무원은 다음 각 호의 사

3. 검사와 조사에 드는 비용
4. 녹음·속기록과 통역 등 그 밖의 심사·조정에 드는 비용

② 위원회는 필요하다고 인정하는 경우에는 청구인으로 하여금 제1항에 따른 심사·조정 관련 비용을 미리 내게 할 수 있다.

③ 위원회는 제2항에 따라 심사·조정 관련 비용을 미리 받은 경우에는 심사·조정안이 당사자에게 제시된 날부터 30일 이내에 미리 받은 금액과 비용에 대한 정산서를 청구인에게 통지하여야 한다. 다만, 청구인과 해당 중앙관서의 장 간에 약정이 있는 경우에는 그 약정에 따라 정산서를 통지한다.

[본조신설 2013.6.19]

법 률	시 행 령	시 행 규 칙
	무를 수행하기 위하여 불가피한 경우 「개인정보 보호법 시행령」 제19조제1호에 따른 주민등록번호가 포함된 자료를 처리할 수 있다. 1. 제12조에 따른 경쟁입찰의 참가자격에 관한 사무 2. 제13조에 따른 입찰참가자격 사전심사에 관한 사무 3. 제21조 및 제22조에 따른 제한경쟁입찰 참가자격에 관한 사무 4. 제24조에 따른 지명경쟁입찰 참가자격에 관한 사무 5. 제50조에 따른 계약보증금에 관한 사무 6. 제62조에 따른 하자보수보증금에 관한 사무 7. 제76조에 따른 입찰참가자격 제한에 관한 사무 [본조신설 2013.1.16] [제110조에서 이동 〈2013.6.17.〉]	

제32조(계약담당공무원의 교육) 정부는 계약담당공무원의 자질향상을 위하여 교육을 할 수 있다.

[전문개정 2012.12.18.]

제117조(규제의 재검토) 기획재정부장관은 다음 각 호의 사항에 대하여 다음 각 호의 기준일을 기준으로 3년마다(매 3년이 되는 해의 기준일과 같은 날 전까지를 말한다) 그 타당성을 검토하여 개선 등의 조치를 하여야 한다.

1. 제21조제1항제6호에 따른 지역제한경쟁입찰 : 2014년 1월 1일
2. 삭제 〈2016.12.30〉
3. 삭제 〈2016.12.30〉
4. 삭제 〈2016.12.30〉
5. 삭제 〈2016.12.30〉
6. 제76조에 따른 부정당업자의 입찰참가자격 제한 : 2014년 1월 1일

[본조신설 2013. 12. 30.]

법 률	시 행 령	시 행 규 칙
제33조(계약실적보고서의 제출) 각 중앙관서의 장은 대통령령으로 정하는 바에 따라 계약실적보고서를 기획재정부장관에게 제출하여야 한다. [전문개정 2012.12.18]	**제93조(계약실적보고)** 각 중앙관서의 장 또는 계약담당공무원은 계약체결 또는 계약변경 후 30일 이내에 계약체결 및 계약변경에 관하여 기획재정부령이 정하는 사항을 기획재정부장관에게 제출하여야 한다. 다만, 제26조제1항제1호가목 중 작전상의 병력 이동에 따른 사유와 제26조제1항제1호나목 및 같은 항 제5호라목에 따른 사유로 인하여 체결한 수의계약의 경우에는 그러하지 아니하다. 〈개정 2008.2.29, 2010.7.21〉 [전문개정 2005.9.8]	**제82조의2(계약실적보고)** 영 제93조 본문에서 "기획재정부령이 정하는 사항"이란 제82조 제2호 및 제3호의 사항을 말한다. 〈개정 2009.3.5〉 [본조신설 2005.9.8]
제34조(계약에 관한 법령의 협의) 각 중앙관서의 장은 계약에 관한 법령을 입안할 때에는 기획재정부장관과 미리 협의하여야 한다. [전문개정 2012.12.18]		
제35조(벌칙 적용에서의 공무원 의제) 다음 각 호의 위원회의 위원 중 공무원이 아닌 위원은 「형법」 제129조부터 제132조까지의 규정을 적용할 때에는 공무원으로 본다.	**제118조(부정당업자의 입찰참가 제한 및 벌칙 적용에서의 공무원 의제)** 법 제27조제1항제7호 및 제35조제3호에서 "대통령령으로 정하는 위원회"란 각각 다음 각 호의 위원회를	

1. 제27조의3에 따른 과징금부과심의위원회
2. 제29조에 따른 국가계약분쟁조정위원회
3. 입찰·낙찰 또는 계약의 체결·이행에 관한 사전심사 및 자문 업무를 수행하는 대통령령으로 정하는 위원회

[본조신설 2014.12.30]

부 칙

〈제4868호, 1995.1.5〉

제1조(시행일) 이 법은 공포후 6월이 경과한 날부터 시행한다. 다만, 제4조제1항 및 제2항, 제5조제2항, 제28조 내지 제31조의 규정은 1997년 1월 1일부터 시행한다.

제2조(경과조치) 이 법 시행전에 예산회계법에 의하여 체결된 계약에 대하여는 이 법에 의하여 체결된 계약으로 본다.

제3조(다른 법률의 개정) ①예산회계법중 다음

말한다. 〈개정 2015.12.31, 2016.9.2〉

1. 제42조제7항에 따른 종합심사낙찰제심사위원회
2. 제43조제8항에 따른 제안서평가위원회
3. 제94조제1항에 따른 계약심의위원회

[본조신설 2015.6.22]

[제목개정 2016.9.2]

부 칙

〈제14710호, 1995.7.6〉

제1조(시행일) 이 영은 1995년 7월 6일부터 시행한다. 다만, 제9조제1항제3호의 규정은 1996년 1월 1일부터 시행한다.

제2조 삭제 〈1996.12.31〉

제3조(계약체결 등에 관한 경과조치) 이 영 시행전에 입찰공고를 한 후 이 영 시행후에 실시하는 입찰, 낙찰자의 결정 및 계약체결과 이 영 시행전에 실시한 입찰에서 낙찰된 후 이

부 칙

〈제511호, 1995.7.6〉

제1조(시행일) 이 규칙은 1995년 7월 6일부터 시행한다.

제2조(계약체결 등에 관한 경과조치) 이 규칙 시행전에 입찰공고를 한 경우로서 이 규칙 시행후에 실시하는 입찰, 낙찰자의 결정 및 계약체결과 이 규칙 시행전에 실시한 입찰에서 낙찰된 경우로서 이 규칙 시행후에 체결하는 계약에 관하여는 종전의 규정에 의한다.

법 률	시 행 령	시 행 규 칙
과 같이 개정한다. 제6장을 삭제한다. 제113조제1항중 "재무관 또는 계약관의"를 "재무관의"로 하고, 동조제3항중 "·제75조제2항"을 삭제한다. 제114조제1항중 "재무관 또는 계약관의"를 "재무관의"로 하고, 동조제2항중 "·제75조제2항"을 삭제한다. 제120조제1항중 "계약 및"을 삭제한다. 제123조중 ", 계약관"을 삭제한다. ②물품관리법중 다음과 같이 개정한다. 제39조중 "예산회계법"을 "국가를당사자로하는계약에관한법률"로 한다. ③건설업법중 다음과 같이 개정한다. 제16조제3호중 "예산회계법"을 "국가를당사자로하는계약에관한법률"로 한다. 제17조제1항제3호중 "예산회계관계법령"을 "국가를당사자로하는계약에관한법령"으로 한다.	영 시행후에 체결하는 계약에 관하여는 종전의 규정에 의한다. **제4조(다른 법령의 폐지 및 개정)** ①대형공사계약에관한예산회계법시행령특례규정은 이를 폐지한다. ②예산회계법시행령중 다음과 같이 개정한다. 제19조제1항제1호 및 제2호를 각각 다음과 같이 한다. 1. 국가를당사자로하는계약에관한법률시행령 제19조의 규정에 의한 부대입찰 또는 제13조의 규정에 의한 입찰참가자격 사전심사방법으로 집행되는 공사 2. 국가를당사자로하는계약에관한법률시행령 제80조제1항의 규정에 의하여 공고된 공사 제56조제1항제14호 단서를 삭제한다. 제6장을 삭제한다. 제156조제1항제4호를 삭제하고, 동조제2항	**제3조(다른 법령의 폐지 및 개정)** ①계약사무처리규칙 및 대형공사공고에관한규칙을 각각 폐지한다. ②외자구매일반경쟁입찰참가자격규정중 다음과 같이 개정한다. 제2조제2호, 제3조 본문 및 제2호중 "조달청장"을 각각 "국방부장관 또는 조달청장"으로 한다. ③특정물품등의조달에관한계약사무처리특례규칙중 다음과 같이 개정한다. 제4조제1항 및 제2항중 "계약사무처리규칙 제16조"를 각각 "국가를당사자로하는계약에관한법률시행규칙 제15조"로 한다. ④방산물자의원가계산에관한규칙중 다음과 같이 개정한다. 제10조제2항 본문·단서, 제18조제3항제1호, 제33조제2항 및 제3항중 "계약사무처리규칙"을 각각 "국가를당사자로하는계약에관한법률시행규칙"으로 한다.

제32조제2항제1호중 "예산회계에 관한 법령"을 "국가를당사자로하는계약에관한법령"으로 한다.

④지방재정법중 다음과 같이 개정한다.

제63조의 제목 "(예산회계법등의 준용)"을 "(국가를당사자로하는계약에관한법률등의 준용)"으로 하고, 동조중 "예산회계법 제6장"을 "국가를당사자로하는계약에관한법률"로, "으로 본다"를 "으로, "재무부장관"을 "내무부장관"으로 본다"로 한다.

⑤전기통신공사업법중 다음과 같이 개정한다.

제9조의2제1항제2호중 "예산회계법"을 "국가를당사자로하는계약에관한법률"로 한다.

⑥중소기업제품구매촉진법중 다음과 같이 개정한다.

제3조제2항중 "예산회계법 제79조제1항"을 "국가를당사자로하는계약에관한법률 제12조제1항"으로 한다.

제4조(다른 법률과의 관계) 이 법 시행당시 다른 본문중 "계약관 및 출납공무원"을 "출납공무원"으로 하며, 동항제4호를 삭제한다.

제158조중 "·계약관"을 삭제한다.

③특정물품등의조달에관한예산회계법시행령특례규정중 다음과 같이 개정한다.

제명을 "특정물품등의조달에관한국가를당사자로하는계약에관한법률시행령특례규정"으로 한다.

제1조 및 제7조제1항 전단중 "예산회계법시행령"을 각각 "국가를당사자로하는계약에관한법률시행령"으로 한다.

제7조제1항 후단중 "예산회계법시행령 제82조제1항"을 "국가를당사자로하는계약에관한법률시행령 제33조제1항"으로, "게시판에의 게시등"을 "게시판에 게시하는 방법등"으로 "동조제3항중"을 "제35조제1항중"으로, "동조제4항중"을 "제35조제2항중"으로, "동령 제85조중"을 "동령 제35조제2항중 재공고입찰의 경우"로, "개찰일전 5일까지"를 "개찰

⑤조달사업에관한법률시행규칙중 다음과 같이 개정한다.

제11조제2항 본문중 "계약사무처리규칙"을 "국가를당사자로하는계약에관한법률시행규칙"으로 한다.

⑥산림법시행규칙중 다음과 같이 개정한다.

제34조제6항중 "계약사무처리규칙 제74조"를 "국가를당사자로하는계약에관한법률시행규칙 제73조"로 한다.

⑦자동차관리법시행규칙중 다음과 같이 개정한다.

제36조제4항중 "계약사무처리규칙"을 "국가를당사자로하는계약에관한법률시행규칙"으로 한다.

제4조(다른 법령과의 관계) 이 규칙 시행당시 다른 법령에서 계약사무처리규칙의 각 조문을 인용한 경우에는 이 규칙의 해당조문을 인용한 것으로 본다.

법 률	시 행 령	시 행 규 칙
법률에서 예산회계법 제6장 또는 동법 동장의 각 조문을 인용한 경우에는 이 법 또는 이 법의 해당 조문을 인용한 것으로 본다. **부 칙** 〈제5453호, 1997.12.13〉 (행정절차법의시행에따른공인회계사법등의정비에관한법률) **제1조(시행일)** 이 법은 1998년 1월 1일부터 시행한다. 〈단서 생략〉 **제2조** 생략 **부 칙** 〈제5454호, 1997.12.13〉 (정부부처명칭등의변경에따른건축법등의정비에관한법률) 이 법은 1998년 1월 1일부터 시행한다. 〈단서 생략〉	일 5일전까지"로 한다. 제7조제3항 본문중 "예산회계법시행령 제84조에"를 "국가를당사자로하는계약에관한법률시행령 제36조에"로 하고, 동항제3호중 "예산회계법시행령 제99조·제100조·제102조 및 제103조의 규정에"를 "국가를당사자로하는계약에관한법률시행령 제42조 내지 제47조의 규정에"로 한다. 제11조를 다음과 같이 한다. 제11조(수의계약 사유) 특례조달계약에 있어서 국가를당사자로하는계약에관한법률시행령 제26조제1항제4호·제5호, 동항제6호 가목(품질경영촉진법 부칙 제4조의 규정에 의한 경우에 한한다), 동항제7호 가목 내지 마목, 동항제8호 가목 및 나목의 규정에 의한 사유는 수의계약 적용대상에서 제외한다. 제12조중 "예산회계법시행령 제117조의"를 "국가를당사자로하는계약에관한법률시행령 제58조의"로 한다.	**부 칙** 〈제602호, 1996.12.31〉 ① **(시행일)** 이 규칙은 1997년 1월 1일부터 시행한다. ② **(계약체결 등에 관한 경과조치)** 이 규칙 시행전에 입찰공고를 한 경우로서 이 규칙 시행후에 실시하는 입찰, 낙찰자의 결정 및 계약체결과 이 규칙 시행전에 실시한 입찰에서 낙찰된 경우로서 이 규칙 시행후에 체결하는 계약에 관하여는 종전의 규정에 의한다. **부 칙** 〈제682호, 1998.2.23〉 ① **(시행일)** 이 규칙은 공포한 날부터 시행한다. ② **(경과조치)** 이 규칙 시행전에 입찰공고를 한 경우 그 입찰, 낙찰자의 결정 및 계약체결에 관하여는 종전의 규정에 의한다.

부　칙

〈제6836호, 2002.12.30〉

(국고금관리법)

제1조(시행일) 이 법은 2003년 1월 1일부터 시행한다.

제2조 내지 제5조 생략

제6조(다른 법률의 개정) ①내지 ⑤생략

⑥국가를당사자로하는계약에관한법률중 다음과 같이 개정한다.

제20조중 "예산회계법 제58조"를 "국고금관리법 제20조"로 한다.

⑦내지 〈31〉생략

제7조 생략

부　칙

〈제7722호, 2005.12.14〉

이 법은 공포 후 3월이 경과한 날부터 시행한다.

제17조의 제목 및 본문중 "예산회계법시행령"을 각각 "국가를당사자로하는계약에관한법률시행령"으로 한다.

④외자구매계약규정중 다음과 같이 개정한다.

제1조중 "예산회계법시행령"을 "국가를당사자로하는계약에관한법률시행령"으로 한다.

제6조제1항 단서중 "시행령 제119조제2항 각호"를 "시행령 제37조제2항 각호"로 한다.

⑤건설업법시행령중 다음과 같이 개정한다.

제10조제2항제2호 및 제49조의2제2항제2호중 "예산회계관계법령"을 "국가를당사자로하는계약에관한법령"으로 한다.

제22조제2항제1호중 "예산회계법 제87조"를 "국가를당사자로하는계약에관한법률 제21조"로 하고, 동항제2호 가목중 "예산회계법시행령 제70조"를 "국가를당사자로하는계약에관한법률시행령 제68조"로 한다.

⑥지방재정법시행령중 다음과 같이 개정한다.

부　칙

〈제104호, 1999.9.9〉

제1조(시행일) 이 규칙은 공포한 날부터 시행한다. 다만, 제23조제2항 및 제44조제7호의 개정규정은 2001년 1 월 1일부터 시행한다.

제2조(하자담보책임기간에 관한 적용례) 하자담보책임기간에 관한 별표 1의 개정규정은 이 규칙 시행후에 체결되는 계약부터 적용한다.

제3조(부정당업자의 입찰참가자격제한기간에 관한 적용례) 부정당업자의 입찰참가자격제한기간에 관한 별표 2의 개정규정은 이 규칙 시행후에 그 제한사유가 발생하는 분부터 적용한다.

제4조(물가변동으로 인한 계약금액조정의 특례) ①제74조제4항의 개정규정에 의한 각 품목별 또는 비목별 등락폭(지수조정율의 경우에는 비목군별 지수변동율을 말한다. 이하 같다) 산정에 있어서 1997년 11월 21일 이전에 입찰을 실시하여 동일자 이후에 계약을 체결하였

법 률	시 행 령	시 행 규 칙
부 칙 〈제8050호, 2006.10.4〉 (국가재정법) **제1조(시행일)** 이 법은 2007년 1월 1일부터 시행한다. 〈단서 생략〉 **제2조 내지 제10조** 생략 **제11조(다른 법률의 개정)** ①내지 ⑩생략 ⑪국가를 당사자로 하는 계약에 관한 법률 일부를 다음과 같이 개정한다. 제4조제3항 중 "예산회계법 제14조"를 "「국가재정법」 제6조"로 한다. ⑫내지 〈59〉생략 **제12조** 생략 **부 칙** 〈제8852호, 2008.2.29〉 (정부조직법) **제1조(시행일)** 이 법은 공포한 날부터 시행한다. 다만, … 〈생략〉 …, 부칙 제6조에 따라 개정되	제70조의 제목중 "예산회계법시행령"을 "국가를당사자로하는계약에관한법률시행령"으로 한다. 제70조제1항 각호외의 부분 전단중 "예산회계법시행령중"을 "국가를당사자로하는계약에관한법률시행령중"으로 한다. 제70조제1항제1호 전단중 "예산회계법시행령 제64조 내지 제75조(제68조제2항을 제외한다). 이 경우 제68조제1항중"을 "국가를당사자로하는계약에관한법률시행령 제4조, 제5조, 제48조, 제49조, 제53조, 제67조 내지 제73조, 제93조(제2항을 제외한다). 이 경우 제93조제1항중"으로 한다. 제70조제1항제2호중 "예산회계법시행령 제76조 내지 제78조"를 "국가를당사자로하는계약에관한법률시행령 제7조 내지 제9조"로 한다. 제70조제1항제3호중 "예산회계법시행령 제79조 내지 제103조. 이 경우 제91조제3항중"	거나 1997년 11월 21일부터 1998년 4월 1일까지의 기간동안에 입찰을 실시하고 계약을 체결한 경우로서 조정기준일이 도래하여 감액사유가 발생한 경우에는 다음 각호와 같이 그 등락폭을 산정한다. 다만, 계약당사자간에 특약이 있는 경우에는 그러하지 아니하다. 1. 물가변동당시의 가격(지수변동율의 경우에는 지수를 말한다. 이하 이 조에서 같다)이 계약체결당시의 가격보다 낮고 입찰당시의 가격보다 높은 경우에는 등락폭을 영(지수변동율은 1)으로 한다. 2. 물가변동당시의 가격이 계약체결당시의 가격 및 입찰당시의 가격보다 낮고 입찰당시의 가격이 계약체결 당시의 가격보다 낮은 경우에는 입찰당시의 가격과 물가변동당시의 가격을 비교하여 등락폭을 산정한다. ②이 규칙 시행전에 이미 물가변동으로 인하여 계약금액을 조정한 경우에도 이 규칙 시행

는 법률 중 이 법의 시행 전에 공포되었으나 시행일이 도래하지 아니한 법률을 개정한 부분은 각각 해당 법률의 시행일부터 시행한다.

제2조부터 제5조까지 생략

제6조(다른 법률의 개정) ① 부터 ⑧ 까지 생략

⑨ 국가를 당사자로 하는 계약에 관한 법률 일부를 다음과 같이 개정한다.

제4조제1항 각 호 외의 부분, 제33조 및 제34조 중 "재정경제원장관"을 "기획재정부장관"으로 한다.

제29조제1항 중 "재정경제원"을 "기획재정부"로 한다.

⑩ 부터 〈760〉 까지 생략

제7조 생략

부 칙

〈제11377호, 2012.3.21〉

이 법은 공포한 날부터 시행한다.

을 "국가를당사자로하는계약에관한법률시행령 제10조 내지 제25조, 제33조 내지 제36조, 제39조 내지 제47조, 이 경우 제22조제3항중"으로 한다.

제70조제1항제4호중 "예산회계법시행령 제104조 내지 제110조(제104조제5항제1호를 제외한다). 이 경우 제104조제4항제5호중"을 "국가를당사자로하는계약에관한법률시행령 제26조 내지 제32조(제26조제1항제8호 가목을 제외한다). 이 경우 제26조제1항제7호 마목중"으로 한다.

제70조제1항제5호중 "예산회계법시행령 제111조 내지 제113조"를 "국가를당사자로하는계약에관한법률시행령 제64조 내지 제66조"로 한다.

제70조제1항제6호중 "예산회계법시행령 제114조 내지 제118조"를 "국가를당사자로하는계약에관한법률시행령 제54조 내지 제59조"로 한다.

일 현재 계약의 이행이 진행중에 있는 때에는 제1항의 규정을 적용할 수 있다.

제5조(계약체결 등에 관한 경과조치) 이 규칙 시행전에 입찰공고를 한 경우로서 이 규칙 시행후에 실시하는 입찰, 낙찰자의 결정 및 계약체결과 이 규칙 시행전에 실시한 입찰에서 낙찰된 후 이 규칙 시행후에 체결하는 계약에 관하여는 종전의 규정에 의한다.

부 칙

〈제174호, 2000.12.30〉

① **(시행일)** 이 규칙은 공포한 날부터 시행한다.

② **(부정당업자의 입찰참가자격 제한기준에 대한 적용례)** 별표 2의 개정규정은 이 규칙 시행후에 그 제한사유가 발생하는 분부터 적용한다.

법 률	시 행 령	시 행 규 칙
부 칙 〈제11547호, 2012.12.18〉 **제1조(시행일)** 이 법은 공포한 날부터 시행한다. 다만, 제5조의2, 제5조의3, 제14조제3항·제4항, 제23조, 제27조의2부터 제27조의4까지, 제28조제1항·제4항 및 제29조제1항의 개정규정은 공포 후 6개월이 경과한 날부터 시행한다. **제2조(청렴계약에 관한 적용례)** 제5조의2의 개정규정은 같은 개정규정 시행 후 최초로 입찰공고 또는 통지되는 입찰부터 적용한다. 다만, 제7조제1항 단서의 개정규정에 따라 수의계약에 의하는 경우에는 최초로 체결되는 계약부터 적용한다. **제3조(부정당업자의 과징금 부과에 관한 적용례)** 제27조의2의 개정규정은 같은 개정규정 시행 후 최초로 제27조의 개정규정에 따른 입찰참가자격 제한사유가 발생하는 경우부터 적용한다.	제70조제1항제7호중 "예산회계법시행령 제119조 내지 제129조"를 "국가를당사자로하는계약에관한법률시행령 제37조, 제38조, 제50조 내지 제52조, 제60조 내지 제63조, 제74조 및 제75조"로 한다. 제70조제3항 전단중 "대형공사계약에관한예산회계법시행령특례규정"을 "국가를당사자로하는계약에관한법률시행령 제6장"으로 한다. 제70조제4항중 "예산회계법시행령 제90조, 제91조, 제93조 및 제104조"를 "국가를당사자로하는계약에관한법률시행령 제21조 내지 제23조 및 제26조"로 한다. 제71조제3항중 "예산회계법시행령 제130조"를 "국가를당사자로하는계약에관한법률시행령 제76조"로 한다. **제5조(다른 법령과의 관계)** 이 영 시행당시 다른 법령에서 예산회계법시행령 제6장 또는 동장의 각 조문을 인용하거나, 대형공사계약에관한예산회계법시행령특례규정 또는 동규정	**부 칙** 〈제251호, 2002.3.25〉 ① **(시행일)** 이 규칙은 공포한 날부터 시행한다. ② **(유효기간)** 제23조제2항 및 제44조제7호의 개정규정은 2003년 12월 31일까지 효력을 가진다. ③ **(계약체결 등에 관한 경과조치)** 이 규칙 시행전에 입찰공고를 한 후 이 규칙 시행후에 실시하는 입찰, 낙찰자의 결정 및 계약체결과 이 규칙 시행전에 실시한 입찰에서 낙찰된 후 이 규칙 시행후에 체결하는 계약에 관하여는 종전의 규정에 의한다. **부 칙** 〈제274호, 2002.8.24〉 ① **(시행일)** 이 규칙은 2002년 9월 30일부터 시행한다. 다만, 제14조제3항 및 제83조의 개정규정은 공포한 날부터 시행한다. ② **(지정정보처리장치에 관한 경과조치)** 각 중앙

제4조(하도급대금 직불조건부 입찰참가에 관한 적용례) 제27조의4제2항의 개정규정은 같은 개정규정 시행 후 최초의 통보부터 적용한다.

제5조(이의신청 등에 관한 적용례) 제28조제1항·제4항 및 제29조제1항의 개정규정은 같은 개정규정 시행 후 최초로 입찰 공고되거나 체결된 계약부터 적용한다.

제6조(일반적 경과조치) 이 법 시행 전에 입찰 공고되거나 체결된 계약에 대하여는 종전의 규정에 따른다.

부 칙

〈제12028호, 2013.8.13〉

이 법은 공포 후 6개월이 경과한 날부터 시행한다.

부 칙

〈제12860호, 2014.12.30〉

이 법은 공포 후 6개월이 경과한 날부터 시행한다.

각조문을 인용한 경우에는 이 영 및 이 영 제6장 또는 해당조문을 인용한 것으로 본다.

부 칙

〈제14973호, 1996.4.8〉

(전문건설공제조합법시행령)

제1조(시행일) 이 영은 공포한 날부터 시행한다.

제2조(다른 법령의 개정) ①생략

②국가를당사자로하는계약에관한법률시행령중 다음과 같이 개정한다.

제37조제2항제4호중 "전문건설공제조합법에 의한 전문건설공제조합"을 "전문건설공제조합법에 의한 전문건설공제조합·업종별공제조합"으로 한다.

③생략

부 칙

〈제15186호, 1996.12.31〉

제1조(시행일) 이 영은 1997년 1월 1일부터 시행

관서의 장 또는 계약담당공무원은 부득이한 사유로 지정정보처리장치를 이용하기 어려운 경우에는 2002년 12월 31일까지 제15조, 제38조, 제44조제6호의2·제7호의2, 제45조, 제48조 및 제77조의 개정규정에 불구하고 종전의 규정에 의할 수 있다.

③ **(계약체결 등에 관한 경과조치)** 이 규칙 시행전에 입찰공고를 한 후 이 규칙 시행후에 실시하는 입찰, 낙찰자의 결정 및 계약체결과 이 규칙 시행전에 실시한 입찰에서 낙찰된 후 이 규칙 시행후에 체결하는 계약에 관하여는 종전의 규정에 의한다.

부 칙

〈제335호, 2003.12.12〉

① **(시행일)** 이 규칙은 공포한 날부터 시행한다.

② **(하자담보책임기간에 관한 적용례)** 하자담보책임기간에 관한 별표 1의 제2호의 개정규정은 이 규칙 시행후 체결되는 계약부터 적용한다.

법 률	시 행 령	시 행 규 칙
부 칙 〈제14038호, 2016.3.2〉 이 법은 공포 후 6개월이 경과한 날부터 시행한다. **부 칙** 〈제14839호, 2017.7.26〉 (정부조직법) **제1조(시행일)** ① 이 법은 공포한 날부터 시행한다. 다만, 부칙 제5조에 따라 개정되는 법률 중 이 법 시행 전에 공포되었으나 시행일이 도래하지 아니한 법률을 개정한 부분은 각각 해당 법률의 시행일부터 시행한다. **제2조**부터 **제4조**까지 생략 **제5조(다른 법률의 개정)** ① 및 ② 생략 ③ 국가를 당사자로 하는 계약에 관한 법률 일부를 다음과 같이 개정한다. 제27조제1항제6호 중 "중소기업청장"을 "중소벤처기업부장관"으로 하고, 같은 조 제4항 본문 중 "공정거래위원회 또는 중소기업청장"	한다. **제2조(현금으로 납부된 차액보증금의 보증서 대체에 관한 적용례)** ①각 중앙관서의 장 또는 계약담당공무원은 대통령령 제14,295호로 개정된 예산회계법시행령(이하 "구 예산회계법시행령"이라 한다) 제123조제1항 단서의 규정에 의하여 차액보증금이 현금으로 납부된 공사에 대하여는 납부된 현금의 전액을 그 현금과 같은 금액을 보증하는 보증서로 대체하게 할 수 있다. 다만, 제76조제1항제1호 내지 제5호·제7호 및 제8호의 사유로 입찰참가자격의 제한을 받고 그 제한중에 있는 자에 대하여는 그러하지 아니하다. 〈개정 1998.2.24〉 ②각 중앙관서의 장 또는 계약담당공무원은 구 예산회계법시행령 제123조제1항 본문의 규정에 의하여 제출한 보증서를 차액보증금을 현금으로 납부한 경우와 같은 금액을 보증하는 보증서로 대체하게 할 수 있다.	③ **(부정당업자의 입찰참가자격 제한기준에 관한 적용례)** 부정당업자의 입찰참가자격 제한기준에 관한 별표 2의 제1호 사목·제2호 바목 및 제3호 카목의 개정규정은 이 규칙 시행후 그 제한사유가 발생하는 분부터 적용한다. ④ **(계약체결 등에 관한 경과조치)** 이 규칙 시행전에 입찰공고를 하고 이 규칙 시행후에 실시하는 입찰, 낙찰자의 결정 및 계약체결과 이 규칙 시행전에 실시한 입찰에서 낙찰된 후 이 규칙 시행후에 체결하는 계약에 관하여는 종전의 규정에 의한다. **부 칙** 〈제460호, 2005.9.8〉 ① **(시행일)** 이 규칙은 공포한 날부터 시행한다. 다만, 제27조 및 별표 2 제2호 다목의 개정규정은 2006년 1월 1일부터 시행한다. ② **(지체상금률에 관한 적용례)** 제75조제2호 및 제3호의 개정규정은 이 규칙 시행 전에 체결

을 “중소벤처기업부장관 또는 공정거래위원회”로 한다.

④부터 〈382〉까지 생략

제6조 생략

부 칙

〈제15219호, 2017.12.19〉

이 법은 공포 후 3개월이 경과한 날부터 시행한다. 다만, 제7조제3항의 개정규정은 공포한 날부터 시행한다.

부 칙

〈제16578호, 2019. 11. 26.〉

제1조(시행일) 이 법은 공포 후 6개월이 경과한 날부터 시행한다. 다만, 제19조의 개정규정은 공포 후 3개월이 경과한 날부터 시행한다.

제2조(낙찰자 결정 및 이의신청에 관한 적용례)

① 제10조제3항의 개정규정은 이 법 시행 후 최초로 공고 또는 통지되는 입찰부터 적

③제1항 및 제2항의 규정에 의한 보증서의 대체방법 및 절차등에 관하여 필요한 사항은 재정경제원장관이 정한다. 〈개정 1998.2.24〉

[전문개정 1998.2.2]

제3조(계약기간 연장시 현금으로 납부된 차액보증금의 처리에 관한 적용례) 각 중앙관서의 장 또는 계약담당공무원은 대통령령 제14,295호로 개정된 예산회계법시행령 제123조제1항 단서의 규정에 의하여 차액보증금을 현금으로 납부받은 경우 계약상대자의 책임없는 사유로 계약기간이 연장되는 경우로서 계약상대자가 보증서등으로 대체납부할 것을 요청한 때에는 당초 계약기간 만료후 동 금액이상을 보증하는 보증서등으로 대체하여 납부하게 할 수 있다.

제4조(계약체결 등에 관한 경과조치) 이 영 시행전에 입찰공고를 한 후 이 영 시행후 실시하는 입찰, 낙찰자의 결정 및 계약체결과 이 영 시행전에 실시한 입찰에서 낙찰된 후 이 영 시행된 계약에 대하여도 이를 적용한다.

③ **(하자담보책임기간에 관한 적용례)** 하자담보책임기간에 관한 별표 1의 개정규정은 이 규칙 시행 후 체결되는 계약부터 적용한다.

④ **(부정당업자의 입찰참가자격 제한에 관한 경과조치)** 이 규칙 시행 전에 발생한 위반행위에 대한 입찰참가자격 제한에 관하여는 별표 2 제2호 다목의 개정규정에 불구하고 종전의 규정에 의한다.

부 칙

〈제508호, 2006.5.25〉

① **(시행일)** 이 규칙은 공포한 날부터 시행한다.

② **(지명경쟁계약 및 수의계약의 보고서류 등에 관한 적용례)** 제29조제1항 및 제2항 또는 제35조의 개정규정은 이 규칙 시행 후 보고 또는 통지하는 분부터 적용한다.

③ **(부정당업자의 입찰참가자격 제한에 관한 경과조치)** 이 규칙 시행 전에 발생한 위반행위에

법 률	시 행 령	시 행 규 칙
용한다. ② 제28조제1항의 개정규정은 이 법 시행 후 최초로 공고 또는 통지되는 입찰부터 적용한다. 다만, 제7조제1항 단서에 따라 수의계약에 의하는 경우에는 최초로 체결되는 계약부터 적용한다. **부 칙** 〈제17339호, 2020. 6. 9.〉 이 법은 공포한 날부터 시행한다. 〈단서 생략〉 **부 칙** 〈제17555호, 2020. 10. 20.〉 (대·중소기업 상생협력 촉진에 관한 법률) **제1조(시행일)** 이 법은 공포 후 6개월이 경과한 날부터 시행한다. **제2조** 생략 **제3조(다른 법률의 개정)** ① 국가를 당사자로 하는 계약에 관한 법률 일부를 다음과 같이	시행후에 체결하는 계약에 관하여는 종전의 규정에 의한다. **부 칙** 〈제15433호, 1997.7.10〉 (건설산업기본법시행령) **제1조(시행일)** 이 영은 공포한 날부터 시행한다. 〈단서 생략〉 **제2조 내지 제8조** 생략 **제9조(다른 법령의 개정)** ①생략 ②국가를당사자로하는계약에관한법률시행령중 다음과 같이 개정한다. 제21조제1항제1호중 "도급한도액"을 "도급한도액 또는 시공능력"으로 한다. 제37조제2항제4호중 "건설공제조합법에 의한 건설공제조합, 전문건설공제조합법에 의한 전문건설공제조합·업종별공제조합"을 "건설산업기본법에 의한 건설공제조합·전문건설공제조합·업종별공제조합"으로 하고, 동	대한 입찰참가자격 제한에 관하여는 제76조 및 별표 2의 개정규정에 불구하고 종전의 규정에 의한다. ④ **(계약체결 등에 관한 경과조치)** 이 규칙 시행 전에 입찰공고를 한 경우로서 이 규칙 시행 후에 실시하는 입찰, 낙찰자의 결정 및 계약체결과 이 규칙 시행 전에 실시한 입찰에서 낙찰된 경우로서 이 규칙 시행 후에 체결하는 계약에 관하여는 종전의 규정에 의한다. **부 칙** 〈제512호, 2006.7.5〉 (행정정보의 공동이용 및 문서감축을 위한 국가를 당사자로 하는 계약에 관한 법률 시행규칙 등 일부개정령) 이 규칙은 공포한 날부터 시행한다. **부 칙** 〈제536호, 2006.12.29〉

개정한다.

제27조제1항제6호 중 "제5항"을 "제7항"으로 한다.

② 생략

부 칙

〈제17816호, 2021. 1. 5.〉

제1조(시행일) 이 법은 공포 후 6개월이 경과한 날부터 시행한다.

제2조(부정당업자의 입찰 참가자격 제한 등에 관한 적용례) 제27조제1항제8호의 개정규정은 이 법 시행 후 최초로 입찰 참가자격을 제한하는 경우부터 적용한다.

조제3항제5호중 "건설업법"을 "건설산업기본법"으로 한다.

제84조제1호를 다음과 같이 한다.

1. 건설산업기본법 제9조 또는 제11조의 규정에 의하여 당해 공사의 시공에 필요한 건설업의 면허를 받거나 등록을 한 자일 것

③내지 ⑤생략

제10조 생략

부 칙

〈제15581호, 1997.12.31〉

(정보통신공사업법시행령)

제1조(시행일) 이 영은 1998년 1월 1일부터 시행한다. 〈단서 생략〉

제2조 내지 제5조 생략

제6조(다른 법령의 개정) ①내지 ③생략

④국가를당사자로하는계약에관한법률시행령중 다음과 같이 개정한다.

제37조제2항제4호중 "전기통신공사업법에

① **(시행일)** 이 규칙은 공포한 날부터 시행한다.

② **(보증보험증권 등에 의한 보증금 납부에 관한 적용례)** 제55조제1항제3호 나목(2)의 개정규정은 이 규칙 시행 후 계약보증금을 납부하는 분부터 적용하며, 동호 다목(2)의 개정규정은 이 규칙 시행 후 하자보수보증금을 납부하는 분부터 적용한다.

③ **(물가변동으로 인한 계약금액의 조정에 관한 적용례)** 제74조제8항의 개정규정은 이 영 시행 후 조정하는 분부터 적용한다.

④ **(부정당업자의 입찰참가자격에 관한 경과조치)** 이 규칙 시행 전에 발생한 위반행위에 대한 입찰참가자격 제한에 관하여는 별표 2 제7호 다목의 개정규정에 불구하고 종전의 규정에 따른다.

⑤ **(계약체결 등에 관한 경과조치)** 이 규칙 시행 전에 입찰공고를 한 경우로서 이 규칙 시행 후에 실시하는 입찰, 낙찰자의 결정 및 계약체결과 이 규칙 시행 전에 실시한 입찰에서 낙찰

<table>
<tr><th>법 률</th><th>시 행 령</th><th>시 행 규 칙</th></tr>
<tr><td></td><td>의한 전기통신공제조합"을 "정보통신공사업법에 의한 정보통신공제조합"으로 하고, 동조 제3항제5호중 "전기통신공사업법"을 "정보통신공사업법"으로 한다.
제76조제1항제2호중 "전기통신공사업법"을 "정보통신공사업법"으로 한다.
⑤내지 ⑪생략
제7조 생략

부 칙
〈제15582호, 1997.12.31〉
(소프트웨어개발촉진법시행령)
① (시행일) 이 영은 1998년 1월 1일부터 시행한다.
② (다른 법령의 개정) 국가를당사자로하는계약에관한법률시행령중 다음과 같이 개정한다.
제37조제2항제4호중 "소프트웨어개발촉진법에 의하여 정보통신부장관이 공고한 공제사업기관"을 "소프트웨어개발촉진법에 의한</td><td>된 경우로서 이 규칙 시행 후에 체결하는 계약에 관하여는 종전의 규정에 따른다.

부 칙
〈제578호, 2007.10.10〉
제1조(시행일) 이 규칙은 공포한 날부터 시행한다.
제2조(부정당업자의 입찰참가자격제한에 관한 적용례) 별표 2의 개정규정은 이 규칙 시행 후 최초로 제한사유가 발생하는 분부터 적용한다.
제3조(계약체결 등에 관한 경과조치) 이 규칙 시행 전에 입찰공고를 한 후 이 규칙 시행 후 실시하는 입찰, 낙찰자의 결정 및 계약체결과 이 규칙 시행 전에 실시한 입찰에서 낙찰된 후 이 규칙 시행 후 체결된 계약에 관하여는 종전의 규정에 따른다.</td></tr>
</table>

소프트웨어공제조합"으로 한다.

부　칙

〈제15614호, 1998.2.2〉

제1조(시행일) 이 영은 공포한 날부터 시행한다. 다만, 제42조의 개정규정은 공포후 1년이 경과한 날부터 시행한다.

제2조(다른 법령의 폐지) 계약심의위원회규정은 이를 폐지한다.

제3조(현금으로 납부된 차액보증금의 보증서 대체 등에 관한 적용례) ①대통령령 제15,186호 부칙 제2조제1항의 개정규정은 종전의 규정에 의하여 제출한 보증서에 대하여 이를 적용한다.

②대통령령 제15,186호 부칙 제2조제1항 및 제3항의 개정규정과 동부칙 제3조의 규정은 종전의 제50조제7항 단서의 규정에 의하여 현금으로 납부된 계약보증금에 대하여 이를 준용한다.

부　칙

〈제58호, 2009.3.5〉

제1조(시행일) 이 규칙은 공포한 날부터 시행한다.

제2조(천재지변 또는 원자재 가격급등 등의 경우 물가변동당시 가격산정방법에 관한 적용례) 제74조제7항 단서의 개정규정은 이 규칙 시행 후 계약금액 조정분부터 적용한다.

제3조(계약체결 등에 관한 경과조치) 이 규칙 시행 전에 입찰공고를 한 후 이 규칙 시행 후에 실시하는 입찰, 낙찰자의 결정 및 계약체결과 이 규칙 시행 전에 실시한 입찰에서 낙찰된 후 이 규칙 시행 후에 체결된 계약에 관하여는 종전의 규정에 따른다.

부　칙

〈제95호, 2009.8.31〉

제1조(시행일) 이 규칙은 2009년 9월 1일부터 시행한다.

제2조(적용례) 이 규칙은 이 규칙 시행 후 최초로

<table>
<tr><th>법 률</th><th>시 행 령</th><th>시 행 규 칙</th></tr>
<tr><td></td><td>제4조(계약체결 등에 관한 경과조치) 이 영 시행전에 입찰공고를 한 후 이 영 시행후 실시하는 입찰, 낙찰자의 결정 및 계약체결과 이 영 시행전에 실시한 입찰에서 낙찰된 후 이 영 시행후에 체결하는 계약에 관하여는 종전의 규정에 의한다.
제5조(다른 법령의 개정) 건설기술관리법시행령중 다음과 같이 개정한다.
제9조제7호중 "제79조제2항"을 "제79조제2항 본문"으로 하고, 동조제8호중 "제80조제2항"을 "제80조제1항 본문"으로 한다.
제38조의7제6항제2호를 다음과 같이 하고, 동항에 제3호를 다음과 같이 신설한다.
2. 국가를당사자로하는계약에관한법률시행령 제79조제2항 단서·제85조제6항 및 제90조제4항의 규정에 의한 대형공사의 일괄입찰·대안입찰등에 관한 사항
3. 국가를당사자로하는계약에관한법률시행령 제80조제1항 단서의 규정에 의한 대형</td><td>제한사유가 발생하는 분부터 적용한다.

부 칙
〈제161호, 2010.7.21〉
제1조(시행일) 이 규칙은 공포 후 3개월이 경과한 날부터 시행한다. 다만, 제81조의2의 개정규정은 공포한 날부터 시행하고, 제64조·제66조 및 별표 2 제8호나목의 개정규정은 2011년 1월 1일부터 시행한다.
제2조(부정당업자의 입찰참가자격제한에 관한 적용례) 별표 2 제7호다목의 개정규정은 이 규칙 시행 후 최초로 입찰참가자격 제한사유가 발생하는 분부터 적용한다.
제3조(현장설명 미참가업체에 대한 입찰무효에 관한 경과조치) 이 규칙 시행 당시 영 제14조의2제1항 및 제2항 본문에 따라 현장설명을 실시하는 공사로서 추정가격이 100억원 이상인 공사의 입찰에 참가한 자 중 현장설명에 참가하지 아니한 자의 입찰무효 여부에 관하여는</td></tr>
</table>

공사의 입찰방법에 관한 사항

부 칙

〈제15661호, 1998.2.24〉

① **(시행일)** 이 영은 공포한 날부터 시행한다.

② **(적용례)** 제64조의 개정규정은 이 영 시행전에 체결된 계약에 대하여도 이를 적용한다.

부 칙

〈제16308호, 1999.5.13〉

(산업발전법시행령)

제1조(시행일) 이 영은 공포한 날부터 시행한다.

제2조 내지 제8조 생략

제9조(다른 법령의 개정) ①내지 ⑤생략

⑥국가를당사자로하는계약에관한법률시행령중 다음과 같이 개정한다.

제37조제2항제4호중 "공업발전법"을 "산업발전법"으로 한다.

⑦내지 〈16〉생략

제44조제6호의2의 개정규정에도 불구하고 종전의 규정에 따른다.

제4조(연대보증인의 보증이행 불이행에 관한 경과조치) 이 규칙 시행 전에 체결한 공사계약의 연대보증인이었던 자가 보증이행(하자보수 의무의 이행을 포함한다)을 요구받고도 이에 불응한 경우 입찰참가자격 제한에 관하여는 별표 2 제8호나목의 개정규정에도 불구하고 종전의 규정에 따른다.

부 칙

〈제284호, 2012.5.18〉

제1조(시행일) 이 규칙은 공포한 날부터 시행한다. 다만, 제25조제3항·제4항 및 제33조제2항의 개정규정은 2012년 7월 1일부터 시행한다.

제2조(주된 영업소의 소재지에 따른 제한경쟁입찰에 관한 적용례) 제25조제3항 및 제4항의 개정규정은 2012년 7월 1일 이후 최초로 입찰공고를 하는 경우부터 적용한다.

법 률	시 행 령	시 행 규 칙
	제10조 생략 **부 칙** 〈제16448호, 1999.6.30〉 (전기공사업법시행령) **제1조(시행일)** 이 영은 1999년 7월 1일부터 시행한다. **제2조 내지 제3조** 생략 **제4조(다른 법령의 개정)** ①국가를 당사자로하는계약에관한법률시행령중 다음과 같이 개정한다. 제37조제3항제5호를 다음과 같이 한다. 5. 건설산업기본법·전기공사업법 또는 정보통신공사업법등의 법령에 의하여 등록등을 한 법인으로서 재정경제부장관이 정하는 기준에 해당되는 자 ②내지 ④생략 **제5조** 생략	**제3조(주된 영업소의 소재지에 따른 수의계약 견적서 제출 제한에 관한 적용례)** 제33조제2항의 개정규정은 2012년 7월 1일 이후 최초로 수의계약을 체결하는 경우부터 적용한다. **부 칙** 〈제342호, 2013.3.23〉 (기획재정부와 그 소속기관 직제 시행규칙) **제1조(시행일)** 이 규칙은 공포한 날부터 시행한다. **제2조 및 제3조** 생략 **제4조(다른 규칙의 개정)** ①부터 ③까지 생략 ④ 국가를 당사자로 하는 계약에 관한 법률 시행규칙 일부를 다음과 같이 개정한다. 제78조제1항 각 호 외의 부분 본문 및 단서, 같은 조 제3항, 제79조제1항 본문·제2항 각 호 외의 부분 및 제81조 중 "국토해양부장관"을 각각 "국토교통부장관"으로 한다. ⑤부터 ⑮까지 생략

부 칙

〈제16548호, 1999.9.9〉

① **(시행일)** 이 영은 공포한 날부터 시행한다. 다만, 제19조·제36조제14호 및 제72조제3항의 개정규정은 2002년 1월 1일부터 시행한다. 〈개정 2000.12.27〉

② **(계약체결등에 관한 경과조치)** 이 영 시행전에 입찰공고를 한 후 이 영 시행후 실시하는 입찰, 낙찰자의 결정 및 계약체결과 이 영 시행전에 실시한 입찰에서 낙찰된 후 이 영 시행후에 체결하는 계약에 관하여는 종전의 규정에 의한다.

③ **(실시설계·시공입찰의 방법으로 집행될 대형공사등의 발주에 관한 경과조치)** 이 영 시행전에 제80조의 규정에 의하여 실시설계·시공입찰의 방법에 의하여 집행하기로 공고된 대형공사등에 관하여는 종전의 규정에 의한다.

④ **(한국전력기술인협회에 관한 경과조치)** 법률 제5784호 전력기술관리법중개정법률 부칙

부 칙

〈제352호, 2013.6.19〉

제1조(시행일) 이 규칙은 2013년 6월 19일부터 시행한다.

제2조(계약이행의 성실도 항목에 관한 적용례) 제23조의 개정규정은 이 규칙 시행 후 입찰공고하는 계약부터 적용한다.

제3조(하자보수보증금률에 관한 적용례) 제72조제2항제1호 및 별표 1의 개정규정은 이 규칙 시행 후 입찰공고하는 계약부터 적용한다.

제4조(부정당업자의 입찰참가자격제한에 관한 적용례) 제77조의2, 별표 2 제3호다목, 별표 3 및 별표 4의 개정규정은 이 규칙 시행 후 입찰참가자격 제한사유가 발생하는 경우부터 적용한다.

부 칙

〈제355호, 2013.6.28〉

(부가가치세법 시행규칙)

제1조(시행일) 이 규칙은 2013년 7월 1일부터

법 률	시 행 령	시 행 규 칙
	제2항의 규정에 의한 한국전력기술인협회는 제37조제2항제4호의 개정규정에 의하여 산업자원부장관이 고시한 전력기술인단체로 본다. **부 칙** 〈제16682호, 1999.12.31〉 (장애인복지법시행령) **제1조(시행일)** 이 영은 2000년 1월 1일부터 시행한다. **제2조** 생략 **제3조(다른 법령의 개정)** ①국가를당사자로하는계약에관한법률시행령중 다음과 같이 개정한다. 제26조제1항제8호 바목중 "장애인복지법 제45조"를 "장애인복지법 제53조"로 한다. ②내지 ⑪생략 **제4조** 생략	시행한다. **제2조부터 제9조까지** 생략 **제10조(다른 법령의 개정)** ① 생략 ② 국가를 당사자로 하는 계약에 관한 법률 시행규칙 일부를 다음과 같이 개정한다. 제10조제1호 중 "「부가가치세법」 제5조의 규정에 의하여"를 "「부가가치세법」 제8조에 따라"로 한다. 제11조제3항 중 "「부가가치세법」 제12조제1항"을 "「부가가치세법」 제26조제1항"으로 한다. 제14조제1항 중 "「부가가치세법」 제5조"를 "「부가가치세법」 제8조"로 한다. ③부터 ⑨까지 생략 **제11조** 생략 **부 칙** 〈제360호, 2013.9.17〉 (전자조달의 이용 및 촉진에 관한 법률 시행규칙) **제1조(시행일)** 이 규칙은 2013년 9월 23일부터

부 칙

〈제16919호, 2000.7.27〉

(농어촌정비법시행령)

제1조(시행일) 이 영은 2000년 7월 29일부터 시행한다.

제2조 내지 제4조 생략

제5조(다른 법령의 개정) ①국가를당사자로하는계약에관한법률시행령중 다음과 같이 개정한다.

제26조제1항제6호 라목중 "농어촌발전특별조치법"을 "농어촌정비법"으로 한다.

②내지 ④생략

제6조 생략

부 칙

〈제16943호, 2000.8.5〉

(소프트웨어산업진흥법시행령)

① **(시행일)** 이 영은 공포한 날부터 시행한다.

② **(다른 법령의 개정)** 국가를당사자로하는계약

시행한다.

제2조(다른 법령의 개정) ① 생략

② 국가를 당사자로 하는 계약에 관한 법률 시행규칙 일부를 다음과 같이 개정한다.

제15조제2항제2호마목 중 "기획재정부장관이 지정·고시하는 정보처리장치(이하 "지정정보처리장치"라 한다)를"을 "국가종합전자조달시스템(이하 "전자조달시스템"이라 한다)을"로 하고, 같은 조 제5항 전단·후단 및 같은 조 제7항 각 호 외의 부분 중 "지정정보처리장치"를 각각 "전자조달시스템"으로 하며, 같은 조 제8항 중 "지정정보처리장치를"을 "전자조달시스템을"로, "지정정보처리장치에"를 "전자조달시스템에"로 한다.

제23조의2제4항, 제33조제1항 각 호 외의 부분, 같은 항 제3호, 제44조 제7호의2, 제45조 단서 및 제48조제1항 단서 중 "지정정보처리장치"를 각각 "전자조달시스템"으로 한다.

법 률	시 행 령	시 행 규 칙
	에관한법률시행령중 다음과 같이개정한다. 제37조제2항제4호중 "소프트웨어개발촉진법에 의한 소프트웨어공제조합"을 "소프트웨어산업진흥법에 의한 소프트웨어공제조합"으로 한다. ③ **생략** **부 칙** 〈제17019호, 2000.12.27〉 ① **(시행일)** 이 영은 공포한 날부터 시행한다. 다만, 제42조제1항 단서 및 제52조제1항 각호외의 부분 단서의 개정규정은 2001년 1월 1일부터 시행한다. ② **(부정당업자의 입찰참가자격제한에 관한 적용례)** 제76조제1항제10호의 개정규정은 이 영 시행후에 그 제한사유가 발생하는 분부터 적용한다. ③ **(계약체결 등에 관한 경과조치)** 이 영 시행전에 입찰공고를 한 후 이 영 시행후에 실시하는	제77조제3항 중 "지정정보처리장치"를 "전자조달시스템"으로 하고, 같은 조 제4항 중 "지정정보처리장치를"을 "전자조달시스템을"로 한다. 제81조 중 "지정정보처리장치"를 "전자조달시스템"으로 한다. ③ 및 ④ 생략 **부 칙** 〈제443호, 2014.11.4〉 **제1조(시행일)** 이 규칙은 공포한 날부터 시행한다. 다만, 별표 4의 개정규정은 2015년 1월 1일부터 시행하고, 제5조제2항의 개정규정은 2015년 3월 1일부터 시행한다. **제2조(하자담보책임기간과 지체상금률에 관한 적용례)** 제70조제1항 및 제75조제1항제2호의 개정규정은 이 규칙 시행 이후 계약을 체결하는 경우부터 적용한다. **제3조(과징금 부과의 대상과 기준에 관한 적용례)**

입찰, 낙찰자의 결정 및 계약체결과 이 영 시행전에 실시한 입찰에서 낙찰된 후 이 영 시행후에 체결하는 계약에 관하여는 종전의 규정에 의한다.

부 칙

〈제17344호, 2001.8.25〉

(정보통신망이용촉진및정보보호등에관한 법률시행령)

제1조(시행일) 이 영은 공포한 날부터 시행한다.

제2조(다른 법령의 개정) ①내지 ④생략

⑤국가를당사자로하는계약에관한법률시행령중 다음과 같이 개정한다.

제33조제2항중 "정보통신망이용촉진등에관한법률 제2조제1호"를 "정보통신망이용촉진및정보보호등에관한법률 제2조제1항제1호"로 한다.

⑥생략

제3조 생략

별표 4의 개정규정은 2015년 1월 1일 전의 위반행위에 대해서도 적용한다.

부 칙

〈제444호, 2014.11.19〉

(기획재정부와 그 소속기관 직제 시행규칙)

제1조(시행일) 이 규칙은 공포한 날부터 시행한다.

제2조(다른 규칙의 개정) ① 국가를 당사자로 하는 계약에 관한 법률 시행규칙 일부를 다음과 같이 개정한다.

제85조제1항 중 "안전행정부"를 "행정자치부"로 한다.

②부터 ⑨까지 생략

부 칙

〈제487호, 2015.6.30〉

제1조(시행일) 이 규칙은 공포한 날부터 시행한다.

<table>
<tr><th>법 률</th><th>시 행 령</th><th>시 행 규 칙</th></tr>
<tr><td></td><td>부 칙
<제17546호, 2002.3.25>
① (시행일) 이 영은 공포한 날부터 시행한다.
② (유효기간) 제19조 및 제36조제14호의 개정규정은 2003년 12월 31일까지 효력을 가진다.
③ (계약체결 등에 관한 경과조치) 이 영 시행전에 입찰공고를 한 후 이 영 시행후에 실시하는 입찰, 낙찰자의 결정 및 계약체결과 이 영 시행전에 실시한 입찰에서 낙찰된 후 이 영 시행후에 체결하는 계약에 관하여는 종전의 규정에 의한다.

부 칙
<제17585호, 2002.4.20>
(산업발전법시행령)
① (시행일) 이 영은 공포한 날부터 시행한다.
② 및 ③생략
④ (다른 법령의 개정) 국가를당사자로하는계약에관한법률시행령중 다음과 같이 개정한다.</td><td>제2조(원가계산에 의한 예정가격 결정 시의 일반관리비율에 관한 적용례) 제8조제1항의 개정규정은 이 규칙 시행 이후 입찰공고를 하거나 수의계약을 체결하는 경우부터 적용한다.
제3조(제한경쟁입찰의 제한기준에 관한 적용례) 제25조제3항의 개정규정은 이 규칙 시행 이후 입찰공고를 하는 경우부터 적용한다.

부 칙
<제533호, 2016.2.1>
제1조(시행일) 이 규칙은 공포한 날부터 시행한다.
제2조(입찰무효에 관한 적용례) 제44조의 개정규정은 이 규칙 시행 이후 입찰공고를 하는 계약부터 적용한다.
제3조(계약정보의 공개에 대한 경과규정) 2016년 1월 1일 이전에 각 중앙관서의 장 또는 계약담당공무원이 입찰공고를 한 공사에 대해서는 제82조의 개정규정에도 불구하고 종</td></tr>
</table>

제37조제2항제4호중 "산업발전법에 의한 공제사업단체"를 "산업발전법에 의한 공제조합"으로 한다.

부 칙

〈제17688호, 2002.7.30〉

① **(시행일)** 이 영은 2002년 9월 30일부터 시행한다. 다만, 제68조의 개정규정은 공포한 날부터 시행한다.

② **(지정정보처리장치에 관한 경과조치)** 각 중앙관서의 장 또는 계약담당공무원은 부득이한 사유로 지정정보처리장치를 이용하기 어려운 경우에는 2002년 12월 31일까지 제22조·제33조·제36조제12호의2·제39조·제40조제3항 및 제76조제6항 내지 제8항의 개정규정에 불구하고 종전의 규정에 의할 수 있다.

③ **(계약체결 등에 관한 경과조치)** 이 영 시행전에 입찰공고를 한 후 이 영 시행후에 실시하는 입찰, 낙찰자의 결정 및 계약체결과 이 영 전의 규정에 따른다.

제4조(입찰참가자격 제한에 관한 경과조치) 이 규칙 시행 전의 위반행위에 대한 행정처분에 대해서는 별표 2 및 별표 4의 개정규정에도 불구하고 종전의 규정에 따른다.

부 칙

〈제573호, 2016.9.23〉

제1조(시행일) 이 규칙은 공포한 날부터 시행한다. 다만, 제15조제2항제1호마목, 제2호바목 및 제3호마목의 개정규정은 2017년 1월 1일부터 시행한다.

제2조(입찰참가자격의 등록에 관한 적용례) 제15조제2항제1호마목·제2호바목·제3호마목, 별지 제3호서식, 별지 제5호서식, 별지 제6호서식 및 별지 제13호서식의 개정규정은 부칙 제1조 단서에 따른 시행일 이후 입찰참가자격을 등록하는 경우부터 적용한다.

제3조(입찰무효에 관한 적용례) 제44조제2항의

법 률	시 행 령	시 행 규 칙
	시행전에 실시한 입찰에서 낙찰된 후 이 영 시행후에 체결하는 계약에 관하여는 종전의 규정에 의한다. **부 칙** 〈제17791호, 2002.12.5〉 (기술신용보증기금법시행령) **제1조(시행일)** 이 영은 공포한 날부터 시행한다. **제2조(다른 법령의 개정)** ①및 ②생략 ③국가를당사자로하는계약에관한법률시행령중 다음과 같이 개정한다. 제37조제2항제4호중 "신기술사업금융지원에관한법률"을 "기술신용보증기금법"으로 한다. ④내지 〈36〉생략 **제3조** 생략 **부 칙** 〈제17824호, 2002.12.30〉	개정규정은 이 규칙 시행 이후 입찰공고를 하는 경우부터 적용한다. **부 칙** 〈제644호, 2017.12.28〉 **제1조(시행일)** 이 규칙은 공포한 날부터 시행한다. **제2조(지체상금률에 대한 적용례)** 제75조의 개정규정은 이 규칙 시행 이후 입찰공고(재공고 또는 재입찰공고를 하는 경우는 제외한다)를 하거나 수의계약을 체결하는 경우부터 적용한다. **부 칙** 〈제699호, 2018.12.4〉 **제1조(시행일)** 이 규칙은 공포한 날부터 시행한다. 다만, 제9조의 개정규정은 공포 후 3개월이 경과한 날부터 시행한다. **제2조(제한경쟁입찰의 대상에 관한 적용례)** 제24조제2항제1호나목의 개정규정은 이 규칙 시

(국고금관리법시행령)

제1조(시행일) 이 영은 2003년 1월 1일부터 시행한다. 〈단서 생략〉

제2조 내지 제4조 생략

제5조(다른 법령의 개정) ①내지 ③생략

④국가를당사자로하는계약에관한법률시행령중 다음과 같이 개정한다.

제64조제3항중 "예산회계법시행령 제56조제1항"을 "국고금관리법시행령 제40조"로 한다.

⑤내지 〈28〉생략

제6조 생략

부　칙

〈제18155호, 2003.12.11〉

① **(시행일)** 이 영은 공포한 날부터 시행한다. 다만, 제37조제2항제7호의 개정규정은 2004년 1월 5일부터 시행한다.

② **(부정당업자의 입찰참가자격제한에 관한 적용례)** 제76조제1항제15호의 개정규정은 이 영 시행 이후 입찰공고를 하는 경우부터 적용한다.

제3조(제한경쟁입찰의 제한기준에 관한 적용례) 제25조제5항의 개정규정은 이 규칙 시행 이후 입찰공고를 하는 경우부터 적용한다.

제4조(입찰참가자격 제한에 관한 경과조치) 이 규칙 시행 전의 위반행위에 대한 행정처분에 대해서는 별표 2, 별표 3 및 별표 4의 개정규정에도 불구하고 종전의 규정에 따른다.

부　칙

〈제751호, 2019. 9. 17.〉

제1조(시행일) 이 규칙은 공포한 날부터 시행한다. 다만, 제25조제2항·제3항, 제41조의2 및 제44조제1항의 개정규정은 공포 후 3개월이 경과한 날부터 시행한다.

제2조(제한경쟁입찰의 제한기준에 관한 적용례) 제25조제3항의 개정규정은 부칙 제1조 단서에 따른 시행일 이후 입찰공고하는 경우부터 적용한다.

법 률	시 행 령	시 행 규 칙
	시행후 그 제한사유가 발생하는 분부터 적용한다. ③ **(계약체결 등에 관한 경과조치)** 이 영 시행전에 입찰공고를 하고 이 영 시행후에 실시하는 입찰, 낙찰자의 결정 및 계약체결과 이 영 시행전에 실시한 입찰에서 낙찰되어 이 영 시행후에 체결하는 계약에 관하여는 종전의 규정에 의한다. **부 칙** 〈제18359호, 2004.4.6〉 ① **(시행일)** 이 영은 공포한 날부터 시행한다. ② **(물가변동으로 인한 계약금액의 조정에 관한 경과조치)** 제64조의 개정규정은 이 영 시행전에 체결된 계약에 대하여도 이를 적용한다. **부 칙** 〈제18666호, 2004.12.31〉 (건설폐기물의재활용촉진에관한법률시행령)	**제3조(제한경쟁입찰의 제한기준 등에 관한 경과조치)** 부칙 제1조 단서에 따른 시행일 전에 입찰공고한 경우에는 제25조제2항제2호 및 제44조제1항제7호의3의 개정규정에도 불구하고 종전의 규정에 따른다. **제4조(입찰참가자격 제한에 관한 경과조치)** 이 규칙 시행 전의 위반행위에 대한 행정처분에 대해서는 별표 2, 별표 3 및 별표 4의 개정규정에도 불구하고 종전의 규정에 따른다. **부 칙** 〈제859호, 2021. 7. 6.〉 **제1조(시행일)** 이 규칙은 2021년 7월 6일부터 시행한다. **제2조(과징금 부과의 대상과 기준에 관한 적용례)** 별표 3 비고 제4호 · 제5호 및 별표 4 비고 제4호 · 제5호의 개정규정은 이 규칙 시행 전의 위반행위에 대해 이 규칙 시행 이후 각 중앙관서의 장이 입찰참가자격 제한을 갈음

① **(시행일)** 이 영은 2005년 1월 1일부터 시행한다. 〈단서 생략〉

② 생략

③ **(다른 법령의 개정)** 국가를당사자로하는계약에관한법률시행령중 다음과 같이 개정한다.

제37조제2항제4호중 "한국기계공업진흥회"를 "한국기계공업진흥회, 건설폐기물의재활용촉진에관한법률에 의한 공제조합"으로 하고, 동조제3항제5호중 "전기공사업법 또는 정보통신공사업법"을 "전기공사업법·정보통신공사업법 또는 건설폐기물의재활용촉진에관한법률"로 한다.

부 칙

〈제18903호, 2005.6.30〉

(디자인보호법 시행령)

제1조(시행일) 이 영은 2005년 7월 1일부터 시행한다.

제2조(다른 법령의 개정) ①내지 ③생략

하는 과징금 부과 심의를 요청하는 경우에도 적용한다.

부 칙

〈제867호, 2021. 10. 28.〉

(어려운 법령용어 정비를 위한 개별소비세법 시행규칙 등 23개 기획재정부령 일부개정령)

이 규칙은 공포한 날부터 시행한다.

법 률	시 행 령	시 행 규 칙
	④국가를당사자로하는계약에관한법률시행령 일부를 다음과 같이 개정한다. 제26조제1항제4호 사목중 "의장등록"을 "디자인등록"으로 한다. ⑤내지 〈20〉생략 **부 칙** 〈제19035호, 2005.9.8〉 ① **(시행일)** 이 영은 공포한 날부터 시행한다. 다만, 제21조제1항제8호 및 제23조제1항제10호의 개정규정은 2006년 1월 1일부터 시행한다. ② **(입찰보증금 납부방법 및 면제에 관한 적용례)** 제37조제2항제4호 및 동조제3항제5호의 개정규정은 이 영 시행 후 입찰서 제출 마감일이 도래하는 입찰부터 적용한다. ③ **(물가변동 또는 설계변경으로 인한 계약금액의 조정에 관한 경과조치)** 제64조제1항·제5항, 제65조제2항·제3항제3호 및 제91조제2항제2호 단서의 개정규정은 이 영 시행 전에	

체결된 계약에 대하여도 이를 적용한다.

부 칙

〈제19321호, 2006.2.8〉

(방위사업법 시행령)

제1조(시행일) 이 영은 공포한 날부터 시행한다.

제2조 및 제3조 생략

제4조(다른 법령의 개정) ①국가를 당사자로 하는 계약에 관한 법률 시행령 일부를 다음과 같이 개정한다.

제9조제2항 및 제26조제1항제7호 아목중 "국방부장관"을 각각 "방위사업청장"으로 한다.

제26조제1항제6호 다목중 "「방위산업에 관한 특별조치법」"을 "「방위사업법」으로 한다.

②내지 ⑮생략

제5조 생략

법 률	시 행 령	시 행 규 칙
	부 칙 〈제19463호, 2006.4.28〉 (농업기반공사및 농지관리기금법시행령) **제1조(시행일)** 이 영은 2006년 4월 30일부터 시행한다. **제2조(다른 법령의 개정)** ①내지 ⑪생략 ⑫국가를 당사자로 하는 계약에 관한 법률 시행령 일부를 다음과 같이 개정한다. 제37조제3항제4호중 "「농업기반공사 및 농지관리기금법」"을 "「한국농촌공사 및 농지관리기금법」"으로, "농업기반공사"를 "한국농촌공사"로 한다. ⑬내지 〈41〉생략 **제3조** 생략 **부 칙** 〈제19483호, 2006.5.25〉 **제1조(시행일)** 이 영은 공포한 날부터 시행한다. **제2조(계약이행보증방법의 변경에 관한 적용례)**	

제52조제2항의 개정규정은 이 영 시행 전에 체결된 계약에 대하여도 적용한다.

제3조(부정당업자의 입찰참가자격제한에 관한 적용례) 제76조제1항제4호의2·제10호·제14호·제14호의2·제16호의 개정규정은 이 영 시행 후 제한사유가 발생하는 분부터 적용한다.

제4조(대가지급지연에 대한 이자에 관한 경과조치) 이 영 시행 전에 체결된 계약에 대한 대가지급지연에 대한 이자의 지급에 관하여는 제59조의 개정규정에 불구하고 종전의 규정에 의한다.

제5조(계약체결 등에 관한 경과조치) 이 영 시행 전에 입찰공고를 한 후 이 영 시행 후에 실시하는 입찰, 낙찰자의 결정 및 계약체결과 이 영 시행 전에 실시한 입찰에서 낙찰된 후 이 영 시행 후에 체결된 계약에 관하여는 종전의 규정에 의한다.

제6조(다른 법령의 개정) 건설기술관리법 시행령 일부를 다음과 같이 개정한다.

제21조제5항제3호를 다음과 같이 한다.

법　　률	시　　행　　령	시　행　규　칙
	3. 「지방자치단체를 당사자로 하는 계약에 관한 법률 시행령」 제96조제1항 단서에 따른 대형공사의 입찰방법에 관한 사항 **부　칙** 〈제19494호, 2006.5.30〉 (대·중소기업 상생협력 촉진에 관한 법률 시행령) **제1조(시행일)** 이 영은 2006년 6월 4일부터 시행한다. **제2조 내지 제4조** 생략 **제5조(다른 법령의 개정)** ①국가를 당사자로 하는 계약에 관한 법률 시행령 일부를 다음과 같이 개정한다. 제12조제2항제1호중 "「중소기업의 사업영역보호 및 기업간 협력증진에 관한 법률」 제3조"를 "「대·중소기업 상생협력 촉진에 관한 법률」 제29조"로 한다. ②내지 ⑩생략	

제6조 생략

부 칙

〈제19782호, 2006.12.29〉

① **(시행일)** 이 영은 공포한 날부터 시행한다. 다만, 제26조제1항제6호 나목 및 제50조제6항제2호의 개정규정은 2007년 1월 1일부터 시행한다.

② **(대가의 지급에 관한 적용례)** 제58조제1항의 개정규정은 이 영 시행 후 청구하는 분부터 적용한다.

③ **(부정당업자의 입찰참가자격제한에 관한 적용례)** 제76조제1항제11호의 개정규정은 이 영 시행 후 제한사유가 발생하는 분부터 적용한다.

④ **(계약체결 등에 관한 경과조치)** 이 영 시행 전에 입찰공고를 한 후 이 영 시행 후에 실시하는 입찰, 낙찰자의 결정 및 계약체결과 이 영 시행 전에 실시한 입찰에서 낙찰된 후 이

법 률	시 행 령	시 행 규 칙
	영 시행 후에 체결된 계약에 관하여는 종전의 규정에 따른다. 다만, 제64조제6항의 개정규정은 이 영 시행 당시 이행이 완료되지 아니한 공사계약(2009년 1월 1일 이전에 이행이 완료된 공사계약은 제외한다)으로서, 특정규격의 자재별 가격 상승률이 100분의 15 이상인 경우에도 적용한다. 이 경우 2006년 12월 29일 이전에 계약이 체결된 경우에는 2006년 12월 29일을 입찰일과 계약체결일로 보고, 2006년 12월 29일 이전에 입찰한 경우에는 입찰일을 2006년 12월 29일로 본다. 〈개정 2008.12.31〉 **부 칙** 〈제19806호, 2006.12.29〉 (국가재정법 시행령) **제1조(시행일)** 이 영은 2007년 1월 1일부터 시행한다. **제2조 내지 제4조** 생략	

제5조(다른 법령의 개정) ①내지 ⑥생략

⑦국가를 당사자로 하는 계약에 관한 법률 시행령 일부를 다음과 같이 개정한다.

제37조제2항제1호중 "「예산회계법 시행령」 제135조"를 "「국가재정법 시행령」 제46조제4항"으로 한다.

제59조중 "「예산회계법」"을 "「국가재정법」"으로 한다.

제65조제2항중 "「예산회계법 시행령」 제162조"를 "「국가재정법 시행령」 제49조"로 한다.

⑧내지 〈42〉생략

제6조 생략

부 칙

〈제20319호, 2007.10.10〉

제1조(시행일) 이 영은 공포한 날부터 시행한다. 다만, 제14조제6항제3호 단서 및 제65조제1항 단서의 개정규정은 2008년 1월 1일부터 시행한다.

법 률	시 행 령	시 행 규 칙
	제2조(부정당업자의 입찰참가자격제한에 관한 적용례) 제76조제1항제6호의 개정규정은 이 영 시행 후 제한사유가 발생하는 분부터 적용한다. **제3조(대형공사계약의 설계변경으로 인한 계약금액 조정에 관한 적용례)** 제91조제2항의 개정규정은 이 영 시행 후 계약금액을 조정하는 분부터 적용한다. **제4조(계약이행보증방법의 변경에 관한 경과조치)** 제50조제3항의 개정규정은 이 영 시행 전에 체결된 계약에 대하여도 적용한다. **제5조(계약체결 등에 관한 경과조치)** 이 영 시행 전에 입찰공고를 한 후 이 영 시행 후에 실시하는 입찰, 낙찰자의 결정 및 계약체결과 이 영 시행 전에 실시한 입찰에서 낙찰된 후 이 영 시행 후에 체결된 계약에 관하여는 종전의 규정에 따른다.	

부 칙

〈제20323호, 2007.10.15〉

(장애인복지법 시행령)

제1조(시행일) 이 영은 공포한 날부터 시행한다.

제2조(다른 법령의 개정) ① 국가를 당사자로 하는 계약에 관한 법률 시행령 일부를 다음과 같이 개정한다.

제26조제1항제8호바목 중 "제40조"를 "제44조"로 한다.

② 부터 ⑪ 까지생략

제3조 생략

부 칙

〈제20720호, 2008.2.29〉

(기획재정부와 그 소속기관 직제)

제1조(시행일) 이 영은 공포한 날부터 시행한다. 다만, 부칙 제8조에 따라 개정되는 대통령령 중 이 영의 시행 전에 공포되었으나 시행일이 도래하지 아니한 대통령령을 개정한 부분은

법 률	시 행 령	시 행 규 칙
	각각 해당 대통령령의 시행일부터 시행한다. **제2조부터 제7조까지** 생략 **제8조(다른 법령의 개정)** ① 부터 ⑩ 까지 생략 ⑪ 국가를 당사자로 하는 계약에 관한 법률 시행령 일부를 다음과 같이 개정한다. 제2조제3호, 제6조제2항, 제9조제4항, 제13조제2항, 제14조제3항·제6항제3호, 제19조제3항, 제22조제3항, 제30조제5항, 제31조 단서, 제37조제2항제4호·제3항제5호, 제39조제2항 단서, 같은 조 제3항 단서, 제42조제5항·제6항, 제43조제7항, 제43조의2제2항, 제52조제4항, 제53조제2항, 제55조제1항 단서, 제68조 각 호 외의 부분, 제71조, 제72조제1항, 제73조의2제2항, 제84조의2제2항, 제85조의2제5항, 제89조제2항, 제93조, 제96조제1항 중 "재정경제부장관"을 각각 "기획재정부장관"으로 한다. 제12조제1항제4호, 제13조제1항제2호, 제14조제1항, 제14조2제2항 단서, 제16조제4항,	

제17조제3항, 제18조제1항·제3항, 제19조제1항 각 호 외의 부분 본문, 제21조제1항 각 호 외의 부분, 같은 항 제1호·제6호, 같은 조 제3항, 제24조제3항, 제26조제1항제7호마목, 제30조제2항 단서, 같은 조 제4항·제7항, 제34조, 제38조제1항, 제39조제4항, 제48조제1항, 제52조제3항, 제60조제1항 본문 및 단서, 제62조제1항, 제63조제2항, 제64조제1항 각 호 외의 부분, 같은 항 제1호·제2호, 제64조제3항, 제65조제6항, 제74조제1항, 제76조제2항, 같은 조 제6항 각 호 외의 부분, 제76조제11항, 제80조제2항 각 호 외의 부분, 제92조의2제1항, 제93조, 제99조제2항 각 호 외의 부분 중 "재정경제부령"을 각각 "기획재정부령"으로 한다.

제37조제2항제4호 중 "산업자원부장관"을 "지식경제부장관"으로 한다.

제80조제2항 각 호 외의 부분, 같은 조 제3항, 제99조제2항 각 호 외의 부분 중 "건설교통부

법률	시행령	시행규칙
	장관"을 각각 "국토해양부장관"으로 한다. ⑫ 부터 〈68〉 까지 생략 **부 칙** 〈제20789호, 2008.5.21〉 (산업표준화법 시행령) **제1조(시행일)** 이 영은 2008년 5월 26일부터 시행한다. **제2조부터 제4조까지** 생략 **제5조(다른 법령의 개정)** ① 부터 ⑤ 까지 생략 ⑥ 국가를 당사자로 하는 계약에 관한 법률 시행령 일부를 다음과 같이 개정한다. 제23조제1항제6호 중 "「산업표준화법」 제11조의 규정에 의하여 규격표시를 인증받은 제품"을 "「산업표준화법」 제15조에 따른 인증을 받은 제품"으로 한다. 제26조제1항제6호가목 중 "「산업표준화법」 제11조의 규정에 의하여 규격표시를 인증받은 제품"을 "「산업표준화법」 제15조에 따른	

인증을 받은 제품"으로 한다.

⑦ 부터 〈22〉 까지 생략

제6조 생략

부 칙

〈제20947호, 2008.7.29〉

(자본시장과 금융투자업에 관한 법률 시행령)

제1조(시행일) 이 영은 2009년 2월 4일부터 시행한다. 〈단서 생략〉

제2조부터 제25조까지 생략

제26조(다른 법령의 개정) ① 부터 〈16〉 까지 생략

〈17〉 국가를 당사자로 하는 계약에 관한 법률 시행령 일부를 다음과 같이 개정한다.

제37조제2항제2호를 다음과 같이 하고, 같은 항 제6호 중 "「신탁업법」에 의하여 신탁회사"를 "「자본시장과 금융투자업에 관한 법률」에 따라 신탁업자"로 하며, 같은 항 제7호 중 "「간접투자자산 운용업법」에 의하여 위탁회

법 률	시 행 령	시 행 규 칙
	사가"를 "「자본시장과 금융투자업에 관한 법률」에 따라 집합투자업자가"로 한다. 2. 「자본시장과 금융투자업에 관한 법률 시행령」 제192조에 따른 증권 제50조제8항 중 "「증권거래법 시행령」 제84조의16에 규정된 유가증권"을 "「자본시장과 금융투자업에 관한 법률 시행령」 제192조에 따른 증권"으로 한다. 〈18〉 부터 〈113〉 까지 생략 **제27조 및 제28조** 생략 **부 칙** 〈제21202호, 2008.12.31〉 **제1조(시행일)** 이 영은 공포한 날부터 시행한다. 다만, 제10조 및 대통령령 제19782호 국가를 당사자로 하는 계약에 관한 법률 시행령 일부개정령 부칙 제4항의 개정규정은 2009년 1월 1일부터 시행한다. **제2조(환율변동으로 인한 계약금액의 조정에 관**	

한 적용례) 제64조제7항의 개정규정은 이 영 시행 당시 이행 중인 계약으로서 이 영 시행 전에 환율변동을 원인으로 하여 제64조제1항의 계약금액 조정요건이 성립된 경우에도 적용한다.

제3조(부정당업자의 입찰참가자격 제한에 관한 적용례) 제76조제10항의 개정규정은 이 영 시행 후 연차별계약을 체결하는 분부터 적용한다.

부 칙

〈제21480호, 2009.5.6〉

(산업발전법 시행령)

제1조(시행일) 이 영은 2009년 5월 8일부터 시행한다.

제2조(다른 법령의 개정) ① 및 ② 생략

③ 국가를 당사자로 하는 계약에 관한 법률 시행령 일부를 다음과 같이 개정한다.

제23조제1항제9호 중 "「산업발전법 시행령」 제28조제3항의 규정에 의하여 품질인증을 받

법 률	시 행 령	시 행 규 칙
	은 재활용제품"을 "「산업기술혁신 촉진법 시행령」 제17조제1항제3호에 따른 품질인증을 받은 재활용제품"으로 한다. 제26조제1항제6호가목 중 "「산업발전법 시행령」 제28조제3항의 규정에 의하여 품질인증을 받은 재활용제품으로서"를 "「산업기술혁신 촉진법 시행령」 제17조제1항제3호에 따른 품질인증을 받은 재활용제품으로서"로, "「산업발전법 시행령」 제28조제3항의 규정에 의하여 품질인증을 받은 재활용제품을 제조하여"를 "「산업기술혁신 촉진법 시행령」 제17조제1항제3호에 따른 품질인증을 받은 재활용제품을 제조하여"로 한다. ④ 부터 〈22〉 까지 생략 **제3조** 생략 **부 칙** 〈제21565호, 2009.6.26〉 (한국농어촌공사 및	

농지관리기금법 시행령)

제1조(시행일) 이 영은 2009년 6월 30일부터 시행한다. 다만, ···〈생략〉··· 부칙 제3조는 공포한 날부터 시행한다.

제2조 생략

제3조(다른 법령의 개정) ① 부터 ④ 까지 생략

⑤ 국가를 당사자로 하는 계약에 관한 법률 시행령 일부를 다음과 같이 개정한다.

제37조제3항제4호 중 "「한국농촌공사 및 농지관리기금법」에 따른 한국농촌공사"를 "「한국농어촌공사 및 농지관리기금법」에 따른 한국농어촌공사"로 한다.

⑥ 부터 〈48〉 까지 생략

제4조 생략

부 칙

〈제21578호, 2009.6.29〉

제1조(시행일) 이 영은 공포한 날부터 시행한다.

제2조(유효기간) 제72조제3항제2호의 개정규

법 률	시 행 령	시 행 규 칙
	정은 2015년 12월 31일까지 효력을 가진다. 다만, 2015년 12월 31일까지 입찰공고한 사업에 대해서는 그 사업이 종료될 때까지 제72조제3항제2호의 개정규정을 적용한다. 〈개정 2013.12.30〉 **제3조(입찰보증금 납부대상 보증금의 범위에 관한 적용례)** 제37조제2항의 개정규정은 이 영 시행 후 최초로 입찰보증금을 납부하는 분부터 적용한다. **제4조(지역의무 공동계약에 관한 적용례)** 제72조제3항의 개정규정은 이 영 시행 후 최초로 입찰공고하는 분부터 적용한다. **제5조(대가지급 기한에 관한 경과조치)** 이 영 시행 전에 종전의 규정에 따라 대가지급을 청구한 분에 대해서는 제58조제1항 및 제4항의 개정규정에도 불구하고 종전의 규정에 따른다. **부 칙** 〈제21692호, 2009.8.18〉	

(정보통신산업 진흥법 시행령)

제1조(시행일) 이 영은 2009년 8월 23일부터 시행한다.

제2조부터 제4조까지 생략

제5조(다른 법령의 개정) ① 국가를 당사자로 하는 계약에 관한 법률 시행령 일부를 다음과 같이 개정한다.

제43조의2제1항제2호를 다음과 같이 한다.

2. 「정보통신산업 진흥법」 제2조제2호에 따른 정보통신산업

② 부터 〈28〉 까지 생략

제6조 생략

부 칙

〈제21698호, 2009.8.21〉

(국가정보화 기본법 시행령)

제1조(시행일) 이 영은 2009년 8월 23일부터 시행한다.

제2조 생략

법 률	시 행 령	시 행 규 칙
	제3조(다른 법령의 개정) ① 및 ② 생략 ③ 국가를 당사자로 하는 계약에 관한 법률 시행령 일부를 다음과 같이 개정한다. 제43조의2제1항제3호 중 "「정보화촉진 기본법」 제2조제2호의 규정에 의한"을 "「국가정보화 기본법」 제3조제2호에 따른"으로 한다. ④ 부터 〈19〉 까지 생략 **제4조** 생략 **부 칙** 〈제21834호, 2009.11.20〉 (중소기업제품 구매촉진 및 판로지원에 관한 법률 시행령) **제1조(시행일)** 이 영은 2009년 11월 22일부터 시행한다. **제2조(다른 법령의 개정)** ① 국가를 당사자로 하는 계약에 관한 법률 시행령 일부를 다음과 같이 개정한다. 제21조제1항제8호 중 "「중소기업진흥 및 제	

품구매촉진에 관한 법률 시행령」 제5조의2"를 "「중소기업제품 구매촉진 및 판로지원에 관한 법률 시행령」 제6조"로 한다.

제23조제1항제10호 중 "「중소기업진흥 및 제품구매촉진에 관한 법률 시행령」 제5조의2"를 "「중소기업제품 구매촉진 및 판로지원에 관한 법률 시행령」 제6조"로 한다.

제26조제1항제6호가목 중 "「중소기업진흥 및 제품구매촉진에 관한 법률」 제11조의2의 규정에 의하여 품질인증을 받은"을 "「중소기업제품 구매촉진 및 판로지원에 관한 법률」 제15조에 따라 성능인증을 받은"으로 하고, 같은 호 바목 중 "「중소기업진흥 및 제품구매촉진에 관한 법률 시행령」 제14조제2항의 규정에 의하여"를 "「중소기업제품 구매촉진 및 판로지원에 관한 법률」 제14조제1항에 따라"로 한다.

② 부터 ⑥ 까지 생략

제3조 생략

법 률	시 행 령	시 행 규 칙
	부 칙 〈제22282호, 2010.7.21〉 **제1조(시행일)** 이 영은 공포 후 3개월이 경과한 날부터 시행한다. 다만, 제7조의2제2항(기본설계 기술제안입찰 부분에 한정한다), 제72조제3항제1호, 제97조부터 제100조까지, 제102조부터 제106조까지 및 제108조의 개정규정은 공포한 날부터 시행하고, 제52조(제1항 각 호 외의 부분은 제외한다) 및 부칙 제9조제4항의 개정규정은 2011년 1월 1일부터 시행하며, 제42조제4항의 개정규정은 2016년 1월 1일부터 시행한다. 〈개정 2011.12.31, 2013.12.30〉 **제2조(일반적 적용례)** 이 영은 이 영 시행 후 최초로 입찰공고하는 계약부터 적용한다. **제3조(1인 견적에 의한 가격 결정의 적용례)** 제30조제1항제3호의 개정규정은 이 영 시행 후 최초로 지정정보처리장치에 안내공고하는 계약부터 적용한다.	

제4조(계약보증금 추가납부에 관한 적용례) 제75조제2항의 개정규정은 이 영 시행 후 최초로 지체상금의 금액이 제50조제1항에 따른 계약보증금상당액에 달하는 경우부터 적용한다.

제5조(부정당업자의 입찰참가자격 제한에 관한 적용례) 제76조제1항의 개정규정은 이 영 시행 후 최초로 제한사유가 발생하는 자부터 적용한다.

제6조(산출내역서 작성에 관한 특례) 제14조제7항제1호 및 제2호의 개정규정 중 "300억원"은 2010년 12월 31일까지는 각각 "1,000억원"으로 보고, 2011년 1월 1일부터 2011년 12월 31일까지는 각각 "500억원"으로 본다.

제7조(특별법으로 설립된 법인에 대한 수의계약 제도 폐지에 따른 경과조치) ① 각 중앙관서의 장 또는 계약담당공무원은 제26조의 개정규정에도 불구하고 종전의 제26조제1항제6호라목에 따른 새마을공장 또는 같은 항 제8호다목에 따라 수의계약을 체결할 수 있는 법인

법　　률	시　행　령	시　행　규　칙
	과 다음 각 호의 구분에 따른 금액의 범위에서 수의계약을 체결할 수 있다. 1. 2011년 1월 1일부터 2013년 12월 31일까지: 해당 중앙관서의 장이 2008년 1월 1일부터 2010년 12월 31일까지 해당 새마을공장 또는 법인과 체결한 수의계약금액의 연평균금액 2. 2014년 1월 1일부터 2014년 12월 31일까지: 해당 중앙관서의 장이 2008년 1월 1일부터 2010년 12월 31일까지 해당 새마을공장 또는 법인과 체결한 수의계약금액의 연평균금액의 70퍼센트에 해당하는 금액 3. 2015년 1월 1일부터 2015년 12월 31일까지: 해당 중앙관서의 장이 2008년 1월 1일부터 2010년 12월 31일까지 해당 새마을공장 또는 법인과 체결한 수의계약금액의 연평균금액의 40퍼센트에 해당하는 금액 ② 각 중앙관서의 장 또는 계약담당공무원은 종전의 제26조제1항제8호다목에 따라 수의	

계약을 체결할 수 있는 법인 중 「특수임무수행자 지원 및 단체설립에 관한 법률」 제54조에 따라 설립된 대한민국특수임무수행자회에 대해서는 제1항에도 불구하고 2015년 12월 31일까지 종전의 규정에 따라 수의계약을 체결할 수 있다.

③ 종전의 제26조제1항제8호다목에 따라 수의계약을 체결할 수 있는 법인이 제1항 또는 제2항에 따라 수의계약을 체결하는 경우에는 제26조제3항·제5항 및 제30조제1항의 개정규정에도 불구하고 종전의 제26조제2항·제4항 및 제30조제1항 단서를 적용한다.

제8조(기술개발제품 등에 대한 수의계약에 관한 경과조치) 제26조제1항제3호 및 제2항의 개정규정은 종전의 제26조제1항제6호바목 및 제7호자목의 적용을 받던 인증물품 또는 지정물품에 대해서도 적용한다. 이 경우 종전의 제26조제1항제6호바목 및 제7호자목의 적용을 받던 인증물품 또는 지정물품에 대해서

법 률	시 행 령	시 행 규 칙
	제26조제2항의 개정규정을 적용할 때에는 이 영 시행일부터 기산한다. **제9조(다른 법령의 개정)** ① 건설기술관리법 시행령 일부를 다음과 같이 개정한다. 제9조제7호 중 "기술제안입찰"을 "실시설계 기술제안입찰"로, "설계공모·기술제안입찰"을 "기본설계 기술제안입찰"로 하고, 같은 항 제8호 중 "기술제안입찰 또는 설계공모·기술제안입찰"을 "실시설계 기술제안입찰 또는 기본설계 기술제안입찰"로 한다. 제21조제5항제2호 중 "기술제안입찰"을 "실시설계 기술제안입찰"로, "설계공모·기술제안입찰"을 "기본설계 기술제안입찰"로 한다. 제38조의8제1항제3호의2를 다음과 같이 한다. 3의2. 「국가를 당사자로 하는 계약에 관한 법률 시행령」 제98조제3호에 따른 기본설계 기술제안입찰방식 및 「지방자치단체를 당사자로 하는 계약에 관한 법률 시행령」 제127조제3호에 따른 설계공모·기술	

제안입찰방식

제38조의8제2항제1호의2를 다음과 같이 한다.

1의2. 「국가를 당사자로 하는 계약에 관한 법률 시행령」 제98조제2호에 따른 실시설계 기술제안입찰방식 및 「지방자치단체를 당사자로 하는 계약에 관한 법률 시행령」 제127조제2호에 따른 기술제안입찰방식

② 교도작업의 운영 및 특별회계에 관한 법률 시행령 일부를 다음과 같이 개정한다.

제9조 각 호 외의 부분 중 "「국가를 당사자로 하는 계약에 관한 법률 시행령」 제26조제1항제5호"를 "「국가를 당사자로 하는 계약에 관한 법률 시행령」 제26조제1항제5호가목"으로 한다.

③ 국세징수법 시행령 일부를 다음과 같이 개정한다.

제5조제1항제1호를 다음과 같이 한다.

법 률	시 행 령	시 행 규 칙
	1. 「국가를 당사자로 하는 계약에 관한 법률 시행령」 제26조제1항 각 호의 규정(같은 항 제1호라목은 제외한다) 및 「지방자치단체를 당사자로 하는 계약에 관한 법률 시행령」 제25조제1항 각 호의 규정(같은 항 제7호나목은 제외한다)에 해당하는 수의계약과 관련하여 대금을 지급받는 때 ④ 법인세법 시행령 일부를 다음과 같이 개정한다. 제19조의2제6항제5호를 삭제한다. ⑤ 중소기업제품 구매촉진 및 판로지원에 관한 법률 시행령 일부를 다음과 같이 개정한다. 제8조제2항제1호를 다음과 같이 한다. 1. 「국가를 당사자로 하는 계약에 관한 법률 시행령」 제26조제1항제5호가목 제10조제2항제1호를 다음과 같이 한다. 1. 「국가를 당사자로 하는 계약에 관한 법률 시행령」 제26조제1항제5호가목에 따른 수의계약을 체결하는 경우	

제10조제3항제2호 중 "「국가를 당사자로 하는 계약에 관한 법률 시행령」 제26조제1항제6호라목 및 마목, 같은 항 제7호바목, 같은 항 제8호라목·바목 및 사목"을 "「국가를 당사자로 하는 계약에 관한 법률 시행령」 제26조제1항제4호가목·다목 및 라목"으로 한다.

제26조 중 "「국가를 당사자로 하는 계약에 관한 법률 시행령」 제26조제1항제6호라목, 같은 항 제7호바목, 같은 항 제8호라목·바목 및 사목"을 "「국가를 당사자로 하는 계약에 관한 법률 시행령」 제26조제1항제4호가목·다목 및 라목"으로 한다.

부 칙

〈제22493호, 2010.11.15〉

(은행법 시행령)

제1조(시행일) 이 영은 2010년 11월 18일부터 시행한다.

제2조 및 제3조 생략

법 률	시 행 령	시 행 규 칙
	제4조(다른 법령의 개정) ①부터 〈17〉까지 생략 〈18〉 국가를 당사자로 하는 계약에 관한 법률 시행령 일부를 다음과 같이 개정한다. 제37조제2항 각 호 외의 부분 중 "금융기관"을 "은행"으로 하고, 같은 항 제1호 중 "외국금융기관"을 "외국은행"으로 한다. 〈19〉부터 〈115〉까지 생략 **제5조** 생략 **부 칙** 〈제22525호, 2010.12.13〉 (건설기술관리법 시행령) **제1조(시행일)** 이 영은 공포한 날부터 시행한다. 〈단서 생략〉 **제2조부터 제12조까지** 생략 **제13조(다른 법령의 개정)** ① 및 ② 생략 ③ 국가를 당사자로 하는 계약에 관한 법률 시행령 일부를 다음과 같이 개정한다. 제76조제1항제16호 중 "「건설기술관리법 시	

행령」 제52조"를 "「건설기술관리법 시행령」 제105조"로 한다.

④부터 ⑭까지 생략

제14조 생략

부 칙

〈제22626호, 2011.1.17〉

(엔지니어링산업 진흥법 시행령)

제1조(시행일) 이 영은 공포한 날부터 시행한다.

제2조부터 제4조까지 생략

제5조(다른 법령의 개정) ①부터 ④까지 생략

⑤ 국가를 당사자로 하는 계약에 관한 법률 시행령 일부를 다음과 같이 개정한다.

제21조제1항제10호 중 "「엔지니어링기술 진흥법」 제2조제4호의 규정에 의한 엔지니어링사업"을 "「엔지니어링산업 진흥법」 제2조제3호에 따른 엔지니어링사업"으로 한다.

제37조제2항제4호바목 중 "「엔지니어링기술 진흥법」"을 "「엔지니어링산업 진흥법」"으

법 률	시 행 령	시 행 규 칙
	로 한다. 제43조의2제1항제1호 본문 중 “「엔지니어링기술 진흥법」 제2조제4호의 규정에 의한”을 “「엔지니어링산업 진흥법」 제2조제3호에 따른”으로 한다. ⑥부터 〈39〉까지 생략 **제6조** 생략 **부 칙** 〈제22637호, 2011.1.24〉 (보험업법 시행령) **제1조(시행일)** 이 영은 2011년 1월 24일부터 시행한다. 〈단서 생략〉 **제2조부터 제21조까지** 생략 **제22조(다른 법령의 개정)** ① 생략 ② 국가를 당사자로 하는 계약에 관한 법률 시행령 일부를 다음과 같이 개정한다. 제37조제2항제3호 중 “보험사업자”를 “보험회사”로 한다.	

③부터 ⑬까지 생략

제23조 생략

부 칙

〈제22638호, 2011.1.26〉

(문화재수리 등에 관한 법률 시행령)

제1조(시행일) 이 영은 2011년 2월 5일부터 시행한다. 〈단서 생략〉

제2조 및 제3조 생략

제4조(다른 법률의 개정) ①「국가를 당사자로 하는 계약에 관한 법률 시행령」 일부를 다음과 같이 개정한다.

제37조제2항제4호에 더목을 다음과 같이 신설한다.

더. 「문화재수리 등에 관한 법률」에 따른 문화재수리협회

제37조제3항제5호에 "「건설폐기물의 재활용촉진에 관한 법률」 또는 「골재채취법」"을 "「건설폐기물의 재활용촉진에 관한 법률」·

법 률	시 행 령	시 행 규 칙
	「골재채취법」 또는 「문화재수리 등에 관한 법률」"로 한다. ② 생략 **제5조** 생략 **부 칙** 〈제22660호, 2011.2.9〉 **제1조(시행일)** 이 영은 공포한 날부터 시행한다. 다만, 제37조제3항제5호의2, 제50조제6항제1호 및 제85조의2제1항제1호의 개정규정은 공포 후 3개월이 경과한 날부터 시행한다. **제2조(유효기간)** 제72조제3항제2호의 개정규정은 2013년 12월 31일까지 효력을 가진다. 다만, 2013년 12월 31일까지 입찰공고한 사업에 대해서는 그 사업이 종료될 때까지 제72조제3항제2호의 개정규정을 적용한다. 〈개정 2011.12.31〉 **제3조(입찰보증금 납부에 관한 적용례)** 제37조제2항제4호더목의 개정규정은 이 영 시행 후	

최초로 입찰보증금을 납부하는 분부터 적용한다.

제4조(녹색전문기업 등에 대한 입찰보증금 및 계약보증금 감면에 관한 적용례) 제37조제3항제5호의2 및 제50조제6항제1호의 개정규정은 부칙 제1조 단서에 따른 제37조제3항제5호의2 및 제50조제6항제1호의 개정규정의 시행 후 최초로 입찰공고하는 계약부터 적용한다.

제5조(부정당업자의 입찰참가자격 의무적 제한에 관한 적용례) 제76조제8항 단서의 개정규정은 이 영 시행 후 최초로 제76조제1항제10호의 위반행위를 한 자부터 적용한다.

제6조(일괄입찰의 실시설계적격자 결정방법에 관한 적용례) 제85조의2제1항제1호의 개정규정은 부칙 제1조에 따른 제85조의2제1항제1호의 개정규정의 시행 후 최초로 입찰공고하는 계약부터 적용한다.

제7조(지역의무 공동계약에 관한 특례) 제72조제3항제2호에 따라 기획재정부장관이 고시한

법률	시행령	시행규칙
	사업 중 법률 제8238호 공공기관 지방이전에 따른 혁신도시 건설 및 지원에 관한 특별법 부칙 제2조에 따라 혁신도시 개발예정지구로 지정된 광주·전남공동혁신도시를 개발하는 사업의 경우에는 제72조제3항 각 호 외의 부분에도 불구하고 주된 영업소 소재지에 대하여 광주광역시와 전라남도의 관할구역을 각각 분리하지 아니하고 동일한 소재지로 본다. **부 칙** 〈제23267호, 2011.10.28〉 (환경기술 및 환경산업 지원법 시행령) **제1조(시행일)** 이 영은 2011년 10월 29일부터 시행한다. **제2조(다른 법령의 개정)** ① 생략 ② 국가를 당사자로 하는 계약에 관한 법률 시행령 일부를 다음과 같이 개정한다. 제21조제1항제4호다목 중 "「환경기술개발 및 지원에 관한 법률」"을 "「환경기술 및 환경	

산업 지원법」"으로 하고, 제23조제1항제9호 중 "「환경기술개발 및 지원에 관한 법률」 제20조"를 "「환경기술 및 환경산업 지원법」 제17조"로 하며, 제26조제1항제2호마목 및 같은 항 제3호라목 중 "「환경기술개발 및 지원에 관한 법률」"을 각각 "「환경기술 및 환경산업 지원법」"으로 한다.

③부터 〈18〉까지 생략

제3조 생략

부 칙

〈제23282호, 2011.11.1〉

(건설산업기본법 시행령)

제1조(시행일) 이 영은 2011년 11월 25일부터 시행한다. 〈단서 생략〉

제2조부터 제5조까지 생략

제6조(다른 법률의 개정) ① 및 ② 생략

③ 국가를 당사자로 하는 계약에 관한 법률 시행령 일부를 다음과 같이 개정한다.

법 률	시 행 령	시 행 규 칙
	제73조의2제1항 중 "「건설산업기본법」 제2조제6호"를 "「건설산업기본법」 제2조제8호"로 한다. ④부터 ⑧까지 생략 **부 칙** 〈제23313호, 2011.11.23〉 (산업기술혁신 촉진법 시행령) **제1조(시행일)** 이 영은 2011년 11월 25일부터 시행한다. **제2조부터 제8조까지** 생략 **제9조(다른 법령의 개정)** ① 「국가를 당사자로 하는 계약에 관한 법률 시행령」 일부를 다음과 같이 개정한다. 제26조제1항제3호라목 중 "「기술개발촉진법」 제6조"를 "「산업기술혁신 촉진법」 제15조의2"로 한다. ②부터 ⑦까지 생략 **제10조** 생략	

부 칙

〈제23477호, 2011.12.31.〉

제1조(시행일) 이 영은 공포한 날부터 시행한다. 다만, 제89조제1항의 개정규정은 공포 후 3개월이 경과한 날부터 시행한다.

제2조(입찰서의 제출방법 등에 관한 적용례) 제36조제12호·제12호의2, 제39조제1항 및 제2항, 제40조제3항, 제76조제1항제11호 및 제92조의2제1항 본문의 개정규정은 이 영 시행 후 최초로 입찰공고하는 계약부터 적용한다.

제3조(설계비 보상에 관한 적용례) 제89조제1항의 개정규정은 부칙 제1조 단서에 따른 제89조제1항의 개정규정의 시행 후 최초로 입찰공고하는 계약부터 적용한다.

부 칙

〈제23778호, 2012.5.14〉

제1조(시행일) 이 영은 공포한 날부터 시행한다. 다만, 제26조제1항제4호다목의 개정규정은

법 률	시 행 령	시 행 규 칙
	2012년 7월 27일부터 시행한다. **제2조(장애인복지시설 등의 수의계약에 관한 경과조치)** 2012년 7월 27일 전에 장애인복지시설 또는 장애인복지단체와 체결한 수의계약에 관하여는 제26조제1항제4호다목의 개정 규정에도 불구하고 종전의 규정에 따른다. **부 칙** 〈제24130호, 2012.10.8〉 (지역균형개발 및 지방중소기업 육성에 관한 법률 시행령) **제1조(시행일)** 이 영은 공포한 날부터 시행한다. **제2조(다른 법령의 개정)** ① 국가를 당사자로 하는 계약에 관한 법률 시행령 일부를 다음과 같이 개정한다. 제21조제1항제11호가목 중 "지방중소기업특별지원지역"을 "지방중소기업 특별지원지역"으로 한다. ② 생략	

부 칙

〈제24317호, 2013.1.16〉

(민감정보 및 고유식별정보 처리 근거 정비를 위한 국가를 당사자로 하는 계약에 관한 법률 시행령 등 일부개정령)

이 영은 공포한 날부터 시행한다. 〈단서 생략〉

부 칙

〈제24441호, 2013.3.23〉

(기획재정부와 그 소속기관 직제)

제1조(시행일) 이 영은 공포한 날부터 시행한다.

제2조부터 제4조까지 생략

제5조(다른 법률의 개정) ①부터 ⑧까지 생략

⑨ 국가를 당사자로 하는 계약에 관한 법률 시행령 일부를 다음과 같이 개정한다.

제37조제2항제4호자목 중 "지식경제부장관"을 "산업통상자원부장관"으로 한다.

제80조제2항 각 호 외의 부분, 같은 조 제3항 및 제99조제2항 각 호 외의 부분 중 "국토해양

법 률	시 행 령	시 행 규 칙
	부장관"을 각각 "국토교통부장관"으로 한다. ⑩부터 〈43〉까지 생략 **부 칙** 〈제24601호, 2013.6.17〉 **제1조(시행일)** 이 영은 2013년 6월 19일부터 시행한다. **제2조(경쟁입찰의 참가자격에 관한 적용례)** 제12조제2항의 개정규정은 이 영 시행 후 입찰공고하는 계약부터 적용한다. **제3조(검사 면제에 관한 적용례)** 제56조의2의 개정규정은 이 영 시행 후 입찰공고하는 계약부터 적용한다. **제4조(부정당업자의 입찰참가자격 제한에 관한 적용례)** 제76조제1항제7호의 개정규정은 이 영 시행 후 제한사유가 발생하는 분부터 적용한다.	

부 칙

〈제24728호, 2013.9.17〉

(전자조달의 이용 및 촉진에 관한 법률 시행령)

제1조(시행일) 이 영은 2013년 9월 23일부터 시행한다.

제2조 생략

제3조(다른 법령의 개정) ① 국가를 당사자로 하는 계약에 관한 법률 시행령 일부를 다음과 같이 개정한다.

제13조제4항 각 호 외의 부분 단서 중 "기획재정부장관이 지정·고시하는 정보처리장치(이하 "지정정보처리장치"라 한다)"를 "「전자조달의 이용 및 촉진에 관한 법률」 제2조제4호에 따른 국가종합전자조달시스템(이하 "전자조달시스템"이라 한다)"으로 한다.

제14조제3항, 제16조제2항, 제22조제1항, 제30조제1항제3호, 같은 조 제2항 본문·단서, 같은 조 제3항·제5항, 제33조제1항 본문, 제36조제12호, 제39조제1항 본문·단서, 같은

법 률	시 행 령	시 행 규 칙
	조 제2항제2호, 제40조제3항, 제43조제4항, 제76조제1항 각 호 외의 부분 본문, 같은 항 제8호·제11호, 같은 조 제6항 각 호 외의 부분, 같은 조 제8항 본문 및 제92조의2제1항 본문 중 "지정정보처리장치"를 각각 "전자조달시스템"으로 한다. 제96조제1항을 삭제하고, 같은 조 제2항 중 "제1항의 규정에 의하여 지정정보처리장치를 관리·운영하는 자는"을 "전자조달시스템을 관리·운영하는 조달청장은"으로 한다. ② 및 ③ 생략 **부 칙** 〈제25033호, 2013.12.30〉 이 영은 2014년 1월 1일부터 시행한다. 다만, 제12조제3항부터 제6항까지의 개정규정은 2014년 2월 14일부터 시행한다.	

부 칙

〈제25050호, 2013.12.30〉

(행정규제기본법 개정에 따른 규제 재검토기한 설정을 위한 주택법 시행령 등 일부개정령)

이 영은 2014년 1월 1일부터 시행한다. 〈단서 생략〉

부 칙

〈제25358호, 2014.5.22〉

(건설기술진흥법 시행령)

제1조(시행일) 이 영은 2014년 5월 23일부터 시행한다.

제2조부터 **제12조**까지 생략

제13조(다른 법령의 개정) ①부터 ⑨까지 생략

⑩ 국가를 당사자로 하는 계약에 관한 법률 시행령 일부를 다음과 같이 개정한다.

제21조제1항제10호 중 "「건설기술관리법」"을 "「건설기술진흥법」"으로 한다.

제26조제1항제2호마목 및 같은 항 제3호마목

법 률	시 행 령	시 행 규 칙
	중 "「건설기술관리법」 제18조"를 각각 "「건설기술진흥법」 제14조"로 한다. 제37조제2항제4호거목을 다음과 같이 한다. 거. 「건설기술진흥법」에 따른 공제조합 제43조의2제1항제1호 단서 중 "「건설기술관리법」"을 "「건설기술진흥법」"으로 한다. 제54조제1항제1호 중 "「건설기술관리법」 제27조"를 "「건설기술진흥법」 제39조제2항"으로, "책임감리"를 "건설사업관리 또는 감리"로 하고, 같은 조 제2항 중 "「건설기술관리법」"을 "「건설기술진흥법」"으로, "감리원의 수"를 "건설사업관리기술자 또는 감리원의 수"로 한다. 제65조제2항 중 "「건설기술관리법 시행령」 제21조의 규정에 의한 설계자문위원회(이하 "설계자문위원회"라 한다)"를 "「건설기술진흥법 시행령」 제19조에 따른 기술자문위원회(이하 "기술자문위원회"라 한다)"로 하고, 같은 조 제5항 전단 중 "설계자문위원회"를 각각	

"기술자문위원회"로, "「건설기술관리법」"을 "「건설기술진흥법」"으로 한다.

제76조제1항제4호의2 중 "「건설기술관리법」 제2조"를 "「건설기술진흥법」 제47조"로 하고, 같은 항 제10호 중 "건설기술관리법에 의한 중앙건설기술심의위원회·특별건설기술심의위원회 및 설계자문위원회"를 "「건설기술진흥법」에 따른 중앙건설기술심의위원회·특별건설기술심의위원회 및 기술자문위원회"로 하며, 같은 항 제16호를 다음과 같이 한다.

16. 시공 단계의 건설사업관리 용역계약에 있어서 「건설기술진흥법 시행령」 제60조 및 계약서 등에 따른 건설사업관리기술자 교체 사유 및 절차에 의하지 아니하고 건설사업관리기술자를 교체한 자

제79조제2항 본문 중 "「건설기술관리법」"을 "「건설기술진흥법」"으로 하고, 같은 항 단서 중 "설계자문위원회"를 각각 "기술자문위원

법 률	시 행 령	시 행 규 칙
	회"로 한다. 제84조제1항제2호 중 "「건설기술관리법」 제20조의2에 따른 설계등 용역업자"를 "「건설기술진흥법」 제26조에 따른 건설기술용역업자"로 한다. 제85조제2항제2호, 같은 조 제3항제1호나목 및 같은 항 제2호나목 중 "「건설기술관리법 시행령」 제13조"를 각각 "「건설기술진흥법 시행령」 제11조"로 하고, 같은 조 제6항 본문 및 단서, 같은 조 제7항, 제86조제8항, 제87조제2항·제5항, 제91조제2항제3호 및 제103조제4항·제5항 중 "설계자문위원회"를 각각 "기술자문위원회"로 한다. 제105조제3항제2호 중 "「건설기술관리법 시행령」 제13조"를 "「건설기술진흥법 시행령」 제11조"로 하고, 같은 조 제5항·제6항 및 제106조제2항 중 "설계자문위원회"를 각각 "기술자문위원회"로 한다. ⑪부터 〈37〉까지 생략	

제13조 생략

부 칙

〈제25679호, 2014.11.4〉

제1조(시행일) 이 영은 공포한 날부터 시행한다. 다만, 제76조의2제1항제5호, 같은 조 제2항 단서 및 제107조의 개정규정은 2015년 1월 1일부터 시행하고, 제9조제1항제3호의 개정규정은 2015년 3월 1일부터 시행한다.

제2조(입찰보증금 보증서 등의 발행에 관한 적용례) ① 제37조제1항 및 같은 조 제2항제4호버목의 개정규정은 이 영 시행 이후 입찰공고를 하는 경우부터 적용한다.

② 제37조제2항제4호버목의 개정규정은 이 영 시행 이후 계약을 체결하는 경우로서 제50조제7항에 따라 계약보증금을 납부하는 경우부터 적용한다.

③ 제37조제2항제4호버목의 개정규정은 이 영 시행 이후 제62조제5항에 따라 하자보수보

법 률	시 행 령	시 행 규 칙
	증금을 납부하는 경우부터 적용한다. **제3조(공사계약의 하자담보책임기간에 관한 적용례)** 제60조제1항 본문의 개정규정은 이 영 시행 이후 계약을 체결하는 경우부터 적용한다. **제4조(정보시스템 구축사업 등의 장기계속계약에 관한 적용례)** 제69조제3항의 개정규정은 이 영 시행 이후 입찰공고를 하거나 수의계약을 체결하는 경우부터 적용한다. **제5조(과징금 부과의 대상과 기준에 관한 적용례)** 제76조의2제1항제5호 및 같은 조 제2항 단서의 개정규정은 2015년 1월 1일 전의 위반행위에 대해서도 적용한다. **제6조(기술제안입찰 제안서 작성비용의 보상에 관한 적용례)** 제107조의 개정규정은 2015년 1월 1일 이후 입찰공고를 하는 경우부터 적용한다. **부 칙** 〈제25751호, 2014.11.19〉	

(행정자치부와 그 소속기관 직제)

제1조(시행일) 이 영은 공포한 날부터 시행한다. 다만, 부칙 제5조에 따라 개정되는 대통령령 중 이 영 시행 전에 공포되었으나 시행일이 도래하지 아니한 대통령령을 개정한 부분은 각각 해당 대통령령의 시행일부터 시행한다.

제2조부터 **제4조**까지 생략

제5조(다른 법령의 개정) ①부터 ④까지 생략

⑤ 국가를 당사자로 하는 계약에 관한 법률 시행령 일부를 다음과 같이 개정한다.

제76조의5제2항제1호 본문 중 "안전행정부"를 "행정자치부"로 한다.

⑥부터 〈418〉까지 생략

부 칙

〈제26108호, 2015.2.23〉

(농업협동조합법 시행령)

제1조(시행일) 이 영은 공포한 날부터 시행한다.

법 률	시 행 령	시 행 규 칙
	제2조(다른 법령의 개정) ① 국가를 당사자로 하는 계약에 관한 법률 시행령 일부를 다음과 같이 개정한다. 제37조제3항제4호 중 "조합·조합공동사업법인 및 그 중앙회"를 "조합·조합공동사업법인 및 그 중앙회(농협경제지주회사 및 그 자회사를 포함한다)"로 한다. ② 및 ③ 생략 **부 칙** 〈제26321호, 2015.6.22〉 **제1조(시행일)** 이 영은 공포한 날부터 시행한다. 다만, 제118조의 개정규정은 2015년 7월 1일부터 시행한다. **제2조(부정당업자의 입찰참가자격 제한에 관한 적용례)** 제76조제1항제10호의 개정규정은 이 영 시행 이후 제한사유가 발생하는 경우부터 적용한다. **제3조(물품을 제조하여 납품하는 소액입찰의 낙**	

찰자 결정에 관한 경과조치) 이 영 시행 전에 입찰공고를 한 경우에는 제42조제2항의 개정규정에도 불구하고 종전의 규정에 따른다.

부 칙

〈제26829호, 2015.12.31〉

제1조(시행일) 이 영은 2016년 1월 1일부터 시행한다.

제2조(소액수의계약에 대한 적용례) 제26조제1항제5호가목의 개정규정은 이 영 시행 이후 각 중앙관서의 장 또는 계약담당공무원이 제30조에 따라 견적서의 제출을 요구하는 경우부터 적용한다.

제3조(경쟁입찰에서의 낙찰자 결정 등에 관한 경과조치) 이 영 시행 전에 각 중앙관서의 장 또는 계약담당공무원이 입찰공고를 한 공사에 대해서는 제14조제1항·제6항·제7항, 제42조제4항·제6항·제7항, 제47조제1항, 제76조제1항제10호·제14호의2, 제86조제6항

법 률	시 행 령	시 행 규 칙
	제1호 및 제118조제1호의 개정규정에도 불구하고 종전의 규정에 따른다. **부 칙** 〈제26975호, 2016.2.11〉 (건축사법 시행령) **제1조(시행일)** 이 영은 2016년 2월 12일부터 시행한다. **제2조** 생략 **제3조(다른 법령의 개정)** ① 국가를 당사자로 하는 계약에 관한 법률 시행령 일부를 다음과 같이 개정한다. 제37조제2항제4호러목을 다음과 같이 한다. 러. 「건축사법」에 따른 건축사공제조합 ② 생략 **부 칙** 〈제27205호, 2016.5.31〉 (기술보증기금법 시행령)	

제1조(시행일) 이 영은 2016년 9월 30일부터 시행한다. 〈단서 생략〉

제2조(다른 법령의 개정) ①부터 ④까지 생략

⑤ 국가를 당사자로 하는 계약에 관한 법률 시행령 일부를 다음과 같이 개정한다.

제37조제2항제4호라목를 다음과 같이 한다.

라. 「기술보증기금법」에 따른 기술보증기금

⑥부터 〈59〉까지 생략

제3조 생략

부 칙

〈제27401호, 2016.7.28〉

(조달사업에 관한 법률 시행령)

제1조(시행일) 이 영은 공포한 날부터 시행한다.

제2조(다른 법령의 개정) ① 국가를 당사자로 하는 계약에 관한 법률 시행령 일부를 다음과 같이 개정한다.

제56조의2제3호 중 "「조달사업에 관한 법률」 제3조의3"을 "「조달사업에 관한 법률」 제3조

법 률	시 행 령	시 행 규 칙
	의4"로 한다. ② 생략 **부 칙** 〈제27475호, 2016.9.2〉 **제1조(시행일)** 이 영은 2016년 9월 3일부터 시행한다. 다만, 제80조제1항·제3항·제5항, 제85조의2제1항·제2항, 제94조제1항제3호, 제99조제1항 및 제102조제1항·제2항의 개정규정은 2017년 1월 1일부터 시행한다. **제2조(입찰공고의 내용에 관한 적용례)** 제36조제15호의2의 개정규정은 이 영 시행 이후 입찰공고를 하는 경우부터 적용한다. **제3조(부정당업자의 입찰참가자격 제한에 관한 적용례)** ① 제76조제1항제2호가목의 개정규정은 이 영 시행 이후 입찰공고를 하는 경우부터 적용한다. ② 제76조제1항제3호다목의 개정규정은 이 영 시행 전에 체결된 계약으로서 이 영 시행	

당시 이행과정에 있는 계약에 대하여 제한사유가 발생하는 경우에도 적용한다.

제4조(일괄입찰 등의 입찰절차에 관한 적용례) 제85조제5항제3호 및 제105조제4항의 개정규정은 이 영 시행 전에 일괄입찰 또는 기본설계 기술제안입찰로 발주된 공사에 대하여 이 영 시행 이후 제27조제1항에 따라 수의계약을 체결하려는 경우부터 적용한다.

제5조(일괄입찰 등의 실시설계적격자 등의 결정에 관한 적용례) 제85조의2제1항제1호의 개정규정은 부칙 제1조 단서에 따른 시행일 이후 감점사유가 발생하는 경우부터 적용한다.

제6조(계약관련 정보의 공개에 관한 적용례) 제92조의2제1항의 개정규정은 이 영 시행 이후 계약의 이행이 완료되는 경우부터 적용한다.

제7조(일괄입찰 등의 낙찰자 결정방법 등에 관한 경과조치) 부칙 제1조 단서에 따른 시행일 전에 제80조제2항 또는 제99조제2항에 따라 집행기본계획서를 제출한 공사에 대해서는

법 률	시 행 령	시 행 규 칙
	제80조제1항·제3항·제5항, 제85조의2제1항 각 호 외의 부분 및 같은 조 제2항, 제94조제1항제3호, 제99조제1항 및 제102조제1항·제2항의 개정규정에도 불구하고 종전의 규정에 따른다. **부 칙** 〈제27524호, 2016.9.29〉 (중소기업진흥에 관한 법률 시행령) **제1조(시행일)** 이 영은 2016년 9월 30일부터 시행한다. **제2조** 생략 **제3조(다른 법령의 개정)** ① 국가를 당사자로 하는 계약에 관한 법률 시행령 일부를 다음과 같이 개정한다. 제21조제1항제11호가목 중 "「지역균형개발 및 지방중소기업 육성에 관한 법률」 제50조"를 "「중소기업진흥에 관한 법률」 제62조의23"으로 한다.	

②부터 ⑥까지 생략

제4조 생략

부 칙

〈제27751호, 2016.12.30〉

(규제 재검토기한 설정 등을 위한 가맹사업거래의 공정화에 관한 법률 시행령 등 일부개정령)

제1조(시행일) 이 영은 2017년 1월 1일부터 시행한다. 〈단서 생략〉

제2조부터 **제12조**까지 생략

부 칙

〈제27807호, 2017.1.26〉

(산업표준화법 시행령)

제1조(시행일) 이 영은 2017년 1월 28일부터 시행한다.

제2조(다른 법령의 개정) ① 국가를 당사자로 하는 계약에 관한 법률 시행령 일부를 다음과

법 률	시 행 령	시 행 규 칙
	같이 개정한다. 제21조제1항제4호나목을 삭제한다. 제23조제1항제6호를 다음과 같이 한다. 6. 「산업표준화법」 제15조에 따른 인증을 받은 제품 제56조의2제2호를 다음과 같이 한다. 2. 「산업표준화법」 제31조의4제2항에 따라 수상자로 선정된 기업등 및 개인이 제조한 제품 ② 및 ③ 생략 **부 칙** 〈제27958호, 2017.3.27〉 (지방세기본법 시행령) **제1조(시행일)** 이 영은 2017년 3월 28일부터 시행한다. **제2조**부터 **제7조**까지 생략 **제8조(다른 법령의 개정)** ① 생략 ② 국가를 당사자로 하는 계약에 관한 법률	

시행령 일부를 다음과 같이 개정한다.

제12조제3항제3호 중 "「지방세기본법」 제129조"를 "「지방세기본법」 제102조"로 한다.

③부터 ⑨까지 생략

제9조 생략

부 칙

〈제28211호, 2017.7.26〉

(행정안전부와 그 소속기관 직제)

제1조(시행일) 이 영은 공포한 날부터 시행한다. 다만, 부칙 제8조에 따라 개정되는 대통령령 중 이 영 시행 전에 공포되었으나 시행일이 도래하지 아니한 대통령령을 개정한 부분은 각각 해당 대통령령의 시행일부터 시행한다.

제2조부터 **제7조**까지 생략

제8조(다른 법령의 개정) ①부터 ⑤까지 생략

⑥ 국가를 당사자로 하는 계약에 관한 법률 시행령 일부를 다음과 같이 개정한다.

제21조제1항제8호 및 제23조제1항제10호 중

법 률	시 행 령	시 행 규 칙
	"중소기업청장"을 각각 "중소벤처기업부장관"으로 한다. 제76조의5제2항제1호 본문 중 "행정자치부"를 "행정안전부"로 한다. 제111조제1항 중 "미래창조과학부·국방부·행정자치부"를 "과학기술정보통신부·국방부·행정안전부"로 한다. ⑦부터 〈388〉까지 생략 **부 칙** 〈제28586호, 2018.1.16〉 (시설물의 안전 및 유지관리에 관한 특별법 시행령) **제1조(시행일)** 이 영은 2018년 1월 18일부터 시행한다. 〈단서 생략〉 **제2조**부터 **제6조**까지 생략 **제7조(다른 법령의 개정)** ①부터 ④까지 생략 ⑤ 국가를 당사자로 하는 계약에 관한 법률 시행령 일부를 다음과 같이 개정한다.	

제61조제2항 중 "「시설물의 안전관리에 관한 특별법」"을 "「시설물의 안전 및 유지관리에 관한 특별법」"으로 한다.

⑥부터 ㉔까지 생략

제8조 생략

부　칙

〈제28690호, 2018.3.6〉

제1조(시행일) 이 영은 공포한 날부터 시행한다. 다만, 제64조제8항 및 제66조제2항의 개정규정은 공포 후 3개월이 경과한 날부터 시행한다.

제2조(물가변동 등으로 인한 계약금액의 조정에 관한 적용례) 제64조제8항 및 제66조제2항의 개정규정은 부칙 제1조 단서에 따른 시행일에 예정가격이 작성되거나 계약금액이 정해진 경우에도 적용한다.

법 률	시 행 령	시 행 규 칙
	부 칙 〈제29318호, 2018.12.4〉 **제1조(시행일)** 이 영은 공포한 날부터 시행한다. 다만, 다음 각 호의 개정규정은 각 호의 구분에 따른 날부터 시행한다. 1. 제7조의2제2항, 제14조제1항, 제16조제4항, 제26조제1항제3호아목 및 같은 항 제5호가목5), 제30조제1항제2호 및 같은 조 제2항, 제35조제5항, 제36조제16호·제17호, 제40조제2항, 제42조제1항·제2항·제4항, 제43조의3, 제47조제1항, 제76조제1항제1호마목, 제76조의2제1항 및 제86조제6항제2호의 개정규정: 공포 후 3개월이 경과한 날 2. 제54조제1항제1호의 개정규정: 2019년 2월 4일 **제2조(일반적 적용례)** 이 영은 부칙 제1조에 따른 시행일 이후 입찰공고하는 경우부터 적용한다. **제3조(지체상금 부과 및 계약보증금 추가 납부**	

한도에 관한 적용례) 제74조제3항 및 제75조제2항제2호의 개정규정은 이 영 시행 이후에 계약기간이 만료되어 지체상금이 발생하는 경우부터 적용한다.

제4조(부정당업자에 대한 과징금 부과에 관한 적용례) 제76조의2제1항의 개정규정은 부칙 제1조제1호에 따른 시행일 전에 체결된 계약으로서 같은 호에 따른 시행일 당시 이행과정에 있는 계약에 대하여 입찰 참가자격 제한사유가 발생하는 경우에도 적용한다.

제5조(이의신청에 관한 적용례) 제110조제1항제1호의 개정규정은 이 영 시행 전에 이의신청 사유가 발생하여 이 영 시행 당시 법 제28조제2항에 따른 이의신청 기간이 지나지 아니한 경우에도 적용한다.

제6조(국가계약분쟁조정위원회의 조정 결과에 대한 이의제기 및 소송 관련 사실의 통지에 관한 적용례) 제113조제4항 및 제114조의2의 개정규정은 이 영 시행 이후 국가계약분쟁조

법 률	시 행 령	시 행 규 칙
	정위원회에 심사·조정청구된 분쟁부터 적용한다. **제7조(제한경쟁입찰의 제한사항 변경에 관한 경과조치)** 이 영 시행 전에 입찰공고를 한 경우에는 제21조제1항제10호의 개정규정에도 불구하고 종전의 규정에 따른다. **제8조(최저가격 낙찰제 폐지에 관한 경과조치)** 부칙 제1조제1호에 따른 시행일 전에 입찰공고를 한 경우에는 제42조제2항 및 제47조제1항제3호의 개정규정에도 불구하고 종전의 규정에 따른다. **부 칙** 〈제29360호, 2018.12.11〉 (건설기술 진흥법 시행령) **제1조(시행일)** 이 영은 2018년 12월 13일부터 시행한다. 〈단서 생략〉 **제2조(다른 법령의 개정)** ①부터 ④까지 생략 ⑤ 국가를 당사자로 하는 계약에 관한 법률	

시행령 일부를 다음과 같이 개정한다.

제54조제2항 중 "건설사업관리기술자"를 "건설사업관리기술인"으로 한다.

제76조제1항제2호마목 중 "건설사업관리기술자 교체"를 "건설사업관리기술인 교체"로, "건설사업관리기술자를"을 "건설사업관리기술인을"로 한다.

⑥부터 ㉓까지 생략

부 칙

〈제30078호, 2019. 9. 17.〉

제1조(시행일) 이 영은 공포한 날부터 시행한다. 다만, 제4조의2제1항제1호, 제13조제1항, 제14조제2항, 제14조의2제2항, 제20조제1항, 제36조제3호·제3호의2, 제37조제3항제5호, 제42조제4항제1호, 제43조제6항, 제43조의3제6항, 제52조제1항, 제56조의2, 제86조제6항제1호 및 제110조제1항제1호의 개정규정은 공포 후 3개월이 경과한 날부터 시행한다.

법 률	시 행 령	시 행 규 칙
	제2조(청렴계약의 내용에 관한 적용례) 제4조의2제1항제1호의 개정규정은 부칙 제1조 단서에 따른 시행일 이후 입찰공고하거나 수의계약을 체결하는 경우부터 적용한다. **제3조(이의신청에 관한 적용례)** 제110조제1항제1호의 개정규정은 부칙 제1조 단서에 따른 시행일 전에 이의신청 사유가 발생하여 부칙 제1조 단서에 따른 시행일 당시 법 제28조제2항에 따른 이의신청 기간이 지나지 않은 경우에도 적용한다. **제4조(입찰참가자격 사전심사 등에 관한 경과조치)** 부칙 제1조 단서에 따른 시행일 전에 입찰공고를 한 경우에는 제13조제1항, 제14조제2항, 제14조의2제2항, 제20조제1항, 제36조제3호·제3호의2, 제37조제3항제5호, 제42조제4항제1호, 제43조제6항, 제43조의3제6항 및 제86조제6항제1호의 개정규정에도 불구하고 종전의 규정에 따른다. **제5조(계속공사의 입찰참가 제한에 관한 경과조**	

치) 이 영 시행 전에 입찰공고를 한 경우에는 제15조의 개정규정에도 불구하고 종전의 규정에 따른다.

제6조(검사를 면제할 수 있는 물품에 관한 경과조치) 부칙 제1조 단서에 따른 시행일 전에 계약을 체결한 경우에는 제56조의2의 개정규정에도 불구하고 종전의 규정에 따른다.

제7조(부정당업자의 입찰참가자격 제한에 관한 경과조치) ① 이 영 시행 전에 발생한 사항에 따른 입찰참가자격 제한에 관하여는 제76조제1항제1호의 개정규정에도 불구하고 종전의 규정에 따른다.

② 이 영 시행 전에 공정거래위원회 또는 중소벤처기업부장관으로부터 요청받은 입찰참가자격 제한에 관하여는 제76조제2항의 개정규정에도 불구하고 종전의 규정에 따른다.

법 률	시 행 령	시 행 규 칙
	부 칙 〈제30337호, 2020. 1. 7.〉 **제1조(시행일)** 이 영은 공포한 날부터 시행한다. **제2조(다른 법령의 개정)** ①부터 ③까지 생략 ④ 국가를 당사자로 하는 계약에 관한 법률 시행령 일부를 다음과 같이 개정한다. 제84조제1항제2호 중 "건설기술용역업자"를 "건설기술용역사업자"로 한다. ⑤부터 ⑯까지 생략 **부 칙** 〈제30423호, 2020. 2. 18.〉 **제1조(시행일)** 이 영은 공포한 날부터 시행한다. 제2조부터 제4조까지 생략 **제5조(다른 법률의 개정)** ①부터 ⑥까지 생략 ⑦ 국가를 당사자로 하는 계약에 관한 법률 시행령 일부를 다음과 같이 개정한다. 제19조제1항제3호 중 "전문건설업자"를 "전문건설사업자"로 하고, 제72조제3항제2호 단	

서 중 "외국건설업자"를 "외국건설사업자"로 한다.

⑧부터 ⑳까지 생략

부 칙

〈제30597호, 2020. 4. 7.〉

제1조(시행일) 이 영은 2020년 5월 27일부터 시행한다. 다만, 제72조제3항의 개정규정은 공포한 날부터 시행한다.

제2조(유효기간) 제72조제3항제2호의 개정규정은 2029년 12월 31일까지 효력을 가진다. 다만, 2029년 12월 31일까지 입찰공고한 사업에 대해서는 그 사업이 종료될 때까지 제72조제3항제2호의 개정규정을 적용한다.

제3조(공동계약에 관한 적용례) 제72조제3항제2호의 개정규정은 부칙 제1조 단서에 따른 시행일 이후 입찰공고를 하는 경우(재입찰 또는 재공고입찰을 하는 경우는 제외한다)부터 적용한다.

법 률	시 행 령	시 행 규 칙
	부 칙 〈제30655호, 2020. 5. 1.〉 **제1조(시행일)** 이 영은 공포한 날부터 시행한다. 다만, 대통령령 제30597호 국가를 당사자로 하는 계약에 관한 법률 시행령 일부개정령 제7조의2제2항제2호의 개정규정은 2020년 5월 27일부터 시행하고, 제112조제3항의 개정규정은 2020년 10월 1일부터 시행한다. **제2조(수의계약에 의할 수 있는 경우 등에 관한 적용례)** 제7조의2제2항, 제26조제1항제1호가목, 같은 조 제6항, 제30조제1항제2호, 같은 조 제2항 및 대통령령 제30597호 국가를 당사자로 하는 계약에 관한 법률 시행령 일부개정령 제7조의2제2항제2호의 개정규정은 이 영 시행 이후 수의계약을 체결하는 경우부터 적용한다. **제3조(재공고입찰과 수의계약에 관한 적용례)** 제27조제3항의 개정규정은 이 영 시행 전에 입찰공고를 한 경우로서 이 영 시행 이후 수의계	

약을 체결하려는 경우에도 적용한다.

제4조(입찰공고의 시기 및 입찰보증금에 관한 적용례) 제35조제4항제1호의2(제34조 후단에 따라 준용되는 경우를 포함한다) 및 제37조제1항 단서의 개정규정은 이 영 시행 이후 입찰공고하는 경우부터 적용한다.

제5조(계약보증금 납부 및 이행보증에 관한 적용례) 제50조제1항 단서 및 제52조제1항제2호의 개정규정은 이 영 시행 전에 입찰공고한 경우로서 이 영 시행 이후 계약보증금을 납부하는 경우에도 적용한다.

제6조(검사에 관한 경과조치) 이 영 시행 전에 계약상대자로부터 해당 계약의 이행을 완료한 사실을 통지받은 경우에는 제55조제1항의 개정규정에도 불구하고 종전의 규정에 따른다.

제7조(대가의 지급에 관한 경과조치) 이 영 시행 전에 계약상대자로부터 계약 대가의 지급 청구를 받은 경우에는 제58조제1항 전단의 개정

법 률	시 행 령	시 행 규 칙
	규정에도 불구하고 종전의 규정에 따른다. **부 칙** 〈제31054호, 2020. 9. 29.〉 **제1조(시행일)** 이 영은 2020년 10월 1일부터 시행한다. **제2조(수의계약 체결에 관한 특례)** 이 영 시행 당시 종전의 제26조제1항제3호아목에 따른 기술의 혁신성이 인정된 제품 및 같은 항 제5호사목에 따른 시범구매 대상 시제품으로 지정되어 등록된 제품에 대해서는 제26조제1항제3호아목 및 같은 항 제5호사목의 개정규정에도 불구하고 2020년 10월 31일까지는 종전의 규정에 따라 수의계약을 할 수 있다. **부 칙** 〈제31222호, 2020. 12. 8.〉 (전자서명법 시행령) **제1조(시행일)** 이 영은 2020년 12월 10일부터	

시행한다.

제2조(다른 법령의 개정) ①부터 ⑤까지 생략

⑥ 국가를 당사자로 하는 계약에 관한 법률 시행령 일부를 다음과 같이 개정한다.

제76조제1항제1호가목 중 "서류(제39조에 따라 전자조달시스템을 통하여 입찰서를 제출하는 경우에 「전자서명법」 제2조제8호에 따른 공인인증서를 포함한다)"를 "서류[제39조에 따라 전자조달시스템을 통해 입찰서를 제출하는 경우 「전자서명법」 제2조제6호에 따른 인증서(서명자의 실지명의를 확인할 수 있는 것으로 한정한다)를 포함한다]"로 한다.

⑦부터 ㊲까지 생략

제3조 생략

부 칙

〈제31380호, 2021. 1. 5.〉

(어려운 법령용어 정비를 위한 473개 법령의 일부개정에 관한 대통령령)

법 률	시 행 령	시 행 규 칙
	이 영은 공포한 날부터 시행한다. 〈단서 생략〉 **부 칙** 〈제31429호, 2021. 2. 2.〉 (소상공인기본법 시행령) **제1조(시행일)** 이 영은 2021년 2월 5일부터 시행한다. **제2조(다른 법령의 개정)** ① 및 ② 생략 ③ 국가를 당사자로 하는 계약에 관한 법률 시행령 일부를 다음과 같이 개정한다. 제21조제1항제10호가목 중 "「소상공인 보호 및 지원에 관한 법률」 제2조에 따른 소상공인"을 "「소상공인기본법」 제2조에 따른 소상공인"으로 한다. 제26조제1항제5호가목3) 본문 및 같은 조 제6항제2호 본문 중 "「소상공인 보호 및 지원에 관한 법률」 제2조에 따른 소상공인"을 각각 "「소상공인기본법」 제2조에 따른 소상공인"으로 한다.	

④부터 ⑭까지 생략

제3조 생략

부 칙

〈제31448호, 2021. 2. 17.〉

(국제조세조정에 관한 법률 시행령)

제1조(시행일) 이 영은 공포한 날부터 시행한다. 〈단서 생략〉

제2조 부터 제34조까지 생략

제35조(다른 법령의 개정) ① 국가를 당사자로 하는 계약에 관한 법률 시행령 일부를 다음과 같이 개정한다.

제12조제3항제4호 중 "「국제조세조정에 관한 법률」 제34조"를 "「국제조세조정에 관한 법률」 제53조"로 한다.

②부터 ⑤까지 생략

제36조 생략

법 률	시 행 령	시 행 규 칙
	부 칙 〈제31557호, 2021. 3. 30.〉 (국방과학기술혁신 촉진법 시행령) **제1조(시행일)** 이 영은 2021년 4월 1일부터 시행한다. **제2조** 생략 **제3조(다른 법령의 개정)** ① 국가를 당사자로 하는 계약에 관한 법률 시행령 일부를 다음과 같이 개정한다. 제43조제8항 단서 중 "같은 법 제18조제8항"을 "「국방과학기술혁신 촉진법 시행령」 제3조제6항"으로 한다. ②부터 ④까지 생략 **제4조** 생략 **부 칙** 〈제31864호, 2021. 7. 6.〉 **제1조(시행일)** 이 영은 2021년 7월 6일부터 시행한다. 다만, 제76조제9항제2호의 개정규정은 2022년 1월 1일부터 시행한다.	

제2조(중소기업협동조합 입찰참가제한 예외에 관한 적용례) 제76조제9항제2호의 개정규정은 부칙 제1조 단서에 따른 시행일 이후 제76조제9항에 따라 입찰참가자격을 제한하는 경우부터 적용한다.

제3조(이의신청에 관한 적용례) 제110조제1항 및 제2항의 개정규정은 이 영 시행 전에 이의신청 사유가 발생하여 이 영 시행 당시 법 제28조제2항에 따른 이의신청 기간이 지나지 않은 경우에도 적용한다.

제4조(다른 법령의 개정) 중소기업제품 구매촉진 및 판로지원에 관한 법률 시행령 일부를 다음과 같이 개정한다.

제8조제2항제1호를 다음과 같이 한다.

1. 「국가를 당사자로 하는 계약에 관한 법률 시행령」 제26조제1항제5호가목

제9조의2제1항제3호 중 "「국가를 당사자로 하는 계약에 관한 법률 시행령」 제76조제1항"을 "「국가를 당사자로 하는 계약에 관한 법률

법 률	시 행 령	시 행 규 칙
	시행령」 제76조제2항"으로 한다. **부 칙** 〈제31986호, 2021. 9. 14.〉 (건설기술 진흥법 시행령) **제1조(시행일)** 이 영은 공포한 날부터 시행한다. 〈단서 생략〉 **제2조** 생략 **제3조(다른 법령의 개정)** ①부터 ⑦까지 생략 ⑧ 국가를 당사자로 하는 계약에 관한 법률 시행령 일부를 다음과 같이 개정한다. 제21조제1항제10호 각 목 외의 부분 및 제43조의2제1항제1호 단서 중 "건설기술용역"을 각각 "건설엔지니어링"으로 하고, 제84조제1항제2호 중 "건설기술용역사업자"를 "건설엔지니어링사업자"로 한다. ⑨부터 ㉖까지 생략	

부 칙

〈제32370호, 2022. 1. 25.〉

(지역중소기업 육성 및 혁신촉진 등에 관한 법률 시행령)

제1조(시행일) 이 영은 2022년 1월 28일부터 시행한다.

제2조 생략

제3조(다른 법령의 개정) ① 국가를 당사자로 하는 계약에 관한 법률 시행령 일부를 다음과 같이 개정한다.

제21조제1항제11호가목 중 "「중소기업진흥에 관한 법률」 제62조의23에 따른 지방중소기업 특별지원지역"을 "「지역중소기업 육성 및 혁신촉진에 관한 법률」에 따른 중소기업특별지원지역"으로 한다.

②부터 ⑦까지 생략

제4조 생략

법 률	시 행 령	시 행 규 칙
	부 칙 〈제32557호, 2022. 3. 25.〉 (기후위기 대응을 위한 탄소중립·녹색성장 기본법 시행령) **제1조(시행일)** 이 영은 2022년 3월 25일부터 시행한다. 〈단서 생략〉 **제2조** 부터 제11조까지 생략 **제12조(다른 법령의 개정)** ① 국가를 당사자로 하는 계약에 관한 법률 시행령 일부를 다음과 같이 개정한다. 제37조제3항제5호의2 중 "「저탄소 녹색성장 기본법」 제32조제2항에 따라 녹색기술·녹색사업"을 "「기후위기 대응을 위한 탄소중립·녹색성장 기본법」 제60조제2항에 따라 녹색기술, 같은 법 제66조제4항에 따른 녹색제품 등"으로 한다. ②부터 ⑬까지 생략 **제13조** 생략	

부 칙

〈제32690호, 2022. 6. 14.〉

제1조(시행일) 이 영은 공포한 날부터 시행한다. 다만, 제111조제1항의 개정규정은 공포 후 3개월이 경과한 날부터 시행한다.

제2조(계약보증금의 국고귀속에 관한 적용례) 제51조제2항제1호의 개정규정은 이 영 시행 전에 계약을 체결한 경우로서 이 영 시행 이후 계약보증금의 국고귀속 사유가 발생하는 경우에도 적용한다.

부 칙

〈제32733호, 2022. 6. 28.〉

(중소기업창업 지원법 시행령)

제1조(시행일) 이 영은 2022년 6월 29일부터 시행한다.

제2조 생략

제3조(다른 법령의 개정) ① 및 ② 생략

③ 국가를 당사자로 하는 계약에 관한 법률

법 률	시 행 령	시 행 규 칙
	시행령 일부를 다음과 같이 개정한다. 제21조제1항제10호가목 중 "「중소기업창업 지원법」 제2조제2호에 따른 창업자"를 "「중소기업창업 지원법」에 따른 창업기업"으로 한다. ④부터 ㉚까지 생략 **제4조** 생략	

1-1

국가를 당사자로 하는 계약에 관한 법률 시행규칙 별표·별지 서식

[별표 1] 삭제 〈2014.11.4〉

[별표 2] 〈개정 2021.7.6.〉

부정당업자의 입찰참가자격 제한기준(제76조 관련)

1. 일반기준

가. 각 중앙관서의 장은 입찰참가자격의 제한을 받은 자에게 그 처분일부터 입찰참가자격제한기간 종료 후 6개월이 경과하는 날까지의 기간 중 다시 부정당업자에 해당하는 사유가 발생한 경우에는 그 위반행위의 동기·내용 및 횟수 등을 고려하여 제2호에 따른 해당 제재기간의 2분의 1의 범위에서 자격제한기간을 늘릴 수 있다. 이 경우 가중한 기간을 합산한 기간은 2년을 넘을 수 없다.

나. 각 중앙관서의 장은 부정당업자가 위반한 여러 개의 행위에 대하여 같은 시기에 입찰참가자격 제한을 하는 경우 입찰참가자격 제한기간은 제2호에 규정된 해당 위반행위에 대한 제한기준 중 제한기간을 가장 길게 규정한 제한기준에 따른다.

다. 각 중앙관서의 장은 부정당업자에 대한 입찰참가자격을 제한하는 경우 자격제한 기간을 그 위반행위의 동기·내용 및 횟수 등을 고려해 제2호에서 정한 기간의 2분의 1의 범위에서 줄일 수 있으며, 이 경우 감경 후의 제한기간은 1개월 이상이어야 한다. 다만, 법 제27조제1항제7호에 해당하는 자에 대해서는 입찰참가자격 제한기간을 줄여서는 안 된다.

2. 개별기준

입찰참가자격 제한사유	제재기간
1. 법 제27조제1항제1호에 해당하는 자 중 부실시공 또는 부실설계·감리를 한 자	
가. 부실벌점이 150점 이상인 자	2년
나. 부실벌점이 100점 이상 150점 미만인 자	1년
다. 부실벌점이 75점 이상 100점 미만인 자	8개월
라. 부실벌점이 50점 이상 75점 미만인 자	6개월
마. 부실벌점이 35점 이상 50점 미만인 자	4개월
바. 부실벌점이 20점 이상 35점 미만인 자	2개월
2. 법 제27조제1항제1호에 해당하는 자 중 계약의 이행을 조잡하게 한 자	
가. 공사	
1) 하자비율이 100분의 500 이상인 자	2년
2) 하자비율이 100분의 300 이상 100분의 500 미만인 자	1년
3) 하자비율이 100분의 200 이상 100분의 300 미만인 자	8개월
4) 하자비율이 100분의 100 이상 100분의 200 미만인 자	3개월
나. 물품	
1) 보수비율이 100분의 25 이상인 자	2년

입찰참가자격 제한사유	제재기간
2) 보수비율이 100분의 15 이상 100분의 25 미만인 자	1년
3) 보수비율이 100분의 10 이상 100분의 15 미만인 자	8개월
4) 보수비율이 100분의 6 이상 100분의 10 미만인 자	3개월
3. 법 제27조제1항제1호에 해당하는 자 중 계약의 이행을 부당하게 하거나 계약을 이행할 때에 부정한 행위를 한 자	
가. 설계서(물품제조의 경우에는 규격서를 말한다. 이하 같다)와 달리 구조물 내구성 연한의 단축, 안전도의 위해를 가져오는 등 부당한 시공(물품의 경우에는 제조를 말한다. 이하 같다)을 한 자	1년
나. 설계서상의 기준규격보다 낮은 다른 자재를 쓰는 등 부정한 시공을 한 자	6개월
다. 가목의 부당한 시공과 나목의 부정한 시공에 대하여 각각 감리업무를 성실하게 수행하지 않은 자	3개월
4. 법 제27조제1항제2호에 해당하는 자	
가. 담합을 주도하여 낙찰을 받은 자	2년
나. 담합을 주도한 자	1년
다. 입찰자 또는 계약상대자 간에 서로 상의하여 미리 입찰가격, 수주 물량 또는 계약의 내용 등을 협정하거나 특정인의 낙찰 또는 납품대상자 선정을 위하여 담합한 자	6개월
5. 법 제27조제1항제3호에 해당하는 자	
가. 전부 또는 주요부분의 대부분을 1인에게 하도급한 자	1년

입찰참가자격 제한사유	제재기간
나. 전부 또는 주요부분의 대부분을 2인 이상에게 하도급	8개월
한 자	8개월
다. 면허·등록 등 관련 자격이 없는 자에게 하도급한 자	6개월
라. 발주기관의 승인 없이 하도급한 자	4개월
마. 재하도급금지 규정에 위반하여 하도급한 자	4개월
바. 하도급조건을 하도급자에게 불리하게 변경한 자	
6. 법 제27조제1항제4호에 해당하는 자(사기, 그 밖의 부정한 행위로 입찰·낙찰 또는 계약의 체결·이행 과정에서 국가에 손해를 끼친 자)	
가. 국가에 10억원 이상의 손해를 끼친 자	2년
나. 국가에 10억원 미만의 손해를 끼친 자	1년
7. 법 제27조제1항제5호 또는 제6호에 따라 공정거래위원회 또는 중소기업청장으로부터 입찰참가자격제한 요청이 있는 자	
가. 이 제한기준에서 정한 사유로 입찰참가자격제한 요청이 있는 자	해당 각 호의 기준에 의함
나. 이 제한기준에 해당하는 사항이 없는 경우로서 입찰참가자격제한 요청이 있는 자	6개월
8. 법 제27조제1항제7호에 해당하는 자	
가. 2억원 이상의 뇌물을 준 자	2년
나. 1억원 이상 2억원 미만의 뇌물을 준 자	1년
다. 1천만원 이상 1억원 미만의 뇌물을 준 자	6개월
라. 1천만원 미만의 뇌물을 준 자	3개월

입찰참가자격 제한사유	제재기간
9. 영 제76조제1항에 해당하는 자(계약을 이행할 때에 「산업안전보건법」제38조, 제39조 및 제63조를 위반하여 동시에 2명 이상의 근로자가 사망한 재해를 발생시킨 자)	
가. 동시에 사망한 근로자수가 10명 이상	2년
나. 동시에 사망한 근로자수가 6명 이상 10명 미만	1년 6개월
다. 동시에 사망한 근로자수가 2명 이상 6명 미만	1년
10. 영 제76조제2항제1호가목에 해당하는 자	
가. 입찰에 관한 서류(제15조제2항에 따른 입찰참가자격 등록에 관한 서류를 포함한다)를 위조·변조하거나 부정하게 행사하여 낙찰을 받은 자 또는 허위서류를 제출하여 낙찰을 받은 자	1년
나. 입찰 또는 계약에 관한 서류(제15조제2항에 따른 입찰참가자격등록에 관한 서류를 포함한다)를 위조·변조하거나 부정하게 행사한 자 또는 허위서류를 제출한 자	6개월
11. 영 제76조제2항제1호나목에 해당하는 자(고의로 무효의 입찰을 한 자)	6개월
12. 영 제76조제2항제1호라목에 해당하는 자(입찰참가를 방해하거나 낙찰자의 계약체결 또는 그 이행을 방해한 자)	3개월
13. 영 제76조제2항제2호가목에 해당하는 자	
가. 계약을 체결 또는 이행(하자보수의무의 이행을 포함한다)하지 않은 자	6개월
나. 공동계약에서 정한 구성원 간의 출자비율 또는 분담내용에 따라 시공하지 않은 자	
1) 시공에 참여하지 않은 자	3개월
2) 시공에는 참여하였으나 출자비율 또는 분담내용에 따라 시공하지 않은 자	1개월
다. 계약상의 주요조건을 위반한 자	3개월
라. 영 제52조제1항 단서에 따라 공사이행보증서를 제출해야 하는 자로서 해당 공사이행보증서 제출의무를 이행하지 않은 자	1개월
마. 영 제42조제5항에 따른 계약이행능력심사를 위하여 제출한 사항을 지키지 않은 자	
1) 외주근로자 근로조건 이행계획에 관한 사항을 지키지 않은 자	3개월
2) 하도급관리계획에 관한 사항을 지키지 않은 자	1개월
14. 영 제76조제2항제2호나목 또는 다목에 해당하는 자	
가. 고의에 의한 경우	6개월
나. 중대한 과실에 의한 경우	3개월
15. 영 제76조제2항제2호라목에 해당하는 자(감독 또는 검사에 있어서 그 직무의 수행을 방해한 자)	3개월
16. 영 제76조제2항제2호마목에 해당하는 자(시공 단계의 건설사업관리 용역계약 시 「건설기술 진흥법 시행령」 제60조	8개월

입찰참가자격 제한사유	제재기간
및 계약서 등에 따른 건설사업관리기술자 교체 사유 및 절차에 따르지 않고 건설사업관리기술자를 교체한 자)	
17. 영 제76조제2항제3호가목에 해당하는 자	
가. 안전대책을 소홀히 하여 사업장 근로자 외의 공중에게 생명·신체상의 위해를 가한 자	1년
나. 안전대책을 소홀히 하여 사업장 근로자 외의 공중에게 재산상의 위해를 가한 자	6개월
18. 영 제76조제2항제3호나목에 해당하는 자(「전자정부법」 제2조제13호에 따른 정보시스템의 구축 및 유지·보수 계약의 이행과정에서 알게 된 정보 중 각 중앙관서의 장 또는 계약담당공무원이 누출될 경우 국가에 피해가 발생할 것으로 판단하여 사전에 누출금지정보로 지정하고 계약서에 명시한 정보를 무단으로 누출한 자)	
가. 정보 누출 횟수가 2회 이상인 경우	3개월
나. 정보 누출 횟수가 1회인 경우	1개월
19. 영 제76조제2항제3호다목에 해당하는 자(「전자정부법」 제2조제10호에 따른 정보통신망 또는 같은 조 제13호에 따른 정보시스템(이하 이 호에서 "정보시스템등"이라 한다)의 구축 및 유지·보수 등 해당 계약의 이행과정에서 정보시스템등에 허가 없이 접속하거나 무단으로 정보를 수집할 수 있는 비인가 프로그램을 설치하거나 그러한 행위에 악용될 수 있는 정보시스템 등의 약점을 고의로 생성 또는 방치한 자)	2년

비고

1. 위 표에서 "부실벌점"이란 「건설기술진흥법」 제53조제1항 각 호 외의 부분에 따른 벌점을 말한다.
2. 위 표에서 "하자비율"이란 하자담보책임기간 중 하자검사결과 하자보수보증금에 대한 하자발생 누계금액비율을 말한다.
3. 위 표에서 "보수비율"이란 물품보증기간 중 계약금액에 대한 보수비용발생 누계금액비율을 말한다.

[별표 3] 〈개정 2021.7.6〉

부정당업자의 책임이 경미한 경우의 과징금 부과기준

(제77조의2제1항제1호 관련)

과징금 부과사유	과징금 부과율
1. 법 제27조제1항제1호에 해당하는 자 중 부실시공 또는 부실설계·감리를 한 자	
가. 부실벌점이 150점 이상인 자	10%
나. 부실벌점이 100점 이상 150점 미만인 자	5%
다. 부실벌점이 75점 이상 100점 미만인 자	4%
라. 부실벌점이 50점 이상 75점 미만인 자	3%
마. 부실벌점이 35점 이상 50점 미만인 자	2%
바. 부실벌점이 20점 이상 35점 미만인 자	1%
2. 법 제27조제1항제1호에 해당하는 자 중 계약의 이행을 조잡하게 한 자	
가. 공사	
1) 하자비율이 100분의 500 이상인 자	10%
2) 하자비율이 100분의 300 이상 100분의 500 미만인 자	5%
3) 하자비율이 100분의 200 이상 100분의 300 미만인 자	4%
4) 하자비율이 100분의 100 이상 100분의 200 미만인 자	1.5%
나. 물품	
1) 보수비율이 100분의 25 이상인 자	10%
2) 보수비율이 100분의 15 이상 100분의 25 미만인 자	5%
3) 보수비율이 100분의 10 이상 100분의 15 미만인 자	4%
4) 보수비율이 100분의 6 이상 100분의 10 미만인 자	1.5%
3. 법 제27조제1항제1호에 해당하는 자 중 계약 이행을 부당하게 하거나 계약을 이행할 때에 부정한 행위를 한 자	
가. 설계서(물품제조의 경우에는 규격서를 말한다. 이하 같다)와 달리 구조물 내구성 연한의 단축, 안전도의 위해를 가져오는 등 부당한 시공(물품의 경우에는 제조를 말한다. 이하 같다)을 한 자	5%
나. 설계서상의 기준규격보다 낮은 다른 자재를 쓰는 등 부정한 시공을 한 자	3%
다. 가목의 부당한 시공과 나목의 부정한 시공에 대하여 각각 감리업무를 성실하게 수행하지 않은 자	1.5%
4. 법 제27조제1항제3호에 해당하는 자	
가. 전부 또는 주요부분의 대부분을 1인에게 하도급한 자	5%
나. 전부 또는 주요부분의 대부분을 2인 이상에게 하도급한 자	4% 4%
다. 면허·등록 등 관련 자격이 없는 자에게 하도급한 자	3%
라. 발주기관의 승인 없이 하도급한 자	2%
마. 재하도급금지 규정에 위반하여 하도급한 자	2%
바. 하도급조건을 하도급자에게 불리하게 변경한 자	

과징금 부과사유	과징금 부과율
5. 영 제76조제1항에 해당하는 자(계약을 이행할 때에 「산업안전보건법」 제38조, 제39조 및 제63조를 위반하여 동시에 2명 이상의 근로자가 사망한 재해를 발생시킨 자)	
1) 동시에 사망한 근로자수가 10명 이상	10%
2) 동시에 사망한 근로자수가 6명 이상 10명 미만	7.5%
3) 동시에 사망한 근로자수가 2명 이상 6명 미만	5%
6. 영 제76조제2항제2호가목에 해당하는 자	
가. 계약을 체결 또는 이행(하자보수의무의 이행을 포함한다) 하지 않은 자	3%
나. 공동계약에서 정한 구성원 간의 출자비율 또는 분담내용에 따라 시공하지 않은 자	
1) 시공에 참여하지 않은 자	1.5%
2) 시공에는 참여하였으나 출자비율 또는 분담내용에 따라 시공하지 않은 자	0.5%
다. 계약상의 주요조건을 위반한 자	1.5%
라. 영 제52조제1항 단서에 따라 공사이행보증서를 제출해야 하는 자로서 동 공사이행보증서 제출의무를 이행하지 않은 자	0.5%
마. 영 제42조제5항에 따른 계약이행능력심사를 위하여 제출한 사항을 지키지 않은 자	
1) 외주근로자 근로조건 이행계획에 관한 사항을 지키지 않은 자	1.5%
2) 하도급관리계획에 관한 사항을 지키지 않은 자	0.5%
7. 영 제76조제2항제2호라목에 해당하는 자(감독 또는 검사에 있어서 그 직무의 수행을 방해한 자)	1.5%
8. 영 제76조제2항제2호마목에 해당하는 자(시공 단계의 건설사업관리 용역계약 시 「건설기술 진흥법 시행령」 제60조 및 계약서 등에 따른 건설사업관리기술자 교체 사유 및 절차에 따르지 않고 건설사업관리기술자를 교체한 자)	4%
9. 영 제76조제2항제3호가목에 해당하는 자	
가. 안전대책을 소홀히 하여 사업장 근로자 외의 공중에게 생명·신체상의 위해를 가한 자	5%
나. 안전대책을 소홀히 하여 사업장 근로자 외의 공중에게 재산상의 위해를 가한 자	3%
10. 영 제76조제2항제3호나목에 해당하는 자(「전자정부법」 제2조제13호에 따른 정보시스템의 구축 및 유지·보수 계약의 이행과정에서 알게 된 정보 중 각 중앙관서의 장 또는 계약담당공무원이 누출될 경우 국가에 피해가 발생할 것으로 판단하여 사전에 누출금지정보로 지정하고 계약서에 명시한 정보를 무단으로 누출한 자)	
가. 정보 누출 횟수가 2회 이상이 경우	1.5%
나. 정보 누출 횟수가 1회인 경우	0.5%
11. 영 제76조제2항제3호다목에 해당하는 자(「전자정부법」 제2조제10호에 따른 정보통신망 또는 같은 조 제13호에 따른	10%

과징금 부과사유	과징금 부과율
정보시스템(이하 이 호에서 "정보시스템등"이라 한다)의 구축 및 유지·보수 등 해당 계약의 이행과정에서 정보시스템등에 허가 없이 접속하거나 무단으로 정보를 수집할 수 있는 비인가 프로그램을 설치하거나 그러한 행위에 악용될 수 있는 정보시스템등의 약점을 고의로 생성 또는 방치한 자]	

비고
1. 위 표에서 "부실벌점"이란 「건설기술진흥법」 제53조제1항 각 호 외의 부분에 따른 벌점을 말한다.
2. 위 표에서 "하자비율"이란 하자담보책임기간 중 하자검사결과 하자보수보증금에 대한 하자발생 누계금액비율을 말한다.
3. 위 표에서 "보수비율"이란 물품보증기간 중 계약금액에 대한 보수비용발생 누계금액비율을 말한다.
4. 「조달사업에 관한 법률」 제12조에 따른 제3자를 위한 단가계약, 같은 법 제13조에 따른 다수공급자계약, 같은 법 제14조제1항 및 같은 법 시행령 제16조에 따른 카탈로그 계약의 경우 연평균 계약금액에 위 표의 과징금 부과율을 적용한다. 이 경우 계약기간이 1년 미만인 경우에는 총 계약금액에 위 표의 과징금 부과율을 적용한다.
5. 비고 제4호의 연평균 계약금액은 총 계약금액을 총 개월 수로 나눈 후 12를 곱하여 산출한다. 이 경우 1개월이 되지 않는 잔여일수는 총 개월 수에 산입하지 않는다.

[별표 4] 〈개정 2021.7.6〉

입찰참가자격 제한으로 유효한 경쟁입찰이 명백히 성립되지 아니하는 경우 과징금 부과기준

(제77조의2제1항제2호 관련)

과징금 부과사유	과징금 부과율
1. 법 제27조제1항제1호에 해당하는 자 중 부실시공 또는 부실설계·감리를 한 자	
가. 부실벌점이 150점 이상인 자	30%
나. 부실벌점이 100점 이상 150점 미만인 자	15%
다. 부실벌점이 75점 이상 100점 미만인 자	12%
라. 부실벌점이 50점 이상 75점 미만인 자	9%
마. 부실벌점이 35점 이상 50점 미만인 자	6%
바. 부실벌점이 20점 이상 35점 미만인 자	3%
2. 법 제27조제1항제1호에 해당하는 자 중 계약의 이행을 조잡하게 한 자	
가. 공사	
1) 하자비율이 100분의 500 이상인 자	30%
2) 하자비율이 100분의 300 이상 100분의 500 미만인 자	15%
3) 하자비율이 100분의 200 이상 100분의 300 미만인 자	12%
4) 하자비율이 100분의 100 이상 100분의 200 미만인 자	4.5%
나. 물품	

과징금 부과사유	과징금 부과율
1) 보수비율이 100분의 25 이상인 자	30%
2) 보수비율이 100분의 15 이상 100분의 25 미만인 자	15%
3) 보수비율이 100분의 10 이상 100분의 15 미만인 자	12%
4) 보수비율이 100분의 6 이상 100분의 10 미만인 자	4.5%
3. 법 제27조제1항제1호에 해당하는 자 중 계약 이행을 부당하게 하거나 계약을 이행할 때에 부정한 행위를 한 자	
가. 설계서(물품제조의 경우에는 규격서를 말한다. 이하 같다)와 달리 구조물 내구성 연한의 단축, 안전도의 위해를 가져오는 등 부당한 시공(물품의 경우에는 제조를 말한다. 이하 같다)을 한 자	15%
나. 설계서상의 기준규격보다 낮은 다른 자재를 쓰는 등 부정한 시공을 한 자	9%
다. 가목의 부당한 시공 또는 나목의 부정한 시공에 대하여 감리업무를 성실하게 수행하지 않은 자	4.5%
4. 법 제27조제1항제2호에 해당하는 자	
가. 담합을 주도하여 낙찰을 받은 자	30%
나. 담합을 주도한 자	15%
다. 입찰자 또는 계약상대자 간에 서로 상의하여 미리 입찰가격, 수주 물량 또는 계약의 내용 등을 협정하거나 특정인의 낙찰 또는 납품대상자 선정을 위하여 담합한 자	9%
5. 법 제27조제1항제3호에 해당하는 자	

과징금 부과사유	과징금 부과율
가. 전부 또는 주요부분의 대부분을 1명에게 하도급한 자	15%
나. 전부 또는 주요부분의 대부분을 2명 이상에게 하도급	12%
한 자	12%
다. 면허·등록 등 관련 자격이 없는 자에게 하도급한 자	9%
라. 발주기관의 승인 없이 하도급한 자	6%
마. 재하도급금지 규정에 위반하여 하도급한 자	6%
바. 하도급조건을 하도급자에게 불리하게 변경한 자	
6. 법 제27조제1항제4호에 해당하는 자(사기, 그 밖의 부정한 행위로 입찰·낙찰 또는 계약의 체결·이행 과정에서 국가에 손해를 끼친 자)	
가. 국가에 10억원 이상의 손해를 끼친 자	30%
나. 국가에 10억원 미만의 손해를 끼친 자	15%
7. 법 제27조제1항제5호 또는 제6호에 따라 공정거래위원회 또는 중소기업청장으로부터 입찰참가자격제한 요청이 있는 자	
가. 이 제한기준에서 정한 사유로 입찰참가자격제한 요청이 있는 자	해당 각 호의 기준에 의함
나. 이 제한기준에 해당하는 사항이 없는 경우로서 입찰참가자격제한 요청이 있는 자	9%
8. 법 제27조제1항제7호에 해당하는 자	
가. 2억원 이상의 뇌물을 준 자	30%
나. 1억원 이상 2억원 미만의 뇌물을 준 자	15%

과징금 부과사유	과징금 부과율
다. 1천만원 이상 1억원 미만의 뇌물을 준 자	9%
라. 1천만원 미만의 뇌물을 준 자	4.5%
9. 영 제76조제1항에 해당하는 자(계약을 이행할 때에 「산업안전보건법」 제38조, 제39조 및 제63조를 위반하여 동시에 2명 이상의 근로자가 사망한 재해를 발생시킨 자)	
1) 동시에 사망한 근로자수가 10명 이상	30%
2) 동시에 사망한 근로자수가 6명 이상 10명 미만	22.5%
3) 동시에 사망한 근로자수가 2명 이상 6명 미만	15%
10. 영 제76조제2항제1호가목에 해당하는 자	
가. 입찰에 관한 서류(제15조제2항에 따른 입찰참가자격 등록에 관한 서류를 포함한다)를 위조·변조하거나 부정하게 행사한 자 또는 허위서류를 제출하여 낙찰을 받은 자	15%
나. 입찰 또는 계약에 관한 서류(제15조제2항에 따른 입찰참가자격등록에 관한 서류를 포함한다)를 위조·변조하거나 부정하게 행사한 자 또는 허위서류를 제출한 자	9%
11. 영 제76조제2항제1호나목에 해당하는 자(고의로 무효의 입찰을 한 자)	9%
12. 영 제76조제2항제1호라목에 해당하는 자(입찰참가를 방해하거나 낙찰자의 계약체결 또는 그 이행을 방해한 자)	4.5%
13. 영 제76조제2항제2호가목에 해당하는 자	
가. 계약을 체결 또는 이행(하자보수의무의 이행을 포함한다)하지 않은 자	9%

과징금 부과사유	과징금 부과율
나. 공동계약에서 정한 구성원 간의 출자비율 또는 분담내용에 따라 시공하지 않은 자	
1) 시공에 참여하지 않은 자	
2) 시공에는 참여하였으나 출자비율 또는 분담내용에 따라 시공하지 않은 자	4.5% 1.5%
다. 계약상의 주요조건을 위반한 자	
라. 영 제52조제1항 단서에 따라 공사이행보증서를 제출해야 하는 자로서 해당 공사이행보증서 제출의무를 이행하지 않은 자	4.5% 1.5%
마. 영 제42조제5항에 따른 계약이행능력심사를 위하여 제출한 사항을 지키지 않은 자	
1) 외주근로자 근로조건 이행계획에 관한 사항을 지키지 않은 자	4.5%
2) 하도급관리계획에 관한 사항을 지키지 않은	1.5%
14. 영 제76조제2항제2호나목 또는 다목에 해당하는 자	
가. 고의에 의한 경우	9%
나. 중대한 과실에 의한 경우	9%
15. 영 제76조제2항제2호라목에 해당하는 자(감독 또는 검사에 있어서 그 직무의 수행을 방해한 자)	4.5%
16. 영 제76조제2항제2호마목에 해당하는 자(시공 단계의 건설사업관리 용역계약 시 「건설기술 진흥법 시행령」 제60조	12%

과징금 부과사유	과징금 부과율
및 계약서 등에 따른 건설사업관리기술자 교체 사유 및 절차에 따르지 않고 건설사업관리기술자를 교체한 자)	
17. 영 제76조제2항제3호가목에 해당하는 자	
가. 안전대책을 소홀히 하여 사업장 근로자 외의 공중에게 생명·신체상의 위해를 가한 자	15%
나. 안전대책을 소홀히 하여 사업장 근로자 외의 공중에게 재산상의 위해를 가한 자	9%
18. 영 제76조제2항제3호나목에 해당하는 자(「전자정부법」 제2조제13호에 따른 정보시스템의 구축 및 유지·보수 계약의 이행과정에서 알게 된 정보 중 각 중앙관서의 장 또는 계약담당공무원이 누출될 경우 국가에 피해가 발생할 것으로 판단하여 사전에 누출금지정보로 지정하고 계약서에 명시한 정보를 무단으로 누출한 자)	
가. 정보 누출 횟수가 2회 이상인 경우	4.5%
나. 정보 누출 횟수가 1회인 경우	1.5%
19. 영 제76조제2항제3호다목에 해당하는 자(「전자정부법」 제2조제10호에 따른 정보통신망 또는 같은 조 제13호에 따른 정보시스템(이하 이 호에서 "정보시스템등"이라 한다)의 구축 및 유지·보수 등 해당 계약의 이행과정에서 정보시스템등에 허가 없이 접속하거나 무단으로 정보를 수집할 수 있는 비인가 프로그램을 설치하거나 그러한 행위에 악용될 수 있는 정보시스템 등의 약점을 고의로 생성 또는 방치한 자)	30%

비고

1. 위 표에서 "부실벌점"이란 「건설기술진흥법」 제53조제1항 각 호 외의 부분에 따른 벌점을 말한다.
2. 위 표에서 "하자비율"이란 하자담보책임기간 중 하자검사결과 하자보수보증금에 대한 하자발생 누계금액비율을 말한다.
3. 위 표에서 "보수비율"이란 물품보증기간 중 계약금액에 대한 보수비용발생 누계금액비율을 말한다.
4. 「조달사업에 관한 법률」 제12조에 따른 제3자를 위한 단가계약, 같은 법 제13조에 따른 다수공급자계약, 같은 법 제14조제1항 및 같은 법 시행령 제16조에 따른 카탈로그 계약의 경우 연평균 계약금액에 위 표의 과징금 부과율을 적용한다. 이 경우 계약기간이 1년 미만인 경우에는 총 계약금액에 위 표의 과징금 부과율을 적용한다.
5. 비고란 제4호의 연평균 계약금액은 총 계약금액을 총 개월 수로 나눈 후 12를 곱하여 산출한다. 이 경우 1개월이 되지 않는 잔여일수는 총 개월 수에 산입하지 않는다.

[별지 제1호서식] 〈개정 2006.5.25〉

경쟁입찰참가자격등록증				처리기간
				즉시
신청인	상호또는법인명칭		법인등록번호	
	주소		전화번호	
	대표자		주민등록번호	
등록사항	등록관서		등록일자	. . .
	유효기간	. . .부터		. . .까지
	등록종목(세부품목)			

상기인은 「국가를 당사자로 하는 계약에 관한 법률 시행규칙」 제15조의 규정에 의하여 경쟁입찰 유자격자로 귀부(처·청)에 등록되었음을 증명하여 주시기 바랍니다.

. . .

신청인 (인)

귀하

위의 사실이 틀림없음을 증명합니다.

. . .

중앙관서의 장 (인)

구비서류 : 없음	수수료
	없음

※ 주의사항
1. 이 증서는 해당 등록종목(세부품목)에 대한 입찰에 관하여 교부관서 및 다른 중앙관서에서 통용됩니다.
2. 이 증서내용의 변경은 교부관서의 정정인이 없는 경우에는 무효입니다.
3. 기재사항중 추가 또는 정정을 필요로 할 때에는 교부관서에 신청하여야 합니다.

22221-20111일
95.6.30 승인

210mm×297mm
(신문용지 54g/㎡)

[별지 제2호서식]

(일반 / 제한 / 지명) 경쟁입찰참가통지서

입찰참가자	상호또는법인명칭		법인등록번호	
	주소		전화번호	
	대표자		주민등록번호	
입찰내용	입찰건명			
	현장설명	일시 :	장소 :	
	입찰	일시 :	장소 :	
	입찰등록마감일시	년 월 일 시 까지		
	서류제출처	(전화번호 :)		

우리부(처·청)에서 집행하는 위 입찰에 귀사를 입찰참가자격자로 선정하여 통보하오니 소정의 절차를 마친 후 입찰에 참가하시기 바랍니다.

. . .

○○관서

중앙관서의 장 또는 계약담당공무원 성명 (인)

귀하

22221-20211일
95.6.30 승인

210mm×297mm
(신문용지 54g/㎡)

[별지 제3호서식] 〈개정 2016.9.23〉

입찰참가신청서 ※ 아래 사항 중 해당되는 경우에만 기재하시기 바랍니다.				처리기간 즉시
신청인	상호또는법인명칭		법인등록번호	
	주소		전화번호	
	대표자		주민등록번호	
입찰개요	입찰공고(지명)번호	제　　호	입찰일자	.　.　.
	입찰건명			
입찰보증금	납부	· 보증금율 :　　% · 보증액 : 금　　원정(₩　　) · 보증금납부방법 :		
	납부면제 및 지급확약	· 사유 : · 본인은 낙찰 후 계약미체결시 귀부(처·청)에 낙찰금액에 해당하는 소정의 입찰보증금을 현금으로 납부할 것을 확약합니다.		
대리인·사용인감	본 입찰에 관한 일체의 권한을 다음의 자에게 위임합니다. 성명　　주민등록번호		본 입찰에 사용할 인감을 다음과 같이 신고합니다. 사용인감　　(인)	

본인은 위의 번호로 공고(지명통지)한 귀부(처·청)의 일반(제한·지명)경쟁입찰에 참가하고자 정부에서 정한 공사[물품구매(제조)·용역]입찰유의서 및 입찰공고사항을 모두 승낙하고 별첨서류를 첨부하여 입찰참가신청을 합니다.

붙임서류: 1. 입찰참가자격을 증명하는 서류 사본 1통
2. 인감증명서 또는 본인서명사실확인서 1통
3. 그 밖에 공고로서 정한 서류

.　　.　　.

신청인　　(인)

귀하

세입세출외현금출납공무원　성명 :　　㊞
유 가 증 권 취 급 공 무 원　성명 :　　㊞

22221-20311일
95.6.30 승인

210mm×297mm
(신문용지 54g/㎡)

[별지 제4호서식]

입찰참가신청증				처리기간 즉시
입찰개요	입찰공고(지명)번호		입찰일자	.　.　.
	입찰건명			
신청인	상호 또는 법인명칭		법인등록번호	
	주소		전화번호	
	대표자		주민등록번호	

귀하는 이번에 위의 번호로 공고(지명통지)한 우리 부(처·청)의 일반(제한·지명)경쟁입찰에 참가신청을 마친 자임을 증명합니다.

.　　.　　.

ㅇㅇ관서

중앙관서의 장 또는 성명　(인)
계약담당공무원

귀하

22221-20411일
95.6.30 승인

210mm×297mm
(신문용지 54g/㎡)

[별지 제5호서식] 〈개정 2016.9.23〉

입찰서

입찰내용	공고번호	제 호	입찰일자	. . .
	건명			
	금액	금 원정(₩)		
	준공(납품)연월일			
입찰자	상호 또는 법인명칭		법인등록번호	
	주소		전화번호	
	대표자		주민등록번호	

본인은 「국가를 당사자로 하는 계약에 관한 법률 시행규칙」에 의한 공사[물품구매(제조)·용역]입찰유의서에 따라 응찰하여 이 입찰이 귀 기관에 의하여 수락되면 공사[물품구매(제조)·용역]계약일반조건·계약특수조건·설계서(물품규격서) 및 현장설명사항에 따라 위의 입찰금액으로 준공(납품·용역수행)기한 내에 공사(물품·용역)를 완성(제조·납품)할 것을 확약하며 입찰서를 제출합니다.

붙임 : 산출내역서(100억원 이상 공사의 경우) 1부

. . .

입찰자 (인)

________ 귀하

22221-20511일
95.6.30 승인

210mm×297mm
(신문용지 54g/㎡)

[별지 제6호서식] 〈개정 2021.10.28〉

입 찰 서

1. 공고번호 : 제 호
2. 입찰건명 :
3. 준공(납품)연월일 :

본인은 「국가를 당사자로 하는 계약에 관한 법률 시행규칙」에 의한 공사[물품구매(제조)·용역]입찰유의서에 따라 응찰하여 이 입찰이 귀 기관에 의하여 수락되면 공사[물품구매(제조)·용역]계약일반조건·계약특수조건·설계서(물품규격서) 및 현장설명사항에 따라 우측에 표시된 입찰금액으로 준공(납품·용역수행)기한 내에 공사(물품·용역)을 완공(제조·납품)할 것을 확약하며 입찰서를 제출합니다.

첨부 : 산출내역서(100억원 이상 공사의 경우) 1부

입찰번호		
백	십	일
⓪ ① ② ③ ④ ⑤ ⑥ ⑦ ⑧ ⑨	⓪ ① ② ③ ④ ⑤ ⑥ ⑦ ⑧ ⑨	⓪ ① ② ③ ④ ⑤ ⑥ ⑦ ⑧ ⑨

입 찰 금 액											
천억	백억	십억	억	천만	백만	십만	만	천	백	십	일
⓪ ① ② ③ ④ ⑤ ⑥ ⑦ ⑧ ⑨	⓪ ① ② ③ ④ ⑤ ⑥ ⑦ ⑧ ⑨	⓪ ① ② ③ ④ ⑤ ⑥ ⑦ ⑧ ⑨	⓪ ① ② ③ ④ ⑤ ⑥ ⑦ ⑧ ⑨	⓪ ① ② ③ ④ ⑤ ⑥ ⑦ ⑧ ⑨	⓪ ① ② ③ ④ ⑤ ⑥ ⑦ ⑧ ⑨	⓪ ① ② ③ ④ ⑤ ⑥ ⑦ ⑧ ⑨	⓪ ① ② ③ ④ ⑤ ⑥ ⑦ ⑧ ⑨	⓪ ① ② ③ ④ ⑤ ⑥ ⑦ ⑧ ⑨	⓪ ① ② ③ ④ ⑤ ⑥ ⑦ ⑧ ⑨	⓪ ① ② ③ ④ ⑤ ⑥ ⑦ ⑧ ⑨	⓪ ① ② ③ ④ ⑤ ⑥ ⑦ ⑧ ⑨

상호 또는 법인명칭 : 전화번호 :
주소 :
대표자 : (인)
주민(법인)등록번호 :

작성시 유의사항

1. 사용필기구 : 컴퓨터용 수성싸인펜만을 사용합니다.
2. 정확하게 표기합니다.
   -바르게 표기한 것 : ●
   -틀리게 표기한 것 : ○◑⦶⊖⊗⊙
3. "입찰번호"란에는 입찰참가신청시 부여된 번호를 기입합니다.
4. 매 금액단위란에는 1개소만 표시합니다(빈칸으로 두거나 2개소 이상 표시하지 않습니다).

22221-20611일
95.6.30 승인

297mm×210mm
(백상지 80g/㎡)

[별지 제7호서식] 〈개정 2021.7.6〉

공사도급표준계약서		계약번호 제 호 공고번호 제 호
계약자	발 주 처	ㅇㅇ부(처, 청)중앙관서의 장 또는 계약담당공무원 성명
	계 약 상 대 자	·상호 또는 법인명칭 ·법인등록번호 ·주소 ·전화번호 ·대표자
계약내용	공 사 명	
	계 약 금 액	금 원정(₩)
	총공사부기금액	금 원정(₩)
	계 약 보 증 금	금 원정(₩)
	현 장	
	지 체 상 금 률	%
	물가변동계약 금액조정방법	
	착 공 연 월 일	. . .
	준 공 연 월 일	. . .
	기 타 사 항	

하자담보책임(복합공종의 경우 공종별 구분 기재)

공종	공종별 계약 금액	하자보수보증금율(%) 및 금액	하자담보책임기간
		( )% 금 원정	
		( )% 금 원정	
		( )% 금 원정	

중앙관서의 장(계약담당공무원)과 계약상대자는 상호 대등한 입장에서 붙임의 계약문서에 의하여 위의 공사에 대한 도급계약을 체결하고 신의에 따라 성실히 계약상의 의무를 이행할 것을 확약하며, 이 계약의 증거로서 계약서를 작성하여 당사자가 기명날인한 후 각각 1통씩 보관한다.

붙임서류 : 1. 공사입찰유의서 1부
2. 공사계약일반조건 1부
3. 공사계약특수조건 1부
4. 설계서 1부
5. 산출내역서 1부

. . .

중앙관서의 장 또는
계약담당공무원 (인)

계약상대자 (인)
연대보증인 (인)

22221-20711보
95.6.30 승인

210mm×297mm
(백상지 80g/㎡)

[별지 제8호서식] 〈개정 2021.7.6〉

물품구매표준계약서		계약번호 제 호 공고번호 제 호
계약자	발 주 처	ㅇㅇ부(처, 청)중앙관서의 장 또는 계약담당공무원 성명
	계 약 상 대 자	·상호 또는 법인명칭 ·법인등록번호 ·주소 ·전화번호 ·대표자
계약내용	물 품 명	
	계 약 금 액	금 원정(₩)
	총제조부기금액	금 원정(₩)
	계 약 보 증 금	금 원정(₩)
	지 체 상 금 률	%
	물가변동계약 금액조정방법	
	납 품 일 자	. . . ~ . . .
	납 품 장 소	
	기 타 사 항	

중앙관서의 장(계약담당공무원)과 계약상대자는 상호 대등한 입장에서 붙임의 계약문서에 의하여 위의 물품에 대한 구매계약을 체결하고 신의에 따라 성실히 계약상의 의무를 이행할 것을 확약하며, 이 계약의 증거로서 계약서를 작성하여 당사자가 기명날인한 후 각각 1통씩 보관한다.

붙임서류 : 1. 물품구매입찰유의서 1부
2. 물품구매계약일반조건 1부
3. 물품구매계약특수조건 1부
4. 규격 및 내용서 1부
5. 산출내역서 1부

. . .

중앙관서의 장 또는
계약담당공무원 (인)
계약상대 (인)

물품내역서

품명	규격	단위	수량	단가	금액

22221-20811보
95.6.30 승인

210mm×297mm
(백상지 80g/㎡)

[별지 제9호서식] 〈개정 2021.7.6〉

(앞 쪽)

용역표준계약서		계약번호 제 호 공고번호 제 호
계약자	발 주 처	○○부(처, 청)중앙관서의 장 또는 계약담당공무원 성명
	계 약 상 대 자	·상호 또는 법인명칭 ·법인등록번호 ·주소 ·전화번호 ·대표자
계약내용	용 역 명	
	계 약 금 액	금 원정(₩)
	총용역부기금액	금 원정(₩)
	계 약 보 증 금	금 원정(₩)
	지 체 상 금 률	%
	계 약 기 간	. . . ~ . . .
	위 치	
	기 타 사 항	

중앙관서의 장(계약담당공무원)과 계약상대자는 상호 대등한 입장에서 붙임의 계약문서에 의하여 위의 용역에 대한 도급계약을 체결하고 신의에 따라 성실히 계약상의 의무를 이행할 것을 확약하며, 이 계약의 증거로서 계약서를 작성하여 당사자가 기명날인한 후 각각 1통씩 보관한다.

붙임서류 : 1. 기술용역입찰유의서 1부
2. 기술용역계약일반조건 1부
3. 기술용역계약특수조건 1부
4. 과업내용서 1부
5. 산출내역서 1부

. . .

중앙관서의 장 또는
계 약 담 당 공 무 원 (인)
계 약 상 대 자 (인)

22221-20921보
95.6.30 승인

210mm×297mm
(백상지 80g/㎡)

(뒤쪽)

용역내역서		
용역명	규격·단위 또는 세부사항	금액

22221-20922일
95.6.30 승인

210mm×297mm
(백상지 80g/㎡)

[별지 제10호서식]

계약보증금납부서			
입 찰 번 호	제 호	입찰연월일	. . .
계 약 건 명			
계 약 번 호	제 호	계약(예정)연월일	. . .
계 약 금 액	금 원정(₩)		
계약보증금액	금 원정(₩)		
보증금납부방법			
계약이행기간	년 월 일부터 년 월 일까지(년 개월)		

위의 금액을 계약보증금으로 납부합니다.

. . .

상호 또는 법인명칭 : 전화번호 :
주소 :
대표자 : (인)
주민(법인)등록번호 :

귀하

세입세출 외 현금출납공무원 성명 : (인)
유가증권취급공무원 성명 : (인)

22221-21011일
95.6.30 승인

210mm×297mm
(신문용지 54g/㎡)

[별지 제11호서식]

입찰보증금의계약보증금대체납부신청서			
입 찰 번 호	제 호	입찰연월일	. . .
계 약 건 명			
계 약 번 호	제 호	계약(예정)연월일	. . .
계 약 금 액	금 원정(₩)		
계약보증금액	금 원정(₩)		
보증금납부방법			
계약이행기간	년 월 일부터 년 월 일까지(년 개월)		

위의 금액을 계약보증금으로 납부합니다.

. . .

상호 또는 법인명칭 : 전화번호 :
주소 :
대표자 : (인)
주민(법인)등록번호 :

귀하

세입세출 외 현금출납공무원 성명 : (인)
유가증권취급공무원 성명 : (인)

22221-21111일
95.6.30 승인

210mm×297mm
(신문용지 54g/㎡)

[별지 제12호서식]

하자보수보증금납부서

입 찰 번 호	제 호	입찰연월일	. . .
계 약 건 명			
계 약 번 호	제 호	준공연월일	. . .
계 약 금 액	금 원정(₩)		

하자보수보증금 납부내역

공종	공종별 계약금액	하자보수보증금율(%) 및 금액	하자담보책임기간
	원정	( )% 금 원정	. . .~ . . .
	원정	( )% 금 원정	. . .~ . . .
	원정	( )% 금 원정	. . .~ . . .
보증금납부방법			

위의 금액을 하자보수보증금으로 납부합니다.

. . .

상호 또는 법인명칭 : 전화번호 :
주소 :
대표자 : (인)
주민(법인)등록번호 :

귀하

세입세출 외 현금출납공무원 성명 : (인)
유가증권취급공무원 성명 : (인)

22221-21211일
95.6.30 승인

210mm×297mm
(신문용지 54g/㎡)

[별지 제13호서식] 〈개정 2016.9.23〉

질권설정동의서

[□입찰 □계약 □하자보수] 보증금으로 납부한 [□등록국채 □정기예금증서 □수익증권] 를(을) 「국가를 당사자로 하는 계약에 관한 법률 시행규칙」 제54조제3항의 규정에 의하여 유가증권 취급 공무원이 질권을 설정하는 데에 동의합니다.

구분 (등록국채등)	증서번호 (기번호)	액면금액 (좌수등)	보증금명	보증금액

구비서류 : 1. 해당 금융기관의 질권설정신청서 서식 1부
2. 유가증권취급공무원을 대리인으로 하는 위임장 1부
3. 인감증명서 또는 본인서명사실확인서(질권설정용) 1부

. . .

상호 또는 법인명칭 : 전화번호 :
주소 :
대표자 : (인)
주민(법인)등록번호 :

(유가증권취급공무원) 귀하

22221-21311일
95.6.30 승인

210mm×297mm
(신문용지 54g/㎡)

[별지 제14호서식] 〈개정 2021.10.28〉

각 서

「국가를 당사자로 하는 계약에 관한 법률 시행규칙」 제57조제1항에 따라 보증금으로 제출한 주식은 위조가 아니며, 만일 해당 주식의 진위에 관하여 앞으로 문제가 발생할 때에는 그에 관한 모든 책임을 본인이 지겠습니다.

. . .

상호 또는 법인명칭 : 전화번호 :
주소 :
대표자 : (인)
주민(법인)등록번호 :
기관명 : ____________

유가증권취급공무원 귀하

22221-21411일
95.6.30 승인

210mm×297mm
(신문용지 54g/㎡)

[별지 제15호서식] 〈개정 2006.5.25〉

기 관 명

우편번호, 주소 : (전화번호) 담당자 :

문서번호 :
발신일 : . . .
수신 :
참조 :
제목 : 부정당업자제재확인서

부정당업자	상호또는법인명칭		사업자등록번호	
			법인등록번호	
	주소			
	대표자		주민등록번호	
	주소			
	영업종목 (세부품목)		면허·등록번호등	
제재내용	제재근거			
	해약연월일			
	제재연월일		만료연월일	
	제재기간	. . . ~ . . .		

(제재에 대한 구체적인 사유 및 보증금의 처리결과)
(기타 참고사항)

중앙관서의 장 (인)

22221-21511일
95.6.30 승인

210mm×297mm
(신문용지 54g/㎡)

[별지 제16호서식] 삭제 〈1996.12.31〉

2

정부조달에 관한 협정

정부조달에 관한 협정
(Agreement on Government Procurement)

(1997. 1. 1 조약 제 1363호)

이 협정의 당사자들은(이하 "당사자"라 한다), 세계무역을 보다 자유화하고 확대하며 세계무역의 수행을 위한 국제적인 틀을 개선하기 위하여 정부조달에 관한 법률, 규정, 절차 및 관행과 관련한 권리와 의무의 효과적인 다자간 틀에 대한 필요를 인정하며,

정부조달에 관한 법률, 규정, 절차 및 관행이 국내상품이나 서비스 또는 국내 공급자를 보호하기 위한 목적으로 입안, 채택되거나 외국 또는 국내상품 및 서비스 그리고 외국 또는 국내 공급자에게 적용되어서는 아니되며, 외국의 상품 또는 서비스간에 또는 외국공급자간에 차별하여서는 아니된다는 점을 인정하고,

정부조달에 관한 법률, 규정, 절차 및 관행의 투명성을 제공하는 것이 바람직하다는 점을 인정하고, 정부조달에 관한 국제적 규정의 공정하고 신속하며 효과적인 집행을 보장하기 위하여 통보, 협의, 감시 및 분쟁해결에 관한 국제적 절차를 확립하고 권리와 의무의 균형을 가능한 최고수준으로 유지할 필요성을 인정하며,

개발도상국 특히 최빈개도국의 개발, 재정, 무역상의 필요를 감안할 필요성을 인정하며,

1979년 4월 12일 체결되고 1987년 2월 2일 개정된 정부조달에관한협정의 제9조제6항나호에 따라 상호주의에 기초하여 동 협정을 확대, 개선하고 동 협정의 적용범위를 확대하여 서비스계약을 포함할 것을 희망하며,

이 협정의 당사자가 아닌 정부의 이 협정 수락과 가입을 권장하기를 희망하며,

이러한 목적을 추구하기 위한 추가협상을 추진하여 오면서, 다음과 같이 합의한다.

제1조 적용범위

1. 협정은 부록1)에 명시된, 이 협정의 적용을 받는 조달기관에 의한 조달에 관한 법률, 규정, 절차 또는 관행에 적용된다.
2. 이 협정은 상품 및 서비스의 어떠한 결합도 포함하여, 구매 또는 구입 선택을 포함한 리스, 임차 또는 할부구매와 같은 방법을 통한 조달을 포함하여 모든 계약수단에 의한 조달에 적용된다.
3. 조달기관이 이 협정의 적용을 받는 조달과 관련하여 부록 I 에 포함되지 않은 사업체에게 특정요건에 따라 계약을 체결하도록 요구할 경우, 제3조가 그러한 요건에 준용된다.

1) 각 당사자에 대해 부록Ⅰ은 5개 부속서로 나누어진다.
- 부속서1은 중앙정부조달기관을 포함한다.
- 부속서2는 중앙정부보다 하위의 조달기관을 포함한다.
- 부속서3은 이 협정의 규정에 따라 조달을 실시하는 그 밖의 모든 조달기관을 포함한다.
- 부속서4는 이 협정의 적용을 받고 포지티브 방식 또는 네가티브 방식으로 수록된 서비스를 포함한다.
- 부속서5는 적용을 받는 건설서비스를 포함한다.

관련 기준가는 각 당사자의 부속서에 명시된다.

4. 이 협정은 부록 I 에 명시된 관련 기준가 이상의 가치가 있는 모든 조달계약에 적용된다.

제2조 계약대상가액 산정

1. 다음 규정이 이 협정의 시행을 위한 계약대상가액[2]의 산정에 적용된다.
2. 산정시에는 프리미엄, 요금, 수수료, 수취이자를 포함한 모든 형태의 보수를 고려한다.
3. 조달기관은 이 협정의 적용을 회피할 목적으로 계약대상가액의 산정방법을 선택하거나 조달요구를 분할시켜서는 아니된다.
4. 개별적인 특정 조달요구가 두건 이상의 계약체결이나 계약의 분할체결로 귀결될 경우 산정기준은 다음 중에서 택일한다.
  가. 그전 회계년도나 그전 12월동안 체결된 유사한 반복계약의 실제가액으로서, 가능한 경우 그 다음 12월 동안의 수량 및 금액상의 예상되는 변화를 감안하여 조정한 가액, 또는
  나. 최초계약이 체결된 다음의 회계년도나 12월 동안의 반복 계약에 대한 추정가격
5. 상품 또는 서비스의 리스, 임차 또는 할부구입을 위한 계약 또는 총가격이 명시되지 않은 계약의 경우, 평가기준은 다음과 같다.
  가. 기한부 계약의 경우, 계약기간이 12월이하일 때는 계약기간에 대한 총계약가이며, 계약기간이 12월을 초과할 때는 추정잔여액을 포함한 총가액
  나. 계약기간이 확정되지 않은 계약의 경우 월지급액에 48을 곱한 액수가액구분이 불확실한 경우 두번째 평가 기준, 즉 나호가 사용된다.
6. 조달계획상 선택 조항의 필요성이 명시되어 있는 경우, 평가기준은 선택에 의한 구매를 포함하여 최대한 허용가능한 조달의 총가액이다.

제3조 내국민대우 및 무차별

1. 이 협정의 적용을 받는 정부조달에 관한 모든 법률, 규정, 절차 및 관행과 관련, 각 당사자는 다른 당사자의 상품, 서비스 및 동 당사자 상품 또는 서비스의 공급자에게 즉시 그리고 무조건적으로 다음보다 불리하지 않은 대우를 부여한다.
  가. 국내상품, 서비스 및 공급자에게 부여되는 대우, 그리고
  나. 그 밖의 당사자의 상품, 서비스 및 공급자에게 부여되는 대우
2. 이 협정의 적용을 받는 정부조달에 관한 모든 법률, 규정, 절차 및 관행과 관련, 각 당사자는 다음을 보장한다.
  가. 자기 나라의 조달기관이 외국인과의 제휴 또는 외국인소유의 정도를 기준으로 한 국내에 설립된 공급자를 다른 국내에 설립된 공급자보다 불리하게 대우하지 아니한다.
  나. 자기 나라 조달기관이, 생산국이 제4조의 규정에 따른 이 협정 당사자인 경우, 공급되는 상품이나 서비스의 생산국을 기준으로 하여 국내에 설립된 공급자를 차별하지 아니한다.

2) 이 협정은 제9조에 따라 공고시 계약가액이 기준가 이상인 것으로 추정되는 모든 조달계약에 적용된다.

3. 제1항 및 제2항의 규정은 수입시 또는 수입과 관련하여 부과되는 관세 및 모든 종류의 과징금, 그러한 관세 및 과징금의 부과방법, 다른 수입규정 및 절차 그리고 이 협정의 적용을 받는 정부조달에 관한 법률, 규정, 절차 및 관행 이외에 서비스무역에 영향을 미치는 조치에 대해 적용되지 아니한다.

제4조 원산지 규정

1. 당사자는 이 협정의 적용을 받는 정부조달을 위하여 다른 당사자로부터 수입 또는 공급되는 상품이나 서비스에 대하여, 통상적인 거래과정에서 그리고 당해 거래의 시점에서 동일 당사자로부터의 동일 상품이나 서비스의 수입품 또는 공급품에 적용되는 원산지 규정과 다른 원산지 규정을 적용하지 아니한다.
2. 세계무역기구설립을위한협정(이하 "세계무역기구협정"이라 한다)부속서 1가상 원산지규정에관한협정에 따라 행하여질 상품에 대한 원산지 규정의 조화를 위한 작업계획과 서비스 무역에 관한 협상의 종결후, 당사자는 제1항을 적절하게 개정하는데 있어서 동 작업계획과 협상결과를 감안한다.

제5조 개발도상국에 대한 특별 및 차등대우

목 적

1. 당사자는 이 협정을 이행하고 집행함에 있어서, 이 조에 명시된 규정에 따라, 개발도상국, 특히 최빈개도국이 다음 사항을 추진할 필요에 있어서 그들의 개발, 재정, 무역상의 필요를 충분히 고려한다.
   가. 국제수지의 방어 및 경제개발계획을 시행하는데 충분한 수준의 준비금 확보
   나. 농촌 또는 낙후지역의 영세 가내공업 발전을 포함한 국내산업의 확립 또는 발전의 촉진과 다른 경제부문의 경제개발 촉진
   다. 산업단위가 정부조달에 전적으로, 또는 상당히 의존하고 있는 한 동 산업단위의 지원
   라. 세계무역기구 각료회의에 제출되어 부결되지 않은 개발도상국간의 지역적 또는 세계적 약정을 통한 경제개발의 권장
2. 이 협정의 규정과 일치하여, 각 당사자는 정부조달에 영향을 미치는 법률, 규정 및 절차의 입안과 적용에 있어서, 최빈개도국 및 경제적으로 저개발단계에 있는 국가의 특별한 문제를 유념하면서, 개발도상국으로부터의 수입증대를 촉진한다.

적용범위

3. 개발도상국이 자기나라의 개발, 재정 및 무역상 필요에 부합하는 조건으로 이 협정을 준수할 수 있도록 보장하기 위하여 제1항에 열거된 목적이 이 협정 규정의 적용을 받을 개발도상국의 조달에 관한 협상과정에서 충분히 고려된다. 선진국은 이 협정의 규정에 따라 자기나라의 적용대상 목록을 작성하는데 있어서 개발도상국의 수출관심상품 또는 서비스를 조달하는 조달기관을 포함시키도록 노력한다.

합의된 적용배제

4. 개발도상국은 각 사안의 특수상황을 감안하여, 이 협정에 따른 협상에서 자기나라의 적용대상 목록에 포함된 특정 조달기관, 상품 또는 서비스에 대해 내국민대우에 관한 규칙으로부터의 상호 수용가능한 적용배제를 다른 협상참여국들과 협상할 수 있다. 이러한 협상에서는 제1항가호부터 다호까지 언급된 고려를 충분히 감안하여야 한다. 제1항 라호에서 언급된 개발도상국간의 지역적 또는 세계적 약정에 참여하고 있는 개발도상국도 각 사안의 특수상황을 감안하고, 특히 관련 지역적 또는 세계적 약정의 정부조달 관련규정과 특히 공동산업개발 계획의 적용을 받을 수 있는 상품이나 서비스를 고려하여 자기나라의 목록에 대한 배제에 대하여 협상할 수 있다.
5. 이 협정이 발효된 후, 개발도상국 당사자는 자기나라의 개발, 재정 및 무역상 필요를 감안하여 제24조제6항에 포함된 적용대상목록의 수정에 관한 규정에 따라 자기나라의 적용대상목록을 수정하거나 또는 각 사안의 특수상황에 유의하고 제1항 가호부터 다호까지의 규정을 충분히 감안하여 자기나라의 적용대상목록에 포함된 특정조달기관, 상품 또는 서비스에 대해 적용배제를 허가하도록 위원회에 요청할 수 있다. 개발도상국 당사자가 적용대상목록 수정과 관련하여 위원회에 요청할 때는 동 요청에 관련된 문서 또는 동 사안을 검토하는데 필요한 정보를 첨부한다.
6. 제4항과 제5항은 이 협정의 발효후 가입하는 개발도상국에 대하여 준용된다.
7. 제4항, 제5항 및 제6항에 언급되어 있는 이러한 합의된 적용배제는 아래 제14항의 규정에 따른 검토의 대상이 된다.

개발도상국 당사자에 대한 기술지원

8. 각 선진국회원국은 요청에 따라 정부조달분야에 있어서 자신이 개발도상국 당사자의 문제를 해결하는데 적절하다고 판단하는 모든 기술지원을 개발도상국 당사자에게 제공한다.
9. 개발도상국 당사자간에 무차별적으로 제공되어야 하는 이러한 지원은, 특히 다음 사항에 관련된다.
   - 특정계약의 체결과 관련된 특별한 기술적 문제의 해결, 그리고
   - 이러한 지원과 관련하여 요청 당사자와 다른 당사자가 처리하기로 합의한 그 밖의 문제
10. 제8항 및 제9항에서 언급된 기술지원은 개발도상국 당사자의 공급자가 작성한 자격심사문서 및 입찰서를 조달기관이 지정한 세계무역기구 공용어로 번역하는 것을 포함한다. 단, 선진국 당사자가 번역이 부담이 된다고 판단할 때에는 그러하지 아니하며, 이러한 경우 개발도상국 당사자가 동 선진국 당사자나 동 선진국 당사자의 조달기관에 요청하면 동 개발도상국 당사자에게 그 사유를 설명한다.

정보센터

11. 선진국 당사자는 개발도상국 당사자의 합리적인 정보제공 요청, 특히 정부조달에 관한 법률, 규정, 절차 및 관행, 공표된 조달계획공고, 이 협정의 적용을 받는 조달기관의 주소, 장래의 입찰에 관한 이용가능한 정보를 포함하여 조달된 또는 조달예정인 상품이나 서비스의 종류와 수량에 관한 정보제공 요청에 응할 수 있도록 정보센터를 개별적 또는 공동으로 설치한다. 위원회도 정보센터를 설립할 수 있다.

최빈개도국에 대한 특별대우

12. 개발도상국의 차등대우 및 우대, 상호주의 및 참여확대에 관한 1979년 11월 28일자 1947년도 GATT 계약당사자단 결정(BISD 26S/203-205) 제6항에 유의하여, 개발도상국 당사자를 위한 일반적 또는 특정조치와 관련하여 최빈개도국 당사자와 최빈개도국 당사자를 원산지로 하는 상품이나 서비스에 관하여 동 당사자의 공급자에 대해 특별대우를 부여하도록 한다. 당사자는 또한 당사자가 아닌 최빈개도국을 원산지로 하는 상품이나 서비스와 관련하여 동 최빈개도국 당사자의 공급자에게 이 협정에 따른 혜택을 부여할 수 있다.

13. 각 선진국 당사자는 요청에 따라, 최빈개도국의 잠재적 입찰자가 자신의 입찰서를 제출하고 최빈개도국의 공급자뿐만 아니라 자신의 조달기관의 관심품목이 될 수 있는 상품이나 서비스를 선정함에 있어서 동 입찰자에게 적절하다고 간주할 수 있는 지원을 제공하며 또한 최빈개도국의 잠재적 입찰자가 예정된 조달의 대상인 상품이나 서비스와 관련된 기술규정 및 표준을 준수할 수 있도록 지원한다.

검　토

14. 위원회는 이 조의 운영 및 실효성을 매년 검토하며 그 효과를 평가하기 위하여, 당사자가 제출한 보고서를 기초로 협정 운영 후 매 3년마다 주요검토를 실시한다. 위원회는 동 3년마다의 검토의 일환으로, 또한 특히 제3조를 포함한 이 협정의 규정의 최대한 이행을 달성할 목적으로 그리고 관련 개발도상국의 개발, 재정 및 무역상황에 유의하여, 이 조 제4항부터 제6항까지의 규정에 따라 규정된 적용배제의 수정 또는 확대여부를 검토한다.

15. 각 개발도상국 당사자는, 이 협정 제24조제7항의 규정에 따른 추가 협상과정에서, 자기나라의 경제, 재정 및 무역상황에 유의하여 자기나라 적용 대상목록의 확대 가능성을 고려한다.

제6조 기술규격

1. 품질, 성능, 안전도 및 치수, 기호, 용어, 포장, 표시 및 상표부착 또는 그 생산공정 및 방법등의 조달대상 상품 또는 서비스의 특징과 조달기관이 규정하는 적합판정 절차 관련 요건을 정하는 기술규격은 국제무역에 불필요한 장애를 초래할 목적으로, 또한 그러한 효과를 갖도록 입안, 채택, 적용되지 아니한다.

2. 조달기관이 정하는 기술규격은 적절한 경우,

가. 도안 또는 기술된 특징보다는 성능에 관한 것이어야 하며,

그리고

나. 국제표준이 존재하는 경우에는 국제표준에 근거하여야 하며, 그렇지 않은 경우 국가기술규정[3], 인정된 국가표준[4] 또는 건축법규에 근거하여야 한다.

3. 조달요건을 충분히 정확하게 또는 이해할 수 있게 설명할 만한 다른 방법이 없고 "또는 이와 동등한 것"과 같은 어휘가 입찰설명서에 포함된 경우를 제외하고는, 특정 상표나 상호, 특허, 도안 또는 형태, 특정 원산지, 생산자 또는 제공자에 관한 요구나 언급이 없어야 한다.

4. 조달기관은 특정 조달에 대해 상업적 관심을 가질 수 있는 기업으로부터 경쟁을 배제하는 효과를 갖는 방법으로 동 조달을 위한 규격 작성시 사용될 수 있는 조언을 추구하거나 받아들이지 아니한다.

제7조 입찰절차

1. 각 당사자는 자기나라 조달기관의 입찰절차가 무차별적으로 적용되고, 제7조부터 제16조까지에 포함된 규정과 일치하도록 보장한다.

2. 조달기관은 어떠한 공급자에게도 경쟁을 배제하는 효과를 갖는 방법으로 특정조달에 관한 정보를 제공하지 아니한다.

3. 이 협정의 목적상

가. 공개 입찰절차는 모든 관심있는 공급자가 입찰서를 제출할 수 있는 절차이다.

나. 선택 입찰절차는 제10조제3항 및 이 협정의 다른 관련규정에 따라 조달기관에 의하여 입찰서를 제출하도록 초청받은 공급자가 입찰서를 제출할 수 있는 절차이다.

다. 제한 입찰절차는 오직 제15조에 명시된 조건에 따라서만 조달기관이 공급자를 개별적으로 접촉하는 절차이다.

제8조 공급자 자격심사

조달기관은 공급자 자격심사 과정에서 다른 당사자의 공급자간 또는 국내 공급자와 다른 당사자의 공급자간에 차별을 두지 아니한다. 자격심사절차는 아래와 일치한다.

가. 모든 입찰참가 자격조건은 관심있는 공급자가 자격심사절차를 개시하고, 조달과정의 효율적 운영을 저해하지 않는 범위내에서, 이를 완료할 수 있도록 충분한 시간여유를 두고 공표된다.

나. 모든 입찰참가 자격조건은 기업의 당해계약 이행능력을 확보하는 데 필수적인 것으로 국한된다. 재정보증, 기술적 자격요건, 공급자의 재정적, 상업적, 기술적 능력을 입증하는데 필요한 정보 및 자격요건 증빙자료를 포함하여 공급자에게 요구되는 입찰

---

3) 이 협정의 목적상, 기술규정은 상품 또는 서비스의 특징이나 상품 또는 서비스 관련 공정 및 생산방법을 규정한 문서이며, 적용가능 행정규정으로서 강제적인 것도 이에 포함된다. 또한 기술규정은 용어, 기호, 포장, 표시 또는 상표부착요건이 상품, 서비스, 공정 또는 생산방법에 적용되는 범위내에서 그것들을 포함하거나 전적으로 다룰 수 있다.

4) 이 협정의 목적상, 표준은 인정된 기관에서 승인한 문서로서, 상품 또는 서비스나 관련 공정 및 생산방법에 대한 강제력이 없는 규칙이나 지침 또는 특징을 통상적, 반복적으로 사용할 수 있도록 규정해 놓은 것이다. 표준은 또한 상품, 서비스, 공정 또는 생산방법에 적용되는 범위내에서 용어, 기호, 포장, 표시 및 상표부착요건을 포함하거나 또는 전적으로 다룰 수 있다.

참가 조건은 국내 공급자보다 다른 당사자 공급자에게 불리하지 아니하며, 다른 당사자 공급자간에 차별을 두지 아니한다. 공급자의 재정적, 상업적, 기술적 능력은 동 공급자의 조달기관이 속한 영토내에서의 사업활동 뿐 아니라 전세계적 사업활동에 근거하여, 공급조직들간의 법적 관계를 충분히 감안, 판단한다.

다. 공급자 자격심사의 과정과 그 소요기간은 다른 당사자 공급자를 공급자 명부에서 제외시키거나, 특정 예정된 조달을 위한 고려로부터 제외시키기 위하여 사용되지 아니한다. 조달기관은 특정 예정된 조달에의 참가조건을 충족하는 국내 공급자 또는 다른 당사자 공급자를 유자격 공급자로 인정한다. 아직 자격심사를 받을 수 없는 공급자가 특정예정된 조달에의 참가를 요청할 경우 자격심사절차를 완료할 충분한 시간이 있다면 동 공급자도 고려의 대상이 된다.

라. 유자격 공급자 상시 명부를 유지하는 조달기관은 공급자가 언제든지 자격심사를 요청할 수 있도록 그리고 그렇게 요청하는 모든 유자격 공급자가 합리적으로 짧은 기간내에 동명부에 등재될 수 있도록 보장한다.

마. 제9조제1항에 따른 공고의 공표후, 아직 자격심사를 받지 못한 공급자가 예정된 조달에의 참가를 요청하는 경우, 조달기관은 자격심사절차를 신속하게 개시한다.

바. 유자격 공급자가 되기 위해 요청한 공급자는 관련 조달기관에 의하여 그에 대한 결정에 대해 통보받는다. 조달기관에 의해 상시 명부에 등재된 유자격 공급자가 또한 그러한 명부의 폐지 또는 명부로부터 자신의 삭제에 대해 통보받는다.

사. 각 당사자는 아래 사항을 보장한다.

(1) 각 조달기관 및 그 산하조직은 상이한 절차를 사용하여야 할 필요가 충분히 입증된 경우를 제외하고는 단일한 자격심사절차를 따른다. 그리고,

(2) 조달기관간 자격심사절차의 차이를 최소화하도록 노력한다.

아. 가호부터 사호까지의 어느 규정도 파산이나 허위신고 등의 이유로 특정공급자를 제외시키는 것을 금지하지 아니한다. 다만, 이러한 조치는 이 협정의 내국민대우 및 무차별 규정에 합치하여야 한다.

제9조 예정된 조달에 대한 참가초청

1. 조달기관은 제15조(제한입찰)에 달리 규정되어 있는 경우를 제외하고는 제2항과 제3항에 따라 모든 예정된 조달에 대한 참가초청을 공표한다. 동 공고는 부록 II에 수록된 적절한 출판물을 통해 공표된다.
2. 참가초청은 제6항에 규정된 조달계획공고 형식을 취할 수 있다.
3. 부속서 2와 3에 수록된 조달기관은 제7항에 규정된 조달계획 공고 또는 제9항에 규정된 자격심사제도에 관한 공고를 참가초청으로 사용할 수 있다.
4. 참가초청으로 조달계획 공고를 사용하는 조달기관은 그 후, 관심을 표명한 모든 공급자에게 최소한 제6항에 언급된 정보를 포함하

는 정보에 기초하여 그들의 관심을 확인해 줄 것을 요청한다.

5. 참가초청으로서 자격심사제도에 관한 공고를 사용하는 조달기관은 제18조제4항에 언급된 고려를 조건으로, 그리고 적시에, 관심을 표명한 모든 자가 조달참가에 대한 자신의 관심을 평가하기 위한 의미있는 기회를 가질 수 있도록 하는 정보를 제공한다. 이러한 정보는 이용가능한 범위내에서 제6항 및 제8항에서 언급된 공고에 포함된 정보를 포함한다. 특정 관심있는 공급자에게 제공된 정보는 다른 관심있는 공급자에게도 무차별적으로 제공된다.

6. 제2항에서 언급된 각 조달공고는 아래 정보를 포함한다.

가. 후속조달에 대한 선택과 가능하다면 그러한 선택 행사가 가능한 예정시기를 포함한 종류 및 수량, 반복계약의 경우, 종류 및 수량과 가능하다면 조달대상 상품이나 서비스에 대한 후속 입찰 공고의 예정시기

나. 공개입찰, 선택입찰 또는 시담에 의한 입찰 여부

다. 상품 또는 서비스의 납품개시 또는 납품완료 일자

라. 입찰초청신청서 제출 또는 공급자 자격등록 심사 또는 입찰서 접수를 위한 주소와 마감일자 및 입찰서 제출시 사용언어

마. 계약을 체결하고 규격 및 다른 서류입수에 필요한 정보를 제공하는 조달기관의 주소

바. 경제적, 기술적 요건, 재정보증 및 공급자에게 요구되는 정보

사. 입찰설명서 구입에 소요되는 금액 및 지불요건, 그리고

아. 조달기관이 구매, 리스, 임차, 할부구매 또는 이들 방법중 2개 이상에 대한 입찰을 초청하는지 여부

7. 제3항에서 언급된 각 조달계획 공고는 제6항에 언급되어 있는 정보중에서 입수 가능한 최대한의 정보를 포함한다. 동 공고는 어떠한 경우에도 제8항에서 언급된 정보와 아래 사항을 포함한다.

가. 관심있는 공급자는 조달에 대한 자신의 관심을 조달기관에 표명하여야 한다는 진술

나. 추가 정보를 얻을 수 있는 조달기관 접촉선

8. 조달기관은 각 예정된 조달건에 대하여 세계무역기구 공용어중의 하나로 요약공고를 공표한다. 동 공고는 최소한 아래 정보를 포함한다.

가. 계약의 대상

나. 입찰서 또는 입찰초청신청서 제출기한, 그리고

다. 계약관련서류를 요청할 수 있는 주소

9. 선택입찰절차의 경우 유자격공급자 상시 명부를 유지하는 조달기관은 매년 이 협정 부록 III에 수록된 출판물 중 하나를 통해 아래 사항에 대한 공고를 공표한다.

가. 동 명부를 통하여 조달하는 상품이나 서비스 또는 상품이나 서비스군에 관하여 유지하고 있는 명부 일람표 및 그 항목

나. 동 명부에 등재되기 위하여 공급자가 충족시켜야 할 조건 및 관련 조달기관이 그러한 조건의 각각을 검증하는 방법. 그리고

다. 명부의 유효기간 및 명부 갱신 절차

이러한 공고가 제3항에 따라 참가초청으로 사용되는 경우, 동

공고는 아래 정보를 추가로 포함한다.

라. 관련상품이나 서비스의 종류

마. 동 공고가 참가초청을 구성한다는 진술

그러나 자격심사제도의 존속기간인 3년 이하인 경우로서 동 제도의 존속기간이 공고에 명시되고, 또한 추가공고가 포함되지 않는다는 것이 명시된 경우에는 동 제도의 시초에 한번만 공고를 공표하는 것으로 충분하다. 이러한 제도는 이 협정의 규정을 회피하는 방법으로 사용되지 아니한다.

10. 예정된 조달에의 참가초청이 공표된 후 그러나 동 공고나 입찰설명서에 명시된 입찰의 개시 또는 접수 시간 전에 동 공고를 수정하거나 재공고할 필요가 있을 경우는, 그러한 수정이나 재공고는 수정의 기초가 되는 원래의 문서와 동일하게 배포된다. 특정의 예정된 조달과 관련하여 일방의 공급자에게 제공된 중요한 정보는 그 밖의 모든 관련공급자에게 동시에 충분한 시간을 두고 제공되어 공급자들이 이러한 정보를 고려하고 이에 대응할 수 있도록 한다.

11. 조달기관은 이 조에 언급된 공고나, 동 공고가 게재되는 출판물에서 그 조달이 이 협정의 적용을 받음을 명확히 한다.

제10조 선정절차

1. 조달기관은 선택입찰절차에서 최적의 효과적인 국제경쟁을 보장하기 위하여, 조달제도의 효율적인 운영과 일치하는 한, 각 예정된 조달에 대하여 최대한 많은 수의 국내 공급자와 다른 당사자의 공급자를 입찰에 초청한다. 조달기관은 동 절차에 참여할 공급자를 공정하고 무차별적인 방법으로 선정한다

2. 유자격자 공급자 상시 명부를 유지하는 조달기관은 등재된 공급자중에서 입찰참가 초청대상 공급자를 선정할 수 있다. 어떠한 선정도 동 명부에 등재된 공급자들에게 공평한 기회가 부여되도록 한다.

3. 특정 예정된 조달에의 참가를 요청하는 공급자는 입찰서 제출이 허용되고 고려된다. 단, 아직 자격심사를 받지 않은 공급자의 경우에는 제8조와 제9조에 따른 자격심사절차를 완료할 만한 충분한 시간이 있어야 한다. 추가적으로 참가가 허용되는 공급자의 수요는 조달제도의 효율적인 운용을 위해서만 제한된다.

4. 선택입찰절차에 대한 참가요청을 전신, 전보 또는 모사전송으로 제출할 수 있다.

제11조 입찰 및 납품시한

일반사항

1. 가. 규정된 시한은 국내공급자 뿐만 아니라 다른 당사자의 공급도 입찰절차가 종료되기 전에 입찰서를 준비, 제출할 수 있도록 하는데 충분해야 한다. 이러한 시한을 결정함에 있어서 조달기관은 자신의 합리적인 필요에 일치하는 한, 예정된 조달의 복잡성, 예상되는 하도급계약의 범위, 국내외 지

점으로부터 우편으로 입찰서를 제출하는데 통상 소요되는 시간과 같은 요소를 감안한다.

나. 각 당사자는 자기나라의 조달기관이 입찰서 또는 입찰참가신청서 접수마감일자를 설정할 때 공표의 지연을 충분히 고려하도록 보장한다.

마감기한

2. 제3항에 규정된 바를 제외하고는,

가. 공개입찰의 경우 입찰서 접수기간은 제9조제1항에 언급된 공표일로부터 40일이상이 된다.

나. 유자격공급자 상시명부가 사용되지 아니하는 선택입찰절차의 경우 입찰참가신청서의 제출기간은 제9조제1항에 언급된 공표일로부터 25일 이상이 되며, 입찰서 접수기간은 어떠한 경우에도 입찰초청장 발급일로부터 40일이상이 되어야 한다.

다. 유자격자 공급자 상시명부가 사용되는 선택입찰절차의 경우, 입찰서 접수기간은 입찰초청장의 최초 발급일이 제9조 제1항에 규정된 공표일과 일치하는지의 여부에 관계없이, 입찰초청장의 최초 발급일로부터 40일이상이 되어야 한다.

3. 아래에 명시된 상황에서는 제2항에 언급된 기간이 단축될 수 있다.

가. 별도의 공고가 과거 12월이내에 40일이전에 공표되었고 동 공고에 최소한 아래 사항이 포함되어 있을 경우

(1) 제9조제6항에 언급된 정보중 취득 가능한 최대한의 정보

(2) 제9조제8항에 언급된 정보

(3) 관심있는 공급자가 조달에 대한 자신의 관심을 조달기관에 표명하여야 한다는 진술, 그리고

(4) 추가정보를 얻을 수 있는 조달기관 접촉선 입찰서 접수를 위한 40일 제한은 성의있는 입찰을 할 수 있도록 하는데 충분한 기간으로 대치할 수 있는 바, 이는 일반적으로 24일이상이어야 하고, 어떠한 경우에도 10일 미만이어서는 아니된다.

나. 제9조제6항의 의미내에서의 반복적 성격의 계약을 다루는 두번째 또는 후속 공표의 경우에는 입찰서 접수를 위한 40일 제한은 24일 이상으로 단축할 수 있다.

다. 조달기관에 의해 충분히 입증되는 긴급한 상황으로 인해 당해기간이 실현 불가능하게 될 경우, 제2항에 명시된 기간이 단축될 수 있으나, 어떠한 경우에도 제9조제1항에 언급된 공표일로부터 10일이상이 되어야 한다. 또는,

라. 부속서 2와 3에 수록된 조달기관에 의한 조달의 경우 제2항 다호에 규정된 기간은 동 조달기관과 선정된 공급자간의 상호 합의에 의해 설정될 수 있다. 합의가 없는 경우, 조달기관은 성의있는 입찰을 할 수 있도록 하는데 충분하고 어떠한 경우에도 10일이상이 되는 기간을 설정할 수 있다.

4. 납품기일은, 조달기관 자체의 합리적인 필요에 부합되는 범위내에서 예정된 조달의 복잡성, 예상되는 하도급계약의 범위, 생산, 공급지역으로부터의 상품 적출 및 운송에 필요한 실제소요기간 또는 서비스 제공에 필요한 실제소요기간 등의 요소를 감안한다.

제12조 입찰설명서

1. 입찰절차에 있어서 조달기관이 입찰서 제출에 사용하는 언어로 여러 언어를 허용할 경우, 동 언어중 하나는 세계무역기구 공용어이다.
2. 공급자에게 제공되는 입찰설명서는 제9조제6항사호를 제외하고 조달계획 공고에 공표되도록 요구되는 정보와 아래를 포함하여, 공급자가 유효한 입찰서를 제출할 수 있도록 하는데 필요한 모든 정보를 포함한다.

가. 입찰서가 송부되어야 하는 조달기관의 주소

나. 보충정보 요청이 송부되어야 하는 주소

다. 입찰서 및 입찰관계서류에 사용되어야 할 언어

라. 입찰서 접수 마감일시 및 접수 허용기간

마. 개찰시 입회하도록 승인된 자 및 개찰일시와 장소

바. 경제적, 기술적 요건, 재정보증 및 공급자에게 요구되는 정보 또는 서류

사. 요구되는 상품 또는 서비스 또는 기술규격, 충족시켜야 하는 품질시험성적서, 필요한 설계도, 도면 및 설명자료를 포함하는 그 밖의 모든 요건에 대한 완전한 기술

아. 입찰서 평가시 고려하게 될 가격이외의 모든 요소 및 운송, 보험, 검사비용 그리고 다른 당사자의 상품이나 서비스의 경우 관세와 다른 수입과징금, 조세, 지불통화 등 입찰가격평가에 포함되는 비용요소를 포함하는 낙찰자 선정기준

자. 대금 지불조건

차. 그밖의 조건

카. 제17조에 따라 이 협정의 당사자는 아니나 동 조의 절차를 적용하는 국가로부터의 입찰서를 받아들일 경우에 적용할 조건

조달기관에 의한 입찰설명서의 제공

3. 가. 공개 입찰절차의 경우, 조달기관은 동 절차에 참여하는 공급자의 요청에 따라 입찰설명서를 제공하며, 이에 관한 합리적인 설명요청에 신속하게 응답한다.

나. 선택 입찰절차의 경우, 조달기관은 참가를 요청하는 공급자의 요청에 따라 입찰설명서를 제공하며, 이에 관한 합리적인 설명요청에 신속하게 응답한다.

다. 조달기관은 입찰절차에 참여하는 공급자로부터의 합리적인 관련정보 요청에 대해 신속히 응답한다. 단, 이는 그러한 정부가 낙찰절차상 동 공급자를 경쟁자보다 유리하게 하지 아니함을 조건으로 한다.

제13조 입찰서의 제출, 접수, 개찰 및 낙찰

1. 입찰서의 제출, 접수, 개찰 및 낙찰은 아래와 일치한다.

가. 입찰서는 통상적으로 서면으로 직접 또는 우편으로 제출한다. 전신, 전보 또는 모사전송에 의한 입찰이 허용될 경우, 이런 방법으로 제출되는 입찰서에는 입찰서 평가에 필요한 모든 정

보, 특히 입찰자가 제시하는 최종가격과 입찰자가 입찰초청상의 모든 조건 및 규정에 동의한다는 진술이 포함되어야 한다. 동 입찰서는 서신에 의해 또는 전신, 전보 또는 모사전송으로 서명본을 송부함으로써 신속히 확인해야 한다. 전화에 의한 입찰은 허용되지 아니한다. 전신, 전보 또는 모사전송의 내용이 시한 이후 접수된 서류와 차이가 있거나 상충되는 경우에는 전신, 전보 또는 모사전송의 내용이 우선한다. 그리고,

나. 개찰과 낙찰사이에 입찰자가 비고의적인 형식상의 오류를 수정하도록 기회가 부여될 수 있는 경우 이러한 기회가 차별적 관행을 유발하도록 허용되지 아니한다.

입찰서의 접수

2. 입찰서가 전적으로 조달 기관측의 처리잘못으로 인한 지연 때문에 명시된 시간후에 입찰설명서에 지정된 부서에 접수되었을 경우에는, 공급자가 불이익을 받지 아니한다. 입찰서는 또한 다른 예외적인 상황에서 관련 조달기관의 절차가 그렇게 정하고 있는 경우 고려될 수 있다.

개　찰

3. 공개 또는 선택 입찰절차에 따라 조달기관에 의해 입수된 모든 입찰서는 개찰의 정규성을 보장하는 절차와 조건하에서 접수되고 개찰된다. 입찰서의 접수 및 개찰은 또한 이 협정의 내국민대우 및 무차별규정에 일치한다. 개찰에 대한 정보는 관련 조달기관에서 보관하되 제18조, 제19조, 제20조 및 제22조의 절차에 따라 요청된 경우 사용될 수 있도록 동 조달기관을 관할하는 정부당국의 처분에 따른다.

낙　찰

4. 가. 입찰서가 낙찰대상으로 고려되기 위하여는 개찰 당시에 공포 또는 입찰설명서상의 필수요건에 합치하여야 하며, 참가조건을 준수하는 공급자가 제출한 것이어야 한다. 조달기관이 다른 입찰서에 제시된 것보다 비정상적으로 낮은 가격의 입찰서를 접수한 경우 동 조달기관은 그 입찰자가 참가조건을 준수할 수 있고 계약조건을 충족시킬 수 있는 능력이 있음을 확인하기 위하여 그 입찰자에게 문의할 수 있다.

나. 조달기관이 공공이익을 위하여 계약을 체결하지 않기로 결정하지 않는 한 조달기관은 충분한 계약이행능력이 있다고 판정된 입찰자로서, 상품이나 서비스의 자기나라산 또는 다른 당사자산 여부에 관계없이, 최저가격의 입찰서를 제시하거나, 또는 공고 또는 입찰설명서에 명시된 구체적 평가기준에 따라 가장 유리하다고 판정된 입찰서를 제출한 입찰자를 낙찰자로 선정한다.

다. 낙찰은 입찰설명서에 명시된 기준과 필수 요건에 따라 실시된다.

선택조항

5. 선택조항은 이 협정의 규정을 회피하는 방법으로 사용되지 아니한다.

제14조 시 담

1. 당사자는 다음과 같은 경우, 조달기관에게 시담을 실시하도록 할 수 있다.

가. 조달기관이 제9조제2항에 언급된 공고(공급자에 대한 제안된 조달 절차에의 참가초청)에서 그러한 의사를 밝힌 조달의 경우, 또는

나. 평가결과 공고나 입찰설명서에 명시된 구체적 평가기준에 비추어 명백히 가장 유리한 입찰서가 없는 것으로 보이는 경우

2. 시담은 주로 입찰서의 장단점을 확인하는 데 사용된다.

3. 조달기관은 입찰서를 비밀로 취급한다. 특히, 조달기관은 특정 참가자가 자신의 입찰서를 다른 참가자의 수준으로 도달하도록 지원할 의도의 정보를 제공하지 아니한다.

4. 조달기관은 시담과정에서 다른 공급자간에 차별하지 아니한다. 조달기관은 특히 다음 사항을 보장한다.

가. 특정 참가자의 배제는 공고나 입찰설명서에 명시된 기준에 따라 이루어진다.

나. 기준 및 기술적 요건에 대한 모든 수정은 남아있는 모든 시담참가자에게 서면으로 전달된다.

다. 모든 남아있는 시담 참가자에게 수정된 요건에 따라 새로운 또는 수정된 제출서류를 제출할 수 있는 기회를 부여한다. 그리고

라. 시담이 완결되면 남아있는 모든 시담 참가자는 공통의 마감시한에 따라 최종입찰서를 제출할 수 있도록 허용된다.

제15조 제한입찰절차

1. 제한입찰이 가능한 최대한의 경쟁을 회피하기 위하여 또는 다른 당사자의 공급자간에 차별을 하거나 국내 생산자 또는 공급자를 보호하기 위한 수단이 되는 방법으로 사용되지 않는다면, 공개 및 선택입찰절차를 규율하는 제7조부터 제14조까지의 규정을 아래 조건하에서 적용할 필요는 없다.

가. 공개입찰 또는 선택입찰에 붙였으나 응찰이 없는 경우, 또는 제출된 입찰서가 담합에 의한 것이거나 입찰의 필수요건에 합치하지 않거나 또는 이 협정에 따라 규정된 참가조건에 합치되지 아니하는 공급자로부터의 것인 경우. 단, 최초입찰의 요건이 낙찰계약에서 실질적으로 변경되지 않은 경우에 한한다.

나. 예술품이기 때문에 또는 특허권이나 저작권등의 배타적 권리의 보호와 관련된 사유로 인하여, 또는 기술적인 이유로 경쟁이 없는 상태에서, 그 상품이나 서비스가 특정공급자에 의해서만 공급될 수 있으며 적절한 대용품이나 대체품이 없는 경우

다. 조달기관의 사전예측이 불가능했던 사태에 의하여 초래된 극도의 긴급한 사유로 인하여, 그 상품이나 서비스를 공개 또는 선택입찰절차로는 적시에 입수할 수 없는 경우. 단, 오로지 필요한 범위내에 한한다.

라. 원래의 공급자에 의한 추가 납품으로서, 기존 공급품 또는 설비에 대한 부품교환 용도의 것이거나, 공급자를 변경하게 되면 조달기관이 기존 장비 또는 서비스[5] 와의 호환성의 요건을 충족하지 못하는 장비나 서비스를 조달해야 하기 때문에 기존 공급품, 서비스, 또는 설비를 계속 공급하기 위한 용도의 것

마. 조달기관이, 조사, 연구 또는 독자적 개발을 위한 특정계약 과정에서, 그리고 그러한 계약을 위하여, 자신의 요청에 따라 개발된 시제품 또는 최초 상품이나 서비스를 조달하는 경우, 이러한 계약이 이행된 때에는, 상품이나 서비스의 후속조달은 제7조부터 제14조[6] 까지에 따른다.

바. 최초계약에는 포함되어 있지 않지만 원래의 입찰설명서의 목적에 포함되는 추가 건설서비스가 예측할 수 없는 상황에 의해 최초계약에 기술된 건설서비스를 완료하기 위해서 필요하게 되고, 최초계약에서 동 추가 건설서비스를 분리하는 것이 기술적 또는 경제적인 이유로 어렵고 조달기관에게 상당한 불편을 초래하기 때문에 조달기관이 관련 건설서비스를 수행하는 계약자에게 추가 건설서비스 계약을 부여할 필요가 있을 경우, 그러나 추가적인 건설서비스에 대한 총 낙찰가액은 주계약액의 50%를 초과할 수 없다.

사. 특정 기본사업에 합치하는 유사한 건설서비스의 반복으로 구성되는 신규건설서비스로서, 동 기본사업을 위한 최초계약이 제7조부터 제14조까지에 따라 체결되었고, 조달기관이 최초 건설서비스에 관한 조달계획공고에서 그러한 신규건설서비스의 계약체결에 제한입찰절차가 사용될 수도 있다고 명시한 경우

아. 1차상품 시장에서 구입된 상품의 경우

자. 극히 단기간에만 발생하는 예외적으로 유리한 조건에 따라 구매하는 경우, 이 규정은 통상적으로 공급자가 아닌 기업에 의한 흔하지 않은 처분 또는 청산이나 법정관리 상태에 있는 사업체의 자산 처분을 대상으로 하기 위한 것이다. 이 규정은 정규 공급자로부터의 통상적인 구매에 적용하기 위한 것이 아니다.

차. 도안 경연대회의 우승자에게 부여되는 계약의 경우. 단, 동 경 연대회는 이 협정의 원칙과 일치하는 방법, 특히 우승자에게 도안 계약을 부여할 목적으로 독립적인 심사원이 판 단하는 경연대회에 대한 유자격 제공자 참가초청에 관한 제9조의 의미에서의 공표에 관하여 이 협정의 원칙과 합치 하는 방법으로 조직되어야 한다.

2. 조달기관은 제1항의 규정에 따라 낙찰된 각각의 계약에 대한

---

5) 기존장비는 해당 소프트웨어의 최초 조달이 이 협정의 적용을 받는 범위내에서 소프트웨어를 포함하는 것으로 양해된다.

6) 최초 상품 또는 서비스의 독자적 개발은 현장시험결과를 반영하고 동 상품이나 서비스가 수용가능한 품질수준으로 대량생산하는데 적합한지를 입증하기 위한 제한적 생산 또는 공급을 포함할 수 있다. 채산을 맞추거나 연구개발비용을 회수하기 위하여 실시하는 대량생산 또는 공급은 이에 포함되지 아니한다.

서면보고서를 작성한다. 각 보고서는 조달기관명, 조달상품 또는 서비스의 가액 및 종류, 원산지 국가, 적용된 이 조의 조건에 관한 진술을 포함한다. 보고서는 관련 조달기관에 보관하되 제18조, 제19조, 제20조 및 제22조의 절차에 따라 요청을 받을 경우 사용될 수 있도록 동 조달기관을 관할하는 정부당국의 처분에 따른다.

제16조 대응구매

1. 조달기관은 공급자, 상품 또는 서비스의 자격심사나 선정에 있어서 또는 입찰서의 평가나 낙찰에 있어서 대응구매[7]를 부과하거나 모색하거나 고려하지 아니한다.
2. 그러나 개발에 관한 정책적 고려를 포함한 일반정책적인 고려를 감안하여 개발도상국은 가입시 국산부품 통합 요건과 같은 대응구매의 사용조건에 대해 협상할 수 있다. 이러한 요건은 조달과정 참가에 대한 자격심사에만 사용될 뿐 낙찰기준으로 사용되지 아니한다. 조건은 객관적 이고, 명확하게 정의되어야 하며, 무차별적이어야 한다. 동 조건은 동 국가의 부록 I에 명시되며, 이 협정의 적용을 받는 계약에 대응구매를 부과하는데 대한 명확한 제한을 포함할 수 있다. 이러한 조건의 존재는 위원회에 통보되며 조달계획 공고 및 다른 문서에 포함한다.

7) 정부조달에서 대응구매는 국산부품 사용, 기술사용허가, 투자요건 연계무역 또는 유사한 요건을 통해 국내개발을 장려하거나 국내수지계정을 개선하기 위하여 사용되는 조치이다.

제17조 투명성

1. 각 당사자는 조달기관이, 이 협정의 당사자는 아니지만 자기나라의 낙찰과정에서 투명성을 확보하기 위하여 아래와 같은 조치를 취하는 국가에 소재하는 공급자로부터 입찰서를 경쟁입찰 절차로부터의 일탈 또는 이의신청절차에 접근을 포함하여 어떠한 조건하에 받을 것인지를 명시하도록 권장한다.

가. 제6조(기술규격)에 따라 자산의 계약을 명시하고,

나. 세계무역기구 공용어로 공표되는 제9조제8항에 언급된 공고본(조달계획 공고의 요약)에 이 협정 당사자인 국가 소재 공급자로부터 어떠한 조건에 따라 입찰서를 받을 것인지를 명시하는 것을 포함하여, 제9조에 언급된 조달공고를 공표하며,

다. 통상적으로 조달진행중에는 자기나라의 조달관련규정을 변경하지 않을 것이라는 것과 변경이 불가피한 경우에는 만족할 만한 교정수단을 제공할 것을 보장한다.

2. 제1항가호로부터 제1항다호까지에 명시된 조건에 합치하는 이 협정의 당사자가 아닌 정부는 당사자에게 통보하면 위원회에 옵저버로 참가할 자격을 갖게 된다.

제18조 조달기관의 의무에 관한 정보 및 검토

1. 조달기관은 제13조부터 제15조까지에 따른 낙찰후 72일이내에 부록 II에 수록된 적절한 출판물에 공고를 공표한다. 동 공고는 다음을 포함한다.

가. 낙찰된 상품이나 서비스의 종류 및 수량

나. 낙찰한 조달기관명 및 주소

다. 낙찰일자

라. 낙찰자명 및 주소

마. 낙찰금액 또는 낙찰시 고려되었던 최저 및 최고의 입찰금액

바. 적절한 경우, 제9조제1항에 발표된 공고를 확인하는 방법 또는 제한 입찰절차 사용에 대한 제15조에 따른 정당성 설명, 그리고

사. 사용된 절차의 유형

2. 각 조달기관은 당사자 공급자의 요청이 있을 경우, 아래 사항을 신속히 제공한다.

가. 자신의 조달관행과 절차에 대한 설명

나. 공급자의 자격심사신청이 거부된 사유, 기존자격심사가 종료된 사유, 또는 선정되지 아니한 사유에 대한 관련정보, 그리고

다. 유찰자의 경우, 유찰된 사유, 낙찰자명, 낙찰 및 입찰서의 특징 및 상대적 이점에 대한 관련정보

3. 조달기관은 참가 공급자에게 낙찰결정을 신속하게 통보하며, 요청이 있을 경우 서면으로 통보한다.

4. 그러나, 제1항과 제2항나호에 포함된 낙찰 관련 특정 정보의 법집행을 방해하거나, 달리 공공의 이익에 반하거나, 특정한 공공기업이나 민간기업의 정당한 상업적 이익을 저해하거나, 공급자간의 공정경쟁을 저해할 가능성이 있을 때에는 그러한 정보의 공개를 보류하기로 결정할 수 있다.

제19조 당사자의 의무에 관한 정보 및 검토

1. 각 당사자는 이 협정의 적용을 받는 정부조달에 관한 모든 법률, 사법적 판결, 일반적으로 적용되는 행정적결정 및 모든 절차(표준계약조항 포함)를 부록 IV에 수록된 적절한 출판물에 신속히 그리고 다른 당사자 및 공급자가 이를 숙지할 수 있도록 하는 방법으로 공표한다. 각 당사자는 요청이 있는 경우, 그밖의 당사자에게 자기나라의 정부조달절차를 설명할 준비가 되어 있어야 한다.

2. 이 협정의 당사자인 유찰자측 정부는 제22조의 규정에 저해함이 없이 해당 조달이 공정하고 공평하게 이루어졌음을 확인하는데 필요한 낙찰관련 추가정보를 요구할 수 있다. 이를 위하여 조달국 정부는 낙찰된 입찰서의 특징과 상대적 이점에 관한 정보 및 낙찰가에 관한 정보를 제공한다. 통상적으로 후자의 정보는 유찰자측의 정부에 의해 공개할 수 있다. 단, 유찰자측 정부는 이 권리를 신중히 행사하여야 한다. 이 정보의 공개가 향후 입찰에 있어서의 경쟁을 저해할 경우, 이 정보는 유찰자측 정부에 동 정보를 제공한 당사자와 협의하여 합의한 후를 제외하고는 공개하지 아니한다.

3. 대상이 되는 조달기관이 실시하는 조달 및 동기관의 개별적 낙찰에 관한 이용가능한 정보는 요청이 있는 경우, 그 밖의 당사자에게 제공한다.

4. 당사자에게 제공된 비밀정보로서 법집행을 방해하거나, 달리 공공의 이익에 반하거나, 특정공공기업이나 민간기업의 정당한 상업적 이익을 저해하거나, 공급자간의 공정 경쟁을 저해할 수 있는 정보를 제공한 당사자의 공식승인 없이는 공개되지 아니한다.
5. 각 당사자는 이 협정의 적용을 받는 자기나라의 조달에 관한 통계자료를 매년 수집, 위원회에 제출한다. 이러한 보고서는 이 협정의 적용을 받는 모든 조달기관이 낙찰한 계약에 대한 아래와 같은 정보를 포함한다.
 가. 부속서 1에 수록된 조달기관에 대해서는 기준가 이상 및 미만의 낙찰계약 추정가액에 대한 전체 및 기관별 통계. 부속서 2와 3에 수록된 조달기관에 대해서는, 기준가 이상 낙찰계약의 추정가액에 대한 전체 및 기관군별 통계
 나. 부속서 1에 수록된 조달기관에 대해서는 기준가이상 낙찰 계약의 건수 및 총가액에 대한 기관별, 통일분류체계에 따른 상품 및 서비스군별 통계. 부속서 2와 3에 수록된 조달기관에 대해서는, 기준가 이상 낙찰계약의 추정가액에 대한 기관군별, 상품 및 서비스군별 통계
 다. 부속서 1에 수록된 조달기관에 대해서는 제15조의 각 경우에 따른 낙찰계약의 건수 및 총가액에 대한 기관별, 상품 및 서비스군별 통계. 부속서 2와 3에 수록된 조달기관군에 대해서는 제15조의 각 경우에 따른 기준가 이상 낙찰계약의 총가액에 대한 통계, 그리고
 라. 부속서 1에 수록된 조달기관에 대해서는 관련 부속서에 포함된 협정적용 예외조항에 따른 낙찰계약의 건수와 총가액에 대한 기관별 통계. 부속서 2와 3에 수록된 기관군에 대해서는 관련 부속서에 포함된 협정적용 예외조항에 따른 낙찰계약의 총가액에 대한 통계

 그러한 정보가 입수 가능한 범위내에서, 각 당사자는 자기나라의 조달기관이 구매한 상품 및 서비스의 원산지국에 대한 통계를 제공한다. 이러한 통계가 비교 가능하도록 보장하기 위하여 위원회는 작성방법에 대한 지침을 제공한다. 이 협정의 적용을 받는 조달에 대한 효과적인 감시를 보장하기 위하여, 위원회는 제출되는 통계정보의 성격과 범위 및 구분과 분류방법에 대한 가호부터 라호까지의 요건의 수정을 만장일치로 결정할 수 있다.

제20조 이의 신청절차

협 의

1. 공급자가 특정 조달과 관련하여 이 협정의 위반이 있었다고 이의를 제기하는 경우, 각 당사자는 동 공급자가 조달기관과 협의하여 자신의 이의 신청에 대한 해결을 모색하도록 권장한다. 이러한 경우, 조달기관은 이의신청제도에 따른 교정조치의 확보를 저해하지 않는 방법으로, 그러한 이의신청을 공평하고 그리고 적시에 고려한다.

이의신청

2. 각 당사자는 공급자가 관심을 가지고 있거나 가졌던 조달과 관련하여 발생하는 이 협정의 위반혐의에 대해 이의를 제기할 수 있도록 하는, 무차별적이고, 적시의, 투명하고, 효과적인 절차를 마련한다.
3. 각 당사자는 자기나라의 이의신청절차를 서면으로 제공하며, 일반적으로 입수 가능하도록 한다.
4. 각 당사자는 이 협정의 적용을 받은 조달관련 과정의 모든 측면에 관한 문서가 3년간 보존되도록 보장한다.
5. 관심있는 공급자는 이의신청의 근거를 알거나 합리적으로 알아야 할 시점으로부터 명시된 시한내에 이의신청 절차를 개시하고, 조달기관에 통보하도록 요구할 수 있다. 이러한 시한은 어떠한 경우에도 10일이상이어야 한다.
6. 이의신청은 법원 또는 조달결과에 대해 아무런 이해관계가 없고 구성원이 재임기간동안 외부의 영향을 받지않는 공정하고, 독립적인 심사기관에서 처리된다. 법원이 아닌 심사기관은 사법심사의 대상이 되거나 아래 규정하는 절차를 갖는다.
   가. 의견이 제시되거나 결정이 내려지기 전에 관계자들이 진술을 할 수 있다.
   나. 관계자들이 대리인을 두거나, 대동할 수 있다.
   다. 관계자들이 모든 심사절차에 접근할 수 있다.
   라. 심사절차는 공개리에 이루어질 수 있다.
   마. 의견이나 결정은 동 의견이나 결정에 대한 근거의 설명과 함께 서면으로 제시된다.
   바. 증인들이 참석할 수 있다.
   사. 관련문서가 심사기관에 공개된다.
7. 이의 신청절차는 다음 사항을 규정한다.
   가. 협정의 위반을 교정하고, 상업적 기회를 보존하기 위한 신속한 잠정조치, 이러한 조치는 조달절차의 정지를 가져올 수 있다. 그러나 이의 신청절차는 이러한 조치의 적용여부를 결정하는데 있어서, 공공의 이익을 포함하여 관련된 이익에 미치는 압도적으로 부정적인 결과를 고려할 수 있도록 규정할 수 있다. 이러한 경우에는 조치를 취하지 않는 정당한 이유를 서면으로 제시한다.
   나. 이의신청의 정당성에 대한 평가와 그에 대한 결정의 가능성
   다. 협정 위반의 교정 및 발생한 손실 또는 피해의 보상, 손실 또는 피해의 보상은 입찰준비나 이의신청에 소요된 비용에 한정시킬 수 있다.
8. 관련된 상업적 이해관계 및 다른 이해관계를 보호하기 위하여, 이의 신청절차는 통상적으로 적시에 종료된다.

제21조 기구

1. 각 당사자 대표로 구성된 정보조달위원회가 설치된다. 동 위원회는 자체의 의장과 부의장을 선출하며 당사자가 이 협정의 운영 또는 그 목적의 증진에 관한 모든 문제를 협의하고

동 당사자에 의해 부여된 다른 의무를 수행하는 기회를 부여하기 위하여 필요시 그러나 최소한 연1회 이상 회합한다.

2. 위원회는 위원회가 부여하는 기능을 수행하는 작업반 또는 다른 보조기관을 설치할 수 있다.

제22조 협의 및 분쟁해결

1. 아래에서 명시적으로 규정된 경우를 제외하고는 세계무역기구협정하의 분쟁해결규칙 및 절차에 관한 양해(이하 "분쟁해결양해")의 규정이 적용될 수 있다.
2. 당사자가 다른 당사자 또는 당사자들의 이 협정상 의무 불이행, 또는 이 협정 규정과의 상충여부에 관계없이 다른 당사자 또는 당사자들의 조치 적용의 결과로 이 협정하에서 자기나라에게 생기는 이익이 직접 또는 간접적으로 무효화 또는 침해되었거나 이 협정의 목적달성이 방해받고 있다고 간주하는 경우. 동 당사자는 사안에 대한 상호 만족할 만한 해결에 도달하기 위하여 관련국으로 간주하는 다른 당사자 또는 당사자들에게 서면으로 입장표명 또는 제안을 할 수 있다. 이와같은 조치는 아래에 명시된 바에 따라 분쟁해결양해에 따라 설치되는 분쟁해결기구에 신속히 통보된다. 입장표명 또는 제안을 받은 당사자는 자신에 대한 입장표명 또는 제안에 대해 호의적으로 고려한다.
3. 분쟁해결기구는 이 협정의 당사자인 세계무역기구회원국만이 이 협정상의 분쟁과 관련된 분쟁해결기구의 결정이나 조치에 참여하는 것을 전제로, 패널의 설치, 패널 및 상소기구 보고서의 채택, 사안에 대한 권고 또는 판정, 판정 및 권고의 이행에 대한 감시의 권한과, 이 협정상의 양허 및 다른 의무의 정지 또는 협정을 위배하는 것으로 판정된 조치의 철회가 불가능할 경우 구제에 관한 협의를 승인할 권한을 가진다.
4. 분쟁당사자가 패널 설치 20일이내에 달리 합의하지 않는 한, 패널의 위임사항은 다음과 같다.
   "이 협정과(분쟁당사자에 의해 인용된 그밖의 적용협정의 명칭)의 관련규정에 비추어(당사자명) 이 분쟁해결기구에 문서로 회부한 사안을 검토하고……, 분쟁해결기구가 이 협정에 규정된 권고를 하거나 판정을 내리는데 도움이 될 판정을 내리는 것."
   일방 분쟁당사자에 의해 이 협정과 분쟁해결양해 부록 I에 수록된 하나 이상의 다른 협정규정이 함께 원용된 분쟁의 경우, 제3항은 패널보고서중 이 협정의 해석과 적용에 관한 부분에만 적용된다.
5. 이 협정상의 분쟁을 검토하기 위해 분쟁해결기구에 의해 설치된 패널은 정부조달 분야에 자격을 갖춘 자를 포함한다.
6. 절차진행을 최대한 촉진시키기 위해 모든 노력이 기울여져야 한다. 분쟁해결양해 제12조제8항 및 제9항의 규정에 불구하고 패널은 패널의 구성과 위임사항이 합의된 날로부터 4월 이내에, 지연될 경우에도 7월이내에, 분쟁당사자에 최종보고서를 제출하도록 시도한다. 따라서 분쟁해결양해 제20조제1항 및

제21조제4항에 예견된 기간도 2월간 단축하도록 모든 노력이 기울여져야 한다. 패널은 또한 분쟁해결양해 제21조제5항의 규정에 불구하고, 권고 및 판정에 따르기 위해 취해진 조치의 존재 또는 적용협정과의 일치여부에 대해 이견이 있을 경우, 60일 이내에 이에 대한 결정사항을 내리도록 시도한다.

7. 분쟁해결양해 제22조제2항에 불구하고 이 협정외의 분쟁해결양해 부록 1에 수록된 어떠한 협정상에서 발생하는 분쟁은 이 협정에 따른 양허 또는 다른 의무의 정지를 초래하지 아니하며, 이 협정상에서 발생하는 어떠한 분쟁도 동 부록 1에 수록된 그밖의 협정상 양허 또는 다른 의무의 정지를 초래하지 아니한다.

제23조 협정에 대한 예외

1. 이 협정의 어떤 규정도 당사자로 하여금 무기, 탄약 또는 전쟁 물자의 조달이나 국가안보 또는 국방목적에 필수불가결한 조달에 관련된 자기나라의 필수적인 안보 이익을 보호하기 위해 필요하다고 간주하는 조치의 실시 또는 정보의 비공개를 방해하는 것으로 해석되지 아니한다.
2. 이 협정의 어떤 규정도, 그러한 조치가 동일한 조건이 지배적인 국가간에 자의적이거나 부당한 차별의 수단이나 국제무역에 대한 위장된 제한을 구성하는 방법으로 적용되지 않는다는 요건을 조건으로, 당사자가 공중도덕 및 질서 또는 안녕, 인간, 동물 또는 식물의 생명 또는 건강 또는 지적재산권의 보호를 위하여 필요하거나, 또는 장애자, 자선단체, 재소자의 노동에 의한 상품이나 서비스에 관련되는 조치를 부과하거나 집행하는 것을 방해하는 것으로 해석되지 아니한다.

제24조 최종조항

1. 수락 및 발효

이 협정은 그들의 합의된 협정적용대상이 이 협정부록의 부속서 1부터 5까지에 포함되어 있으며, 1994년 4월 15일 서명에 의해 수정을 수락하였거나, 그 날짜까지 비준을 조건으로 서명한 후 1996년 1월1일전에 비준하는 정부[8)]에 대하여 1996년 1월 1일 발효한다.

2. 가입

세계무역기구 당사자 또는 세계무역기구의 발효일전에는 1947년도 GATT 체약당사자로서 이 협정의 당사자가 아닌 국가의 정부는 동 정부와 당사자간에 합의된 조건에 따라 이 협정에 가입할 수 있다. 가입은 이렇게 합의된 조건을 기재한 가입문서를 세계무역기구 사무총장에게 기탁함으로써 이루어진다. 이 협정은 가입국 정부에 대하여 협정에 가입하는 날 이후 30일째 되는 날에 발효한다.

3. 경과조치

가. 한국 및 홍콩은 제21조 및 제22조를 제외하고 이 협정 규

8) 이 협정의 목적상 "정부"라는 용어는 구주공동체의 권한있는 당국을 포함하는 것으로 간주된다.

정의 적용을 1997년 1월1일까지 연기할 수 있다. 동 국가들의 규정 적용 개시일이 1997년 1월1일 이전인 경우 30일전에 세계무역기구 사무총장에게 통보된다.

나. 이 협정 발효일과 홍콩의 협정 적용일 사이의 기간동안 홍콩과 1994년 4월15일 현재 1979년 4월12일에 제네바에서 체결되고 1987년 2월2일에 개정된 정부조달에 관한 협정("1988년 협정")의 당사자인 모든 다른 이 협정 당사자간의 권리와 의무는 수정 또는 정정된 부속서를 포함하여 1988년 협정의 실질적 규정에 의해 규율되며, 동 규정은 이러한 목적을 위해 인용됨으로써 이 협정에 통합되고 1996년 12월 31일까지 유효하다.

다. 1988년 협정의 당사자이기도 한 이 협정의 당사자간에 있어서, 이 협정의 권리와 의무를 1988년 협정상의 권리와 의무를 대치한다.

라. 제22조는 세계무역기구 발효일까지 효력을 발생하지 아니한다. 그때까지는 1988년협정 제7조의 규정이 이 협정상의 협의 및 분쟁처리에 적용되며, 동 규정은 이러한 목적을 위해 인용됨으로써 이 협정에 통합된다. 이 규정은 이 협정상에서 위원회의 관장하에 적용된다.

마. 세계무역기구협정의 발효일전 세계무역기구기관에 대한 언급은 상응하는 GATT기관을 지칭하는 것으로 해석되며, 세계무역기구의 사무총장과 사무국에 대한 언급은 각각 1947년도 GATT 체약당사자단 사무총장 및 GATT 사무국을 지칭하는 것으로 해석된다.

4. 유보

이 협정의 어떠한 규정에 대하여도 유보할 수 없다.

5. 국내 입법

가. 이 협정을 수락하거나, 이에 가입하는 각 정부는 자기나라에 대한 이 협정의 발효일전까지 자기나라의 법률, 규정 및 행정절차와 이 협정에 첨부된 자기나라 목록에 수록된 조달기관이 적용하는 규칙, 절차 및 관행이 이 협정의 규정과 합치하도록 보장한다.

나. 각 당사자는 이 협정에 관련된 자기나라의 법률 및 규정의 변경과 그러한 법률 및 규정의 시행상의 변경을 위원회에 통보한다.

6. 정정 또는 수정

가. 정정, 특정 조달기관의 한 부속서로부터 다른 부속서로의 이동 또는, 예외적인 경우 부록 I부터 IV까지에 대한 그밖의 수정은 동 변경이 이 협정에 규정된 상호 합의된 적용대상에 미칠 것으로 예상되는 영향에 대한 정보와 함께 위원회에 통보된다. 만약 정정, 이동 또는 그밖의 수정이 순수하게 형식적이거나 사소한 성격의 것이라면, 이는 30일내에 반대가 없는 경우 효력을 발생한다. 그 외의 경우, 위원회 의장은 신속하게 위원회의 회합을 소집한다. 위원

회는 권리와 의무의 균형 및 그러한 통보전 이 협정에 규정된 상호 합의된 적용대상에 상응하는 수준을 유지하도록 보상 조정조치에 대한 제안과 요구를 고려한다. 합의에 도달하지 못한 경우 동 사안은 제22조에 포함된 규정에 따라 처리된다.

나. 당사자가 자기나라의 권리를 행사하여, 특정조달기관에 대한 정부 통제 또는 영향력이 효과적으로 배제되었음을 이유로 동 조달기관을 이 협정 부록 I 로부터 삭제하고자 하는 경우에는 동 당사자는 위원회에 통보한다. 그러한 수정은, 그 다음 회합이 통보일로부터 30일이 경과한 후에 개최되고 반대가 없는 경우 동 회의종료 익일부터 효력을 발생한다. 반대가 있을 경우, 동 사안은 제22조에 포함된 협의 및 분쟁해결의 절차에 따라 처리될 수 있다. 부록 I에 대한 수정제안 및 이에 따른 보상조정 조치에 대한 조정을 고려함에 있어서는, 정부 통제나 영향력이 제거됨에 따라 시장개방효과가 감안된다.

7. 검토, 협상 및 향후작업

가. 위원회는 이 협정의 목적을 고려하여 협정의 이행 및 운영을 매년 검토한다. 위원회는 이러한 검토 대상기간중의 진전사항을 매년 세계무역기구 일반이사회에 통보한다.

나. 이 협정 발효일로부터 3년이 경과하기 전에 그리고 그 이후부터는 정기적으로 협정 당사자는 개발도상국에 관한 제5조의 규정에 유의하면서, 이 협정을 개선하고 상호주의에 기초하여 모든 당사자간 협정 적용범위를 확대하기 위한 후속협상을 추진한다.

다. 당사자는 공개 조달을 저해하는 차별적 조치 및 관행을 도입하거나 연장하는 것을 회피할 것을 추구하며, 나호에 따른 협상과 관련하여 이 협정의 발효일 현재 남아 있는 그러한 조치 및 관행을 제거할 것을 추구한다.

8. 정보기술

이 협정이 기술적 진보에 대한 불필요한 장애가 되지 않도록 보장하기 위하여, 당사자는 위원회에서 정부조달에 있어서 정보기술 사용의 진전에 관하여 정기적으로 협의하며, 필요한 경우 협정의 수정을 협상한다. 동 협의는 특히, 정보기술의 사용이 투명한 절차를 통하여 공개적이고 무차별적이며 효율적인 정부조달의 목적을 증진하고, 이 협정의 적용을 받는 계약이 명확히 확인되고 특정계약에 관한 모든 입수 가능한 정보가 확인될 수 있도록 보장하는 것을 목적으로 한다. 특히 당사자가 기술혁신을 하고자 할 경우, 잠재적 문제점에 관해 다른 당사자가 제시한 견해를 고려하도록 노력한다.

9. 개정

당사자는 특히 협정의 이행에서 습득된 경험에 유의하여 이 협정을 개정할 수 있다. 그러한 개정안은 당사자가 위원회가 수립한 절차에 따라 일단 합의한 경우에도 특정당사자가 수락한 후에야 비로소 동 당사자에 대하여 효력을 발생한다.

10. 탈퇴

가. 당사자는 이 협정에서 탈퇴할 수 있다. 동 탈퇴는 서면으로 작성된 탈퇴통보가 세계무역기구 사무총장에게 접수된 날로부터 60일이 경과하면 효력이 발생한다. 어떤 당사자도 이러한 통보가 있는 경우, 위원회의 즉각적인 회합을 요구할 수 있다.

나. 이 협정의 당사자가 세계무역기구협정 발효일로부터 1년 이내에 세계무역기구 회원국이 되지 아니하거나, 세계무역기구 회원국 자격이 없어지면, 동 일자로 이 협정의 당사자 자격을 상실한다.

11. 특정 당사자간 이 협정의 비적용

특정한 두 당사자가 이 협정을 수락하거나 또는 이에 가입할 당시에 상대당사자에 대한 협정의 적용에 동의하지 않는 경우 동 당사자 상호간에는 이 협정이 적용되지 아니한다.

12. 주석, 부록 및 부속서

이 협정의 주석, 부록 및 부속서는 이 협정의 불가분의 일부를 구성한다.

13. 사무국

이 협정에 관련된 사무는 세계무역기구 사무국이 담당한다.

14. 기타

이 협정은 세계무역기구 사무총장에게 기탁되며, 동 사무총장은 이 협정, 이 조 제6항에 따른 협정의 정정 또는 수정, 제9항에 따른 개정, 제1항 및 제2항에 따른 협정수락 또는 가입, 제10항에 따른 협정 탈퇴의 인증등본을 각 당사자에게 신속히 송부한다.

15. 등록

이 협정은 국제연합헌장 제102조의 규정에 따라 등록된다. 1994년 4월15일 마라케쉬에서 영어, 불어, 스페인어로 각 한 부씩 작성하였으며, 이 협정부록과 관련하여 달리 명시된 바를 제외하고 이들은 모두 정본이다.

주 석

부록을 포함하여 이 협정에서 사용된 "국가" 또는 "국가들"이라는 용어는 이 협정 당사자인 별도의 관세영역을 포함하는 것을 양해된다.

이 협정 당사자인 별도의 관세영역의 경우, 이 협정에서의 특정 표현이 "국가의"라는 용어로 수식되는 때에는, 그러한 표현은 달리 규정되지 않는 한 동 관세영역에 적용되는 것으로 해석된다.

제1조제1항

조건부 원조의 조건해지에 관한 개발도상국의 목적을 포함하여 조건부 원조에 관련된 일반적 정책 고려에 유의하면서, 이 협정은 당사자에 의하여 시행되는 한 개발도상국에 대한 조건부 원조를 촉진하기 위하여 실시되는 조달에는 적용되지 아니한다.

3

특정조달을 위한 국가를 당사자로 하는 계약에 관한 법률 시행령 특례규정

목 차

특정조달을 위한 국가를 당사자로 하는 계약에 관한 법률 시행령 특례규정

(대통령령 제27300호, 2016.6.30, 타법개정)

제1조(목적) 이 영은 1994년 4월 15일 마라케쉬에서 작성된 정부조달협정 등 정부가 가입하거나 체결한 다자간 또는 양자간 정부조달협정을 이행하기 위하여 국가를당사자로하는계약에관한법률(이하 "법"이라 한다) 제4조의 규정에 의한 국제입찰을 실시함에 있어서 국가를당사자로하는계약에관한법률 시행령(이하 "시행령"이라 한다)에 대한 특례를 정함을 목적으로 한다. 〈개정 2003.8.27〉

제2조(정의) 이 영에서 사용하는 용어의 정의는 다음과 같다.

1. "국제입찰"이라 함은 내·외국인 또는 외국인을 대상으로 하여 물품·공사 및 용역을 조달하기 위하여 행하는 입찰을 말하며 수의계약을 포함한다.
2. "특정조달계약"이라 함은 국가가 법 제4조제1항 및 제2항의 규정에 의한 국제입찰을 통하여 물품·공사 및 용역을 조달하기 위하여 법·시행령 및 이 영의 규정에 따라 체결하는 계약을 말한다.
3. "발주기관"이라 함은 법·시행령 및 이 영의 규정에 의하여 물품·공사 및 용역을 조달하기 위하여 계약을 체결하는 국가기관을 말한다.
4. "일반경쟁입찰"이라 함은 특정조달계약에 있어서 입찰에 참가하고자 하는 모든 자격자가 입찰서를 제출할 수 있는 입찰을 말한다.
5. "지명경쟁입찰"이라 함은 특정조달계약에 있어서 발주기관이 지명한 자가 입찰서를 제출할 수 있는 입찰을 말한다.
6. "수의계약"이라 함은 특정조달계약에 있어서 발주기관이 경쟁입찰에 의하지 아니하고 계약상대자를 결정하는 계약을 말한다.
7. "유자격자명부"라 함은 특정조달계약에 있어서 물품·공사 및 용역의 입찰에 참가할 수 있는 자격을 미리 정한 후 그 자격을 갖춘 자를 기재한 명부를 말한다.

제3조(적용범위) ①이 영은 국가가 체결하는 특정조달계약에 대하여 적용한다.

②법 제4조제1항제4호에서 "대통령령으로 정한 경우"란 다음 각 호의 어느 하나에 해당하는 경우를 말한다. 〈개정 2014.12.11, 2015.7.13〉

1. 무기·탄약 또는 전쟁물자의 조달이나 국가안보 또는 국방목적 수행과 관련된 조달로서 중대한 안보상의 이익을 보호하기 위하여 필요한 경우
2. 공공의 질서 및 안정을 유지하거나 인간 또는 동식물의 생명과 건강 및 지적소유권을 보호하기 위하여 필요한 경우
3. 자선단체·장애인 및 재소자가 생산한 물품과 용역 등을 조달하는 경우

4. 삭제 〈2003.8.27〉
5. 삭제 〈2015.7.13〉
6. 급식에 필요한 물품 등을 조달하는 경우
7. 재판매 또는 판매에 필요하거나 재판매 또는 판매를 위한 공급에 필요한 물품이나 용역을 조달하는 경우
8. 부동산을 취득하거나 임차하는 경우
9. 비계약적 합의 또는 지원을 위하여 조달하는 경우
10. 다음 각 목의 어느 하나를 위한 용역을 조달하는 경우
 가. 재무대리 또는 예탁
 나. 금융기관의 청산·관리
 다. 공적 부채의 판매, 상환 및 유통
11. 개발원조 등 국제원조를 위하여 조달하는 경우
12. 합작 프로젝트 체결국의 공동 이행과 관련된 국제협약의 절차 또는 조건에 따라 조달하는 경우
13. 다음 각 목의 어느 하나에 해당하는 경우로서 그 절차 또는 조건이 1994년 4월 15일 마라케쉬에서 작성된 정부조달협정(2012년 3월 30일에 채택된 정부조달에 관한 협정 개정 의정서를 포함하며, 이하 "마라케쉬 정부조달협정"이라 한다)과 불합치하는 경우
 가. 국제기구의 절차 또는 조건에 따라 조달하는 경우
 나. 국제적 공여 또는 차관 등을 재원으로 조달하는 경우

③법 제4조제2항의 규정에 의한 정부기관과 물품·공사 및 용역의 범위는 각각 별표 1 및 별표 2와 같다. 〈개정 2003.8.27〉

④기획재정부장관은 마라케쉬 정부조달협정 등 정부가 가입하거나 체결한 다자간 또는 양자간 정부조달협정(국제협정에 포함된 정부조달부문을 포함하며, 이하 "협정"이라 한다)이 정하는 바에 의하여 제2항 및 제3항의 규정에 대한 특례를 정하고자 하는 경우에는 그 협정의 내용에 따라 협정가입국(협정체결국을 포함한다. 이하 같다), 특정조달계약의 체결이 제한되는 국가, 협정의 적용범위 및 특정조달계약의 적용범위 등에 관한 사항을 고시하여야 한다. 〈신설 2003.8.27, 2008.2.29, 2011.7.28, 2015.7.13〉

⑤「국가재정법」 제6조에 따른 중앙관서의 장(이하 "각 중앙관서의 장"이라 한다) 또는 법 제6조에 따른 위임·위탁 등을 받아 계약사무를 담당하는 공무원(이하 "계약담당공무원"이라 한다)이 법 제4조제3항에 따라 국제입찰에 의하여 조달할 수 있는 경우는 다음 각 호와 같다. 〈개정 2015.7.13〉
1. 부실공사방지를 위하여 필요하다고 인정되는 경우
2. 국내생산이 곤란하여 국내입찰로는 조달목적을 달성할 수 없는 경우
3. 그 밖에 국제입찰에 의하여 조달하는 것이 해당 계약의 목적·성질상 효율적이라고 인정되는 경우

⑥제5항의 규정에 의한 국제입찰의 경우에는 그 성질에 반하지 아니하는 범위안에서 이 영의 규정을 준용한다. 이 경우 "특정조달계약"은 "제5항의 규정에 의한 국제입찰"로 본다. 〈개정 2003.8.27〉

제4조(특정조달계약의 원칙) ①각 중앙관서의 장 또는 계약담당공무원은 특정조달계약에 있어서 계약상대자를 공정하게 선정하여야 하며, 정부조달과 관련된 정보를 차별적으로 제공하여서는 아니된다.

②각 중앙관서의 장 또는 계약담당공무원은 특정조달계약에 있어서 다음 각 호의 사항을 준수하여야 한다. 〈개정 2015.7.13〉

1. 협정의 적용을 회피할 목적으로 추정가격의 산정방법을 선택하거나 분할발주를 하지 아니할 것
2. 협정가입국의 계약상대자로부터 조달되는 물품·공사 및 용역에 대하여 통상적인 무역과정에서 적용되는 「대외무역법」 및 「관세법」의 규정과 다른 원산지 규정을 적용하지 아니할 것
3. 입찰참가자격의 심사과정이나 입찰서의 평가 및 낙찰자 결정과정 등에서 부품등의 국산화율지정, 기술이전 및 대응구매 등의 수단을 통하여 협정가입국 입찰참가자의 입찰참가 또는 조달조건 등을 제한하는 조치를 취하지 아니할 것
4. 입찰서를 접수, 개봉 및 취급하는 과정에서 그 비밀이 보장되도록 할 것

제5조(개발도상국에 대한 우대조치) ①각 중앙관서의 장 또는 계약담당공무원은 특정조달계약에 있어서 개발도상국의 공급자로부터 조달되는 물품·공사 및 용역에 대하여 협정의 내용에 따라 우대조치를 할 수 있다.

②기획재정부장관은 제1항의 적용과 관련하여 대상국가 및 대상물품등을 정하여 고시할 수 있다. 〈개정 2003.8.27, 2008.2.29〉

제6조(예정가격 작성의 예외) 각 중앙관서의 장 또는 계약담당공무원은 물품 및 용역에 대한 특정조달계약에 있어서 거래실례가격이 없어 예정가격을 작성하기 곤란한 경우등 기획재정부령이 정하는 사유에 해당하는 때에는 시행령 제7조의2제1항의 규정에 의한 예정가격을 작성하지 아니할 수 있다. 〈개정 2003.8.27, 2008.2.29〉

제7조(계약방법) 특정조달계약의 계약방법은 일반경쟁입찰에 의한 계약·지명경쟁입찰에 의한 계약 및 수의계약으로 구분한다.

제8조(사용언어) ①특정조달계약에서 사용하는 언어는 한국어로 함을 원칙으로 한다. 다만, 조달대상인 물품 등의 공급자가 특정지역에 한정되어 있는 등 외국어의 사용이 불가피하다고 인정되는 경우에는 그 특정국가의 언어 또는 영어·불어 및 스페인어 중 하나를 사용할 수 있다.

②각 중앙관서의 장 또는 계약담당공무원은 특정조달계약의 입찰공고를 하는 경우에는 다음 각 호의 사항을 영어·불어 및 스페인어 중 하나를 선택하여 입찰공고문 하단에 기재하여야 한다.

1. 계약의 목적물
2. 입찰서 및 입찰참가신청서 제출마감일
3. 발주기관(입찰에 관한 서류를 교부하는 기관)의 명칭 및 주소

③각 중앙관서의 장 또는 계약담당공무원은 특정조달계약의 입찰서 작성에 있어서 다수의 언어를 사용할 수 있도록 하는 경우에는 영어·불어 및 스페인어 중 하나 이상의 언어를 포함시켜야 한다.

④제2항 및 제3항의 규정에 의하여 외국어로 기재한 사항이 한국

어로 기재한 사항과 상이할 때에는 한국어로 기재한 사항이 우선한다.

제9조(일반경쟁입찰 참가자의 자격 및 심사) ①각 중앙관서의 장 또는 계약담당공무원은 특정조달계약에 있어서 필요하다고 인정하는 경우에는 시행령 제12조제1항제2호 및 제3호에 따른 자격요건 외에 계약의 종류 및 규모 등에 따라 해당 계약과 같은 종류의 계약실적, 도급한도액, 시공능력, 기술능력 및 경영상태 등 필요한 사항에 대하여 일반경쟁입찰에 참가하는 자에게 요구되는 자격을 정할 수 있다. 다만, 각 중앙관서의 장 또는 계약담당공무원이 계약의 적절한 이행을 위하여 필수적이라고 인정하는 경우 외에는 국내 수주실적을 입찰참가자격으로 정해서는 아니 된다. 〈개정 2011.6.30, 2015.7.13〉

②각 중앙관서의 장 또는 계약담당공무원은 일반경쟁입찰에 참가하려는 자가 신청하는 경우 제1항에 따른 입찰참가자격의 유무를 심사하고 그 결과를 신청자에게 통지하여야 한다. 〈개정 2015.7.13〉

③각 중앙관서의 장 또는 계약담당공무원은 제2항에 따라 입찰참가자격의 유무를 심사하는 경우에 입찰공고 및 제15조에 따른 입찰에 관한 서류에 명시한 사항에 따라 심사하여야 하며, 입찰참가자의 국내외 사업활동에 근거하여 기술능력 및 경영상태 등을 심사하여야 한다. 〈개정 2015.7.13〉

④각 중앙관서의 장 또는 계약담당공무원은 유자격자명부에 등록된 자에 대하여는 제2항의 규정에 의한 심사를 하지 아니할 수 있다. 〈개정 2015.7.13〉

⑤각 중앙관서의 장 또는 계약담당공무원은 제10조제1항의 규정에 의한 자격심사를 거치지 아니한 자가 입찰참가를 요청할 경우 신속하게 자격심사절차를 개시하여야 하며, 입찰서 제출마감일 전일까지 자격심사를 완료할 만한 충분한 시간이 있다고 인정되는 경우에는 입찰서를 제출할 수 있도록 하여야 한다. 〈신설 2015.7.13〉

제10조(유자격자명부) ①각 중앙관서의 장 또는 계약담당공무원은 제9조제1항의 규정에 의한 입찰참가자격 기준을 매회계연도초에 「전자조달의 이용 및 촉진에 관한 법률」 제2조제4호에 따른 국가종합전자조달시스템(이하 "전자조달시스템"이라 한다)에 공고하고 수시로 일반경쟁입찰에 참가하고자 하는 자의 신청을 받아 입찰참가자격을 심사할 수 있으며, 그 결과에 따라 유자격자명부를 작성·비치하여 입찰에 참가하고자 하는 자가 이를 열람하게 할 수 있다. 〈개정 2003.8.27, 2013.9.17〉

②각 중앙관서의 장 또는 계약담당공무원은 입찰공고 후 제1항의 규정에 의한 입찰참가자격유무의 심사결과를 신청자에게 통지하여야 하며, 유자격자명부의 유효기간이 만료되거나 유자격자명부상에 기재된 자가 동 명부에서 제외되게 되는 경우에는 그 내용을 해당자에게 통지하여야 한다.

제11조(입찰공고) ①각 중앙관서의 장 또는 계약담당공무원은 특정조달계약에 있어서 일반경쟁입찰에 의하는 경우에는 제12조의 규정에 의한 사항을 전자조달시스템에 공고하여야 한다. 〈개정 2003.8.27,

2013.9.17〉

②제1항에 따른 입찰공고는 입찰서 제출마감일 전날부터 기산하여 40일 이전에 하여야 한다. 〈개정 2015.7.13〉

③제2항에도 불구하고 다음 각 호의 어느 하나에 해당하는 경우로서 계약목적물을 적기에 조달할 수 없다고 판단되는 경우에는 입찰서 제출마감일 전날부터 기산하여 10일 이전에 입찰공고를 할 수 있다. 〈개정 2015.7.13〉

1. 긴급을 요하는 경우
2. 최근 12개월 이내에 40일 이상 제13조에 따른 조달계획공고를 한 경우
3. 개별적인 조달요구가 복수로 이루어지거나 분할되어 이루어지는 계약(이하 "반복계약"이라 한다)에서 최초공고 이후에 공고를 하는 경우
4. 유자격자명부를 사용하는 경우로서 발주기관과 유자격자명부에 등록된 자 사이에 상호 합의가 이루어진 경우

④각 중앙관서의 장 또는 계약담당공무원은 다음 각 호의 어느 하나에 해당하는 경우에는 각각 5일씩 공고기간을 단축할 수 있다. 〈개정 2015.7.13〉

1. 전자조달시스템을 이용하여 입찰공고를 하는 경우
2. 제15조에 따른 입찰에 관한 서류를 전자조달시스템에 게재하는 경우
3. 전자조달시스템을 이용하여 입찰서를 접수하는 경우

⑤제3항 및 제4항을 동시에 적용하는 경우에도 공고기간은 10일 미만으로 단축할 수 없다. 〈개정 2015.7.13〉

1. 삭제
2. 삭제

⑥제1항부터 제4항까지의 규정에 따라 입찰공고를 한 후 그 내용에 대하여 정정공고를 하는 경우 또는 시행령 제20조제2항에 따라 재공고를 하는 경우에는 각각 시행령 제33조제2항 및 시행령 제35조제4항·제5항을 적용한다. 〈신설 2015.7.13〉

제12조(입찰공고의 내용) 각 중앙관서의 장 또는 계약담당공무원은 제11조의 규정에 의한 공고시 시행령 제36조에서 정한 내용외에 다음 각호의 사항을 포함하여야 한다.

1. 당해 조달과 관련하여 추가될 조달의 조건에 관한 사항 및 반복계약의 경우에 있어서 후속입찰에 대하여는 그 입찰공고의 예정시기
2. 일반경쟁입찰 또는 지명경쟁입찰의 방법과 협상절차의 포함여부
3. 구매·임차 및 할부구매 등 발주기관이 사용할 조달형태
4. 입찰참가자격심사신청서·입찰참가신청서 및 입찰서의 제출 등을 위한 주소와 제출마감일 및 사용언어
5. 협정의 적용대상 여부

제13조(조달계획공고) ①각 중앙관서의 장 또는 계약담당공무원은 회계연도별로 특정조달계약으로 조달할 물품·공사 및 용역에 대한 조달계획을 전자조달시스템에 공고할 수 있다. 〈개정 2003.8.27,

2013.9.17〉

②조달계획공고에는 제8조제2항 각 호의 사항과 입찰공고 예정일이 포함되어야 하며 제12조 각 호의 사항과 입찰공고 예정일은 가능한 한 포함되도록 하여야 한다. 〈개정 2015.7.13〉

제14조(기술규격) ①각 중앙관서의 장 또는 계약담당공무원은 품질 및 성능 등에 관한 기술규격을 성능 위주로 작성하여야 하며 불가피한 경우를 제외하고는 국제표준이 있는 경우에는 국제표준에 의하고, 국제표준이 없는 경우에는 국내 관련 법령의 규정 또는 국내표준에 의하여 작성하여야 한다.

②각 중앙관서의 장 또는 계약담당공무원은 제1항의 규정에 의한 국제표준 등이 없는 경우에는 품질 또는 성능시험 등을 통하여 기술규격을 작성할 수 있다.

③각 중앙관서의 장 또는 계약담당공무원은 입찰에 참가하려는 자와 상호 협의하여 천연자원의 보존을 증진시키거나 환경을 보호하기 위한 목적의 기술규격을 작성할 수 있다. 〈신설 2015.7.13〉

④각 중앙관서의 장 또는 계약담당공무원은 특정한 상표·규격 등을 제시하지 아니하고는 조달하고자 하는 물품 또는 용역에 대한 충분한 설명이 곤란한 경우로서 제15조의 규정에 의한 입찰에 관한 서류에 상표·규격 등을 특정하는 때에는 그 특정된 상표·규격 등과 동등 이상인 물품이나 용역에 대하여 입찰에 부친다는 뜻을 기재하여야 한다. 〈개정 2015.7.13〉

⑤제4항의 경우에 있어서 입찰참가자는 공급하고자 하는 물품 또는 용역의 규격·품질 등이 특정된 조건과 동등 이상인 것임을 입증하여야 한다. 〈개정 2015.7.13〉

⑥각 중앙관서의 장 또는 계약담당공무원은 규격을 작성함에 있어서 경쟁이 제한될 우려가 있는 방법으로 사용될 수 있는 상업적 이해관계가 있는 자에게 조언을 요구하거나 받아들여서는 아니된다. 〈개정 2015.7.13〉

⑦각 중앙관서의 장 또는 계약담당공무원은 공정한 경쟁 등을 위하여 필요하다고 인정되는 경우에는 기술규격을 입찰전에 공개·열람하도록 하여 입찰에 참가하고자 하는 자가 이에 대한 의견을 제시하게 할 수 있다. 〈개정 2015.7.13〉

제15조(입찰에 관한 서류의 교부) 각 중앙관서의 장 또는 계약담당공무원은 특정조달계약에 있어서 일반경쟁입찰에 의하는 경우 해당 입찰에 참가하려는 자가 요청하는 때에는 시행령 제14조제1항 또는 제16조제1항에 따른 입찰에 관한 서류(이하 "입찰에 관한 서류"라 한다)를 교부하여야 하며, 이에 대한 설명을 요청받은 때에는 지체없이 이에 응하여야 한다. 〈개정 2015.7.13〉

제16조(입찰서의 제출 및 접수) ①각 중앙관서의 장 또는 계약담당공무원은 특정조달계약에 있어서 입찰서를 우편으로 제출하는 것을 금지하여서는 아니된다.

②각 중앙관서의 장 또는 계약담당공무원은 필요한 경우 입찰서 및 이에 관련된 서류를 전신·전보 및 모사전송 등에 의하여 제출하도록 할 수 있다.

③제2항의 규정에 의하여 입찰서 등을 제출한 경우에는 입찰참가자로 하여금 즉시 서명본을 제출하게 하여 확인하여야 한다. 이 경우 제출된 전신 등의 내용이 입찰서 제출마감일 이후에 제출된 서명본과 차이가 있는 경우에는 먼저 제출된 전신 등의 내용이 우선한다.

④각 중앙관서의 장 또는 계약담당공무원은 제1항의 규정에 의하여 우편입찰서를 접수한 때에는 당해 입찰서의 봉투표면에 접수일시를 기재하고 확인인을 날인하여 개찰시까지 개봉하지 아니하고 보관하여야 하며, 입찰서가 발주기관의 귀책사유로 인하여 입찰에 관한 서류에 명시된 일시 이후에 지정된 부서에 접수되었을 경우에는 당해 입찰자에게 불이익을 주어서는 아니된다.

제17조(낙찰자 등의 공고 및 정보의 공개) ①각 중앙관서의 장 또는 계약담당공무원은 특정조달계약에 있어서 낙찰자를 결정하였거나 제23조의 규정에 의하여 수의계약대상자를 결정한 때에는 그 결정일의 다음날부터 72일 이내에 기획재정부령이 정하는 사항을 전자조달시스템에 공고하여야 한다. 〈개정 2003.8.27, 2008.2.29, 2013.9.17〉

②각 중앙관서의 장 또는 계약담당공무원은 입찰참가자 등으로부터 당해 입찰과 관련된 정보제공 요청이 있는 경우에는 특별한 사유가 없는 한 이에 응하여야 한다.

③제1항 및 제2항의 규정과 관련하여 낙찰정보등의 공개범위 및 공개의 예외에 관한 사항은 기획재정부령으로 정한다. 〈개정 2003.8.27, 2008.2.29〉

제18조(지명경쟁입찰) 각 중앙관서의 장 또는 계약담당공무원은 특정조달계약에 있어서 법 제7조의 규정에 의한 지명경쟁입찰에 부칠 경우에는 제9조에 규정한 사항을 고려하여 지명경쟁입찰에 참가하는 자에게 필요한 자격 및 지명기준을 정하여야 한다.

제19조(지명경쟁입찰 참가자의 지명 및 통지) ①각 중앙관서의 장 또는 계약담당공무원은 특정조달계약을 지명경쟁입찰에 부치고자 하는 때에는 제18조에 규정한 자격을 갖춘 자로서 지명기준에 적합하다고 인정되는 자를 지명함과 동시에 그 지명한 자에 대하여 제12조 및 시행령 제36조에 규정한 입찰공고와 관련한 사항을 통지하여야 한다.

②제1항의 규정에 의한 통지는 제20조제1항의 규정에 의한 공고일에 하여야 한다.

제20조(지명경쟁입찰의 공고) ①각 중앙관서의 장 또는 계약담당공무원은 특정조달계약에 있어서 지명경쟁입찰에 의하는 경우에는 제11조 및 제12조의 규정을 준용하여 이를 공고하여야 한다.

②제1항의 규정에 불구하고 제10조의 규정에 의한 유자격자명부를 사용하지 아니하는 지명경쟁입찰의 경우에는 지명경쟁입찰참가신청서의 제출기간을 제1항의 규정에 의한 공고일 전일부터 기산하여 25일 이상이 되도록 지정하여야 한다.

제21조(지명경쟁입찰 참가자의 자격심사 등) ①각 중앙관서의 장 또는 계약담당공무원은 제20조의 규정에 의한 공고 후 지명경쟁입찰 참가자격 심사신청이 있는 때에는 지체없이 제18조의 규정에 의한 자격에 대하여 심사를 개시하여야 한다. 다만, 입찰서 제출마감일

까지 심사가 불가능하다고 판단되는 때에는 사전에 그 취지를 당해 신청자에게 통지하여야 한다.

②각 중앙관서의 장 또는 계약담당공무원은 필요한 경우 제1항의 규정에 의한 참가자격 심사신청에 대한 심사기간을 정하여 제20조의 규정에 의한 공고시 이를 포함시킬 수 있다.

③각 중앙관서의 장 또는 계약담당공무원은 지명경쟁입찰을 위한 유자격자명부를 작성하는 경우에는 지명경쟁입찰 참가자격 등에 관하여 기획재정부령이 정한 사항을 매년 관보에 공고하여야 한다. 〈개정 2003.8.27, 2008.2.29〉

④제10조의 규정은 제3항의 규정에 의한 유자격자명부를 작성하는 경우에 이를 준용한다.

제22조(일반경쟁입찰에 관한 규정의 준용) 제9조 내지 제17조의 규정은 지명경쟁입찰의 경우에 이를 준용한다.

제23조(수의계약) 특정조달계약에 있어서 수의계약에 의할 수 있는 경우는 다음 각 호와 같다. 〈개정 2003.8.27, 2008.2.29, 2015.7.13〉

1. 경쟁입찰에 부쳤으나 응찰자가 없는 경우 또는 담합된 입찰서가 제출되었거나 입찰공고등에서 요구한 조건에 부합되는 입찰서가 없는 경우
2. 적절한 대용품이나 대체품이 없는 예술품·특허권 또는 출판권 등 독점적 권리와 관련되거나 기술적 이유로 특정공급자로부터 조달할 수 있는 경우
3. 긴급한 사유로 인하여 경쟁입찰에 의하여서는 필요한 기간내에 조달할 수 없는 경우
4. 이미 조달된 물품 등의 부품교환 또는 설비확충 등을 위하여 조달하는 경우 또는 이미 계약을 체결한 공사에 대하여 추가공사가 필요하게 된 경우(공급자를 변경하게 되면 호환성이 없게 되는 등 기술적 또는 경제적으로 곤란하고, 동시에 발주기관에 중대한 불편을 초래하는 경우로 한정한다)
5. 발주기관의 요구로 개발된 시제품등을 조달하는 경우(당해 계약의 이행이 완료된 후 당해 제품을 계속하여 조달하는 경우를 제외한다)
6. 삭제 〈2015.7.13〉
7. 삭제 〈2015.7.13〉
8. 원자재시장(상품거래소 등)에서 물품을 구매하는 경우
9. 파산 및 법정관리기업의 자산처분 등의 사유로 인하여 현저하게 유리한 조건으로 조달하는 경우
10. 기획재정부령이 정한 내용에 따른 디자인 공모에 당선된 자와 계약을 체결하는 경우

제23조의2(전자경매) 각 중앙관서의 장 또는 계약담당공무원은 특정조달계약에 있어서 전자적 수단으로 입찰참가자의 순위를 정하는 방식(이하 이 조에서 "전자경매"라 한다)으로 낙찰자를 결정하는 때에는 전자경매 개시 전에 평가 기준 및 그에 따른 평가방법과 그 밖에 해당 전자경매의 수행에 관한 정보를 각 입찰참가자에게 제공하여야 한다.

[본조신설 2015.7.13]

제24조(계약에 관한 기록) ①각 중앙관서의 장 또는 계약담당공무원은 특정조달계약에 있어서 경쟁에 의하여 낙찰자를 결정한 때에는 입찰 및 계약관련 서류와 다음 각 호의 사항을 기록한 문서를 5년간 보존하여야 한다. 〈개정 2003.8.27, 2008.2.29〉

1. 입찰자 및 개찰에 참여한 자의 성명
2. 낙찰자의 성명, 낙찰금액 및 낙찰자 결정의 이유
3. 무효로 된 입찰이 있는 경우에는 당해 입찰의 내용 및 무효로 된 이유
4. 제9조제2항의 규정에 의한 통지를 한 경우에는 그 통지에 관한 사항
5. 물품원산지의 국가명
6. 기타 기획재정부령이 정하는 사항

②각 중앙관서의 장 또는 계약담당공무원은 특정조달계약에 있어서 수의계약을 체결한 때에는 계약관련 서류와 다음 각 호의 사항을 기록한 문서를 5년간 보존하여야 한다. 〈개정 2003.8.27, 2008.2.29〉

1. 계약의 목적
2. 물품의 품명 · 규격 · 수량 · 단가 · 금액 등
3. 적용되는 법령조문 및 구체적인 적용사유
4. 계약상대자의 성명(상호) 및 주소
5. 계약금액 및 계약상대자 결정의 이유
6. 물품원산지의 국가명
7. 기타 기획재정부령이 정하는 사항

제25조(계약실적보고) ①각 중앙관서의 장은 기획재정부령으로 정하는 내용의 계약실적보고서를 작성하여 해당 연도 종료 후 60일 이내에 기획재정부장관에게 제출하여야 한다. 〈개정 2003.8.27, 2008.2.29, 2015.7.13〉

②협정의 적용을 받는 공공기관에 대한 계약실적보고서는 그 주무부장관이 제1항의 규정에 따라 제출한다. 〈개정 2015.7.13〉

제26조(이의신청의 대상) 법 제28조제1항제5호에서 "기타 대통령령이 정하는 사항"이라 함은 법 제28조제1항제1호 내지 제4호에 규정되지 아니한 사항으로서 협정에 위배된 사항을 말한다.

제27조 삭제 〈2013.7.15〉

제28조 삭제 〈2013.7.15〉

제29조 삭제 〈2013.7.15〉

제29조의2 삭제 〈2013.7.15〉

제30조 삭제 〈2013.7.15〉

제31조 삭제 〈2013.7.15〉

제32조 삭제 〈2013.7.15〉

제33조 삭제 〈2013.7.15〉

제34조 삭제 〈2013.7.15〉

제35조 삭제 〈2013.7.15〉

제36조 삭제 〈2013.7.15〉

제37조 삭제 〈2013.7.15〉

제38조 삭제 〈2013.7.15〉

제39조(시행령과의 관계) 특정조달계약에 있어서 이 영에 특별히 규정되어 있지 아니한 사항에 관하여는 시행령의 규정을 적용한다. 다만, 시행령 제21조·제22조 및 제72조제3항의 규정은 특정조달계약에 관한 사무에는 이를 적용하지 아니한다.

제40조(국제상관례의 적용 등) ①각 중앙관서의 장 또는 계약담당공무원은 특정조달계약에 있어서 통화, 보증금납부의 형태 및 시기, 신용장 등에 의한 대가지급 방법 및 검사 등 조달절차 수행과 관련하여 불가피한 경우에는 제39조의 규정에 불구하고 협정 및 이 영의 규정과 그 성질에 반하지 아니하는 범위안에서 국제상관례에 의할 수 있다.

②각 중앙관서의 장 또는 계약담당공무원은 물품 및 용역의 특정조달계약에 있어서 물가변동으로 인한 계약금액 조정에 관하여 국제상관례에 따르지 아니하는 경우 조달절차 수행이 곤란하다고 판단되는 때에는 시행령 제64조제1항의 규정에 불구하고 협정 및 이 영의 규정과 그 성질에 반하지 아니하는 범위안에서 국제상관례에 의할 수 있다.

제41조(대한민국정부와칠레공화국정부간의자유무역협정과 관련한 특례) ①제3조제3항의 규정에 불구하고 대한민국정부와칠레공화국정부간의자유무역협정(이하 "한·칠레자유무역협정"이라 한다)에 의하여 칠레공화국의 공급자에 대하여 적용되는 특정조달계약의 대상이 되는 용역 및 공사는 별표 3과 같다.

②제11조의 규정에 불구하고 한·칠레자유무역협정에 의하여 칠레공화국의 공급자가 참가할 수 있는 국제입찰에 대하여는 관보 또는 전자조달시스템에 입찰공고를 하게 할 수 있다. 이 경우 입찰공고는 입찰서 제출마감일 전일부터 기산하여 10일 이전에 하여야 한다. 〈개정 2013.9.17〉

③제16조의 규정에 불구하고 한·칠레자유무역협정에 의하여 칠레공화국의 공급자가 참가할 수 있는 국제입찰 중 기획재정부장관이 정하여 고시하는 특정조달계약에 대하여는 전자조달시스템을 이용하여 입찰서를 제출하게 할 수 있다. 〈개정 2008.2.29, 2013.9.17〉

[본조신설 2003.8.27]

제42조(「대한민국과 유럽연합 및 그 회원국 간의 자유무역협정」과 관련한 특례) 「대한민국과 유럽연합 및 그 회원국 간의 자유무역협정」 제9.1조에 따라 각 중앙관서의 장 또는 계약담당공무원은 마라케쉬 정부조달협정의 협정가입국 또는 「자유무역협정의 이행을 위한 관세법의 특례에 관한 법률 시행령」 제2조제7항에 따른 유럽연합당사자의 공급자와 특정조달계약을 체결하려는 경우에는 다음 각 호의 사항을 낙찰자결정기준으로 정하거나 제1호의 사항을 입찰참가자격으로 정해서는 아니 된다. 〈개정 2011.7.28, 2013.3.23, 2014.11.19, 2015.7.13, 2016.6.30〉

1. 다음 각 목의 어느 하나에 해당하는 기관이 발주한 계약의 수주실적

가. 별표 1에 규정된 정부기관

나. 「지방자치단체를 당사자로 하는 계약에 관한 법률」 제5조제1항 각 호 외의 부분 본문에 따라 행정자치부장관이 고시하는 지방자치단체

다. 「공공기관의 운영에 관한 법률」 제39조제3항에 따라 입찰참가자격의 제한기준 등에 관하여 필요한 사항을 정한 기획재정부령에서 정부가 가입하거나 체결한 정부조달에 관한 협정 및 이에 근거한 국제규범에 따라 국제입찰의 방법으로 조달계약을 체결하도록 하고 있는 공기업 또는 준정부기관

2. 제1호 외의 국내 수주실적. 다만, 각 중앙관서의 장 또는 계약담당공무원이 해당 계약의 적절한 이행을 위하여 국내 수주실적이 필수적이라고 인정하는 경우는 제외한다.

[본조신설 2011.6.30]

제43조(「대한민국과 페루공화국 간의 자유무역협정」과 관련한 특례)

① 삭제 〈2015.7.13〉

②제3조제3항에도 불구하고 「대한민국과 페루공화국 간의 자유무역협정」(이하 "한 · 페루 자유무역협정"이라 한다)에 따라 페루공화국의 공급자를 대상으로 국제입찰을 실시하여야 하는 정부기관은 별표 4와 같다. 〈개정 2015.7.13〉

③한 · 페루 자유무역협정에 따라 각 중앙관서의 장 또는 계약담당공무원은 페루공화국의 공급자와 특정조달계약을 체결하려는 경우에는 다음 각 호의 어느 하나에 해당하는 기관이 발주한 계약의 수주실적(이하 이 항에서 "정부기관 등과의 계약실적"이라 한다)을 낙찰자결정기준으로 정해서는 아니 된다. 다만, 각 중앙관서의 장 또는 계약담당공무원이 계약의 적절한 이행을 위하여 정부기관등과의 계약실적이 필수적이라고 인정하는 경우에는 그러하지 아니하다. 〈개정 2015.7.13〉

1. 별표 4에 따른 정부기관

2. 제42조제1호나목 및 다목에 따른 기관

[본조신설 2011.7.28]

제44조(「대한민국과 미합중국 간의 자유무역협정」과 관련한 특례)

① 삭제 〈2015.7.13〉

②제3조제3항에도 불구하고 「대한민국과 미합중국 간의 자유무역협정」(이하 "한 · 미 자유무역협정"이라 한다)에 따라 미합중국의 공급자를 대상으로 국제입찰을 실시하여야 하는 정부기관과 공사의 범위는 각각 별표 5 및 별표 6과 같다. 〈개정 2015.7.13〉

③제9조제1항에도 불구하고 한 · 미 자유무역협정 제17.5조에 따라 각 중앙관서의 장 또는 계약담당공무원은 미합중국의 공급자와 특정조달계약을 체결하려는 경우에는 다음 각 호의 사항을 입찰참가자격 또는 낙찰자결정기준으로 정해서는 아니 된다. 〈개정 2015.7.13〉

1. 별표 5에 따른 정부기관이 발주한 계약의 수주실적

2. 제1호 외의 국내 수주실적

[본조신설 2011.12.2]

제45조(「대한민국과 콜롬비아공화국 간의 자유무역협정」과 관련한

특례) ①「대한민국과 콜롬비아공화국 간의 자유무역협정」(이하 "한·콜 자유무역협정"이라 한다)에 따라 콜롬비아공화국의 공급자에 대해서는 제3조제2항 각 호 외의 부분에 따른 "대통령령으로 정한 경우"에 급식에 필요한 물품 등을 조달하는 경우를 포함한다. 〈개정 2014.12.11〉

②제3조제3항에도 불구하고 한·콜 자유무역협정에 따라 콜롬비아공화국의 공급자를 대상으로 국제입찰을 실시하여야 하는 정부기관과 공사 및 용역의 범위는 각각 별표 7 및 별표 8과 같다.

③제9조제1항에도 불구하고 한·콜 자유무역협정 제14.6조에 따라 각 중앙관서의 장 또는 계약담당공무원은 콜롬비아공화국의 공급자와 특정조달계약을 체결하려는 경우에는 다음 각 호의 사항을 입찰참가자격 또는 낙찰자결정기준으로 정해서는 아니 된다. 다만, 각 중앙관서의 장 또는 계약담당공무원이 계약의 적절한 이행을 위하여 정부기관등과의 계약실적이 필수적이라고 인정하는 경우에는 그러하지 아니하다.

1. 별표 7에 따른 정부기관이 발주한 계약의 수주실적
2. 제1호 외의 국내 수주실적

[본조신설 2013.7.15]

[시행미지정] 제45조

제46조(「대한민국 정부와 호주 정부 간의 자유무역협정」과 관련한 특례) ①「대한민국 정부와 호주 정부 간의 자유무역협정」(이하 "한·호주 자유무역협정"이라 한다)에 따라 호주의 공급자에 대해서는 제3조제2항 각 호 외의 부분에 따른 "대통령령으로 정한 경우"에 혈액과 혈액제품(혈장분획제제를 포함한다)을 조달하는 경우를 포함한다. 〈개정 2015.7.13〉

1. 삭제 〈2015.7.13〉
2. 삭제 〈2015.7.13〉

②제3조제3항에도 불구하고 한·호주 자유무역협정에 따라 호주의 공급자를 대상으로 국제입찰을 실시하여야 하는 정부기관은 별표 9와 같고, 용역 및 공사의 범위는 별표 10과 같다.

③한·호주 자유무역협정 제12.6조에 따라 각 중앙관서의 장 또는 계약담당공무원은 호주의 공급자와 특정조달계약을 체결하려는 경우에는 다음 각 호의 사항을 낙찰자결정기준으로 정해서는 아니 된다. 다만, 각 중앙관서의 장 또는 계약담당공무원이 계약의 적절한 이행을 위하여 필수적이라고 인정하는 경우에는 그러하지 아니하다. 〈개정 2015.7.13〉

1. 별표 9에 따른 정부기관이 발주한 계약의 수주실적
2. 제1호 외의 국내 수주실적

[본조신설 2014.12.11]

부 칙

〈제15187호, 1996.12.31〉

제1조 (시행일) 이 영은 1997년 1월 1일부터 시행한다.

제2조 (인공위성 제조 · 구매계약에 대한 적용제외시한) 제3조제2항제4호의 규정은 2001년 12월 31일까지 그 효력을 가진다.

제3조 (다른 법령의 폐지 및 개정) ①외자구매계약규정은 이를 폐지한다.

②특정물품등의조달에관한국가를당사자로하는계약에관한법률시행령특례규정 중 다음과 같이 개정한다.

제12조를 삭제한다.

제14조제2항을 다음과 같이 한다.

②제1항의 규정에 의한 각 중앙관서의 장의 조치에 이의가 있는 자는 그 조치가 있은 날 또는 그 조치가 있음을 안 날부터 15일 이내에 특정조달을위한국가를당사자로하는계약에관한법률시행령특례규정 제28조의 규정에 의한 국제계약분쟁조정위원회에 조정을 위한 재심을 청구할 수 있다.

제15조 및 제16조를 각각 삭제한다.

제17조중 "외자구매계약규정"을 "특정조달을위한국가를당사자로하는계약에관한법률시행령특례규정"으로 한다.

제4조 (외자구매계약체결 등에 관한 경과조치) 이 영 시행전에 외자구매계약규정의 규정에 의하여 입찰공고를 한 후 이 영 시행후에 실시하는 입찰, 낙찰자의 결정 및 계약체결과 이 영 시행전에 실시한 입찰에서 낙찰된 후 이 영 시행후에 체결하는 계약에 관하여는 종전의 규정에 의한다.

부 칙

〈제18094호, 2003.8.27〉

①**(시행일)** 이 영은 공포한 날부터 시행한다. 다만, 제41조의 개정규정은 한 · 칠레자유무역협정이 발효되는 날부터 시행한다.

②**(정부조달협정의 범위에 관한 적용례)** 제1조의 개정규정은 이 영 시행 후 발효되는 정부조달협정부터 적용한다.

③**(한 · 칠레자유무역협정과 관련한 특례에 관한 적용례)** 제41조의 개정규정은 동조의 시행일 이후 입찰공고하는 분부터 적용한다.

부 칙

〈제18873호, 2005.6.23〉 (여성가족부 직제)

제1조 (시행일) 이 영은 공포한 날부터 시행한다.

제2조 내지 제4조 생략

제5조 (다른 법령의 개정) ① 내지 〈32〉생략

〈33〉특정조달을위한국가를당사자로하는계약에관한법률시행령특례규정 일부를 다음과 같이 개정한다.

별표 1의 제1호 중 "여성부"를 "여성가족부"로 한다.

〈34〉및 〈35〉생략

부 칙

〈제20720호, 2008.2.29〉 (기획재정부와 그 소속기관 직제)

제1조(시행일) 이 영은 공포한 날부터 시행한다. 다만, 부칙 제8조에 따라 개정되는 대통령령 중 이 영의 시행 전에 공포되었으나 시행일이 도래하지 아니한 대통령령을 개정한 부분은 각각 해당 대통령령의 시행일부터 시행한다.

제2조부터 제7조까지 생략

제8조(다른 법령의 개정) ① 부터 〈62〉 까지 생략

〈63〉 특정조달을위한국가를당사자로하는계약에관한법률시행령특례규정 일부를 다음과 같이 개정한다.

제3조제4항, 제5조제2항, 제25조제1항, 제27조제1항 · 제2항, 제28조제2항 각 호 외의 부분, 제31조제2항 및 제41조제3항 중 "재정경제부장관"을 각각 "기획재정부장관"으로 한다.

제6조, 제17조제1항 · 제3항, 제21조제3항, 제23조제10호, 제24조제1항제6호, 같은 조 제2항제7호, 제25조제1항, 제28조제2항 각 호 외의 부분, 제37조제2항 및 제38조 중 "재정경제부령"을 각각 "기획재정부령"으로 한다.

제28조제2항 각 호 외의 부분 중 "재정경제부 기획관리실장"을 "기획재정부 기획조정실장"으로 한다.

별표 1 제1호를 다음과 같이 한다.

1. 감사원 · 기획재정부 · 교육과학기술부 · 통일부 · 외교통상부 · 법무부 · 국방부 · 행정안전부 · 문화체육관광부 · 농림수산식품부 · 지식경제부 · 보건복지가족부 · 환경부 · 노동부 · 여성부 · 국토해양부 · 국무총리실 · 공정거래위원회 · 금융위원회 · 법제처 · 국가보훈처 · 국세청 · 관세청 · 조달청(이 호에 규정된 정부기관의 구매 분에 한하며, 1994년 4월 15일 마라케쉬에서 작성된 정부조달협정 부속서 I 의 부속 2 및 부속 3에 규정된 기관의 경우 그 양허내용에 따른다) · 통계청 · 검찰청 · 병무청 · 경찰청(치안확보를 위한 물품구매의 경우는 제외한다) · 기상청 · 문화재청 · 농촌진흥청 · 산림청 · 중소기업청 · 특허청 · 식품의약품안정청 및 철도청

별표 3 제3호 중 "재정경제부장관"을 "기획재정부장관"으로 한다.

〈64〉 부터 〈68〉 까지 생략

부 칙

〈제22076호, 2010.3.15〉 (여성가족부 직제)

제1조(시행일) 이 영은 2010년 3월 19일부터 시행한다.

제2조 생략

제3조(다른 법령의 개정) ① 부터 〈24〉 까지 생략

〈25〉 특정조달을위한국가를당사자로하는계약에관한법률시행령특

례규정 일부를 다음과 같이 개정한다.

별표 1의 제1호 중 “보건복지가족부”를 “보건복지부”로, “여성부”를 “여성가족부”로 한다.

〈26〉 생략

부 칙

〈제22269호, 2010.7.12〉 (고용노동부와 그 소속기관 직제)

제1조(시행일) 이 영은 공포한 날부터 시행한다. 〈단서 생략〉

제2조(다른 법령의 개정) ① 부터 〈125〉 까지 생략

〈126〉 특정조달을위한국가를당사자로하는계약에관한법률시행령특례규정 일부를 다음과 같이 개정한다.

별표 1 제1호 중 “노동부”를 “고용노동부”로 한다.

〈127〉 부터 〈136〉 까지 생략

부 칙

〈제23000호, 2011.6.30〉

제1조 (시행일) 이 영은 「대한민국과 유럽연합 및 그 회원국 간의 자유무역협정」이 발효되는 날부터 시행한다.

제2조 (적용례) 이 영은 이 영 시행 후 최초로 입찰공고하는 특정조달계약부터 적용한다.

부 칙

〈제23051호, 2011.7.28〉

제1조(시행일) 이 영은 한 · 페루 자유무역협정이 발효되는 날부터 시행한다.

제2조(적용례) 이 영은 이 영 시행 후 최초로 입찰공고하는 특정조달계약부터 적용한다.

제3조(다른 법령의 개정) 지방자치단체를 당사자로 하는 계약에 관한 법률 시행령 일부를 다음과 같이 개정한다.

제5조 전단 중 “제39조부터 제41조까지의 규정”을 “제39조부터 제43조까지의 규정”으로 한다.

부 칙

〈제23337호, 2011.12.2〉

제1조(시행일) 이 영은 한 · 미 자유무역협정이 발효되는 날부터 시행한다.

제2조(적용례) 이 영은 이 영 시행 후 최초로 입찰공고하는 특정조달계약부터 적용한다.

제3조(다른 법령의 개정) 지방자치단체를 당사자로 하는 계약에 관한

법률 시행령 일부를 다음과 같이 개정한다.

제5조 전단 중 "제39조부터 제43조까지의 규정"을 "제39조부터 제44조까지의 규정"으로 한다.

부 칙

〈제24441호, 2013.3.23〉 (기획재정부와 그 소속기관 직제)

제1조(시행일) 이 영은 공포한 날부터 시행한다.

제2조부터 제4조까지 생략

제5조(다른 법률의 개정) ①부터 〈40〉까지 생략

〈41〉 특정조달을 위한 국가를 당사자로 하는 계약에 관한 법률 시행령 특례규정 일부를 다음과 같이 개정한다.

제42조제1호나목 중 "행정안전부장관"을 "안전행정부장관"으로 한다.

〈42〉 및 〈43〉 생략

부 칙

〈제24661호, 2013.7.15〉

제1조(시행일) 이 영은 공포한 날부터 시행한다. 다만, 제45조의 개정규정은 한 · 콜 자유무역협정이 발효되는 날부터 시행한다.

제2조(한 · 콜 자유무역협정의 특례에 관한 적용례) 제45조의 개정규정은 이 영 시행 후 입찰공고하는 특정조달계약부터 적용한다.

부 칙

〈제24728호, 2013.9.17〉

(전자조달의 이용 및 촉진에 관한 법률 시행령)

제1조(시행일) 이 영은 2013년 9월 23일부터 시행한다.

제2조 생략

제3조(다른 법령의 개정) ① 및 ② 생략

③ 특정조달을 위한 국가를 당사자로 하는 계약에 관한 법률 시행령 특례규정 일부를 다음과 같이 개정한다.

제10조제1항 중 "시행령 제22조제1항의 규정에 의한 지정정보처리장치(이하 "지정정보처리장치"라 한다)"를 "「전자조달의 이용 및 촉진에 관한 법률」 제2조제4호에 따른 국가종합전자조달시스템(이하 "전자조달시스템"이라 한다)"으로 한다.

제11조제1항, 제13조제1항, 제17조제1항, 제41조제2항 전단 및 같은 조 제3항 중 "지정정보처리장치"를 각각 "전자조달시스템"으로 한다.

부 칙

〈제25751호, 2014.11.19〉 (행정자치부와 그 소속기관 직제)

제1조(시행일) 이 영은 공포한 날부터 시행한다. 다만, 부칙 제5조에

따라 개정되는 대통령령 중 이 영 시행 전에 공포되었으나 시행일이 도래하지 아니한 대통령령을 개정한 부분은 각각 해당 대통령령의 시행일부터 시행한다.

제2조부터 **제4조**까지 생략

제5조(다른 법령의 개정) ①부터 〈21〉까지 생략

〈22〉 특정조달을 위한 국가를 당사자로 하는 계약에 관한 법률 시행령 특례규정 일부를 다음과 같이 개정한다.

제42조제1호나목 중 "안전행정부장관"을 "행정자치부장관"으로 한다.

별표 1 제1호 중 "미래창조과학부(방송통신진흥 · 융합과 전파관리를 위한 조달의 경우는 제외한다), 교육부"를 "교육부, 미래창조과학부(방송통신 · 융합과 전파관리를 위한 조달의 경우는 제외한다)"로, "안전행정부"를 "행정자치부"로, "법제처"를 "국민안전처, 인사혁신처, 법제처"로 한다.

별표 4 제1호 중 "미래창조과학부, 교육부"를 "교육부, 미래창조과학부"로, "안전행정부"를 "행정자치부"로, "법제처"를 "국민안전처, 인사혁신처, 법제처"로, "경찰청, 소방방재청"을 "경찰청"으로, "기상청, 해양경찰청"을 "기상청"으로 하고, 같은 표 [주3] 중 "경찰청 및 해양경찰청"을 "국민안전처와 경찰청"으로 한다.

별표 5 제1호 중 "미래창조과학부, 교육부"를 "교육부, 미래창조과학부"로, "안전행정부"를 "행정자치부"로, "법제처"를 "국민안전처, 인사혁신처, 법제처"로, "경찰청, 소방방재청"을 "경찰청"으로, "특허청, 기상청 및 해양경찰청"을 "특허청 및 기상청"으로 하고, 같은 표 [주3] 중 "경찰청 및 해양경찰청"을 "국민안전처와 경찰청"으로 한다.

별표 7 제1호 중 "미래창조과학부, 교육부"를 "교육부, 미래창조과학부"로, "안전행정부"를 "행정자치부"로, "법제처"를 "국민안전처, 인사혁신처, 법제처"로, "중소기업청, 해양경찰청, 소방방재청"을 "중소기업청"으로 하고, 같은 표 비고 제3호 중 "경찰청과 해양경찰청"을 "국민안전처와 경찰청"으로 한다.

〈23〉부터 〈418〉까지 생략

부 칙

〈제25847호, 2014.12.11〉

제1조(시행일) 이 영은 공포한 날부터 시행한다. 다만, 제45조제1항의 개정규정은 한 · 콜 자유무역협정이 발효되는 날부터 시행하고, 제46조, 별표 9 및 별표 10의 개정규정은 한 · 호주 자유무역협정이 발효되는 날부터 시행한다.

제2조(한 · 호주 자유무역협정의 특례에 관한 적용례) 제46조의 개정규정은 한 · 호주 자유무역협정이 발효되는 날 이후 입찰공고하는 특정조달계약부터 적용한다.

부 칙

〈제26391호, 2015.7.13〉

제1조(시행일) 이 영은 공포한 날부터 시행한다. 다만, 제3조제2항·제4항, 제4조제2항제4호, 제9조제1항 단서 및 같은 조 제3항부터 제5항까지, 제11조제3항부터 제5항까지, 제13조, 제14조제3항부터 제7항까지, 제23조제4호·제6호·제7호, 제23조의2, 제25조제2항, 제42조부터 제44조까지, 제46조, 별표 1, 별표 2, 별표 4, 별표 5, 별표 7 및 별표 9의 개정규정은 정부조달에 관한 협정 개정 의정서가 우리나라에서 발효되는 날부터 시행한다.

제2조(일반적 적용례) 이 영은 이 영 시행 이후 입찰공고를 하거나 수의계약을 체결하는 특정조달계약부터 적용한다.

제3조(입찰공고 후 재공고 및 정정공고에 관한 경과조치) ①이 영 시행 전에 입찰공고를 한 경우로서 시행령 제20조제2항에 따라 재공고를 하려는 경우에는 제11조제3항제2호 및 같은 조 제6항의 개정규정에도 불구하고 종전의 규정에 따른다.

②이 영 시행 전에 입찰공고를 한 경우로서 그 내용에 대하여 정정공고를 하려는 경우에는 제11조제4항 및 제6항의 개정규정에도 불구하고 종전의 규정에 따른다.

부 칙

〈제27300호, 2016.6.30〉

(자유무역협정의 이행을 위한 관세법의 특례에 관한 법률 시행령)

제1조(시행일) 이 영은 2016년 7월 1일부터 시행한다.〈단서 생략〉

제2조부터 **제8조**까지 생략

제9조(다른 법령의 개정) ① 생략

② 특정조달을 위한 국가를 당사자로 하는 계약에 관한 법률 시행령 일부를 다음과 같이 개정한다.

제42조 각 호 외의 부분 중 “「자유무역협정의 이행을 위한 관세법의 특례에 관한 법률 시행령」 제3조제7항”을 “「자유무역협정의 이행을 위한 관세법의 특례에 관한 법률 시행령」 제2조제7항”으로 한다.

제10조 생략

[별표 1] 〈개정 2015.7.13〉

특정조달계약대상정부기관(제3조제3항관련)

1. 감사원, 국무조정실, 국무총리비서실, 기획재정부, 교육부, 미래창조과학부, 외교부, 통일부, 법무부, 국방부, 행정자치부, 문화체육관광부, 농림축산식품부, 산업통상자원부, 보건복지부, 환경부, 고용노동부, 여성가족부, 국토교통부, 해양수산부, 공정거래위원회, 금융위원회, 국민권익위원회, 방송통신위원회, 국가인권위원회, 국민안전처(공공질서 유지를 위한 물품구매의 경우는 제외한다), 인사혁신처, 법제처, 국가보훈처, 식품의약품안전처, 국세청, 관세청, 조달청, 통계청, 대검찰청, 병무청, 방위사업청, 경찰청(공공질서 유지를 위한 물품구매의 경우는 제외한다), 문화재청, 농촌진흥청, 산림청, 중소기업청, 특허청, 기상청 및 행정중심복합도시건설청

2. 제1호에 따른 기관의 하부조직 · 특별지방행정기관 및 부속기관

[주 1] 별도의 법인격을 갖는 기관으로서, 제1호 및 제2호에 해당하지 아니하는 기관은 적용대상에서 제외한다.

[주 2] 조달청이 2012년 3월 30일에 채택된 정부조달에 관한 협정 개정 의정서의 부록 I 의 부속서 2 및 부속서 3에 규정된 기관을 대신하여 조달을 수행하는 경우에는 해당 기관의 양허내용에 따른다.

[별표 2] 〈개정 2015.7.13〉

특정조달계약 대상 물품 · 공사 및 용역(제3조제3항 관련)

1. 특정조달계약 대상 물품

별도로 정한 경우를 제외하고 모든 물품을 적용 대상으로 한다. 다만, 국방부와 방위사업청의 경우(제3조제2항제1호에 해당하는 경우를 제외한다)에는 다음에 열거된 품목만을 적용 대상으로 한다.

군급번호	품목
2510	차량의 운전실, 몸체 및 프레임용 구조의 부품
2520	차량의 동력전달장치 부품
2540	차량용 가구 및 부속물
2590	잡종 차량 부품
2610	항공기용을 제외한 공기식 타이어 및 튜브
2910	항공기용이 아닌 엔진의 연료계통 부품
2920	항공기용이 아닌 엔진의 전기계통 부품
2930	항공기용이 아닌 엔진의 냉각계통 부품
2940	항공기용이 아닌 엔진의 공기 및 오일 필터, 여과기 및 정화기
2990	항공기용이 아닌 잡종 엔진 부속품
3020	기어, 활차, 톱니바퀴 및 전달 체인
3416	선반
3417	밀링 머신
3510	세탁 및 드라이크리닝 장비
4110	냉동 장비
4230	오염 제거 및 주입용 장비
4520	난방 및 온수 장비
4940	잡종 정비 및 수리 공장용 특수장비
5120	무동력이고 날이 없는 수공구

군급번호	품목
5410	조립식 및 이동식 건물
5530	합판 및 베니어판
5660	울타리 및 문 부품
5945	릴레이 및 솔레노이드
5965	헤드세트, 핸드세트, 마이크로폰 및 스피커
5985	안테나, 도파관 및 관련 장비
5995	케이블, 코드 및 와이어 조립체: 통신장비용
6505	약품 및 생물제제
6220	차량용 전기조명등 및 장치
6840	살충제 및 소독제
6850	잡종 화학 특수품
7310	음식 조리, 제빵 및 서빙 장비
7320	부엌용 장비 및 기구
7330	부엌용 손공구 및 기구
7350	식기류
7360	음식 조리 및 서빙용 세트, 키트, 의류 및 조립부품
7530	사무용품 및 기록양식
7920	비, 솔, 걸레 및 스폰지
7930	청소·광택용 화합물 및 조제품
8110	드럼 및 캔
9150	오일 및 그리스: 절삭, 윤활 및 유압용
9310	종이 및 판지

2. 특정조달계약 대상 공사

UN표준산품분류(CPC)	대상공사
51	건설 공사

3. 특정조달계약 대상 용역

WTO서비스분류 (GNS/W/120)	UN표준산품분류 (CPC)	대상 용역
1.A.b.	862	회계, 감사 및 부기 서비스
1.A.c.	863	세무 서비스
1.A.d.	8671	건축 서비스
1.A.e.	8672	엔지니어링 서비스
1.A.f.	8673	종합 엔지니어링 서비스
1.A.g.	8674	도시계획 및 조경 서비스
1.B.	84	컴퓨터 서비스
1.B.a.	841	컴퓨터 하드웨어 설치 관련 자문 서비스
1.B.b.	842	소프트웨어 실행 서비스
1.B.c.	843	데이터 처리 서비스
1.B.d.	844	데이터베이스 서비스
1.B.e.	845	사무 기계 및 장비(컴퓨터 포함)의 정비 및 수리서비스
1.E.a.	83103	운전자 없는 선박 관련 임대/리스 서비스
1.E.b.	83104	운전자 없는 항공기 관련 임대/리스 서비스
1.E.c.	83101, 83105*	운전자 없는 기타 운송장비 관련 임대/리스 서비스(승객 15명 미만 승용차로 한정한다)
1.E.d.	83106, 83108, 83109	운전자 없는 기타 기계 및 장비 관련 임대/리스 서비스
	83107	운전자 없는 건설 기계 및 장비 관련

WTO서비스분류 (GNS/W/120)	UN표준산품분류 (CPC)	대상 용역
		임대/리스 서비스
1.F.a.	8711, 8719	광고대행 서비스
1.F.b.	864	시장조사 및 여론조사 서비스
1.F.c.	865	경영 자문 서비스
1.F.d.	86601	프로젝트 관리 서비스
1.F.e.	86761*	성분 · 순도 검사 및 분석 서비스(대기, 물, 소음 수준 및 진동 수준에 대한 진단, 검사 및 분석 서비스로 한정한다)
	86764	기술 점검 서비스
1.F.f.	8811*, 8812*	농업 및 축산업 관련 자문 서비스
	8814*	임업에 부수하는 서비스(항공 진화 및 소독은 제외한다)
1.F.g.	882*	어업 관련 자문 서비스
1.F.h.	883*	광업 관련 자문 서비스
1.F.m.	86751, 86752	관련 과학 및 기술 자문 서비스
1.F.n.	633, 8861, 8862, 8863, 8864, 8865, 8866	장비의 정비 및 수리
1.F.p.	875	사진 서비스
1.F.q.	876	포장 서비스
1.F.r.	88442*	인쇄(스크린 인쇄, 그라비어 인쇄 및 인쇄 관련 서비스)
1.F.s.	87909*	속기 서비스, 행사 대행 서비스

WTO서비스분류 (GNS/W/120)	UN표준산품분류 (CPC)	대상 용역
1.F.t.	87905	번역 및 통역 서비스
2.C.j.	7523*	온라인 정보 및 데이터베이스 검색
2.C.k.	7523*	전자적 데이터 교환
2.C.l.	7523*	저장 · 전송, 저장 · 검색을 포함하는 고도/부가가치 모사전송 서비스
2.C.m.	-	코드 및 프로토콜 변환
2.C.n.	843*	온라인 정보 및/또는 데이터 처리(거래처리를 포함한다)
2.D.a.	96112*, 96113*	영화 및 비디오 테이프 생산 및 배급 서비스(유선 TV 방송을 위한 서비스는 제외한다)
2.D.e.	-	음반 생산 및 배급 서비스(음향 녹음)
6.A.	9401*	폐수 처리 서비스(산업 폐수의 수집 및 처리 서비스로 한정한다)
6.B.	9402*	산업 폐기물 처리 서비스(산업 폐기물의 수집, 운반 및 처분 서비스로 한정한다)
6.D.	9404*, 9405*	배기가스 정화 서비스 및 소음저감 서비스(건설시공 서비스는 제외한다)
	9406*, 9409*	환경 검사 및 평가 서비스(환경영향 평가 서비스로 한정한다)
9.A.	641	호텔 및 기타 숙박 서비스
9.A.	642	음식 수발 서비스
9.A.	6431	오락이 없는 음료 수발 서비스(CPC 6431의 철도 및 항공 운송 관련 시

WTO서비스분류 (GNS/W/120)	UN표준산품분류 (CPC)	대상 용역
		설은 제외한다)
9.B.	7471	여행 대리점 및 패키지 관광 전문 서비스(정부수송요청은 제외한다)
11.A.b.	7212*	국내 운송을 제외한 국제 운송
11.A.d.	8868*	선박의 정비 및 수리
11.F.b.	71233*	국내 운송을 제외한 컨테이너 화물의 운송
11.H.c.	748*	화물 운송 대행 서비스 - 해운 대행 서비스 - 해운 화물 주선 서비스 - 해송 중개 서비스 - 항공 화물 운송 대행 서비스 - 통관 서비스
11.I.	-	철도 운송을 위한 화물 주선

[주 1] UN표준산품분류란 중 별표(*)는 서비스 무역에 대한 최초의 양허에 관한 대한민국의 수정 조건부 양허안에 기술된 바에 따라 용역의 "일부"를 뜻한다.

[주 2] 특정조달계약 대상 용역은 특정 국가에 대하여 그 국가가 동일한 용역을 우리나라에 개방한 경우에만 적용한다.

[별표 3] 〈개정 2008.2.29〉

대한민국정부와칠레공화국정부간의자유무역협정에 따른 특정조달계약 대상용역 및 공사의 특례(제41조제1항관련)

1. **특정조달계약 대상용역**

   세계무역기구의 일반서비스목록(WTO/MTN.GNS/W/120)상의 모든 용역을 그 대상으로 한다.

2. **특정조달계약 대상공사**

   UN표준산품분류(CPC)상의 모든 공사계약을 그 대상으로 한다.

3. **기타**

   칠레공화국의 경우에만 적용되는 특정조달계약 대상용역 및 공사는 제3조제4항의 규정에 따라 기획재정부장관이 고시한다.

[별표 4] 〈개정 2015.7.13〉

한 · 페루 자유무역협정에 따른 특정조달계약 대상 정부기관 (제43조제2항 관련)

1. 감사원, 국무조정실, 국무총리비서실, 기획재정부, 교육부, 미래창조과학부, 외교부, 통일부, 법무부, 국방부, 행정자치부, 문화체육관광부, 농림축산식품부, 산업통상자원부, 보건복지부, 환경부, 고용노동부, 여성가족부, 국토교통부, 해양수산부, 방송통신위원회, 공정거래위원회, 국가인권위원회, 금융위원회, 국민안전처, 인사혁신

처, 법제처, 국가보훈처, 식품의약품안전처, 국세청, 관세청, 조달청, 통계청, 대검찰청, 병무청, 방위사업청, 경찰청, 문화재청, 농촌진흥청, 산림청, 중소기업청, 특허청, 기상청 및 행정중심복합도시건설청

2. 제1호에 따른 기관의 하부조직, 특별지방행정기관 및 부속기관

[주1] 국방부 및 방위사업청의 조달에 대해서는 별표 2 제1호 단서를 적용한다.

[주2] 조달청의 경우에는 제1호 및 제2호에 따른 정부기관의 구매분으로 한정하며, 한·페루 자유무역협정 부속서 16가 제2절 및 제3절에 규정된 기관의 구매분에 대해서는 그 양허내용에 따른다.

[주3] 국민안전처와 경찰청의 경우 마라케쉬 정부조달협정 제23조에 따른 공공질서 유지를 위한 조달은 특정조달계약의 대상에서 제외한다.

[별표 5] 〈개정 2015.7.13〉

한·미 자유무역협정에 따른 특정조달계약 대상 정부기관 (제44조제2항 관련)

1. 감사원, 국무조정실, 국무총리비서실, 기획재정부, 교육부, 미래창조과학부, 외교부, 통일부, 법무부, 국방부, 행정자치부, 문화체육관광부, 농림축산식품부, 산업통상자원부, 보건복지부, 환경부, 고용노동부, 여성가족부, 국토교통부, 해양수산부, 방송통신위원회, 공정거래위원회, 국가인권위원회, 금융위원회, 국민권익위원회, 국민안전처, 인사혁신처, 법제처, 국가보훈처, 식품의약품안전처, 국세청, 관세청, 조달청, 통계청, 대검찰청, 병무청, 방위사업청, 경찰청, 문화재청, 농촌진흥청, 산림청, 중소기업청, 특허청 및 기상청

2. 제1호에 따른 기관의 하부조직, 특별지방행정기관 및 부속기관

[주1] 국방부 및 방위사업청의 경우 별표 2 제1호 단서에 따른 품목에 대해서는 제3조제2항제1호에 따를 것을 조건으로 일반적으로 적용되며, 별표 2 제3호의 용역과 별표 6의 공사에 대해서는 국가안보 및 국방목적 수행과 관련되지 않는 분야에만 적용된다.

[주2] 조달청의 경우에는 제1호 및 제2호에 따른 정부기관의 구매분으로 한정하며, 마라케쉬 정부조달협정 부속서 2 및 부속서 3에 규정된 기관을 위한 구매분의 경우에는 그 양허내용에 따른다.

[주3] 국민안전처와 경찰청의 경우 마라케쉬 정부조달협정 제23조에 따른 공공질서 유지를 위한 조달은 특정조달계약의 대상에서 제외한다.

[별표 6] 〈신설 2011.12.2〉

한 · 미 자유무역협정에 따른 특정조달계약 대상 공사 (제44조제2항 관련)

UN표준산품분류(CPC)	대 상 공 사
511	정지작업공사
512	건축공사
513	토목공사
514	조립건축공사
515	전문공사
516	설비공사
517	마감공사
518	건설기계 대여 · 수리

[별표 7] 〈개정 2015.7.13〉

한 · 콜 자유무역협정에 따른 특정조달계약 대상 정부기관 (제45조제2항 관련)

1. 감사원, 국무조정실, 국무총리비서실, 기획재정부, 교육부, 미래창조과학부, 외교부, 통일부, 법무부, 국방부, 행정자치부, 문화체육관광부, 농림축산식품부, 산업통상자원부, 보건복지부, 환경부, 고용노동부, 여성가족부, 국토교통부, 해양수산부, 국민안전처, 인사혁신처, 법제처, 국가보훈처, 식품의약품안전처, 문화재청, 조달청, 국세청, 관세청, 통계청, 기상청, 경찰청, 대검찰청, 병무청, 농촌진흥청, 산림청, 특허청, 중소기업청, 방위사업청, 방송통신위원회, 공정거래위원회, 국가인권위원회, 금융위원회, 행정중심복합도시건설청

2. 제1호에 따른 기관의 하부조직, 특별지방행정기관 및 부속기관

비고

1. 국방부와 방위사업청의 조달에 대해서는 제3조제2항제1호에 따를 것을 조건으로 별표 2 제1호 단서에 따른 품목에 한정하여 일반적으로 적용되며, 별표 8 제1호 및 제2호의 공사와 용역에 대해서는 국가안보와 국방목적의 수행과 관련되지 않는 분야에만 적용된다.
2. 조달청의 경우에는 제1호와 제2호에 따른 정부기관의 구매분으로 한정하며, 한 · 콜 자유무역협정 부속서 14-가 제2절 및 제3절에 규정된 기관의 구매분에 대해서는 그 양허 내용에 따른다.
3. 국민안전처와 경찰청의 경우 제3조제2항제2호에 따라 공공질서의 유지와 안정을 위한 조달은 특정조달계약의 대상에서 제외한다.

[별표 8] 〈신설 2013.7.15〉

한 · 콜 자유무역협정에 따른 특정조달계약 대상 공사 및 용역 (제45조제2항 관련)

1. 특정조달계약 대상 공사

UN표준산품분류(CPC)	대 상 공 사
511	정지작업공사
512	건축공사
513	토목공사
514	조립건축공사
515	전문공사
516	설비공사
517	마감공사
518	건설기계 대여 · 수리

2. **특정조달계약 대상 용역**
세계무역기구의 일반서비스목록(WTO/MTN.GNS/W/120)상의 모든 용역(금융서비스는 제외한다)을 그 대상으로 한다.

[별표 9] 〈개정 2015.7.13〉

한 · 호주 자유무역협정에 따른 특정조달계약 대상 정부기관 (제46조제2항 관련)

1. 기획재정부, 교육부, 미래창조과학부, 외교부, 통일부, 법무부, 국방부, 행정자치부, 문화체육관광부, 농림축산식품부, 산업통상자원부, 보건복지부, 환경부, 고용노동부, 여성가족부, 국토교통부, 해양수산부, 국민안전처, 인사혁신처, 법제처, 국가보훈처, 식품의약품안전처, 국세청, 관세청, 조달청, 통계청, 대검찰청, 병무청, 방위사업청, 경찰청, 문화재청, 농촌진흥청, 산림청, 중소기업청, 특허청, 기상청, 행정중심복합도시건설청, 감사원, 국가인권위원회, 방송통신위원회, 국무조정실, 국무총리비서실, 공정거래위원회, 금융위원회, 국민권익위원회

2. 제1호에 따른 기관의 보조기관, 특별지방행정기관 및 부속기관

[주 1] 국방부와 방위사업청의 조달에 대해서는 제3조제2항제1호에 따를 것을 조건으로 별표 2 제1호 단서에 따른 품목에 대해서만 일반적으로 적용되며, 별표 10 제1호 및 제2호의 용역과 공사에 대해서는 국가안보와 국방에 관련되지 않는 분야에만 적용된다.

[주 2] 조달청의 경우에는 제1호와 제2호에 따른 기관을 위하여 수행하는 조달만을 적용대상으로 하며, 한 · 호주 자유무역협정 부속서 12-가 제2절 및 제3절에 규정된 기관을 위한 조달에 대해서는 해당 기관에 대한 적용범위 및 기준가를 적용한다.

[주 3] 국민안전처와 경찰청의 경우 제3조제2항제2호에 따라 공공질서를 유지하기 위한 목적의 조달은 적용대상에서 제외한다.

[별표 10] 〈신설 2014.12.11〉

한 · 호주 자유무역협정에 따른 특정조달계약 대상 용역 및 공사 (제46조제2항 관련)

1. 특정조달계약 대상 용역

GATT서비스분류 (GNS/W/120)	UN표준산품분류 (CPC)	대상 용역
1.A.b	862	회계 · 감사 및 부기 서비스
1.A.c	863	세무서비스
1.A.d	8671	건축설계서비스
1.A.e	8672	엔지니어링서비스
1.A.f	8673	통합엔지니어링서비스
1.A.g	8674	도시계획 및 경관건축 서비스
1.B.a	841	컴퓨터 하드웨어 설치관련 자문서비스
1.B.b	842	소프트웨어 실행서비스
1.B.c	843	데이터 처리 서비스
1.B.d	844	데이터베이스 서비스
1.B.e	845	컴퓨터를 포함하는 사무기계류 및 기기에 대한 유지 및 보수 서비스
1.E.a	83103	선박 관련 운영자 미포함 임대/리스
1.E.b	83104	항공기 관련 운영자 미포함 임대/리스
1.E.c	83101, 83105*	그 밖의 운송기기 관련 운영자 미포함 임대/리스 서비스(15인승 미만의 승합차로 한정한다)
1.E.d	83106, 83108, 83109	그 밖의 기계류 및 기기 관련 운영자 미포함 임대/리스
	87107	건설 기계 및 기기 관련 운영자 미포함 임대/리스
1.F.a	8711, 8719	광고대행 서비스
1.F.b	864	시장조사 및 대중여론 조사 서비스
1.F.c	865	경영컨설팅서비스
1.F.d	86601	프로젝트 경영 서비스
1.F.e	86761*	성분 및 순도 검사 및 분석 서비스(대기, 수질, 소음 수준 및 진동 수준에 대한 검사, 시험 및 분석 서비스만을 포함한다)
	86764	기술적 진단서비스
1.F.f	8811*, 8812*	농업 및 축산업 관련 자문서비스
	8814*	임업 부수 서비스(항공에 의한 산불진화 및 병해충방제 서비스는 제외한다)
1.F.g	882*	어업 관련 컨설팅 서비스
1.F.h	883*	광업 관련 컨설팅 서비스
1.F.m	86751, 86752	과학 및 기술 관련 자문서비스

GATT서비스분류 (GNS/W/120)	UN표준산품분류 (CPC)	대상 용역
1.F.n	633, 8861, 8862, 8863, 8864, 8865, 8866	장비의 유지 및 보수
1.F.p	875	사진서비스
1.F.q	876	포장서비스
1.F.r	88442*	인쇄(스크린 인쇄, 그라비어 인쇄 및 인쇄 관련 서비스업)
1.F.s	87909*	속기서비스 국제회의 대행 서비스
1.F.t	87905	번역 및 통역 서비스
2.C.j	7523*	온라인 정보 및 데이터베이스 검색
2.C.k	7523*	전자적 데이터 교환
2.C.l	7523*	축적 및 전송, 축적 및 검색을 포함한 고도 부가가치 모사전송 서비스
2.C.m	-	코드 및 프로토콜 변환
2.C.n	843*	온라인 정보 및/또는 데이터처리(거래 처리를 포함한다)
2.D.a	96112*, 96113*	영화 및 비디오 테이프 제작 및 유통 서비스(케이블 텔레비전 방송을 위한 그러한 서비스는 제외한다)
2.D.e	-	음반 제작 및 유통 서비스(음성 녹음)
6.A	9401*	폐수 처리 서비스(산업폐수 수집 및 처리 서비스만 해당한다)

GATT서비스분류 (GNS/W/120)	UN표준산품분류 (CPC)	대상 용역
6.B	9402*	산업폐기물 처리 서비스(산업폐기물의 수집, 운반 및 처리 서비스만 해당한다)
6.D	9404*, 9405*	배기가스 정화 및 소음저감 서비스(건설업 서비스를 제외한 서비스)
	9406*, 9409*	환경분야 시험 및 평가 서비스(환경영향평가 서비스만 해당한다)
11.A.b	7212*	국제운송(연안운송은 제외한다)
11.A.d	8868*	선박의 유지 및 보수
11.F.b	71233*	컨테이너 화물운송(연안운송은 제외한다)
11.H.c	748*	화물운송대리업서비스 - 해운대리업서비스 - 해상화물운송주선서비스 - 해운중개서비스 - 항공화물운송대리업서비스 - 통관서비스
11.I	-	철도화물운송주선

[주] UN표준산품분류란 중 별표(*)는 서비스 무역에 관한 초기 약속에 대한 대한민국의 조건부 수정양허안에 기술된 세부사항의 “일부분”을 뜻한다.

2. 특정조달계약 대상 공사

UN표준산품분류(CPC)	대상 공사
51	건설 공사

4

특정조달을 위한 국가를 당사자로 하는 계약에 관한 법률 시행 특례규칙

목 차

특정조달을 위한 국가를 당사자로 하는 계약에 관한 법률 시행 특례규칙

(기획재정부령 제492호, 2015.7.20., 일부개정)

제1조(목적) 이 규칙은 「특정조달을 위한 국가를 당사자로 하는 계약에 관한 법률 시행령 특례규정」에서 위임된 사항과 그 시행에 필요한 사항을 규정함을 목적으로 한다.

제2조(예정가격 작성의 예외) 「특정조달을 위한 국가를 당사자로 하는 계약에 관한 법률 시행령 특례규정」(이하 "특례규정"이라 한다) 제6조에서 "거래실례가격이 없어 예정가격을 작성하기 곤란한 경우 등"이란 용역과 기계 · 기재류(機材類), 철재류(鐵材類), 식료품류, 동물류, 화공품류(비료는 제외한다), 약품류, 종이 및 판지류, 유제품류 및 목재류 등의 물품이 다음 각 호의 어느 하나에 해당하는 경우를 말한다.

1. 지역 또는 시기에 따라 가격 차가 심한 경우
2. 특정 제작자만이 제작할 수 있는 경우
3. 국제 시세가 없는 경우
4. 제작자의 설계에 따라서 가격차가 심한 경우
5. 공급자가 제시한 규격에 따라 물품을 구매하는 경우
6. 긴급히 구매할 필요가 있어 예정가격을 작성할 시간적 여유가 없는 경우

제3조(낙찰자 등 결정의 공고) 특례규정 제17조제1항에 따라 낙찰자 또는 수의계약대상자의 결정에 관하여 공고할 사항은 다음 각 호와 같다.

1. 낙찰되거나 수의계약한 조달 대상 · 수량 및 금액
2. 낙찰자 또는 수의계약대상자의 성명 및 주소
3. 조달기관의 주소
4. 낙찰자 또는 수의계약대상자의 결정절차
5. 경쟁입찰의 경우에는 입찰의 공고절차
6. 수의계약의 경우에는 수의계약 사유
7. 그 밖에 낙찰자 등의 결정에 관한 사항

제4조(낙찰정보 등의 공개범위와 공개의 예외) ① 특례규정 제17조제3항에 따른 낙찰정보 등의 공개범위는 다음 각 호와 같다.

1. 발주기관의 조달관행 및 조달절차
2. 입찰 참가자격 심사신청이 거부된 사유, 입찰 참가자격이 정지된 사유와 입찰 참가자격이 있는 자로 선정되지 아니한 사유
3. 낙찰되지 아니한 사유, 낙찰자(법인인 경우에는 대표자)의 이름과 낙찰된 입찰서의 특징 및 장점

② 특례규정 제17조제3항에 따라 낙찰정보 등을 공개하지 아니할 수 있는 경우는 제1항제3호 및 제3조에서 규정한 사항의 공개가 다음 각 호의 어느 하나에 해당하는 경우를 말한다.

1. 해당 정보의 공개로 법 집행이 방해되거나 공공의 이익이 침해될 우려가 있는 경우
2. 해당 정보의 공개로 특정기업의 정당한 상업적 이익이 침해되거나 그 밖에 공정한 경쟁을 방해할 우려가 있는 경우

제5조(지명경쟁 유자격자명부 작성의 공고) 각 중앙관서의 장 또는 계약담당공무원은 특례규정 제21조제3항에 따라 지명경쟁 유자격자명부를 작성하는 경우로서 지명경쟁입찰 참가자격 등에 관하여 관보에 공고할 경우에는 다음 각 호의 사항을 포함하여야 한다.

1. 유자격자명부에 등록된 업체 일람표(유자격자명부를 통하여 조달하는 물품이나 서비스 또는 물품이나 서비스군의 품목분류번호를 포함하여야 한다)
2. 유자격자명부의 등록요건 및 심사방법
3. 유자격자명부의 유효기간 및 등록경신절차
4. 그 밖에 유자격자명부의 등록에 관한 사항

제6조(수의계약에 의할 수 있는 경우와 관련한 디자인 공모) 특례규정 제23조제10호에서 "기획재정부령이 정한 내용에 따른 디자인 공모"란 해당 공모에 당선된 자와 계약을 체결할 목적으로 발주기관과 별도의 독립적인 심사단이 심사하고 모든 유자격자가 참여할 수 있도록 관보나 「국가를 당사자로 하는 계약에 관한 법률 시행령」 제22조제1항에 따른 국가종합전자조달시스템에 공고한 것을 말한다. 〈개정 2013.9.17〉

제7조(계약에 관한 자료 등의 요구) ① 기획재정부장관은 정부조달협정가입국으로부터 특정조달계약에 대한 자료를 요구받은 경우에는 해당 중앙관서의 장에게 관련 자료의 제출을 요구할 수 있다.

② 제1항에 따라 관련 자료의 제출을 요구받은 각 중앙관서의 장은 지체 없이 이를 기획재정부장관에게 제출하여야 한다.

제8조(계약실적보고) ① 특례규정 제25조제1항에 따른 계약실적 보고서의 내용은 다음 각 호와 같다. 〈개정 2015.7.20〉

1. 특정조달계약의 대상이 되는 물품·공사 및 용역의 계약 건수와 계약 총액
2. 특정조달계약을 체결한 물품·공사 및 용역에 대하여 국제적으로 인정된 통일적인 분류체계에 따라 세분화한 계약 건수와 계약 총액
3. 특례규정 제23조에 따라 수의계약을 체결한 물품·공사 및 용역의 계약 건수 및 계약 총액
4. 고시금액 이상의 계약으로서 「국가를 당사자로 하는 계약에 관한 법률」 제4조제1항 단서에 따라 체결된 물품·공사 또는 용역에 대한 계약 건수 및 계약 금액
5. 고시금액 이상의 물품·공사 및 용역에 대한 원산지 국가별 계약 건수 및 계약 금액

② 특례규정 제25조제2항에 따른 계약실적보고서의 내용은 「공기

업·준정부기관 계약사무규칙」 제4조제1항에 따라 국제입찰의 방법으로 계약을 체결한 물품·공사 및 용역의 계약 건수와 계약 총액으로 한다.

[전문개정 2015.7.20]

부 칙

〈제358호, 2013.8.7〉

이 규칙은 공포한 날부터 시행한다.

부 칙

〈제360호, 2013.9.17〉 (전자조달의 이용 및 촉진에 관한 법률 시행규칙)

제1조(시행일) 이 규칙은 2013년 9월 23일부터 시행한다.

제2조(다른 법령의 개정) ①부터 ③까지 생략

④ 특정조달을 위한 국가를 당사자로 하는 계약에 관한 법률 시행특례규칙 일부를 다음과 같이 개정한다.

제6조 중 "지정정보처리장치"를 "국가종합전자조달시스템"으로 한다.

부 칙

〈제492호, 2015.7.20〉

이 규칙은 정부조달에 관한 협정 개정 의정서가 우리나라에서 발효되는 날부터 시행한다.

5

특정물품등의 조달에 관한 국가를 당사자로 하는 계약에 관한 법률 시행령 특례규정

특정물품등의 조달에 관한 국가를 당사자로 하는 계약에 관한 법률 시행령 특례규정

(시행 2013. 3. 23 **대통령령 제24441호**, 2013. 3. 23, **타법개정**)

제1조(목적) 이 영은 국제입찰에 의한 계약에 의하여 물품 등을 조달함에 있어서의 계약사무처리 등에 관하여 국가를당사자로하는계약에관한법률 시행령에 대한 특례를 정함을 목적으로 한다. 〈개정 1995.7.6〉

제2조(정의) 이 영에서 사용하는 용어의 정의는 다음과 같다. 〈개정 1994.12.23, 2008.2.29, 2013.3.23〉

1. "특정물품 등"이라 함은 현금 및 유가증권을 제외한 물품과 프로그램중 기획재정부령이 정하는 것을 말한다.
2. "정부조달"이라 함은 기획재정부령이 정하는 국가기관(이하 "각 중앙관서"라 한다)이 특정물품 등을 구매(할부구매를 포함한다) 또는 임차하거나 시설 등을 대여받는 것을 말한다.
3. "프로그램"이라 함은 특정한 결과를 얻기 위하여 컴퓨터 등 정보처리능력을 가진 장치안에서 직접 또는 간접으로 사용되는 일련의 지시 및 명령으로 표현된 것을 말한다.
4. "특례조달계약"이라 함은 특정물품 등의 조달을 위하여 체결한 계약(계약물품 등의 조달에 부수하여 운송·하역·보험 등의 용역의 제공을 수반하는 계약으로서 당해 용역의 가액이 당해 특정물품 등의 가액을 초과하지 아니하는 것을 포함한다)으로서 그 추정가액이 기획재정부장관이 정하는 금액 이상인 계약을 말한다.
5. "추정가액"이라 함은 특정물품 등의 예정가격이 결정되기 전에 예산배정금액 및 예산산출기초자료 등에 의하여 추산한 가액을 말한다.
6. "반복조달계약"이라 함은 특례조달계약 중 동일 또는 동종물품의 조달을 위하여 동일 연도 중 동일인과 두 번 이상 체결하는 계약을 말한다.
7. "외국인"이라 함은 대한민국의 국적을 가지지 아니한 자와 대한민국의 국적과 대한민국외의 국적을 이중으로 가진 자 및 외국법인(외국의 법령에 의하여 설립된 법인을 말한다)을 말한다.
8. "인증공급자명부"라 함은 물품 등의 유형별로 입찰에 참가할 수 있는 자격을 미리 정한 후 그 자격을 갖춘 자중 입찰참가가 가능한 자를 기록한 명부를 말한다.
9. "공고"라 함은 일반경쟁 및 제한경쟁의 경우에는 입찰이 있음을 알리고 모든 유자격자의 입찰참가를 권유하는 것을 말하며, 지명경쟁의 경우에는 입찰권유와 관련없이 단지 입찰이 있음만을 알리는 것을 말한다.

제3조(적용범위) ①이 영은 특례조달계약에 대하여 이를 적용한다.

②외국인에 대하여는 당해 외국에서 대한민국 국민에 대하여 이 영에 규정하는 것과 동등한 대우를 보장하는 경우에 한하여 이 영을 적용한다.

제4조(추정가액 결정) 각 중앙관서의 장 또는 그 위임을 받은 공무원은 특례조달계약의 체결시 추정가액을 결정함에 있어서 다음 각호의 1에 해당하는 경우에는 그 각 호의 규정에 따라 추정가액을 결정한다.

1. 단가계약인 경우에는 당해 물품단가에 조달 예정수량을 곱한 금액
2. 반복조달계약인 경우에는 동일 연도내에 계약할 금액의 총액
3. 물품의 임차 또는 시설 등의 대여를 위한 계약으로서 계약기간이 명시된 경우에는 총 계약금액으로 하며, 계약기간이 명시되지 아니한 경우에는 1월분의 임차료 또는 대여료에 48을 곱한 금액

제5조(계약의 원칙) ①각 중앙관서의 장 또는 그 위임을 받은 공무원은 특례조달계약을 체결함에 있어서 계약상대자의 국적이나 제품의 생산지 등을 이유로 계약상의 이익을 부당하게 제한하는 특약이나 조건 등을 정하여서는 아니된다.

②각 중앙관서의 장 또는 그 위임을 받은 공무원은 계약상대자를 공정하게 선정하여야 하며, 정부조달에 관한 계약과 관련된 정보를 차별적으로 제공하여서는 아니된다.

제6조(입찰참가자격 및 심사등) ①외국인의 입찰참가 자격과 그에 대한 공고 등에 관하여 필요한 사항은 기획재정부령으로 정한다. 〈개정 1994.12.23, 2013.3.23〉

②각 중앙관서의 장 또는 그 위임을 받은 공무원은 입찰에 참가하고자 하는 자로부터 입찰참가자격심사신청을 받아 입찰참가자격의 유무를 심사하여 그 심사 결과를 당해 신청인에게 통지하여야 한다.

③각 중앙관서의 장 또는 그 위임을 받은 공무원은 제2항의 규정에 의한 입찰참가자격심사신청서가 늦게 접수되어 입찰전일까지 자격심사를 할 여유가 없는 경우에는 입찰참가자격을 충족시키는 것을 조건으로 입찰참가를 허용할 수 있다.

④제2항의 규정에 의한 입찰참가자격 심사에 있어서 각 중앙관서의 장 또는 그 위임을 받은 공무원은 동일 물품 등에 대하여 다른 기관에서 행한 입찰참가 자격심사의 결과가 있는 경우에는 별도의 심사없이 이를 적용할 수 있다.

⑤각 중앙관서의 장 또는 그 위임을 받은 공무원은 자격요건의 증명절차를 간소화하기 위하여 인증공급자명부를 작성하여 운용할 수 있다.

제7조(일반경쟁 및 제한경쟁의 공고) ①각 중앙관서의 장 또는 그 위임을 받은 공무원은 특례조달계약에 있어서 일반경쟁 또는 제한경쟁에 붙이고자 하는 때에는 국가를당사자로하는계약에관한법률 시행령에 따라 공고를 하여야 한다. 이 경우 국가를당사자로하는계약에관한법률 시행령 제33조제1항 중 "관보 또는 일간신문에 게재하거나 게시판에 게시하는 방법 등"을 "관보 또는 간행물에의 게재"로, 제35조제1항 중 "10일 이전"을 "40일 이전(반복조달계약으로서 최초의 계약외의 경우에는 25일 이전)"으로, 제35조제2항 중 "5일까지"를 "10일까지"로 보고, 동 령 제35조제2항 중 재공고 입찰의 경우 "5일까지"를 "40일까지"로 본다. 〈개정 1995.7.6〉

②입찰공고내용을 수정하기 위하여 수정공고를 하는 경우와 입찰자 또는 낙찰자가 없거나 낙찰자가 계약을 체결하지 아니하여 재공고를 하는 경우에 있어서 적기에 특정물품 등을 조달할 수 없다고 판단되는 때에는 제1항의 규정에 불구하고 입찰일 또는 개찰일 전 10일까지 공고할 수 있다.

③입찰공고의 내용에는 국가를당사자로하는계약에관한법률 시행령 제36조에 규정된 것외에 다음 각 호의 사항을 포함하여야 한다. 〈개정 1995.7.6〉

1. 경제적 · 기술적인 요구사항, 재정보증 및 공급자가 제공하여야 할 정보
2. 입찰설명서의 교부에 관한 사항
3. 국가를당사자로하는계약에관한법률 시행령 제42조 내지 제47조의 규정에 의한 낙찰자의 결정방법

④입찰공고에 있어서 특정의 상표 · 상호 · 디자인 · 생산지 또는 제작자 등을 언급하지 아니하고는 조달하고자 하는 물품의 규격 · 품질 등에 대하여 충분한 설명이 곤란한 경우에는 그 공고내용에 상표 · 상호 · 디자인 · 생산지 또는 제작자 등을 특정하여 그 특정된 물품 또는 이와 규격 · 품질 등이 동등한 물품에 대하여 입찰에 붙인다는 뜻을 기재할 수 있다. 이 경우 입찰 참가자는 공급하고자 하는 물품이 공고내용에 기재된 물품과 규격 · 품질 등이 동등한 것임을 증명하여야 한다.

⑤제1항의 규정에 의한 공고에 사용하는 언어는 한국어로 함을 원칙으로 하되, 다음 각 호의 사항은 영어 · 불어 · 스페인어 중 하나를 선택하여 공고문 하단에 요약하여 게재하여야 한다.

1. 계약의 주대상 물품의 명칭 및 수량
2. 입찰서 제출마감일 및 입찰일
3. 발주관서의 명칭 및 주소

제8조(지명경쟁의 공고 등) ①각 중앙관서의 장 또는 그 위임을 받은 공무원은 특례조달계약에 있어서 지명경쟁에 붙이고자 하는 때에는 제7조의 규정에 준하여 공고하되, 그 공고내용에는 지명경쟁에의 참가기준을 포함하여야 한다.

②제1항의 규정에 의한 지명경쟁입찰에 있어서 제6조제5항의 규정에 의한 인증공급자명부가 작성되어 있지 아니하거나 기타의 사유로 입찰공고일 이전에 별도로 당해 입찰에 지명될 자를 결정할 필요가 있는 경우에는 입찰참가희망자로부터 당해 입찰에 관한 의견이나 참가요청서 등을 미리 제출받아 입찰참가자격을 심사할 수 있다.

③지명경쟁의 공고 및 통지등에 관하여 필요한 사항은 기획재정부령으로 정한다. 〈개정 1994.12.23, 2013.3.23〉

제9조(입찰설명서의 교부) ①각 중앙관서의 장 또는 그 위임을 받은 공무원은 특례조달계약에 있어서 경쟁입찰에 붙이고자 하는 경우에는 입찰에 참가하고자 하는 자에게 입찰설명서를 교부받을 수 있는 균등한 기회를 주어야 하며, 입찰설명서에 대한 설명 등을 요청받은 때에는 즉시 이에 응하여야 한다.

②입찰설명서의 내용 및 교부방법 등에 관하여 필요한 사항은 기

획재정부령으로 정한다. 〈개정 1994.12.23, 2013.3.23〉

제10조(낙찰자 등의 고시 및 통지 등) ①각 중앙관서의 장 또는 그 위임을 받은 공무원은 특례조달계약에 있어서 낙찰자 또는 수의계약의 상대자를 결정한 때에는 그 결정일의 다음날부터 60일 이내에 기획재정부령이 정하는 사항을 관보에 고시하여야 한다. 〈개정 1994.12.23, 2013.3.23〉

②각 중앙관서의 장 또는 그 위임을 받은 공무원은 경쟁입찰에 의한 특례조달계약에 있어서 낙찰자를 결정한 때에는 특별한 사유가 없는 한 그 결정일의 다음날부터 7일 이내에 낙찰자 외의 모든 입찰자들에게 낙찰자를 결정한 사실, 낙찰자의 성명(상호) 및 주소, 낙찰금액 등을 서면 또는 간행물 등의 방법으로 통지하여야 한다.

③각 중앙관서의 장 또는 그 위임을 받은 공무원은 낙찰자로 결정되지 아니한 입찰자로부터 낙찰되지 아니한 이유 기타 당해 입찰과 관련된 자료 등의 요청이 있는 때에는 특별한 사유가 없는 한 이에 응하여야 한다.

제11조(수의계약 사유) 특례조달계약에 있어서 국가를당사자로하는계약에관한법률 시행령 제26조제1항제4호 · 제5호, 동 항 제6호 가목(품질경영촉진법 부칙 제4조의 규정에 의한 경우에 한한다), 동 항 제7호 가목 내지 마목, 동 항 제8호 가목 및 나목의 규정에 의한 사유는 수의계약 적용대상에서 제외한다.

[전문개정 1995.7.6]

제12조 삭제 〈1996.12.31〉

제13조(계약에 관한 기록) ①각 중앙관서의 장 또는 그 위임을 받은 공무원은 특례조달계약에 있어서 경쟁에 의하여 낙찰자를 결정한 때에는 다음 각 호의 사항을 기록하여 관리하여야 한다.

1. 입찰자 및 개찰에 참여한 자의 성명
2. 입찰자의 참가신청자격
3. 낙찰자의 성명, 낙찰금액 및 낙찰자 결정의 이유
4. 무효로 된 입찰이 있는 경우에는 당해 입찰의 내용 및 무효로 된 이유
5. 제10조제2항의 규정에 의한 통지를 한 경우에는 당해 통지에 관한 사항
6. 기타 필요하다고 인정되는 사항

②각 중앙관서의 장 또는 그 위임을 받은 공무원은 특례조달계약에 있어서 수의계약을 체결한 때에는 다음 각호의 사항을 기록하여 관리하여야 한다.

1. 계약의 목적
2. 물품의 품명 · 규격 · 수량 · 단가 · 금액등
3. 적용법령조문 및 구체적인 적용사유
4. 계약상대자의 성명(상호) 및 주소
5. 물품원산지의 국가명
6. 기타 필요하다고 인정되는 사항

제14조(이의처리) ①각 중앙관서의 장은 특례조달계약에 있어서 낙찰자로 결정되지 아니한 입찰자로부터 이의제기가 있는 경우에는 이

에 대한 적절한 조치를 하여야 한다.

②제1항의 규정에 의한 각 중앙관서의 장의 조치에 이의가 있는 자는 그 조치가 있은 날 또는 그 조치가 있음을 안 날부터 15일 이내에 특정조달을위한국가를당사자로하는계약에관한법률시행령특례규정 제28조의 규정에 의한 국제계약분쟁조정위원회에 조정을 위한 재심을 청구할 수 있다. 〈개정 1996.12.31〉

제15조 삭제 〈1996.12.31〉

제16조 삭제 〈1996.12.31〉

제17조(국가를당사자로하는계약에관한법률 시행령과의 관계) 특례조달계약에 있어서 이 영에 특별한 규정이 없는 사항에 관하여는 국가를당사자로하는계약에관한법률시행령 및 특정조달을위한국가를당사자로하는계약에관한법률시행령특례규정을 적용한다. 〈개정 1995.7.6, 1996.12.31〉

[제목개정 1995.7.6]

부　　칙〈제13570호, 1992.1.22〉

①(시행일) 이 영은 공포한 날부터 시행한다.

②(적용례) 이 영은 이 영 시행후 최초로 입찰공고를 하는 특례조달계약분부터 적용한다.

③(적용범위의 특례) 이 영 시행전에 외국과의 합의에 의하여 당해 외국의 국민에 대하여 정부조달을 위한 입찰 및 조달계약에의 참가를 허용하기로 한 당해 외국의 물품으로서 재정경제원장관이 관계 중앙관서의 장과 협의하여 정한 것에 대하여는 제3조제2항의 규정을 적용하지 아니할 수 있다.〈신설 1992.7.3, 1994.12.23〉

부　　칙〈제13690호, 1992.7.3〉

이 영은 공포한 날부터 시행한다.

부　　칙〈제13870호, 1993.3.6〉
(상공자원부와그소속기관직제)

제1조 (시행일) 이 영은 공포한 날부터 시행한다.

제2조 및 제3조 생략

제4조 (다른 법령의 개정) ①내지 〈57〉생략

〈58〉특정물품등의조달에관한예산회계법시행령특례규정 중 다음과 같이 개정한다.

제15조제3항제1호 중 "상공부"를 "상공자원부"로 한다.

〈59〉내지 〈188〉생략

부　　칙〈제14438호, 1994.12.23〉
(재정경제원과그소속기관직제)

제1조 (시행일) 이 영은 공포한 날부터 시행한다.

제2조 내지 제4조 생략

제5조 (다른 법령의 개정) ①내지 〈30〉생략

〈31〉특정물품등의조달에관한예산회계법시행령특례규정 중 다음과 같이 개정한다.

제2조제1호 · 제2호, 제6조제1항, 제8조제3항, 제9조제2항, 제10조제1항, 제12조 및 제16조제1항제3호 중 '재무부령'을 각각 '총리령'으로 하고, 제15조제1항 본문 중 '재무부'를 '재정경제원'으로 하며, 제2조제4호, 제15조제3항 본문 · 제4호 · 제6항 및 부칙 제3항의 '재무부장관'을 '재정경제원장관'으로 하고, 제15조제3항의 '재무부차관'을 '재정경제원차관'으로 하며, 제15조제3항제1호의 '경제기획원'을 '재정경제원'으로 하고, "재무부"를 삭제하며, 제15조제5항의 '재무부 회계제도과장'을 '재정경제원 회계총괄과장'으로 한다.

〈32〉내지 〈327〉생략

부　　칙〈제14447호, 1994.12.23〉
(건설교통부와그소속기관직제)

제1조 (시행일) 이 영은 공포한 날부터 시행한다. 〈단서 생략〉

제2조 내지 제4조 생략

제5조 (다른법령의 개정) ①내지 〈41〉생략

〈42〉특정물품등의조달에관한예산회계법시행령특례규정 중 다음과 같이 개정한다.

제15조제3항 중 "건설부"를 "건설교통부"로 한다.

〈43〉내지 〈205〉생략

부　　칙〈제14710호, 1995.7.6〉
(국가를당사자로하는계약에관한법률 시행령)

제1조 (시행일) 이 영은 1995년 7월 6일부터 시행한다. 〈단서 생략〉

제2조 및 제3조 생략

제4조 (다른 법령의 폐지 및 개정) ① 및 ②생략

③특정물품등의조달에관한예산회계법시행령특례규정 중 다음과 같이 개정한다.

제명을 "특정물품등의조달에관한국가를당사자로하는계약에관한법률시행령특례규정"으로 한다.

제1조 및 제7조제1항 전단 중 "예산회계법시행령"을 각각 "국가를당사자로하는계약에관한법률 시행령"으로 한다.

제7조제1항 후단 중 "예산회계법시행령 제82조제1항"을 "국가를당사자로하는계약에관한법률 시행령 제33조제1항"으로, "게시판에의 게시 등"을 "게시판에 게시하는 방법 등"으로 "동 조 제3항 중"을 "제35조제1항 중"으로, "동 조 제4항 중"을 "제35조제2항 중"으로, "동 령 제85조 중"을 "동 령 제35조제2항 중 재공고 입찰의 경우"로 "개찰일 전 5일까지"를 '개찰일 5일전까지'로 한다.

제7조제3항 본문 중 "예산회계법시행령 제84조에"를 "국가를당사자로하는계약에관한법률 시행령 제36조에"로 하고, 동 항 제3호 중

"예산회계법시행령 제99조 · 제100조 · 제102조 및 제103조의 규정에"를 "국가를당사자로하는계약에관한법률 시행령 제42조 내지 제47조의 규정에"로 한다.

제11조를 다음과 같이 한다.

제11조 (수의계약 사유) 특례조달계약에 있어서 국가를당사자로하는계약에관한법률 시행령 제26조제1항제4호 · 제5호, 동 항 제6호 가목(품질경영촉진법 부칙 제4조의 규정에 의한 경우에 한한다), 동 항 제7호 가목 내지 마목, 동 항 제8호 가목 및 나목의 규정에 의한 사유는 수의계약 적용대상에서 제외한다.

제12조 중 "예산회계법시행령 제117조의"를 "국가를당사자로하는계약에관한법률 시행령 제58조의"로 한다.

제17조의 제목 및 본문 중 "예산회계법시행령"을 각각 "국가를당사자로하는계약에관한법률 시행령"으로 한다.

④내지 ⑥생략

제5조 생략

부　　칙 〈제15187호, 1996.12.31〉

(특정조달을위한국가를당사자로하는계약에관한법률시행령특례규정)

제1조 (시행일) 이 영은 1997년 1월 1일부터 시행한다.

제2조 생략

제3조 (다른 법령의 폐지 및 개정) ①생략

②특정물품등의조달에관한국가를당사자로하는계약에관한법률시행령특례규정 중 다음과 같이 개정한다.

제12조를 삭제한다.

제14조제2항을 다음과 같이 한다.

②제1항의 규정에 의한 각 중앙관서의 장의 조치에 이의가 있는 자는 그 조치가 있은 날 또는 그 조치가 있음을 안 날부터 15일 이내에 특정조달을위한국가를당사자로하는계약에관한법률시행령특례규정 제28조의 규정에 의한 국제계약분쟁조정위원회에 조정을 위한 재심을 청구할 수 있다.

제15조 및 제16조를 각각 삭제한다.

제17조 중 "외자구매계약규정"을 "특정조달을위한국가를당사자로하는계약에관한법률시행령특례규정"으로 한다.

제4조 생략

부　　칙

〈제20720호, 2008.2.29〉 (기획재정부와 그 소속기관 직제)

제1조(시행일) 이 영은 공포한 날부터 시행한다. 다만, 부칙 제8조에 따라 개정되는 대통령령 중 이 영의 시행 전에 공포되었으나 시행일이 도래하지 아니한 대통령령을 개정한 부분은 각각 해당 대통령령의 시행일부터 시행한다.

제2조부터 제7조까지 생략

제8조(다른 법령의 개정) ① 부터 〈61〉 까지 생략

〈62〉 특정물품등의조달에관한국가를당사자로하는계약에관한법률시행령특례규정 일부를 다음과 같이 개정한다.

제2조제4호 중 "재정경제원장관"을 "기획재정부장관"으로 한다.

〈63〉 부터 〈68〉 까지 생략

부 칙

〈제24441호, 2013.3.23〉 (기획재정부와 그 소속기관 직제)

제1조(시행일) 이 영은 공포한 날부터 시행한다.

제2조부터 제4조까지 생략

제5조(다른 법률의 개정) ①부터 〈39〉까지 생략

〈40〉 특정물품등의조달에관한국가를당사자로하는계약에관한법률시행령특례규정 일부를 다음과 같이 개정한다.

제2조제1호 · 제2호, 제6조제1항, 제8조제3항, 제9조제2항 및 제10조제1항 중 "총리령"을 각각 "기획재정부령"으로 한다.

〈41〉부터 〈43〉까지 생략

6

특정물품등의 조달에 관한 국가를 당사자로 하는 계약에 관한 법률 시행 특례규칙

특정물품등의 조달에 관한 국가를 당사자로 하는 계약에 관한 법률 시행 특례규칙

(시행 2013. 9. 23, 기획재정부령 제360호, 2013. 9. 17, 타법개정)

제1조(목적) 이 특례규칙은 특정물품등의조달에관한국가를당사자로하는계약에관한법률시행령특례규정에서 위임된 사항과 그 시행에 관하여 필요한 사항을 규정함을 목적으로 한다.
[전문개정 2003.12.29]

제2조(특정물품 등의 범위 등) ①특정물품등의조달에관한국가를당사자로하는계약에관한법률시행령특례규정(이하 "특례령"이라 한다) 제2조제1호의 규정에 의한 특정물품 등은 외국과의 상호합의에 의하여 양허되는 전기통신제품(통신망장비 기타 통신기자재를 포함한다), 이에 부수되는 서비스 및 이들과 관련되는 소프트웨어(프로그램과 이를 작성하기 위하여 사용되는 설계서 · 기술서 기타 관련자료를 말한다)로 한다. 다만, 다음 각 호의 것을 제외한다. 〈개정 2003.12.29〉

1. 다른 법령에 의하여 특별한 절차에 의하여 조달할 수 있는 경우로서 당해 법령에 의하여 조달하는 것
2. 별표에 규정된 기관외의 기관에서 사용하기 위하여 조달청장이 조달하는 것
3. 유상으로 양도(가공 또는 수리하여 양도하는 경우를 포함한다. 이하 이 호에서 같다)하거나 유상으로 양도하는 제품의 원재료로 사용하기 위하여 조달하는 것
4. 남북교류협력에관한법률에 의한 남한과 북한간의 교역에 의하여 조달하는 것
5. 별도의 차관협정에 따라 조달하는 것
6. 중요한 국가정책목표에 반한다고 인정되어 관계 중앙행정기관장이 협의하여 결정한 것

②특례령 제2조제2호에서 "기획재정부령이 정하는 국가기관"이라 함은 미래창조과학부 및 조달청을 말한다. 〈개정 2003.12.29, 2013.3.23〉

제3조(입찰참가자격) ①특례령 제6조제1항의 규정에 의하여 외국인의 입찰참가자격을 다음과 같이 한다. 〈개정 2003.12.29〉

1. 국가를당사자로하는계약에관한법률 시행령 제12조의 요건을 갖춘 자일 것
2. 제1호 외의 자로서 다음 각 목의 요건을 갖춘자일 것
   가. 본사의 소재국에 입찰대상물품에 필요한 시설 및 점포를 소유 또는 임차하고 있는 자
   나. 다른 법령에 의하여 허가 · 인가 · 면허 등을 요하거나 자격요건을 갖추어야 하는 경우에는 본사의 소재국에서 당해 허가 · 인가 · 면허 등을 받았거나 당해 자격요건을 갖춘 자

다. 법인의 등기부등본(개인의 경우 신원증명서)및 본사 소재국에서의 국세완납증명서 또는 이들에 상응하는 서류를 갖춘 자

②계약담당공무원은 조달하고자 하는 물품의 특성에 따라 필요하다고 인정되는 경우에는 제1항의 규정에 의한 자격요건 외에 경영상황 · 경영실적 및 기술능력 등을 추가하여 입찰참가자격을 정할 수 있다.

③계약담당공무원은 제2항의 규정에 의한 입찰참가자격의 심사를 위하여 필요하다고 인정되는 경우에는 다음 각 호의 서류를 제출하게 할 수 있다.

1. 경영상황 및 경영실적(입찰대상물품의 생산에 필요한 설비 등을 포함한다)을 설명하는 서류
2. 최근 2년간의 대차대조표 및 손익계산서
3. 입찰대상물품의 기술명세 및 규격에 관한 설명서
4. 입찰대상물품의 생산에 관한 자격 및 등록증명서가 있는 경우에는 당해 증명서
5. 기타 물품에 따라 필요하다고 인정되는 서류

제4조(입찰참가자격의 등록 및 공고) ①제3조제1항제1호의 규정에 해당하는 자가 국가를당사자로하는계약에관한법률 시행규칙 제15조의 규정에 의하여 입찰참가자격의 등록을 하고자 하는 때에는 동조 제2항제2호 또는 제3호 각 목의 서류를 제출하거나 이들에 갈음하는 증명서를 제출하여야 한다. 〈개정 2003.12.29〉

②제3조제1항제2호의 규정에 해당하는 자가 국가를당사자로하는계약에관한법률 시행규칙 제15조의 규정에 의하여 입찰참가자격의 등록을 하고자 하는 때에는 등록신청서와 제3조제1항제2호의 규정에 의한 자격이 있음을 증명하는 서류(본사 소재국의 대한민국공관장, 상공회의소 기타 이에 상응하는 기관의 장 또는 공증인의 확인을 받은 것에 한한다)를 함께 제출하여야 한다. 〈개정 1995.7.6〉

③계약담당공무원은 제1항 및 제2항의 규정에 의하여 입찰참가자격의 등록을 하게 하고자 하는 때에는 다음 각 호의 사항을 국가를당사자로하는계약에관한법률 시행령 제22조제1항의 규정에 의한 국가종합전자조달시스템(이하 "전자조달시스템"이라 한다) 또는 간행물에 공고하여야 한다. 〈개정 2003.12.29, 2013.9.17〉

1. 입찰참가자격
2. 구비서류
3. 등록장소 및 등록기간
4. 등록의 유효기간
5. 기타 필요하다고 인정되는 사항

④등록신청서의 작성에 사용하는 언어는 한국어로 한다. 다만, 필요하다고 인정되는 경우에는 한국어 외에 영어 · 불어 · 스페인어 중 하나를 선택하여 사용하게 할 수 있다.

제5조(인증공급자 명부작성의 공고 등) 특례령 제6조제5항의 규정에 의한 인증공급자명부를 작성하고자 하는 때에는 다음 각 호의 사항을 매회계연도마다 전자조달시스템 또는 간행물에 공고하여야 하며, 인증공급자명부상의 등록유효기간이 만료되거나 공급자가 인증공급자명부에서 제외되게 된 때에는 그 내용을 해당 공급자에

게 통보하여야 한다. 〈개정 2003.12.29, 2013.9.17〉

1. 조달하고자 하는 물품 및 그 물품의 범위
2. 해당 인증공급자명부에의 등록조건 및 그 조건의 입증방법
3. 인증공급자명부의 유효기간 및 등록갱신절차

제6조(지명경쟁의 통지 및 공고) ①특례령 제8조제1항의 규정에 따라 계약담당공무원이 특례조달계약을 지명경쟁에 부치고자 하는 때에는 다음 각 호의 사항을 입찰대상자에게 통지하고, 전자조달시스템 또는 간행물에 공고하여야 한다. 〈개정 2003.12.29, 2013.9.17〉

1. 입찰참가자격기준
2. 입찰대상물품의 품명 및 수량, 조달계약의 이행기간 및 이행장소
3. 계약조건의 설명장소
4. 입찰서 등의 접수장소 및 접수기간
5. 입찰 및 개찰의 일시와 장소
6. 입찰보증금에 관한 사항
7. 기타 입찰서 작성에 필요하다고 인정되는 사항

②제1항의 규정에 의한 통지 및 공고는 입찰일의 전일부터 기산하여 40일 이전에 이를 행하여야 한다.

③제1항의 규정에 의한 통지를 받은 지명경쟁입찰대상자로서 당해 입찰에 참가하고자 하는 자는 지명경쟁입찰참가승낙서를 입찰일의 전일까지 제출하여야 한다.

제7조(입찰설명서의 내용) 특례령 제9조의 규정에 의한 입찰설명서에는 다음 각 호의 내용이 포함되어야 한다.

1. 특례령 제7조 또는 제8조에 규정된 사항
2. 입찰대상물품의 기술명세 및 규격에 관한 설명서
3. 계약담당공무원의 소속기관 및 그 기관의 주소
4. 계약서 작성에 사용하는 언어
5. 기타 필요하다고 인정되는 사항

제8조(우편입찰서의 보관 등) ①계약담당공무원은 우편입찰서를 접수한 때에는 당해 입찰서의 봉투표면에 접수일시를 기재하고 확인인을 날인하여 개찰시까지 개봉하지 아니하고 보관하여야 한다.

②우편입찰서가 입찰서 접수마감일시 이후에 도착된 경우에는 그 도착일시 및 당해 입찰서의 접수가 무효라는 뜻을 당해 입찰참가희망자에게 통지하여야 한다.

제9조(입찰서의 심사기준 등) ①계약담당공무원은 특례조달계약 입찰서를 심사하고 낙찰자를 결정함에 있어서는 당해 물품의 조달에 필요한 모든 비용이 포함된 가격을 기준으로 하여야 한다.

②입찰서를 심사함에 있어서 계약의 목적 및 성질상 제1항의 규정에 의한 가격만을 심사의 기준으로 하기가 곤란하다고 인정되는 경우에는 예정가격 이하의 가격으로 입찰에 참가한 자 중에서 가격을 포함한 모든 조건을 가장 유리하게 제시한 자를 낙찰자로 결정할 수 있다. 다만, 입찰공고 및 입찰설명서상에서 이러한 결정기준을 명확히 한 경우에 한한다.

③입찰서의 작성에 사용하는 언어에 관하여는 제4조제4항의 규정을 준용한다.

제10조(낙찰자 등의 결정의 고시사항) ①특례령 제10조제1항의 규정에 의하여 낙찰자 또는 수의계약대상자의 결정에 관하여 고시할 사항은 다음 각 호와 같다.

1. 낙찰되거나 수의계약한 물품의 품명 및 수량
2. 낙찰자 또는 수의계약 상대자의 성명 및 주소
3. 낙찰금액 또는 수의계약금액
4. 계약담당공무원의 소속기관 및 그 기관의 주소
5. 낙찰자 또는 수의계약상대자의 결정절차
6. 경쟁입찰의 경우에는 입찰의 공고일자
7. 수의계약의 경우에는 수의계약 사유
8. 기타 필요하다고 인정되는 사항

②계약담당공무원은 제1항 각 호의 사항이 공개됨으로 인하여 법령의 집행을 저해하거나 공공의 이익에 반할 우려가 있다고 판단되는 경우 또는 공급자간의 공정한 경쟁을 저해하거나 특정인의 상업적 이익을 침해하는 등의 우려가 있다고 판단되는 경우에는 제1항 각 호의 고시사항 중 일부를 생략할 수 있다.

제11조 삭제 〈1996.12.31〉

제12조(계약실적보고) 각 중앙관서의 장은 특례조달계약을 체결한 경우에는 별지 서식에 따라 작성한 매분기별 계약실적보고서를 당해 분기 종료 후 30일 이내에 기획재정부장관에게 제출하여야 한다. 〈개정 2003.12.29, 2013.3.23〉

부 칙 〈제1876호, 1992.3.6〉

이 규칙은 공포한 날부터 시행한다.

부 칙 〈제511호, 1995.7.6〉
(국가를당사자로하는계약에관한법률 시행규칙)

제1조 (시행일) 이 규칙은 1995년 7월 6일부터 시행한다.

제2조 생략

제3조 (다른 법령의 폐지 및 개정) ①및 ②생략

③특정물품등의조달에관한계약사무처리특례규칙 중 다음과 같이 개정한다.

제4조제1항 및 제2항 중 "계약사무처리규칙 제16조"를 각각 "국가를당사자로하는계약에관한법률 시행규칙 제15조"로 한다.

④내지 ⑦생략

제4조 (다른 법령과의 관계) 이 규칙 시행당시 다른 법령에서 계약사무처리규칙의 각 조문을 인용한 경우에는 이 규칙의 해당조문을 인용한 것으로 본다.

부 칙 〈제603호, 1996.12.31〉
(특정조달을위한국가를당사자로하는계약에관한법률시행특례규칙)

제1조 (시행일) 이 규칙은 공포한 날부터 시행한다.

제2조 (다른 법령의 폐지 및 개정) ① 및 ② 생략

③특정물품등의조달에관한계약사무처리특례규칙 중 다음과 같이 개정한다.

제11조를 생략한다.

제3조 생략

부　　칙 〈제336호, 2003.12.29〉

이 규칙은 공포한 날로부터 시행한다.

부　　칙 〈제342호, 2013.3.23〉

(기획재정부와 그 소속기관 직제 시행규칙)

제1조(시행일) 이 규칙은 공포한 날부터 시행한다.

제2조 및 제3조 생략

제4조(다른 규칙의 개정) ①부터 ⑬까지 생략

⑭ 특정물품등의조달에관한국가를당사자로하는계약에관한법률시행특례규칙 일부를 다음과 같이 개정한다.

제2조제2항 중 "재정경제부령"을 "기획재정부령"으로, "정보통신부"를 "미래창조과학부"로 한다.

제12조 중 "재정경제부장관"을 "기획재정부장관"으로 한다.

⑮ 생략

부　　칙 〈제360호, 2013.9.17〉

(전자조달의 이용 및 촉진에 관한 법률 시행규칙)

제1조(시행일) 이 규칙은 2013년 9월 23일부터 시행한다.

제2조(다른 법령의 개정) ① 및 ② 생략

③ 특정물품등의조달에관한국가를당사자로하는계약에관한법률시행특례규칙 일부를 다음과 같이 개정한다.

제4조제3항 각 호 외의 부분 중 "지정정보처리장치(이하 "지정정보처리장치"라 한다)를 "국가종합전자조달시스템(이하 "전자조달시스템"이라 한다)"으로 한다.

제5조 각 호 외의 부분 및 제6조제1항 각 호 외의 부분 중 "지정정보처리장치"를 각각 "전자조달시스템"으로 한다.

④ 생략

[별표] 〈개정 2003.12.29〉

특례조달계약에 의하여 특정물품등을 조달받는 기관(제2조제1항제2호관련)

1. 감사원
2. 재정경제부
3. 교육인적자원부
4. 통일부
5. 외교통상부
6. 법무부
7. 행정자치부
8. 과학기술부
9. 문화관광부
10. 농림부
11. 산업자원부
12. 정보통신부
13. 보건복지부
14. 환경부
15. 노동부
16. 건설교통부
17. 해양수산부
18. 기획예산처
19. 법제처
20. 국정홍보처
21. 국가보훈처
22. 국세청
23. 관세청
24. 조달청
25. 대검찰청
26. 병무청
27. 농촌진흥청
28. 산림청
29. 중소기업청
30. 특허청
31. 대한주택공사

[별지서식]

(제1면)

기관명

(전화번호 :) 년 월 일

문서번호

시행일자

수신 : 재무부장관 발 신 : ○(인)

/ 분기 계약실적(총)보고서

1. 계약집행실적(규모별·형태별)

(건수/금액, 단위 : 백만원)

계약구분 \ 금액별			3억 미만	3억이상 5억미만	5억이상 10억미만	10억이상 30억미만	30억이상 30억미만	50억 이상	계	평균낙찰 비율	평균입찰 참가인원
일반경쟁 계약	구매										
	임차										
	리스										
	소계										
제한경쟁 계약	구매	특수성능·품질									
		기타									
		소계									
	임차										
	리스										
	소계										
지명경쟁 계약	구매	특수자재·물품									
		K·S제품									
		기타									
		소계									
	임차										
	리스										
	소계										

22221-19841보
92.2.14 승인

257mm × 364mm
(신문용지54g/m²)

(제2면)

계약구분 \ 금액별			3억 미만	3억이상 5억미만	5억이상 10억미만	10억이상 30억미만	30억이상 50억미만	50억 이상	계	평균낙찰 비율	평균입찰 참가인원
수의계약	구매	특허실용신안·의장등록품									
		단일생산품									
		K·S 제품									
		단체적수의계약									
		농공지구입주공장									
		자활집단촌복지									
		공장									
		개발선정품등									
		특수법인									
		사회복지법인									
		기타									
		소계									
	임차										
	리스										
	소계										
합계											

기재요령
1. 기재대상 : 이 실적보고서는 "특정물품등의조달에관한예산회계법시행령특례규정" 제2조제4호의 특례조달계약에 해당할 경우에만 작성합니다.
2. 계약구분에 있어서 구매는 제조를 포함한 것으로 보며, 리스는 동특례규정 동조 제2호의 시설 등을 대여받는 것을 말합니다.
3. 평균낙찰비율과 평균입찰참가인원은 낙찰률 및 참가자수를 건수로 각각 나누어 계산합니다.
4. 장기계속계약의 경우 당해연도 계약분을 기준으로 작성하되 계약방법은 최초계약시의 계약방법으로 기재합니다.
(예 : 1차계약이 제한경쟁계약인 경우 2차 이후 계약도 제한경쟁계약으로 분류하여 기재합니다)

(제3면)

2. 수의계약 집행실적 내역

(금액단위 : 백만원)

구분	사업명 (계약건명)	사업의종류	수의계약사유	사업비 (책정예산액)	계약금액	계약기간	계약자 (국적)	비고

(제4면)

(금액단위 : 백만원)

구분	사업명 (계약건명)	사업의종류	수의계약사유	사업비 (책정예산액)	계약금액	계약기간	계약자 (국적)	비고

기재요령
1. 기재대상 : 이 실적보고서는 "특정물품등의조달에관한예산회계법시행령특례규정" 제2조제4호의 특례조달계약에 해당할 경우에만 작성합니다.
2. 구분에는 구매·임차 및 리스를 기재하는데, 여기에서 구매는 제조를 포함한 것으로 봅니다.
3. 사업의 종류는 주된 계약목적물(품명) 및 수량을 기재합니다.
4. 수의계약사유는 예산회계법시행령 제104조 내지 제106조 각항 각호 각목까지 기재합니다.
(예 : 단체적 수의계약의 경우에는 "§104.③.2"로 기재하고, 특허나 실용신안등록에 의한 경우는 "§104.①.2.가"로 기재합니다)
5. 사업비(책정예산액)는 예산회계법시행령 제40조 및 제41조의 규정에 의하여 재무관이 당해 사업비로서 배정받는 금액을 기재합니다.
6. 계약금액 및 계약기간은 당해 계약서상 기재된 계약금액 및 계약기간을 기재합니다.
7. 계약자는 회사명을 기재하고, 괄호안에는 국적(원산지 국가)을 기재합니다.
8. 비고란에는 추후에 재무부장관이 따로 정하는 사항을 기재합니다.

7

조달사업에 관한 법률·시행령·시행규칙

目 次

目 次

目　次

目 次

조달사업에 관한 법률	조달사업에 관한 법률 시행령	조달사업에 관한 법률 시행규칙
		제12조(비축물자의 판매절차) ····· 593
제31조(파생상품거래) ····· 594	제38조(장내파생상품거래) ····· 594	
제32조(민관 공동 비축사업) ····· 594	제39조(민관 공동 비축사업의 참여대상 등) ····· 594	
	제40조(민관 공동 비축협약 등) ····· 595	
	제41조(비축시설 사용료의 감면 등) ····· 596	
	제42조(우선매각의 방법 및 위반 시 제재조치) ····· 596	
제9장 보칙	**제9장 보칙**	
제33조(시설관리 등의 위탁) ····· 597	제43조(시설관리 등의 위탁) ····· 597	
제34조(벌칙 적용에서 공무원 의제) ····· 599		
제35조(과태료) ····· 600	제44조(과태료의 부과기준) ····· 600	
	제45조(조달물자의 사고 처리) ····· 600	
부칙 ····· 601	부칙 ····· 601	부칙 ····· 601

조달사업에 관한 법률	조달사업에 관한 법률 시행령	조달사업에 관한 법률 시행규칙
조달사업에 관한 법률 [시행 2020.12.10 법률 제17348호 2020.6.9, 타법개정]	**조달사업에 관한 법률 시행령** [시행 2021.8.9 대통령령 제31931호 2021.8.6, 타법개정]	**조달사업에 관한 법률 시행규칙** [시행 2020.10.5 기획재정부령 제808호 2020.10.5, 전부개정]
제1장 총 칙	**제1장 총 칙**	
제1조(목적) 이 법은 조달사업을 공정하고 효율적으로 수행하기 위하여 조달사업의 범위와 운영 및 관리에 필요한 사항을 규정함을 목적으로 한다.	**제1조(목적)** 이 영은 「조달사업에 관한 법률」에서 위임된 사항과 그 시행에 필요한 사항을 규정함을 목적으로 한다.	**제1조(목적)** 이 규칙은 「조달사업에 관한 법률」 및 「조달사업에 관한 법률 시행령」에서 위임된 사항과 그 시행에 필요한 사항을 규정함을 목적으로 한다.
제2조(정의) 이 법에서 사용하는 용어의 뜻은 다음과 같다. 〈개정 2020.6.9.〉 1. "조달물자"란 수요물자와 비축물자(備蓄物資)를 말한다. 2. "수요물자"란 수요기관에 필요한 물자로서 대통령령으로 정하는 물자를 말한다. 3. "비축물자"란 장단기(長短期의) 원활한 물자수급과 물가안정을 위하여 정부가 단독으로 또는 정부와 민간이 협력하여 비축하거나 공급하는 생활필수품, 원자재 및 시설자재로서 대통령령으로 정하는 물자를 말한다. 4. "안전관리물자"란 국민의 생활안전, 생명보호, 보건위생과 관련된 조달물	**제2조(수요물자의 범위)** 「조달사업에 관한 법률」(이하 "법"이라 한다) 제2조제2호에서 "대통령령으로 정하는 물자"란 조달청장이 국내 및 국외에서 구매·공급[임차(賃借) 또는 대여의 경우를 포함한다]하는 물품 및 용역을 말한다. **제3조(비축물자의 범위)** 법 제2조제3호에서 "대통령령으로 정하는 물자"란 다음 각 호의 어느 하나에 해당하는 물자로서 기획재정부장관이 관계 중앙행정기관의 장과 협의하여 고시하는 물자를 말한다. 1. 해외 의존도가 높은 물자 2. 국민생활 안정에 매우 중요한 물자 3. 「방위사업법」 제3조제7호에 따른 방위	

조달사업에 관한 법률	조달사업에 관한 법률 시행령	조달사업에 관한 법률 시행규칙
자로서 조달청장이 지정·고시하는 물자를 말한다. 5. “수요기관”이란 조달물자, 시설공사계약의 체결 또는 시설물의 관리가 필요한 다음 각 목의 기관을 말한다. 가. 국가기관 나. 지방자치단체 다. 그 밖에 대통령령으로 정하는 기관	산업물자의 안정적 생산을 위해 필요한 물자 4. 그 밖에 물가안정과 수급조절, 재난·국가위기 등 비상시 대비를 위해 긴급히 대처할 필요가 있는 물자 **제4조(수요기관의 범위)** ① 법 제2조제5호다목에서 “대통령령으로 정하는 기관”이란 다음 각 호의 기관을 말한다. 1. 법 제2조제5호가목에 따른 국가기관(이하 “국가기관”이라 한다)의 소속 기관 2. 법 제2조제5호나목에 따른 지방자치단체(이하 “지방자치단체”라 한다)의 소속 기관 3. 국가기관 또는 지방자치단체가 투자·출연한 기관 또는 그 밖에 이에 준하는 기관으로서 해당 기관이 수요기관의 지정을 요청하여 조달청장이 수요기관으로 지정하는 기관 ② 조달청장은 제1항제3호에 따른 수요기관의 지정에 필요한 사항을 정하여 고시해야 한다.	

제3조(조달사업의 범위) 조달청장이 하는 조달사업의 범위는 다음 각 호와 같다.

1. 조달물자의 구매, 물류관리, 공급 및 그에 따른 사업
2. 수요기관의 공사 계약 및 그에 따른 사업
3. 수요기관의 시설물 관리·운영 및 그에 따른 사업
4. 조달물자 및 안전관리물자의 품질관리
5. 국제조달 협력 및 해외 조달시장 진출 지원
6. 그 밖에 다른 법령에서 조달청장이 할 수 있거나 하도록 규정한 사업

제4조(다른 법률과의 관계) 조달사업에 관하여는 다른 법률에 특별한 규정이 있는 경우를 제외하고는 이 법에서 정하는 바에 따른다.

제2장 공공조달 정책 기반

제5조(조달정책심의위원회) ① 조달정책에 관한 다음 각 호의 사항을 심의하기 위하여 기획재정부장관 소속으로 조달정책심의위원회(이하 "위원회"라 한다)를

제2장 공공조달 정책 기반

제5조(조달정책심의위원회의 구성 및 운영) ① 법 제5조제3항에 따라 관계 중앙행정기관 소속 공무원 중에서 기획재정부장관이 임명 또는 위촉하는 위원은 다음 각

조달사업에 관한 법률	조달사업에 관한 법률 시행령	조달사업에 관한 법률 시행규칙
둔다. 〈개정 2020.3.31.〉 1. 공공조달과 관련된 중장기적인 정책 및 제도의 마련 2. 공공서비스 향상과 기술혁신을 위한 공공수요 발굴 및 구매 대상 선정에 관한 사항 3. 공공조달과 관련된 성과관리 및 평가 등에 관한 사항 4. 그 밖에 조달정책 업무를 원활하게 수행할 수 있도록 하기 위하여 위원장이 위원회의 회의에 부치는 사항 ② 위원회는 위원장을 포함한 20명 이내의 위원으로 구성한다. ③ 위원회의 위원장은 기획재정부장관이 되고 위원은 관계 중앙행정기관 소속 공무원과 공공조달, 경제·과학, 기술혁신 등의 분야에 관한 학식과 경험이 풍부한 사람 중에서 기획재정부장관이 임명 또는 위촉한다. ④ 위원회를 효율적으로 운영하기 위하여 위원회에 공공수요발굴위원회 등 분야별 분과위원회를 둘 수 있다. 이 경우 분과위원회의 심의는 위원회의 심의로 본다.	호의 어느 하나에 해당하는 사람으로 한다. 〈개정 2021.8.6〉 1. 기획재정부차관 중 1명 2. 과학기술정보통신부차관 중 과학기술정보통신부장관이 지명하는 사람 1명 3. 행정안전부차관 4. 산업통상자원부차관 5. 중소벤처기업부차관 6. 조달청장 7. 그 밖에 기획재정부장관이 정하는 관계 중앙행정기관의 차관급 공무원(차관급 공무원이 2명 이상인 경우에는 해당 기관의 장이 지명하는 사람 1명으로 한다) ② 조달정책심의위원회(이하 "위원회"라 한다)의 공무원이 아닌 위원은 성별을 고려하여 구성하며, 임기는 2년으로 하되, 한 차례만 연임할 수 있다. ③ 위원회에 간사 1명을 두며, 간사는 기획재정부의 고위공무원단에 속하는 일반직공무원 중에서 기획재정부장관이 지명한다. ④ 위원회의 위원장(이하 이 조에서 "위원장"이라 한다)은 위원회를 소집하고, 위원	

⑤ 위원회 및 분과위원회에 그 업무를 지원하기 위하여 실무위원회를 둘 수 있다.

⑥ 위원회, 분과위원회 및 실무위원회의 구성과 운영에 필요한 사항은 대통령령으로 정한다.

회의 업무를 총괄한다.

⑤ 위원장이 부득이한 사유로 직무를 수행할 수 없을 때에는 위원장이 미리 지명한 위원이 그 직무를 대행한다.

⑥ 위원회의 회의는 위원 과반수의 출석으로 개의(開議)하고, 출석위원 과반수의 찬성으로 의결한다.

⑦ 제6항에도 불구하고 위원회를 소집할 시간적 여유가 없거나 그 밖에 위원장이 특별히 필요하다고 인정하는 경우에는 서면으로 의결할 수 있다.

⑧ 위원장은 위원회의 심의를 위해 필요한 경우 안건과 관련된 관계 행정기관, 공공단체나 그 밖의 기관·단체의 장, 관계자 또는 민간전문가를 회의에 참석하게 하여 의견을 들을 수 있다.

⑨ 위원회 회의에 출석한 위원, 관계자 또는 전문가에게는 예산의 범위에서 수당과 여비를 지급할 수 있다. 다만, 공무원이 그 소관 업무와 직접 관련되어 출석하는 경우에는 수당과 여비를 지급하지 않는다.

⑩ 제1항부터 제9항까지에서 규정한 사항 외에 위원회의 구성 및 운영에 필요한 사항은 위원회의 의결을 거쳐 위원장이 정한다.

조달사업에 관한 법률	조달사업에 관한 법률 시행령	조달사업에 관한 법률 시행규칙
	제6조(위원의 제척·기피·회피 등) ① 위원회(분과위원회 및 실무위원회를 포함한다. 이하 이 조에서 같다)의 위원(이하 이 조에서 "위원"이라 한다)이 다음 각 호의 어느 하나에 해당하는 경우에는 위원회의 심의·의결에서 제척(除斥)된다. 1. 위원 또는 그 배우자나 배우자였던 사람이 해당 안건의 당사자(당사자가 법인·단체 등인 경우에는 그 임원을 포함한다. 이하 이 호 및 제2호에서 같다)가 되거나 그 안건의 당사자와 공동권리자 또는 공동의무자인 경우 2. 위원이 해당 안건의 당사자와 친족이거나 친족이었던 경우 3. 위원이 해당 안건에 대하여 자문, 연구, 용역(하도급을 포함한다), 감정 또는 조사를 한 경우 4. 위원이나 위원이 속한 법인·단체 등이 해당 안건의 당사자의 대리인이거나 대리인이었던 경우 5. 위원이 임원 또는 직원으로 재직하고 있거나 최근 3년 내에 재직했던 기업 등이 해당 안건에 관하여 자문, 연구, 용역(하도급을 포함한다), 감정 또는	

조사를 한 경우

② 해당 안건의 당사자는 위원에게 공정한 심의·의결을 기대하기 어려운 사정이 있는 경우에는 위원회에 기피 신청을 할 수 있고, 위원회는 의결로 기피 여부를 결정한다. 이 경우 기피 신청의 대상인 위원은 그 의결에 참여하지 못한다.

③ 위원이 제1항 각 호에 따른 제척 사유에 해당하는 경우에는 스스로 해당 안건의 심의·의결에서 회피(回避)해야 한다.

④ 기획재정부장관은 위원회의 공무원이 아닌 위촉위원이 다음 각 호의 어느 하나에 해당하는 경우 해당 위원을 해촉(解囑)할 수 있다.

1. 심신장애로 인하여 직무를 수행할 수 없게 된 경우
2. 직무와 관련된 비위사실이 있는 경우
3. 직무태만, 품위손상이나 그 밖의 사유로 위원으로 적합하지 않다고 인정되는 경우
4. 제1항 각 호의 어느 하나에 해당함에도 불구하고 회피하지 않은 경우

조달사업에 관한 법률	조달사업에 관한 법률 시행령	조달사업에 관한 법률 시행규칙
	5. 위원 스스로 직무를 수행하는 것이 곤란하다고 의사를 밝히는 경우 **제7조(분과위원회)** ① 법 제5조제4항 전단에 따라 위원회에 분야별 분과위원회로 공공수요발굴위원회, 공공조달제도개선위원회를 둔다. ② 제1항에 따른 분야별 분과위원회(이하 "분과위원회"라 한다)는 다음 각 호의 구분에 따른 사항을 심의한다. 1. 공공수요발굴위원회: 법 제5조제1항제2호와 관련한 다음 각 목의 사항 가. 공공수요 발굴 체계 및 절차에 관한 사항 나. 혁신제품 지정에 관한 사항 다. 공공구매 목표 설정 및 그 평가에 관한 사항 라. 그 밖에 위원회의 위원장이 공공수요 발굴 및 혁신제품 지정 업무와 관련하여 공공수요발굴위원회의 심의가 필요하다고 인정하는 사항 2. 공공조달제도개선위원회: 법 제5조제1항제1호, 제3호 및 제4호와 관련한 다음 각 목의 사항 가. 공공조달과 관련된 중장기 정책 및	

제도 마련에 관한 사항

나. 공공조달의 성과관리 및 평가에 관한 사항

다. 주요 정책 현안 및 제도 개선에 관한 사항

라. 그 밖에 위원회의 위원장이 조달정책과 관련하여 공공조달제도개선위원회의 심의가 필요하다고 인정하는 사항

③ 각 분과위원회는 위원장 1명을 포함하여 15명 이내로 구성하며, 분과위원회의 위원장과 위원은 위원회의 위원장이 위원회 위원 중에서 임명 또는 위촉한다. 이 경우 위원회의 위원장은 관계 중앙행정기관 소속 공무원을 각 분과위원회 위원으로 중복하여 임명할 수 있다.

④ 제5조제1항제7호에 따른 위원인 경우에는 제3항 전단에 따른 분과위원회 위원 수 산정에 포함하지 않는다.

⑤ 분과위원회의 위원장은 분과위원회를 대표하고, 분과위원회의 업무를 총괄한다.

⑥ 분과위원회의 운영에 관하여는 제5조제4항부터 제9항까지의 규정을 준용한다. 이 경우 "위원회"는 "분과위원회"로, "위원

조달사업에 관한 법률	조달사업에 관한 법률 시행령	조달사업에 관한 법률 시행규칙
	장"은 "분과위원회 위원장"으로 본다. ⑦ 제1항부터 제6항까지에서 규정한 사항 외에 분과위원회의 구성 및 운영에 필요한 사항은 위원회의 의결을 거쳐 위원회 위원장이 정한다. **제8조(실무위원회)** ① 법 제5조제5항에 따라 위원회 및 분과위원회의 심의 안건을 미리 검토하고, 위원회 및 분과위원회로부터 위임받은 사항 등을 처리하기 위해 위원회 및 분과위원회에 실무위원회를 둘 수 있다. ② 실무위원회의 위원장은 기획재정부 소속 고위공무원 중 위원회 위원장이 지명하는 사람이 된다. ③ 실무위원회의 위원은 관계 행정기관의 공무원 및 민간전문가 중에서 실무위원회 위원장이 임명 또는 위촉한다. ④ 실무위원회는 심의를 위해 필요한 경우 안건과 관련된 관계 행정기관, 공공단체나 그 밖의 기관·단체의 장, 관계자 또는 민간전문가를 참석하게 하여 의견을 들을 수 있다. ⑤ 실무위원회 회의에 출석한 위원, 관계자 또는 전문가에게는 예산의 범위에서	

제6조(사회적 책임 장려) 조달청장은 기업의 사회적 책임을 장려하기 위하여 조달절차에서 환경, 인권, 노동, 고용, 공정거래, 소비자 보호 등 사회적·환경적 가치를 반영할 수 있다.

제7조(조달교육) 조달청장은 조달청, 수요기관 및 민간업체의 조달업무나 납품업무 종사자의 전문성과 자질 향상을 위한 조달교육을 할 수 있다.

제8조(조달의 날) ① 공공조달의 중요성에 대한 사회적 인식과 관심을 증대시키고, 공공조달의 발전을 도모하기 위하여 매년 9월 30일을 조달의 날로 정하여 기념행사를 한다.

② 조달의 날 행사에 관하여 필요한 사항은 조달청장이 정하여 시행할 수 있다.

수당과 여비를 지급할 수 있다. 다만, 공무원이 그 소관 업무와 직접 관련되어 출석하는 경우에는 수당과 여비를 지급하지 않는다.

⑥ 제1항부터 제5항까지에서 규정한 사항 외에 실무위원회의 구성 및 운영에 필요한 사항은 위원회 위원장이 정한다.

조달사업에 관한 법률	조달사업에 관한 법률 시행령	조달사업에 관한 법률 시행규칙
제9조(조달통계) ① 조달청장은 공공조달의 현황을 파악하고 효과적인 조달정책을 수립·시행하기 위하여 국가기관, 지방자치단체 및 그 밖에 대통령령으로 정하는 기관(이하 이 조에서 "국가기관등"이라 한다)의 장이 체결한 계약에 관한 통계를 작성하여야 한다. ② 조달청장은 계약에 관한 통계를 작성하기 위하여 필요한 자료를 국가기관등(조달청장이 체결한 계약에 관하여는 수요기관을 말한다. 이하 같다)에 요구할 수 있다. ③ 제2항에 따라 자료의 제출을 요구받은 국가기관등은 정당한 사유가 없으면 이에 따라야 한다. ④ 제1항에 따른 통계작성의 대상·방법 및 절차에 관한 사항은 대통령령으로 정한다.	**제9조(조달통계의 작성)** ① 법 제9조제1항에서 "대통령령으로 정하는 기관"이란 다음 각 호의 기관을 말한다. 1. 제4조제1항제1호 또는 제2호에 해당하는 기관 2. 「공공기관의 운영에 관한 법률」 제4조부터 제6조까지의 규정에 따라 지정·고시된 공공기관 3. 「지방공기업법」에 따른 지방직영기업, 지방공사 및 지방공단 4. 「지방의료원의 설립 및 운영에 관한 법률」에 따른 지방의료원 5. 「지방자치단체출연 연구원의 설립 및 운영에 관한 법률」에 따른 지방자치단체출연 연구원 6. 그 밖에 조달청장이 공공조달의 현황 파악과 효과적인 조달정책의 수립·시행을 위해 계약 관련 통계 작성·관리가 필요하다고 인정하여 고시하는 기관 ② 조달청장은 법 제9조제1항에 따라 국가기관, 지방자치단체 및 제1항 각 호의 기관의 장이 체결한 계약과 관련된 다음 각 호의 사항을 매월 통계로 작성해야 한다. 1. 전체 공공조달의 현황에 관한 사항	

2. 기관별·기업별·계약방법별 조달 현황에 관한 사항
3. 그 밖에 조달정책의 수립·시행을 위해 필요한 사항

③ 조달청장은 법 제9조제2항에 따라 국가기관, 지방자치단체 및 제1항 각 호의 기관(조달청장이 수요기관을 위해 체결한 계약의 경우에는 해당 수요기관을 말하며, 이하 이 조에서 "국가기관등"이라 한다)에 국가기관등의 장이 체결한 물품·공사 및 용역의 계약에 관한 다음 각 호의 자료를 요구할 수 있다.

1. 계약금액의 총액 등 전체실적을 확인할 수 있는 자료
2. 계약의 체결 및 변경에 관한 사항을 포함한 계약 건별 자료
3. 그 밖에 조달청장이 공공조달의 현황 파악과 효과적인 조달정책의 수립·시행을 위해 필요하다고 인정하여 고시하는 사항에 관한 자료

④ 조달청장은 법 제9조제2항에 따라 자료의 제출을 요구받은 국가기관등을 위해 표준화된 자료작성 기준 및 서식 등을 정하여 고시해야 한다.

조달사업에 관한 법률	조달사업에 관한 법률 시행령	조달사업에 관한 법률 시행규칙
	⑤ 법 제9조제2항에 따라 자료의 제출을 요구받은 국가기관등은 그 요구를 받은 날이 속하는 달의 다음 달 말일까지 제3항에 따른 자료를 조달청장이 지정하는 정보처리장치를 이용하여 작성·제출해야 한다. ⑥ 제1항부터 제5항까지에서 규정한 사항 외에 법 제9조에 따른 통계작성의 대상·방법 및 절차에 관하여 필요한 사항은 조달청장이 정하여 고시한다.	
제10조(자료제공의 요청 등) ① 조달청장은 제3조에 따른 조달사업 중 외국산 조달물자의 구매사업과 비축계획 수립을 효율적으로 추진하고 제28조에 따른 해외조달시장 진출 지원 사업을 효과적으로 운영하기 위하여 필요한 경우에는 관계 행정기관의 장에게 대통령령으로 정하는 바에 따라 물품 등의 통관기록 등 수출입 거래에 관한 자료의 제공을 요청할 수 있다. 이 경우 관계 행정기관의 장은 특별한 사유가 없으면 이에 협조하여야 한다. ② 조달청장은 제1항에 따라 제공받은 자료를 처리할 때에는 「개인정보 보호법」에 따라 보호하여야 한다.	**제10조(자료제공의 요청)** 조달청장은 법 제10조제1항 전단에 따라 관세청장에게 「관세법 시행령」 제246조제2항에 따른 수출·수입 또는 반송 신고서의 제공을 요청할 수 있다.	

제3장 계약체결의 요청 및 계약방법의 특례

제11조(계약체결의 요청) ① 수요기관의 장은 수요물자 또는 공사 관련 계약을 체결할 때 계약 요청 금액 및 계약의 성격 등이 대통령령으로 정하는 기준에 해당하는 경우에는 조달청장에게 계약체결을 요청하여야 한다. 다만, 천재지변 등 부득이한 사유로 계약체결을 요청할 수 없거나 국방 또는 국가기밀의 보호, 재해 또는 긴급 복구 및 기술의 특수성 등으로 계약체결을 요청하는 것이 부적절한 경우 등 대통령령으로 정하는 경우에는 그러하지 아니하다.

② 수요기관의 장은 제1항 본문에 해당하지 아니하는 경우에도 조달청장에게 수요물자의 구매 및 공사의 계약체결을 요청할 수 있다.

③ 조달청장은 제1항 본문 및 제2항에 따라 계약체결을 요청받은 경우 수요기관이 계약체결에 적용하여야 할 법령에 따라 계약체결의 방법 등을 수요기관과 협의하여 결정하여야 한다. 다만, 계약의 목적이나 특성상 협의가 필요하지 아니

제3장 계약체결의 요청 및 계약방법의 특례

제11조(계약체결의 요청 등) ① 법 제11조제1항 본문에서 "대통령령으로 정하는 기준"이란 다음 각 호의 어느 하나에 해당하는 기준을 말한다.

1. 국가기관과 그 소속 기관이 수요물자를 구매하는 계약의 경우에는 「국가를 당사자로 하는 계약에 관한 법률 시행령」 제2조제1호에 따른 추정가격(이하 "추정가격"이라 한다)이 1억원(외국산 물품의 경우에는 미합중국화폐 20만달러) 이상인 것
2. 국가기관과 그 소속 기관 또는 지방자치단체와 그 소속 기관이 구매하려는 수요물자로서 조달청장과 계약상대자 사이에 다음 각 목의 어느 하나에 해당하는 계약이 체결되어 있는 것

  가. 법 제12조에 따른 제3자를 위한 단가계약

  나. 법 제13조에 따른 다수공급자계약

  다. 「국가를 당사자로 하는 계약에 관한 법률」 제22조에 따른 방식으로 수요기관을 위해 체결한 계약

제2조(수요물자의 구매절차 등) ① 수요기관의 장은 「조달사업에 관한 법률」(이하 "법"이라 한다) 제11조제1항 본문 및 제2항에 따라 조달청장에게 수요물자(제3조에 따라 구매하는 수요물자는 제외한다)의 구매계약 체결을 요청(납품의 요구를 포함한다)하려는 경우에는 조달청장이 미리 정하여 통보하는 기한까지 별지 제1호서식의 조달요청서를 조달청장에게 제출해야 한다.

② 수요기관의 장은 법 제12조제1항에 따른 제3자를 위한 단가계약을 체결한 계약상대자에게 납품을 요구하려는 경우에는 별지 제2호서식의 제3자 단가계약 분할납품 요구서를 계약상대자와 조달청장에게 각각 보내야 한다.

③ 수요기관의 장은 제1항 또는 제2항에 따라 수요물자를 공급받았을 때에는 별지 제3호서식의 물품납품 및 영수증을 조달청장에게 제출해야 한다.

④ 조달청장은 제1항부터 제3항까지에서 규정한 사항 외에 수요물자의 구매·공급

조달사업에 관한 법률	조달사업에 관한 법률 시행령	조달사업에 관한 법률 시행규칙
하다고 판단되면 협의를 생략할 수 있다. ④ 조달청장은 제3항 본문에 따른 협의가 이루어지지 아니하는 경우에는 수요기관이 직접 계약을 체결하게 할 수 있다.	3. 국가기관과 그 소속 기관이 체결하는 「건설산업기본법」 제2조제5호에 따른 종합공사의 계약으로서 추정가격이 30억원 이상인 것. 다만, 다음 각 목의 어느 하나에 해당하는 공사는 추정가격이 3억원 이상인 것으로 한다. 가. 「건설산업기본법」에 따른 전문공사 나. 「전기공사업법」에 따른 전기공사 다. 「정보통신공사업법」에 따른 정보통신공사 라. 「소방시설공사업법」에 따른 소방시설공사 4. 수요기관의 장의 요청에 따라 조달청장이 체결한 수요물자 또는 공사 관련 장기계속계약(「국가를 당사자로 하는 계약에 관한 법률」 제21조 또는 「지방자치단체를 당사자로 하는 계약에 관한 법률」 제24조에 따른 장기계속계약을 말한다)으로서 제2차 이후 계약인 것 5. 그 밖에 다른 법령에서 조달청장에게 수요물자 구매 또는 공사의 계약체결을 위탁하고 있는 것 ② 법 제11조제1항 단서에서 "천재지변 등 부득이한 사유로 계약체결을 요청할	절차에 관한 세부기준을 정하여 시행할 수 있다. **제3조(수요물자 중 외국산제품 등의 구매절차)** ① 수요기관의 장은 법 제11조제1항 본문 및 제2항에 따라 조달청장에게 국내에서 생산 또는 공급되지 않거나 차관자금으로 구매하는 수요물자(이하 "외국산제품등"이라 한다)의 구매계약 체결을 요청(납품의 요구를 포함한다)하려는 경우에는 조달청장이 미리 정하여 통보하는 기한까지 별지 제4호서식의 외자조달요청서에 다음 각 호의 서류를 첨부하여 조달청장에게 제출해야 한다. 1. 품목명세서(둘 이상의 규격에 관하여 제작자와 형식을 적은 것이어야 한다) 2. 영문 규격서 3. 관계 기관의 추천서(「대외무역법」 제11조제7항의 공고 및 같은 법 제12조제2항의 통합공고에 따른 수입제한품목인 경우만 해당한다) 4. 품목별 구매요청 금액 산출근거 5. 수의계약 또는 지명경쟁입찰 사유와 계약상대자의 성명 및 주소 6. 국산 공급이 가능한 품명 및 부품명세서

수 없거나 국방 또는 국가기밀의 보호, 재해 또는 긴급 복구 및 기술의 특수성 등으로 계약체결을 요청하는 것이 부적절한 경우 등 대통령령으로 정하는 경우"란 다음 각 호의 어느 하나에 해당하여 계약체결 요청을 할 수 없거나 계약체결 요청이 부적절한 경우를 말한다.

1. 천재지변, 긴급한 행사 또는 그 밖에 이에 준하는 사유가 있는 경우
2. 국방과 관련되어 있거나 국가기관의 행위를 비밀리에 해야 하는 경우
3. 재해 또는 사고로 인한 긴급 복구공사를 하는 경우
4. 시공·감독, 하자보수 등에 필요한 기술의 특수성을 고려할 때 수요기관의 장이 직접 공사계약을 체결할 필요가 있다고 인정되는 특수공사를 하는 경우로서 조달청장과 미리 협의한 경우
5. 기획재정부령으로 정하는 바에 따라 조달청장이 수요기관에 수요물자 구매 또는 공사의 계약체결을 위임하는 경우

③ 수요기관의 장은 그 소관 공사 중 해당 회계연도에 조달청장에게 계약체결을 요청할 공사가 있으면 그 집행계획을 기

7. 그 밖에 차관협정서, 안내서 등 외국산제품등의 구매·공급에 필요한 참고자료

② 수요기관의 장은 외국으로부터 도입되는 물자를 지정된 인수기간에 인수하지 않을 경우 인수기간 종료일 다음 날부터의 보관료를 부담해야 한다.

③ 조달청장은 제1항 및 제2항에서 규정한 사항 외에 외국산제품등의 구매절차에 관한 세부기준을 정하여 시행할 수 있다.
[본조신설 2020.10.5.]

제4조(입찰서의 기술검토) 조달청장은 제2조 또는 제3조에 따른 수요물자의 품질 및 성능 등을 검토하기 위해 필요하다고 인정할 때에는 해당 수요물자의 입찰서에 대한 기술검토를 수요기관의 장에게 요청할 수 있다.

제5조(공사의 계약절차) ① 수요기관의 장은 법 제11조제1항 본문 및 제2항에 따라 조달청장에게 공사의 계약체결을 요청하려는 경우에는 조달청장이 미리 정하여 통보하는 기한까지 별지 제5호서식의 공

조달사업에 관한 법률	조달사업에 관한 법률 시행령	조달사업에 관한 법률 시행규칙
	획재정부령으로 정하는 바에 따라 매년 1월 20일까지 조달청장에게 제출해야 한다. 다만, 예산이 총액으로 편성되어 있어 단위사업별 집행계획을 별도로 수립해야 하는 사업에 대해서는 단위사업별 집행계획을 집행계획 확정 후 20일 이내에 조달청장에게 제출해야 한다. ④ 조달청장은 필요한 경우 수요물자 구매 또는 공사의 계약체결에 관한 절차 및 사후관리 등에 관한 세부 기준을 정하여 시행할 수 있다.	사계약 요청서에 다음 각 호의 서류를 첨부하여 조달청장에게 제출해야 한다. 1. 별지 제6호서식에 따른 공사 개요서 2. 설계서 3. 현장설명서 4. 계약특수조건에 관한 서류 5. 「건설기술 진흥법 시행령」 제9조에 따른 설계심의분과위원회 등의 심사 결과서 6. 그 밖의 공사의 계약체결과 관련된 참고서류 ② 조달청장은 제1항에 따라 공사의 계약체결을 요청받았을 때에는 「국가를 당사자로 하는 계약에 관한 법률 시행령」 제9조 또는 「지방자치단체를 당사자로 하는 계약에 관한 법률 시행령」 제10조에 따른 공사 예정가격을 결정하여 계약을 체결하고, 별지 제7호서식의 계약체결 통지서에 다음 각 호의 서류를 첨부하여 수요기관의 장에게 보내야 한다. 1. 계약서 및 계약특수조건에 관한 서류 2. 예정가격조서 및 그 산출근거에 관한 서류 3. 그 밖의 체결된 계약과 관련된 참고서류

③ 수요기관의 장은 「조달사업에 관한 법률 시행령」 제27조제2호에 따라 조달청장에게 공사의 계약 및 그에 따른 사업의 지원 또는 대행을 요청하려는 경우에는 지원 또는 대행요청서에 다음 각 호에 해당하는 서류를 첨부하여 조달청장에게 제출해야 한다.

1. 공사의 개요에 관한 서류
2. 공사의 계약서류
3. 그 밖에 해당 수요기관의 장이 필요하다고 인정하는 서류

④ 조달청장은 제1항부터 제3항까지에서 규정한 사항 외에 공사의 계약에 관한 세부기준을 정하여 시행할 수 있다.

제6조(수요물자 구매 또는 공사의 계약체결 위임) ① 조달청장은 영 제11조제2항제5호에 따라 다음 각 호의 어느 하나에 해당하는 경우 수요기관에 수요물자 구매 또는 공사의 계약체결을 위임할 수 있다.

1. 중앙조달이 부적합하다고 인정하는 수요물자 또는 공사로서 조달청장이 미리 그 범위를 정하여 수요기관에 통보한 경우
2. 신규개발품의 조달이나 납품기일 촉박

조달사업에 관한 법률	조달사업에 관한 법률 시행령	조달사업에 관한 법률 시행규칙
		등의 사유로 수요기관의 장이 수요물자를 직접 구매할 수 있도록 조달청장에게 구매의 위임을 요청한 경우 3. 수요물자 또는 공사의 특성, 수요시기, 국내외 시장여건 또는 국제적 관계 등을 고려하여 수요기관의 장이 수요물자를 직접 구매하거나 직접 공사의 계약체결을 할 수 있도록 조달청장에게 위임을 요청한 경우 ② 수요기관의 장은 제1항제2호 및 제3호에 따라 구매 또는 공사 계약체결의 위임을 요청할 때에는 해당 물품의 품명·규격·수량·단가·수요시기 및 수요기관의 직접 구매 또는 공사 계약체결이 필요한 사유를 구체적으로 적어 조달청장에게 요청해야 한다. ③ 조달청장은 제2항에 따른 구매위임 요청을 받은 경우에는 요청받은 날부터 10일 이내에 그 결과를 수요기관의 장에게 통보해야 한다. **제7조(공사집행 계획서의 제출)** 수요기관의 장이 영 제11조제3항에 따라 조달청장에게 제출해야 하는 공사집행 계획서는 별지 제8호서식에 따른다.

제8조(공사계약의 사후관리) ① 수요기관의 장은 제5조제2항에 따른 계약체결의 통지를 받은 공사(이하 이 조에서 "공사"라 한다)에 대해 설계변경 등으로 인해 계약내용을 변경하려는 경우에는 변경계약의 체결에 필요한 조치를 한 후 이를 조달청장에게 통보해야 한다. 다만, 수요기관의 장은 변경계약의 체결에 필요한 조치를 하기 곤란한 경우에는 지체 없이 별지 제9호서식의 공사계약내용 변경요청서에 다음 각 호의 서류를 첨부하여 조달청장에게 변경계약의 체결을 요청해야 한다.

1. 설계변경 신청서(설계변경의 사유·일자 및 내용이 포함되어야 한다)
2. 별지 제10호서식에 따른 합의서

② 조달청장은 제1항 각 호 외의 부분 단서에 따라 변경계약의 체결을 요청받았을 때에는 변경계약의 체결 등 필요한 조치를 해야 한다.

③ 수요기관의 장은 계약서에 정한 기한까지 공사가 착공되지 않은 경우에는 그 내용을 조달청장에게 통보해야 한다.

④ 수요기관의 장은 공사가 착공되었을 때 「국가를 당사자로 하는 계약에 관한

조달사업에 관한 법률	조달사업에 관한 법률 시행령	조달사업에 관한 법률 시행규칙
		법률」 제13조 및 제14조, 「지방자치단체를 당사자로 하는 계약에 관한 법률」 제16조 및 제17조에 따라 공사의 감독 및 검사에 필요한 조치를 해야 한다. 다만, 수요기관의 장이 요청하는 경우에는 조달청장이 이를 대행할 수 있다. ⑤ 수요기관의 장은 공사가 완료되어 공사대금을 지급했을 때 별지 제11호서식의 준공통지서에 다음 각 호의 서류를 첨부하여 조달청장에게 제출해야 한다. 1. 준공신고서 사본(시공업자가 작성한 것을 말한다) 2. 준공검사 조사서 사본(준공검사관이 작성한 것을 말한다) 3. 지체상금 부과 사유서(산출근거 및 징수 연월일이 포함되어야 한다) **제9조(공사계약의 해제 또는 공사이행보증서 발급기관에 의한 이행)** ① 수요기관의 장은 계약자의 계약불이행, 그 밖의 부득이한 사유로 제5조제2항에 따른 계약체결의 통지를 받은 공사의 계약(이하 이 조에서 "공사계약"이라 한다)을 해제하거나 공사계약의 전부 또는 일부를 공사이행보증서 발급기관으로 하여금 이행하게

		할 필요가 있을 때에는 조달청장에게 공사계약의 해제 또는 공사이행보증서 발급기관에 의한 해당 계약의 이행을 요청해야 한다. 이 경우 공사계약의 해제를 요청할 때에는 별지 제12호서식의 공사계약 해제요청서에 다음 각 호의 서류를 첨부하여 조달청장에게 제출해야 한다. 1. 구체적인 공사계약의 해제 사유 및 그와 관련한 증명서류 2. 공사계약의 해제 당시의 구체적인 공사 공정표 3. 그 밖의 공사계약 집행상황 등에 관한 참고서류 ② 조달청장은 제1항에 따라 공사계약의 해제 또는 공사이행보증서 발급기관에 의한 이행의 요청을 받았을 때에는 이에 필요한 조치를 하고, 그 내용을 해당 수요기관의 장에게 통보해야 한다.
제12조(제3자를 위한 단가계약) ① 조달청장은 수요기관이 필요로 하는 수요물자를 제조·구매 및 가공하는 등의 계약을 할 때 미리 단가만을 정하여 계약(이하 "제3자를 위한 단가계약"이라 한다)을 체결할 수 있다.	**제12조(제3자를 위한 단가계약)** ① 법 제12조제1항에 따른 제3자를 위한 단가계약(이하 "제3자를 위한 단가계약"이라 한다)의 계약상대자가 되려는 자는 「국가를 당사자로 하는 계약에 관한 법률 시행령」 제12조에 따른 경쟁입찰의 참가자격을 갖	**제2조(수요물자의 구매절차 등)** ① (생 략) ② 수요기관의 장은 법 제12조제1항에 따른 제3자를 위한 단가계약을 체결한 계약상대자에게 납품을 요구하려는 경우에는 별지 제2호서식의 제3자 단가계약 분할납품 요구서를 계약상대자와 조달청

조달사업에 관한 법률	조달사업에 관한 법률 시행령	조달사업에 관한 법률 시행규칙
② 조달청장은 계약상대자가 경영악화로 인한 폐업, 원자재 수급 곤란, 그 밖에 대통령령으로 정하는 사유로 계약기간 중 계약해지를 요청하는 때에는 다음 각 호의 어느 하나에 해당되는 경우를 제외하고는 이를 허용할 수 있다. 1. 현재 납품이 진행 중인 경우 2. 제22조제1항 각 호의 어느 하나에 해당하는 행위를 한 경우 3. 그 밖에 계약조건 등의 위반 사실이 있는 등 대통령령으로 정하는 경우 ③ 제3자를 위한 단가계약의 체결 및 해지 등에 필요한 사항은 대통령령으로 정한다.	추어야 한다. 다만, 「중소기업제품 구매촉진 및 판로지원에 관한 법률」 제6조에 따른 중소기업자간 경쟁 제품에 대한 제3자를 위한 단가계약의 계약상대자가 되려는 자는 같은 법 시행령 제9조에서 정한 중소기업자간 경쟁입찰의 참여자격을 갖추어야 한다. ② 법 제12조제2항 각 호 외의 부분에서 "대통령령으로 정하는 사유"란 다음 각 호의 경우에 해당하는 사유를 말한다. 1. 「재난 및 안전관리 기본법」 제3조에 따른 재난 등의 사유로 업종을 변경하려고 하거나 경영을 포기하는 경우 2. 수요 급감 등 계약상대자의 책임 없는 사유로 계약을 지속하기 곤란한 경우 ③ 법 제12조제2항제3호에서 "계약조건 등의 위반 사실이 있는 등 대통령령으로 정하는 경우"란 다음 각 호의 어느 하나에 해당하는 경우를 말한다. 1. 계약조건 등의 위반 사실이 있는 등 「국가를 당사자로 하는 계약에 관한 법률」 제27조제1항 각 호의 어느 하나에 해당하는 사유가 계약상대자에게 발생한 경우	장에게 각각 보내야 한다. ③ 수요기관의 장은 제1항 또는 제2항에 따라 수요물자를 공급받았을 때에는 별지 제3호서식의 물품납품 및 영수증을 조달청장에게 제출해야 한다. ④ 조달청장은 제1항부터 제3항까지에서 규정한 사항 외에 수요물자의 구매·공급 절차에 관한 세부기준을 정하여 시행할 수 있다.

2. 계약상대자의 계약 관련 부정행위 등에 대한 조사가 진행 중인 경우
3. 「국가를 당사자로 하는 계약에 관한 법률」 제10조제2항에 따른 경쟁입찰로 계약상대자를 결정한 경우(법 제13조에 따른 다수공급자계약 방식으로 계약상대자를 결정한 경우는 제외한다)
4. 계약 해지 시 공익을 현저히 해칠 것으로 인정되는 경우

④ 조달청장은 제3자를 위한 단가계약을 체결한 경우 그 내용을 수요기관에 통보해야 한다. 다만, 「전자조달의 이용 및 촉진에 관한 법률」 제2조제4호에 따른 국가종합전자조달시스템(이하 "국가종합전자조달시스템"이라 한다)에 계약상품을 등록하는 경우에는 통보하지 않을 수 있다.

⑤ 수요기관의 장은 제3자를 위한 단가계약이 체결된 물품의 납품을 요구하거나 대금의 지급 등을 한 경우 그 내용을 조달청장에게 통보해야 한다.

⑥ 제1항부터 제5항까지에서 규정한 사항 외에 제3자를 위한 단가계약의 절차에 관하여 필요한 사항은 조달청장이 정한다.

조달사업에 관한 법률	조달사업에 관한 법률 시행령	조달사업에 관한 법률 시행규칙
제13조(다수공급자계약) ① 조달청장은 수요기관이 필요로 하는 수요물자를 구매하기 위하여 품질·성능 또는 효율 등이 같거나 비슷한 종류의 수요물자를 수요기관이 선택할 수 있도록 2인 이상을 계약상대자로 하여 제12조에 따른 계약(이하 "다수공급자계약"이라 한다)을 체결할 수 있다. ② 계약상대자는 다수공급자계약을 체결하는 경우 계약가격을 계약상품(성능·사양이 계약상품과 동등 이상인 계약상대자의 상품을 포함한다)의 시장거래가격(계약상대자가 수요기관과 직접 계약을 체결하는 경우의 가격 또는 계약상대자가 시장에 공급한 가격을 말한다)과 같거나 시장거래가격보다 낮게 유지하여야 한다. ③ 조달청장은 계약상대자가 정당한 이유없이 제2항을 위반한 경우 계약금액과의 차액을 납품금액에서 감액하거나 계약상대자에게 청구할 수 있다. ④ 다수공급자계약의 체결, 차액의 감액 및 청구 등에 필요한 사항은 대통령령으로 정한다.	**제13조(다수공급자계약)** ① 조달청장은 법 제13조에 따른 다수공급자계약(이하 "다수공급자계약"이라 한다)의 입찰에 참가한 입찰자의 재무 상태 및 납품 실적 등의 평가를 통해 기획재정부장관과 협의하여 정한 기준에 적합한 자를 선정하고, 선정된 자를 대상으로 한 가격협상을 통해 낙찰자로 결정된 2인 이상을 계약상대자로 정한다. ② 제1항에도 불구하고 계약의 특성에 따라 필요한 경우 수요물자별로 작성(공통규격의 경우에는 1개만 작성)된 예정가격에 대한 입찰금액의 비율이 낮은 입찰자의 순서로 낙찰자를 결정하여 2인 이상의 계약상대자를 정할 수 있다. ③ 수요기관의 장은 다수공급자계약을 체결한 계약상대자로부터 조달청장이 정하여 고시하는 금액 이상의 수요물자를 구매하려는 경우 조달청장이 기획재정부장관과 협의하여 정하는 기준에 따라 둘 이상의 계약상대자로 하여금 제안서를 제출하도록 하고, 그 제안서의 심사 결과에 따라 해당 수요물자를 납품할 자를 선택해야 한다.	

제14조(계약방법의 특례) ① 조달청장은 각 수요기관에 필요한 조달물자를 구매·공급하기 위하여 필요한 경우에는 대통령령으로 정하는 계약방법으로 계약을 체결할 수 있다.〈개정 2020. 6. 9.〉

② 조달청장은 「중소기업기본법」 제2조제2항에 따른 소기업과 「소상공인 보호 및 지원에 관한 법률」 제2조에 따른 소상공인의 수주기회를 확대하기 위하여 「중소기업제품 구매촉진 및 판로지원에 관한 법률」 제6조에 따른 중소기업자간 경쟁 제품 중 대통령령으로 정하는 규모 이상의 표준제품을 구매하는 경우에는

④ 조달청장은 법 제13조제3항에 따라 계약금액과의 차액을 납품금액에서 감액하거나 청구하려는 경우 그 사유와 차액 및 의견제출 기한 등을 미리 서면으로 계약상대자에게 통지해야 하고, 차액의 감액 또는 청구가 확정된 경우에는 그 내용을 서면으로 통지해야 한다.

⑤ 제1항부터 제4항까지에서 규정한 사항 외에 다수공급자계약의 체결 등에 관하여 필요한 사항은 조달청장이 기획재정부장관과 협의하여 정한다.

제14조(계약방법의 특례) 법 제14조제1항에서 "대통령령으로 정하는 계약방법"이란 다음 각 호의 계약방법을 말한다.

1. 제16조에 따른 카탈로그 계약
2. 제35조에 따른 비축물자에 대한 계약

제15조(입찰참가자격의 사전심사) ① 조달청장은 법 제14조제1항에 따라 조달물자를 구매할 때 품질 확보를 위해 필요한 경우 입찰자격을 미리 심사하여 경쟁입찰에 참가할 수 있는 적격자를 선정할 수 있다.

② 조달청장은 제1항에 따라 입찰참가자의 자격을 심사하려는 경우 미리 해당 입찰참가자격의 심사기준을 정하여 입찰 전

조달사업에 관한 법률	조달사업에 관한 법률 시행령	조달사업에 관한 법률 시행규칙
「중소기업기본법」 제2조에 따른 중소기업자로 구성된 공동수급체 간의 경쟁입찰에 따라 조달계약을 체결할 수 있다. ③ 조달청장은 제2항에 따른 경쟁입찰과정에서 입찰자 간에 서로 상의하여 미리 입찰가격을 협정하였거나 특정인의 낙찰을 위하여 담합한 공동수급체에 대하여는 낙찰자 결정의 취소, 계약의 해제·해지 등의 필요한 조치를 하여야 한다. 다만, 낙찰자 결정의 취소, 계약의 해제·해지 등의 필요한 조치를 받는 자 외에는 적합한 시공자, 제조자가 존재하지 아니하는 등 대통령령으로 정하는 부득이한 경우에는 그러하지 아니하다. ④ 조달청장은 제3항 본문에 따른 공동수급체의 구성원에 대하여는 「국가를 당사자로 하는 계약에 관한 법률」 제27조에 따라 입찰 참가자격을 제한하여야 한다. ⑤ 제2항에 따른 표준제품의 범위와 공동수급체의 구성 등은 대통령령으로 정한다.	에 입찰참가자가 열람할 수 있도록 해야 한다. **제16조(카탈로그 계약)** ① 조달청장은 각 수요기관의 다양한 필요를 반영하기 위해 법 제14조제1항에 따라 상품의 기능이나 특징·조건·가격 등을 설명한 카탈로그를 제시하는 계약상대자와 공급계약(이하 "카탈로그 계약"이라 한다)을 체결할 수 있다. ② 조달청장은 카탈로그 계약을 체결하려는 경우 카탈로그를 제시한 자의 재무 상태, 납품 실적 및 카탈로그 내용의 적정성 등을 심사하여 2인 이상의 계약상대자를 결정한다. ③ 조달청장은 제2항에도 불구하고 「국가를 당사자로 하는 계약에 관한 법률 시행령」 제26조제1항제5호아목에 따른 수요물자의 경우에는 심사를 통해 1인을 계약상대자로 결정할 수 있다. ④ 수요기관의 장은 카탈로그 계약을 체결한 계약상대자에게 제안서를 제출하도록 하고, 그 제안서의 평가 및 협상 결과에 따라 수요물자를 납품할 자를 결정한다.	

⑤ 제1항부터 제4항까지에서 규정한 사항 외에 카탈로그 계약 및 납품대상자 선정 절차 등에 관하여 필요한 사항은 조달청장이 기획재정부장관과 협의하여 정한다.

제17조(중소기업자간 경쟁 제품에 대한 계약의 특례) ① 법 제14조제2항에서 "대통령령으로 정하는 규모 이상"이란 표준제품의 구매금액이 추정가격 기준으로 20억원 이상으로서 조달청장이 제품별로 단가 등을 고려하여 정하는 기준 금액 이상인 경우를 말한다.

② 법 제14조제2항에 따라 중소기업자로 구성된 공동수급체 간의 경쟁입찰(이하 이 조에서 "공동수급체간 경쟁입찰"이라 한다)을 통해 조달계약을 체결할 수 있는 표준제품은 다음 각 호의 요건을 모두 갖춘 제품으로서 조달청장이 기획재정부장관과 협의하여 지정·고시하는 제품(이하 이 조에서 "표준제품"이라 한다)으로 한다.

1. 「산업표준화법」 제4조에 따라 산업표준심의회의 심의를 거쳐 지정된 광공업품에 대해 같은 법 제15조에 따라 인증을 받은 경우 등 법률에 따라 규격 및 품질 기준이 정해진 제품일 것

조달사업에 관한 법률	조달사업에 관한 법률 시행령	조달사업에 관한 법률 시행규칙
	2. 기업 간 기술 또는 품질의 차별성이 적은 제품일 것 3. 해당 제품을 생산하는 중소기업의 수 등을 고려할 때 공동수급체 간 경쟁입찰이 가능한 제품일 것 4. 법 제14조제3항 본문에 따른 담합 등 불공정행위로 인해 공동수급체간 경쟁입찰의 적절한 이행을 해칠 우려가 있는 제품이 아닐 것 ③ 제2항에 따른 지정의 유효기간은 지정·고시한 날부터 2년으로 한다. ④ 조달청장은 제2항에 따라 지정받은 표준제품이 다음 각 호의 어느 하나에 해당하는 경우에는 그 지정을 취소해야 한다. 1. 제2항 각 호에서 정한 요건을 갖추지 못하게 된 경우 2. 「중소기업제품 구매촉진 및 판로지원에 관한 법률」 제6조에 따른 중소기업자간 경쟁제품에서 제외된 경우 ⑤ 법 제14조제2항에 따라 공동수급체간 경쟁입찰에 참여하려는 공동수급체는 다음 각 호의 요건을 모두 갖추어야 한다. 〈개정 2021.2.2.〉 1. 「중소기업기본법」 제2조제2항에 따른	

소기업 또는 「소상공인 보호 및 지원에 관한 법률」 제2조에 따른 소상공인(이하 이 조에서 "소기업 또는 소상공인"이라 한다) 1인 이상을 포함할 것

2. 공동수급체의 모든 구성원이 「중소기업제품 구매촉진 및 판로지원에 관한 법률」 제9조제4항에 따라 해당 제품을 직접생산하는 것으로 확인된 중소기업자일 것

⑥ 제5항에도 불구하고 「중소기업제품 구매촉진 및 판로지원에 관한 법률 시행령」 제9조제2항에 따라 중소기업자간 경쟁입찰의 참여자격을 갖춘 조합이 공동수급체간 경쟁입찰에 참여하려는 경우에는 계약을 이행할 조합원만을 구성원으로 보아 해당 조합이 제5항 각 호의 요건을 모두 갖추었는지 여부를 판단한다.

⑦ 조달청장은 공동수급체간 경쟁입찰에서 적정한 품질 확보와 납품 가격의 안정을 위해 기획재정부장관과 협의하여 정한 심사기준에 따라 공동수급체의 계약 이행능력을 심사하여 계약상대자를 결정해야 한다. 다만, 구매의 효율성 등을 위해 필요한 경우에는 다음 각 호에서 정하는 방

조달사업에 관한 법률	조달사업에 관한 법률 시행령	조달사업에 관한 법률 시행규칙
	법에 따라 계약상대자를 결정할 수 있다. 1. 다수공급자계약 2. 「국가를 당사자로 하는 계약에 관한 법률 시행령」 제17조 또는 「지방자치단체를 당사자로 하는 계약에 관한 법률 시행령」 제17조에 따른 희망수량경쟁입찰 3. 「국가를 당사자로 하는 계약에 관한 법률 시행령」 제18조 또는 「지방자치단체를 당사자로 하는 계약에 관한 법률 시행령」 제18조에 따른 2단계 경쟁 등의 입찰 4. 그 밖에 「국가를 당사자로 하는 계약에 관한 법률」 등 계약 관련 법령에서 정한 계약 이행능력 심사 외의 낙찰자 결정방법 ⑧ 법 제14조제3항 단서에서 "낙찰자 결정의 취소, 계약의 해제·해지 등의 필요한 조치를 받는 자 외에는 적합한 시공자, 제조자가 존재하지 아니하는 등 대통령령으로 정하는 부득이한 경우"란 다음 각 호의 어느 하나에 해당하는 경우를 말한다. 1. 낙찰자 결정의 취소, 계약의 해제·해지 등의 필요한 조치를 받는 자 외에는 적합	

한 시공자, 제조자가 존재하지 않는 경우

2. 천재지변, 재해 또는 사고로 인해 긴급 복구공사를 하는 경우
3. 그 밖에 제1호 또는 제2호에 준하는 사유가 있는 경우

⑨ 제1항부터 제8항까지에서 규정한 사항 외에 표준제품의 지정, 공동수급체의 구성, 계약상대자의 결정 등에 필요한 사항은 조달청장이 기획재정부장관과의 협의를 거쳐 정하여 고시한다.

제35조(비축물자에 대한 계약방법의 특례) ① 조달청장은 비축물자를 구매·물류관리 및 공급하는 경우로서 다음 각 호의 어느 하나에 해당하는 경우에는 법 제14조제1항에 따라 수의계약을 할 수 있다.

1. 경쟁이 성립되지 않는 물자를 소유 또는 제조하는 자와 구매 및 공급 계약을 체결하는 경우
2. 지역별·품질별 가격의 차이 또는 가격의 변동이 극심한 물자를 소유 또는 제조하는 자와 구매 및 공급 계약을 체결하는 경우
3. 특별한 시설 또는 장비를 갖춘 자와 물류관리 및 공급에 관한 계약을 체결하

<table>
<tr><th>조달사업에 관한 법률</th><th>조달사업에 관한 법률 시행령</th><th>조달사업에 관한 법률 시행규칙</th></tr>
<tr><td></td><td>는 경우
4. 경쟁이 성립되지 않는 물자, 지역별·품질별 가격의 차이 또는 가격의 변동이 극심한 물자의 구매 및 공급 업무를 위탁하는 계약을 체결하는 경우
② 조달청장은 비축물자의 구매·물류관리 및 공급을 하는 경우 대량 물자를 분할하여 일정한 자격이 있는 2인 이상의 상대방과 계약을 체결할 필요가 있다고 인정될 때에는 법 제14조제1항에 따라 수량을 제한하여 일반경쟁 또는 지명경쟁의 방법으로 분할계약을 체결할 수 있다.
③ 조달청장은 제1항에 따라 계약을 체결한 경우 감사원에 그 사실을 통보해야 한다.</td><td></td></tr>
<tr><td>제4장 대금 지급 등

제15조(대금 지급) ① 조달청장은 체결한 계약이 정상적으로 이행된 경우로서 납품업체의 규모, 계약 방법, 자체 자금 사정 등을 고려하여 계약 이행의 대금을 수요기관의 장을 대신하여 지급(이하 "대지급"이라 한다)하는 것이 효율적이라고 대통령령으로 정하는 경우에는 그</td><td>제4장 대금 지급 등

제18조(대지급의 대상) ① 법 제15조제1항에서 "대통령령으로 정하는 경우"란 수요물자 중 조달청장이 국내에서 구매·공급하는 물품에 대한 납품대금인 경우로서 다음 각 호의 어느 하나에 해당하는 경우를 말한다.
1. 「국가를 당사자로 하는 계약에 관한</td><td></td></tr>
</table>

대금을 대지급하여야 한다.

② 수요기관의 장은 제1항에 해당하지 아니하여 조달청장이 대지급하지 아니하는 경우에는 그 대금을 계약상대자에게 직접 지급하여야 하며 대금을 지급한 후 즉시 그 내용을 조달청장에게 알려야 한다.

③ 수요기관의 장은 「국고금 관리법」 제26조 및 「지방회계법」 제35조에 따라 대금을 미리 지급하려는 경우에는 조달청장에게 미리 대금을 지급할 수 있다.

④ 제1항에 따라 대지급한 대금의 회수 절차와 납입 기한 등에 관하여 필요한 사항은 대통령령으로 정한다.

법률」 제22조 또는 「지방자치단체를 당사자로 하는 계약에 관한 법률」 제25조의 단가계약에 따른 납품대금의 경우

2. 제3자를 위한 단가계약에 따른 납품대금의 경우
3. 다수공급자계약에 따른 납품대금의 경우
4. 계약금액의 총액이 조달청장이 기획재정부장관과 협의하여 정한 일정 금액 이하인 계약에 따른 납품대금의 경우
5. 교통이 불편한 지역에 있는 군부대 등 조달업체의 접근이 제한되는 수요기관의 납품대금으로서 조달청장이 인정하는 납품대금의 경우
6. 다음 각 목의 어느 하나에 해당하는 경우로서 수요기관의 장이 지급을 요청한 납품대금의 경우
   가. 천재지변이나 그 밖에 이에 준하는 사유가 있는 경우
   나. 재해 또는 사고로 인해 복구공사를 하는 경우
7. 그 밖에 조달청장이 민간 납품업체에 대한 유동성을 지원하기 위해 기획재정부장관과 협의하여 정하는 납품대금

조달사업에 관한 법률	조달사업에 관한 법률 시행령	조달사업에 관한 법률 시행규칙
제16조(수수료) ① 조달청장은 조달사업과 관련된 수수료를 수요기관으로부터 받을 수 있다. ② 제1항에 따른 수수료는 「정부기업예산법」 제3조제4호에 따른 조달특별회계(이하 "조달특별회계"라 한다)의 세입으로 한다. ③ 조달청장은 다음 각 호의 어느 하나에 해당하는 경우에는 제1항에 따른 수	의 경우 ② 제1항에도 불구하고 수요기관의 장이 「국고금 관리법」 제46조에 따른 정보통신매체 및 프로그램 등을 사용하여 대금을 직접 지급하는 경우에는 법 제15조제1항에 따라 조달청장이 수요기관의 장을 대신하여 대금을 지급(이하 "대지급"이라 한다)하는 대상에서 제외한다. **제19조(대금 및 수수료의 납입시기 등)** ① 수요기관의 장이 법 제15조제3항에 따라 조달청장에게 미리 대금을 지급(이하 이 조에서 "선급"이라 한다)하려는 경우에는 수요물자의 구매 또는 공급을 조달청장에게 요청할 때 그 선급 의사를 조달청장에게 함께 통보해야 한다. ② 조달청장은 다음 각 호의 어느 하나에 해당하는 대금 또는 법 제16조제1항에 따른 수수료(이하 이 장에서 "수수료"라 한다)를 수요기관으로부터 징수하려는 경우 수요기관의 장에게 미리 납입고지를 해야 한다. 1. 수요기관의 장이 「국가를 당사자로 하는 계약에 관한 법률 시행령」 제55조 또는 「지방자치단체를 당사자로 하는	

수료를 감경 또는 면제(이하 "감면"이라 한다)할 수 있다.

1. 제15조제3항에 따라 수요기관의 장으로부터 미리 대금을 지급받는 경우
2. 수요기관의 책임이 아닌 사유로 수요물자나 공사의 계약체결 등이 지연되는 경우
3. 그 밖에 중소기업제품 구매촉진 등 수수료 감면이 필요하다고 대통령령으로 정하는 경우

④ 제1항에 따른 수수료의 결정·징수절차 및 제3항에 따른 수수료 감면에 필요한 사항은 대통령령으로 정한다.

계약에 관한 법률 시행령」 제64조에 따른 검사를 완료한 수요물자에 대한 대금으로서 조달청장이 법 제15조제1항에 따라 대지급했거나 대지급할 대금

2. 선급 대금

③ 수요기관의 장은 제2항에 따라 조달청장이 납입고지를 한 날부터 다음 각 호의 구분에 따른 기간 내에 대금 또는 수수료를 내야 한다. 이 경우 제1호에 따른 기간을 계산할 때 공휴일과 토요일은 제외한다.

1. 대지급 대금 및 그에 따른 수수료: 5일
2. 선급 대금: 14일
3. 제1호에 따른 수수료 외의 수수료: 15일

④ 조달청장은 수요기관이 자금 사정 등으로 제3항제1호 또는 제3호에 따른 대지급 대금 또는 수수료의 납입기간 연장을 요청한 경우 그 기간을 연장할 수 있다.

제20조(수수료 결정 및 감면 등) ① 수수료는 조달사업별로 계약금액 등을 고려하여 조달청장이 기획재정부장관과 협의하여 정한 후 고시한다.

② 법 제16조제3항제3호에서 "대통령령으로 정하는 경우"란 조달청장이 중소기업제품 구매촉진, 기술개발·향상 또는 조달

조달사업에 관한 법률	조달사업에 관한 법률 시행령	조달사업에 관한 법률 시행규칙
	사업 확대 등을 위해 수수료의 감면이 필요하다고 인정하는 경우를 말한다. ③ 수수료를 감면할 경우 그 감경률(수수료에서 감면하려는 액수가 차지하는 비중을 말한다)은 100분의 20을 초과할 수 없다.	
제17조(연체료) 조달청장은 제15조제1항에 따라 대지급한 대금 및 제16조제1항에 따른 수수료를 기한까지 납부하지 아니한 수요기관의 장에게 대통령령으로 정하는 바에 따라 연체료를 부과할 수 있다.	**제21조(연체료)** 법 제17조에 따른 연체료는 연체금액에 1천분의 10을 넘지 않는 범위에서 기획재정부령으로 정한 연체료율을 곱한 금액으로 한다. **제22조(보증금 및 지체상금의 처리)** 조달물자 및 시설공사의 계약과 관련한 위약금으로서 국고에 귀속되는 입찰보증금, 계약보증금 및 지체상금(遲滯償金)은 해당 수요기관의 수입으로 한다.	**제10조(연체료율)** 영 제21조에서 "기획재정부령으로 정한 연체료율"이란 다음 각 호의 구분에 따른 연체료율을 말한다. 1. 납입기한이 지난 날부터 10일 이내에 납입하는 경우: 1천분의 1 2. 납입기한이 지난 날부터 10일을 초과하고 30일 이내에 납입하는 경우: 1천분의 5 3. 납입기한이 지난 날부터 30일을 초과하여 납입하는 경우: 1천분의 10
제5장 조달물자 및 안전관리물자의 품질관리	**제5장 조달물자 및 안전관리물자의 품질관리**	
제18조(조달물자의 품질관리) ① 조달청장은 조달물자의 품질향상을 위하여 다음 각 호의 품질관리업무를 수행할 수 있다. 1. 제조업체의 직접생산 여부 확인을 위한 생산시설, 인력 등의 점검 2. 계약규격에 맞는 제품생산 및 납품확	**제23조(조달물자의 품질점검 비용)** ① 조달청장은 법 제18조제2항 본문에 따라 품질점검에서 발생하는 비용 중 시험·분석 비용을 제외한 제품 제공비·운반비 등의 비용을 업체가 부담하게 할 수 있다. 다만, 품질점검 결과 규격이 기준에 미달되어	**제13조(신용카드 등을 통한 비축물자대금의 납부)** ① 영 제37조에 따른 비축물자대금 납부대행기관(이하 이 조에서 "비축물자대금 납부대행기관"이라 한다)으로서 같은 조 제1항에서 "기획재정부령으로 정하는 기관"이란 다음 각 호의 어느 하나에

인을 위한 품질점검·납품검사

3. 납품 물품의 사후관리
4. 조달물자 표준규격 개발 및 검토
5. 그 밖에 조달물자의 품질관리를 위하여 필요한 업무

② 조달청장은 제1항제2호에 따른 품질관리업무에 따라 발생하는 시험·검사 비용을 대통령령으로 정하는 바에 따라 점검 또는 검사를 받는 업체가 부담하게 할 수 있다. 다만, 납품검사에 따라 발생하는 시험·검사 비용은 검사를 받는 업체가 부담하여야 한다.

③ 제1항에 따른 품질관리업무의 수행에 필요한 품질관리 기준·절차 등에 관한 사항은 조달청장이 정하여 고시한다.

제19조(안전관리물자의 품질관리) ① 조달청장은 국민의 안전을 위하여 안전관리물자에 대한 제18조제1항 각 호에 따른 품질관리업무를 하여야 한다.

② 안전관리물자 품목의 선정, 폐지 및 변경에 필요한 사항은 관계 기관과 협의하여 조달청장이 작성·고시한다.

제20조(품질관리의 특례) 조달청장은 다음 각 호의 어느 하나에 해당하는 물품 또

재점검하는 경우에는 시험·분석 비용을 포함한 모든 시험·검사 비용을 업체가 부담하게 할 수 있다.

② 제1항에 따른 품질점검 비용 부담에 필요한 사항은 조달청장이 정하여 고시한다.

해당하는 기관을 말한다.

1. 「민법」 제32조에 따라 금융위원회의 허가를 받아 설립된 금융결제원
2. 시설, 업무수행능력 및 자본금 규모 등을 고려하여 조달청장이 비축물자대금 납부대행기관으로 지정될 필요가 있다고 인정한 기관

② 조달청장은 영 제37조제2항에 따라 비축물자대금 납부대행기관의 운영경비 등을 종합적으로 고려하여 납부대행 수수료를 정하고, 이를 고시한다.

조달사업에 관한 법률	조달사업에 관한 법률 시행령	조달사업에 관한 법률 시행규칙
는 용역에 대하여 해당 기관의 장이 제18조제1항제2호에 따른 납품검사를 조달청장에게 요청하는 때에는 「국가를 당사자로 하는 계약에 관한 법률」 제14조, 「지방자치단체를 당사자로 하는 계약에 관한 법률」 제17조 및 「방위사업법」 제28조에도 불구하고 그 기관의 장을 대신하여 납품검사를 할 수 있다. 1. 국가기관의 장(공공기관의 장을 포함한다)이 자체 조달한 물품 또는 용역 2. 지방자치단체의 장이 자체 조달한 물품 또는 용역 3. 방위사업청장이 자체 조달한 물품 또는 용역		
제6장 조달사업의 공정성	**제6장 조달사업의 공정성**	
제21조(불공정 조달행위의 조사) ① 조달청장은 수요물자 조달과정에서 공정성을 해치는 다음 각 호의 어느 하나에 해당하는 행위(이하 "불공정 조달행위"라 한다)에 대하여 신고를 접수하고, 그 신고 내용의 조사를 위하여 필요한 경우 소속 공무원으로 하여금 계약상대자, 입찰자	**제24조(불공정한 수요물자 조달행위 시정요구에 대한 이의제기)** ① 법 제21조제5항에 따라 이의를 제기하려는 계약상대자, 입찰자 또는 국가종합전자조달시스템을 이용하여 견적서를 제출하는 자는 그 시정요구를 받은 날부터 30일 이내에 기획재정부령으로 정하는 이의신청서에 이의를	**제11조(이의제기)** 영 제24조제1항에서 "기획재정부령으로 정하는 이의신청서"란 별지 제13호서식의 이의신청서를 말한다.

또는 국가종합전자조달시스템(「전자조달의 이용 및 촉진에 관한 법률」 제2조제4호에 따른 국가종합전자조달시스템을 말한다. 이하 같다)을 이용하여 견적서를 제출하는 자(이하 이 조에서 "계약상대자등"이라 한다)에게 자료의 제출을 요구하거나 사무소·사업장·공장 등을 방문하여 시설·서류 등을 조사하게 할 수 있다. 〈개정 2020. 6. 9.〉

1. 입찰 또는 계약, 납품검사 등에 관한 서류를 위조·변조하거나 거짓 서류를 제출하는 행위
2. 직접생산기준을 위반하여 납품하는 행위
3. 원산지를 거짓으로 표시하여 납품하는 행위
4. 수요기관 등의 사전 승인 없이 계약규격과 다른 제품을 납품하는 행위
5. 제13조제2항을 위반하는 행위
6. 제26조제1항에 따른 우수조달물품등의 지정을 거짓이나 부정한 방법으로 받은 행위

② 제1항에 따라 조사를 수행하는 공무원은 그 권한을 표시하는 증표를 관계인

제기하는 내용을 확인할 수 있는 자료를 첨부하여 조달청장에게 제출해야 한다.

② 제1항에 따른 이의신청서에는 다음 각 호의 사항이 포함되어야 한다.

1. 이의신청자의 성명, 전화번호와 주소(전자주소를 포함한다) 또는 거소
2. 이의신청 및 시정요구 내용

③ 조달청장은 제1항에 따라 이의신청을 받은 경우 그 내용을 심사하여 이의신청을 받은 날부터 30일 이내에 심사 결과를 상대방에게 통지해야 한다. 다만, 조사과정에서 새로운 자료가 제출되어 확인에 시일이 걸리는 등 부득이한 사정으로 그 기간 내에 결정을 할 수 없을 경우에는 30일의 범위에서 기간을 연장할 수 있다.

④ 조달청장은 이의신청의 내용이나 절차가 적합하지 않는 등 보정이 필요하다고 인정하는 경우 20일 이내의 기간을 정하여 해당 신청인에게 보정을 요구할 수 있다. 다만, 보정할 사항이 경미할 때에는 직권으로 보정할 수 있다.

⑤ 조달청장은 제4항 본문에 따라 보정을 요구할 때에는 다음 각 호의 사항을 적은 문서로 해야 한다.

조달사업에 관한 법률	조달사업에 관한 법률 시행령	조달사업에 관한 법률 시행규칙
에게 제시하여야 한다. ③ 제1항에 따라 조사를 수행하는 공무원은 이 법의 시행을 위하여 필요한 최소한의 범위에서 조사를 하여야 하며, 다른 목적 등을 위하여 권한을 남용해서는 아니 된다. ④ 조달청장은 불공정 조달행위가 확인된 계약상대자등에 대해서는 시정을 요구할 수 있으며, 「국가를 당사자로 하는 계약에 관한 법률」 등 관계 법령이나 계약조건에 따라 처분 등 조치를 취하여야 한다. ⑤ 제4항에 따라 시정요구를 받은 계약상대자등은 대통령령으로 정하는 바에 따라 조달청장에게 이의를 제기할 수 있다. ⑥ 조달청장은 계약상대자등이 제1항제1호부터 제6호까지의 규정과 관련된 불공정 조달행위로 이득을 얻은 때에는 이를 환수할 수 있다. ⑦ 수요기관의 장은 필요하다고 인정하는 경우 조달청장에게 불공정 조달행위에 대한 조사를 요청할 수 있으며, 조달청장이 조사를 위해 자료의 제출 등을 요구하는 경우에는 특별한 사유가 없으면 이에 협조하여야 한다.	1. 보정할 사항 2. 보정을 요구하는 이유 3. 보정할 기간 4. 그 밖에 보정에 필요한 사항 ⑥ 제4항 본문에 따른 기간은 제3항에 따른 기간을 계산할 때 산입하지 않는다.	

제22조(거래정지) ① 조달청장은 제12조 및 제13조에 따른 계약을 체결한 계약상대자가 계약을 이행할 때 다음 각 호의 어느 하나에 해당하는 경우에는 해당 계약상대자, 세부 품명 또는 품목에 대하여 2년 이내의 범위에서 대통령령으로 정하는 바에 따라 거래를 정지할 수 있다.

1. 제13조제2항을 위반한 경우
2. 「전자조달의 이용 및 촉진에 관한 법률」 제12조에 따라 조달청장이 구축한 전자조달시스템에 상품의 원산지를 허위로 등록한 경우
3. 다른 계약상대자의 입찰·계약체결·계약이행 과정에서 전자세금계산서 등 관련 서류를 허위 작성하거나 위조·변조 등의 부정한 행위를 하는 것에 가담한 경우
4. 그 밖에 입찰·계약체결·계약이행 과정에서 대통령령으로 정하는 행위를 한 경우

② 제1항에 따른 거래정지의 세부적인 대상과 기준 및 그 밖에 필요한 사항은 대통령령으로 정한다.

제25조(거래정지) ① 법 제22조제1항제4호의 “대통령령으로 정하는 행위를 한 경우”란 다음 각 호의 어느 하나에 해당하는 경우를 말한다.

1. 법 제18조제1항제2호에 따른 품질점검 및 납품검사 시 조달물자가 계약규격에 미달하거나 불합격한 경우
2. 법 제21조에 따른 불공정 조달행위의 조사에 정당한 사유 없이 응하지 않은 경우
3. 계약된 품목에 대한 거짓 정보의 등록 또는 유포 등으로 계약업무를 방해한 경우
4. 계약된 품목과 관련된 권리관계, 인허가, 인증 등에 대한 점검에 응하지 않거나 변동사항을 통보하지 않은 경우
5. 계약된 품목을 원인으로 인명사고가 발생하는 등 안전성에 대한 신뢰가 훼손된 경우
6. 그 밖에 계약체결 시 정하는 계약조건을 위반하는 경우

② 조달청장은 위반행위의 내용·정도, 그 결과와 위반행위의 횟수 등을 고려하여 법 제22조제1항에 따른 거래정지의 대상

조달사업에 관한 법률	조달사업에 관한 법률 시행령	조달사업에 관한 법률 시행규칙
	및 기간을 정한다. ③ 조달청장은 법 제22조제1항에 따른 거래정지를 하려는 경우 사유별 대상, 기간 및 의견제출 기한 등을 미리 계약상대자에게 통지해야 하며, 거래정지가 확정된 경우에는 그 내용을 서면으로 통지해야 한다. ④ 제1항부터 제3항까지에서 규정한 사항 외에 거래정지의 세부 사유별 대상과 기간, 거래정지 절차 및 기준, 그 밖에 거래정지에 필요한 세부적인 사항은 조달청장이 정한다.	
제23조(포상금의 지급) ① 조달청장은 조달사업을 수행하는 공무원의 직무에 관한 뇌물수수(收受) 행위 또는 불공정 조달행위를 신고하거나 제보하고 그 신고나 제보를 증명할 수 있는 증거자료를 제출한 사람(이하 "신고자등"이라 한다)에게 예산의 범위에서 포상금을 지급할 수 있다. 〈개정 2020. 6. 9.〉 ② 제1항에 따라 신고 또는 제보를 받은 사람은 신고자등의 신분 등에 관한 비밀을 유지하여야 한다. ③ 제1항에 따른 포상금 지급 대상자의	**제26조(포상금 지급 대상자의 범위 등)** ① 법 제23조제1항에 따른 포상금 지급 대상자는 다음 각 호의 요건을 모두 갖춘 자(이하 "신고자등"이라 한다)로 한다. 1. 「부패방지 및 국민권익위원회의 설치와 운영에 관한 법률」 제2조제4호에 따른 부패행위 또는 이 법 제21조제1항에 따른 불공정 조달행위의 감사·조사 업무 관련 기관 또는 수사기관(이하 이 조에서 "조사기관등"이라 한다)이 인지하기 전에 뇌물수수행위 또는 불공정 조달행위를 최초로 신고하거나	

범위, 포상금 지급의 기준 및 절차에 관한 사항은 대통령령으로 정한다.

제보하고 자료를 제공했을 것

2. 조사기관등의 감사·조사 업무에 종사하고 있거나 종사했던 공직자(「부패방지 및 국민권익위원회의 설치와 운영에 관한 법률」 제2조제3호에 따른 공직자를 말한다)가 자기의 직무이거나 직무였던 사항과 관련하여 신고하거나 제보한 경우가 아닐 것
3. 뇌물수수행위 또는 불공정 조달행위의 당사자가 아닐 것

② 포상금 지급금액은 뇌물수수행위 또는 불공정 조달행위의 규모, 조달사업에 미치는 영향, 예산 등을 고려하여 조달청장이 정하되, 포상금의 지급한도는 2천만원으로 한다.

③ 포상금은 신고자등의 비밀을 보장하기 위해 현금으로 지급하는 것을 원칙으로 한다.

④ 포상금의 지급대상 및 지급액은 뇌물수수행위 또는 불공정 조달행위에 대한 조사가 끝난 후 결정하며, 포상금의 신청절차, 지급시기 또는 그 밖에 필요한 사항은 조달청장이 정한다.

<table>
<tr><th>조달사업에 관한 법률</th><th>조달사업에 관한 법률 시행령</th><th>조달사업에 관한 법률 시행규칙</th></tr>
<tr><td>제7장 수요기관 및 조달기업의 지원

제24조(수요기관 조달업무의 지원 및 대행) 조달청장은 수요기관의 장이 요청하는 경우에는 다음 각 호의 어느 하나에 해당하는 업무로서 대통령령으로 정하는 업무를 지원하거나 대행할 수 있다. 〈개정 2020.6.9.〉
1. 「소프트웨어 진흥법」 제2조제3호에 따른 소프트웨어사업 관련 수요물자의 구매 및 그에 따른 사업에 관한 업무
2. 공사의 계약 및 그에 따른 사업에 관한 업무</td><td>제7장 수요기관 및 조달기업의 지원

제27조(조달업무의 지원 및 대행) 법 제24조 각 호 외의 부분에서 “대통령령으로 정하는 업무”란 다음 각 호의 구분에 따른 업무를 말한다.
1. 법 제24조제1호의 소프트웨어사업 관련 수요물자 구매 및 그에 따른 사업(이하 이 호에서 “사업등”이라 한다)에 관한 업무의 경우: 다음 각 목에 해당하는 업무
가. 사업등의 계획 수립
나. 사업등의 발주
다. 사업등의 계약 추진 관련 심의·평가, 수행자 선정 및 계약체결
라. 사업등의 수행관리
마. 사업등의 사후관리
바. 그 밖에 수요기관의 장이 사업등과 관련하여 조달청장의 지원이나 대행이 필요하다고 결정한 업무
2. 법 제24조제2호의 공사의 계약 및 그에 따른 사업(이하 이 호에서 “공사등”이라 한다)에 관한 업무의 경우: 다음 각 목에 해당하는 업무</td><td>제5조(공사의 계약절차) ① (생 략)
② (생 략)
③ 수요기관의 장은 「조달사업에 관한 법률 시행령」 제27조제2호에 따라 조달</td></tr>
</table>

가. 공사등의 계약 추진 관련 심의·평가 및 사업자 선정
나. 공사등의 설계용역 관리
다. 공사등의 시공관리
라. 공사등의 사후관리
마. 공사등의 공사원가 검토
바. 그 밖에 수요기관의 장이 공사등과 관련하여 조달청장의 지원이나 대행이 필요하다고 결정한 업무

제28조(지방자치단체 공사원가의 사전검토) ① 지방자치단체의 장은 제27조제2호마목에도 불구하고 「지방자치단체를 당사자로 하는 계약에 관한 법률 시행령」 제2조제1호에 따른 추정가격이 100억원 이상인 공사에 대해서는 조달청장에게 공사원가의 사전검토를 요청해야 한다. 다만, 다음 각 호의 어느 하나에 해당하는 경우에는 요청하지 않을 수 있다.
1. 천재지변, 긴급한 행사 또는 그 밖에 이에 준하는 사유가 있는 경우
2. 재해 또는 사고로 인해 복구공사를 하

청장에게 공사의 계약 및 그에 따른 사업의 지원 또는 대행을 요청하려는 경우에는 지원 또는 대행요청서에 다음 각 호에 해당하는 서류를 첨부하여 조달청장에게 제출해야 한다.
1. 공사의 개요에 관한 서류
2. 공사의 계약서류
3. 그 밖에 해당 수요기관의 장이 필요하다고 인정하는 서류

④ 조달청장은 제1항부터 제3항까지에서 규정한 사항 외에 공사의 계약에 관한 세부기준을 정하여 시행할 수 있다.

조달사업에 관한 법률	조달사업에 관한 법률 시행령	조달사업에 관한 법률 시행규칙
	는 경우 3. 조달청장에게 해당 공사의 계약체결을 요청한 경우 4. 그 밖에 공사의 특성 또는 긴급성 등으로 사전검토를 요청하지 못할 부득이한 사정이 있는 경우 ② 조달청장은 제1항에 따라 공사원가의 사전검토를 요청받은 경우 특별한 사유가 없으면 접수한 날부터 10일 이내에 그 결과를 해당 지방자치단체의 장에게 통보해야 한다.	
제25조(조달기업의 지원) 조달청장은 대통령령으로 정하는 바에 따라 조달기업에 대하여 지원센터 및 온라인 상품몰 운영 등 조달시장 진출을 지원할 수 있다.	**제29조(조달기업의 지원)** ① 법 제25조에 따라 조달청장은 다음 각 호의 방법으로 조달기업의 조달시장 진출을 지원할 수 있다. 1. 조달기업의 조달시장 진출 지원을 위한 조달제도 안내 및 상담업무를 전담하는 지원센터의 설치·운영 2. 창업·벤처기업 등 조달기업의 상품을 홍보하고 판매할 수 있는 온라인 상품몰 운영 3. 그 밖에 조달청장이 조달기업의 조달시장 진출 지원에 필요하다고 인정한 방법 ② 조달청장은 제1항에 따른 지원 업무를	

제26조(우수조달물품등의 지정) ① 조달청장은 조달물자의 품질향상을 위하여 다음 각 호의 어느 하나에 해당하는 물품 또는 상표를 우수조달물품 또는 우수조달공동상표(이하 이 조에서 "우수조달물품등"이라 한다)로 지정하여 고시할 수 있다.

1. 우수조달물품: 다음 각 목에 해당하는 기업이 생산한 물품으로서 성능·기술 또는 품질이 대통령령으로 정하는 기준을 충족하는 물품
   가. 「중소기업기본법」 제2조제1항에 따른 중소기업
   나. 「중견기업 성장촉진 및 경쟁력 강화에 관한 특별법」 제2조에 따른 중견기업 중 매출액 규모, 중견기업이 된 이후의 기간 등 대통령령으로 정하는 기준을 충족하

수행할 때 필요한 예산을 확보하기 위해 노력해야 한다.

③ 제1항에 따른 지원센터 설치·운영과 온라인 상품몰 등록대상 상품의 지정 기준, 절차 등에 관하여 필요한 사항은 조달청장이 정하여 고시한다.

제30조(우수조달물품의 지정) ① 법 제26조제1항제1호 각 목 외의 부분에서 "대통령령으로 정하는 기준을 충족하는 물품"이란 다음 각 호의 요건을 모두 갖춘 물품을 말한다. 다만, 음료품류·식료품류 및 동물류·식물류나 무기·총포·화약류 등으로서 조달청장이 우수조달물품으로 지정하는 것이 적합하지 않다고 인정하여 고시하는 물품은 제외한다.

1. 다음 각 목의 어느 하나에 해당하는 물품일 것
   가. 「특허법」에 따른 특허발명, 「실용신안법」에 따른 등록실용신안 또는 「디자인보호법」에 따른 등록디자인을 실시하여 생산한 물품
   나. 신기술 적용 물품, 우수품질 물품, 환경친화적 물품 또는 자원재활용 물품 등 법령에 따라 주무부장관

조달사업에 관한 법률	조달사업에 관한 법률 시행령	조달사업에 관한 법률 시행규칙
는 기업 2. 우수조달공동상표: 대통령령으로 정하는 수 이상의 중소기업자(「중소기업기본법」 제2조제1항에 따른 중소기업자를 말한다)가 판매활동을 강화하기 위하여 개발·보유한 공동상표로서 기술 및 품질인증 등이 대통령령으로 정하는 기준을 충족하는 것 ② 조달청장은 대통령령으로 정하는 바에 따라 우수조달물품등의 구매 증대와 판로 확대를 위하여 필요한 조치를 할 수 있다. ③ 조달청장은 제1항에 따라 지정된 우수조달물품등이 최초 지정기준에 미달하는 등 대통령령으로 정하는 경우에는 그 효력을 정지하거나 지정을 취소할 수 있다. ④ 우수조달물품등의 지정 절차·기간, 효력정지 및 지정취소에 관한 구체적인 사항은 대통령령으로 정한다.	또는 주무부장관의 위임을 받은 자가 인증하거나 추천하는 물품 2. 기술의 중요도 및 품질의 우수성 등을 고려하여 조달청장이 정하여 고시하는 기준을 충족하는 물품일 것 ② 법 제26조제1항제1호나목에서 "매출액 규모, 중견기업이 된 이후의 기간 등 대통령령으로 정하는 기준을 충족하는 기업"이란 「중견기업 성장촉진 및 경쟁력 강화에 관한 특별법」 제2조에 따른 중견기업(이하 "중견기업"이라 한다)으로서 다음 각 호의 구분에 따른 기업을 말한다. 1. 「중소기업제품 구매촉진 및 판로지원에 관한 법률」 제6조에 따라 지정된 중소기업자간 경쟁 제품을 우수조달물품으로 지정받으려는 중견기업인 경우: 같은 법 제8조의3제1항 각 호의 요건을 모두 갖춘 기업 2. 제1호 외의 중견기업인 경우: 다음 각 목의 어느 하나에 해당하는 기업 가. 「중소기업기본법」 제2조제3항에 따라 중소기업으로 보았던 경우에는 중소기업으로 보는 기간의 만료 이후 3년이 지나지 않은 기업	

나. 우수조달물품 지정연도 직전 3년간의 연간 평균 매출액이 3천억원 미만인 기업

③ 법 제26조제1항에 따라 우수조달물품의 지정을 받으려는 자는 제1항 각 호에 관한 사항을 적은 지정신청서를 조달청장에게 제출해야 한다.

④ 조달청장은 제3항에 따라 신청서를 제출받은 경우 해당 물품이 제1항에 따른 지정기준을 충족하는지를 심사하여 신청서 접수 마감일부터 90일 이내에 그 지정 여부를 결정해야 한다. 다만, 조달청장은 90일 이내에 지정 여부를 결정하기 어려운 사유가 있는 경우 결정기간을 연장할 수 있으며, 그 연장 사유와 결정 예정일 등을 신청인에게 알려야 한다.

⑤ 조달청장은 제4항에 따라 지정 여부를 결정했을 때에는 그 결과를 신청인에게 문서로 통보하고, 우수조달물품으로 지정된 물품을 국가종합전자조달시스템에 등록해야 한다.

⑥ 우수조달물품의 지정기간은 법 제26조제1항에 따라 고시한 날부터 3년으로 한다. 다만, 조달청장이 우수조달물품의 판

조달사업에 관한 법률	조달사업에 관한 법률 시행령	조달사업에 관한 법률 시행규칙
	매 실적, 계약이행 내용 및 향후 수요 예측 등의 심사를 거쳐 지정기간을 연장할 필요가 있다고 인정하는 경우에는 3년의 범위에서 그 지정기간을 연장할 수 있다. ⑦ 조달청장은 법 제26조제2항에 따라 우수조달물품의 구매 증대 및 판로 확대를 위해 국내외 홍보, 수출 지원 및 수요기관을 위한 계약체결 등의 조치를 할 수 있다. ⑧ 제1항부터 제7항까지에서 규정한 사항 외에 우수조달물품의 지정기준, 지정절차 및 지정기간 연장 등에 관하여 필요한 사항은 조달청장이 정하여 고시한다. **제31조(우수조달공동상표의 지정)** ① 법 제26조제1항제2호에서 "대통령령으로 정하는 수"란 5를 말한다. ② 법 제26조제1항제2호에서 "대통령령으로 정하는 기준"이란 다음 각 호의 요건을 모두 충족하는 경우를 말한다. 1. 제30조제1항에서 정한 기준을 충족할 것 2. 공동상표에 참여하는 중소기업자 중 제30조제1항에 따른 물품을 생산하는 자가 조달청장이 정하는 수 이상일 것 ③ 법 제26조제1항에 따라 우수조달공동상표의 지정을 받으려는 자는 제2항 각	

호에 관한 사항을 적은 지정신청서를 조달청장에게 제출해야 한다.

④ 조달청장은 제3항에 따라 신청서를 제출받은 경우 해당 공동상표가 제1항 및 제2항에 따른 지정기준을 충족하는지를 심사하여 신청서 접수 마감일부터 90일 이내에 그 지정 여부를 결정해야 한다. 다만, 조달청장은 90일 이내에 지정 여부를 결정하기 어려운 사유가 있는 경우에는 결정기간을 연장할 수 있으며, 그 연장 사유와 결정 예정일 등을 신청인에게 알려야 한다.

⑤ 조달청장은 제4항에 따라 지정 여부를 결정했을 때에는 그 결과를 신청인에게 문서로 통보하고, 우수조달공동상표로 지정된 공동상표를 국가종합전자조달시스템에 등록해야 한다.

⑥ 우수조달공동상표의 지정기간은 법 제26조제1항에 따라 고시한 날부터 3년으로 한다. 다만, 조달청장이 우수조달공동상표 물품의 판매 실적, 계약이행 내용 및 향후 수요 예측 등의 심사를 거쳐 지정기간을 연장할 필요가 있다고 인정하는 경우에는 그 지정기간을 3년의 범위에서 한 번만

조달사업에 관한 법률	조달사업에 관한 법률 시행령	조달사업에 관한 법률 시행규칙
	연장할 수 있다. ⑦ 조달청장은 법 제26조제2항에 따라 우수조달공동상표 물품의 구매 증대 및 판로 확대를 위하여 국내외 홍보, 수출 지원 및 수요기관을 위한 계약체결 등의 조치를 할 수 있다. ⑧ 제1항부터 제7항까지에서 규정한 사항 외에 우수조달공동상표의 지정기준, 지정절차 및 지정기간 연장 등에 관하여 필요한 사항은 조달청장이 기획재정부장관과의 협의를 거쳐 정하여 고시한다. **제32조(우수조달물품 등의 효력정지 또는 지정취소)** ① 법 제26조제3항에서 "최초 지정기준에 미달하는 등 대통령령으로 정하는 경우"란 다음 각 호의 어느 하나에 해당하는 경우를 말한다. 1. 제30조제1항·제2항 또는 제31조제1항·제2항에 따른 지정기준에 미달하게 된 경우 2. 거짓이나 그 밖의 부정한 방법으로 지정을 받은 경우 3. 그 밖에 우수조달물품 또는 우수조달공동상표(이하 이 조에서 "우수조달물품등"이라 한다)의 지정을 받은 자가	

제27조(혁신제품의 공공구매 지원) ① 조달청장은 공공서비스 향상과 기술혁신을 위하여 공공성, 혁신성 등이 인정되는 제품으로서 제5조제1항제2호에 따라 위원회의 심의를 거쳐 지정된 제품(이하 "혁신제품"이라 한다)에 대하여 다음 각 호의 방법으로 공공구매를 지원할 수 있다.

해당 우수조달물품등과 관련하여 조달업무의 공정한 집행 또는 계약의 적절한 이행을 해칠 우려가 있는 경우로서 조달청장이 정하여 고시하는 사유에 해당하는 경우

② 조달청장은 우수조달물품등의 효력정지 또는 지정취소를 하는 경우 그 사유, 기간(효력정지의 기간을 말한다) 및 의견제출 기한 등을 지정을 받은 자에게 미리 문서로 통지해야 하며, 효력정지 또는 지정취소가 확정된 경우에는 그 내용을 문서로 통지해야 한다.

③ 제1항 및 제2항에서 규정한 사항 외에 효력정지 및 지정취소에 관한 절차·기준 등에 관하여 필요한 사항은 조달청장이 기획재정부장관과 협의를 거쳐 정하여 고시한다.

제33조(혁신제품의 공공구매 지원) ① 법 제27조제1항에 따른 혁신제품(이하 "혁신제품"이라 한다)은 다음 각 호의 제품 중 위원회가 심의를 거쳐 지정한다.

1. 「과학기술기본법」 등 관련 법령에 따른 연구개발사업을 통해 개발된 제품 중 각 중앙관서(「국가재정법」 제6조에

조달사업에 관한 법률	조달사업에 관한 법률 시행령	조달사업에 관한 법률 시행규칙
1. 혁신제품의 시범구매 및 공급 2. 혁신제품의 공공구매 지원 시스템 구축 및 운영 ② 조달청장은 제1항에 따른 공공구매 지원방법 등에 대하여 기획재정부장관과 미리 협의하여야 하며, 이에 관하여 필요한 사항은 대통령령으로 정한다. ③ 조달청장은 제1항에 따라 지정된 제품이 최초 지정기준에 미달하는 등 대통령령으로 정하는 경우에는 그 지정을 취소할 수 있다. ④ 혁신제품을 구매한 수요기관의 구매책임자는 고의나 중대한 과실이 입증되지 아니하면 그 제품의 구매로 생긴 손실에 대하여 책임을 지지 아니한다.	따른 중앙관서를 말한다. 이하 같다)의 장이 기획재정부장관과 협의하여 정한 기준과 절차에 따라 기술의 혁신성을 인정한 제품 2. 상용화 전 시제품(試製品) 중 초기 판로 확보 및 상용화 지원이 필요하여 조달청장이 기획재정부장관과 협의하여 정한 기준과 절차에 따라 혁신성을 인정한 제품 3. 그 밖에 위원회에서 공공성과 혁신성을 인정한 제품 ② 법 제27조제1항에 따라 지정된 혁신제품의 지정기간은 제1항에 따라 지정되어 고시된 날부터 3년으로 한다. 다만, 대상제품의 특성 등을 고려하여 위원회가 지정기간을 별도로 정할 필요가 있다고 인정하는 경우에는 위원회가 심의를 거쳐 지정기간을 별도로 정할 수 있다. ③ 제2항 단서에 따라 지정기간을 별도로 정하는 경우에는 해당 중앙관서의 장 또는 조달청장이 이를 고시한다. ④ 조달청장은 혁신제품의 공공구매 지원을 위해 법 제27조제1항제1호에 따라 혁신제품을 시범구매하여 수요기관에 공급	

하고, 기획재정부장관과 미리 협의한 바에 따라 그 사용 결과를 공개하는 시범구매 계약을 체결할 수 있다. 이 경우 수요기관은 혁신제품의 사용 결과를 조달청장에게 통지해야 한다.

⑤ 조달청장은 다음 각 호의 어느 하나에 해당하는 경우에는 각 중앙관서의 장으로 하여금 직접 제4항에 따른 시범구매 계약을 체결하도록 할 수 있다.

1. 「공공기관의 운영에 관한 법률」 제4조에 따른 공공기관에 필요한 제품을 주무기관의 장이 공급하는 경우
2. 위원회에서 각 중앙관서의 장이 직접 시범구매 계약을 할 필요성을 인정한 경우

⑥ 제4항 또는 제5항에 따른 혁신제품 시범구매에 관한 절차는 시범구매를 하는 조달청장 또는 각 중앙관서의 장이 기획재정부장관과 협의하여 정한다.

⑦ 조달청장은 제4항에 따라 혁신제품 사용 결과를 공개하는 경우 수요기관이 통지한 사용 결과를 종합하여 공개한다. 다만, 조달청장이 정하여 고시하는 경우에는 사용 결과를 공개하지 않을 수 있다.

⑧ 조달청장은 법 제27조제1항제2호에 따

조달사업에 관한 법률	조달사업에 관한 법률 시행령	조달사업에 관한 법률 시행규칙
	른 혁신제품의 공공구매 지원 시스템을 통해 혁신제품 등록·거래·홍보, 혁신조달 제품 운영정보화 등을 지원할 수 있다. ⑨ 법 제27조제3항에서 "최초 지정기준에 미달하는 등 대통령령으로 정하는 경우"란 다음 각 호의 어느 하나에 해당하는 경우를 말한다. 1. 지정된 혁신제품이 제1항 각 호의 최초 지정기준에 미달하게 된 경우 2. 거짓이나 그 밖의 부정한 방법으로 지정을 받은 경우 3. 그 밖에 지정을 받은 자가 해당 혁신제품과 관련하여 조달업무의 공정한 집행 또는 계약의 적절한 이행을 해칠 우려가 있는 경우로서 조달청장이 정하여 고시하는 사유에 해당하는 경우 ⑩ 조달청장은 법 제27조제3항에 따라 지정취소를 하는 경우 위원회의 심의를 거쳐야 한다. 이 경우 제1항제1호의 제품으로서 혁신제품으로 지정된 제품을 취소하려는 경우에는 위원회의 심의를 거치기 전 해당 중앙관서의 장과의 협의를 거쳐야 한다. ⑪ 조달청장은 혁신제품의 지정을 취소하	

제28조(국제조달 협력 및 해외 조달시장 진출 지원) ① 조달청장은 조달시장의 공정한 경쟁 환경 조성을 위하여 국내 관련 기관 및 각 국 조달기관과의 교류·협력을 확대하고, 국내기업의 해외 조달시장 진출을 지원할 수 있다.

② 제1항에 따른 국내기업의 해외 조달시장 진출 지원 절차와 방법, 그 밖에 필요한 사항은 대통령령으로 정한다.

는 경우 그 사유 및 의견제출 기한 등을 지정을 받은 자에게 미리 서면으로 통지해야 하며, 제10항에 따라 위원회 심의를 거쳐 지정취소가 확정되는 경우에는 그 내용을 서면으로 통지해야 한다.

⑫ 제1항부터 제11항까지에서 규정한 사항 외에 혁신제품 시범구매 및 공급, 혁신제품의 공공구매 지원 시스템 구축 및 운영, 혁신제품의 지정취소 등에 필요한 사항은 조달청장이 기획재정부장관과 협의하여 정한다.

제34조(해외 조달시장 진출에 대한 지원) ① 조달청장은 법 제28조제1항에 따라 다음 각 호의 방법으로 국내기업의 해외 조달시장 진출을 지원할 수 있다.

1. 해외 조달시장 및 공공입찰에 관한 정보 제공
2. 국내기업의 해외 조달시장 진출 역량을 강화하기 위한 교육훈련
3. 조달 물품·용역 관련 기술 및 인력의 국제교류 등에 필요한 사업의 지원
4. 그 밖에 조달청장이 국내기업의 해외 조달시장 진출에 필요하다고 인정한 사항에 관한 지원

조달사업에 관한 법률	조달사업에 관한 법률 시행령	조달사업에 관한 법률 시행규칙
	② 조달청장은 제1항에 따라 지원을 하려는 경우 지원 대상·내용 및 신청방법 등을 미리 공고해야 한다. ③ 조달청장은 제1항에 따른 지원 업무를 수행할 때 필요한 예산을 확보하기 위해 노력해야 한다.	
제8장 비축사업	**제8장 비축사업**	
제29조(비축물자 구매 및 공급 등) ① 조달청장은 비축물자의 국내 수급상황 등을 감안하여 품목별로 비축물자 구매 시기와 수량을 결정할 수 있다. ② 조달청장이 공급하는 비축물자를 이용하고자 하는 자(이하 "이용업체"라 한다)는 조달청장이 정하는 바에 따라 국가종합전자조달시스템에 등록하여야 한다. ③ 이용업체는 조달청장이 공급하는 비축물자를 제조 및 가공하지 아니한 상태로 타인에게 재판매할 수 없다. ④ 조달청장은 제3항을 위반한 법인과 법인의 대표자에 대해서는 이용업체 등록을 말소하여야 하며, 2년 이내의 범위에서 대통령령으로 정하는 바에 따라 이	**제35조(비축물자에 대한 계약방법의 특례)** ① 조달청장은 비축물자를 구매·물류관리 및 공급하는 경우로서 다음 각 호의 어느 하나에 해당하는 경우에는 법 제14조제1항에 따라 수의계약을 할 수 있다. 1. 경쟁이 성립되지 않는 물자를 소유 또는 제조하는 자와 구매 및 공급 계약을 체결하는 경우 2. 지역별·품질별 가격의 차이 또는 가격의 변동이 극심한 물자를 소유 또는 제조하는 자와 구매 및 공급 계약을 체결하는 경우 3. 특별한 시설 또는 장비를 갖춘 자와 물류관리 및 공급에 관한 계약을 체결하는 경우	**제12조(비축물자의 판매절차)** ① 조달청장은 수요기관 또는 법 제29조제2항에 따른 이용업체(이하 이 조에서 "수요자"라 한다)에 비축물자를 판매하기 위해 비축물자를 배정하는 경우 별지 제14호서식의 비축물자 배정통지서를 수요자에게 발급해야 한다. ② 조달청장은 비축물자를 배정받은 수요자가 법 제30조제3항에 따라 정해진 납입시기에 비축물자의 판매대금을 납입하지 않는 경우 그 비축물자의 배정을 취소할 수 있다. ③ 조달청장은 법 제30조제3항 단서에 따라 비축물자를 인도한 후에 판매대금을 납입하게 하는 경우에는 수요자로 하

용업체 등록을 제한할 수 있다.

⑤ 조달청장은 제3항을 위반한 이용업체가 당초 지급한 금액과 재판매한 금액의 차액을 대통령령으로 정하는 바에 따라 환수할 수 있다.

4. 경쟁이 성립되지 않는 물자, 지역별·품질별 가격의 차이 또는 가격의 변동이 극심한 물자의 구매 및 공급 업무를 위탁하는 계약을 체결하는 경우

② 조달청장은 비축물자의 구매·물류관리 및 공급을 하는 경우 대량 물자를 분할하여 일정한 자격이 있는 2인 이상의 상대방과 계약을 체결할 필요가 있다고 인정될 때에는 법 제14조제1항에 따라 수량을 제한하여 일반경쟁 또는 지명경쟁의 방법으로 분할계약을 체결할 수 있다.

③ 조달청장은 제1항에 따라 계약을 체결한 경우 감사원에 그 사실을 통보해야 한다.

제36조(비축물자 이용업체 등록제한 등) ① 조달청장은 법 제29조제4항에 따라 이용업체 등록을 제한하려는 경우 해당 이용업체에 대하여 자료 제출 요구와 현장 확인 등을 할 수 있다.

② 조달청장은 법 제20조제4항 또는 제5항에 따라 이용업체 등록을 제한하거나 차액을 환수하려는 경우 그 사유, 등록제한 기간이나 환수금액 및 의견제출 기한

여금 「국가를 당사자로 하는 계약에 관한 법률 시행령」 제37조제2항 각 호의 어느 하나에 해당하는 보증서 등을 제출하게 해야 한다. 다만, 같은 영 제37조제3항제1호부터 제4호까지의 규정에 해당하는 자에 대해서는 보증서 등의 제출을 면제할 수 있다.

④ 제3항에 따른 보증서 등의 금액은 비축물자 판매대금과 그 금액에 대한 비축물자 인도일의 다음 날부터 판매대금 지급일까지의 약정이자에 상당하는 금액을 더한 금액으로 한다.

⑤ 수요자가 비축물자를 수령했을 때에는 별지 제15호서식의 비축물자 인수증을 조달청장에게 제출해야 한다.

조달사업에 관한 법률	조달사업에 관한 법률 시행령	조달사업에 관한 법률 시행규칙
	등을 미리 문서로 이용업체에 통지해야 하며, 이용업체의 등록 제한이나 차액의 환수가 확정된 경우에는 그 내용을 서면으로 통지해야 한다. ③ 제1항 및 제2항에서 규정한 사항 외에 이용업체 등록 제한 및 차액 환수에 필요한 사항은 조달청장이 정하여 고시한다.	
제30조(비축물자의 판매가격 결정) ① 비축물자의 판매가격은 구매원가(물품대금, 물류관리비 등 관리에 직접 드는 경비를 포함한다. 이하 같다), 해당 물자의 수급 및 가격의 동향 등을 고려하여 조달청장이 정한다. ② 비축물자의 판매가격이 구매원가를 넘는 경우에는 그 초과분은 조달특별회계의 세입으로 한다. ③ 조달청장은 수요기관 또는 민간업체에 비축물자를 인도하기 전에 판매대금을 납입하게 하여야 한다. 다만, 수요기관 또는 민간업체가 요청하는 경우로서 비축사업의 원활한 수행을 위하여 필요하다고 인정하는 때에는 비축물자를 인도한 후에 판매대금을 납입하게 할 수 있다.	**제37조(신용카드 등을 통한 비축물자대금의 납부)** ① 조달청장은 정보통신망을 이용하여 신용카드 또는 직불카드 등(이하 "신용카드등"이라 한다)을 통한 결제를 수행하는 기관으로서 기획재정부령으로 정하는 기관을 법 제30조제4항에 따른 비축물자대금 납부대행기관(이하 "비축물자대금 납부대행기관"이라 한다)으로 지정한다. ② 비축물자대금 납부대행기관은 비축물자를 구매하려는 자로부터 신용카드등을 통한 비축물자대금 납부 대행용역의 대가로 해당 납부대금의 1천분의 10 이내에서 기획재정부령으로 정하는 바에 따라 납부대행 수수료를 받을 수 있다. ③ 제1항 및 제2항에서 규정한 사항 외에 신용카드등을 통한 비축물자대금 납부에 필요한 사항은 조달청장이 정하여 고시한다.	**제13조(신용카드 등을 통한 비축물자대금의 납부)** ① 영 제37조에 따른 비축물자대금 납부대행기관(이하 이 조에서 "비축물자대금 납부대행기관"이라 한다)으로서 같은 조 제1항에서 "기획재정부령으로 정하는 기관"이란 다음 각 호의 어느 하나에 해당하는 기관을 말한다. 1. 「민법」 제32조에 따라 금융위원회의 허가를 받아 설립된 금융결제원 2. 시설, 업무수행능력 및 자본금 규모 등을 고려하여 조달청장이 비축물자대금 납부대행기관으로 지정될 필요가 있다고 인정한 기관 ② 조달청장은 영 제37조제2항에 따라 비축물자대금 납부대행기관의 운영경비 등을 종합적으로 고려하여 납부대행 수수료를 정하고, 이를 고시한다.

④ 비축물자를 구매하려는 자(조달청장과 제32조제2항에 따른 민간사업자는 제외한다)는 비축물자 구매 대금의 납부를 대행할 수 있도록 조달청장이 대통령령으로 정하는 바에 따라 지정한 기관(이하 이 조에서 "비축물자대금 납부대행기관"이라 한다)을 통하여 신용카드나 직불카드 등(이하 이 조에서 "신용카드등"이라 한다)으로 비축물자 구매 대금을 납부할 수 있다.

⑤ 제4항에 따라 신용카드등으로 비축물자의 구매 대금을 납부하는 경우에는 비축물자대금 납부대행기관의 승인일을 구매 대금의 납부일로 본다.

⑥ 비축물자대금 납부대행기관은 비축물자를 구매하려는 자로부터 구매 대금의 납부를 대행하는 대가로 수수료를 받을 수 있다.

⑦ 비축물자대금 납부대행기관의 지정·운영과 납부대행 수수료 등에 관하여 필요한 사항은 대통령령으로 정한다.

제12조(비축물자의 판매절차) ① (생 략)

② 조달청장은 비축물자를 배정받은 수요자가 법 제30조제3항에 따라 정해진 납입시기에 비축물자의 판매대금을 납입하지 않는 경우 그 비축물자의 배정을 취소할 수 있다.

③ 조달청장은 법 제30조제3항 단서에 따라 비축물자를 인도한 후에 판매대금을 납입하게 하는 경우에는 수요자로 하여금 「국가를 당사자로 하는 계약에 관한 법률 시행령」 제37조제2항 각 호의 어느 하나에 해당하는 보증서 등을 제출하게 해야 한다. 다만, 같은 영 제37조제3항제1호부터 제4호까지의 규정에 해당하는 자에 대해서는 보증서 등의 제출을 면제할 수 있다.

④ 제3항에 따른 보증서 등의 금액은 비축물자 판매대금과 그 금액에 대한 비축물자 인도일의 다음 날부터 판매대금 지급일까지의 약정이자에 상당하는 금액을 더한 금액으로 한다.

⑤ 수요자가 비축물자를 수령했을 때에는 별지 제15호서식의 비축물자 인수증을 조달청장에게 제출해야 한다.

조달사업에 관한 법률	조달사업에 관한 법률 시행령	조달사업에 관한 법률 시행규칙
제31조(파생상품거래) ① 조달청장은 비축물자의 가격 변동이나 수급 불안정에 따른 위험을 피하기 위하여 필요하면 「자본시장과 금융투자업에 관한 법률」 제5조제1항제1호 및 제2호에 따른 파생상품을 거래할 수 있다. ② 제1항에 따른 파생상품거래의 내용과 범위, 그 밖에 필요한 사항은 대통령령으로 정한다.	**제38조(장내파생상품거래)** 조달청장은 법 제31조제1항에 따라 비축물자의 안정적 확보 및 효율적 관리를 위해 필요하다고 인정하는 경우 「자본시장과 금융투자업에 관한 법률」 제5조제2항에 따른 장내파생상품을 거래할 수 있다.	
제32조(민관 공동 비축사업) ① 조달청장은 비축사업을 활성화하기 위하여 필요한 경우 민간과 협력하여 민관 공동 비축사업을 할 수 있다. ② 조달청장은 제1항에 따라 민관 공동 비축사업에 참여하는 민간사업자가 비축하는 물자에 대하여 필요한 지원을 할 수 있으며, 「국유재산법」 제32조 및 제34조에도 불구하고 비축물자의 특성, 물량, 비축기간 등이 대통령령으로 정하는 기준에 해당하는 경우에는 비축시설의 사용료를 감면할 수 있다. ③ 조달청장은 제2항에 따라 지원을 받거나 사용료를 감면받은 민간사업자에 대하여 해당 사업자가 비축하는 물자를	**제39조(민관 공동 비축사업의 참여대상 등)** ① 조달청장은 법 제32조제1항에 따라 다음 각 호의 어느 하나에 해당하는 자와 민관 공동 비축사업을 할 수 있다. 1. 국내외의 원자재 공급업체 또는 생산업체 2. 국내외의 원자재 수요업체 3. 「공공기관의 운영에 관한 법률」 제4조에 따른 공공기관 4. 「예금자보호법」 제2조제1호에 따른 부보금융회사(附保金融會社) ② 법 제32조제1항에 따른 민관 공동 비축사업에 참여하려는 자는 비축사업신청서에 비축품목, 비축기간 및 비축물량 등을 적은 비축사업계획서를 첨부하여 조달청장에게 제출해야 한다.	

조달청에 우선적으로 매각하도록 요청할 수 있으며, 정당한 사유 없이 그 요청을 따르지 아니하는 경우에는 제2항에 따라 감면받은 사용료를 환수하는 등 대통령령으로 정하는 제재조치를 할 수 있다. 〈개정 2020. 6. 9.〉

④ 제1항에 따른 민관 공동 비축사업의 참여대상, 방법 및 그 밖에 필요한 사항은 대통령령으로 정한다.

③ 조달청장은 제2항에 따라 신청서를 제출받은 경우 제출서류를 검토하여 민관 공동 비축사업을 수행하기에 적합하다고 인정하면 해당 신청인을 민관 공동 비축사업에 참여하는 민간사업자(이하 "민간비축사업자"라 한다)로 선정할 수 있다.

④ 제1항부터 제3항까지에서 규정한 사항 외에 민간비축사업자의 선정 기준 및 절차, 그 밖에 민관 공동 비축사업의 운영에 필요한 사항은 조달청장이 정하여 고시한다.

제40조(민관 공동 비축협약 등) ① 조달청장은 제39조제3항에 따라 민간비축사업자로 승인받은 자와 비축사업의 범위·방법과 법 제32조제3항에 따른 비축물자 우선매각의 대상 물량 및 매각 가격·조건 등을 포함하는 민관 공동 비축협약을 체결해야 한다.

② 민간비축사업자는 제1항에 따른 민관 공동 비축협약에 따라 구매한 비축물자를 보관하기 위해 조달청장이 관리하는 비축시설을 사용할 수 있다.

③ 조달청장은 민간비축사업자가 요청하는 경우 비축물자의 구매 및 판매 등을 대행할 수 있다.

조달사업에 관한 법률	조달사업에 관한 법률 시행령	조달사업에 관한 법률 시행규칙
	제41조(비축시설 사용료의 감면 등) ① 법 제32조제2항에서 "대통령령으로 정하는 기준"이란 다음 각 호의 요건을 모두 갖춘 경우를 말한다. 1. 비축하는 물자를 조달청에 우선적으로 매각할 것을 약속한 물량이 전체 비축물량의 100분의 10 이상일 것 2. 비축기간이 2개월 이상일 것 3. 비축기간 중 평균 비축물량이 국내 비축물자 수요 등을 고려하여 조달청장이 정하는 비축계획물량의 일정 비율 이상일 것 ② 조달청장은 법 제32조제2항에 따라 비축시설 사용료(비축시설의 관리비를 포함한다. 이하 제42조에서 같다)를 100분의 50 범위에서 감면할 수 있다. 이 경우 구체적인 감면비율은 우선매각의 대상 물량, 비축기간, 비축물량, 비축물자의 가액 등을 고려하여 조달청장이 정하여 고시한다. **제42조(우선매각의 방법 및 위반 시 제재조치)** ① 법 제32조제2항에 따라 사용료를 감면받은 민간비축사업자는 같은 조 제3항에 따라 조달청장으로부터 비축물자의	

제9장 보칙

제33조(시설관리 등의 위탁) ① 조달청장은 조달사업을 수행하는 데 필요하다고 인정할 때에는 조달특별회계에 속하는 창고, 야적장(野積場), 그 밖의 시설의 관리 및 운영에 관한 업무, 제3조 각 호의 사업, 제18조제1항 각 호의 업무, 제19조제1항의 업무 및 제20조의 업무 중 일부를 대통령령으로 정하는 바에 따라 다른 행정기관이나 법인·단체 또는 개인

우선매각을 요청받은 경우 해당 비축물자를 제39조제1항에 따른 민관 공동 비축협약에서 정한 가격 및 조건으로 조달청장에게 매각해야 한다.

② 법 제32조제3항에서 "감면받은 사용료를 환수하는 등 대통령령으로 정하는 제재조치"란 다음 각 호의 제재조치를 말한다.

1. 제39조제3항에 따른 민간비축사업자 선정의 취소
2. 제41조제2항에 따라 감면한 사용료의 환수

제9장 보칙

제43조(시설관리 등의 위탁) ① 조달청장은 법 제33조제1항 본문에 따라 조달특별회계에 속하는 창고, 야적장(野積場), 그 밖의 시설의 관리 및 운영에 관한 업무를 다음 각 호의 어느 하나에 해당하는 자에게 위탁한다.

1. 물류관리 업무를 담당하는 국가기관
2. 그 밖에 조달청장이 시설의 관리 및 운영에 관한 업무를 수행하기에 적합

<table>
<tr><th>조달사업에 관한 법률</th><th>조달사업에 관한 법률 시행령</th><th>조달사업에 관한 법률 시행규칙</th></tr>
<tr><td>에게 위탁할 수 있다. 다만, 제18조제1항제2호의 업무, 제19조제1항의 업무 및 제20조의 업무를 위탁하는 경우에는 「국가표준기본법」 제23조 또는 다른 법률에 따라 인정된 시험·검사기관에 위탁하여야 한다.
② 조달청장이나 제1항에 따라 업무를 위탁받은 행정기관, 법인·단체 또는 개인(이하 “수탁기관”이라 한다)은 조달물자 외의 물자를 수탁(受託)하여 그 시설에서 보관하거나 관리할 수 있다.
③ 조달청장은 제1항의 위탁 업무를 수행하는 데 필요한 경비의 전부 또는 일부를 조달특별회계의 예산 범위에서 지원할 수 있다.
④ 수탁기관은 해당 업무의 수행에 관련된 기록을 작성·보관하여야 한다.
⑤ 조달청장은 필요한 경우에 수탁기관에 대하여 그 업무와 관련된 자료를 제출하게 하거나 소속 공무원으로 하여금 해당 사무소, 사업장 등에 출입하여 품질관리업무 수행 상황을 점검하게 할 수 있다.
⑥ 조달청장은 수탁기관이 다음 각 호의</td><td>하다고 인정하는 자
② 조달청장은 법 제33조제1항 본문에 따라 법 제3조 각 호의 사업과 관련한 다음 각 호의 업무를 전문성이나 수행능력 등을 고려할 때 해당 업무를 수행하기에 적합하다고 인정하는 자에게 위탁한다.
1. 법 제13조에 따른 다수공급자계약 업무 중 입찰자의 재무 상태 및 납품 실적 조사와 수요물자의 품질·성능·효율 등에 대한 조사
2. 법 제26조제1항에 따른 우수조달물품의 지정 업무 중 지정신청서 접수, 지정신청서에 대한 사전검토 및 이와 관련한 업무
③ 조달청장은 법 제33조제1항에 따라 다음 각 호의 업무를 해당 구분에 따른 자에게 위탁한다.
1. 법 제18조제1항제1호·제3호 및 제4호의 경우: 다음 각 목의 어느 하나에 해당하는 자
가. 「국가표준기본법」 제23조 또는 그 밖의 다른 법률에 따라 인정된 시험·검사기관
나. 그 밖에 조달청장이 품질관리에 관</td><td></td></tr>
</table>

어느 하나에 해당하는 경우에는 그 위탁을 취소하거나 1개월 이상 1년 이하의 범위에서 기간을 정하여 검사업무의 정지를 명할 수 있다. 다만, 제1호에 해당하는 경우에는 그 위탁을 취소하여야 한다.

1. 거짓 또는 그 밖의 부정한 방법으로 위탁을 받은 경우
2. 업무의 수탁기관의 장이 위탁 취소를 요청한 경우
3. 관계 기관으로부터 검사분야 공인기관 인정이 전부 취소된 경우
4. 거짓 또는 부정한 방법으로 검사를 실시한 경우
5. 그 밖에 업무의 신뢰성 또는 공정성을 해칠 우려가 있는 경우로서 조달청장이 정하여 고시하는 경우

⑦ 제1항에 따른 업무의 위탁 및 수탁기관의 지정·관리·감독, 수탁기관의 검사업무 정지 및 위탁 취소에 필요한 사항은 조달청장이 정하여 고시한다.

제34조(벌칙 적용에서 공무원 의제) 다음 각 호의 어느 하나에 해당하는 사람은 「형법」 제129조부터 제132조까지의 규정을 적용할 때에는 공무원으로 본다.

한 업무를 수행하기에 적합하다고 인정하는 자

2. 법 제18조제1항제2호, 제19조제1항 및 제20조의 경우: 「국가표준기본법」 제23조 또는 그 밖의 다른 법률에 따라 인정된 시험·검사기관

④ 조달청장은 제1항부터 제3항까지의 규정에 따라 업무를 위탁한 경우 해당 업무를 위탁받는 자를 고시해야 한다.

<table>
<tr><th>조달사업에 관한 법률</th><th>조달사업에 관한 법률 시행령</th><th>조달사업에 관한 법률 시행규칙</th></tr>
<tr><td>1. 제5조에 따른 위원회, 분과위원회 및 실무위원회의 위원 중 공무원이 아닌 위원
2. 제33조에 따라 위탁받은 업무에 종사하는 수탁기관의 임직원</td><td></td><td></td></tr>
<tr><td>제35조(과태료) ① 다음 각 호의 어느 하나에 해당하는 자에게는 300만원 이하의 과태료를 부과한다.
1. 제33조제4항을 위반하여 관련 기록을 작성·보관하지 아니하거나 거짓으로 작성·보관한 자
2. 제33조제5항에 따른 자료제출을 하지 아니하거나 거짓 자료를 제출한 자
3. 제33조제5항에 따른 점검을 정당한 사유 없이 거부·방해 또는 기피한 자
② 제1항에 따른 과태료는 대통령령으로 정하는 바에 따라 조달청장이 부과·징수한다.</td><td>제44조(과태료의 부과기준) 법 제35조제1항에 따른 과태료의 부과기준은 별표와 같다.

제45조(조달물자의 사고 처리) 조달청장은 국외로부터 조달물자를 도입하는 도중에 사고가 발생하였을 때에는 국제관례에 따라 처리하고 수요기관에 그 결과를 통보해야 한다.</td><td></td></tr>
</table>

부　칙 〈제4697호, 1994.1.5〉

①**(시행일)** 이 법은 1995년 1월 1일부터 시행한다.

②**(법률의 폐지)** 조달기금법은 이를 폐지한다.

③**(경과조치)** 이 법 시행당시 조달기금법에 의하여 시행중인 조달사업은 이 법에 의한 조달사업으로, 조달기금법에 의하여 조성된 조달기금은 조달특별회계의 고유자본으로 보며, 조달기금의 채권·채무는 조달특별회계가 이를 승계한다.

부　칙 〈제7394호, 2005.3.24〉

이 법은 공포 후 3월이 경과한 날부터 시행한다.

부　칙 〈제7723호, 2005.12.14〉

이 법은 2006년 1월 1일부터 시행한다.

부　칙 〈제9283호, 2008.12.31〉

이 법은 공포한 날부터 시행한다.

부　칙 〈제9714호, 2009.5.27〉

이 법은 공포 후 3개월이 경과한 날부터 시행한다.

부　칙 〈제14435호, 1994.12.23〉

①**(시행일)** 이 영은 1995년 1월 1일부터 시행한다.

②**(다른 법령의 폐지)** 조달기금법시행령은 이를 폐지한다.

부　칙 〈제15831호, 1998.7.9〉

①**(시행일)** 이 영은 공포한 날부터 시행한다.

②**(보증금 및 지체상금의 처리에 관한 규정의 적용례)** 제5조의 개정규정은 이 영 시행후 최초로 국고귀속사유가 발생하는 입찰보증금·계약보증금 및 지체상금부터 적용한다.

③**(계약체결을 요청하여야 하는 공사금액에 관한 규정의 적용례)** 제15조제1항제1호의 개정규정은 이 영 시행후 최초로 수요기관이 조달청장에게 공사계약의 체결을 요청하는 분부터 적용한다.

부　칙 〈제17011호, 2000.12.5〉

이 영은 공포한 날부터 시행한다.

부　칙 〈제17689호, 2002.7.30〉

①**(시행일)** 이 영은 공포한 날부터 시행한다. 다만, 제12조의 개정규정은 2002년 9월

부　칙 〈제485호, 1994.12.31〉

①**(시행일)** 이 규칙은 1995년 1월 1일부터 시행한다

②**(다른 법령의 폐지)** 조달기금법시행규칙은 이를 폐지한다.

부　칙 〈제511호, 1995. 7. 6〉

(국가를당사자로하는계약에관한법률시행규칙)

제1조(시행일) 이 규칙은 1995년 7월 6일부터 시행한다.

제2조 생략

제3조(다른 법령의 폐지 및 개정) ①내지 ④생략

⑤조달사업에관한법률시행규칙중 다음과 같이 개정한다.

제11조제2항 본문중 "계약사무처리규칙"을 "국가를당사자로하는계약에관한법률시행규칙"으로 한다.

⑥및 ⑦생략

제4조(다른 법령과의 관계) 이 규칙 시행당시 다른 법령에서 계약사무처리규칙의 각 조문을 인용한 경우에는 이 규칙의 해당조문을 인용한 것으로 본다.

조달사업에 관한 법률	조달사업에 관한 법률 시행령	조달사업에 관한 법률 시행규칙
부　　칙 〈제9830호, 2009.12.29〉 이 법은 공포 후 3개월이 경과한 날부터 시행한다. **부　　칙** 〈제10290호, 2010.5.17〉 이 법은 공포 후 3개월이 경과한 날부터 시행한다. **부　　칙** 〈제11461호, 2012.6.1〉 (전자문서 및 전자거래 기본법) **제1조(시행일)** 이 법은 공포 후 3개월이 경과한 날부터 시행한다. **제2조부터 제9조**까지 생략 **제10조(다른 법률의 개정)** ①부터 〈20〉까지 생략 〈21〉 조달사업에 관한 법률 일부를 다음과 같이 개정한다. 제8조제1항 중 "「전자거래기본법」"을 "「전자문서 및 전자거래 기본법」"으로 한다. 〈22〉부터 〈25〉까지 생략 **부　　칙** 〈제11552호, 2012.12.18〉 이 법은 공포 후 3개월이 경과한 날부터 시행한다.	30일부터 시행한다. ②**(대금지급에 관한 경과조치)** 이 영 시행전에 체결된 계약의 대금지급에 관하여는 제12조의 개정규정에 불구하고 종전의 규정에 의한다. **부　　칙** 〈제18634호, 2004.12.31〉 ①**(시행일)** 이 영은 공포한 날부터 시행한다. ②**(물자대금 납입기한에 관한 적용례)** 제12조제4항의 개정규정은 이 영 시행후 납입고지된 분부터 적용한다. ③**(공사원가 사전검토에 관한 적용례)** 제15조의2의 개정규정은 이 영 시행후 공사원가 사전검토가 요청된 분부터 적용한다. ④**(지방자치단체 공사의 자체발주에 관한 특례)** 지방자치단체는 제15조제1항 단서의 규정에 불구하고 다음 각호의 공사규모에 따른 시기 이후에는 조달청장에게 요청하지 아니하고 자체적으로 공사계약을 체결할 수 있다. 1. 200억원 미만 입찰참가자격 사전심사대상인 공사 : 2005년 1월 1일 2. 500억원 미만 입찰참가자격 사전심사대상인 공사 : 2007년 1월 1일	**부　　칙** 〈제519호, 1995.9.29〉 이 규칙은 공포한 날부터 시행한다. **부　　칙** 〈제44호, 1998.10.21〉 이 규칙은 공포한 날부터 시행한다. **부　　칙** 〈제408호, 2005.1.11〉 ①**(시행일)** 이 규칙은 공포한 날부터 시행한다. ②**(선금납입기한 단축에 관한 적용례)** 제3조제2항의 개정규정은 이 규칙 시행후 선납고지를 하는 분부터 적용한다. ③**(비축물자 판매대금의 보증에 관한 적용례)** 제9조제3항 및 제4항의 개정규정은 이 규칙 시행후 비축물자를 인도하는 분부터 적용한다. **부　　칙** 〈제137호, 2010. 3.30〉 **제1조(시행일)** 이 규칙은 2010년 3월 30일부터 시행한다. **제2조(연체료 부과에 관한 적용례)** 제15조의 개정규정은 이 규칙 시행 후 최초로 납부고지하는 대금 및 수수료부터 적용한다.

부　칙 〈제11631호, 2013.3.22〉
(전자조달의 이용 및 촉진에 관한 법률)

제1조(시행일) 이 법은 공포 후 6개월이 경과한 날부터 시행한다.

제2조 및 제3조 생략

제4조(다른 법률의 개정) 조달사업에 관한 법률 일부를 다음과 같이 개정한다.

제8조를 삭제한다.

부　칙 〈제11888호, 2013.7.16〉

이 법은 공포 후 6개월이 경과한 날부터 시행한다.

부　칙 〈제13086호, 2015.1.28〉
(소상공인 보호 및 지원에 관한 법률)

제1조(시행일) 이 법은 2015년 5월 28일부터 시행한다. 〈단서 생략〉

제2조부터 **제6조**까지 생략

제7조(다른 법률의 개정) ①부터 ③까지 생략

④ 조달사업에 관한 법률 일부를 다음과 같이 개정한다.

제5조제2항 중 "「소기업 및 소상공인지원을 위한 특별조치법」 제2조에 따른 소기업과 소상공인"을 "「중소기업기본법」

3. 500억원 이상 입찰참가자격 사전심사대상인 공사 : 2008년 1월 1일
4. 대안입찰 또는 일괄입찰 대상공사 : 2010년 1월 1일

부　칙 〈제18903호, 2005.6.30〉
(디자인보호법 시행령)

제1조 (시행일) 이 영은 2005년 7월 1일부터 시행한다.

제2조 (다른 법령의 개정) ①내지 〈16〉생략

〈17〉조달사업에관한법률시행령 일부를 다음과 같이 개정한다.

제18조제1항제1호중 "의장법"을 "「디자인보호법」"으로, "등록의장"을 "등록디자인"으로 한다.

〈18〉내지 〈20〉생략

부　칙 〈제19537호, 2006.6.22〉

이 영은 공포한 날부터 시행한다.

부　칙 〈제20720호,2008.2.29〉
(기획재정부와 그 소속기관 직제)

제1조(시행일) 이 영은 공포한 날부터 시행한다. 다만, 부칙 제8조에 따라 개정되는

부　칙 〈제570호, 2016.9.2〉

이 규칙은 공포한 날부터 시행한다.

부　칙 〈제808호, 2020. 10. 5.〉

제1조(시행일) 이 규칙은 공포한 날부터 시행한다.

제2조(서식에 관한 경과조치) ① 이 규칙 시행 전에 조달 등을 요청하거나 요구한 경우에는 서식의 개정규정에도 불구하고 종전의 규정에 따른다.

② 이 규칙 시행 전에 작성 또는 발급된 물품납품 및 영수증, 계약체결 통지서 등은 서식의 개정규정에 따라 작성 또는 발급된 것으로 본다.

제3조(종전 부칙의 적용범위에 관한 경과조치) 종전의 「조달사업에 관한 법률 시행규칙」의 개정에 따라 규정했던 종전의 부칙은 이 규칙 시행 전에 그 효력이 이미 상실된 경우를 제외하고는 이 규칙 시행 이후에도 계속하여 적용한다.

제4조(다른 법령의 개정) 조달품질원 시험·분석 규칙 일부를 다음과 같이 개정한다.

제1조 중 "「조달사업에 관한 법률」 제3조의3"을 "「조달사업에 관한 법률」 제18

조달사업에 관한 법률	조달사업에 관한 법률 시행령	조달사업에 관한 법률 시행규칙
제2조제2항에 따른 소기업과 「소상공인 보호 및 지원에 관한 법률」 제2조에 따른 소상공인"으로 한다. ⑤부터 ⑦까지 생략 **제8조** 생략 **부 칙** 〈제13118호, 2015.2.3〉 이 법은 공포 후 6개월이 경과한 날부터 시행한다. **부 칙** 〈제13394호, 2015.7.20〉 **제1조(시행일)** 이 법은 공포 후 6개월이 경과한 날부터 시행한다. **제2조(계약의 특례에 관한 적용례)** 제5조의 개정규정은 이 법 시행 후 최초로 미리 입찰가격을 협정하였거나 특정인의 낙찰을 위하여 담합한 공동수급체부터 적용한다. **부 칙** 〈제13817호, 2016.1.27〉 **제1조(시행일)** 이 법은 공포 후 6개월이 경과한 날부터 시행한다. **제2조(신용카드등으로 하는 대금 납부에 관한 적용례)** 제11조의2의 개정규정은 이	대통령령 중 이 영의 시행 전에 공포되었으나 시행일이 도래하지 아니한 대통령령을 개정한 부분은 각각 해당 대통령령의 시행일부터 시행한다. **제2조부터 제7조**까지 생략 **제8조(다른 법령의 개정)** ①부터 〈54〉까지 생략 〈55〉 조달사업에 관한 법률 시행령 일부를 다음과 같이 개정한다. 제3조 각호 외의 부분, 제7조의2제2항·제4항, 제10조, 제17조제2항 중 "재정경제부장관"을 각각 "기획재정부장관"으로 한다. 제14조제3호, 제15조제5항 중 "재정경제부령"을 각각 "기획재정부령"으로 한다. 〈56〉 부터 〈68〉 까지 생략 **부 칙** 〈제20947호, 2008.7.29〉 (자본시장과 금융투자업에 관한 법률 시행령) **제1조(시행일)** 이 영은 2009년 2월 4일부터 시행한다. 〈단서 생략〉 **제2조부터 제25조**까지 생략 **제26조(다른 법령의 개정)** ① 부터 〈90〉 까지 생략 〈91〉 조달사업에 관한 법률 시행령 일부를 다음과 같이 개정한다.	조"로 한다. **제5조(다른 법령과의 관계)** 이 규칙 시행 당시 다른 법령에서 종전의 「조달사업에 관한 법률 시행규칙」의 규정을 인용하고 있는 경우 이 규칙 중 그에 해당하는 규정이 있을 때에는 종전의 규정을 갈음하여 이 규칙의 해당 규정을 인용한 것으로 본다.

법 시행 이후 비축물자의 구매 대금을 납부하는 경우부터 적용한다.

제3조(다른 법률의 개정) 발명진흥법 일부를 다음과 같이 개정한다.

제39조 중 "「조달사업에 관한 법률」 제2조제4호에 따른 수요기관"을 "「조달사업에 관한 법률」 제2조제5호에 따른 수요기관"으로 한다.

부 칙 〈제14197호, 2016.5.29〉
(지방회계법)

제1조(시행일) 이 법은 공포 후 6개월이 경과한 날부터 시행한다. 〈단서 생략〉

제2조 생략

제3조(다른 법률의 개정) ① 생략

② 법률 제13817호 조달사업에 관한 법률 일부개정법률 일부를 다음과 같이 개정한다.

제5조의4제3항 중 "「지방재정법」 제73조"를 "「지방회계법」 제35조"로 한다.

③부터 ⑩까지 생략

제4조 생략

제6조의 제목 "(선물거래)"를 "(장내파생상품거래)"로 하고, 같은 조 제1항 중 "선물거래소"를 "한국거래소"로, "선물거래"를 "장내파생상품거래"로 한다.

〈92〉 부터 〈113〉 까지 생략

제27조 및 제28조 생략

부 칙 〈제21248호, 2009.1.6〉

이 영은 공포한 날부터 시행한다.

부 칙 〈제21593호, 2009.7.1〉

제1조(시행일) 이 영은 공포한 날부터 시행한다.

제2조(적용례) 제12조제4항의 개정규정은 이 영 시행 후 최초로 납입고지를 하는 분부터 적용한다.

부 칙 〈제21700호, 2009.8.25〉

이 영은 2009년 8월 28일부터 시행한다.

부 칙 〈제21834호, 2009.11.20〉
(중소기업제품 구매촉진 및 판로지원에 관한 법률 시행령)

제1조(시행일) 이 영은 2009년 11월 22일부터 시행한다.

조달사업에 관한 법률	조달사업에 관한 법률 시행령	조달사업에 관한 법률 시행규칙
부 칙 〈제14526호, 2017.1.17〉 이 법은 공포 후 6개월이 경과한 날부터 시행한다. **부 칙** 〈제17153호, 2020.3.31.〉 **제1조(시행일)** 이 법은 공포 후 6개월이 경과한 날부터 시행한다. 다만, 부칙 제4조 제3항은 2021년 2월 5일부터 시행한다. **제2조(일반적 경과조치)** 이 법 시행 당시 종전의 「조달사업에 관한 법률」의 규정에 따라 한 처분이나 그 밖의 행위 또는 행정기관에 대한 각종 신청이나 그 밖의 행위는 그에 해당하는 이 법에 따른 행정기관의 행위 또는 행정기관에 대하여 한 행위로 본다. **제3조(과태료에 관한 경과조치)** 이 법 시행 전의 위반행위에 대하여 과태료를 적용할 때에는 종전의 규정에 따른다. **제4조(다른 법률의 개정)** ① 공공기관의 운영에 관한 법률 일부를 다음과 같이 개정한다. 제44조제1항 본문 중 "「조달사업에 관한 법률」 제5조"를 "「조달사업에 관한 법률」 제14조"로 한다.	**제2조(다른 법령의 개정)** ①부터 ③까지 생략 ④ 조달사업에 관한 법률 시행령 일부를 다음과 같이 개정한다. 제7조의2제2항 단서 중 "「중소기업진흥및제품구매촉진에 관한 법률」 제7조"를 "「중소기업제품 구매촉진 및 판로지원에 관한 법률」 제6조"로 한다. ⑤ 및 ⑥ 생략 **제3조** 생략 **부 칙 〈제22087호, 2010.3.26〉** **제1조(시행일)** 이 영은 2010년 3월 30일부터 시행한다. **제2조(대금 및 수수료의 납입시기에 관한 적용례)** 제12조제4항제1호의 개정규정은 이 영 시행 후 최초로 납입고지하는 대금 및 수수료부터 적용한다. **부 칙** 〈제22342호, 2010.8.17〉 **제1조(시행일)** 이 영은 2010년 8월 18일부터 시행한다. **제2조(중소기업자간 경쟁제품에 대한 계약의 특례에 관한 적용례)** 제9조의2의 개정규정은 이 영 시행 후 최초로 입찰공고하는	

② 국유재산특례제한법 일부를 다음과 같이 개정한다.

별표 제136호 중 "「조달사업에 관한 법률」 제12조"를 "「조달사업에 관한 법률」 제32조"로 한다.

③ 법률 제16954호 소상공인기본법 일부를 다음과 같이 개정한다.

부칙 제7조제10항 중 "조달사업에 관한 법률"을 "법률 제17153호 조달사업에 관한 법률 전부개정법률"로, "제5조제2항"을 "제14조제2항"으로 한다.

제5조(다른 법령과의 관계) 이 법 시행 당시 다른 법령에서 종전의 「조달사업에 관한 법률」의 규정을 인용하고 있는 경우에 이 법 가운데 그에 해당하는 규정이 있을 때에는 종전의 규정을 갈음하여 이 법의 해당 규정을 인용한 것으로 본다.

부 칙 〈제17339호, 2020.6.9.〉

(법률용어 정비를 위한 기획재정위원회 소관 33개 법률 일부개정을 위한 법률)

이 법은 공포한 날부터 시행한다. 다만, 제27조는 2020년 10월 1일부터 시행한다.

것부터 적용한다.

제3조(포상금 지급에 관한 적용례) 제19조제2항의 개정규정은 이 영 시행 후 최초로 신고하거나 제보하는 것부터 적용한다.

부 칙 〈제24398호, 2013.3.18〉

제1조(시행일) 이 영은 2013년 3월 19일부터 시행한다.

제2조(품질점검 비용 부담에 관한 적용례) 제4조의2제1항의 개정규정은 이 영 시행 후 품질점검을 시행하는 분부터 적용한다.

제3조(과태료 부과에 관한 적용례) 제24조의 개정규정은 이 영 시행 후 발생한 위반행위부터 적용한다.

부 칙 〈제24728호, 2013.9.17〉

(전자조달의 이용 및 촉진에 관한 법률 시행령)

제1조(시행일) 이 영은 2013년 9월 23일부터 시행한다.

제2조 생략

제3조(다른 법령의 개정) ① 생략

② 조달사업에 관한 법률 시행령 일부를 다음과 같이 개정한다.

제17조를 삭제한다.

<table>
<tr><th>조달사업에 관한 법률</th><th>조달사업에 관한 법률 시행령</th><th>조달사업에 관한 법률 시행규칙</th></tr>
<tr><td>
부 칙 〈제17348호, 2020.6.9.〉
(소프트웨어 진흥법)
제1조(시행일) 이 법은 공포 후 6개월이 경과한 날부터 시행한다.
제2조 부터 제13조까지 생략
제14조(다른 법률의 개정) ①부터 ⑦까지 생략
⑧ 법률 제17153호 조달사업에 관한 법률 전부개정법률 일부를 다음과 같이 개정한다.
제24조제1호 중 "「소프트웨어산업 진흥법」"을 "「소프트웨어 진흥법」"으로 한다.
⑨ 및 ⑩ 생략
제15조 생략
</td><td>
③ 생략

부 칙 〈제25077호, 2014.1.14〉
제1조(시행일) 이 영은 2014년 1월 17일부터 시행한다.
제2조(조달통계의 작성 방법 및 절차에 관한 특례) 제4조의3제5항의 개정규정에도 불구하고 조달청장이 같은 조 제2항의 개정규정에 따른 자료의 작성 및 제출을 위한 정보처리장치를 지정하는 데 필요한 2014년 12월 31일 전까지는 그 자료의 작성 및 제출에 필요한 사항을 조달청장이 따로 정하여 고시할 수 있다.

부 칙 〈제25680호, 2014.11.4〉
제1조(시행일) 이 영은 공포한 날부터 시행한다.
제2조(장기계속계약의 제2차 이후의 계약 체결의 요청에 관한 적용례) 제9조의3제1항제4호의 개정규정은 이 영 시행 이후 수요기관의 장이 조달청장에게 장기계속계약의 체결을 요청하는 경우부터 적용한다.
</td><td></td></tr>
</table>

부　　칙 〈제25840호, 2014.12.9〉

(규제 재검토기한 설정 등 규제정비를 위한 건축법 시행령 등 일부개정령)

제1조(시행일) 이 영은 2015년 1월 1일부터 시행한다.

제2조부터 **제16조**까지 생략

부　　칙 〈제26248호, 2015.5.26.〉

(소상공인 보호 및 지원에 관한 법률 시행령)

제1조(시행일) 이 영은 2015년 5월 28일부터 시행한다.

제2조부터 **제5조**까지 생략

제6조(다른 법령의 개정) ①부터 ⑦까지 생략

⑧ 조달사업에 관한 법률 시행령 일부를 다음과 같이 개정한다.

제9조의2제5항제1호 중 "「소기업 및 소상공인지원을 위한 특별조치법」 제2조에 따른 소기업 또는 소상공인"을 "「중소기업기본법」 제2조제2항에 따른 소기업 또는 「소상공인 보호 및 지원에 관한 법률」 제2조에 따른 소상공인"으로 한다.

⑨부터 ⑪까지 생략

제7조 생략

조달사업에 관한 법률	조달사업에 관한 법률 시행령	조달사업에 관한 법률 시행규칙
	부 칙 〈제26429호, 2015.7.24〉 이 영은 2015년 8월 4일부터 시행한다. **부 칙** 〈제27037호, 2016.3.11〉 (예금자보호법 시행령) **제1조(시행일)** 이 영은 공포한 날부터 시행한다. **제2조(다른 법령의 개정)** ①부터 〈16〉까지 생략 〈17〉 조달사업에 관한 법률 시행령 일부를 다음과 같이 개정한다. 제20조제1항제4호 중 "부보금융기관(附保金融機關)"을 "부보금융회사(附保金融會社)"로 한다. **부 칙** 〈제27401호, 2016.7.28〉 **제1조(시행일)** 이 영은 공포한 날부터 시행한다. **제2조(다른 법령의 개정)** ① 국가를 당사자로 하는 계약에 관한 법률 시행령 일부를 다음과 같이 개정한다. 제56조의2제3호 중 "「조달사업에 관한 법률」 제3조의3"을 "「조달사업에 관한 법률」 제3조의4"로 한다.	

② 지방자치단체를 당사자로 하는 계약에 관한 법률 시행령 일부를 다음과 같이 개정한다.

제64조의2제3호 중 "「조달사업에 관한 법률」 제3조의3"을 "「조달사업에 관한 법률」 제3조의4"로 한다.

부 칙 〈제27751호, 2016.12.30〉

(규제 재검토기한 설정 등을 위한 가맹사업거래의 공정화에 관한 법률 시행령 등 일부개정령)

제1조(시행일) 이 영은 2017년 1월 1일부터 시행한다. 〈단서 생략〉

제2조부터 **제12조**까지 생략

부 칙 〈제28186호, 2017.7.17〉

이 영은 2017년 7월 18일부터 시행한다.

부 칙 〈제31053호, 2020.9.29.〉

제1조(시행일) 이 영은 2020년 10월 1일부터 시행한다.

제2조(계약체결의 요청 등에 관한 적용례) 대통령령 제25680호 조달사업에 관한 법률 시행령 일부개정령 제9조의3제1항제4호의

조달사업에 관한 법률	조달사업에 관한 법률 시행령	조달사업에 관한 법률 시행규칙
	개정규정은 2014년 11월 4일 이후 수요기관의 장이 조달청장에게 장기계속계약의 체결을 요청하는 경우부터 적용한다. **제3조(지방자치단체 공사원가의 사전검토에 관한 적용례)** 제28조제1항제3호의 개정규정은 이 영 시행 이후 조달청장에게 공사의 계약 체결을 요청하는 경우부터 적용한다. **제4조(혁신제품의 공공구매 지원에 관한 특례)** 이 영 시행 당시 종전의 「조달사업에 관한 법률 시행령」(대통령령 제31053호로 전부개정되기 전의 것을 말한다. 이하 "종전 규정"이라 한다) 제7조의3제3항에 따른 시제품으로 지정되어 등록된 제품에 대해서는 제11조의 개정규정에도 불구하고 2020년 10월 31일까지는 종전 규정에 따라 시범구매 계약을 할 수 있다. **제5조(계약체결의 요청 등에 관한 경과조치)** 이 영 시행 전에 용역계약을 입찰공고한 경우에는 제11조제2항의 개정규정에도 불구하고 종전규정 제9조의3제2항제6호에 따른다. **제6조(혁신제품의 공공구매 지원에 관한 경과조치)** 이 영 시행 전에 수요기관의 장이	

종전 규정 제7조의3제4항에 따라 제품을 구매한 경우에는 제33조의 개정규정에도 불구하고 종전 규정 제7조의3제5항에 따른다.

제7조(종전 부칙의 적용범위에 관한 경과조치) 종전의 「조달사업에 관한 법률 시행령」의 개정에 따라 규정했던 종전의 부칙은 이 영 시행 전에 그 효력이 이미 상실된 경우를 제외하고는 이 영 시행 이후에도 계속하여 적용한다.

제8조(다른 법령의 개정) ① 건설기술 진흥법 시행령 일부를 다음과 같이 개정한다.

제19조제7항 단서 중 "「조달사업에 관한 법률 시행령」 제9조의4제2호가목"을 "「조달사업에 관한 법률 시행령」 제26조제2호가목"으로, "「조달사업에 관한 법률」 제2조제5호가목 및 나목"을 "「조달사업에 관한 법률」 제2조제5호가목·나목 및 같은 법 시행령 제4조제1항제1호·제2호"로 한다.

② 국가를 당사자로 하는 계약에 관한 법률 시행령 일부를 다음과 같이 개정한다.

제26조제1항제3호바목 중 "「조달사업에 관한 법률 시행령」 제18조"를 "「조달사업에 관한 법률 시행령」 제30조"로 하고, 같

조달사업에 관한 법률	조달사업에 관한 법률 시행령	조달사업에 관한 법률 시행규칙
	은 호 사목 중 "「조달사업에 관한 법률 시행령」 제18조의2"를 "「조달사업에 관한 법률 시행령」 제31조"로 한다. 제42조제8항 중 "「조달사업에 관한 법률 시행령」 제15조"를 "「조달사업에 관한 법률 시행령」 제11조"로 한다. 제56조의2제3호 중 "「조달사업에 관한 법률」 제3조의4"를 "「조달사업에 관한 법률」 제18조"로 한다. ③ 독점규제 및 공정거래에 관한 법률 시행령 일부를 다음과 같이 개정한다. 제34조제4항 본문 중 "「조달사업에 관한 법률」 제8조(전자조달의 이용)제2항"을 "「전자조달의 이용 및 촉진에 관한 법률」 제2조제4호"로 한다. ④ 상표법 시행령 일부를 다음과 같이 개정한다. 제12조제5호 중 "「조달사업에 관한 법률」 제9조의2제1항제2호"를 "「조달사업에 관한 법률」 제26조제1항제2호"로 한다. ⑤ 중소기업제품 구매촉진 및 판로지원에 관한 법률 시행령 일부를 다음과 같이 개정한다. 제7조제3항제1호 중 "「조달사업에 관한	

법률 시행령」 제7조의2"를 "「조달사업에 관한 법률」 제13조"로 한다.

제13조제2호 중 "「조달사업에 관한 법률 시행령」 제18조제1항"을 "「조달사업에 관한 법률 시행령」 제30조제1항"으로 한다.

⑥ 지방자치단체를 당사자로 하는 계약에 관한 법률 시행령 일부를 다음과 같이 개정한다.

제25조제1항제6호라목5) 중 "「조달사업에 관한 법률 시행령」 제18조"를 "「조달사업에 관한 법률 시행령」 제30조"로 하고, 같은 목 6) 중 "「조달사업에 관한 법률 시행령」 제18조의2"를 "「조달사업에 관한 법률 시행령」 제31조"로 한다.

제64조의2제3호 중 "「조달사업에 관한 법률」 제3조의4"를 "「조달사업에 관한 법률」 제18조"로 한다.

제80조제1항 단서 중 "「조달사업에 관한 법률 시행령」 제7조제1항"을 "「조달사업에 관한 법률」 제12조제1항"으로 한다.

제9조(다른 법령과의 관계) 이 영 시행 당시 다른 법령에서 종전의 「조달사업에 관한 법률 시행령」의 규정을 인용하고 있는 경우 이 영 중 그에 해당하는 규정이 있을

조달사업에 관한 법률	조달사업에 관한 법률 시행령	조달사업에 관한 법률 시행규칙
	때에는 종전의 규정을 갈음하여 이 영의 해당 규정을 인용한 것으로 본다. **부 칙** 〈제31429호, 2021.2.2.〉 (소상공인기본법 시행령) **제1조(시행일)** 이 영은 2021년 2월 5일부터 시행한다. **제2조(다른 법령의 개정)** ①부터 ⑨까지 생략 ⑩ 조달사업에 관한 법률 시행령 일부를 다음과 같이 개정한다. 제17조제5항제1호 중 "「소상공인 보호 및 지원에 관한 법률」 제2조에 따른 소상공인"을 "「소상공인기본법」 제2조에 따른 소상공인"으로 한다. ⑪부터 ⑭까지 생략 **제3조** 생략 **부 칙** 〈제31931호, 2021.8.6.〉 (산업통상자원부와 그 소속기관 직제) **제1조(시행일)** 이 영은 2021년 8월 9일부터 시행한다. **제2조(다른 법령의 개정)** ①부터 ⑫까지 생략 ⑬ 조달사업에 관한 법률 시행령 일부를 다음과 같이 개정한다.	

	제5조제1항제4호를 다음과 같이 한다. 4. 산업통상자원부차관 중 산업통상자원부장관이 지명하는 사람 1명 ⑭부터 ⑳까지 생략	

7-1

조달사업에 관한 법률 시행령 별표

[별표] 〈개정 2021.8.9.〉

과태료의 부과기준(제44조 관련)

1. 일반기준

가. 위반행위의 횟수에 따른 과태료의 가중된 부과기준은 최근 1년간 같은 위반행위로 과태료 부과처분을 받은 경우에 적용한다. 이 경우 기간의 계산은 위반행위에 대하여 과태료 부과처분을 받은 날과 그 처분 후 다시 같은 위반행위를 하여 적발된 날을 기준으로 한다.

나. 가목에 따라 가중된 부과처분을 하는 경우 가중처분의 적용 차수는 그 위반행위 전 부과처분 차수(가목에 따른 기간 내에 과태료 부과처분이 둘 이상 있었던 경우에는 높은 차수를 말한다)의 다음 차수로 한다.

다. 조달청장은 다음의 어느 하나에 해당하는 경우 제2호의 개별기준에 따른 과태료 금액의 2분의 1 범위에서 그 금액을 줄일 수 있다. 다만, 과태료를 체납하고 있는 위반행위자의 경우에는 그렇지 않다.

1) 위반행위가 사소한 부주의나 오류로 인한 것으로 인정되는 경우
2) 위반행위자가 위반행위를 바로 정정하거나 시정하여 법 위반상태를 해소한 경우
3) 그 밖에 위반행위의 정도, 위반행위의 동기와 그 결과 등을 고려하여 과태료 금액을 줄일 필요가 있다고 인정되는 경우

라. 조달청장은 다음의 어느 하나에 해당하는 경우 제2호의 개별기준에 따른 과태료 금액의 2분의 1 범위에서 그 금액을 늘릴 수 있다. 다만, 과태료를 늘리는 경우에도 법 제35조제1항에 따른 과태료 금액의 상한을 넘을 수 없다.

1) 위반의 내용·정도가 중대하여 이해관계인 등에게 미치는 피해가 크다고 인정되는 경우
2) 법 위반상태의 기간이 6개월 이상인 경우
3) 그 밖에 위반행위의 정도, 위반행위의 동기와 그 결과 등을 고려하여 과태료를 늘릴 필요가 있다고 인정되는 경우

2. 개별기준

(단위 : 만원)

위반행위	근거 법조문	과태료 금액		
		1차 위반	2차 위반	3차 위반 이상
가. 법 제33조제4항을 위반하여 관련 기록을 작성·보관하지 않은 경우	법 제35조 제1항제1호	50	100	150
나. 법 제33조제4항을 위반하여 관련 기록을 거짓으로 작성·보관한 경우	법 제35조 제1항제1호	100	150	200
다. 법 제33조제5항에 따른 자료제출을 하지 않은 경우	법 제35조 제1항제2호	50	100	150
라. 법 제33조제5항에 따른 자료를 거짓 자료로 제출한 경우	법 제35조 제1항제2호	100	150	200
마. 법 제33조제5항에 따른 점검을 정당한 사유 없이 거부·방해 또는 기피한 경우	법 제35조 제1항제3호	200	250	300

7-2

조달사업에 관한 법률 시행규칙 별지서식

[별지 제1호서식]

행정기관명

수신 조달청장
(경유)
제목 조달요청서

1. 「조달사업에 관한 법률」 제11조에 따라 수요물자를 조달요청하오니 계약하여 주시기 바랍니다.

2. 조달물자 대금 및 수수료는 귀청 고지서에 의하여 납기 내에 납부하겠으며, 납기 경과 시에는 「조달사업에 관한 법률」 제17조 및「국가채권 관리법」제15조 및 제20조에 따른 귀 청의 조치를 따르겠습니다.

붙임 1. 수요물자 명세서 1부.
2. 규격서 1부.
3. 그 밖의 조달요청 관련 서류 각 1부. 끝.

발 신 명 직인

기안자 직위(직급) 서명 검토자 직위(직급) 서명 결재권자 직위(직급) 서명
협조자
시행 처리과명-연도별 일련번호(시행일) 접수 처리과명-연도별 일련번호(접수일)
우 도로명주소 / 홈페이지 주소
전화번호( ) 팩스번호( ) / 공무원의 전자우편주소 / 공개 구분

210㎜×297㎜(백상지 80g/㎡)

[붙임]

수요물자(물품·용역) 명세

* 사업명 :

순번	물품분류번호				
	물품식별번호				
	납품기한	납품장소		인도조건	
	단가	수 량		금 액	
	단위	징수구분			
	기타				

※ 사업금액: 수수료: 합계(사업금액+수수료):
※ 지급방법:
◆ 기타

검사기관 :
채권구분:
정보누출금지대상:
선금지급가능여부 선금지급가능률(%) :
긴급발주여부: 긴급발주사업구분:
긴급발주사유

유 의 사 항

※ 1. 품명이 2개 이상인 경우 품명별로 작성합니다.
2. 기획재정부장관 또는 행정안정부장관이 고시한 금액 이상의 물품은 정부조달협정 적용물품이므로 수요기관명 및 품명을 영문으로 병기합니다.

210㎜×297㎜(백상지 80g/㎡)

[별지 제2호서식]

제3자 단가계약 분할납품 요구서

선고지번호 :		지급방법 :	
납품요구번호 :		납품요구일자 :	
수요기관 :		계약자 :	
수요기관번호 :		등록번호 :	
G2B등록번호 :		사업자등록번호 :	
문서번호 :		전화번호 :	

위 계약번호에 의거 해당 계약자에게 아래와 같이 납품요구 하였음을 통보합니다.

계약번호 제 호(. .)로 조달청과 귀 사간에 계약체결한 수요물자에 대해 계약조건에 따라 아래와 같이 납품해 주시기 바랍니다.

품대계	수수료	합계금액	분할납품	검사	검수

사업명 :

순번	물품분류번호 / 물품식별번호	품명 / 규격	단위	검사면제 / 중기간할인	단가 / 금액	납품장소	수량	납품기한 / 인도조건
						수량합계:		

◆기타

※ 특수조건: (계약서상 명시된 특수조건에 따른다)

분할납품: (가부를 표시한다)

검사 및 검수기관: (수요기관을 표시한다)

발 신 명 의 직인

210㎜×297㎜(백상지 80g/㎡)

[별지 제3호서식]

물품납품 및 영수증

증명번호					
계약번호		납품요구 번호		납품기한	
계약일자		납품요구 일자		검사요청 기한	
수요기관		수요기관 번호		회계명	
계약(납품요구)금액		지체상금		지체일수	
감가대		선급금		지급액	
품대계		수수료		징수 결정액	
사업자등록번호			계약상대자 신청 검사장소		

아래 수요물자를 납품하고자 하니 인수하여 주시기 바랍니다. 년 월 일 주소: 상호: 대표자: (전화 :) ※ 조합과 계약한 물품인 경우 납품 업체명: 대표자 [인]	아래 수요물자를 검사한 결과 합격판정 되었음을 증명합니다. 검사 요청일 년 월 일 검사 완료일 년 월 일 소속 검사공무원 [인]
수요기관 물품출납공무원의 영수인(領受印)에 의하여 아래 수요물자가 납품되었음을 확인합니다. 년 월 일 조달청 확인자 [인]	아래 수요물자를 정히 영수합니다. 검수 요청일 년 월 일 검수 완료일 년 월 일 소속출납공무원 [인]

순번	물품분류번호	품명 및 규격	단위	수량	단가	금액	원산지
					물품대		
					부가세		
			수량 합계		품대계		
하자보수보증금 수납 확인		[인]		세금계산서 접수 확인		[인]	

210㎜×297㎜(백상지 80g/㎡)

[별지 제4호서식]

행정기관명

수신 조달청장
(경유)
제목 외자조달요청서

1. 우리부(처, 청)는 외국산제품 등에 대하여 붙임과 같이 조달요청 하오니 공급하여 주시기 바랍니다.

2. 구매 관련 대금은 귀청 고지서에 의하여 납기 내에 납부하겠으며, 납기 경과 시에는 「조달사업에 관한 법률」 제17조 및 「국가채권 관리법」 제15조 및 제20조에 따른 귀청의 조치를 따르겠습니다.

붙임 조달요청서(외자) 1부. 끝.

발 신 명 의 직인

기안자 직위(직급) 서명 검토자 직위(직급) 서명 결재권자 직위(직급) 서명
협조자
시행 처리과명-연도별 일련번호(시행일) 접수 처리과명-연도별 일련번호(접수일)
우 도로명주소 / 홈페이지 주소
전화번호( ) 팩스번호( ) / 공무원의 전자우편주소 / 공개 구분

210㎜×297㎜(백상지 80g/㎡)

[붙임]

조달요청서(외자)

1. 수요기관명			2. 수요기관번호	
3. 안전관리대상물품 해당여부			4. 내자구매협의여부	
5. 제작자증명서제출여부			6. 제작자증명서제출사유	
7. 유보금설정여부			8. 유보금설정사유/비율	
9. 품 명				
10. 회 계 명			11. 자 금 명	
12. 선적희망기한	신용장 개설후	일	13. 계약법구분(국가/지방)	
14. 지방계약법 적용기관의 부정당제재 위임여부				
15. 발주계획통합번호				
16.조달요청금액 : USD (KRW) ※ 조달요청금액 : 1) 배정금액 + 2) 제경비 + 3) 예상조달수수료 ※ 적용환율 : USD 1) 배정금액 : USD (KRW) 2) 제경비 : USD 3) 예상조달수수료 : USD				
17. 도착항구(공항)명			18. 최종도착지	
19. 포장방법			20. 검정방법	
21. 인도조건			22. 관세감면여부	
23. 주 거래은행			24. 하자보수보증기간	개월
25. 실수요담당자	이름:		전화번호:	팩스번호:
26. 긴급공고여부				
27. 기타사항				

붙임 1. 품목명세서(둘 이상의 규격에 관하여 제작자와 형식을 적은 것이어야 함) 1부.
2. 영문규격서 1부.
3. 관계 기관의 추천서(「대외무역법」 제11조제7항의 공고 및 같은 법 제12조제2항의 통합공고에 따른 수입제한품목인 경우만 해당함) 1부.
4. 품목별 구매요청 금액 산출근거 1부.
5. 수의계약 또는 지명경쟁입찰 사유와 계약상대자의 성명 및 주소 1부.
6. 국산 공급이 가능한 품명 및 부품명세서 1부.
7. 그 밖에 차관협정서, 안내서 등 외국산제품등의 구매·공급에 필요한 참고자료 1부.

210㎜×297㎜(백상지 80g/㎡)

[별지 제5호서식]

행정기관명

수신 조달청장
(경유)
제목 공사계약 요청서

1. 우리부(처, 청) 수요 공사에 관하여 다음과 같이 계약을 체결하여 주시기 바랍니다.
2. 공사계약 수수료는 귀 청 고지서에 따른 납입기한까지 납입하겠으며, 납입기한이 지난 경우에는 「조달사업에 관한 법률」 제17조, 「국가채권 관리법」 제15조 및 제20조에 따른 귀 청의 조치에 따르겠습니다.

1. 공사명	
2. 대금 총액	
3. 회계명 및 예산과목	
4. 예산액	(예산에 계상된 해당 공사의 총예산액)
5. 공사 시공기간	착공 후 일 이내

붙임 1. 공사 개요서(별지 제6호서식) 2부.
2. 설계서 2부.
3. 현장설명서 2부.
4. 계약특수조건에 관한 서류 2부.
5. 「건설기술 진흥법 시행령」 제9조에 따른 설계심의분과위원회 등의 심사결과서 2부.
6. 그 밖의 공사의 계약체결과 관련된 참고서류 2부. 끝.

발 신 명의 직인

기안자 직위(직급) 서명 검토자 직위(직급) 서명 결재권자 직위(직급) 서명
협조자
시행 처리과명-연도별 일련번호(시행일) 접수 처리과명-연도별 일련번호(접수일)
우 도로명주소 / 홈페이지 주소
전화번호( ) 팩스번호( ) / 공무원의 전자우편주소 / 공개 구분

210㎜×297㎜(백상지 80g/㎡)

[별지 제6호서식]

공사 개요서

공사 집행상황	총공사규모	(총공사예산액)
	기 집행액	(총공사예산액 중 전년도까지의 집행액)
	책정된 예산액	(금년도의 해당 공사에 대한 예산액)
	금회 예산배정액	(금년도 해당 공사의 분기별 배정 예산액)
	금년도 기 집행액	
	금회 집행액	
	집행잔액	
	향후 집행계획	(금년도 예산 집행잔액에 대한 사용 계획)
현장설명 장소		
현장설명 참가자격		
관급자재 명세	(자재명, 수량 및 예산액 표시)	
설계자	소속 직급	성명
설계심사자	소속 직급	성명
설계서 열람 장소		
감독 공무원	소속 직급	성명
검사 공무원	소속 직급	성명
기성고(旣成高) 지급 횟수	( )회	
하자보수보증금율 및 기간	계약금액의 ( )/100, ( )년간	
이전 공사의 하자보수보증기간		
낙찰비율	(계속공사인 경우 이전 경쟁입찰 시의 예정가격대 계약금액 비율)	
국제입찰 시 적용할 영문명칭	기관명	
	공사명	
	공사내용	
	기관주소	
	설계서 열람 장소 및 현장설명 장소	

210mm×297mm[백상지(80g/㎡) 또는 중질지(80g/㎡)]

[별지 제7호서식]

행정기관명

수신 조달청장
(경유)
제목 계약체결 통지서

귀 부(처·청)에서 . . . 요청하신 바에 따라 다음과 같이 계약이 체결되었음을 통지합니다

1. 공사명	(시설권 호)
2. 계약금액	
3. 계약자	
4. 계약 연월일	
5. 착공 연월일	
6. 준공 연월일	
7. 그 밖의 참고사항	

붙임 1. 계약서 및 계약특수조건 각 1부.
2. 예정가격 조서 및 그 산출근거 각 1부.
3. 그 밖의 체결된 계약과 관련된 참고서류 각 1부. 끝.

발 신 명 의 직인

기안자 직위(직급) 서명 검토자 직위(직급) 서명 결재권자 직위(직급) 서명
협조자
시행 처리과명-연도별 일련번호(시행일) 접수 처리과명-연도별 일련번호(접수일)
우 도로명주소 / 홈페이지 주소
전화번호( ) 팩스번호( ) / 공무원의 전자우편주소 / 공개 구분

210㎜×297㎜(백상지 80g/㎡)

[별지 제8호서식]

년도 공사집행 계획서

순위	시공 관서	공사명	공사 현장	공사 예산액	신규 또는 계속공사	공사내용						발주 예정일	비고 (④)
						총공사 규모 (①)	전년도까지의 집행액	해당 연도 예산액	잔여공사 예산액 (②)	해당 연도 공사 횟수 (③)	완공연도		

※ 작성요령: ①의 총공사규도란에는 해당 공사의 총예산규모를 작성합니다.
②의 잔여공사 예산액란에는 다음 연도 이후 본공사에 소요될 것으로 추정되는 예산액을 작성합니다.
③의 해당 연도 공사 횟수란에는 해당 연도의 공사집행 횟수를 작성합니다.
④의 비고란에는 회계명을 작성합니다.

297mm×210mm[백상지(80g/㎡) 또는 중질지(80g/㎡)]

[별지 제9호서식]

행정기관명

수신 조달청장
(경유)
제목 공사계약내용 변경 요청서

우리부(처, 청) 수요공사의 계약내용을 다음과 같이 변경하여 주시기 바랍니다.

1. 관리번호		
2. 공사명		
3. 계약자		(대표 :)
4. 계약 연월일		
5. 착공 연월일		
6. 당초 계약금액		
7. 변경금액(증감액)		
8. 변경 후 계약금액		
설계변경	9. 설계자	
	10. 설계심사자	9. 설계자
11. 당초 준공기한		
12. 준공 연기기한		. . .(일간)
13. 지체상금 부과여부		
14. 최근 공사진도		(%)

붙임 1. 설계변경 신청서(설계변경의 사유·일자·내용 포함) 1부.
2. 합의서(별지 제10호서식) 1부. 끝.

발 신 명 의 직인

기안자 직위(직급) 서명 검토자 직위(직급) 서명 결재권자 직위(직급) 서명
협조자
시행 처리과명-연도별 일련번호(시행일) 접수 처리과명-연도별 일련번호(접수일)
우 도로명주소 / 홈페이지 주소
전화번호( ) 팩스번호( ) / 공무원의 전자우편주소 / 공개 구분

210㎜×297㎜(백상지 80g/㎡)

[별지 제10호서식]

합의서

공사 관리번호	제 호	계약번호	제 호
공사명			
공사현장			

우리 회사는 조달청과 계약체결하여 시공 중에 있는 위 공사에 대해 다음과 같이 공사계약내용의 변경에 합의하며, 아무런 이의를 제기하지 않고 계약자로서의 의무를 성실히 이행할 것을 확약합니다.

합의내용

○ 계약금액 변경

변경 전 계약금액:
변경 후 계약금액:
증 / 감:

○ 준공기한 연장

변경 전 준공기한:
변경 후 준공기한:

○ 내용변경

년 월 일

회사명
대표자 (인)
주소

조달청장 귀하

210㎜×297㎜(백상지 80g/㎡)

[별지 제11호서식]

행정기관명

수신 조달청장
(경유)
제목 준공통지서

우리부(처·청) 수요공사에 대한 준공통지서를 다음과 같이 제출합니다.

권유번호	시설권 호		계약 연월일	
공사명			변경 전 계약금액	
			변경 후 계약금액	
계약자	(대표 :)			
착공 연월일	. . .		준공기한	. . .
			설계 준공 연월일	. . .
하자보수 보증금	율 ─ 100		적립금액	
			적립기간 . . .부터 (년) . . .까지	
	적립 일자	: . . .		

붙임 1. 준공신고서 사본(시공업자 작성) 1부.
2. 준공검사 조사서 사본(준공검사관 작성) 1부.
3. 지체상금 부과 사유서(산출근거 및 징수 연월일 포함) 1부. 끝.

발 신 명 의 직인

기안자 직위(직급) 서명 검토자 직위(직급) 서명 결재권자 직위(직급) 서명
협조자
시행 처리과명-연도별 일련번호(시행일) 접수 처리과명-연도별 일련번호(접수일)
우 도로명주소 / 홈페이지 주소
전화번호( ) 팩스번호( ) / 공무원의 전자우편주소 / 공개 구분

210㎜×297㎜(백상지 80g/㎡)

[별지 제12호서식]

행정기관명

수신 조달청장
(경유)
제목 공사계약 해제요청서

우리부(처·청) 수요공사에 대한 계약을 별도로 첨부하는 사유에 따라 해제하려고 하오니 조치해 주시기 바랍니다.

권유번호	(시설권 호)
공사명	
계약자	(대표 :)
당초 계약금액	
변경 후 계약금액	
계약 연월일	
착공 연월일	
준공기한	
해제 연월일	
최근 공사진도	

붙임 1. 구체적인 공사계약의 해제 사유 및 그와 관련한 증명서류 1부.
2. 공사계약의 해제 당시의 구체적인 공사 공정표 1부.
3. 그 밖의 공사계약 집행상황 등에 관한 참고서류 각 1부. 끝

발 신 명 의 직인

기안자 직위(직급) 서명 검토자 직위(직급) 서명 결재권자 직위(직급) 서명
협조자
시행 처리과명-연도별 일련번호(시행일) 접수 처리과명-연도별 일련번호(접수일)
우 도로명주소 / 홈페이지 주소
전화번호( ) 팩스번호( ) / 공무원의 전자우편주소 / 공개 구분

210㎜×297㎜(백상지 80g/㎡)

[별지 제13호서식]

이의신청서

※ 색상이 어두운 난은 신청인이 작성하지 아니합니다.

접수번호	접수일시	처리기간

신청인	성명	전화번호(또는 휴대폰번호)
	주소	

시정요구 내용	

이의신청 내용	

「달사업에 관한 법률」21조 제5항에 따라 위와 같이 시정요구에 대한 이의를 신청합니다.

년 월 일

신청인 (서명 또는 인)

조달청장 귀하

처리절차

신청서 작성 → 접수 → 신청내용 검토 → 결재 → 결과 통보

신청인 / 처 리 기 관 : 조달청

210mm×297mm[백상지(80g/㎡) 또는 중질지(80g/㎡)]

[별지 제14호서식]

비축물자 배정통지서

※ 색상이 어두운 난은 신청인이 작성하지 아니합니다.

접수번호	접수일시	처리기간

배정통지 번호		배 정 일		인수 예정일	
사업자 등록번호		업 체 명			
대 표 자		주 소			
전 화 번 호		F A X			
물 자 소 재 지		판매인도 조건			
배 달 종 류		수입신고 번호			

일련 번호	물품분류명 / 규격	계약 번호	원산지 / 이행기일	므선명	입항일	수량 / 배정번들	중량(톤) / 단 가	금 액	비고
						합 계			현금 외상

위와 같이 공급하오니 이 배정통지서에 따라 대금을 지급하시고, 현물을 인수하시기 바랍니다.

발 신 명 의 직인

처리절차

신청서 작성 → 접수 → 신청내용 검토 → 결재 → 결과 통보

신청인 / 처 리 기 관 : 조달청

210mm×297mm[백상지(80g/㎡) 또는 중질지(80g/㎡)]

[별지 제15호서식]

비축물자 인수증

※ 색상이 어두운 난은 신청인이 작성하지 아니합니다.

접수번호	접수일시	처리기간

배정통지 번호:

배정 통지일: 년 월 일

품명	규격	단위	수량	단가	금액
계					

위 품목을 이상 없이 인수합니다.

년 월 일

(인수자)

주 소:

상 호:

성 명: (서명 또는 인)

(지방)조달청장 귀하

처리절차

신청서 작성 → 접수 → 신청내용 검토 → 결재 → 결과 통보

신청인 처 리 기 관 : 조달청

210mm×297mm[백상지(80g/㎡) 또는 중질지(80g/㎡)]

국가계약법령집

인쇄일 2022. 11.07 | 발행일 2022. 11. 14 | 발행인 김 형 철
발행처 대한경제 | 주소 서울시 강남구 언주로 711, 12층(논현동, 건설회관) | 전화 02-515-7320 ~ 2 | 홈페이지 www.dnews.co.kr
정가 40,000원

 등록/제2-2호('62.11.21)